АНГЛО-РУССКИЙ И РУССКО-АНГЛИЙСКИЙ СЛОВАРЬ (КРАТКИЙ)

ENGLISH-RUSSIAN AND RUSSIAN-ENGLISH DICTIONARY

ENGLISH-RUSSIAN AND RUSSIAN-ENGLISH DICTIONARY

Edited by
O.S. AKHMANOVA and
ELIZABETH A.M WILSON

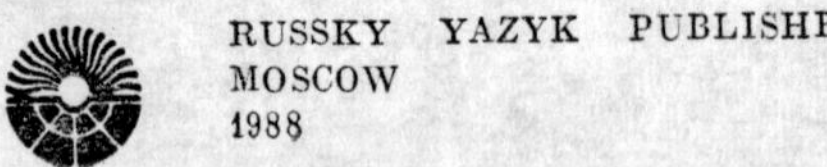

RUSSKY YAZYK PUBLISHERS
MOSCOW
1988

АНГЛО-РУССКИЙ И РУССКО-АНГЛИЙСКИЙ СЛОВАРЬ (КРАТКИЙ)

Под редакцией
О. С. АХМАНОВОЙ
и Е. А. М. УИЛСОН

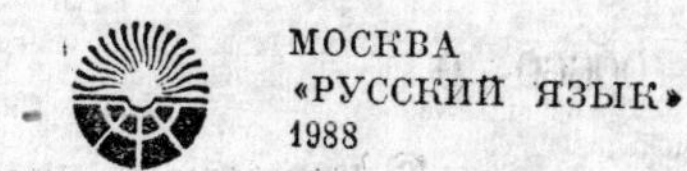

МОСКВА
«РУССКИЙ ЯЗЫК»
1988

ББК 81.2 Англ-4
А64

Авторы англо-русской части словаря:
Г. И. БУНКИН, О. В. БУРЕНКОВА, Т. П. ГОРБУНОВА, Н. Д. ЛУКИНА, Г. В. МЕРОШНИЧЕНКО, Л. А. НОВИКОВА, В. К. ПЕРЕЛЬМАН, Л. И. РАЗИНКОВА

Авторы русско-английской части словаря:
И. А. АЛЕКСЕЕВ, И. Л. АРМАНД, О. С. АХМАНОВА, Т. П. ГОРБУНОВА, А. Г. ЕЛИСЕЕВА, Д. А. КАРСАЕВСКАЯ

А64 **Англо**-русский и русско-английский словарь (краткий)/ Под. ред. О. С. Ахмановой, Е. А. М. Уилсон. — М.: Рус. яз., 1988. — 1056с.
ISBN 5—200—00660—0

Англо-русский и русско-английский словарь содержит 20 тыс. слов в первой части и около 25 тыс. слов во второй части. В словаре даны основные значения слов и некоторые употребительные словосочетания. Словарем можно пользоваться при переводе текстов средней трудности.

Словарь рассчитан на советских и иностранных читателей с разной степенью языковой подготовки.

А $\frac{4602030000—294}{015(01)—88}$ КБ—58—39—87

**ББК 81.2 Англ-4
А64**

ISBN 5—200—00660—0

ОТ ИЗДАТЕЛЬСТВА

Настоящий Англо-русский и русско-английский словарь входит в серию кратких иностранно-русских и русско-иностранных словарей, выпускаемых издательством. Он рассчитан на читателей, с разной степенью языковой подготовки. С помощью словаря можно переводить тексты средней трудности с английского языка на русский и с русского на английский. В словарь вошли наиболее употребительные слова английского и русского языков с разработкой значений слов и их грамматической характеристикой.

К англо-русской части словаря даются таблицы английских глаголов, спрягающихся не по общим правилам, список наиболее употребительных сокращений, принятых в Великобритании и в США, таблицы мер и весов.

К обеим частям словаря даются краткие списки географических названий.

Критические замечания и пожелания издательство просит направлять по адресу: 103012, Москва, Старопанский пер., 1/5, издательство «Русский язык».

ЛЕКСИКОГРАФИЧЕСКИЕ ИСТОЧНИКИ

Ожегов С. И. Словарь русского языка/ Под ред. Н. Ю. Шведовой. 14-е изд., М., 1982.

Мюллер В. К. Англо-русский словарь. 19-е изд., М., 1982.

Русско-английский словарь/ Под рук. А. И. Смирницкого. 13-е изд., М., 1985.

Кунин А. В. Англо-русский фразеологический словарь. 4-е изд., М., 1984.

Fowler H.W., Coulson J. The Shorter Oxford English Dictionary. Oxford, 1962.

Fowler H W. and Fowler F.G. The Concise Oxford Dictionary of Current English. Oxford, 1976.

Wyld H.C. The Universal Dictionary of English Language. London, 1956.

Jones D. An English Pronouncing Dictionary. 11th ed. London, 1977.

Hornby A.S. with Cowie A.P., Gimson A.C. Advanced Learner's Dictionary of Current English. Oxford, 1981.

АНГЛО-РУССКИЙ СЛОВАРЬ

20 000 слов

ENGLISH-RUSSIAN DICTIONARY

20 000 entries

ПОСТРОЕНИЕ СЛОВАРЯ

Словарь построен по гнездовой системе; слова расположены в строго алфавитном порядке.

Часть заглавного слова гнезда, повторяющаяся во всех производных, отделяется от остальной части слова двумя параллельными вертикальными линиями (||).

Внутри словарного гнезда заглавное слово заменяется знаком тильда (~). В случае изменения окончания слова тильда заменяет первую часть слова, отделенную двумя параллельными линиями. Если внутри словарного гнезда заглавное слово встречается в написании с прописной буквы, то оно обозначается прописной буквой с точкой, напр.:

privy [ˈprɪvɪ] та́йный; P. Council та́йный сове́т;...

При каждом слове дается фонетическая транскрипция (см. ниже).

Особых пояснений требует семантический анализ слова — определение и оформление разных его значений — и, далее, отграничение слова от его омонимов. Так, например, фонетико-орфографический комплекс **bar** [bɑ:] представляет собой звуковую оболочку трех омонимов, каждый из которых является отдельной словарной единицей, подразделяющейся на несколько значений, а именно:

bar I [bɑ:] **1.** *n* 1) полоса́ *(железа, дерева)*; пли́тка *(шоколада)*; бруско́к *(мыла)* 2) засо́в 3) *pl* решётка *(тюремная)*... **2.** *v* 1) запира́ть засо́вом, задви́жкой 2) прегражда́ть 3) исключа́ть; запреща́ть 4) отстраня́ть *(from)*

bar II 1) бар 2) буфе́т, сто́йка

bar III 1) адвокату́ра 2) пери́ла *(отделяющие судей от подсудимых)* ◇ be called to the ~ получи́ть пра́во занима́ться адвокату́рой

В плане лексикографического оформления разъясненные выше и показанные на примере семантические отношения оформляются в словаре следующим образом: омонимы даны в отдельных гнездах и обозначаются римскими цифрами (I, II и т.д.). Частичные лексикограмматические омонимы, совпадающие по своей словарной форме (напр., bite (bit; bit, bitten) кусаться и т.п. и bite — кусок), даны наряду с другими словами одного корня с пометами *v* (verb — глагол) и *n* (noun — существительное) за черной арабской цифрой с точкой. Разные группы значений английского слова отмечаются арабской цифрой со скобкой. Все пояснения отдельных значений английского слова даны курсивом в скобках.

В тех случаях, когда разные значения глаголов, прилагательных и т.п. связаны с различием управления, управление указывается курсивом в скобках при переводах этих значений, напр.:

abound [ə'baund] изоби́ловать *(in)*; кише́ть *(with)*.

Синонимы в переводе даны через запятую, точка с запятой отделяет различные оттенки значений.

Фразеология и идиоматика могли быть включены в настоящий словарь в самом ограниченном количестве; фразеологические единицы, не относящиеся ни к одному из приведенных значений, даны за знаком ромб (◇).

На всех русских словах, кроме односложных, ставится знак ударения.

Географические названия, общеупотребительные сокращения и таблицы даны в конце словаря.

О фонетической транскрипции

Произношение в словаре дается по международной фонетической системе.

Ударение в фонетической транскрипции ставится перед ударным слогом.

В словаре указывается главное и второстепенное ударение (обозначаются знаками ударения сверху ['...] и снизу [...,...]).

В настоящем издании ударение указывается также и в тех словах, в которых ядром второго безударного слога является сонорный **l, m, n,** напр.:

cable ['keɪbl]

kitten ['kɪtn]

Неясный безударный звук, который при произнесении слова может также выпадать совсем, обозначается в словаре (ə) (u), напр.:

region ['rɪdʒ(ə)n] следует читать ['rɪdʒən *или* 'rɪdʒn]

momentum [mo(u)'mentəm] следует читать [mou'mentəm *или* mo'mentəm]

В сложных словах, пишущихся через дефис, фонетическая транскрипция дается полностью:

passer-by ['pɑːsə'baɪ]..., **book-keeping** ['buk,kiːpɪŋ]...

Фонетическая транскрипция производных гнездовых слов дана или в виде наращения к неизменяемой части транскрипции абзацного слова, или полностью — когда производное слово меняет свое произношение по сравнению с основным словом, напр.:

vaca||ncy [ˈveɪkənsɪ]..., **~nt** [-nt]..., **~tion** [vəˈkeɪʃ(ə)n]...

Наиболее распространенные суффиксы, имеющие твердо установившееся произношение, в словаре не транскрибируются. К этой категории относятся следующие суффиксы: **-er, -or** [-ə], **-ful** [-ful], **-ing** [-ɪŋ], **-ish** [-ɪʃ], **-ism** [-ɪzm], **-ist** [-ɪst], **-less** [-lɪs], **-ly** [-lɪ], **-ment** [-mənt], **-ness** [-nɪs], **-ship** [-ʃɪp].

Произношение производного слова может быть получено путем простого присоединения суффикса к основному слову.

Фонетические знаки

Гласные

iː — долгое **и**

ɪ — краткое и очень открытое **и**

e — **е** в слове «шесть»

æ — **э**, но более открытое; этот звук встречается в начале слова или следует за твердыми согласными

ɑː — долгое заднее **а**, похожее на **а** в ударном слоге слова «палка»

ɔ — краткое очень открытое **о**

ɔː — долгое **о**

u — краткое **у** со слабым округлением губ

uː — долгое **у** без сильного выдвижения губ

ʌ — как русское неударное **о** и **а** в словах «мосты́», «сады́»; но английский звук «ʌ» почти всегда стоит под ударением

ə — неясный безударный звук, близкий к «ʌ»

əː — произносится как долгое **ё** (напр., в слове «Фёкла»), но встречается и под ударением.

Двугласные

eɪ...**эй**	aɪ...**ай**	ɔɪ...**ой**	ɛə...**э**ᵃ
ou...**оу**	au...**ау**	ɪə...**и**ᵃ	uə...**у**ᵃ

Ударение в двугласных падает на первый элемент.

Согласные

p — **п** m — **м**
b — **б**

w — звук, близкий к **у**, но не образующий слога
f — **ф**
v — **в**

θ (без голоса)
ð (с голосом)
Для того, чтобы получить эти два щелевых звука — один без голоса, а другой с голосом, — следует образовать щель между передним краем языка и верхними зубами

s — **с**
z — **з**
t — **т** произносится не у зубов, а у десен (альвеол)
d — **д** произносится не у зубов, а у десен (альвеол)
n — **н** произносится не у зубов, а у десен (альвеол)
l — **л** произносится не у зубов, а у десен (альвеол)
r — нераскатистое, невибрирующее, очень краткое слабое **р** (кончик языка, немного завернутый назад, находится против той части твердого неба, где производится звук ж)
ʃ — мягкое **ш**
ʒ — мягкое **ж**
tʃ — **ч**
dʒ — очень слитное мягкое **дж**, иными словами — звонкое **ч**, произнесенное с голосом
k — **к**
g — **г**
ŋ — задненебное **н** (т.е. **н**, произнесенное не кончиком языка, а задней частью его спинки)
h — простой выдох
j — слабое **й**

УСЛОВНЫЕ СОКРАЩЕНИЯ

Английские

a — adjective имя прилагательное
adv — adverb наречие
attr. — attributive атрибутивное употребление (в качестве определения)
cj — conjunction союз
demonstr — demonstrative (pronoun) указательное (местоимение)
etc — et cetera и так далее
inf — infinitive инфинитив
int — interjection междометие
n — noun имя существительное
num — numeral числительное
part — particle частица
pass — passive страдательный залог
pers — personal (pronoun) личное (местоимение)
poss — possessive (pronoun) притяжательное (местоимение)
pl — plural множественное число
p. p. — past participle причастие прошедшего времени
predic — predicative предикативное употребление (в качестве сказуемого)
pref — prefix префикс
prep — preposition предлог
pres. p. — present participle причастие настоящего времени
pron — pronoun местоимение
refl — reflexive (pronoun) возвратное (местоимение)
relat — relative (pronoun) относительное (местоимение)
sing — singular единственное число
smb. — somebody кто-л.
smth. — something что-л.
v — verb глагол

Русские

ав. — авиация
авт. — автомобильное дело
агр. — агрономия
амер. — американизм
анат. — анатомия
архит. — архитектура
астр. — астрономия
безл. — безличная форма
биол. — биология
бот. — ботаника
бухг. — бухгалтерия
вет. — ветеринария
воен. — военное дело
вопр. — вопросительный
высок. — высокий стиль
геогр. — география

геол. — геология
геом. — геометрия
гидр. — гидрология
гл. — глагол
горн. — горное дело
грам. — грамматика
груб. — грубое слово, выражение
дат. — дательный (падеж)
детск. — детская речь
дип. — дипломатия
дор. — дорожное дело
ед. — единственное (число)
ж.-д. — железнодорожное дело
жив. — живопись
зоол. — зоология
им. — именительный (падеж)
инд. — индийские языки
ирл. — ирландский (язык)
ирон. — ироническое выражение
ист. — история
ит. — итальянский (язык)
карт. — термин карточной игры
кино — кинематография
книжн. — книжный стиль
ком. — коммерческий термин
кул. — кулинария
-л. — -либо
лат. — латинский (язык)
лингв. — лингвистика
лит. — литературоведение
лог. — логика
мат. — математика
мед. — медицина
метеор. — метеорология
мин. — минералогия
миф. — мифология
мн. — множественное (число)
мор. — морское дело
муз. — музыка
нем. — немецкий (язык)
несов. — несовершенный вид глагола
объектн. — объектный (падеж)
обыкн. — обыкновенно
особ. — особенно
отриц. — отрицательный
офиц. — официальный термин, выражение
охот. — охота
п. — падеж
парл. — парламентское выражение
перен. — в переносном значении
перс. — персидский (язык)
погов. — поговорка
полигр. — полиграфия
полит. — политика
полит.-эк. — политическая экономия
посл. — пословица
поэт. — поэтическое выражение
превосх. ст. — превосходная степень
предлож. — предложение
презр. — презрительно
психол. — психология
радио — радиотехника
разг. — разговорное слово, выражение
редк. — редко; редкое слово, выражение
рел. — религия
см. — смотри
собир. — собирательно
сокр. — сокращенно
спорт. — физкультура и спорт
сравн. ст. — сравнительная степень
стр. — строительное дело
с.-х. — сельское хозяйство
тв. — творительный (падеж)
театр. — театральный термин
текст. — текстильное дело
тех. — техника
тж. — также
тк. — только
топ. — топография

уст. — устаревшее слово, выражение
физ. — физика
филос. — философия
фон. — фонетика
фото — фотография
фр. — французский (язык)
хим. — химия
церк. — церковное слово, выражение
ч. — число
шахм. — шахматы
школ. — школьное слово, выражение
шотл. — шотландский
шутл. — шутливо
эвф. — эвфемизм
эк. — экономика
эл. — электротехника
юр. — юридический термин

АНГЛИЙСКИЙ АЛФАВИТ

Aa	Hh	Oo	Vv
Bb	Ii	Pp	Ww
Cc	Jj	Qq	Xx
Dd	Kk	Rr	Yy
Ee	Ll	Ss	Zz
Ff	Mm	Tt	
Gg	Nn	Uu	

A

A, a I [eɪ] *первая буква английского алфавита*

a II [eɪ *(полная форма)*, ə *(редуцированная форма)*] *грам. форма неопределённого артикля, употребляющаяся перед словами, начинающимися с согласного звука*

aback [ə'bæk]: taken ~ смущённый; захва́ченный врасплóх

abandon [ə'bændən] **1.** *n* непринуждённость **2.** *v* 1) откáзываться от; покидáть; бросáть 2): ~ oneself *(to)* предавáться чемý-л.; **~ed** [-d] 1) забрóшенный; покúнутый 2) распýтный; **~ment** 1) оставлéние 2) забрóшенность 3) *юр.* откáз (от úска)

abase [ə'beɪs] 1) понижáть *(в чине и т.п.)* 2) унижáть; **~ment** унижéние

abashed [ə'bæʃt] смущённый, сконфýженный; пристыжённый

abate [ə'beɪt] 1) уменьшáть 2) сбавля́ть *(цену)* 3) уменьшáться, ослабевáть, стихáть 4) *юр.* аннулúровать; **~ment** 1) уменьшéние 2) скúдка 3) *юр.* аннулúрование

abbey ['æbɪ] аббáтство

abbot ['æbət] аббáт

abbreviat||e [ə'bri:vɪeɪt] сокращáть; **~ion** [ə,bri:vɪ'eɪʃ(ə)n] сокращéние

ABC ['eɪbi:'si:] 1) алфавúт 2) оснóвы; the ~ of chemistry оснóвы хúмии 3) алфавúтный железнодорóжный указáтель 4) *attr.*: ~ book буквáрь

abdicat||e ['æbdɪkeɪt] отрекáться *(от престола)*; откáзываться *(от прав и т.п.)*; слагáть полномóчия; **~ion** [,æbdɪ'keɪʃ(ə)n] отречéние

abdom||en ['æbdəmen] *анат.* живóт, брюшнáя пóлость; **~inal** [æb'dɔmɪnl] брюшнóй

abduct [æb'dʌkt] уводúть сúлой, похищáть; **~ion** [-kʃ(ə)n] похищéние, увóд

aberration [,æbə'reɪʃ(ə)n] 1) уклонéние от прáвильного путú; заблуждéние 2) *физ.* аберрáция

abet [ə'bet] подстрекáть; содéйствовать *(обыкн. дурному)*; **~ment** подстрекáтельство; **~tor** подстрекáтель

abeyance [ə'beɪəns]: be in ~ быть врéменно отменённым *(о законе, праве и т. п.)*

abhor [əb'hɔ:] питáть отвращéние; **~rence** [-'hɔr(ə)ns] отвращéние

abide [ə'baɪd] (abode) 1) выносúть, терпéть *(в отриц. и вопр. предложениях)*; he cannot ~ him он егó не выносит 2) *уст.* жить, пребывáть; ~ **by** *(smth.)* твёрдо держáться, придéрживаться *(чего-л.)*

ability [ə'bɪlɪtɪ] 1) способность; умение; to the best of one's ~ по мере сил 2) *pl* одарённость

abject ['abdʒekt] жалкий; презренный; ◇ in ~ poverty в крайней нищете

abjure [əb'dʒuə] отрекаться

ablative ['æblətɪv] *грам.* творительный падеж

ablaze [ə'bleɪz] *predic* в огне ◇ ~ with anger в ярости

able ['eɪbl] способный; be ~ быть в состоянии, мочь

able-bodied ['eɪbl'bɔdɪd] крепкий, здоровый; годный *(к военной службе)*; ~ seaman матрос *(звание)*

ablution [ə'blu:ʃ(ə)n] *(обыкн. pl)* омовение

ably ['eɪblɪ] умело

abnormal [æb'nɔ:məl] из ряда вон выходящий

aboard [ə'bɔ:d] **1.** *adv* на корабль; на поезд; go ~ (a ship) сесть на корабль **2.** *prep* на корабле; на поезде

abode I [ə'boud] *книжн.* жилище; местопребывание

abode II *past и p. p. от* abide

aboli||sh [ə'bɔlɪʃ] отменять, упразднять, уничтожать; **~tion** [,æbə'lɪʃ(ə)n] отмена, упразднение, уничтожение

A-bomb ['eɪbɔm] атомная бомба

abomina||ble [ə'bɔmɪnəbl] отвратительный, противный; **~tion** [ə,bɔmɪ'neɪʃ(ə)n] отвращение

aboriginal [,æbə'rɪdʒənl] **1.** *a* исконный; туземный **2.** *n* туземец

abort [ə'bɔ:t] выкидывать, преждевременно родить; **~ion** [-ʃ(ə)n] аборт, выкидыш; **~ive** [-tɪv] неудачный; бесплодный

abound [ə'baund] изобиловать *(in)*; кишеть *(with)*

about [ə'baut] **1.** *prep* 1) *(в отношении места)* вокруг, по; при; около; they crowded ~ the old man они столпились вокруг старика; run ~ the garden бегать по саду 2) о, относительно; he was much troubled ~ his work он очень беспокоился о своей работе; there is no doubt whatever ~ that в этом нет никакого сомнения; I'll see ~ it я позабочусь об этом **2.** *adv* 1) *(в отношении времени)* около; for ~ fifteen minutes около пятнадцати минут; he is ~ thirty ему около тридцати лет 2) *(перед обозначением меры и числа)* около; почти; we walked ~ a mile мы прошли около мили; he got ~ fifteen roubles он получил около пятнадцати рублей 3) *(в отношении места)* вокруг, около, при; he must be somewhere ~ он должен быть где-то здесь ◇ be ~ to собираться; I was ~ to ask you that я собирался спросить вас об этом; he is ~ to go он собирается уходить; just the other way ~ как раз наоборот; rumours are ~ ходят слухи

above [ə'bʌv] **1.** *prep* 1) над; выше, свыше; the sun rose ~ the mountain tops солнце поднялось над вершинами гор; it was five degrees ~ freezing-point было пять градусов выше нуля;

~ criticism вы́ше кри́тики 2) *(при обозначении меры и числа)* бо́лее, свы́ше; ~ 300 persons perished свы́ше трёхсо́т челове́к поги́бло ◇ ~ all пре́жде всего́ **2.** *adv* 1) наверху́; наве́рх 2) ра́нее; до; as ~ как вы́ше ска́зано

abrasion [ə'breɪʒ(ə)n] 1) ссади́на 2) сна́шивание

abrasive [ə'breɪsɪv] нажда́чная бума́га, шлифова́льный материа́л

abreast [ə'brest] в ряд; keep ~ of *(или* be ~ with) the times идти́ в но́гу со вре́менем

abridge [ə'brɪdʒ] сокраща́ть; **~ment** сокраще́ние

abroad [ə'brɔ:d] 1) за грани́цей; за грани́цу 2) широко́, повсю́ду; there are rumours ~ хо́дят слу́хи

abrog||ate ['æbro(u)geɪt] отменя́ть *(закон и т. п.)*; **~ation** [,æbro(u)'geɪʃ(ə)n] отме́на *(закона и т. п.)*

abrupt [ə'brʌpt] 1) внеза́пный 2) обры́вистый, круто́й 3) ре́зкий; отры́вистый; **~ness** 1) крутизна́ 2) ре́зкость; отры́вистость

abscess ['æbsɪs] нары́в

abscond [əb'skɔnd] скры́ться *(украв что-л.)*

absence ['æbsəns] отсу́тствие; нея́вка

absent 1. *a* ['æbsənt] 1) отсу́тствующий; be ~ отсу́тствовать 2) рассе́янный **2.** *v* [æb'sent]: ~ oneself *(from)* уклоня́ться *(от)*

absentee [,æbsən'ti:] отсу́тствующий; прогуля́вший *(работу и т. п.)*; **~ism** прогу́л

absently ['æbsəntlɪ] рассе́янно

absent-minded ['æbsənt'maɪndɪd] рассе́янный; **~ness** рассе́янность

absolute ['æbsəlu:t] абсолю́тный, безусло́вный; неограни́ченный

absolutely ['æbsəlu:tlɪ] соверше́нно, абсолю́тно

absolution [,æbsə'lu:ʃ(ə)n] проще́ние

absolve [əb'zɔlv] *(from)* 1) проща́ть 2) освобожда́ть *(от обязательств)*

absorb [əb'sɔ:b] вса́сывать; поглоща́ть *(тж. перен.)*; ~ed in thought погружённый в мы́сли; **~ent** [-ənt] вса́сывающий; **~ing** увлека́тельный, захва́тывающий

absorption [əb'sɔ:pʃ(ə)n] 1) поглоще́ние 2) погружённость *(в мысли, заботы)*

abstain [əb'steɪn] возде́рживаться *(from)*; **~er**: total ~er тре́звенник

abstemious [æb'sti:mjəs] уме́ренный *(в пище, питье)*

abstention [æb'stenʃ(ə)n] воздержа́ние ◇ ~ from voting отка́з от голосова́ния

abstinence ['æbstɪnəns] воздержа́ние

abstract 1. *a* ['æbstrækt] отвлечённый, абстра́ктный **2.** *n* ['æbstrækt] 1) резюме́; извлече́ние *(из книги и т. п.)* 2) отвлечённое поня́тие; абстра́кция; in the ~ абстра́ктно **3.** *v* [æb'strækt] 1) отнима́ть 2) абстраги́ровать 3) *разг.* красть; **~ed** [æb'stræktɪd] 1) отдалённый 2) рассе́янный; **~ion** [æb'strækʃ(ə)n] 1) отвлече́ние 2) абстра́кция 3) рассе́янность

abstruse [æb'stru:s] 1) тру́дный для понима́ния 2) глубо́кий *(о мыслях)*

absurd [əb'sə:d] неле́пый; абсу́рдный; **~ity** [-ıtı] неле́пость; абсу́рдность

abund||ance [ə'bʌndəns] изоби́лие; **~ant** [-ənt] оби́льный, изоби́лующий *(чем-л.)*

abus||e **1.** *n* [ə'bju:s] 1) злоупотребле́ние 2) оскорбле́ние **2.** *v* [ə'bju:z] 1) злоупотребля́ть 2) оскорбля́ть; **~ive** [ə'bju:sıv] оскорби́тельный; ~ive language брань, ру́гань

abut [ə'bʌt] *(on)* примыка́ть к, грани́чить с

abysmal [ə'bızməl]: ~ ignorance по́лное неве́жество

abyss [ə'bıs] пучи́на; про́пасть

acacia [ə'keıʃə] ака́ция

academic [,ækə'demık] 1) учёный 2) академи́ческий; **~al** [-(ə)l] университе́тский; **~ian** [ə,kædə'mıʃ(ə)n] акаде́мик

academy [ə'kædəmı] 1) специа́льное уче́бное заведе́ние 2) акаде́мия

accede [æk'si:d] 1) соглаша́ться *(с — to)* 2) присоедини́ться, вступи́ть *(в союз и т. п.)*

accelerat||e [æk'seləreıt] ускоря́ть; **~ion** [æk,selə'reıʃ(ə)n] ускоре́ние

accent **1.** *n* ['æksənt] 1) ударе́ние 2) произноше́ние; акце́нт **2.** *v* [æk'sent] де́лать *или* ста́вить ударе́ние; **~uate** [æk'sentjueıt] 1) де́лать ударе́ние 2) подчёркивать, выделя́ть

accept [ək'sept] принима́ть; допуска́ть; **~able** [-əbl] прие́млемый; **~ance** [-əns] 1) приня́тие, приём 2) *ком.* акце́пт

access ['ækses] 1) до́ступ; easy of ~ досту́пный 2) прохо́д 3) при́ступ *(гнева, болезни)*

accessary [æk'sesərı] соуча́стник

access||ibility [æk,sesı'bılıtı] досту́пность; **~ible** [æk'sesəbl] досту́пный

accession [æk'seʃ(ə)n] 1) вступле́ние *(на престол)* 2) прибавле́ние

accessory [æk'sesərı] **1.** *a* 1) доба́вочный, вспомога́тельный 2) побо́чный **2.** *n* 1) *см.* accessary 2) *pl* принадле́жности

accidence ['æksıdəns] *грам.* морфоло́гия

accident ['æksıdənt] 1) несча́стный слу́чай 2) слу́чай; случа́йность; by ~ случа́йно, неча́янно; by a lucky ~ по счастли́вой случа́йности; **~al** [,æksı'dentl] случа́йный

acclaim [ə'kleım] **1.** *v* 1) шу́мно приве́тствовать 2) провозглаша́ть **2.** *n* шу́мное одобре́ние

acclamation [,æklə'meıʃ(ə)n] (шу́мное) одобре́ние; *pl* ова́ция; carried by ~ при́нято единоду́шно *(без голосования)*

acclimatize [ə'klaımətaız] акклиматизи́ровать

accommodat||e [ə'kɔmədeıt] 1) приспособля́ть 2) предоставля́ть жильё; размеща́ть 3) вмеща́ть; a hall ~ing 500 people зал, вмеща́ющий 500 челове́к 4) снабжа́ть 5) примиря́ть; согласо́вывать; **~ing** любе́зный; **~ion** [ə,kɔmə'deıʃən] 1) помеще́ние; жильё; стол и ночле́г

2) приспособле́ние 3) согласова́ние

accompany [ə'kʌmpənɪ] 1) сопровожда́ть 2) *муз.* аккомпани́ровать

accomplice [ə'kɔmplɪs] сообщник, соуча́стник

accomplish [ə'kɔmplɪʃ] соверша́ть, выполня́ть; **~ed** [-t] 1) зако́нченный 2) получи́вший хоро́шее образова́ние; культу́рный; **~ment** 1) заверше́ние; выполне́ние 2) достиже́ние 3) *pl* образо́ванность, зна́ния

accord [ə'kɔ:d] **1.** *n* 1) согла́сие; of one's own ~ доброво́льно; with one ~ единоду́шно 2) соглаше́ние 3) акко́рд **2.** *v* 1) предоставля́ть; ~ a hearty welcome оказа́ть раду́шный приём 2) согласова́ть; **~ance** [-əns] согла́сие; in ~ance with в соотве́тствии с; **~ing**: ~ing as смотря́ по; в соотве́тствии с; ~ing to согла́сно; **~ingly** соотве́тственно, по́этому

accordion [ə'kɔ:djən] аккордео́н, гармо́ника

accost [ə'kɔst] 1) обрати́ться *(к кому-л.)*; подойти́ и заговори́ть *(с кем-л.)* 2) пристава́ть *(к кому-л.)*

account [ə'kaunt] **1.** *n* 1) счёт; current ~ теку́щий счёт 2) отчёт; give an ~ of smth. опи́сывать что-л.; де́лать отчёт о чём-л. 3) докла́д 4) *ком.* факту́ра ◇ of no ~ незначи́тельный; on no ~ ни в ко́ем слу́чае; on ~ of всле́дствие, из-за; on ~ в креди́т; turn to ~ обрати́ть в свою́ по́льзу; take into ~ принима́ть в расчёт **2.** *v* счита́ть, рассма́тривать; **~ for** объясня́ть; **~able** [-əbl] 1) отве́тственный; подотчётный *(о лице)* 2) объясни́мый

accountant [ə'kauntənt] бухга́лтер

accredit [ə'kredɪt] 1) уполномо́чивать; аккредитова́ть *(посла)* 2) припи́сывать *(кому-л. что-л.)*

accretion [æ'kri:ʃ(ə)n] 1) приро́ст 2) *геол.* нано́с земли́

accrue [ə'kru:] 1) накопля́ться; нараста́ть *(особ. о процентах)* 2) происходи́ть

accumulat||e [ə'kju:mjuleɪt] нака́пливать; **~ion** [ə,kju:mju'leɪʃn] накопле́ние; **~or** *эл.* аккумуля́тор

accur||acy ['ækjurəsɪ] то́чность, пра́вильность; **~ate** [-ɪt] то́чный, пра́вильный; ме́ткий

accursed [ə'kə:sɪd] прокля́тый

accusation [,ækju:'zeɪʃ(ə)n] обвине́ние

accusative [ə'kju:zətɪv] *грам.* вини́тельный паде́ж

accuse [ə'kju:z] обвиня́ть

accustom [ə'kʌstəm] приуча́ть *(to)*; be ~ed *(или* ~ oneself) привы́кнуть; **~ed** [-d] привы́чный, обы́чный

ace [eɪs] 1) *карт.* туз 2) ас ◇ within an ~ of на волосо́к от

ache [eɪk] **1.** *n* боль *(ноющая)* **2.** *v* боле́ть, ныть; my head ~s у меня́ боли́т голова́

achieve [ə'tʃi:v] 1) достига́ть 2) выполня́ть; **~ment** 1) достиже́ние 2) выполне́ние

acid ['æsɪd] **1.** *a* ки́слый **2.** *n* кислота́; **~ify** [ə'sɪdɪfaɪ] 1) окисля́ть 2) окисля́ться; **~ity** [ə'sɪdɪtɪ] 1) кислота́ 2) е́дкость; **~ulous** [ə'sɪdjuləs] кислова́тый

acknowledge [ək'nɔlɪdʒ] 1) признава́ть 2) подтвержда́ть получе́ние *(письма, пакета)* 3) отблагодари́ть; ~**ment** 1) призна́ние 2) распи́ска 3) благода́рность

acme ['ækmɪ]: the ~ of perfection верх соверше́нства

acorn ['eɪkɔ:n] жёлудь

acoustic [ə'ku:stɪk] акусти́ческий

acoustics [ə'ku:stɪks] аку́стика

acquaint [ə'kweɪnt] *(with)* знако́мить с; get ~ed познако́миться; ~**ance** [-əns] 1) знако́мый 2) знако́мство; make smb.'s ~ance познако́миться

acquiesc||e [,ækwɪ'es] мо́лча соглаша́ться *(на что-л.)*, уступа́ть; ~**ence** [-ns] молчали́вое согла́сие; усту́пчивость; ~**ent** [-nt] усту́пчивый

acquire [ə'kwaɪə] 1) приобрета́ть; получа́ть 2) достига́ть; ~**ment** приобрете́ние *(привычек, знаний)*

acquisition [,ækwɪ'zɪʃ(ə)n] приобрете́ние

acquit [ə'kwɪt] 1) опра́вдывать 2) освобожда́ть *(от обязательств)*; ~**tal** [-əl] оправда́ние

acre ['eɪkə] акр *(около 0,4 га)*; ~**age** [-rɪdʒ] пло́щадь в а́крах

acrid ['ækrɪd] 1) е́дкий *(о запахе)*; о́стрый *(на вкус)* 2) ре́зкий *(о характере)*

acrimonius [,ækrɪ'mounjəs] язви́тельный

acrimony ['ækrɪmənɪ] язви́тельность

acrobat ['ækrəbæt] акроба́т; ~**ics** [,ækrə'bætɪks] акроба́тика

across [ə'krɔs] **1.** *prep* че́рез, сквозь; ~ the bridge че́рез мост; ~ the road че́рез доро́гу **2.** *adv* 1) попере́к; в ширину́ 2) на той стороне́, по ту сто́рону

act ['ækt] **1.** *n* 1) де́ло; посту́пок 2) *театр.* де́йствие, акт 3) акт, зако́н **2.** *v* 1) де́йствовать 2) поступа́ть, вести́ себя́; ~ as an interpreter выступа́ть в ка́честве перево́дчика 3) игра́ть *(на сцене)* ◇ ~ the fool валя́ть дурака́; ~**ing 1.** *a* 1) де́йствующий 2) вре́менно исполня́ющий обя́занности **2.** *n* игра́ *(актёра)*

action ['ækʃ(ə)n] 1) де́йствие, посту́пок; акт 2) де́ятельность 3) *юр.* иск, де́ло 4) сраже́ние; in ~ в бою́ ◇ put out of ~ вы́вести из стро́я; through enemy ~ под давле́нием проти́вника

activ||e ['æktɪv] акти́вный, де́ятельный; энерги́чный; ~ duty *(или* service) *воен.* действи́тельная слу́жба; ~**ity** [æk'tɪvɪtɪ] 1) де́ятельность 2) акти́вность, эне́ргия

act||or ['æktə] актёр; ~**ress** [-trɪs] актри́са

actual ['æktjuəl] действи́тельный; настоя́щий; ~**ity** [,æktju'ælɪtɪ] 1) действи́тельность 2) *pl* фа́кты; ~**ly** 1) на са́мом де́ле, действи́тельно 2) да́же

actuate ['æktjueɪt] побужда́ть

acumen [ə'kju:men] проница́тельность; сообрази́тельность

acute [ə'kju:t] 1) проница́тельный; сообрази́тельный 2)

ре́зкий, си́льный; *(о боли и т. п.)* 3) пронзи́тельный, ре́зкий *(о звуке)* 4) о́стрый, то́нкий *(о слухе и т. п.)*; **~ness** 1) сообрази́тельность 2) острота́ *(слуха и т. п.)*

adamant ['ædəmənt] 1) твёрдый 2) *predic* непрекло́нный; on this point I am ~ в э́том вопро́се я соверше́нно твёрд

adapt [ə'dæpt] приспособля́ть; адапти́ровать; **~ability** [ə,dæptə'bɪlɪtɪ] примени́мость; **~ation** [,ædæp'teɪʃ(ə)n] 1) приспособле́ние; адапта́ция 2) примене́ние 3) обрабо́тка, переде́лка *(музыкального произведения, книги)*

add [æd] 1) *мат.* скла́дывать 2) прибавля́ть; присоединя́ть

addendum [ə'dendəm] *(pl* -da [-də]) приложе́ние *(к книге)*

adder ['ædə] 1) гадю́ка 2) *амер.* уж

addict 1. *n* ['ædɪkt] наркома́н ◇ he is a TV ~ он поме́шан на телеви́зоре **2.** *v* [ə'dɪkt]: ~ oneself to smth. предава́ться чему́-л.; **~ed** [-ɪd] скло́нный *(обыкн. к дурному)*; **~ion** [-ʃ(ə)n] наркома́ния

addition [ə'dɪʃ(ə)n] 1) *мат.* сложе́ние 2) прибавле́ние, дополне́ние; in ~ *(to)* к тому́ же, кро́ме того́; **~al** [-əl] доба́вочный, дополни́тельный; ~al charges накладны́е расхо́ды

addled ['ædld] испо́рченный *(о яйце)*

address [ə'dres] **1.** *n* 1) а́дрес 2) обраще́ние; речь 3) такт; ло́вкость **2.** *v* 1) направля́ть, адресова́ть 2) обраща́ться; **~ee** [,ædre'si:] адреса́т

adduce [ə'dju:s] представля́ть, приводи́ть *(доказательство)*

adept ['ædept] **1.** *a* 1) све́дущий 2) спосо́бный, ло́вкий **2.** *n* знато́к, экспе́рт

adequacy ['ædɪkwəsɪ] соразме́рность; соотве́тствие; доста́точность

adequate ['ædɪkwɪt] отвеча́ющий тре́бованиям; адеква́тный; доста́точный

adher||e [əd'hɪə] 1) прилипа́ть 2): ~ to smth. приде́рживаться чего́-л., остава́ться ве́рным *(принципам и т.п.)*; **~ence** [-rəns] приве́рженность; **~ent** [-rənt] приве́рженец

adhes||ion [əd'hi:ʒ(ə)n] прилипа́ние; **~ive** [-sɪv] **1.** *a* ли́пкий **2.** *n* клей

ad hoc ['æd 'hɔk] *лат.* на да́нный слу́чай, специа́льный

adieu [ə'dju:] **1.** *int* проща́й(-те) **2.** *n* проща́ние

adipose ['ædɪpous] жирово́й; жи́рный

adjac||ency [ə'dʒeɪsənsɪ] сосе́дство; **~ent** [-ənt] сме́жный, сосе́дний

adjective ['ædʒɪktɪv] *грам.* и́мя прилага́тельное

adjoin [ə'dʒɔɪn] примыка́ть

adjourn [ə'dʒə:n] 1) отсро́чивать 2) объявля́ть переры́в; **~ment** 1) отсро́чка 2) переры́в

adjudge [ə'dʒʌdʒ] 1) выноси́ть реше́ние, пригово́р 2) присужда́ть *(премию и т. п.)*

adjudicator [ə'dʒu:dɪkeɪtə] член жюри́ *(конкурса и т. п.)*

adjunct ['ædʒʌŋkt] приложе́ние

adjure [ə'dʒuə] моли́ть, заклина́ть

adjust [ə'dʒʌst] 1) приводи́ть в поря́док 2) приспособля́ть; прила́живать; регули́ровать *(механизм)*; выверя́ть; устана́вливать; **~ment** регули́рование; регулиро́вка

adjutant ['ædʒutənt] *воен.* адъюта́нт

administer [əd'mınıstə] 1) управля́ть 2) дава́ть *(лекарство и т. п.)*; снабжа́ть; ~ first aid ока́зывать пе́рвую по́мощь 3) отправля́ть *(правосудие)*

administrat||ion [əd,mınıs'treıʃ(ə)n] 1) администра́ция 2) прави́тельство; **~ive** [əd'mınıstrətıv] администрати́вный; исполни́тельный; **~or** [əd'mınıstreıtə] администра́тор

admirable ['ædmərəbl] превосхо́дный, восхити́тельный

admiral ['ædm(ə)r(ə)l] адмира́л

Admiralty ['ædm(ə)r(ə)ltı] вое́нно-морско́е министе́рство *(Великобритании)*; First Lord of the ~ морско́й мини́стр *(Великобритании)*

admiration [,ædmə'reıʃ(ə)n] восхище́ние

admir||e [əd'maıə] любова́ться *(чем-л.)*; восхища́ться *(чем-либо)*; **~er** покло́нник

admissible [əd'mısəbl] допусти́мый, прие́млемый

admission [əd'mıʃ(ə)n] 1) вход 2) приня́тие 3) призна́ние *(факта)*

admit [əd'mıt] 1) допуска́ть; принима́ть 2) вмеща́ть *(о помещении)* 3) признава́ть; **~tance** [-əns] до́ступ; no ~tance вхо́да нет; **~tedly** [-ıdlı] как при́знано

admixture [əd'mıkstʃə] при́месь

admoni||sh [əd'mɔnıʃ] 1) увещева́ть 2) предостерега́ть; **~tion** [,ædmə'nıʃ(ə)n] 1) предостереже́ние 2) упрёк; нарека́ние

ado [ə'du:]: without more ~ сра́зу; much ~ about nothing *погов.* мно́го шу́ма из ничего́

adolesc||ence [,ædo(u)'lesns] ю́ность; **~ent** [-nt] **1.** *n* ю́ноша **2.** *a* ю́ношеский

adopt [ə'dɔpt] 1) усыновля́ть 2) принима́ть 3) усва́ивать 4) *лингв.* заи́мствовать; **~ion** [ə'dɔpʃ(ə)n] 1) усыновле́ние 2) приня́тие 3) *лингв.* заи́мствование; **~ive** [-ıv] приёмный

adora||ble [ə'dɔ:rəbl] 1) обожа́емый 2) восхити́тельный; **~tion** [,ædɔ:'reıʃ(ə)n] обожа́ние; поклоне́ние

adore [ə'dɔ:] обожа́ть, о́чень люби́ть; *высок.* поклоня́ться

adorn [ə'dɔ:n] украша́ть; **~ment** украше́ние

adrift [ə'drıft] по тече́нию; по во́ле волн

adroit [ə'drɔıt] ло́вкий; нахо́дчивый; иску́сный

adulat||ion [,ædju'leıʃ(ə)n] лесть; **~ory** ['ædjuleıtərı] льсти́вый

adult ['ædʌlt] взро́слый

adulterate [ə'dʌltəreıt] фальсифици́ровать *(продукт)*; ~ milk with water разбавля́ть молоко́ водо́й

adulter||er [ə'dʌltərə] соверши́вший прелюбодея́ние; **~y** [-ı] супру́жеская изме́на

advance [əd'vɑ:ns] **1.** *v* 1) продвига́ться; повыша́ться *(в должности)* 2) продвига́ться вперёд; *воен.* наступа́ть 3) продвига́ть; повыша́ть *(в должности)* 4) выдвига́ть *(предложение)* 5) повыша́ться *(о ценах)* 6) плати́ть ава́нсом **2.** *n* 1) продвиже́ние 2) повыше́ние *(цен)* 3) аванс, ссу́да 4) успе́х ◇ in ~ вперёд, зара́нее; **~d** [-t] 1) передово́й *(об идеях и т. п.)* 2) вы́двинутый 3) продви́нутый *(об учащемся)*; повы́шенного ти́па *(о занятиях)*; **~-guard** [-gɑ:d] аванга́рд; **~ment** прогре́сс, успе́х

advantage [əd'vɑ:ntɪdʒ] *n* 1) вы́года; по́льза; show smth. to ~ предста́вить что-л. в вы́годном све́те; take ~ *(of)* воспо́льзоваться 2) преиму́щество *(над — over)*

advantageous [,ædvən'teɪdʒəs] вы́годный; благоприя́тный

advent ['ædvənt] прихо́д; наступле́ние

adventitious [,ædvən'tɪʃəs] случа́йный

adventur||e [əd'ventʃə] **1.** *n* приключе́ние; авантю́ра **2.** *v* рискова́ть; **~ous** [-rəs] сме́лый; отва́жный; предприи́мчивый

adverb ['ædvə:b] *грам.* наре́чие; **~ially** [əd'və:bjəlɪ] *грам.* 1) в фу́нкции обстоя́тельства 2) в ка́честве наре́чия

adversary ['ædvəs(ə)rɪ] проти́вник

advers||e ['ædvə:s] 1) вражде́бный 2) противополо́жный 3) неблагоприя́тный; **~ity** [əd'və:sɪtɪ] несча́стье; напа́сти

advertise ['ædvətaɪz] помеща́ть объявле́ние; реклами́ровать; **~ment** [əd'və:tɪsmənt] объявле́ние; рекла́ма

advice [əd'vaɪs] 1) сове́т; take smb.'s ~ послу́шать чьего́-л. сове́та 2) *ком.* ави́зо

advisable [əd'vaɪzəbl] (благо-) разу́мный

advis||e [əd'vaɪz] 1) сове́товать 2) уведомля́ть; **~edly** [-ɪdlɪ] наме́ренно; **~ory** [-(ə)rɪ] совеща́тельный, консультати́вный

advocacy ['ædvəkəsɪ] защи́та

advocate 1. *n* ['ædvəkɪt] защи́тник; сторо́нник **2.** *v* ['ædvəkeɪt] защища́ть; пропове́довать

aegis ['i:dʒɪs]: under the ~ of под эги́дой, под покрови́тельством

aerate ['eɪəreɪt] гази́ровать

aerial ['ɛərɪəl] **1.** *a* возду́шный; ~ survey наблюде́ние с во́здуха; ~ warfare возду́шная война́ **2.** *n* анте́нна

aerobatics [,ɛərə'bætɪks] вы́сший пилота́ж

aerodrome ['ɛərədroum] аэродро́м

aerodynamics [,ɛərədaɪ'næmɪks] аэродина́мика

aeronautics [,ɛərə'nɔ:tɪks] воздухоплава́ние

aeroplane ['ɛərəpleɪn] самолёт

aesthete ['i:sθi:t] эсте́т

aesthetic [i:s'θetɪk] эстети́ческий; **~s** [-s] эсте́тика

afar [ə'fɑ:] далеко́; from ~ издалека́

affab||ility [,æfə'bɪlɪtɪ] приве́тливость; **~le** ['æfəbl] приве́тливый

affair [ə'fɛə] 1) де́ло 2) рома́н, связь; have an ~ with smb. име́ть рома́н с кем-л.

affect I [ə'fekt] 1) возде́йствовать; ~ reciprocally име́ть обра́тное (воз)де́йствие 2) тро́гать 3) поража́ть *(о болезни)*

affect II притворя́ться

affectation [ˌæfek'teɪʃ(ə)n] притво́рство, аффекта́ция

affected [ə'fektɪd] 1) де́ланный, нei̇́скренний; with ~ indifference с напускны́м равноду́шием; ~ manners жема́нные мане́ры 2) поражённый *(боле́знью)*

affection [ə'fekʃ(ə)n] 1) любо́вь 2) боле́знь; **~ate** [-ɪt] лю́бящий, не́жный

affiance [ə'faɪəns]: be ~d to быть обручённым

affidavit [ˌæfɪ'deɪvɪt] пи́сьменное показа́ние под прися́гой

affiliat||**e** [ə'fɪlɪeɪt] присоединя́ть; **~ion** [əˌfɪlɪ'eɪʃ(ə)n] присоедине́ние

affinity [ə'fɪnɪtɪ] 1) ро́дственность 2) схо́дство; бли́зость 3) влече́ние 4) *хим.* сродство́

affirm [ə'fə:m] 1) утвержда́ть 2) подтвержда́ть; **~ation** [ˌæfə:'meɪʃ(ə)n] утвержде́ние; **~ative** [-ətɪv] утверди́тельный; answer in the ~ative отвеча́ть утверди́тельно

affix I [ə'fɪks] 1) прикрепля́ть 2) ста́вить *(печать, подпись)*

affix II ['æfɪks] *грам.* а́ффикс

afflict [ə'flɪkt] 1) огорча́ть 2) поража́ть *(о болезни)*; **~ion** [-kʃ(ə)n] 1) огорче́ние 2) неду́г 3) несча́стье

afflu||**ence** ['æfluəns] изоби́лие, оби́лие; **~ent** [-ənt] **1.** *a* 1) оби́льный, бога́тый 2) прилива́ющий **2.** *n* прито́к *(реки)*

afford [ə'fɔ:d] 1) быть в состоя́нии позво́лить себе́ что-л. 2) приноси́ть; дава́ть

afforest [æ'fɔrɪst] засади́ть ле́сом; **~ation** [æˌfɔrɪs'teɪʃ(ə)n] облесе́ние, лесонасажде́ние

affray [ə'freɪ] дра́ка

affront [ə'frʌnt] **1.** *n* оскорбле́ние **2.** *v* оскорбля́ть

afire [ə'faɪə] *predic* в огне́; set ~ заже́чь

aflame [ə'fleɪm] *predic* в огне́

afloat [ə'flout] *predic* 1) на воде́, на пове́рхности; get a ship ~ снима́ть кора́бль с ме́ли 2) в ходу́; в разга́ре

afoot [ə'fut] *predic* пешко́м ◇ be ~ затева́ться, гото́виться

aforesaid [ə'fɔ:sed] вышеупомя́нутый

afraid [ə'freɪd] испу́ганный; be ~ боя́ться

afresh [ə'freʃ] сно́ва, за́ново

African ['æfrɪkən] **1.** *a* африка́нский **2.** *n* африка́нец

aft [ɑ:ft] *мор.* на корме́; за кормо́й

after ['ɑ:ftə] **1.** *cj* по́сле того́ как **2.** *prep* 1) *(в отношении места)* за, позади́; she entered ~ him она́ вошла́ за ним 2) *(в отношении времени)* по́сле, спустя́; ~ dinner по́сле обе́да; the day ~ tomorrow послеза́втра 3) по, согла́сно; ~ the same pattern по тому́ же образцу́; a drawing ~ Gainsborough рису́нок в сти́ле Ге́йнсборо; she takes ~ her mother она́ похо́жа на свою́ мать; be named ~ быть на́званным в честь *(кого-л.)* ◇ day ~ day день за днём; ~ a fashion нева́жно, та́к себе; he got what he was ~ он получи́л то, чего́ добива́лся;

~ all в концé концóв; what's he ~? кудá он гнёт? **3.** *a* послéдующий; in ~ years в бýдущем

after-effect ['ɑ:ftərɪ,fekt] послéдствие

afterglow ['ɑ:ftəglou] вечéрняя заря́

aftermath ['ɑ:ftəmæθ] послéдствие

afternoon ['ɑ:ftə'nu:n] врéмя пóсле полýдня; in the ~ днём; good ~ дóбрый день

afterthought ['ɑ:ftəθɔ:t] мысль, пришéдшая слúшком пóздно

afterwards ['ɑ:ftəwədz] потóм, пóзже; впослéдствии

again [ə'gen] 1) снóва, опя́ть 2) с другóй стороны́ 3) крóме тогó

against [ə'genst] 1) прóтив; *(с гл.* fight, struggle) с; I am ~ this я прóтив э́того 2) *(при столкновении, соприкосновении)* на; с; к; ~ the background на фóне; the ship ran ~ a rock корáбль наскочúл на скалý; he leaned ~ the wall он прислонúлся к стенé 3) *(с гл.* guard, warn) от; о; I warned you ~ this я вас об э́том предупреждáл

agape [ə'geɪp] *predic* разúнув рот *(от удивления, при зевоте)*

agate ['ægət] агáт

age [eɪdʒ] **1.** *n* 1) вóзраст; be of ~ быть совершеннолéтним; be under ~ быть несовершеннолéтним; come of ~ достúчь совершеннолéтия 2) стáрость; век; эпóха 3) *разг.* дóлгий срок, вéчность **2.** *v* 1) старéть, стáриться 2) стáрить

aged 1) ['eɪdʒɪd] пожилóй 2) [eɪdʒd] достúгший *(такого-то)* вóзраста; ~ ten десятú лет

agency ['eɪdʒ(ə)nsɪ] 1) агéнтство 2) содéйствие, посрéдничество; by the ~ *(of)* чéрез посрéдство *(чего-л., кого-л.)*

agenda [ə'dʒendə] повéстка дня

agent ['eɪdʒ(ə)nt] **1.** *a уст.* дéйствующий **2.** *n* 1) агéнт 2) посрéдник 3) дéйствующая сúла; фáктор

agglomerate [ə'glɔməreɪt] 1) собирáться, скопля́ться 2) собирáть

aggrandize [ə'grændaɪz] 1) увелúчивать *(мощь, благосостояние страны)* 2) повышáть *(в ранге)*

aggravat||e ['ægrəveɪt] 1) отягчáть; ухудшáть 2) *разг.* раздражáть; надоедáть; **~ing** *разг.* досáдный; раздражáющий; **~ion** [,ægrə'veɪʃ(ə)n] ухудшéние; обострéние

aggregate **1.** *v* ['ægrɪgeɪt] собирáть вмéсте **2.** *a* ['ægrɪgɪt] сóбранный вмéсте **3.** *n* ['ægrɪgɪt] совокýпность; in the ~ в совокýпности, в цéлом

aggress||ion [ə'greʃ(ə)n] нападéние; агрéссия; **~ive** [-sɪv] агрессúвный; нападáющий; **~or** [-sə] 1) агрéссор 2) зачúнщик

aggrieve [ə'gri:v] *(обыкн. pass)* огорчáть; обижáть; be *(или* feel) ~d обижáться

aghast [ə'gɑ:st] *predic* поражённый ýжасом; ошеломлённый

agil||e ['ædʒaɪl] подвúжный, провóрный; **~ity** [ə'dʒɪlɪtɪ] подвúжность; лóвкость

agitate I ['ædʒɪteɪt] агити́ровать

agitate II 1) волнова́ть; возбужда́ть 2) меша́ть, переме́шивать

agitation I [,ædʒɪ'teɪʃ(ə)n] агита́ция

agitation II 1) волне́ние; возбужде́ние 2) разме́шивание

ago [ə'gou] тому́ наза́д; not long ~ неда́вно; years ~ мно́го лет тому́ наза́д

agog [ə'gɔg] *predic*: be ~ for с нетерпе́нием ждать *(чего-л.)*

ago||nize ['ægənaɪz] 1) му́чить 2) му́читься, быть в аго́нии; **~nizing** мучи́тельный; **~ny** [-nɪ] 1) сильне́йшая боль; аго́ния 2) страда́ние

agrarian [ə'grɛərɪən] **1.** *a* агра́рный **2.** *n* агра́рий

agree [ə'gri:] 1) соглаша́ться *(с чем-л. — to smth.; с кем-л. — with smb.)* 2) соотве́тствовать 3) быть поле́зным, прия́тным; wine doesn't ~ with me вино́ мне вре́дно (пить) 4) *грам.* согласо́вываться; **~able** [ə'grɪəbl] 1) прия́тный 2) согла́сный; **~ment** 1) соглаше́ние, догово́р 2) согла́сие

agricultural [,ægrɪ'kʌltʃər(ə)l] сельскохозя́йственный

agricultur||e ['ægrɪkʌltʃə] се́льское хозя́йство; **~ist** [-rɪst] агроно́м

agronom||ic(al) [,ægrə'nɔmɪk(əl)] агрономи́ческий; **~ics** [-ɪks] агроно́мия; **~ist** [əg'rɔnəmɪst] агроно́м; **~y** [ə'grɔnəmɪ] агроно́мия

aground [ə'graund] *predic мор.* на мели́; run ~ сесть на мель

ahead [ə'hed] вперёд, впереди́; ~ of time *разг.* досро́чно

aid [eɪd] **1.** *v* помога́ть **2.** *n* по́мощь

aide-de-camp ['əɪdə'kɔ:ŋ] адъюта́нт

ail ['eɪl] беспоко́ить; причиня́ть боль; what ~s him? что его́ беспоко́ит, му́чит?; **~ing** хи́лый, хво́рый; **~ment** неду́г; боле́знь

aim [eɪm] **1.** *n* 1) прице́л; take ~ прице́литься 2) цель; наме́рение **2.** *v* 1) прице́ливаться, наце́ливаться *(at)* 2) стреми́ться

ain't [eɪnt] *разг.* = am not; are not

air I [ɛə] **1.** *n* во́здух ◇ be in the ~ а) «висе́ть в во́здухе»; б) распространя́ться; on the ~ по ра́дио; take the ~ прогуля́ться; vanish into thin ~ бессле́дно исче́знуть; be on the ~ вести́ переда́чи, передава́ться по ра́дио **2.** *a* 1) возду́шный 2) авиацио́нный; ~ force вое́нно-возду́шные си́лы **3.** *v* 1) прове́тривать 2) суши́ть, просу́шивать ◇ ~ one's opinions простра́нно излага́ть своё мне́ние

air II вид; with an ~ of indifference с безразли́чным ви́дом; give an ~ of importance придава́ть внуши́тельный вид ◇ give oneself ~s, put on ~s ва́жничать, задава́ться

air III пе́сня; мело́дия

air||-balloon ['ɛəbə,lu:n] аэроста́т; **~-base** [-beɪs] авиаба́за; **~-conditioning** [-kən'dɪʃənɪŋ] кондициони́рование во́здуха; **~craft** [-krɑ:ft] самолёт; *собир.*

самолёты; авиа́ция; **~drome** [-droum] аэродро́м; **~drop** [-drɔp] *воен.* вы́броска парашю́тного деса́нта; **~field** [-fi:ld] аэродро́м; **~-ga(u)ge** [-geɪdʒ] мано́метр; **~-hostess** [-ˌhoustɪs] бортпроводни́ца, стюарде́сса; **~less** ду́шный; **~lift** [-lɪft] возду́шный тра́нспорт; **~-lock** [-lɔk] *тех.* возду́шная про́бка; **~-mail** [-meɪl] авиапо́чта; **~man** [-mæŋ] лётчик; **~plane** [-pleɪn] *амер.* самолёт; **~-pocket** [-ˈpɔkɪt] возду́шная я́ма; **~port** [-pɔ:t] аэропо́рт; **~-raid** [-reɪd] возду́шный налёт; **~ship** [-ʃɪp] дирижа́бль; **~-space** [-speɪs] возду́шное простра́нство; **~-stop** [-stɔp] аэровокза́л (для вертолётов); **~-strip** [-strɪp] взлётно-поса́дочная полоса́; **~-tight** [-taɪt] воздухонепроница́емый, гермети́ческий

airy [ˈɛərɪ] 1) просто́рный 2) возду́шный, лёгкий

aisle [aɪl] 1) прохо́д ме́жду ряда́ми, места́ми *(в поезде, театре)* 2) бокова́й приде́л *(храма)*

ajar [əˈdʒɑ:] приоткры́то, непло́тно закры́то

akimbo [əˈkɪmbou]: with arms ~ подбоче́нясь

akin [əˈkɪn] **1.** *a predic* ро́дственный **2.** *adv* сродни́

alacrity [əˈlækrɪtɪ] 1) быстрота́, жи́вость 2) гото́вность

alarm [əˈlɑ:m] **1.** *n* 1) трево́га 2) переполо́х **2.** *v* пуга́ть; волнова́ть; **~-clock** [-klɔk] буди́льник

alarmist [əˈlɑ:mɪst] паникёр

alas! [əˈlɑ:s] увы́!

Albanian [ælˈbeɪnjən] **1.** *a* алба́нский **2.** *n* 1) алба́нец; алба́нка 2) алба́нский язы́к

albumen [ˈælbjumɪn] бело́к; альбуми́н

alcohol [ˈælkəhəl] алкого́ль

alder [ˈɔ:ldə] ольха́

alderman [ˈɔ:ldəmən] ольдерме́н *(член муниципалитета)*

ale [ˈeɪl] пи́во; **~-house** [-haus] пивна́я

alert [əˈlə:t] **1.** *a* бди́тельный; насторо́женный **2.** *n* трево́га; on the ~ настороже́

alga [ˈælgə] *(pl* -gae [-dʒi:]) морска́я во́доросль

algebra [ˈældʒɪbrə] а́лгебра; **~ic** [ˌældʒɪˈbreɪɪk] алгебраи́ческий

alias [ˈeɪlɪæs] **1.** *n* вы́мышленное и́мя **2.** *adv* ина́че (называ́емый)

alibi [ˈælɪbaɪ] *юр.* а́либи

alien [ˈeɪljən] **1.** *a* чужо́й, инoро́дный **2.** *n* иностра́нец; **~ate** [-eɪt] отчужда́ть; **~ation** [ˌeɪljəˈneɪʃ(ə)n] 1) отчужде́ние 2) *мед.* умопомеша́тельство

alight I [əˈlaɪt] 1) сходи́ть *(с трамвая и т. п.)* 2) спуска́ться 3) *ав.* приземля́ться

alight II зажжённый; в огне́

align [əˈlaɪn] выстра́ивать в ли́нию *(войска)*; **~ment** выра́внивание; *тех.* центро́вка

alike [əˈlaɪk] **1.** *a predic* похо́жий; подо́бный; одина́ковый **2.** *adv* одина́ково

aliment [ˈælɪmənt] пи́ща; **~ary** [ˌælɪˈmentərɪ]: ~ary canal пищевари́тельный тракт

alimony [ˈælɪmənɪ] алиме́нты

alive [əˈlaɪv] *predic* 1) живо́й 2) бо́дрый 3) кища́щий *(чем-л. — with)* ◇ be ~ to smth. я́сно понимáть что-л; жи́во воспринимáть что-л.

alkali [ˈælkəlaɪ] щёлочь; **~ne** [-n] щелочнóй

all [ɔ:l] **1.** *a* 1) весь; всё 2) вся́кий ◇ for ~ that тем не мéнее; ~ right хорошó, лáдно **2.** *adv* всецéло, вполнé ◇ ~ the better тем лу́чше; ~ out на всех парáх; ~ present and correct все налицó; ~ the same всё равнó; not ~ there не в своём умé; be ~ in быть в пóлном изнеможéнии

allay [əˈleɪ] 1) облегчáть *(боль)* 2) успокáивать *(волнение и т. п.)* 3) утоля́ть *(жажду)*

allegation [ˌæleˈgeɪʃ(ə)n] заявлéние, утверждéние *(голословное)*

alleg||e [əˈledʒ] 1) утверждáть *(голословно)* 2) ссылáться; припи́сывать; **~edly** [-ɪdlɪ] бу́дто бы, я́кобы

allegiance [əˈli:dʒəns] вéрность, прéданность

allegoric(al) [ˌæleˈgɔrɪk(əl)] аллегори́ческий

allegory [ˈælɪgərɪ] аллегóрия

allevia||te [əˈli:vɪeɪt] облегчáть; **~tion** [əˌli:vɪˈeɪʃ(ə)n] облегчéние

alley [ˈælɪ] у́зкая у́лица, переу́лок

alliance [əˈlaɪəns] 1) сою́з 2) брáчный сою́з

allied [əˈlaɪd] 1) сою́зный 2) рóдственный, бли́зкий

allocat||e [ˈæləkeɪt] 1) размещáть; распределя́ть 2) ассигновáть; **~ion** [ˌæləˈkeɪʃ(ə)n] 1) распределéние; размещéние; назначéние 2) ассигновáние

allocution [ˌælo(u)ˈkju:ʃ(ə)n] речь, обращéние *(в торжественных случаях)*

allot [əˈlɔt] 1) распределя́ть; предназначáть 2) отводи́ть *(время)*; **~ment** 1) распределéние 2) дóля 3) у́часток земли́

allow [əˈlau] 1) позволя́ть 2) давáть, предоставля́ть; ~ time давáть врéмя 3) допускáть, признавáть; ~ **for** принимáть в расчёт; **~ance** [-əns] 1) дéнежная пóмощь; содержáние; кармáнные дéньги 2) паёк; ски́дка 3) *тех.* дóпуск ◇ make ~ance(s) *(for)* принимáть в расчёт; учи́тывать *(что-л.)*

alloy [ˈælɔɪ] сплав *(металла)*

allude [əˈlu:d] *(to)* намекáть *(на)*, ссылáться *(на)*; упоминáть

All-Union [ˈɔ:lˈju:njən] всесою́зный

allur||e [əˈljuə] замáнивать; привлекáть; **~ement** примáнка; **~ing** [-rɪŋ] соблазни́тельный; привлекáтельный

allusion [əˈlu:ʒ(ə)n] 1) намёк 2) ссы́лка; упоминáние

ally 1. *v* [əˈlaɪ] соединя́ть **2.** *n* [ˈælaɪ] сою́зник

almanac [ˈɔ:lmənæk] календáрь; альманáх

almighty [ɔ:lˈmaɪtɪ] всемогу́щий

almond [ˈɑ:mənd] миндáль

almost [ˈɔ:lmoust] почти́

alms [ˈɑ:mz] ми́лостыня; **~-house** [-haus] богадéльня

aloft [əˈlɔft] наверху́

alone [əˈloun] **1.** *a predic* оди́н; одинóкий; сам; he can do it ~ он мóжет э́то сдéлать сам ◇ leave ~ остáвить в покóе **2.** *adv* то́лько; he ~ can do it то́лько он мо́жет э́то сде́лать

along [ə'lɔŋ] **1.** *prep* вдоль, по; ~ the river's bank вдоль бе́рега реки́ **2.** *adv*: all ~ всё вре́мя; get ~ with you! *разг.* убира́йтесь!; ~ with вме́сте

alongside [ə,lɔŋ'saɪd] ря́дом, бок о́ бок

aloof [ə'lu:f] *a predic, adv* поо́даль, в стороне́

aloud [ə'laud] вслух; he called ~ for help он гро́мко позва́л на по́мощь

alphabet ['ælfəbɪt] алфави́т; **~ic(al)** [,ælfə'betɪk(əl)] алфави́тный

Alpine ['ælpaɪn] альпи́йский

already [ɔ:l'redɪ] уже́

also ['ɔ:lsou] то́же, та́кже, к тому́ же

altar ['ɔ:ltə] алта́рь

alter ['ɔ:ltə] 1) изменя́ть; переде́лывать 2) изменя́ться; **~ation** [,ɔ:ltə'reɪʃ(ə)n] измене́ние, переме́на

altercat||e ['ɔ:ltə:keɪt] ссо́риться, препира́ться; **~ion** [,ɔ:ltə:'keɪʃ(ə)n] перебра́нка; препира́тельство

alternat||e 1. *a* [ɔ:l'tə:nɪt] чередýющийся, попереме́нный; they worked ~ shifts они́ рабо́тали посме́нно; on ~ days че́рез день **2.** *v* ['ɔ:ltə:neɪt] 1) чередова́ть 2) чередова́ться; **~ing**: ~ing current переме́нный ток; **~ion** [,ɔ:ltə:'neɪʃ(ə)n] чередова́ние

alternative [ɔ:l'tə:nətɪv] **1.** *n* альтернати́ва **2.** *a* альтернати́вный

although [ɔ:l'ðou] хотя́, е́сли бы да́же; несмотря́ на

altimeter ['æltɪmi:tə] высотоме́р

altitude ['æltɪtju:d] высота́

altogether [,ɔ:ltə'geðə] 1) вполне́, всеце́ло 2) в це́лом; всего́

alum ['æləm] квасцы́

aluminium [,ælju'mɪnjəm] алюми́ний

alumnus [ə'lʌmnəs] (*pl* -ni [-naɪ]) бы́вший пито́мец *(учебного заведения)*

always ['ɔ:lwəz] всегда́

am [æm *(полная форма)*, əm *(редуцированная форма)*] *1 л. ед. ч. наст. врем. изъявительного накл. гл.* be

amalgamat||e [ə'mælgəmeɪt] 1) соединя́ть; слива́ть 2) соединя́ться; слива́ться; **~ion** [ə,mælgə'meɪʃ(ə)n] 1) смеше́ние 2) слия́ние, объедине́ние

amass [ə'mæs] 1) собира́ть 2) накопля́ть

amateur ['æmətə:] люби́тель; **~ish** люби́тельский, непрофессиона́льный

amatory ['æmətərɪ] любо́вный

amaze [ə'meɪz] изумля́ть; **~ment** изумле́ние

ambassador [æm'bæsədə] посо́л

amber ['æmbə] **1.** *n* янта́рь **2.** *a* янта́рный

ambidextrous [,æmbɪ'dekstrəs] 1) владе́ющий одина́ково свобо́дно обе́ими рука́ми 2) двули́чный

ambient ['æmbɪənt] окружа́ющий

ambigu||ity [,æmbɪ'gju:ɪtɪ] двусмы́сленность; **~ous** [æm'bɪgjuəs] 1) двусмы́сленный 2) нея́сный, нечёткий

ambit||ion [æm'bɪʃ(ə)n] 1) честолюбие 2) стремле́ние; **~-ious** [-'bɪʃəs] честолюби́вый

ambulance ['æmbjuləns] каре́та ско́рой по́мощи

ambuscade [,æmbəs'keɪd] *см.* ambush

ambush ['æmbuʃ] **1.** *n* заса́да; make, lay *(или* set) an ~ устра́ивать заса́ду; run into ~ наты-ка́ться на заса́ду **2.** *v*: be ~ed находи́ться в заса́де

ameliorat||e [ə'mi:ljəreɪt] улучша́ть; **~ion** [ə,mi:ljə'reɪʃ(ə)n] улучше́ние; мелиора́ция

amen ['ɑ:'men] ами́нь

amenable [ə'mi:nəbl] пода́тливый; ~ to argument поддаю́щийся убежде́нию

amend [ə'mend] 1) улучша́ть, исправля́ть 2) улучша́ться, исправля́ться; **~ment** попра́вка *(к закону и т. п.)*; исправле́ние

amends [ə'mendz] *pl*: make ~ to smb. for smth. возмеща́ть что-л. кому́-л.

amenity [ə'mi:nɪtɪ] 1) прия́тность, пре́лесть 2) *pl* удо́бства

American [ə'merɪkən] **1.** *a* америка́нский **2.** *n* америка́нец; америка́нка

amia||bility [,eɪmjə'bɪlɪtɪ] любе́зность; **~ble** ['eɪmjəbl] любе́зный

amicable ['æmɪkəbl] дру́жеский; дружелю́бный

amid(st) [ə'mɪd(st)] среди́, ме́жду

amiss [ə'mɪs] *predic* 1) нела́дно; what is ~? в чём де́ло? 2) некста́ти

amity ['æmɪtɪ] дру́жба

ammoni||a [ə'mounjə] аммиа́к; **~ac** [ə'mounɪæk], **~acal** [,æmo(u)'naɪək(ə)l] аммиа́чный

ammunition [,æmju'nɪʃ(ə)n] боеприпа́сы

amnesty ['æmnestɪ] **1.** *n* амни́стия **2.** *v* амнисти́ровать

amok [ə'mɔk] *см.* amuck

among(st) [ə'mʌŋ(st)] ме́жду *(многими)*; среди́; из; it is one instance ~ many э́то оди́н из мно́гих слу́чаев

amoral [æ'mɔrəl] амора́льный

amorous ['æmərəs] 1) влю́бчивый 2) влюблённый

amorphous [ə'mɔ:fəs] 1) бесфо́рменный 2) *мин., хим.* некристалли́ческий

amortization [ə,mɔ:tɪ'zeɪʃ(ə)n] амортиза́ция; погаше́ние

amortize [ə'mɔ:taɪz] погаша́ть в рассро́чку *(долг)*

amount [ə'maunt] **1.** *v* доходи́ть до, составля́ть *(сумму)*; равня́ться **2.** *n* коли́чество; су́мма, ито́г

ampere ['æmpɛə] *эл.* ампе́р

amphibi||an [æm'fɪbɪən] **1.** *n* 1) *зоол.* амфи́бия 2) самолёт-амфи́бия **2.** *a* земново́дный; **~ous** [-'fɪbɪəs] земново́дный

ample ['æmpl] оби́льный, обши́рный; доста́точный

ampli||fication [,æmplɪfɪ'keɪʃ(ə)n] 1) увеличе́ние, расшире́ние 2) *радио* усиле́ние; **~fier** ['æmplɪfaɪə] *радио* усили́тель; **~fy** ['æmplɪfaɪ] 1) расширя́ть; увели́чивать 2) *радио* уси́ливать

amplitude ['æmplɪtju:d] 1) полнота́, оби́лие 2) *физ.* амплиту́да

amputat||e ['æmpjuteɪt] ампути́ровать; **~ion** [,æmpju'teɪʃ(ə)n] ампута́ция

amuck [ə'mʌk]: run ~ безу́мствовать, быть в бе́шенстве

amus||e [ə'mju:z] забавля́ть, развлека́ть; **~ement** развлече́ние; **~ing** заба́вный, смешно́й

an [æn *(полная форма)*, ən *(редуцированная форма перед гласными)*] *см.* a II; *грам. форма неопределённого артикля, употребляемая перед словами, начинающимися с гласного звука*

anaem||ia [ə'ni:mjə] малокро́вие; **~ic** [ə'ni:mɪk] малокро́вный

analogous [ə'næləgəs] аналоги́чный

analogy [ə'nælədʒɪ] анало́гия, схо́дство

analy||se ['ænəlaɪz] разбира́ть, анализи́ровать; **~sis** [ə'næləsɪs] ана́лиз; **~tic(al)** [,ænə'lɪtɪk(əl)] аналити́ческий

anar||chic(al) [æ'nɑ:kɪk(əl)] анархи́ческий; **~chist** ['ænəkɪst] анархи́ст; **~chy** ['ænəkɪ] ана́рхия

anatomical [,ænə'tɔmɪk(ə)l] анатоми́ческий

anatomy [ə'nætəmɪ] анато́мия

ancest||or ['ænsɪstə] пре́док; **~ral** [æn'sestr(ə)l] 1) насле́дственный 2) родово́й; **~ry** ['ænsɪstrɪ] 1) *собир.* пре́дки 2) происхожде́ние

anchor ['æŋkə] **1.** *n* я́корь; cast ~ стать на я́корь; weigh ~ снима́ться с я́коря **2.** *v* стать на я́корь; **~age** [-rɪdʒ] 1) я́корная стоя́нка 2) я́корный сбор

anchovy ['æntʃəvɪ] анчо́ус

ancient ['eɪnʃ(ə)nt] 1) анти́чный 2) стари́нный, дре́вний

ancillary [æn'sɪlərɪ] вспомога́тельный, подсо́бный, служе́бный

and [ænd *(полная форма)*, ənd *(редуцированная форма)*] 1) *(соединительный союз)* и; he saw me ~ my sister он уви́дел меня́ и мою́ сестру́ 2) *(противительный союз)* а; I went to the institute ~ he to the theatre я пошёл в институ́т, а он в теа́тр 3) *(с числительными)*: four ~ twenty два́дцать четы́ре; two hundred ~ forty две́сти со́рок 4) *(при повторении слова для усиления)*: miles ~ miles мно́го миль 5) *(при повторении слова для противопоставления)*: there are books ~ books есть кни́ги — и кни́ги 6) *(при выражении предостережения, угрозы)* ина́че; stir, ~ you are a dead man! ни с ме́ста, ина́че вы поги́бли!

anecdote ['ænɪkdout] анекдо́т

aneroid ['ænərɔɪd] баро́метр-анеро́ид

anew [ə'nju:] сы́знова, за́ново

angel ['eɪndʒəl] а́нгел

anger ['æŋgə] **1.** *n* гнев **2.** *v* серди́ть

angina [æn'dʒaɪnə] анги́на

angle I ['æŋgl] *мат.* у́гол; *перен.* у́гол зре́ния; то́чка зре́ния

angl||e II ['æŋgl] уди́ть ры́бу; **~er** рыболо́в

angry ['æŋgrɪ] серди́тый, раздражённый; разгне́ванный; be ~ серди́ться

anguish ['æŋgwɪʃ] му́ка, боль

angular ['æŋgjulə] 1) уго́льный; углово́й; 2) углова́тый, нело́вкий

animal ['ænɪm(ə)l] **1.** *n* живо́тное **2.** *a* живо́тный; ~ products проду́кты животново́дства

animat||e 1. *a* ['ænımıt] живо́й **2.** *v* ['ænımeıt] одушевля́ть; воодушевля́ть; **~ed** [-meıtıd] живо́й, оживлённый; воодушевлённый; **~ion** [,ænı'meıʃ(ə)n] 1) жи́вость 2) оживле́ние; воодушевле́ние

animosity [,ænı'mɔsıtı] вражде́бность; зло́ба

animus ['ænıməs] вражде́бность

ankle ['æŋkl] лоды́жка

annalist ['ænəlıst] летопи́сец

annals ['ænlz] *pl* ле́топись, хро́ника

annex 1. *v* [ə'neks] присоединя́ть **2.** *n* ['æneks] 1) дополне́ние, приложе́ние *(к документу)* 2) пристро́йка, крыло́; **~ation** [,ænek'seıʃ(ə)n] присоедине́ние, анне́ксия

annihilat||e [ə'naıəleıt] 1) уничтожа́ть 2) упраздня́ть; **~ion** [ə,naıə'leıʃ(ə)n] уничтоже́ние

anniversary [,ænı'və:s(ə)rı] годовщи́на

annotate ['æno(u)teıt] снабжа́ть примеча́ниями; аннoти́ровать

announc||e [ə'nauns] возвеща́ть, объявля́ть; сообща́ть; **~ement** объявле́ние; сообще́ние; **~er** ди́ктор

annoy [ə'nɔı] досажда́ть, надоеда́ть; **~ance** [-əns] раздраже́ние; доса́да

annual ['ænjuəl] **1.** *a* ежего́дный, годово́й **2.** *n* 1) ежего́дник *(книга)* 2) однолéтнее расте́ние

annuity [ə'nju:ıtı] ежего́дная ре́нта

annul [ə'nʌl] отменя́ть, уничтожа́ть, аннули́ровать

annunciation [ə,nʌnsı'eıʃ(ə)n] *рел.* благове́щение

anode ['ænoud] *эл.* ано́д

anodyne ['æno(u)daın] **1.** *a* болеутоля́ющий **2.** *n* болеутоля́ющее сре́дство

anoma||lous [ə'nɔmələs] непра́вильный, ненорма́льный; **~ly** анома́лия

anonymous [ə'nɔnıməs] анони́мный

another [ə'nʌðə] 1) друго́й 2) ещё оди́н; he is ~ Shakespeare он но́вый Шекспи́р

answer ['ɑ:nsə] **1.** *n* 1) отве́т 2) *мат.* реше́ние *(задачи)* **2.** *v* 1) отвеча́ть; ~ in the affirmative отвеча́ть утверди́тельно 2) соотве́тствовать 3) руча́ться *(for)*; **~able** ['ɑ:ns(ə)rəbl] отве́тственный *(перед кем-л. — to smb.)*

ant [ænt] мураве́й

antagon||ism [æn'tægənızm] вражда́; антагони́зм; class ~(s) кла́ссовые противоре́чия; **~ist** проти́вник; **~istic** [æn,tægə'nıstık] вражде́бный, антагонисти́ческий

antarctic [ænt'ɑ:ktık] антаркти́ческий; A. Circle ю́жный поля́рный круг

antecedent [,æntı'si:d(ə)nt] **1.** *a* предше́ствующий **2.** *n* 1) предше́ствующее; his ~s его́ про́шлое 2) *грам.* антецеде́нт

antechamber ['æntı,tʃeımbə] пере́дняя

antediluvian [,æntıdı'lu:vıən] допото́пный

ante meridiem [,æntımı'rıdıəm] *(сокр.* a.m.) до полу́дня

antenna [æn'tenə] (*pl* -nae [-ni:]) 1) *зоол.* щу́пальце; у́сик 2) *радио* анте́нна

anterior [æn'tɪərɪə] предше́ствующий

ante-room ['æntɪrum] пере́дняя

anthem ['ænθəm] гимн; national ~ госуда́рственный гимн

ant-hill ['ænthɪl] мураве́йник

anthology [æn'θɔlədʒɪ] антоло́гия

anthracite ['ænθrəsaɪt] антраци́т

anthropology [,ænθrə'pɔlədʒɪ] антрополо́гия

anti- ['æntɪ-] *pref* противо-, анти- *(в сложных словах)*

anti-aircraft ['æntɪ'ɛəkrɑ:ft] зени́тный, противовозду́шный; ~ gunner зени́тчик

antic ['æntɪk] *(обыкн. pl)* кривля́нье; ша́лости *мн.*

anticipat||e [æn'tɪsɪpeɪt] 1) предви́деть 2) предвкуша́ть; предчу́вствовать 3) предупрежда́ть; **~ion** [æn,tɪsɪ'peɪʃ(ə)n] 1) предвкуше́ние 2) предчу́вствие; **~ory** [-ərɪ] предвари́тельный; предвосхища́ющий

anticlimax ['æntɪ'klaɪmæks] спад, разря́дка напряже́ния

anticlockwise ['æntɪ'klɔkwaɪz] про́тив часово́й стре́лки

antidote ['æntɪdout] противоя́дие

anti-fascist ['æntɪ'fæʃɪst] **1.** *n* антифаши́ст **2.** *a* антифаши́стский

antimony ['æntɪmənɪ] *хим.* сурьма́

antinomy [æn'tɪnəmɪ] паради́окс

antipathy [æn'tɪpəθɪ] антипа́тия

antiqua||rian [,æntɪ'kwɛərɪən] **1.** *a* антиква́рный **2.** *n* собира́тель дре́вностей; антиква́р; **~ry** ['æntɪkwərɪ] *см.* antiquarian 2

antiquated ['æntɪkweɪtɪd] устаре́лый; старомо́дный

antique [æn'ti:k] **1.** *a* дре́вний **2.** *n* 1) антиква́рная вещь 2) анти́чное произведе́ние иску́сства

antiquity [æn'tɪkwɪtɪ] дре́вность

antisocial ['æntɪ'souʃ(ə)l] 1) антиобще́ственный 2) необщи́тельный

antitank ['æntɪ'tæŋk] противота́нковый

anvil ['ænvɪl] накова́льня

anxiety [æŋ'zaɪətɪ] беспоко́йство; трево́га

anxious ['æŋkʃəs] 1) озабо́ченный, беспоко́ящийся; feel ~ беспоко́иться 2) стремя́щийся, жела́ющий; I am very ~ to see him мне о́чень хо́чется повида́ть его́

any ['enɪ] **1.** *pron* 1) кто́-нибудь 2) како́й-нибудь 3) любо́й *(в утверд. предл.)* **2.** *adv* ско́лько-нибудь *(в вопр. предл.)*; нисколько *(в отриц. предл.)*

anybody ['enɪ,bɔdɪ] 1) вся́кий 2) кто́-нибудь

anyhow ['enɪhau] 1) ка́к-нибудь, ко́е-ка́к 2) во вся́ком слу́чае

anyone ['enɪwʌn] *см.* anybody

anything ['enɪθɪŋ] 1) что́-нибудь 2) всё

anyway ['enɪweɪ] во вся́ком слу́чае

anywhere ['enɪwɛə] 1) где́-нибудь *(в вопр. и отриц. предл.)* 2) где уго́дно, куда́ уго́дно *(в утв. предл.)*

apart [ə'pɑ:t] 1) в стороне́; особняко́м; отде́льно; set ~ отложи́ть 2) по́рознь; I cannot tell them ~ я не могу́ их отличи́ть друг от дру́га 3): ~ from кро́ме, незави́симо от; не говоря́ уже́ о ◇ joking ~ шу́тки в сто́рону; take ~ разбира́ть на ча́сти

apartheid [ə'pɑ:thaɪd] ра́совая сегрега́ция *(в Южной Африке)*, апартеи́д, апа́ртхейд

apartment [ə'pɑ:tmənt] 1) *уст.* ко́мната 2) кварти́ра

apathetic [,æpə'θetɪk] безразли́чный; апати́чный, вя́лый

apathy ['æpəθɪ] апа́тия, вя́лость, безразли́чие

ape [eɪp] **1.** *n* обезья́на *(человекообразная)* **2.** *v* подража́ть, обезья́нничать

aperient [ə'pɪərɪənt] *мед.* слаби́тельное

aperture ['æpətjuə] отве́рстие

apex ['eɪpeks] верху́шка, верши́на

api||arist ['eɪpjərɪst] пчелово́д; **~ary** [-ərɪ] пче́льник

apiece [ə'pi:s] 1) за шту́ку 2) на ка́ждого

apish ['eɪpɪʃ] обезья́ний

apolo||getic [ə,pɒlə'dʒetɪk] извиня́ющийся; **~gize** [ə'pɒlədʒaɪz] извиня́ться; **~gy** [ə'pɒlədʒɪ] извине́ние; offer an ~gy принести́ извине́ние

apoplexy ['æpəpleksɪ] уда́р, парали́ч

aposta||sy [ə'pɒstəsɪ] (веро)отсту́пничество; **~te** [ə'pɒstɪt] (веро)отсту́пник; изме́нник *(своей партии, делу)*

apostle [ə'pɒsl] апо́стол

apostrophe [ə'pɒstrəfɪ] 1) обраще́ние *(к кому-л. в речи)* 2) апостро́ф

appal [ə'pɔ:l] пуга́ть; **~ling** ужа́сный

apparatus [,æpə'reɪtəs] прибо́р, аппара́т

apparel [ə'pær(ə)l] *поэт.* пла́тье, оде́жда

apparent [ə'pær(ə)nt] 1) я́вный, очеви́дный 2) ка́жущийся; **~ly** по-ви́димому

apparition [,æpə'rɪʃ(ə)n] виде́ние, привиде́ние

appeal [ə'pi:l] **1.** *n* 1) про́сьба, мольба́ 2) призы́в, воззва́ние 3) *юр.* апелля́ция 4) привлека́тельность **2.** *v* 1) взыва́ть, обраща́ться 2) проси́ть, моли́ть 3) *юр.* подава́ть апелляцио́нную жа́лобу 4) привлека́ть, нра́виться; **~ing** тро́гательный

appear [ə'pɪə] 1) появля́ться 2) каза́ться; **~ance** [-r(ə)ns] 1) появле́ние 2) вне́шний вид; нару́жность ◇ to all ~ances по-ви́димому; keep up ~ances соблюда́ть прили́чия; put in an ~ance появля́ться

appease [ə'pi:z] умиротворя́ть, успока́ивать; **~ment** умиротворе́ние; успокое́ние

appell||ant [ə'pelənt] апелли́рующий; жа́лующийся; **~ation** [,æpe'leɪʃ(ə)n] и́мя, назва́ние

append [ə'pend] прибавля́ть, прилага́ть *(к письму и т. п.)*; **~age** [-ɪdʒ] прида́ток; прибавле́ние

append||icitis [ə,pendɪ'saɪtɪs]

мед. аппендици́т; **~ix** [ə'pendɪks] 1) приложе́ние *(к книге, документу)* 2) *мед.* аппе́ндикс

appertain [,æpə'teɪn] принадлежа́ть, относи́ться *(к чему-л.)*

appet||ite ['æpɪtaɪt] 1) аппети́т 2) жела́ние; **~izing** [-aɪzɪŋ] аппети́тный, вку́сный

applaud [ə'plɔ:d] 1) аплоди́ровать 2) одобря́ть

applause [ə'plɔ:z] 1) аплодисме́нты 2) одобре́ние

apple ['æpl] я́блоко ◇ ~ of the eye а) зрачо́к; б) зени́ца о́ка; the ~ of discord я́блоко раздо́ра; **~-tree** [-tri:] я́блоня

appliance [ə'plaɪəns] приспособле́ние, прибо́р

applicable ['æplɪkəbl] примени́мый

applicant ['æplɪkənt] 1) проси́тель 2) претенде́нт

application [,æplɪ'keɪʃ(ə)n] 1) заявле́ние; про́сьба 2) примене́ние 3) стара́ние ◇ ~ form анке́та *(поступающего на работу и т. п.)*

apply [ə'plaɪ] 1) обраща́ться 2) прикла́дывать; прилага́ть 3) применя́ть, употребля́ть 4): ~ oneself to занима́ться ◇ that doesn't ~ to our problem э́то к на́шему вопро́су не отно́сится

appoint [ə'pɔɪnt] 1) назнача́ть 2) определя́ть; **~ment** 1) свида́ние; keep an ~ment прийти́ на свида́ние *(вовремя)* 2) приём *(у врача и т. п.)*; have an ~ment with the doctor быть запи́санным на приём к врачу́ 3) назначе́ние на до́лжность 4) ме́сто, до́лжность 5) *pl* обстано́вка, ме́бель ◇ by ~ment по договорённости

apportion [ə'pɔ:ʃ(ə)n] дели́ть, распределя́ть

apposite ['æpəzɪt] уме́стный *(to)*; ~ remark уме́стное замеча́ние; **~ly** кста́ти

apprais||al [ə'preɪz(ə)l] оце́нка; **~e** [ə'preɪz] оце́нивать, расце́нивать

appreci||able [ə'pri:ʃəbl] заме́тный, ощути́мый; **~ate** [-ʃɪeɪt] цени́ть; **~ation** [ə,pri:ʃɪ'eɪʃ(ə)n] 1) (высо́кая) оце́нка 2) уваже́ние 3) вздорожа́ние, повыше́ние цен(ы́)

apprehen||d [,æprɪ'hend] 1) постига́ть, понима́ть 2) предчу́вствовать; боя́ться 3) аресто́вывать; **~sion** [-ʃ(ə)n] 1) понима́ние 2) опасе́ние; **~sive** [-sɪv] опаса́ющийся *(чего-л.)*; боязли́вый

apprentice [ə'prentɪs] учени́к, подмасте́рье; **~ship** учени́чество

apprise [ə'praɪz] извеща́ть

appro ['æprou]: on ~ *ком.* на про́бу *(о товарах, присланных с правом возврата)*

approach [ə'proutʃ] **1.** *v* 1) приближа́ться, подходи́ть 2) обраща́ться *(к кому-л.)* **2.** *n* 1) приближе́ние 2) подхо́д 3) *(обыкн. pl)* по́дступы *мн.*

approbation [,æprə'beɪʃ(ə)n] одобре́ние, са́нкция

appropriat||e **1.** *v* [ə'prouprɪeɪt] 1) присва́ивать 2) предназнача́ть 3) ассигнова́ть **2.** *a* [ə'prouprɪɪt] подходя́щий, соотве́тствующий; **~ion** [ə,prouprɪ'eɪʃ(ə)n] 1) присвое́ние 2) ассигнова́ние

approv||al [ə'pru:v(ə)l] одобрéние; **~e** [ə'pru:v] одобрять; **~ed** [-d]: ~ed school исправи́тельная шкóла

approximat||e **1.** *v* [ə'prɔksɪmeɪt] приближáться, почти́ равня́ться **2.** *a* [ə'prɔksɪmɪt] приблизи́тельный

appurtenance [ə'pə:tɪnəns] принадлéжность

apricot ['eɪprɪkɔt] абрикóс

April ['eɪpr(ə)l] 1) апрéль 2) *attr.* апрéльский

apron ['eɪpr(ə)n] перéдник, фáртук

apropos ['æprəpou] **1.** *a* умéстный **2.** *adv* кстáти

apt ['æpt] 1) спосóбный *(at)* 2) подходя́щий 3) склóнный *(to)*; **~itude** [-ɪtju:d] 1) спосóбность 2) склóнность

aqualung ['ækwəlʌŋ] аквалáнг

aquarium [ə'kwɛərɪəm] аквáриум

aquatic [ə'kwætɪk] вóдный

aqueous ['eɪkwɪəs] водянóй; вóдный

aquiline ['ækwɪlaɪn] орли́ный

Arab ['ærəb] арáб; **~ian** [ə'reɪbjən] **1.** *a* арáбский ◇ ~ian Nights скáзки «Ты́сячи и однóй нóчи» **2.** *n* арáб; арáбка; **~ic** [-ɪk] **1.** *a* арáбский **2.** *n* арáбский язы́к

arable ['ærəbl] пáхотный

arbit||er ['ɑ:bɪtə] арби́тр, третéйский судья́; **~rary** [-rərɪ] произвóльный; **~rate** [-reɪt] выноси́ть третéйское решéние; быть третéйским судьёй; **~ration** [,ɑ:bɪ'treɪʃ(ə)n] арбитрáж; третéйский суд

arbour ['ɑ:bɔ:] бесéдка

arc [ɑ:k] 1) дугá 2) рáдуга 3) электри́ческая дугá

arcade [ɑ:'keɪd] 1) пассáж *(с магазинами)* 2) *архит.* аркáда

arch I [ɑ:tʃ] **1.** *n* 1) áрка 2) свод 3) дугá **2.** *v* 1) покрывáть свóдом 2) изгибáться

arch II прокáзливый

archaeology [,ɑ:kɪ'ɔlədʒɪ] археолóгия

archai||c [ɑ:'keɪɪk] архаи́ческий, устарéвший; **~sm** ['ɑ:keɪɪzm] устарéвшее слóво *или* выражéние, архаи́зм

archbishop [,ɑ:tʃ'bɪʃəp] архиепи́скоп

arch-enemy [,ɑ:tʃ'enɪmɪ] закля́тый враг

archipelago [,ɑ:kɪ'pelɪgou] архипелáг

architect ['ɑ:kɪtekt] архитéктор; **~ural** [,ɑ:kɪ'tektʃ(ə)rəl] архитектýрный; **~ure** ['ɑ:kɪtektʃə] архитектýра, зóдчество

archives ['ɑ:kaɪvz] *pl* архи́в

archway ['ɑ:tʃweɪ] прохóд под áркой

arctic ['ɑ:ktɪk] **1.** *a* аркти́ческий, поля́рный **2.** *n*: the A. Áрктика

ardent ['ɑ:d(ə)nt] горя́чий, пы́лкий; рéвностный

ardour ['ɑ:də] пыл; рвéние, энтузиáзм

arduous ['ɑ:djuəs] 1) крутóй, труднодостýпный *(о дорогах и т. п.)* 2) трýдный *(о работе и т. п.)*

are [ɑ:, ɑ:r *(перед гласными полные формы)*; ə, ər *(перед гласными редуцированные формы)*] *мн. ч. наст. вр. изъявительного наклонения гл.* be

area ['ɛərɪə] 1) свобóдное простра́нство 2) пло́щадь; зо́на, о́бласть, сфе́ра; ~ sown to maize посевна́я пло́щадь под кукуру́зой 3) *мат.* пло́щадь

arena [ə'ri:nə] аре́на

aren't [ɑ:nt] *сокр. от* are not

argot ['ɑ:gou] арго́

argue ['ɑ:gju:] 1) спо́рить 2) дока́зывать; аргументи́ровать

argument ['ɑ:gjumənt] 1) спор, диску́ссия 2) до́вод

arid ['ærɪd] сухо́й, засу́шливый; беспло́дный

arise [ə'raɪz] (arose; arisen) 1) происходи́ть, возника́ть 2) *уст.* восстава́ть

arisen [ə'rɪzn] *p. p. от* arise

aristocr||acy [,ærɪs'tɔkrəsɪ] аристокра́тия; **~at** ['ærɪstəkræt] аристокра́т

arithmetic [ə'rɪθmətɪk] арифме́тика

arm I [ɑ:m] 1) рука́ *(от плеча до кисти)* 2) сук, ветвь 3) рука́в; ответвле́ние 4) *тех.* рыча́г, плечо́ рычага́ ◇ at ~'s length на почти́тельном расстоя́нии; with open ~s с распростёртыми объя́тиями; take smb. by the ~ брать кого́-л. по́д руку; carry under one's ~ нести́ под мы́шкой; go ~-in-~ идти́ по́д руку

arm II **1.** *n (обыкн. pl)* 1) ору́жие; take up ~s взя́ться за ору́жие; lay down ~s сложи́ть ору́жие; under ~s под ружьём; up in ~s охва́ченный восста́нием; восста́вший; be up in ~s against smb. а) напада́ть на кого́-л.; б) жа́ловаться на кого́-л. 2) род войск **2.** *v* вооружа́ться

armament ['ɑ:məmənt] 1) вооруже́ние 2) *attr.*: ~ works вое́нный заво́д; ~ drive *(или* race) го́нка вооруже́ний

armature ['ɑ:mətjuə] 1) вооруже́ние 2) армату́ра

armband ['ɑ:mbænd] *см.* armlet

arm-chair ['ɑ:mtʃɛə] кре́сло

armed [ɑ:md] вооружённый; ~ attack вооружённое нападе́ние; ~ resistance вооружённое сопротивле́ние

Armenian [ɑ:'mi:njən] **1.** *a* армя́нский **2.** *n* 1) армяни́н; армя́нка 2) армя́нский язы́к

armful ['ɑ:mful] оха́пка

arm-hole ['ɑ:mhoul] про́йма

armistice ['ɑ:mɪstɪs] переми́рие

armless ['ɑ:mlɪs] безру́кий

armlet ['ɑ:mlɪt] 1) нарука́вник 2) небольшо́й морско́й зали́в; рука́в реки́

armour ['ɑ:mə] **1.** *n* 1) броня́ 2) *ист.* вооруже́ние, доспе́хи **2.** *v* покрыва́ть броне́й; **~-clad** [-klæd] **1.** *a* броненосный **2.** *n* броненосец

armour||ed ['ɑ:məd] брониро́ванный; броне́носный; ~ car бронеавтомоби́ль; ~ forces бронеси́лы; **~er** [-rə] оруже́йный ма́стер

armoury ['ɑ:mərɪ] 1) арсена́л 2) *амер.* оруже́йный заво́д

armpit ['ɑ:mpɪt] подмы́шка

army ['ɑ:mɪ] 1) а́рмия; во́йско; standing ~ регуля́рная а́рмия 2) ма́сса, мно́жество

aromatic [,æro(u)'mætɪk] благово́нный

arose [ə'rouz] *past от* arise

around [ə'raund] **1.** *prep* вокру́г; the people ~ him were laughing лю́ди вокру́г него́ смея́лись **2.** *adv* 1) всю́ду, вокру́г; he looked ~ он посмотре́л вокру́г; all ~ повсю́ду 2) *амер.* вблизи́

arouse [ə'rauz] буди́ть; *перен.* пробужда́ть; вызыва́ть *(возмущение и т. п.)*

arraign [ə'reın] 1) привлека́ть к суду́, обвиня́ть 2) *книжн.* придира́ться

arrange [ə'reındʒ] 1) приводи́ть в поря́док 2) догова́риваться 3) *муз.* аранжи́ровать 4) ула́живать *(спор)*; **~ment** устро́йство

arrant ['ær(ə)nt]: ~ knave отъя́вленный негодя́й; ~ nonsense су́щий вздор

array [ə'reı] **1.** *v* 1) облача́ть *(пышно)*; ~ oneself разоде́ться 2) выстра́ивать **2.** *n* 1) *поэт.* одея́ние 2) построе́ние

arrears [ə'rıəz] *pl* задо́лженность; недои́мки; be in ~ име́ть задо́лженность; collect ~ взы́скивать недои́мки

arrest [ə'rest] **1.** *v* 1) заде́рживать; аресто́вывать 2) прико́вывать *(внимание)* **2.** *n* 1) аре́ст; задержа́ние 2) *юр.* наложе́ние запреще́ния; **~ing** захва́тывающий

arrival [ə'raıv(ə)l] 1) прибы́тие 2) прибы́вший

arrive [ə'raıv] 1) прибыва́ть 2) достига́ть; ~ at a conclusion прийти́ к заключе́нию; ~ at a decision приня́ть реше́ние 3) наступа́ть *(о времени, событии)*

arrog||ance ['ærəgəns] высокоме́рие, надме́нность; **~ant** [-ənt] высокоме́рный; надме́нный; зано́счивый

arrow ['ærou] стрела́

arsenal ['ɑ:sınl] арсена́л

arsenic ['ɑ:snık] мышья́к

arson ['ɑ:sn] поджо́г

art I [ɑ:t] 1) иску́сство 2) мастерство́

art II *уст. 2 л. ед. ч. наст. вр. изъявительного наклонения гл.* be

arte||rial [ɑ:'tıərıəl] 1) *анат.* артериа́льный 2) магистра́льный *(о дорогах)*; **~ry** *анат.* ['ɑ:tərı] арте́рия

artful ['ɑ:tful] хи́трый, ло́вкий

article ['ɑ:tıkl] 1) предме́т, вещь 2) статья́; leading ~ передови́ца *(газеты)* 3) пара́граф, пункт *(соглашения и т. п.)* 4) *грам.* член, арти́кль

articulate **1.** *a* [ɑ:'tıkjulıt] 1) членоразде́льный; я́сный *(о речи)* 2) я́сно выража́ющий свои́ мы́сли **2.** *v* [ɑ:'tıkjuleıt] произноси́ть (членоразде́льно)

artific||e ['ɑ:tıfıs] 1) хи́трость 2) иску́сная проде́лка; **~er** [ɑ:'tıfısə] 1) реме́сленник 2) вое́нный те́хник

artificial [,ɑ:tı'fıʃ(ə)l] иску́сственный

artillery [ɑ:'tılərı] артилле́рия; **~man** [-mən] артиллери́ст

artisan [,ɑ:tı'zæn] 1) реме́сленник 2) ма́стер

artist ['ɑ:tıst] 1) худо́жник, живопи́сец 2) арти́ст

artistic [ɑ:'tıstık] худо́жественный, артисти́ческий

artless ['ɑ:tlıs] просто́й *(о человеке)*; бесхи́тростный

arty [ˈɑ:tɪ] *разг.* с претéнзией на худóжественность *(о вещах)*; претендýющий на тóнкий вкус *(о людях)*

as [æz *(полная форма)*, əz *(редуцированная форма)*] 1) *(для введения придат. предлож. времени)* в то врéмя как, как тóлько, по мéре тогó как, до тех пор покá; as they were going home в то врéмя как они́ шли домóй; as soon as I saw you как тóлько я уви́дел вас; as he grew up по мéре тогó как он рос; as long as I live покá я жив 2) *(для введения придат. предлож. причины)* потомý что, так как; he dined alone as his wife was away он обéдал оди́н, так как егó жены́ нé было дóма 3) *(для введения обстоятельства следствия)* так... что; he arranged matters so as to suit everyone он так всё устрóил, что всем угоди́л 4) *(для введения придат. предлож. образа действия)* как, так... как; run as quickly as you can беги́те как мóжно быстрéе; I know that as well as you do я знáю э́то так же хорошó, как и вы 5) *(для введения придат. уступительного предлож.)* хотя́; much as I love you хотя́ я и óчень люблю́ вас 6) *(с последующим* if *для введения придат. предлож. образа действия или сравнения)* как бýдто; you speak as if... вы говори́те так, как бýдто... ◇ as to you что касáется вас; as far as I know наскóлько мне извéстно; it was known as early as the Middle Ages э́то бы́ло извéстно ещё в срéдние векá; as it is и так, и без тогó; as yet покá что; as it were как бы; так сказáть; as for, as to что касáется, что до; as well тóже

asbestos [æzˈbestɔs] *мин.* асбéст

ascend [əˈsend] поднимáться; восходи́ть; **~ancy** [-ənsɪ] могýщественное влия́ние; **~ant** [-ənt] **1.** *a* 1) восходя́щий 2) господ́ствующий **2.** *n* влия́ние, власть над; **~ency** [-ənsɪ] *см.* ascendancy; **~ent** [-ənt] *см.* ascendant

ascension [əˈsenʃ(ə)n] 1) восхождéние 2) *рел.* вознесéние

ascent [əˈsent] восхождéние, подъём

ascertain [ˌæsəˈteɪn] установи́ть; удостовéриться

ascetic [əˈsetɪk] **1.** *a* аскети́ческий **2.** *n* аскéт

ascribe [əsˈkraɪb] припи́сывать

ascription [əsˈkrɪpʃ(ə)n] припи́сывание

aseptic [æˈseptɪk] стери́льный

ash I [æʃ] я́сень; mountain ~ ряби́на

ash II *(обыкн. pl)* золá, пéпел; прах ◇ burn to ~es сжигáть дотлá

ashamed [əˈʃeɪmd] пристыжённый; be ~ of oneself сты-ди́ться; he was ~ to tell the truth емý бы́ло сты́дно сказáть прáвду

ash-bin [ˈæʃbɪn] ведрó *или* я́щик для мýсора

ashen [ˈæʃn] пéпельный; пéпельного цвéта; мéртвенно-блéдный

ashore [ə'ʃɔ:] к бе́регу, на бе́рег; go ~ выса́живаться на бе́рег

ash-tray ['æʃtrəɪ] пе́пельница

ashy ['æʃɪ] 1) пе́пельный 2) бле́дный

Asia||n ['eɪʃ(ə)n] **1.** *a* азиа́тский **2.** *n* урожéнец А́зии; **~tic** [,eɪʃɪ'ætɪk] азиа́тский

aside [ə'saɪd] в сто́рону, прочь; speak ~ говори́ть в сто́рону *(обыкн. од актёре)* ◇ ~ from *амер.* кро́ме того́

asinine ['æsɪnaɪn] 1) осли́ный 2) глу́пый

ask [ɑ:sk] 1) спра́шивать 2) проси́ть 3) попроси́ть *(for)* 4) приглаша́ть *(на обед, чай— to)*

askance [əs'kæns] сбо́ку; и́скоса; look ~ at подозри́тельно смотре́ть

askew [əs'kju:] кри́во, ко́со

asking ['ɑ:skɪŋ]: for the ~ сто́ит то́лько попроси́ть

aslant [ə'slɑ:nt] **1.** *adv* ко́со, на́искось **2.** *prep* поперёк

asleep [ə'sli:p] спя́щий; be ~ спать; fall ~ засну́ть; half ~ в полусне́

asp [æsp] випе́ра *(змея)*

asparagus [əs'pærəgəs] спа́ржа

aspect ['æspekt] 1) аспе́кт; вид *(тж. грам.)* 2) взгляд; то́чка зре́ния

aspen ['æspən] **1.** *a* оси́новый **2.** *n* оси́на

asperity [æs'perɪtɪ] 1) гру́бость; жёсткость; ре́зкость *(тона)* 2) суро́вость *(климата)*

asper||se [əs'pə:s] черни́ть, позо́рить *(кого-л.)*; **~sion** [əs'pə:ʃ(ə)n] клевета́

asphalt ['æsfælt] асфа́льт

asphyxiate [æs'fɪksɪeɪt] вызыва́ть уду́шье; be ~d задыха́ться

aspic ['æspɪk] *кул.* заливно́е

aspirant [əs'paɪərənt] претенде́нт

aspirat||e **1.** *v* ['æspəreɪt] произноси́ть с придыха́нием **2.** *n* ['æsp(ə)rɪt] 1) придыха́тельный согла́сный 2) знак придыха́ния; **~ion** [,æspə'reɪʃ(ə)n] 1) придыха́ние 2) *(часто pl)* стремле́ние; жела́ние *(честолюбивое)*

aspir||e [əs'paɪə] стреми́ться, домога́ться; **~ing** [-rɪŋ] 1) стремя́щийся 2) честолюби́вый

ass [æs] осёл

assail [ə'seɪl] 1) напада́ть 2) забра́сывать *(вопросами)*; **~able** [-əbl] уязви́мый; **~ant** [-ənt] напада́ющий; зачи́нщик

assassin [ə'sæsɪn] уби́йца; hired ~ наёмный уби́йца; **~ate** [-eɪt] убива́ть; **~ation** [ə,sæsɪ'neɪʃ(ə)n] уби́йство

assault [ə'sɔ:lt] **1.** *n* 1) нападе́ние 2) штурм **2.** *v* 1) напада́ть 2) штурмова́ть

assay [ə'seɪ] **1.** *n* про́ба *(металлов)* **2.** *v* испы́тывать; опро́бовать

assemblage [ə'semblɪdʒ] 1) собра́ние; сбор 2) сбо́рка *(машин)*

assemble [ə'sembl] 1) собира́ть 2) собира́ться

assembly [ə'semblɪ] 1) собра́ние, о́бщество; ассамбле́я; General A. Генера́льная Ассамбле́я 2) *амер.* законода́тельное собра́ние *(отдельных штатов США)* 3) *воен.* сигна́л сбо́ра

assent [ə'sent] **1.** *v* соглаша́ться; уступа́ть *(просьбе)* **2.** *n* согла́сие, са́нкция

assert [ə'sə:t] утвержда́ть; отста́ивать; ~ one's rights отста́ивать свои́ права́; ~ oneself быть напо́ристым; **~ion** [ə'sə:ʃ(ə)n] 1) утвержде́ние 2) защи́та *(прав и т. п.)*; **~ive** [-ɪv] напо́ристый; самоуве́ренный

assess [ə'ses] 1) оце́нивать *(для обложения)* 2) оце́нивать по досто́инству; **~ment** обложе́ние; **~or** экспе́рт (-консульта́нт) *(при суде, комиссии)*

asset ['æset] 1) це́нное ка́чество 2) *pl юр.* иму́щество; ~s and liabilities акти́в и пасси́в

assidu||ity [,æsɪ'dju:ɪtɪ] усе́рдие, прилежа́ние; **~ous** [ə'sɪdjuəs] приле́жный, неутоми́мый

assign [ə'saɪn] назнача́ть, определя́ть, ассигнова́ть; **~ment** 1) зада́ние 2) переда́ча *(прав, имущества)* 3) назначе́ние

assimilate [ə'sɪmɪleɪt] 1) усва́ивать, ассимили́ровать 2) уподобля́ть 3) ассимили́роваться

assist [ə'sɪst] помога́ть; **~ance** [-(ə)ns] по́мощь; mutual ~ance взаимопо́мощь; **~ant** [-(ə)nt] помо́щник, ассисте́нт

assizes [ə'saɪzɪz] *pl* выездна́я се́ссия суда́ прися́жных

associat||e **1.** *v* [ə'souʃɪeɪt] 1) соединя́ть, свя́зывать 2) соединя́ться 3) обща́ться *(с — with)* **2.** *n* [ə'souʃɪɪt] това́рищ, соуча́стник; ~ professor доце́нт; **~ion** [ə,sousɪ'eɪʃ(ə)n] ассоциа́ция, о́бщество

assonant ['æsənənt] созву́чный

assort [ə'sɔ:t] подбира́ть *(по сортам)*; **~ment** подбо́р, ассортиме́нт

assuage [ə'sweɪdʒ] 1) успока́ивать; смягча́ть *(горе)* 2) утоля́ть

assum||e [ə'sju:m] 1) принима́ть (на себя́); ~ responsibility брать на себя́ отве́тственность; ~ office вступа́ть в до́лжность 2) присва́ивать, узурпи́ровать; he ~ed a new name он при́нял псевдони́м 3) напуска́ть на себя́; притворя́ться 4) предполага́ть; let us ~ that допу́стим что; **~ed** [-d] 1) вы́мышленный; an ~ed name вы́мышленное и́мя 2) притво́рный 3) предполага́емый; **~ing** самонаде́янный

assumption [ə'sʌmpʃ(ə)n] 1) приня́тие (на себя́); присвое́ние 2) притво́рство 3) предположе́ние

assurance [ə'ʃuər(ə)ns] 1) завере́ние 2) (само)уве́ренность 3) страхова́ние

assure [ə'ʃuə] 1) уверя́ть 2) гаранти́ровать 3) страхова́ть; **~dly** [-rɪdlɪ] несомне́нно, коне́чно

aster ['æstə] а́стра

asterisk ['æst(ə)rɪsk] *полигр.* звёздочка *(знак)*

astern [əs'tə:n] *мор.* позади́, за кормо́й; наза́д; full speed ~ по́лный ход наза́д

astir [ə'stə:] *predic* в движе́нии; на нога́х; возбуждённый

astonish [əs'tɔnɪʃ] удивля́ть, изумля́ть; **~ing** удиви́тельный, изуми́тельный; **~ment** удивле́ние, изумле́ние

astound [əs'taund] изумля́ть, поража́ть

astray [ə'streɪ] *predic*: go ~ заблуди́ться; lead smb. ~ сбить кого́-л. с пути́ (и́стинного)

astride [ə'straɪd] *predic*: sit ~ сиде́ть верхо́м

astronaut [,æstrə'nɔ:t] астрона́вт, космона́вт; **~ics** [-ɪks] астрона́втика

astrono||mer [əs'trɔnəmə] астроно́м; **~my** [-mɪ] астроно́мия

astute [əs'tju:t] проница́тельный; хи́трый

asunder [ə'sʌndə] 1) по́рознь 2) на куски́; попола́м

asylum [ə'saɪləm] 1) прию́т, убе́жище 2) психиатри́ческая больни́ца

at [æt *(полная форма)*, ət *(редуцированная форма)*] 1) *(в отношении места)* у; за; при; at the door у двере́й; at supper за у́жином; at the corner of the table на краю́ стола́ 2) *(при обозначении времени)* в; на; at six o'clock в шесть часо́в; at daybreak на рассве́те; at night но́чью 3) *(после глаголов* look, gaze, stare; hint) на; *(после глаголов* arrive, get, rush; shoot, aim) на; в; *(после глаголов* laugh, sneer, mock) над; *(после глаголов* catch, clutch) за; *(после глаголов* wonder, be surprised, be astonished — *часто переводится русск. дат. и тв. п.)* ◇ at all вообще́ *(в отриц. предл.)*; at best в лу́чшем слу́чае; at first снача́ла; at one *(with)* в согла́сии; at the sight *(of)* при ви́де; at times иногда́; not at all ниско́лько

ate [et] *past от* eat

athe||ism ['eɪθɪɪzm] атеи́зм, безбо́жие; **~ist** атеи́ст, безбо́жник

athlet||e ['æθli:t] 1) спортсме́н 2) атле́т, сила́ч; **~ic** [æθ'letɪk] атлети́ческий; **~ics** [æθ'letɪks] физкульту́ра, атле́тика

athwart [ə'θwɔ:t] *мор.* попере́к; ~ ship на тра́верзе

Atlantic [ət'læntɪk] **1.** *a* атланти́ческий **2.** *n* Атланти́ческий океа́н *(тж.* ~ ocean)

atmospher||e ['ætməsfɪə] атмосфе́ра; **~ic** [,ætməs'ferɪk] атмосфе́рный; **~ics** [,ætməs'ferɪks] *pl* атмосфе́рные поме́хи

atom ['ætəm] а́том; **~ic** [ə'tɔmɪk] а́томный; ~ic stockpile запа́с а́томного ору́жия; ~ic warfare а́томная война́

atomizer ['ætəmaɪzə] пульвериза́тор, распыли́тель

atone [ə'toun] 1) искупа́ть 2) возмеща́ть *(for)*; **~ment** искупле́ние

atroci||ous [ə'trouʃəs] 1) зве́рский; жесто́кий 2) *разг.* ужа́сный, отврати́тельный; **~ty** [ə'trɔsɪtɪ] зве́рство, жесто́кость

attach [ə'tætʃ] 1) прикрепля́ть 2) присоединя́ть; ~ oneself присоединя́ться 3) привя́зывать, располага́ть к себе́ 4) придава́ть *(значение и т. п.)*

attaché [ə'tæʃeɪ] атташе́ ◇ ~ case ко́жаный чемода́нчик

attached [ə'tætʃt] **1.** *p. p. от* attach **2.** *a* привя́занный *(к кому-л.)*

attachment [ə'tætʃmənt] 1) прикрепле́ние 2) привя́занность

attack [ə'tæk] **1.** *n* 1) наступле́ние; нападе́ние 2) при́ступ *(болезни)*, припа́док **2.** *v* наступа́ть атакова́ть

attain [ə'teɪn] достига́ть; **~able** [-əbl] достижи́мый; **~ment** достиже́ние

attempt [ə'tempt] **1.** *n* 1) попы́тка 2) покуше́ние **2.** *v* 1) пыта́ться, про́бовать 2) покуша́ться

attend [ə'tend] 1) посеща́ть; прису́тствовать *(на лекции и т. п.)* 2) *(to)* занима́ться *(делом, вопросом)* 3) уха́живать *(за больным)*; what doctor ~ed you? како́й врач лечи́л вас?; **~ance** [-əns] 1) прису́тствие; посеща́емость; посеще́ние 2) пу́блика 3) ухо́д, обслу́живание; **~ant** [-ənt] слуга́; провожа́тый

attent||ion [ə'tenʃ(ə)n] внима́ние; внима́тельность; draw one's ~ привле́чь чьё-л. внима́ние; pay ~ *(to)* обраща́ть внима́ние *(на кого-л., что-л.)*; **~ive** [-tɪv] внима́тельный

attenuate **1.** *v* [ə'tenjueɪt] 1) истоща́ть 2) разжижа́ть 3) ослабля́ть, смягча́ть **2.** *a* [ə'tenjuɪt] 1) исхуда́вший; худо́й 2) разжижённый

attest [ə'test] свиде́тельствовать, удостоверя́ть; **~ation** [ˌætes'teɪʃ(ə)n] 1) свиде́тельство; подтвержде́ние 2) приведе́ние к прися́ге

attic ['ætɪk] манса́рда; черда́к

attire [ə'taɪə] **1.** *n книжн.* наря́д, пла́тье **2.** *v* наряжа́ть

attitude ['ætɪtju:d] 1) по́за, оса́нка 2) отноше́ние; пози́ция; ~ of mind склад ума́

attorney [ə'tə:nɪ] пове́ренный, адвока́т; A. General генера́льный атто́рней *(прокурор)*; district ~ *амер.* атто́рней, прокуро́р

attract [ə'trækt] привлека́ть; прельща́ть; притя́гивать; **~ion** [-kʃ(ə)n] притяже́ние, тяготе́ние; привлека́тельность; **~ive** [-ɪv] привлека́тельный; притяга́тельный

attribut||e **1.** *n* ['ætrɪbju:t] 1) сво́йство, при́знак 2) *грам.* определе́ние **2.** *v* [ə'trɪbju:t] припи́сывать; **~ive** [ə'trɪbjutɪv] *грам.* атрибути́вный, определи́тельный

attune [ə'tju:n] приводи́ть в созву́чие, настра́ивать

auburn ['ɔ:bən] кашта́нового цве́та

auction ['ɔ:kʃ(ə)n] **1.** *n* аукцио́н **2.** *v* распродава́ть с молотка́

audaci||ous [ɔ:'deɪʃəs] сме́лый; де́рзкий; **~ty** [ɔ:'dæsɪtɪ] сме́лость; де́рзость

audib||le ['ɔ:dəbl] слы́шимый, вня́тный; **~ly** слы́шно, вня́тно

audience ['ɔ:djəns] 1) ауди́енция; give ~ *(to)* назнача́ть кому́-л. аудие́нцию; выслу́шивать 2) аудито́рия, слу́шатели *мн.*; пу́блика; зри́тели *мн.*

audit ['ɔ:dɪt] **1.** *n* прове́рка счето́в, реви́зия **2.** *v* ревизова́ть отчётность

audition [ɔ:'dɪʃ(ə)n] 1) прослу́шивание 2) про́ба *(голосов и т. п.)*

auditor ['ɔ:dɪtə] ревизо́р

auditorium [ˌɔ:dɪ'tɔ:rɪəm] зри́тельный зал; аудито́рия

auditory [ˈɔ:dɪtərɪ] слуховóй

auger [ˈɔ:gə] бурáв, сверлó

aught [ɔ:t] нéчто, кóе-чтó, чтó-нибудь; for ~ I know нáсколько мне извéстно

augment [ɔ:gˈment] увели́чивать, прибавля́ть; **~ation** [ˌɔ:gmenˈteɪʃ(ə)n] прирóст, увеличéние

augur [ˈɔ:gə] **1.** *n* авгу́р, прорицáтель **2.** *v* предскáзывать *(судьбу)*; гадáть; **~y** [ˈɔ:gjurɪ] 1) гадáние 2) прорицáние

August [ˈɔ:gəst] 1) áвгуст 2) *attr.* áвгустовский

aunt [ˈɑ:nt] тётя, тётка; **~y** [-ɪ] *ласк.* тётенька

aural [ˈɔ:r(ə)l] ушнóй

aureola [ɔ:ˈrɪələ] ореóл, венéц, сия́ние

auricular [ɔ:ˈrɪkjulə] ушнóй, слуховóй

auriferous [ɔ:ˈrɪfərəs] золотонóсный

aurora [ɔ:ˈrɔ:rə] у́тренняя заря́; ~ borealis сéверное сия́ние

auscultation [ˌɔ:sk(ə)lˈteɪʃ(ə)n] выслу́шивание *(больного)*

auspices [ˈɔ:spɪsɪz] *pl* 1) предзнаменовáние 2) покрови́тельство; under smb.'s ~ под чьим-л. покрови́тельством

auspicious [ɔ:sˈpɪʃəs] благоприя́тный

auster||e [ɔsˈtɪə] 1) стрóгий, сурóвый 2) простóй *(об образе жизни)*; **~ity** [ɔsˈterɪtɪ] 1) стрóгость, простотá 2) сурóвость; аскети́зм

Australian [ɔsˈtreɪljən] **1.** *a* австрали́йский **2.** *n* австрали́ец; австрали́йка

Austrian [ˈɔstrɪən] **1.** *a* австри́йский **2.** *n* австри́ец; австри́йка

authentic [ɔ:ˈθentɪk] пóдлинный, достовéрный; **~ity** [ˌɔ:θenˈtɪsɪtɪ] пóдлинность

author [ˈɔ:θə] 1) áвтор; писáтель 2) творéц ◇ ~ of a crime винóвник преступлéния

authoritative [ɔ:ˈθɔrɪt(ə)tɪv] 1) авторитéтный; надёжный 2) внуши́тельный

author||ity [ɔ:ˈθɔrɪtɪ] 1) авторитéт 2) власть; *pl* влáсти 3) вес, влия́ние 4) полномóчие; **~ization** [ˌɔ:θəraɪˈzeɪʃ(ə)n] уполномóчивание; разрешéние, сáнкция; **~ize** [ˈɔ:θəraɪz] уполномóчивать; дозволя́ть; **~ized** [ˈɔ:θəraɪzd]: ~ized translation авторизóванный перевóд

authorship [ˈɔ:θəʃɪp] áвторство

autobiogra||phic [ˈɔ:to(u)ˌbaɪo(u)ˈgræfɪk] автобиографи́ческий; **~phy** [ˌɔ:to(u)baɪˈɔgrəfɪ] автобиогрáфия

auto||cracy [ɔ:ˈtɔkrəsɪ] самодержáвие; **~crat** [ˈɔ:təkræt] самодéржец; **~cratic** [ˌɔ:təˈkrætɪk] самодержáвный, влáстный, деспоти́ческий

autogenous [ɔ:ˈtɔdʒɪnəs] автогéнный

autograph [ˈɔ:təgrɑ:f] автóграф; оригинáл ру́кописи; **~ic(al)** [ˌɔ:təˈgræfɪk(ə)l] собственнору́чно напи́санный

automat||ic [ˌɔ:təˈmætɪk] **1.** *a* 1) автомати́ческий 2) машинáльный **2.** *n* автомати́ческий пистолéт; **~ion** [ˌɔ:təˈmeɪʃ(ə)n] автомáтика; **~on** [ɔ:ˈtɔmət(ə)n] автомáт

automobile [ˈɔ:tɔməbi:l] автомобиль

autonomous [ɔ:ˈtɔnəməs] автономный

autonomy [ɔ:ˈtɔnəmɪ] автономия

autopilot [ˌɔ:təˈpaɪlət] *ав.* автопилот

autopsy [ˈɔ:təpsɪ] *мед.* вскрытие (трупа)

autumn [ˈɔ:təm] 1) осень 2) *attr.* осенний

auxiliary [ɔ:gˈzɪljərɪ] **1.** *a* вспомогательный **2.** *n* 1) помощник 2) *грам.* вспомогательный глагол

avail [əˈveɪl] **1.** *v* помогать, быть полезным; ~ oneself of smb.'s services воспользоваться чьими-л. услугами; ~ oneself of an opportunity воспользоваться случаем **2.** *n*: of no ~, without ~ бесполезный; to little ~ малополезный; **~able** [-əbl] 1) имеющийся в распоряжении; наличный; all ~able funds все наличные средства; make ~able предоставлять 2) годный, действительный 3) достижимый

avalanche [ˈævəlɑ:nʃ] снежный обвал; лавина

avaric||e [ˈævərɪs] скупость; **~ious** [ˌævəˈrɪʃəs] скупой

avenge [əˈvendʒ] мстить; **~r** мститель

avenue [ˈævɪnju:] 1) проход; аллея; дорога, обсаженная деревьями 2) *амер.* широкая улица, проспект 3) *перен.* путь; средство

average [ˈævərɪdʒ] **1.** *n* среднее число **2.** *a* средний; ~ height средний рост; on the ~, an ~ *(of)* в среднем **3.** *v* выводить среднее число

avers||e [əˈvə:s] нерасположенный, питающий отвращение *(к чему-л.)*; **~ion** [əˈvə:ʃ(ə)n] отвращение, антипатия

avert [əˈvə:t] отвращать; he ~ed his face он отвернулся

aviary [ˈeɪvjərɪ] птичник

aviat||ion [ˌeɪvɪˈeɪʃ(ə)n] авиация; **~or** [ˈeɪvɪeɪtə] лётчик

avid [ˈævɪd] алчный, жадный; **~ity** [əˈvɪdɪtɪ] алчность, жадность

avoid [əˈvɔɪd] 1) избегать, сторониться 2) *юр.* уничтожать, делать недействительным; **~able** [-əbl] такой, которого можно избежать; **~ance** [-(ə)ns] 1) уклонение 2) упразднение

avoirdupois [ˌævədəˈpɔɪz] *английская система мер веса (для всех товаров, кроме благородных металлов, драгоценных камней и аптекарских товаров; 1 фунт = 453.59 г)*

avouch [əˈvautʃ] 1) ручаться 2) уверять, утверждать

avow [əˈvau] 1) признавать, открыто заявлять 2): ~ oneself признаваться; **~al** [-əl] признание; **~edly** [-ɪdlɪ] прямо, открыто

await [əˈweɪt] ждать, ожидать

awake [əˈweɪk] **1.** *v* (awoke; awoke, awaked) 1) будить 2) просыпаться; *перен.* становиться деятельным 3) *(to)* понять, осознать **2.** *a predic* бодрствующий

awaken [əˈweɪk(ə)n] 1) просыпаться 2) будить, пробуждать *(талант, чувства)*; **~ing** пробуждение; a rude ~ing горькое разочарование

award [ə'wɔ:d] **1.** *v* присуждать *(что-л.)*, награждать *(чем-л.)* **2.** *n* 1) присуждённая награда, присуждённое наказание *и т. п.* 2) присуждение, решение суда

aware [ə'wɛə] осведомлённый, знающий; be ~ *(of)* знать, сознавать

away [ə'weɪ] **1.** *adv* прочь **2.** *a predic* в отсутствие; be ~ уехать; отсутствовать ◇ far ~, ~ off далеко; far and ~, out and ~ вне сравнения; намного; ~ back давно, тому назад; right ~ тотчас

awe ['ɔ:] **1.** *n* страх; благоговение **2.** *v* внушать страх *или* благоговение; запугивать; **~struck** [-strʌk] охваченный благоговейным страхом

awful ['ɔ:ful] 1) ужасный 2) вызывающий страх *или* благоговение; **~ly** 1) ['ɔ:fulɪ] ужасно 2) ['ɔ:flɪ] *разг.* очень, крайне

awhile [ə'waɪl] на некоторое время, ненадолго

awkward ['ɔ:kwəd] 1) неудобный, затруднительный 2) неловкий, неуклюжий; **~ness** неловкость, неуклюжесть

awl [ɔ:l] шило

awning ['ɔ:nɪŋ] навес, тент

awoke [ə'wouk] *past и p. p. от* awake 1

awry [ə'raɪ] 1) косо, набок 2) неудачно

axe [æks] топор

axial ['æksɪəl] *тех.*, *мат.* осевой

axiom ['æksɪəm] аксиома; **~atic** [,æksɪə'mætɪk] самоочевидный; неопровержимый

axis ['æksɪs] *(pl* axes [-i:z]) ось

axle ['æksl] *тех.* ось; **~d** [-d] *тех.* осевой

Azerbaijan [,ɑ:zə:baɪ'dʒɑ:n] азербайджанский; **~ian** [-ɪən] 1) азербайджанец; азербайджанка 2) азербайджанский язык

azimuth ['æzɪməθ] азимут; true ~ истинный азимут

azot||e [ə'zout] азот; **~ic** [ə'zɔtɪk] азотный; азотистый

azure ['æʒə] **1.** *a* голубой, лазурный **2.** *n* 1) лазурь 2) *поэт.* небо

B

B, b [bi:] 1) *вторая буква англ. алфавита* 2) *муз.* нота си

babble ['bæbl] **1.** *v* 1) журчать 2) лепетать; бормотать **2.** *n* 1) журчание 2) лепет; бормотание; **~r** болтун

babe [beɪb] *поэт.* дитя; *перен.* ребёнок

baby ['beɪbɪ] младенец; ребёнок; **~ish** ребяческий, детский

bachelor I ['bætʃ(ə)lə] холостяк

bachelor II бакалавр

bacillus [bə'sɪləs] *(pl* -lli [-laɪ]) бацилла

back [bæk] **1.** *n* 1) спина 2) хребет 3) спинка *(кресла)* 4) задняя, оборотная *или* тыльная сторона 5) корешок *(кни-*

ги) 6) *спорт.* защи́тник **2.** *a* 1) за́дний; ~ street переу́лок 2) просро́ченный *(о платеже)* **3.** *adv* 1) наза́д; обра́тно; ~ and forth взад и вперёд; be ~ верну́ться 2) тому́ наза́д **4.** *v* 1) дви́гаться в обра́тном направле́нии, идти́ за́дним хо́дом; дава́ть за́дний ход 2) подде́рживать; **~out** отступа́ть, отка́зываться *(от обеща́ния)*

back-bencher ['bæk,bentʃə] рядово́й член парла́мента

backbite ['bækbaɪt] злосло́вить; клевета́ть

backbone ['bækboun] спинно́й хребе́т; *перен.* а) твёрдость хара́ктера; б) гла́вная опо́ра; осно́ва; суть

back-door ['bæk'dɔ:] закули́сный, та́йный

backfire ['bæk'faɪə] 1) *тех.* обра́тная вспы́шка 2) встре́чный пожа́р, устра́иваемый для прекраще́ния лесно́го пожа́ра

background ['bækgraund] 1) фон, за́дний план 2) подоплёка ◇ stay in the ~ остава́ться, держа́ться в тени́

back-handed ['bæk'hændɪd] нанесённый ты́льной стороно́й руки́ ◇ a ~ compliment сомни́тельный комплиме́нт

backing ['bækɪŋ] подде́ржка

back||-log ['bæklɔg] задо́лженность; невы́полненные зака́зы; **~-stage** [-steɪdʒ] закули́сный

backward ['bækwəd] **1.** *adv (тж.* ~s) наза́д **2.** *a* 1) обра́тный *(о движении)* 2) отста́лый; ~ children у́мственно отста́лые де́ти; **~ness** отста́лость

bacon ['beɪk(ə)n] бeко́н, копчёная свина́я груди́нка ◇ save one's ~ спаса́ть свою́ шку́ру

bacteriology [bæk,tɪərɪ'ɔlədʒɪ] бактериоло́гия

bacterium [bæk'tɪərɪəm] *(pl* -ia [-ɪə]) бакте́рия

bad [bæd] (worse; worst) 1) плохо́й 2) вре́дный; wine is ~ for you вино́ вам вре́дно 3) си́льный *(о боли)* 4) гру́бый *(об ошибке)* ◇ feel ~ *разг.* пло́хо себя́ чу́вствовать

bad(e) [beɪd] *past от* bid 1

badge [bædʒ] значо́к

badger I ['bædʒə] барсу́к

badger II пристава́ть

badly ['bædlɪ] 1) пло́хо, оши́бочно 2) о́чень, си́льно ◇ ~ off обедне́вший; come off ~ потерпе́ть неуда́чу

baffle ['bæfl] ста́вить в тупи́к *(кого-л.)*; расстра́ивать *(планы и т. п.)* ◇ ~ pursuit ускользну́ть от пресле́дования

bag [bæg] **1.** *n* мешо́к; су́мка; чемода́н **2.** *v* класть в мешо́к

baggage ['bægɪdʒ] бага́ж

baggy ['bægɪ] мешкова́тый

bagpipe(s) ['bægpaɪps] *(pl)* волы́нка *(музыкальный инструмент)*

bail [beɪl] **1.** *n* зало́г, пору́чительство; go ~ for smb. поручи́ться за кого́-л.; let out on ~ отпуска́ть на пору́ки **2.** *v*: ~ smb. out отпуска́ть кого́-л. на пору́ки

bailiff ['beɪlɪf] суде́бный при́став, бе́йлиф

bait [beɪt] **1.** *n* прима́нка; *перен.* искуше́ние **2.** *v* 1) наса́живать, ста́вить прима́нку 2) травить собаками; *перен.* насмехаться, травить, изводить, не давать покоя

baize [beɪz] *текст.* байка; грубое сукно (*особ.* зелёное)

bake [beɪk] (ис)печь

bake||r ['beɪkə] пекарь ◇ ~'s dozen чёртова дюжина; **~ry** [-rɪ] пекарня; булочная

balance ['bæləns] **1.** *n* 1) весы 2) равновесие 3) маятник 4) *эк.* баланс **2.** *v* 1) приводить в равновесие 2) взвешивать; **~d** [-t] уравновешенный; **~-sheet** [-ʃi:t] сводный баланс

balcony ['bælkənɪ] балкон

bald [bɔ:ld] 1) лысый (*о человеке и т. п.*) 2) оголённый (*о местности и т. п.*)

bald-headed ['bɔ:ld'hedɪd]: go ~ at (*или* for) smth. идти (*или* действовать) напролом

baldly ['bɔ:ldlɪ] открыто, напрямик

bale I [beɪl] **1.** *n* кипа, тюк **2.** *v* складывать в тюки

bale II: ~ **out** *ав.* выбрасываться с парашютом

baleful ['beɪlful] гибельный

balk [bɔ:k] **1.** *n* 1) препятствие 2) бревно, балка **2.** *v* 1) задерживать, препятствовать 2) артачиться (*о лошади*)

Balkan ['bɔ:lkən] балканский

ball I [bɔ:l] **1.** *n* 1) шар; мяч 2) клубок 3) пуля ◇ keep the ~ rolling поддерживать разговор **2.** *v* свиваться в клубок

ball II бал

ballad ['bæləd] баллада

ballast ['bæləst] **1.** *n* 1) балласт 2) щебень **2.** *v* грузить балластом

ball-bearing ['bɔ:l'bɛərɪŋ] шарикоподшипник

ballerina [,bælə'rɪ:nə] балерина

ballet ['bæleɪ] балет; **~-dancer** ['bælɪ,dɑ:nsə] балерина

ballistics [bə'lɪstɪks] баллистика

balloon [bə'lu:n] воздушный шар; аэростат

ballot ['bælət] **1.** *n* 1) избирательный бюллетень, баллотировочный шар 2) голосование, баллотировка; by secret ~ тайным голосованием **2.** *v* голосовать; баллотировать

bal||m ['bɑ:m] бальзам (*тж. перен.*); **~my** [-mɪ] 1) ароматный 2) успокаивающий; целительный 3) *разг.* глупый

bamboo [bæm'bu:] 1) бамбук 2) бамбуковая трость

bamboozle [bæm'bu:zl] *разг.* надувать; ~ smb. out of smth. обманом взять что-л. у кого-л.

ban [bæn] **1.** *v* запрещать **2.** *n* запрещение

banal [bə'nɑ:l] пошлый

banana [bə'nɑ:nə] банан

band I [bænd] лента; полоса материи

band II 1) группа людей; отряд 2) банда

band III оркестр

bandage ['bændɪdʒ] **1.** *n* бинт; повязка; бандаж **2.** *v* перевязывать, бинтовать

bandit ['bændɪt] бандит, разбойник

bandy ['bændɪ] **1.** *v* (*обыкн. перен.*) перебрасываться, обмениваться (*словами*) **2.** *a* кривоногий (*тж.* ~-legged)

bane [beɪn] отрава; *перен.* поги́бель; несча́стье; **~ful** ги́бельный, губи́тельный

bang I [bæŋ] **1.** *v* ударя́ть; хло́пать *(о двери)* **2.** *n* уда́р; хло́панье *(двери)* **3.** *adv разг.* как раз; вдруг **4.** *int* бац!

bang II чёлка

banish ['bænɪʃ] изгоня́ть; **~ment** изгна́ние, вы́сылка

banisters ['bænɪstəz] *pl* пери́ла

banjo ['bændʒou] ба́нджо *(музыкальный инструмент)*

bank I [bæŋk] **1.** *n* 1) бе́рег *(реки, канала)* 2) вал, на́сыпь 3) о́тмель 4) нано́с, зано́с **2.** *v* 1) де́лать на́сыпь 2) образо́вывать нано́сы; the snow has ~ed up мно́го сне́гу навали́ло 3) *ав.* накреня́ть 4) *ав.* накреня́ться

bank II **1.** *n* банк **2.** *v* 1) класть де́ньги в банк 2) *(on, upon)* осно́вываться *(на чём-либо)*; полага́ться, де́лать ста́вку *(на кого-л.)*

banker ['bæŋkə] банки́р

bank-note ['bæŋknout] банкно́та

bankrupt ['bæŋkrəpt] **1.** *n* банкро́т; become *(или* go) ~ обанкро́титься **2.** *a* несостоя́тельный; **~cy** [-sɪ] банкро́тство

banner ['bænə] зна́мя, стяг

banquet ['bæŋkwɪt] **1.** *n* банке́т **2.** *v* 1) угоща́ть 2) пирова́ть

banter ['bæntə] **1.** *n* доброду́шное подшу́чивание **2.** *v* подшу́чивать

bapt||ism ['bæptɪzm] креще́ние ◇ ~ of fire боево́е креще́ние; **~ize** [-'taɪz] крести́ть

bar I [bɑ:] **1.** *n* 1) полоса́ *(железа, дерева)*; пли́тка *(шоколада)*; бруsóк *(мыла и т.п.)* 2) засо́в 3) *pl* решётка *(тюремная)* 4) *муз.* такт 5) препя́тствие **2.** *v* 1) запира́ть засо́вом, задви́жкой 2) прегражда́ть 3) исключа́ть; запреща́ть 4) отстраня́ть *(from)*

bar II [bɑ:] 1) бар 2) буфе́т, сто́йка

bar III 1) адвокату́ра 2) пери́ла *(отделяющие судей от подсудимых)* ◇ be called to the ~ получи́ть пра́во занима́ться адвокату́рой

barb [bɑ:b] 1) зазу́брина, зубе́ц *(стрелы́, удочки)* 2) колю́чка

barbar||ian [bɑ:'bɛərɪən] **1.** *n* ва́рвар **2.** *a* ва́рварский; **~ic** [bɑ:'bærɪk] *см.* barbarous; **~ous** ['bɑ:bərəs] ва́рварский; гру́бый, жесто́кий

barbed [bɑ:bd]: ~ words ко́лкости

barbed-wire ['bɑ:bd'waɪə] колю́чая про́волока

barber ['bɑ:bə] парикма́хер

barberry ['bɑ:bərɪ] барбари́с

bare ['bɛə] **1.** *a* 1) го́лый; *перен.* неприкра́шенный 2) ску́дный, убо́гий 3) мале́йший, незначи́тельный **2.** *v* обнажа́ть; **~back** [-bæk] без седла́

barefaced ['bɛəfeist] на́глый

barefoot ['bɛəfut] босико́м

barely ['bɛəlɪ] едва́, то́лько, чуть не

bargain ['bɑ:gɪn] **1.** *n* 1) сде́лка 2) торг 3) уда́чная поку́пка ◇ into the ~ к тому́ же, в прида́чу **2.** *v* торгова́ться

barge [bɑ:dʒ] **1.** *n* 1) ба́ржа

2) адмира́льский ка́тер **2.** *v* 1) *(into, against)* ната́лкиваться *(на кого-л., что-л.)* 2) *(in)* вторга́ться

barium ['bɛərɪəm] ба́рий

bark I [bɑ:k] **1.** *n* кора́ де́рева **2.** *v* 1) сдира́ть кору́ 2) содра́ть, ссади́ть ко́жу

bark II барк

bark III **1.** *v* 1) ла́ять 2) *разг.* ря́вкать 3) *разг.* ка́шлять **2.** *n* лай

barkeeper ['bɑ:,ki:pə] буфе́тчик

barley ['bɑ:lɪ] ячме́нь

barm [bɑ:m] пивны́е дро́жжи

bar||maid ['bɑ:meɪd] буфе́тчица; **~man** [-mən] буфе́тчик

barmy ['bɑ:mɪ] *разг.* глу́пый; поме́шанный

barn [bɑ:n] 1) амба́р; сара́й 2) *амер.* трамва́йный парк

baromet||er [bə'rɔmɪtə] баро́метр; **~ric** [,bærə'metrɪk] барометри́ческий

baron ['bær(ə)n] 1) баро́н 2) *амер.* магна́т

baroque [bə'rouk] **1.** *n архит.* баро́кко **2.** *a* причу́дливый

barque [bɑ:k] *см.* bark II

barrack ['bærək] **1.** *n* бара́к; *(обыкн. pl)* каза́рмы **2.** *v разг.* гро́мко высме́ивать, осви́стывать *(спортсменов)*

barrage ['bærɑ:ʒ] 1) загражде́ние 2) *воен.* загради́тельный ого́нь, огнево́й вал 3) *attr.*: ~ balloon аэроста́т загражде́ния

barrel ['bær(ə)l] **1.** *n* 1) бо́чка 2) ствол *(ружья)* 3) *тех.* вал, бараба́н **2.** *v* разлива́ть в бочо́нки

barren ['bær(ə)n] беспло́дный; неплодоро́дный

barricade [,bærɪ'keɪd] **1.** *n* баррика́да **2.** *v* стро́ить баррика́ды

barrier ['bærɪə] 1) барье́р; заста́ва 2) препя́тствие

barring ['bɑ:rɪŋ] за исключе́нием, исключа́я

barrister ['bærɪstə] адвока́т

barrow I ['bærou] та́чка; (ручна́я) теле́жка

barrow II моги́льный холм, курга́н

barter ['bɑ:tə] **1.** *v* меня́ть, обме́нивать **2.** *n* менова́я торго́вля

base I [beɪs] **1.** *n* 1) осно́ва, основа́ние; ба́зис 2) ба́за, исхо́дный пункт **2.** *v* 1) закла́дывать основа́ние 2) осно́вывать *(on)*; ~ oneself on осно́вываться на

base II ни́зменный, ни́зкий; по́длый

baseball ['beɪsbɔ:l] бейсбо́л

baseless ['beɪslɪs] не име́ющий основа́ния, необосно́ванный

basement ['beɪsmənt] подва́льное помеще́ние

bashful ['bæʃful] засте́нчивый, ро́бкий

basic ['beɪsɪk] основно́й

basin ['beɪsn] 1) таз, ми́ска 2) ме́лкая бу́хта 3) бассе́йн *(любого водного пространства)*

basis ['beɪsɪs] (*pl* -es [-i:z]) 1) осно́ва, основа́ние; ба́зис; ба́за 2) исхо́дный пункт

bask [bɑ:sk] *(in)* гре́ться *(на солнце, у огня)*; *перен.* наслажда́ться *(чем-л.)*

basket ['bɑ:skɪt] корзи́на, корзи́нка

basket-ball ['bɑ:skɪtbɔ:l] баскетбо́л

bas-relief ['bæsrɪˌli:f] барельéф

bass I [bæs] лы́ко, луб

bass II [beɪs] **1.** *n* бас **2.** *a муз.* басо́вый, ни́зкий

bastard ['bæstəd] **1.** *n* внебра́чный ребёнок; *груб.* ублю́док **2.** *a* 1) внебра́чный 2) подде́льный

baste I [beɪst] смётывать

baste II [beɪst] полива́ть жи́ром *(жаркое во время жаренья)*

bastion ['bæstɪən] бастио́н; укрепле́ние

bat I [bæt] лету́чая мышь

bat II **1.** *n спорт.* бита́ **2.** *v* бить бито́й

batch [bætʃ] па́чка, ку́чка

bate [beɪt]: with ~d breath затаи́в дыха́ние

bath [bɑ:θ] (*pl* baths [bɑ:ðz]) **1.** *n* 1) ва́нна; купа́ние 2) ва́нна; ба́ня; купа́льня **2.** *v* 1) мыть, купа́ть 2) мы́ться, купа́ться

bath||e ['beɪð] 1) купа́ться *(в море, реке)* 2) промыва́ть *(рану и т. п.)* ◇ be ~d in sweat (tears) облива́ться по́том (слеза́ми); **~ing** купа́ние

bath||robe ['bɑ:θroub] (купа́льный) хала́т; **~room** [-rum] ва́нная (ко́мната)

baton ['bæt(ə)n] жезл; *муз.* дирижёрская па́лочка

battalion [bə'tæljən] батальо́н

batten I ['bætn] **1.** *n* ре́йка; дра́нка **2.** *v* скрепля́ть ре́йками

batten II *(on)* отка́рмливаться; *перен.* нажива́ться за счёт други́х

batter ['bætə] **1.** *v* колоти́ть, бить **2.** *n* взби́тое те́сто

battery ['bætərɪ] 1) *воен.* батаре́я 2) *эл.* батаре́я, гальвани́ческий элеме́нт ◇ assault and ~ оскорбле́ние де́йствием

battle ['bætl] **1.** *n* би́тва; сраже́ние; бой **2.** *v* сража́ться; **~-cry** [-kraɪ] боево́й клич; *перен.* призы́в, ло́зунг; **~-field** [-fi:ld] по́ле бо́я; **~-ship** [-ʃɪp] лине́йный кора́бль

bauble ['bɔ:bl] игру́шка; безделу́шка

baulk [bɔ:k] *см.* balk

bauxite ['bɔ:ksaɪt] бокси́т

bawdy ['bɔ:dɪ] непристо́йный

bawl [bɔ:l] ора́ть

bay I [beɪ] зали́в, бу́хта

bay II: ~ window э́ркер, вы́ступ ко́мнаты с окно́м, «фона́рь»

bay III **1.** *n* лай ◇ hold at ~ *охот.* не подпуска́ть; bring to ~ *охот.* загна́ть **2.** *v* ла́ять

bay IV **1.** *n* гнеда́я ло́шадь **2.** *a* гнедо́й

bay V 1) ла́вровое де́рево 2) *pl см.* laurel 2

bayonet ['beɪənɪt] **1.** *n* штык **2.** *v* коло́ть штыко́м

bazaar [bə'zɑ:] 1) (восто́чный) база́р 2) благотвори́тельный база́р

be [bi: *(полная форма)*, bɪ *(редуцированная форма)*] *(sing* was, *pl* were; been) 1) быть, находи́ться; the pupil is at the desk учени́к за па́ртой 2) *с последующим инфинитивом значит* до́лжен, должны́ *и т. п.:* you are to come here вы должны́ прийти́ сюда́; he is to go there at once он до́лжен отпра́виться туда́ неме́дленно 3) *является глаголом-связкой и в наст. вр. на русский язык не переводится:*

labour in the USSR is a matter of honour труд в СССР — де́ло че́сти; be able быть в состоя́нии, мочь; be afraid боя́ться; be glad быть дово́льным, ра́доваться; be ill боле́ть; be sorry жале́ть, сожале́ть; be sure быть уве́ренным; be well хорошо́ себя́ чу́вствовать 4) *является вспомогательным глаголом*: а) *для образования длительной формы в сочетании с прич. наст. вр. спрягаемого глагола*; he is writing он пи́шет; б) *для образования форм пассива в сочетании с прич. прош. вр. спрягаемого глагола*: the work was done well рабо́та была́ сде́лана хорошо́; be **away** отсу́тствовать; be **back** верну́ться; be **in** быть до́ма, быть на ме́сте; be **off** уезжа́ть, уходи́ть ◇ so be it! пусть бу́дет так!; be going to do smth. собира́ться сде́лать что́-то; what's up? в чём де́ло?; что случи́лось?; the game is up игра́ зако́нчилась; let be оста́вить в поко́е; as it were как бы; так сказа́ть; how are you? как вы пожива́ете?; how much is it? ско́лько э́то сто́ит?

beach [bi:tʃ] **1.** *n* взмо́рье; пляж **2.** *v* вытаскивать на бе́рег *(лодку)*

beacon ['bi:k(ə)n] 1) мая́к 2) ба́кен; буй 3) сигна́льный ого́нь

bead [bi:d] 1) бу́синка 2) ка́пля *(пота)* 3) *pl* чётки

beak [bi:k] клюв

beaker ['bi:kə] 1) мензу́рка 2) ку́бок

beam I [bi:m] **1.** *n* луч; сия́ние **2.** *v* сия́ть

beam II 1) ба́лка 2) *тех.* баланси́р, коромы́сло 3) *мор.* ширина́ *(судна)*

bean [bi:n] боб ◇ full of **~s** *разг.* в припо́днятом настрое́нии; spill the **~s** *разг.* проболта́ться

bear I [bɛə] 1) медве́дь 2) биржево́й спекуля́нт, игра́ющий на пониже́ние; ◇ the Great (Little) B. *астр.* Больша́я (Ма́лая) Медве́дица

bear II (bore; born) рожда́ть

bear III [bɛə] (bore; borne) 1) носи́ть 2) подде́рживать 3) выноси́ть, терпе́ть 4) пита́ть *(чувство)* 5): ~ oneself держа́ться, вести́ себя́ 6) име́ть отноше́ние *(к чему-л. — on)*; ~ **down** преодолева́ть; ~ **out** подтвержда́ть ◇ ~ one's age well вы́глядеть моло́же свои́х лет; ~ smb. company соста́вить кому́-л. компа́нию; ~ in mind по́мнить; ~ witness свиде́тельствовать, дава́ть показа́ния

bearable ['bɛərəbl] сно́сный, терпи́мый

beard I [bɪəd] борода́

beard II сме́ло выступа́ть про́тив

bearded ['bɪədɪd] борода́тый

bear||er ['bɛərə] 1) пода́тель, предъяви́тель 2) носи́тель 3) подпо́рка; **~ing** 1) отноше́ние 2) *pl* направле́ние по ко́мпасу; пе́ленг; а́зимут 3) поведе́ние 4) терпе́ние 5) рожде́ние; плодоноше́ние 6) подши́пник

beast ['bi:st] зверь; *перен.* гру́бый челове́к, скоти́на; ~ of burden вью́чное живо́тное; ~ of prey хи́щник; **~ly 1.** *a* 1) гру́бый, непристо́йный 2): what **~ly** weather! кака́я ме́рзкая пого́да! **2.** *adv* ужа́сно, отврати́тельно

beat [bi:t] **1.** *v* (beat; beaten) 1) бить, колоти́ть 2) отбива́ть, ударя́ть 3) взбива́ть *(тесто, яйца; тж.* ~ up) 4) кова́ть *(металл)* 5) выбива́ть, выкола́чивать *(ковёр, одежду и т. п.)* 6) превосходи́ть; побива́ть, побежда́ть; ~ **off** отбива́ть *(атаку и т. п.)* ◇ that ~s me! поня́ть не могу́! **2.** *n* 1) уда́р 2) *муз.* такт

beaten ['bi:tn] *p. p. от* beat 1

beautiful ['bju:təful] краси́вый, прекра́сный

beautify ['bju:tıfaı] украша́ть

beauty ['bju:tı] 1) красота́ 2) краса́вица 3) *attr.*: ~ parlour космети́ческий кабине́т

beaver ['bi:və] 1) бобр 2) бобёр, бобро́вый мех

became [bı'keım] *past от* become

because [bı'kɔz] **1.** *cj* так как, потому́ что; **2.** *prep*: ~ of из-за

beck [bek]: be at smb.'s ~ and call быть в чьём-л. распоряже́нии

beckon ['bek(ə)n] кива́ть, подзыва́ть

become I [bı'kʌm] (became; become) станови́ться; what became of him? что с ним случи́лось?

become II идти́, быть к лицу́

becoming [bı'kʌmıŋ] 1) соотве́тствующий, подходя́щий 2) (иду́щий) к лицу́

bed [bed] 1) крова́ть; посте́ль; ло́же; go to ~ ложи́ться спать; make a ~ стели́ть посте́ль 2) гря́дка, клу́мба 3) ру́сло *(реки)* 4) *геол.* пласт, слой 5) *тех.* основа́ние *(для фундамента)* ◇ ~ and board пансио́н, кварти́ра и стол; ~**-clothes** [-klouðz] *pl* посте́льное бельё

bedding ['bedıŋ] посте́льные принадле́жности

bedeck [bı'dek] украша́ть

bedlam ['bedləm] *тк. перен.* бедла́м

bedridden ['bed,rıdn] прико́ванный к посте́ли боле́знью

bedroom ['bedrum] спа́льня

bed||sore ['bedsɔ:] про́лежень; ~**spread** [-spred] (посте́льное) покрыва́ло; ~**stead** [-sted] крова́ть; ~**time** [-taım] вре́мя отхо́да ко сну

bee [bi:] пчела́ ◇ have a ~ in one's bonnet быть с причу́дой

beech [bi:tʃ] бук

beef ['bi:f] 1) говя́дина; corned ~ солони́на 2) *attr.*: ~ tea кре́пкий бульо́н; ~**steak** [-'steık] бифште́кс

beefy ['bi:fı] му́скулистый, мяси́стый

bee||garden ['bi:,gɑ:dn] па́сека; ~**hive** [-haıv] у́лей; ~**keeper** [-,ki:pə] пчелово́д; ~**line** [-laın] пряма́я ли́ния

been [bi:n *(полная форма)*, bın *(редуцированная форма)*] *p. p. от* be

beer ['bıə] пи́во; ~**y** [-rı] 1) пивно́й; отдаю́щий пи́вом 2) подвы́пивший

bees-wax ['bi:zwæks] воск

beet [bi:t] свёкла; sugar ~ са́харная свёкла

beetle I ['bi:tl] трамбо́вка

beetle II жук

beetle III выступа́ть, выдава́ться, нависа́ть

beetle-browed ['bi:tlbraud] с нави́сшими бровя́ми

beetroot ['bi:tru:t] свеклови́ца

befall [bɪ'fɔ:l] (befell; befallen) случа́ться, происходи́ть, приключа́ться

befallen [bɪ'fɔ:l(ə)n] *p. p. от* befall

befell [bɪ'fel] *past от* befall

befit [bɪ'fɪt] *безл.* прили́чествовать, сле́довать

before [bɪ'fɔ:] **1.** *prep* 1) *(в отношении времени)* пе́ред, до; ~ dinner пе́ред обе́дом; ~ the war до войны́; the day ~ yesterday позавчера́, тре́тьего дня 2) *(в отношении места)* пе́ред; he stood ~ us он стоя́л пе́ред на́ми 3) скоре́е чем; he loves her ~ himself он лю́бит её бо́льше себя́ **2.** *adv* вы́ше, ра́ньше, уже́ ◇ ~ long вско́ре; long ~ задо́лго **3.** *cj* пре́жде чем, скоре́е чем

beforehand [bɪ'fɔ:hænd] зара́нее

befriend [bɪ'frend] помога́ть, подде́рживать

beg [beg] проси́ть, умоля́ть; ~ pardon извиня́ться; we ~ to inform you *(в деловом письме)* извеща́ем вас

began [bɪ'gæn] *past от* begin

beggar ['begə] **1.** *n* ни́щий **2.** *v* довести́ до нищеты́

begin [bɪ'gɪn] (began; begun) 1) начина́ть 2) начина́ться; to ~ with пре́жде всего́; во-пе́рвых; **~ner** начина́ющий; нович**о́**к; **~ning** нача́ло

begone! [bɪ'gɔn] *int* убира́йся!

begrudge [bɪ'grʌdʒ] 1) зави́довать 2) скупи́ться

beguile [bɪ'gaɪl] обма́нывать ◇ ~ the time корота́ть вре́мя

begun [bɪ'gʌn] *p. p. от* begin

behalf [bɪ'hɑ:f] on ~ of в интере́сах кого́-л.; от и́мени кого́-л.

behav||e [bɪ'heɪv] вести́ себя́, поступа́ть; **~iour** [-jə] поведе́ние

behead [bɪ'hed] обезгла́вить

behest [bɪ'hest] *поэт.* заве́т, повеле́ние; at the ~ *(of)* по прика́зу, по тре́бованию

behind [bɪ'haɪnd] **1.** *prep* 1) за, позади́; по́сле; ~ the house за до́мом; ~ time с опозда́нием; ~ the times устаре́лый; ~ the scenes за кули́сами 2) ни́же *(по качеству)* **2.** *adv* позади́

being ['bi:ɪŋ] **1.** *n* 1) существо́; human ~ челове́к 2) бытие́, существова́ние; come into ~ возника́ть; call into ~ созда́ть **2.** *pres. p.* бу́дучи **3.** *a* существу́ющий, настоя́щий; for the time ~ а) в да́нное вре́мя; б) на не́которое вре́мя

belated [bɪ'leɪtɪd] запозда́лый, по́здний; засти́гнутый но́чью

belch [beltʃ] **1.** *v* 1) рыга́ть 2) изверга́ть *(лаву и т. п.)*; выбра́сывать *(дым)* **2.** *n* отры́жка

beleaguer [bɪ'li:gə] осажда́ть

belfry ['belfrɪ] колоко́льня

Belgian ['beldʒ(ə)n] **1.** *a* бельги́йский **2.** *n* бельги́ец; бельги́йка

belief [bɪ'li:f] 1) ве́ра; ве́рование 2) убежде́ние; мне́ние

believe [bɪ'li:v] 1) ве́рить 2) полага́ть, ду́мать

belittle [bɪ'lɪtl] умаля́ть, преуменьша́ть

bell [bel] 1) ко́локол, колоко́льчик 2) звоно́к; ring the ~ позвони́ть 3) *(обыкн. pl) мор.* скля́нки

bell-boy ['belbɔı] коридо́рный, посы́льный *(в гостинице)*

bell-flower ['bel,flauə] колоко́льчик

bellicose ['belıkous] вои́нственный

belligerent [bı'lıdʒər(ə)nt] **1.** *a* вою́ющий **2.** *n* вою́ющая сторона́

bellow ['belou] **1.** *v* мыча́ть, реве́ть от бо́ли **2.** *n* рёв, мыча́ние

bellows ['belouz] *pl* мехи́

belly ['belı] **1.** *n* живо́т, брю́хо **2.** *v* надува́ться; **~-ache** [-eık] боль в животе́

belong [bı'lɔŋ] принадлежа́ть, относи́ться *(to)*

belongings [bı'lɔŋıŋz] *pl* ве́щи, принадле́жности

beloved [bı'lʌvd] возлю́бленный (-ная), люби́мый (-мая)

below [bı'lou] **1.** *prep* 1) под, ни́же; ~ zero ни́же нуля́ 2) ни́же *(о качестве)*; ~ (the) average ни́же сре́днего **2.** *adv* ни́же, внизу́

belt [belt] **1.** *n* 1) по́яс, реме́нь 2) *воен.* пе́ревязь; портупе́я 3) *геогр.* зо́на **2.** *v* 1) опоя́сывать 2) поро́ть ремнём

bemoan [bı'moun] опла́кивать

bench [bentʃ] 1) скамья́ 2) ме́сто судьи́ в суде́ 3) *собир.* суд, су́дьи 4) верста́к, стано́к

bend [bend] **1.** *v* (bent) 1) сгиба́ться; наклоня́ться, гну́ться; изгиба́ться 2) сгиба́ть; наклоня́ть, гнуть 3) напряга́ть *(силы, внимание)*; ~ every effort напряга́ть все си́лы 4) покоря́ться *(to)* ◇ be bent on smth. стреми́ться к чему́-л. **2.** *n.* 1) изги́б 2) *мор.* у́зел

beneath [bı'ni:θ] **1.** *prep* под, ни́же **2.** *adv* внизу́

benediction [,benı'dıkʃ(ə)n] благослове́ние

benefact||ion [,benı'fækʃ(ə)n] благодея́ние; **~or** ['benıfæktə] благоде́тель

benefice ['benıfıs] *церк.* прихо́д

beneficence [bı'nefıs(ə)ns] благотвори́тельность

beneficial [,benı'fıʃəl] вы́годный, поле́зный

benefit ['benıfıt] **1.** *n* 1) вы́года, по́льза 2) посо́бие 3) бенефи́с ◇ give smb. the ~ of the doubt оправда́ть *(кого-л.)* за недоста́точностью ули́к; sickness ~ больни́чное посо́бие **2.** *v* 1) помога́ть 2): ~ by *(или* from) извлека́ть по́льзу, вы́году из

benevol||ence [bı'nevələns] благоскло́нность; **~ent** [-ənt] благоскло́нный

benighted [bı'naıtıd] засти́гнутый но́чью *(в пути)*; *перен.* отста́лый, неве́жественный

benign, ~ant [bı'naın, bı'nıgnənt] 1) ми́лостивый; великоду́шный 2) благотво́рный 3) *мед.* неопа́сный

bent I [bent] скло́нность, накло́нность; follow one's ~ сле́довать своему́ влече́нию ◇ to the top of one's ~ вдо́воль

bent II *past и p. p. от* bend **1**

benumb [bı'nʌm] *(обыкн.*

pass.) приводи́ть в оцепене́ние; be ~ed цепене́ть

benzene ['benzi:n] бензо́л

benzine ['benzi:n] бензи́н

bequeath [bɪ'kwi:ð] завеща́ть

bequest [bɪ'kwest] (заве́щанное) насле́дство

bereave [bɪ'ri:v] (bereaved, bereft) лиша́ть *(жизни, надежды)*; обездо́лить; ~ smb. of smth. лиша́ть кого́-л. чего́-л.; be ~d of smb., smth. лиши́ться кого́-л., чего́-л.; **~ment** тяжёлая утра́та

bereft [bɪ'reft] *past и p. p. от* bereave

beret ['bereɪ] бере́т

berry ['berɪ] я́года

berth [bə:θ] **1.** *n* 1) спа́льное ме́сто; ко́йка *(на пароходе)*; по́лка *(в вагоне)* 2) я́корная стоя́нка 3) *разг.* ме́сто, до́лжность ◇ give a wide ~ *(to)* обходи́ть, избега́ть **2.** *v* 1) ста́вить су́дно на я́корь 2) *мор.* снабжа́ть спа́льным ме́стом

beseech [bɪ'si:tʃ] (besought) проси́ть, умоля́ть; **~ing** умоля́ющий

beset [bɪ'set] (beset) окружа́ть, тесни́ть, осажда́ть

beside [bɪ'saɪd] 1) ря́дом *(с)*, во́зле; ~ the river у реки́ 2) по сравне́нию с; she seems dull ~ her sister она́ ка́жется неинтере́сной по сравне́нию со свое́й сестро́й ◇ ~ the mark неклста́ти; be ~ oneself *(with)* быть вне себя́ *(от)*

besides [bɪ'saɪdz] **1.** *prep* кро́ме **2.** *adv* кро́ме того́; поми́мо

besiege [bɪ'si:dʒ] осажда́ть

besmear [bɪ'smɪə] замара́ть

besought [bɪ'sɔ:t] *past и p. p. от* beseech

bespatter [bɪ'spætə] забры́згивать гря́зью

bespeak [bɪ'spi:k] (bespoke; bespoken, bespoke) 1) зара́нее зака́зывать 2) означа́ть, свиде́тельствовать

bespok||e [bɪ'spouk] *past и p.p. от* bespeak; **~en** [-(ə)n] *p. p. от* bespeak

best [best] **1.** *a (превосх. ст. от* good, well II) лу́чший ◇ ~ man ша́фер; the ~ part бо́льшая часть; do one's ~ де́лать всё возмо́жное **2.** *adv* лу́чше всего́; бо́льше всего́; at ~ в лу́чшем слу́чае **3.** *n*: do smth. for the ~ де́лать что-л. к лу́чшему; to the ~ of my knowledge наско́лько мне изве́стно

bestial ['bestjəl] живо́тный, гру́бый; развра́тный; **~ity** [ˌbestɪ'ælɪtɪ] ско́тство

bestir [bɪ'stə:]: I must ~ myself and be off мне на́до собра́ться и идти́

bestow [bɪ'stou] 1) *(on, upon)* дава́ть; дари́ть 2) помещать, размеща́ть; **~al** [-əl] дар

bestridden [bɪ'strɪdn] *p. p. от* bestride

bestride [bɪ'straɪd] (bestrode; bestridden) 1) сади́ться *или* сиде́ть верхо́м 2) стоя́ть, расста́вив но́ги

bestrode [bɪ'stroud] *past от* bestride

bet [bet] **1.** *n* пари́; lay a ~ on держа́ть пари́ на **2.** *v* держа́ть пари́ ◇ you ~! *разг.* коне́чно!; ещё бы!; бу́дьте уве́рены!

betake [bɪ'teɪk] (betook; betaken): ~ oneself *(to)* отправля́ться *(куда-л.)*

betaken [bɪ'teɪk(ə)n] *p. p. от* betake

betimes [bɪ'taɪmz] ра́но

betoken [bɪ'touk(ə)n] означа́ть, ука́зывать

betook [bɪ'tuk] *past от* betake

betray [bɪ'treɪ] предава́ть, изменя́ть; ~**al** [-əl] преда́тельство, изме́на

betroth [bɪ'trouð] обруча́ть; ~**al** [-əl] обруче́ние, помо́лвка

better 1. *a (сравн. ст. от* good, well II) 1) лу́чший; вы́сший 2): I feel ~ я чу́вствую себя́ лу́чше; are you ~? вам лу́чше? ◇ the ~ part большинство́; be ~ off быть бога́че; be ~ than one's word сде́лать бо́льше обе́щанного; think ~ *(of)* переду́мать **2.** *n*: one's ~s ста́ршие *или* вышестоя́щие ли́ца; get the ~ *(of)* получи́ть преиму́щество *(над кем-л.)*, одоле́ть, победи́ть *(кого-л.)*; are you the ~ for it? что вы от э́того вы́гадали? **3.** *adv* лу́чше, бо́льше ◇ think ~ of smth. переду́мать; he knows ~ его́ не проведёшь

betterment ['betəmənt] улучше́ние, исправле́ние

between [bɪ'twi:n] **1.** *prep* ме́жду ◇ ~ ourselves ме́жду на́ми **2.** *adv* ме́жду ◇ betwixt and ~ ни то ни сё; in ~ ме́жду те́м; his visits are few and far ~ его́ посеще́ния ре́дки

beverage ['bevərɪdʒ] напи́ток

bevy ['bevɪ] 1) собра́ние, гру́ппа *(преим. же́нщин)* 2) ста́я *(птиц)*

bewail [bɪ'weɪl] сожале́ть, опла́кивать; ~ the fact сожале́ть о фа́кте

beware [bɪ'wɛə] остерега́ться

bewilder [bɪ'wɪldə] изумля́ть, озада́чивать; ~**ment** изумле́ние

bewitch [bɪ'wɪtʃ] заколдова́ть; очарова́ть; ~**ing** очарова́тельный; ~**ment** колдовство́; ча́ры

beyond [bɪ'jɔnd] **1.** *adv* вдали́, на расстоя́нии **2.** *prep* 1) за, по ту сто́рону 2) по́зже, по́сле; ~ the appointed hour по́зже назна́ченного ча́са 3) вне; вы́ше, свы́ше; it is ~ my power э́то вы́ше мои́х сил; ~ belief невероя́тно

bias ['baɪəs] **1.** *n* 1) укло́н, накло́н 2) коса́я ли́ния в тка́ни 3) предубежде́ние *(про́тив — against)*; пристра́стие *(towards, in favour of)* **2.** *v*: ~ smb. ока́зывать (плохо́е) влия́ние на кого́-л.

bib I [bɪb] (де́тский) нагру́дник

bib II мно́го пить, пья́нствовать

bible ['baɪbl] би́блия

biblical ['bɪblɪkəl] библе́йский

bicentenary [,baɪsen'ti:nərɪ] **1.** *a* двухсотле́тний **2.** *n* двухсотле́тие

biceps ['baɪseps] *анат.* би́цепс

bicker ['bɪkə] 1) ссо́риться; дра́ться 2) журча́ть *(о воде)* 3) стуча́ть *(о дожде)* 4) колыха́ться *(о пламени)*

bicycle ['baɪsɪkl] **1.** *n* велосипе́д **2.** *v* ката́ться на велосипе́де

bid [bɪd] **1.** *v* (bad(e), bid; bidden, bid) 1) прика́зывать 2) предлага́ть це́ну; ~ **against,** ~

up набавля́ть це́ну ◇ ~ farewell проща́ться; ~ smb. welcome приве́тствовать кого́-л. **2.** *n* предложе́ние цены́

bidden ['bɪdn] *p. p. от* bid **1**

bidder ['bɪdə] покупщи́к

biennial [baɪ'enɪəl] двухле́тний, двухгоди́чный

bier [bɪə] похоро́нные дро́ги

bifurcate 1. *v* ['baɪfə:keɪt] 1) раздва́ивать 2) раздва́иваться **2.** *a* ['baɪfə:kɪt] раздво́енный

big [bɪg] 1) большо́й; обши́рный; кру́пный 2) ва́жный; высокоме́рный ◇ talk ~ хва́статься; too ~ for one's boots *разг.* самонаде́янный; B. Ben «Большо́й Бен» *(часы на здании английского парламента в Лондоне)*

bigamy ['bɪgəmɪ] двоежёнство; двоему́жие

bight [baɪt] 1) бу́хта 2) *мор.* бу́хта тро́са

bigot||ed ['bɪgətɪd] предубеждённый; **~ry** [-rɪ] предубежде́ние

bijou ['bi:ʒu:] **1.** *n* драгоце́нный ка́мень; драгоце́нность; безделу́шка **2.** *a* небольшо́й и изя́щный

bike [baɪk] *разг.* велосипе́д

bilateral [baɪ'læt(ə)r(ə)l] двусторо́нний

bilberry ['bɪlb(ə)rɪ] черни́ка

bil||e [baɪl] жёлчь; разли́в жёлчи; *перен.* раздражи́тельность; **~ious** ['bɪljəs] жёлчный

bill I [bɪl] клюв

bill II **1.** *n* 1) счёт; ~ of fare меню́ 2) афи́ша, плака́т 3) законопрое́кт; билль 4) спи́сок; инвента́рь 5) *амер.* банкно́та 6) ве́ксель 7) *юр.* иск **2.** *v* 1) объявля́ть в афи́шах 2) раскле́ивать афи́ши

billet ['bɪlɪt] **1.** *n воен.* 1) о́рдер на посто́й 2) помеще́ние для посто́я **2.** *v воен.* расквартиро́вывать

billiards ['bɪljədz] билья́рд

billion ['bɪljən] 1) биллио́н 2) *амер.* миллиа́рд

billow ['bɪlou] **1.** *n* больша́я волна́, вал **2.** *v* волнова́ться, вздыма́ться волна́ми

billy-goat ['bɪlɪgout] козёл

bin [bɪn] 1) бу́нкер; за́кром; я́щик 2) му́сорное ведро́

binary ['baɪnərɪ] двойно́й, сдво́енный

bind [baɪnd] (bound) 1) свя́зывать; перевя́зывать 2) переплета́ть *(книгу)* 3) обя́зывать *(тж.* ~ over); ~ oneself to do smth. обяза́ться что-л. сде́лать; ~ over to appear обя́зывать яви́ться; ~ **up** перевя́зывать *(рану)*; ~ up with smth. а) свя́зывать с чем-л; б) обя́зывать чем-л.

bind||er ['baɪndə] 1) переплётчик 2) *с.-х.* сноповяза́лка; **~ery** [-ərɪ] переплётная мастерска́я; **~ing 1.** *n* 1) переплёт 2) оши́вка 3) *тех.* связь **2.** *a* 1) скрепля́ющий 2) обяза́тельный

binoculars [bɪ'nɔkjuləz] *pl* бино́кль

binomial [baɪ'noumjəl] **1.** *n* бино́м **2.** *a*: ~ theorem бино́м Нью́тона

biography [baɪ'ɔgrəfɪ] биогра́фия

biology [baɪ'ɔlədʒɪ] биоло́гия

bipartite [baɪ'pɑ:taɪt] двусторо́нний

biped ['baɪped] двунóгое (живóтное)

biplane ['baɪpleɪn] биплáн

birch [bə:t] **1.** *n* 1) берёза 2) рóзга **2.** *v* сечь рóзгой

birchen ['bə:tʃ(ə)n] берёзовый

bird [bə:d] птúца; ~ of passage перелётная птúца; ~ of prey хúщная птúца ◇ ~s of a feather одногó пóля ягода; queer ~ чудáк; **~-cage** [-keɪdʒ] клéтка *(для птиц)*

bird's-eye ['bə:dzaɪ]: ~ view вид с птúчьего полёта

birth ['bə:θ] 1) рождéние; give ~ *(to)* родúть 2) происхождéние; **~-control** [-kən,troul] противозачáточные мéры; **~day** [-deɪ] день рождéния; **~-mark** [-mɑ:k] рóдинка; **~-place** [-pleɪs] мéсто рождéния; **~-rate** [-reɪt] коэффициéнт, процéнт рождáемости

birthright ['bə:θraɪt] прáво первородства

biscuit ['bɪskɪt] (сухóе) печéнье

bisect [baɪ'sekt] разрезáть пополáм

bisexual ['baɪ'seksjuəl] двупóлый

bishop ['bɪʃəp] епúскоп

bismuth ['bɪzməθ] вúсмут

bit I [bɪt] *past и p. p. от* bite 1

bit II кусóчек, кусóк ◇ a (little) ~ немнóжко; ~ by ~ постепéнно; not a ~ нискóлько; do one's ~ выполнять свой долг; вносúть свою лéпту; every ~ совершéнно; give a ~ of one's mind вы́сказаться напрямúк

bit III **1.** *n* 1) удилá; мундштýк 2) *тех.* сверлó **2.** *v* взнуздáть

bitch [bɪtʃ] сýка; ~ wolf волчúца

bit||e ['baɪt] **1.** *v* (bit; bit, bitten) 1) кусáться 2) кусáть 3) жечь *(о перце)*; щипáть *(о морозе)*; *перен.* язвúть, колóть 4) клевáть *(о рыбе)* **2.** *n* 1) укýс 2) кусóчек 3) клёв; **~ing** óстрый, éдкий; язвúтельный, рéзкий

bitten ['bɪtn] *p. p. от* bite 1

bitter ['bɪtə] 1) гóрький 2) озлóбленный; рéзкий 3) жестóкий *(о морозе)* ◇ to the ~ end до сáмого концá; **~ly** 1) гóрько 2) рéзко, жёстко 3) жестóко; **~ness** 1) гóречь 2) злóба

bizarre [bɪ'zɑ:] стрáнный, причýдливый

blab [blæb] болтáть

black [blæk] **1.** *a* чёрный; тёмный, мрáчный ◇ ~ diamonds кáменный ýголь; ~ eye подбúтый глаз; ~ frost морóз без снéга *или* úнея; ~ earth чернозём; things look ~ положéние кáжется безнадёжным; beat ~ and blue избúть до синякóв; be in smb.'s ~ books быть у когó-либо в немúлости **2.** *n* 1) чёрный цвет 2) чернотá ◇ put down in ~ and white написáть чёрным по бéлому **3.** *v* чернúть; вáксить; **~ out** затемнять; маскировáть

black-beetle ['blæk'bi:tl] чёрный таракáн

blackberry ['blækb(ə)rɪ] ежевúка

blackbird ['blækbə:d] чёрный дрозд

black-board ['blækbɔ:d] клáссная доскá

black-cock ['blækkɔk] тéтерев

blacken ['blæk(ə)n] 1) черни́ть 2) пáчкать 3) чернéть; загорáть 4) очерни́ть

blackguard ['blægɑ:d] **1.** *n* подлéц **2.** *a* пóдлый **3.** *v* ругáться

blacking ['blækɪŋ] вáкса

black-lead ['blæk'led] графи́т

blackleg ['blækleg] *разг.* 1) штрейкбрéхер 2) шýлер, мошéнник

black-list ['blæklɪst] **1.** *n* чёрный спи́сок **2.** *v* заноси́ть в чёрные спи́ски

blackmail ['blækmeɪl] **1.** *n* шантáж **2.** *v* шантажи́ровать

blackness ['blæknɪs] чернотá, темнотá, мрáчность

black-out ['blækaut] 1) врéменная потéря сознáния 2) затемнéние, светомаскирóвка 3) *театр.* выключéние свéта на сцéне

blacksmith ['blæksmɪθ] кузнéц

bladder ['blædə] 1) пузы́рь 2) *анат.* мочевóй пузы́рь

blade [bleɪd] 1) лéзвие 2) лóпасть *(весла, лопаты)* 3) ýзкий лист, трави́нка

blame ['bleɪm] **1.** *n* 1) порицáние; обвинéние 2) винá; take the ~ upon oneself взять винý на себя́ ◇ take the ~ for smth. взять на себя́ отвéтственность за что-л. **2.** *v* порицáть; вини́ть; **~less** *a* неви́нный, безупрéчный; **~-worthy** [-,wə:ðɪ] достóйный порицáния

blanch [blɑ:ntʃ] 1) бели́ть *(что-либо)* 2) белéть; бледнéть *(от страха, холода)*

bland [blænd] 1) вéжливый 2) вкрáдчивый 3) мя́гкий *(о климате и т. п.)*

blandish ['blændɪʃ] обольщáть; льсти́ть; **~ment** обольщéние; лесть

blank [blænk] **1.** *a* 1) пустóй 2) неиспи́санный *(о бумаге)* 3) бессмы́сленный *(о взгляде)* ◇ ~ cartridge холостóй патрóн; look ~ быть озадáченным; ~ despair пóлное отчáяние; ~ verse бéлый стих; give a ~ cheque дать карт-блáнш **2.** *n* 1) пустóе мéсто; пустотá 2) тирé, прóчерк

blanket ['blæŋkɪt] **1.** *n* шерстянóе одея́ло **2.** *v* покрывáть одея́лом

blare [blɛə] **1.** *v* грóмко труби́ть **2.** *n* звýки труб

blasphem||e [blæs'fi:m] богохýльствовать; поноси́ть; **~ous** ['blæsfɪməs] богохýльный; **~y** ['blæsfɪmɪ] богохýльство

blast [blɑ:st] **1.** *n* 1) си́льный поры́в вéтра 2) звук духовóго инструмéнта 3) взрыв **2.** *v* 1) вреди́ть, губи́ть 2) взрывáть; **~ed** [-ɪd] 1) разрýшенный 2) *разг.* проклятый

blast-furnace ['blɑ:st'fə:nɪs] дóмна

blatant ['bleɪt(ə)nt] 1) шýмный, крикли́вый 2) бессты́дный; a ~ lie нáглая ложь

blaze I [bleɪz] **1.** *n* 1) плáмя 2) вспы́шка 3) великолéпие **2.** *v* горéть, пылáть; ~ **away!** *разг.* валя́й!, дéйствуй!; **~up** вспы́хнуть от гнéва

blaze II **1.** *n* 1) зарýбка на

де́реве для указа́ния доро́ги 2) бе́лое пятно́ *(на лбу живо́тного)* **2.** *v* де́лать заме́тки *(на дороге, на дереве)* ◇ ~ a trail прокла́дывать но́вый путь

blaze III разглаша́ть *(часто ~ abroad)*

blazer ['bleɪzə] я́ркая спорти́вная ку́ртка

blazon ['bleɪzn] герб

bleach [bli:tʃ] бели́ть; отбе́ливать; обесцве́чивать

bleak [bli:k] лишённый расти́тельности *(о местности)*; холо́дный *(о погоде)*; подве́рженный ве́трам; *перен.* уны́лый, мра́чный

blear ['blɪə] **1.** *a* ту́склый, затума́ненный **2.** *v* затума́нивать *(взор)*; **~y** [-rɪ] *см.* blear 1

bleat [bli:t] **1.** *v* бле́ять **2.** *n* бле́яние

bleed [bli:d] 1) кровоточи́ть; истека́ть кро́вью 2) пуска́ть кровь 3) вымога́ть де́ньги ◇ ~ white а) обескро́вить; б) вы́качать все де́ньги

blemish ['blemɪʃ] **1.** *n* пятно́ *(тж. перен.)* **2.** *v* пятна́ть *тж. перен.)*

blench [blentʃ] 1) отступа́ть *(перед чем-л.)*; тру́сить 2) закрыва́ть глаза́ *(на что-л.)*

blend [blend] **1.** *v* 1) сме́шивать 2) сме́шиваться 3) слива́ться **2.** *n* смесь; смеше́ние

bless ['bles] (blessed, blest) 1) благословля́ть 2) осчастли́вливать, де́лать счастли́вым; **~ing** 1) благослове́ние 2) благодея́ние

blest [blest] *past и p. p. от* bless

blew [blu:] *past от* blow I

blight [blaɪt] **1.** *n* скру́чивание *(болезнь растений)*; *перен.* губи́тельное влия́ние **2.** *v* приноси́ть вред *(растениям)*; *перен.* по́ртить удово́льствие, разруша́ть пла́ны

blind [blaɪnd] **1.** *a* 1) слепо́й 2) безрассу́дный 3) тёмный ◇ ~ alley тупи́к; turn a ~ eye to smth. закрыва́ть глаза́ на что-либо; ~ drunk *(или* to the world) *разг.* вдре́безги пья́ный; ~ landing поса́дка по прибо́рам **2.** *v* 1) ослепля́ть 2) затемня́ть 3) *воен.* закрыва́ть по́ле зре́ния **3.** *n* 1) што́ра; жалюзи́ 2) обма́н

blindfold ['blaɪndfould] с завя́занными глаза́ми; *перен.* де́йствующий вслепу́ю; know one's way ~ прекра́сно знать доро́гу

blind-man's-buff ['blaɪndmænz'bʌf] жму́рки

blink [blɪŋk] 1) мига́ть 2) мерца́ть 3) закрыва́ть глаза́ *(на что-л.)*

blinkers ['blɪŋkəz] *pl* нагла́зники, шо́ры

bliss [blɪs] блаже́нство; **~ful** счастли́вый

blister ['blɪstə] 1) волды́рь 2) *тех.* пузы́рь *(в металле)*

blithe [blaɪð] весёлый

blizzard ['blɪzəd] бура́н, мете́ль

bloated ['bloutɪd] 1) обрю́згший 2) разду́тый

blob [blɔb] 1) ка́пелька 2) ша́рик *(глины, воска)*

bloc [blɔk] *полит.* блок, сою́з

block I [blɔk] 1) чурба́н; глы́ба *(камня)* 2) брусо́к 3) коло́дка 4) болва́нка 5) *attr.*:

write in ~ letters писа́ть печа́тными бу́квами

block II кварта́л *(города)*

block III **1.** *n* 1) препя́тствие 2) зато́р *(уличного движения)* 3) *ж.-д.* блокиро́вка **2.** *v* 1) загора́живать, заде́рживать 2) *парл.* заде́рживать прохожде́ние законопрое́кта

blockade [blɔ'keɪd] **1.** *n* блока́да; run the ~ прорва́ть блока́ду **2.** *v* блоки́ровать

blockhead ['blɔkhed] болва́н, тупи́ца

bloke [blouk] *разг.* па́рень

blond [blɔnd] белоку́рый

blonde [blɔnd] блонди́нка

blood [blʌd] 1) кровь 2) происхожде́ние; родови́тость 3) родство́ 4) сок *(плодов)* 5) *attr.* кровяно́й; ~ pressure кровяно́е давле́ние; ~ transfusion перелива́ние кро́ви ◇ in cold ~ хладнокро́вно

bloodhound ['blʌdhaund] ище́йка

bloodless ['blʌdlɪs] бескро́вный

blood||-letting ['blʌd'letɪŋ] кровопуска́ние; **~-poisoning** [-,pɔɪznɪŋ] зараже́ние кро́ви; **~shed** [-ʃed] кровопроли́тие; **~shot** [-ʃɔt] нали́тый кро́вью, воспалённый *(о глазах)*; **~-sucker** [-,sʌkə] пия́вка; *перен.* кровопи́йца, эксплуата́тор; **~-thirsty** [-,θə:stɪ] кровожа́дный; **~-vessel** [-,vesl] кровено́сный сосу́д

bloody ['blʌdɪ] 1) крова́вый 2) *груб.* прокля́тый

bloom [blu:m] **1.** *n* 1) цвете́ние; расцве́т 2) пушо́к *(на плодах)* 3) румя́нец **2.** *v* цвести́

bloomer ['blu:mə] *разг.* про́мах

bloomers ['blu:məz] же́нские спорти́вные брю́ки; шарова́ры

blossom ['blɔsəm] **1.** *n* 1) цвете́ние 2) цвето́к **2.** *v* цвести́, распуска́ться

blot [blɔt] **1.** *n* 1) кля́кса 2) пятно́ *(тж. перен.)* **2.** *v* 1) па́чкать; *перен.* пятна́ть; ~ one's copy-book запятна́ть свою́ репута́цию 2) промока́ть, высу́шивать черни́ла; **~ out** вычёркивать, стира́ть *(написанное)*; *перен.* загла́живать

blotch [blɔtʃ] 1) прыщ 2) пятно́, кля́кса

blotting-paper ['blɔtɪŋ,peɪpə] промока́тельная бума́га

blouse [blauz] блу́за

blow I [blou] (blew; blown) 1) дуть; ~ one's nose смо́рка́ться 2) раздува́ть ого́нь 3) гнать *(о ветре)* 4) пыхте́ть 5) игра́ть на духово́м инструме́нте; **~ out** туши́ть; **~ up** взрыва́ть ◇ ~ out one's brains пусти́ть пу́лю в лоб; ~ one's own trumpet хва́стать

blow II уда́р; at a ~, at one ~ одни́м уда́ром, сра́зу

blowball ['bloubɔ:l] одува́нчик

blower ['blouə] 1) труба́ч 2) *тех.* вентиля́тор

blown [bloun] *p. p. от* blow I

blowpipe ['bloupaɪp] пая́льная тру́бка

blubber ['blʌbə] **1.** *v разг.* пла́кать, рыда́ть **2.** *n* плач, рёв

bludgeon ['blʌdʒ(ə)n] **1.** *n* дуби́нка **2.** *v* бить дуби́нкой; *перен.* принужда́ть

blue [blu:] **1.** *a* си́ний, голубо́й; dark ~ си́ний ◇ look (*или* feel) ~ быть в плохо́м настрое́нии; once in a ~ moon о́чень ре́дко, в ко́и-то ве́ки; ~ blood «голуба́я кровь» **2.** *n* 1) си́ний, голубо́й цвет; голуба́я кра́ска 2) си́нька ◇ in the ~s в пода́вленном состоя́нии; out of the ~ соверше́нно неожи́данно **3.** *v* сини́ть

bluebell ['blu:bel] *бот.* колоко́льчик

bluejacket ['blu:ˌdʒækɪt] *разг.* матро́с вое́нного фло́та

blueprint ['blu:'prɪnt] си́нька, светоко́пия

bluff I [blʌf] **1.** *a* 1) отве́сный, круто́й *(о скалах и т.п.)* 2) резкова́тый, грубова́тый *(о манерах)* **2.** *n* отве́сный бе́рег

bluff II **1.** *n* обма́н, запу́гивание, блеф ◇ call smb.'s ~ разоблача́ть пусты́е угро́зы, обма́н **2.** *v* запу́гивать

bluish ['blu:ɪʃ] голубова́тый, синева́тый

blunder ['blʌndə] **1.** *v* 1) промахну́ться; сде́лать гру́бую оши́бку, про́мах 2) идти́ вслепу́ю, спотыка́ться; ~ **on** случа́йно натолкну́ться; ~ **out** сболтну́ть, вы́палить, не поду́мав **2.** *n* гру́бая оши́бка

blunt [blʌnt] **1.** *a* 1) тупо́й 2) гру́бый, ре́зкий; прямо́й **2.** *v* притупля́ть

blur [blə:] **1.** *n* 1) расплы́вшиеся очерта́ния 2) пятно́ **2.** *v* 1) затума́нить, затемни́ть 2) разма́зать; замара́ть

blurt [blə:t]: ~ **out** сболтну́ть, не поду́мав

blush [blʌʃ] **1.** *v* красне́ть; залива́ться румя́нцем **2.** *n* румя́нец; кра́ска (стыда́, смуще́ния)

bluster ['blʌstə] **1.** *v* бушева́ть **2.** *n* 1) шум 2) угро́зы

bo [bou] *int*: he can't say ~ to a goose он и му́хи не оби́дит

boa ['bo(u)ə] 1) боа́, уда́в 2) боа́, горже́тка

boar [bɔ:] бо́ров

board I [bɔ:d] **1.** *n* 1) доска́; ironing ~ глади́льная доска́ 2) пита́ние; стол; ~ and lodging стол и кварти́ра 3) борт *(судна)* 4) *pl* подмо́стки, сце́на ◇ above ~ че́стно, откры́то **2.** *v* 1) настила́ть пол; обшива́ть доска́ми 2) столова́ться 3) сесть *(на корабль, в поезд и т. п.)*

board II правле́ние; сове́т *(учреждения)*; колле́гия; департа́мент; министе́рство; B. of Trade а) *англ.* Министе́рство торго́вли; б) *амер.* Торго́вая Пала́та; B. of Education Министе́рство просвеще́ния

boarding‖**-house** ['bɔ:dɪŋhaus] меблиро́ванные ко́мнаты со столо́м; ~**-school** [-sku:l] 1) пансио́н *(школа)* 2) шко́ла-интерна́т

boast ['boust] **1.** *n* хвастовство́ **2.** *v* хва́стать *(of)*; ~**er** хвасту́н; ~**ful** хвастли́вый

boat ['bout] **1.** *n* ло́дка **2.** *v* ката́ться на ло́дке; ~**-hook** [-huk] баго́р; ~**man** [-mən] ло́дочник; ~**-race** [-reis] гребны́е го́нки

boatswain ['bousn] бо́цман

bob I [bɔb] **1.** *n* 1) ко́ротко подстри́женные во́лосы 2) приседа́ние **2.** *v* 1) приседа́ть; ~ a curtsy де́лать кни́ксен 2) кача́ться *(обыкн. в воде)* 3) ко́ротко стри́чься *(о женщине)*

bob II [bɔb] *разг.* ши́ллинг

bobbin ['bɔbɪn] шпу́лька; кату́шка

bobby ['bɔbɪ] *разг.* полисме́н

bob-sled, -sleigh ['bɔbsled, -sleɪ] бо́бслей

bobtail ['bɔbteɪl] ку́цый

bode [boud] предвеща́ть, сули́ть

bodkin ['bɔdkɪn] 1) ши́ло 2) *уст.* кинжа́л

body ['bɔdɪ] **1.** *n* 1) те́ло, плоть 2) ту́ловище 3) труп 4) гла́вная часть *(чего-л.)*; о́стов, ко́рпус 5) корпора́ция; гру́ппа *(людей)* 6) ма́сса, мно́жество 7) *разг.* челове́к ◇ ~ politic госуда́рство; in a ~ в по́лном соста́ве; keep ~ and soul together подде́рживать существова́ние

body-guard ['bɔdɪgɑ:d] 1) ли́чная охра́на 2) телохрани́тель

Boer ['bo(u)ə] бур *(потомок голландских поселенцев в Южной Африке)*

bog [bɔg] **1.** *n* боло́то, тряси́на **2.** *v (обыкн. pass)*: be *(или* get) ~ged down увя́знуть в боло́те

bogey ['bougɪ] *см.* bogy

bogus ['bougəs] подде́льный

bogy ['bougɪ] домово́й; привиде́ние

Bohemian [bo(u)'hi:mjən] представи́тель боге́мы

boil I [bɔɪl] фуру́нкул, нары́в

boil II [bɔɪl] **1.** *v* 1) кипе́ть; кипяти́ться; вари́ться 2) кипяти́ть; вари́ть; ~ **down** выпа́ривать, сгуща́ть ◇ it ~s down *(to)*... э́то сво́дится к... **2.** *n* кипе́ние; be on the ~, come to the ~ кипе́ть; **~ed** [-d]: ~ed shirt *разг.* крахма́льная руба́шка; **~er** 1) парово́й котёл 2) бак для кипяче́ния

boiling-point ['bɔɪlɪŋpɔɪnt] то́чка кипе́ния

boisterous ['bɔɪst(ə)rəs] 1) неи́стовый, бу́рный *(о погоде и т. п.)* 2) шумли́вый *(о человеке)*

bold [bould] 1) сме́лый; make ~ осме́ливаться; make ~ *(with)* позволя́ть себе́ 2) самоуве́ренный 3) де́рзкий; на́глый 4) отчётливый *(о почерке и т. п.)*

boloney [bə'lounɪ] *амер. разг.* вздор

Bolshevik, Bolshevist ['bɔlʃɪvɪk, -vɪst] **1.** *n* большеви́к **2.** *a* большеви́стский

bolster ['boulstə] **1.** *n* ва́лик *(под подушкой)* **2.** *v* 1) подкла́дывать ва́лик под поду́шку 2) подде́рживать

bolt [boult] **1.** *n* 1) болт, засо́в 2) *тех.* устано́вочный винт ◇ make a ~ for it *разг.* бро́ситься, помча́ться; ~ from the blue гром среди́ я́сного не́ба; he has shot his last ~ он сде́лал после́днее уси́лие **2.** *v* 1) скрепля́ть болта́ми; запира́ть на засо́в 2) жа́дно *или* поспе́шно глота́ть 3) понести́ *(о лошади)* 4) сбежа́ть, удра́ть **3.** *adv*: ~ upright соверше́нно пря́мо *(стоять, сидеть и т. п.)*

bomb [bɔm] **1.** *n* бо́мба; incendiary ~ зажига́тельная бо́мба; high explosive ~ фуга́сная бо́мба **2.** *v* сбра́сывать бо́мбы, бомби́ть

bombardment [bɔm'bɑ:dmənt] бомбардиро́вка

bombast ['bɔmbæst] напы́щенность; **~ic** [-'bæstɪk] напы́щенный

bomber ['bɔmə] бомбардиро́вщик

bombshelter ['bɔm,ʃeltə] бомбоубе́жище

bond I [bɔnd] 1) обяза́тельство, соглаше́ние, догово́р 2) тамо́женная закладна́я 3) облига́ция 4) у́зы, связь 5) *pl* око́вы

bond II [bɔnd] *уст.* крепостно́й; **~age** [-ɪdʒ] ра́бство, крепостна́я зави́симость

bone [boun] **1.** *n* кость *(тж. игральная)* ◇ ~ of contention ≅ я́блоко раздо́ра; feel it in one's ~s быть в чём-л. уве́ренным; I have a ~ to pick with you у меня́ к вам прете́нзии **2.** *v* снима́ть мя́со с косте́й

bonfire ['bɔn,faɪə] костёр

bonnet ['bɔnɪt] 1) да́мская шля́пка, че́пчик 2) *тех.* колпа́к; покры́шка; капо́т дви́гателя, автомоби́ля

bonny ['bɔnɪ] *шотл.* краси́вый, милови́дный

bonus ['bounəs] пре́мия; тантье́ма

bony ['bounɪ] кости́стый; костля́вый

boo [bu:] *int* фу! *(восклицание неодобрения)*

book ['buk] **1.** *n* кни́га **2.** *v* 1) вноси́ть в кни́гу 2) выдава́ть, брать *или* зака́зывать биле́т; **~binder** [-,baɪndə] переплётчик; **~-case** [-keɪs] кни́жный шкаф

booking||**-clerk** ['bukɪŋklɑ:k] касси́р биле́тной ка́ссы; **~-office** [-,ɔfɪs] биле́тная ка́сса

bookish ['bukɪʃ] кни́жный

book-keeper ['buk,ki:pə] бухга́лтер; **~-keeping** [-,ki:pɪŋ] бухгалте́рия

booklet ['buklɪt] брошю́ра

book-maker ['buk,meɪkə] букме́кер *(на скачках)*

book||**seller** ['buk,selə] книгото́рго́вец; **~stall** [-stɔ:l] кни́жный ларёк; **~-worm** [-wə:m] кни́жный червь *(тж. перен.)*

boom [bu:m] **1.** *n* 1) гул 2) внеза́пный успе́х в комме́рческих дела́х; «бум» **2.** *v* 1) гуде́ть 2) станови́ться изве́стным 3) шу́мно реклами́ровать

boon [bu:n] бла́го, удо́бство; ми́лость, благодея́ние

boor [buə] гру́бый, невоспи́танный челове́к

boost [bu:st] **1.** *v* 1) *разг.* поднима́ть 2) продвига́ть *(по службе)* 3) расширя́ть, развива́ть *(план и т. п.)* 4) *эл.* повыша́ть напряже́ние **2.** *n* 1) ускоре́ние *(снаряда)* 2) *разг.* подде́ржка, прота́лкивание

booster ['bu:stə] 1) *тех.* усили́тель 2) *воен.* раке́та-носи́тель; ста́ртовый дви́гатель

boot I [bu:t]: to ~ в прида́чу

boot II ['bu:t] сапо́г ◇ get the ~ быть уво́ленным; give the ~ уво́лить; with one's heart in one's ~s ≅ *разг.* «душа́ в пя́тки ушла́»; **~black** [-blæk] чи́стильщик сапо́г

booth [bu:ð] бу́дка; кио́ск; пала́тка

bootlace ['bu:tleɪs] шнуро́к для боти́нок

bootlegger ['bu:t,legə] *амер.* торго́вец контраба́ндными спиртны́ми напи́тками

boot||maker ['bu:t,meɪkə] сапо́жник; **~-top** [-tɔp] голени́ще; **~-tree** [-tri:] сапо́жная коло́дка

booty ['bu:tɪ] трофе́й, добы́ча

booze [bu:z] **1.** *v разг.* напива́ться **2.** *n разг.* спиртно́й напи́ток

boozy ['bu:zɪ] *разг.* пья́ный

boracic [bə'ræsɪk]: ~ acid бо́рная кислота́

borax ['bɔ:ræks] бура́

border ['bɔ:də] **1.** *n* 1) грани́ца 2) край; бордю́р; кайма́ **2.** *v* грани́чить с *(on)*; окаймля́ть; **~land** [-lænd] пограни́чная полоса́

bore I [bɔ:] **1.** *n* 1) вы́сверленное отве́рстие 2) *воен.* кана́л ствола́ 3) *воен.* кали́бр **2.** *v* сверли́ть

bore II высо́кий прили́в *(в устье реки)*

bore III *past от* bear II *и* III

bore IV [bɔ:] **1.** *n* 1) ску́ка; what a ~! кака́я ску́ка! 2) ску́чное заня́тие; ску́чный челове́к **2.** *v* надоеда́ть; **~dom** [-dəm] ску́ка

born I [bɔ:n] прирождённый

born II *p. p. от* bear II

borne [bɔ:n] *p. p. от* bear III

borough ['bʌrə] 1) го́род, име́ющий самоуправле́ние 2) городско́й райо́н *(в Нью-Йорке)*

borrow ['bɔrou] 1) занима́ть 2) заи́мствовать

bosom ['buzəm] 1) *поэт.* грудь; се́рдце 2) па́зуха ◇ in the ~ of one's family в ло́не семьи́; keep in one's ~ сохрани́ть в та́йне; **~-friend** [-frend] закады́чный друг

boss I [bɔs] **1.** *n* хозя́ин; *разг.* шеф **2.** *v* хозя́йничать, управля́ть

boss II [bɔs] ши́шка

botany ['bɔtənɪ] бота́ника

both [bouθ] **1.** *pron* о́ба **2.** *cj*: ~ ... and... как..., так и..., и... и...; ~ she and her mother... как она́, так и её мать

bother ['bɔðə] **1.** *v* 1) беспоко́ить; надоеда́ть, докуча́ть 2) беспоко́иться, волнова́ться 3) сует́иться **2.** *n* беспоко́йство, хло́поты

bottle ['bɔtl] **1.** *n* 1) буты́лка 2) рожо́к *(для грудных детей)* **2.** *v* разлива́ть в буты́лки; ~ up скрыва́ть *(чувство и т. п.)*; **~-neck** [-nek] у́зкий прохо́д; *перен.* у́зкое ме́сто

bottom ['bɔtəm] 1) дно; ~ up вверх дном 2) низ, ни́жняя часть 3) причи́на, основа́ние; get to the ~ дои́скиваться причи́ны ◇ from the ~ of one's heart от всего́ се́рдца; ~s up! пей до дна!; **~less** бездо́нный *(тж. перен.)*

bough [bau] ветвь, сук

bought [bɔ:t] *past и p. p. от* buy

boulder ['bouldə] валу́н

boulevard ['bu:lvɑ:] бульва́р

bounce [bauns] **1.** *v* 1) отска́кивать; подпры́гивать 2) обма́ном заста́вить сде́лать *(что-л.)* **2.** *n* 1) прыжо́к; скачо́к 2) хвастовство́

bound I [baund] **1.** *n* грани́ца, преде́л ◇ out of ~s вход запрещён **2.** *v* 1) грани́чить 2) ограни́чивать

bound II **1.** *v* отска́кивать **2.** *n* прыжо́к, скачо́к

bound III **1.** *past и p. p. от* bind **2.** *a* назна́ченный, направля́ющийся; the ship is ~ *(for)*... су́дно направля́ется в...; homeward ~ возвраща́ющийся на ро́дину

bound IV [baund] 1) свя́занный 2) в переплёте *(о книге)* ◇ he is ~ to come он непреме́нно придёт

boundary ['baund(ə)rɪ] грани́ца; межа́

boundless ['baundlɪs] безграни́чный

boun||teous [bauntɪəs] ще́дрый; **~ty** [-tɪ] 1) ще́дрость 2) пода́рок; поощри́тельная пре́мия

bouquet ['bukeɪ] буке́т

bourgeois ['buəʒwɑ:] **1.** *n* буржуа́ **2.** *a* буржуа́зный

bourgeoisie [,buəʒwɑ:'zi:] буржуази́я; petty ~ ме́лкая буржуази́я

bout [baut] 1) тур, раз; пери́од 2) при́ступ *(болезни, кашля)*; припа́док; drinking ~ запо́й 3) *спорт.* схва́тка

bow I [bou] **1.** *n* 1) лук 2) смычо́к *(скрипки)* 3) бант 4) ра́дуга **2.** *v* води́ть смычко́м, игра́ть на скри́пке

bow II [bau] **1.** *n* покло́н **2.** *v* 1) кла́няться 2) сгиба́ться 3) покоря́ться 4) сгиба́ть ◇ ~ing acquaintance ша́почное знако́мство

bow III *(часто pl)* нос корабля́

bowels ['bauəlz] кишки́; вну́тренности ◇ the ~ of the earth не́дра земли́

bower ['bauə] бесе́дка

bowl I [boul] 1) ча́ша, ку́бок 2) ва́за

bowl II **1.** *n* 1) шар 2) *pl* игра́ в шары́ **2.** *v* 1) игра́ть в шары́ 2) подава́ть мяч *(в крикете)* 3) кати́ться *(along)*

bowler ['boulə] котело́к *(шляпа)*

bowling-green ['boulɪŋgri:n] лужа́йка для игры́ в шары́

box I [bɔks] 1) коро́бка; я́щик; сунду́к 2) ко́злы *(экипажа)*; облучо́к 3) *театр.* ло́жа

box II **1.** *n* 1) уда́р; оплеу́ха 2) бокс **2.** *v* бить кулако́м, бокси́ровать ◇ ~ smb.'s ears дать оплеу́ху

boxing ['bɔksɪŋ] бокс; **~-glove** [-glʌv] боксёрская перча́тка

box-office ['bɔks,ɔfɪs] театра́льная ка́сса

boy [bɔɪ] ма́льчик, па́рень

boycott ['bɔɪkət] **1.** *n* бойко́т **2.** *v* бойкоти́ровать

boyhood ['bɔɪhud] о́трочество

boyish ['bɔɪɪʃ] мальчи́шеский

brace [breɪs] **1.** *v* 1) скрепля́ть, свя́зывать 2): ~ oneself up собра́ться с си́лами **2.** *n* 1) скре́па, связь 2) па́ра 3) *pl* подтя́жки

bracelet ['breɪslɪt] брасле́т

bracing ['breɪsɪŋ] живи́тельный; бодря́щий *(о воздухе)*

bracket ['brækɪt] **1.** *n* 1) подпо́рка, подста́вка 2) га́зовый рожо́к; бра 3) *pl* ско́бки 4) *тех.* кронште́йн **2.** *v* 1) ста́вить в ско́бки 2) ста́вить в оди́н ряд

brackish ['brækɪʃ] солонова́тый *(о воде)*

brag [bræg] **1.** *n* хвастовство́ **2.** *v* хва́стать

braid [breɪd] **1.** *n* 1) шнуро́к, тесьма́ 2) коса́ *(волос)* **2.** *v* плести́, заплета́ть

brain [breɪn] 1) мозг 2) рассу́док, ра́зум 3) *pl разг.* у́мственные спосо́бности ◇ have smth. on the ~ стра́стно увле́чься чем-л., помеша́ться на чём-л.; cudgel *(или* puzzle) one's ~s лома́ть го́лову; pick smb.'s ~ испо́льзовать чужи́е мы́сли

brainless ['breɪnlɪs] безмо́зглый

brainy ['breɪnɪ] у́мный

braise [breɪz] туши́ть мя́со с овоща́ми

brake I [breɪk] ча́ща; куста́рник

brake II **1.** *n* то́рмоз **2.** *v* тормози́ть

bramble ['bræmbl] ежеви́ка

bran [bræn] о́труби *мн.*; вы́севки *мн.*

branch [brɑ:ntʃ] **1.** *n* 1) ветвь 2) рука́в *(реки)* 3) ответвле́ние *(дороги)* 4) ли́ния *(родства)* 5) филиа́л, отделе́ние *(банка и т. п.)* 6) о́трасль *(науки)* **2.** *v* разветвля́ться; ~ **out** ответвля́ться; расширя́ться

branchy ['brɑ:ntʃɪ] ветви́стый

brand [brænd] **1.** *n* 1) клеймо́, тавро́; (фабри́чная) ма́рка 2) сорт *(товара)* 3) головня́, голове́шка 4) *поэт.* фа́кел **2.** *v* клейми́ть *(тж. перен.)*

brandish ['brændɪʃ] разма́хивать, потряса́ть (ору́жием)

brand-new ['brænd'nju:] но́венький, с иго́лочки

brandy ['brændɪ] коnья́к, бре́нди

brass [brɑ:s] **1.** *n* 1) жёлтая медь; лату́нь 2) *разг.* бессты́дство 3) *уст. разг.* де́ньги **2.** *a* ме́дный; ~ band духово́й орке́стр; ~ plate ме́дная доще́чка *(на входной двери)* ◇ ~ hat *воен. разг.* высо́кий чин; get down to ~ tacks перейти́ к де́лу

brassy ['brɑ:sɪ] 1) ме́дный 2) *разг.* на́глый

brat [bræt] отро́дье

bravado [brə'vɑ:dou] показна́я сме́лость, хвастовство́

brave [breɪv] **1.** *a* 1) хра́брый 2) *уст.* превосхо́дный, прекра́сный **2.** *v* хра́бро встреча́ть *(опасность и т. п.)*

bravery ['breɪv(ə)rɪ] хра́брость

bravo ['brɑ:'vou] *int* бра́во!

brawl [brɔ:l] **1.** *n* шу́мная ссо́ра **2.** *v* ссо́риться, шуме́ть

brawny ['brɔ:nɪ] му́скулистый

bray I [breɪ] **1.** *n* 1) крик осла́ 2) ре́зкий звук **2.** *v* крича́ть *(об осле)*

braze [breɪz] сва́ривать, спа́ивать

brazen ['breɪzn] 1) ме́дный 2) на́глый

breach [bri:tʃ] **1.** *n* 1) наруше́ние *(обещания, закона)* 2) брешь, проло́м **2.** *v* проби́ть брешь

bread [bred] хлеб ◇ daily ~ сре́дства к существова́нию; he knows which side his ~ is buttered ≅ он па́рень не про́мах; take the ~ out of smb.'s mouth отби́ть хлеб у кого́-л.; ~ and butter а) хлеб с ма́слом; б) сре́дства к существова́нию

breadth ['bredθ] 1) ширина́ 2) поло́тнище 3) широта́ кругозо́ра; **~ways, ~wise** [-weɪz, -waɪz] в ширину́

bread-winner ['bred,wɪnə] корми́лец

break ['breɪk] **1.** *v* (broke; broken) 1) лома́ть; разруша́ть; взла́мывать 2) лома́ться, разруша́ться 3) наруша́ть *(закон)* 4) прерыва́ть *(сон, путешествие)* 5) сломи́ть *(волю, решимость и т. п.)* 6) разоря́ть(ся) 7) объявля́ть *(новость)* 8) *тех.* прерыва́ть; выключа́ть; **~ down** а) расстра́иваться *(о планах)*; б) ухудша́ться *(о здоровье)*; **~ in** вторга́ться; **~ into** вла́мываться; **~ out** вспы́хнуть, разрази́ться; **~ through** прорыва́ться; **~ up** а) распуска́ть *(учащихся)*; б) расходи́ться *(о собрании)*; в) разбива́ть *(на куски)*; **~ with** поссо́риться, порва́ть *(с кем-л.)* ◇ ~ free, ~ loose вы́рваться на свобо́ду **2.** *n* 1) проры́в, брешь, отве́рстие 2) переры́в; **~able** [-əbl] ло́мкий; **~age** [-ɪdʒ] поло́мка

break-down ['breɪkdaun] 1) поло́мка, ава́рия 2) по́лный упа́док сил 3) разру́ха, разва́л

breakfast ['brekfəst] за́втрак

breakneck ['breɪknek] опа́сный; at (a) ~ speed сломя́ го́лову

breakwater ['breɪk,wɔ:tə] *мор.* волноре́з

bream [bri:m] лещ

breast [brest] **1.** *n* 1) грудь 2) душа́, со́весть; make a clean ~ *(of)* чистосерде́чно призна́ться **2.** *v* стать гру́дью *(против)*; проти́виться

breastwork ['brestwə:k] *воен.* повы́шенный бру́ствер

breath [breθ] 1) дыха́ние 2) дунове́ние ◇ below one's ~ шёпотом, ти́хо; out of ~ запыха́вшись; waste one's ~ говори́ть напра́сно; take one's ~ away порази́ть; take ~ перевести́ дух, отдыша́ться; in one ~ без переды́шки

breathe [bri:ð] 1) дыша́ть 2) дуть *(о ветре)*

breathing ['bri:ðɪŋ] дыха́ние

breathing-space ['bri:ðɪŋspeɪs] переды́шка

breathless ['breθlɪs] 1) запыха́вшийся 2) затаи́вший дыха́ние, напряжённый

bred [bred] *past и p. p. от* breed

breeches ['brɪtʃɪz] *pl* штаны́; бри́джи

breed ['bri:d] **1.** *v* (bred) 1) выводи́ть, разводи́ть 2) размножа́ться 3) расти́ть; воспи́тывать **2.** *n* поро́да; **~ing** 1) выведе́ние, разведе́ние 2) воспита́ние

breeze I [bri:z] слепе́нь

breeze II 1) лёгкий ветеро́к, бриз 2) *разг.* спор

breezy ['bri:zɪ] 1) прохла́дный 2) живо́й; све́жий

brevity ['brevɪtɪ] кра́ткость

brew ['bru:] **1.** *v* 1) вари́ть *(пиво)*; зава́ривать *(чай)* 2) сме́шивать 3) затева́ть **2.** *n* напи́ток; **~ery** [-ərɪ] пивова́ренный заво́д

briar ['braɪə] шипо́вник

bribe ['braɪb] **1.** *n* взя́тка, по́дкуп **2.** *v* подкупа́ть; **~ry** [-ərɪ] взя́точничество

brick ['brɪk] **1.** *n* 1) кирпи́ч 2) *разг.* молодчи́на **2.** *v*: **~ in, ~ up** класть кирпичи́; **~-kiln** [-kɪln] печь для о́бжига кирпича́; **~layer** [-ˌleɪə] ка́менщик

bridal ['braɪdl] сва́дебный

bride ['braɪd] неве́ста; новобра́чная; **~-cake** [-keɪk] сва́дебный пиро́г; **~groom** [-grum] жени́х; новобра́чный

brides||maid ['braɪdzmeɪd] подру́жка неве́сты; **~man** [-mən] ша́фер

bridge I [brɪdʒ] **1.** *n* 1) мост 2) (капита́нский) мо́стик 3) перено́сица **2.** *v* соединя́ть мосто́м

bridge II [brɪdʒ] бридж *(карточная игра)*

bridge-head ['brɪdʒhed] плацда́рм

bridle ['braɪdl] **1.** *n* узда́; по́вод **2.** *v* взну́здывать, *перен.* сде́рживать

brief I [bri:f] кра́ткий, сжа́тый ◇ in ~ вкра́тце

brief II 1) кра́тко инструкти́ровать 2) нанима́ть адвока́та

brief-bag ['bri:fbæg] *см.* brief-case

brief-case ['bri:fkeɪs] ко́жаный чемода́нчик; портфе́ль

briefing ['bri:fɪŋ] инструкта́ж; ~ meeting инструкти́вное совеща́ние

brig [brɪg] бриг *(двухмачтовое судно)*

brigade [bri:'geɪd] **1.** *n* брига́да **2.** *v* формирова́ть брига́ду

brigadier [ˌbrɪgə'dɪə] бригади́р

brigand ['brɪgənd] разбо́йник; **~age** [-ɪdʒ] разбо́й

bright ['braɪt] 1) я́ркий; све́тлый 2) смышлёный, сообрази́тельный 3) весёлый; **~en** [-n] 1) проясня́ться, очища́ться 2) оживля́ться

brilli||ance ['brɪljəns] блеск; **~ant** [-ənt] **1.** *a* блестя́щий **2.** *n* бриллиа́нт

brim [brɪm] **1.** *n* 1) край 2) поля́ *(шляпы)* **2.** *v* наполня́ться до краёв; **~ful** по́лный до краёв

brindled ['brɪndld] пёстрый, полоса́тый

brine [braɪn] **1.** *n* 1) рассо́л 2) солёная вода́ **2.** *v* соли́ть

bring [brɪŋ] (brought) приноси́ть, доставля́ть, приводи́ть; ~ home to smb. заста́вить кого́-л. поня́ть *(или* почу́вствовать); ~ to life возвраща́ть к жи́зни; **~ about** вызыва́ть, быть причи́ной; **~ back** напомина́ть; **~ down** а) снижа́ть *(цены и т. п.)*; б) сбива́ть *(самолёт)*; в): ~ down a history to modern times довести́ расска́з *(или* исто́рию) до на́ших дней; **~ forth** порожда́ть; **~ in** а) вводи́ть; б) приноси́ть *(доход)*; в): ~ in a verdict of guilty, ~ smb. in guilty *юр.* объявля́ть вино́вным; **~ out** а) выявля́ть; вызыва́ть; б) вывози́ть в свет; **~ round, ~ to** приводи́ть в чу́вство; **~ up** а) воспи́тывать; б) поднима́ть *(вопрос)* ◇ ~ oneself to believe, to do заста́вить себя́ пове́рить, сде́лать; ~ down the house вы́звать бу́рные аплодисме́нты; ~ up the rear замыка́ть ше́ствие; ~

smb. up to date ввести́ кого́-л. в курс де́ла

brink [brɪŋk] край

brinkmanship ['brɪŋkmənʃɪp] поли́тика баланси́рования на гра́ни войны́

briny ['braɪnɪ] солёный *(о воде)*

briquette [brɪ'ket] брике́т

brisk ['brɪsk] 1) живо́й, прово́рный 2) оживлённый *(о торговле и т. п.)* 3) све́жий *(о ветре и т. п.)*; **~ly** жи́во, прово́рно

brist||le ['brɪsl] **1.** *n* щети́на **2.** *v* ощети́ниться, подня́ться ды́бом; **~ly** щети́нистый; жёсткий; колю́чий

British ['brɪtɪʃ] брита́нский; **~er** *амер.* брита́нец; англича́нин

brittle ['brɪtl] хру́пкий, ло́мкий

broach [broutʃ] откры́ть бо́чку *или* буты́лку; *перен.* напра́вить разгово́р *(на что-л.)*; подня́ть разгово́р *(о чём-л.)*

broad [brɔ:d] **1.** *a* 1) широ́кий 2) ре́зкий; he has a ~ accent у него́ си́льный акце́нт ◇ in ~ daylight средь бе́ла дня **2.** *adv*: ~ awake вполне́ очну́вшись от сна

broadcast ['brɔ:dkɑ:st] **1.** *n* радиовеща́ние, радиопереда́ча **2.** *v* 1) передава́ть по ра́дио 2) распространя́ть

broad||en ['brɔ:dn] 1) расширя́ть 2) расширя́ться; **~ly** широко́; откры́то; ~ly speaking вообще́ говоря́

broadside ['brɔ:dsaɪd] 1) борт корабля́ 2) *воен.* бортово́й залп

Broadway ['brɔ:dweɪ] Бродве́й *(центральная улица Нью-Йорка)*

brocade [brə'keɪd] парча́

brochure ['brouʃjuə] брошю́ра

brogue [broug] ре́зкий акце́нт в произноше́нии *(особ. ирландцев)*

broil [brɔɪl] 1) жа́рить 2) жа́риться

broke [brouk] **1.** *past от* break **2.** *a разг.* разорённый, без де́нег

broken ['brouk(ə)n] **1.** *a* 1) прerýвистый 2) ло́маный *(о языке)* 3) разби́тый 4) неусто́йчивый *(о погоде)* **2.** *p. p. от* break; ~ country пересечённая ме́стность; **~-hearted** [-'hɑ:tɪd] уби́тый го́рем, с разби́тым се́рдцем

broker ['broukə] 1) ма́клер; комиссионе́р 2) торго́вец поде́ржанными веща́ми; **~age** [-rɪdʒ] комиссио́нное вознагражде́ние

brolly ['brɔlɪ] *n разг.* *(сокр. от* umbrella*)* зо́нтик

bronchial ['brɔŋkjəl] бронхиа́льный

bronchitis [brɔŋ'kaɪtɪs] бронхи́т

bronze [brɔnz] **1.** *n* бро́нза **2.** *v* 1) покрыва́ть бро́нзой 2) станови́ться бро́нзовым 3) загоре́ть **3.** *a* бро́нзовый

brooch [broutʃ] брошь

brood ['bru:d] **1.** *n* вы́водок **2.** *v* сиде́ть на я́йцах; выси́живать; *перен.* размышля́ть; **~-mare** [-mɛə] племенна́я кобы́ла

broody-hen ['bru:dɪhen] насе́дка

brook I [bruk] терпе́ть, выноси́ть *(обыкн. в отриц. предлож.)*

brook II руче́й

broom [bru:m] 1) метла́ 2) *бот.* раки́тник

broth [brɔθ] бульо́н; суп

brother ['brʌðə] брат; **~hood** [-hud] бра́тство

brother-in-law ['brʌðərɪnlɔ:] шу́рин *(брат жены)*; зять *(муж сестры)*; де́верь *(брат мужа)*; своя́к *(муж сестры жены)*

brotherly ['brʌðəlɪ] бра́тский

brougham ['bru:əm] небольша́я каре́та

brought [brɔ:t] *past и p. p. от* bring

brow [brau] 1) лоб 2) край *(пропасти)* 3) вы́ступ *(скалы и т. п.)*; ◇ knit one's ~s насу́пить бро́ви

browbeat ['braubi:t] подавля́ть, запу́гивать

brown [braun] **1.** *a* 1) кори́чневый; ~ bread хлеб из непросе́янной муки́; ржано́й хлеб; ~ paper обёрточная бума́га 2) сму́глый, загоре́лый ◇ ~ study заду́мчивость **2.** *n* кори́чневый цвет; кори́чневая кра́ска **3.** *v* де́лать *или* станови́ться тёмным, кори́чневым, сму́глым; загора́ть ◇ I'm ~ed off мне надое́ло

brownie ['braunɪ] домово́й

browse ['brauz] пасти́сь; *перен.* проли́стывать, просма́тывать кни́гу

bruise [bru:z] **1.** *n* 1) синя́к 2) помя́тость *(плодов)* **2.** *v* 1) подставля́ть синяки́ 2) помя́ть *(фрукты)* 3) толо́чь

brunette [bru:'net] брюне́тка

brunt [brʌnt]: bear the ~ выноси́ть основну́ю тя́жесть бо́я *и т. п.*

brush [brʌʃ] **1.** *n* 1) щётка 2) кисть **2.** *v* 1) чи́стить щёткой 2) причёсывать *(волосы)*; ~ **against** слегка́ каса́ться; ~ **aside** а) отстрани́ть от себя́; б) отбро́сить; ~ **away** смахну́ть; *перен.* отмета́ть; ~ **up** подновля́ть, освежа́ть

brushwood ['brʌʃwud] куста́рник

brusque [brusk] отры́вистый, ре́зкий

brutal ['bru:tl] жесто́кий; **~ity** [-'tælɪtɪ] жесто́кость; **~ize** ['bru:təlaɪz] доводи́ть до ско́тского состоя́ния

brute [bru:t] живо́тное, скоти́на

bubble ['bʌbl] **1.** *n* пузы́рь; blow ~s пуска́ть мы́льные пузыри́ **2.** *v* пузы́риться

buccaneer [,bʌkə'nɪə] пира́т

buck [bʌk] **1.** *n* 1) оле́нь *(самец)* 2) *амер. разг.* до́ллар **2.** *v* брыка́ться; ~ **off** сбро́сить с седла́; ~ **up** *разг.* а) спеши́ть; б) оживи́ться

bucket ['bʌkɪt] 1) ведро́, бадья́ 2) ковш *(экскаватора)*; лопа́тка *(турбины)*

buckle ['bʌkl] **1.** *n* пря́жка **2.** *v* 1) застёгивать пря́жку 2) сгиба́ть, гнуть 3) сгиба́ться под давле́нием 4) *разг.* принима́ться за де́ло *(down to или to)*

buckskin ['bʌkskɪn] оле́нья ко́жа

buckwheat ['bʌkwi:t] греча́ха

bud [bʌd] **1.** *n* по́чка; буто́н; ◇ nip in the ~ подави́ть в заро́дыше **2.** *v* дава́ть по́чки

buddhism ['budɪzm] будди́зм

buddy ['bʌdɪ] *разг.* прия́тель, дружи́ще

budge [bʌdʒ] 1) пошевельну́ть 2) пошевельну́ться *(обыкн. в отриц. предлож.)*

budget ['bʌdʒɪt] **1.** *n* бюдже́т **2.** *v* предусма́тривать в бюдже́те; **~ary** [-ərɪ] бюдже́тный

buff [bʌf] 1) бу́йволовая ко́жа 2) тёмно-жёлтый цвет

buffalo ['bʌfəlou] бу́йвол

buffer ['bʌfə] 1) бу́фер 2) *attr.* бу́ферный; ~ state бу́ферное госуда́рство

buffet I ['bʌfɪt] **1.** *n* уда́р **2.** *v* бить ◇ ~ (with) the waves боро́ться с во́лнами

buffet II 1) ['bʌfɪt] буфе́т 2) ['bufeɪ] буфе́тная сто́йка

buffoon [bʌ'fu:n] **1.** *n* шут **2.** *v* стро́ить из себя́ шута́

bug [bʌg] 1) клоп 2) насеко́мое; жук

buggy ['bʌgɪ] кабриоле́т

bugle ['bju:gl] горн; охо́тничий рог

build ['bɪld] **1.** *v* (built) стро́ить, создава́ть; **~ in** вде́лывать, встра́ивать; **~ up** возводи́ть; **~ upon** осно́вывать **2.** *n* 1) фо́рма, констру́кция 2) телосложе́ние; **~ing** зда́ние

built [bɪlt] *past и p. p. от* build; **~-in** встро́енный, стенно́й *(о шкафе)*

bulb [bʌlb] 1) *бот.*, *анат.* лу́ковица 2) предме́т, име́ющий фо́рму гру́ши ◇ electric ~ электри́ческая ла́мпочка

Bulgarian [bʌl'gɛərɪən] **1.** *a* болга́рский **2.** *n* 1) болга́рин; болга́рка 2) болга́рский язы́к

bul||ge ['bʌldʒ] **1.** *n* 1) вы́пуклость 2) вре́менное увеличе́ние объёма *или* коли́чества **2.** *v* выпя́чиваться; **~ging** вы́пяченный, оттопы́ривающийся; ~ging eyes глаза́ навы́кате

bul||k ['bʌlk] **1.** *n* 1) объём 2) груз *(судна)* 3) основна́я ма́сса **2.** *v*: ~ large каза́ться больши́м *или* ва́жным; **~ky** [-ɪ] 1) объёмистый 2) гру́зный; неуклю́жий

bull [bul] **1.** *n* 1) бык 2) биржево́й спекуля́нт, игра́ющий на повыше́ние **2.** *v* спекули́ровать на повыше́ние *(на бирже)*

bulldog ['buldɔg] бульдо́г

bulldozer ['bul,douzə] бульдо́зер

bullet ['bulɪt] пу́ля

bulletin ['bulɪtɪn] бюллете́нь, сво́дка

bullet-proof ['bulɪtpru:f] непробива́емый пу́лями

bullfight ['bulfaɪt] *n* бой быко́в

bullfinch ['bulfɪntʃ] снеги́рь

bullion ['buljən] сли́ток зо́лота *или* серебра́

bullock ['bulək] вол

bully ['bulɪ] **1.** *n* зади́ра, хулига́н **2.** *v* 1) задира́ть 2) запу́гивать **3.** *a амер. разг.* великоле́пный, первокла́ссный

bulwark ['bulwək] бастио́н; вал; *перен.* опло́т

bumble-bee ['bʌmblbi:] шмель

bump [bʌmp] **1.** *n* 1) уда́р 2) ши́шка; о́пухоль **2.** *v* 1) ушиби́ть, сту́кнуть 2) уда́риться, сту́кнуться *(о дно, скалу —*

against) 3) нагоня́ть *(в гребных гонках)*

bumpkin [ˈbʌmpkɪn] засте́нчивый *или* нело́вкий челове́к; country ~ дереве́нщина

bumptious [ˈbʌmpʃəs] самодово́льный; наха́льный

bumpy [ˈbʌmpɪ] неро́вный *(о дороге)*

bun [bʌn] бу́лочка

bun||ch [ˈbʌntʃ] **1.** *n* гроздь; свя́зка, пучо́к; *перен.* гру́ппа *(людей)* **2.** *v* увя́зывать, собира́ть; **~chy** [-ɪ] расту́щий гро́здьями

bundle [ˈbʌndl] **1.** *n* у́зел; свя́зка **2.** *v* 1) свя́зывать в у́зел 2) отсыла́ть, спрова́живать *(тж.* ~ off)

bung [bʌŋ] **1.** *n* вту́лка; заты́чка **2.** *v* затыка́ть, заку́поривать

bungalow [ˈbʌŋgəlou] бу́нгало, одноэта́жный ле́тний дом (с вера́ндой)

bungl||e [ˈbʌŋgl] **1.** *v* неуме́ло *или* пло́хо рабо́тать **2.** *n* плоха́я рабо́та; **~er** головотя́п

bunk I [bʌŋk] ко́йка

bunk II *разг.* удира́ть

bunker [ˈbʌŋkə] *мор.* бу́нкер, у́гольный я́щик

bunting I [ˈbʌntɪŋ]: corn ~ овся́нка *(птица)*

bunting II мате́рия для фла́гов

buoy [bɔɪ] **1.** *n* ба́кен; буй **2.** *v* 1) отмеча́ть бу́ями 2): ~ up подде́рживать на пове́рхности воды́; *перен.* поднима́ть *(дух и т. п.)*

buoy||ancy [ˈbɔɪənsɪ] плаву́честь; *перен.* жизнера́достность; **~ant** [-ənt] плаву́чий; *перен.* жизнера́достный

bur [bə:] репе́й; *перен. разг.* назо́йливый челове́к

burbot [ˈbə:bət] нали́м

burden [ˈbə:dn] **1.** *n* 1) но́ша; бре́мя 2) тонна́ж корабля́ **2.** *v* нагружа́ть, обременя́ть; **~some** [-səm] обремени́тельный

bureau [bju(ə)ˈrou] 1) бюро́, конто́ра 2) бюро́, конто́рка

bureau||cracy [bju(ə)ˈrɔkrəsɪ] бюрокра́тия, бюрократи́зм; **~crat** [ˈbjuəro(u)kræt] бюрокра́т; **~cratic** [ˌbjuəro(u)ˈkrætɪk] бюрократи́ческий

burgh [ˈbʌrə] *см.* borough

burgla||r [ˈbə:glə] вор, взло́мщик; **~ry** [-rɪ] кра́жа со взло́мом

burial [ˈberɪəl] по́хороны; **~-ground** [-graund] кла́дбище; **~-service** [-ˌsə:vɪs] *рел.* заупоко́йная слу́жба

burlesque [bə:ˈlesk] **1.** *n* паро́дия; бурле́ск **2.** *a* пароди́йный **3.** *v* пароди́ровать

burly [ˈbə:lɪ] кре́пкий; пло́тный

Burmese [bə:ˈmi:z] **1.** *a* бирма́нский **2.** *n* бирма́нец; бирма́нка

burn [ˈbə:n] **1.** *v* (burnt) 1) жечь, сжига́ть; обжига́ть 2) горе́ть; ~ to ashes сгоре́ть дотла́ ◇ ~ the candle at both ends прожига́ть жизнь **2.** *n* 1) ожо́г 2) клеймо́; **~er** горе́лка

burning [ˈbə:nɪŋ] горя́чий, жгу́чий; ~ question насу́щный вопро́с

burnish [ˈbə:nɪʃ] полирова́ть

burnt [bə:nt] *past и p. p. от* burn I

burr [bə:] *см.* bur

burrow [ˈbʌrou] **1.** *n* нора́ **2.**

v 1) рыть нору́ 2) пря́таться в норе́ 3) ры́ться *(в архиве и т. п.)*

burst [bə:st] **1.** *n* 1) вспы́шка, взрыв *(тж. перен.)*; ~ of energy прили́в эне́ргии 2) поры́в *(тж. перен.)* 3) *воен.* разры́в **2.** *v* (burst) 1) ло́пнуть, взорва́ться 2) разрази́ться *(о буре)* 3) ворва́ться 4) разорва́ть *(узы)* 5) зали́ться *(смехом, слезами — into)*; ~ **out** воскли́кнуть, восклица́ть

bury ['berɪ] 1) хорони́ть 2) пря́тать; ~ one's face in one's hands закры́ть лицо́ рука́ми ◇ ~ the hatchet прекрати́ть вражду́

bus [bʌs] **1.** *n* авто́бус **2.** *v* е́хать на авто́бусе

bush [buʃ] куст; куста́рник ◇ beat about the ~ верте́ться, ходи́ть вокру́г да о́коло

bushel ['buʃl] бу́шель *(мера)* ◇ hide one's light under a ~ скрыва́ть свой ум и тала́нт, быть изли́шне скро́мным

bushy ['buʃɪ] 1) покры́тый куста́рником 2) лохма́тый; пуши́стый

business ['bɪznɪs] 1) комме́рческая де́ятельность 2) торго́вое предприя́тие, фи́рма 3) де́ло, заня́тие; обя́занность; let's get down to ~ перейдём к де́лу; on ~ по де́лу; mind your own ~! занима́йся свои́м де́лом!; do ~ занима́ться комме́рцией 4) *attr.*: ~ hours часы́ торго́вли *или* приёма; ~**like** [-laɪk] делово́й, практи́чный

business man ['bɪznɪsmən] делово́й челове́к; деле́ц, бизнесме́н

bust [bʌst] бюст

bustle ['bʌsl] **1.** *n* сумато́ха **2.** *v* 1) суети́ться 2) торопи́ть

busy ['bɪzɪ] **1.** *a* 1) заня́то́й 2) оживлённый **2.** *v* 1) дава́ть рабо́ту; занима́ть чем-л. 2): ~ oneself занима́ться чем-л.

busybody ['bɪzɪ,bɔdɪ] челове́к, лю́бящий вме́шиваться в чужи́е дела́

busyness ['bɪzɪnɪs] за́нятость

but [bʌt *(полная форма)*, bət *(редуцированная форма)*] **1.** *prep* кро́ме; I know nobody here ~ you я никого́ здесь не зна́ю, кро́ме вас **2.** *cj* 1) но; а *(после отриц. предлож.)*; I give it to you ~ not to him я даю́ э́то вам, а не ему́ 2) е́сли не, как не; what could he do ~ confess? что ему́ остава́лось де́лать, как не созна́ться?; ~ for е́сли бы не; ~ for him не будь его́ **3.** *adv* лишь, то́лько; it's ~ two o'clock сейча́с то́лько два часа́; do ~ see! посмотри́те то́лько!; all ~ почти́; the last ~ one предпосле́дний

butche||**r** ['butʃə] **1.** *n* мясни́к; *перен.* пала́ч **2.** *v* забива́ть, ре́зать *(скот)*; убива́ть; ~**ry** [-rɪ] бо́йня

butler ['bʌtlə] дворе́цкий

butt I [bʌt] больша́я бо́чка

butt II 1) стре́льбище 2) мише́нь

butt III 1) то́лстый, утолщённый коне́ц 2) прикла́д *(ружья)* 3) *разг.* оку́рок

butt IV **1.** *v* бода́ться; ~ **in** вме́шиваться **2.** *n* уда́р голово́й

butter ['bʌtə] **1.** *n* ма́сло **2.** *v*

намáзывать мáслом; **~milk** [-mılk] пáхта

buttercup ['bʌtəkʌp] *бот.* лю́тик

butterfly ['bʌtəflaı] бáбочка

buttock ['bʌtək] я́годица

button ['bʌtn] **1.** *n* 1) пу́говица 2) кнóпка; push the ~ нажми́те кнóпку **2.** *v* застёгивать на пу́говицы; **~hole** [-houl] **1.** *n* 1) пéтля 2) цветóк в петли́це **2.** *v* 1) прометывать пéтли 2) держáть за пу́говицу; не отпускáть от себя́

buxom ['bʌksəm] пóлная, здорóвая *(о женщине)*

buy [baı] (bought) **1.** *n*: a good ~ вы́годная поку́пка **2.** *v* покупáть; **~ in** закупáть; **~ off** откупáться; **~ out** выкупáть; **~ over** подкупáть, перемáнивать на свою́ стóрону; **~ up** скупáть

buyer ['baıə] покупáтель ◇ ~s market *ком.* конъюнкту́ра ры́нка, вы́годная для покупáтеля

buzz ['bʌz] **1.** *n* 1) жужжáние 2) *разг.* слу́хи, молвá **2.** *v* 1) жужжáть 2) сновáть *(about)* 3) гудéть *(о толпе и т. п.)*; **~er** 1) гудóк 2) *радио* зу́ммер

by [baı] **1.** *prep* 1) у, при, óколо, вдоль; by smb.'s bedside у (óколо) чьей-л. постéли; by the river у реки́ 2) чéрез, посрéдством *(обыкн. перев. рус. тв. п.; иногда предлогом* по); by his father егó отцóм; by tram на трамвáе 3) óколо; к *(при указании времени)*; by two o'clock к двум часáм 4) по, соглáсно; by profession по профéссии 5) на *(при обозначении разницы между двумя сравниваемыми величинами)*; cheaper by two roubles дешéвле нá два рубля́ 6) *(для обозначения последовательности, постепенности действия:* by) and by постепéнно, со врéменем; one by one оди́н за други́м 7) за; take by the hand взять зá руку ◇ what time is it by your watch? котóрый час на вáших часáх?; she was all by herself онá былá совсéм однá; by the way мéжду прóчим; by accident случáйно; by heart наизу́сть **2.** *adv* 1) ря́дом 2) ми́мо; he passed me by он прошёл ми́мо меня́; come by зайти́

bye-bye I ['baıbaı] *детск.* бай-бáй

bye-bye II ['baı'baı] *разг.* до свидáния

by-election ['baıı,lekʃ(ə)n] дополни́тельные вы́боры *мн.*

Byelorussian [,bjelə'rʌʃ(ə)n] **1.** *a* белору́сский **2.** *n* 1) белору́с; белору́ска 2) белору́сский язы́к

by-law ['baılɔ:] распоряжéние мéстных властéй *или* какóй-л. организáции

bypass ['baıpɑ:s] **1.** *n* обхóд **2.** *v* обходи́ть

byplay ['baıpleı] эпизóд, немáя сцéна *(в пьесе)*

by-product ['baı,prɔdəkt] побóчный продýкт

byre ['baıə] корóвник

bystander ['baı,stændə] свидéтель, зри́тель

by-way ['baıweı] малопроéзжая *или* просёлочная дорóга

byword ['baıwə:d] 1) при́тча во язы́цех 2) поговóрка

C

c [si:] 1) *третья буква англ. алфавита* 2) *муз.* нота до

cab [kæb] 1) экипаж 2) такси 3) *ж.-д.* будка машиниста

cabal [kə'bæl] *ист.* политическая клика

cabbage ['kæbɪdʒ] 1) капуста 2) *attr.*: ~ soup щи

cabin ['kæbɪn] 1) хижина; *ав.* закрытая кабина 2) *мор.* каюта; **~-boy** [-bɔɪ] *мор.* юнга

cabinet ['kæbɪnɪt] 1) шкафчик, горка 2) корпус *(радиоприёмника и т. п.)* 3) кабинет министров; **~-maker** [-,meɪkə] столяр-краснодеревщик

cable ['keɪbl] **1.** *n* 1) канат 2) кабель 3) телеграмма **2.** *v* телеграфировать

cabman ['kæbmən] извозчик

cache [kæʃ] тайник; тайный склад

cackle ['kækl] **1.** *n* 1) кудахтанье 2) болтовня 3) хихиканье **2.** *v* 1) кудахтать 2) хихикать

cad [kæd] невежа, грубиян, хам

caddy ['kædɪ] чайница

cadet [kə'det] 1) младший сын 2) курсант военного училища

cadge [kædʒ] попрошайничать

cadre [kɑ:dr] *воен.* кадровый состав

cafe ['kæfeɪ] кафе

cage [keɪdʒ] **1.** *n* 1) клетка 2) кабина лифта 3) лагерь *(для военнопленных)* **2.** *v* сажать в клетку

caisson [kə'su:n] 1) *воен.* зарядный ящик 2) *тех.* кессон

cajole [kə'dʒoul] льстить; ~ smth. out of smb. выманить что-л. у кого-л.

cake [keɪk] 1) торт, пирожное; кекс 2) плитка *(прессованного табака)*; кусок *(мыла)* 3) *pl* лепёшки, брызги *(грязи, глины)* ◇ you cannot eat your ~ and have it один пирог два раза не съешь; like hot ~s нарасхват; ~s and ale веселье

calami||tous [kə'læmɪtəs] 1) пагубный 2) бедственный; **~ty** [-tɪ] бедствие

calcium ['kælsɪəm] кальций

calcul||ate ['kælkjuleɪt] 1) вычислять 2) рассчитывать; ~ on полагаться на 3) *(обыкн. p. p.)*: ~d предназначенный 4) *амер.* (пред)полагать; **~ation** [,kælkju'leɪʃ(ə)n] 1) вычисление 2) расчёт 3) обдумывание, взвешивание 4) *амер.* прогноз

calculus ['kælkjuləs] *мат.* исчисление

caldron ['kɔ:ldr(ə)n] *см.* cauldron

calendar ['kælɪndə] календарь

calf I [kɑ:f] *(pl -ves)* телёнок *(тж. оленёнок, слонёнок и т.п.)*; in *(или* with) ~ стельная *(о корове)*

calf II *(pl -ves)* икра *(ноги)*

calibrate ['kælɪbreɪt] калибровать; градуировать

calibre ['kælɪbə] калибр; диаметр; *перен.* вес, достоинство

calico ['kælɪkou] коленкор; миткаль; ситец

call ['kɔ:l] **1.** *v* 1) называть 2) звать 3) заходить *(at, in)*; навещать *(on, upon)* 4) призывать *(on, upon)* 5) звонить по телефо́ну *(тж.* ~ up); ~ **down** *амер.* де́лать вы́говор; ~ **for** а) заходи́ть *(за кем-л.)*; б) тре́бовать; till ~ed for до востре́бования; ~ **forth** вызыва́ть; ~ **in** тре́бовать наза́д *(долг)*; ~ **off** отложи́ть *(свидание, собрание)*; ~**up** а) призыва́ть на вое́нную слу́жбу; б) позвони́ть, вы́звать по телефо́ну ◇ ~ in question подверга́ть сомне́нию; ~ attention *(to)* обрати́ть *(чьё-л.)* внима́ние *(на)*; ~ smb. names оскорбля́ть, руга́ть; ~ to account тре́бовать отчёта; ~ to witness призыва́ть в свиде́тели; ~ to mind напомина́ть; ~ a halt останови́ться **2.** *n* 1) вы́зов; о́клик 2) призы́в; at the ~ *(of)* по призы́ву 3) посеще́ние, визи́т ◇ within ~ побли́зости; ~**er** посети́тель; гость; тот, кто звони́т по телефо́ну

calling [ˈkɔːlɪŋ] призва́ние; профе́ссия

callosity [kæˈlɔsɪtɪ] *см.* callus

callous [ˈkæləs] 1) мозо́листый 2) безду́шный

callow [ˈkælou] неопери́вшийся *(тж. перен.)*; ~ youth зелёный юне́ц

callus [ˈkæləs] мозо́ль

calm [kɑːm] **1.** *a* споко́йный **2.** *n* 1) тишина́; споко́йствие 2) *мор.* штиль **3.** *v* успока́ивать; ~ **down** успока́иваться

calor||ie [ˈkælərɪ] кало́рия; ~**ific** [ˌkæləˈrɪfɪk] теплово́й; теплотво́рный

calumniat||e [kəˈlʌmnɪeɪt] клевета́ть; ~**or** клеветни́к

calumny [ˈkæləmnɪ] клевета́

calve [kɑːv] тели́ться

calves [kɑːvz] *pl от* calf I *и* II

cam [kæm] *тех.* кула́к

cambric [ˈkeɪmbrɪk] бати́ст

came [keɪm] *past от* come

camel [ˈkæm(ə)l] верблю́д

cameo [ˈkæmɪou] каме́я

camera [ˈkæm(ə)rə] 1) фотоаппара́т; кинока́мера 2): in ~ в закры́том (суде́бном) заседа́нии; *перен.* конфиденциа́льно; ~**-man** [-mæn] фоторепортёр; кинооперáтор

camomile [ˈkæməmaɪl] рома́шка

camouflage [ˈkæmuflɑːʒ] **1.** *n* маскиро́вка **2.** *v* маскирова́ть

camp [kæmp] **1.** *n* ла́герь; прива́л; pitch ~ располага́ться ла́герем **2.** *v* располага́ться ла́герем

campaign [kæmˈpeɪn] кампа́ния

camphor [ˈkæmfə] камфара́

camping [ˈkæmpɪŋ]: go ~ жить в пала́тках

camp-stool [ˈkæmpstuːl] складно́й стул

campus [ˈkæmpəs] университе́тский *или* шко́льный двор *или* городо́к

cam-shaft [ˈkæmʃɑːft] *тех.* распредели́тельный вал

can I [kæn *(полная форма)*, kən *(редуцированная форма)*] (could) могу́, мо́жешь, мо́жет *и т. д.*; I ~ show you my school я могу́ показа́ть вам свою́ шко́лу; he ~ answer your question он мо́жет отве́тить на ваш вопро́с; ~ you skate? вы уме́ете ката́ться на конька́х?; he ~ rest now тепе́рь он мо́жет (име́ет пра́во) отдохну́ть; ~ I come in? мо́жно мне войти́?

can II **1.** *n* 1) бидо́н 2) жестяна́я коро́бка *или* ба́нка 3) *амер.* ба́нка консе́рвов **2.** *v* консерви́ровать *(мясо, овощи, фрукты)*

Canadian [kə'neɪdjən] **1.** *a* кана́дский **2.** *n* кана́дец; кана́дка

canal [kə'næl] кана́л

canard [kæ'nɑ:d] «у́тка», ло́жный слух

canary [kə'nɛərɪ] канаре́йка

cancel ['kæns(ə)l] 1) вычёркивать 2) погаша́ть *(марки)* 3) аннули́ровать *(долги и т. п.)*; отменя́ть *(отпуск и т.п.)*

cancer ['kænsə] рак *(болезнь)*; *перен.* я́зва, бич

candid ['kændɪd] 1) прямо́й, и́скренний; чистосерде́чный 2) беспристра́стный

candidate ['kændɪdɪt] кандида́т

candle ['kændl] свеча́; **~-end** [-end] ога́рок; **~stick** [-stɪk] подсве́чник

candor ['kændə] *амер. см.* candour

candour ['kændə] прямота́; открове́нность

candy ['kændɪ] **1.** *n* 1) леде-не́ц 2) *собир.* сла́сти; *амер.* конфе́ты **2.** *v* 1) заса́харивать 2) заса́хариваться

cane [keɪn] **1.** *n* 1) тростни́к 2) трость 3) ро́зга 4) *attr.*: ~ chair плетёное кре́сло **2.** *v* 1) плести́ из камыша́ 2) бить па́лкой

canine ['keɪnaɪn] 1) соба́чий 2) *attr.*: ~ tooth клык

canister ['kænɪstə] ча́йница; ба́нка для ко́фе *и т. п.*

canker ['kæŋkə] я́зва *(тж. перен.)*

canned [kænd] консерви́рованный; ~ meat мясны́е консе́рвы

cannibal ['kænɪb(ə)l] людое́д

cannon ['kænən] пу́шка; ору́дие; *собир.* артиллери́йские ору́дия ◇ ~ fodder пу́шечное мя́со

cannot ['kænɔt] *отриц. форма наст. вр. изъявительного наклонения от* can

canny ['kænɪ] *шотл.* осторо́жный

canoe [kə'nu:] кано́э; челно́к; байда́рка

cañon ['kænjən] *см.* canyon

canopy ['kænəpɪ] балдахи́н; наве́с

can't [kɑ:nt] *сокр. от* cannot

cantankerous [kən'tæŋk(ə)rəs] сварли́вый

canteen [kæn'ti:n] 1) буфе́т 2) *воен.* войскова́я ла́вка

canter ['kæntə] **1.** *n* лёгкий гало́п **2.** *v* е́хать лёгким гало́пом

canton ['kæntɔn] канто́н

canvas ['kænvəs] 1) паруси́на; холст; брезе́нт 2) канва́

canvass ['kænvəs] 1) собира́ть голоса́ *(перед выборами)* 2) домога́ться зака́зов 3) обсужда́ть

canyon ['kænjən] глубо́кое уще́лье, каньо́н

cap [kæp] 1) ша́пка, ке́пка; колпа́к; чепе́ц 2) верху́шка, кры́шка ◇ if *(или* where) the ~ fits, wear it ≅ на во́ре ша́пка гори́т

capability [,keɪpə'bɪlɪtɪ] спосо́бность

capable ['keɪpəbl] 1) спосо́бный *(of)* 2) поддающийся *(чему-л.)*, допуска́ющий *(что-л.)*

capacious [kə'peɪʃəs] вмести́тельный; просто́рный; объёмистый

capacity [kə'pæsɪtɪ] 1) спосо́бность; a mind of great ~ глубо́кий ум; purchasing ~ покупа́тельная спосо́бность 2) объём, вмести́мость; filled to ~ перепо́лнен до отка́за 3) положе́ние, ка́чество; in the ~ of, in one's ~ as в ка́честве (кого́-л.) 4) *тех.* мо́щность

cape I [keɪp] наки́дка; пелери́на

cape II мыс

caper ['keɪpə] **1.** *n*: cut a ~, cut ~s а) выки́дывать коле́нца; пры́гать; б) дура́читься **2.** *v* пры́гать; дура́читься

capillary [kə'pɪlərɪ] капилля́рный

capital I ['kæpɪtl] **1.** *a* 1) гла́вный *(о городе)* 2) загла́вный *(о букве)* 3) основно́й 4) первокла́ссный, превосхо́дный ◇ ~ punishment сме́ртная казнь **2.** *n* столи́ца

capital II ['kæpɪtl] капита́л; circulating *(или* floating) ~ оборо́тный капита́л; fixed ~ основно́й капита́л; **~ism** капитали́зм; **~ist** капитали́ст; **~ize** превраща́ть в капита́л; *перен.* извлека́ть вы́году; **~ly** [-ɪ] *разг.* 1) превосхо́дно 2) основа́тельно

capitation [,kæpɪ'teɪʃ(ə)n] поду́шная по́дать

Capitol ['kæpɪtl] 1) Капито́лий 2) зда́ние конгре́сса США

capitul||ate [kə'pɪtjuleɪt] сдава́ться, капитули́ровать; **~ation** [kə,pɪtju'leɪʃ(ə)n] капитуля́ция

capric||e [kə'pri:s] капри́з; **~ious** [kə'prɪʃəs] капри́зный; непостоя́нный

capsize [kæp'saɪz] 1) опроки́дывать 2) опроки́дываться *(о лодке, телеге и т. п.)*

capsule ['kæpsju:l] ка́псула

captain ['kæptɪn] капита́н

caption ['kæpʃ(ə)n] 1) заголо́вок *(статьи, главы)* 2) по́дпись под карти́нкой; *кино* титр

captious ['kæpʃəs] приди́рчивый; ка́верзный

captivate ['kæptɪveɪt] плени́ть; очаро́вывать

captive ['kæptɪv] пле́нник, (военно)пле́нный

captivity [kæp'tɪvɪtɪ] плен

capt||or ['kæptə] захвати́вший в плен; **~ure** ['kæptʃə] **1.** *n* 1) захва́т *(территории)* 2) взя́тие в плен 3) добы́ча **2.** *v* захвати́ть, взять в плен

car [kɑ:] 1) ваго́н 2) автомоби́ль

carafe [kə'rɑ:f] графи́н

caramel ['kærəmel] караме́ль

carat ['kærət] кара́т

caravan [,kærə'væn] 1) карава́н 2) фурго́н

caraway ['kærəweɪ] тмин

carbine ['kɑ:baɪn] *воен.* караби́н

carbolic [kɑ:'bɔlɪk] карбо́ловый

carbon ['kɑ:bən] *хим.* углеро́д

carbon-paper ['kɑ:bən,peɪpə]

копирова́льная бума́га, копи́рка

carburettor [ˈkɑ:bjuretə] карбюра́тор

carcass [ˈkɑ:kəs] ту́ша *(тж. перен.)*

card [kɑ:d] 1) биле́т *(членский, пригласительный)* 2) ка́рта; ка́рточка; a house of ~s ка́рточный до́мик 3) *шутл.* тип, чуда́к ◇ on the ~s возмо́жно, вероя́тно; have a ~ up one's sleeve име́ть ко́зырь про запа́с; hold the ~s име́ть преиму́щество

cardboard [ˈkɑ:dbɔ:d] карто́н

cardiac [ˈkɑ:dɪæk] *анат.* серде́чный

cardigan [ˈkɑ:dɪgən] шерстяно́й вя́заный жаке́т *или* жиле́т

cardinal I [ˈkɑ:dɪnl] кардина́л

cardinal II основно́й; гла́вный ◇ ~ numbers коли́чественные числи́тельные; four ~ points четы́ре страны́ све́та

care [kɛə] **1.** *n* 1) забо́та; take ~ *(of)* забо́титься 2) попече́ние; in the ~ of на попече́нии 3) внима́ние; осмотри́тельность; осторо́жность; take ~! береги́сь! ◇ ~ of *(сокр.* c/o) по а́дресу; че́рез **2.** *v* 1) забо́титься 2) люби́ть *(for)* ◇ I don't ~ мне всё равно́, мне безразли́чно; I don't ~ a damn мне на э́то наплева́ть

career [kəˈrɪə] *n* 1) заня́тие, профе́ссия 2) карье́ра; успе́х 3) бы́стрый бег, карье́р 4) *attr.* профессиона́льный

carefree [ˈkɛəfri:] беззабо́тный

care||ful [ˈkɛəful] забо́тливый; внима́тельный; осторо́жный; **~less** 1) небре́жный, невнима́тельный 2) беззабо́тный

caress [kəˈres] **1.** *n* ла́ска **2.** *v* ласка́ть

care-worn [ˈkɛəwɔ:n] изму́ченный забо́тами

cargo [ˈkɑ:gou] груз корабля́

caricature [ˌkærɪkəˈtjuə] карикату́ра

carnage [ˈkɑ:nɪdʒ] резня́

carnal [ˈkɑ:nəl] пло́тский, чу́вственный

carnation [kɑ:ˈneɪʃ(ə)n] гвозди́ка

carnival [ˈkɑ:nɪv(ə)l] карнава́л

carol [ˈkær(ə)l] **1.** *n* весёлая (рожде́ственская) песнь **2.** *v* воспева́ть

carou||sal [kəˈrauz(ə)l] кутёж; попо́йка; **~se** [kəˈrauz] **1.** *n* попо́йка **2.** *v* пирова́ть; пья́нствовать

carp I [kɑ:p] карп

carp II придира́ться; критикова́ть

carpen||ter [ˈkɑ:pɪntə] пло́тник; **~try** [-trɪ] пло́тничье де́ло

carpet [ˈkɑ:pɪt] **1.** *n* ковёр ◇ on the ~ а) на обсужде́нии *(о вопросе);* б): have smb. on the ~ брани́ть кого́-л. **2.** *v* 1) устила́ть, покрыва́ть ковра́ми 2) *разг.* вызыва́ть для нагоня́я; **~-bag** [-bæg] саквоя́ж

carriage [ˈkærɪdʒ] 1) экипа́ж 2) *ж.-д.* ваго́н 3) перево́зка; сто́имость перево́зки 4) оса́нка

carrier [ˈkærɪə] 1) носи́льщик 2) *амер.* почтальо́н 3) бага́жник *(мотоцикла)* 4) *мед.* бациллоноси́тель 5) *мор.* авиано́сец

carrion [ˈkærɪən] па́даль

carrot [ˈkærət] морко́вь; **~y**

[-ɪ] 1) морко́вного цве́та 2) ры́жий *(о волосах)*

carry ['kærɪ] 1) носи́ть; вози́ть 2) подде́рживать 3) проводи́ть *(закон, предложение)* 4) *амер.* продава́ть; ~ **away** а) уноси́ть; б) охва́тывать *(о чувстве)*; увлека́ть; ~ **off** уноси́ть, похища́ть; ~ **on** а) продолжа́ть; б) *разг.* флиртова́ть; ~ **out,** ~ **through** выполня́ть ◇ ~ weight *(или* authority) име́ть вес, влия́ние; ~ the day одержа́ть побе́ду

cart [kɑ:t] теле́га; двуко́лка ◇ put the ~ before the horse *погов.* ≅ де́лать ши́ворот-навы́ворот

cartel [kɑ:'tel] *эк.* карте́ль

cart-horse ['kɑ:thɔ:s] ломова́я ло́шадь

cartilag||e ['kɑ:tɪlɪdʒ] хрящ; **~inous** [,kɑ:tɪ'lædʒɪnəs] хрящево́й

cart-load ['kɑ:tloud] воз *(как мера)*

carton ['kɑ:tən] паке́тик *(молока)*, коро́бка *(яиц) и т.п.*

cartoon [kɑ:'tu:n] 1) карикату́ра 2) мультипликацио́нный фильм; **~ist** карикатури́ст

cartridge ['kɑ:trɪdʒ] патро́н; **~-belt** [-belt] 1) патронта́ш 2) пулемётная ле́нта; **~-case** [-keɪs] патро́нная ги́льза; **~-paper** [-,peɪpə] пло́тная бума́га *(для рисования)*

carv||e ['kɑ:v] 1) выреза́ть *(по дереву, кости)*; высека́ть *(из камня)* 2) ре́зать *(жаркое и т. п.)* ломтя́ми; **~ing** резна́я рабо́та

cascade [kæs'keɪd] каска́д

case I [keɪs] 1) слу́чай; in any ~ в любо́м *(или* во вся́ком) слу́чае; in ~ he comes в слу́чае, е́сли он придёт 2) де́ло *(судебное)* 3) больно́й; the doctor is out on a ~ врач пое́хал к больно́му

case II *грам.* паде́ж

case III **1.** *n* 1) я́щик; **ларе́ц** 2) футля́р; чехо́л 3): glass ~ витри́на *(в музее и т. п.)* **2.** *v* 1) класть в я́щик 2) покрыва́ть; обрамля́ть, вставля́ть в опра́ву

case-hardened ['keɪs,hɑ:dnd] закалённый; быва́лый

case-history ['keɪs,hɪst(ə)rɪ] исто́рия боле́зни

casement ['keɪsmənt] око́нный переплёт

cash [kæʃ] **1.** *n* нали́чные де́ньги; ~ on delivery нало́женным платежо́м **2.** *v* получа́ть де́ньги по че́ку

cashier I [kæ'ʃɪə] касси́р

cashier II *воен.* увольня́ть

cask [kɑ:sk] бочо́нок

casket ['kɑ:skɪt] 1) шкату́лка 2) *амер.* гроб

casque [kæsk] *ист., поэт.* шлем

casserole ['kæsəroul] кастрю́ля

cassock ['kæsək] ря́са, сута́на

cast [kɑ:st] **1.** *v* (cast) 1) кида́ть; броса́ть; ~ a glance броса́ть взгляд 2) сбра́сывать, меня́ть *(кожу)* 3) *тех.* отлива́ть 4) распределя́ть *(роли)*; ~ **down** а) сверга́ть; б): to be ~ down быть удручённым ◇ ~ anchor броса́ть я́корь; ~ lots броса́ть жре́бий; the die is ~ жре́бий бро́шен; ~ a vote *(for)* голосова́ть за *(кого-л.)* **2.** *n* 1) бросо́к 2) броса́ние, мета́ние 3) распределе́ние ролей; соста́в исполни́телей 4) фо́рма для литья́ 5) гипс 6) склад *(ума)*

castaway ['kɑ:stəweɪ] отве́рженный

caste [kɑ:st] ка́ста

castiga||te ['kæstɪgeɪt] 1) нака́зывать 2) бичева́ть; жесто́ко критикова́ть; **~tion** [,kæstɪ'geɪʃ(ə)n] наказа́ние

cast iron ['kɑ:st'aɪən] чугу́н

cast-iron ['kɑ:st,aɪən] чугу́нный; *перен.* твёрдый, непрекло́нный

castle ['kɑ:sl] 1) за́мок; ~s in the air возду́шные за́мки 2) *шахм.* ладья́

castor I ['kɑ:stə] бобро́вая струя́

castor II 1) колёсико *(на ножке мебели)* 2) пе́речница; соло́нка

castor oil ['kɑ:stər'ɔɪl] касто́ровое ма́сло

castrat||e [kæs'treɪt] кастри́ровать; **~ion** [-ʃ(ə)n] кастра́ция

casual ['kæʒjuəl] 1) случа́йный 2) небре́жный 3) непостоя́нный; **~ty** [-tɪ] 1) несча́стный слу́чай 2) *pl* пострада́вшие от несча́стного слу́чая 3) *pl* же́ртвы, поте́ри *(на войне)*

cat [kæt] кот; ко́шка ◇ let the ~ out of the bag ≅ разболта́ть секре́т

catalogue ['kætəlɔg] **1.** *n* катало́г **2.** *v* внести́ в катало́г

cataract ['kætərækt] 1) водопа́д 2) *мед.* катара́кта 3) *тех.* катара́кт

catarrh [kə'tɑ:] *мед.* ката́р

catastrophe [kə'tæstrəfɪ] катастро́фа

catcall ['kætkɔ:l] **1.** *n* 1) освистывание, свист 2) свисто́к **2.** *v* осви́стывать

catch ['kætʃ] **1.** *v* (caught) 1) схвати́ть, пойма́ть 2) улови́ть *(значение, мотив)* 3) цепля́ться; ~ **on** а) ухвати́ться за; б) понима́ть; в) *разг.* стать мо́дным, приви́ться; ~ **up** а) подхвати́ть; б) догна́ть ◇ ~ smb.'s attention *(или* eyes) привле́чь чьё-л. внима́ние; he caught his breath у него́ перехвати́ло дыха́ние; ~ cold простуди́ться; ~ hold of smth. ухвати́ться за что-л.; ~ it *разг.* получи́ть нагоня́й; ~ the train успе́ть на по́езд; ~ up on sleep отоспа́ться **2.** *n* 1) пои́мка 2) уло́в *(рыбы)* 3) уло́вка 4) вы́годная добы́ча 5) щеко́лда ◇ that's the ~ в э́том-то вся хи́трость; **~ing** 1) прили́пчивый, зара́зный *(о болезни)* 2) привлека́тельный

catchword ['kætʃwə:d] 1) ло́зунг 2) *полигр.* колонти́тул 3) загла́вное сло́во *(в словарях)*

catchy ['kætʃɪ] 1) легко́ запомина́ющийся *(о мотиве)* 2) хитроу́мный, закові́ристый

catego||rical [,kætɪ'gɔrɪk(ə)l] реши́тельный; безусло́вный; **~ry** ['kætɪgərɪ] катего́рия

cater ['keɪtə] 1) снабжа́ть прови́зией *(for)*; поставля́ть 2) обслу́живать; **~er** [-rə] поставщи́к *(провизии)*

caterpillar ['kætəpɪlə] 1) гу́сеница 2) *тех.* гу́сеничный ход 3) *attr.*: ~ tractor гу́сеничный тра́ктор

caterwaul [ˈkætəwɔ:l] задава́ть коша́чий конце́рт

catgut [ˈkætgʌt] кише́чная струна́, кетгу́т

cathedral [kəˈθi:dr(ə)l] **1.** *n* собо́р **2.** *a* собо́рный

cathode [ˈkæθoud] *эл.* като́д

catholic [ˈkæθəlɪk] **1.** *a* 1) католи́ческий 2) *церк.* вселе́нский 3) широ́кий; всеобъе́млющий **2.** *n* като́лик

cat-o'-nine-tails [ˈkætəˈnaɪnteɪlz] ко́шка *(плеть)*

cattle [ˈkætl] рога́тый скот

Caucasian [kɔ:ˈkeɪzjən] **1.** *a* кавка́зский **2.** *n* кавка́зец

caught [kɔ:t] *past и p.p. от* catch I

cauliflower [ˈkɔlɪflauə] цветна́я капу́ста

caulk [kɔ:k] конопа́тить

caus||al, ~ative [ˈkɔ:z(ə)l, ˈkɔ:zətɪv] причи́нный

cause [kɔ:z] **1.** *n* 1) причи́на 2) сторона́ *(тж. юр.)*; make common ~ *(with)* станови́ться на чью-л. сто́рону, быть заодно́ с кем-л. 3) де́ло; the ~ of peace де́ло ми́ра **2.** *v* 1) причиня́ть 2) вызыва́ть *(возмущение, смех, слёзы)* 3) заставля́ть

causeway [ˈkɔ:zweɪ] мостова́я

caustic [ˈkɔ:stɪk] е́дкий *(тж. перен.)*

cauti||on [ˈkɔ:ʃ(ə)n] **1.** *n* 1) осторо́жность 2) предостереже́ние **2.** *v* предостерега́ть; **~ous** [ˈkɔ:ʃəs] осторо́жный, осмотри́тельный

cavalier [,kævəˈlɪə] **1.** *n* 1) вса́дник 2) *ист.* рояли́ст **2.** *a* 1) надме́нный, высокоме́рный 2) бесцеремо́нный

cavalry [ˈkæv(ə)lrɪ] кавале́рия, ко́нница

cave [keɪv] **1.** *n* пеще́ра **2.** *v* выда́лбливать; ~ **in** а) уступа́ть, сдава́ться; б) завали́ться, подломи́ться

cavern [ˈkævən] больша́я пеще́ра

caviar(e) [ˈkævɪɑ:] икра́ *(рыбья)*

cavity [ˈkævɪtɪ] 1) по́лость; впа́дина 2) *мед.* каве́рна

caw [kɔ:] **1.** *v* ка́ркать **2.** *n* ка́рканье

cease [ˈsi:s] 1) прекраща́ть; ~ fire! прекрати́ть ого́нь! 2) прекраща́ться; **~less** непреры́вный

cedar [ˈsi:də] кедр

cede [si:d] 1) сдава́ть *(территорию)* 2) уступа́ть *(в споре)*

ceiling [ˈsi:lɪŋ] потоло́к

celebr||ate [ˈselɪbreɪt] 1) пра́здновать 2) прославля́ть; **~ated** [-ɪd] знамени́тый; **~ation** [,selɪˈbreɪʃ(ə)n] пра́зднование

celebrity [sɪˈlebrɪtɪ] 1) изве́стность 2) знамени́тость *(о человеке)*

celerity [sɪˈlerɪtɪ] быстрота́

celery [ˈselərɪ] *бот.* сельдере́й

celestial [sɪˈlestjəl] небе́сный; *перен.* боже́ственный

celibacy [ˈselɪbəsɪ] безбра́чие

cell [sel] 1) тюре́мная ка́мера 2) ке́лья *(монаха)* 3) яче́йка 4) *эл.* элеме́нт 5) *биол.* кле́тка

cellar [ˈselə] по́греб; подва́л

'cellist [ˈtʃelɪst] *(сокр. от* violoncellist) виолончели́ст

'cello [ˈtʃelou] *(сокр. от* violoncello) виолонче́ль

cellul||e [ˈselju:l] *биол.* кле́-

точка; **~ose** ['seljulous] клетча́тка; целлюло́за

cement [sɪ'ment] **1.** *n* цеме́нт; *перен.* связь, сою́з **2.** *v* цементи́ровать, скрепля́ть *(тж. перен.)*

cemetery ['semɪtrɪ] кла́дбище

censer ['sensə] кади́ло; кури́льница

censor ['sensə] це́нзор; **~ship** цензу́ра

censure ['senʃə] **1.** осужде́ние, порица́ние; vote of ~ во́тум недове́рия **2.** *v* осужда́ть

census ['sensəs] пе́репись

cent [sent] цент *(монета = 0,01 доллара)* ◇ per ~ проце́нт

centen||arian [,sentɪ'nɛərɪən] **1.** *a* столе́тний **2.** *n* челове́к ста (и бо́лее) лет; **~ary** [sen'ti:nərɪ] **1.** *a* столе́тний **2.** *n* столе́тняя годовщи́на

centennial [sen'tenjəl] *см.* centenary

center ['sentə] *амер. см.* centre

centigrade ['sentɪgreɪd] стогра́дусный; по стогра́дусной шкале́

centimeter ['sentɪ,mi:tə] *амер. см.* centimetre

centimetre ['sentɪ,mi:tə] сантиме́тр

centipede ['sentɪpi:d] сороконо́жка

central ['sentr(ə)l] 1) центра́льный 2) гла́вный; **~ize** [-aɪz] централизова́ть

centre ['sentə] **1.** *n* центр ◇ ~ of infection оча́г инфе́кции; shopping ~ райо́н магази́нов **2.** *v* 1) концентри́ровать; сосредото́чивать 2) сосредото́чиваться

centrifugal [sen'trɪfjug(ə)l] центробе́жный

centripetal [sen'trɪpɪtl] центростреми́тельный

centuple ['sentjupl] стокра́тный

century ['sentʃurɪ] столе́тие, век

ceramic [sɪ'ræmɪk] гонча́рный; керами́ческий; **~s** [-s] *pl* кера́мика

cereal ['sɪərɪəl] **1.** *a* хле́бный **2.** *n* 1) *амер.* блю́до из овся́нки, кукуру́зных хло́пьев *(как завтрак)* 2) крупа́ 3) *pl* зла́ки, хлеба́

cerebral ['serɪbr(ə)l)] *анат.* мозгово́й

ceremonial [,serɪ'mounjəl] **1.** *a* форма́льный; церемониа́льный **2.** *n* церемониа́л

ceremonious [,serɪ'mounjəs] 1) церемониа́льный 2) церемо́нный 3) чо́порный

ceremony ['serɪmənɪ] 1) обря́д, церемо́ния 2) церемо́нность ◇ stand (up)on ~ держа́ться чо́порно, церемо́ниться

cert [sə:t] *разг.*: it's a dead ~ ≅ обяза́тельно, наверняка́ полу́чится

certain ['sə:tn] 1) определённый 2) *predic* уве́ренный; be ~ *(of)* быть уве́ренным; for ~ наверняка́ 3) *predic* несомне́нный *(о факте)* 4) не́кий; не́который; **~ly** коне́чно; **~ty** [-tɪ] уве́ренность

certificate [sə'tɪfɪkɪt] удостовере́ние; свиде́тельство *(тж. о болезни)*; сертифика́т

certify ['sə:tɪfaɪ] (за)свиде́тельствовать; удостоверя́ть

certitude ['sə:tɪtju:d] уве́ренность; несомне́нность

cessation [se'seɪʃ(ə)n] прекращéние; останóвка; переры́в

céssion ['seʃ(ə)n] 1) устýпка 2) передáча *(прав и т.п.)*

cesspit ['sespɪt] *см.* cesspool

cesspool ['sespu:l] выгребнáя я́ма

chafe [tʃeɪf] 1) терéть, растирáть 2) натирáть 3) раздражáться, горячи́ться

chafer ['tʃeɪfə] *см.* cockchafer

chaff I [tʃɑ:f] **1.** *n* добродýшная насмéшка; поддрáзнивание **2.** *v* дразни́ть, подшýчивать

chaff II мяки́на; мéлко нарéзанная солóма, сéчка

chaffinch ['tʃæfɪntʃ] зя́блик

chagrin ['ʃægrɪn] досáда; огорчéние

chain ['tʃeɪn] **1.** *a* цепь; цепóчка ◇ mountain ~ гóрный хребéт; ~ of events ход собы́тий; ~ of restaurants сеть ресторáнов **2.** *v* скóвывать; *перен.* привя́зывать; **~-drive** [-draɪv] цепнáя передáча

chair ['tʃɛə] 1) стул; take a ~ а) возьми́те стул; б) сади́тесь 2) кáфедра 3) председáтельство; be in the ~ председáтельствовать; take the ~ быть председáтелем 4) председáтель; **~man** [-mən] председáтель

chaise [ʃeɪz] фаэтóн

chalk [tʃɔ:k] **1.** *n* мел **2.** *v* писáть, черти́ть мéлом; ~ **out** набрáсывать, намечáть *(план)*

challenge ['tʃælɪndʒ] **1.** *n* 1) óклик 2) вы́зов *(на соревновáние, на дуэль)* 3) *юр.* отвóд 4) *attr.*: ~ banner переходя́щее знáмя **2.** *v* 1) окликáть 2) вызывáть *(на соревновáние, на дуэль)* 3) отводи́ть *(кандидата)* 4) трéбовать *(внимания и т. п.)*

chamber ['tʃeɪmbə] 1) кóмната 2) палáта *(парламентская, торговая)*; C. of Commerce торгóвая палáта ◇ ~ music кáмерная мýзыка; **~maid** [-meɪd] гóрничная; **~-pot** [-pɔt] ночнóй горшóк

chamois ['ʃæmwɑ:] сéрна; **~-leather** ['ʃæmɪ,leðə] зáмша

champ I [tʃæmp] чáвкать; *перен.* выкáзывать нетерпéние; ~ with rage горячи́ться

champ II *разг. сокр. от* champion

champagne [ʃæm'peɪn] шампáнское

champion ['tʃæmpjən] **1.** *n* 1) чемпиóн; победи́тель 2) защи́тник, сторóнник; ~ of peace сторóнник ми́ра **2.** *a разг.* первоклáссный; **~ship** 1) пéрвенство, чемпионáт 2) звáние чемпиóна 3) защи́та, побóрничество

chance [tʃɑ:ns] **1.** *n* 1) слýчай; случáйность; by ~ случáйно 2) возмóжность; stand a good ~ имéть надéжду, шанс 3) удáча, счáстье ◇ take a ~ рисковáть **2.** *a* случáйный **3.** *v*: he ~d to be there он случáйно был там; it ~d that случи́лось, что; ~ **upon** случáйно найти́, наткнýться

chancel ['tʃɑ:nsəl] алтáрь

chancellor ['tʃɑ:nsələ] 1) кáнцлер; Lord C. лóрд-кáнцлер; C. of the Exchequer мини́стр финáнсов Áнглии 2) рéктор университéта

chancery ['tʃɑ:ns(ə)rɪ] 1) суд лóрда-кáнцлера 2) *амер.* суд прáва справедли́вости

chandelier [ˌʃændɪ'lɪə] лю́стра

change ['tʃeɪndʒ] **1.** *n* 1) переме́на; измене́ние 2) переса́дка *(на железной дороге и т. п.)* 3) сме́на *(белья)* 4) сда́ча, ме́лкие де́ньги ◇ for a ~ для разнообра́зия **2.** *v* 1) меня́ть; ~ front *перен.* меня́ть пози́цию, направле́ние, отноше́ние; ~ hands переходи́ть в други́е ру́ки; ~ trains де́лать переса́дку; ~ one's mind разду́мать 2) меня́ться; ~ colour меня́ться в лице́ 3) переодева́ться; **~able** [-əbl] непостоя́нный, изме́нчивый; неусто́йчивый

channel ['tʃænl] 1) проли́в; the (English) C. Ла-Ма́нш 2) ру́сло 3) кана́л; *перен. тж.* исто́чник *(сведений)* 4) сток; сто́чная кана́ва

chant [tʃɑ:nt] **1.** *n* 1) песнопе́ние 2) *поэт.* песнь **2.** *v* петь

chao||s ['keɪɔs] хао́с; **~tic** [keɪ'ɔtɪk] хаоти́ческий

chap I [tʃæp] *разг.* ма́лый, па́рень

chap II *(обыкн. pl)* 1) че́люсть 2) щёки

chap III тре́щина *(на коже)*

chap||el ['tʃæp(ə)l] часо́вня; **~lain** ['tʃæplɪn] капелла́н

chaplet ['tʃæplɪt] 1) вено́к 2) чётки; бу́сы

chapter ['tʃæptə] 1) глава́ *(книги)*

char I [tʃɑ:] 1) обжига́ть 2) обу́гливать

char II **1.** *n* 1) подённая рабо́та 2) *разг.* приходя́щая убо́рщица **2.** *v* рабо́тать подённо

character ['kærɪktə] 1) хара́ктер 2) сво́йство, осо́бенность 3) репута́ция 4) ли́чность 5) персона́ж 6) характери́стика 7) бу́ква; ли́тера ◇ in ~ в ду́хе; **~istic** [ˌkærɪktə'rɪstɪk] **1.** *n* характе́рная осо́бенность **2.** *a* характе́рный; **~ize** [-raɪz] характеризова́ть

charade [ʃə'rɑ:d] шара́да

charcoal ['tʃɑ:koul] древе́сный у́голь

charg||e ['tʃɑ:dʒ] **1.** *n* 1) обвине́ние 2) ата́ка 3) цена́; *pl* расхо́ды; free of ~ беспла́тно 4) *эл.* заря́д 5) предписа́ние; поруче́ние 6) обя́занность; отве́тственность; be in ~ *(of)* быть отве́тственным за 7) попече́ние 8) пито́мец **2.** *v* 1) обвиня́ть 2) атакова́ть 3) назнача́ть це́ну 4) запи́сывать *(на чей-л. счёт)*; ~ this to my account запиши́те э́то на мой счёт 5) *эл.* заряжа́ть 6) поруча́ть, вменя́ть в обя́занность 7) обременя́ть; **~er** 1) боево́й конь 2) патро́нная обо́йма

chariot ['tʃærɪət] колесни́ца

chari||table ['tʃærɪtəbl] 1) милосе́рдный 2) благотвори́тельный; **~ty** ['tʃærɪtɪ] 1) милосе́рдие 2) благотвори́тельность; ми́лостыня

charlatan ['ʃɑ:lət(ə)n] шарлата́н; зна́харь

charm ['tʃɑ:m] **1.** *n* 1) обая́ние, очарова́ние 2) *pl* ча́ры **2.** *v* очаро́вывать; **~ing** очарова́тельный, преле́стный

chart [tʃɑ:t] 1) морска́я ка́рта 2) диагра́мма

charter I ['tʃɑ:tə] **1.** *n* 1) ха́ртия 2) уста́в 3) пра́во **2.** *v* дарова́ть привиле́гию

charter II ['tʃɑ:tə] зафрахтова́ть су́дно; **~-party** [-,pɑ:tɪ] *мор., ком.* ча́ртер-па́ртия

charwoman ['tʃɑ:,wumən] *см.* char II 1, 2)

chary ['tʃɛərɪ] осторо́жный; ~ of (giving) praise скупо́й на похвалы́

chase I [tʃeɪs] **1.** *n* 1) пого́ня; give ~ *(to)* гна́ться за; in ~ *(of)* в пого́не за 2): the ~ охо́та **2.** *v* пресле́довать; охо́титься

chase II гравирова́ть *(орнамент)*

chasm [kæzm] рассе́лина; бе́здна; *перен. тж.* про́пасть

chassis ['ʃæsɪ] шасси́

chaste [tʃeɪst] целому́дренный; *перен.* просто́й, стро́гий *(о стиле и т.п.)*

chasten ['tʃeɪsn] кара́ть

chastise [tʃæs'taɪz] нака́зывать, бить

chastity ['tʃæstɪtɪ] целому́дрие

chat [tʃæt] **1.** *n* болтовня́ **2.** *v* болта́ть

chattel ['tʃætl] *(обыкн. pl)* дви́жимость

chatter ['tʃætə] **1.** *n* 1) болтовня́ 2) щебета́ние *(птиц)* **2.** *v* 1) болта́ть 2) щебета́ть 3) стуча́ть *(зубами)*; **~box** [-bɔks] болту́н, пустоме́ля

chatty ['tʃætɪ] болтли́вый

chauffeur ['ʃoufə] шофёр

chauvin||ism ['ʃouvɪnɪzm] шовини́зм; **~ist** шовини́ст; **~istic** [,ʃouvɪ'nɪstɪk] шовинисти́ческий

cheap ['tʃi:p] дешёвый; **~en** [-(ə)n] дешеве́ть

cheat [tʃi:t] **1.** *n* 1) обма́н 2) обма́нщик; жу́лик **2.** *v* обма́нывать

check I [tʃek] **1.** *n* 1) контро́ль, прове́рка 2) заде́ржка; препя́тствие 3) *шахм.* шах ◇ hold *(или* keep) in ~ сде́рживать, держа́ть в узде́ **2.** *v* 1) проверя́ть 2) сде́рживать; приостана́вливать; ~ oneself сде́рживаться; ~ speed заме́длить ско́рость 3) *шахм.* объявля́ть шах

check II **1.** *n* 1) бага́жная квита́нция; номеро́к *(в гардеробе)* 2) *амер.* чек 3) *амер.* счёт **2.** *v* сдава́ть *(на хранение, в багаж и т. п.; тж.* ~ in)

checker ['tʃekə] *см.* chequer

checkers ['tʃekəz] *pl амер.* (игра́ в) ша́шки

checkmate ['tʃek'meɪt] шах и мат; *перен.* по́лное пораже́ние

cheek I [tʃi:k] щека́

cheek II де́рзость, наха́льство

cheek-bone ['tʃi:kboun] скула́

cheeky ['tʃi:kɪ] наха́льный, де́рзкий

cheep [tʃi:p] **1.** *n* писк **2.** *v* пища́ть

cheer ['tʃɪə] **1.** *n* 1) одобри́тельное *или* приве́тственное восклица́ние; ура́ 2) *pl* аплодисме́нты 3) весе́лье; ра́дость; be of good ~ быть в хоро́шем настрое́нии ◇ good ~ хоро́шее угоще́ние **2.** *v* 1) ободря́ть; поощря́ть 2) обра́довать 3) аплоди́ровать; ~ **up** а) ободря́ть; б) приободри́ться; **~ful** 1) бо́дрый, весёлый 2) я́ркий, све́тлый *(о дне)*; **~ing 1.** *n* аплодисме́нты **2.** *a* ободря́ющий; **~less** мра́чный; **~y** [-rɪ] *см.* cheerful

cheese [tʃi:z] сыр

cheese-paring ['tʃi:z,pɛərɪŋ] **1.** *n* ску́пость **2.** *a* скупо́й

chef [ʃef] шеф-по́вар

chemical [ˈkemɪk(ə)l] **1.** *a* хими́ческий; ~ warfare хими́ческая война́ **2.** *n pl* химика́лии

chemise [ʃɪˈmi:z] же́нская соро́чка

chemist [ˈkemɪst] 1) хи́мик 2) апте́карь; **~ry** [-rɪ] хи́мия

cheque [tʃek] чек; write a ~ выпи́сывать чек

chequer [ˈtʃekə] 1) мате́рия в кле́тку 2) *pl см.* checkers

cherish [ˈtʃerɪʃ] 1) леле́ять *(надежду и т. п.)* 2) не́жно люби́ть; **~ed** [-t] заве́тный; a ~ed possession ≅ что́-то о́чень дорого́е *(для кого-л.)*

cherry [ˈtʃerɪ] ви́шня; **~-stone** [-stoun] вишнёвая ко́сточка

cherub [ˈtʃerəb] херуви́м

chess [ˈtʃes] ша́хматы; **~-board** [-bɔ:d] ша́хматная доска́; **~-man** [-mæn] ша́хматная фигу́ра; **~-player** [-ˌpleɪə] шахмати́ст

chest [tʃest] 1) сунду́к; я́щик; ~ of drawers комо́д 2) грудна́я кле́тка, грудь 3) *attr.*: ~ trouble *эвф.* туберкулёз; бронхи́т

chestnut [ˈtʃesnʌt] **1.** *n* кашта́н **2.** *a* кашта́новый; гнедо́й

chew [tʃu:] жева́ть; ~ **over,** ~ **upon** *перен.* обду́мывать

chewing-gum [ˈtʃu:ɪŋgʌm] жева́тельная рези́нка

chic [ʃɪk] элега́нтный

chicane [ʃɪˈkeɪn] придира́ться; **~ry** [-ərɪ] 1) приди́рка 2) крючкотво́рство

chick [tʃɪk] цыплёнок

chicken [ˈtʃɪkɪn] цыплёнок; птене́ц ◇ count one's ~s before they are hatched *посл.* цыпля́т по о́сени счита́ют; **~-hearted** [-ˌhɑ:tɪd] ро́бкий; малоду́шный, трусли́вый

chicken-pox [ˈtʃɪkɪnpɔks] ве́тряная о́спа

chicory [ˈtʃɪkərɪ] цико́рий

chide [ˈtʃaɪd] брани́ть

chief [ˈtʃi:f] **1.** *n* 1) глава́; нача́льник *(тж. воен.)* 2) вождь **2.** *a* гла́вный; руководя́щий; **~ly** гла́вным о́бразом

chieftain [ˈtʃi:ftən] 1) вождь кла́на *(в Шотландии)* 2) атама́н *(шайки разбойников)*

chilblain [ˈtʃɪlbleɪn] обморо́женное ме́сто

child [ˈtʃaɪld] *(pl* children) ребёнок; be with ~ быть бере́менной; ~'s play пустяко́вое *(или* лёгкое) де́ло; **~hood** [-hud] де́тство; **~ish** 1) де́тский 2) ребя́ческий, несерьёзный

children [ˈtʃɪldrən] *pl от* child

chill [tʃɪl] **1.** *n* 1) хо́лод; *перен.* хо́лодность *(в отношениях)* 2) озно́б; have a ~ быть просту́женным 3) *тех.* зака́лка **2.** *v* 1) охлажда́ть 2) охлажда́ться; холоде́ть **3.** *a* холо́дный *(тж. перен.)*

chilly [ˈtʃɪlɪ] **1.** *a* 1) прохла́дный; *перен.* холо́дный, сухо́й 2) зя́бкий **2.** *adv* хо́лодно *(тж. перен.)*

chime [tʃaɪm] **1.** *n* 1) колокола́ 2) *pl* колоко́льный звон **2.** *v* 1) звони́ть *(о колоколах)* 2) проби́ть *(о часах)*

chimney [ˈtʃɪmnɪ] труба́; дымохо́д; **~-piece** [-pi:s] по́лка над ками́ном; **~-sweep** [-ˌswi:p] трубочи́ст

chimpanzee [ˌtʃɪmpən'zi:] шимпанзе́

chin [tʃɪn] подборо́док

China ['tʃaɪnə] кита́йский

china ['tʃaɪnə] **1.** *n* фарфо́р; фарфо́ровая посу́да **2.** *a* фарфо́ровый

Chinese ['tʃaɪ'ni:z] **1.** *a* кита́йский **2.** *n* 1) кита́ец; китая́нка 2) кита́йский язы́к

chink I [tʃɪŋk] **1.** *n* 1) звон *(стаканов, монет)* 2) *груб., уст.* нали́чные де́ньги **2.** *v* звене́ть, звя́кать *(о монетах, стаканах)*

chink II тре́щина, щель, сква́жина

chintz [tʃɪnts] (набивно́й) си́тец

chip [tʃɪp] **1.** *n* 1) стру́жка; ще́пка 2) обло́мок; оско́лок 3) *pl* кусо́чки, ло́мтики *(чего-л.)*; 4) *pl разг.* хрустя́щий карто́фель **2.** *v* 1) строга́ть 2) отка́лывать 3) жа́рить карто́фель *(ломтиками)*

chiropody [kɪ'rɔpədɪ] педикю́р

chirp, chirrup [tʃə:p, 'tʃɪrəp] **1.** *n* щебета́ние, чири́канье **2.** *v* щебета́ть, чири́кать

chisel ['tʃɪzl] **1.** *n* 1) резе́ц 2) *тех.* долото́ **2.** *n* ва́ять

chit I [tʃɪt] ребёнок; кро́шка

chit II 1) коро́ткая запи́ска 2) счёт

chit-chat ['tʃɪttʃæt] болтовня́; пересу́ды

chival||rous ['ʃɪv(ə)lrəs] ры́царский; **~ry** [-rɪ] ры́царство

chlorine ['klɔ:ri:n] хлор

chloroform ['klɔrəfɔ:m] хлорофо́рм

chock ['tʃɔk] клин; **~full** [-ful] битко́м наби́тый

chocolate ['tʃɔk(ə)lɪt] **1.** *n* шокола́д **2.** *a* шокола́дный

choice [tʃɔɪs] **1.** *n* 1) вы́бор 2) альтернати́ва **2.** *a* отбо́рный

choir ['kwaɪə] хор

choke [tʃouk] **1.** *v* 1) задыха́ться 2) души́ть **2.** *n* 1) припа́док уду́шья 2) *тех.* дро́ссель

choler ['kɔlə] гнев

cholera ['kɔlərə] холе́ра

choleric ['kɔlərɪk] раздражи́тельный, жёлчный

choose [tʃu:z] (chose; chosen) 1) выбира́ть 2) хоте́ть; предпочита́ть ◇ there is nothing to ~ between them они́ друг дру́га сто́ят

chop [tʃɔp] **1.** *v* руби́ть; ~ down a tree сруби́ть де́рево **2.** *n* 1) уда́р *(топором)* 2) отбивна́я котле́та

choppy ['tʃɔpɪ] неспоко́йный *(о море)*

choral ['kɔr(ə)l] хорово́й

chord I [kɔ:d] *муз.* акко́рд

chord II 1) *анат.* свя́зка; vocal ~s голосовы́е свя́зки 2) струна́ 3) *мат.* хо́рда

chorus ['kɔ:rəs] хор; in ~ хо́ром

chose [tʃouz] *past от* choose

chosen ['tʃouzn] *p. p. от* choose

Christian ['krɪstjən] *рел.* **1.** *n* христиани́н **2.** *a* христиа́нский; **~ity** [ˌkrɪstɪ'ænɪtɪ] христиа́нство

Christmas ['krɪsməs] 1) *рел.* рождество́ 2) *attr.:* ~ tree рожде́ственская ёлка

chronic ['krɔnɪk] хрони́ческий

chronicle ['krɔnɪkl] **1.** *n* 1) хро́ника 2) ле́топись **2.** *v* заноси́ть в ле́топись, в дневни́к

chronological [ˌkrɔnəˈlɔdʒɪk(ə)l] хронологи́ческий

chubby [ˈtʃʌbɪ] круглоли́цый

chuck [tʃʌk] *разг.* швыря́ть; ~ **away** а) упуска́ть *(случай)*; б) сори́ть *(деньгами)*; ~ **up** броса́ть *(работу и т. п.)*

chuckle [ˈtʃʌkl] **1.** *v* посме́иваться, хихи́кать **2.** *n* хихи́канье

chum [tʃʌm] *разг.* закады́чный друг, това́рищ

chump [tʃʌmp] 1) чурба́н *(тж. перен.)* 2) филе́йная часть *(туши)*

chunk [tʃʌŋk] кусо́к; ломо́ть

church [ˈtʃəːtʃ] це́рковь; ~-**warden** [-ˈwɔːdn] церко́вный ста́роста; ~**yard** [-ˈjɑːd] кла́дбище при це́ркви

churl [ˈtʃəːl] грубия́н; ~**ish** гру́бый

churn [tʃəːn] **1.** *n* маслобо́йка **2.** *v* сбива́ть ма́сло

chute [ʃuːt] стремни́на; круто́й скат

cicatr||**ice** [ˈsɪkətrɪs] рубе́ц; ~**ize** [-raɪz] зажива́ть

cicerone [ˌtʃɪtʃəˈrounɪ] *(pl* **-ni** [-niː]) гид, проводни́к

cigar [sɪˈgɑː] сига́ра

cigarette [ˌsɪgəˈret] папиро́са; сигаре́та; ~-**case** [-keɪs] портсига́р; ~-**holder** [-ˌhouldə] мундшту́к

cinder [ˈsɪndə] *(часто pl)* тле́ющие у́гли; зола́

Cinderella [ˌsɪndəˈrelə] Зо́лушка

cinema [ˈsɪnɪmə] кинотеа́тр; the ~ (кино)фи́льм

cinematograph [ˌsɪnɪˈmætəgrɑːf] 1) кинемато́граф 2) киноаппара́т

cinnamon [ˈsɪnəmən] кори́ца

cipher [ˈsaɪfə] **1.** *n* 1) нуль *(тж. перен.)* 2) шифр 3) ара́бская ци́фра **2.** *v* 1) высчи́тывать 2) зашифро́вывать

circle [ˈsəːkl] **1.** *n* 1) круг; draw a ~ начерти́ть круг 2) *театр.* я́рус; dress ~ бельэта́ж; upper ~ балко́н 3) кружо́к 4) цикл, кругово́рот **2.** *v* враща́ться; кружи́ться

circuit [ˈsəːkɪt] 1) объе́зд 2) окру́жность 3) кругова́я пое́здка 4) о́круг *(судебный)* 5) *эл.* цепь; ~**ous** [səːˈkjuɪtəs] око́льный *(путь)*

circul||**ar** [ˈsəːkjulə] **1.** *a* 1) кру́глый 2) кругово́й 3) циркуля́рный **2.** *n* циркуля́р; ~**ate** [-eɪt] 1) циркули́ровать *(о слухах и т. п.)* 2) обраща́ться *(о деньгах)* 3) распространя́ть 4) распространя́ться; ~**ation** [ˌsəːkjuːˈleɪʃ(ə)n] 1) циркуля́ция 2) обраще́ние *(тж. денежное)* 3) тира́ж *(газет, журналов)*

circum- [ˈsəːkəm-] *pref в сложных словах означает* вокру́г, круго́м

circumference [səˈkʌmf(ə)r(ə)ns] *мат.* окру́жность *(круга)*; перифери́я

circumlocution [ˌsəːkəmləˈkjuːʃ(ə)n] многосло́вие

circumnavigate [ˌsəːkəmˈnævɪgeɪt] соверша́ть кругосве́тное пла́вание

circumscribe [ˈsəːkəmskraɪb] 1) опи́сывать *(окружность)* 2) ограни́чивать

circumspect [ˈsəːkəmspekt] осторо́жный, осмотри́тельный

circumstan||**ce** [ˈsəːkəmstəns]

1) *(обыкн. pl)* обстоя́тельства; in *(или* under) the ~ces при да́нных обстоя́тельствах; in *(или* under) no ~ces ни в ко́ем слу́чае; ни при каки́х обстоя́тельствах 2) подро́бность 3) *pl* материа́льное положе́ние; in reduced ~ces в стеснённом материа́льном положе́нии; **~tial** [ˌsə:kəmˈstænʃ(ə)l] 1) подро́бный 2) *грам.* обстоя́тельственный ◇ ~tial evidence ко́свенные ули́ки

circumvent [ˌsə:kəmˈvent] расстро́ить *(планы)*, перехитри́ть, обману́ть

circus [ˈsə:kəs] 1) цирк 2) амфитеа́тр 3) кру́глая пло́щадь

cistern [ˈsɪstən] цисте́рна, резервуа́р

citadel [ˈsɪtədl] кре́пость; цитаде́ль; *перен.* убе́жище

citation [saɪˈteɪʃ(ə)n] 1) цита́та; ссы́лка 2) перечисле́ние 3) вы́зов *(в суд)*

cite [saɪt] 1) цити́ровать 2) вызыва́ть *(в суд)*

citizen [ˈsɪtɪzn] 1) горожа́нин 2) граждани́н; **~ship** гражда́нство

city [ˈsɪtɪ] большо́й го́род; the C. Си́ти *(торговая и деловая часть Лондона)*

civic [ˈsɪvɪk] гражда́нский

civics [ˈsɪvɪks] осно́вы гражда́нственности

civil [ˈsɪvl] 1) гражда́нский; ~ war гражда́нская война́; ~ service госуда́рственная слу́жба 2) шта́тский 3) ве́жливый; **~ian** [sɪˈvɪljən] **1.** *a* шта́тский **2.** *n* шта́тский челове́к

civili||zation [ˌsɪvɪlaɪˈzeɪʃ(ə)n] цивилиза́ция; **~ze** [ˈsɪvɪlaɪz] цивилизова́ть; **~zed** [ˈsɪvɪlaɪzd] цивилизо́ванный; культу́рный

clack [klæk] **1.** *n* треск; *перен.* болтовня́ **2.** *v* гро́мко болта́ть

clad [klæd] *p. p. от* clothe

claim [kleɪm] **1.** *n* 1) тре́бование 2) *юр.* иск 3) утвержде́ние 4) *амер.* зая́вка на отво́д уча́стка под разрабо́тку недр **2.** *v* 1) тре́бовать 2) претендова́ть 3) заявля́ть *(о чём-л.)*; **~ant** [-ənt] претенде́нт

clairvoy||ance [klɛəˈvɔɪəns] ясновѝдение; **~ant** [-ənt] ясновѝдящий

clamber [ˈklæmbə] кара́бкаться

clammy [ˈklæmɪ] холо́дный и вла́жный на о́щупь

clamor [ˈklæmə] *см.* clamour

clamorous [ˈklæm(ə)rəs] крикли́вый, шумли́вый

clamour [ˈklæmə] **1.** *n* шум **2.** *v* шу́мно тре́бовать *(to, for)*; крича́ть; **~ against** шу́мно отверга́ть *(что-л.)*

clamp [klæmp] **1.** *n* 1) скоба́ 2) зажи́м **2.** *v* скрепля́ть

clan [klæn] клан, род *(в Шотландии)*

clandestine [klænˈdestɪn] та́йный

clang [klæŋ] **1.** *n* ре́зкий металли́ческий звук **2.** *v* ля́згать

clank [klæŋk] **1.** *n* звон *(цепей)* **2.** *v* греме́ть *(цепью)*

clap [klæp] **1.** *v* 1) хло́пать *(в ладоши)* 2) похло́пывать *(по плечу, спине)* **2.** *n* 1) уда́р *(грома)* 2) хло́панье

clapper [ˈklæpə] язы́к *(колокола)*

claptrap ['klæptræp] треску́чая фра́за

clarify ['klærıfaı] 1) проясни́ться *(о вопросе, сознании)* 2) очища́ть *(жидкость)*

clarinet [,klærı'net] кларне́т

clarity ['klærıtı] 1) я́сность 2) чистота́; прозра́чность

clash [klæʃ] **1.** *n* 1) гул, шум, лязг 2) столкнове́ние; конфли́кт **2.** *v* ста́лкиваться; *перен.* ссо́риться

clasp [klɑ:sp] **1.** *n* 1) застёжка; пря́жка 2) рукопожа́тие **2.** *v* 1) обнима́ть 2) сжима́ть *(руки)* 3) застёгивать

clasp-knife ['klɑ:sp'naıf] складно́й нож

class I [klɑ:s] класс *(обще́ственный)*; working ~ рабо́чий класс ◇ ~ struggle кла́ссовая борьба́

class II **1.** *n* 1) *биол.* класс 2) разря́д; род; сорт 3) класс *(в школе)* 4) заня́тие, уро́к 5) *амер.* вы́пуск *(студентов одного года)* **2.** *v* классифици́ровать

class-conscious ['klɑ:s'kɔnʃəs] созна́тельный, облада́ющий кла́ссовой созна́тельностью; **~ness** кла́ссовое созна́ние

classical ['klæsık(ə)l] класси́ческий

classi||fication [,klæsıfı'keıʃ(ə)n] классифика́ция; **~fy** ['klæsıfaı] классифици́ровать

classless ['klɑ:slıs] бескла́ссовый

classroom ['klɑ:srum] кла́ссная комната

clatter ['klætə] **1.** *n* стук; гро́хот; *перен.* болтовня́ **2.** *v* греме́ть

clause [klɔ:z] 1) *грам.* предложе́ние *(как часть сложного предлож.)* 2) статья́; пункт *(в договоре)*

claw [klɔ:] **1.** *n* 1) ко́готь 2) ла́па с когтя́ми 3) клешня́ 4) *тех.* кле́щи **2.** *v* цара́пать

clay [kleı] гли́на

clayey ['kleıı] гли́нистый

clean [kli:n] **1.** *a* чи́стый **2.** *adv* соверше́нно **3.** *v* 1) очища́ть 2) очища́ться; **~ up** прибира́ть

clean-cut ['kli:n'kʌt] ре́зко оче́рченный; ~ features чёткие черты́ лица́

cleaner(s) ['kli:nə(z)] *разг.* химчи́стка; I must send my suit to the ~ мне на́до отда́ть костю́м в чи́стку

cleanly **1.** *a* ['klenlı] чистопло́тный **2.** *adv* ['kli:nlı] чи́сто

cleanse [klenz] 1) чи́стить, очища́ть 2) дезинфици́ровать

clean-shaven ['kli:n'ʃeıvn] чи́сто вы́бритый

clear [klıə] **1.** *a* 1) прозра́чный; я́сный, све́тлый 2) чи́стый; with a ~ conscience с чи́стой со́вестью 3) поня́тный 4) свобо́дный *(о пути)* 5) це́лый, по́лный; three ~ days це́лых три дня ◇ keep ~ *(of)* остерега́ться **2.** *v* 1) очища́ть; убира́ть *(со стола и т. п.)*; ~ one's throat отка́шляться 2) проясня́ться 3) опра́вдывать *(обвиняемого)* 4) перепры́гивать, брать препя́тствие; **~ away** а) убира́ть *(со стола)*; б) рассе́иваться; **~ off** убира́ться; **~ out** а) опорожня́ть, убира́ть; б) уходи́ть; **~ up** а) выясня́ть; б) проясня́ться *(о погоде)* ◇ all ~ а) путь свобо́ден; б)«отбо́й» *(после тревоги)* **3.** *adv* 1) я́сно 2) соверше́нно; целико́м

clearance [ˈklɪərəns] 1) очи́стка, расчи́стка 2) устране́ние препя́тствий 3) *тех.* зазо́р ◇ ~ sale (дешёвая) распрода́жа; security ~ прове́рка благонадёжности

clear-sighted [ˈklɪəˈsaɪtɪd] проница́тельный, дальнови́дный

cleave [kli:v] (clove, cleft; cloven, cleft) 1) раска́лывать 2) раска́лываться ◇ ~ one's way through the crowd продира́ться сквозь толпу́

clef [klef] *муз.* ключ

cleft [kleft] **1.** *v past и p. p. от* cleave **2.** *n* уще́лье, рассе́лина

clem||ency [ˈklemənsɪ] 1) милосе́рдие 2) мя́гкость *(характера, погоды)*; **~ent** [-ənt] 1) милосе́рдный 2) мя́гкий *(о характере, погоде)*

clench [klentʃ] 1) сжима́ть *(кулаки, зубы)* 2) кре́пко держа́ть 3) *см.* clinch

clergy [ˈklə:dʒɪ] духове́нство; **~man** [-mən] свяще́нник

cleric [ˈklerɪk] духо́вное лицо́

clerical [ˈklerɪkəl] конто́рский слу́жащий

clerk [klɑ:k] чино́вник; секрета́рь; military ~ *воен.* пи́сарь

clever [ˈklevə] 1) у́мный 2) тала́нтливый; спосо́бный 3) ло́вкий ◇ be ~ at smth. уме́ть хорошо́ де́лать что-л.

click [klɪk] **1.** *n* щёлканье *(затвора)* **2.** *v* щёлкать

client [ˈklaɪənt] 1) клие́нт 2) покупа́тель; зака́зчик

cliff [klɪf] утёс

climat||e [ˈklaɪmɪt] кли́мат; **~ic** [-ˈmætɪk] климати́ческий

climax [ˈklaɪmæks] кульминацио́нный пункт

climb [ˈklaɪm] **1.** *n* подъём **2.** *v* 1) взбира́ться; поднима́ться 2) ви́ться *(о растениях)* 3) *ав.* набира́ть высоту́; **~ down** а) слеза́ть; б) *перен.* призна́ть себя́ побеждённым; **~er** 1) альпини́ст 2) вью́щееся расте́ние 3) карьери́ст

clinch [klɪntʃ] 1) *тех.* заклёпывать 2) утвержда́ть, оконча́тельно реша́ть

cling [klɪŋ] (clung) 1) цепля́ться *(за что-л.— to)* 2) прилипа́ть; облега́ть *(о платье)*

clinic [ˈklɪnɪk] кли́ника; **~al** [-l] клини́ческий

clink [klɪŋk] 1) звуча́ть 2) звене́ть

clip I [klɪp] **1.** *n* 1) зажи́м; скре́пка 2) скоба́ 3) обо́йма *(патронная)* **2.** *v* 1) скрепля́ть 2) зажима́ть

clip II **1.** *v* стричь **2.** *n* 1) стри́жка *(волос, шерсти)* 2) *разг.* уда́р

clipper [ˈklɪpə] быстрохо́дное па́русное су́дно

clippers [ˈklɪpəz] *pl* но́жницы *(для стрижки овец и т. п.)*

clippings [ˈklɪpɪŋz] *pl* вы́резки из газе́т

clique [kli:k] кли́ка

cloak [ˈklouk] **1.** *n* 1) плащ; *перен.* покро́в 2) предло́г *(отговорка)* **2.** *v* скрыва́ть; **~-room** [-rum] 1) гардеро́б, раздева́льня 2) ка́мера хране́ния *(багажа)*

clock ['klɔk] **1.** *n* часы́ *(стенные, настольные)* **2.** *v* 1) *спорт.* пока́зывать вре́мя 2): ~ in (out) отмеча́ть вре́мя прихо́да на рабо́ту (ухо́да с рабо́ты); **~-face** [-feıs] цифербла́т; **~wise** [-waız] в направле́нии часово́й стре́лки; **~-work** [-wə:k] часово́й механи́зм

clod ['klɔd] ком земли́; глы́ба; **~hopper** [-ˌhɔpə] деревéнщина

clog [klɔg] **1.** *n* башма́к *(на деревянной подошве)* **2.** *v* 1) засоря́ть 2) засоря́ться 3) препя́тствовать

cloister ['klɔıstə] монасты́рь

close I [klous] **1.** *a* 1) скры́тный 2): ~ by бли́зкий; a ~ shave на волосо́к от; at ~ quarters в непосре́дственном соприкоснове́нии 3) спёртый, ду́шный 4) при́стальный *(о внимании)* 5) закры́тый, те́сный **2.** *adv* бли́зко; ~ at hand бли́зко, под руко́й; ~ upon почти́, о́коло **3.** *n* огоро́женное стено́й ме́сто *(около дома и т. п.)*

close II [klouz] **1.** *v* 1) закрыва́ть 2) зака́нчивать; ~ a discussion прекрати́те диску́ссию 3) сближа́ться, смыка́ться; **~ in** а) приближа́ться; б) сокраща́ться *(о днях)*; **~ up** а) запеча́тывать *(письма)*; б) закрыва́ть; ликвиди́ровать **2.** *n* заключе́ние; оконча́ние; закры́тие

close-cropped ['klouskrɔpt] ко́ротко остри́женный

closely ['kloustı] 1) внима́тельно; listen ~ слу́шать внима́тельно 2) те́сно, пло́тно ◇ they resemble one another ~ они́ о́чень похо́жи друг на дру́га

closet ['klɔzıt] 1) (стенно́й) шкаф 2) убо́рная

close-up ['klousʌp] *кино* кру́пный план

clot [klɔt] **1.** *n* 1) сгу́сток 2) *мед.* тромб 3) комо́к **2.** *v* сгуща́ться, свёртываться

cloth [klɔθ] 1) ткань 2) сукно́ 3) ска́терть (*тж.* table ~) 4) (пы́льная) тря́пка

clothe [klouð] (clothed, *уст.* clad) 1) одева́ть; *перен.* облека́ть 2) покрыва́ть

cloth||es, ~ing ['klouðz, -ðıŋ] оде́жда, пла́тье

cloud ['klaud] **1.** *n* ту́ча; о́блако ◇ under a ~ в неми́лости **2.** *v* 1) омрача́ть 2) омрача́ться; **~less** безо́блачный

cloudy ['klaudı] 1) о́блачный 2) му́тный; тума́нный *(тж. перен.)*

clout [klaut] **1.** *n* 1) лоску́т 2) *разг.* затре́щина **2.** *v* 1) лата́ть 2) дава́ть затре́щину

clove I [klouv] *past от* cleave

clove II гвозди́ка *(пряность)*

clove III до́лька чесноку́

cloven ['klouvn] *p. p. от* cleave

clover ['klouvə] кле́вер ◇ be in ~ ≅ как сыр в ма́сле ката́ться

clown [klaun] шут, кло́ун

cloy [klɔı] пресыща́ть

club I [klʌb] **1.** *n* 1) дуби́на 2) *спорт.* клю́шка **2.** *v* бить дуби́нкой, прикла́дом винто́вки

club II **1.** *n* клуб **2.** *v*: ~ together а) собира́ться; б) де́лать что-л. в скла́дчину

cluck [klʌk] **1.** *v* кудáхтать **2.** *n* кудáхтанье

clue [klu:] ключ к разгáдке *(чего-л.)*

clump [klʌmp] **1.** *n* грýппа *(деревьев)* **2.** *v* 1): ~ about тяжелó ступáть 2): ~ together сажáть грýппами

clumsiness ['klʌmzɪnɪs] неуклю́жесть; нелóвкость

clumsy ['klʌmzɪ] 1) неуклю́жий; нелóвкий 2) бестáктный

clung [klʌŋ] *past и p. p. от* cling

cluster ['klʌstə] **1.** *n* 1) кисть; гроздь; пучóк 2) грýппа *(деревьев)* **2.** *v* 1) расти́ пучкáми, грóздьями 2) собирáться грýппами

clutch I [klʌtʃ] **1.** *v (часто* ~ at) схвати́ть; зажáть **2.** *n* 1) хвáтка; сжáтие 2) *тех.* сцеплéние ◇ fall into smb.'s ~es попáсть в чьи-л. лáпы; escape from smb.'s ~es вы́рваться из чьих-л. когтéй

clutch II вы́водок *(цыплят)*

clutter ['klʌtə] **1.** *n* беспоря́док, хáóс **2.** *v*: ~ up with приводи́ть в беспоря́док

co- [kou-] *pref в сложных словах указывает на совместность действий, усилий и т. п.; часто переводится на русский язык приставкой* со-

coach I [koutʃ] 1) репети́тор 2) инстрýктор; трéнер

coach II 1) карéта 2) *ж.-д.* вагóн

coagulat|e [kou'ægjuleɪt] свёртываться; сгущáться; **~ion** [kou,ægju'leɪʃn] свёртывание; коагуля́ция

coal ['koul] (кáменный) ýголь; **~-bed** [-bed] ýгольный пласт

coalesce [,kouə'les] срастáться, соединя́ться; *перен.* объединя́ться *(в группы и т. п.)*

coal-field ['koulfi:ld] каменноугóльный бассéйн

coalition [,kouə'lɪʃn] 1) объединéние 2) коали́ция

coal||-mine ['koulmaɪn] каменноугóльная копь; **~-pit** [-pɪt] шáхта

coarse [kɔ:s] 1) грýбый *(тж. перен.)* 2) необрабóтанный; неотдéланный

coast ['koust] **1.** *n* побережье ◇ the ~ is clear путь свобóден **2.** *v* плáвать вдоль бéрега; **~al** [-əl] береговóй

coat ['kout] 1) пальтó 2) пиджáк 3) шерсть *(животного)* 4) *см.* coating; **~ing** слой *(краски и т. п.)*

co-author [kou'ɔ:θə] соáвтор

coax [kouks] задáбривать; льстить

cobble I ['kɔbl] **1.** *n* булы́жник **2.** *v* мости́ть булы́жником

cobbl||e II ['kɔbl] чини́ть, латáть *(обувь)*; **~er** 1) сапóжник 2) плохóй мáстер

cobweb ['kɔbweb] паути́на

cock I [kɔk] **1.** *n* 1) петýх 2) *(в составных существительных)* самéц 3) кран ◇ ~ and bull story небыли́ца **2.** *v*: ~ one's ears навостри́ть ýши

cock II копнá сéна

cockade [kɔ'keɪd] кокáрда

cockchafer ['kɔk,tʃeɪfə] мáйский жук

cockle ['kɔkl] съедóбный моллю́ск

cockney ['kɔknɪ] 1) кóкни

ло́ндонец из низо́в 2) ко́кни *(лондонский диалект)*

cockpit ['kɔkpɪt] 1) ме́сто петуши́ных боёв; *перен.* аре́на борьбы́ 2) *ав.* откры́тая каби́на 3) *мор.* ку́брик

cockroach ['kɔkroutʃ] порака́н

cock-sure ['kɔk'ʃuə] (само)уве́ренный

cocktail ['kɔkteɪl] кокте́йль

coco ['koukou] коко́совая па́льма

cocoa ['koukou] кака́о

cocoa-nut ['koukənʌt] коко́с (-овый оре́х)

cocoon [kə'ku:n] ко́кон

cod [kɔd] треска́

coddle ['kɔdl] ня́нчиться, изне́живать

code [koud] 1) ко́декс *(тж. моральный)* 2) код, шифр; систе́ма сигна́лов

codger ['kɔdʒə] *разг., уст.* чуда́к

codify ['kɔdɪfaɪ] кодифици́ровать

cod-liver ['kɔd,lɪvə] 1) пе́чень трески́ 2) *attr.*: ~ oil ры́бий жир

co-ed ['kou'ed] *амер. разг.* уча́щаяся шко́лы совме́стного обуче́ния

co-education ['kou,edju:'keɪʃ(ə)n] совме́стное обуче́ние

coefficient [,kouɪ'fɪʃənt] 1) коэффицие́нт 2) соде́йствующий фа́ктор

coerc||e [kou'ə:s] заставля́ть; **~ion** [-'ə:ʃ(ə)n] принужде́ние; **~ive** [-ɪv] принуди́тельный

coeval [kou'i:vəl] **1.** *n* 1) све́рстник 2) совреме́нник **2.** *a* совреме́нный

coexist ['kouɪg'zɪst] сосуществова́ть; **~ence** [-ns] сосуществова́ние; peaceful ~ence ми́рное сосуществова́ние

coffee ['kɔfɪ] ко́фе; **~-grounds** [-graundz] кофе́йная гу́ща; **~-mill** [-mɪl] кофе́йная ме́льница; **~-pot** [-pɔt] кофе́йник

coffer ['kɔfə] 1) я́щик 2) *pl* казна́; **~-dam** [-dæm] *гидр.* кессо́н

coffin ['kɔfɪn] гроб

cog [kɔg] зубе́ц

cog||ency ['koudʒənsɪ] убеди́тельность; **~ent** [-nt] убеди́тельный; неоспори́мый

cogged [kɔgd] зубча́тый

cogitate ['kɔdʒɪteɪt] обду́мывать; размышля́ть

cognac ['kounjæk] конья́к

cognate ['kɔgneɪt] 1) ро́дственный; ~ words слова́ одного́ ко́рня 2) схо́дный

cognition [kɔg'nɪʃ(ə)n] 1) позна́ние 2) познава́тельная спосо́бность

cogniz||able ['kɔgnɪzəbl] 1) познава́емый 2) *юр.* подсу́дный; **~ance** [-əns] 1) зна́ние 2) компете́нция 3) подсу́дность

cog-wheel ['kɔgwi:l] *тех.* зубча́тое колесо́

cohabit [kou'hæbɪt] сожи́тельствовать

coheir ['kou'ɛə] сонасле́дник

coher||e [kou'hɪə] 1) быть сце́пленным, свя́занным 2) согласо́вываться; **~ence, ~ency** [-rns, -rnsɪ] 1) свя́зность; связь 2) согласо́ванность; **~ent** [-rnt] свя́зный *(тж. о речи)*; поня́тный, я́сный; после́довательный

cohesion [kou'hi:ʒn] сцепле́ние

coiffure [kwɑ:'fjuə] причёска

coil [kɔɪl] **1.** *v* 1) свёртывать кольцо́м, спира́лью 2) свёртываться **2.** *n* 1) вито́к, кольцо́ 2) *эл.* кату́шка

coin [kɔɪn] **1.** *n* моне́та **2.** *v* 1) чека́нить 2) фабрикова́ть, измышля́ть 3) создава́ть но́вые слова́, выраже́ния

coincid||**e** [,kouɪn'saɪd] 1) совпада́ть 2) соотве́тствовать; **~ence** [kou'ɪnsɪdəns] совпаде́ние

coke [kouk] кокс

colander ['kʌləndə] дуршла́г

cold ['kould] **1.** *a* холо́дный *(тж. перен.)*; I am ~ мне хо́лодно; ~ reception холо́дный приём ◇ ~ comfort сла́бое утеше́ние; get *(или* have) ~ feet *разг.* тру́сить; give the ~ shoulder to smb. принима́ть кого́-л. хо́лодно **2.** *n* 1) хо́лод 2) просту́да; a ~ in the head на́сморк; **~-blooded** [-'blʌdɪd] хладнокро́вный; **~-hearted** [-'hɑ:tɪd] бессерде́чный

coldness ['kouldnɪs] 1) хо́лод 2) хо́лодность; равноду́шие

cold-storage ['kould,stɔ:rɪdʒ] холоди́льник

collaborat||**e** [kə'læbəreɪt] сотру́дничать; **~ion** [kə,læbə'reɪʃ(ə)n] сотру́дничество; **~ionist** [kə,læbə'reɪʃənɪst] коллабораціони́ст; **~or** сотру́дник

collapse [kə'læps] **1.** *n* 1) разруше́ние 2) упа́док сил 3) круше́ние *(планов, надежд)* **2.** *v* 1) ру́шиться 2) изнемо́чь; упа́сть ду́хом

collapsible [kə'læpsəbl] складно́й

collar ['kɔlə] **1.** *n* 1) воротни́к, воротничо́к 2) оше́йник 3) хому́т 4) *тех.* вту́лка **2.** *v* 1) схвати́ть за ши́ворот 2) *разг.* захвати́ть; **~-bone** [-boun] ключи́ца

collate [kɔ'leɪt] сра́внивать, слича́ть

collateral [kɔ'lætər(ə)l] 1) второстепе́нный 2) паралле́льный

colleague ['kɔli:g] сослужи́вец, колле́га

collect [kə'lekt] 1) собира́ть 2) собира́ться 3) коллекциони́ровать ◇ ~ oneself овладе́ть собо́й

collection [kə'lekʃ(ə)n] 1) собира́ние; ~ of mail вы́емка пи́сем *(из почтового ящика)* 2) колле́кция 3) де́нежный сбор

collectiv||**e** [kə'lektɪv] коллекти́вный; ~ agreement коллекти́вный догово́р; ~ farm колхо́з; ~ farmer колхо́зник; ~ security коллекти́вная безопа́сность; **~ization** [kə,lektɪvaɪ'zeɪʃ(ə)n] коллективиза́ция

collector [kə'lektə] 1) сбо́рщик; ticket ~ *ж.-д.* контролёр *(проверяющий билеты)* 2) коллекционе́р

colleg||**e** ['kɔlɪdʒ] 1) вы́сшее учёбное заведе́ние; колле́дж; *амер.* университе́т 2) колле́гия; **~iate** [kə'li:dʒɪɪt] университе́тский

collide [kə'laɪd] ста́лкиваться *(с—with)*

collie ['kɔlɪ] шотла́ндская овча́рка, ко́лли

collie||**r** ['kɔlɪə] 1) углеко́п; шахтёр 2) у́гольщик *(судно)*; **~ry** ['kɔljərɪ] каменноуго́льная копь

collision [kə'lɪʒn] столкнове́ние, колли́зия

colloquial [kə'loukwɪəl] разгово́рный; **~ism** разгово́рное выраже́ние

colloquy ['kɔləkwɪ] *книжн.* разгово́р; бесе́да

collusion [kə'lu:ʒ(ə)n] (та́йный) сго́вор

colon ['koulən] двоето́чие

colonel ['kə:nl] полко́вник

colonial [kə'lounjəl] колониа́льный

colonist ['kɔlənɪst] колони́ст; поселе́нец

coloniz||e ['kɔlənaɪz] колонизи́ровать; **~er** колониза́тор

colony ['kɔlənɪ] коло́ния

color ['kʌlə] *амер. см.* colour

colossal [kə'lɔsl] 1) колосса́льный; грандио́зный 2) *разг.* великоле́пный, замеча́тельный

colossus [kə'lɔsəs] коло́сс

colour ['kʌlə] **1.** *n* 1) цвет, тон 2) кра́ска 3) цвет лица́; high ~ румя́нец; lose one's ~ побледне́ть 4) колори́т; local ~ ме́стный колори́т 5) *pl* зна́мя; join the ~s вступи́ть в а́рмию ◇ be off ~ нева́жно себя́ чу́вствовать; with flying ~s победоно́сно; ~ question ра́совая пробле́ма **2.** *v* 1) кра́сить, раскра́шивать 2) приукра́шивать; **~ing** [-rɪŋ] окра́ска, раскра́ска; **~less** бесцве́тный

colt [koult] 1) жеребёнок 2) новичо́к

column ['kɔləm] 1) коло́нна; сто́лб(ик) 2) столбе́ц *(газетный)*; графа́; **~ist** [-nɪst] *амер.* обозрева́тель; фельетони́ст

comb [koum] **1.** *n* 1) гре́бень; wide-toothed (close-toothed) ~ ре́дкий (густо́й) гре́бень 2) *текст.* чеса́лка 3) со́ты *мн.* **2.** *v* 1) чеса́ть, расчёсывать *(во́лосы)* 2) *воен.* прочёсывать *(местность)*

combat ['kɔmbət] **1.** *n* бой, сраже́ние; single ~ единобо́рство **2.** *v* сража́ться; **~ant** [-nt] бое́ц

combination [,kɔmbɪ'neɪʃ(ə)n] соедине́ние; сочета́ние

combine 1. *v* [kəm'baɪn] комбини́ровать; сочета́ть **2.** *n* ['kɔmbaɪn] 1) синдика́т, комбина́т 2) *с.-х.* комба́йн

combus||tible [kəm'bʌstəbl] **1.** *a* горю́чий **2.** *n pl* горю́чее; **~tion** [-'bʌstʃ(ə)n] 1) сгора́ние 2) *attr.*: ~tion engine дви́гатель вну́треннего сгора́ния

come [kʌm] (came; come) 1) приходи́ть, приезжа́ть 2) де́латься, станови́ться 3) случа́ться 4) происходи́ть, быва́ть *(from)* 5) овладева́ть, охва́тывать *(over)* 6) доходи́ть, составля́ть *(to)* 7) натолкну́ться, напа́сть *(upon)* 8): ~ in(to) sight показа́ться *(в поле зрения)*; ~ into property разбогате́ть; **~ about** случа́ться, происходи́ть; **~ across** случа́йно встре́титься, натолкну́ться; on the way she came across only one man по доро́ге ей попа́лся то́лько оди́н челове́к; **~ along:** ~ along! идём!; потора́пливайся!; **~ along with** сопровожда́ть; **~ apart, ~ asunder** распада́ться; **~ back** возвраща́ться; **~ by** а) приобрета́ть; б) *амер.* заходи́ть; **~ forward** вы́йти вперёд; **~ in** входи́ть; **~ of** происходи́ть; **~ off** отрыва́ться *(о пуговице и т. п.)*; **~ on** а) наступа́ть; б) преуспева́ть; **~ out** а) выходи́ть; б) обнару́живаться; в) бастова́ть; г) выступа́ть; ~ out in defence of peace вы́ступить в защи́ту ми́ра; ~ out of action *воен.* вы́йти из бо́я, вы́йти из стро́я; **~ round** а) заходи́ть; б) поправля́ться; в) приходи́ть в себя́; **~ to** *см.* ~ round b); **~ upon** натолкну́ться; **~ up (to)** подойти́, сравня́ться; ◇ ~ to know узна́ть; ~ to pass случа́ться, происходи́ть; it has ~ to stay э́то надо́лго; ~ undone развяза́ться; ~ true сбыва́ться; things to ~ гряду́щее; ~ what may будь что бу́дет

comedian [kə'mi:djən] ко́мик

come-down ['kʌmdaun] упа́док

comedy ['kɔmɪdɪ] коме́дия

comely ['kʌmlɪ] милови́дный

comet ['kɔmɪt] коме́та

comfort ['kʌmfət] **1.** *n* 1) утеше́ние; подде́ржка *(моральная)* 2) комфо́рт; *pl* удо́бства **2.** *v* утеша́ть; **~able** [-əbl] удо́бный, ую́тный; do you feel ~able? вам удо́бно?; **~ing** утеши́тельный

comfy ['kʌmfɪ] *разг. от* comfortable

comic ['kɔmɪk] 1) коми́ческий 2) смешно́й; **~al** [-əl] поте́шный

coming ['kʌmɪŋ] бу́дущий; наступа́ющий

comity ['kɔmɪtɪ]: ~ of nations взаи́мное призна́ние зако́нов и обы́чаев друго́й на́ции

comma ['kɔmə] запята́я

command [kə'mɑ:nd] **1.** *v* 1) прика́зывать 2) кома́ндовать; управля́ть 3) госпо́дствовать 4) владе́ть; име́ть в своём распоряже́нии; 5) внуша́ть; ~ respect внуша́ть уваже́ние **2.** *n* 1) прика́з; распоряже́ние; кома́нда 2) кома́ндование; be in ~ *(of)* кома́ндовать; under the ~ *(of)* под кома́ндованием 3) вое́нный о́круг ◇ have a good ~ of a language хорошо́ владе́ть языко́м; ~ of the air госпо́дство в во́здухе

commandant [,kɔmən'dænt] 1) коменда́нт (кре́пости, го́рода) 2) нача́льник вое́нного уче́бного заведе́ния

commandeer [,kɔmən'dɪə] реквизи́ровать

commander [kə'mɑ:ndə] команди́р, кома́ндующий; C.-in-Chief главнокома́ндующий

commanding [kə'mɑ:ndɪŋ] 1) кома́ндующий 2) вла́стный

commandment [kə'mɑ:ndmənt] 1) прика́з 2) за́поведь

commemora||te [kə'meməreɪt] 1) пра́здновать *(годовщину)* 2) служи́ть напомина́нием; **~tion** [kə,memə'reɪʃn] пра́зднование *(годовщины)*; in ~tion of в па́мять о; **~tive** [-'memərətɪv] мемориа́льный

commence [kə'mens] начина́ть; **~ment** 1) нача́ло 2) *амер.* а́ктовый день; at ~ment на выпускно́м а́кте

commend [kə'mend] хвали́ть; **~able** [-əbl] похва́льный

commensur||able [kə'menʃ(ə)rəbl] соизмери́мый; **~ate** [-ʃ(ə)rɪt] соразме́рный, пропорциона́льный

comment ['kɔment] **1.** *n* замеча́ние **2.** *v* де́лать крити́ческие замеча́ния; комменти́ровать; **~ary** ['kɔmənt(ə)rɪ] коммента́-

рий; **~ator** [ˈkɔmenteɪtə] комментáтор

commerc||e [ˈkɔmə:s] торгóвля; **~ial** [kəˈmə:ʃəl] торгóвый, коммéрческий

commingle [kɔˈmɪŋgl] 1) смéшиваться 2) смéшивать

commiserate [kəˈmɪzəreɪt] сочýвствовать, соболéзновать *(with)*

commissa||r [ˌkɔmɪˈsɑ:] комиссáр; **~riat** [ˌkɔmɪˈsɛərɪət] 1) комиссариáт 2) интендáнтство; **~ry** [ˈkɔmɪsərɪ] 1) комиссáр 2) интендáнт

commission [kəˈmɪʃ(ə)n] **1.** *n* 1) поручéние 2) полномóчие *(на куплю, продажу)* 3) комиссия 4) совершéние *(преступления и т. п.)* ◇ gain a ~ получить офицéрское звáние; resign one's ~ выходить в отстáвку **2.** *v* 1) назначáть на дóлжность 2) давáть поручéние; уполномóчивать; **~er** 1) член комиссии 2) специáльный уполномóченный; High Commissioner Верхóвный комиссáр

commit [kəˈmɪt] 1) совершáть *(преступление, самоубийство и т. п.)* 2) вверять; ~ to paper *(или* writing) записáть; ~ to memory заýчивать, запоминáть 3) предавáть *(огню, суду и т. п.)* ◇ ~ oneself связывать себя *(обещаниями и т. п.)*; **~ment** обязáтельство

committee [kəˈmɪtɪ] комитéт; комиссия; Standing C. постоянный комитéт, -ная комиссия; Joint C. смéшанная комиссия; International C. of the Red Cross Междунарóдный комитéт Крáсного Крестá

commodious [kəˈmoudjəs] простóрный

commodity [kəˈmɔdɪtɪ] продýкт, товáр

commodore [ˈkɔmədɔ:] *мор.* коммодóр

common [ˈkɔmən] **1.** *a* 1) óбщий; общéственный 2) обыкновéнный; заурядный, обычный 3) чáстый 4) вульгáрный ◇ ~ sense здрáвый смысл; they have much in ~ у них есть мнóго óбщего; they have nothing in ~ у них нет ничегó óбщего **2.** *n* общинная земля

commonplace [ˈkɔmənpleɪs] **1.** *a* банáльный **2.** *n* банáльность

commons [ˈkɔmənz] *pl* 1) нарóд 2) довóльствие ◇ House of C. палáта óбщин

commonwealth [ˈkɔmənwelθ] 1) государство; респýблика 2) федерáция

commotion [kəˈmouʃ(ə)n] 1) волнéние, смятéние 2) суматóха

commu||nal [ˈkɔmjunl] общинный; **~ne 1.** *n* [ˈkɔmju:n] 1) коммýна 2) община **2.** *v* [kəˈmju:n] интимно бесéдовать, общáться

communica||te [kəˈmju:nɪkeɪt] 1) передавáть, сообщáть 2) сообщáться *(with)*; **~tion** [kəˌmju:nɪˈkeɪʃ(ə)n] 1) связь, сообщéние 2) срéдство связи, сообщéния 3) *pl воен.* коммуникациóнные линии; **~tive** [-kətɪv] общительный

communion [kəˈmju:njən] тéсное (духóвное) общéние, óбщность

communiqué [kəˈmju:nɪkeɪ] официáльное сообщéние; коммюникé

commun||ism ['kɔmjunɪzm] коммуни́зм; **~ist 1.** *n* коммуни́ст **2.** *a* коммунисти́ческий; the Communist Party of the Soviet Union Коммунисти́ческая па́ртия Сове́тского Сою́за; **~istic**[,kɔmju'nɪstɪk] коммунисти́ческий

community [kə'mju:nɪtɪ] 1) общи́на 2) о́бщность

commutable [kə'mju:təbl] го́дный для обме́на *(о билете на поезд, самолёт и т. п.)*

commutation[,kɔmju:'teɪʃ(ə)n] 1) заме́на 2) смягче́ние *(наказания)* 3): ~ ticket *амер.* сезо́нный биле́т *(пригородного сообщения)* 4) *эл.* коммута́ция

commutator ['kɔmju:teɪtə] коммута́тор

commute [kə'mju:t] 1) заменя́ть 2) смягча́ть *(наказание)* 3) соверша́ть ежедне́вные пое́здки *(о жителях пригородов)*

compact I ['kɔmpækt] догово́р

compact II **1.** *a* [kəm'pækt] 1) компа́ктный; пло́тный 2) сжа́тый *(о стиле)* **2.** *n* ['kɔmpækt] прессо́ванная пу́дра **3.** *v* [kəm'pækt] уплотня́ть

companion [kəm'pænjən] 1) това́рищ; спу́тник 2) предме́т, составля́ющий па́ру 3) спра́вочник; **~able** [-əbl] общи́тельный

company ['kʌmp(ə)nɪ] 1) компа́ния *(тж. торговая)*; о́бщество; го́сти; bear *(или* keep) ~ составля́ть компа́нию; keep ~ *(with)* обща́ться с кем-л.; part ~ *(with)* прекрати́ть знако́мство с кем-л.; I am expecting ~ this evening я жду госте́й сего́дня ве́чером 2) тру́ппа 3) *воен.* ро́та 4) *мор.* экипа́ж, кома́нда

compar||able ['kɔmp(ə)rəbl] сравни́мый; **~ative** [kəm'pærətɪv] **1.** *a* сравни́тельный; относи́тельный **2.** *n грам.* сравни́тельная сте́пень

compar||e [kəm'pɛə] **1.** *v* 1) *(with, to)* сра́внивать, слича́ть 2) образо́вывать сте́пени сравне́ния **2.** *n* сравне́ние, приме́р; **~ison** [kəm'pærɪs(ə)n] сравне́ние

compartment [kəm'pa:tmənt] 1) купе́; отделе́ние 2) *тех.* отсе́к

compass ['kʌmpəs] **1.** *n* 1) ко́мпас 2) *pl* ци́ркуль 3) объём, диапазо́н 4) преде́л, грани́ца **2.** *v книжн.* 1) достига́ть; осуществля́ть 2) замышля́ть

compassion [kəm'pæʃ(ə)n] сострада́ние; **~ate** [-'pæʃənɪt] сострада́тельный; сочу́вствующий

compat||ibility [kəm,pætə'bɪlɪtɪ] совмести́мость; **~ible** [kəm'pætəbl] совмести́мый

compatriot [kəm'pætrɪət] сооте́чественник

compel [kəm'pel] вынужда́ть, заставля́ть

compend||ious [kəm'pendɪəs] кра́ткий; сжа́тый *(об изложении)*; **~ium** [-dɪəm] 1) конспе́кт 2) резюме́

compensat||e ['kɔmpenseɪt] 1) возмеща́ть *(убытки)*; компенси́ровать 2) вознагражда́ть; **~ion** [,kɔmpen'seɪʃ(ə)n] 1) возмеще́ние *(убытков)* 2) вознагражде́ние

compère ['kɔmpɛə] *фр.* конферансье́

compet||**e** [kəm'pi:t] 1) конкури́ровать 2) состяза́ться, соревнова́ться; **~ence** ['kɔmpɪt(ə)ns] 1) уме́ние, спосо́бность 2) доста́ток 3) *юр.* компете́нция; правомо́чность; **~ent** [-(ə)nt] компете́нтный; **~ition** [,kɔmpɪ'tɪʃ(ə)n] 1) конкуре́нция 2) состяза́ние, соревнова́ние; ко́нкурс; socialist ~ition социалисти́ческое соревнова́ние; **~itor** [kəm'petɪtə] конкуре́нт, сопе́рник

compilation [,kɔmpɪ'leɪʃ(ə)n] компиля́ция

compile [kəm'paɪl] 1) собира́ть *(факты, данные)* 2) составля́ть *(словари и т. п.)*; компили́ровать

complacen||**ce, ~cy** [kəm'pleɪsns, -sɪ] 1) самодово́льство 2) благоду́шие; **~t** [-t] 1) самодово́льный 2) благоду́шный

complai||**n** [kəm'pleɪn] 1) жа́ловаться 2) выража́ть недово́льство, се́товать; **~nt** [-t] 1) недово́льство; жа́лоба 2) недомога́ние

complaisant [kəm'pleɪz(ə)nt] услу́жливый; любе́зный

complement 1. *n* ['kɔmplɪmənt] 1) дополне́ние *(тж. грам.)* 2) компле́кт **2.** *v* ['kɔmplɪment] дополня́ть

complet||**e** [kəm'pli:t] **1.** *a* 1) по́лный; ~ works по́лное собра́ние сочине́ний 2) зако́нченный 3) соверше́нный **2.** *v* зака́нчивать, заверша́ть; **~ion** [-'pli:ʃ(ə)n] заверше́ние

complex ['kɔmpleks] **1.** *a* сло́жный; составно́й **2.** *n* ко́мплекс

complexion [kəm'plekʃ(ə)n] цвет лица́; *перен.* вид; аспе́кт

compli||**ance** [kəm'plaɪəns] 1) согла́сие 2) пода́тливость, усту́пчивость; **~ant** [-nt] пода́тливый, усту́пчивый

complicat||**e** ['kɔmplɪkeɪt] осложня́ть; **~ed** [-ɪd] запу́танный; сло́жный; **~ion** [,kɔmplɪ'keɪʃ(ə)n] 1) сло́жность; запу́танность 2) *мед.* осложне́ние

complicity [kəm'plɪsɪtɪ] соуча́стие *(в преступлении и т.п.)*

compliment 1. *n* ['kɔmplɪmənt] 1) комплиме́нт 2) *pl* поздравле́ние 3) *pl* покло́н *(в письмах)* **2.** *v* ['kɔmplɪment] 1) говори́ть комплиме́нты, хвали́ть 2) поздравля́ть; **~ary** [,kɔmplɪ'ment(ə)rɪ] ле́стный ◇ ~ary ticket беспла́тный пригласи́тельный биле́т *(в театр и т. п.)*

comply [kəm'plaɪ] 1) исполня́ть *(просьбу, приказ—with)* 2) уступа́ть 3) подчиня́ться *(правилам—with)*

component [kəm'pounənt] **1.** *n* составна́я часть **2.** *a* 1) составно́й 2) составля́ющий

comport [kəm'pɔ:t]: ~ oneself вести́ себя́

compose [kəm'pouz] 1) составля́ть 2) сочиня́ть *(музыку, стихи и т. п.)* 3) успока́ивать; ула́живать; ~ oneself успока́иваться

composed [kəm'pouzd] споко́йный

composer [kəm'pouzə] компози́тор

composit||**e** ['kɔmpəzɪt] **1.** *a* 1) составно́й; комбини́рованный 2) *бот.* сложноцве́тный **2.** *n* смесь; **~ion** [,kɔmpə'zɪʃ(ə)n] 1) составле́ние 2) сочине́ние *(школьное)* 3) произведе́ние *(литературное, музыкальное)*

4) *хим.* состáв 5) склад умá, харáктер

compositor [kəm'pɔzɪtə] нabóрщик

compost ['kɔmpɔst] *с.-х.* компóст

composure [kəm'pouʒə] спокóйствие; хладнокрóвие; самообладáние

compound 1. *a* ['kɔmpaund] 1) составнóй 2) слóжный 3) *грам.* сложносочинённый *(о предложении)* **2.** *n* ['kɔmpaund] 1) смесь; соединéние 2) составнóе слóво **3.** *v* [kəm'paund] 1) соединя́ть, смéшивать 2) улáживать; примиря́ть *(интересы)* 3) приходи́ть к соглашéнию

comprehen||d [,kɔmprɪ'hend] 1) понимáть 2) включáть, охвáтывать; **~sible** [-'hensəbl] поня́тный; **~sion** [-'henʃ(ə)n] 1) понимáние; this passes my ~sion э́то вы́ше моегó понимáния 2) включéние; **~sive** [-'hensɪv] 1) всесторóнний, исчéрпывающий; ~sive school общеобразовáтельная шкóла 2) поня́тливый

compress 1. *n* ['kɔmpres] компрéсс **2.** *v* [kəm'pres] сжимáть; **~ion** [kəm'preʃ(ə)n] сжáтие

comprise [kəm'praɪz] заключáть в себé; охвáтывать

compromise ['kɔmprəmaɪz] **1.** *n* компроми́сс **2.** *v* 1) пойти́ на компроми́сс 2) компромети́ровать

compul||sion [kəm'pʌlʃ(ə)n] принуждéние; under (*или* upon) ~ вы́нужденный; **~sive** [-'pʌlsɪv] принуди́тельный; he is a ~sive smoker *разг.* он не выпускáет сигарéты изо ртá

compulsory [kəm'pʌls(ə)rɪ] принуди́тельный; обязáтельный; ~ military service вóинская пови́нность

compunction [kəm'pʌŋkʃ(ə)n] угрызéния сóвести; without ~ без сожалéния

computation [,kɔmpju:'teɪʃ(ə)n] вычислéние

comput||e [kəm'pju:t] подсчи́тывать; **~er** счётно-решáющее устрóйство, (электрóнно-)вычисли́тельная маши́на, компьютер

comrade ['kɔmrɪd] товáрищ; **~ship** товáрищеские отношéния

con I [kɔn] заучи́ть наизу́сть

con II: the pros and the ~s за и прóтив

concave ['kɔn'keɪv] вóгнутый

conceal [kən'si:l] скрывáть; **~ment** 1) утáивание 2) тáйное убéжище

concede [kən'si:d] 1) уступáть 2) допускáть

conceit [kən'si:t] самомнéние; тщеслáвие; **~ed** [-ɪd] тщеслáвный; самодовóльный

conceivable [kən'si:vəbl] мы́слимый, постижи́мый

conceive [kən'si:v] 1) задýмывать 2) зачáть

concentr||ate ['kɔnsentreɪt] 1) сосредотóчивать 2) сосредотóчиваться, концентри́роваться 3) *хим.* сгущáть; **~ation** [,kɔnsen'treɪʃ(ə)n] 1) концентрáция; сосредотóченность 2) *attr.*: ~ation camp концентрациóнный лáгерь

concentric [kɔn'sentrɪk] концентри́ческий

concept ['kɔnsept] поня́тие;

~**ion** [kən'sepʃ(ə)n] 1) понима́ние 2) поня́тие, представле́ние 3) зача́тие

concern [kən'sə:n] **1.** *n* 1) интере́с; a matter of great ~ ва́жное де́ло 2) забо́та; уча́стие; it is no ~ of mine э́то меня́ не каса́ется; with deep ~ с глубо́ким сочу́вствием 3) предприя́тие, конце́рн **2.** *v* 1) каса́ться, относи́ться 2) интересова́ть 3) беспоко́иться; ~**ing** относи́тельно, в отноше́нии

concert **1.** *n* ['kɔnsət] 1) конце́рт 2) согла́сие; in ~ *(with)* совме́стно, по угово́ру **2.** *v* [kən'sə:t] сгова́риваться

concess||ion [kən'seʃ(ə)n] 1) усту́пка; make ~s идти́ на усту́пки 2) конце́ссия; ~**ive** [-'sesɪv] 1) усту́пчивый 2) *грам.* уступи́тельный

conch [kɔŋk] раку́шка, ра́ковина

conciliat||e [kən'sɪlɪeɪt] примиря́ть; ~**ion** [kən,sɪlɪ'eɪʃ(ə)n] примире́ние

concise [kən'saɪs] сжа́тый, кра́ткий

conclude [kən'klu:d] 1) зака́нчивать 2) зака́нчиваться 3) заключа́ть 4) де́лать вы́вод; *амер.* реша́ть

conclus||ion [kən'klu:ʒ(ə)n] 1) оконча́ние 2) заключе́ние; ~**ive** [-'klu:sɪv] 1) заключи́тельный 2) реша́ющий; убеди́тельный

concoct [kən'kɔkt] 1) (со)стря́пать 2) приду́мывать, замышля́ть; ~**ion** [-ʃ(ə)n] 1) ва́рево, стряпня́ 2) небыли́цы

concomitant [kən'kɔmɪt(ə)nt] сопу́тствующий

concord ['kɔŋkɔ:d] 1) соглаше́ние; догово́р 2) согла́сие 3) согласова́ние *(тж. грам.)*; ~**ant** [kən'kɔ:d(ə)nt] 1) согласу́ющийся 2) гармони́чный

concourse ['kɔŋkɔ:s] 1) стече́ние *(народа)* 2) скопле́ние 3) *амер.* гла́вный зал вокза́ла

concrete I ['kɔnkri:t] конкре́тный, реа́льный

concrete II ['kɔnkri:t] **1.** *n* бето́н **2.** *a* бето́нный **3.** *v* 1) бетони́ровать 2) [kən'kri:t] тверде́ть

concupiscence [kən'kju:pɪs(ə)ns] вожделе́ние

concur [kən'kə:] 1) совпада́ть 2) соглаша́ться *(with)*; ~**rence** [-'kʌr(ə)ns] 1) совпаде́ние; стече́ние *(обстоятельств)* 2) согла́сие; ~**rent** [-'kʌr(ə)nt] совпада́ющий

concussion [kən'kʌʃ(ə)n] конту́зия; ~ of the brain сотрясе́ние мо́зга

condemn [kən'dem] 1) осужда́ть, пригова́ривать 2) бракова́ть, признава́ть него́дным; ~**ation** [,kɔndem'neɪʃ(ə)n] пригово́р *(судебный)*; ~**atory** [-nət(ə)rɪ] осужда́ющий; обвини́тельный

condens||e [kən'dens] 1) сгуща́ть *(молоко и т. п.)* 2) сокраща́ть *(изложение)* 3) конденси́ровать; ~**er** конденса́тор

condescen||d [,kɔndɪ'send] снизойти́; удостоить; ~**sion** [,kɔndɪ'senʃ(ə)n] 1) снисхожде́ние 2) снисходи́тельность

condiment ['kɔndɪmənt] припра́ва

condition [kən'dɪʃ(ə)n] **1.** *n* 1) состоя́ние 2) *pl* обстоя́тельства; under existing ~s при существýющих услóвиях 3) услóвие; on ~ that при услóвии, что 4) *амер.* «хвост» *(несданный экзамен)* **2.** *v* обуслóвливать; **~al** [-əl] услóвный; **~ed** [-d] обуслóвленный

condol||e [kən'doul] соболéзновать; сочýвствовать; **~ence** [-əns] соболéзнование, сочýвствие

condone [kən'doun] смотрéть сквозь пáльцы, мирúться *(с чем-л.)*

conduc||e [kən'dju:s] спосóбствовать; приводúть (к); **~ive** [-ɪv] спосóбствующий

conduct 1. *n* ['kɔndəkt] 1) поведéние 2) ведéние *(дела)* 3) *воен.* управлéние **2.** *v* [kən'dʌkt] 1) вестú; ~ oneself вестú себя́ 2) сопровождáть; водúть 3) руководúть, управля́ть 4) дирижúровать 5) проводúть *(тепло и т. п.)*; **~ion** [kən'dʌkʃ(ə)n] *физ.* проводúмость; **~or** [kən'dʌktə] 1) руководúтель; гид 2) дирижёр 3) кондýктор 4) *физ.* проводнúк

conduit ['kɔndɪt] водопровóдная трубá; трубопровóд

cone [koun] 1) кóнус 2) *бот.* шúшка

coney ['kounɪ] *см.* cony

confection [kən'fekʃ(ə)n] слáсти; **~er** [-'fekʃnə] кондúтер; **~ery** [-'fekʃnərɪ] кондúтерская

confeder||acy [kən'fed(ə)rəsɪ] конфедерáция; **~ate** [-'fed(ə)rɪt] **1.** *a* сою́зный; федератúвный **2.** *n* [-'fed(ə)rɪt] соучáстник **3.** *v* [-'fedəreɪt] вступáть в сою́з, федерáцию

confederation [kən,fedə'reɪʃ(ə)n] конфедерáция, сою́з

confer [kən'fə:] 1) даровáть; присуждáть *(учёную степень и т. п.—on)* 2) совещáться *(with)* 3): ~! сравнú! *(сокр. cf.)*; **~ence** ['kɔnf(ə)r(ə)ns] 1) совещáние 2) конферéнция

confess [kən'fes] 1) признавáть 2) исповéдовать 3) признавáться 4) исповéдоваться; **~ion** [-'feʃ(ə)n] признáние; *церк.* úсповедь; **~or** духовнúк

confidant [,kɔnfɪ'dænt] задушéвный друг; *уст.* напéрсник

confide [kən'faɪd] 1) доверя́ть *(in)* 2) поверя́ть, сообщáть по секрéту *(to)* 3) вверя́ть, поручáть *(to)*

confid||ence ['kɔnfɪd(ə)ns] 1) увéренность; смéлость 2) довéрие 3) секрéт; конфиденциáльное сообщéние; **~ent** [-(ə)nt] 1) увéренный 2) самонадéянный; **~ential** [,kɔnfɪ'denʃ(ə)l] 1) не подлежáщий разглашéнию, секрéтный 2) пóльзующийся довéрием

configuration [kən,fɪgju'reɪʃ(ə)n] конфигурáция; очертáния, фóрма

confine 1. *v* [kən'faɪn] 1) ограничивать 2) заключáть *(тж. в тюрьму)* **2.** *n* ['kɔnfaɪn] *pl* предéлы; границa *(тж. перен.)*; **~ment** 1) тюрéмное заключéние 2) рóды

confirm [kən'fə:m] 1) подтверждáть 2) утверждáть; ратифицúровать; **~ation** [,kɔnfə'meɪʃ(ə)n] 1) подтверждéние 2) *рел.* конфирмáция

confiscat||e ['kɔnfɪskeɪt] конфисковáть; **~ion** [,kɔnfɪs'keɪʃ(ə)n] конфискáция

conflagration [ˌkɔnfləˈgreɪʃ(ə)n] большо́й пожа́р

conflict 1. *n* [ˈkɔnflɪkt] столкнове́ние, конфли́кт **2.** *v* [kənˈflɪkt] противоре́чить; боро́ться *(with)*

conflu||ence [ˈkɔnfluəns] 1) слия́ние *(рек)* 2) стече́ние *(народа)*; **~ent** [-ənt] **1.** *a* слива́ющийся **2.** *n* прито́к *(реки)*

conform [kənˈfɔ:m] 1) приспоса́бливаться *(to)* 2) сообразова́ться; приводи́ть в соотве́тствие *(to)*; **~able** [-əbl] подчиня́ющийся *(to)*; **~ation** [ˌkɔnfɔ:ˈmeɪʃ(ə)n] устро́йство, фо́рма; структу́ра; **~ing** соотве́тствующий *(to)*

conformity [kənˈfɔ:mɪtɪ] соотве́тствие; in ~ *(with)* в соотве́тствии с

confound [kənˈfaund] 1) поража́ть, ста́вить в тупи́к, смуща́ть 2) сме́шивать, пу́тать 3) разруша́ть *(планы, надежды)* ◇ ~ it! чёрт возьми́!

confront [kənˈfrʌnt] 1) стоя́ть лицо́м к лицу́ 2) смотре́ть в лицо́ *(опасности)* 3) сопоставля́ть; **~ation** [ˌkɔnfrənˈteɪʃ(ə)n] о́чная ста́вка

confu||se [kənˈfju:z] 1) приводи́ть в замеша́тельство; смуща́ть 2) сме́шивать, спу́тывать; **~sion** [-ˈfju:ʒ(ə)n] 1) беспоря́док 2) смуще́ние 3) пу́таница

confute [kənˈfju:t] опроверга́ть

congeal [kənˈdʒi:l] замора́живать; *перен.* застыва́ть

congenial [kənˈdʒi:njəl] 1) бли́зкий по ду́ху 2) подходя́щий

congenital [kənˈdʒenɪtl] прирождённый; врождённый

congest [kənˈdʒest] 1) переполня́ть 2) переполня́ться; **~ed** [-ɪd] те́сный; перенаселённый; the streets are ~ed with traffic у́лицы перегру́жены тра́нспортом; **~ion** [-ʃ(ə)n] 1) *мед.* заку́порка 2) теснота́; перенаселённость 3) зато́р *(уличного движения)*

conglomerat||e 1. *n* [kənˈglɔmərɪt] конгломера́т **2.** *v* [kənˈglɔmәreɪt] скопля́ться; **~ion** [kənˌglɔməˈreɪʃ(ə)n] конгломера́ция

congratulat||e [kənˈgrætjuleɪt] поздравля́ть; **~ion** [kənˌgrætjuˈleɪʃ(ə)n] поздравле́ние; **~ory** [-(ə)rɪ] поздрави́тельный

congregat||e [ˈkɔŋgrɪgeɪt] 1) собира́ть 2) собира́ться; **~ion** [ˌkɔŋgrɪˈgeɪʃ(ə)n] собра́ние *(в разн. знач.; тж. верующих в церкви)*

congress [ˈkɔŋgres] 1) конгре́сс; съезд; World Peace C. Всеми́рный конгре́сс сторо́нников ми́ра 2) (C.) конгре́сс США

conic [ˈkɔnɪk] кони́ческий; **~al** [-(ə)l] конусообра́зный

conifer [ˈkounɪfə] хво́йное де́рево

conjectural [kənˈdʒektʃ(ə)rəl] предположи́тельный

conjecture [kənˈdʒektʃə] **1.** *n* предположе́ние **2.** *v* предполага́ть

conjoi||n [kənˈdʒɔɪn] соединя́ть; **~nt** [ˈkɔndʒɔɪnt] соединённый; присоединённый

conjugal [ˈkɔndʒug(ə)l] бра́чный, супру́жеский

conjugat||**e** [ˈkɔndʒugeɪt] *грам.* спряга́ть; **~ion** [ˌkɔndʒuˈgeɪʃ(ə)n] *грам.* спряже́ние

conjuncti||**on** [kənˈdʒʌŋkʃ(ə)n] 1) *грам.* сою́з 2) соедине́ние; in ~ *(with)* в связи́ с 3) совпаде́ние; **~ve** [-tɪv] 1) свя́зывающий 2) *грам.* сою́зный

conjur||**e** [ˈkʌndʒə] 1) пока́зывать фо́кусы 2) заклина́ть 3): ~ up вызыва́ть в воображе́нии ◇ a name to ~ with влия́тельное лицо́; **~er, ~or** [-rə] фо́кусник

conk [kɔŋk]: ~ **out** *разг.* слома́ться *(о машине)*

connate [ˈkɔneɪt] врождённый

connect [kəˈnekt] 1) свя́зывать; соединя́ть 2) свя́зываться; соединя́ться 3) ассоции́ровать

connection, connexion [kəˈnekʃ(ə)n] 1) связь 2) согласо́ванность 3) *(обыкн. pl)* свя́зи, знако́мства 4) родство́ 5) ро́дственник

conning-tower [ˈkɔnɪŋˌtauə] *мор.* боева́я ру́бка

connivance [kəˈnaɪv(ə)ns] потво́рство

connive [kəˈnaɪv] потво́рствовать

connoisseur [ˌkɔnɪˈsə:] знато́к

connotation [ˌkɔno(u)ˈteɪʃ(ə)n] *лингв.* означе́ние

connubial [kəˈnju:bɪəl] супру́жеский

conquer [ˈkɔŋkə] завоёвывать; побежда́ть; **~or** [-rə] завоева́тель, победи́тель

conquest [ˈkɔŋkwest] завоева́ние, покоре́ние

consanguinity [ˌkɔnsæŋˈgwɪnɪtɪ] кро́вное родство́

conscien||**ce** [ˈkɔnʃəns] со́весть; **~tious** [ˌkɔnʃɪˈenʃəs] со́вестливый; добросо́вестный

conscious [ˈkɔnʃəs] 1) сознаю́щий; be ~ *(of)* сознава́ть; with ~ superiority с созна́нием своего́ превосхо́дства 2) созна́тельный; здра́вый; **~ness** 1) созна́ние; recover ~ness прийти́ в себя́ 2) созна́тельность; social ~ness обще́ственное созна́ние

conscript [ˈkɔnskrɪpt] призванный на вое́нную слу́жбу; **~ion** [kənˈskrɪpʃ(ə)n] во́инская пови́нность

consecra||**te** [ˈkɔnsɪkreɪt] 1) освяща́ть 2) посвяща́ть; **~tion** [ˌkɔnsɪˈkreɪʃ(ə)n] 1) освяще́ние 2) посвяще́ние

consecutive [kənˈsekjutɪv] после́довательный

consent [kənˈsent] **1.** *n* 1) согла́сие 2) разреше́ние **2.** *v* соглаша́ться *(to)*

consequ||**ence** [ˈkɔnsɪkwəns] 1) сле́дствие *(логическое)*; после́дствие; in ~ *(of)* всле́дствие чего́ 2) значе́ние; ва́жность; of no ~ несуще́ственный, нева́жный; a person of ~ ва́жная персо́на; **~ent** [-ənt] 1) после́довательный 2) явля́ющийся результа́том *(чего-л.— upon)*; **~ently** сле́довательно; поэ́тому

conservation [ˌkɔnsə:ˈveɪʃ(ə)n] сохране́ние

conservat||**ive** [kənˈsə:v(ə)tɪv] **1.** *a* 1) консервати́вный 2) уме́ренный **2.** *n полит.* консерва́тор; **~ory** [-trɪ] 1) оранжере́я 2) *амер.* консервато́рия

conserve [kənˈsə:v] сохраня́ть

consider [kən'sɪdə] 1) рассма́тривать; принима́ть во внима́ние 2) счита́ться 3) счита́ть, полага́ть

considerable [kən'sɪd(ə)rəbl] значи́тельный

considerate [kən'sɪd(ə)rɪt] внима́тельный к други́м; делика́тный

consider||ation [kən,sɪdə'reɪʃ(ə)n] 1) соображе́ние; take into ~ принима́ть во внима́ние 2) рассмотре́ние; обсужде́ние 3) уваже́ние; предупреди́тельность 4): for a ~ за вознагражде́ние; **~ing** [kən'sɪd(ə)rɪŋ] принима́я во внима́ние

consign [kən'saɪn] 1) передава́ть; препоруча́ть; 2) предава́ть *(земле)* 3) *ком.* отправля́ть това́ры; **~ee** [,kɔnsaɪ'ni:] грузополуча́тель; **~ment** 1) груз, па́ртия това́ров 2) консигнацио́нная отпра́вка това́ров

consist [kən'sɪst] 1) состоя́ть из *(of)* 2) заключа́ться в *(in)*; **~ence** [-(ə)ns] 1) консисте́нция 2) пло́тность; густота́; **~ency** [-(ə)nsɪ] после́довательность; постоя́нство; **~ent** [-(ə)nt] 1) согласу́ющийся 2) после́довательный

conso||lation [,kɔnsə'leɪʃ(ə)n] утеше́ние ◇ ~ prize *спорт.* утеши́тельный приз; **~latory** [kən'sɔlətərɪ] утеши́тельный; **~le** [kən'soul] утеша́ть

consolidat||e [kən'sɔlɪdeɪt] 1) укрепля́ть 2) укрепля́ться 3) объединя́ть 4) объединя́ться; **~ion** [kən,sɔlɪ'deɪʃ(ə)n] консолида́ция; укрепле́ние

consols [kən'sɔlz] *pl ком.* консо́ли, консолиди́рованная ре́нта

conson||ance ['kɔnsənəns] созву́чие; *перен.* согласо́ванность; **~ant** [-ənt] **1.** *a* согла́сный **2.** *n* согла́сный звук

consort 1. *n* ['kɔnsɔ:t] супру́г, супру́га *(особ. о королевской семье)* **2.** *v* [kən'sɔ:t] 1) обща́ться *(с кем-л.)* 2) гармони́ровать, соотве́тствовать

conspicuous [kən'spɪkjuəs] заме́тный, ви́дный, броса́ющийся в глаза́; make oneself ~ обраща́ть на себя́ внима́ние

conspira||cy [kən'spɪrəsɪ] 1) за́говор 2) конспира́ция; **~tor** [-tə] загово́рщик

conspire [kən'spaɪə] устра́ивать за́говор

constable ['kʌnstəbl] конс́тебль, полице́йский (чин); полисме́н

const||ancy ['kɔnst(ə)nsɪ] постоя́нство; **~ant** [-(ə)nt] **1.** *a* постоя́нный **2.** *n мат.* постоя́нная величина́, конста́нта

constellation [,kɔnstə'leɪʃ(ə)n] созве́здие

consternation [,kɔnstə:'neɪʃ(ə)n] у́жас, оцепене́ние

constipation [,kɔnstɪ'peɪʃ(ə)n] *мед.* запо́р

constitu||ency [kən'stɪtjuənsɪ] 1) избира́тели 2) избира́тельный о́круг; **~ent** [-nt] **1.** *a* 1) избира́тельный; ~ent assembly учреди́тельное собра́ние 2) составно́й **2.** *n* 1) избира́тель 2) составна́я часть

constitut||e ['kɔnstɪtju:t] 1) назнача́ть 2) образо́вывать, составля́ть 3) издава́ть *или* вводи́ть в си́лу зако́н; **~ion**

[ˌkɔnstɪˈtjuːʃ(ə)n] 1) *полит.* конститу́ция 2) телосложе́ние 3) устро́йство; **~ional** [ˌkɔnstɪˈtjuːʃənl] 1) *полит.* конституцио́нный 2) *мед.* органи́ческий

constrai||n [kənˈstreɪn] 1) принужда́ть 2) сде́рживать; **~ned** [-nd] 1) вы́нужденный 2) натя́нутый *(о манерах)*; **~nt** [-nt] 1) принужде́ние 2) принуждённость *(манер)*

constrict [kənˈstrɪkt] стя́гивать; сжима́ть; сужа́ть; **~or** *анат.* мы́шца, сжима́ющая о́рган

construct [kənˈstrʌkt] 1) стро́ить 2) создава́ть; **~ion** [-kʃ(ə)n] 1) строи́тельство; under ~ion в стро́йке, стро́ящийся 2) строе́ние, сооруже́ние 3) истолкова́ние 4) *грам.* констру́кция; **~ive** [-ɪv] 1) конструкти́вный; строи́тельный 2) тво́рческий, созида́тельный

construe [kənˈstruː] разбира́ть, толкова́ть *(текст)*

consul [ˈkɔns(ə)l] ко́нсул; **~ar** [-ə] ко́нсульский; **~ate** [ˈkɔnsjulɪt] ко́нсульство

consult [kənˈsʌlt] 1) консульти́роваться; сове́товаться 2) сове́товать 3) учи́тывать *(интересы, чувства)* 4) справля́ться *(по книге)*; **~ant** [-ənt] консульта́нт; **~ation** [ˌkɔnsəlˈteɪʃ(ə)n] 1) консульта́ция 2) совеща́ние; **~ative** [-ətɪv] совеща́тельный; **~ing**: ~ing room враче́бный кабине́т

consum||e [kənˈsjuːm] 1) пожира́ть *(об огне)* 2) потребля́ть, расхо́довать 3) поглоща́ть *(тж. перен.)* 4): be ~ed with быть снеда́емым; he is ~ed with envy его́ гло́жет за́висть; **~er** 1) потреби́тель 2) *attr.*: ~er goods това́ры широ́кого потребле́ния

consummate 1. *a* [kənˈsʌmɪt] соверше́нный *(по качеству)*; зако́нченный 2. *v* [ˈkɔnsʌmeɪt] доводи́ть до конца́, заверша́ть

consumpt||ion [kənˈsʌmpʃ(ə)n] 1) потребле́ние; расхо́д 2) *мед.* туберкулёз лёгких; **~ive** [-ˈsʌmptɪv] туберкулёзный

contact 1. *n* [ˈkɔntækt] соприкоснове́ние; конта́кт; come into ~ *(with)* войти́ в конта́кт; be in ~ *(with)* быть в конта́кте; make ~ включа́ть ток; break ~ выключа́ть ток 2) *мат.* каса́ние 3) *(часто pl)* знако́мства, свя́зи 2. *v* [kənˈtækt] устана́вливать связь *(с кем-л.)*.

contagion [kənˈteɪdʒ(ə)n] зара́за, инфе́кция

contagious [kənˈteɪdʒəs] зара́зный; *перен.* зарази́тельный *(смех и т. п.)*

contain [kənˈteɪn] 1) содержа́ть (в себе́) 2) сде́рживать *(гнев, радость)*; ~ oneself сде́рживаться; **~er** 1) сосу́д, вмести́лище 2) конте́йнер

contaminat||e [kənˈtæmɪneɪt] 1) оскверня́ть; по́ртить 2) загрязня́ть; заража́ть; **~ion** [kənˌtæmɪˈneɪʃ(ə)n] 1) зараже́ние 2) загрязне́ние

contemplat||e [ˈkɔntempleɪt] 1) созерца́ть 2) размышля́ть 3) име́ть в виду́; **~ion** [ˌkɔntemˈpleɪʃ(ə)n] созерца́ние; **~ive** [ˈkɔntempleɪtɪv] созерца́тельный

contemporary [kənˈtemp(ə)rərɪ] 1. *a* совреме́нный 2. *n* 1) совреме́нник 2) све́рстник, рове́сник

contempt [kən'tempt] 1) презре́ние; hold in ~ презира́ть; show ~ *(for)* выка́зывать презре́ние 2) неуваже́ние *(к власти и т. п.)*; **~ible** [-əbl] презре́нный; **~uous** [-juəs] презри́тельный

contend [kən'tend] 1) боро́ться; сопе́рничать *(with)* 2) оспа́ривать; утвержда́ть

content 1. *a* [kən'tent] дово́льный **2.** *v* [kən'tent] удовлетворя́ть; be ~ed дово́льствоваться **3.** *n* ['kɔntent] удовлетворе́ние; удово́льствие; to one's heart's ~ вво́лю; **~ed** [kən'tentɪd] дово́льный

conten||tion [kən'tenʃ(ə)n] 1) спор 2) соревнова́ние 3) то́чка зре́ния *(в споре)*; **~tious** [-ʃəs] 1) лю́бящий спо́рить 2) спо́рный

contentment [kən'tentmənt] удовлетворённость

contents ['kɔntents] *pl* 1) содержа́ние *(книги)* 2) содержи́мое *(сосуда и т. п.)*

contest 1. *v* [kən'test] 1) спо́рить 2) оспа́ривать 3) состяза́ться **2.** *n* ['kɔntest] 1) спор 2) соревнова́ние, состяза́ние, ко́нкурс; **~ed** [kən'testɪd]: ~ed election *амер.* вы́боры, на кото́рые вы́двинуто не́сколько кандида́тов

context ['kɔntekst] конте́кст

contiguous [kən'tigjuəs] соприкаса́ющийся, прилега́ющий

continence ['kɔntɪnəns] 1) сде́ржанность 2) воздержа́ние *(особ. половое)*

continent I ['kɔntɪnənt] **1.** *a* 1) сде́ржанный 2) целому́дренный

continent II ['kɔntɪnənt] контине́нт; **~al** [,kɔntɪ'nentl] **1.** *a* континента́льный, материко́вый **2.** *n* жи́тель европе́йского матерevents

conting||ency [kən'tɪndʒ(ə)nsɪ] случа́йность; **~ent** [-(ə)nt] 1) случа́йный 2) зави́сящий *(от — upon)*

contin||ual [kən'tɪnjuəl] непреры́вный; **~uation** [kən,tɪnju'eɪʃ(ə)n] продолже́ние

continu||e [kən'tɪnju:] 1) продолжа́ть 2) продолжа́ться; **~ous** [-juəs] 1) непреры́вный 2) *грам.* дли́тельный *(о виде)*

contort [kən'tɔ:t] 1) искривля́ть 2) искажа́ть

contour ['kɔntuə] 1) горизонта́ль *(тж.* ~ line) 2) ко́нтур

contraband ['kɔntrəbænd] **1.** *n* контраба́нда **2.** *a* контраба́ндный

contraceptive [,kɔntrə'septɪv] противозача́точное сре́дство

contract 1. *n* ['kɔntrækt] контра́кт, догово́р **2.** *v* [kən'trækt] 1) заключа́ть догово́р 2) сжима́ться; сужа́ться; сокраща́ться 3) подхва́тывать *(болезнь)* 4) приобрета́ть *(привычки и т. п.)*; **~ion** [kən'trækʃ(ə)n] сжа́тие, сокраще́ние

contradict [,kɔntrə'dɪkt] 1) противоре́чить 2) опроверга́ть

contradict||ion [,kɔntrə'dɪkʃ(ə)n] 1) противоре́чие 2) опроверже́ние; **~ory** [-t(ə)rɪ] противоречи́вый

contradistinction [,kɔntrədɪs'tɪŋkʃ(ə)n] противопоставле́ние

contraposition [ˌkɔntrəpəˈzɪʃ(ə)n] противоположе́ние, антите́за

contraption [kənˈtræpʃ(ə)n] *разг.* хитроу́мное изобрете́ние

contrariwise [ˈkɔntrərɪwaɪz] наоборо́т

contrary [ˈkɔntrərɪ] **1.** *a* 1) противополо́жный *(to)* 2) неблагоприя́тный 3) *разг.* упря́мый **2.** *n* противополо́жность; on the *(или* to the) ~ наоборо́т **3.** *adv* вопреки́; act ~ to common sense поступа́ть вопреки́ здра́вому смы́слу

contrast **1.** *n* [ˈkɔntræst] контра́ст, противополо́жность **2.** *v* [kənˈtræst] противопоставля́ть; контрасти́ровать

contraven||e [ˌkɔntrəˈvi:n] наруша́ть *(закон)*; **~tion** [-ˈvenʃ(ə)n] наруше́ние *(закона и т. п.)*

contribut||e [kənˈtrɪbju:t] 1) спосо́бствовать 2) же́ртвовать *(деньги)* 3) де́лать вклад *(в науку и т. п. — to)* 4) сотру́дничать *(в журнале, газете — to)*; **~ion** [ˌkɔntrɪˈbju:ʃ(ə)n] 1) соде́йствие 2) вклад 3) контрибу́ция, нало́г; **~or** 1) же́ртвователь 2) соуча́стник 3) сотру́дник *(журнала, газеты)*; **~ory** [-ərɪ] 1) спосо́бствующий 2) де́лающий взнос

contrite [ˈkɔntraɪt] ка́ющийся, раска́ивающийся

contri||vance [kənˈtraɪv(ə)ns] 1) вы́думка; зате́я 2) изобрета́тельность 3) *тех.* приспособле́ние; **~ve** [-ˈtraɪv]: he ~ved to do it ему́ удало́сь э́то сде́лать, он нашёл спо́соб э́то сде́лать

control [kənˈtroul] **1.** *n* 1) прове́рка, контро́ль 2) управле́ние **2.** *v* 1) проверя́ть, контроли́ровать 2) управля́ть 3) сде́рживать *(чувства)*

controversial [ˌkɔntrəˈvə:ʃ(ə)l] спо́рный

controversy [ˈkɔntrəvə:sɪ] спор, поле́мика; beyond *(или* without) ~ бесспо́рно

controvert [ˈkɔntrəvə:t] спо́рить; отрица́ть

contumely [ˈkɔntjumɪlɪ] оскорбле́ние

contus||e [kənˈtju:z] конту́зить; **~ion** [-ˈtju:ʒ(ə)n] конту́зия; уши́б

conundrum [kəˈnʌndrəm] зага́дка

convalesc||e [ˌkɔnvəˈles] выздора́вливать; **~ent** [-nt] выздора́вливающий

convene [kənˈvi:n] созыва́ть

conveni||ence [kənˈvi:njəns] 1) удо́бство 2) материа́льная вы́года 3) убо́рная 4) *pl* удо́бства, комфо́рт; **~ent** [-nt] удо́бный; подходя́щий

convent [ˈkɔnv(ə)nt] же́нский монасты́рь

convention [kənˈvenʃ(ə)n] 1) съезд 2) догово́р; конве́нция 3) обы́чай; **~al** [-ˈvenʃənl] общепри́нятый, обы́чный; традицио́нный

converge [kənˈvə:dʒ] сходи́ться в одно́й то́чке *(о линиях и т. п.)*

conversant [kənˈvə:s(ə)nt] хорошо́ знако́мый *(с чем-л. — with)*

conversation [ˌkɔnvəˈseiʃ(ə)n] разгово́р; **~al** [-əl] 1) разгово́рчивый 2) разгово́рный

converse I [kən'və:s] бесе́довать

converse II **1.** *a* перевёрнутый; обра́тный **2.** *n* 1) обра́тное положе́ние, утвержде́ние 2) *мат.* обра́тная теоре́ма

conversion [kən'və:ʃ(ə)n] 1) превраще́ние 2) обраще́ние *(в другую веру)* 3) конве́рсия

convert [kən'və:t] 1) превраща́ть 2) обраща́ть *(в другую веру)* 3) конверти́ровать

convex ['kɔn'veks] вы́пуклый

convey [kən'veı] 1) перевози́ть, переправля́ть 2) сообща́ть *(известие)* 3) выража́ть *(мысль)* 4) *юр.* передава́ть права́, иму́щество *(кому-л.)*; **~ance** [-əns] 1) перево́зка 2) перево́зочные сре́дства 3) переда́ча *(новостей)* 4) *юр.* переда́ча прав, иму́щества *(кому-л.)*; **~er** конве́йер

convict **1.** *v* [kən'vıkt] 1) *юр.* признава́ть вино́вным; осужда́ть 2) изоблича́ть **2.** *n* ['kɔnvıkt] осуждённый; ка́торжник; **~ion** [kən'vıkʃ(ə)n] 1) *юр.* осужде́ние 2) убежде́ние 3) убеждённость

convinc||e [kən'vıns] убежда́ть *(of)*; **~ing** убеди́тельный

convivial [kən'vıvıəl] весёлый; пра́здничный

convocation [,kɔnvə'keıʃ(ə)n] 1) созы́в; собра́ние 2) *церк.* собо́р

convoke [kən'vouk] созыва́ть *(собрание и т. п.)*

convoy ['kɔnvɔı] **1.** *v* конвои́ровать **2.** *n* 1) сопровожде́ние 2) *воен.* конво́й 3) коло́нна автотра́нспорта 4) карава́н судо́в

convuls||e [kən'vʌls] *(обыкн. pass)* 1) потряса́ть 2) вызыва́ть су́дороги; be ~ed with anger дрожа́ть от зло́сти; **~ion** [-'vʌlʃ(ə)n] 1) *(обыкн. pl)* конву́льсии, су́дороги; ~ions of laughter су́дорожный смех 2) потрясе́ние 3) *геол.* катакли́зм; **~ive** [-ıv] су́дорожный, конвульси́вный

cony ['kounı] кро́лик «подко́тик» *(мех)*

coo [ku:] **1.** *v* воркова́ть **2.** *n* воркова́ние

cook ['kuk] **1.** *v* стря́пать; гото́вить пи́щу; **~ up** *перен.* состря́пать **2.** *n* по́вар; куха́рка ◇ too many ~s spoil the broth у семи́ ня́нек дитя́ без гла́зу; **~er** плита́, печь; **~ery** [-ərı] кулина́рия, стряпня́

cookie ['kuki:] *амер.* пече́нье

cool ['ku:l] **1.** *a* 1) прохла́дный 2) хладнокро́вный, невозмути́мый 3) де́рзкий **2.** *n*: the ~ прохла́да **3.** *v* 1) охлажда́ть 2) охлажда́ться 3) остыва́ть *(тж. перен.)*; **~er** 1) холоди́льник 2) *разг.* тюре́мная ка́мера

coolie ['ku:lı] ку́ли

coon [ku:n] ено́т *(амер. сокр. от* rac(c)oon)

coop [ku:p] **1.** *n* куря́тник **2.** *v* сажа́ть в куря́тник; **~ in, ~ up** держа́ть взаперти́ в те́сном помеще́нии; набива́ть битко́м

cooper ['ku:pə] бо́ндарь, бо́ча́р

co-operat||e [ko(u)'ɔpəreıt] 1) сотру́дничать 2) соде́йствовать; **~ion** [ko(u),ɔpə'reıʃ(ə)n] 1) сотру́дничество 2) коопера́ция 3) *воен.* взаимоде́йствие; **~ive** [-rətɪv] **1.** *a* 1) совме́стный, объедине́нный 2) кооперати́вный **2.** *n* кооперати́вный магази́н

co-opt [ko(u)'ɔpt] коопти́ровать

co-ordinate 1. *a* [ko(u)'ɔ:dənɪt] 1) координи́рованный 2) одина́ковый; той же сте́пени **2.** *v* [ko(u)'ɔ:dɪneɪt] координи́ровать; устана́вливать пра́вильное соотноше́ние

cop [kɔp] *разг.* **1.** *v*: you'll ~ it тебе́ попадёт **2.** *n* полисме́н

copartner ['kou'pɑ:tnə] сотова́рищ, компаньо́н

cope [koup] справля́ться *(with)*

copeck ['koupek] копе́йка

co-pilot ['kou'paɪlət] второ́й пило́т

copious ['koupjəs] оби́льный; ~ writer плодови́тый писа́тель

copper ['kɔpə] **1.** *n* 1) медь 2) ме́дная моне́та 3) котёл 4) *разг.* полице́йский **2.** *a* ме́дный **3.** *v* покрыва́ть ме́дью

coppice, copse ['kɔpɪs, kɔps] ро́ща; подле́сок

copula ['kɔpjulə] *грам.* свя́зка

copy ['kɔpɪ] **1.** *v* 1) копи́ровать; переписывать 2) подража́ть 3) спи́сывать **2.** *n* 1) ко́пия 2) экземпля́р 3) ру́копись; fair *(или* clean) ~ чистови́к; rough ~ черновик

copy-book ['kɔpɪbuk] тетра́дь с про́писями

copyright ['kɔpɪraɪt] **1.** *n* а́вторское пра́во **2.** *v* обеспе́чивать а́вторское пра́во

coquetry ['koukɪtrɪ] коке́тство

coquette [ko(u)'ket] коке́тка

coral ['kɔr(ə)l] **1.** *n* кора́лл **2.** *a* 1) кора́лловый 2) кора́ллового цве́та

cord [kɔ:d] **1.** *n* верёвка, шнур(о́к) **2.** *v* свя́зывать верёвкой

cordial ['kɔ:djəl] **1.** *a* серде́чный, раду́шный *(о приёме)* **2.** *n ком.* кре́пкий арома́тный подслащённый напи́ток *(ликёр и т. п.)*

cordiality [,kɔ:dɪ'ælɪtɪ] серде́чность; раду́шие

cordite ['kɔ:daɪt] корди́т *(бездымный порох)*

cordon ['kɔ:dn] 1) кордо́н 2) о́рденская ле́нта *(которую носят через плечо)*

corduroy ['kɔ:dərɔɪ] 1) вельве́т 2) *pl* вельве́товые брю́ки

core [kɔ:] 1) сердцеви́на; вну́тренность; ядро́ 2) суть, су́щность

co-respondent ['kourɪs,pɔndənt] *юр.* соотве́тчик

cork [kɔ:k] **1.** *n* 1) про́бка 2) поплаво́к **2.** *v* затыка́ть про́бкой; заку́поривать

cork-screw ['kɔ:kskru:] што́пор

corn I [kɔ:n] 1) зерно́ 2) *собир.* хлеба́; пшени́ца 3) *амер.* майс, кукуру́за

corn II: ~ed beef солони́на

corn III мозо́ль

corner ['kɔ:nə] **1.** *n* у́гол, уголо́к; drive into a ~ загна́ть в у́гол; turn the ~ заверну́ть за́ угол **2.** *v* 1) загоня́ть в у́гол, в тупи́к 2): ~ the market скупа́ть това́р на ры́нке *(со спекулятивными целями)*; **~-stone** [-stoun] краеуго́льный ка́мень

cornet ['kɔ:nɪt] *муз.* корне́т

corn-flower [ˈkɔ:nflauə] василёк

cornice [ˈkɔ:nɪs] карни́з

cornucopia [ˌkɔ:njuˈkoupjə] рог изоби́лия

corolla [kəˈrɔlə] *бот.* ве́нчик

coronary [ˈkɔrənərɪ] *анат.* ве́нечный, корона́рный

coroner [ˈkɔrənə] сле́дователь, веду́щий дела́ о наси́льственной *или* внеза́пной сме́рти

corporal I [ˈkɔ:p(ə)r(ə)l] теле́сный; физи́ческий

corporal II капра́л

corporat||e [ˈkɔ:p(ə)rɪt] 1) корпорати́вный 2) о́бщий; **~ion** [ˌkɔ:pəˈreɪʃ(ə)n] корпора́ция; municipal ~ муниципалите́т

corporeal [kɔ:ˈpɔ:rɪəl] теле́сный; материа́льный

corps [kɔ:] *(pl* corps [kɔ:z]) *воен., дип.* ко́рпус ◇ ~ de ballet кордебале́т

corpse [kɔ:ps] труп

corpulent [ˈkɔ:pjulənt] доро́дный, ту́чный

corpuscle [ˈkɔ:pʌsl] части́ца; red (white) ~s кра́сные (бе́лые) кровяны́е тельца́

corral [kɔˈrɑ:l] *амер.* заго́н *(для скота)*

correct [kəˈrekt] **1.** *a* 1) пра́вильный; то́чный 2) подходя́щий **2.** *v* 1) исправля́ть 2) де́лать замеча́ния, нака́зывать; **~ion** [-kʃ(ə)n] исправле́ние, попра́вка; **~ive** [-ɪv] **1.** *a* исправи́тельный **2.** *n* корректи́в

correlat||e [ˈkɔrɪleɪt] находи́ться в како́м-л. соотноше́нии; **~ion** [ˌkɔrɪˈleɪʃ(ə)n] соотноше́ние, корреля́ция; **~ive** [kɔˈrelətɪv] соотноси́тельный, соотве́тственный

correspond [ˌkɔrɪsˈpɔnd] 1) соотве́тствовать *(to)* 2) перепи́сываться *(with)*; **~ence** [-ˈpɔndəns] 1) соотве́тствие 2) перепи́ска, корреспонде́нция 3) *attr.*: ~ence courses зао́чные ку́рсы; **~ent** [-ənt] корреспонде́нт

corridor [ˈkɔrɪdɔ:] коридо́р

corrigible [ˈkɔrɪdʒəbl] исправи́мый, поправи́мый

corroborat||e [kəˈrɔbəreɪt] подтвержда́ть; **~ion** [kəˌrɔbəˈreɪʃ(ə)n] подтвержде́ние

corro||de [kəˈroud] 1) разъеда́ть 2) ржа́веть; **~sion** [-ˈrouʒ(ə)n] корро́зия; **~sive** [-ˈrousɪv] е́дкий; ~sive sublimate сулема́

corrugate [ˈkɔrugeɪt] 1) мо́рщить 2) мо́рщиться; ~d iron рифлёное желе́зо

corrupt [kəˈrʌpt] **1.** *a* 1) испо́рченный, развращённый 2) прода́жный 3) искажённый, недостове́рный *(о тексте)* **2.** *v* 1) по́ртить, развраща́ть 2) развраща́ться; разлага́ться 3) подкупа́ть 4) засоря́ть *(язык)*; **~ion** [-pʃ(ə)n] 1) испо́рченность 2) разложе́ние 3) прода́жность, корру́пция

cortège [kɔ:ˈteɪʒ] корте́ж, ше́ствие

cortex [ˈkɔ:teks] *анат., бот.* кора́

co-signatory [ˈkouˈsɪgnət(ə)rɪ] *юр.* лицо́ *или* госуда́рство, подпи́сывающее соглаше́ние совме́стно с кем-л.

cosily [ˈkouzɪlɪ] ую́тно

cosmetic [kɔzˈmetɪk] **1.** *a* космети́ческий **2.** *n* косме́тика

cosm||ic [ˈkɔzmɪk] косми́ческий; ~ flight косми́ческий

полёт; ~ speed космическая скорость; **~odrome** [-ədroum] космодрóм; **~onaut** [ˌkɔzmə'nɔ:t] космонáвт; **~onautics** [ˌkɔzmə'nɔ:tɪks] космонáвтика

cosmopolitan [ˌkɔzmə'pɔlɪt(ə)n] **1.** *n* космополи́т **2.** *a* космополити́ческий; **~ism** [ˌkɔzmə'pɔlɪt(ə)nɪzm] космополити́зм

cosmos ['kɔzmɔs] кóсмос, вселéнная

cosset ['kɔsɪt] баловáть, нéжить

cost [kɔst] **1.** *n* 1) стóимость; ценá; prime ~ себестóимость 2) *pl* издéржки 3) *attr.*: ~ price себестóимость ◇ at all ~s во что бы то ни стáло **2.** *v* (cost) стóить, обходи́ться

coster(monger) ['kɔstə(ˌmʌŋgə)] ýличный торгóвец фрýктами *и т. п.*

costly ['kɔstlɪ] дорогóй, цéнный

costume ['kɔstju:m] костю́м

cosy I ['kouzɪ] ую́тный

cosy II стёганая покры́шка *(для чайника и т. п.)*

cot [kɔt] дéтская кровáть ◇ ~ case лежáчий больнóй

coterminous ['kou'tə:mɪnəs] имéющий óбщую грани́цу

cottag||e ['kɔtɪdʒ] деревéнский дом, коттéдж

cotton I ['kɔtn]: ~ **on** *(to)* *разг.* схвáтывать, понимáть

cotton II ['kɔtn] 1) хлóпок 2) бумáжная ткань 3) ни́тка 4) *attr.:* ~ wool а) хлóпок-сырéц; б) вáта; **~-mill** [-mɪl] тексти́льная фáбрика

couch [kautʃ] 1) кушéтка, дивáн 2) *поэт.* лóже

cough [kɔf] **1.** *n* кáшель **2.** *v* кáшлять; ~ **out,** ~ **up** отхáркивать

could [kud *(полная форма)*, kəd *(редуцированная форма)*] *past от* can

coulisse [ku:'li:s] *фр. театр.* кули́са

coulter ['koultə] резáк *(плуга)*

council ['kaunsl] 1) совéт *(организация)*; World Peace C. Всеми́рный Совéт Ми́ра; Security C. Совéт Безопáсности; C. of Ministers Совéт Мини́стров; town ~ муниципалитéт 2) совещáние, конси́лиум; **~lor** [-sɪlə] член совéта

counsel ['kauns(ə)l] **1.** *n* 1) совéт *(указание)* 2) адвокáт; ~ for the prosecution прокурóр 3) совещáние ◇ keep one's own ~ помáлкивать *(о чём-л.)* **2.** *v* совéтовать; **~lor** 1) совéтник, консультáнт 2) *амер.* адвокáт

count I [kaunt] **1.** *v* 1) считáть, подсчи́тывать 2) полагáть, считáть; it ~s for much э́то имéет большóе значéние; it ~s for little э́то не имéет значéния 3) рассчи́тывать *(на что-л. — on, upon)* **2.** *n* счёт; lose ~ терять счёт

count II граф *(неанглийского происхождения)*

countenance ['kauntɪnəns] **1.** *n* выражéние лицá; лицó; keep one's ~ а) не покáзывать ви́да; б) удéрживаться от смéха; put out of ~ смущáть ◇ give ~ to smb. поддержáть когó-л. **2.** *v* поддéрживать, соглашáться

counter I ['kauntə] прилáвок

counter II [ˈkauntə] **1.** *a* противополо́жный **2.** *adv* вопреки́; наперекóр; run ~ *(to)* идти́ наперекóр; противорéчить **3.** *v* проти́виться

counter- [ˈkauntə] *pref* противо-, контр-

counteract [ˌkauntəˈrækt] 1) противодéйствовать 2) нейтрализова́ть

counter-attack [ˈkaunt(ə)rəˌtæk] **1.** *n* контрата́ка **2.** *v* контратакова́ть, вести́ контрнаступлéние

counterbalance [ˌkauntəˈbæləns] уравновéшивать

countercharge [ˈkauntətʃɑːdʒ] **1.** *n* встрéчное обвинéние **2.** *v* предъявля́ть встрéчное обвинéние

counter-espionage [ˈkauntə(r)ˌespɪəˈnɑːʒ] контрразвéдка

counterfeit [ˈkauntəfɪt] **1.** *v* 1) поддéлывать *(документы)* 2) подража́ть **2.** *n* поддéлка, подлóг **3.** *a* поддéльный

counterfoil [ˈkauntəfɔɪl] корешóк *(талона, чека)*

countermand [ˌkauntəˈmɑːnd] **1.** *n* контрприка́з **2.** *v* 1) отменя́ть приказа́ние 2) отзыва́ть

counterpane [ˈkauntəpeɪn] покрыва́ло *(на кровати)*

counterpart [ˈkauntəpɑːt] 1) двойни́к 2) дублика́т 3) что-л., дополня́ющее другóе

counterplot [ˈkauntəplɔt] (контр)за́говор

counterpoise [ˈkauntəpɔɪz] **1.** *n* равновéсие **2.** *v* уравновéшивать

counter-revolution [ˈkauntəˌrevəˈluːʃ(ə)n] контрреволю́ция; **~ary** [-ˌrevəˈluːʃnərɪ] **1.** *a* контрреволюциóнный **2.** *n* контрреволюционéр

countersign [ˈkauntəsaɪn] **1.** *n* 1) парóль 2) контрассигна́ция **2.** *v* ста́вить вторýю пóдпись *(на документе)*

countervail [ˈkauntəveɪl] компенси́ровать, уравновéшивать

countess [ˈkauntɪs] графи́ня

counting-house [ˈkauntɪŋhaus] бухгалтéрия *(помещение)*

countless [ˈkauntlɪs] несчётный, бесчи́сленный, неисчисли́мый

countrified [ˈkʌntrɪfaɪd] деревéнский

country [ˈkʌntrɪ] **1.** *n* 1) страна́ 2) рóдина 3) деревня, сéльская мéстность; go to the ~ поéхать за́ город **2.** *a* деревéнский, сéльский; **~man** [-mən] 1) соотéчественник 2) крестья́нин; **~-side** [-ˈsaɪd] деревня, сéльская мéстность

county [ˈkauntɪ] 1) гра́фство *(в Англии)* 2) *амер.* óкруг

coup d'état [ˈkuːdeɪˈtɑː] госуда́рственный переворóт

couple [ˈkʌpl] **1.** *n* па́ра **2.** *v* 1) соединя́ть 2) соединя́ться 3) сцепля́ть *(вагоны)*

couplet [ˈkʌplɪt] двусти́шие, куплéт

coupling [ˈkʌplɪŋ] 1) соединéние 2) *тех.* сцеплéние

coupon [ˈkuːpɔn] купóн; талóн

courage [ˈkʌrɪdʒ] хра́брость, смéлость; бóдрость ду́ха; **~ous** [kəˈreɪdʒəs] смéлый

course [kɔːs] **1.** *n* 1) курс; направлéние 2) ход *(событий)*; течéние *(времени, реки)*; in due ~ своеврéменно; as a matter of ~ как до́лжное; в поря́дке веще́й 3) блю́до *(за обедом)* 4) курс *(лекций)* ◇ in the ~ of в тече́ние; of ~ коне́чно **2.** *v* 1) *охот.* пресле́довать; гна́ться 2) течь, ли́ться *(о слезах и т. п.)*

court I [kɔ:t] **1.** *n* 1) двор *(тж. короля)* 2) *спорт* корт; площа́дка 3) уха́живание **2.** *v* 1) уха́живать 2) иска́ть расположе́ния ◇ ~ disaster накли́кать беду́

court II суд; Supreme C. Верхо́вный суд; ~ of justice суд 2) *attr.:* ~ martial вое́нный трибуна́л

courteous[ˈkə:tjəs] ве́жливый, учти́вый

courtesy [ˈkə:tɪsɪ] учти́вость, ве́жливость

courtier [ˈkɔ:tjə] придво́рный

courtly [ˈkɔ:tlɪ] ве́жливый, изы́сканный

court-martial [ˈkɔ:tˈmɑ:ʃ(ə)l] суди́ть вое́нным судо́м

courtship [ˈkɔ:tʃɪp] уха́живание

courtyard [ˈkɔ:tˈjɑ:d] двор *(при доме)*

cousin [ˈkʌzn] двою́родный брат, -ная сестра́; second ~ трою́родный брат, -ная сестра́

cove I [kouv] небольша́я бу́хта

cove II *разг.* па́рень, ма́лый

covenant [ˈkʌvɪnənt] 1) соглаше́ние 2) *юр.* догово́р

cover [ˈkʌvə] **1.** *v* 1) покрыва́ть; прикрыва́ть 2) скрыва́ть 3) охва́тывать 4) дава́ть репорта́ж *(для прессы)*; ~ **up** пря́тать **2.** *n* 1) покрыва́ло; покры́шка; чехо́л 2) покро́в, укры́тие 3) конве́рт 4) прибо́р *(обеденный)* ◇ under the ~ *(of)* под предло́гом

coverlet [ˈkʌvəlɪt] покрыва́ло *(на кровати)*

covert 1. *a* [ˈkʌvət] скры́тый; a ~ sneer скры́тая насме́шка **2.** *n* [ˈkʌvə] ча́ща *(леса)*

covet [ˈkʌvɪt] жа́ждать *(особ. чужого)*; зави́довать; ~**ous** [-əs] жа́дный; зави́стливый

covey [ˈkʌvɪ] вы́водок, ста́я *(особ. куропаток)*

cow I [kau] коро́ва

cow II запу́гивать

coward [ˈkauəd] трус; ~**ice** [-ɪs] тру́сость; ~**ly** трусли́вый, малоду́шный

cow-boy [ˈkaubɔɪ] *амер.* ковбо́й

cower [ˈkauə] приседа́ть; пригиба́ться, съёживаться *(от страха и т. п.)*

cowherd [ˈkauhə:d] *уст.* пасту́х

cowl [kaul] 1) ма́нтия с капюшо́ном; капюшо́н 2) зонт *(дымовой трубы)*

coxcomb[ˈkɔkskoum] щёголь; хлыщ

coy [kɔɪ] засте́нчивый

crab [kræb] **1.** *n* краб **2.** *v* цара́пать

crack [ˈkræk] **1.** *n* 1) треск 2) тре́щина 3) за́тре́щина **2.** *v* 1) производи́ть треск, шум, щёлкать 2) тре́скаться 3) лома́ться *(о голосе)* ◇ ~ a joke отпусти́ть шу́тку **3.** *a разг.* великоле́пный; ~**ed** [-t] *разг.* поме́шанный; ~**er** *амер.* сухо́е пече́нье; ~**le** [-l] **1.** *n* потре́скивание; хруст **2.** *v* потре́скивать; ~**ling** поджа́ристая ко́рочка

cradle [ˈkreɪdl] **1.** *n* колыбе́ль **2.** *v* убаю́кивать

craft [krɑ:ft] 1) су́дно; *собир.* суда́ 2) ремесло́ 3) ло́вкость, хи́трость

craftsman [ˈkrɑ:ftsmən] ма́стер, реме́сленник

crafty [ˈkrɑ:ftɪ] хи́трый

crag [ˈkræg] скала́; **~gy** [-ɪ] скали́стый

cram [ˈkræm] 1) набива́ть 2) пи́чкать 3) ната́скивать *(к экзаменам)*; **~-full** [-ˈful] наби́тый битко́м

cramp [kræmp] **1.** *n* 1) су́дорога, спа́зма 2) скоба́ **2.** *v* 1) своди́ть су́дорогой 2) стесня́ть 3) *тех.* скрепля́ть скобо́й; **~ed** 1) сти́снутый 2) неразбо́рчивый *(о почерке)*

cranberry [ˈkrænb(ə)rɪ] клю́ква

crane [kreɪn] **1.** *n* 1) жура́вль 2) *тех.* подъёмный кран **2.** *v* 1) вытя́гивать ше́ю 2) поднима́ть кра́ном

crani||al [ˈkreɪnjəl] черепно́й; **~um** [-jəm] че́реп

crank I [kræŋk] **1.** *n тех.* кривоши́п; коле́но **2.** *v* заводи́ть рукоя́тью

crank II 1) чуда́чество, причу́да 2) челове́к с причу́дами

crankshaft [ˈkræŋkʃɑ:ft] *тех.* коле́нчатый вал

cranky [ˈkræŋkɪ] 1) расша́танный *(о механизме)* 2) эксцентри́чный

cranny [ˈkrænɪ] щель; тре́щина

crape [kreɪp] креп; *перен.* тра́ур

crash [kræʃ] **1.** *n* 1) гро́хот, треск 2) ава́рия 3) крах, банкро́тство **2.** *v* 1) па́дать, ру́шиться с тре́ском, гро́хотом 2) потерпе́ть крах 3) разби́ться *(о самолёте и т. п.)* 4) разби́ть 5) потерпе́ть ава́рию

crass [kræs] соверше́нный, полне́йший *(о невежестве и т. п.)*

crater [ˈkreɪtə] 1) кра́тер 2) воро́нка от снаря́да

crave [kreɪv] 1) проси́ть, умоля́ть 2) жа́ждать *(for)*

craven [ˈkreɪvn] **1.** *a* трусли́вый **2.** *n* трус

craving [ˈkreɪvɪŋ] стра́стное жела́ние, стремле́ние

crawl [krɔ:l] 1) ползти́; тащи́ться 2) пла́вать сти́лем «кроль»

crayfish [ˈkreɪfɪʃ] речно́й рак

crayon [ˈkreɪən] 1) цветно́й мело́к 2) рису́нок пасте́лью, цветны́м карандашо́м

craze [kreɪz] **1.** *n* 1) ма́ния 2) мо́да **2.** *v* доводи́ть до безу́мия; **~d** [-d] сумасше́дший

crazy [ˈkreɪzɪ] 1) безу́мный 2) поме́шанный *(на чём-л. — on, about)*

creak [kri:k] **1.** *n* скрип **2.** *v* скрипе́ть

cream [ˈkri:m] **1.** *n* 1) сли́вки *мн.* 2) крем *(в разн. знач.)* **2.** *a* кре́мовый **3.** *v* снима́ть сли́вки *(тж. перен.)*; **~ery** [-ərɪ] маслобо́йня; моло́чная

creas||e [ˈkri:s] **1.** *n* скла́дка **2.** *v* 1) де́лать скла́дки 2) мя́ться *(о материи)*; **~y** [-ɪ] лежа́щий скла́дками; помя́тый

creat||e [kri:ˈeɪt] 1) твори́ть, создава́ть 2) возводи́ть *(в звание)*; **~ion** [-ˈeɪʃ(ə)n] 1) сотворе́ние ми́ра 2) созда́ние, творе́ние; **~ive** [-ɪv] тво́рческий; **~or** творе́ц, созда́тель

creature ['kri:tʃə] 1) созда́ние; живо́е существо́ 2) ста́вленник

crèche [kreɪʃ] *sing* де́тские я́сли *мн.*

cred||ence ['kri:d(ə)ns] ве́ра, дове́рие; letter of ~ рекоменда́тельное письмо́; **~entials** [krɪ'denʃ(ə)lz] *pl. дип.* вери́тельные гра́моты

credible ['kredəbl] заслу́живающий дове́рия, вероя́тный

credit ['kredɪt] **1.** *n* 1) дове́рие 2) честь; he is a ~ to the school он го́рдость шко́лы; it does not do you any ~ э́то не де́лает вам че́сти; she gets no ~ for her work её рабо́ту не це́нят 3) креди́т; letter of ~ аккредити́в; on ~ в креди́т, в долг **2.** *v* 1) доверя́ть 2) кредитова́ть 3) припи́сывать; **~able** [-əbl] похва́льный, де́лающий честь *(кому-л.)*; **~or** кредито́р

cred||o ['kri:dou] *см.* creed; **~ulity** [krɪ'dju:lɪtɪ] дове́рчивость; **~ulous** ['kredjuləs] легкове́рный; дове́рчивый

creed [kri:d] 1) кре́до 2) ве́ра

creek [kri:k] 1) зали́в; бу́хточка; рука́в реки́ 2) *амер.* ручеёк

creep ['kri:p] **1.** *v* (crept) 1) по́лзать; стла́ться 2) е́ле но́ги таска́ть 3) подкра́дываться 4) содрога́ться *(от страха, отвращения)*; it makes his flesh ~ э́то приво́дит его́ в содрога́ние **2.** *n pl* мура́шки; содрога́ние; give one the ~s приводи́ть в содрога́ние; **~er** ползу́чее расте́ние; **~y** [-ɪ] вызыва́ющий страх, отвраще́ние

cremat||e [krɪ'meɪt] креми́ровать; **~ion** [-'meɪʃ(ə)n] крема́ция; **~orium** [,kremə'tɔ:rɪəm], *амер.* **~ory** ['kremət(ə)rɪ] крема́торий

crêpe [kreɪp] креп *(ткань)*

crept [krept] *past и p. p. от* creep **1**

crescent ['kresnt] **1.** *n* полуме́сяц **2.** *a* 1) серпови́дный 2) нараста́ющий

crest [krest] 1) гребешо́к *(петуха)*; хохоло́к *(птицы)* 2) гре́бень *(горы́, волны́)* 3) гри́ва; хо́лка

crest-fallen ['krest,fɔ:l(ə)n] (у)па́вший ду́хом, удручённый

cretin ['kretɪn] крети́н; **~ous** [-əs] слабоу́мный, страда́ющий кретини́змом

crevice ['krevɪs] щель, расще́лина

crew I [kru:] 1) экипа́ж *(судна)*; кома́нда 2) брига́да, арте́ль рабо́чих 3) *презр.* компа́ния, ша́йка

crew II *past от* crow II, 2

crib I [krɪb] **1.** *n* 1) де́тская крова́тка 2) я́сли *(кормушка для скота)* **2.** *v* заключа́ть в те́сное помеще́ние

crib II **1.** *n* шпарга́лка **2.** *v* спи́сывать (тайко́м)

cricket I ['krɪkɪt] сверчо́к

cricket II *спорт.* кри́кет ◇ not (quite) ~ *разг.* не по пра́вилам, нече́стно

crier ['kraɪə] глаша́тай

crim||e [kraɪm] преступле́ние; **~inal** ['krɪmɪnl] **1.** *a* престу́пный **2.** *n* престу́пник

crimp [krɪmp] завива́ть; гофрирова́ть; **~ed** [-t] завито́й

crimson ['krɪmzn] **1.** *a* тёмно-

-кра́сный; мали́новый **2.** *v* красне́ть

cringe [krɪndʒ] раболе́пствовать, низкопокло́нничать *(to)*

cripple ['krɪpl] **1.** *n* kалéка **2.** *v* калéчить

crisis['kraɪsɪs]*(pl* crises[-si:z]) 1) кри́зис 2) перело́м

crisp [krɪsp] **1.** *a* 1) ло́мкий, рассы́пчатый 2) хрустя́щий 3) живи́тельный *(о воздухе)* 4) живо́й *(о стиле)* 5) кудря́вый *(о волосах)* **2.** *v* де́лать хрустя́щим хлеб, подогрева́я его́ на огне́

criss-cross ['krɪskrɔs] перекре́щивающийся, располо́женный крест-на́крест

criterion [kraɪ'tɪərɪən] крите́рий

criti||c ['krɪtɪk] кри́тик; **~cal** [-(ə)l] крити́ческий; **~cism** [-sɪzm] кри́тика; **~cize** [-saɪz] критикова́ть

critique [krɪ'ti:k] (крити́ческий) разбо́р, реце́нзия

croak [krouk] **1.** *n* 1) ква́канье 2) ка́рканье **2.** *v* 1) ква́кать 2) ка́ркать

crockery ['krɔkərɪ] фая́нсовая посу́да

crocodile ['krɔkədaɪl] крокоди́л

croft [krɔft] небольша́я фе́рма *(в Шотландии)*

crone [kroun] стару́ха, ста́рая карга́

crony ['krounɪ] закады́чный друг

crook ['kruk] **1.** *n* 1) крюк 2) изги́б *(ручья, дороги)* 3) *разг.* обма́нщик, плут **2.** *v* скрючиваться; **~ed** [-ɪd] криво́й; *перен.* нече́стный

croon ['kru:n] **1.** *n* ти́хое приглушённое пе́ние **2.** *v* напева́ть, мурлы́кать; **~er** исполни́тель эстра́дных пе́сен

crop I [krɔp] **1.** *n* 1) урожа́й; жа́тва; хлеб на корню́; industrial **~s** техни́ческие культу́ры 2) ко́ротко подстри́женные во́лосы 3) *attr.*: **~** failure неурожа́й **2.** *v* 1) собира́ть урожа́й 2) подстрига́ть *(коротко)* 3) засева́ть; **~ out** *геол.* обнажа́ться; **~ up** неожи́данно обнару́живаться; возника́ть, появля́ться

crop II зоб *(птицы)*

cropper ['krɔpə] жнец ◇ come a **~** *разг.* потерпе́ть неуда́чу

croquet ['kroukeɪ] кроке́т

cross I [krɔs] **1.** *n* 1) крест 2) гибри́д, по́месь **2.** *a* 1) попере́чный 2) перекрёстный **3.** *v* 1) переходи́ть, переезжа́ть 2) скре́щивать 3) скре́щиваться 4) размину́ться 5) препя́тствовать; **~ off, ~ out** вычёркивать ◇ **~** one's path а) встре́титься; б) встать поперёк доро́ги; a thought **~ed** my mind мне пришла́ в го́лову мысль

cross II [krɔs] серди́тый

cross-bar ['krɔsbɑ:] 1) *тех.* попере́чина 2) *спорт.* пла́нка; шта́нга *(в футболе)*

cross-bred ['krɔsbred] гибри́дный

cross-breed['krɔsbri:d] по́месь, гибри́д

cross||-country ['krɔs'kʌntrɪ] **1.** *n* *спорт.* кросс **2.** *a* вездехо́дный; **~-cut** [-kʌt]: **~**-cut saw попере́чная пила́; **~-examination** [-ɪg,zæmɪ'neɪʃ(ə)n] перекрёстный допро́с

crossing ['krɔsɪŋ] 1) пересечéние; скрéщивание 2) перекрёсток 3) переправа; *ж.-д.* переéзд

cross-legged ['krɔslegd]: sit ~ сидéть «по-турéцки»

cross-patch ['krɔspætʃ] *разг.* ворчýн, брюзгá

cross-purpose ['krɔs'pə:pəs]: be at ~s спóрить

cross-roads ['krɔsroudz] перекрёсток

crotche||t ['krɔtʃɪt] четвертнáя нóта; **~ty** [-ɪ] своенрáвный

crouch [krautʃ] сгибáться

crow I [krou] ворóна ◇ as the ~ flies по прямóй *(линии)*; ~'s foot морщи́нка *(в уголках глаз)*; ~'s nest *мор.* ворóнье гнездó *(наблюдательный пункт)*

crow II **1.** *n* пéние петухá **2.** *v* (crowed, crew; crowed) петь, кукарéкать *(о петухе)*; гýкать *(о младенце)*

crowd ['kraud] **1.** *n* 1) толпá 2) *разг.* компáния; грýппа людéй 3) мáсса, мнóжество **2.** *v* 1) толпи́ться 2) набивáться биткóм; **~ed** [-ɪd] перепóлненный

crown [kraun] **1.** *n* 1) венéц, корóна; *перен.* королóвская власть 2) венóк *(из цветов)* 3) крóна *(монета)* 4) макýшка *(дерева, головы)* 5) корóнка *(зуба)* 6) *attr.*: ~ law уголóвное прáво; C. Office судéбная палáта; C. Prince наслéдник престóла **2.** *v* 1) короновáть 2) увéнчивать 3) завершáть

crucial ['kru:ʃɪəl] 1) решáющий; крити́ческий 2) *анат.* крестообрáзный

crucible ['kru:sɪbl] ти́гель; *перен.* сурóвое испытáние

cruci||fix ['kru:sɪfɪks] распя́тие; **~fy** [-faɪ] распинáть

crud||e ['kru:d] 1) сырóй; незрéлый 2) необрабóтанный; ~ oil сырáя нефть 3) грýбый *(о манерах)*; **~ity** [-ɪtɪ] грýбость

cruel ['kruəl] 1) жестóкий 2) мучи́тельный; **~ty** [-tɪ] жестóкость

cruet ['kru:ɪt] графи́нчик для мáсла, ýксуса; **~-stand** [-stænd] судóк

cruis||e ['kru:z] **1.** *v* совершáть рейс, крейси́ровать; **2.** *n* плáвание, рейс; **~er** крéйсер

crumb [krʌm] **1.** *n* крóшка *(хлеба)*; *перен.* крупи́ца **2.** *v* кроши́ть; **~le** ['krʌmbl] кроши́ться; осыпáться; разрушáться

crumpet ['krʌmpɪt] сдóбная пы́шка

crumple ['krʌmpl] 1) мять 2) мя́ться

crunch [krʌntʃ] 1) грызть, хрустéть *(на зубах)* 2) скрипéть *(под ногами)*

crusad||e [kru:'seɪd] 1) *ист.* крестóвый похóд 2) похóд, кампáния; **~er** крестонóсец

crush ['krʌʃ] **1.** *v* 1) дави́ть; подавля́ть *(сопротивление)* 2) мять 3) уничтожáть 4) толóчь **2.** *n* 1) дáвка 2) *разг.* рáут 3) фруктóвый сок ◇ have a ~ on smb. потеря́ть гóлову из-за когó-л.; **~er** *тех.* дроби́лка

crush-room ['krʌʃrum] фойé

crust ['krʌst] **1.** *n* 1) кóрка *(хлеба)* 2) земнáя корá 3) твёрдая повéрхность дорóги **2.** *v* покрывáться корóй; кóркой; **~ed** [-ɪd] покры́тый кóркой; **~y** [-ɪ] 1) застарéлый; закостенéлый 2) *разг.* раздражи́тельный, рéзкий

crutch [krʌtʃ] 1) косты́ль *(больного)* 2) опóра

crux [krʌks]: the **~** of the matter суть дéла

cry [kraɪ] **1.** *v* 1) кричáть; **~** for help звать на пóмощь 2) плáкать; **~** one's heart out гóрько рыдáть; **~ out** выкри́кивать; **~ up** превозноси́ть ◇ **~** for the moon желáть *(или* трéбовать) невозмóжного; **~** over spilt milk горевáть о непоправи́мом **2.** *n* 1) крик 2) боевóй клич; лóзунг 3) плач ◇ a far **~** *разг.* а) большóе расстоя́ние; б) сущéственная рáзница

cry-baby ['kraɪ,beɪbɪ] плáкса, рёва

crying ['kraɪɪŋ]: a **~** shame вопиющее безобрáзие

crypt [krɪpt] склеп

crystal ['krɪstl] **1.** *n* 1) кристáлл 2) хрустáль 3) *амер.* стеклó для ручны́х часóв **2.** *a* 1) хрустáльный 2) кристáльный; прозрáчный; **~line** ['krɪstəlaɪn] 1) кристáльный; прозрáчный 2) хрустáльный; **~lize** ['krɪstəlaɪz] 1) кристаллизовáть 2) выкристаллизовáться *(тж. перен.)* 3) засáхаривать *(фрукты)*

cub [kʌb] **1.** *n* 1) детёныш 2) щенóк *(тж. перен.)* **2.** *v* щени́ться

cub||e ['kju:b] **1.** *n* куб **2.** *v* возводи́ть в куб; **~ed** [-d] возведённый в куб, в кýбе; a **~ed** = a^3; **~ic(al)** [-ɪk(əl)] куби́ческий

cuckoo ['kuku:] кукýшка

cucumber ['kju:kəmbə] огурéц ◇ as cool as a **~** невозмути́мый

cud [kʌd] жвáчка

cuddle ['kʌdl] **1.** *v* 1) прижáться 2) сжимáть в объя́тиях 3) свернýться *(клубком)* **2.** *n* объя́тие

cudgel ['kʌdʒ(ə)l] **1.** *n* дуби́на **2.** *v* бить дуби́н(к)ой ◇ **~** one's brains ломáть себé гóлову

cue I [kju:] 1) *театр.* рéплика 2) намёк

cue II кий *(бильярдный)*

cuff [kʌf] **1.** *n* 1) манжéта 2) удáр рукóй **2.** *v* бить рукóй *(слегка)*

cul-de-sac ['kuldə'sæk] тупи́к *(тж. перен.)*

culinary ['kʌlɪnərɪ] кулинáрный, кýхонный

cull [kʌl] 1) собирáть 2) отбирáть

culminat||e ['kʌlmɪneɪt] дости́гáть вы́сшей тóчки *(in; тж. перен.)*; **~ion** [,kʌlmɪ'neɪʃ(ə)n] кульминациóнный пункт

culp||able ['kʌlpəbl] престýпный; винóвный; **~rit** [-rɪt] винóвник; престýпник

cult [kʌlt] культ

cultivat||e ['kʌltɪveɪt] 1) обрабáтывать, воздéлывать 2) культиви́ровать; *перен.* развивáть *(способности)*; **~ion** [,kʌltɪ'veɪʃ(ə)n] 1) обрабóтка 2) разведéние, культýра *(растений)* 3) культиви́рование; *перен.* разви́тие; **~or** 1) земледéлец 2) *с.-х.* культивáтор

cultural [ˈkʌltʃər(ə)l] культу́рный

cultur||e [ˈkʌltʃə] культу́ра; **~ed** [-d] *см.* cultural

culvert [ˈkʌlvət] дрена́жная труба́

cumb||er [ˈkʌmbə] затрудня́ть, обременя́ть; **~ersome, ~rous** [-səm, ˈkʌmbrəs] обремени́тельный; громо́здкий

cumulative [ˈkju:mjulətɪv] совоку́пный

cunning [ˈkʌnɪŋ] 1) ло́вкий; хи́трый 2) *амер. разг.* ми́лый, привлека́тельный

cup [ˈkʌp] **1.** *n* 1) ча́шка 2) ку́бок; ча́ша **2.** *v мед.* ста́вить ба́нки; **~-bearer** [-ˌbɛərə] *ист.* виноче́рпий

cupboard [ˈkʌbəd] шкаф

cupful [ˈkʌpful] по́лная ча́шка *(как ме́ра)*

Cupid [ˈkju:pɪd] Купидо́н; Аму́р

cupidity [kju:ˈpɪdɪtɪ] а́лчность, жа́дность

cupola [ˈkju:pələ] ку́пол

cuppa [ˈkʌpə] *разг.* ча́шка ча́ю

cur [kə:] дворня́жка; *перен.* трусли́вый наха́л; негодя́й

curable [ˈkjuərəbl] излечи́мый

cura||cy [ˈkjuərəsɪ] 1) сан свяще́нника 2) прихо́д *(церко́вный)*; **~te** [ˈkjuərɪt] помо́щник прихо́дского свяще́нника

curative [ˈkjuərətɪv] целе́бный

curator [kjuəˈreɪtə] храни́тель музе́я

curb [kə:b] **1.** *n* 1) узда́ 2) обо́чина *(тротуа́ра)* **2.** *v* обу́здывать

curd [kə:d] творо́г; **~le** [ˈkə:dl] свёртываться

cure [kjuə] **1.** *n* 1) лека́рство, сре́дство 2) лече́ние; a ~ курс лече́ния **2.** *v* 1) лечи́ть *(of)* 2) консерви́ровать

curfew [ˈkə:fju:] коменда́нтский час

curio [ˈkjuərɪou] антиква́рная вещь

curi||osity [ˌkjuərɪˈɔsɪtɪ] 1) любопы́тство 2) ре́дкость *(о ве́щи)*; **~ous** [ˈkjuərɪəs] 1) любопы́тный 2) стра́нный

curl [kə:l] **1.** *v* 1) ви́ться, завива́ться 2) завива́ть; **~ up** сверну́ться в клубо́к; скру́чиваться **2.** *n* 1) ло́кон 2) зави́вка 3) спира́ль; кольцо́ *(ды́ма)*

curl-paper [ˈkə:lˌpeɪpə] папильо́тка

curly [ˈkə:lɪ] 1) кудря́вый *(о волоса́х)* 2) волни́стый *(о ли́нии)*

currant [ˈkʌrənt] 1) кори́нка 2) сморо́дина; black (red) ~ чёрная (кра́сная) сморо́дина

currency [ˈkʌr(ə)nsɪ] 1) де́нежное обраще́ние 2) де́ньги; валю́та

current [ˈkʌr(ə)nt] **1.** *a* 1) ходово́й, находя́щийся в обраще́нии 2) теку́щий *(о собы́тии, го́де и т. п.)* **2.** *n* 1) тече́ние, пото́к; a ~ of air струя́ во́здуха 2) *эл.* ток 3) ход, тече́ние *(собы́тий)*

curriculum [kəˈrɪkjuləm] *(pl* -la [-lə]) курс обуче́ния, уче́бный план

curry I [ˈkʌrɪ] 1) кэ́рри *(о́страя припра́ва)* 2) мясно́е, ры́бное *и т. д.* блю́до, припра́вленное кэ́рри

curry II [ˈkʌrɪ] 1) чи́стить

скребни́цей 2) выде́лывать ко́жу ◇ ~ favour *(with)* зaи́скивать; **~-comb** [-koum] скребни́ца

curse [ˈkəːs] **1.** *n* 1) прокля́тие 2) бе́дствие 3) руга́тельство **2.** *v* 1) проклина́ть 2) руга́ться; **~d** [-ɪd] прокля́тый, окая́нный

cursive [ˈkəːsɪv] **1.** *n* ско́ропись **2.** *a* скоропи́сный; рукопи́сный

cursory [ˈkəːsərɪ] бе́глый; пове́рхностный

curt [kəːt] ре́зкий, односло́жный *(об ответе)* 2) сжа́тый *(о стиле)*

curtail [kəːˈteɪl] сокраща́ть, уре́зывать; **~ment** сокраще́ние, уре́зывание

curtain [ˈkəːtn] **1.** *n* 1) занаве́ска 2) *театр.* за́навес ◇ ~ of fire *воен.* дымова́я заве́са **2.** *v* занаве́шивать

curts(e)y [ˈkəːtsɪ] **1.** *n*ревера́нс, приседа́ние **2.** *v* де́лать ревера́нс

curvature [ˈkəːvətʃə] кривизна́; искривле́ние

curve [kəːv] **1.** *v* 1) гнуть; изгиба́ть 2) изгиба́ться; сгиба́ться **2.** *n* крива́я ли́ния

cushion [ˈkuʃ(ə)n] (дива́нная) поду́шка

cuspidor [ˈkʌspɪdɔː] *амер.* плева́тельница

cussed [ˈkʌsɪd] *амер. разг.* упря́мый

custard [ˈkʌstəd] заварно́й крем из яи́ц и молока́

custo||dian [kʌsˈtoudjən] 1) страж, храни́тель 2) опеку́н; **~dy** [ˈkʌstədɪ] 1) охра́на; опе́ка 2) аре́ст, заключе́ние; take into ~dy арестова́ть, взять под стра́жу

custom [ˈkʌstəm] обы́чай; привы́чка; **~ary** [-(ə)rɪ] обы́чный; привы́чный

customer [ˈkʌstəmə] покупа́тель *(обыкн.* постоя́нный)

custom-house [ˈkʌstəmhaus] тамо́жня

customs [ˈkʌstəmz] *pl* тамо́женные по́шлины

cut [kʌt] **1.** *v* (cut) 1) ре́зать; разреза́ть; среза́ть 2) стричь 3) руби́ть *(лес)* 4) высека́ть; ре́зать *(по камню)* 5) жать, коси́ть 6) уре́зывать, сокраща́ть 7) снижа́ть *(цены, налоги)*; ~ the cost of production сни́зить себесто́имость проду́кции 8) пересека́ть, перекре́щивать 9) крои́ть; **~ down** сокраща́ть *(статью и т. п.)*; **~ in** вме́шиваться *(в разговор)*; **~ off** а) отреза́ть; б) *эл.* выключа́ть; **~ out** а) выреза́ть; б): ~ it out! *разг.* бро́сьте!; **~ up** разреза́ть *(на куски)* ◇ ~ off with a shilling лиши́ть насле́дства; ~ smb. dead игнори́ровать кого́-л.; ~ the record поби́ть реко́рд; ~ to pieces разби́ть на́голову; раскритикова́ть; it ~ him to the quick э́то заде́ло его́ за живо́е; ~ up rough *разг.* возмуща́ться, негодова́ть **2.** *n* 1) ре́заная ра́на; поре́з 2) сече́ние 3) вы́резка *(из книги и т. п.)* 4) сниже́ние; сокраще́ние 5) покро́й *(одежды)* 6) путь; short ~ кратча́йший путь 7) уда́р

cute [kjuːt] 1) у́мный; остроу́мный 2) *разг.* ми́лый, привлека́тельный

cutler [ˈkʌtlə] ножо́вщик; **~y** [-rɪ] ножевы́е изде́лия

cutlet [ˈkʌtlɪt] отбивна́я котле́та

cut-out [ˈkʌtaut] 1) очерта́ние, ко́нтур, про́филь 2) *эл.* предохрани́тель

cutter [ˈkʌtə] 1) резе́ц; реза́к 2) ре́зчик 3) закро́йщик 4) ка́тер *(гребной)*

cutthroat [ˈkʌtθrout] головоре́з

cutting [ˈkʌtɪŋ] 1) разреза́ние 2) *стр.* вы́емка 3) газе́тная вы́резка

cuttle, ~-fish [ˈkʌtl, -fɪʃ] карака́тица

cybernetics [ˌsaɪbəːˈnetɪks] киберне́тика

cycle [ˈsaɪkl] **1.** *n* 1) цикл, по́лный круг 2) велосипе́д *(сокр. от* bicycle) **2.** *v* е́здить на велосипе́де

cyclist [ˈsaɪklɪst] велосипеди́ст

cyclone [ˈsaɪkloun] цикло́н

cyclotron [ˈsaɪklətrɔn] *физ.* циклотро́н

cylinder [ˈsɪlɪndə] цили́ндр; gas ~ газобалло́н; ~ of a revolver бараба́н револьве́ра

cymbals [ˈsɪmb(ə)lz] *pl муз.* таре́лки

cynic [ˈsɪnɪk] ци́ник; **~al** [-(ə)l] цини́чный; **~ism** [-ɪsɪzm] цини́зм

cypher [ˈsaɪfə] *см.* cipher

cypress [ˈsaɪprɪs] кипари́с

cyst [sɪst] 1) *анат.* пузы́рь 2) *мед.* киста́

czar [zɑː] царь

Czech [tʃek] **1.** *a* че́шский **2.** *n* 1) чех; че́шка 2) че́шский язы́к

Czechoslovak [ˈtʃeko(u)ˈslouvæk] **1.** *a* чехослова́цкий **2.** *n* жи́тель Чехослова́кии

Czekh [tʃek] *см.* Czech

D

D, d [diː] 1) *четвёртая буква англ. алфавита* 2) *муз.* но́та ре

dab [dæb] **1.** *v* 1) дотра́гиваться, ты́кать *(at)* 2) прикла́дывать; прикаса́ться *(чем-л. мягким или мокрым)* 3) наноси́ть мазки́ *(краской)* **2.** *n* 1) лёгкое прикоснове́ние, тычо́к 2) мазо́к, пятно́ *(краски и т. п.)*

dabble [ˈdæbl] 1) забры́згивать *(грязью)* 2) плеска́ться *(в воде)*; *перен.* занима́ться чем-л. пове́рхностно

dad, dada, daddy [dæd, ˈdædə, ˈdædɪ] *разг.* па́па, па́почка

daffodil [ˈdæfədɪl] *бот.* бле́дно-жёлтый нарци́сс

dagger [ˈdægə] кинжа́л

Dail Eireann [daɪlˈɛərən] ни́жняя пала́та парла́мента Ирла́ндской респу́блики

daily [ˈdeɪlɪ] **1.** *adv* ежедне́вно **2.** *a* ежедне́вный; су́точный ◇ ~ needs насу́щные потре́бности **3.** *n* 1) ежедне́вная газе́та 2) *разг.* приходя́щая прислу́га

dainty [ˈdeɪntɪ] **1.** *n* ла́комство; деликате́с **2.** *a* 1) изы́сканный; изя́щный 2) ла́комый

dairy [ˈdɛərɪ] 1) маслоде́льня 2) моло́чная 3) *attr.*: ~ cattle моло́чный скот; **~-farm** [-fɑːm] моло́чное хозя́йство

dairymaid [ˈdɛərɪmeɪd] доя́рка

daisy ['deɪzɪ] маргари́тка

dale [deɪl] *поэт.* доли́на

dally ['dælɪ] прохлажда́ться, несерьёзно относи́ться *(к чему-либо)*

dam I [dæm] ма́тка *(о живо́тных)*

dam II **1.** *n* да́мба, плоти́на **2.** *v* запру́живать

damage ['dæmɪdʒ] **1.** *n* 1) поврежде́ние 2) убы́ток; уще́рб 3) *pl юр.* компенса́ция за убы́тки **2.** *v* наноси́ть уще́рб; поврежда́ть

dame [deɪm] 1) *уст.* госпожа́ 2) ти́тул супру́ги бароне́та *или* же́нщины, награждённой о́рденом Брита́нской импе́рии

damn [dæm] **1.** *n* прокля́тие ◇ not to care a ~ наплева́ть; not worth a ~ ≅ вы́еденного яйца́ не сто́ит **2.** *v* проклина́ть; I'll be ~ed if будь я про́клят, е́сли...; ~ it all! пропади́ оно́ всё про́падом!; **~ation** [-'neɪʃ(ə)n] прокля́тие

damp ['dæmp] **1.** *n* сы́рость; *перен.* уны́ние **2.** *a* сыро́й, вла́жный **3.** *v* 1) увлажня́ть, сма́чивать 2) угнета́ть; обескура́живать; **~ing 1.** *n радио* затуха́ние **2.** *a* затуха́ющий

damp-proof ['dæmppru:f] влагонепроница́емый

danc||e ['dɑ:ns] **1.** *v* 1) танцева́ть, пляса́ть 2) пры́гать, скака́ть ◇ ~ attendance *(upon)* ходи́ть пе́ред кем-л. на за́дних ла́пках **2.** *n* 1) та́нец 2) бал; **~er** танцо́вщик; балери́на

dandelion ['dændɪlaɪən] одува́нчик

dandified ['dændɪfaɪd] щегольско́й

dandle ['dændl] кача́ть *(ребёнка)*

dandruff ['dændrəf] пе́рхоть

dandy ['dændɪ] **1.** *n* де́нди, щёголь **2.** *a амер. разг.* превосхо́дный

Dane [deɪn] датча́нин

danger ['deɪndʒə] опа́сность; **~ous** ['deɪndʒrəs] опа́сный

dangle ['dæŋgl] 1) свиса́ть; кача́ться 2) волочи́ться *(after)* 3): ~ hopes in front of smb. обольща́ть кого-л. наде́ждами

Danish ['deɪnɪʃ] **1.** *a* да́тский **2.** *n* да́тский язы́к

dank [dæŋk] сыро́й

dapper ['dæpə] опря́тный; щеголева́тый

dappl||e ['dæpl] испещря́ть; **~ed** [-d] пятни́стый

dare ['dɛə] (dare, durst; dared; *3-е л. ед. ч. наст. вр. тж.* dare) сметь, отва́живаться; how ~ you! как вы сме́ете!; I ~ you to go! ты не посме́ешь пойти́! ◇ I ~ say я полага́ю; пожа́луй *(иногда ирон.)*; **~devil** [-,devl] **1.** *a* безрассу́дный, сме́лый **2.** *n* сорвиголова́

daring ['dɛərɪŋ] **1.** *n* отва́га, сме́лость; дерза́ние **2.** *a* де́рзкий, сме́лый, отва́жный

dark ['dɑ:k] **1.** *a* 1) тёмный 2) сму́глый; темноволо́сый 3) мра́чный ◇ keep smth. ~ скрыва́ть что-л.; D. Ages средневеко́вье; ~ horse а) *спорт.* «тёмная лоша́дка»; б) *амер. полит.* малоизве́стный кандида́т на президе́нтских вы́борах; ~ slide *фото* кассе́та; grow ~ темне́ть **2.** *n* 1) тьма; after ~ по́сле наступле́ния темноты́; in the ~ в потёмках 2) неве́жество 3) *жив.* тень ◇ be in the ~ *(about)* быть в неведении, не знать; **~en** [-(ə)n] затемнять, делать тёмным; **~ening** потемнение; **~ness** темнота, мрак

darling ['dɑ:lɪŋ] дорогой, милый, любимый

darn [dɑ:n] штопать, чинить

dart [dɑ:t] **1.** *n* 1) дротик 2) стремительное движение 3) жало **2.** *v* 1) мчаться стрелой; ринуться 2) бросать, метать; ~ glances бросать взгляды

Darwinism ['dɑ:wɪnɪzm] дарвинизм

dash ['dæʃ] **1.** *v* 1) бросать, швырять 2) брызгать 3) разбивать 4) ринуться, броситься; понестись **2.** *n* 1) стремительность; порыв, рывок 2) *спорт.* бросок 3) *спорт.* забег *(на короткие дистанции)* 4) тире, чёрточка 5) всплеск 6) примесь *(чего-л.)* 7) энергия ◇ cut a ~ ≅ выделяться; **~ing** лихой

dastard ['dæstəd] трус; подлец

data ['deɪtə] *(pl от* datum) данные, факты

date I [deɪt] финик

date II **1.** *n* 1) дата, число; out of ~ устаревший; up to ~ современный 2) период 3) *разг.* свидание **2.** *v* 1) датировать 2): ~ from вести начало от; относиться *(к определённой эпохе)*

dative ['deɪtɪv] дательный падеж

datum ['deɪtəm] *(pl* data) данная величина

daub [dɔ:b] **1.** *v* 1) мазать *(глиной)* 2) пачкать 3) малевать **2.** *n* 1) штукатурка 2) пачкотня, плохая картина, мазня

daughter ['dɔ:tə] дочь; **~-in-law** ['dɔ:t(ə)rɪnlɔ:] *(pl* ~s-in-law) невестка, сноха

daunt ['dɔ:nt] устрашать, запугивать; **~less** неустрашимый

daw [dɔ:] *см.* jackdaw

dawdle ['dɔ:dl] бездельничать; слоняться без дела

dawn [dɔ:n] **1.** *v* 1) рассветать 2) появляться 3) приходить в голову; it has just ~ed on me меня вдруг осенило **2.** *n* рассвет, заря; *перен.* начало, зарождение

day [deɪ] день; сутки; ~ in ~ out изо дня в день; ~ off выходной день; by ~ днём; some ~ когда-нибудь; this ~ week через неделю ◇ ~ of grace льготный срок; let's call it a ~ *разг.* на сегодня хватит; пора кончать

day-break ['deɪbreɪk] рассвет

day-dream ['deɪdri:m] грёзы, мечты *мн.*

day-labourer ['deɪˌleɪbərə] подёнщик

daylight ['deɪlaɪt] 1) дневной свет 2) рассвет

day-time ['deɪtaɪm] день; in the ~ днём

daze [deɪz] **1.** *v* изумлять, ошеломлять **2.** *n*: in a ~ в изумлении

dazzle ['dæzl] **1.** *v* 1) ослеплять 2) поражать **2.** *n* ослепительный блеск

deacon ['di:kən] дьякон

dead ['ded] **1.** *a* 1) мёртвый; he is ~ он умер 2) онемевший *(о пальцах)*; my fingers are ~ у меня онемели пальцы 3) по́лный, соверше́нный; ~ certainty по́лная уве́ренность; ве́рное де́ло; be in ~ earnest быть соверше́нно серьёзным 4) глубо́кий; ~ of night глубо́кая ночь; a ~ faint глубо́кий о́бморок 5) вы́шедший из употребле́ния *(о законе, обычае)* ◇ as ~ as a doornail мёртвый, бездыха́нный; I am ~ certain я абсолю́тно уве́рен; ~ calm мёртвая тишина́; ~ loss чи́стый убы́ток; ~ sleep непробу́дный сон; ~ tired до́ смерти уста́лый; ~ drunk мертве́цки пьян; be ~ against быть реши́тельно про́тив **2.** *n* 1): the ~ *собир.* мёртвые 2): at the ~ of night глубо́кой но́чью; in the ~ of winter в глуху́ю зи́мнюю по́ру; **~-beat** [-'bi:t] смерте́льно уста́лый; **~-centre** [-'sentə] мёртвая то́чка

deaden ['dedn] заглуша́ть *(звуки)*; притупля́ть *(боль)*

deadlock ['dedlɔk] тупи́к; безвы́ходное положе́ние

deadly ['dedlɪ] смерте́льный; смертоно́сный

deaf [def] глухо́й; **~en** ['defn] 1) оглуша́ть 2) заглуша́ть; **~-mute** [,def'mju:t] глухонемо́й

deal ['di:l] **1.** *v* (dealt) 1) раздава́ть, распределя́ть *(тж.* ~ out); ~ a blow наноси́ть уда́р 2) име́ть де́ло; обходи́ться *(with)* 3) торгова́ть *(in)* 4) *карт.* сдава́ть **2.** *n* 1): a good ~ мно́го; a great ~ о́чень мно́го 2) *разг.* сде́лка 3) *карт.* сда́ча; **~er** торго́вец

dealing ['di:lɪŋ] 1) поведе́ние 2) *pl* дела́, деловы́е отноше́ния; сде́лки

dealt [delt] *past и p. p. от* deal 1

dean [di:n] 1) настоя́тель собо́ра 2) дека́н; ~'s office декана́т

dear [dɪə] **1.** *a* 1) дорого́й, це́нный 2) ми́лый, люби́мый 3) глубокоуважа́емый *(обращение в письме)* **2.** *n* 1) возлю́бленный, -ная 2) *разг.* пре́лесть **3.** *adv* до́рого **4.** *int*: ~ me!, oh ~ ! бо́же мой!

dearth [də:θ] недоста́ток, нехва́тка *(особ. продуктов)*; го́лод

death ['deθ] смерть ◇ be the ~ of smb. загна́ть в гроб кого́-л.; put to ~ казни́ть, умертви́ть; I am *(или* feel) worked to ~ я уста́л до́ смерти; **~-blow** [-blou] смерте́льный уда́р *(тж. перен.)*; **~less** бессме́ртный

deathly ['deθlɪ] **1.** *a* смерте́льный **2.** *adv* смерте́льно

death||-rate ['deθreit] сме́ртность; **~-roll** [-roul] спи́сок уби́тых

débâcle [deɪ'bɑ:kl] разгро́м; пани́ческое бе́гство

debar [dɪ'bɑ:] воспреща́ть; лиша́ть *(права)*

debarkation [,di:bɑ:'keɪʃ(ə)n] вы́грузка; вы́садка

debase [dɪ'beɪs] понижа́ть *(качество, ценность)*

debatable [dɪ'beɪtəbl] спо́рный

debate [dɪ'beɪt] **1.** *v* 1) обсужда́ть; дискути́ровать; спо́рить 2) обду́мывать; рассма́тривать **2.** *n* деба́ты; диску́ссия, пре́ния; спор

debauch [dɪ'bɔ:tʃ] **1.** *v* развращáть **2.** *n* дебóш; **~ed** [-t] развращённый; **~ery** [-(ə)rɪ] распýщенность; развращённость

debenture [dɪ'bentʃə] долговóе обязáтельство

debilitate [dɪ'bɪlɪteɪt] ослаблять

debit ['debɪt] *ком.* **1.** *n* дéбет **2.** *v* заносить в дéбет *(against или to smb.)*

debris ['debri:] 1) развáлины *мн.* 2) *геол.* облóмки порóд *мн.*

debt ['det] долг; get *(или* run) into ~ влезть в долги; **~or** должник

debunk [,di:'bʌŋk] *разг.* развéнчивать

decade ['dekeɪd] десятилéтие

decad||ence ['dekəd(ə)ns] упáдок; **~ent** [-(ə)nt] **1.** *a* 1) приходящий в упáдок 2) декадéнтский **2.** *n* декадéнт

decamp [dɪ'kæmp] удирáть

decant [dɪ'kænt] переливáть *(вино)* из бутылки в графин; **~er** графин

decapitate [dɪ'kæpɪteɪt] обезглáвливать

decay [dɪ'keɪ] **1** *v* 1) гнить, разлагáться 2) приходить в упáдок **2.** *n* 1) гниéние 2) упáдок, разрушéние 3) расстрóйство *(здоровья)*

deceas||e [dɪ'si:s] **1.** *n* смерть, кончина **2.** *v* скончáться; **~ed** [-t] покóйный, умéрший

deceit [dɪ'si:t] обмáн; **~ful** обмáнчивый, лживый

deceiv||e [dɪ'si:v] обмáнывать; **~er** обмáнщик

Decemb||er [dɪ'sembə] 1) декáбрь 2) *attr.* декáбрьский; **~rist** [-rɪst] декабрист

decency ['di:snsɪ] прилúчие, благопристóйность

decennary [dɪ'senərɪ] десятилéтие

decent ['di:snt] прилúчный; порядочный

decept||ion [dɪ'sepʃ(ə)n] обмáн; **~ive** [-tɪv] обмáнчивый

decid||e [dɪ'saɪd] решáть; **~ed** [-ɪd] 1) бесспóрный 2) решительный; **~edly** 1) решительно 2) несомнéнно, явно; feeling ~ly better чýвствуя себя значительно лýчше

decimal ['desɪm(ə)l] **1.** *a* десятичный **2.** *n* десятичная дробь; **~ize** [-aɪz] переводить в десятичную систéму

decimetre ['desɪ,mi:tə] дециметр

decipher [dɪ'saɪfə] расшифрóвывать; разбирáть

decis||ion [dɪ'sɪʒ(ə)n] 1) решéние 2) решимость; **~ive** [-'saɪsɪv] 1) решительный 2) решáющий

deck [dek] **1.** *n* пáлуба **2.** *v* 1) настилáть пáлубу 2) украшáть

declaim [dɪ'kleɪm] 1) декламировать 2) говорить напыщенно, с пáфосом

declamation [,deklə'meɪʃ(ə)n] декламáция

declaration [,deklə'reɪʃ(ə)n] 1) объявлéние 2) заявлéние; декларáция 3) *юр.* исковóе заявлéние

declare [dɪ'klɛə] 1) объявлять, провозглашáть 2) заявлять 3) выскáзываться за, прóтив *(for, against)* 4) предъявлять вéщи, облагáемые пóшлиной *(на тамóжне)* ◇ well, I ~! вот так так!; ну и ну!

déclassé [ˌdeɪklɑːˈseɪ] *фр.* деклассированный

declension [dɪˈklenʃ(ə)n] *грам.* склонéние

declin||e [dɪˈklaɪn] **1.** *v* 1) отклонять *(предложение и т. п.)*; откáзываться 2) подходи́ть к концу́; уменьшáться; the day is ~ing день клóнится к вéчеру 3) ухудшáться *(о здоровье)*; приходи́ть в упáдок *(об экономике, искусстве)* 4) спадáть *(о температуре)* 5) наклоня́ться; склоня́ться 6) *грам.* склоня́ть **2.** *n* 1) склон, закáт 2) упáдок; ухудшéние

declivity [dɪˈklɪvɪtɪ] склон; покáтость

decode [ˌdiːˈkoud] расшифрóвывать

decompos||e [ˌdiːkəmˈpouz] 1) разлагáть на составны́е чáсти 2) разлагáться, гнить; **~ition** [-pəˈzɪʃ(ə)n] разложéние; распáд

decontaminate [ˌdiːkənˈtæmɪneɪt] обеззарáживать; дегази́ровать; дезактиви́ровать

decorat||e [ˈdekəreɪt] 1) украшáть 2) отдéлывать *(дом)* 3) награждáть знáком отли́чия; **~ion** [ˌdekəˈreɪʃ(ə)n] 1) украшéние; убрáнство 2) знак отли́чия; confer a ~ion on smb. награди́ть когó-л. знáком отли́чия; **~ive** [ˈdek(ə)rətɪv] декорати́вный; **~or** 1) декорáтор 2) маля́р

decor||ous [ˈdekərəs] соблюдáющий прили́чия, пристóйный; **~um** [dɪˈkɔːrəm] прили́чие

decoy [dɪˈkɔɪ] **1.** *n* 1) ловýшка, примáнка 2) *воен.* макéт **2.** *v* замáнивать в ловýшку; вводи́ть в заблуждéние

decrease **1.** *v* [diːˈkriːs] 1) уменьшáть 2) уменьшáться, убывáть **2.** *n* [ˈdiːkriːs] уменьшéние, ýбыль; понижéние *(цен)*

decree [dɪˈkriː] **1.** *n* 1) декрéт, укáз 2) решéние **2.** *v* 1) издавáть укáз, декрéт 2) предпи́сывать, постановля́ть

decrepit [dɪˈkrepɪt] 1) дря́хлый 2) вéтхий; **~ude** [-juːd] 1) дря́хлость 2) вéтхость

decry [dɪˈkraɪ] принижáть, умаля́ть значéние *(чего-л.)*

dedicat||e [ˈdedɪkeɪt] посвящáть *(to)*; **~ion** [ˌdedɪˈkeɪʃ(ə)n] 1) посвящéние, нáдпись *(в книге)* 2) освящéние *(церкви)*

deduce [dɪˈdjuːs] выводи́ть *(заключение и т. п.)*; дéлать вы́вод

deduct [dɪˈdʌkt] вычитáть; **~ion** [-kʃ(ə)n] 1) вычитáние; удержáние 2) вы́вод, заключéние

deed [diːd] 1) пóдвиг 2) дéйствие; дéло, постýпок; in word and ~ слóвом и дéлом 3) *юр.* докумéнт, акт

deem [diːm] полагáть, считáть

deep [ˈdiːp] **1.** *a* 1) глубóкий 2) тёмный и густóй *(о цвете)* 3) ни́зкий *(о звуке)* 4): ~ in smth. погружённый во что-л., поглощённый чем-л. ◇ in ~ waters в бедé, в затруднéнии **2.** *n* *(обыкн. pl)* пучи́на, бéздна **3.** *adv* глубокó; **~en** [-(ə)n] 1) углубля́ть 2) углубля́ться

deep-rooted [ˌdiːpˈruːtɪd] укорени́вшийся

deer ['dɪə] оле́нь; **~-skin** [-skɪn] оле́нья ко́жа; за́мша

deface [dɪ'feɪs] обезобра́живать, уро́довать

defa||mation [,defə'meɪʃ(ə)n] клевета́; **~matory** [dɪ'fæmət(ə)rɪ] бесче́стящий; клеветни́ческий; **~me** [dɪ'feɪm] клевета́ть; поро́чить, бесче́стить

default [dɪ'fɔ:lt] **1.** *n* 1) недоста́ток, отсу́тствие *(чего-л.)* 2) нея́вка в суд 3) неупла́та **2.** *v* 1) не выполня́ть обяза́тельств 2) *юр.* не явля́ться по вы́зову суда́

defeat [dɪ'fi:t] **1.** *n* 1) пораже́ние; crushing ~ разгро́м 2) расстро́йство **2.** *v* 1) побежда́ть, разбива́ть 2) расстра́ивать *(план)*; **~ism** *полит.* пораже́нчество; **~ist** *полит.* пораже́нец

defect [dɪ'fekt] недоста́ток, изъя́н; дефе́кт; **~ive** [-ɪv] 1) несоверше́нный 2) неиспра́вный; повреждённый 3) *грам.* недоста́точный *(о глаголе)*

defence [dɪ'fens] оборо́на, защи́та; **~less** беззащи́тный

defend [dɪ'fend] 1) защища́ть, обороня́ть 2) защища́ться, обороня́ться; **~er** обороня́ющийся

defense [dɪ'fens] = defence

defensive [dɪ'fensɪv] **1.** *n*: be on the ~ находи́ться в оборо́не **2.** *a* оборони́тельный

defer I [dɪ'fə:] откла́дывать, отсро́чивать

defer II уступа́ть

defer||ence ['def(ə)r(ə)ns] уваже́ние, почти́тельное отноше́ние; **~ential** [,defə'renʃ(ə)l] почти́тельный

defi||ance [dɪ'faɪəns] неповинове́ние; open ~ откры́тое неповинове́ние; in ~ *(of)* а) в наруше́ние; б) вопреки́; **~-ant** [-ənt] вызыва́ющий; откры́то неповину́ющийся

defici||ency [dɪ'fɪʃ(ə)nsɪ] недоста́ток; отсу́тствие чего́-л.; **~ent** [-(ə)nt] 1) недоста́точный; непо́лный 2) несоверше́нный

deficit ['defɪsɪt] недочёт, нехва́тка, дефици́т

defile I ['di:faɪl] тесни́на, уще́лье

defile II [dɪ'faɪl] загрязня́ть; *перен.* развраща́ть; **~ment** загрязне́ние; оскверне́ние; развраще́ние

define [dɪ'faɪn] устана́вливать значе́ние *(сло́ва и т. п.)*; определя́ть

definit||e ['defɪnɪt] 1) определённый; ~ article определённый арти́кль 2) я́сный, то́чный; **~ion** [,defɪ'nɪʃ(ə)n] 1) определе́ние 2) я́сность, то́чность; **~ive** [dɪ'fɪnɪtɪv] оконча́тельный

deflat||e [dɪ'fleɪt] 1) выка́чивать; ~ a tyre спусти́ть ши́ну 2) *эк.* сокраща́ть вы́пуск де́нежных зна́ков 3) снижа́ть *(цены)* ◇ ~ smb. *разг.* осади́ть кого́-л.; **~ion** [-'fleɪʃ(ə)n] *эк.* дефля́ция

defle||ct [dɪ'flekt] 1) отклоня́ть 2) отклоня́ться; **~ction, ~xion** [-kʃ(ə)n] отклоне́ние

deform [dɪ'fɔ:m] обезобра́живать; деформи́ровать; **~ity** [-ɪtɪ] безобра́зие, уро́дство

defraud [dɪ'frɔ:d] обма́нывать; выма́нивать

defray [dɪ'freɪ] опла́чивать

defrost [di:'frɔst] размора́живать *(лёд в холодильнике и т. п.)*

deft [deft] ло́вкий; прово́рный; иску́сный

defunct [dɪ'fʌŋkt] уме́рший

defy [dɪ'faɪ] откры́то не повинова́ться; не поддава́ться; игнори́ровать

degenera||cy [dɪ'dʒen(ə)rəsɪ] вырожде́ние, дегенера́ция; **~te** **1.** *a* [-rɪt] вырожда́ющийся **2.** *v* [-reɪt] вырожда́ться; **~tion** [dɪ,dʒenə'reɪʃ(ə)n] вырожде́ние; **~tive** [dɪ'dʒenərətɪv] вырожда́ющийся

degradation [,degrə'deɪʃ(ə)n] 1) упа́док; деграда́ция 2) униже́ние 3) пониже́ние; разжа́лование

degrad||e [dɪ'greɪd] 1) понижа́ть; разжа́ловать 2) унижа́ть 3) деградри́ровать; **~ing** унизи́тельный

degree [dɪ'gri:] 1) гра́дус 2) ступе́нь, сте́пень by ~s постепе́нно 3) положе́ние, ранг 4) учёная сте́пень 5) *грам.* сте́пень сравне́ния ◇ to what ~? до како́й сте́пени?; to such a ~ that... до тако́й сте́пени, что....

deify ['di:ɪfaɪ] 1) обожествля́ть 2) боготвори́ть

deign [deɪn] соизво́лить, соблаговоли́ть

deject||ed [dɪ'dʒektɪd] удручённый; **~ion** [-ʃ(ə)n] уны́ние

delay [dɪ'leɪ] **1.** *n* 1) промедле́ние; заде́ржка 2) отсро́чка **2.** *v* 1) ме́длить; заде́рживать 2) откла́дывать

delega||te **1.** *v* ['delɪgeɪt] делеги́ровать, посыла́ть **2.** *n* ['delɪgɪt] представи́тель, делега́т; **~tion** [,delɪ'geɪʃ(ə)n] делега́ция

delete [di:'li:t] вычёркивать, стира́ть; *перен.* уничтожа́ть

delft [delft] фая́нс

deliberat||e **1.** *v* [dɪ'lɪbəreɪt] 1) обсужда́ть, совеща́ться 2) обду́мывать **2.** *a* [dɪ'lɪbərɪt] 1) наме́ренный; обду́манный 2) осмотри́тельный, нетороплй́вый; **~ion** [dɪ,lɪbə'reɪʃ(ə)n] 1) обсужде́ние 2) обду́мывание 3) осмотри́тельность, нетороплй́вость; **~ive** [dɪ'lɪb(ə)rətɪv] совеща́тельный

delica||cy ['delɪkəsɪ] 1) изя́щество 2) делика́тность 3) чувстви́тельность *(прибора)* 4) деликате́с; ла́комство; **~te** [-kɪt] 1) не́жный *(о цвете)*; лёгкий *(о пище)*; сла́бый *(о здоровье)* 2) изя́щный 3) щекотли́вый *(о вопросе и т. п.)* 4) чувстви́тельный *(о приборе)*

delicatessen [,delɪkə'tesn] *pl* гастрономи́ческий магази́н

delicious [dɪ'lɪʃəs] 1) восхити́тельный, преле́стный 2) о́чень вку́сный

delight [dɪ'laɪt] **1.** *n* восто́рг, восхище́ние; удово́льствие **2.** *v* 1) восхища́ть 2) восхища́ться; наслажда́ться; be ~ed быть в восто́рге; **~ful** восхити́тельный

delimitation [dɪ,lɪmɪ'teɪʃ(ə)n] определе́ние грани́ц

delineate [dɪ'lɪnɪeɪt] обрисо́вывать, опи́сывать

delinqu||ency [dɪ'lɪŋkwənsɪ] 1) просту́пок 2) престу́пность; **~ent** [-ənt] правонаруши́тель; престу́пник

deliri||ous [dɪ'lɪrɪəs] 1) находя́-

щийся в бреду́, в исступле́нии 2) бредово́й; бессвя́зный *(о речи)*; **~um** [-əm] *мед.* бред; исступле́ние; ~um tremens *мед.* бе́лая горя́чка

deliver [dɪ'lɪvə] 1) доставля́ть, вруча́ть 2) произноси́ть *(речь)*; чита́ть *(лекцию)* 3) освобожда́ть, избавля́ть 4) наноси́ть *(удар)* 5) разреша́ться *(от бремени)*; **~ance** [dɪ'lɪv(ə)r(ə)ns] 1) освобожде́ние, избавле́ние 2) заявле́ние; **~y** [-rɪ] 1) доста́вка; переда́ча, вруче́ние; поста́вка 2) ро́ды 3) сда́ча; вы́дача ◇ general **~y** *амер.* до востре́бования

dell [del] леси́стая лощи́на

delta ['deltə] де́льта

delude [dɪ'lu:d] обма́нывать

deluge ['delju:dʒ] **1.** *n* наводне́ние; пото́п **2.** *v* затопля́ть, наводня́ть *(тж. перен.)*; ~ with questions засы́пать вопро́сами

delus||ion [dɪ'lu:ʒ(ə)n] заблужде́ние; иллю́зия; **~ive** [-'lu:sɪv] обма́нчивый

de luxe [də'luks] *фр.* роско́шный

delve [delv] *уст.* 1) копа́ть, рыть 2) копа́ться, ры́ться *(в книгах и т. п.)*

demagogue ['deməgɔg] демаго́г

demand [dɪ'mɑ:nd] **1.** *n* 1) тре́бование; запро́с 2) *эк.* спрос **2.** *v* тре́бовать

demarcation [,di:mɑ:'keɪʃ(ə)n] разграниче́ние; демарка́ция

demean I [dɪ'mi:n] унижа́ть

demean II [dɪ'mi:n]: ~ oneself вести́ себя́ недосто́йно, роня́ть своё досто́инство; **~our** [-ə] поведе́ние, мане́ра держа́ться

demented [dɪ'mentɪd] сумасше́дший, безу́мный

demerit [di:'merɪt] недоста́ток

demilitari||zation [,di:mɪlɪtəraɪ'zeɪʃ(ə)n] демилитариза́ция; **~ze** [,di:'mɪlɪtəraɪz] демилитаризова́ть

demise [dɪ'maɪz] **1.** *v* 1) передава́ть по насле́дству 2) сдава́ть в аре́нду **2.** *n* кончи́на

demobili||zation [di:,moubɪlaɪ'zeɪʃ(ə)n] демобилиза́ция; **~ze** [di:'moubɪlaɪz] демобилизова́ть

democracy [dɪ'mɔkrəsɪ] демокра́тия

democrat ['deməkræt] демокра́т; **~ic** [,demə'krætɪk] демократи́ческий, демократи́чный; **~ization** [dɪ,mɔkrətaɪ'zeɪʃ(ə)n] демократиза́ция; **~ize** [dɪ'mɔkrətaɪz] демократизи́ровать

demoli||sh [dɪ'mɔlɪʃ] 1) разруша́ть *(здание)*; разбива́ть *(довод)* 2) *разг.* съеда́ть; **~tion** [,demə'lɪʃ(ə)n] 1) разруше́ние; снос 2) уничтоже́ние

demon ['di:mən] де́мон ◇ he is a ~ for work он рабо́тает как одержи́мый; **~iacal** [,di:mə'naɪək(ə)l] дья́вольский, демони́ческий

demonstrat||e ['demənstreɪt] 1) дока́зывать 2) демонстри́ровать 3) уча́ствовать в демонстра́ции; **~ion** [,demən'streɪʃ(ə)n] 1) доказа́тельство 2) демонстри́рование 3) демонстра́ция; **~ive** [dɪ'mɔnstrətɪv] 1) несде́ржанный 2) нагля́дный

3) демонстрати́вный 4) *грам.* указа́тельный; **~or** 1) демонстра́нт 2) ассисте́нт профе́ссора

demorali||zation [dɪˌmɔrəlaɪˈzeɪʃ(ə)n] деморализа́ция; **~ze** [dɪˈmɔrəlaɪz] деморализова́ть

demote [dɪˈmout] понижа́ть в до́лжности, зва́нии; смеща́ть с до́лжности

demur [dɪˈmə:] **1.** *v* возража́ть **2.** *n*: without ~ без возраже́ний

demure [dɪˈmjuə] 1) скро́мный, сде́ржанный 2) притво́рно засте́нчивый

den [den] берло́га; нора́ *(тж. перен.)*

denary [ˈdi:nərɪ] десяти́чный

denatured [di:ˈneɪtʃəd] денатури́рованный *(о спирте)*

denial [dɪˈnaɪ(ə)l] 1) отрица́ние 2) отка́з

denigrate [ˈdenɪgreɪt] черни́ть, поро́чить

denim [ˈdenɪm] гру́бая хлопчатобума́жная ткань *(для джинсов и т. п.)*

denizen [ˈdenɪzn] 1) натурализова́вшийся иностра́нец 2) акклиматизи́ровавшееся расте́ние *или* живо́тное

denominat||e [dɪˈnɔmɪneɪt] называ́ть, именова́ть, определя́ть; **~ion** [dɪˌnɔmɪˈneɪʃ(ə)n] 1) наименова́ние; назва́ние 2) вероисповеда́ние; **~or** *мат.* знамена́тель; дели́тель

denote [dɪˈnout] обознача́ть, означа́ть

dénouement [deɪˈnu:mɑ:ŋ] *фр.* развя́зка *(в романе, драме)*

denounce [dɪˈnauns] 1) разоблача́ть; осужда́ть 2) доноси́ть 3) *юр.* денонси́ровать

dens||e [ˈdens] 1) густо́й; пло́тный 2) тупо́й, глу́пый; **~ity** [-ɪtɪ] 1) густота́; пло́тность 2) глу́пость 3) *физ.* уде́льный вес

dent [dent] **1.** *n* вы́емка, вмя́тина **2.** *v* вда́вливать, оставля́ть вмя́тину

dent||al [ˈdentl] зубно́й; **~-ifrice** [-tɪfrɪs] зубно́й порошо́к, зубна́я па́ста; **~ist** зубно́й врач; **~istry** [-tɪstrɪ] лече́ние зубо́в

denude [dɪˈnju:d] 1) обнажа́ть 2) лиша́ть *(чего-л.)*

denunciat||ion [dɪˌnʌnsɪˈeɪʃ(ə)n] 1) разоблаче́ние; публи́чное обвине́ние 2) *юр.* денонси́рование; **~or** [dɪˈnʌnsɪeɪtə] обвини́тель

deny [dɪˈnaɪ] 1) отрица́ть 2) отка́зывать 3) отка́зываться *(от чего-л.)*

depart [dɪˈpɑ:t] 1) уходи́ть; уезжа́ть; отправля́ться 2) отклоня́ться, отступа́ть

department [dɪˈpɑ:tmənt] 1) отде́л 2) ве́домство; *амер.* министе́рство; State D. госуда́рственный департа́мент *(министерство иностранных дел США)* 3) *attr.*: ~ store универса́льный магази́н

departure [dɪˈpɑ:tʃə] 1) отъе́зд; ухо́д; take one's ~ уходи́ть; уезжа́ть 2) отступле́ние, отклоне́ние

depend [dɪˈpend] 1) зави́сеть *(on, upon)*; it ~s э́то зави́сит (от обстоя́тельств) 2) полага́ться; **~ant** [-ənt] *см.* dependent; **~ence** [-əns] 1) зави́симость; подчине́ние 2) дове́рие; **~ency** [-ənsɪ] зави́симое госуда́рство; коло́ния; **~ent** [-ənt] **1.** *a* 1) подчинённый *(тж. грам.)* 2) зави́симый **2.** *n* иждиве́нец

depict [dɪ'pɪkt] 1) рисова́ть, изобража́ть 2) опи́сывать

deplete [dɪ'pli:t] истоща́ть, исче́рпывать *(запасы и т. п.)*

deplo||rable [dɪ'plɔ:rəbl] плаче́вный, приско́рбный; **~re** [dɪ'plɔ:] опла́кивать, сожале́ть *(о чём-либо)*, не одобря́ть *(чего-л.)*

deponent [dɪ'pounənt] *юр.* свиде́тель

depopulate [di:'pɔpjuleɪt] обезлю́дить

deport [dɪ'pɔ:t] ссыла́ть, высыла́ть; **~ation** [,di:pɔ:'teɪʃ(ə)n] ссы́лка, вы́сылка

deportment [dɪ'pɔ:tmənt] 1) поведе́ние, мане́ры 2) оса́нка

depose [dɪ'pouz] 1) смеща́ть, сверга́ть 2) *юр.* свиде́тельствовать

deposit [dɪ'pɔzɪt] **1.** *n* 1) взнос; зада́ток; зало́г; вклад в банк 2) оса́док, отложе́ние **2.** *v* 1) класть, отдава́ть на хране́ние *или* под зало́г; вверя́ть 2) отлага́ть 3) дава́ть оса́док; **~ary** [-(ə)rɪ] лицо́, кото́рому вве́рены вкла́ды; **~ion** [,depə'zɪʃ(ə)n] 1) *юр.* показа́ние под прися́гой 2) сверже́ние *(с престола)*; **~or** вкла́дчик; **~ory** [-(ə)rɪ] склад, храни́лище

depot ['depou] 1) склад 2) *амер.* железнодоро́жная ста́нция 3) *ж.-д.* депо́ 4) *воен.* сбо́рный пункт; учё́бная *или* запасна́я войскова́я часть

deprav||e [dɪ'preɪv] развраща́ть; **~ity** [-'prævɪtɪ] испо́рченность; развращённость

deprecate ['deprɪkeɪt] возража́ть, выступа́ть про́тив

depreciate [dɪ'pri:ʃɪeɪt] 1) обесце́нивать; понижа́ть це́ну 2) обесце́ниваться 3) унижа́ть, умаля́ть

depredation [,deprɪ'deɪʃ(ə)n] грабёж, расхище́ние

depress [dɪ'pres] 1) подавля́ть, угнета́ть 2) нажима́ть *(на что-либо)*; **~ion** [-'preʃ(ə)n] 1) уны́ние; угнетённое состоя́ние 2) впа́дина, лощи́на 3) *эк.* депре́ссия, упа́док 4) паде́ние *(давления)*

depriv||ation [,deprɪ'veɪʃ(ə)n] лише́ние; отня́тие; **~e** [dɪ'praɪv] лиша́ть *(чего-л.—of)*

depth [depθ] глубина́, глубь; *pl* пучи́на ◇ get out of one's ~ быть не по си́лам, быть вы́ше чьего́-л. понима́ния

deputation [,depju:'teɪʃ(ə)n] делега́ция, депута́ция

deput||e [dɪ'pju:t] передава́ть полномо́чия *или* власть *(кому-либо)*; **~ize** ['depjutaɪz] 1) представля́ть *(кого-л.)* 2) замеща́ть *(в концертах—for)*

deputy ['depjutɪ] 1) депута́т 2) замести́тель

derail [dɪ'reɪl] *(обыкн. pass)* вы́звать круше́ние; пусти́ть под отко́с; be ~ed сходи́ть с ре́льсов

derang||e [dɪ'reɪndʒ] 1) приводи́ть в беспоря́док; расстра́ивать *(планы, работу)* 2) своди́ть с ума́; **~ed** [-d] поме́шанный

Derby ['dɑ:bɪ] де́рби *(скачки)*

derelict ['derɪlɪkt] *a* оста́вленный, бро́шенный; **~ion** [,derɪ'lɪkʃ(ə)n] упуще́ние

derestrict [dɪ'restrɪkt] снима́ть ограниче́ния

deride [dɪ'raɪd] насмеха́ться, осме́ивать

deris||ion [dɪ'rɪʒ(ə)n] высме́ивание, осмея́ние; **~ive, ~ory** [-'raɪsɪv, -'raɪsərɪ] насме́шливый

derivat||ion [,derɪ'veɪʃ(ə)n] 1) исто́чник, происхожде́ние 2) *лингв.* дерива́ция, словообразова́ние; **~ive** [dɪ'rɪvətɪv] произво́дный *(о слове)*

derive [dɪ'raɪv] 1) получа́ть, извлека́ть 2) происходи́ть 3) устана́вливать происхожде́ние; производи́ть *(от)*

derogatory [dɪ'rɔgət(ə)rɪ] 1) умаля́ющий *(что-л.)* 2) унизи́тельный, уничижи́тельный

derrick ['derɪk] 1) кран 2) бурова́я вы́шка

descant I ['deskænt] ди́скант

descant II [dɪs'kænt] рассужда́ть, распространя́ться *(о чём-либо — on, upon)*

descend [dɪ'send] 1) спуска́ться, сходи́ть 2) происходи́ть *(from)* 3) обру́шиваться *(on, upon)*

descendant [dɪ'sendənt] пото́мок

descent [dɪ'sent] 1) спуск; сниже́ние 2) склон *(горы́)* 3) происхожде́ние 4) *воен.* деса́нт

describe [dɪs'kraɪb] 1) опи́сывать, изобража́ть 2) начерти́ть, описа́ть; ~ a circle опи́сывать круг

descript||ion [dɪs'krɪpʃ(ə)n] 1) описа́ние; изображе́ние 2) вид, род, сорт; **~ive** [-tɪv] описа́тельный; о́бразный ◇ ~ive geometry начерта́тельная геоме́трия

descry [dɪs'kraɪ] замеча́ть, распознава́ть

desecrate ['desɪkreɪt] оскверня́ть

desert **1.** *n* ['dezət] пусты́ня **2.** *a* ['dezət] необита́емый, пусты́нный **3.** *v* [dɪ'zə:t] 1) покида́ть, оставля́ть 2) *воен.* дезерти́ровать; **~er** [dɪ'zə:tə] *воен.* дезерти́р, перебе́жчик

deserts [dɪ'zə:ts] *pl* заслу́ги; he got his ~ он получи́л по заслу́гам

deserv||e [dɪ'zə:v] заслу́живать; **~edly** [-ɪdlɪ] по заслу́гам

desiccate ['desɪkeɪt] высу́шивать

desideratum [dɪ,zɪdə'reɪtəm] *(pl* -ta) *лат.* что-л. недостаю́щее, жела́емое

design [dɪ'zaɪn] **1.** *v* 1) предназнача́ть; намерева́ться; замышля́ть 2) составля́ть план; проекти́ровать **2.** *n* 1) рису́нок, узо́р 2) прое́кт; чертёж; констру́кция 3) наме́рение, у́мысел; have ~s on *(или* against) smb. злоумышля́ть про́тив кого́-л.; **~ate** ['dezɪgneɪt] 1) определя́ть; обознача́ть 2) назнача́ть на до́лжность; **~edly** [dɪ'zaɪnɪdlɪ] умы́шленно; **~er** 1) худо́жник-декора́тор; моделье́р, диза́йнер 2) констру́ктор 3) чертёжник; **~ing** **1.** *n* проекти́рование, конструи́рование **2.** *a* интригу́ющий; кова́рный

desirable [dɪ'zaɪərəbl] жела́тельный; жела́нный

desir||e [dɪ'zaɪə] **1.** *n* 1) жела́ние; предме́т жела́ния 2) про́сьба; тре́бование **2.** *v* 1) жела́ть; there is much to be ~d оставля́ет жела́ть лу́чшего 2) проси́ть; тре́бовать **~ous** [-rəs] жела́ющий *(of)*

desist [dɪ'zɪst] возде́рживаться *(from)*; прекраща́ть, перестава́ть *(что-л. делать)*

desk [desk] 1) конто́рка 2) пи́сьменный стол 3) па́рта

desolate 1. *a* ['desəlɪt] 1) забро́шенный 2) безлю́дный 3) поки́нутый, одино́кий; несча́стный 2. *v* ['desəleɪt] 1) опустоша́ть 2): be ~d быть несча́стным

despair [dɪs'pɛə] 1. *n* отча́яние 2. *v* отча́иваться, теря́ть наде́жду

desperate ['desp(ə)rɪt] отча́янный; безнадёжный

desp||icable ['despɪkəbl] презре́нный, по́длый; **~ise** [dɪs'paɪz] презира́ть

despite [dɪs'paɪt]: ~ of вопреки́, несмотря́ на

despoil [dɪs'pɔɪl] гра́бить

despond [dɪs'pɔnd] па́дать ду́хом; теря́ть наде́жду; **~ency** [-ənsɪ] упа́док ду́ха; пода́вленность; **~ent** [-ənt] пода́вленный

despot ['despɔt] тира́н, де́спот; **~ic** [des'pɔtɪk] деспоти́ческий

dessert [dɪ'zə:t] десе́рт

destination [,destɪ'neɪʃ(ə)n] 1) (пред)назначе́ние 2) ме́сто назначе́ния

destine ['destɪn] (пред)назнача́ть, предопределя́ть

destiny ['destɪnɪ] судьба́

destitute ['destɪtju:t] 1) си́льно нужда́ющийся 2) лишённый *(чего-л.)*

destroy [dɪs'trɔɪ] уничтожа́ть; разруша́ть; **~er** *мор.* эска́дренный миноно́сец

destruct||ion [dɪs'trʌkʃ(ə)n] разруше́ние; уничтоже́ние; **~ive** [-'trʌktɪv] 1) разруши́тельный 2) вре́дный

desultory ['des(ə)lt(ə)rɪ] несвя́зный, отры́вочный; беспоря́дочный; ~ reading бессисте́мное чте́ние

detach [dɪ'tætʃ] 1) отделя́ть; отвя́зывать 2) *воен.* откомандиро́вывать; **~ment** *воен.* ору́дийный *или* миномётный расчёт

detail ['di:teɪl] 1. *n* 1) подро́бность, дета́ль; go into ~s вдава́ться в подро́бности; in ~ обстоя́тельно 2) наря́д, кома́нда 2. *v* 1) подро́бно расска́зывать; входи́ть в подро́бности 2) *воен.* наряжа́ть, назнача́ть в наря́д

detain [dɪ'teɪn] 1) заде́рживать 2) содержа́ть под стра́жей

detect [dɪ'tekt] открыва́ть, обнару́живать; **~ive** [-ɪv] 1. *a* сыскно́й; детекти́вный; ~ive novel детекти́вный рома́н 2. *n* сы́щик, детекти́в

detention [dɪ'tenʃ(ə)n] 1) оставле́ние 2) содержа́ние под аре́стом, аре́ст

deter [dɪ'tə:] уде́рживать *(from)*; отгова́ривать

detergent [dɪ'tə:dʒ(ə)nt] мо́ющее сре́дство

deteriorat||e [dɪ'tɪərɪəreɪt] ухудша́ться; по́ртиться; **~ion** [dɪ,tɪərɪə'reɪʃ(ə)n] ухудше́ние, по́рча

determin||ant [dɪ'tə:mɪnənt] 1. *a* определя́ющий, реша́ющий 2. *n* реша́ющий фа́ктор; **~ate** [-ɪt]

1) определённый, установленный 2) решительный; **~ation** [dɪˌtə:mɪ'neɪʃ(ə)n] 1) решительность; решимость 2) определение, установление 3) решение; **~ative** [-ətɪv] **1.** *a* определяющий, решающий **2.** *n* решающий фактор

determine [dɪ'tə:mɪn] 1) определять; устанавливать; обусловливать 2) решать 3) решаться

deterrent [dɪ'ter(ə)nt] удерживающий; сдерживающий

detest [dɪ'test] ненавидеть; питать отвращение; **~able** [-əbl] отвратительный

dethrone [dɪ'θroun] свергать с престола; *перен.* развенчивать

detonate ['deto(u)neɪt] 1) взрывать 2) взрываться

detour ['deɪtuə]: make a ~ сделать крюк (*или* объезд)

detract [dɪ'trækt] умалять, уменьшать *(from)*

detrain [di:'treɪn] высаживаться из поезда *(особ. о войсках)*

detriment ['detrɪmənt] вред, ущерб; without ~ to без ущерба для; to the ~ of one's health в ущерб своему здоровью; **~al** [ˌdetrɪ'mentl] вредный, убыточный

deuce I [dju:s] двойка, два очка *(в картах, домино)*

deuce II чёрт ◇ what the ~? какого чёрта?; there will be the ~ to pay будут большие неприятности

devaluation [di:'vælju'eɪʃ(ə)n] девальвация

devastate ['devəsteɪt] опустошать, разорять

develop [dɪ'veləp] 1) развивать 2) развиваться 3) проявлять *(тж. фото)*; **~ment** 1) развитие 2) *фото* проявление

deviat||e ['di:vɪeɪt] отклоняться; уклоняться *(from)*; **~ion** [ˌdi:vɪ'eɪʃ(ə)n] 1) отклонение 2) *полит.* уклон

device [dɪ'vaɪs] 1) план; проект; затея 2) девиз; эмблема 3) *тех.* приспособление; механизм, прибор, устройство

devil ['devl] дьявол, чёрт ◇ go to the ~ разориться; poor ~ бедняга; give the ~ his due отдавать должное противнику; there will be the ~ to pay будут большие неприятности; talk of the ~ (and he will appear) ≅ лёгок на помине; **~ish 1.** *a* дьявольский; адский **2.** *adv* *разг.* чертовски

devil-may-care [ˌdevlmeɪ'kɛə] беззаботный, бесшабашный

devilment ['devlmənt] озорство, проказы

devilry ['devlrɪ] *см.* devilment

devious ['di:vjəs] 1) извилистый, окольный 2) неискренний; хитрый

devis||e [dɪ'vaɪz] придумывать, изобретать; **~er** изобретатель

devoid [dɪ'vɔɪd] лишённый *(чего-л.)*; ~ of sense бессмысленный; ~ of inhabitants незаселённый

devolution [ˌdi:və'lu:ʃ(ə)n] 1) передача *(власти и т. п.)* 2) *биол.* вырождение

devolve [dɪ'vɔlv] передавать *(обязанности, полномочия)*

devot||e [dɪ'vout] посвящать; ~ oneself to smth. предаваться чему-л.; **~ed** [-ɪd] 1) посвящённый 2) преданный

devotee [ˌdevo(u)ˈtiː] 1) побóрник; привéрженец; энтузиáст своегó дéла 2) и́стово вéрующий

devotion [dɪˈvouʃ(ə)n] 1) си́льная привя́занность; прéданность 2): be at one's ~s моли́ться

devour [dɪˈvauə] 1) пожирáть 2) *перен.* поглощáть; ~ a novel проглоти́ть ромáн 3) истребля́ть 4) *(обыкн. pass)*: be ~ed by curiosity быть снедáемым любопы́тством

devout [dɪˈvaut] 1) благоговéйный; нáбожный 2) и́скренний

dew [ˈdjuː] росá; ~**y** [-ɪ] покры́тый росóй; роси́стый; влáжный

dexter||**ity** [deksˈterɪtɪ] провóрство, лóвкость; ~**ous** [ˈdekst(ə)rəs] провóрный, лóвкий; умéлый

diabetes [ˌdaɪəˈbiːtiːz] диабéт

diabolic(al) [ˌdaɪəˈbɔlɪk(ə)l] дья́вольский

diagnos||**e** [ˈdaɪəgnouz] стáвить диáгноз; ~**is** [ˌdaɪəgˈnousɪs] (*pl* ~es [-ˈnousiːz]) диáгноз; ~**tic** [ˌdaɪəgˈnɔstɪk] диагности́ческий

diagonal [daɪˈægənl] **1.** *a* диагонáльный **2.** *n* диагонáль

diagram [ˈdaɪəgræm] диагрáмма

dial [ˈdaɪ(ə)l] **1.** *n* 1) циферблáт 2) диск *(телефона)* **2.** *v* набирáть нóмер *(по телефону)*

dialect [ˈdaɪəlekt] диалéкт, нарéчие, гóвор; local ~ мéстный диалéкт

dialectic||**al** [ˌdaɪəˈlektɪk(ə)l] диалекти́ческий; ~**s** [-s] диалéктика

dialogue [ˈdaɪəlɔg] разговóр, диалóг

diamet||**er** [daɪˈæmɪtə] диáметр; ~**rical** [ˌdaɪəˈmetrɪk(ə)l] диаметрáльный

diamond [ˈdaɪəmənd] 1) алмáз; бриллиáнт 2) *pl карт.* бýбны ◇ ~ cut ~ ≅ нашлá косá на кáмень; ~**-fields** [-fiːldz] *pl* алмáзные кóпи

diaper [ˈdaɪəpə] 1) узóрчатое полотнó 2) *амер.* подгýзник

diaphragm [ˈdaɪəfræm] диафрáгма

diary [ˈdaɪərɪ] дневни́к

diathermic [ˌdaɪəˈθəːmɪk] *физ.* диатерми́ческий

diatribe [ˈdaɪətraɪb] обличи́тельная речь; уничтожáющая кри́тика

dice [daɪs] *pl от* die I

dickens [ˈdɪkɪnz] *разг.* чёрт

dicky [ˈdɪkɪ] *разг.* 1) неустóйчивый, шáткий 2) ненадёжный

dictat||**e** **1.** *v* [dɪkˈteɪt] 1) диктовáть 2) предпи́сывать **2.** *n* [ˈdɪkteɪt] предписáние; ~**ion** [-ˈteɪʃ(ə)n] 1) диктáнт; диктóвка 2) предписáние

dictator [dɪkˈteɪtə] диктáтор; ~**ship** диктатýра; ~ship of the proletariat диктатýра пролетариáта

diction [ˈdɪkʃ(ə)n] 1) стиль, манéра выражáться 2) ди́кция

dictionary [ˈdɪkʃ(ə)nrɪ] словáрь

did [dɪd] *past от* do III

didactic [dɪˈdæktɪk] 1) поучи́тельный 2) лю́бящий поучáть

die I [daɪ] (*pl* dice) игрáльная кость

die II 1) умирáть 2) увядáть *(о цветах)* 3) *разг.* томи́ться жела́нием; ~ **away** замира́ть *(о звуке)*; затиха́ть *(о ветре)*

die-hard ['daɪhɑ:d] *(обыкн. полит.)* твердоло́бый

diet I ['daɪət] парла́мент *(не английский)*

diet II ['daɪət] 1) пи́ща, стол 2) дие́та; **~ary** [-(ə)rɪ] **1.** *a* диети́ческий **2.** *n* 1) паёк 2) дие́та; **~etic** [,daɪɪ'tetɪk] диети́ческий

differ ['dɪfə] 1) различа́ться, отлича́ться *(from)* 2) расходи́ться *(во мнениях)*; **~ence** [-r(ə)ns] 1) ра́зница, разли́чие 2) ссо́ра; разногла́сие; **~ent** [-r(ə)nt] 1) друго́й 2) разли́чный, ра́зный

differential [,dɪfə'renʃ(ə)l] **1.** *a* дифференциа́льный **2.** *n* дифференциа́л

differentiate [,dɪfə'renʃɪeɪt] 1) различа́ть, отлича́ть 2) различа́ться, отлича́ться

difficul||t ['dɪfɪk(ə)lt] тру́дный; **~ty** [-ɪ] 1) тру́дность 2) затрудне́ние

diffident ['dɪfɪd(ə)nt] неуве́ренный в себе́, засте́нчивый

diffus||e **1.** *v* [dɪ'fju:z] распространя́ть; рассе́ивать **2.** *a* [dɪ'fju:s] 1) рассе́янный *(о свете)* 2) многосло́вный; **~ion** [dɪ'fju:ʒ(ə)n] 1) распростране́ние 2) *физ.* диффу́зия

dig [dɪg] **1.** *v* (dug, *уст.* digged) 1) копа́ть, рыть; *перен.* вы́искивать, дока́пываться 2) *разг.* ты́кать, толка́ть; ~ smb. in the ribs ткнуть кого́-л. в бок; ~ **in** ока́пываться *(тж.* ~ oneself in); ~ **up** а) вы́рыть; б) вспаха́ть; в) откопа́ть **2.** *n* *разг.* 1) толчо́к 2) шпи́лька, ко́лкость 3) *pl* нора́ *(о жилище)*

digest **1.** *v* [dɪ'dʒest] 1) перева́ривать *(пищу)* 2) усва́ивать **2.** *n* ['daɪdʒest] кра́ткое изложе́ние; **~ible** [dɪ'dʒestəbl] удобовари́мый; **~ive** [dɪ'dʒestɪv] 1) пищевари́тельный 2) спосо́бствующий пищеваре́нию

digger ['dɪgə] 1) копа́тель; землеко́п 2) экскава́тор

diggings ['dɪgɪŋz] *pl* 1) золоты́е при́иски 2) *разг.* жильё

digit ['dɪdʒɪt] 1) па́лец 2) ци́фра; однозна́чное число́

digni||fied ['dɪgnɪfaɪd] велича́вый, по́лный, досто́инства **~tary** [-t(ə)rɪ] 1) сано́вник 2) прела́т; **~ty** [-tɪ] 1) досто́инство; благоро́дство 2) зва́ние, сан

digress [daɪ'gres] отступа́ть, отклоня́ться

dike [daɪk] 1) да́мба, плоти́на 2) ров, кана́ва

dilapida||ted [dɪ'læpɪdeɪtɪd] полуразру́шенный, ве́тхий; **~tion** [dɪ,læpɪ'deɪʃ(ə)n] обветша́ние; упа́док

dilate [daɪ'leɪt] 1) расширя́ть; распространя́ть 2) расширя́ться; распространя́ться

dilatory ['dɪlət(ə)rɪ] 1) ме́дленный, медли́тельный 2) замедля́ющий

dilettante [,dɪlɪ'tæntɪ] дилета́нт, люби́тель

diligence I ['dɪlɪʒɑ:ns] дилижа́нс

dilig||ence II ['dɪlɪdʒəns] прилежа́ние; стара́ние; **~ent** [-dʒ(ə)nt] приле́жный, стара́тельный

dill [dɪl] укро́п

dilly-dally ['dılı'dælı] *разг.* колебаться, мешкать

dilut||e [daı'lju:t] **1.** *v* разбавлять, разводить; *перен.* ослаблять; выхолащивать **2.** *a* разбавленный; разведённый; *перен.* ослабленный; **~ion** [-'lu:ʃ(ə)n] разбавление; растворение; *перен.* ослабление ◇ ~ion of labour замена квалифицированных рабочих неквалифицированными

dim [dım] **1.** *a* 1) тусклый; матовый 2) смутный 3) слабый *(о зрении)* **2.** *v* 1) делать тусклым 2) затемнять 3) тускнеть

dime [daım] *амер.* монета в 10 центов

dimension [dı'menʃ(ə)n] 1) измерение 2) *pl* размеры, величина

dimin||ish [dı'mınıʃ] 1) уменьшать; ослаблять 2) уменьшаться; **~ution** [,dımı'nju:ʃ(ə)n] уменьшение; **~utive** [dı'mınjutıv] 1) маленький, крохотный 2) *грам.* уменьшительный

dimple ['dımpl] 1) ямочка *(на лице)* 2) рябь *(на воде)*

din [dın] **1.** *n* шум, грохот **2.** *v* шуметь ◇ ~ into smb.'s head вбивать кому-л. в голову

din||e ['daın] 1) обедать 2) угощать обедом; **~er** 1) обедающий 2) вагон-ресторан

dingey, dinghy ['dıŋgı] шлюпка, ялик

dingy ['dındʒı] тусклый; грязноватый

dining||-car ['daınıŋkɑ:] вагон-ресторан; **~-room** [-rum] столовая

dinky ['dınkı] *разг.* нарядный

dinner ['dınə] обед; have ~ обедать; **~-jacket** [-,dʒækıt] смокинг; **~-service** -[-,sə:vıs] обеденный сервиз

dint [dınt]: by ~ of посредством *(чего-л.)*

dip [dıp] **1.** *v* 1) погружать, окунать 2) погружаться, окунаться; ~ into the future *перен.* заглядывать в будущее 3) наклоняться; опускаться 4) *мор.* приспускать *(флаг и т. п.)* ◇ ~ one's headlights *авто* переключить на ближний свет; ~ a dress покрасить платье **2.** *n* 1) погружение; купание 2) уклон, наклон

diploma [dı'ploumə] диплом

diplom||acy [dı'plouməsı] дипломатия; **~at** ['dıpləmæt] дипломат; **~atic** [,dıplə'mætık] дипломатический

dipper ['dıpə] 1) ковш; черпак 2) (the D., *амер.* Big D.) Большая Медведица *(созвездие)*

dire ['daıə] ужасный, страшный; ~ plight ужасное положение

direct [dı'rect] **1.** *a* 1) прямой 2) ясный; точный ◇ ~ current *эл.* постоянный ток **2.** *adv* прямо; непосредственно **3.** *v* 1) направлять; указывать путь 2) отправлять, адресовать 3) руководить 4) приказывать; **~ion** [-'rekʃ(ə)n] 1) направление, руководство 2) управление 3) указание; *(обыкн. pl)* предписания, директивы 4) адрес; **~ive** [-ıv] **1.** *a* направляющий; указывающий **2.** *n* директива; наказ *(избирателей)*; **~ly** 1) прямо; непосредственно 2) немедленно

director [dɪ'rektə] 1) дирéктор 2) режиссёр; **~ate** [-rɪt] правлéние; директорáт; **~y** [-rɪ] áдресная кни́га; спрáвочник

dirge [dəːdʒ] погребáльная песнь

dirigible ['dɪrɪdʒəbl] **1.** *n* дирижáбль **2.** *a* управля́емый

dirk [dəːk] кинжáл

dirt ['dəːt] 1) грязь 2) пóчва, грунт 3) пóдлость; **~-cheap** [-'tʃiːp] *разг.* ≅ дешéвле пáреной рéпы

dirty ['dəːtɪ] 1) гря́зный *(в разн. знач.)* 2) ненáстный

dis- [dɪs-] *pref придаёт отриц. значение* не-, раз- *и т. п.*

disability [,dɪsə'bɪlɪtɪ] неспосóбность, бесси́лие; инвали́дность

disabl||e [dɪs'eɪbl] дéлать неспосóбным; лишáть возмóжности; дéлать нетрудоспосóбным; **~ed** [-d] нетрудоспосóбный

disabuse [,dɪsə'bjuːz]: **~** smb. of error выводи́ть из заблуждéния когó-л.

disaccord [,dɪsə'kɔːd] разноглáсие, расхождéние

disadvantage [,dɪsəd'vɑːntɪdʒ] 1) невы́годное положéние; be at a **~** быть в невы́годном положéнии 2) ущéрб, вред; **~ous** [,dɪsædvɑːn'teɪdʒəs] невы́годный, неблагопри́ятный

disagree [,dɪsə'griː] 1) не соглашáться; ссóриться 2) быть врéдным *(о пи́ще, кли́мате и т. п.— with)* 3) не соотвéтствовать, противорéчить друг дрýгу; **~able** [-'grɪəbl] неприя́тный; **~ment** 1) разноглáсие 2) разлáд, ссóра

disallow ['dɪsə'lau] 1) отвергáть; не признавáть 2) запрещáть

disappear [,dɪsə'pɪə] исчезáть, скрывáться; **~ance** [-r(ə)ns] исчезновéние

disappoint [,dɪsə'pɔɪnt] разочарóвывать; обмáнывать *(ожидания)*; **~ment** разочаровáние; досáда

disapprobation [,dɪsæpro(u)-'beɪʃ(ə)n] *см.* disapproval

disappro||val [,dɪsə'pruːv(ə)l] неодобрéние; **~ve** ['dɪsə'pruːv] не одобря́ть

disarm [dɪs'ɑːm] 1) обезорýживать *(тж. перен.)* 2) разоружáть 3) разоружáться; **~ament** [-əmənt] разоружéние

disarrange ['dɪsə'reɪndʒ] расстрáивать, приводи́ть в беспоря́док; **~ment** расстрóйство, беспоря́док

disarray ['dɪsə'reɪ] беспоря́док; замешáтельство

disast||er [dɪ'zɑːstə] бéдствие; **~rous** [-strəs] бéдственный, ги́бельный

disavow ['dɪsə'vau] отрицáть; откáзываться; не признавáться; **~al** [-əl] отрицáние; отречéние; откáз *(от свои́х слов и т. п.)*; непризнáние

disband [dɪs'bænd] *воен.* расформирóвывать

disbelief ['dɪsbɪ'liːf] невéрие

disbelieve ['dɪsbɪ'liːv] не вéрить, сомневáться

disburse [dɪs'bəːs] оплáчивать; плати́ть

disc [dɪsk] *см.* disk

discard [dɪs'kɑːd] 1) сбрáсывать *(карту)* 2) отбрáсывать *(за ненадобностью)*; отвергáть

discern [dɪ'sə:n] различа́ть, ви́деть *(тж. перен.)*; **~ing** 1) уме́ющий различа́ть, распознаю́щий 2) проница́тельный; **~ment** уме́ние различа́ть; проница́тельность

discharge [dɪs'tʃɑ:dʒ] **1.** *v* 1) разгружа́ть 2) выпуска́ть; вылива́ть 3) вы́стрелить 4) *эл.* разряжа́ть 5) увольня́ть 6) выполня́ть *(обязательства, долг)*; распла́чиваться *(с долгами)* 7) впада́ть *(о реке)* **2.** *n* 1) разгру́зка 2) вы́стрел 3) *эл.* разря́д 4) спуск, сток 5) освобожде́ние 6) увольне́ние 7) упла́та *(долга)* 8) выполне́ние *(обязанностей)* 9) *юр.* оправда́ние

disciple [dɪ'saɪpl] учени́к, после́дователь

discipline ['dɪsɪplɪn] **1.** *n* 1) дисципли́на; поря́док 2) дисципли́на *(отрасль науки)* 3) наказа́ние **2.** *v* 1) дисциплини́ровать 2) нака́зывать

disclaim [dɪs'kleɪm] отрека́ться; отка́зываться *(от кого-л., чего-либо)*; **~er** отка́з; отрече́ние

disclo||se [dɪs'klouz] обнару́живать, разоблача́ть; **~sure** [-'klouʒə] раскры́тие, разоблаче́ние

discolour [dɪs'kʌlə] обесцве́чивать

discomfi||t [dɪs'kʌmfɪt] 1) смуща́ть, приводи́ть в замеша́тельство 2) расстра́ивать пла́ны; **~ture** [-tʃə] 1) смуще́ние 2) расстро́йство пла́нов

discomfort [dɪs'kʌmfət] неудо́бство, тру́дности

discompose [ˌdɪskəm'pouz] смуща́ть, трево́жить

disconcert [ˌdɪskən'sə:t] 1) смуща́ть, приводи́ть в замеша́тельство 2) расстра́ивать *(планы и т. п.)*

disconnect ['dɪskə'nekt] разъединя́ть, разобща́ть; *эл.* выключа́ть

disconnexion [ˌdɪskə'nekʃ(ə)n] разъедине́ние; разобще́ние

disconsolate [dɪs'kɔns(ə)lɪt] неуте́шный, безуте́шный

discontent ['dɪskən'tent] недово́льство; доса́да; **~ed** [-ɪd] недово́льный

discontinu||e ['dɪskən'tɪnju:] прерыва́ть, прекраща́ть; **~ous** [-'tɪnjuəs] преры́вистый

discord ['dɪskɔ:d] 1) разногла́сие 2) диссона́нс; **~ant** [-'kɔ:dnt] 1) несогла́сный; противоречи́вый 2) нестро́йный *(о звуках)*

discount **1.** *n* ['dɪskaunt] 1) учёт векселе́й 2) ски́дка **2.** *v* [dɪs'kaunt] 1) учи́тывать векселя́ 2) де́лать ски́дку 3) не принима́ть в расчёт

discountenance [dɪs'kauntɪnəns] не одобря́ть

discourage [dɪs'kʌrɪdʒ] обескура́живать, озада́чивать; расхола́живать

discourse [dɪs'kɔ:s] **1.** *n* речь; рассужде́ние; ле́кция **2.** *v* рассужда́ть; ора́торствовать

discove||r [dɪs'kʌvə] открыва́ть, де́лать откры́тие; обнару́живать; **~ry** [-rɪ] откры́тие

discredit [dɪs'kredɪt] **1.** *v* 1) дискредити́ровать; позо́рить 2) не доверя́ть **2.** *n* 1) дискредита́ция 2) недове́рие

discreet [dɪs'kri:t] осмотри́-

тельный, благоразу́мный; сде́ржанный; уме́ющий молча́ть

discrepancy [dɪs'krep(ə)nsɪ] разли́чие; противоре́чие; несоотве́тствие

discrete [dɪs'kri:t] отде́льный; разъединённый

discretion [dɪs'kreʃ(ə)n] 1) осмотри́тельность, осторо́жность 2) свобо́да де́йствий 3) *юр.* усмотре́ние

discriminat||e [dɪs'krɪmɪneɪt] 1) различа́ть, распознава́ть 2) дискримини́ровать; **~ion** [dɪs,krɪmɪ'neɪʃ(ə)n] 1) проница́тельность; разбо́рчивость 2) дискримина́ция

discus ['dɪskəs] диск

discuss [dɪs'kʌs] обсужда́ть, дискути́ровать; **~ion** [-'kʌʃ(ə)n] обсужде́ние, пре́ния, диску́ссия

disdain [dɪs'deɪn] **1.** *v* пренебрега́ть **2.** *n* пренебреже́ние, презре́ние; **~ful** пренебрежи́тельный, презри́тельный

diseas||e [dɪ'zi:z] боле́знь; **~ed** [-d] больно́й

disembark ['dɪsɪm'bɑ:k] 1) выгружа́ть; выса́живать на бе́рег 2) выгружа́ться; выса́живаться на бе́рег

disenchant [,dɪsɪn'tʃɑ:nt] разочаро́вывать

disengag||e ['dɪsɪn'geɪdʒ] высвобожда́ть; выпу́тывать; отвя́зывать; **~ed** [-d] свобо́дный

disentangle ['dɪsɪn'tæŋgl] распу́тывать, высвобожда́ть

disfavour ['dɪs'feɪvə] **1.** *n* неми́лость; fall into ~ впасть в неми́лость **2.** *v* не одобря́ть

disfigure [dɪs'fɪgə] обезобра́живать, уро́довать; **~ment** обезобра́живание; уро́дство

disfranchise ['dɪs'fræntʃaɪz] лиша́ть избира́тельного пра́ва *или* го́лоса

disgorge [dɪs'gɔ:dʒ] 1) изверга́ть *(лаву и т. п.)*; изрыга́ть *(пищу)* 2) впада́ть *(о реке)* 3) неохо́тно отдава́ть *(что-л., особ. присвоенное незаконно)*

disgrace [dɪs'greɪs] **1.** *n* 1) неми́лость 2) позо́р; be a ~ *(to)* быть позо́ром *(для)* **2.** *v* позо́рить; ~ oneself опозо́риться; **~ful** бесче́стный, позо́рный

disgruntled [dɪs'grʌntld]: be ~ быть не в ду́хе

disguise [dɪs'gaɪz] **1.** *v* маскирова́ть; скрыва́ть **2.** *n* маскиро́вка; in ~ переоде́тый, замаскиро́ванный

disgust [dɪs'gʌst] **1.** *n* отвраще́ние **2.** *v* внуша́ть отвраще́ние; **~ing** отврати́тельный, проти́вный

dish ['dɪʃ] **1.** *n* 1) блю́до, таре́лка 2) *pl собир.* посу́да 3) ку́шанье, блю́до **2.** *v* 1) класть на блю́до, подава́ть 2) *разг.* провали́ть; he was ~ed его́ «засы́пали» *(на экзамене и т. п.)*; **~-cloth** [-klɔθ] посу́дное *(или* ку́хонное) полоте́нце

dishearten [dɪs'hɑ:tn] приводи́ть в уны́ние, расхола́живать

dishevelled [dɪ'ʃev(ə)ld] растрёпанный, взъеро́шенный

dishon||est [dɪs'ɔnɪst] нече́стный; **~esty** [-'ɔnɪstɪ] нече́стность; **~our** [-'ɔnə] **1.** *v* 1) бесче́стить, позо́рить; оскорбля́ть 2): ~our a cheque отказа́ть в упла́те *(по чеку)* **2.** *n* бесче́стие, позо́р; **~ourable** [-rəbl] бесче́стный, позо́рный; по́длый

dish-water [ˈdɪʃˌwɔːtə] помо́и *мн.*

disillusion [ˌdɪsɪˈluːʒ(ə)n] **1.** *n* разочарова́ние **2.** *v* разочаро́вывать

disinclin||ation [ˌdɪsɪnklɪˈneɪʃ(ə)n] нежела́ние; **~e** [-ˈklaɪn]: be ~ed не име́ть жела́ния

disinfect [ˌdɪsɪnˈfekt] дезинфици́ровать

disingenuous [ˌdɪsɪnˈdʒenjuəs] нei̇скренний

disinherit [ˈdɪsɪnˈherɪt] лиша́ть насле́дства; **~ance** [ˌdɪsɪnˈherɪt(ə)ns] лише́ние насле́дства

disintegrat||e [dɪsˈɪntɪgreɪt] 1) разделя́ть на составны́е ча́сти 2) распада́ться на составны́е ча́сти; **~ion** [dɪsˌɪntɪˈgreɪʃ(ə)n] разложе́ние на составны́е ча́сти

disinterested [dɪsˈɪntrɪstɪd] 1) бескоры́стный 2) беспристра́стный

disjoin [dɪsˈdʒɔɪn] разъединя́ть; разобща́ть

disjoint [dɪsˈdʒɔɪnt] разреза́ть *(птицу)*; расчленя́ть; **~ed** [-ɪd] несвя́зный *(о речи)*

disk [dɪsk] 1) диск 2) (грам-) пласти́нка

dislike [dɪsˈlaɪk] **1.** *n* неприя́знь; антипа́тия **2.** *v* не люби́ть; испы́тывать неприя́знь

dislocat||e [ˈdɪsləkeɪt] 1) вы́вихнуть 2) смеща́ть, сдвига́ть; **~ion** [ˌdɪsləˈkeɪʃ(ə)n] 1) вы́вих 2) наруше́ние 3) *геол.* смеще́ние

dislodge [dɪsˈlɔdʒ] вытесня́ть, выбива́ть

disloyal [ˈdɪsˈlɔɪ(ə)l] вероло́мный, преда́тельский

dismal [ˈdɪzməl] гнету́щий; мра́чный

dismantle [dɪsˈmæntl] 1) выноси́ть *(мебель и т. п.)* 2) разоружа́ть; расснa̋щивать *(корабль)* 3) разбира́ть *(машину)*

dismay [dɪsˈmeɪ] **1.** *n* страх, испу́г **2.** *v* пуга́ть, трево́жить

dismember [dɪsˈmembə] расчленя́ть; **~ment** расчлене́ние

dismiss [dɪsˈmɪs] 1) отпуска́ть; увольня́ть; распуска́ть 2) перееста́ть ду́мать *(о чём-л.)*; **~al** [-(ə)l] увольне́ние; ро́спуск

dismount [ˈdɪsˈmaunt] 1) спе́шиваться 2) снима́ть

disobedi||ence [ˌdɪsəˈbiːdjəns] непослуша́ние; **~ent** [-ənt] непослу́шный

disobey [ˈdɪsəˈbeɪ] ослу́шаться; не слу́шаться

disoblige [ˈdɪsəˈblaɪdʒ] поступа́ть неучти́во, неве́жливо; не счита́ться *(с кем-л.)*

disorder [dɪsˈɔːdə] **1.** *n* 1) беспоря́док; расстро́йство 2) *pl* волне́ния **2.** *v* *(обыкн. p. p.)* расстра́ивать *(здоровье и т. п.)*; **~ly** 1) беспоря́дочный 2) недисциплини́рованный

disorganize [dɪsˈɔːgənaɪz] расстра́ивать; дезорганизова́ть

disorientate [dɪsˈɔːrɪenteɪt] дезориенти́ровать, сбива́ть с то́лку

disown [dɪsˈoun] отка́зываться, отрека́ться

disparage [dɪsˈpærɪdʒ] говори́ть с пренебреже́нием; умаля́ть, недооце́нивать

disparity [dɪsˈpærɪtɪ] нера́венство, несоотве́тствие, несоразме́рность

dispassionate [dɪsˈpæʃnɪt] беспристра́стный

dispatch [dɪs'pætʃ] **1.** *v* 1) посыла́ть 2) бы́стро справля́ться *(с делом)* 3) *книжн.* убива́ть **2.** *n* 1) отпра́вка 2) официа́льное донесе́ние; депе́ша ◇ with ~ бы́стро *(сделать что-л.)*; **~er** диспе́тчер

dispel [dɪs'pel] разгоня́ть, рассе́ивать

dispensable [dɪs'pensəbl] необяза́тельный

dispensary [dɪs'pens(ə)rɪ] апте́ка

dispensation [,dɪspen'seɪʃ(ə)n] 1) разда́ча, распределе́ние 2) разреше́ние

dispense [dɪs'pens] 1) раздава́ть, распределя́ть 2) приготовля́ть *(лекарство)* 3): ~ **with** обойти́сь без чего́-л.; ~ **from** освобожда́ть *(от обязательств)*

dispenser [dɪs'pensə] фармаце́вт

disper||sal [dɪs'pə:s(ə)l] рассе́ивание; распростране́ние; **~se** [-'pə:s] 1) разгоня́ть; рассе́ивать; распространя́ть 2) рассыпа́ться, рассе́иваться, разбега́ться; **~sion** [-'pə:ʃ(ə)n] *см.* dispersal

dispirited [dɪ'spɪrɪtɪd] удручённый, уны́лый

displace [dɪs'pleɪs] 1) смеща́ть; перемеща́ть; переставля́ть 2) вытесня́ть ◇ ~d persons перемещённые ли́ца; **~ment** 1) смеще́ние; перемеще́ние 2) водоизмеще́ние 3) *геол.* сдвиг *(пластов)*

display [dɪs'pleɪ] **1.** *v* 1) выставля́ть, пока́зывать 2) проявля́ть, обнару́живать **2.** *n* 1) вы́ставка; пока́з 2) проявле́ние 3) выставле́ние напока́з, хвастовство́

displeas||e [dɪs'pli:z] 1) не нра́виться 2) серди́ть, раздража́ть; **~ure** [-'pleʒə] неудово́льствие, недово́льство

disport [dɪs'pɔ:t]: ~ oneself развлека́ться

dispos||able [dɪs'pouzəbl] 1) досту́пный; могу́щий быть испо́льзованным 2) от кото́рого легко́ отде́латься; **~al** [-'pouz(ə)l] 1) расположе́ние; расстано́вка 2) распоряже́ние; be at smb's ~al быть в чьём-л. распоряже́нии

dispos||e [dɪs'pouz] 1) располага́ть, расставля́ть 2) склоня́ть; ~ **of** а) отде́лываться *(от чего-либо)*; б) распоряжа́ться; **~ition** [,dɪspə'zɪʃ(ə)n] 1) хара́ктер 2) скло́нность *(to)* 3) расположе́ние, размеще́ние 4) распоряже́ние 5) *(обыкн. pl)* приготовле́ния, пла́ны

dispossess ['dɪspə'zes] лиша́ть со́бственности, (пра́ва) владе́ния *(of)*

disproof ['dɪs'pru:f] опроверже́ние

disproportion ['dɪsprə'pɔ:ʃ(ə)n] непропорциона́льность, несоразме́рность; **~ate** [,dɪsprə'pɔ:ʃnɪt] непропорциона́льный, несоразме́рный

disprove ['dɪs'pru:v] опроверга́ть

disput||able [dɪs'pju:təbl] спо́рный; **~ant** [-(ə)nt] 1) спо́рщик 2) уча́стник ди́спута

dispute [dɪs'pju:t] **1.** *v* 1) спо́рить; оспа́ривать 2) обсужда́ть, дискути́ровать 3) ока́зывать сопротивле́ние **2.** *n* 1) ди́спут, обсуждéние; beyond ~ без сомнéния 2) спор, пререкáния

disqualif||ication [dɪs,kwɔlɪfɪ'keɪʃ(ə)n] 1) дисквалификáция, лишéние прáва *(на что-л.)* 2) непригóдность *(к чему-л.—for)*; **~y** [dɪs'kwɔlɪfaɪ] дéлать неспосóбным (*или* негóдным); дисквалифицúровать

disquiet [dɪs'kwaɪət] беспокóйство, тревóга

disquisition [,dɪskwɪ'zɪʃ(ə)n] исслéдование

disregard ['dɪsrɪ'gɑ:d] **1.** *n* невнимáние; пренебрежéние **2.** *v* игнорúровать; пренебрегáть

disrepu||table [dɪs'repjutəbl] пóльзующийся дурнóй репутáцией; постыдный; позóрный; **~te** ['dɪsrɪ'pju:t] дурнáя слáва

disrespect ['dɪsrɪs'pekt] неуважéние; непочтúтельность; **~ful** непочтúтельный

disrupt [dɪs'rʌpt] разрывáть; **~ion** [-'rʌpʃ(ə)n] разрыв; раскóл

dissatis||faction ['dɪs,sætɪs'fækʃ(ə)n] неудовлетворённость, недовóльство; **~fied** [-faɪd] недовóльный; **~fy** [-'sætɪsfaɪ] *(обыкн. pass)* не удовлетворять

dissect [dɪ'sekt] 1) анатомúровать 2) анализúровать

dissemble [dɪ'sembl] скрывáть *(чувства и т. п.)*

disseminate [dɪ'semɪneɪt] распространять *(учение, взгляды)*

dissension [dɪ'senʃ(ə)n] разноглáсие

dissent [dɪ'sent] **1.** *v* расходúться в убеждéниях, мнéниях **2.** *n* разноглáсие; **~er** сектáнт; раскóльник

dissertation [,dɪsə:'teɪʃ(ə)n] диссертáция

disservice ['di:s'sə:vɪs] плохáя услýга, ущéрб

dissiden||ce ['dɪsɪd(ə)ns] раскóл; разноглáсие; **~t** 1) инакомыслящий 2) раскóльник

dissimilar ['dɪ'sɪmɪlə] несхóдный; **~ity** [,dɪsɪmɪ'lærɪtɪ] несхóдство

dissimulate [dɪ'sɪmjuleɪt] 1) скрывáть *(чувства и т. п.)* 2) притворяться, лицемéрить

dissipat||e ['dɪsɪpeɪt] 1) рассéивать, разгонять *(облака, страх)* 2) расточáть; промáтывать *(состояние)* 3) *редк.* кутúть; **~ed** [-ɪd] распýщенный беспýтный

dissocia||ble [dɪ'souʃəbl] необщúтельный; **~te** [dɪ'souʃɪeɪt] разъединять, разобщáть

dissolute ['dɪsəlu:t] распýщенный, разврáтный

dissolution [,dɪsə'lu:ʃ(ə)n] 1) растворéние 2) разложéние *(на составные части)* 3) расторжéние *(договора, брака)* 4) рóспуск *(организации, парламента и т. п.)*

dissolve [dɪ'zɔlv] 1) растворять 2) растворяться 3) разлагáть 4) расторгáть *(договор, брак)* 5) распускáть *(организацию, парламент и т. п.)*

disson||ance ['dɪsənəns] неблагозвýчие, диссонáнс; **~ant** [-ənt] нестрóйный *(о звуках)*

dissuade [dɪ'sweɪd] отговáривать, отсовéтовать

dist||ance ['dɪst(ə)ns] **1.** *n* 1) расстояние 2) промежýток *(времени)* **2.** *v* обойтú, обогнáть;

~**ant** [-nt] 1) отдалённый, да́льний 2) сде́ржанный

distaste ['dɪs'teɪst] отвраще́ние *(for)*; ~**ful** неприя́тный, проти́вный

distemper [dɪs'tempə] **1.** *n* клеева́я кра́ска **2.** *v* кра́сить клеево́й кра́ской

disten||d [dɪs'tend] 1) надува́ть *(шар)*; раздува́ть *(ноздри)* 2) растя́гивать; ~**sible** [-'tensəbl] растяжи́мый; ~**sion** [-'tenʃ(ə)n] растяже́ние; расшире́ние

distil [dɪs'tɪl] 1) дистиллúровать; очища́ть 2) *мор.* опресня́ть *(воду)* 3) перегоня́ть *(спирт)* 4) сочи́ться, ка́пать; ~**ler** виноку́р; ~**lery** [-ərɪ] виноку́ренный заво́д

distinct [dɪs'tɪŋkt] 1) отчётливый; я́сный 2) отли́чный *(от других)*; ~**ion** [-kʃ(ə)n] 1) разли́чие, отли́чие 2) выдаю́щиеся ка́чества 3) оригина́льность; индивидуа́льность 4) знак отли́чия; ~**ive** [-ɪv] отличи́тельный, характе́рный; ~**ly** я́сно, отчётливо

distinguish [dɪs'tɪŋgwɪʃ] 1) различа́ть, отлича́ть 2): ~ oneself отличи́ться; ~**ed** [-t] ви́дный, заслу́женный, выдаю́щийся; Distinguished Service Order (D.S.O.) о́рден за отли́чную боеву́ю слу́жбу *(в Англии)*

distort [dɪs'tɔ:t] искривля́ть; искажа́ть; ~**ion** [-'tɔ:ʃ(ə)n] искривле́ние; искаже́ние

distract [dɪs'trækt] 1) отвлека́ть 2) приводи́ть в смяте́ние; ~**ed** [-ɪd] 1) рассе́янный 2) обезу́мевший; drive smb. ~ed доводи́ть кого́-л. до безу́мия; ~**ion** [-kʃ(ə)n] 1) развлече́ние 2) отвлече́ние внима́ния 3) сумасше́ствие; love to ~ion люби́ть до безу́мия

distrait [dɪs'treɪ] *фр.* рассе́янный

distraught [dɪs'trɔ:t] обезу́мевший *(от горя и т. п.)*

distress [dɪs'tres] **1.** *n* 1) го́ре 2) бе́дствие 3) нужда́ 4) истоще́ние, утомле́ние 5) *attr.*: ~ signal сигна́л бе́дствия **2.** *v* огорча́ть; терза́ть; be ~ed for smb. пережива́ть за кого́-л.; ~**ed** [-t] 1) огорчённый 2) утомлённый 3): ~ed areas райо́ны хрони́ческой безрабо́тицы; ~**ful** многострада́льный; ско́рбный, го́рестный

distribut||e [dɪs'trɪbju:t] распределя́ть, раздава́ть; ~**ion** [,dɪstrɪ'bju:ʃ(ə)n] 1) распределе́ние, разда́ча 2) распростране́ние; ~**ive** [dɪs'trɪbjutɪv] 1) распредели́тельный 2) *грам.* раздели́тельный

district ['dɪstrɪkt] райо́н, о́круг

distrust [dɪs'trʌst] **1.** *n* недове́рие, сомне́ние **2.** *v* не доверя́ть; ~**ful** недове́рчивый

disturb [dɪs'tə:b] 1) беспоко́ить, меша́ть 2) расстра́ивать, наруша́ть *(покой, равновесие)*; ~**ance** [-(ə)ns] 1) беспоко́йство; волне́ние 2) наруше́ние *(порядка, тишины и т. п.)*

disuni||on ['dɪs'ju:njən] 1) разъедине́ние, разобще́ние 2) разла́д; ~**te** ['dɪsju:'naɪt] 1) разъединя́ть 2) разъединя́ться

disuse **1.** *v* ['dɪs'ju:z] *(обыкн. p. p.)* перестава́ть по́льзоваться; a ~d well коло́дец, кото́-

рым не пóльзуются **2.** *n* ['dis-'ju:s] неупотреблéние; fall into ~ вы́йти из употреблéния

ditch [dɪtʃ] **1.** *n* канáва, ров **2.** *v* 1) окáпывать *(рвом, канавой)* 2) *разг.* угрóбить, разби́ть *(машину и т. п.)* 3) *разг.* выбрáсывать

ditto ['dɪtou] то же (сáмое) ◇ say ~ *(to)* поддáкивать

ditty ['dɪtɪ] пéсенка

divan I [dɪ'væn] ди́вáн

divan II ди́вáн *(государственный совет на Востоке)*

div||e ['daɪv] **1.** *v* 1) ныря́ть; погружáться *(о подводной лодке); перен.* углубля́ться *(в лес, работу и т. п.);* запускáть рýку *(во что-л.)* 2) *ав.* пики́ровать **2.** *n* 1) ныря́ние 2) специализи́рованная закýсочная 3) *амер.* пивнýшка; **~er** 1) водолáз 2) искáтель жéмчуга; ловéц гýбок

diverg||e [daɪ'vəːdʒ] 1) расходи́ться 2) отклоня́ться; **~ence** [-(ə)ns] расхождéние

divers ['daɪvəːz] *уст.* рáзные

diver||se [daɪ'vəːs] рáзный, отли́чный; **~sify** [-'vəːsɪfaɪ] разнообрáзить **~sion** [-'vəːʃ(ə)n] 1) отклонéние 2) отвлечéние *(внимания)* 3) развлечéние 4): ~sion of traffic отвóд движéния в стóрону 5) *воен.* дивéрсия; **~sity** [-'vəːsɪtɪ] различие; разнообрáзие

divert [daɪ'vəːt] 1) отклоня́ть 2) отвлекáть *(внимание)* 3) забавля́ть, развлекáть

divest [daɪ'vest] 1) раздевáть, разоблачáть 2) лишáть; I cannot ~ myself of the idea я не могý отдéлаться от мы́сли; **~ment** 1) раздевáние 2) лишéние *(прав и т. п.)*

divide [dɪ'vaɪd] 1) дели́ть, отделя́ть 2) расходи́ться *(во взглядах)* 3) разделя́ть *(from);* разъединя́ть 4) разделя́ться *(from);* разъединя́ться

dividend ['dɪvɪdend] 1) *ком.* дивидéнд 2) *мат.* дели́мое

dividers [dɪ'vaɪdəz] *pl* ци́ркуль-измери́тель *ед.*

divine I [dɪ'vaɪn] **1.** *a* 1) божéственный 2) *разг.* превосхóдный **2.** *n* богослóв

divine II угáдывать; предскáзывать

divinity [dɪ'vɪnɪtɪ] 1) божествó 2) богослóвие

divisible [dɪ'vɪzəbl] дели́мый

division [dɪ'vɪʒ(ə)n] 1) делéние; разделéние; ~ of labour разделéние трудá 2) часть, раздéл, отдéл 3) *воен.* диви́зия 4) разноглáсие, разлáд; **~al** [-l] *воен.* дивизиóнный

divisor [dɪ'vaɪzə] *мат.* дели́тель

divorce [dɪ'vɔːs] **1.** *n* 1) разврóд, расторжéние брáка 2) разъединéние **2.** *v* 1) расторгáть брак 2) разъединя́ть, отделя́ть *(from)*

divulge [daɪ'vʌldʒ] разглашáть *(тайну)*

Dixie ['dɪksɪ] Ю́жные штáты США *(тж.* ~'s Land)

dixie, dixy ['dɪksɪ] 1) *воен.* кýхонный котёл 2) похóдный котелóк

diz||ziness ['dɪzɪnɪs] головокружéние; **~zy** ['dɪzɪ] **1.** *a* 1) испы́тывающий головокружéние 2) головокружи́тельный **2.** *v* вызывáть головокружéние

do I [dou] *муз.* нóта до

do II [du:] *разг.* **1.** *n* 1) обмáн, мошéнничество 2) вечерúнка **2.** *v* обмáнывать; мистифицúровать

do III [du: *(полная форма);* də *(редуцированная форма перед согласным);* du *(перед* [w] *и перед гласным)*] (did; done [dʌn]) 1) дéлать, поступáть; выполня́ть; do harm причиня́ть вред, вредúть; do one's duty исполня́ть свой долг 2) годúться, подходúть; быть достáточным; that will do! хвáтит!; do you think this colour will do? вы дýмаете, что э́тот цвет подойдёт? 3) *употребляется как служебный глагол:* а) do justice отдавáть дóлжное; do smb. credit дéлать комý-л. честь; do smb. good приносúть комý-л. пóльзу; б) *вместо другого глагола*: she goes where I do онá хóдит тудá же, кудá и я (хожý); Do you know them? — Yes, I do. Вы их знáете? — Да (знáю); she speaks French well. So does her sister. Онá хорошó говорúт по-францýзски. И её сестрá тóже (хорошó говорúт по-францýзски) 4) *употребляется как вспомогательный глагол:* а) *для образования вопр. и отриц. формы Present и Past Indefinite, на русский не переводится:* I do not smoke я не курю́; does he speak English? говорúт ли он по-англúйски?; she did not see them онá их не вúдела; б) *для образования отриц. формы повелительного накл.*: don't be noisy! не шумú(те)!; в) *для усиления глагола в Past и Present Indefinite и в повелительном накл.:* we did see you! мы же вас вúдели!; do come to-night! ну, приходúте же сегóдня вéчером!; do **away** *(with)* покóнчить, уничтóжить; отменя́ть; do **for** *разг.:* be done for а) погибáть *(о людях);* б) быть совершéнно негóдным *(о вещах);* do **up** а) приводúть в поря́док; б) завёртывать *(пакет);* в): be done up утомля́ть; do **with** а) терпéть, выносúть; б) довóльствоваться; do **without** обходúться *(без чего-л.)* ◇ how do you do? как вы поживáете?; do one's best дéлать всё возмóжное; there is nothing to be done ничегó нельзя́ сдéлать; are you done with it? вы кóнчили?; вам э́то бóльше не нýжно?; it won't do us harm if... нам не помешáло бы...; do well преуспевáть, успéшно вестú делá; do a room убирáть кóмнату; do to death убивáть; do one's hair сдéлать причёску

docil||e ['dousaɪl] 1) поня́тливый 2) послýшный; **~ity** [do(u)-'sɪlɪtɪ] 1) поня́тливость 2) послушáние

dock I [dɔk] щавéль

dock II 1) обрубáть *(хвост животного);* кóротко стричь *(волосы)* 2) сокращáть, уменьшáть *(жалованье)*

dock III скамья́ подсудúмых; in the ~ на скамьé подсудúмых

dock IV **1.** *n* док **2.** *v* стáвить сýдно в док

docker ['dɔkə] дóкер, рабóчий в дóке

docket [ˈdɔkɪt] **1.** *n* на́дпись на докуме́нте **2.** *v* де́лать на́дпись, вы́писку

doctor [ˈdɔktə] **1.** *n* врач, до́ктор **2.** *v* 1) *разг.* лечи́ть 2) чини́ть на ско́рую ру́ку *(машину и т. п.)* 3) подде́лывать *(документы и т. п.)*; фальсифици́ровать *(продукты)*; **~al** [-rəl] до́кторский; **~ate** [-rɪt] до́кторская сте́пень

doctri||naire [ˌdɔktrɪˈnɛə] доктринёр; **~nal** [-ˈtraɪnl] относя́щийся к доктри́не; **~ne** [ˈdɔktrɪn] 1) уче́ние, доктри́на 2) ве́ра, до́гма

document **1.** *n* [ˈdɔkjumənt] докуме́нт; свиде́тельство **2.** *v* [ˈdɔkjument] снабжа́ть доказа́тельствами *или* докуме́нтами; **~ary** [ˌdɔkjuˈment(ə)rɪ] **1.** *a* документа́льный **2.** *n* документа́льный фильм

dodder [ˈdɔdə] ковыля́ть

dodge [dɔdʒ] **1.** *n* увёртка, уло́вка **2.** *v* увёртываться; увиливать

doe [dou] са́мка *(оленя, зайца, кролика)*

does [dʌz *(полная форма)*, dəz *(редуцированная форма)*] *3 л. ед. ч. наст. вр. изъяв. накл. от* do III

doeskin [ˈdouskɪn] оле́нья ко́жа; за́мша

doff [dɔf] снима́ть *(одежду, шляпу)*

dog [dɔg] **1.** *n* соба́ка ◇ go to the ~s погиба́ть; let sleeping ~s lie ≅ спя́щего пса не буди́; от греха́ пода́льше; ~ in the manger ≅ соба́ка на се́не **2.** *v* ходи́ть по пята́м

dog-days [ˈdɔgdeɪz] жа́ркие ле́тние дни

dog-eared [ˈdɔgɪəd]: a ~ book потрёпанная кни́га

dogged [ˈdɔgɪd] упо́рный, упря́мый; it's ~ does it ≅ упо́рством всего́ добьёшься

doggie [ˈdɔgɪ] *детск.* соба́чка

dogma [ˈdɔgmə] 1) до́гма 2) до́гмат; **~tic** [-ˈmætɪk] догмати́ческий

doings [ˈdu:ɪŋz] *pl* 1) дела́, посту́пки 2) *амер. разг.* зате́йливые блю́да

doldrums [ˈdɔldrəmz] *pl:* in the ~ не в ду́хе

dole I [doul] **1.** *n разг.* посо́бие по безрабо́тице **2.** *v:* ~ out *разг.* раздава́ть

dole II [ˈdoul] го́ре; **~ful** ско́рбный

doll [dɔl] ку́кла

dollar [ˈdɔlə] до́ллар

dolly [ˈdɔlɪ] ку́колка

dolorous [ˈdɔlərəs] *поэт.* печа́льный

dolphin [ˈdɔlfɪn] дельфи́н

dolt [doult] болва́н

domain [dəˈmeɪn] владе́ния *мн.;* име́ние; *перен.* о́бласть, сфе́ра

dome [doum] 1) ку́пол; ~ of heaven *поэт.* небе́сный свод 2) *поэт.* вели́чественное зда́ние

domestic [dəˈmestɪk] **1.** *a* 1) дома́шний 2) вну́тренний; оте́чественный 3) ручно́й **2.** *n* дома́шняя рабо́тница, прислу́га; **~ate** [-eɪt] выра́щивать, культиви́ровать *(растения)*; прируча́ть *(животных)*

domicile [ˈdɔmɪsaɪl] *офиц.* постоя́нное местожи́тельство; жили́ще

domin||ant [ˈdɔmɪnənt] **1.** *a* госпо́дствующий **2.** *n муз.* домина́нта; **~ate** [-neɪt] 1) госпо́дствовать; преоблада́ть 2) возвыша́ться; **~ation** [ˌdɔmɪˈneɪʃ(ə)n] госпо́дство; **~eer** [ˌdɔmɪˈnɪə] 1) вла́ствовать; госпо́дствовать 2) тира́нить

dominion [dəˈmɪnjən] 1) влады́чество 2) доминио́н 3) владе́ние

don I [dɔn] 1) дон *(испанский титул)* 2) преподава́тель *(в Оксфорде и Кембридже)*

don II *уст.* надева́ть

donat||e [douˈneɪt] дари́ть, же́ртвовать; **~ion** [do(u)ˈneɪʃ(ə)n] дар; поже́ртвование

done [dʌn] *p. p. от* do III

donkey [ˈdɔŋkɪ] осёл

donor [ˈdounə] 1) же́ртвователь 2) до́нор

don't [dount] *сокр. от* do not

doom [du:m] **1.** *n* 1) рок 2) ги́бель **2.** *v (обыкн. pass)* обрека́ть *(на что-л.)*

doomsday [ˈdu:mzdeɪ]: till ~ до второ́го прише́ствия

door [dɔ:] дверь; out of ~s на у́лице, на откры́том во́здухе; **~keeper** [-ˌki:pə] приврáтник; **~step** [-step] поро́г; **~way** [-weɪ] вход

dope [ˈdoup] **1.** *n* 1) сма́зка, па́ста; аэрола́к 2) нарко́тик; дурма́н 3) *разг.* (секре́тная) информа́ция 4) *разг.* дура́к **2.** *v* одурма́нивать; **~-fiend** [-fi:nd] наркома́н

dormant [ˈdɔ:mənt] 1) безде́йствующий, дре́млющий; lie ~ безде́йствовать 2) находя́щийся в спя́чке *(о животных)*

dormer-window [ˈdɔ:məˈwɪndou] слухово́е окно́

dormitory [ˈdɔ:mɪtrɪ] о́бщая спа́льня

dosage [ˈdousɪdʒ] 1) дозиро́вка 2) до́за

dose [dous] **1.** *n* до́за **2.** *v* дава́ть лека́рство до́зами

doss-house [ˈdɔshaus] ночле́жный дом

dot [dɔt] **1.** *n* то́чка **2.** *v* 1) ста́вить то́чки; ~ the i's and cross the t's ста́вить то́чки над i 2) отмеча́ть пункти́ром 3) усе́ивать

dotage [ˈdoutɪdʒ] ста́рческое слабоу́мие

dote [dout] люби́ть до безу́мия *(on)*

dotty I [ˈdɔtɪ] усе́янный то́чками

dotty II *разг.* рехну́вшийся; be ~ рехну́ться

double [ˈdʌbl] **1.** *a* 1) двойно́й 2) двойственный **2.** *adv* вдво́е; вдвоём ◇ I see ~ у меня́ двои́тся в глаза́х **3.** *n* 1) двойно́е коли́чество 2) двойни́к **4.** *v* 1) удва́ивать; скла́дывать вдво́е 2) дубли́ровать 3) сжима́ть *(кулак)*; **~ up** скрю́читься *(от боли)*; ко́рчиться *(от смеха)*; **~-barrelled** [-ˌbær(ə)ld] двуство́льный; *перен.* двусмы́сленный; **~-breasted** [-ˈbrestɪd] двубо́ртный; **~-dealer** [-ˈdi:lə] двуру́шник; **~-dealing** [-ˈdi:lɪŋ] двуру́шничество; **~-faced** [-feɪst] двули́чный

doubly [ˈdʌblɪ] вдвойне́, вдво́е

doubt [ˈdaut] **1.** *n* сомне́ние; no *(или* beyond) ~ несомне́нно **2.** *v* 1) сомнева́ться 2) не доверя́ть; **~ful** сомни́тельный, недостове́рный; ~**less** несомне́нный

douche [du:ʃ] облива́ние; промыва́ние *(тж. мед.)*

dough ['dou] 1) те́сто; па́ста 2) *разг.* де́ньги; ~**boy** [-bɔɪ] *амер. разг.* пехоти́нец; ~**nut** [-nʌt] по́нчик; ~**y** [-ɪ] тестообра́зный

dour [duə] суро́вый; упря́мый

dove ['dʌv] го́лубь; ~**-cot(e)** [-kɔt, -kout] голубя́тня

dovetail ['dʌvteɪl] *тех.* соедини́ть «ла́сточкиным хвосто́м»; *перен.* согласо́вывать, увя́зывать

dowdy ['daudɪ] старомо́дный, безвку́сный

down I [daun] *(обыкн. pl)* холми́стая ме́стность

down II пух

down III **1.** *prep* вниз; по; he went ~ the hill он спусти́лся с холма́ **2.** *adv* вниз; внизу́; prices went ~ це́ны упа́ли ◇ ~ (with)! доло́й!; up and ~ вверх и вниз; взад и вперёд **3.** *n*: ups and ~s *см.* up 4 **4.** *v* 1): ~ tools забастова́ть, прекрати́ть рабо́ту 2): ~ a glass of beer вы́пить стака́н пи́ва до дна

downcast ['daunkɑ:st] 1) поту́пленный *(о взгляде)* 2) удручённый; пода́вленный

downfall ['daunfɔ:l] ли́вень; си́льный снегопа́д; *перен.* паде́ние; низпроверже́ние

downhearted ['daun'hɑ:tɪd] (у)па́вший ду́хом

downhill ['daun'hɪl] **1.** *a* пока́тый **2.** *adv* по́д гору; вниз ◇ go ~ ухудша́ться *(о здоровье и т. п.)*

Downing Street ['daunɪŋ'stri:t] Да́унингстрит *(улица в Лондоне, где помещаются официальная резиденция премьера и министерство иностранных дел)*; *перен.* англи́йское прави́тельство

downpour ['daunpɔ:] ли́вень

downright ['daunraɪt] **1.** *a* 1) прямо́й; открове́нный; че́стный 2) я́вный **2.** *adv* соверше́нно

downstairs ['daun'stɛəz] **1.** *adv* 1) вниз *(по лестнице)* 2) внизу́; в ни́жнем этаже́ **2.** *a* располо́женный в ни́жнем этаже́

downstream ['daun'stri:m] вниз по тече́нию

downtown ['daun'taun] *амер.* делова́я часть го́рода

downtrodden ['daun,trɔdn] угнетённый

downward ['daunwəd] 1) спуска́ющийся 2) ухудша́ющийся *(о карьере и т. п.)*

downward(s) ['daunwəd(z)] вниз, кни́зу

downy ['daunɪ] пуши́стый; мя́гкий как пух

dowry ['dauərɪ] 1) прида́ное 2) приро́дный дар, тала́нт

doze [douz] **1.** *v* дрема́ть **2.** *n* дремо́та

dozen ['dʌzn] дю́жина

drab [dræb] **1.** *a* 1) ту́скло-кори́чневый 2) ску́чный **2.** *n* 1) ту́скло-кори́чневый цвет 2) однообра́зие

draft I [drɑ:ft] **1.** *n* 1) чертёж, план; эски́з; чернови́к *(документа и т. п.)* 2) прое́кт, набро́сок 3) чек; тра́тта **2.** *v* набросать *(документ, законопроект);* сделать чертёж

draft II призыв; набор в армию

draftsman ['drɑ:ftsmən] 1) чертёжник 2) составитель документа, автор законопроекта

drag [dræg] **1.** *v* 1) тащить; волочить 2) тащиться; волочиться; ~ **on** тянуться *(о времени);* ~ **out** тянуть; вытаскивать; ~ **up** *разг.* грубо воспитывать *(ребёнка)* **2.** *n* 1) драга; землечерпалка 2) тормоз; торможение 3) обуза; бремя

draggle ['drægl] 1) пачкать *(волоча по земле)* 2) тащиться в хвосте

dragon ['dræg(ə)n] дракон

dragon-fly ['dræg(ə)nflaɪ] стрекоза

dragoon [drə'gu:n] **1.** *n* драгун **2.** *v* принудить *(посредством репрессии и т. п.);* he was ~ed into giving this party *шутл.* его вынудили устроить эту вечеринку

drain ['dreɪn] **1.** *v* 1) дренировать, осушать *(почву)* 2) стекать в реку 3) истощать *(силы, средства)* 4) пить до дна **2.** *n* 1) дренажная труба, канава 2) расход, истощение *(сил, средств)* 3) *разг.* глоток; ~**age** [-ɪdʒ] дренаж; осушение

dram [dræm] глоток спиртного

drama ['drɑ:mə] драма; ~**tic** [drə'mætɪk] драматический; ~**tics** [drə'mætɪks] 1) драматическое искусство 2) спектакль ◇ she goes in for ~tics она устраивает сцены, закатывает истерики; ~**tist** ['dræmətɪst] драматург; ~**tize** ['dræmətaɪz] инсценировать

drank [dræŋk] *past от* drink **1**

drape ['dreɪp] драпировать; ~**ry** [-ərɪ] 1) драпировка 2) ткани 3) *attr.:* ~ry store магазин тканей

drastic ['dræstɪk] 1) сильнодействующий *(о лекарствах)* 2) решительный *(о мерах)*

draught I [drɑ:ft] 1) сквозняк; тяга *(воздуха)* 2) тяга; beasts of ~ тягловый скот

draught II [drɑ:ft] глоток; drink at a ~ выпить залпом

draught III *pl* шашки

draught IV чертёж

draught-board ['drɑ:ftbɔ:d] 1) шашечная доска 2) чертёжная доска

draught-horse ['drɑ:fthɔ:s] ломовая лошадь

draughtsman ['drɑ:ftsmən] 1) шашка *(в игре)* 2) *см.* draftsman

draw I [drɔ:] **1.** *v* (drew; drawn) 1) тащить, волочить; вести 2) тянуть, бросать *(жребий)* 3) привлекать *(внимание)* 4) получать *(жалованье и т. п.);* добывать *(информацию);* черпать *(вдохновение)* 5) задёргивать *(занавес)* 6) настаивать(ся) *(о чае)* 7): ~ a fowl потрошить птицу; ~ **back** отступать; ~ **in** а) вовлекать; б) укорачиваться *(о днях);* ~ **off** отводить *(войска и т. п.);* ~ **on** а) натягивать *(перчатки и т. п.);* б) наступать, приближаться; ~ **out** удлиняться *(о днях);* ~ **up** а) составлять *(документ);* б) выстраиваться *(о войсках)*; в) останáвливаться ◇ ~ tears вызывáть слёзы; ~ a breath передохнýть **2.** *n* 1) вытя́гивание 2) жеребьёвка; лотерéя 3) примáнка 4) *спорт.* игрá вничью

draw II [drɔ:] (drew; drawn) 1) черти́ть, рисовáть 2) выпи́сывать чек ◇ ~ a conclusion выводи́ть заключéние

drawback ['drɔ:bæk] 1) недостáток; отрицáтельная сторонá 2) препя́тствие, помéха 3) устýпка *(в цене)*

drawbridge ['drɔ:brɪdʒ] подъёмный мост

drawer I [drɔ:] выдвижнóй я́щик

drawer II чертёжник; рисовáльщик

drawers [drɔ:z] *pl* кальсóны

drawing ['drɔ:ɪŋ] 1) рисýнок 2) рисовáние, черчéние; **~-board** [-bɔ:d] чертёжная доскá; **~-pen** [-pen] рейсфéдер; **~-pin** [-pɪn] канцеля́рская кнóпка

drawing-room ['drɔ:ɪŋrum] гости́ная

drawl [drɔ:l] **1.** *n* протя́жное произношéние **2.** *v* растя́гивать словá

drawn [drɔ:n] *p. p. от* draw I, 1 *и* II

dray [dreɪ] подвóда

dread ['dred] **1.** *v* страши́ться **2.** *n* страх; **~ful** ужáсный, стрáшный

dream [dri:m] **1.** *n* 1) сон 2) мечтá; грёза **2.** *v* (dreamt, dreamed) 1) ви́деть во сне 2) мечтáть, грéзить *(of)*

dreamt [dremt] *past и p. p. от* dream 2

dreamy ['dri:mɪ] мечтáтельный

dreary ['drɪərɪ] мрáчный, уны́лый

dredge ['dredʒ] драга; **~r** землечерпáлка

dregs [dregz] *pl* отбрóсы; подóнки ◇ drink to the ~ вы́пить до дна

drench [drentʃ] промáчивать насквóзь

dress [dres] **1.** *v* 1) одевáть; наряжáть 2) одевáться; наряжáться 3) украшáть 4) перевя́зывать *(рану)* 5) причёсывать *(волосы)* 6) чи́стить *(лошадь)* 7) вы́делывать *(кожу)* 8) приправля́ть *(кушанье)* 9) *воен.* равня́ться; **~ up** надевáть маскарáдный костю́м **2.** *n* одéжда; плáтье; evening ~ фрак; вечéрнее плáтье ◇ ~ rehearsal генерáльная репети́ция

dress-circle ['dres'sə:kl] бельэтáж

dresser ['dresə] кýхонный шкаф для посýды

dressing ['dresɪŋ] 1) перевя́зочные срéдства 2) приправа, сóус, гарни́р

dressing-down ['dressɪŋ'daun] *разг.* нагоня́й, взбýчка

dressing||**-gown** ['dresɪŋgaun] халáт; **~-room** [-rum] туалéтная кóмната, убóрная; **~-table** [-ˌteɪbl] туалéтный стóлик

dressmaker ['dresˌmeɪkə] портни́ха

dressy ['dresɪ] 1) лю́бящий хорошó одевáться 2) мóдный *(о платье)*

drew [dru:] *past от* draw I, 1 *и* II

dribble I ['drɪbl] 1) кáпать 2) пускáть слю́ни

dribble II *спорт.* вести́ мяч *(в футболе и т. п.)*

drift [drɪft] **1.** *n* 1) (ме́дленное) тече́ние; *мор.* дрейф 2) направле́ние 3) смысл; стремле́ние 4) сугро́б, нано́сы **2.** *v* 1) сноси́ть ве́тром, водо́й; дрейфова́ть 2) сноси́ться ве́тром, водо́й; *перен.* плыть по тече́нию 3) наноси́ть, намета́ть в ку́чу *(о снеге, песке)*; ~ **apart** разойти́сь *(тж. перен.)*

drill I [drɪl] **1.** *n* 1) обуче́ние *(строевое)*; муштро́вка 2) упражне́ние, трениро́вка **2.** *v* обуча́ть; тренирова́ть; ~ in grammar ната́скивать по грамма́тике

drill II [drɪl] **1.** *n тех.* сверло́ **2.** *v* сверли́ть

drill III **1.** *n* рядова́я се́ялка **2.** *v* се́ять *или* сажа́ть ряда́ми

drink [drɪŋk] **1.** *v* (drank; drunk) пить; ~ **in** впи́тывать, внима́ть; ~ **off** пить за́лпом; ~ **up** вы́пить до дна **2.** *n* 1) питьё, напи́ток 2) глото́к; стака́н *(вина и т. п.)* ◇ soft ~s безалкого́льные напи́тки; fall into the ~ *разг.* упа́сть за́ борт

drip [drɪp] **1.** *v* ка́пать; ~-ping wet мо́крый насквозь **2.** *n* ка́панье

dripping [ˈdrɪpɪŋ] жир *(вытекающий из жарящегося мяса)*

drive [draɪv] **1.** *v* (drove; driven) 1) управля́ть *(автомобилем)*; пра́вить *(лошадью)* 2) е́хать *(в автомобиле и т. п.)* 3) *pass* приводи́ть в движе́ние *(машину)*; machinery is ~n by steam механи́змы приво́дятся в движе́ние па́ром 4) прогоня́ть, гнать 5) вбива́ть *(гвоздь)* 6) доводи́ть, приводи́ть *(в какое-л. состояние)*; ~ mad своди́ть с ума́ 7) бы́стро дви́гаться, нести́сь *(о судне)*; ~ **at** *разг.* клони́ть *(к чему-л.)*; what's he driving at? к чему́ он кло́нит?; ~ **away** а) прогна́ть; б) уе́хать; ~ **out** выгоня́ть; выбива́ть *(противника)* ◇ ~ home доводи́ть до созна́ния; ~ hard переутомля́ть; ~ a bargain заключа́ть сде́лку **2.** *n* 1) ката́ние, прогу́лка 2) подъездна́я алле́я 3) побужде́ние, сти́мул 4) пресле́дование *(зверя)* 5) го́нка, спе́шка 6) эне́ргия, си́ла 7) *воен.* наступле́ние 8) *тех.* переда́ча, приво́д

drivel [ˈdrɪvl] **1.** *v* 1) распусти́ть слю́ни 2) нести́ чепуху́ **2.** *n* глу́пая болтовня́

driven [ˈdrɪvn] *p. p. от* drive 1

driver [ˈdraɪvə] 1) шофёр; води́тель; машини́ст; вагонова́жатый; ку́чер 2) пого́нщик скота́ 3) *тех.* веду́щее колесо́

drizzle [ˈdrɪzl] **1.** *v* мороси́ть **2.** *n* ме́лкий дождь

droll [ˈdroul] заба́вный, чудно́й; **~ery** [-ərɪ] 1) шу́тки 2) ю́мор

drone [droun] **1.** *n* 1) тру́тень; *перен.* тунея́дец 2) жужжа́ние, гуде́ние **2.** *v* 1) жужжа́ть, гуде́ть 2) моното́нно говори́ть, зауны́вно петь

droop [dru:p] 1) пони́ка́ть, увяда́ть; слабе́ть; па́дать ду́хом, унывать 2) пону́рить *(голову)* 3) поту́пить *(глаза)*

drop [ˈdrɔp] **1.** *n* 1) ка́пля 2) глото́к *(вина и т. п.)* 3) понижéние *(температуры, цен и т. п.)* 4) опускáние *(занавеса и т. п.)* **2.** *v* 1) ронять, бросáть 2) опускáть 3) опускáться 4) потýпить *(глаза)*; понижáть *(голос)* 5) кáпать 6) пáдать 7) прекращáть *(работу, разговор и т. п.)*; ~ **behind** отставáть; ~ **in** зайти́; ~ **out** выбывáть, отсéиваться *(по конкурсу и т.п.)* ◇ ~ it! остáвь(те)!, брóсь(те)!; ~**let** [-lɪt] кáпелька

droppings ['drɔpɪŋz] помёт живóтных

dropsy ['drɔpsɪ] водя́нка

dross [drɔs] *тех.* окáлина; шлак

drought [draut] зáсуха

drove I [drouv] *past от* drive 1

drove II стáдо, гурт

drown [draun] 1) тонýть; be ~ed утонýть 2) топи́ться

drow||**se** ['drauz] дремáть; ~**sy** [-ɪ] 1) сóнный 2) усыпля́ющий

drub [drʌb] колоти́ть

drudge ['drʌdʒ] **1.** *v* исполня́ть тяжёлую, нýдную рабóту **2.** *n* лицó, исполня́ющее тяжёлую, нýдную рабóту; ~**ry** [-(ə)rɪ] тяжёлая, нýдная рабóта

drug ['drʌg] **1.** *n* 1) лекáрство 2) наркóтик **2.** *v* 1) подмéшивать наркóтик, яд *(в питьё, еду)* 2) употребля́ть наркоти́ческие срéдства, быть наркомáном; *перен.* притупля́ть *(чувства)*; ~**gist** [-ɪst] аптéкарь

drug-store ['drʌgstɔ:] *амер.* аптéка

drum [drʌm] **1.** *n* барабáн **2.** *v* 1) бить в барабáн 2) барабáнить 3): ~ smth. into smb. вдáлбливать что-л. комý-л.

drummer ['drʌmə] барабáнщик

drunk ['drʌŋk] **1.** *p. p. от* drink 1 **2.** *a* пья́ный; *перен.* опьянённый; ~**ard** [-əd] пья́ница; ~**en** [-(ə)n] пья́ный; хмельнóй

dry ['draɪ] **1.** *a* 1) сухóй; ~ measure мéра сыпýчих тел 2) холóдный, бесстрáстный 3) сухóй, неслáдкий *(о вине)* 4) *разг.* испы́тывающий жáжду ◇ ~ cow я́ловая корóва; ~ dock сухóй док; ~ goods *амер.* мануфактýра, галантерéя; ~ facts гóлые фáкты **2.** *v* 1) суши́ть 2) сóхнуть; ~ **up** а) высýшивать; б) высыхáть; в) *разг.* замолчáть; ~**-cleaning** [-'kli:nɪŋ] хими́ческая чи́стка; ~**er** суши́лка; ~**-shod** [-ʃɔd] не замочи́в ног

dual ['dju:əl] **1.** *a* двóйственный **2.** *n грам.* двóйственное числó; ~**ity** [-'ælɪtɪ] двóйственность

dub I [dʌb] *шутл.* давáть прóзвище

dub II дубли́ровать *(фильм)*

dubious ['dju:bjəs] 1) сомневáющийся 2) сомни́тельный

ducal ['dju:k(ə)l] гéрцогский

duchess ['dʌtʃɪs] герцоги́ня

duchy ['dʌtʃɪ] гéрцогство

duck I [dʌk] 1) ныря́ть; окунáться 2) быстро наклоня́ть гóлову, уклоня́ясь от удáра *и т. п.* 3) *разг.* приседáть

duck II 1) грýбое полотнó, паруси́на 2) *pl* паруси́новые брю́ки

duck III ['dʌk] 1) ýтка 2)

разг. голу́бушка; голу́бчик ◇ like water off a ~'s back ≅ как с гу́ся вода́; **~ling** [-lɪŋ] утёнок; **~y** [-ɪ) *см.* duck 2)

duct [dʌkt] *анат.* прото́к, кана́л

ductile ['dʌktaɪl] 1) ги́бкий; ко́вкий; тягу́чий 2) пода́тливый, поко́рный

dud [dʌd] *разг.* **1.** *n* 1) никчёмный челове́к 2) *воен.* неразорва́вшийся снаря́д 3) *pl* рвань, лохмо́тья **2.** *a* никчёмный

due [dju:] **1.** *a* 1) до́лжный, надлежа́щий; in ~ course в своё вре́мя 2) *predic:* her baby is ~ at the beginning of December она́ должна́ роди́ть в нача́ле декабря́ 3): ~ to *(употр. как prep.)* благодаря́ **2.** *adv* то́чно, пря́мо **3.** *n* 1) до́лжное; то, что причита́ется 2) *pl* нало́ги, по́шлины 3) *pl* чле́нские взно́сы

duel ['dju:əl] дуэ́ль; *перен.* состяза́ние, борьба́

duet [dju:'et] дуэ́т

duffer ['dʌfə] тупи́ца, никчёмный челове́к

dug [dʌg] *past от* dig 1

dug-out ['dʌgaut] 1) челно́к, вы́долбленный из ствола́ де́рева 2) земля́нка; *воен.* убе́жище; блинда́ж

duke ['dju:k] ге́рцог; **~dom** [-dəm] 1) ге́рцогство 2) ти́тул ге́рцога

dull ['dʌl] **1.** *a* 1) тупо́й *(тж. перен.)* 2) ску́чный 3) ту́склый; па́смурный 4) вя́лый *(о торговле)* **2.** *v* 1) притупля́ть 2) притупля́ться 3) де́латься вя́лым, ску́чным; **~ard** [-əd] тупи́ца

duly ['dju:lɪ] до́лжным о́бразом; во́время

dumb [dʌm] 1) немо́й; бессловесный; ~ show пантоми́ма 2) молчали́вый 3) *амер.* глу́пый

dumb-bells ['dʌmbelz] *pl* *спорт.* ганте́ли

dumbfound [dʌm'faund] ошара́шить

dumb-waiter ['dʌm'weɪtə] *амер.* небольшо́й лифт на ку́хне для пода́чи блюд с одного́ этажа́ на друго́й

dummy ['dʌmɪ] **1.** *n* 1) манеке́н 2) маке́т 3) подставно́е лицо́; болва́н *(в картах)* **2.** *a* 1) подде́льный 2) уче́бный; ~ cartridge уче́бный патро́н 3) *тех.* холосто́й *(ход)*

dump ['dʌmp] **1.** *n* 1) сва́лка, гру́да хла́ма 2) *воен.* полево́й склад **2.** *v* 1) сбра́сывать *(груз)*; выгружа́ть 2) *эк.* устра́ивать де́мпинг; **~ing** *эк.* де́мпинг, бро́совый э́кспорт

dumpling ['dʌmplɪŋ] 1) клёцка 2) я́блоко, запечённое в те́сте

dumps [dʌmps] *pl* пода́вленное состоя́ние

dumpy ['dʌmpɪ] корена́стый

dun [dʌn] серова́то-кори́чневый

dunce [dʌns] тупи́ца

dunderhead ['dʌndəhed] болва́н

dune [dju:n] дю́на

dung [dʌŋ] наво́з

dungeon ['dʌndʒ(ə)n] подзе́мная тюрьма́; темни́ца

dupe [dju:p] **1.** *n* обма́нутый челове́к; простофи́ля **2.** *v* обма́нывать

duplex ['dju:pleks] двусторо́нний, двойно́й

duplicat||e 1. *a* ['dju:plıkıt] 1) запасно́й 2) двойно́й; удво́енный **2.** *n* ['dju:plıkıt] ко́пия; дублика́т **3.** *v* ['dju:plıkeıt] 1) снима́ть ко́пию 2) удва́ивать; **~ion** [,dju:plı'keıʃ(ə)n] 1) удвое́ние 2) сня́тие ко́пии; **~or** ['dju:plıkeıtə] копирова́льный аппара́т

duplicity [dju:'plısıtı] двули́чность

dur||able ['djuərəbl] дли́тельный, про́чный; **~ation** [dju(ə)'reıʃ(ə)n] продолжи́тельность, дли́тельность; of short ~ation недолгове́чный

duress(e) [dju(ə)'res] принужде́ние; under ~ по принужде́нию

during ['djuərıŋ] в тече́ние, в продолже́ние

durst [də:st] *past от* dare

dusk ['dʌsk] су́мерки; **~y** [-ı] 1) су́меречный, тёмный; ~y thicket тёмная ча́ща 2) сму́глый

dust ['dʌst] **1.** *n* 1) пыль 2) прах ◇ bite the ~ упа́сть *(о раненом или убитом)*; throw ~ in smb.'s eyes пуска́ть пыль в глаза́ кому́-л. **2.** *v* 1) вытира́ть пыль; ~ the table вытира́ть пыль со стола́ 2) пыли́ть; осыпа́ть *(пылью, мукой, перцем и т. п.)*; **~bin** [-bın] му́сорный я́щик; **~-coat** [-kout] пы́льник *(плащ)*

dust-colour ['dʌst,kʌlə] серова́то-кори́чневый цвет

duster ['dʌstə] тря́пка для стира́ния пы́ли

dustpan ['dʌstpæn] сово́к для со́ра

dusty ['dʌstı] пы́льный, запылённый

Dutch ['dʌtʃ] **1.** *a* голла́ндский **2.** *n* 1) нидерла́ндский язы́к 2): the ~ голла́ндцы ◇ double ~ тараба́рщина; **~man** [mən] голла́ндец

dutiful ['dju:tıful] исполни́тельный, послу́шный

duty ['dju:tı] 1) долг, обя́занность 2) дежу́рство; on ~ на дежу́рстве; off ~ вне слу́жбы 3) по́шлина; **~-free** [-'fri:] беспо́шлинный

dwarf ['dwɔ:f] ка́рлик; **~ish** малоро́слый, ка́рликовый

dwell ['dwel] (dwelt) жить, пребыва́ть; **~ on, ~ upon** подро́бно остана́вливаться *(на чём-либо)*; **~ing** дом, жили́ще; местожи́тельство

dwelt [dwelt] *past и p. p. от* dwell

dwindle ['dwındl] уменьша́ться, истоща́ться

dy||e ['daı] **1.** *v* кра́сить **2.** *n* кра́ска; **~er** краси́льщик

dye-stuff ['daıstʌf] кра́сящее вещество́, краси́тель

dying ['daııŋ] *pres. p. от* die II

dyke [daık] *см.* dike

dynam||ic [daı'næmık] динами́ческий; **~ics** [-s] дина́мика

dynamite ['daınəmaıt] динами́т

dynamo ['daınəmou] дина́мо-маши́на

dynasty ['dınəstı] дина́стия

dysentery ['dısntrı] *мед.* дизентери́я

E

E, e [i:] 1) *пятая буква англ. алфавита* 2) *муз.* нота ми

each [i:tʃ] ка́ждый; ~ other друг дру́га

eager ['i:ɡə] стремя́щийся *(к чему-л.)*; нетерпели́вый; **~ness** пыл, рве́ние

eagl||e ['i:ɡl] 1) орёл 2) *амер.* золота́я моне́та в 10 до́лларов; **~et** [-ɪt] орлёнок

ear I [ɪə] 1) у́хо 2) слух

ear II ко́лос

earl [ə:l] граф

early ['ə:lɪ] **1.** *a* ра́нний; keep ~ hours ра́но встава́ть и ра́но ложи́ться **2.** *adv* ра́но

earmark ['ɪəmɑ:k] **1.** *n* 1) тавро́, клеймо́ 2) отличи́тельный при́знак **2.** *v* 1) накла́дывать клеймо́ 2) откла́дывать, предназнача́ть

earn [ə:n] 1) зараба́тывать 2) заслу́живать

earnest I ['ə:nɪst] **1.** *a* 1) серьёзный; ва́жный 2) убеждённый, и́скренний **2.** *n* серьёзность; in ~ серьёзно

earnest II зада́ток, зало́г

earnings ['ə:nɪŋz] *pl* за́работок

ear-phone ['ɪəfoun] нау́шник

ear-ring ['ɪərɪŋ] серьга́

earshot ['ɪəʃɔt]: within ~ бли́зко *(в пределах слышимости)*; out of ~ далеко́ *(вне пределов слышимости)*

earth [ə:θ] **1.** *n* 1) земля́; земно́й шар 2) су́ша; по́чва 3) *эл.* заземле́ние ◇ on ~ *разг. (для усиления вопроса и отрицания)*; why on ~? с како́й ста́ти?; no use on ~ нет никако́го смы́сла **2.** *v эл.* заземля́ть; ~ **up** а) зарыва́ть в зе́млю; б) оку́чивать

earthen ['ə:θ(ə)n] земляно́й; гли́няный; **~ware** [-wεə] гли́няная посу́да

earthly ['ə:θlɪ] земно́й

earthquake ['ə:θkweɪk] землетрясе́ние

earthwork ['ə:θwə:k] 1) земляно́е сооруже́ние 2) земляны́е рабо́ты *мн.*

earwig ['ɪəwɪɡ] уховёртка *(насекомое)*

ease [i:z] **1.** *n* 1) поко́й; take one's ~ отдыха́ть 2) лёгкость, непринуждённость; be ill at ~ чу́вствовать себя́ нело́вко; at ~! *воен.* во́льно! *(команда)* **2.** *v* 1) облегча́ть, успока́ивать *(боль)* 2) ослабля́ть, распуска́ть

easel ['i:zl] мольбе́рт

east [i:st] **1.** *n* восто́к; Far E. Да́льний Восто́к; Near E. Бли́жний Восто́к **2.** *a* восто́чный; E. End И́ст-Э́нд *(восточная, рабочая часть Лондона)* **3.** *adv* на восто́к, к восто́ку

Easter ['i:stə] *рел.* па́сха

eastern ['i:stən] восто́чный

Easterner ['i:stənə] жи́тель Восто́ка

eastward(s) ['i:stwəd(z)] к восто́ку, на восто́к

easy ['i:zɪ] **1.** *a* 1) лёгкий 2) удо́бный, споко́йный; ~ chair мя́гкое кре́сло 3) непринуждённый *(о манерах)* **2.** *adv* поко́йно, удо́бно; **~-going** [ˌɡo(u)ɪŋ] беспе́чный; доброду́шный

eat ['i:t] (ate; eaten) 1) есть

2) разъеда́ть; ~en away with rust съе́денный ржа́вчиной ◇ ~ one's words брать наза́д свои́ слова́; **~able** [-əbl] съедо́бный

eatables ['i:təblz] *pl разг.* съестно́е

eaten ['i:tn] *p. p. от* eat

eating-house ['i:tɪŋhaus] *уст.* столо́вая

eaves [i:vz] *pl* карни́з

eavesdrop ['i:vzdrɔp] подслу́шивать

ebb ['eb] **1.** *n* морско́й отли́в; *перен.* упа́док **2.** *v* убыва́ть; *перен.* ослабева́ть; **~-tide** [-'taɪd] отли́в

ebony ['ebənɪ] **1.** *n* чёрное де́рево **2.** *a* из чёрного де́рева

ebullient [ɪ'bʌljənt] 1) кипя́щий 2) кипу́чий

eccentric [ɪk'sentrɪk] **1.** *a* 1) эксцентри́чный 2) *тех.* эксцентри́ческий **2.** *n* 1) эксцентри́чный челове́к 2) *тех.* эксце́нтрик; **~ity** [,eksen'trɪsɪtɪ] эксцентри́чность

ecclesiastic [ɪ,kli:zɪ'æstɪk] духо́вное лицо́; **~al** [-(ə)l] церко́вный, духо́вный

echelon ['eʃəlɔn] *воен.* эшело́н

echo ['ekou] **1.** *n* 1) э́хо 2) подража́ние **2.** *v* 1) вто́рить; подража́ть 2) отдава́ться *(о звуке)*

éclat ['eɪklɑ:] *фр.* изве́стность; успе́х

eclectic [ek'lektɪk] эклекти́ческий

eclip||se [ɪ'klɪps] **1.** *n астр.* затме́ние; *перен.* упа́док; his fame suffered an ~ его́ сла́ва поме́ркла **2.** *v астр.* затемня́ть; *перен.* затмева́ть; **~tic** [-tɪk] *астр.* **1.** *a* эклипти́ческий **2.** *n* экли́птика

econo||mic [,i:kə'nɔmɪk] **1.** *a* 1) экономи́ческий 2) вы́годный, дохо́дный **2.** *n pl* эконо́мика; наро́дное хозя́йство; **~-mical** [,i:kə'nɔmɪk(ə)l] эконо́мный, бережли́вый; **~mize** [i:'kɔnəmaɪz] эконо́мить; **~my** [i:'kɔnəmɪ] 1) эконо́мия, бережли́вость 2) хозя́йство; эконо́мика; political ~my полити́ческая эконо́мия

ecsta||sy ['ekstəsɪ] экста́з; in an ~ of joy в поры́ве ра́дости; **~tic** [eks'tætɪk] исступлённый; восто́рженный; в экста́зе

eddy ['edɪ] **1.** *n* 1) небольшо́й водоворо́т 2) клуб *(дыма, пыли)* **2.** *v* 1) кружи́ться в водоворо́те 2) клуби́ться

Eden ['i:dn] Эде́м; рай

edge ['edʒ] **1.** *n* 1) ле́звие 2) край; окра́ина *(города и т. п.)*; on the ~ of a forest на опу́шке ле́са 3) ребро́ *(стола, линейки и т. п.)* ◇ have the ~ on smb. *разг.* име́ть преиму́щество перед ке́м-л.; be on ~ не́рвничать; on ~ раздражённый; set smb.'s teeth *(или* nerves) on ~ раздража́ть кого́-л. **2.** *v* 1) точи́ть 2) обшива́ть *(кругом)* 3): ~ one's way *(или* through) проти́снуться; **~-tool** [-tu:l] ре́жущий инструме́нт

edge||ways, ~wise ['edʒweɪz, -waɪz] остриём (вперёд) ◇ get a word in ~ ввернуть словечко

edging ['edʒɪŋ] 1) край 2) кайма́; кант

edgy ['edʒɪ] раздражённый

edible ['edɪbl] **1.** *a* съедо́бный **2.** *n pl* съестно́е, пи́ща

edification [,edɪfɪ'keɪʃ(ə)n] наставле́ние

edifice ['edɪfɪs] зда́ние; сооруже́ние

edify ['edɪfaɪ] наставля́ть, поуча́ть

edit ['edɪt] редакти́ровать; **~ion** [ɪ'dɪʃ(ə)n] изда́ние; **~or** реда́ктор; **~orial** [,edɪ'tɔ:rɪəl] **1.** *a* редакцио́нный, реда́кторский **2.** *n* передова́я статья́

editor-in-chief ['edɪtərɪn'tʃi:f] гла́вный реда́ктор

educat||e ['edju:keɪt] дава́ть образова́ние; воспи́тывать; **~-ion** [,edju:'keɪʃ(ə)n] образова́ние; воспита́ние; **~ional** [ed,ju:'keɪʃənl] образова́тельный, воспита́тельный; учёбный

educe [i:'dju:s] 1) развива́ть 2) выводи́ть *(заключение)*

eel [i:l] у́горь

e'en [i:n] *поэт. см.* even II

e'er [ɛə] *поэт. см.* ever

eerie, eery ['ɪərɪ] жу́ткий, сверхъесте́ственный

efface [ɪ'feɪs] стира́ть; *перен.* вычёркивать; изгла́живать; ~ oneself стушёвываться; **~ment** стира́ние; *перен.* вычёркивание

effect [ɪ'fekt] **1.** *n* 1) де́йствие 2) сле́дствие, результа́т; эффе́кт 3) *pl* ве́щи; иму́щество ◇ bring into ~, carry into ~ осуществля́ть; take ~ а) дать жела́емый результа́т; б) вступа́ть в си́лу *(о законе и т. п.)*; in ~ факти́чески; в действи́тельности **2.** *v* соверша́ть, выполня́ть; **~ive** [-ɪv] 1) эффекти́вный 2) вступа́ющий в си́лу *(о законе и т. п.)* 3) эффе́ктный 4) *воен.* го́дный к слу́жбе; **~ual** [-juəl] достига́ющий це́ли, эффекти́вный; **~uate** [-jueɪt] приводи́ть в исполне́ние

effemina||cy [ɪ'femɪnəsɪ] изне́женность; же́нственность *(о мужчине)*; **~te** [-nɪt] женоподо́бный, изне́женный

effervesc||e [,efə'ves] пузы́риться *(при кипении, брожении)*; *перен.* быть в возбужде́нии; **~ence** [-ns] вскипа́ние; броже́ние; **~ent** [-nt] кипу́чий

effete [e'fi:t] 1) истощённый; ослабе́вший 2) упа́дочный

effica||cious [,efɪ'keɪʃəs] де́йственный, эффекти́вный *(о лечении и т. п.)*; **~cy** ['efɪkəsɪ] си́ла, де́йственность, эффекти́вность

effici||ency [ɪ'fɪʃ(ə)nsɪ] 1) де́йственность, эффекти́вность, производи́тельность 2) *тех.* коэффицие́нт поле́зного де́йствия; **~ent** [-(ə)nt] 1) де́йственный, эффекти́вный; продукти́вный 2) квалифици́рованный, уме́лый

effigy ['efɪdʒɪ] изображе́ние, портре́т

efflorescence [,eflɔ:'resns] цвете́ние

effluent ['efluənt] река́, вытека́ющая из друго́й реки́ *или* прото́ка

efflux ['eflʌks] истече́ние; исто́к

effort ['efət] уси́лие; стара́ние, попы́тка ◇ that's a (pretty) good ~! *разг.* неду́рно, непло́хо сде́лано!

effrontery [e'frʌntərɪ] на́глость, бессты́дство

effulg||ence [e'fʌldʒ(ə)ns] лучеза́рность; **~ent** [-(ə)nt] лучеза́рный

effus||e [e'fju:z] излива́ть *(свет)*; испуска́ть *(запах)*; **~ion** [ɪ'fju:ʒ(ə)n] излия́ние; **~ive** [ɪ'fju:sɪv] экспанси́вный; she was ~ive in her thanks она́ рассыпа́лась в благода́рностях

egg I [eg] яйцо́ ◇ bad ~ *разг.* непутёвый, никуды́шный челове́к

egg II: ~ **on** подстрека́ть

eglantine ['egləntaɪn] шипо́вник

egocentric [,ego(u)'sentrɪk] эгоцентри́чный, эгоисти́чный

ego||ism ['ego(u)ɪzm] эгои́зм; **~ist** эгои́ст; **~istic(al)** [,ego(u)-'ɪstɪk(əl)] эгоисти́чный; эгоисти́ческий

egotism ['ego(u)tɪzm] самомне́ние

egress ['i:gres] вы́ход

egret ['i:gret] 1) бе́лая ца́пля 2) эгре́т

Egyptian [ɪ'dʒɪpʃ(ə)n] **1.** *a* еги́петский **2.** *n* египтя́нин; египтя́нка

eh! [eɪ] *восклицание, выражающее удивление*

eider ['aɪdə] га́га; **~-down** [-daun] 1) гага́чий пух 2) пухо́вое стёганое одея́ло

eigh||t ['eɪt] во́семь; **~teen** ['eɪ'ti:n] восемна́дцать; **~teenth** ['eɪ'ti:nθ] восемна́дцатый; **~th** [-θ] восьмо́й; **~ties** [-tɪz]: the ~ а) восьмиде́сятые го́ды; б) во́зраст ме́жду 79 и 90 года́ми; **~tieth** [-tɪɪθ] восьмидеся́тый; **~ty** [-tɪ] во́семьдесят

either ['aɪðə] **1.** *a* 1) тот и́ли друго́й 2) ка́ждый *(из двух)* **2.** *pron* любо́й *(из двух)* **3.** *adv., conj* 1) и́ли, ли́бо 2) та́кже *(в отриц. предл.)*

ejaculat||e [ɪ'dʒækjuleɪt] восклица́ть; **~ion** [ɪ,dʒækju'leɪʃ(ə)n] восклица́ние

eject [i:'dʒekt] 1) изгоня́ть *(from)* 2) изверга́ть; **~ion** [-kʃ(ə)n] изгна́ние

eke [i:k] добавля́ть недостаю́щее *(out)*

elaborate **1.** *a* [ɪ'læb(ə)rɪt] тща́тельно сде́ланный; дета́льно разрабо́танный; ~ plan хорошо́ подгото́вленный план; ~ hair-do замыслова́тая причёска **2.** *v* [ɪ'læbəreɪt] дета́льно разраба́тывать

elapse [ɪ'læps] проходи́ть *(о времени)*

elasti||c [ɪ'læstɪk] **1.** *a* эласти́чный, упру́гий; *перен.* ги́бкий **2.** *n* рези́нка *(шнурок)*; **~city** [,elæs'tɪsɪtɪ] эласти́чность

elat||e [ɪ'leɪt] поднима́ть настрое́ние; **~ed** [-ɪd] в припо́днятом настрое́нии; **~ion** [-ʃ(ə)n] припо́днятое настрое́ние

elbow ['elbou] **1.** *n* 1) ло́коть 2) *тех.* коле́но, коле́нчатая труба́ **2.** *v* толка́ть ло́ктем, локтя́ми; ~ one's way through прота́лкиваться, рабо́тать локтя́ми

elder I ['eldə] бузина́

elder II ['eldə] **1.** *a (сравн. ст. от* old) ста́рший **2.** *n pl* ста́ршие; **~ly** пожило́й

eldest ['eldɪst] *(превосх. ст. от* old) са́мый ста́рший

elect [ɪ'lekt] **1.** *v* 1) выбира́ть, избира́ть 2) реша́ть **2.** *a* и́збранный; **~ion** [-kʃ(ə)n] 1) вы́боры; general ~ion всео́бщие вы́боры 2) *attr.*: ~ion campaign избира́тельная кампа́ния; **~ive** [-ɪv] 1) вы́борный; избира́тельный 2) име́ющий избира́тельные права́; **~or** избира́тель; **~oral** [-(ə)r(ə)l] избира́тельный; **~orate** [-(ə)rɪt] соста́в избира́телей, избира́тели

electri||c(al) [ɪ'lektrɪk(əl)] электри́ческий; **~cian** [ɪlek'trɪʃ(ə)n] эле́ктрик; **~city** [ɪlek'trɪsɪtɪ] электри́чество; **~fication** [ɪˌlektrɪfɪ'keɪʃ(ə)n] 1) электрифика́ция 2) электриза́ция; **~fy** [-faɪ] 1) электрифици́ровать 2) электризова́ть *(тж. перен.)*; ~fy an audience наэлектризова́ть слу́шателей

electrocut||e [ɪ'lektrəkju:t] 1) убива́ть электри́ческим то́ком 2) казни́ть на электри́ческом сту́ле; **~ion** [ɪˌlektrə'kju:ʃ(ə)n] казнь на электри́ческом сту́ле

electrode [ɪ'lektroud] электро́д

electrolysis [ɪlek'trɔlɪsɪs] электро́лиз

electron [ɪ'lektrɔn] электро́н; **~ic** [ɪlek'trɔnɪk] электро́нный; **~ics** [ɪlek'trɔnɪks] электро́ника

electroplate [ɪ'lektro(u)pleɪt] гальванизи́ровать

eleg||ance ['elɪgəns] изя́щество, элега́нтность; **~ant** [-ənt] элега́нтный, изя́щный; изы́сканный

elegy ['elɪdʒɪ] эле́гия

element ['elɪmənt] 1) элеме́нт *(тж. хим.)* 2) *pl* стихи́я 3) *pl* осно́вы (зна́ния); the ~s of geometry осно́вы геоме́трии; **~al** [ˌelɪ'mentl] 1) стихи́йный 2) основно́й; **~ary** [ˌelɪ'ment(ə)rɪ] элемента́рный, первонача́льный

elephant ['elɪfənt] слон; **~ine** [ˌelɪ'fæntaɪn] слоно́вый; *перен.* слоноподо́бный; неуклю́жий; ~ine humour тяжелове́сный ю́мор

elevat||e ['elɪveɪt] поднима́ть, повыша́ть; *перен.* возвыша́ть; ~ the voice говори́ть гро́мче; ~ hopes возбужда́ть наде́жды; **~ed** [-ɪd] возвы́шенный; припо́днятый ◇ ~ed railway желе́зная доро́га на эстака́де; **~ion** [ˌelɪ'veɪʃ(ə)n] 1) подъём, возвыше́ние 2) высота́ над у́ровнем мо́ря; **~or** 1) *тех.* подъёмник 2) элева́тор 2) *амер.* лифт

eleven [ɪ'levn] оди́ннадцать; **~th** [-θ] оди́ннадцатый ◇ at the ~th hour в после́днюю мину́ту

elf [elf] *(pl* elves) эльф; *перен.* прока́зник *(о ребёнке)*

elicit [ɪ'lɪsɪt] выявля́ть, извлека́ть

elide [ɪ'laɪd] опуска́ть *(слог или гласный)* при произнесе́нии

eligible ['elɪdʒəbl] 1) могу́щий быть и́збранным 2) подходя́щий; ~ young man жени́х

eliminat||e [ɪ'lɪmɪneɪt] изыма́ть, исключа́ть, устраня́ть; ~ a possibility исключа́ть возмо́жность; **~ion** [ɪˌlɪmɪ'neɪʃ(ə)n] изъя́тие, исключе́ние

elision [ɪ'lɪʒ(ə)n] *лингв.* эли́зия

elixir [ɪ'lɪksə] эликси́р; ~ of life эликси́р жи́зни

elk [elk] лось

ell [el]: give him an inch and he'll take an ~ ≅ дай ему́ па́лец, он всю ру́ку отку́сит

elm [elm] вяз, ильм

elocution [,elə'kju:ʃ(ə)n] ора́торское иску́сство

elongate ['i:lɔŋgeɪt] растя́гивать; удлиня́ть

elope [ɪ'loup] сбежа́ть *(с возлюбленным — with)*; **~ment** побе́г *(влюблённых)*

eloqu||ence ['eləkw(ə)ns] красноре́чие; **~ent** [-kw(ə)nt] красноречи́вый *(тж. перен.)*

else ['els] 1) ещё, кро́ме; who ~? кто ещё?; what ~? что ещё? 2): or ~ ина́че; **~where** [-'wɛə] где́-нибудь в друго́м ме́сте

elucidat||e [ɪ'lu:sɪdeɪt] освеща́ть, разъясня́ть; **~ion** [ɪ,lu:sɪ'deɪʃ(ə)n] разъясне́ние

elu||de [ɪ'lu:d] избега́ть; уклоня́ться; **~sive** [-sɪv] укло́нчивый; ускольза́ющий; **~sory** [-sərɪ] легко́ ускольза́ющий; неулови́мый

elves [elvz] *pl от* elf

emaciate [ɪ'meɪʃɪeɪt] истоща́ть, изнуря́ть

emanat||e ['eməneɪt] исходи́ть; проистека́ть; происходи́ть *(from)*; **~ion** [,emə'neɪʃ(ə)n] происхожде́ние

emancipat||e [ɪ'mænsɪpeɪt] освобожда́ть, эманспи́ровать; **~ion** [ɪ,mænsɪ'peɪʃ(ə)n] освобожде́ние, эмансипа́ция

emasculate 1. *v* [ɪ'mæskjuleɪt] 1) ослабля́ть; изне́живать 2) выхола́щивать **2.** *a* [ɪ'mæskjulɪt] 1) рассла́бленный; изне́женный 2) вы́холощенный

embalm [ɪm'bɑ:m] бальзами́ровать; **~ment** бальзами́рование

embankment [ɪm'bæŋkmənt] 1) на́сыпь 2) на́бережная

embargo [em'bɑ:gou] **1.** *n* эмба́рго **2.** *v* накла́дывать эмба́рго

embark [ɪm'bɑ:k] 1) грузи́ть на кора́бль 2) сади́ться на кора́бль 3): ~ (up)on вступа́ть *(в дело и т. п.)*

embarrass [ɪm'bærəs] 1) смуща́ть; стесня́ть 2) затрудня́ть; **~ment** 1) смуще́ние, замеша́тельство 2) затрудне́ние

embassy ['embəsɪ] посо́льство

embed [ɪm'bed] *(обыкн. pass)* вде́лывать; *перен.* запечатле́ть; the facts ~ded in his memory фа́кты, запечатле́вшиеся в его́ па́мяти

embellish [ɪm'belɪʃ] украша́ть; *перен.* приукра́шивать

ember ['embə] *(обыкн. pl)* горя́чая зола́; тле́ющие у́гли

embezzle [ɪm'bezl] растра́чивать чужи́е де́ньги; **~ment** растра́та

embitter [ɪm'bɪtə] озлобля́ть; отравля́ть *(жизнь)*

emblem ['embləm] **1.** *n* си́мвол, эмбле́ма **2.** *v* символизи́ровать, изобража́ть

embo||diment [ɪm'bɔdɪmənt] воплоще́ние, олицетворе́ние; **~dy** [ɪm'bɔdɪ] 1) воплоща́ть, олицетворя́ть 2) заключа́ть в себе́, содержа́ть 3) осуществля́ть *(идею)*

embolden [ɪm'bould(ə)n] ободря́ть

embrace [ɪm'breɪs] **1.** *v* 1) обнима́ть 2) обнима́ться 3) принима́ть *(теорию, учение и т. п.)* 4) включа́ть, охва́тывать **2.** *n* объя́тия

embrasure [ɪm'breɪʒə] амбразу́ра, бойни́ца

embrocation [ˌembro(u)ˈkeɪʃ(ə)n] жи́дкая мазь для растира́ния

embroide||r [ɪmˈbrɔɪdə] вышива́ть; *перен.* приукра́шивать *(рассказ)*; **~ry** [-rɪ] вы́шивка

embroil [ɪmˈbrɔɪl] 1) запу́тывать *(дела)* 2) впу́тывать 3) впу́тываться; **~ment** 1) пу́таница 2) впу́тывание *(в неприятности и т. п.)*

embryo [ˈembrɪou] **1.** *n* *(pl* ~s) заро́дыш; in ~ в зача́точном состоя́нии **2.** *a* зача́точный; **~nic** [ˌembrɪˈɔnɪk] эмбриона́льный

emend [iːˈmend] исправля́ть, вноси́ть попра́вки

emerald [ˈemər(ə)ld] изумру́д

emerg||e [ɪˈməːdʒ] 1) появля́ться *(неожиданно)*; возника́ть 2) всплыва́ть *(тж. перен.)*; **~ence** [-(ə)ns] появле́ние

emerg||ency [ɪˈməːdʒ(ə)nsɪ] 1) кра́йность, крити́ческое положе́ние 2) *attr.*: ~ door *(или* exit) запа́сный вы́ход; ~ landing *ав.* вы́нужденная поса́дка; ~ powers чрезвыча́йные полномо́чия; **~ent** [-(ə)nt]: the ~ent countries *(of Africa etc)* развива́ющиеся стра́ны *(Африки и т. п.)*

emersion [iːˈməːʃ(ə)n] появле́ние *(солнца, луны после затмения)*

emery [ˈemərɪ] нажда́к, кору́нд

emetic [ɪˈmetɪk] **1.** *n* рво́тное *(лекарство)* **2.** *a* рво́тный

emigrant [ˈemɪgr(ə)nt] **1.** *a* эмигри́рующий **2.** *n* эмигра́нт *(не политический)*

emigrat||e [ˈemɪgreɪt] эмигри́ровать; **~ion** [ˌemɪˈgreɪʃ(ə)n] эмигра́ция; **~ory** [-ərɪ] эмиграцио́нный

émigré [ˈemɪgreɪ] *фр.* эмигра́нт *(обыкн. политический)*

emin||ence [ˈemɪnəns] 1) высо́кое положе́ние 2) возвы́шенность 3) (E.) преосвяще́нство *(титул кардинала)*; **~ent** [-ənt] выдаю́щийся, замеча́тельный

emissary [ˈemɪs(ə)rɪ] 1) эмисса́р 2) *воен.* лазу́тчик

emission [ɪˈmɪʃ(ə)n] 1) выделе́ние *(тепла)*; излуче́ние *(света)* 2) *физ.* эми́ссия электро́нов

emit [ɪˈmɪt] испуска́ть *(свет)*; выделя́ть *(тепло)*; издава́ть *(звук)*

emollient [ɪˈmɔlɪənt] **1.** *a* смягча́ющий **2.** *n* смягча́ющее сре́дство

emolument [ɪˈmɔljumənt] *книжн.* жа́лованье; гонора́р

emotion [ɪˈmouʃ(ə)n] 1) волне́ние 2) эмо́ция; **~al** [ɪˈmouʃənl] 1) эмоциона́льный 2) волну́ющий

emperor [ˈemp(ə)rə] импера́тор

empha||sis [ˈemfəsɪs] 1) ударе́ние, подчёркивание 2) осо́бое значе́ние; **~size** [-saɪz] 1) де́лать ударе́ние 2) подчёркивать, придава́ть осо́бое значе́ние; **~tic** [ɪmˈfætɪk] вырази́тельный; эмфати́ческий

empire [ˈempaɪə] импе́рия

empiric [emˈpɪrɪk] **1.** *a* эмпири́ческий **2.** *n* эмпи́рик; **~al** [-əl] *см.* empiric 1; **~ism** эмпири́зм

empirio-criticism [emˈpɪrɪou-

'krıtısızm] *филос.* эмпириокритици́зм

emplacement [ım'pleısmənt] 1) расположе́ние 2) *воен.* обору́дованная огнева́я пози́ция

emplane [ım'pleın] сади́ться, производи́ть погру́зку на самолёт

employ [ım'plɔı] 1) нанима́ть 2) применя́ть, испо́льзовать *(in, on, for)*; **~ee** [,emplɔı'i:] слу́жащий; **~er** работода́тель; **~ment** 1) наём 2) примене́ние, испо́льзование 3) слу́жба, рабо́та, заня́тие

emporium [em'pɔ:rıəm] 1) торго́вый центр; ры́нок 2) *разг.* универма́г

empower [ım'pauə] уполномо́чивать

empress ['emprıs] императри́ца

empty ['emptı] **1.** *a* пусто́й *(тж. перен.)* **2.** *n pl* 1) поро́жняя та́ра *(пустые ящики, бутылки и т. п.)* 2) порожня́к *(вагоны и т. п.)* **3.** *v* 1) опорожня́ть, перелива́ть 2) впада́ть *(о реке)*

emul||ate ['emjuleıt] соревнова́ться; стреми́ться превзойти́; **~ation** [,emju'leıʃ(ə)n] соревнова́ние; **~ous** [-ləs] 1) соревну́ющийся 2) жа́ждущий *(чего-л.— of)*

emuls||ion [ı'mʌlʃ(ə)n] эму́льсия; **~ive** [-sıv] эмульсио́нный

enable [ı'neıbl] дава́ть пра́во, возмо́жность *(кому-л. сделать что-л.)*

enact [ı'nækt] 1) предпи́сывать, постановля́ть 2) игра́ть роль; **~ment** ука́з

enamel [ı'næm(ə)l] **1.** *n* эма́ль **2.** *v* покрыва́ть эма́лью

enamour [ı'næmə] *(обыкн. pass)* возбужда́ть любо́вь; be ~ed of smb. быть влюблённым в кого́-либо

encamp [ın'kæmp] 1) располага́ть ла́герем 2) располага́ться ла́герем; **~ment** ла́герь

encase [ın'keıs] упако́вывать; **~ment** упако́вка

enchain [ın'tʃeın] прико́вывать, зако́вывать

enchant [ın'tʃɑ:nt] очаро́вывать; **~ment** очарова́ние

encircle [ın'sə:kl] окружа́ть; **~ment** окруже́ние

en clair [ɑ:n'klɛə] *фр.* незашифро́ванный *(о телеграммах и т. п.)*

enclos||e [ın'klouz] 1) вкла́дывать *(в пакет)* 2) огора́живать *(участок земли)*; **~ure** [-'klouʒə] 1) вложе́ние *(содержимое пакета)* 2) огоро́женное ме́сто 3) огра́да

encomium [en'koumjəm] *(обыкн. pl) книжн.* панеги́рик

encompass [ın'kʌmpəs] окружа́ть

encore [ɔŋ'kɔ:] **1.** *int* бис! **2.** *v* биси́ровать **3.** *n* бис

encounter [ın'kauntə] **1.** *v* 1) встре́тить(ся) *(неожиданно и т. п.)* 2) ната́лкиваться *(на трудности и т. п.)* **2.** *n* 1) (неожи́данная) встре́ча 2) столкнове́ние, сты́чка

encourage [ın'kʌrıdʒ] ободря́ть, поощря́ть; подде́рживать; **~ment** ободре́ние, поощре́ние; подде́ржка

encroach [ın'kroutʃ] вторга́ться *(в чужие владения)*; покушáться *(на чьи-л. права)*; **~ment** вторжéние

encrust [ɪn'krʌst] 1) покрывáть кóркой 2) инкрустúровать

encumb||er [ɪn'kʌmbə] 1) затруднять *(движение, действие)* 2) загромождáть 3) обременять; **~rance** [-br(ə)ns] 1) препятствие 2) брéмя 3) *юр.* закладнáя на имýщество

encyclop(a)e||dia [en,saɪklo(u)'pi:djə] энциклопéдия; **~dic** [-dɪk] энциклопедúческий

end [end] **1.** *n* 1) конéц; make both ~s meet сводúть концы́ с концáми; be at a loose ~ не знать, что с собóй дéлать; put an ~ *(to)* положúть конéц 2) смерть 3) цель; gain one's ~s достúчь цéли **2.** *v* 1) кончáть 2) кончáться

endanger [ɪn'deɪndʒə] подвергáть опáсности

endear [ɪn'dɪə] располóжить к себé; **~ment** лáска, выражéние нéжности, привязанности

endeavour [ɪn'devə] **1.** *v* пытáться, старáться **2.** *n* попы́тка, усúлие

ending ['endɪŋ] окончáние, конéц

endless ['endlɪs] 1) бесконéчный 2) бесчисленный

endorse [ɪn'dɔ:s] 1) *ком.* индоссúровать 2) подтверждáть; **~ment** 1) *ком.* индоссамéнт 2) подтверждéние

endow [ɪn'dau] 1) обеспéчивать (постоянным) дохóдом 2) *(обыкн. pass)* наделять *(качествами)*, одарять; **~ment** 1) вклад, пожéртвование 2) даровáние

endue [ɪn'dju:] *(обыкн. pass)* наделять *(полномочиями, качествами)*

endu||rance [ɪn'djuər(ə)ns] вынóсливость, терпéние, вы́держка; **~re** [-'djuə] 1) выдéрживать, терпéть, выносúть 2) продолжáться, длúться

enema ['enɪmə] клизма

enemy ['enɪmɪ] враг, неприятель, противник

energetic [,enə'dʒetɪk] энергúчный

energy ['enədʒɪ] 1) энéргия, сúла 2) *pl* усúлия

enervate ['enə:veɪt] обессúливать, расслаблять

enfeeble [ɪn'fi:bl] ослаблять

enfold [ɪn'fould] 1) завернýть *(кого-л. во что-л.)*; ~ oneself in one's cloak завернýться в плащ 2) обхватúть, обнять

enforce [ɪn'fɔ:s] 1) принуждáть; настáивать 2) проводúть в жизнь *(закон)*

enfranchise [ɪn'fræntʃaɪz] предоставлять избирáтельное прáво

engag||e [ɪn'geɪdʒ] 1) нанимáть 2) обязываться 3) занимáться *(чем-л.)* 4) вступáть в бой 5) *тех.* зацеплять 6) привлекáть, прикóвывать *(внимание)* 7) *pass*: become ~ed обручúться; **~ement** 1) обязáтельство 2) дéло, занятие 3) помóлвка 4) свидáние 5) бой, сты́чка

engaging [ɪn'geɪdʒɪŋ] привлекáтельный, обаятельный

engender [ɪn'dʒendə] *книжн.* порождáть, вызывáть, возбуждáть *(чувство)*

engine ['endʒɪn] 1) машúна,

двигатель 2) паровоз 3) *уст.* орудие, средство; ~s of war орудия войны; **~-crew** [-kru:] паровозная бригада; **~-driver** [-ˌdraɪvə] машинист

engineer [ˌendʒɪˈnɪə] **1.** *n* 1) инженер 2) механик 3) машинист 4) сапёр **2.** *v* 1) сооружать 2) *разг.* затевать; **~ing** [-rɪŋ] инженерное дело; техника

engine-room [ˈendʒɪnrum] машинное отделение

English [ˈɪŋglɪʃ] **1.** *a* английский **2.** *n* 1) английский язык 2): the ~ англичане, английский народ; **~man** [-mən] англичанин; **~woman** [-ˌwumən] англичанка

engraft [ɪnˈgrɑ:ft] делать прививку *(дереву)*; *перен.* прививать *(идеи и т. п.)*

engrain [ɪnˈgreɪn] глубоко внедрять; **~ed** [-d] 1) укоренившийся 2) закоренелый

engrav||e [ɪnˈgreɪv] гравировать; *перен.* запечатлевать *(в памяти)*; **~ing** 1) гравирование 2) гравюра

engross [ɪnˈgrous] *(обыкн. pass)*: ~ed in his work погружённый в работу

engulf [ɪnˈgʌlf] поглощать, засасывать

enchance [ɪnˈhɑ:ns] повышать *(ценность, качество)*; увеличивать

enigma [ɪˈnɪgmə] загадка; **~tic** [ˌenɪgˈmætɪk] загадочный

enjoin [ɪnˈdʒɔɪn] предписывать *(on, upon)*; приказывать

enjoy [ɪnˈdʒɔɪ] 1) наслаждаться; получать удовольствие 2) пользоваться, обладать; **~able** [-əbl] приятный; **~ment** 1) наслаждение; удовольствие 2) обладание *(чем-л.)*

enkindle [ɪnˈkɪndl] *перен.* зажигать, воспламенять

enlarge [ɪnˈlɑ:dʒ] 1) расширять; увеличивать 2) расширяться 3) распространяться *(о чём-л. — on)*; **~ment** расширение; увеличение

enlighten [ɪnˈlaɪtn] просвещать; **~ment** просвещение

enlist [ɪnˈlɪst] 1) добровольно поступать на военную службу 2) вербовать на военную службу 3) заручаться *(поддержкой)*

enliven [ɪnˈlaɪvn] оживлять, вливать новые силы

enmesh [ɪnˈmeʃ] опутывать

enmity [ˈenmɪtɪ] неприязнь, вражда

ennoble [ɪˈnoubl] облагораживать

ennui [ɑ:ˈnwi:] *фр.* скука

enorm||ity [ɪˈnɔ:mɪtɪ] 1) гнусность 2) чудовищное преступление; **~ous** [-məs] громадный, огромный

enough [ɪˈnʌf] **1.** *a* достаточный **2.** *n* достаточное количество **3.** *adv* достаточно; довольно ◇ I have had ~ of him он мне надоел

enquire [ɪnˈkwaɪə] *см.* inquire

enrage [ɪnˈreɪdʒ] бесить

enrapture [ɪnˈræptʃə] восхищать

enrich [ɪnˈrɪtʃ] 1) обогащать *(тж. перен.)* 2) удобрять *(почву)*

enrol(l) [ɪnˈroul] вносить в список, регистрировать; ~ in the army зачислять на военную слу́жбу; **~ment** внесе́ние в спи́ски, регистра́ция; ~ment of new members приём но́вых чле́нов; ~ment in the army зачисле́ние на вое́нную слу́жбу

ensconce [ɪn'skɔns]: ~ oneself устра́иваться удо́бно

ensign ['ensaɪn] 1) флаг, зна́мя 2) значо́к, эмбле́ма, кока́рда 3) *амер. мор.* э́нсин *(первичное офицерское звание)* 4) *ист.* пра́порщик

ensilage ['ensɪlɪdʒ] *см.* silage

enslave [ɪn'sleɪv] порабоща́ть; **~ment** порабоще́ние

ensnare [ɪn'snɛə] пойма́ть в лову́шку; *перен.* опу́тать

ensue [ɪn'sju:] сле́довать; вытека́ть

ensure [ɪn'ʃuə] обеспе́чивать, гаранти́ровать

entail I [ɪn'teɪl] влечь за собо́й, вызыва́ть

entail II майора́т

entangle [ɪn'tæŋgl] запу́тать *(тж. перен.)*; become ~d *(или* ~ oneself) запу́таться; **~ment** 1) запу́тывание 2) *pl воен.* загражде́ние; barbed-wire ~ment про́волочное загражде́ние

enter ['entə] 1) входи́ть; вступа́ть 2) поступа́ть *(в учебное заведение)* 3) вноси́ть, запи́сывать *(в список и т. п.)*; ~ **into** а) входи́ть, вника́ть *(в детали и т. п.)*; б) вступа́ть *(в переговоры и т. п.)*; ~ **on** приступа́ть *(к чему-л.)*

enteric [en'terɪk] **1.** *a анат.* кише́чный **2.** *n мед.* брюшно́й тиф

enterpris||e ['entəpraɪz] 1) предприи́мчивость 2) предприя́тие; **~ing** предприи́мчивый; инициати́вный

entertain [,entə'teɪn] 1) принима́ть госте́й 2) развлека́ть 3) пита́ть *(надежду и т. п.)*; **~ment** 1) развлече́ние, увеселе́ние 2) (зва́ный) ве́чер; приём *(гостей)* 3) эстра́дное представле́ние

enthrone [ɪn'θroun] возводи́ть на престо́л

enthus||iasm [ɪn'θju:zɪæzm] энтузиа́зм; восто́рг; **~iast** [-zɪæst] энтузиа́ст; **~iastic** [ɪn,θju:zɪ'æstɪk] восто́рженный; по́лный энтузиа́зма

entic||e [ɪn'taɪs] перема́нивать *(from, away from)*; соблазня́ть; **~ement** 1) перема́нивание 2) прима́нка; собла́зн; **~ing** соблазни́тельный, зама́нчивый

entire [ɪn'taɪə] 1) по́лный, це́лый, весь; the ~ journey вся пое́здка; the ~ cost о́бщая су́мма 2) сплошно́й; **~ly** всеце́ло, соверше́нно; **~ty** [-tɪ] полнота́, це́льность

entitle [ɪn'taɪtl] 1) дава́ть пра́во; be ~d to име́ть пра́во на 2) озагла́вливать

entity ['entɪtɪ] 1) бытие́ 2) су́щность

entomb [ɪn'tu:m] *книжн.* погреба́ть; *перен.* заточа́ть; **~ment** 1) погребе́ние 2) гробни́ца

entomology [,entə'mɔlədʒɪ] энтомоло́гия

entrails ['entreɪlz] *pl* вну́тренности; кишки́

entrain [ɪn'treɪn] 1) сажа́ть, грузи́ть в по́езд *(войска)* 2) сади́ться в по́езд

entrance I ['entr(ə)ns] 1) вход 2) пра́во вхо́да 3) поступле́ние 4) *attr.*: ~ examinations вступи́тельные экза́мены; ~ fee *(или* money) пла́та за вход

entranc||**e** II [ɪn'trɑ:ns] восхища́ть; **~ing** восхити́тельный

entrap [ɪn'træp] пойма́ть в лову́шку; *перен.* провести́

entrea||**t** [ɪn'tri:t] умоля́ть; **~ty** [-tɪ] мольба́

entrench [ɪn'trentʃ] *воен.* ока́пывать; укрепля́ть транше́ями; ~ oneself ока́пываться; **~ed** [-t]: ~ed habits укорени́вшиеся привы́чки; **~ment** *воен.* око́п, полево́е укрепле́ние

entrust [ɪn'trʌst] вверя́ть, поруча́ть

entry ['entrɪ] 1) вход, вступле́ние 2) за́пись, занесе́ние в спи́сок

entwine [ɪn'twaɪn] вплета́ть *(with)*; обвива́ть *(about)*

enumerat||**e** [ɪ'nju:məreɪt] перечисля́ть; **~ion** [ɪ,nju:mə'reɪʃ(ə)n] 1) перечисле́ние 2) пе́речень

enunciat||**e** [ɪ'nʌnsɪeɪt] 1) произноси́ть 2) объявля́ть, провозглаша́ть; **~ion** [ɪ,nʌnsɪ'eɪʃ(ə)n] 1) произноше́ние; ди́кция 2) возвеще́ние

envelop [ɪn'veləp] 1) обёртывать, завёртывать 2) *воен.* окружа́ть, обходи́ть

envelope ['envɪloup] 1) конве́рт, обёртка 2) оболо́чка

envenom [ɪn'venəm] отравля́ть *(тж. перен.)*

enviable ['envɪəbl] зави́дный

envious ['envɪəs] зави́стливый

environ [ɪn'vaɪər(ə)n] окружа́ть; **~ment** окруже́ние; окружа́ющая обстано́вка; среда́; **~s** [-z] *pl* окре́стности, при́городы

envisage [ɪn'vɪzɪdʒ] 1) смотре́ть в лицо́ *(опасности и т. п.)* 2) рассма́тривать *(вопрос)* 3) представля́ть себе́

envoy ['envɔɪ] посла́нник; посла́нец

envy ['envɪ] **1.** *n* за́висть *(of, at)* **2.** *v* зави́довать

enwrap [ɪn'ræp] завёртывать *(in)*

epaulet(te) ['epo(u)let] эполе́т

ephemeral [ɪ'femər(ə)l] преходя́щий, эфеме́рный

epic ['epɪk] **1.** *a* эпи́ческий **2.** *n* эпи́ческая поэ́ма

epicure ['epɪkjuə] эпикуре́ец

epidemic [,epɪ'demɪk] **1.** *a* эпидеми́ческий **2.** *n* эпиде́мия

epigram ['epɪgræm] эпигра́мма

epigraph ['epɪgrɑ:f] эпи́граф

epilepsy ['epɪlepsɪ] эпиле́псия

epilogue ['epɪlɔg] эпило́г

episcopal [ɪ'pɪskəp(ə)l] епи́скопский

episod||**e** ['epɪsoud] эпизо́д; **~ic** [,epɪ'sɔdɪk] эпизоди́ческий

epistle [ɪ'pɪsl] посла́ние

epitaph ['epɪtɑ:f] эпита́фия

epithet ['epɪθet] эпи́тет

epitome [ɪ'pɪtəmɪ] конспе́кт

epoch ['i:pɔk] эпо́ха

equable ['ekwəbl] 1) ро́вный *(о климате и т. п.)* 2) уравнове́шенный, споко́йный *(о человеке)*

equal ['i:kw(ə)l] **1.** *a* ра́вный **2.** *n* ра́вный, ро́вня **3.** *v* равня́ться; **~ity** [i:'kwɔlɪtɪ] ра́венство; **~ize** ['i:kwəlaɪz] равня́ть, ура́внивать; **~ly** равно́, в ра́вной ме́ре

equanimity [ˌi:kwəˈnɪmɪtɪ] уравнове́шенность

equat||e [ɪˈkweɪt] равня́ть, ура́внивать; **~ion** [-ʃ(ə)n] 1) *мат.* уравне́ние 2) выра́внивание

equator [ɪˈkweɪtə] эква́тор; **~ial** [ˌekwəˈtɔ:rɪəl] экваториа́льный

equerry [ɪˈkwerɪ] *ист.* коню́ший

equestrian [ɪˈkwestrɪən] **1.** *a* ко́нный **2.** *n* вса́дник, нае́здник

equidistant [ˈi:kwɪˈdɪst(ə)nt] *мат.* равноотстоя́щий

equilateral [ˈi:kwɪˈlæt(ə)r(ə)l] *мат.* равносторо́нний

equilibr||ate [ˌi:kwɪˈlaɪbreɪt] 1) уравнове́шивать 2) уравнове́шиваться; **~ist** [i:ˈkwɪlɪbrɪst] канатохо́дец, эквилибри́ст; **~ium** [-ˈlɪbrɪəm] равнове́сие

equine [ˈi:kwaɪn] ко́нский, лошади́ный

equinox [ˈi:kwɪnɔks] равноде́нствие

equip [ɪˈkwɪp] снаряжа́ть; снабжа́ть; обору́довать *(with)*, оснаща́ть *(with)*

equipage [ˈekwɪpɪdʒ] экипа́ж

equipment [ɪˈkwɪpmənt] снаряже́ние; снабже́ние; обору́дование

equipoise [ˈekwɪpɔɪz] **1.** *n* 1) равнове́сие 2) противове́с **2.** *v* уравнове́шивать

equitable [ˈekwɪtəbl] справедли́вый, беспристра́стный

equiti [ˈekwɪtɪ] справедли́вость, беспристра́стность

equivalent [ɪˈkwɪvələnt] **1.** *a* равноце́нный, эквивале́нтный **2.** *n* эквивале́нт

equivocal [ɪˈkwɪvək(ə)l] двусмы́сленный; сомни́тельный

era [ˈɪərə] э́ра

eradicat||e [ɪˈrædɪkeɪt] искореня́ть; **~ion** [ɪˌrædɪˈkeɪʃ(ə)n] искорене́ние

eras||e [ɪˈreɪz] выска́бливать; стира́ть; **~er** рези́нка, ла́стик; **~ure** [ɪˈreɪʒə] подчи́стка

ere [ɛə] *уст., поэт.* до, пе́ред; ~ long вско́ре

erect [ɪˈrekt] **1.** *v* 1) устана́вливать; воздвига́ть, сооружа́ть 2) выпрямля́ть 3) создава́ть **2.** *a* прямо́й, вертика́льный; **~ion** [-kʃ(ə)n] 1) сооруже́ние 2) выпрямле́ние 3) *тех.* монта́ж

Erin [ˈɪərɪn] *поэт.* Ирла́ндия

ermine [ˈə:mɪn] горноста́й

ero||de [ɪˈroud] 1) разъеда́ть 2) *геол.* размыва́ть; **~sion** [-ʒ(ə)n] 1) разъеда́ние 2) *геол.* эро́зия

erotic [ɪˈrɔtɪk] эроти́ческий

err [ə:] заблужда́ться

errand [ˈer(ə)nd] поруче́ние; run ~s for smb. быть на побегу́шках у кого́-л.; **~-boy** [-bɔɪ] ма́льчик на посы́лках; рассы́льный

errant [ˈer(ə)nt] стра́нствующий, блужда́ющий

errata [eˈrɑ:tə] *pl от* erratum

erratic [ɪˈrætɪk] 1) неусто́йчивый *(о взглядах, поведении)* 2) *эк.* неравноме́рный

erratum [eˈrɑ:təm] *(pl* errata) опеча́тка

erroneous [ɪˈrounjəs] оши́бочный

error [ˈerə] оши́бка; commit an ~ сде́лать оши́бку

erudit||e [ˈeru:daɪt] учёный, эруди́рованный; **~ion** [ˌeru-

'dɪʃ(ə)n] начи́танность, эруди́ция

erupt [ɪ'rʌpt] изверга́ться *(о вулкане)*; **~ion** [-pʃ(ə)n] 1) изверже́ние 2) сыпь; высыпа́ние; **~ive** [-ɪv] изверга́ющийся *(о вулкане)*

escalator ['eskəleɪtə] эскала́тор

escapade [,eskə'peɪd] вы́ходка, проде́лка

escape [ɪs'keɪp] **1.** *v* 1) бежа́ть *(из тюрьмы, плена — from)* 2) избежа́ть *(опасности, наказания)* 3) улету́чиваться *(о газе)* 4) ускольза́ть 5) вырыва́ться **2.** *n* 1) побе́г 2) спасе́ние 3) уте́чка *(газа)* 4) *тех.* вы́пуск, вы́ход

escarpment [ɪs'kɑ:pmənt] крута́я на́сыпь, отко́с

eschew [ɪs'tʃu:] *книжн.* возде́рживаться *(от чего-л.)*

escort 1. *n* ['eskɔ:t] охра́на, эско́рт **2.** *v* [ɪs'kɔ:t] эскорти́ровать, сопровожда́ть

Eskimo ['eskɪmou] эскимо́с; эскимо́ска

especial [ɪs'peʃ(ə)l] осо́бенный, специа́льный; **~ly** в осо́бенности, осо́бенно

Esperanto [,espə'ræntou] эспера́нто

espionage [,espɪə'nɑ:ʒ] шпиона́ж

espouse [ɪs'pauz] *уст.* жени́ться ◇ ~ a theory подде́рживать тео́рию

esprit ['espri:] *фр.* остроу́мие ◇ ~ de corps честь мунди́ра

espy [ɪs'paɪ] уви́деть, заме́тить издалека́

esquire [ɪs'kwaɪə] 1) эсква́йр 2) *в сокращении* **Esq.** *ставится после фамилии в адресе на конверте*

essay 1. *n* ['eseɪ] 1) о́черк, эссе́ 2) сочине́ние *(школьное)* 3) попы́тка **2.** *v* [e'seɪ] 1) пыта́ться 2) испы́тывать *(силы и т. п.)*; **~ist** очерки́ст

essence ['esns] 1) су́щность, существо́ 2) эссе́нция, экстра́кт

essential [ɪ'senʃ(ə)l] **1.** *a* суще́ственный; неотъе́млемый; основно́й ◇ ~ oil эфи́рное, лету́чее ма́сло **2.** *n* су́щность; неотъе́млемая часть; *pl* осно́ва; **~ity** [ɪ,senʃɪ'ælɪtɪ] существо́; су́щность

establish [ɪs'tæblɪʃ] 1) осно́вывать; учрежда́ть 2) устана́вливать *(обычай, факт)* 3) устра́ивать; **~ment** 1) учрежде́ние 2) штат *(служащих)* 3) хозя́йство

estate [ɪs'teɪt] 1) поме́стье 2) иму́щество; personal ~ дви́жимое иму́щество; real ~ недви́жимое иму́щество; 3) сосло́вие

esteem [ɪs'ti:m] **1.** *v* 1) уважа́ть 2) счита́ть **2.** *n* уваже́ние

estimable ['estɪməbl] досто́йный уваже́ния

estimate 1. *n* ['estɪmɪt] 1) оце́нка 2) сме́та **2.** *v* ['estɪmeɪt] 1) оце́нивать 2) составля́ть сме́ту

Estonian [es'tounjən] **1.** *a* эсто́нский **2.** *n* 1) эсто́нец; эсто́нка 2) эсто́нский язы́к

estrange [ɪs'treɪndʒ] отдаля́ть, отчужда́ть; **~ment** отчужде́ние, отчуждённость

estuary ['estjuərɪ] широ́кое у́стье реки́

et cetera [ɪt'setrə] и т. д., и пр.; ~s вся́кая вся́чина

etch ['etʃ] гравирова́ть, трави́ть *(на металле, стекле)*; **~ing** 1) гравирова́ние; травле́ние 2) гравю́ра, офо́рт

etern||al [i:'tə:nl] 1) ве́чный 2) постоя́нный; **~ity** [-nɪtɪ] ве́чность

ether ['i:θə] 1) эфи́р *(в разн. знач.)* 2) *поэт.* не́бо; **~eal, ~ial** [i:'θɪərɪəl] эфи́рный *(тж. перен.)*

ethical ['eθɪk(ə)l] эти́чный, эти́ческий

ethics ['eθɪks] э́тика

Ethiopian [,i:θɪ'oupjən] **1.** *a* эфио́пский **2.** *n* эфио́п; эфио́пка

ethnic(al) ['eθnɪk(ə)l] этни́ческий

ethnography [eθ'nɔgrəfɪ] этногра́фия

ethnology [eθ'nɔlədʒɪ] этноло́гия

etiquette [,etɪ'ket] 1) этике́т 2) профессиона́льная э́тика

etymology [,etɪ'mɔlədʒɪ] *лингв.* этимоло́гия

eulo||gize ['ju:lədʒaɪz] восхваля́ть; **~gy** [-dʒɪ] восхвале́ние; панеги́рик

euphony ['ju:fənɪ] благозву́чие

European [,juərə'pi:ən] **1.** *n* европе́ец **2.** *a* европе́йский

evacuat||e [ɪ'vækjueɪt] 1) эваку́ировать 2) эваку́ироваться 3) опорожня́ть *(желудок)*; **~-ion** [ɪ,vækju'eɪʃ(ə)n] 1) эвакуа́ция 2) испражне́ние

evacuee [ɪ,vækju:'i:] эваку́ированный; эваку́ируемый

evade [ɪ'veɪd] 1) избега́ть, уклоня́ться 2) обходи́ть *(закон и т. п.)*

evaluat||e [ɪ'væljueɪt] оце́нивать; **~ion** [ɪ,vælju'eɪʃ(ə)n] оце́нка

evanescent [,i:və'nesnt] мимолётный; недолгове́чный

evaporat||e [ɪ'væpəreɪt] 1) выпа́ривать 2) испаря́ться *(тж. перен.)*; **~ion** [ɪ,væpə'reɪʃ(ə)n] испаре́ние, парообразова́ние; **~ive** [-ɪv] испаря́ющийся; **~or** *тех.* испари́тель

evas||ion [ɪ'veɪʒ(ə)n] 1) уклоне́ние *(от исполнения долга и т. п.)* 2) обхо́д *(закона и т.п.)*; **~ive** [ɪ'veɪsɪv] уклóнчивый

eve [i:v] кану́н; Christmas E. сочéльник

even I ['i:vən] **1.** *a* 1) ро́вный; гла́дкий 2) уравнове́шенный 3) ра́вный, одина́ковый 4) чётный *(о числах)* ◇ now we are ~ тепе́рь мы кви́ты **2.** *v* 1) равня́ть, ура́внивать 2) выра́внивать, де́лать ро́вным

even II да́же; ~ if да́же е́сли; ~ though хотя́ бы; ~ as как раз; ~ better ещё лу́чше; ~ so всё-таки

even III *поэт.* ве́чер

evening ['i:vnɪŋ] 1) ве́чер 2) *attr.* вече́рний

event [ɪ'vent] 1) слу́чай, собы́тие, происше́ствие; at all ~s во вся́ком слу́чае; in the ~ of his death в слу́чае его́ сме́рти 2) исхо́д, результа́т; **~ful** по́лный собы́тиями

eventide ['i:v(ə)ntaɪd] *поэт.* ве́чер, су́мерки

eventual [ɪ'ventjuəl] 1) возмо́жный при изве́стных обстоя́тельствах 2) оконча́тельный; **~ity** [ɪ,ventʃu'ælɪtɪ] возмóжный слýчай

ever ['evə] 1) когдá-либо; hardly ~ почтú никогдá 2) всегдá ◇ ~ since с э́того врéмени; с тех пор как; ~ so óчень, горáздо; it is ~ so much better э́то горáздо лýчше

evergreen ['evəgri:n] **1.** *a* вечнозелёный **2.** *n* вечнозелёное растéние

everlasting [,evə'lɑ:stɪŋ] вéчный

evermore ['evə'mɔ:] всегдá *(о будущем)*

every ['evrɪ] кáждый; ~ other кáждый вторóй; ~ other day чéрез день; **~body** [-bɔdɪ] кáждый (человéк); все; **~day** [-deɪ] ежеднéвный, повседнéвный; **~one** [-wʌn] кáждый человéк, все до одногó; **~thing** [-θɪŋ] всё; **~way** [-weɪ] 1) во всех направлéниях 2) всячески; во всех смыслах; **~where** [-wεə] всюду, вездé

evict [i:'vɪkt] выселять; **~ion** [-kʃ(ə)n] 1) выселéние 2) *юр.* лишéние имýщества *(по суду)*

evidence ['evɪd(ə)ns] 1) оснóвание, доказáтельство 2) *юр.* улúка, свидéтельское показáние ◇ in ~ замéтный

evil ['i:vl] **1.** *a* злой, пáгубный **2.** *n* 1) зло, вред 2) бéдствие, несчáстье

evince [ɪ'vɪns] проявлять, выкáзывать

evocative [ɪ'vɔkətɪv] воскрешáющий в пáмяти

evoke [ɪ'vouk) вызывáть *(улыбку, восхищение, воспоминания и т. п.)*

evolution [,i:və'lu:ʃ(ə)n] 1) эволю́ция 2) *мат.* извлечéние кóрня 3) *воен.* передвижéние; манёвр; **~ary** [-ʃnərɪ] эволюциóнный

evolve [ɪ'vɔlv] 1) развёртывать, развивáть 2) развёртываться, развивáться

ewe [ju:] овцá

ewer ['ju:ə] кувшúн

ex- [eks-] *pref* 1) из-, вне- 2) экс-, бывший

exacerbat||e [eks'æsə:beɪt] 1) обострять, усúливать *(боль и т. п.)* 2) раздражáть; **~ion** [eks,æsə:'beɪʃ(ə)n] 1) обострéние *(болезни и т. п.)* 2) раздражéние

exact [ɪg'zækt] **1.** *a* тóчный, аккурáтный **2.** *v* 1) трéбовать 2) взыскивать *(плату)*; **~ing** трéбовательный; **~itude** [-ɪtju:d] тóчность; **~ly** úменно так; тóчно

exaggerat||e [ɪg'zædʒəreɪt] преувелúчивать; **~ion** [ɪg,zædʒə'reɪʃ(ə)n] преувеличéние

exalt [ɪg'zɔ:lt] 1) возвелúчивать 2) превозносúть; **~ation** [,egzɔ:l'teɪʃ(ə)n] 1) возвелúчивание 2) востóрг; экзальтáция; **~ed** [-ɪd] востóрженный

examination [ɪg,zæmɪ'neɪʃ(ə)n] 1) исслéдование, осмóтр 2) экзáмен 3) *юр.* допрóс

examin||e [ɪg'zæmɪn] 1) исслéдовать, рассмáтривать 2) допрáшивать 3) экзаменовáть; **~ee** [ɪg,zæmɪ'ni:] допрáшиваемый; **~er** экзаменáтор

example [ɪg'zɑ:mpl] примéр, образéц; for ~ напримéр

exasperat||e [ɪg'zɑ:spəreɪt] сердúть, раздражáть; **~ion** [ɪg,zɑ:spə'reɪʃ(ə)n] раздражéние

excavat||**e** [ˈekskəveɪt] копа́ть, рыть; вынима́ть грунт; **~ion** [ˌekskəˈveɪʃ(ə)n] 1) выка́пывание 2) вы́рытая я́ма 3) *тех.* экскава́ция 4) раско́пки; **~or** экскава́тор

exceed [ɪkˈsi:d] превыша́ть; превосходи́ть; ~ the bounds of decency переходи́ть грани́цы прили́чия; **~ingly** [-ɪŋlɪ] чрезвыча́йно, исключи́тельно; о́чень

excel [ɪkˈsel] 1) превосходи́ть *(in, at)* 2) отлича́ться

excell||**ence** [ˈeks(ə)ləns] превосхо́дство; **~ency** [-ɪ] превосходи́тельство *(титул)*; Your Excellency Ва́ше превосходи́тельство; **~ent** [-ənt] превосхо́дный

except [ɪkˈsept] **1.** *v* исключа́ть **2.** *prep* исключа́я, кро́ме; **~ion** [-pʃ(ə)n] исключе́ние; with the ~ion *(of)* за исключе́нием; take ~ion *(to)* возража́ть; **~ionable** [-pʃnəbl] допуска́ющий возраже́ния; небезупре́чный; **~ional** [-pʃnəl] исключи́тельный, необы́чный

excerpt [ˈeksə:pt] отры́вок; вы́держка

excess [ɪkˈses] 1) изли́шек 2) кра́йность; **~ive** [-ɪv] чрезме́рный

exchange [ɪksˈtʃeɪndʒ] **1.** *n* 1) обме́н 2) разме́н *(денег)*; rate of ~ валю́тный курс 3) би́ржа 4) центра́льная телефо́нная ста́нция ◇ bill of ~ ве́ксель **2.** *v* 1) обме́ниваться 2) обме́нивать 3) разме́нивать; **~able** [-əbl]: ~able value менова́я сто́имость

exchequer [ɪksˈtʃekə] 1) казначе́йство 2) казна́

excise I [ekˈsaɪz] выреза́ть; ампути́ровать

excise II **1.** *n* акци́з **2.** *v* взима́ть акци́зный сбор

excit||**able** [ɪkˈsaɪtəbl] возбуди́мый; **~ant** [ˈeksɪtənt] возбужда́ющий

excite [ɪkˈsaɪt] 1) вызыва́ть *(интерес и т. п.)* 2) возбужда́ть; **~ment** возбужде́ние, волне́ние

excl||**aim** [ɪksˈkleɪm] воскли́ца́ть; **~amation** [ˌeksklәˈmeɪʃ(ə)n] 1) восклица́ние 2) *attr.*: ~amation mark восклица́тельный знак; **~amatory** [eksˈklæmət(ə)rɪ] восклица́тельный

exclu||**de** [ɪksˈklu:d] исключа́ть *(from)*; **~sion** [-ʒ(ə)n] исключе́ние; to the ~sion of за исключе́нием; **~sive** [-sɪv] 1) исключи́тельный 2) изы́сканный

excommunicate [ˌekskəˈmju:nɪkeɪt] отлуча́ть от це́ркви

excrement [ˈekskrɪmənt] *sing* экскреме́нты, испражне́ния *мн.*

excrescence [ɪksˈkresns] наро́ст

excre||**te** [eksˈkri:t] выделя́ть из органи́зма *(о животных, растениях)*; **~tion** [-ˈkri:ʃ(ə)n] выделе́ние; **~tive** [-tɪv] спосо́бствующий выделе́нию; **~tory** [-tərɪ]: ~tory duct *анат.* выводно́й прото́к

exculpat||**e** [ˈekskʌlpeɪt] опра́вдывать, реабилити́ровать; **~ory** [-ˈkʌlpət(ə)rɪ] опра́вдывающий; оправда́тельный

excurs||**ion** [ɪksˈkə:ʃ(ə)n] экску́рсия; **~ive** [eksˈkə:sɪv] отклоня́ющийся, уклоня́ющийся

excuse **1.** *n* [ɪksˈkju:s] 1) извинéние, оправдáние 2) отговóрка, предлóг **2.** *v* [ɪks'kju:z] 1) извинять, прощáть 2) освобождáть *(от выполнения обязательства—from)*

execra||ble ['eksɪkrəbl] отвратительный; **~te** [-kreɪt] 1) ненавидеть 2) проклинáть

execu||tant [ɪg'zekjutənt] исполнитель; **~te** ['eksɪkju:t] 1) исполнять; выполнять 2) казнить 3) оформлять *(документ)*; **~tion** [,eksɪ'kju:ʃ(ə)n] 1) выполнéние; исполнéние 2) казнь; экзекýция; **~tioner** [,eksɪ'kju:ʃnə] палáч; **~tive** [ɪg'zekjutɪv] **1.** *a* исполнительный; ~tive committee исполнительный комитéт **2.** *n* 1) должностнóе лицó 2) исполнительная власть; **~tor** [ɪg'zekjutə] душеприкáзчик, исполнитель завещáния

exempl||ar [ɪg'zemplə] образéц, тип; **~ary** [-rɪ] образцóвый; **~ification** [ɪg,zemplɪfɪ'keɪʃ(ə)n] 1) пояснéние примéром 2) завéренная кóпия; **~ify** [-ɪfaɪ] служить примéром

exempt [ɪg'zempt] **1.** *a* освобождённый *(от налога, военной службы и т. п.—from)* **2.** *v* освобождáть *(от военной службы и т. п.—from)*

exercise ['eksəsaɪz] **1.** *n* 1) упражнéние 2) моциóн; take ~ двигаться 3) проявлéние; осуществлéние 4) *воен.* учéние **2.** *v* 1) упражнять 2) упражняться 3) применять *(силу, способности)*; выполнять *(обязанности)* 4) проявлять *(терпение)* 5) *pass* беспокóиться

exert [ɪg'zə:t] 1) напрягáть; ~ oneself старáться; ~ every effort напрягáть все силы 2) окáзывать *(влияние)*; **~ion** [-'zə:ʃ(ə)n] напряжéние, усилие

exhale [eks'heɪl] 1) выдыхáть 2) испаряться

exhaust [ɪg'zɔ:st] **1.** *v* истощáть, исчéрпывать; опустошáть; ~ a subject исчерпáть тéму; ~ oneself «выклáдываться» *(на работе и т. п.)* **2.** *n* *тех.* вы́пуск, вы́хлоп, выкáчивание вóздуха; **~ed** [-ɪd] истощённый, измýченный; **~ible** [-əbl] истощимый; **~ion** [-'zɔ:stʃ(ə)n] изнеможéние; истощéние; **~ive** [-ɪv] исчéрпывающий

exhibit [ɪg'zɪbɪt] **1.** *n* 1) экспонáт 2) *юр.* вещéственное доказáтельство **2.** *v* 1) проявлять *(качества)* 2) выставлять *(на выставке и т. п.)*; **~ion** [,eksɪ'bɪʃ(ə)n] вы́ставка; make an ~ion of oneself показáть себя с дурнóй стороны́; **~or** экспонéнт

exhilarat||e [ɪg'zɪləreɪt] веселить; оживлять; **~ion** [ɪg,zɪlə'reɪʃ(ə)n] возбуждéние, рáдостное настроéние

exhort [ɪg'zɔ:t] убеждáть, увещевáть

exhume [eks'hju:m] выкáпывать *(труп)*

exig||ency ['eksɪdʒ(ə)nsɪ] *(часто pl)* óстрая необходимость, крáйность; **~ent** [-(ə)nt] 1) срóчный 2) трéбовательный

exile ['eksaɪl] **1.** *n* 1) ссы́лка, изгнáние 2) изгнáнник; ссы́льный **2.** *v* ссылáть, изгонять

exist [ɪg'zɪst] существовáть, жить; **~ence** [-(ə)ns] 1) существовáние 2) всё существýющее;

~ent [-(ə)nt] существу́ющий; происходя́щий

exit ['eksɪt] 1) вы́ход 2) *театр.* ухо́д *(со сцены)*

exonerat||e [ɪg'zɔnəreɪt] опра́вдывать; **~ion** [ɪg,zɔnə'reɪʃ(ə)n] оправда́ние; **~ive** [-ɪv] оправда́тельный

exorbitant [ɪg'zɔ:bɪt(ə)nt] непоме́рный, чрезме́рный

exotic [eg'zɔtɪk] экзоти́ческий

expan||d [ɪks'pænd] 1) расширя́ть 2) распуска́ть 3) расширя́ться 4) распуска́ться; расцвета́ть *(тж. перен.)*; **~se** [-s] протяже́ние, простра́нство; **~sible** [-səbl] растяжи́мый, расширя́емый; **~sion** [-nʃ(ə)n] 1) расшире́ние, растя́гивание 2) *полит.* экспа́нсия; **~sive** [-sɪv] 1) экспанси́вный 2) обши́рный 3) *полит.* экспансиони́стский

expatiate [eks'peɪʃɪeɪt] распространя́ться *(о чём-л.—on)*

expatriat||e [eks'pætrɪeɪt] **1.** *v* изгоня́ть *(из отечества)*; ~ oneself отка́зываться от гражда́нства; эмигри́ровать **2.** *n* 1) эмигра́нт 2) *attr.* эмигра́нтский

expect [ɪks'pekt] 1) ожида́ть 2) наде́яться 3) *разг.* предполага́ть; **~ancy** [-(ə)nsɪ] ожида́ние; **~ant** [-(ə)nt] 1) ожида́ющий; ~ant mother бере́менная же́нщина 2) рассчи́тывающий; **~ation** [,ekspek'teɪʃ(ə)n] 1) ожида́ние; beyond ~ation сверх ожида́ния; contrary to ~ation про́тив ожида́ния 2) наде́жда, упова́ние

expectorat||e [eks'pektəreɪt] отха́ркивать, выплёвывать *(мокроту)*; **~ion** [eks,pektə'reɪʃ(ə)n] отха́ркивание

expedi||ence, ~ency [ɪks'pi:djəns, -sɪ] целесообра́зность; **~ent** [-ənt] **1.** *a* целесообра́зный **2** *n* приём, спо́соб; уло́вка

expedite ['ekspɪdaɪt] 1) соде́йствовать 2) бы́стро заверша́ть *(дело и т. п.)*

expedition [,ekspɪ'dɪʃ(ə)n] 1) экспеди́ция 2) быстрота́; **~ary** [-ʃnərɪ] экспедицио́нный

expel [ɪks'pel] выгоня́ть, исключа́ть *(from)*

expend [ɪks'pend] (тра́тить, расхо́довать; **~iture** [-ɪtʃə] тра́та, расхо́д; by the ~iture of much effort прилага́я все уси́лия

expens||e [ɪks'pens] расхо́д; *pl* изде́ржки; at the ~ *(of)* а) на чей-л. счёт; б) цено́й *(чего-л.)*; at one's own ~ на со́бственные сре́дства; I can't afford the ~ of this э́то мне не по сре́дствам; go to the ~ of тра́тить де́ньги на; **~ive** [-ɪv] дорого́й

experienc||e [ɪks'pɪərɪəns] **1.** *n* 1) о́пыт 2) испыта́ние; пережива́ние; приключе́ние **2.** *v* испы́тывать, чу́вствовать; убежда́ться на о́пыте; **~ed** [-t] о́пытный, све́дущий

experiment 1. *n* [ɪks'perɪmənt] о́пыт, экспериме́нт **2.** *v* [ɪks'perɪment] эксперименти́ровать, производи́ть о́пыт *(on, with)*; **~al** [eks,perɪ'mentl] эксперимента́льный; **~alise** [eks,perɪ'mentəlaɪz] производи́ть о́пыты, эксперименти́ровать

expert ['ekspə:t] **1.** *n* знато́к, экспе́рт **2.** *a* [*тж.* eks'pə:t] о́пытный, иску́сный *(at, in)*

expertise [,ekspə:'ti:z] *фр.* экспертиза

expiat||e ['ekspɪeɪt] искупа́ть *(вину, грех)*; **~ion** [,ekspɪ'eɪʃ(ə)n] искупле́ние

expirat||ion [,ekspaɪə'reɪʃ(ə)n] 1) выдыха́ние 2) истече́ние *(срока)*; **~ory** [ɪks'paɪərət(ə)rɪ] выдыха́тельный, экспирато́рный

expire [ɪks'paɪə] 1) выдыха́ть 2) умира́ть; угаса́ть 3) конча́ться, истека́ть *(о сроке)*

expl||ain [ɪks'pleɪn] объясня́ть; **~anation** [,eksplə'neɪʃ(ə)n] объясне́ние; **~anatory** [-'plænət(e)rɪ] объясни́тельный

expletive [eks'pli:tɪv] **1.** *a лингв.* вставно́й **2.** *n* бра́нное выраже́ние

explic||able ['eksplɪkəbl] объясни́мый; **~ative, ~atory** [eks'plɪkətɪv, eks'plɪkət(ə)rɪ] объясни́тельный

explicit [ɪks'plɪsɪt] по́лностью вы́сказанный, не оставля́ющий сомне́ний, то́чный, определённый

explod||e [ɪks'ploud] 1) взрыва́ться 2) взрыва́ть; *перен.* разража́ться *(смехом, гневом)* 3) подрыва́ть *(веру, теорию)*; **~er** детона́тор; взрыва́тель

exploit I ['eksplɔɪt] по́двиг

exploit II [ɪks'plɔɪt] 1) разраба́тывать *(месторождение и т. п.)* 2) эксплуати́ровать; **~ation** [,eksplɔɪ'teɪʃ(ə)n] эксплуата́ция; **~er** эксплуата́тор

explorat||ion [,eksplɔ:'reɪʃ(ə)n] иссле́дование; **~ive** [eks'plɔ:rətɪv], **~ory** [eks'plɔ:rət(ə)rɪ] иссле́дующий; иссле́довательский

explor||e [ɪks'plɔ:] 1) иссле́довать; изуча́ть 2) *геол.* разве́дывать 3) *мед.* иссле́довать ра́ну; **~er** [-rə] иссле́дователь

explos||ion [ɪks'plouʒ(ə)n] взрыв *(тж. перен.)*; **~ive** [-sɪv] **1.** *a* 1) взры́вчатый 2) *перен.* вспы́льчивый 3) взрывно́й *(о звуке)* **2.** *n* взры́вчатое вещество́

exponent [eks'pounənt] 1) представи́тель *(учения и т. п.)* 2) исполни́тель *(музыкальных произведений)* 3) тип, образе́ц 4) *мат.* показа́тель сте́пени; **~ial** [,ekspo(u)'nenʃ(ə)l] *мат.* показа́тельный

export 1. *v* [eks'pɔ:t] экспорти́ровать, вывози́ть **2.** *n* ['ekspɔ:t] 1) э́кспорт, вы́воз 2) предме́т вы́воза; **~ation** [,ekspɔ:'teɪʃ(ə)n] экспорти́рование, вы́воз

expose [ɪks'pouz] 1) оставля́ть незащищённым; подверга́ть *(опасности — to)* 2) выставля́ть *(напоказ, на продажу)* 3) разоблача́ть 4) *фото* де́лать вы́держку

exposition [,ekspə'zɪʃ(ə)n] 1) описа́ние, разъясне́ние 2) вы́ставка *(товаров)* 3) *кино* экспози́ция

expostulat||e [ɪks'pɔstjuleɪt] дру́жески пеня́ть, увещева́ть *(with smb. about, for, on smth.)*; **~ion** [ɪks,pɔstju'leɪʃ(ə)n] увещева́ние

exposure [ɪks'pouʒə] 1) выставле́ние 2) разоблаче́ние 3) *фото* экспози́ция, вы́держка

expound [ɪks'paund] 1) излага́ть 2) разъясня́ть, толкова́ть

express I [ɪks'pres] **1.** *a* курье́рский, сро́чный **2.** *n* 1) *ж.-д.* экспре́сс 2) курье́р, на́рочный

express II [ɪks'pres] **1.** *v* выража́ть **2.** *a* то́чно вы́раженный; **~ible** [-əbl] вырази́мый; **~ion** [-'preʃ(ə)n] 1) вырази́тельность; экспре́ссия 2) выраже́ние; **~ive** [-ɪv] вырази́тельный; **~ly** 1) я́сно, то́чно 2) специа́льно, наро́чно

expropria||te [eks'prouprɪeɪt] экспроприи́ровать; **~tion** [eks,prouprɪ'eɪʃ(ə)n] экспроприа́ция; **~tor** экспроприа́тор

expulsion [ɪks'pʌlʃ(ə)n] изгна́ние; исключе́ние *(из школы, клуба)*

expunge [eks'pʌndʒ] вычёркивать *(from)*

expurgat||e ['ekspə:geɪt] вычёркивать нежела́тельные места́ *(в книге)*; **~ion** [,ekspə:'geɪʃ(ə)n] вычёркивание нежела́тельных мест *(в книге)*

exquisite ['ekskwɪzɪt] 1) изы́сканный 2) преле́стный 3) о́стрый, си́льный

ex-service ['eks'sə:vɪs] отставно́й

extant [eks'tænt] существу́ющий, сохрани́вшийся, доше́дший до нас

extempo||re [eks'tempərɪ] **1.** *a* импровизи́рованный **2.** *adv.* экспро́мтом; **~rise** [ɪks'tempəraɪz] импровизи́ровать

exten||d [ɪks'tend] 1) вытя́гивать, тяну́ть 2) продлева́ть 3) расширя́ть 4) растя́гивать *(войска)* 5) вытя́гиваться 6) тяну́ться, простира́ться; **~ded** [-ɪd] 1) растя́нутый 2) продлённый; **~dible, ~sible** [-dəbl, -səbl] растяжи́мый; **~sion** [-'tenʃ(ə)n] 1) вытя́гивание 2) расшире́ние 3) добавле́ние 4) отсро́чка, продле́ние; **~sive** [-sɪv] простра́нный, обши́рный; экстенси́вный; **~sively** широко́; простра́нно

extent [ɪks'tent] 1) разме́р, протяже́ние 2) сте́пень; to a great ~ в значи́тельной сте́пени; to what ~? наско́лько?, до како́й сте́пени?

extenuate [eks'tenjueɪt] смягча́ть, уменьша́ть *(вину и т.п.)*

exterior [eks'tɪərɪə] **1.** *a* вне́шний, нару́жный **2.** *n* вне́шность, нару́жность

exterminat||e [eks'tə:mɪneɪt] искореня́ть, истребля́ть; **~ion** [eks,tə:mɪ'neɪʃ(ə)n] истребле́ние

external [eks'tə:nl] нару́жный; вне́шний

extinct [ɪks'tɪŋkt] 1) поту́хший *(о вулкане)* 2) вы́мерший *(о племени, виде животного и т. п.)*; **~ion** [-kʃ(ə)n] 1) потуха́ние 2) вымира́ние

extinguish [ɪks'tɪŋgwɪʃ] 1) гаси́ть 2) уничтожа́ть 3) погаша́ть *(долг)*; **~er** огнетуши́тель

extirpat||e ['ekstə:peɪt] искореня́ть. истребля́ть; **~ion** [,ekstə:'peɪʃ(ə)n] искорене́ние, истребле́ние; **~or** 1) искорени́тель 2) *с.-х.* культива́тор, экстирпа́тор

extol [ɪks'tɔl] превозноси́ть

extort [ɪks'tɔ:t] 1) вымога́ть *(деньги)* 2) выпы́тывать *(секрет)*; **~ion** [-'tɔ:ʃ(ə)n] вымога́тельство; **~ionate** [-'tɔ:ʃnɪt] вымога́тельский; граби́тельский *(о ценах)*; **~ioner** [-ʃnə] вымога́тель

extra ['ekstrə] дополни́тельный *(о расходах и т. п.)*

extra- ['ekstrə-] *pref* э́кстра-, сверх-, вне-

extract 1. *v* [ɪks'trækt] 1) удаля́ть *(зуб)*; извлека́ть *(пулю)*; добыва́ть *(из недр земли)* 2) вытя́гивать *(деньги, сведения)* 3) выжима́ть *(сок)* 4) выбира́ть цита́ты, де́лать вы́держки *(из книги и т. п.)* 5) *мат.* извлека́ть ко́рень **2.** *n* ['ekstrækt] 1) экстра́кт 2) извлече́ние; вы́держка *(из книги)*; **~ion** [ɪks'trækʃ(ə)n] 1) извлече́ние, добыва́ние 2) происхожде́ние; **~ive** [ɪks'træktɪv] **1.** *a* извлека́емый; ~ive industry добыва́ющая, промы́шленность **2.** *n* экстра́кт

extradi||te ['ekstrədaɪt] выдава́ть престу́пника *(по месту совершения преступления)*; **~tion** [,ekstrə'dɪʃ(ə)n] вы́дача престу́пника *(по месту совершения преступления)*

extraneous [eks'treɪnjəs] чу́ждый, посторо́нний

extraordinary [ɪks'trɔ:dnrɪ] необыча́йный; экстраордина́рный; чрезвыча́йный

extravag||ance [ɪks'trævɪgəns] 1) расточи́тельность 2) экстравага́нтность; сумасбро́дство; **~ant** [-ənt] 1) расточи́тельный 2) непоме́рный *(о требованиях и т. п.)* 3) сумасбро́дный *(о поведении)*

extrem||e [ɪks'tri:m] **1.** *a* 1) кра́йний 2) чрезме́рный **2.** *n* кра́йняя сте́пень, кра́йность; **~ely** кра́йне; **~ist** *полит.* сторо́нник кра́йних мер, экстреми́ст; **~ity** [-'tremɪtɪ] 1) коне́ц, край 2) чрезме́рность, кра́йность 3) кра́йняя нужда́ 4) *pl* коне́чности 5) *pl* чрезвыча́йные ме́ры

extricate ['ekstrɪkeɪt] выпу́тывать, выводи́ть *(из затруднительного положения — from)*; ~ oneself from difficulties выпу́тываться из затрудни́тельного положе́ния

extrinsic [eks'trɪnsɪk] 1) несво́йственный; не относя́щийся *(к делу — to)* 2) вне́шний

extrovert ['ekstro(u)və:t] 1) челове́к, интересу́ющийся то́лько вне́шней средо́й 2) челове́к без духо́вных интере́сов

extrude [eks'tru:d] выта́лкивать, вытесня́ть *(from)*

exuber||ance [ɪg'zju:b(ə)r(ə)ns] избы́ток *(чувств и т. п.)*; изоби́лие *(растительности)*; **~ant** [-(ə)nt] 1) оби́льный, роско́шный *(о растительности)* 2) бью́щий че́рез край *(об энергии, радости и т. п.)* 3) цвети́стый *(о стиле)*

exude [ɪg'zju:d] выделя́ть *(жидкость)*

exult [ɪg'zʌlt] ликова́ть, торжествова́ть; **~ant** [-(ə)nt] лику́ющий; **~ation** [,egzʌl'teɪʃ(ə)n] торжество́, ликова́ние

eye ['aɪ] **1.** *n* глаз; have an ~ *(for)* а) быть знатоко́м; б) следи́ть *(за чем-л.)*; keep an ~ *(on)* присма́тривать, следи́ть за; be all ~s гляде́ть во все глаза́; set ~s *(on)* заме́тить; ~s right (left) *воен.* равне́ние напра́во (нале́во); catch smb.'s ~ пойма́ть чей-л. взгляд; see ~ to ~ with smb. быть согла́сным с кем-л. 2) ушко́ *(иголки)*

3) пéтелька 4) *бот.* глазóк **2.** *v* смотрéть; наблюдáть; рассмáтривать; **~ball** [-bɔ:l] глазнóе яблоко; **~brow** [-brau] бровь; **~-drops** [-drɔps] глазны́е кáпли; **~-glass** [-glɑ:s] 1) стеклó для очкóв 2) *pl* очки́, пенснé, лорнéт; **~hole** [-houl] глазнáя впáдина; **~lash** [-læʃ] ресни́ца; **~let** [-lɪt] 1) глазóк, щёлка 2) ушкó, пéтелька; **~lid** [-lɪd] вéко; **~piece** [-pi:s] окуля́р *(телескопа)*; **~shot** [-ʃɔt] пóле зрéния; **~sight** [-saɪt] зрéние; **~sore** [-sɔ:] что-л. неприя́тное для глáза; *перен.* бельмó на глазу́; **~witness** [-'wɪtnɪs] очеви́дец

F

F, f [ef] 1) *шестая буква англ. алфавита* 2) *муз.* нóта фа

fable ['feɪbl] 1) бáсня 2) небыли́ца, скáзка

fabric ['fæbrɪk] 1) ткань, матéрия 2) структу́ра, строéние 3) здáние, сооружéние

fabricate ['fæbrɪkeɪt] 1) выду́мывать 2) поддéлывать *(документ)*

fabul||ous ['fæbjuləs] 1) легендáрный, мифи́ческий, баснослóвный 2) *разг.* невероя́тный, потрясáющий

façade [fə'sɑ:d] фасáд; *перен.* внéшний вид

face ['feɪs] **1.** *n* 1) лицó; full in the ~ пря́мо в лицó; in the ~ *(of)* а) перед лицóм; б) вопреки́, несмотря́ на; he pulled *(или* made) a long ~ у негó был огорчённый (опечáленный) вид 2) выражéние *(лица)*; гримáса; make ~s стрóить рóжи 3) нáглость; have the ~ *(to)* имéть нáглость 4) внéшний вид 5) лицевáя сторонá 6) грань 7) фасáд 8) циферблáт 9) *горн.* забóй 10) *attr.*: ~ value нарицáтельная ценá ◇ set one's ~ *(against)* проти́виться *(чему-либо)*, возражáть *(против чего-либо)* **2.** *v* 1) смотрéть в лицó 2) встречáть без стрáха *(трудности и т. п.)* 3) быть обращённым *(к чему-л., в сторону чего-л.)* 4) отдéлывать *(платье)* 5) облицóвывать *(камнем)*; **~-card** [-kɑ:d] фигу́ра *(в картах)*

facet ['fæsɪt] фасéтка; грань

facetious [fə'si:ʃəs] шутли́вый

facial ['feɪʃ(ə)l] **1.** *a* лицевóй **2.** *n* массáж лицá

facil||e ['fæsaɪl] 1) лёгкий 2) подáтливый; усту́пчивый; мя́гкий *(о характере)*; **~itate** [fə'sɪlɪteɪt] облегчáть; содéйствовать; **~ity** [fə'sɪlɪtɪ] 1) лёгкость 2) спосóбность 3) *pl* возмóжности; удóбства; срéдства обслу́живания; льгóты; обору́дование

facing ['feɪsɪŋ] нару́жная отдéлка; облицóвка

facsimile [fæk'sɪmɪlɪ] факси́миле

fact [fækt] акт, собы́тие; обстоя́тельство; in ~ в сáмом дéле; the ~ is дéло в том

facti||on ['fækʃ(ə)n] 1) кли́ка 2) фрáкция 3) разноглáсия *(в партии)*; **~ous** ['fækʃəs] фракциóнный

factitious [fæk'tɪʃəs] искýсственный

factor ['fæktə] 1) фа́ктор 2) *мат.* мно́житель 3) аге́нт, комиссионе́р 4) *тех.* коэффицие́нт

factory ['fækt(ə)rɪ] 1) фа́брика; заво́д 2) *уст.* факто́рия 3) *attr.:* ~ committee фабри́чно-заводско́й комите́т; F. Acts фабри́чное законода́тельство

faculty ['fæk(ə)ltɪ] 1) спосо́бность, дар(ова́ние) 2) факульте́т

fad ['fæd] конёк, причу́да; **~dy** [-ɪ] чудакова́тый

fad||e ['feɪd] 1) вя́нуть, увяда́ть; блёкнуть выцвета́ть 2) замира́ть *(о звуках)* 3) стира́ться *(в памяти)* 4) обесцве́чивать; **~ away** постепе́нно исчеза́ть, сходи́ть на не́т; угаса́ть; **~ing** *радио* затуха́ние

fag [fæg] **1.** *v* 1) труди́ться 2) утомля́ть; his work ~s him (out) рабо́та его́ утомля́ет **2.** *n* 1) ну́дная и тяжёлая рабо́та 2) *разг.* папиро́са; **~-end** ['fæg'end] нену́жный оста́ток *(чего-либо)*; оку́рок

fag(g)ot ['fægət] вяза́нка, оха́пка хво́роста

Fahrenheit ['fær(ə)nhaɪt] шкала́, термо́метр Фаренге́йта

fail ['feɪl] **1.** *v* 1) оказа́ться не в состоя́нии *(сделать что-л.)*; обману́ть наде́жды 2) провали́ть *(на экзаменах, выборах)* 3) провали́ться *(на экзаменах, выборах)* 4) недостава́ть, не хвата́ть, отсу́тствовать 5) ослабева́ть, слабе́ть 6) обанкро́титься **2.** *n:* without ~ наверняка́, безусло́вно; **~ing 1.** *n* недоста́ток, сла́бость **2.** *prep* за неиме́нием; в слу́чае отсу́тствия ◇ ~ing an answer to my letter I shall cable е́сли я не получу́ отве́та на своё письмо́, то бу́ду телеграфи́ровать; **~ure** [-jə] 1) неуда́ча, прова́л 2) нехва́тка, недоста́ток 3) банкро́тство 4) неуда́чник ◇ heart ~ure парали́ч се́рдца

faint ['feɪnt] **1.** *a* 1) сла́бый *(тж. перен.)*; I haven't the ~est idea у меня́ нет ни мале́йшего представле́ния 2) ту́склый, нея́сный 3) ро́бкий ◇ I feel ~ мне ду́рно **2.** *v* па́дать в о́бморок, теря́ть созна́ние **3.** *n* о́бморок; **~-hearted** [-'hɑ:tɪd] малоду́шный, трусли́вый

faintly ['feɪntlɪ] сла́бо, едва́

fair I [fɛə] 1) я́рмарка 2) торго́во-промы́шленная вы́ставка 3) благотвори́тельный база́р

fair II ['fɛə] **1.** *a* 1) поря́дочный, справедли́вый; ~ play игра́ по пра́вилам, че́стная игра́; ~ trade торго́вля на осно́ве взаи́мных привиле́гий 2) белоку́рый; све́тлый 3) благоприя́тный *(о погоде)* 4) посре́дственный ◇ ~ copy чистови́к **2.** *adv* справедли́во, че́стно; ~ and square че́стно и справедли́во; **~ly** 1) справедли́во 2) доста́точно, дово́льно 3) *разг.* соверше́нно

fairway ['fɛəweɪ] *мор.* фарва́тер

fairy ['fɛərɪ] **1.** *n* фе́я **2.** *a* волше́бный, ска́зочный; прекра́сный; **~-tale** [-teɪl] 1) ска́зка 2) вы́думка, небыли́ца

fait accompli [ˌfetɑ:kɔ:ŋ'pli:] *фр.* соверши́вшийся факт

faith ['feɪθ] 1) ве́ра, дове́рие

2) рели́гия 3) ве́рность; лоя́льность 4) обеща́ние; break ~ не вы́полнить обеща́ния ◇ in good ~ че́стно, добросо́вестно; **~ful** 1) ве́рный, пре́данный 2) правове́рный; **~fully**: yours ~fully «с соверше́нным почте́нием» *(заключительная фраза в письме)*; **~less** вероло́мный, неве́рный

fake [feɪk] **1.** *v* 1) подде́лывать; фальсифици́ровать 2) фабрикова́ть *(тж.* ~ up) **2.** *n* фальши́вка; подде́лка

fakir ['fɑ:kɪə] факи́р

falcon ['fɔ:lkən] со́кол

fall [fɔ:l] **1.** *v* (fell; fallen) 1) па́дать; опуска́ться; ~ into disgrace впасть в неми́лость 2) обва́ливаться 3) снижа́ться *(о цене)* 4) приходи́ться *(на — on; о дате)* 5) поги́бнуть; ~ in action пасть в бою́; ~ a prey *(to)* пасть же́ртвой *(чего-л.)* 6) стиха́ть *(о ветре)* 7) впада́ть *(в — into; о реке)* 8) впасть *(в ошибку)* 9) вы́пасть на до́лю; **~ away** а) покида́ть; б) исчеза́ть; **~ back** отступа́ть; **~ back on** а) прибега́ть *(к чему-л.)*; б) ссыла́ться *(на что-л.)*; **~ behind** отстава́ть; **~ in** станови́ться в строй; **~ in with** а) встре́титься *(случайно)*; б) соглаша́ться; **~ on** а) напада́ть, набра́сываться; б) приступи́ть *(к чему-л.)*; **~ out** а) ссо́риться; б) выпада́ть; ~ out of use выходи́ть из употребле́ния; **~ through** потерпе́ть неуда́чу; **~ to** приступи́ть *(к чему-либо)*; ~ to blows перейти́ врукопа́шную; **~ under** а) подходи́ть *(под рубрику)*; б): ~ under suspicion попа́сть под подозре́ние ◇ ~ asleep засну́ть; ~ silent замолча́ть; ~ ill заболе́ть; ~ in love *(with)* влюби́ться; ~ short *(of)* не хвата́ть, недостава́ть **2.** *n* 1) паде́ние; ~ of snow снегопа́д; heavy ~ of rain ли́вень 2) *(обыкн. pl)* водопа́д 3) *амер.* о́сень

fallac||ious [fə'leɪʃəs] оши́бочный; **~y** ['fæləsɪ] оши́бка; заблужде́ние

fallen ['fɔ:l(ə)n] *p. p. от* fall 1

fallow ['fælou] земля́ под па́ром

fallow-deer ['fælo(u)dɪə] лань

false ['fɔ:ls] 1) ло́жный; оши́бочный 2) лжи́вый 3) фальши́вый, подде́льный; иску́сственный; ~ teeth иску́сственные зу́бы; **~hood** [-hud] ложь

falsify ['fɔ:lsɪfaɪ] подде́лывать; фальсифици́ровать; искажа́ть

falter ['fɔ:ltə] 1) спотыка́ться; идти́ неуве́ренно 2) говори́ть заика́ясь; запина́ться 3) колеба́ться

fam||e [feɪm] сла́ва, изве́стность; репута́ция; **~ed** [-d] изве́стный; знамени́тый; просла́вленный

familiar [fə'mɪljə] 1) хорошо́ зна́ющий *(что-л.)*; осведомлённый *(with)* 2) хорошо́ изве́стный *(to)* 3) обы́чный 4) бли́зкий, инти́мный 5) фамилья́рный; **~ity** [fə,mɪlɪ'ærɪtɪ] 1) знако́мство *(с предметом)* 2) бли́зкие отноше́ния 3) фамилья́рность; **~ize** [fə'mɪljəraɪz] осва́ивать *(что-л.)*; знако́мить *(с чем-либо)*; ~ize oneself with smth. ознако́миться с чем-л.

family ['fæmılı] 1) семья́; семе́йство 2) *attr.*: ~ man оте́ц семе́йства; семьяни́н ◇ in a ~ way по-сво́йски, без церемо́ний; in the ~ way в «положе́нии» *(о беременной)*

fam||ine ['fæmın] го́лод; голода́ние; **~ish** 1) голода́ть 2) мори́ть го́лодом

famous ['feıməs] 1) знамени́тый; be ~ сла́виться *(чем-л.)* 2) *разг.* отме́нный, превосхо́дный

fan I [fæn] **1.** *n* 1) ве́ер 2) вентиля́тор **2.** *v* 1) освежа́ть; обма́хивать *(веером и т. п.)* 2) разжига́ть *(войну, страсти и т. п.)* 3) *с.-х.* ве́ять

fan II *разг.* энтузиа́ст, «боле́льщик»

fanatic [fə'nætık] **1.** *n* фана́тик; изуве́р **2.** *a* фанати́ческий; **~al** [-(ə)l] фанати́ческий

fanciful ['fænsıful] 1) мечта́тельный 2) причу́дливый; фантасти́ческий

fancy ['fænsı] **1.** *n* 1) воображе́ние, фанта́зия 2) капри́з 3) скло́нность; конёк; have a ~ *(for)* люби́ть, увлека́ться; I took a ~ to him, he took my ~ он мне полюби́лся, пришёлся по душе́ **2.** *a* 1) расши́тый, разукра́шенный 2) мо́дный; ~ articles *(или* goods) галантере́я ◇ ~ dress маскара́дный костю́м; ~ prices ду́тые це́ны **3.** *v* 1) вообража́ть, представля́ть себе́ 2) люби́ть, нра́виться 3): ~ oneself *разг.* мно́го понима́ть о себе́, «вообража́ть»

fancy-dress ['fænsı'dress]: ~ ball маскара́д, костюми́рованный бал

fancy-work ['fænsıwə:k] вы́шивка

fang [fæŋ] 1) клык 2) ядови́тый зуб *(змеи)* 3) ко́рень зу́ба

fan-light ['fænlaıt] окно́ над две́рью

fantastic [fæn'tæstık] фантасти́ческий; причу́дливый, эксцентри́чный

fantasy ['fæntəsı] 1) фанта́зия, воображе́ние 2) капри́з

far ['fɑ:] (farther, further; farthest, furthest) **1.** *adv* 1) далеко́; ~ into the night далеко́ за́ полночь 2) гора́здо; ~ better гора́здо лу́чше ◇ as ~ as, (in) so ~ as а) до; б) поско́льку, наско́лько; ~ and away, by ~ значи́тельно, гора́здо; so ~ до сих по́р; ~ gone а) погря́зший *(в пьянстве и т. п.)*; б) о́чень больно́й **2.** *a* далёкий, да́льний; отдалённый *(тж.* ~ off); **~-away** [-rəweı] 1) отдалённый, далёкий 2) мечта́тельный *(о взгляде)*; **~-between** [-bı'twi:n]: few and ~-between ре́дкий

farc||e ['fɑ:s] фарс; шу́тка; **~ical** [-ık(ə)l] шу́точный

fare ['fɛə] **1.** *n* 1) пла́та за прое́зд; сто́имость прое́зда 2) пассажи́р 3) пи́ща, еда́; стол **2.** *v*: how ~s it? как дела́?, как пожива́ете?; **~well** [-'wel] **1.** *int* проща́йте!, до свида́ния. **2.** *n* проща́ние

far||-famed ['fɑ:'feımd] широкоизве́стный; **~-fetched** [-'fetʃt] натя́нутый, иску́сственный; **~-flung** [-'flʌŋ] широко́ раски́нувшийся, обши́рный

farinaceous [ˌfærɪˈneɪʃəs] мучни́стый

farm [ˈfɑ:m] **1.** *n* 1) фе́рма; ху́тор 2) хозя́йство; state ~ совхо́з; госуда́рственное хозя́йство **2.** *v* занима́ться се́льским хозя́йством, обраба́тывать зе́млю; ~ **out** сдава́ть в аре́нду; ~**er** крестья́нин; фе́рмер

farm-hand [ˈfɑ:mhænd] сельскохозя́йственный рабо́чий; батра́к

farm-house [ˈfɑ:mhaus] дом на фе́рме

farming [ˈfɑ:mɪŋ] се́льское хозя́йство

far-reaching [ˈfɑ:ˈri:tʃɪŋ] 1) име́ющий широ́кое примене́ние, распростране́ние 2) далеко́ иду́щий, чрева́тый после́дствиями

farrow [ˈfærou] **1.** *n* 1) опоро́с 2) помёт порося́т **2.** *v* порози́ться

far||-seeing [ˈfɑ:ˈsi:ɪŋ] прозорли́вый, дальнови́дный; ~**-sighted** [-ˈsaɪtɪd] дальнозо́ркий; *перен.* предусмотри́тельный, дальнови́дный

farth||er [ˈfɑ:ðə] *(сравн. ст. от* far*)* **1.** *adv* да́льше **2.** *a* да́льнейший, бо́льший; ~**ermost** [-moust] са́мый да́льний; ~**est** [-ðɪst] *(превосх. ст. от* far*)* **1.** *adv* да́льше всего́ **2.** *a* са́мый да́льний, отдалённый

farthing [ˈfɑ:ðɪŋ] *уст.* фа́ртинг *(моне́та в 1/4 пе́нни)*

fascinat||e [ˈfæsɪneɪt] 1) очаро́вывать 2) зачаро́вывать *(взгля́дом)*; ~**ion** [ˌfæsɪˈneɪʃ(ə)n] очарова́ние

fasc||ism [ˈfæʃɪzm] фаши́зм; ~**ist** **1.** *n* фаши́ст **2.** *a* фаши́стский

fashion [ˈfæʃ(ə)n] **1.** *n* 1) мо́да, фасо́н; out of ~ вы́шедший из мо́ды, устаре́вший 2) стиль, мане́ра; обы́чай **2.** *v* придава́ть фо́рму, вид; ~**able** [-əbl] мо́дный, фешене́бельный

fast I [fɑ:st] **1.** *a* 1) твёрдый; кре́пкий, сто́йкий 2) нелиня́ющий *(о кра́ске)* 3) ве́рный *(о дру́ге)* **2.** *adv* кре́пко; сто́йко

fast II **1.** *a* 1) ско́рый, бы́стрый 2) легкомы́сленный, беспу́тный **2.** *adv* бы́стро ◇ live ~ прожига́ть жизнь

fast III **1.** *n* пост **2.** *v* пости́ться

fasten [ˈfɑ:sn] 1) привя́зывать, прикрепля́ть 2) устремля́ть *(взгляд)* 3) запира́ть 4) застёгивать 5) застёгиваться

fasten||er [ˈfɑ:snə] 1) запо́р 2) кно́пка; застёжка 3) скре́пка для бума́г; ~**ing** скрепле́ние

fastidious [fæsˈtɪdɪəs] привере́дливый; брезгли́вый

fat [fæt] **1.** *a* 1) жи́рный 2) упи́танный; то́лстый, по́лный; get ~ полне́ть **2.** *n* жир, са́ло

fatal [ˈfeɪtl] 1) па́губный, смерте́льный 2) роково́й; ~**ity** [fəˈtælɪtɪ] 1) рок 2) несча́стье 3) смерть *(от несча́стного слу́чая, на по́ле бо́я и т. п.)*

fate [ˈfeɪt] **1.** *n* судьба́, рок; уде́л **2.** *v (обыкн. pass)* предопределя́ть; ~**ful** 1) роково́й 2) реши́тельный, ва́жный

father [ˈfɑ:ðə] **1.** *n* 1) оте́ц; *перен.* творе́ц, созда́тель 2) *(обыкн. pl)* пре́док 3) старе́йший член *(о́бщества и т. п.)* 4) *pl* старе́йшины **2.** *v* 1) порождáть, быть отцóм 2) создавáть; **~hood** [-hud] отцóвство

father-in-law [ˈfɑ:ð(ə)rɪnlɔ:] свёкор *(husband's father);* тесть *(wife's father)*

fatherland [ˈfɑ:ðəlænd] отéчество, отчи́зна

fathom [ˈfæðəm] **1.** *n* морскáя сáжень (= 182 *см*) **2.** *v* измеря́ть глубину́; *перен.* вникáть, понимáть

fatigue [fəˈti:g] **1.** *n* утомлéние, устáлость **2.** *v* утомля́ть

fat||ten [ˈfætn] 1) откáрмливать 2) жирéть 3) удобря́ть; **~ty** [ˈfætɪ] **1.** *a* 1) жи́рный; откóрмленный 2) жировóй **2.** *n* толстя́к

fatuous [ˈfætjuəs] 1) глу́пый 2) бесполéзный

faucet [ˈfɔ:sɪt] водопровóдный кран

faugh [fɔ:] тьфу!, фу!

fault [ˈfɔ:lt] 1) недостáток; погрéшность, оши́бка 2) винá; просту́пок; find ~ *(with)* придирáться, осуждáть 3) *тех.* повреждéние; **~less** безоши́бочный; безупрéчный

faulty [ˈfɔ:ltɪ] 1) оши́бочный 2) имéющий недостáтки 3) неисправный

fauna [ˈfɔ:nə] фáуна

faux pas [ˈfouˈpɑ:] *фр.* прóмах, лóжный шаг

favour [ˈfeɪvə] **1.** *n* 1) расположéние, благосклóнность 2): be in ~ of быть за; it speaks in his ~ э́то говори́т в егó пóльзу 3) покрови́тельство 4) одолжéние 5) значóк; бант; сувени́р ◇ by your ~ *уст.* с вáшего позволéния; by ~ of smb. чéрез когó-л. **2.** *v* 1) относи́ться благосклóнно 2) благоприя́тствовать 3) быть похóжим; **~able** [-rəbl] 1) благоприя́тный, подходя́щий 2) благосклóнный; **~ite** [-rɪt] **1.** *a* излю́бленный, люби́мый **2.** *n* фавори́т, люби́мец

fawn I [fɔ:n] оленёнок

fawn II 1) виля́ть хвостóм 2) подхали́мничать *(on, upon)*

fay [feɪ] *поэт.* фéя; эльф

fear [ˈfɪə] **1.** *n* страх, боя́знь; опасéние **2.** *v* боя́ться; опасáться; never ~ не бóйтесь; **~ful** 1) ужáсный, стрáшный 2) *разг.* огрóмный; **~some** [-səm] *(обыкн. шутл.)* грóзный, стрáшный

feasible [ˈfi:zəbl] 1) возмóжный 2) осуществи́мый

feast [fi:st] **1.** *n* прáздник; банкéт; пир **2.** *v* 1) пировáть 2) чéствовать; пóтчевать ◇ ~ one's eyes on smb. *(или* smth.) любовáться кем-л. *(или* чем-л.)

feat [fi:t] пóдвиг; ~ of arms боевóй пóдвиг

feather [ˈfeðə] **1.** *n* 1) перó; as light as a ~ лёгкий как пёрышко 2) *pl* оперéние *ед.* ◇ show the white ~ стру́сить **2.** *v* украшáть пéрьями; **~-brain(ed)** [-breɪn(d)] глу́пый, вéтреный

feathering [ˈfeðərɪŋ] оперéние

feathery [ˈfeðərɪ] 1) оперённый 2) лёгкий (как пёрышко)

feature [ˈfi:tʃə] **1.** *n* 1) осóбенность; (характéрная) чертá; distinguishing ~s отличи́тельные черты́ 2) *pl* черты́ лицá 3) большáя статья́ в газéте *или* журнáле 4) (кино)боеви́к 5) *pl* характери́стика; детáли 6) *attr.:* ~ film худóжественный фильм

2. *v* 1) быть характе́рной черто́й 2) наброса́ть, зарисова́ть 3) показа́ть на экра́не

febrile ['fi:braɪl] лихора́дочный

February ['februərɪ] 1) февра́ль 2) *attr.* февра́льский

feckless ['feklɪs] 1) бесполе́зный 2) пусто́й

fecund ['fi:kənd] плодоро́дный; плодови́тый; **~ate** [-eɪt] 1) де́лать плодоро́дным 2) оплодотворя́ть; **~ity** [fɪ'kʌndɪtɪ] плодоро́дие; *перен.* плодови́тость

fed [fed] *past и p. p. от* feed **1**

federa||**l** ['fedər(ə)l] федера́льный, сою́зный; **~te 1.** *v* ['fedəreɪt] объединя́ться в федера́цию **2.** *a* ['fedərɪt] федерати́вный; **~tion** [ˌfedə'reɪʃ(ə)n] федера́ция; **~tive** ['fedərətɪv] федерати́вный

fee [fi:] 1) пла́та; гонора́р 2) (вступи́тельный) взнос

feeble ['fi:bl] сла́бый; хи́лый

feed ['fi:d] **1.** *v* (fed) 1) пита́ть, корми́ть 2) пита́ться, корми́ться 3) пасти́ 4) пасти́сь 5) *тех.* подава́ть; нагнета́ть; **~ up** отка́рмливать; I am fed up! я сыт по го́рло!, надое́ло! **2.** *n* пита́ние; еда́; корм

feedback ['fi:dbæk] *радио* обра́тная связь

feeder ['fi:də] 1) едо́к 2) *тех.* пита́тель, подаю́щий механи́зм 3) прито́к *(реки́)* 4) де́тский рожо́к *(для молока)* 5) де́тский нагру́дник

feel ['fi:l] (felt) 1) чу́вствовать; ~ tired чу́вствовать себя́ уста́лым; 2) ощуща́ть; осяза́ть; ~ one's way идти́ о́щупью; де́йствовать осторо́жно ◇ ~ about *(for)* нащу́пывать; ~ like (doing smth.) быть скло́нным (что-л. сде́лать); **~er** 1) щу́пальце, у́сик 2) *воен.* разве́дывательный дозо́р ◇ put out a ~er зонди́ровать по́чву; **~ing 1.** *n* 1) чу́вство; эмо́ция 2) ощуще́ние 3) симпа́тия, сочу́вствие **2.** *a* 1) чувстви́тельный 2) прочу́вствованный 3) по́лный сочу́вствия

feet [fi:t] *pl от* foot **1**

feign [feɪn] притворя́ться; симули́ровать; ~ an excuse приду́мывать оправда́ние; **~ed** [-d] притво́рный; фальши́вый

feint [feɪnt] 1) притво́рство 2) *воен.* ло́жная ата́ка

felicitate [fɪ'lɪsɪteɪt] поздравля́ть

felicitous [fɪ'lɪsɪtəs] уда́чный, подходя́щий

feline ['fi:laɪn] коша́чий

fell I [fel] шку́ра

fell II руби́ть, вали́ть *(деревья)*

fell III *past от* fall **1**

fellow ['felo(u)] **1.** *n* 1) *разг.* па́рень, ма́лый; old ~ старина́, дружи́ще 2) това́рищ, прия́тель 3) собра́т 4) член учёного о́бщества, сове́та колле́джа 5) *attr.:* ~ creature бли́жний; ~ citizen сограждани́н ◇ my dear ~! дорого́й мой! **2.** *a* това́рищеский; **~-countryman** [-'kʌntrɪmən] соотéчественник, земля́к; **~-feeling** [-'fi:lɪŋ] сочу́вствие, симпа́тия; **~ship** 1) соо́бщество 2) компа́ния; това́рищество 3) о́бщество, бра́тство 4) чле́нство *(в научном обществе)*; **~trav-**

eller [-'trævlə] попу́тчик, спу́тник

felo||n ['felən] уголо́вный престу́пник; **~ny** [-ı] уголо́вное преступле́ние

felt I [felt] фетр, во́йлок

felt II *past и p. p. от* feel

female ['fi:meıl] **1.** *n* 1) же́нщина 2) *зоол.* са́мка **2.** *a* же́нский

feminin||e ['femının] 1) же́нский 2) же́нственный 3) *грам.* же́нского ро́да; **~ity** [,femı'nınıtı] же́нственность

fen [fen] боло́то, топь

fenc||e ['fens] **1.** *n* 1) и́згородь, забо́р; sit on the ~ *перен.* занима́ть выжида́тельную пози́цию 2) *разг.* укрыва́тель *или* ску́пщик кра́деного **2.** *v* 1) фехтова́ть 2) огора́живать; загора́живать 3) укрыва́ть кра́деное; **~ing** 1) фехтова́ние 2) и́згородь, огра́да 3) огора́живание

fend ['fend] 1): ~ off отвраща́ть, отража́ть *(удары и т. п.)* 2): ~ for oneself обеспе́чивать себя́; **~er** 1) ками́нная решётка 2) предохрани́тельная решётка

fennel ['fenl] укро́п

ferment 1. *n* ['fə:ment] ферме́нт, дро́жжи; заква́ска; *перен.* возбужде́ние **2.** *v* [fə:'ment] 1) броди́ть 2) вызыва́ть броже́ние; *перен.* возбужда́ть; **~ation** [,fə:men'teıʃ(ə)n] фермента́ция; броже́ние; *перен.* возбужде́ние, волне́ние

fern [fə:n] па́поротник (мужско́й)

feroci||ous [fə'rouʃəs] свире́пый, жесто́кий; **~ty** [-'rɔsıtı] свире́пость, лю́тость, жесто́кость

ferret ['ferıt] **1.** *n* хорёк; *перен.* сы́щик **2.** *v.*: ~ **about** иска́ть, разы́скивать; ~ **out** разню́хивать, выве́дывать

ferro-concrete ['fero(u)'kɔŋkri:t] железобето́н

ferrous ['ferəs] *хим.* желе́зистый; ~ metals чёрные мета́ллы; ~ metallurgy чёрная металлу́ргия

ferry ['ferı] **1.** *v* перевози́ть *или* переезжа́ть *(через реку и т.п.)* **2.** *n* 1) перево́з; перепра́ва 2) паро́м; **~-boat** [-bout] паро́м; **~-bridge** [-brıdʒ] железнодоро́жный паро́м; **~man** [-mən] перево́зчик, паро́мщик

fertil||e ['fə:taıl] плодоро́дный; изоби́лующий; **~ity** [-'tılıtı] плодоро́дие; **~ize** [-tılaız] удобря́ть; **~izer** [-tılaızə] удобре́ние

ferv||ency ['fə:v(ə)nsı] горя́чность, пыл; **~ent** [-(ə)nt] горя́чий; пы́лкий; **~our** [-və] *см.* fervency

festal ['festl] пра́здничный, весёлый

fester ['festə] **1.** *v* гнои́ться; *перен.* му́чить; изводи́ть **2.** *n* нагное́ние

festi||val ['festəv(ə)l] пра́зднество; фестива́ль; **~ve** ['festıv] пра́здничный; весёлый; **~vity** [fes'tıvıtı] 1) весе́лье; пра́зднование 2) *pl* торжества́

festoon [fes'tu:n] гирля́нда; фесто́н

fetch ['fetʃ] 1) принести́, привести́; сходи́ть *(за кем-л., чем-л.)* 2) вы́звать *(слёзы и т.п.)* 3) приноси́ть дохо́д, выруча́ть

◇ ~ a sigh вздохну́ть; **~ing** привлека́тельный

fetid ['fetɪd] злово́нный, воню́чий

fetish ['fi:tɪʃ] 1) фети́ш 2) и́дол, куми́р

fetter ['fetə] **1.** *n pl* кандалы́; око́вы; у́зы, пу́ты *(тж. перен.)* **2.** *v* зако́вывать *(в кандалы); перен.* свя́зывать (по рука́м и нога́м)

fettle ['fetl]: be in fine ~ быть в хоро́шем настрое́нии

feud [fju:d] вражда́; blood ~ кро́вная вражда́

feudal ['fju:dl] феода́льный; **~ism** феодали́зм; **~ist** феода́л

fever ['fi:və] лихора́дка, жар; *перен.* (не́рвное) возбужде́ние *(обыкн.* a ~); **~ish** [-rɪʃ] лихора́дочный; *перен.* возбуждённый

few [fju:] **1.** *a* немно́гие; немногочи́сленные **2.** *n* ма́лое число́; a ~ не́сколько; a good ~, some ~ *разг.* поря́дочное число́, дово́льно мно́го

fez [fez] фе́ска

fianc||é [fɪ'ɑ:nseɪ] *фр.* жени́х; **~ée** [fɪ'ɑ:nseɪ] *фр.* неве́ста

fiasco [fɪ'æskou] прова́л, неуда́ча, фиа́ско

fiat ['faɪæt] ука́з, декре́т

fib [fɪb] *разг.* **1.** *n* ложь, вы́думка **2.** *v* врать

fibr||e ['faɪbə] волокно́, фи́бра; **~ous** [-brəs] волокни́стый, фибро́зный

fickle ['fɪkl] изме́нчивый, непостоя́нный

fiction ['fɪkʃ(ə)n] 1) беллетри́стика 2) вы́мысел, фи́кция ◇ science ~ нау́чная фанта́стика

fictitious [fɪk'tɪʃəs] фикти́вный; вы́мышленный, вообража́емый

fiddle ['fɪdl] **1.** *n* скри́пка **2.** *v* 1) игра́ть на скри́пке 2) по́пусту тра́тить вре́мя; **~-faddle** [-,fædl] **1.** *n* пустяки́ **2.** *a* пустя́чный **3.** *v* безде́льничать

fiddler ['fɪdlə] скрипа́ч

fiddlestick ['fɪdlstɪk] 1) смычо́к 2): ~s! глу́пости!, чепуха́!

fidelity [fɪ'delɪtɪ] ве́рность; то́чность

fidge||t ['fɪdʒɪt] **1.** *n* 1) *(обыкн. pl)* не́рвные движе́ния; беспоко́йство 2) суетли́вый челове́к; непосе́да **2.** *v* ёрзать; суети́ться; не́рвничать; **~ty** [-ɪ] суетли́вый; неугомо́нный

fie! [faɪ] тьфу!, фи!; ~ upon you! како́й стыд!

field ['fi:ld] **1.** *n* 1) по́ле; луг 2) по́ле бо́я; in the ~ в де́йствующей а́рмии; в полевы́х усло́виях; F. Marshal фельдма́ршал 3) *геол.* месторожде́ние 4) о́бласть *(знаний, деятельности)* 5) *спорт.* площа́дка **2.** *a* полево́й; **~-artillery** [-ɑ:'tɪlərɪ] полева́я артилле́рия; **~-glasses** [-,glɑ:'sɪz] полево́й бино́кль; **~-officer** [-,ɔfɪsə] ста́рший офице́р

fiend ['fi:nd] 1) дья́вол, бес 2) злоде́й, и́зверг 3) *шутл.* энтузиа́ст *(чего-л.)*; a fresh-air ~ люби́тель све́жего во́здуха 4) *разг.* же́ртва вре́дной привы́чки (*см.* dope-fiend); **~ish** дья́вольский, жесто́кий

fierce [fɪəs] 1) жесто́кий; свире́пый; лю́тый 2) си́льный *(о буре, жаре и т. п.)*

fiery ['faɪərɪ] 1) о́гненный,

раскалённый 2) сверка́ющий *(о глазах)* 3) вспы́льчивый 4) пы́лкий, горя́чий

fife [faɪf] ма́ленькая фле́йта; ду́дка

fifteen ['fɪf'ti:n] пятна́дцать; **~th** [-θ] пятна́дцатый

fifth|| [fɪfθ] **1.** *a* пя́тый **2.** *n* пя́тая часть

fifties ['fɪftɪz]: the ~ а) пятидеся́тые го́ды; б) шесто́й деся́ток; во́зраст ме́жду 49 и 60 года́ми

fiftieth ['fɪftɪɪθ] пятидеся́тый

fifty ['fɪftɪ] пятьдеся́т ◇ go fifty-fifty дели́ть по́ровну

fig [fɪg] ви́нная я́года, инжи́р, фи́га ◇ I don't care a ~ *груб.* мне наплева́ть

fight ['faɪt] **1.** *n* 1) бой, сраже́ние 2) дра́ка 3) борьба́ 4) сеа́нс бо́кса **2.** *v* (fought) сража́ться, дра́ться; вести́ бой; **~er** 1) бое́ц 2) самолёт-истреби́тель; **~ing** 1) бой 2) борьба́

figment ['fɪgmənt] вы́мысел

figurat||ion [,fɪgju'reɪʃ(ə)n] оформле́ние; орнамента́ция; **~ive** ['fɪgjurətɪv] 1) о́бразный; перено́сный *(о значении)* 2) изобрази́тельный; пласти́ческий

figure ['fɪgə] **1.** *n* 1) ци́фра 2) *pl разг.* арифме́тика 3) диагра́мма 4) ста́туя 5) о́браз; изображе́ние 6) фигу́ра **2.** *v* 1) изобража́ть *(графически)* 2): ~ to oneself представля́ть себе́ 3) фигури́ровать 4) украша́ть *(фигурами)*; **~ out** а) вычисля́ть; б) понима́ть, разга́дывать||

figure-head ['fɪgəhed] 1) *мор.* носово́е украше́ние 2) номина́льный нача́льник; «марионе́тка»

filament ['filəmənt] волокно́; нить

filch [fɪltʃ] стяну́ть, утащи́ть

file I [faɪl] **1.** *n* напи́льник **2.** *v* подпи́ливать, шлифова́ть

file II **1.** *n* 1) о́чередь, «хвост» 2) ряд, шере́нга; in single *(или* in Indian) ~ гусько́м **2.** *v* проходи́ть в коло́нне по одному́, идти́ гусько́м

file III **1.** *n* 1) регистра́тор *(для бумаг)* 2) подши́тые бума́ги; де́ло 3) картоте́ка **2.** *v* подшива́ть бума́ги *(к делу)*

filia||l ['fɪljəl] сыно́вний, доче́рний; **~tion** [,fɪlɪ'eɪʃ(ə)n] отноше́ние родства́; происхожде́ние

filigree ['fɪlɪgri:] филигра́нь, филигра́нная рабо́та

filings ['faɪlɪŋz] *pl* металли́ческие опи́лки; стру́жка

fill [fɪl] **1.** *v* 1) наполня́ть, заполня́ть; насыща́ть 2) наполня́ться 3) исполня́ть *(обязанности)* 4) пломбирова́ть *(зуб)*; **~ in** а) пополня́ть; б) заполня́ть; в) замеща́ть; **~ out** а) расширя́ть; б) расширя́ться; в) *амер.* заполня́ть *(анкету)*; **~ up** наполня́ть, заполня́ть **2.** *n* доста́точное коли́чество *(чего-л.)*; eat your ~ е́шьте до́сыта; I've had my ~ of it с меня́ хвати́т

fillet ['fɪlɪt] **1.** *n* 1) ле́нта, повя́зка 2) *кул.* филе́ **2.** *v* 1) обвя́зывать, повя́зывать ле́нтой 2) пригота́вливать филе́ *(из рыбы)*

filling ['fɪlɪŋ] 1) наполне́ние; насы́пка; наби́вка 2) пло́мба *(в зубе)* 3) *текст.* уто́к 4) *attr.:* ~ station *амер.* бензи́новая коло́нка, бензоколо́нка

fillip ['fɪlɪp] щелчо́к; *перен.* возбуди́тель

filly ['fɪlɪ] кобыли́ца

film ['fɪlm] **1.** *n* 1) плёнка *(тж. фото)* 2) ды́мка 3) (кино-)фи́льм 4) *pl* кино́, киноиску́сство 5) *анат.* оболо́чка, плева́ **2.** *v* 1) производи́ть киносъёмку 2) покрыва́ться плёнкой *(over)* 3): she ~s well она́ фотогени́чна; **~y** [-ɪ] 1) покры́тый плёнкой 2) тума́нный

filter ['fɪltə] **1.** *n* фильтр **2.** *v* фильтрова́ть, проце́живать

filth ['fɪlθ] 1) грязь; отбро́сы 2) ни́зость; непристо́йность; **~y** [-ɪ] гря́зный; ме́рзкий 2) развращённый

filtrate ['fɪltreɪt] фильтрова́ть, проце́живать

fin [fɪn] 1) плавни́к *(рыбы)* 2) *ав.* киль

final ['faɪnəl] **1.** *a* 1) после́дний, заключи́тельный; коне́чный 2) оконча́тельный; реша́ющий **2.** *n* 1) *спорт.* реша́ющая игра́; после́дний заё́зд в ска́чках *(и т. п.)* 2) *(обыкн. pl)* выпускны́е экза́мены 3) *разг.* после́дний вы́пуск газе́ты

finale [fɪ'nɑːlɪ] *муз.*, *лит.* фина́л

finality [faɪ'nælɪtɪ] зако́нченность; оконча́тельность

financ||e [faɪ'næns] **1.** *n* 1) фина́нсовое де́ло 2) *pl* фина́нсы; дохо́ды **2.** *v* 1) финанси́ровать 2) управля́ть фина́нсами; **~ial** [nʃ(ə)l] фина́нсовый; **~ier** [-ɪə] финанси́ст

finch [fɪntʃ] зя́блик

find ['faɪnd] **1.** *v* (found) находи́ть; обнару́живать; **~ out** обнару́жить, узна́ть; раскры́ть ◇ ~ one's feet стать на́ ноги; ~ oneself осозна́ть свои́ си́лы, найти́ себя́ **2.** *n* нахо́дка; **~er** 1) наше́дший 2) *фото* видоиска́тель; **~ing** 1) нахо́дка, откры́тие 2) *(обыкн. pl)* реше́ние *(суда)*

fine I [faɪn] **1.** *n* штраф, пе́ня **2.** *v* налага́ть штраф

fine II: in ~ вкра́тце, в о́бщем

fine III ['faɪn] 1) превосхо́дный, прекра́сный; one ~ day одна́жды, в оди́н прекра́сный день 2) я́сный *(о погоде)* 3) то́нкий; *перен. тж.* утончённый 4) высокока́чественный 5) ме́лкий, то́нкий 6) изя́щный; наря́дный; ~ arts изя́щные иску́сства; **~ry** [-ərɪ] наря́д, украше́ния

finesse [fɪ'nes] 1) то́нкость 2) ухищре́ние, ло́вкость

finger ['fɪŋgə] **1.** *n* па́лец; little ~ мизи́нец ◇ have a ~ in the pie быть заме́шанным в како́м-л. де́ле **2.** *v* тро́гать *(пальцами)*; **~-alphabet** [-r,ælfəbɪt] а́збука глухонемы́х; **~-board** [-bɔːd) клавиату́ра; **~-post** [-poust] указа́тельный столб *(на перекрёстке дорог)*; **~-print** [-prɪnt] отпеча́ток па́льца; **~-tip** [-tɪp] ко́нчик па́льца ◇ have at one's ~-tips знать как свои́ пять па́льцев

finical ['fɪnɪk(ə)l] разбо́рчивый, привере́дливый

finicking ['fɪnɪkɪŋ] *см.* finical

finis ['faɪnɪs] коне́ц

finish ['fɪnɪʃ] **1.** *v* 1) конча́ть;

прекраща́ть 2) конча́ться, зака́нчиваться; прекраща́ться 3) отде́лывать, заверша́ть *(тж.* ~ off, ~up) **2.** *n* 1) оконча́ние, коне́ц, фи́ниш 2) отде́лка 3) *текст.* аппрету́ра; **~ed** [-t] зако́нченный; отде́ланный; *перен.* лощёный; **~er** 1) аппрету́рщик; полиро́вщик 2) после́дний штрих

finite ['faınaıt] 1) ограни́ченный 2) *грам.* ли́чный *(о глаголе)*

Finn ['fın] финн; фи́нка; **~ish** **1.** *a* фи́нский **2.** *n* фи́нский язы́к

fiord [fjɔ:d] фио́рд

fir [fə:] ель

fire ['faıə] **1.** *n* 1) ого́нь; catch *(или* take) ~ загоре́ться; set on ~, set ~ *(to)* поджига́ть; make a ~ разжига́ть ого́нь 2) жар 3) пожа́р 4) *воен.* оруди́йный ого́нь, стрельба́ **2.** *v* 1) зажига́ть, поджига́ть 2) обжига́ть *(кирпичи)* 3) воодушевля́ть 4): be ~d воодушевля́ться 5) стреля́ть, вести́ ого́нь 6) *разг.* увольня́ть; ~ **away:** ~ away! валя́й!, начина́й!; ~ **up** вспы́лить

fire||-alarm ['faıərə,lɑ:m] пожа́рный сигна́л, пожа́рная трево́га; **~-arm** [-ɑ:m] огнестре́льное ору́жие

fire||ball ['faıəbɔ:l] шарова́я мо́лния; **~-bar** [-bɑ:] *тех.* колосни́к; **~-bomb** [-bɔm] зажига́тельная бо́мба; **~-brand** [-brænd] 1) головня́ 2) зачи́нщик; **~-brick** [-brık] огнеупо́рный кирпи́ч; **~-brigade** [-brı,geıd] пожа́рная кома́нда; **~-clay** [-kleı] огнеупо́рная гли́на; **~-control** [-kən,troul] 1) *воен.* управле́ние огнём 2) борьба́ с пожа́рами; **~-damp** [-dæmp] рудни́чный газ; **~-engine** [-r,endʒın] пожа́рная маши́на; **~-escape** [-rıs,keıp] пожа́рная ле́стница; **~-fighting** [-,faıtıŋ] противопожа́рный; **~-fly** [-flaı] светля́к; **~-guard** [-gɑ:d] ками́нная решётка; **~-hose** [-houz] пожа́рный рука́в, шланг; **~-insurance** [-rın,ʃuərəns] страхова́ние от огня́; **~-irons** [-r,aıənz] *pl* ками́нный прибо́р *(кочерга, щипцы и т. п.)*; **~man** [-mən] 1) пожа́рный 2) кочега́р; **~-place** [-pleıs] ками́н, оча́г; **~-plug** [-plʌg] пожа́рный кран; **~proof** [-pru:f] огнеупо́рный; **~side** [-saıd] **1.** *n* месте́чко у огня́ **2.** *a* дома́шний, инти́мный; **~wood** [-wud] дрова́ *мн.*; **~work(s)** [-wə:k(s)] фейерве́рк

firing ['faıərıŋ] **1.** *n* 1) стрельба́; cease ~! *воен.* отбо́й! 2) то́пливо 3) за́пуск *(двигателя)* **2.** *a* 1) огнево́й 2) спусково́й, стреля́ющий ◇ ~ field *(или* ground) *воен.* полиго́н

firm I [fə:m] фи́рма

firm II 1) кре́пкий, про́чный 2) твёрдый, сто́йкий

firmament ['fə:məmənt] небе́сный свод

first ['fə:st] **1.** *a* пе́рвый ◇ F. Lord of the Admiralty морско́й мини́стр *(Англии)*; F. Lord of the Treasury мини́стр фина́нсов *(Англии)*; F. Sea Lord нача́льник *(английского)* морско́го шта́ба; ~ name и́мя *(в отличие от фамилии)*; at ~ sight с пе́рвого взгля́да **2.** *adv* 1) сперва́, снача́ла; ~ and foremost, ~ of all прéжде всегó 2) впервы́е **3.** *n*: from the ~ снача́ла; **~-born** [-bɔ:n] пéрвенец; **~-class**[-'klɑ:s]первокла́ссный; **~-cousin** [-'kʌzn] двою́родный брат, -ная сестра́; **~-hand** [-'hænd] из пéрвых рук

firstling ['fə:stlɪŋ] *(обыкн. pl)* пéрвые плоды́ *или* результа́ты

firstly ['fə:stlɪ] во-пéрвых

first-night ['fə:stnaɪt] *театр.* премьéра

first-rate ['fə:st'reɪt] первокла́ссный, превосхо́дный

firth [fə:θ] 1) у́зкий морско́й зали́в 2) у́стье реки́ *(особ. в Шотландии)*

fiscal ['fɪsk(ə)l] фина́нсовый; фиска́льный

fish [fɪʃ] *(pl тж. без измен.)* **1.** *n* ры́ба **2.** *v* лови́ть ры́бу, уди́ть; **~ out** выпы́тывать; выу́живать

fisher, ~man ['fɪʃə, -mən] рыба́к

fishery ['fɪʃərɪ] 1) ры́бный про́мысел 2) ры́бные места́

fish-hook ['fɪʃhuk] рыболо́вный крючо́к

fishing ['fɪʃɪŋ] ры́бная ло́вля; **~-line** [-laɪn] лéса́; **~-rod** [-rɔd] уди́лище; у́дочка

fish||monger ['fɪʃ,mʌŋgə] торго́вец ры́бой; **~-pond** [-pɔnd] пруд для разведéния ры́бы; садо́к

fishy ['fɪʃɪ] 1) ры́бный; ры́бий 2) *разг.* подозри́тельный

fiss||ile ['fɪsaɪl] расщепля́ющийся; **~ion** ['fɪʃ(ə)n] 1) *биол.* делéние клéток 2) расщеплéние; **~ure** ['fɪʃə] трéщина, щель; разры́в

fist [fɪst] кула́к, рука́

fisticuffs ['fɪstɪkʌfs] *pl* кула́чный бой

fit I [fɪt] 1) припа́док; при́ступ 2) поры́в; by ~s and starts уры́вками 3) настроéние; капри́з ◇ throw a ~ *разг.* закати́ть истéрику

fit II **1.** *a* 1) го́дный, подходя́щий; the food here isn't ~ to eat пи́ща здесь неприго́дна для еды́; be not ~ to hold a candle *(to)* в подмётки не годи́ться *(кому-л.)*; ~ for nothing никуда́ не го́дный 2) гото́вый 3) здоро́вый **2.** *v* 1) годи́ться, быть впо́ру; this suit ~s you perfectly э́тот костю́м сиди́т на вас отли́чно; have you got a key to ~ this lock? у вас есть ключ от э́того замка́? 2) пригоня́ть, прила́живать 3) обору́довать, снабжа́ть *(with)*; **~ in** приноравливать; пригоня́ть; **~ on** примеря́ть; **~ out, ~ up** снабжа́ть; экипирова́ть **3.** *n*: this suit is not a good ~ for him э́тот костю́м пло́хо сиди́т на нём

fitful ['fɪtful] поры́вистый; су́дорожный

fitt||er ['fɪtə] 1) портно́й 2) монтёр, слéсарь; **~ing 1.** *n* 1) обору́дование; устано́вка 2) сбо́рка, монта́ж 3) примéрка *(одежды)* **2.** *a* подходя́щий, го́дный; **~ings** армату́ра; приспособлéния

fiv||e ['faɪv] пять; **~er** *разг.* пятёрка *(о деньгах)*

fix ['fɪks] **1.** *v* 1) укрепля́ть, устана́вливать 2) определя́ть 3) *амер.* исправля́ть, приводи́ть в поря́док 4) привлека́ть, остана́вливать *(внимание, взор)* 5) *фото* фиксировать 6) затвердевать, густеть 7) остановиться *(на чём-либо — ирон)*; ~ **up** *разг.* организовать **2.** *n* 1) *разг.* дилемма, затруднительное положение; get into a terrible ~ попасть в переделку 2) определение местонахождения *(самолёта, корабля)* 3) *разг.* доза наркотика; **~ation** [-'seɪʃ(ə)n] 1) фиксация; закрепление 2) *мед.* навязчивая идея; мания 3) *хим.* сгущение; **~ed** [-t] 1) неподвижный 2) назначенный, установленный 3) пристальный 4) *хим.* связанный; **~ings** *pl амер.* 1) снаряжение 2) гарнир; **~ture** [-tʃə] 1) арматура 2) заранее назначенный день соревнований *и т. п.* 3) *разг.* человек, прочно обосновавшийся в каком-л. месте; старый сотрудник; засидевшийся гость

fizz [fɪz] **1.** *v* шипеть **2.** *n* 1) шипение 2) *разг.* шампанское

fizzle ['fɪzl] **1.** *v* слабо шипеть; ~ **out** а) выдыхаться; б) *перен.* потерпеть неудачу **2.** *n* слабое шипение

flabbergast ['flæbəgɑ:st] *разг.* поражать, изумлять

flabby ['flæbɪ] 1) отвислый, вялый 2) слабовольный, слабохарактерный

flag I [flæg] **1.** *n* флаг; знамя **2.** *v* сигнализировать флагами, флажками

flag II 1) повиснуть, поникнуть *(о растениях и т. п.)* 2) ослабевать *(о силе, энтузиазме и т. п.)*

flag III **1.** *n* каменная плита **2.** *v* выстилать плитами

flagon ['flægən] большая бутыль, фляга

flagrant ['fleɪgrənt] вопиющий, скандальный

flag||ship ['flægʃɪp] флагманский корабль; **~staff** [-stɑ:f] флагшток

flail [fleɪl] цеп

flair [flɛə] 1) чутьё, нюх 2) способность, склонность

flake [fleɪk] **1.** *n pl* хлопья **2.** *v* падать хлопьями; ~ **off** шелушиться; отслаиваться

flamboyant [flæm'bɔɪənt] цветистый, пышный

flame ['fleɪm] **1.** *n* 1) пламя 2) яркий свет 3) пыл; ~ of love любовь 4) *разг.* предмет любви, пассия **2.** *v* 1) пылать, гореть 2) вспыхнуть; ~ **out,** ~ **up** вспылить, разозлиться; **~-thrower** [-'θrouə] *воен.* огнемёт

flaming ['fleɪmɪŋ] 1) пламенеющий, пылающий 2) пламенный, пылкий

flamingo [flə'mɪŋgou] фламинго

flan [flæn] открытый пирог с фруктами *и т. п.*

flange [flændʒ] 1) *тех.* фланец, закраина 2) *ж.-д.* реборда *(колеса)*

flank [flæŋk] **1.** *n* 1) бок; сторона 2) бочок *(часть мясной туши)* 3) *воен.* фланг **2.** *v* 1) быть расположенным сбоку 2) *воен.* атаковать во фланг

flannel ['flænl] 1) фланель 2) *pl* брюки из фланели *(особ спортивные)*

flap [flæp] **1.** *v* 1) хлопать шлёпать 2) взмахивать крыльями 3) *разг.* трепыхаться **2.** *n*

1) полá; клáпан 2) заслóнка 3) хлóпанье, шлёпанье

flapper [ˈflæpə] 1) хлопýшка 2) *разг.* молóденькая дéвушка 3) клáпан 4) ласт *(тюленя, моржа)*

flare [flɛə] **1.** *v* вспы́хивать; ~ **up** вспы́хнуть; *перен.* разозли́ться **2.** *n* 1) я́ркое неро́вное плáмя; сверкáние 2) вспы́шка 3) сигнáльная ракéта

flare-up [ˈflɛərˈʌp] вспы́шка *(гнева и т. п.)*

flash [flæʃ] **1.** *v* 1) вспы́хнуть, сверкнýть 2) *(часто* ~ past, ~ into, ~ across) мелькнýть; пронести́сь 3) передáть *(по радио и т. п.)* **2.** *n* 1) вспы́шка, я́ркий свет 2) прóблеск 3) крáткое сообщéние в газéте, «в послéдний час» ◇ ~ in the pan неудáча; осéчка

flash-light [ˈflæʃlaɪt] 1) сигнáльный огóнь 2) кармáнный фонáрь 3) *фото* вспы́шка мáгния

flashy [ˈflæʃɪ] кричáщий; бросáющийся в глазá

flask [flɑːsk] кóлба, фля́га, фля́жка

flat I [flæt] квартúра

flat II [ˈflæt] **1.** *a* 1) плóский, рóвный 2) скýчный, однообрáзный; вя́лый 3) категори́ческий, прямóй; ~ refusal категори́ческий откáз ◇ ~ joke плóская шýтка; fall ~ а) упáсть плашмя́; б) не имéть успéха **2.** *n* 1) плóская повéрхность; ~ of the hand ладóнь 2) равни́на, ни́зменность 3) óтмель 4) *pl разг.* тýфли без каблукóв 5) *муз.* бемóль; **~-car** [-kɑː] *амер.* вагóн-платфóрма; **~-fish** [-fɪʃ] кáмбала; **~-foot** [-fut] *мед.* плоскостóпие; **~-iron** [-ˌaɪən] утю́г

flatten [ˈflætn] 1) вырáвнивать, разрáвнивать 2) вырáвниваться

flatte||r [ˈflætə] 1) льстить 2): ~ oneself that льстить себя́ надéждой, что; **~rer** [-rə] льстец; **~ry** [-rɪ] лесть

flaunt [flɔːnt] 1) гóрдо развевáться 2) рисовáться, вáжничать

flautist [ˈflɔːtɪst] флейти́ст

flavour [ˈfleɪvə] **1.** *n* 1) вкус *(обыкн.* прия́тный) 2) при́вкус **2.** *v* 1) придавáть вкус, зáпах 2) приправля́ть *(пищу)*

flaw [ˈflɔː] 1) щель, трéщина 2) брешь; изъя́н, недостáток; **~less** без изъя́на

flax [ˈflæks] лён; **~en** [-(ə)n] льнянóй

flay [fleɪ] 1) сдирáть кóжу, свежевáть 2) рéзко критиковáть

flea [fliː] блохá

fleck [flek] пятнó, крáпинка

fled [fled] *past и p. p. от* flee

fledg(e)ling [ˈfledʒlɪŋ] опери́вшийся птенéц; *перен.* зелёный юнéц

flee [fliː] (fled) 1) бежáть, спасáться бéгством 2) исчезáть 3) избегáть

flee||ce [ˈfliːs] **1.** *n* шерсть, рунó **2.** *v* стричь овéц; *перен.* обдирáть; вымогáть; **~cy** [-ɪ] 1) пуши́стый; кудря́вый 2) пéристый *(об облаках)*

fleet I [fliːt] 1) флот, эскáдра 2) парк *(автомобилей и т. п.)*

fleet II ['fli:t] *поэт.* бы́стрый; ~ of foot быстроно́гий; **~ing** скоропреходя́щий, мимолётный

Fleet Street ['fli:t'stri:t] английская пре́сса *(по названию улицы в Лондоне)*

flesh ['fleʃ] 1) те́ло; put on ~ полне́ть 2) мя́со 3) мя́коть *(плодов)* 4) плоть; **~-colour** [-,kʌlə] теле́сный цвет; **~-wound** [-wu:nd] лёгкое ране́ние; **~y** [-ı] мяси́стый, то́лстый

flew [flu:] *past от* fly II, I

flex ['fleks] **1.** *n эл.* ги́бкий шнур **2.** *v* сгиба́ть, гнуть; **~ible** [-əbl] 1) ги́бкий 2) усту́пчивый; **~ion** [-kʃ(ə)n] 1) сгиба́ние; сгиб 2) *грам.* фле́ксия 3) *мат.* кривизна́

flick [flık] **1.** *n* 1) лёгкий уда́р 2) *pl разг.* кино́ **2.** *v* слегка́ уда́рить; **~ off** смахну́ть

flicker ['flıkə] **1.** *v* мерца́ть; мига́ть; вспы́хивать **2.** *n* мерца́ние; *перен.* про́блеск

flier ['flaıə] *см.* flyer

flight I [flaıt] 1) полёт *(тж. перен.)*; перелёт 2) ста́я *(птиц)* 3) тече́ние *(времени)* 4) *ав.* рейс 5) марш *(лестницы)* 6) *ав.* звено́ *(самолётов)*

flight II бе́гство; отступле́ние; put to ~ обрати́ть в бе́гство

flighty ['flaıtı] непостоя́нный, капри́зный

flimsy ['flımzı] **1.** *a* лёгкий, непро́чный; *перен.* неубеди́тельный **2.** *n* 1) то́нкая бума́га, папиро́сная бума́га 2) *разг.* банкно́та

flinch [flıntʃ] 1) отступа́ть; увиливать *(от неприятных обязанностей и т. п.—from)* 2) вздра́гивать *(от боли)*

fling [flıŋ] **1.** *v* (flung) 1) броса́ть, кида́ть; швыря́ть 2) броса́ться, кида́ться ◇ ~ in one's teeth бро́сить в лицо́ *(упрёк, оскорбление и т. п.)* **2.** *n* 1) бросо́к 2): have a ~ повесели́ться 3) пля́ска

flint [flınt] креме́нь, огни́во

flinty ['flıntı] кремнёвый; кремни́стый

flip I [flıp] **1.** *n* щелчо́к **2.** *v* слегка́ уда́рить; щёлкнуть

flip II *амер разг.* флип, род спиртно́го напи́тка

flipp||ancy ['flıpənsı] 1) несерьёзность 2) непочти́тельность; **~ant** [-ənt] 1) легкомы́сленный 2) непочти́тельный

flipper ['flıpə] плавни́к; пла́вательная перепо́нка; ласт

flirt [flə:t] **1.** *v* флиртова́ть *(with)* **2.** *n* коке́тка; **~ation** [flə:'teıʃ(ə)n] флирт

flit [flıt] 1) перелета́ть 2) переселя́ться

flivver ['flıvə] *амер. разг.* дешёвый автомоби́ль

float ['flout] **1.** *v* 1) пла́вать *(на поверхности)*; пари́ть; носи́ться *(в воздухе)* 2) пуска́ть в ход *(дело, предприятие)*; ~ a loan вы́пустить заём 3) переправля́ть, перевози́ть *(водой)* **2.** *n* 1) поплаво́к 2) плот 3) ни́зкая теле́га; **~able** [-əbl] плаву́чий; сплавно́й; **~ation** [flo(u)'teıʃ(ə)n] 1) пла́вание 2) *ком.* основа́ние *(предприятия)*

floating ['floutıŋ] пла́вающий, плаву́чий; ~ bridge плаву́чий мост; ~ light плаву́чий мая́к ◇

~ capital оборо́тный капита́л; ~ cargo морско́й груз; ~ debt теку́щая задо́лженность; ~ kidney блужда́ющая по́чка

flock I [flɔk] 1) пуши́нка 2) *pl* шерстяны́е очёски 3) *pl* хло́пья

flock II **1.** *n* 1) ста́я *(птиц)*; ста́до *(овец, коз)* 2) толпа́ 3) *церк.* па́ства **2.** *v* 1) держа́ться ста́ей, ста́дом 2) толпи́ться

floe [flou] плаву́чая льди́на

flog ['flɔg] 1) поро́ть 2) *разг.* «загоня́ть» *(продавать)*; **~ging** по́рка

flood [flʌd] **1.** *n* наводне́ние, полово́дье; *перен.* пото́к *(слов и т.п.)* ◇ the F. всеми́рный пото́п **2.** *v* 1) залива́ть, затопля́ть; *перен.* наводня́ть 2) выступа́ть из берего́в *(о реке и т.п.)*

flood-light ['flʌdlaɪt] освеща́ть проже́кторами

floor ['flɔ:] **1.** *n* 1) пол 2) эта́ж 3) дно *(моря, пещеры)* ◇ have, take the ~ *амер.* выступа́ть *(на собрании)*; взять сло́во **2.** *v* 1) настила́ть пол 2) одоле́ть, спра́виться 3) смуща́ть; ста́вить в тупи́к; **~ing** 1) насти́лка поло́в 2) пол, насти́л

floor-walker ['flɔ:ˌwɔ:kə] *амер.* администра́тор универма́га

flop [flɔp] 1) плю́хнуться, шлёпнуться 2) полоска́ться *(о парусах)* 3) роня́ть 4) *разг.* провали́ться *(о пьесе и т.п.)*

flora ['flɔ:rə] фло́ра

floral ['flɔ:r(ə)l] цвето́чный

florescence [flɔ:'resns] цвете́ние

floriculture ['flɔ:rɪkʌltʃə] цветово́дство

florid ['flɔrɪd] 1) румя́ный 2) цвети́стый, витиева́тый *(о стиле и т.п.)* 3) крича́щий, вульга́рный *(об украшении)*

florist ['flɔrɪst] 1) торго́вец цвета́ми 2) цветово́д

floss [flɔs] шёлк-сырe̋ц

flotation [flo(u)'teɪʃ(ə)n] *см.* floatation

flotilla [flo(u)'tɪlə] флоти́лия

flotsman ['flɔtsəm] обло́мки кораблекруше́ния

flounce I [flauns] **1.** *v* броса́ться, мета́ться **2.** *n* ре́зкое движе́ние

flounce II **1.** *n* обо́рка **2.** *v* отде́лывать обо́рками

flounder I ['flaundə] ка́мбала

flounder II 1) бара́хтаться 2) пу́таться *(в словах)*; говори́ть с трудо́м

flour ['flauə] **1.** *n* мука́ **2.** *v* посыпа́ть *(мукой)*

flourish ['flʌrɪʃ] **1.** *v* 1) процвета́ть; быть в расцве́те 2) де́лать ро́счерк 3) разма́хивать *(оружием)* **2.** *n* 1) разма́хивание, потрясе́ние *(оружием)* 2) ро́счерк 3) цвети́стое выраже́ние 4) *муз.* туш, фанфа́ры

flout [flaut] относи́ться с пренебреже́нием, пренебрега́ть

flow [flou] **1.** *v* 1) течь; ли́ться 2): ~ from происходи́ть **2.** *n* 1) тече́ние 2) прили́в

flower ['flauə] **1.** *n* цвето́к; *перен.* расцве́т; цвет **2.** *v* цвести́; **~-bed** [-bed] клу́мба; **~-girl** [-gəl] цвето́чница; **~ing** [-rɪŋ] цвете́ние; расцве́т; **~pot** [-pɔt] цвето́чный горшо́к; **~-show** [-ʃou] вы́ставка цвето́в; **~-**

-stand [-stænd] жардиньéрка

flowery ['flauərɪ] 1) изоби́лующий цвета́ми 2) *перен.* цвети́стый

flown [floun] *p. p. от* fly II, 1

flu [flu:] *(сокр. от* influenza) *разг.* грипп

fluctu||ate ['flʌktjueɪt] колеба́ться, быть неусто́йчивым; **~ation** [,flʌktju'eɪʃ(ə)n] колеба́ние, неусто́йчивость

flue I 1) дымохо́д 2) *тех.* жарова́я труба́

flue II род рыболо́вной се́ти

fluency ['flu:ənsɪ] пла́вность, бе́глость

fluent ['flu:ənt] пла́вный, бе́глый *(о речи)*

fluff ['flʌf] **1.** *n* пух **2.** *v* взбива́ть; **~y** [-ɪ] пуши́стый, ворси́стый

fluid ['flu:ɪd] **1.** *a* теку́чий, жи́дкий **2.** *n* жи́дкость

fluke [flu:k] счастли́вая случа́йность

flummox ['flʌməks] *разг.* смуща́ть, ста́вить в затрудни́тельное положе́ние

flung [flʌŋ] *past и p. p. от* fling 1

flunk [flʌŋk] *разг.* провали́ться *(на экзамене)*

flunkey ['flʌŋkɪ] 1) *презр.* лаке́й 2) низкопокло́нник, подхали́м

fluorescent [fluə'resnt]: ~ lamp ла́мпа дневно́го све́та

flurry ['flʌrɪ] **1.** *n* 1) волне́ние 2) шквал, поры́в ве́тра **2.** *v*: don't get flurried не волну́йтесь

flush I [flʌʃ] **1.** *v* 1) прилива́ть к лицу́ *(о крови)* 2) красне́ть *(от стыда и т.п.)* 3) воодушевля́ть, возбужда́ть 4) промыва́ть *(струёй)*; ~ the toilet спусти́ть во́ду в убо́рной 5) затопля́ть **2.** *n* 1) внеза́пный прили́в воды́ 2) прили́в кро́ви; румя́нец 3) упое́ние *(успехом и т.п.)* 4) расцве́т 5) при́ступ *(лихорадки)* **3.** *a* 1) находя́щийся на одно́м у́ровне 2) изоби́лующий 3) по́лный

flush II **1.** *v* 1) вспорхну́ть 2) спугну́ть *(дичь)* **2.** *n* вспу́гнутая ста́я *(птиц)*

fluster ['flʌstə] **1.** *v* 1) волнова́ть 2) волнова́ться; возбужда́ться 3) *уст.* подпои́ть **2.** *n* возбужде́ние

flute [flu:t] фле́йта

flutter ['flʌtə] **1.** *v* 1) бить *(крыльями)*; порха́ть 2) развева́ться 3) волнова́ться, трепета́ть **2.** *n* 1) порха́ние 2) возбужде́ние; сенса́ция 3) *разг.* риск *(обыкн. в азартной игре)*

fluvial ['flu:vjəl] речно́й

flux ['flʌks] **1.** *n* 1) постоя́нное движе́ние 2) тече́ние; пото́к; прили́в 3) *мед.* истече́ние 4) *тех.* флюс; пла́вень **2.** *v* 1) истека́ть 2) пла́вить; **~ion** [-kʃ(ə)n] *мат.* флю́ксия, произво́дная

fly I [flaɪ] му́ха ◇ a ~ in the ointment ≅ ло́жка дёгтя в бо́чке мёда

fly II **1.** *v* (flew; flown) 1) лета́ть; пролета́ть 2) развева́ться *(о флаге)* 3) нести́сь, проноси́ться 4) *(at)* напада́ть; *перен.* набра́сываться с бра́нью 5) перемахну́ть *(over)* 6) поднима́ть *(аэростат)*; управля́ть *(самолётом)* ◇ ~ into a rage прийти́ в я́рость; ~ into pieces разлете́ться на куски́; ~ open распахну́ться **2.** *n* 1) полёт 2) одноко́нный экипа́ж 3) откидно́е поло́тнище *(палатки)*

flyer ['flaɪə] 1) лётчик 2) быстрохо́дная маши́на; быстроно́гое живо́тное *и т.п.* 3) *разг.* честолюби́вый челове́к

flying ['flaɪɪŋ] 1) лета́ющий 2) лётный 3) развева́ющийся 4) бы́стрый, мимолётный

fly-leaf ['flaɪli:f] *полигр.* фо́рзац

fly-paper ['flaɪ,peɪpə] ли́пкая бума́га от мух

fly-sheet ['flaɪʃi:t] листо́вка

fly-trap ['flaɪtræp] 1) мухоло́вка 2) *бот.* дионе́я

fly-wheel ['flaɪwi:l] *тех.* махови́к

foal [foul] **1.** *n* жеребёнок **2.** *v* жереби́ться

foam [foum] **1.** *n* пе́на **2.** *v* 1) пе́ниться; покрыва́ться пе́ной 2) быть в мы́ле *(о лошади)* ◇ ~ with rage *(или* at the mouth) быть в бе́шенстве

foam-rubber ['foum,rʌbə] пенопла́ст

foamy ['foumɪ] пе́нящийся, пе́нистый; покры́тый пе́ной; взмы́ленный

fob I [fɔb] *уст.* карма́шек *(для часов)*

fob II: ~ smb. off with smth., ~ smth. off on smb. «наду́ть» кого́-л. *(ложными обещаниями, всучив подделку и т.п.)*

focal ['fouk(ə)l] *физ.* фо́кусный

focus ['foukəs] **1.** *n* 1) фо́кус, средото́чие 2) центр **2.** *v* 1) собира́ть, помеща́ть в фо́кусе 2) собира́ться, помеща́ться в фо́кусе 3) сосредото́чивать 4) сосредото́чиваться

fodder ['fɔdə] фура́ж; корм

foe [fou] враг

fog [fɔg] **1.** *n* тума́н; мгла **2.** *v* 1) оку́тывать тума́ном 2) *(часто* ~ up) затума́ниваться 3) озада́чивать

fogey ['fougɪ] старомо́дный челове́к

foggy ['fɔgɪ] тума́нный, мгли́стый

foible ['fɔɪbl] сла́бая стру́нка; причу́да

foil I [fɔɪl] 1) фо́льга 2) контра́ст; фон

foil II 1) сбива́ть со сле́да 2) отража́ть, пари́ровать 3) расстра́ивать, срыва́ть *(планы и т.п.)*

foil III рапи́ра

foist [fɔɪst] всучи́ть, всу́нуть

fold I [fould] **1.** *n* 1) заго́н *(для овец)* 2) *церк.* па́ства **2.** *v* загоня́ть *(овец)*

fold II ['fould] **1.** *v* 1) скла́дывать, сгиба́ть 2) обнима́ть *(тж.* ~ in one's arms) 3): ~ one's arms скре́щивать ру́ки 4) завёртывать 5) оку́тывать **2.** *n* 1) скла́дка, сгиб 2) створ *(двери)* 3) *тех.* фальц; **~er** 1) па́пка, скоросшива́тель 2) несши́тая брошю́рка; **~ing** складно́й, створ́чатый; похо́дный; откидно́й; ~ing door двуство́рчатая дверь

foliage ['foulɪɪdʒ] листва́

foliate ['foulɪɪt] ли́ственный

folio ['foulɪou] 1) фо́лио 2) фолиа́нт

folk [fouk] 1) наро́д, лю́ди; old ~ старики́; young ~ молодёжь 2) *pl разг.* родня́, семья́; my ~s моя́ родня́; «мои́»

folk-lore [ˈfouklɔ:] фолькло́р

folk-songs [ˈfouksɔŋz] наро́дные пе́сни

follow [ˈfɔlou] 1) сле́довать, идти́ *(за)*; ~ me! за мно́й! 2) занима́ться *(чем-л.)* 3) быть прее́мником, после́дователем 4) вытека́ть *(логически)* 5) следи́ть *(глазами)* 6) понима́ть; do you ~ me? поня́тно?; ~ **up** а) упо́рно пресле́довать; б) доводи́ть до конца́ *(работу и т.п.)*; в) развива́ть *(успех, идею и т.п.)* ◇ as ~s как ни́же сле́дует; ~ suit а) *карт.* ходи́ть в масть; б) сле́довать приме́ру; ~**er** 1) после́дователь 2) покло́нник; ~**ing** сле́дующий

follow-through [ˈfɔlouˈθru:] заверше́ние *(дела и т.п.)*

folly [ˈfɔlɪ] 1) глу́пость 2) безрассу́дное поведе́ние 3) при́хоть, капри́з

foment [fo(u)ˈment] 1) класть припа́рки 2) подстрека́ть; раздува́ть, разжига́ть *(ненависть и т.п.)*

fond [fɔnd] не́жный, лю́бящий; be ~ *(of)* люби́ть

fondle [ˈfɔndl] ласка́ть

fondness [ˈfɔndnɪs] не́жность

font [fɔnt] *церк.* купе́ль

food [ˈfu:d] пи́ща, пита́ние; корм; ~-**stuff** [-stʌf] проду́кт пита́ния

fool [fu:l] **1.** *n* 1) глупе́ц, дура́к 2) *ист.* шут ◇ make a ~ of smb. дура́чить кого́-либо; make a ~ of oneself поста́вить себя́ в глу́пое положе́ние; ~'s errand бесполе́зное предприя́тие; ~'s paradise мни́мое благополу́чие **2.** *v* 1) дура́чить, обма́нывать 2) шути́ть; ~ **about** болта́ться без де́ла

foolery [ˈfu:lərɪ] дура́чество; глу́пый посту́пок

foolhardy [ˈfu:lˌhɑ:dɪ] безрассу́дно хра́брый

foolish [ˈfu:lɪʃ] глу́пый; ~**ness** глу́пость

foolproof [ˈfu:lpru:f] 1) несло́жный, просто́й 2) *тех.* защищённый от неуме́лого обраще́ния

foot [ˈfut] **1.** *n* *(pl* feet) 1) нога́; ступня́; on ~ пешко́м 2) подно́жие, подо́шва 3) фут (30,48 *см*) ◇ fall on one's feet счастли́во отде́латься **2.** *v* 1) надвя́зывать *(чулок)* 2) идти́ пешко́м; ~ it *разг.* идти́ пешко́м ◇ ~ the bill *разг.* оплати́ть счёт *(или* расхо́ды); ~**ball** [-bɔ:l]) 1) футбо́льный мяч 2) футбо́л; ~-**bridge** [-brɪdʒ] пешехо́дный мо́стик

footer [ˈfutə] *разг.* футбо́л

footfall [ˈfutfɔ:l] звук шаго́в; по́ступь

Foot Guards [ˈfutgɑ:dz] *pl* гварде́йская пехо́та

foothold [ˈfuthould] то́чка опо́ры

footing [ˈfutɪŋ] 1) опо́ра для ноги́ 2) положе́ние; get *(или* gain) a ~ in society приобрести́ положе́ние в о́бществе 3) взаимоотноше́ния *мн.*; be on a friendly ~ with быть в дру́жеских отноше́ниях с

footle [ˈfu:tl] *разг.* валя́ть дурака́

footlights [ˈfutlaɪts] *pl* ра́мпа *ед.*

footling [ˈfu:tlɪŋ] *разг.* пустяко́вый

footman [ˈfutmən] (ливре́йный) лаке́й

foot-mark [ˈfutmɑ:k] след

foot-note [ˈfutnout] сно́ска, примеча́ние

foot-path [ˈfutpɑ:θ] тропи́нка

footprint [ˈfutprɪnt] след, отпеча́ток ноги́

foot-race [ˈfutreɪs] состяза́ние в бе́ге

footsore [ˈfutsɔ:] со стёртыми нога́ми

footstep [ˈfutstep] 1) шаг 2) след

footstool [ˈfutstu:l] скаме́ечка для ног

foot-wear [ˈfutwɛə] о́бувь

foozle [ˈfu:zl] де́лать ко́е-ка́к *(работу и т.п.)*

fop [ˈfɔp] фат, хлыщ; **~pery** [-ərɪ] щегольство́, фатовство́; **~pish** фатова́тый

for [fɔ: *(перед согласными полная форма)*, fə *(редуцированная форма)*, fɔ:r *(перед гласными полная форма)*, fər *(редуцированная форма)*] **1.** *prep* 1) *(в отношении времени)* на, в тече́ние; ~ a few minutes на не́сколько мину́т; ~ life на всю жизнь; ~ ever, ~ good навсегда́ 2) *(в отношении пространства)* на протяже́нии; ~ miles and miles на мно́гие и мно́гие ми́ли 3) за, из-за, по причи́не 4) *(при обозначении направления)* в, к; the ship is bound ~ Odessa кора́бль отправля́ется в Оде́ссу 5) для, ра́ди; ~ money ра́ди де́нег 6) за, вме́сто; в обме́н; pay ~ заплати́ть за; exchange ~ обменя́ть на; not ~ the world ни за что на све́те 7) для *(часто тж. перев. дат. п.)*; will you get it ~ me? не доста́нете ли вы э́то для меня́ (мне)?; it's good ~ you вам э́то поле́зно ◇ whom do you take me ~? за кого́ вы меня́ принима́ете?; I am ~ doing it я за то, что́бы э́то сде́лать; as ~ me что каса́ется меня́; ~ all I know наско́лько я зна́ю; ~ all that несмотря́ на всё э́то; при всём том; ~ my part что каса́ется меня́ **2.** *cj* так как, потому́ что, и́бо

forage [ˈfɔrɪdʒ] **1.** *n* фура́ж; корм **2.** *v* фуражи́ровать

forasmuch... as [f(ə)rəzˈmʌtʃ... æz] поско́льку

foray [ˈfɔreɪ] **1.** *n* набе́г; налёт **2.** *v* соверша́ть налёт

forbad, forbade [fəˈbæd, fəˈbeɪd] *past от* forbid

forbear I [ˈfɔ:bɛə] *(обыкн. pl)* пре́док

forbear II [fɔ:ˈbɛə] (forbore; forborne) возде́рживаться *(от чего-л. — from)*; **~ance** [-r(ə)ns] 1) воздержанность 2) терпели́вость

forbid [fəˈbɪd] (forbad(e); forbidden) запреща́ть, не позволя́ть

forbid||den [fəˈbɪdn] *p. p. от* forbid; **~ding** 1) отта́лкивающий, непривлека́тельный 2) угрожа́ющий; стра́шный

forbore [fɔ:ˈbɔ:] *past от* forbear II

forborne [fɔˈbɔ:n] *p. p. от* forbear II

force [fɔ:s] **1.** *n* 1) си́ла; ~ of law си́ла зако́на 2) наси́лие;

by ~ си́лой, наси́льно 3) *(обыкн. pl) воен.* войска́; armed ~s вооружённые си́лы; ~s in the field де́йствующая а́рмия ◇ in ~ а) си́лой; б) то́лпами **2.** *v* 1) заставля́ть, вынужда́ть; ~ smb. to his knees поста́вить кого́-л. на коле́ни 2) взла́мывать 3) форси́ровать 4) нагнета́ть; вгоня́ть; вта́лкивать *(into)* 5) иску́сственно выра́щивать, выгоня́ть *(растение)*; ~ **under** *мор.* заста́вить погрузи́ться; ~ **upon** навя́зывать; ~**d** [-t] 1) вы́нужденный 2) натя́нутый *(об улыбке)* 3) *воен.* форси́рованный; ~**ful** 1) си́льный, волево́й *(о человеке)* 2) убеди́тельный *(об аргументе)*

force-meat ['fɔ:smi:t] фарш

forceps ['fɔ:seps] *pl* щипцы́; пинце́т

force-pump ['fɔ:spʌmp] *тех.* нагнета́тельный насо́с

forcible ['fɔ:səbl] 1) наси́льственный 2) убеди́тельный *(о доводе и т.п.)*

ford ['fɔ:d] **1.** *n* брод **2.** *v* переправля́ться вброд; ~**able** [-əbl] проходи́мый вброд

fore [fɔ:] **1.** *adv мор.* в носово́й ча́сти, впереди́ **2.** *a* пере́дний **3.** *n мор.* носова́я часть ◇ to the ~ на пере́днем пла́не; побли́зости

fore-and-aft ['fɔ:rənd'ɑ:ft] *мор.* продо́льный; ~ sail косо́й па́рус

forearm ['fɔ:rɑ:m] предплёчье

forebear ['fɔ:bɛə] *см.* forbear I

forebod||e [fɔ:'boud] 1) предвеща́ть 2) предчу́вствовать; ~**ing** 1) плохо́е предзнаменова́ние 2) предчу́вствие *(дурного)*

forecast 1. *v* [fɔ:'kɑ:st] (forecast, forecasted) предви́деть, предска́зывать **2.** *n* ['fɔ:kɑ:st] предсказа́ние

forecastle ['fouksl] *мор.* бак; полуба́к

foreclose [fɔ:'klouz] *юр.* лиша́ть пра́ва по́льзования

forefather ['fɔ:,fɑ:ðə] пре́док

forefinger ['fɔ:,fɪŋgə] указа́тельный па́лец

forefront ['fɔ:frʌnt] передова́я ли́ния фро́нта; *перен.* центр де́ятельности

foregoing [fɔ:'go(u)ɪŋ] предше́ствующий

foregone [fɔ:'gɔn]: ~ conclusion зара́нее при́нятое реше́ние

foreground ['fɔ:graund] пере́дний план; *театр.* авансце́на

forehead ['fɔrɪd] лоб

foreign ['fɔrɪn] 1) иностра́нный; F. Office министе́рство иностра́нных дел *(Англии)*; ~ policy вне́шняя поли́тика 2) чужо́й, чу́ждый 3) посторо́нний; ~**er** иностра́нец

foreland ['fɔ:lənd] мыс, нос

foreleg ['fɔ:leg] пере́дняя нога́

forelock ['fɔ:lɔk] чёлка; прядь воло́с

foreman ['fɔ:mən] 1) ма́стер; деся́тник; проро́б 2) *юр.* старшина́ прися́жных

foremast ['fɔ:mɑ:st] *мор.* фок-ма́чта

foremost ['fɔ:moust] **1.** *a* 1) передово́й; перве́йший 2) са́мый гла́вный; выдаю́щийся **2.** *adv* пре́жде всего́; во-пе́рвых

forenoon ['fɔ:nu:n] вре́мя до полу́дня

forerunner ['fɔ:,rʌnə] 1) предве́стник 2) предше́ственник; предте́ча

foresaw [fɔ:'sɔ:] *past от* foresee

foresee [fɔ:'si:] (foresaw; foreseen) предви́деть

foreseen [fɔ:'si:n] *p. p. от* foresee

foreshadow [fɔ:'ʃædou] предзнаменова́ть, предвеща́ть

foresight ['fɔ:saɪt] предусмотри́тельность

forest ['fɔrɪst] лес

forestall [fɔ:'stɔ:l] предупреди́ть, предвосхи́тить, опереди́ть

forester ['fɔrɪstə] лесни́чий

forestry ['fɔrɪstrɪ] 1) лесово́дство 2) лесни́чество

foretaste 1. *n* ['fɔ:teɪst] предвкуше́ние **2.** *v* [fɔ:'teɪst] предвкуша́ть

foretell [fɔ:'tel] (foretold) предска́зывать

forethought ['fɔ:θɔ:t] **1.** *n* 1) предусмотри́тельность 2) преднаме́ренность **2.** *a* преднаме́ренный

foretold [fɔ:'tould] *past и p. p. от* foretell

forever [fə'revə] навсегда́, наве́чно

forewarn [fɔ:'wɔ:n] предостерега́ть ◇ ~ed is forearmed *посл.* кто предостережён, тот вооружён

foreword ['fɔ:wə:d] предисло́вие

forfeit ['fɔ:fɪt] **1.** *a* 1) штрафно́й 2) конфиско́ванный **2.** *n* распла́та **3.** *v* лиши́ться *(чего-либо)*; поплати́ться *(чем-л.)*; **~ure** [-fɪtʃə] конфиска́ция

forgather [fɔ:'gæðə] собира́ться, сходи́ться

forgave [fə'geɪv] *past от* forgive

forge I [fɔ:dʒ] **1.** *n* 1) ку́зница 2) (кузне́чный) горн **2.** *v* кова́ть ◇ ~ ahead насто́йчиво, с трудо́м продвига́ться

forge II 1) фабрикова́ть 2) подде́лывать

forger I ['fɔ:dʒə] кузне́ц

forge||r II ['fɔ:dʒə] фальшивомоне́тчик; **~ry** [-rɪ] подде́лка, подло́г

forget [fə'get] (forgot; forgotten) забыва́ть, не по́мнить; **~ful** забы́вчивый

forget-me-not [fə'getmɪnɔt] незабу́дка

forgive [fə'gɪv] (forgave; forgiven) проща́ть

forgive||n [fə'gɪvn] *p. p. от* forgive; **~ness** проще́ние

forgo [fɔ:'gou] (forwent; forgone) отка́зываться, возде́рживаться *(от чего-л.)*

forgone [fɔ:'gɔn] *p. p. от* forgo

forgot [fə'gɔt] *past от* forget

forgotten [fə'gɔtn] *p. p. от* forget

fork [fɔ:k] **1.** *n* 1) ви́лка 2) ви́лы 3) стык доро́г, разветвле́ние, разви́лка **2.** *v* 1) рабо́тать ви́лами 2) разветвля́ться; ~ **out** *разг.* раскоше́ливаться

forlorn [fə'lɔ:n] 1) поки́нутый 2) в жа́лком состоя́нии, в отча́янии ◇ ~ hope безнадёжное де́ло

form [fɔ:m] **1.** *n* 1) фо́рма, вне́шний вид 2) бланк; анке́та 3) форма́льность, профо́рма; in due ~ до́лжным о́бразом 4) скамья́, па́рта 5) класс *(шко́льный)* ◇ in good ~ в отли́чной фóрме, в хорóшем состоя́нии; out of ~ не в фóрме, в плохóм состоя́нии **2.** *v* 1) придава́ть *или* принима́ть фóрму 2) формирова́ть, образóвывать 3) составля́ть; создава́ть 4) *воен.* стрóить 5) *воен.* стрóиться

formal [ˈfɔ:m(ə)l] 1) форма́льный, официа́льный 2) церемóнный 3) вне́шний; **~ity** [fɔ:ˈmælɪtɪ] форма́льность

format||ion [fɔ:ˈmeɪʃ(ə)n] 1) образова́ние, формирова́ние 2) *воен.* войсковóе соедине́ние; построе́ние, (боевóй) поря́док 3) *геол.* форма́ция; **~ive** [ˈfɔ:mətɪv] 1) образу́ющий 2) *лингв.* словообразу́ющий

former [ˈfɔ:mə] 1) пре́жний, бы́вший 2) предше́ствующий 3) пе́рвый *(из вышеупомяну́тых)*; **~ly** пре́жде

formidable [ˈfɔ:mɪdəbl] 1) грóзный; стра́шный 2) тру́дный; ~ task тру́дная зада́ча 3) значи́тельный, внуши́тельный

formless [ˈfɔ:mlɪs] бесфóрменный

formula [ˈfɔ:mjulə] *n (pl* -s [-ləz], -e [-li:]) 1) фóрмула 2) реце́пт

formulate [ˈfɔ:mjuleɪt] формули́ровать

forsake [fəˈseɪk] (forsook; forsaken) 1) оставля́ть, покида́ть 2) отка́зываться *(от)*

forsaken [fəˈseɪk(ə)n] *p. p. от* forsake

forsook [fəˈsuk] *past от* forsake

forswear [fɔ:ˈswɛə] (forswore; forsworn) 1) отрека́ться 2) зарека́ться

forswore [fɔ:ˈswɔ:] *past от* forswear

forsworn [fɔ:ˈswɔ:n] *p. p. от* forswear

fort [fɔ:t] форт

forte 1) *муз.* [ˈfɔ:tɪ] фóрте 2) [fɔ:t] си́льная сторона́ *(в челове́ке)*

forth [fɔ:θ] 1) вперёд; нару́жу 2) да́льше, впредь; and so ~ и так да́лее

forthcoming [fɔ:θˈkʌmɪŋ] 1) предстоя́щий; гряду́щий 2): the money we hoped for was not ~ де́ньги, на котóрые мы рассчи́тывали, мы не получи́ли

forthright [ˈfɔ:θˈraɪt] **1.** *a* прямóй; открове́нный; че́стный **2.** *adv* пря́мо; реши́тельно

forthwith [ˈfɔ:θˈwɪθ] тóтчас, неме́дленно

forties [ˈfɔ:tɪz]: the ~ а) сороковы́е гóды; б) пя́тый деся́ток; вóзраст ме́жду 39 и 50 года́ми

fortieth [ˈfɔ:tɪɪθ] сороковóй

forti||fication [ˌfɔ:tɪfɪˈkeɪʃ(ə)n] фортифика́ция; укрепле́ние; **~fy** [ˈfɔ:tɪfaɪ] укрепля́ть, уси́ливать

fortitude [ˈfɔ:tɪtju:d] му́жество; стóйкость; си́ла ду́ха

fortnight [ˈfɔ:tnaɪt] две неде́ли; this day ~ че́рез две неде́ли; **~ly** двухнеде́льный

fortress [ˈfɔ:trɪs] кре́пость

fortui||tous [fɔ:ˈtju:ɪtəs] случа́йный; **~ty** [-tɪ] слу́чай, случа́йность

fortunate [ˈfɔ:tʃnɪt] счастли́вый; уда́чливый; **~ly** к сча́стью

fortune [ˈfɔ:tʃ(ə)n] 1) судьба́; форту́на; bad *(или* ill) ~ несча́стье; good ~ сча́стье 2) бога́тство; состоя́ние; make a ~ разбогате́ть; **~-teller** [-ˌtelə] гада́льщик, гада́лка

forty ['fɔ:tɪ] со́рок ◇ ~ winks *разг.* лёгкий сон; have ~ winks вздремну́ть, сосну́ть

forum ['fɔ:rəm] 1) фо́рум 2) зал для совеща́ний; *перен.* суд *(совести, чести, общественного мнения)*

forward ['fɔ:wəd] **1.** *a* 1) пере́дний; передово́й 2) ра́нний, скороспе́лый 3) гото́вый *(помочь и т. п.)* 4) де́рзкий; развя́зный 5) *мор.* носово́й **2.** *adv* вперёд, да́льше **3.** *v* 1) ускоря́ть, спосо́бствовать 2) отправля́ть, препровожда́ть

forwent [fɔ:'went] *past от* forgo

fossil ['fɔsl] ископа́емое ◇ he is an old ~ *шутл.* он музе́йная ре́дкость *(о человеке с устаревшими взглядами)*

foster ['fɔstə] 1) воспи́тывать 2) леле́ять *(мысль)*; пита́ть *(чувства)* 3) благоприя́тствовать; поощря́ть; **~-child** [-tʃaɪld] приёмыш; **~-father** [-ˌfɑ:ðə] приёмный оте́ц

fosterling ['fɔstəlɪŋ] пито́мец, подопе́чный

foster-mother ['fɔstəˌmʌðə] приёмная мать

fought [fɔ:t] *past и p. p. от* fight 2

foul ['faul] **1.** *a* 1) воню́чий 2) гря́зный; ~ play нече́стная игра́; преда́тельство 3) отврати́тельный 4) *разг.* скве́рный **2.** *n* наруше́ние пра́вил **3.** *v* 1) испо́ртить 2) запу́тать 3) испо́ртиться 4) запу́таться; **~-mouthed** [-mauðd] скверносло́вящий

found I [faund] *past и p. p. от* find 1

found II 1) закла́дывать (фунда́мент) 2) осно́вывать; учрежда́ть; создава́ть 3) обосно́вывать

foundation [faun'deɪʃ(ə)n] 1) основа́ние; учрежде́ние 2) организа́ция, учрежде́ние 3) фунда́мент; ба́зис; осно́ва

founder I ['faundə] основа́тель, учреди́тель

founder II 1) напо́лниться водо́й и затону́ть *(о судне)* 2) охроме́ть *(о лошади)*

foundling ['faundlɪŋ] подки́дыш, найдёныш

foundry ['faundrɪ] лите́йный заво́д

fount [faunt] *поэт.* исто́чник

fountain ['fauntɪn] фонта́н; *перен.* исто́чник

fountain-pen ['fauntɪnpen] автомати́ческая ру́чка

four ['fɔ:] четы́ре; четвёрка; on all ~s на четвере́ньках; **~fold** [-fould] вче́тверо; **~-footed** [-'futɪd] четвероно́гий; **~-in-hand** ['fɔ:rɪn'hænd] экипа́ж четвёркой; **~-masted** [-'mɑ:stɪd] четырёхма́чтовый; **~score** [-'skɔ:] во́семьдесят; **~-seater** [-'si:tə] четырёхме́стная маши́на; **~-square** [-'skwɛə] **1.** *n* квадра́т **2.** *a* квадра́тный; *перен.* прямо́й, че́стный

fourteen ['fɔ:'ti:n] четы́рнадцать; **~th** (-θ) четы́рнадцатый

fourth [fɔ:θ] **1.** *num* четвёртый **2.** *n* че́тверть

fowl ['faul] **1.** *n* дома́шняя пти́ца **2.** *v* лови́ть птиц; охо́титься за ди́чью; **~er** птицело́в; охо́тник

fowling-piece ['faulɪŋpi:s] охо́тничье ружьё

fox [ˈfɔks] **1.** *n* лиси́ца **2.** *v* хитри́ть; **~-brush** [-brʌʃ] ли́сий хвост; **~-earth** [-əːθ] ли́сья нора́

foxglove [ˈfɔksglʌv] *бот.* напёрстя́нка

foxhole [ˈfɔkshoul] *воен.* одино́чный око́п

foxy [ˈfɔksɪ] 1) ли́сий 2) хи́трый 3) кра́сно-бу́рый, ры́жий

foyer [ˈfɔɪeɪ] фойе́

fracas [ˈfrækɑː] ссо́ра, потасо́вка

fraction [ˈfrækʃ(ə)n] 1) до́ля, части́ца 2) *мат.* дробь; **~al** [ˈfrækʃənl] дро́бный

fractious [ˈfrækʃəs] капри́зный; раздражи́тельный

fracture [ˈfræktʃə] **1.** *n* 1) *мед.* перело́м 2) *тех.* изло́м **2.** *v* лома́ть, слома́ть

fragil||e [ˈfrædʒaɪl] хру́пкий; ло́мкий; *перен.* сла́бый; **~ity** [frəˈdʒɪlɪtɪ] хру́пкость; *перен.* сла́бость

fragment [ˈfrægmənt] 1) оско́лок, обло́мок 2) фрагме́нт; отры́вок; **~ary** [-(ə)rɪ] отры́вочный; **~ation** [ˌfrægmenˈteɪʃ(ə)n] разры́в (снаря́да) на оско́лки

fragr||ance, ~ancy [ˈfreɪgr(ə)ns, -ɪ] арома́т; **~ant** [-(ə)nt] арома́тный, души́стый

frail [freɪl] 1) хру́пкий; непро́чный 2) хи́лый, сла́бый, боле́зненный

frame [ˈfreɪm] **1.** *v* 1) сооружа́ть; придава́ть *(или* приобрета́ть) фо́рму 2) обрамля́ть, вставля́ть в ра́мку 3) *разг.* фабрикова́ть *(дело, обвинение)*, ло́жно обвиня́ть *(тж.* ~ up) **2.** *n* 1) карка́с; скеле́т 2) телосложе́ние, те́ло 3) ра́ма 4) строе́ние; структу́ра 5): (weaver's) ~ тка́цкий стано́к 6) *кино* кадр ◇ ~ of mind настрое́ние; **~-up** [-ʌp] *разг.* подтасо́вка фа́ктов; ло́жное обвине́ние; **~work** [-wəːk] констру́кция; структу́ра

franchise [ˈfræntʃaɪz] пра́во го́лоса

frank [ˈfræŋk] и́скренний; откры́тый; открове́нный; **~ness** и́скренность; открове́нность

frantic [ˈfræntɪk] бе́шеный; неистовый

fratern||al [frəˈtəːnl] бра́тский; **~ity** [-nɪtɪ] бра́тство; общи́на; **~ization** [ˌfrætənaɪˈzeɪʃ(ə)n] брата́ние; **~ize** [ˈfrætənaɪz] брата́ться

fratricid||al [ˌfreɪtrɪˈsaɪdl] братоуби́йственный; **~e** [ˈfreɪtrɪsaɪd] 1) братоуби́йца 2) братоуби́йство

fraud [frɔːd] 1) обма́н, моше́нничество 2) обма́нщик; **~ulent** [ˈfrɔːdjulənt] обма́нный; моше́ннический, жу́льнический

fraught [frɔːt] чрева́тый, по́лный *(with)*

fray I [freɪ] дра́ка, борьба́ *(тж. перен.)*

fray II обтрепа́ться, протере́ться

frazzle [ˈfræzl]: worn to a ~ *разг.* измо́танный

freak [ˈfriːk] 1) капри́з; причу́да 2) чуда́к; уро́дец; **~ish** причу́дливый; капри́зный

freckl||e [ˈfrekl] весну́шка; **~ed** [-d] весну́шчатый

free [friː] **1.** *a* 1) свобо́дный 2) освобождённый 3) беспла́тный; ~ of charge беспла́тно 4) доброво́льный; of one's own

~ will по до́брой во́ле, доброво́льно 5) неза́нятый 6) *хим.* несвя́занный ◇ ~ and easy непринуждённый; give smb. a ~ hand предоста́вить кому́-л. свобо́ду де́йствий **2.** *v* освобожда́ть; избавля́ть

freebooter ['fri:ˌbu:tə] пира́т

freedom ['fri:dəm] свобо́да; ~ of speech, press and assembly свобо́да сло́ва, печа́ти и собра́ний; **~-loving** [-ˌlʌvɪŋ] свободолюби́вый

free-hand ['fri:hænd]: a ~ drawing рису́нок от руки́; **~ed** [-ɪd] ще́дрый

freeholder ['fri:ˌhouldə] земе́льный со́бственник

freemason ['fri:ˌmeɪsn] масо́н

free-thinker ['fri:'θɪŋkə] вольноду́мец

freez||e ['fri:z] **1.** *v* (froze; frozen) 1) моро́зить 2) замерза́ть; примерза́ть; стать *(о реке)* 3) мёрзнуть, сты́нуть **2.** *n* моро́з ◇ wage ~ *эк.* замора́живание за́работной пла́ты; **~ing** 1) замора́живающий; it's ~ing моро́зит 2) ледяно́й; a ~ing glance холо́дный взгляд

freezing-point ['fri:zɪŋpɔɪnt] то́чка замерза́ния

freight [freɪt] **1.** *n* фрахт; груз **2.** *v* фрахтова́ть; грузи́ть

French ['frentʃ] **1.** *a* францу́зский ◇ ~ leave ухо́д без проща́ния **2.** *n* 1) францу́зский язы́к 2): the ~ францу́зы, францу́зский наро́д; **~man** [-mən] францу́з; **~-woman** [-ˌwumən] францу́женка

fren||zied ['frenzɪd] взбешённый; в я́рости; **~zy** [-zɪ] бе́шенство, я́рость

frequ||ency ['fri:kwənsɪ] частота́; часто́тность; повторе́ние; **~ent 1.** *a* [-ənt] ча́стый; многокра́тный **2.** *v* [frɪ'kwent] ча́сто посеща́ть

frequentative [frɪ'kwəntətɪv] *грам.* многокра́тный

fresco ['freskou] **1.** *n* 1) фре́сковая жи́вопись 2) фре́ска **2.** *v* писа́ть фре́ски

fresh ['freʃ] **1.** *a* 1) све́жий 2) но́вый 3) чи́стый 4) нео́пытный; ~ from а) то́лько что прие́хавший, прибы́вший; б) то́лько что око́нчивший 5) пре́сный *(о воде)* 6) прохлади́тельный 7) бо́дрый 8) *амер.* де́рзкий, гру́бый **2.** *adv* неда́вно *(особ. в сочетаниях)*: ~-killed meat парно́е мя́со; ~ from institute пря́мо из институ́та; **~en** [-n] 1) освежа́ть 2) свеже́ть; **~er** *разг.* первоку́рсник

freshet ['freʃɪt] разли́в реки́, полово́дье

freshly ['freʃlɪ] неда́вно, то́лько что

freshman ['freʃmən] *разг.* первоку́рсник

fret I [fret] **1.** *v* 1) беспоко́иться, му́читься 2) беспоко́ить, му́чить 3) разъеда́ть, подта́чивать ◇ ~ and fume «рвать и мета́ть» **2.** *n* раздраже́ние; муче́ние

fret II **1.** *n* прямоуго́льный орна́мент **2.** *v* украша́ть резны́м *или* лепны́м орна́ментом

fret III лад *(в гитаре и т. п.)*

fretful ['fretful] раздражи́тельный

fret-saw ['fretsɔ:] ло́бзик

fretwork ['fretwə:k] *архит.* резно́е *или* лепно́е украше́ние

friable ['fraɪəbl] кроша́щийся, ры́хлый

fria||r ['fraɪə] мона́х; **~ry** [-rɪ] мужско́й монасты́рь

fric||ative ['frɪkətɪv] *фон.* **1.** *a* фрикати́вный **2.** *n* фрикати́вный звук; **~tion** ['frɪkʃ(ə)n] 1) тре́ние; *перен.* конфли́кт, тре́ния 2) *мед.* растира́ние 3) *тех.* сцепле́ние 4) *фон.* шум 5) *attr.* фрикцио́нный; **~tional** [-kʃənl] фрикцио́нный

Friday ['fraɪdɪ] пя́тница

friend ['frend] 1) друг; подру́га; прия́тель, прия́тельница 2) знако́мый, знако́мая; **~less** одино́кий; **~ly** дру́жеский; дру́жественный; **~ship** дру́жба; дружелю́бие

frigate ['frɪgɪt] *мор.* фрега́т

frige [frɪdʒ] *разг.* *(сокр. от* refrigerator) холоди́льник

fright ['fraɪt] 1) испу́г; страх 2) *разг.* страши́лище; **~en** [-n] пуга́ть; **~ful** 1) стра́шный; ужа́сный 2) *разг.* безобра́зный

frigid ['frɪdʒɪd] холо́дный; **~ity** [frɪ'dʒɪdɪtɪ] хо́лодность

frill [frɪl] 1) обо́рка *(на платье);* бры́жи, жабо́ 2) украша́тельство 3) ва́жничанье; put on **~s** жема́нничать; **~ed** [-d] 1) укра́шенный обо́рками 2) гофриро́ванный

fringe [frɪndʒ] **1.** *n* 1) бахрома́ 2) кайма́ 3) чёлка *(причёска)* 4) окра́ина *(города);* опу́шка *(леса)* **2.** *v* украша́ть бахромо́й

frippery ['frɪpərɪ] мишура́; безделу́шки

fris||k ['frɪsk] 1) резви́ться 2) *разг.* обы́скивать *(кого-л., ища оружие);* **~ky** [-ɪ] ре́звый

fritter I ['frɪtə] ола́дья

fritter II кроши́ть; **~ away** распыля́ть; растра́чивать по пустяка́м *(время, силы, деньги)*

frivol||ity [frɪ'vɔlɪtɪ] пустота́, легкомы́слие; **~ous** ['frɪvələs] пусто́й, легкомы́сленный

frizz I [frɪz] *см.* frizzle

frizz II **1.** *v* завива́ть; **~ up** ви́ться **2.** *n* зави́вка

frizzle ['frɪzl] шипе́ть *(при жаренье)*

frizzy ['frɪzɪ] завито́й; вью́щийся

fro [frou]: to and **~** взад и вперёд

frock [frɔk] 1) пла́тье 2) пла́тьице *(детское)*

frock-coat ['frɔk'kout] сюрту́к

frog ['frɔg] лягу́шка ◇ **~** in the throat хрипота́; **~man** [-mən] ныря́льщик (с аквала́нгом)

frolic ['frɔlɪk] **1.** *a поэт.* ре́звый; весёлый **2.** *n* ре́звость; ша́лость **3.** *v* прока́зничать; весели́ться; **~some** [-səm] игри́вый

from [frɔm *(полная форма),* frəm *(редуцированная форма)*] *prep* 1) *(на вопрос «откуда?», «от кого?»)* из; с; от; **~** the top с верши́ны; **~** my brother от моего́ бра́та 2) *(на вопрос «с каких пор?», «с какого времени?»)* с; от; **~** morning till night с утра́ до́ ночи; **~** three o'clock till seven от трёх часо́в до семи́ 3) *(после гл.* hide, conceal, disguise; differ, distinguish, tell) от; she concealed it

~ me она́ скры́ла э́то от меня́ 4) *(для обозначения причины, мотива и т. п.)* по; из-за; от; ~ my own experience по своему́ со́бственному о́пыту ◇ ~ day to day изо дня́ в де́нь; ~ time to time вре́мя от вре́мени, и́зредка; paint ~ nature писа́ть с нату́ры

front [ˈfrʌnt] **1.** *n* 1) фаса́д, пере́дняя сторона́; перёд *(чего-либо)*; in ~ of спе́реди, впереди́ 2) *воен.* фронт; at the ~ на фро́нте 3) бессты́дство 4) *поэт.* лицо́, лик; чело́ **2.** *a* пере́дний; ~ door пара́дная дверь, пара́дное **3.** *v* 1) противостоя́ть 2) выходи́ть о́кнами; быть обращённым фаса́дом 3) ста́вить во фронт; **~age** [-ɪdʒ] фаса́д

frontier [ˈfrʌntjə] грани́ца

frontispiece [ˈfrʌntɪspi:s] *архит.*, *полигр.* фронтиспи́с

frost [ˈfrɔst] **1.** *n* 1) моро́з 2) *разг.* фиа́ско, провал **2.** *v* 1) побить моро́зом 2) подмора́живать 3) посыпа́ть са́харной пу́дрой; покрыва́ть глазу́рью ◇ ~ed glass ма́товое стекло́; **~-bite** [-baɪt] отморо́женное ме́сто; **~-bitten** [-ˌbɪtn] отморо́женный; **~-bound** [-baund] ско́ванный моро́зом; **~-hardy** [-ˌhɑ:dɪ] морозосто́йкий *(о растениях)*; **~-work** [-wə:k] моро́зный узо́р *(на стекле)*

frosty [ˈfrɔstɪ] моро́зный; *перен.* холо́дный

fro||th [ˈfrɔθ] **1.** *n* 1) пе́на, на́кипь 2) пустосло́вие **2.** *v* пе́ниться; **~thy** [-ɪ] пе́нистый; *перен.* пусто́й

frown [fraun] **1.** *v* 1) хму́рить бро́ви 2): ~ on smth. быть недово́льным чем-л. **2.** *n* хму́рый, недово́льный взгляд

frowzy [ˈfrauzɪ] за́тхлый, спёртый

froze [frouz] *past от* freeze 1

frozen [ˈfrouzn] **1.** *p.p. от* freeze 1 **2.** *a* замёрзший; заморо́женный; *перен.* холо́дный, сде́ржанный

frugal [ˈfru:g(ə)l] 1) эконо́мный, бережли́вый 2) уме́ренный; **~ity** [fru:ˈgælɪtɪ] бережли́вость

fruit [ˈfru:t] 1) *pl* плоды́, фру́кты *(различ. сорта)* 2) результа́т; плоды́ *мн.*; **~erer** [-ərə] торго́вец фру́ктами; **~ful** 1) плодоро́дный; *перен.* плодотво́рный, плодови́тый 2) вы́годный

fruition [fru:ˈɪʃ(ə)n] осуществле́ние *(надежд и т. п.)*

fruit||less [ˈfru:tlɪs] 1) беспло́дный 2) бесполе́зный, безрезульта́тный; **~y** [ˈfru:tɪ] 1) фрукто́вый 2) *разг.* сканда́льный, скабрёзный *(о романе и т. п.)* 3) сла́дкий, слаща́вый *(о голосе)*

frumpish [ˈfrʌmpɪʃ] старомо́дный

frustrat||e [frʌsˈtreɪt] расстра́ивать, срыва́ть *(планы, намерения)*; **~ion** [-ˈtreɪʃ(ə)n] расстро́йство *(планов)*; круше́ние *(надежд)*

fry I [fraɪ] мальки́ ◇ small ~ *презр.* мелюзга́; ме́лкая со́шка

fry II **1.** *v* 1) жа́рить 2) жа́риться **2.** *n* жарко́е

frying-pan [ˈfraɪɪŋpæn] сковорода́; ◇ out of the ~ into

the fire *погов.* ≅ из огня́ да в по́лымя

fuddle ['fʌdl] **1.** *v* напои́ть допьяна́; ~ oneself *(или* be ~d) *(with drink)* напива́ться **2.** *n* 1) попо́йка 2) опьяне́ние

fudge [fʌdʒ] **1.** *v* де́лать ко́е-ка́к **2.** *int* вздор!

fuel [fjuəl] 1) то́пливо; горю́чее 2) *attr.:* ~ engineering техноло́гия то́плива; ~ oil мазу́т; жи́дкое то́пливо

fugitive ['fju:dʒɪtɪv] бегле́ц; бе́женец

fugue [fju:g] *муз.* фу́га

fulcrum ['fʌlkrəm] *(pl* fulcra [-rə]) *тех.* то́чка опо́ры; центр враще́ния

fulfil [ful'fɪl] исполня́ть; осуществля́ть; **~ment** исполне́ние, осуществле́ние

full [ful] **1.** *a* по́лный; work ~ time рабо́тать по́лный рабо́чий день ◇ ~ dress пара́дная фо́рма; ~ face (повёрнутый) анфа́с, лицо́м *(к)*; ~ stop то́чка; ~ up битко́м наби́тый; до отка́за **2.** *adv* как раз, пря́мо

full-blooded ['ful'blʌdɪd] полнокро́вный

full-blown ['ful'bloun] совсе́м распусти́вшийся

full-length ['ful'leŋθ] во всю длину́

fullness ['fulnɪs] полнота́, сы́тость

fulminant ['fʌlmɪnənt] 1) молниено́сный 2) *мед.* скороте́чный

fulminat||e ['fʌlmɪneɪt] 1) сверка́ть 2) греме́ть; взрыва́ться 3) громи́ть, обру́шиваться *(against)*; **~ion** [,fʌlmɪ'neɪʃ(ə)n] стра́стный проте́ст

fulness ['fulnɪs] *см.* fullness

fulsome ['fulsəm] нейскренний; гру́бый *(о лести и т.п.)*; чрезме́рный

fumble ['fʌmbl] 1) нащу́пывать 2) верте́ть в рука́х

fume [fju:m] **1.** *n* 1) дым 2) испаре́ние; ~s of wine (ви́нный) перега́р 3) возбужде́ние **2.** *v* 1) испаря́ться 2) серди́ться 3) оку́ривать

fumigation [,fju:mɪ'geɪʃ(ə)n], оку́ривание

fumy ['fju:mɪ] ды́мный; напо́лненный пара́ми

fun [fʌn] шу́тка, заба́ва; развлече́ние; make ~ *(of)* высме́ивать; for ~ шу́тки ра́ди

function ['fʌŋkʃ(ə)n] **1.** *n* 1) фу́нкция; назначе́ние 2) *(часто pl)* обя́занности, до́лжность 3) торже́ственное собра́ние, ве́чер, приём *(часто* public ~, social ~) **2.** *v* функциони́ровать; де́йствовать; **~al** [-ʃənl] функциона́льный; **~ary** [-ʃnərɪ] **1.** *n* должностно́е лицо́; Party ~ary парти́йный рабо́тник **2.** *a* функциона́льный

fund [fʌnd] **1.** *n* 1) запа́с, резе́рв 2) фонд 3) *pl* капита́л, де́нежные сре́дства **2.** *v* 1) консолиди́ровать 2) финанси́ровать; вкла́дывать

fundamental [,fʌndə'mentl] **1.** *a* основно́й, коренно́й **2.** *n pl* осно́вы, основны́е при́нципы

funer||al ['fju:nərəl] **1.** *n* по́хороны; похоро́нная проце́ссия **2.** *a* похоро́нный; **~eal** [fju:'nɪərɪəl] мра́чный, тра́урный

fungous ['fʌŋgəs] гу́бчатый, ноздрева́тый

fungus [ˈfʌŋgəs] *(pl* fungi [ˈfʌŋgaɪ]) гриб; грибо́к; пле́сень

funicular [fjuːˈnɪkjulə] кана́тный; ~ railway фуникулёр

funk [fʌŋk] *разг.* **1.** *n* 1) страх, па́ника 2) трус **2.** *v* 1) тру́сить 2) уклоня́ться, увиливать

funnel [ˈfʌnl] 1) воро́нка 2) дымова́я труба́; дымохо́д

funny [ˈfʌnɪ] 1) поте́шный, заба́вный; смешно́й 2) *разг.* стра́нный, чудно́й

fur [fəː] 1) мех; шерсть; *pl* меха́, пушни́на 2) налёт *(на языке больного)* 3) на́кипь *(в котле и т. п.)*

furbish [ˈfəːbɪʃ] 1) полирова́ть 2) подновля́ть

furious [ˈfjuərɪəs] свире́пый; неистовый; бе́шеный; ~ struggle я́ростная борьба́

furl [fəːl] 1) убира́ть *(паруса)*; свёртывать 2) свёртываться 3) скла́дывать *(зонтик)*

furlong [ˈfəːlɔŋ] фарло́нг (= $^1/_8$ *английской мили)*

furlough [ˈfəːlou] о́тпуск

furnace [ˈfəːnɪs] 1) пе́чка; оча́г; горн 2) то́пка

furnish [ˈfəːnɪʃ] 1) снабжа́ть; доставля́ть 2) меблирова́ть, обставля́ть; **~ed** [-t]: ~ed rooms меблиро́ванные ко́мнаты

furnishings [ˈfəːnɪʃɪŋz] *pl* 1) обстано́вка, меблиро́вка 2) обору́дование 3) украше́ния 4) дома́шние принадле́жности

furniture [ˈfəːnɪtʃə] ме́бель, обстано́вка

furore [fjuəˈrɔːrɪ] фуро́р

furrier [ˈfəːrɪə] меховщи́к

furrow [ˈfʌrou] **1.** *n* 1) борозда́ 2) глубо́кая морщи́на **2.** *v* 1) паха́ть 2) борозди́ть 3) мо́рщить; **~ed** [-d] морщи́нистый

furry [ˈfəːrɪ] 1) мехово́й 2) пуши́стый

further I [ˈfəːðə] *(сравн. ст. от* far) **1.** *adv* 1) да́льше; да́лее 2) зате́м 3) кро́ме того́ **2.** *a* 1) бо́лее отдалённый 2) дальне́йший; доба́вочный, дополни́тельный

further II содействовать, спосо́бствовать

furthest [ˈfəːðɪst] *превосх. ст. от* far

furtive [ˈfəːtɪv] сде́ланный укра́дкой, та́йный; **~ly** укра́дкой

fury [ˈfjuərɪ] 1) я́рость, бе́шенство 2) (F.) *миф.* фу́рия; *перен.* сварли́вая, зла́я же́нщина

fuse I [fjuːz] **1.** *v* 1) пла́вить; сплавля́ть, сва́ривать 2) сплавля́ться, сва́риваться **2.** *n* 1) пла́вка 2) *эл.* пла́вкий предохрани́тель; blow a ~ сде́лать коро́ткое замыка́ние

fuse II взрыва́тель; бикфо́рдов шнур

fusible [ˈfjuːzəbl] пла́вкий

fusillade [ˌfjuːzɪˈleɪd] 1) стрельба́ 2) расстре́л

fusion [ˈfjuːʒ(ə)n] 1) пла́вка 2) распла́вленная ма́сса 3) сплав 4) слия́ние, объедине́ние

fus||s [fʌs] **1.** *n* суета́, сумато́ха **2.** *v* 1) суети́ться 2) беспоко́иться; хлопота́ть; **~sed** [-t] *амер.* разря́женный; **~sy** [-ɪ] суетли́вый

fusty [ˈfʌstɪ] 1) за́тхлый; спёртый 2) устаре́вший, старомо́дный

futil||e [ˈfju:taɪl] 1) пусто́й, ничто́жный 2) тще́тный; **~ity** [fju:ˈtɪlɪtɪ] 1) пустота́, ничто́жность 2) тщета́, тще́тность

future [ˈfju:tʃə] **1.** *a* бу́дущий **2.** *n* 1) бу́дущее вре́мя 2) бу́дущее, бу́дущность 3) *pl* това́ры, закупа́емые заблаговре́менно

fuze [fju:z] *см.* fuse II

fuzz [fʌz] пух, пуши́нка

fuzzy [ˈfʌzɪ] 1) пуши́стый 2) запушённый 3) нея́сный

G

G, g [dʒi:] 1) *седьмая буква англ. алфавита)* 2) *муз.* но́та соль

gab [gæb] *разг.*: stop your ~ *груб.* заткни́сь; he has the gift of the ~ у него́ язы́к хорошо́ подве́шен

gabble [ˈgæbl] **1.** *n* бормота́ние **2.** *v* бормота́ть

gable [ˈgeɪbl] 1) фронто́н 2) *attr.*: ~ roof двуска́тная кры́ша; ~ window слухово́е окно́; **~d** [-d] остроконе́чный *(о крыше)*

gad [gæd]: **~ about** *разг.* шля́ться

gadabout [ˈgædəbaut] бродя́га

gad-fly [ˈgædflaɪ] о́вод, слепе́нь

gadget [ˈgædʒɪt] *разг.* приспособле́ние *(в механизме)*

gaffe [gæf] оплóшность, оши́бка

gag [gæg] **1.** *n* 1) кляп 2) *театр.* отсебя́тина **2.** *v* вставля́ть кляп

gaga [ˈgægɑ:] *разг.* спя́тивший

gage I [geɪdʒ] **1.** *v* дава́ть в ка́честве зало́га **2.** *n* зало́г

gage II *см.* gauge

gaiety [ˈgeɪətɪ] весёлость; весе́лье

gaily [ˈgeɪlɪ] ве́село

gain [geɪn] **1.** *v* 1) получа́ть; приобрета́ть *(опыт и т. п.)* 2) зараба́тывать *(на жизнь)* 3) достига́ть 4) извлека́ть по́льзу, вы́году; **~ up(on)** нагоня́ть ◇ ~ ground де́лать успе́хи, преуспева́ть; ~ strength набира́ться сил *(после болезни)*; ~ time выи́грывать вре́мя; the clock ~s часы́ спеша́т **2.** *n* 1) при́быль; вы́игрыш 2) *pl* дохо́ды 3) *pl* достиже́ния 4) увеличе́ние, приро́ст

gainsay [geɪnˈseɪ] 1) противоре́чить 2) отрица́ть

gait [geɪt] похо́дка

gaiter [ˈgeɪtə] гама́ша; *pl* ге́тры

gala [ˈgɑ:lə] пра́зднество

galaxy [ˈgæləksɪ] Мле́чный Путь; *перен.* плея́да

gale [geɪl] 1) шторм 2) взрыв *(хохота)*

gall I [gɔ:l] **1.** *n* сса́дина, натёртое ме́сто **2.** *v* ссади́ть *(кожу)*, натере́ть; *перен.* раздража́ть

gall II жёлчь; *перен.* го́речь

gallant [ˈgælənt] 1) хра́брый 2) прекра́сный *(о корабле, коне)* 3) гала́нтный; **~ry** [-rɪ] 1) хра́брость 2) гала́нтность 3) любо́вная интри́га

gall-bladder [ˈgɔ:lˌblædə] жёлчный пузы́рь

gallery [ˈɡælərɪ] 1) галерея 2) *театр.* галёрка 3) *горн.* штольня

galley [ˈɡælɪ] 1) *ист.* галера 2) *мор.* камбуз 3) *мор.* вельбот, кичка 4) *attr.:* ~ proof *полигр.* гранка

Gallic [ˈɡælɪk] галльский; *шутл.* французский

gallivant [ˌɡælɪˈvænt] слоняться

gallon [ˈɡælən] галлон *(около 4,5 литра)*

gallop [ˈɡæləp] **1.** *n* галоп **2.** *v* 1) скакать галопом, галопировать 2) быстро прогрессировать

gallows [ˈɡælouz] *(обыкн. с гл. в ед. ч.)* виселица

Gallup poll [ˈɡæləppoul] опрос Гэллопа

galore [ɡəˈlɔː] в изобилии

galosh [ɡəˈlɔʃ] галоша

galvan||ic [ɡælˈvænɪk] гальванический; **~ize** [ˈɡælvənaɪz] гальванизировать; *перен.* возбуждать

gamble [ˈɡæmbl] **1.** *v* 1) играть в азартные игры 2) рисковать; ~ **away** проиграть **2.** *n* рискованное предприятие; military ~ военная авантюра; **~r** азартный игрок

gambol [ˈɡæmb(ə)l] **1.** *n* прыжок **2.** *v* прыгать

game I [ɡeɪm] дичь

game II **1.** *n* игра ◇ play the ~ соблюдать правила; поступать благородно; none of your ~s! *разг.* оставьте свои штучки!; make ~ *(of)* высмеивать; the ~ is up дело проиграно **2.** *a* 1) смелый 2) готовый *(сделать что-л.)*; he 's ~ for anything он готов на всё **3.** *v* играть в азартные игры

gamekeeper [ˈɡeɪmˌkiːpə] лесник *(охраняющий дичь)*

gaming [ˈɡeɪmɪŋ] игорный

gammon [ˈɡæmən] окорок

gamp [ɡæmp] *шутл.* зонтик

gamut [ˈɡæmət] гамма

gander [ˈɡændə] 1) гусак 2) олух

gang [ɡæŋ] 1) группа, партия *(людей)* 2) шайка; банда

ganger [ˈɡæŋə] десятник

ganglion [ˈɡæŋɡlɪən] *(pl тж.* -lia [-lə] *анат.* нервный узел

gangren||e [ˈɡæŋɡriːn] гангрена; **~ous** [-əs] гангренозный

gangster [ˈɡæŋstə] бандит, гангстер

gangway [ˈɡæŋweɪ] 1) проход *(между рядами)* 2) сходни

gantry [ˈɡæntrɪ] портал *(подъёмного крана)*

gaol [ˈdʒeɪl] **1.** *n* тюрьма **2.** *v* заключать в тюрьму; **~er** тюремщик

gap [ɡæp] 1) брешь 2) расхождение *(во взглядах)* 3) прорыв, пробел; stop a ~ заполнить пропуск *(или* пробел) 4) ущелье

gape [ɡeɪp] **1.** *v* 1) широко разевать рот; зевать 2) глазеть *(at)* 3) зиять **2.** *n* 1) зевок 2) изумлённый взгляд 3) зияние

garage [ˈɡærɑːʒ] **1.** *n* гараж **2.** *v* ставить в гараж

garb [ɡɑːb] одежда, одеяние

garbage [ˈɡɑːbɪdʒ] мусор, отбросы

garble [ˈɡɑːbl] подтасовывать

(факты, цитаты и т. п.); искажа́ть *(факты и т. п.)*

garden ['gɑ:dn] сад; **~er** садо́вник; **~ing** садово́дство

gargantuan [gɑ:'gæntjuən] огро́мный

gargle ['gɑ:gl] полоска́ть го́рло

garish ['gɛərɪʃ] крича́щий *(о красках и т. п.)*

garland ['gɑ:lənd] гирля́нда

garlic ['gɑ:lɪk] чесно́к

garment ['gɑ:mənt] оде́жда

garnet ['gɑ:nɪt] *мин.* грана́т

garnish ['gɑ:nɪʃ] **1.** *n* гарни́р **2.** *v* гарни́ровать *(блюдо)*

garret ['gærət] черда́к; манса́рда

garrison ['gærɪsn] **1.** *n* гарнизо́н **2.** *v* ста́вить гарнизо́н

garrul||ity [gæ'ru:lɪtɪ] болтли́вость; **~ous** ['gæruləs] болтли́вый

garter ['gɑ:tə] подвя́зка; the G. о́рден Подвя́зки

gas ['gæs] **1.** *n* 1) газ 2) *амер.* бензи́н, горю́чее 3) *attr.*: ~ chamber га́зовая ка́мера, «душегу́бка» **2.** *v* 1) отравля́ть га́зом 2) *разг.* болта́ть; **~-bag** [-bæg] *разг.* болту́н; **~-burner** [-ˌbə:nə] га́зовая горе́лка

gaseous ['geɪzjəs] газообра́зный

gash [gæʃ] **1.** *n* глубо́кая ра́на; разре́з **2.** *v* наноси́ть глубо́кую ра́ну

gasify ['gæsɪfaɪ] превраща́ть в газ, газифици́ровать

gas-jet ['gæsdʒet] га́зовый рожо́к, -ая горе́лка

gas-mask ['gæsmɑ:sk] противога́з

gasolene, gasoline ['gæsəli:n] газоли́н; *амер.* бензи́н

gasp [gɑ:sp] **1.** *v* 1) задыха́ться 2) открыва́ть рот от изумле́ния; ~ **out** произноси́ть задыха́ясь ◇ at one's last ~ при после́днем издыха́нии **2.** *n* затруднённое дыха́ние

gas-ring ['gæs'rɪŋ] га́зовая горе́лка

gassed [gæst] отра́вленный га́зами

gastr||ic ['gæstrɪk] желу́дочный; **~itis** [gæs'traɪtɪs] *мед.* гастри́т; **~onomy** [gæs'trɔnəmɪ] кулина́рия

gate ['geɪt] 1) воро́та; кали́тка 2) шлю́зные воро́та; **~-keeper** [-ˌki:pə] приврáтник; **~way** [-weɪ] воро́та; вход

gather ['gæðə] **1.** *v* 1) собира́ть 2) собира́ться; скопля́ться 3) рвать *(цветы)* 4) де́лать вы́вод 5) нарыва́ть *(о фурункуле)* ◇ ~ speed набира́ть ско́рость, ускоря́ть ход **2.** *n pl* сбо́рки; **~ing** [-rɪŋ] 1) сбор 2) собира́ние 3) собра́ние *(людей)* 4) *мед.* нагное́ние

gauche [gouʃ] *фр.* 1) неуклю́жий, нело́вкий 2) беста́ктный

gaudy ['gɔ:dɪ] безвку́сный, крича́щий

gauge ['geɪdʒ] **1.** *n* 1) измери́тельный прибо́р 2) масшта́б; кали́бр **2.** *v* то́чно измеря́ть; *перен.* оце́нивать; **~-glass** [-glɑ:s] водоме́рное стекло́

gaunt [gɔ:nt] худо́й, то́щий

gauntlet ['gɔ:ntlɪt] 1) *ист.* ла́тная рукави́ца 2) рукави́ца *(шофёра, фехтовальщика и т. п.)* ◇ throw down (take up) the ~ бро́сить (приня́ть) вы́зов

gauze [gɔ:z] 1) газ *(материя)* 2) ма́рля

gave [geɪv] *past om* give

gawky [ˈgɔ:kɪ] неуклю́жий

gay [geɪ] весёлый 2) я́ркий; пёстрый *(о красках)* 3) беспу́тный

gaze [geɪz] **1.** *v* при́стально смотре́ть **2.** *n* при́стальный взгляд

gazelle [gəˈzel] газе́ль

gazette [gəˈzet] **1.** *n* официа́льная прави́тельственная газе́та **2.** *v (обыкн. pass)* помеща́ть в официа́льной прави́тельственной газе́те *(сообщения о назначениях, наградах и т. п.)*

gazetteer [ˌgæzɪˈtɪə] географи́ческий спра́вочник

gear [ˈgɪə] **1.** *n* 1) механи́зм; приспособле́ние; *перен.* принадле́жности; collect one's ~ собира́ть свои́ ве́щи 2) *тех.* зубча́тая переда́ча; шестерня́; go into 1st, 2d ~ переключа́ть на 1-ю, 2-ю ско́рость; throw out of ~ вы́ключить переда́чу 3) *мор.* осна́стка **2.** *v* 1) приводи́ть в движе́ние механи́зм 2) направля́ть по зара́нее наме́ченному пла́ну *(что-л.)*; **~-box** [-bɔks] *тех.* коро́бка скоросте́й; **~-wheel** [-wi:l] зубча́тое колесо́

gee [dʒi:] 1) *амер.* вот здо́рово! 2) но! *(понукание лошади)*

geese [gi:s] *pl om* goose

gee-up [ˈdʒi:ˈʌp] *см.* gee 2)

Geiger counter [ˈgeɪgəˈkauntə] счётчик Ге́йгера

gelatine [ˌdʒeləˈti:n] желати́н

gem [dʒem] драгоце́нность; драгоце́нный ка́мень

gen [dʒen] *разг.* информа́ция

gender [ˈdʒendə] *грам* род

genealo||gical [ˌdʒi:njəˈlɔdʒɪk(ə)l] генеалоги́ческий; **~gy** [ˌdʒi:nɪˈælədʒɪ] генеало́гия, родосло́вная

genera [ˈdʒenərə] *pl om* genus

general [ˈdʒen(ə)r(ə)l] **1.** *a* 1) о́бщий; in ~ вообще́; G. Assembly Генера́льная Ассамбле́я; ~ election всео́бщие вы́боры; ~ strike всео́бщая забасто́вка 2) обы́чный 3) гла́вный, основно́й 4) генера́льный **2.** *n* генера́л

generality [ˌdʒenəˈrælɪtɪ] 1): the ~ большинство́ 2) всео́бщность 3) *pl* о́бщие места́ 4) неопределённость

general||ize [ˈdʒen(ə)rəlaɪz] 1) обобща́ть 2) вводи́ть в употребле́ние; **~ly** 1) обы́чно 2) широко́ 3) вообще́, в о́бщем смы́сле

generate [ˈdʒenəreɪt] порожда́ть, производи́ть

generation [ˌdʒenəˈreɪʃ(ə)n] поколе́ние

generator [ˈdʒenəreɪtə] генера́тор

generic [dʒɪˈnerɪk] 1) о́бщий 2) *биол.* родово́й

gener||osity [ˌdʒenəˈrɔsɪtɪ] 1) ще́дрость 2) великоду́шие; **~ous** [ˈdʒen(ə)rəs] 1) ще́дрый 2) великоду́шный 3) оби́льный *(о еде и т. п.)* 4) кре́пкий *(о вине)*

genesis [ˈdʒenɪsɪs] 1) ге́незис 2) (G.) *библ.* Кни́га Бытия́

genetics [dʒɪˈnetɪks] гене́тика

genial [ˈdʒi:njəl] 1) серде́чный, дружелю́бный 2) мя́гкий *(о климате)*; **~ity** [ˌdʒi:nɪˈælɪtɪ] 1) мя́гкость *(климата)* 2) доброду́шие

genii [ˈdʒiːnɪaɪ] *pl от* genius 3)

genitive [ˈdʒenɪtɪv] роди́тельный (паде́ж)

genius [ˈdʒiːnjəs] 1) гениа́льность, одарённость; man of ~ гениа́льный челове́к 2) *(pl* geniuses [-ɪz] ге́ний 3) *(pl* genii) дух, де́мон

gent [dʒent] *разг., шутл.* gentleman

genteel [dʒenˈtiːl] *ирон.* 1) элега́нтный 2) благовоспи́танный

gentility [dʒenˈtɪlɪtɪ] *(часто ирон.)* аристократи́ческие зама́шки

gentle [ˈdʒentl] 1) мя́гкий, кро́ткий 2) зна́тный

gentlefolk(s) [ˈdʒentlfouk(s)] дворя́нство, знать

gentleman [ˈdʒentlmən] джентльме́н

gentleness [ˈdʒentlnɪs] мя́гкость, доброта́

gently [ˈdʒentlɪ] 1) мя́гко *(о мане́ре)* 2) не́жно, осторо́жно ◇ ~ born зна́тный, родови́тый

gentry [ˈdʒentrɪ] мелкопоме́стное дворя́нство

genuine [ˈdʒenjuɪn] 1) по́длинный 2) и́скренний, неподде́льный

genus [ˈdʒiːnəs] *(pl* genera) *биол.* род, класс

geodesy [dʒiːˈɔdɪsɪ] геоде́зия

geograph||er [dʒɪˈɔgrəfə] гео́граф; **~y** [-ɪ] геогра́фия

geolog||ist [dʒɪˈɔlədʒɪst] гео́лог; **~y** [-ɪ] геоло́гия

geometr||ic [dʒɪəˈmetrɪk] геометри́ческий; **~y** [dʒɪˈɔmɪtrɪ] геоме́трия

Georgian I [ˈdʒɔːdʒjən] **1.** *a* грузи́нский **2.** *n* 1) грузи́н; грузи́нка 2) грузи́нский язы́к

Georgian II относя́щийся к шта́ту Джо́рджия *(США)*

Georgian III вре́мени, эпо́хи одного́ из англи́йских короле́й Гео́ргов

geranium [dʒɪˈreɪnjəm] гера́нь

germ [dʒəːm] 1) микро́б 2) заро́дыш

German [ˈdʒəːmən] **1.** *a* герма́нский, неме́цкий ◇ ~ silver мельхио́р, нейзи́льбер **2.** *n* 1) не́мец; не́мка 2) неме́цкий язы́к

germinate [ˈdʒəːmɪneɪt] 1) прораста́ть 2) зарожда́ться

gerrymander [ˈdʒerɪmændə] 1) подтасо́вывать результа́ты вы́боров 2) искажа́ть фа́кты

gerund [ˈdʒer(ə)nd] *грам.* геру́ндий

gesticulat||e [dʒesˈtɪkjuleɪt] жестикули́ровать; **~ion** [dʒesˌtɪkjuˈleɪʃ(ə)n] жестикуля́ция

gesture [ˈdʒestʃə] жест

get [get] (got; *уст. и амер. p. p.* gotten) 1) достава́ть, получа́ть 2) достига́ть *(тж.* ~ at*)* 3) брать; 4): ~ hold of схвати́ть 5) станови́ться; it's getting cold стано́вится хо́лодно; ~ angry рассерди́ться; ~ married жени́ться; вы́йти за́муж; ~ tired уста́ть; ~ well опра́виться *(после болезни)*; ~ old старе́ть; ~ ill заболе́ть; ~ a living зараба́тывать на жизнь 6) покупа́ть 7) приноси́ть; **~ about, ~ abroad** распространя́ться, станови́ться изве́стным; **~ along** а) де́лать успе́хи; б) ла́дить, ужива́ться; **~ away** удира́ть, убира́ться прочь; ~

into а) входи́ть; б) надева́ть; ~ **off** а) слеза́ть; б) отде́лываться, спаса́ться; в) снима́ть; ~ **on** а) сади́ться *(в поезд и т. п.)*; б) продолжа́ть; в) *(with)* ужива́ться, ла́дить; г): ~ on in years старе́ть; ~ **out** а) выходи́ть *(из дома, машины и т. п.)*; б) вынима́ть; уноси́ть; в): what did you ~ out of his lecture? что вам дала́ его́ ле́кция?; ~ **over** а) преодоле́ть; б) опра́виться *(после болезни)*; ~ **round** обойти́; ~ **through** а) пройти́ че́рез что-л.; б) сдать экза́мен; ~ **up** поднима́ться, встава́ть ◇ have got *разг.* име́ть; have got to... на́до; I've got to go мне на́до идти́; I don't ~ you *разг.* я не понима́ю вас; ~ the better *(of)* победи́ть; ~ into one's head забра́ть себе́ в го́лову; ~ it *разг.* получи́ть нагоня́й; ~ one's way доби́ться своего́; ~ home попа́сть в цель; ~ one's feet wet промочи́ть но́ги; ~ dinner ready пригото́вить обе́д; ~ out of hand вы́йти из-под контро́ля; ~ smb. to do smth. убеди́ть кого́-л. сде́лать что-л., уговори́ть; ~ together собира́ться; ~ the worst of it оказа́ться би́тым; how are you getting on? как ва́ши дела́?

getaway [ˈgetəweɪ] бе́гство

gewgaw [ˈgjuːgɔː] безделу́шка

geyser 1) [ˈgaɪzə] ге́йзер 2) [ˈgiːzə] га́зовая коло́нка для подогре́ва воды́

ghastly [ˈgɑːstlɪ] **1.** *a* стра́шный, ужа́сный **2.** *adv.* стра́шно, ужа́сно

ghetto [ˈgetou] ге́тто

ghost [ˈgoust] 1) привиде́ние, дух 2) тень, лёгкий след *(чего-л.)*; **~ly** похо́жий на привиде́ние; при́зрачный

ghoul [guːl] вампи́р

giant [ˈdʒaɪənt] велика́н, гига́нт

gibber [ˈdʒɪbə] **1.** *v* говори́ть бы́стро и невня́тно, бормота́ть **2.** *n* бы́страя, невня́тная речь

gibberish [ˈdʒɪbərɪʃ] *см.* gibber 2

gibbet [ˈdʒɪbɪt] ви́селица

gibe [dʒaɪb] **1.** *n* насме́шка **2.** *v* насмеха́ться

gid||diness [ˈgɪdɪnɪs] 1) головокруже́ние 2) ве́треность; **~dy** [-ɪ] 1) головокружи́тельный 2) ве́треный, легкомы́сленный

gift [ˈgɪft] пода́рок 2) дар, тала́нт; **~ed** [-ɪd] одарённый

gig [gɪg] 1) кабриоле́т 2) *мор.* ги́чка

gigantic [dʒaɪˈgæntɪk] гига́нтский

giggle [ˈgɪgl] **1.** *v* хихи́кать **2.** *n* хихи́канье

gild [gɪld] золоти́ть

gills [gɪlz] *pl* 1) жа́бры 2) *ирон.* второ́й подборо́док

gillyflower [ˈdʒɪlɪˌflauə] левко́й

gilt [ˈgɪlt] **1.** *n* позоло́та **2.** *a* золочёный; **~-edged** [-ˈedʒd]: ~-edged securities надёжные це́нные бума́ги

gimcrack [ˈdʒɪmkræk] мишу́рный

gimlet [ˈgɪmlɪt] бура́в(чик)

gin I [dʒɪn] джин

gin II 1) хлопкоочисти́тельная маши́на 2) капка́н, лову́шка

ginger [ˈdʒɪndʒə] **1.** *n* 1) имби́рь 2) *разг.* огонёк, воодушевле́ние **2.** *a* красновáто-жёлтый; **~bread** [-bred] имби́рный пря́ник

gingerly [ˈdʒɪndʒəlɪ] в вы́сшей стéпени осторóжный

gingham[1] [ˈgɪŋəm] полосáтая *или* клéтчатая бумáжная матéрия

Gipsy [ˈdʒɪpsɪ] **1.** *n* цыгáн; цыгáнка **2.** *a* цыгáнский

giraffe [dʒɪˈrɑ:f] жирáф(а)

gird [gə:d] (girded, girt) опоя́сывать

girder [ˈgə:də] *тех.* бáлка; фéрма

girdle [ˈgə:dl] **1.** *n* пóяс **2.** *v* подпоя́сывать

girl [ˈgə:l] 1) дéвочка; дéвушка 2) молодáя жéнщина; **~ish** деви́ческий

girt [gə:t] *past и p. p. от* gird

girth [gə:θ] 1) подпрýга 2) обхвáт

gist [dʒɪst] суть, сýщность; глáвный пункт

give [gɪv] (gave; given) 1) давáть; отдавáть, дари́ть 2) *при соединении с прямым дополнением часто передаётся глаголом, соответствующим дополнению:* ~ a cry (a look) вскри́кнуть (взглянýть); **~ away** а) отдавáть; б) выдавáть, проговáриваться; **~ back** возвращáть; **~ in** а) уступáть; б) вручáть *(отчёт и т. п.)*; **~ out** а) объявля́ть; б) раздавáть; в) иссякáть, кончáться *(о запасах, силах и т. п.)*; р) издавáть; **~ over** бросáть *(привычку и т. п.)*; **~ up** а) отказáться *(от чего-л.)*; брóсить *(курение, занятия)*; б) сдáться ◇ ~ ear *(to)* слýшать ~ ground уступáть; отходи́ть; ~ smb. his due отдавáть дóлжное комý-л.; ~ oneself airs вáжничать; ~ way под(д)авáться; I don't ~ a damn! мне наплевáть!

given [ˈgɪvn] **1.** *p. p. от* give **2.** *a* 1) дáнный 2) установлéнный; in a ~ time к установлéнному срóку 3) *predic:* be ~ to smth. имéть склóнность к чемý-л.

gizzard [ˈgɪzəd] *разг.* глóтка

glaci||al [ˈgleɪsjəl] 1) ледянóй; леденя́щий 2) леднико́вый; **~er** [ˈglæsjə] ледни́к, глéтчер

glad [glæd] *predic* рáдостный; be ~ быть довóльным; I am ~ я рад

gladden [ˈglædn] рáдовать

glade [gleɪd] прогáлина; поля́на

glamorous [ˈglæmərəs] чарýющий, обая́тельный

glamour [ˈglæmə] чáры *мн.*

glance [glɑ:ns] **1.** *v* 1) взглянýть 2) сверкнýть; **~ off** скользнýть; **~ over** бéгло просмáтривать **2.** *n* 1) взгляд; fleeting ~ бéглый взгляд; at a ~ с одногó взгля́да 2) вспы́шка

gland [glænd] железá

glanders [ˈglændəz] *вет.* сап

glare [glɛə] **1.** *v* 1) ослепи́тельно сверкáть; 2): ~ at свирéпо смотрéть **2.** *n* 1) ослепи́тельный блеск 2) свирéпый взгляд

glass [ˈglɑ:s] 1) стеклó 2) стакáн 3) рю́мка 4) *pl* очки́; **~-cutter** [-ˌkʌtə] 1) стекóльщик 2) резéц, алмáз; **~-house** [-haus] тепли́ца

glassy [ˈglɑ:sɪ] зерка́льный, гла́дкий; *перен.* стекля́нный *(о взгляде)*

glaze [gleɪz] **1.** *v* 1) застекля́ть 2) покрыва́ть глазу́рью **2.** *n* глазу́рь; гля́нец

gleam [gli:m] **1.** *n* сла́бый свет; о́тблеск; *перен.* про́блеск *(надежды и т. п.)* **2.** *v* свети́ться

glean [gli:n] подбира́ть коло́сья; *перен.* собира́ть *(по мелочам из разных источников)*

glee [gli:] весе́лье

glen [glen] у́зкая доли́на *(особ. в Шотландии)*

glib [glɪb] бо́йкий *(на язык)*

glid||e [ˈglaɪd] **1.** *v* скользи́ть; *ав.* плани́ровать **2.** *n* скольже́ние; *ав.* плани́рование; **~er** планёр

glimmer [ˈglɪmə] **1.** *v* мерца́ть **2.** *n* мерца́ние

glimpse [glɪmps] **1.** *n* про́блеск; at a ~ ме́льком; have *(или* catch) a ~ уви́деть ме́льком **2.** *v* ви́деть ме́льком

glint [glɪnt] **1.** *n* блеск; о́тблеск **2.** *v* блесте́ть, дава́ть о́тблеск

glisten [ˈglɪsn] блесте́ть, сверка́ть

glitter [ˈglɪtə] **1.** *n* блеск **2.** *v* блесте́ть

gloaming [ˈgloumɪŋ]: the ~ *поэт.* су́мерки

gloat [glout] 1) пожира́ть глаза́ми *(over, upon)* 2) вну́тренне ликова́ть, злора́дствовать

globe [ˈgloub] 1) земно́й шар 2) гло́бус 3) шар; **~-trotter** [-ˌtrɔtə] мно́го путеше́ствующий челове́к

globul||ar [ˈglɔbjulə] сфери́ческий; **~e** [-bju:l] ша́рик

gloo||m [ˈglu:m] мрак; *перен.* уны́ние; **~my** [-ɪ] мра́чный *(тж. перен.)*

glori||fication [ˌglɔ:rɪfɪˈkeɪʃ(ə)n] прославле́ние; **~fy** [ˈglɔ:rɪfaɪ] прославля́ть

glorious [ˈglɔ:rɪəs] сла́вный; великоле́пный

glory [ˈglɔ:rɪ] **1.** *n* 1) сла́ва 2) великоле́пие **2.** *v* горди́ться

gloss [glɔs] лоск; *перен.* обма́нчивая нару́жность

glossary [ˈglɔsərɪ] слова́рь; глосса́рий

glossy [ˈglɔsɪ] глянцеви́тый

glove [glʌv] перча́тка

glow [glou] **1.** *v* пыла́ть **2.** *n* 1) пыл, жар 2) за́рево 3) румя́нец

glower [ˈglauə] смотре́ть серди́то

glue [glu:] **1.** *n* клей **2.** *v* кле́ить, прикле́ивать

glum [glʌm] мра́чный

glut [glʌt] **1.** *v* пресыща́ть **2.** *n* 1) пресыще́ние 2): ~ in the market затова́ривание ры́нка

glutinous [ˈglu:tɪnəs] кле́йкий

glutton [ˈglʌtn] обжо́ра; **~ous** [ˈglʌtnəs] прожо́рливый

glycerine [ˌglɪsəˈri:n] глицери́н

gnarled [nɑ:ld] сучкова́тый; искривлённый

gnash [næʃ] скрежета́ть зуба́ми

gnat [næt] кома́р

gnaw [nɔ:] грызть; глода́ть; *перен.* му́чить

gnome [noum] гном

go [gou] **1.** *v* (went; gone)

1) идти́, ходи́ть; let's go! пошли́! 2) е́здить 3) уходи́ть 4) исчеза́ть; go **about** а) расха́живать; б): the rumour is going about хо́дят слу́хи; в) предпринима́ть; бра́ться *(за работу и т.п.)*; go **ahead** а) дви́гаться вперёд; б) продолжа́ть; go **along** *(with)* сопровожда́ть; go **back** возвраща́ться; go **beyond** превыша́ть *(что-л.)*; go **by** а) проходи́ть ми́мо; б) проходи́ть *(о времени)*; go **in for** smth. заня́ться, интересова́ться чем-л.; go **off** а) вы́стрелить *(об орудии)*; б) пройти́ хорошо́; в) по́ртиться *(о мясе и т.п.)*; go **on** продолжа́ть; go **out** а) выходи́ть; б) пога́снуть; go **over** а) переходи́ть; б) перечи́тывать; повторя́ть; go **through** испы́тывать, подверга́ться; go **through with** smth. доводи́ть что-л. до конца́; go **under** погиба́ть; go **up** повыша́ться *(о ценах)*; go **with** а) сопровожда́ть; б) подходи́ть; соотве́тствовать ◇ be going to do smth. собира́ться сде́лать что-л.; go ahead! а) вперёд!; б) продолжа́й(те)!; go bad по́ртиться; go blind сле́пнуть; go crazy *(или* mad) сойти́ с ума́; it goes without saying само́ собо́й разуме́ется; everything goes wrong всё идёт вверх дном; where is this carpet to go? куда́ постели́ть э́тот ковёр?; the story goes говоря́т; his sight is going он теря́ет зре́ние; the house went to the elder son дом доста́лся ста́ршему сы́ну; let's go at that пусть бу́дет так; go easy! осторо́жно!; she is six months gone (with child) она́ на шесто́м ме́сяце **2.** *n разг.* эне́ргия ◇ it's no go э́то не пройдёт; quite the go по мо́де; в ходу́, ходово́й

goad [goud] подгоня́ть; *перен.* побужда́ть, подстрека́ть

go-ahead ['go(u)əhed] предприи́мчивый

goal ['goul] 1) цель 2) *спорт.* воро́та; гол; keep ~ стоя́ть в воро́тах *(футбол)*; **~-keeper** [-,ki:pə] *спорт.* врата́рь

goat ['gout] коза́, козёл; **~herd** [-hə:d] *уст.* ко́зий пасту́х

gob [gɔb] *разг.* рот

gobble ['gɔbl] жа́дно прогла́тывать

go-between ['goubɪ,twi:n] посре́дник

goblet ['gɔblɪt] ку́бок; бока́л

goblin ['gɔblɪn] домово́й

god ['gɔd] бог; **~child** [-tʃaɪld] кре́стник; кре́стница; **~-daughter** [-,dɔ:tə] кре́стница

goddess ['gɔdɪs] боги́ня

god||father ['gɔd,fɑ:ðə] крёстный оте́ц; **~forsaken** [-fə,seɪkn] забро́шенный, захолу́стный

godless ['gɔdlɪs] безбо́жный

god||mother ['gɔd,mʌðə] крёстная мать; **~send** [-send] неожи́данное сча́стье, нахо́дка; **~son** [-sʌn] кре́стник

goggle ['gɔgl] **1.** *v* тара́щить, выпу́чивать глаза́ **2.** *n pl* защи́тные очки́

goings-on ['go(u)ɪŋz'ɔn] *pl* посту́пки, поведе́ние

goitre ['gɔɪtə] *мед.* зоб

gold ['gould] **1.** *n* зо́лото **2.** *a* золото́й; **~-digger** [-,dɪgə золотоискатель; *разг.* авантюристка

golden ['gould(ə)n] золотистый

gold||-field ['gouldfi:ld] золотоносный участок; **~-mine** [-main] золотой прииск; *перен.* «золотое дно»; **~smith** [-smiθ] золотых дел мастер

golf [gɔlf] гольф

golly ['gɔlı] *разг.*: by ~! ей-богу!

gondola ['gɔndələ] гондола

gone [gɔn] 1) *p. p. от* go 1 2): be ~ *(on)* быть влюблённым

gong [gɔŋ] гонг

good [gud] **1.** *a* (better; best) 1) хороший 2) добрый 3) милый, любезный ◇ ~ morning доброе утро; as ~ as всё равно что; почти; be ~ *(at)* быть способным к; be ~ enough to будьте так добры; make ~ а) исполнять *(обещание)*; б) возмещать; в) доказывать; г) преуспевать **2.** *n* 1) добро, благо; do smb. ~ помогать кому-л. 2) польза; to the ~ на пользу; for the ~ of ради, из-за

good-bye ['gud'baı] **1.** *n* прощание **2.** *int* до свидания, прощайте

good-for-nothing ['gudfə,nʌθıŋ] **1.** *n* бездельник **2.** *a* негодный, никчёмный

good-humoured ['gud'hju:məd] добродушный

good-looking ['gud'lukıŋ] красивый

goodly ['gudlı] 1) красивый 2) значительный

good-natured ['gud'neıtʃəd] добродушный

goodness ['gudnıs] 1) доброта 2) добродетель ◇ ~ gracious! господи!; ~ knows кто его знает; for ~' sake ради бога

goods [gudz] *pl* 1) товары 2) вещи, имущество

goodwill ['gud'wıl] 1) доброжелательность 2) добрая воля

goody ['gudı] *(обыкн. pl)* сласти, конфеты

goofy ['gu:fı] *разг.* глупый

goose [gu:s] *(pl* geese) 1) гусь 2) *разг.* дурак, простак

gooseberry ['guzb(ə)rı] крыжовник

goose-flesh ['gu:sfleʃ] гусиная кожа *(от холода, страха)*

gore I [gɔ:] забодать; пронзить *(клыками)*

gore II *поэт.* кровь

gorge [gɔ:dʒ] **1.** *n* 1) ущелье 2) глотка ◇ his ~ rises at it его тошнит от этого **2.** *v* жадно глотать

gorgeous ['gɔ:dʒəs] 1) великолепный 2) ярко окрашенный

gormandize ['gɔ:məndaız] объедаться; пожирать

gorse [gɔ:s] *бот.* дрок

gory ['gɔ:rı] 1) окровавленный 2) кровопролитный

gosh [gɔʃ]: by ~! чёрт побери!

gosling ['gɔzlıŋ] гусёнок

gospel ['gɔsp(ə)l] евангелие ◇ ~ truth непререкаемая истина; take for ~ принимать слепо за истину

gossamer ['gɔsəmə] тонкая ткань

gossip ['gɔsıp] **1.** *n* 1) болтовня; сплетни 2) кумушка **2.** *v* сплетничать

got [gɔt] *past и p. p. от* get

Goth ['gɔθ] 1) гот 2) ва́рвар; **~ic** [-ɪk] 1) го́тский 2) готи́ческий

gotten ['gɔtn] *уст. и амер. p. p. от* get

gouge [gaudʒ] **1.** *n* полукру́глое долото́ **2.** *v* 1) выда́лбливать 2) выка́лывать *(глаза)*

gourd [guəd] ты́ква

gou||t ['gaut] пода́гра; **~ty** [-ɪ] подагри́ческий

govern ['gʌv(ə)n] управля́ть, пра́вить; регули́ровать

governess ['gʌvənɪs] гуверна́нтка

government ['gʌvnmənt] 1) прави́тельство 2) фо́рма правле́ния 3) управле́ние; **~al** [,gʌv(ə)n'mentl] прави́тельственный

governor ['gʌvənə] 1) прави́тель 2) губерна́тор 3) *разг.* хозя́ин 4) *уст. разг.* оте́ц 5) *тех.* регуля́тор; **~-general** [-'dʒen(ə)r(ə)l] вице-коро́ль; губерна́тор коло́нии *или* домино́на

gown [gaun] 1) пла́тье 2) ма́нтия

grab [græb] **1.** *v* хвата́ть, захва́тывать **2.** *n* 1) захва́т 2) *тех.* ковш, черпа́к

grace ['greɪs] **1.** *n* 1) гра́ция 2) благоскло́нность, ми́лость 3) моли́тва до *или* по́сле еды́ ◇ your G., his (her) G. ва́ша, его́ (её) ми́лость; be in *(или* get into) smb.'s good ~s по́льзоваться чьей-л. благоскло́нностью **2.** *v* 1) украша́ть 2) удоста́ивать; **~ful** грацио́зный; **~less** бессты́дный; неподоба́ющий, неприли́чный

gracious ['greɪʃəs] ми́лостивый; снисходи́тельный; **~ me!** бо́же мой!

gradation [grə'deɪʃ(ə)n] 1) града́ция 2) *лингв.* чередова́ние

grade [greɪd] **1.** *n* 1) сте́пень; ранг 2) *амер.* класс *(школы)* 3) *амер.* отме́тка 4) гра́дус 5) сорт, ка́чество **2.** *v* 1) располага́ться по степеня́м 2) нивели́ровать *(местность)*

gradient ['greɪdjənt] укло́н, скат, накло́н

gradual ['grædjuəl] постепе́нный; **~ly** постепе́нно

graduate 1. *v* ['grædjueɪt] 1) конча́ть университе́т 2) *амер.* конча́ть *(любое)* уче́бное заведе́ние 3) располага́ть в после́довательном поря́дке 4) градуи́ровать, наноси́ть деле́ния **2.** *n* ['grædjuɪt] *амер.* око́нчивший уче́бное заведе́ние

graft I [grɑ:ft] *амер.* **1.** *n* взя́точничество, систе́ма по́дкупа **2.** *v* дава́ть, брать взя́тки

graft II **1.** *n бот.* приви́вка, приво́й **2.** *v бот.* привива́ть; *мед.* переса́живать ткань

grain [greɪn] 1) зерно́; крупи́нка 2) гран 3) строе́ние, структу́ра *(дерева, камня)*

grammar ['græmə] грамма́тика; **~-school** [-sku:l] 1) *амер.* ста́ршие кла́ссы сре́дней шко́лы 2) сре́дняя шко́ла

grammatical [grə'mætɪk(ə)l] граммати́ческий

gramme [græm] грамм

gramophone ['græməfoun] граммофо́н, патефо́н

grampus ['græmpəs] каса́тка

granary ['grænərɪ] амба́р, жи́тница

grand ['grænd] 1) вели́чественный 2) превосхо́дный 3) гла́вный ◇ ~ jury *юр.* большо́е жюри́; **~child** [-tʃaɪld] внук, вну́чка; **~dad** [-dæd] *разг.* дед; **~daughter** [-ˌdɔ:tə] вну́чка

grandeur [ˈgrændʒə] 1) вели́чие 2) великоле́пие; пы́шность

grandfather [ˈgrændˈfɑ:ðə] дед

grandiloquence [grænˈdɪləkwəns] высокопа́рность, напы́щенность

grandiose [ˈgrændɪous] грандио́зный

grand||ma, ~mother [ˈgrændmɑ:, -ˌmʌðə] ба́бушка; **~pa** [-pɑ:] де́душка; **~sire** [-ˌsaɪə] 1) дед 2) пре́док; **~son** [-sʌn] внук

grange [greɪndʒ] мы́за

granite [ˈgrænɪt] грани́т

granny [ˈgrænɪ] *разг.* ба́бушка

grant [grɑ:nt] **1.** *v* 1) предоставля́ть *(заём, кредит)* 2) дозволя́ть; допуска́ть 3) жа́ловать *(чем-л.)* ◇ take for ~ed счита́ть само́ собо́й разуме́ющимся **2.** *n* 1) субси́дия, дота́ция 2) стипе́ндия

granula||r [ˈgrænjulə] зерни́стый; **~te** [-leɪt] 1) дроби́ть, мельчи́ть; гранули́ровать 2) зерни́ться; дроби́ться; ~ted sugar са́харный песо́к

grape [ˈgreɪp] виногра́д; **~-fruit** [-fru:t] гре́йпфрут

graphic [ˈgræfɪk] 1) графи́ческий 2) нагля́дный

graphite [ˈgræfaɪt] графи́т

grapple [ˈgræpl] **1.** *v* сцепи́ться *(борясь)*; боро́ться *(сцепившись)*; ~ **with** а) пыта́ться преодоле́ть *(затруднение)* *или* разреши́ть *(задачу)*; б) *мор.* сцепи́ться на аборда́ж **2.** *n* 1) схва́тка 2) *тех.* ко́шка, крюк

grasp [grɑ:sp] **1.** *v* схва́тывать *(тж. перен.)*; ула́вливать *(мысль и т.п.)* **2.** *n* 1) сжа́тие; хва́тка 2) понима́ние; схва́тывание

grass [ˈgrɑ:s] 1) трава́ 2) па́стбище ◇ ~ widow соло́менная вдова́; ~ widower соло́менный вдове́ц; **~hopper** [-ˌhɔpə] кузне́чик; **~-snake** [-sneɪk] уж

grate I [greɪt] ками́нная решётка

grate II 1) тере́ть; измельча́ть 2) скрипе́ть; *перен.* раздража́ть

grateful [ˈgreɪtful] благода́рный

gratify [ˈgrætɪfaɪ] удовлетворя́ть; доставля́ть удово́льствие

grating [ˈgreɪtɪŋ] решётка

gratis [ˈgreɪtɪs] беспла́тно

gratitude [ˈgrætɪtju:d] благода́рность

gratui||tous [grəˈtju:ɪtəs] даро-во́й; **~ty** [-tɪ] 1) де́нежное посо́бие 2) чаевы́е

grave I [greɪv] серьёзный; степе́нный

grave II моги́ла

gravel [ˈgræv(ə)l] гра́вий

grave||stone [ˈgreɪvstoun] надгро́бный па́мятник; **~yard** [-jɑ:d] кла́дбище

gravi||tate [ˈgrævɪteɪt] тяготе́ть; **~tation** [ˌgrævɪˈteɪʃ(ə)n] тяготе́ние, притяже́ние; **~ty** [-tɪ] 1) серьёзность 2) *физ.* си́ла тя́жести

gravy [ˈgreɪvɪ] подли́вка *(мясная)*

gray [greɪ] *см.* grey

graze I [greɪz] 1) слегка́ каса́ться, задева́ть 2) ссади́ть *(руку и т.п.)*; натере́ть *(кожу)*

graze II 1) пасти́ 2) пасти́сь

grease [ˈgri:s] **1.** *n* жир, са́ло *(топлёное)*; густа́я сма́зка **2.** *v* [gri:z] сма́зывать жи́ром; *перен.* подма́зывать; ~ smb.'s palm дать кому́-л. взя́тку; **~-paint** [-peɪnt] *театр.* грим

greasy [ˈgri:zɪ] са́льный; ско́льзкий

great [ˈgreɪt] 1) вели́кий; большо́й; the Great October Socialist Revolution Вели́кая Октя́брьская социалисти́ческая револю́ция 2) *разг.* замеча́тельный; that's ~ замеча́тельно 3) пра- *(в степени родства)*; ~-grandfather пра́дед; **~coat** [-ˈkout] пальто́; шине́ль

great||ly [ˈgreɪtlɪ] о́чень; **~-ness** 1) величина́ 2) вели́чие

Grecian [ˈgri:ʃ(ə)n] гре́ческий

gree||d, ~diness [ˈgri:d, -ɪnɪs] жа́дность; **~dy** [-ɪ] жа́дный

Greek [gri:k] **1.** *a* гре́ческий ◇ it's all ~ to me ≅ э́то для меня́ кита́йская гра́мота **2.** *n* 1) грек; греча́нка 2) гре́ческий язы́к

green [gri:n] **1.** *a* 1) зелёный 2) незре́лый; *перен.* нео́пытный ◇ turn ~ позелене́ть, побледне́ть **2.** *n* 1) зелёный цвет 2) расти́тельность 3) зелёная лужа́йка

greenback [ˈgri:nbæk] *амер.* банкно́та

greenery [ˈgri:nərɪ] зе́лень, расти́тельность

green-eyed [ˈgri:naɪd] ревни́вый, зави́стливый

greengrocer [ˈgri:nˌgrousə] зеленщи́к; фруктовщи́к

greenhorn [ˈgri:nhɔ:n] новичо́к, молокосо́с

greenhouse [ˈgri:nhaus] тепли́ца

greenish [ˈgri:nɪʃ] зеленова́тый

greenness [ˈgri:nnɪs] зе́лень; *перен.* нео́пытность

greet [ˈgri:t] приве́тствовать; **~ing** приве́тствие

gregarious [greˈgɛərɪəs] 1) живу́щий стада́ми, ста́ями 2) общи́тельный

grenad||e [grɪˈneɪd] грана́та; **~ier** [ˌgrenəˈdɪə] 1) гренаде́р 2) гранатомётчик

grew [gru:] *past от* grow

grey [greɪ] 1) се́рый; ~ matter се́рое вещество́ мо́зга; *перен.* ум 2) седо́й; ~ hairs седи́ны; turn ~ седе́ть

greyhound [ˈgreɪhaund] борза́я

grid [grɪd] 1) решётка, се́тка 2) *эл.* сеть высо́кого напряже́ния

grief [gri:f] го́ре ◇ come to ~ потерпе́ть неуда́чу, дожи́ть до беды́

griev||ance [ˈgri:v(ə)ns] 1) оби́да 2) жа́лоба; **~e** [gri:v] 1) огорча́ть 2) горева́ть; **~ous** [ˈgri:vəs] тяжёлый, мучи́тельный

grill [grɪl] **1.** *n* 1) решётка *(для жаренья мя́са)*; ра́шпер 2) жа́реное на ра́шпере мя́со **2.** *v* 1) жа́рить 2) жа́риться 3) стро́го допра́шивать

grim [grɪm] 1) мра́чный, злове́щий 2) жесто́кий, неумоли́мый

grimace [grɪˈmeɪs] **1.** *n* грима́са **2.** *v* грима́сничать

gri||me ['graım] сáжа, грязь *(впитавшаяся во что-л., особ. в кожу)*; **~my** [-ı] закоптéлый, грязный

grin [grın] **1.** *v* скáлить зýбы; усмехáться ◇ ~ and bear it стóйко переноси́ть *(боль, неудачу)* **2.** *n* оскáл *(при улыбке)*; усмéшка

grind ['graınd] **1.** *v* (ground) 1) молóть 2) подавля́ть, угнетáть 3) точи́ть 4) вертéть рýчку *(чего-л.)* 5) скрежетáть 6) *разг.* усéрдно рабóтать, труди́ться 7) *разг.* зубри́ть **2.** *n разг.* тяжёлая, скýчная рабóта; **~er** 1) точи́льный кáмень 2) точи́льщик; **~stone** [-stoun] 1) жёрнов 2) точи́льный кáмень

grip [grıp] **1.** *n* 1) сжимáние; схвáтывание; come to ~s схвáтываться *(в борьбе)* 2) саквоя́ж 3) рýчка, рукоя́тка 4) тиски́ **2.** *v* 1) сжимáть; схвáтывать 2) овладевáть внимáнием

gripes [graıps] *pl (обыкн.* the ~) резь, кóлики, боль в животé

grippe [grıp] *разг.* грипп

grisly ['grızlı] стрáшный

grist [grıst] зернó для помóла ◇ bring ~ to the mill приноси́ть дохóд, быть вы́годным

gristly ['grıstlı]: ~ meat *разг.* жёсткое мя́со

grit [grıt] **1.** *n* 1) грáвий, крýпный песóк 2) *разг.* твёрдость характера, вы́держка **2.** *v* скрежетáть (зубáми)

grits [grıts] *pl* овся́ная крупá

gritty ['grıtı] песчáный

grizz||led ['grızld] седóй; **~ly** ['grızlı] **1.** *n* гри́зли, сéрый медвéдь **2.** *a* 1) сéрый 2) с прóседью

groan [groun] **1.** *n* стон **2.** *v* стонáть

groats [grouts] *pl* крупá *(преим.* овся́ная)

groce||r ['grousə] 1) торгóвец бакалéйными товáрами 2) *см.* grocery; **~ry** [-rı] продуктóвый магази́н

grog ['grɔg] грог; **~gy** [-gı] 1) неустóйчивый; шáткий 2) нетвёрдый на ногáх, слáбый *(после болезни и т.п.)*

groin I [grɔın] пах

groin II *архит.* крестóвый свод

groom [grum] **1.** *n* 1) грум, кóнюх 2) жени́х **2.** *v* 1) ходи́ть за лошадьми́ 2): well ~ed хорошó одéтый, вы́холенный

groove [gru:v] **1.** *n* вы́емка, желобóк; нарéзка; паз; *перен.* рути́на **2.** *v* дéлать вы́емку

grope [group] идти́ óщупью; *перен.* нащýпывать

gross ['grous] 1) объёмистый 2) тóлстый 3) грýбый, я́вный 4) вульгáрный 5) валовóй; **~ly** [-lı] грýбо; вульгáрно

grotesque [gro(u)'tesk] гротéскный, коми́ческий, нелéпый

grotto ['groutou] грот

grouch [grautʃ] 1) недовóльство, дурнóе настроéние 2) брюзгá

ground I [graund] *past и p. p. от* grind I

ground II **1.** *n* 1) пóчва, земля́ 2) *pl* сад, парк при дóме; учáсток земли́ *(вокруг дома)* 3) основáние, причи́на 4) мéстность 5) *pl* осáдок, гýща *ед.* 6) *жив.* грунт, фон ◇ cover the ~ а) покрывáть расстоя́ние; б) изучáть вопрóс; give

~ уступи́ть **2.** *v* 1) наскочи́ть на мель, на бе́рег 2) осно́вывать; обосно́вывать 3) обуча́ть 4) *ав.* приземля́ться

ground floor [ˈgraundˈflɔ:] ни́жний, цо́кольный эта́ж

groundless [ˈgraundlɪs] беспричи́нный; необосно́ванный

groundwork [ˈgraundwə:k] фунда́мент, осно́ва

group [gru:p] **1.** *n* 1) гру́ппа 2) *амер.* авиацио́нная гру́ппа 3) *attr.:* ~ captain полко́вник авиа́ции **2.** *v* 1) группирова́ть 2) группирова́ться

grouse I [graus] ря́бчик

grouse II *разг.* ворча́ть

grove [grouv] ро́ща

grovel [ˈgrɔvl] пресмыка́ться; **~ler** низкопокло́нник

grow [ˈgrou] (grew; grown) 1) расти́ 2) увели́чиваться 3) де́латься, станови́ться; it grew cold ста́ло хо́лодно 4) выра́щивать ◇ that music ~s on me э́та му́зыка мне нра́вится всё бо́льше и бо́льше; he grew away from his family он стал чужи́м в свое́й со́бственной семье́; **~ing** расту́щий

growl [graul] **1.** *v* 1) рыча́ть 2) ворча́ть **2.** *n* 1) рыча́ние 2) ворча́ние

grown [groun] *p. p. от* grow

grown-up [ˈgrounʌp] взро́слый

growth [grouθ] рост; увели́че́ние

grub [ˈgrʌb] **1.** *v* 1) ры́ться 2) выка́пывать 3) отка́пывать *(в архивах и т.п.)* **2.** *n* 1) *зоол.* личи́нка 2) *разг.* еда́; **~by** [-ɪ] 1) неря́шливый 2) черви́вый

grudg||e [ˈgrʌdʒ] **1.** *n* недово́льство; за́висть; have a ~ *(against)* ≅ име́ть зуб про́тив *(кого-л.)* **2.** *v* 1) выража́ть недово́льство 2) жале́ть, неохо́тно дава́ть; **~ingly** [-ɪŋlɪ] неохо́тно

gruel [ˈgruəl] жи́дкая ка́ша; **~ling** изнури́тельный

gruesome [ˈgru:səm] ужа́сный, отврати́тельный

gruff [grʌf] грубова́тый

grumbl||e [ˈgrʌmbl] **1.** *n* ворча́ние; ро́пот **2.** *v* ворча́ть; **~er** брюзга́, ворчу́н

grumpy [ˈgrʌmpɪ] брюзгли́вый

grunt [grʌnt] **1.** *v* 1) хрю́кать 2) ворча́ть **2.** *n* 1) хрю́канье 2) ворча́ние

guaran||tee [ˌgær(ə)nˈti:] **1.** *n* 1) поручи́тельство; гара́нтия; зало́г 2) поручи́тель **2.** *v* гаранти́ровать; руча́ться; **~tor** *юр.* поручи́тель; **~ty** [ˈgær(ə)ntɪ] зало́г, гара́нтия

guard [ˈgɑ:d] **1.** *n* 1) стра́жа, охра́на; ~ of honour почётный карау́л 2) часово́й 3) *ж.-д.* конду́ктор 4) *pl* гва́рдия ◇ be on ~ а) остерега́ться; б) *воен.* быть в карау́ле; be off (one's) ~ быть засти́гнутым враспло́х **2.** *v* 1) охраня́ть, сторожи́ть, карау́лить 2): ~ against защища́ться; принима́ть ме́ры предосторо́жности; **~ed** [-ɪd] осторо́жный; сде́ржанный

guardian [ˈgɑ:djən] 1) опеку́н 2) храни́тель; страж; **~ship** опе́ка

guardroom [ˈgɑ:drum] 1) карау́льное помеще́ние 2) гауптва́хта

guardsman [ˈgɑ:dzmən] 1) гвардее́ц 2) карау́льный

gudgeon [ˈgʌdʒ(ə)n] песка́рь

guerilla [gə'rɪlə] **1.** *n* партиза́н **2.** *a* партиза́нский

guess ['ges] **1.** *v* 1) уга́дывать 2) предполага́ть 3) *амер. разг.* счита́ть, полага́ть **2.** *n* 1) приблизи́тельный подсчёт 2) дога́дка; **~work** [-wə:k] предположе́ния, дога́дки *мн.*

guest [gest] 1) гость 2) постоя́лец *(в гостинице)*

guffaw [gʌ'fɔ:] **1.** *n* хо́хот *(грубый)* **2.** *v* хохота́ть *(грубо)*

guidance ['gaɪd(ə)ns] руково́дство

guide ['gaɪd] **1.** *v* 1) руководи́ть 2) вести́; быть чьим-л. проводнико́м **2.** *n* 1) проводни́к, гид 2) руководи́тель 3) путеводи́тель; руково́дство, учёбник; **~-book** [-buk] путеводи́тель; **~-post** [-poust] указа́тельный столб

guild [gɪld] 1) ги́льдия, цех 2) сою́з

Guildhall ['gɪld'hɔ:l] ра́туша в Ло́ндоне

guile ['gaɪl] обма́н; хи́трость; кова́рство; **~less** простоду́шный

guilt ['gɪlt] вино́вность, вина́; **~less** неви́нный, невино́вный; **~y** [-ɪ] вино́вный

guinea ['gɪnɪ] *уст.* гине́я *(денежная единица = 21 шиллингу)*

guinea-pig ['gɪnɪpɪg] морска́я сви́нка; *перен.* подо́пытное живо́тное

guise [gaɪz] о́блик; under the ~ *(of)* под ви́дом

guitar [gɪ'tɑ:] гита́ра

gulch [gʌltʃ] *амер.* у́зкое глубо́кое уще́лье *(с золотоносной жилой)*

gulf [gʌlf] 1) морско́й зали́в 2) про́пасть, бе́здна *(тж. перен.)*

gull I [gʌl] ча́йка

gull II **1.** *n* проста́к **2.** *v* обма́нывать, дура́чить

gullet ['gʌlɪt] 1) гло́тка 2) пищево́д

gullible ['gʌləbl] легкове́рный, дове́рчивый

gully ['gʌlɪ] 1) овра́г 2) сток

gulp [gʌlp] **1.** *v* (жа́дно) глота́ть **2.** *n* большо́й глото́к

gum I [gʌm] десна́

gum II ['gʌm] **1.** *v* скле́ивать **2.** *n* 1) клей 2) *амер. разг.* рези́на; **~my** [-ɪ] кле́йкий, ли́пкий

gumption ['gʌmpʃ(ə)n] *разг.* смышлёность; нахо́дчивость

gun ['gʌn] 1) винто́вка; ружьё 2) ору́дие, пу́шка 3) *амер. разг.* револьве́р 4) *разг.* охо́тник; **~boat** [-bout] каноне́рка; **~man** [-mən] *амер. разг.* вооружённый банди́т, уби́йца

gun||ner ['gʌnə] 1) пулемётчик 2) артиллери́ст; **~nery** [-ərɪ] 1) артиллери́йское де́ло 2) пу́шечная стрельба́

gun||powder ['gʌn,paudə] по́рох; **~running** [-,rʌnɪŋ] незако́нный ввоз ору́жия; **~-stock** [-stɔk] руже́йное ло́же

gurgle ['gə:gl] **1.** *n* бу́льканье **2.** *v* бу́лькать

gush ['gʌʃ] **1.** *n* си́льный пото́к; *перен.* излия́ние **2.** *v* хлы́нуть; *перен.* излива́ть чу́вства; **~er** мо́щный нефтяно́й фонта́н

gust [gʌst] поры́в *(ветра)*; *перен.* взрыв *(гнева)*

gusto ['gʌstou]: do smth. with ~ де́лать что-л. с подъёмом

gusty [ˈgʌstɪ] бу́рный, поры́вистый

gut [gʌt] **1.** *n* 1) кишка́; *pl* вну́тренности 2) *pl разг.* му́жество **2.** *v* 1) потроши́ть 2) опустоша́ть *(о пожаре)*

gutter [ˈgʌtə] кана́вка; водосто́чный жёлоб ◇ ~ press бульва́рная пре́сса; **~-snipe** [-snaɪp] *уст.* у́личный мальчи́шка

guttural [ˈgʌt(ə)r(ə)l] **1.** *n* горта́нный звук **2.** *a* горта́нный, горлово́й

guy [gaɪ] **1.** *n* 1) пу́гало; чу́чело 2) *амер. разг.* па́рень, ма́лый **2.** *v разг.* насмеха́ться

guzzle [ˈgʌzl] 1) жа́дно глота́ть 2) пропива́ть, проеда́ть

gym [dʒɪm] *сокр.* 1) *от* gymnasium 2) *от* gymnastic 2

gymnasium [dʒɪmˈneɪzjəm] 1) гимнасти́ческий зал 2) гимна́зия

gymnast [ˈdʒɪmnæst] гимна́ст

gymnastic [dʒɪmˈnæstɪk] **1.** *a* гимнасти́ческий **2.** *n pl* гимна́стика

gynaecology [ˌgaɪnɪˈkɔlədʒɪ] гинеколо́гия

gyps(um) [ˈdʒɪps(əm)] гипс

Gypsy [ˈdʒɪpsɪ] *см.* Gipsy

gyrate [ˌdʒaɪ(ə)ˈreɪt] враща́ться по кру́гу, дви́гаться по спира́ли

H

H, h [eɪtʃ] *восьмая буква англ. алфавита;* drop one's h's не произноси́ть [h] в уда́рных, си́льных слога́х, *особ.* в нача́ле сло́ва *(особенность лондонского говора Cockney)*

haberdash||er [ˈhæbədæʃə] 1) торго́вец галантере́ей 2) *амер.* торго́вец предме́тами мужско́го туале́та; **~ery** [-rɪ] галантере́я

habit [ˈhæbɪt] 1) привы́чка; обыкнове́ние; обы́чай; acquire *(или* get) the ~ of приобрета́ть привы́чку; be in the ~ of doing smth. име́ть привы́чку *(или* обыкнове́ние) де́лать что-л. 2) телосложе́ние 3) осо́бенность, сво́йство; характе́рная черта́ 4) *уст.* оде́жда

habitation [ˌhæbɪˈteɪʃ(ə)n] 1) жили́ще, жильё 2) местожи́тельство

habitu||al [həˈbɪtjuəl] привы́чный; обы́чный; ~ drunkard го́рький пья́ница; **~ate** [həˈbɪtjueɪt] 1) приуча́ть 2) *амер. разг.* ча́сто посеща́ть

habitué [həˈbɪtjueɪ] *фр.* завсегда́тай

hack I [hæk] **1.** *n* 1) наёмная ло́шадь; *перен.* литерату́рный подёнщик, халту́рщик 2) *амер.* наёмный экипа́ж **2.** *v* е́хать верхо́м не спеша́

hack II **1.** *n* зару́бка **2.** *v* 1) гру́бо обтёсывать *(камень или кирпич)* 2) де́лать зару́бку

hacking [ˈhækɪŋ]: ~ cough ча́стый сухо́й ка́шель

hackle [ˈhækl] пе́рья на ше́е пти́цы ◇ with his ~s up разъярённый

hackney [ˈhæknɪ] верхова́я ло́шадь; **~-coach** [-koutʃ] наёмная каре́та

hackneyed [ˈhæknɪd] изби́тый, бана́льный

hack-work [ˈhækwə:k] халту́ра

had [hæd] *past и p. p. от* have 1

haddock [ˈhædək] пи́кша *(род трески)*

Hades [ˈheɪdi:z] ад

hadn't [ˈhædnt] *сокр. от* had not

haemorrhage [ˈhemərɪdʒ] кровоизлия́ние

haft [hɑ:ft] рукоя́тка *(кинжала, ножа)*

hag [hæg] ве́дьма, карга́

haggard [ˈhægəd] измождённый

haggle [ˈhægl] торгова́ться, спо́рить *(о — about, over)*

hail I [heɪl] **1.** *v* 1) приве́тствовать 2) оклика́ть ◇ where do you ~ from? отку́да вы ро́дом? **2.** *n* о́клик, приве́тствие

hail II **1.** *n* град **2.** *v* сы́паться гра́дом; it is ~ing идёт град

hair [hɛə] 1) во́лос(ы); have one's ~ done сде́лать причёску 2) шерсть *(у животных)* ◇ keep your ~ on не горячи́тесь; let one's ~ down дать во́лю свои́м чу́вствам; not turn a ~ не показа́ть ви́ду; to a ~ точь-в-то́чь; within a ~'s breadth на волосо́к от

hair‖**-do** [ˈhɛədu:] причёска; **~dresser** [-ˌdresə] парикма́хер; **~-net** [-net] се́тка для воло́с; **~pin** 1) шпи́лька 2) *attr.:* ~pin bend круто́й поворо́т доро́ги; **~-splitting** [-ˌsplɪtɪŋ] **1.** *n* педанти́чность; крохобо́рство **2.** *a* педанти́чный; **~spring** [-sprɪŋ] волосо́к *(в часах)*

hairy [ˈhɛərɪ] волоса́тый; покры́тый волоса́ми

halcyon [ˈhælsɪən] ти́хий *(о погоде)*; ~ days безмяте́жные дни, благоде́нствие

hale [heɪl] кре́пкий, здоро́вый

half [ˈhɑ:f] **1.** *n* *(pl* halves) полови́на; in ~ попола́м; one and a ~ полтора́ **2.** *a* полови́нный **3.** *adv* наполови́ну, полу- ◇ not ~ bad непло́хо; too clever by ~ *ирон.* сли́шком уж умён; **~-bred** [-bred] сме́шанных крове́й; **~-brother** [-ˌbrʌðə] сво́дный брат; **~-heartedly** [-ˈhɑ:tɪdlɪ] не́хотя; **~penny** [ˈheɪpnɪ] полпе́нни; **~-price** [-ˈpraɪs] полцены́; **~-seas-over** [-si:zˈouvə] *разг.* пья́ный; ≅ мо́ре по коле́но; **~-sister** [-ˌsɪstə] сво́дная сестра́; **~-time** [-ˈtaɪm] 1) непо́лный рабо́чий де́нь 2) *спорт.* переры́в ме́жду та́ймами; **~-way** [-ˈweɪ] на полпути́; meet smb ~-way *перен.* идти́ на усту́пки; **~-witted** [-ˈwɪtɪd] слабоу́мный

hall [hɔ:l] 1) зал 2) столо́вая *(в университете)* 3) пере́дняя, вестибю́ль, холл

hallo(a)! [həˈlou] алло́! *(возглас приветствия или удивления)*

halloo [həˈlu:] улюлю́кать, натра́вливать *(собак)*

hallucination [həˌlu:sɪˈneɪʃ(ə)n] галлюцина́ция

hallway [ˈhɔ:lweɪ] *амер.* 1) пере́дняя 2) коридо́р

halo [ˈheɪlou] сия́ние, нимб, ореол

halt [hɔ:lt] **1.** *n* прива́л, остано́вка **2.** *v* 1) де́лать прива́л 2) остана́вливаться 3) остана́вливать **3.** *int* стой!

halter [ˈhɔ:ltə] 1) недоу́здок 2) верёвка с пе́тлей *(для казни или для лошади)*

halting [ˈhɔ:ltɪŋ]: speak in a ~ way говори́ть прерыва́ющимся го́лосом

halve [hɑ:v] 1) дели́ть попола́м 2) сокраща́ть наполови́ну

halves [hɑ:vz] *pl от* half 1 ◇ do smth. by ~ де́лать ко́е-ка́к; go ~ дели́ть попола́м *(доходы, расходы)*

ham [hæm] **1.** *n* о́корок ◇ ~ actor *разг.* плохо́й актёр **2.** *v разг.* пло́хо игра́ть

hamlet [ˈhæmlɪt] дереву́шка

hammer [ˈhæmə] **1.** *n* 1) молото́к 2) молото́чек *(в пианино и т.п.)* ◇ bring under the ~ продава́ть с аукцио́на **2.** *v* 1) вбива́ть, прибива́ть, рабо́тать молотко́м; ~ into smb.'s head вбива́ть кому́-л. в го́лову; ~ *(at)* упо́рно рабо́тать *(над чем-л.)* 2) *разг.* нанести́ пораже́ние, разби́ть

hammock [ˈhæmək] гама́к; *мор.* подвесна́я ко́йка

hamper I [ˈhæmpə] корзи́на с кры́шкой

hamper II меша́ть, затрудня́ть; тормози́ть *(развитие и т. п.)*

hamster [ˈhæmstə] хомя́к

hamstring [ˈhæmstrɪŋ] **1.** *v* кале́чить *(тж. перен.)* **2.** *n* подколе́нное сухожи́лие

hand [hænd] **1.** *n* 1) рука́; by ~ от руки́ *(написано)*; ~s up! ру́ки вверх!; ~s off! ру́ки прочь!; at ~ под руко́й, нагото́ве; at first ~ из пе́рвых рук 2) рабо́тник; исполни́тель 3) *pl* кома́нда корабля́ 4) по́черк 5) стре́лка *(часовая)* ◇ be ~ in glove *(with)* быть в те́сной свя́зи *(с кем-л.)*; in ~ а) в рука́х; б) под контро́лем; в) в рабо́те; off ~ без подгото́вки; on the one ~..., on the other ~... с одно́й стороны́..., с друго́й стороны́...; a good ~ *(at)* иску́сный в чём-л.; live from ~ to mouth жить впро́голодь; have *(или* take) a ~ *(in)* принима́ть уча́стие; a poor ~ *(at)* неиску́сный, сла́бый *(в чем-л.)*; take smb. in ~ взять кого́-л. в ру́ки; have one's ~s full име́ть о́чень мно́го рабо́ты **2.** *v* передава́ть, вруча́ть; ~ **down** передава́ть пото́мству; ~ **in** подава́ть, вруча́ть; ~ **over** передава́ть *(вещь кому-л.)*

handbag [ˈhændbæg] су́мка *(женская)*

handbook [ˈhændbuk] руково́дство, посо́бие; спра́вочник

handcuff [ˈhændkʌf] нару́чник

handful [ˈhændful] 1) при́горшня, горсть 2) ма́лое коли́чество

handicap [ˈhændɪkæp] **1.** *n* 1) гандика́п 2) поме́ха **2.** *v* ста́вить в невы́годное положе́ние, быть поме́хой

handicraft [ˈhændɪkrɑ:ft] ремесло́; ручна́я рабо́та; реме́сленное произво́дство

handicraftsman [ˈhændɪkrɑ:ftsmən] реме́сленник

handkerchief [ˈhæŋkətʃɪf] 1) носово́й плато́к 2) ше́йный плато́к, косы́нка

handle [ˈhændl] **1.** *n* ру́чка, рукоя́ть **2.** *v* 1) тро́гать, брать рука́ми 2) обходи́ться, обраща́ться *(с кем-л., чем-л.)* 3) управля́ть; **~-bar** [-bɑ:] руль велосипе́да *или* мотоци́кла

handmade [ˈhændˈmeɪd] ручно́й рабо́ты

handshake [ˈhændʃeɪk] рукопожа́тие

handsome [ˈhænsəm] 1) краси́вый 2) значи́тельный *(о сумме, выгоде)* 3) ще́дрый

hand-to-hand [ˈhændtəˈhænd]: ~ fighting рукопа́шный бой, рукопа́шная

handwriting [ˈhændˌraɪtɪŋ] по́черк

handy [ˈhændɪ] 1) ло́вкий, иску́сный 2) удо́бный ◇ come in ~ пригоди́ться

hang I [hæŋ] **1.** *v* (hung) 1) висе́ть 2) ве́шать; разве́шивать 3) окле́ивать *(обоями)*; **~ about, ~ around** держа́ться неподалёку, быть на подхва́те; **~ back** колеба́ться, не вы́зваться доброво́льно; **~ out** а) высо́вываться *(из окна)*; б) выве́шивать *(флаги, бельё)*; в) *разг.* обита́ть, жить; **~ up** а) пове́сить телефо́нную тру́бку; б) ме́длить, откла́дывать ◇ ~ down one's head пове́сить го́лову, приуны́ть; ~ upon smb.'s lips *(или* words) внима́тельно слу́шать кого́-л.; ~ by a thread висе́ть на волоске́ **2.** *n*: get the ~ of smth. *разг.* приобрета́ть сноро́вку

hang II [hæŋ] (hanged) ве́шать *(казнить)*; ~ oneself пове́ситься

hangar [ˈhæŋə] анга́р

hang-dog [ˈhæŋdɔg] винова́тый *(о виде)*

hanger [ˈhæŋə] ве́шалка

hanger-on [ˈhæŋərˈɔn] прихлеба́тель

hanging [ˈhæŋɪŋ] 1) *(обыкн. pl)* драпиро́вка 2) пове́шение *(казнь)*

hangman [ˈhæŋmən] пала́ч

hang-over [ˈhæŋˌouvə] *разг.* похме́лье

hank [hæŋk] мото́к

hanker [ˈhæŋkə] стра́стно жела́ть *(after)*

hanky-panky [ˈhæŋkɪˈpæŋkɪ] *разг.* проде́лки *мн.*

hansom [ˈhænsəm] двухколёсный экипа́ж

haphazard [ˈhæpˈhæzəd] **1.** *a* случа́йный **2.** *adv* случа́йно

hapless [ˈhæplɪs] несча́стный, злополу́чный

happen [ˈhæp(ə)n] случа́ться, происходи́ть; I ~ed to be there я случа́йно был там; **~ing** слу́чай, собы́тие

happiness [ˈhæpɪnɪs] сча́стье

happy [ˈhæpɪ] 1) счастли́вый 2) уда́чный; **~-go-lucky** [ˈhæpɪgo(u)ˌlʌkɪ] беспе́чный

harangue [həˈræŋ] **1.** *n* шу́мное выступле́ние, препира́тельство; горя́чее, стра́стное обраще́ние **2.** *v* разглаго́льствовать

harass [ˈhærəs] беспоко́ить; изводи́ть

harbinger [ˈhɑ:bɪndʒə] *книжн.* предве́стник

harbour [ˈhɑ:bə] **1.** *n* га́вань; *перен.* убе́жище **2.** *v* 1) стать на я́корь *(в гавани)* 2) дава́ть убе́жище, укрыва́ть 3) затаи́ть *(злобу)*

hard ['hɑ:d] **1.** *a* 1) твёрдый; чёрствый; жёсткий 2) си́льный 3) тяжёлый *(о работе)* 4) суро́вый *(о климате)* ◇ be ~ on smb. быть несправедли́во стро́гим с кем-л.; be ~ up нужда́ться *(материально)*; ~ cash нали́чные *(деньги)*; ~ and fast rules раз навсегда́ устано́вленные (стро́гие) пра́вила; ~ drink *амер.* спиртно́й напи́ток; ~ labour ка́торга; ~ water жёсткая вода́; ~ of hearing туго́й на́ ухо **2.** *adv* си́льно; упо́рно; breathe ~ тяжело́ дыша́ть; work ~ мно́го рабо́тать; it is raining ~ идёт си́льный дождь ◇ ~ by бли́зко; it will go ~ with him ему́ тру́дно (пло́хо) придётся; **~-boiled** [-'bɔɪld] 1) круто́й *(о яйце)* 2) *разг.* чёрствый, безду́шный

harden ['hɑ:dn] 1) тверде́ть 2) зака́ливать *(железо)*; *перен.* закаля́ть, укрепля́ть 3) закаля́ться 4) ожесточа́ть 5) ожесточа́ться

hard-headed ['hɑ:d'hedɪd] 1) практи́чный; тре́звый 2) упря́мый

hard-hearted ['hɑ:d'hɑ:tɪd] бесчу́вственный

hardihood ['hɑ:dɪhud] сме́лость, де́рзость

hardily ['hɑ:dɪlɪ] сме́ло, отва́жно

hardly ['hɑ:dlɪ] 1) едва́ 2) едва́ ли 3) ре́зко, суро́во 4) с трудо́м

hardship ['hɑ:dʃɪp] лише́ния, нужда́

hardware ['hɑ:dwɛə] скобяны́е изде́лия

hardy ['hɑ:dɪ] 1) выно́сливый *(о человеке)* 2) морозосто́йкий *(о растениях)*

hare [hɛə] за́яц

harebell ['hɛəbel] колоко́льчик

hare-brained ['hɛəbreɪnd] *разг.* легкомы́сленный, опроме́тчивый

harem ['hɛərem] гаре́м

haricot ['hærɪkou] фасо́ль

hark! [hɑ:k] чу!

harken ['hɑ:k(ə)n] *см.* hearken

harlot ['hɑ:lət] *уст.* проститу́тка

harm ['hɑ:m] **1.** *n* вред, уще́рб; keep smb. out of ~'s way убере́чь кого́-л. от опа́сности; he meant no ~ он не хоте́л вас оби́деть **2.** *v* 1) вреди́ть; поврежда́ть; be ~ed пострада́ть 2) обижа́ть; **~ful** вре́дный; **~less** безвре́дный

harmon||ious [hɑ:'mounjəs] гармони́чный; *перен.* дру́жный; **~y** ['hɑ:mənɪ] гармо́ния ◇ be in ~y ла́дить

harness ['hɑ:nɪs] **1.** *n* у́пряжь **2.** *v* 1) запряга́ть 2) испо́льзовать *(водные ресурсы)*

harp [hɑ:p] **1.** *n* а́рфа **2.** *v* 1) игра́ть на а́рфе 2) тверди́ть одно́ и то же *(on)*

harpoon [hɑ:'pu:n] острога́, гарпу́н

harpsichord ['hɑ:psɪkɔ:d] клавеси́н

harpy ['hɑ:pɪ] га́рпия; *перен.* хи́щник

harridan ['hærɪd(ə)n] ве́дьма, карга́

harrier ['hærɪə] го́нчая *(собака)*

harrow ['hærou] **1.** *n* борона́

2. *v* 1) боронить, 2) нервировать; мучить, терзать

harry ['hærɪ] 1) совершать набеги; опустошать, грабить 2) тревожить

harsh ['hɑ:ʃ] грубый; резкий; **~ly** резко

harum-scarum ['hɛərəm'skɛərəm] легкомысленный, безрассудный

harvest ['hɑ:vɪst] **1.** *n* жатва, урожай **2.** *v* собирать урожай; **~er** 1) жнец 2) уборочная машина

has [hæz *(полная форма)*, həz, əz *(редуцированная форма)*] *3 л. ед. ч. наст. вр. гл.* have

hash [hæʃ] **1.** *v* рубить, крошить *(мясо)* **2.** *n:* make a ~ of smth. напутать, напортить в чём-л.

hasn't ['hæznt] *сокр. от* has not

hasp [hɑ:sp] 1) засов, запор 2) застёжка

has||te ['heɪst] спешка; make ~ торопиться; **~ten** ['heɪsn] 1) торопить 2) торопиться, спешить; **~tily** [-ɪlɪ] поспешно; **~ty** [-ɪ] 1) поспешный 2) вспыльчивый

hat [hæt] шляпа

hatch I [hætʃ] люк

hatch II **1.** *v* 1) высиживать *(птенцов)* 2) замышлять *(что-л.)* 3) вылупливаться *(о птенцах)* **2.** *n* выводок

hatch III штриховать

hatchet ['hætʃɪt] топорик

hatchway ['hætʃweɪ] *см.* hatch I

hate ['heɪt] **1.** *v* ненавидеть **2.** *n* ненависть; **~ful** ненавистный

hatred ['heɪtrɪd] ненависть

hatter ['hætə] 1) шляпный мастер 2) продавец шляп

haughty ['hɔ:tɪ] надменный

haul [hɔ:l] **1.** *v* 1) тянуть 2) перевозить ◇ ~ over the coals сделать выговор **2.** *n* 1) перевозка 2) добыча, улов; трофеи

haulage ['hɔ:lɪdʒ] перевозка

haunch [hɔ:ntʃ] ляжка

haunt [hɔ:nt] **1.** *v* часто посещать; (по)являться *(как призрак)*; *перен.* преследовать *(о мыслях и т. п.)* **2.** *n* 1) часто посещаемое, любимое место 2) притон

hautboy ['oubɔɪ] гобой

have [hæv] **1.** *v* (had) 1) иметь; they ~ a room у них есть комната; I ~ a headache (toothache) у меня болит голова (зуб); I ~ no time у меня нет времени; ~ no fear! не бойтесь! 2) *с последующим инфинитивом*: должен, должна *и т.п.;* she has to go there она должна пойти туда 3) [hæv *(полная форма)*, həv, əv *(редуцированная форма)*] *вспомогательный глагол в сочетании с прич. прош. вр. для образования перфектных форм*: they ~ come они (уже) пришли; he will ~ done it by 6 o'clock он (уже) сделает это к 6 часам; she had written it by 5 o'clock она (уже) это написала к 5 часам; ~ **on** а) быть одетым *(во что-л.)*; б): ~ smb. on надувать кого-л.; в): ~ smth. on *разг.* быть занятым чем-л.; ~ **out**: ~ it out *(with)* выяснить, обсудить что-л. ◇ ~ breakfast (dinner, supper) завтракать (обедать, ужинать); ~ a smoke покури́ть; ~ a walk пройти́сь; ~ a talk побесе́довать; ~ smb. do smth. поручи́ть кому́-л. како́е-л; де́ло; had better, had rather лу́чше бы; ~ done! переста́ньте!; I won't ~ it any longer я э́того бо́льше не допущу́ **2.** *n разг.* моше́нничество

haven ['heɪvn] га́вань; *перен.* убе́жище

haversack ['hævəsæk] ра́нец-рюкза́к

havoc ['hævək] опустоше́ние ◇ play ~ разруша́ть

haw [hɔ:] я́года боя́рышника

hawk I [hɔ:k] я́стреб

hawk II торгова́ть вразно́с

hawker ['hɔ:kə] разно́счик, у́личный торго́вец

hawthorn ['hɔ:θɔ:n] боя́рышник

hay ['heɪ] се́но ◇ make ~ *(of)* вноси́ть пу́таницу; make ~ while the sun shines ≅ куй желе́зо, пока́ горячо́; **~cock** [-kɔk] копна́ се́на; **~-fork** [-fɔ:k] ви́лы; **~loft** [-lɔft] сенова́л; **~rick, ~stack** [-rɪk, -stæk] стог се́на

hazard ['hæzəd] **1.** *n* 1) риск 2) аза́ртная игра́ ◇ at all ~s при любы́х обстоя́тельствах **2.** *v* 1) рискова́ть 2) осме́ливаться; **~ous** [-əs] риско́ванный

haze [heɪz] тума́н

hazel ['heɪzl] **1.** *n* оре́шник **2.** *a* све́тло-кори́чневый, ка́рий *(о глазах)*; **~-nut** [-nʌt] оре́х

hazy ['heɪzɪ] тума́нный; *перен.* сму́тный

H-bomb ['eɪtʃbɔm] водоро́дная бо́мба

he [hi: *(полная форма)*, hɪ *(редуцированная форма)*] *им. п. pers. pron.* *(объектн п.* him) 1) он 2) *pref при добавлении к сущ. обозначает самца;* he-goat козёл

head [hed] **1.** *n* 1) голова́; two shillings per ~ по́ два ши́ллинга с челове́ка 2) *(pl без измен.)* голова́ скота́; how many ~ of cattle...? ско́лько голо́в скота́...? 3) голо́вка *(винта, булавки и т.п.)*; назре́вшая голо́вка *(нарыва)*; коча́н *(капусты)* 4) глава́, вождь; руководи́тель; дире́ктор *(школы, предприятия)* 5) пере́дняя *или* ве́рхняя часть *(чего-л.)* 6) пе́на 7) заголо́вок 8) ум; спосо́бности 9) кри́зис ◇ be ~ over ears in love быть по́ уши влюблённым; off one's ~ сумасше́дший; at the ~ *(of)* во главе́; ~ over heels вверх торма́шками; lose one's ~ потеря́ть го́лову; растеря́ться; put ~s together *разг.* совеща́ться; ~s or tails ≅ орёл и́ли ре́шка; be unable to make ~ or tail of smth. быть не в состоя́нии разобра́ться в чём-л.; she took it into her ~ ей взбрело́ в го́лову **2.** *v* 1) возглавля́ть, вести́ 2) озагла́вливать *(статью)* 3) направля́ться, держа́ть курс на *(for)*; ~ back, ~ off прегражда́ть путь **3.** *a* 1) гла́вный; ~ waiter метрдоте́ль 2) головно́й, пере́дний

headache ['hedeɪk] головна́я боль

heading ['hedɪŋ] 1) заголо́вок 2) *ав.* направле́ние полёта

headland ['hedlənd] мыс

headlight ['hedlaɪtl] фа́ра

автомобиля; головной фонарь *(паровоза)*

headline [ˈhedlaɪn] заголовок

headlong [ˈhedlɔŋ] опрометчивый

head-on [ˈhedˈɔn]: ~ collision between two cars столкновение машин в лоб

headquarters [ˈhedˈkwɔːtəz] 1) *воен.* штаб; general ~ ставка, главное командование 2) центр

headstrong [ˈhedstrɔŋ] своевольный

headway [ˈhedweɪ]: make ~ продвигаться вперёд; *перен.* делать успехи

heady [ˈhedɪ] 1) поспешный, внезапный 2) хмельной

heal [hiːl] 1) заживать *(о ране)* 2) излечивать, исцелять

heal||th [ˈhelθ] 1) здоровье 2) *attr.*: ~ service медицинское обслуживание; **~thy** [-ɪ] здоровый

heap [hiːp] **1.** *n* 1) груда, куча *(вещей)* 2) *pl разг.* масса, «куча» *(времени, денег и т.п.)* ◇ she is ~s better *разг.* ей гораздо лучше **2.** *v* нагружать; наваливать; ~ a person with presents засыпать кого-л. подарками

hear [hɪə] (heard) 1) слышать 2) слушать, выслушивать *(наставления)* 3) узнавать *(о чём-л.)* 4) получать известия, письма *(from)* 5) *юр.* разбирать ◇ ~!, ~! правильно!

heard [həːd] *past и p. p. от* hear

hearing [ˈhɪərɪŋ] 1) слух 2) *юр.* слушание *(дела)*

hearken [ˈhɑːk(ə)n] *книжн.* слушать

hearsay [ˈhɪəseɪ] слух *(о чём-л.)*

hearse [həːs] катафалк

heart [hɑːt] 1) сердце; *перен.* душа; after one's own ~ по душе; at ~ в глубине души; в сущности 2) сердцевина, суть 3) *pl карт.* черви 4) *тех.* сердечник ◇ by ~ наизусть; eat one's ~ out чахнуть от горя *(или* тоски); have the ~ *(to)* быть достаточно мужественным *(для того, чтобы)*; ~ and soul всей душой; have one's ~ in one's mouth ≅ душа в пятки ушла; it does my ~ good это меня радует; lose ~ падать духом; set one's ~ upon smth. упорно стремиться к чему-л.; очень хотеть; take smth. to ~ принимать близко к сердцу; win the ~ of smb., win smb.'s ~ добиться чьей-л. взаимности; with all one's ~ от всей души, всей душой

heartache [ˈhɑːteɪk] душевная боль

heart-breaking [ˈhɑːtˌbreɪkɪŋ] душераздирающий

heartburn [ˈhɑːtbəːn] изжога

hearten [ˈhɑːtn] ободрять

heartfelt [ˈhɑːtfelt] искренний

hearth [ˈhɑːθ] очаг, камин; *перен.* домашний очаг; **~-rug** [-rʌg] коврик перед камином

heartily [ˈhɑːtɪlɪ] сердечно, искренне

heartsease [ˈhɑːtsiːz] анютины глазки

hearty [ˈhɑːtɪ] 1) сердечный, искренний; ~ welcome радушный приём; ~ thanks сердечная благодарность 2) обильный *(о еде)*

heat [hi:t] **1.** *n* 1) жара́, зной 2) жар *(при болезни)* 3) си́льное возбужде́ние; гнев, пыл 4) тепло́ 5) *физ.* теплота́ 6) *тех.* пла́вка 7) *спорт.* забе́г, зае́зд ◇ turn on the ~ включи́те отопле́ние **2.** *v* 1) топи́ть 2) разгоряча́ть 3) накаля́ть; нагрева́ть 4) нагрева́ться 5) воспламеня́ться; ~ **up** подогрева́ть, согрева́ть

heater ['hi:tə] нагрева́тельный прибо́р

heath [hi:θ] 1) степь *(поросшая вереском)* 2) ве́реск

heathen ['hi:ðən] **1.** *a* язы́ческий **2.** *n* язы́чник; ~**ish** 1) язы́ческий 2) ва́рварский

heather ['heðə] ве́реск

heating ['hi:tɪŋ] отопле́ние

heave [hi:v] (hove, heaved) 1) вздыма́ться 2) поднима́ть *(тяжесть)* 3) *мор.* тяну́ть *(канат—at)* ◇ ~ in sight появи́ться на горизо́нте *(о корабле)*; ~ a sigh глубоко́ вздохну́ть

heaven ['hevn] не́бо, небеса́; ~**ly** небе́сный; ~ly bodies небе́сные свети́ла ◇ ~ly day изуми́тельный день

heavy ['hevɪ] 1) тяжёлый 2) тяжелове́сный *(о стиле)* 3) оби́льный *(об урожае)* 4) бу́рный *(о море)* 5) си́льный *(о стрельбе, буре, снеге, дожде)* 6) тупо́й, ску́чный *(о человеке)* ◇ ~ traffic си́льное движе́ние; time hangs ~ вре́мя тя́нется ме́дленно

Hebrew ['hi:bru:] **1.** *n* 1) евре́й 2) древнеевре́йский язы́к **2.** *a* (древне)евре́йский

heckle ['hekl] прерыва́ть ора́тора, не дава́ть говори́ть *(репликами, замечаниями с места и т.п.)*

hectare ['hektɑ:] гекта́р

hectic ['hektɪk] 1) чахо́точный; ~ fever изнури́тельная лихора́дка *(при туберкулёзе)* 2) *разг.* возбуждённый, лихора́дочный; ~ time ≅ горя́чее вре́мя

hector ['hektə] задира́ть *(кого-либо)*

hedge [hedʒ] **1.** *n* (жива́я) и́згородь; *перен.* препя́тствие **2.** *v* 1) обноси́ть и́згородью 2) огражда́ть *(себя)*; уклоня́ться *(от ответа)*; ~ **off** отгора́живаться

hedgehog ['hedʒhɔg] ёж

heed ['hi:d] **1.** *n* 1) внима́ние 2) осторо́жность; take ~ остерега́ться; pay ~ обраща́ть внима́ние **2.** *v* обраща́ть внима́ние, забо́титься *(о ком-л.)*; ~**less** 1) невнима́тельный 2) небре́жный; неосторо́жный

heel I [hi:l] 1) пя́тка 2) каблу́к ◇ at (on, upon) one's ~s по пята́м; down at ~ сто́птанный *(о ботинке)*; kick one's ~s стоя́ть в ожида́нии; take to one's ~s улепётывать; turn on one's ~s кру́то поверну́ться

heel II *мор.* **1.** *v* крени́ться **2.** *n* крен

hefty ['heftɪ] дю́жий, здорове́нный

hegemony [hi:'gemənɪ] гегемо́ния

heifer ['hefə] тёлка

height ['haɪt] 1) высота́; вышина́, рост; *перен.* верх *(глупости и т.п.)* 2) возвы́шенность; ~**en** [-n] 1) повыша́ть 2) преувели́чивать; раздува́ть

heinous ['heınəs] отврати́тельный, ужа́сный

heir ['ɛə] насле́дник; **~ess** [-rıs] насле́дница

heirloom ['ɛəlu:m] вещь, передава́емая из ро́да в род по насле́дству

held [held) *past и p. p. от* hold II, I

helicopter ['helıkɔptə] *ав.* геликопте́р, вертолёт

helium ['hi:ljəm] *хим.* ге́лий

hell [hel] ад ◇ go to ~! *груб.* иди́ к чёрту!; what the ~ do you want? *груб.* како́го чёрта вам ну́жно?

he'll [hi:l] *сокр. от* he will

hello ['he'lou] *см.* hallo(a)

helm I [helm] руль; ~ of state *перен* корми́ло правле́ния

helm II *уст. см.* helmet

helmet ['helmıt] шлем

helmsman ['helmzmən] рулево́й

help ['help] **1.** *v* 1) помога́ть; I cannot ~ it я ничего́ не могу́ сде́лать 2): ~ yourself (yourselves) бери́те, пожа́луйста, (са́ми), не церемо́ньтесь; may I ~ you to some fish? позво́льте предложи́ть вам ры́бы; ~ (out) раскла́дывать *(по тарелкам еду)* 3): cannot ~ doing smth. быть не в состоя́нии удержа́ться от чего́-л.; I cannot ~ saying (going *и т.п.)* я не могу́ не сказа́ть (не пойти́ *и т.п.)* **2.** *n* 1) по́мощь 2) помо́щник; she is a great ~ она́ нам о́чень помога́ет 3) домрабо́тница, прислу́га; **~ful** поле́зный

helping ['helpıŋ] по́рция *(кушанья)*

helpless ['helplıs] беспо́мощный, неуме́лый

helpmate ['helpmeıt] 1) помо́щник; това́рищ 2) супру́г; супру́га

helter-skelter ['heltə'skeltə] как попа́ло, беспоря́дочно

hem I [hem] **1.** *n* рубе́ц *(на платье)* **2.** *v* 1) подруба́ть 2) окружа́ть *(in, about, round)*

hem II [mm] *int* гм!

he-man ['hi:'mæn] *разг.* настоя́щий мужчи́на

hemisphere ['hemısfıə] полуша́рие

hemorrhage ['hemərıdʒ] *см.* haemorrhage

hemp [hemp] 1) конопля́ 2) пенька́

hem-stitch ['hemstıtʃ] мере́жка *(вышивка)*

hen [hen] ку́рица

henbane ['henbeın] белена́

hence ['hens] 1) с э́тих пор 2) сле́довательно; **~forth, ~-forward** [-'fɔ:θ, -'fɔ:wəd] с э́тих пор, отны́не

henchman ['hentʃmən] приве́рженец, ста́вленник

hen-hearted ['hen'hɑ:tıd] малоду́шный

hen-house ['henhaus] куря́тник

henpecked ['henpekt]: be ~ быть у жены́ под каблуко́м

her I [hə: *(перед согласными и в конечном положении полная форма)*, hə *(редуцированная форма)*; hə:r *(перед гласными полная форма)*, hər *(редуцированная форма)*] *pers pron (объектн. п. от* she) её, ей

her II *poss pron* её *(принад-*

лежащий ей); свой, своя́, своё, свои́

herald [ˈher(ə)ld] **1.** *n* геро́льд; предве́стник **2.** *v* возвеща́ть *(прибытие)*

herald||ic [heˈrældɪk] гера́льди́ческий; **~ry** [ˈher(ə)ldrɪ] гера́льдика

herb [hə:b] трава́, расте́ние; **~aceous** [hə:ˈbeɪʃəs]: ~aceous border цвето́чный бордю́р; **~arium** [hə:ˈbɛərɪəm] герба́рий; **~ivorous** [hə:ˈbɪvərəs] травоя́дный *(о животном)*

Herculean [ˌhə:kjuˈli:ən] герку́ле́совский

herd [hə:d] **1.** *n* 1) ста́до 2) пасту́х **2.** *v* 1) ходи́ть ста́дом; толпи́ться 2) пасти́ *(скот)* 3) собира́ть вме́сте

herdsman [ˈhə:dzmən] пасту́х

here [hɪə] 1) здесь 2) сюда́ 3) вот; ~ they come! вот и они́ (иду́т)!; ~ you are! *разг.* а) вот вам, пожа́луйста!, вот полюбу́йтесь!; б) вот возьми́те, пожа́луйста ◇ ~'s to you за ва́ше здоро́вье

here||abouts [ˈhɪərəˌbauts] поблизости; **~after** [hɪərˈɑ:ftə] **1.** *adv* позднée, в бу́дущем **2.** *n*: the ~after бу́дущее, гряду́щее

heredi||tary [hɪˈredɪt(ə)rɪ] насле́дственный; **~ty** [-tɪ] насле́дственность

herein [ˈhɪərˈɪn] в э́том; здесь, при сём

hereof [hɪərˈɔv] 1) отсю́да, из э́того 2) об э́том

here||sy [ˈherəsɪ] е́ресь; **~tic** [-tɪk] ерети́к

herewith [ˈhɪəˈwɪð] при э́том

herit||able [ˈherɪtəbl] насле́дуемый; **~age** [-tɪdʒ] насле́дство; насле́дие

hermetic [hə:ˈmetɪk] гермети́ческий

hermit [ˈhə:mɪt] отше́льник, пусты́нник; **~age** [-ɪdʒ] жили́ще отше́льника

hernia [ˈhə:njə] гры́жа

hero [ˈhɪərou] геро́й; H. of the Soviet Union Геро́й Сове́тского Сою́за; H. of Socialist Labour Геро́й Социалисти́ческого Труда́; **~ic** [hɪˈro(u)ɪk] герои́ческий; **~ine** [ˈhero(u)ɪn] герои́ня; **~ism** [ˈhero(u)ɪzm] герои́зм

heron [ˈher(ə)n] ца́пля

herring [ˈherɪŋ] сельдь; red ~ копчёная селёдка

herring-bone [ˈherɪŋboun] «ёлочка» *(рисунок на ткани и т. п.)*

hers [hə:z] *poss pron (несвязанная форма к* her II) *употр. вместо сущ.* её; свой, своя́, своё, свои́

herself [hə:ˈself] 1) *refl pron 3 л. ед. ч. женск. р.* себя́; -ся; she knew ~ well enough она́ зна́ла себя́ доста́точно хорошо́ 2) *emphatic pron* сама́; she ~ knew nothing она́ сама́ ничего́ не зна́ла ◇ she came to ~ она́ пришла́ в себя́; she is not ~ она́ сама́ не своя́; she did the work all by ~ она́ сде́лала э́ту рабо́ту соверше́нно самостоя́тельно (одна́)

he's [hi:z] *сокр. от* he is *или* he has

hesitant [ˈhezɪt(ə)nt] нереши́тельный; **~ly** *см.* hesitatingly

hesitat||e [ˈhezɪteɪt] колеба́ться; стесня́ться, не реша́ться;

~**ingly** нерешительно; ~**ion** [ˌhezɪ'teɪʃ(ə)n] 1) колебáние, нерешительность; сомнéние 2) запинáние

heterogeneous ['hetəro(u)'dʒi:-njəs] разнорóдный

hew ['hju:] рубить *(топором, саблей)*; ~ one's way проклáдывать себé дорóгу; ~ **down** срубáть; ~**er** 1) дровосéк 2) каменотёс 3) *горн.* забóйщик

hexagon ['heksəgən] шестиугóльник

hey! [heɪ] эй! *(оклик)*

heyday ['heɪdeɪ] расцвéт *(жизни)*

hiatus [haɪ'eɪtəs] 1) пробéл, прóпуск 2) *лингв.* хиáтус

hibernate ['haɪbə:neɪt] 1) находиться в зимней спячке *(о животных)* 2) зимовáть в тёплых краях *(о людях)*

hiccough, hiccup ['hɪkʌp] **1.** *v* икáть **2.** *n* икóта

hickory ['hɪkərɪ] гикори *(американский орех)*

hid [hɪd] *past и p. p. от* hide I

hidden ['hɪdn] *p. p. от* hide I

hide I [haɪd] (hid; hid, hidden) прятать, скрывáть ◇ ~-and--seek игрá в прятки

hide II ['haɪd] шкýра; ~**bound** [-baund] *перен.* ýзкий, ограниченный *(о человеке)*

hideous ['hɪdɪəs] отвратительный

hiding ['haɪdɪŋ] пóрка

hiding-place ['haɪdɪŋpleɪs] убéжище, потайнóе мéсто, тайник

hierarchy ['haɪərɑ:kɪ] иерáрхия

hieroglyph ['haɪərəglɪf] иерóглиф

higgledy-piggledy ['hɪgldɪ-'pɪgldɪ] **1.** *a* беспорядочный **2.** *adv* в стрáшном беспорядке

high [haɪ] **1.** *a* 1) высóкий 2) высший; ~ command *воен.* высшее командование 3) возвышенный *(о цели, стремлении)* 4) большóй *(о скорости)* 5) *разг.* пьяный ◇ ~ colour румянец; ~ noon сáмый пóлдень; ~ seas *мор.* открытое мóре; ~ water *мор.* пóлная водá; ~ wind сильный вéтер; ~ words перебрáнка; the meat is ~ мясо с душкóм **2.** *adv* 1) высокó 1) сильно, в высóкой стéпени ◇ ~ and low повсюду, вездé

highball ['haɪbɔ:l] *амер. разг.* стакáн виски с сóдовой водóй

high-born ['haɪbɔ:n] знáтного происхождéния

highlander ['haɪləndə] (шотлáндский) гóрец

highlands ['haɪlənds] *pl* гóрная странá; the H. гóры сéверной Шотлáндии

highly ['haɪlɪ] óчень, в высшей стéпени

highness ['haɪnɪs] высóчество *(титул)*

highway ['haɪweɪ] большáя дорóга; шоссé

highwayman ['haɪweɪmən] разбóйник с большóй дорóги

hike [haɪk] **1.** *v разг.* совершáть длинный путь пешкóм **2.** *n* пешехóдная экскýрсия

hilarious [hɪ'lɛərɪəs] весёлый, шýмный

hill [hɪl] холм; возвышенность

hillock ['hɪlək] хóлмик, бугóр

hillside ['hɪl'saɪd] склон горы

hilly ['hɪlɪ] холмистый

hilt [hɪlt] рукоя́тка *(сабли, кинжала)* ◇ (up) to the ~ *разг.* по́лностью

him [hɪm] *pers pron (объектн. п. от* he) его, ему́

himself [hɪm'self] 1) *refl pron* 3 *л. ед. ч. мужск. р.* себя́; -ся; he knew ~ well enough он знал себя́ доста́точно хорошо́ 2) *emphatic pron* сам; he ~ knew nothing он сам ничего́ не знал ◇ he came to ~ он пришёл в себя́; he is not ~ он сам не свой; he did the work all by ~ он сде́лал э́ту рабо́ту соверше́нно самостоя́тельно (оди́н)

hind I [haɪnd] лань

hind II за́дний *(о ногах и лапах животного, о колёсах)*

hinder I ['haɪndə] *уст. см.* hind II

hinder II ['hɪndə] меша́ть, препя́тствовать *(выполнению чего-либо)*

Hindi ['hɪn'di:] хи́нди *(язык)*

hindmost ['haɪn(d)moust] са́мый за́дний; после́дний

Hindoo ['hɪn'du:] *см.* Hindu

hindrance ['hɪndr(ə)ns] поме́ха

hindsight ['haɪndsaɪt] ≅ за́дним умо́м кре́пок

Hindu ['hɪn'du:] **1.** *n* инду́с **2.** *a* инду́сский

hinge [hɪndʒ] **1.** *n* пе́тля *(на двери);* шарни́р *(в машине)* **2.** *v* 1) прикрепля́ть *(на петлях)* 2) зави́сеть от *(on)*

hint [hɪnt] **1.** *n* намёк; take the ~ поня́ть (намёк) с полусло́ва **2.** *v* намека́ть; ~ at намека́ть на

hinterland ['hɪntəlænd] райо́ны вглубь от прибре́жной полосы́ *или* грани́цы

hip I [hɪp] 1) бедро́ 2) *attr.:* ~ pocket за́дний карма́н

hip II: ~, ~, hurrah! ура́!

hippodrome ['hɪpədroum] ипподро́м

hippopotamus [,hɪpə'pɔtəməs] *(pl* -es [-ɪz], -mi [-maɪ] гиппопота́м

hire ['haɪə] **1.** *v* 1) нанима́ть *(работника);* брать напрока́т *(вещь)* 2) (out) сдава́ть в наём **2.** *n* 1) наём 2) наёмная пла́та; **~ling** [-lɪŋ] *презр.* наёмник

hirsute ['hə:sju:t] волоса́тый

his [hɪz] *poss pron (связанная и несвязанная форма)* его́ *(принадлежащий ему);* свой, своя́, своё, свои́

hiss [hɪs] **1.** *v* 1) шипе́ть 2) освиста́ть *(в театре)* **2.** *n* 1) шипе́ние 2) свист

histor||ian [hɪs'tɔ:rɪən] исто́рик; **~ic** [-ɪk] истори́ческий, име́ющий истори́ческое значе́ние; **~ical** [-ɪk(ə)l] истори́ческий, относя́щийся к исто́рии; ~ical approach (method) истори́ческий подхо́д (ме́тод)

history ['hɪst(ə)rɪ] исто́рия

histrionic [,hɪstrɪ'ɔnɪk] драмати́ческий, театра́льный

hit [hɪt] **1.** *v* (hit) 1) ударя́ть 2) уда́риться 3) попада́ть в цель 4) найти́, натолкну́ться *(on)* ◇ ~ it, ~ the (right) nail on the head ≅ попа́сть в то́чку, угада́ть; ~ it off with smb. ла́дить с кем-л. **2.** *n* 1) уда́р 2) попада́ние 3) (большо́й) успе́х, уда́ча 4) вы́пад; ядови́тое замеча́ние

hitch [hɪtʃ] **1.** *v* 1) подтя́гивать 2) прицепля́ть *(крючком)* 3) прицепля́ться, зацепля́ться

2. *n* 1) толчо́к 2) *мор.* у́зел 3) заде́ржка, поме́ха ◇ without a ~ гла́дко; без сучка́, без задо́ринки

hitch(-hike) ['hɪtʃhaɪk] *разг.* беспла́тно прое́хать на попу́тной маши́не

hither ['hɪðə] сюда́ ◇ ~ and thither, *амер.* ~ and yon то туда́, то сюда́; **~to** [-tuː] до сих по́р, пре́жде

hit-or-miss ['hɪtɔː'mɪs] как попа́ло

hive [haɪv] **1.** *n* у́лей **2.** *v* сажа́ть пчёл в у́лей; ~ **off** *разг.* отдели́ться, вы́делиться *(в дочернее предприятие и т. п.)*

hives [haɪvz] *pl мед.* крапи́вница

hoar [hɔː] **1.** *n* и́ней **2.** *a* седо́й

hoard [hɔːd] **1.** *n* запа́с **2.** *v* откла́дывать

hoarding ['hɔːdɪŋ] вре́менный забо́р *(вокруг строящегося дома)*

hoar-frost ['hɔː'frɔst] и́ней, и́зморозь

hoarse [hɔːs] хри́плый

hoary ['hɔːrɪ] покры́тый и́неем, седо́й

hoax [houks] **1.** *v* подшу́чивать **2.** *n* мистифика́ция, ро́зыгрыш

hob [hɔb] по́лка, вы́ступ в ками́не для разогрева́ния пи́щи

hobble ['hɔbl] 1) хрома́ть 2) стрено́жить *(лошадь)*

hobby ['hɔbɪ] излю́бленное заня́тие, конёк, хо́бби; **~-horse** [-hɔːs] па́лочка с голово́й ло́шади *(игрушка)* ◇ now he's started on his ~-horse тепе́рь он сел на своего́ конька́

hobgoblin ['hɔb,gɔblɪn] домово́й; *перен.* пу́гало

hobnailed ['hɔbneɪld]: ~ boots го́рные боти́нки

hob-nob ['hɔbnɔb] пить вме́сте; обща́ться

hobo ['houbou] *амер. разг.* бродя́га

hock I [hɔk] *анат.* поджи́лки

hock II рейнве́йн

hockey ['hɔkɪ] хокке́й

hocus-pocus ['houkəs'poukəs] фо́кус-по́кус; надува́тельство

hodge-podge ['hɔdʒpɔdʒ] *см.* hotchpotch

hoe [hou] **1.** *n* моты́га **2.** *v* моты́жить

hog [hɔg] **1.** *n* свинья́ ◇ go the whole ~ сде́лать что-л. по́лностью, до конца́ **2.** *v*: ~ it *разг.* обжира́ться

hogmanay ['hɔgmənei] *шотл.* кану́н Но́вого го́да

hogshead ['hɔgzhed] 1) больша́я бо́чка 2) ме́ра жи́дкости *(около 238 л)*

hoist [hɔɪst] **1.** *v* поднима́ть *(парус, флаг, груз)*; ~ **in** подня́ть на́ борт **2.** *n* 1) подъёмник 2) подса́живание

hoity-toity ['hɔɪtɪ'tɔɪtɪ] *разг.* надме́нный

hold I [hould] *мор.* трюм

hold II **1.** *v* (held) 1) держа́ть 2) вмеща́ть 3) приде́рживаться *(мнения)*; I ~ him to be wrong я счита́ю, что он непра́в 4) *воен.* оборона́ть 5) владе́ть; име́ть 6) проводи́ть *(собрание, демонстрацию)* 7) име́ть си́лу *(о законе)*; ~ good оста́ться в си́ле 8) *амер.* держа́ть в тюрьме́; ~ **back** а) возде́рживаться; сде́рживаться; б) удéрживать; сдéрживать *(from)*; ~ **down** держáть в подчинéнии; ~ **forth** разглагóльствовать; ~ **off** держáться пóодаль; ~ **on** а) держáться *(за что-л.)*; б) : ~ on подождúте; ~ **out** а) держáться, не сдавáться; вы́держать; б) протя́гивать *(руку)*; ~ **over** отложúть; ~ **up** а) поддéрживать; б) выставля́ть; в) задéрживать, останáвливать; грáбить ◇ ~ dear дорожúть; ~ in esteem уважáть; ~ oneself ready быть наготóве; ~ one's own *(или* ground) а) сохраня́ть свои позúции; б) сохраня́ть достóинство *или* самообладáние; it doesn't ~ water это не выдéрживает никакóй крúтики, это нелогúчно; ~ it against smb. имéть претéнзию к комý-л. **2.** *n* 1) владéние; захвáт; take ~ *(of)* схватúть, завладéть 2) власть; влия́ние; have a ~ *(on)* имéть влия́ние

holdall ['houldɔ:l] портплéд; вещевóй мешóк

holdback ['houldbæk] задéржка

hold||er ['houldə] 1) владéлец; держáтель 2) обладáтель *(приза)* 3) рýчка, рукоя́тка 4) *эл.* патрóн; ~**ing** владéние

hold-up ['houldʌp] *разг.* налёт, вооружённое ограблéние *(на улице, дороге)*

hole [houl] **1.** *n* 1) дырá, отвéрстие 2) углублéние, я́ма 3) норá *(зверя)* ◇ pick ~s *(in)* находúть недостáтки **2.** *v* продыря́вливать

holiday ['hɔlədı] 1) прáздник; *pl* канúкулы 2) *attr.* прáздничный; каникуля́рный

holiness ['houlınıs] свя́тость

hollo(a) ['hɔlou] кричáть; звать

hollow ['hɔlou] **1.** *a* 1) пустóй, пóлый; ~ tree дуплúстое дéрево 2) впáлый *(о щеках)* 3) глухóй *(о звуке и т. п.)* 4) нейскренний 5) голóдный **2.** *n* 1) впáдина, углублéние 2) дуплó **3.** *v* выдáлбливать *(часто* ~ out) **4.** *adv*: beat ~ разбúть нáголову

holly ['hɔlı] остролúст

hollyhock ['hɔlıhɔk] *бот.* алтéй

holocaust ['hɔləkɔ:st] пóлное уничтожéние

holster ['houlstə] кобурá

holy ['houlı] святóй; H.Writ бúблия

holystone ['houlıstoun] мя́гкий песчáник *(для чистки палубы)*

homage ['hɔmıdʒ] почтéние, уважéние

home ['houm] **1.** *n* 1) дом *(место постоянного жительства)*; at ~ дóма; feel at ~ чýвствовать себя́ как дóма 2) рóдина 3) дом *(инвалидов и т. п.)* ◇ make yourself at ~ бýдьте как дóма **2.** *a* 1) домáшний 2) роднóй *(о городе)* 3) внýтренний *(о торговле и т. п.)*; H. Office министéрство внутренних дел ◇ H. Army, H. Fleet áрмия, флот метропóлии; ~ truth гóрькая úстина **3.** *adv* 1) домóй; go ~ идтú домóй 2) (тóчно) в цель; the thrust went ~ удáр попáл (пря́мо) в цель; ~**-grown** [-'groun] 1) домáшний 2) мéстного произво́дства; **~sick** [-sɪk]: be ~sick тоскова́ть по ро́дине, до́му; **~stead** [-sted] 1) уса́дьба 2) *амер.* уча́сток *(поселенца)*

homicide ['hɔmɪsaɪd] 1) уби́йца 2) уби́йство

homily ['hɔmɪlɪ] *церк.* про́поведь

hominy ['hɔmɪnɪ] мамалы́га

homogeneous [ˌhɔmə'dʒi:njəs] одноро́дный

hones||t ['ɔnɪst] че́стный; и́скренний; **~ty** [-ɪ] че́стность

honey ['hʌnɪ] 1) мёд 2) *разг.* ми́лый, ми́лая *(в обращении)*; **~comb** [-koum] 1) медо́вые со́ты 2) *тех.* свищ; **~combed** [-koumd] *тех.* по́ристый; **~moon** [-mu:n] медо́вый ме́сяц

honeysuckle ['hʌnɪˌsʌkl] жи́молость

honk [hɔŋk] 1) крик ди́ких гусе́й 2) звук автомоби́льной сире́ны

honor ['ɔnə] *см.* honour

honorary ['ɔn(ə)rərɪ] 1) почётный 2) неопла́чиваемый

honorific [ˌɔnə'rɪfɪk] *лингв.* относя́щийся к фо́рмам ве́жливости

honour ['ɔnə] **1.** *n* честь; *pl* по́чести; do the ~ оказа́ть честь; graduate with ~s око́нчить с отли́чием *(высшее уче́бное заведение)* **2.** *v* 1) уважа́ть; ~ *(with)* удоста́ивать 2) оплати́ть *(чек)*; **~able** [-rəbl] 1) че́стный 2) почётный 3): Right Honourable достопочте́нный

hooch [hu:tʃ] *амер.* *разг.* спиртно́й напи́ток

hood [hud] 1) капюшо́н 2) ка́пор 3) *тех.* колпа́к

hoodlum ['hu:dləm] *амер.* хулига́н

hoodwink ['hudwɪŋk] обма́нывать, дура́чить

hoof [hu:f] *(pl* hoofs [-s] *и* hooves) копы́то; **~ed** [-t] копы́тное

hook ['huk] **1.** *n* крючо́к; ~ and eye крючо́к с пе́тлей ◇ by ~ or by crook все́ми пра́вдами и непра́вдами **2.** *v* 1) цепля́ть крючко́м 2) застёгивать *(на крючок)* 3) лови́ть, пойма́ть *(рыбу)* ◇ be ~ed (on drugs) пристрасти́ться к нарко́тикам; **~ed** [-t] криво́й; **~-nosed** [-'nouzd] с орли́ным но́сом

hooligan ['hu:lɪgən] хулига́н

hoop [hu:p] **1.** *n* 1) о́бруч; серсо́ 2) воро́та *(в крокете)* **2.** *v* скрепля́ть о́бручем

hooping-cough ['hu:pɪŋkɔf] = whooping-cough

hoot ['hu:t] **1.** *v* 1) крича́ть *(о сове)* 2): ~ down (away, off) осви́стывать *(актёра)* 3): ~ with laughter разрази́ться гро́мким сме́хом 4) дава́ть гудо́к *(об автомобиле)* **2.** *n* 1) сови́ный крик 2) осви́стывание 3): ~s of laughter *разг.* гро́мкий смех; **~er** сире́на, гудо́к

hooves [hu:vz] *pl от* hoof

hop I [hɔp] **1.** *v* пры́гать **2.** *n* 1) прыжо́к 2) *разг.* та́нец

hop II хмель

hope ['houp] **1.** *n* наде́жда **2.** *v* наде́яться; **~ful** 1) наде́ющийся 2) многообеща́ющий; **~less** безнадёжный

hopscotch ['hɔpskɔtʃ] «кла́ссы» *(детская игра)*

horde [hɔ:d] 1) ордá 2) стáя, рой *(насекомых)* 3) *(часто pl) презр.* ватáга, шáйка; тóлпы, пóлчища *(народа)*

horizon [hə'raɪzn] горизóнт; ~**tal** [ˌhɔrɪ'zɔntl] **1.** *n* горизонтáль **2.** *a* горизонтáльный

horn [hɔ:n] 1) рог 2) ýсик *(насекомого)* 3) гудóк; рожóк *(муз. инструмент)*

hornbeam ['hɔ:nbi:m] граб *(дерево)*

hornet ['hɔ:nɪt] *зоол.* шéршень ◇ bring a ~s' nest about one's ears растревóжить осúное гнездó

horny ['hɔ:nɪ] 1) роговóй 2) мозóлистый

horr||ible ['hɔrəbl] ужáсный; ~**id** ['hɔrɪd] 1) стрáшный 2) *разг.* ужáсный; ~**ify** ['hɔrɪfaɪ] приводúть в ýжас; ~**or** ['hɔrə] ýжас; отвращéние

horse ['hɔ:s] лóшадь; конь ◇ ~ sense *разг.* здрáвый смысл; don't look a gift ~ in the mouth дарёному коню́ в зýбы не смóтрят; put the cart before the ~ сдéлать наоборóт; be on one's high ~ *разг.* вáжничать; ~**back** [-bæk]: on ~back верхóм

horse||collar ['hɔ:sˌkɔlə] хомýт; ~**man** [-mən] всáдник; ~**power** [-ˌpauə] *тех.* лошадúная сúла; ~**-radish** [-ˌrædɪʃ] хрен; ~**shoe** [-ʃu:] подкóва; ~**woman** [-ˌwumən] всáдница, амазóнка

horticultur||e ['hɔ:tɪkʌltʃə] садовóдство; ~**ist** [ˌhɔ:tɪ'kʌltʃ(ə)rɪst] садовóд

hos||e [houz] 1) *собир.* чулкú 2) шланг *(для поливки); разг.* кишкá; ~**iery** ['houʒərɪ] трикотáж; чулóчные издéлия

hospitable ['hɔspɪtəbl] гостеприúмный

hospital ['hɔspɪtl] больнúца; *воен.* гóспиталь

hospitality [ˌhɔspɪ'tælɪtɪ] гостеприúмство

host I [houst] хозя́ин *(дома, гостиницы)*

host II сонм, мнóжество

hostage ['hɔstɪdʒ] залóжник

hostel ['hɔst(ə)l] общежúтие

hostess ['houstɪs] хозя́йка *(дома)*

hostil||e ['hɔstaɪl] враждéбный; неприя́тельский; ~**ity** [hɔs'tɪlɪtɪ] 1) враждéбность 2) *pl воен.* боевы́е дéйствия

hot ['hɔt] **1.** *a* 1) горя́чий; жáркий; boiling ~ кипя́щий 2) пы́лкий; he has a ~ temper он вспы́льчив 3) óстрый *(о пище)* 4) свéжий *(о следе)* ◇ ~ air *разг.* бахвáльство; get into ~ water попáсть в немúлость **2.** *adv* горячó; жáрко; пы́лко; give it smb. ~ *перен.* «задáть бáню» комý-л.; ~**bed** [-bed] парнúк; *перен.* рассáдник, очáг; ~**-blooded** [-'blʌdɪd] стрáстный; горя́чий

hotchpotch ['hɔtʃpɔtʃ] суп из мя́са и овощéй; *перен.* всякая вся́чина

hot dog ['hɔtdɔg] *амер.* бутербрóд с горя́чей сосúской

hotel [ho(u)'tel] гостúница, отéль

hot-headed ['hɔt'hedɪd] горя́чий, вспы́льчивый

hothouse ['hɔthaus] теплúца

hound [haund] **1.** *n* 1) гóнчая

собáка 2) мерзáвец **2.** *v* травúть собáками; *перен.* преслéдовать

hour ['auə] час; half an ~ полчáса; in an ~ чéрез час ◇ keep early ~s рáно вставáть и рáно ложúться спать; keep late ~s пóздно вставáть и пóздно ложúться спать; dinner ~ обéденное врéмя; at the eleventh ~ в послéднюю минýту; **~ly 1.** *a* 1) ежечáсный 2) почасовóй *(об оплате)* **2.** *adv* ежечáсно

house 1. *n* [haus] 1) дом; prefabricated ~ сбóрный дом *(изготовленный заводским способом)* 2) палáта *(в парламенте)*; H. of Commons палáта óбщин; H. of Lords палáта лóрдов 3) сеáнс *(в кино)* 4) *театр.*: full ~ пóлный сбор; bring down the ~ вызвать гром аплодисмéнтов 5) динáстия *(королевская)* ◇ keep ~ вестú (домáшнее) хозя́йство; like a ~ on fire *разг.* бы́стро и энергúчно **2.** *v* [hauz] 1) обеспéчивать жильём 2) приютúть 3) помещáть, располагáть

house||hold ['haushould] 1) домáшние *(семья)* 2) хозя́йство; **~keeper** [-ˌki:pə] эконóмка; **~keeping** [-ˌki:pɪŋ] домáшнее хозя́йство; **~maid** [-meɪd] гóрничная; **~-warming** [-ˌwɔ:mɪŋ] прáзднование новосéлья

housewife ['hauswaɪf] домáшняя хозя́йка

housing ['hauzɪŋ] 1) жилúщное строúтельство 2) обеспéчение жильём

hove [houv] *past и p. p. от* heave

hovel ['hɔv(ə)l] лачýга

hover ['hovə] 1) парúть *(о птице)* 2) держáться поблúзости, быть на подхвáте; ~ **about** слоня́ться ◇ ~ on the verge of death быть на краю́ могúлы

how [hau] как, какúм óбразом; ~ many?, ~ much? скóлько? ◇ ~ do you do? здрáвствуйте!

however [hau'evə] **1.** *cj* однáко, тем не мéнее **2.** *adv* как бы ни

howitzer ['hauɪtsə] *воен.* гáубица

howl ['haul] **1.** *v* выть, завывáть **2.** *n* завывáние; **~er** *разг.* грубéйшая *или* глупéйшая ошúбка

hoy! [hɔɪ] эй!

hub [hʌb] ступúца *(колеса)*; *перен. тж.* центр *(чего-л.)*

hubbub ['hʌbʌb] гам, шум

hubby ['hʌbɪ] *разг.* муженёк

huckleberry ['hʌklberɪ] чернúка

huckster ['hʌkstə] разнóсчик

huddle ['hʌdl] **1.** *n* 1) беспоря́дочная кýча; свáлка; грýда 2) толпá ◇ go *(или* get) into a ~ *разг.* собирáться для совещáния **2.** *v* 1) жáться, теснúться, толпúться 2) *(обыкн.* ~ up) ёжиться

hue I [hju:] оттéнок

hue II: ~ and cry а) шум, крик; б) погóня

huf||f ['hʌf]: take the ~, be in a ~ обижáться; **~fy** [-ɪ] обúдчивый

hug [hʌg] **1.** *v* 1) обнимáть 2) держáться чегó-л. *(тж. перен.)* ◇ ~ oneself *(for)* поздравля́ть себя́ *(с чем-л.)* **2.** *n* кре́пкое объя́тие

huge [ˈhju:dʒ] огро́мный; **~ly** о́чень

hugger-mugger [ˈhʌgəˌmʌgə] 1) та́йно 2) беспоря́дочно

hulk [ˈhʌlk] 1) ко́рпус корабля́ *(не пригодного для плавания)* 2) *разг.* большо́й неуклю́жий челове́к; **~ing** неуклю́жий

hull I [hʌl] **1.** *n* шелуха́, кожура́ **2.** *v* очища́ть от кожуры́, лущи́ть

hull II ко́рпус *(корабля, танка и т. п.)*

hullo [ˈhʌˈlou] *см.* hallo(a)

hum [hʌm] **1.** *v* 1) жужжа́ть 2) напева́ть про себя́ 3) мя́млить; ~ and haw а) запина́ться, мя́млить; б) колеба́ться 4) *разг.* развива́ть бу́рную де́ятельность; the work is fairly ~ming рабо́та кипи́т **2.** *n* жужжа́ние; гуде́ние 3) *int* *(тж.* h'm) гм!

human [ˈhju:mən] челове́ческий; **~e** [-ˈmeɪn] 1) челове́чный 2) гуманита́рный *(о науке)*; **~ism** 1) гума́нность 2) гумани́зм; **~itarian** [hju:ˌmænɪˈtɛrɪən] **1.** *n* гумани́ст **2.** *a* гуманита́рный; **~ity** [-ˈmænɪtɪ] 1) челове́чество 2) челове́ческая приро́да 3) гума́нность

humble [ˈhʌmbl] **1.** *a* 1) поко́рный, смире́нный; your ~ servant *уст.* ваш поко́рный слуга́ 2) скро́мный *(о достатке, вещи)* ◇ eat ~ pie унижа́ться **2.** *v* унижа́ть, смиря́ть; ~ oneself унижа́ться

humble-bee [ˈhʌmblbi:] *см.* bumble-bee

humbug [ˈhʌmbʌg] **1.** *n* 1) надува́тельство 2) обма́нщик **2.** *v* обма́нывать **3.** *int* чепуха́!

humdrum [ˈhʌmdrʌm] ску́чный, бана́льный

humid [ˈhju:mɪd] вла́жный, сыро́й; **~ity** [-ˈmɪdɪtɪ] вла́жность, сы́рость

humil||iate [hju:ˈmɪlɪeɪt] унижа́ть; **~iation** [hju:ˌmɪlɪˈeɪʃ(ə)n] униже́ние; **~ity** [-ɪtɪ] скро́мность, смире́ние

hummock [ˈhʌmək] приго́рок; хо́лмик

humor [ˈhju:mə] *см.* humour

humor||ist [ˈhju:mərɪst] юмори́ст; **~ous** [-rəs] юмористи́ческий; заба́вный

humour [ˈhju:mə] **1.** *n* 1) ю́мор 2) настрое́ние; out of ~ не в ду́хе **2.** *v* ублажа́ть; потво́рствовать

hump [ˈhʌmp] горб; **~back** [-bæk] горбу́н; **~backed** [-bækt] горба́тый

humus [ˈhju:məs] перегно́й

hunch [ˈhʌntʃ] **1.** *v* 1) сгиба́ть 2) го́рбить **2.** *n* 1) горб 2) то́лстый кусо́к 3) *разг.* подозре́ние; предчу́вствие; **~backed** [-bækt] горба́тый

hundred [ˈhʌndrəd] со́тня; **~fold** [-fould] стокра́тный; **~th** [-θ] со́тый

hundredweight [ˈhʌndrədweɪt] це́нтнер *(в Англии = 50,8 кг, в Америке = 43,36 кг)*

hung [hʌŋ] *past и p. p. от* hang I, 1

Hungarian [hʌŋˈgɛərɪən] **1.** *n* 1) венгр; венге́рка 2) венге́рский язы́к **2.** *a* венге́рский

hunger [ˈhʌŋgə] **1.** *n* го́лод; *перен.* жа́жда *(чего-л.)* **2.** *v* 1) испы́тывать чу́вство го́лода 2)

~ for *перен.* жа́ждать *(чего-л.)*; **~-strike** [-straɪk] голодо́вка *(тюремная)*

hungry [ˈhʌŋgrɪ] голо́дный

hunk [hʌŋk] то́лстый кусо́к

hunt [ˈhʌnt] **1.** *v* охо́титься; **~ down** вы́следить, пойма́ть; **~ out, ~ up** выи́скивать; разы́скивать **2.** *n* 1) охо́та; пого́ня 2) по́иски *(работы и т. п.)*; **~er** охо́тник; **~ing 1.** *n* охо́та **2.** *a* охо́тничий

huntsman [ˈhʌntsmən] 1) е́герь 2) охо́тник

hurdle [ˈhəːdl] 1) перено́сная загоро́дка 2) *спорт.* барье́р; **~-race** [-reɪs] *спорт.* барье́рный бег

hurdy-gurdy [ˈhəːdɪˌgəːdɪ] шарма́нка

hurl [həːl] **1.** *v* швыря́ть **2.** *n* ре́зкий бросо́к

hurly-burly [ˈhəːlɪˌbəːlɪ] смяте́ние

hurrah [huˈrɑː] ура́!

hurricane [ˈhʌrɪkən] урага́н

hurriedly [ˈhʌrɪdlɪ] на́спех

hurry [ˈhʌrɪ] **1.** *v* 1) торопи́ть 2) торопи́ться; ~ up! поторопи́тесь!; скоре́е! **2.** *n* спе́шка; торопли́вость; in a ~ второпя́х, на́спех; be in a ~ торопи́ться; спеши́ть; what is the ~? к чему́ така́я спе́шка?

hurt [həːt] **1.** *v* (hurt) 1) повреди́ть 2) причиня́ть боль; *перен.* задева́ть, обижа́ть 3) *разг.* боле́ть *(о руке, ноге и т. п.)* **2.** *n* 1) уще́рб 2) вред; **~ful** вре́дный

hurtle [ˈhəːtl] ста́лкиваться; нести́сь, мча́ться

husband [ˈhʌzbənd] **1.** *n* муж **2.** *v* относи́ться по-хозя́йски; тра́тить эконо́мно; **~ry** [-rɪ] хозя́йство *(тж. сельское)*; земледе́лие

hush [hʌʃ] **1.** *v* водворя́ть тишину́; **~ up** замя́ть *(дело)*; зама́лчивать **2.** *n* тишина́; **~-money** [-ˌmʌnɪ] взя́тка за молча́ние

husk [hʌsk] **1.** *n* шелуха́; скорлупа́ **2.** *v* снима́ть шелуху́

husky I [ˈhʌskɪ] 1) по́лный шелухи́ 2) хри́плый 3) *разг.* ро́слый, си́льный

husky II ла́йка *(собака)*

hussar [huˈzɑː] гуса́р

hussy [ˈhʌsɪ] наха́льная де́вка

hustle [ˈhʌsl] **1.** *v* 1) толка́ть 2) прота́лкиваться *(сквозь толпу)* 3) де́йствовать бы́стро и энерги́чно **2.** *n* 1) толкотня́ 2) энерги́чная де́ятельность

hut [hʌt] хи́жина, лачу́га

hutch [hʌtʃ] 1) кле́тка *(для кроликов и т. п.)* 2) ларь, сунду́к

hybrid [ˈhaɪbrɪd] **1.** *n* гибри́д, по́месь **2.** *a* гибри́дный, сме́шанный, разноро́дный

hydra [ˈhaɪdrə] ги́дра

hydrangea [haɪˈdreɪndʒə] горте́нзия

hydrant [ˈhaɪdr(ə)nt] водоразбо́рный кран

hydrate [ˈhaɪdreɪt] *хим.* гидра́т; ~ of lime гашёная и́звесть

hydraulic [haɪˈdrɔːlɪk] гидравли́ческий; **~s** [-s] гидра́влика

hydrocarbon [ˈhaɪdro(u)ˈkɑːbən] *хим.* углеводоро́д

hydrogen [ˈhaɪdrɪdʒ(ə)n] водоро́д

hydropathic [ˌhaɪdrəˈpæθɪk] **1.** *n* водолечебница **2.** *a* водолечебный

hydrophobia [ˌhaɪdrəˈfoubjə] водобоязнь, бешенство

hydroplane [ˈhaɪdro(u)pleɪn] гидроплан

hyena [haɪˈiːnə] гиена

hygiene [ˈhaɪdʒiːn] гигиена

hygroscopic [ˈhaɪgrəskoupɪk] гигроскопический

hymn [hɪm] церковный гимн

hyperbol||**e** [haɪˈpəːbəlɪ] гипербола; **~ical** [ˌhaɪpəˈbɔlɪk(ə)l] преувеличенный

hyperborean [ˌhaɪpəːbɔːˈriːən] житель крайнего севера

hypercritical [ˈhaɪpəːˌkrɪtɪk(ə)l] придирчивый

hypersonic [ˈhaɪpəːˈsounɪk] сверхзвуковой

hyphen [ˈhaɪf(ə)n] **1.** *n* дефис, соединительная чёрточка **2.** *v* писать через дефис; **~ate** [-eɪt] *см.* hyphen 2

hypno||**sis** [hɪpˈnousɪs] гипноз; **~tic** [-ˈnɔtɪk] 1) гипнотический 2) снотворный, наркотический

hypnotize [ˈhɪpnətaɪz] гипнотизировать

hypocri||**sy** [hɪˈpɔkrəsɪ] лицемерие; **~te** [ˈhɪpɔkrɪt] лицемер

hypodermic [ˌhaɪpəˈdəːmɪk] подкожный

hypothe||**sis** [haɪˈpɔθɪsɪs] *(pl* -ses [-siːz]) гипотеза; **~tical** [ˌhaɪpo(u)ˈθetɪk(ə)l] гипотетический

hysteri||**a** [hɪsˈtɪərɪə] истерия; **~cal** [-ˈterɪk(ə)l] истерический; **~cs** [-ˈterɪks] истерика, истерический припадок

I

I, i I [aɪ] *девятая буква англ. алфавита*

I II *pers pron им. п. (объектн. п.* me) я.

ibidem [ɪˈbaɪdem] *лат.* там же

ice [ˈaɪs] **1.** *n* 1) лёд 2) мороженое ◇ break the ~ сломать лёд, нарушить молчание; cut no ~ ничего не добиться **2.** *v* 1) замораживать 2) покрывать сахарной глазурью; **~ up** обледенеть *(о самолёте и т. п.)*; **~-age** [-eɪdʒ] ледниковый период; **~berg** [-bəːg] айсберг; **~boat** [-bout] буер *(парусные сани)*; **~-box** [-bɔks] комнатный ледник; **~-breaker** [-ˌbreɪkə] ледокол; **~-cream** [-ˈkriːm] (сливочное) мороженое

Iceland||**er** [ˈaɪsləndə] исландец; исландка; **~ic** [aɪsˈlændɪk] **1.** *a* исландский **2.** *n* исландский язык

icicle [ˈaɪsɪkl] сосулька

icing [ˈaɪsɪŋ] сахарная глазурь

icon [ˈaɪkɔn] икона; изображение

iconoclast [aɪˈkɔnəklæst] *ист.* иконоборец; *перен.* бунтарь

icy [ˈaɪsɪ] ледяной

I'd [aɪd] *сокр. от* I should, I would, I had

ide||**a** [aɪˈdɪə] 1) идея, мысль, понятие 2) намерение, цель; **~al** [-l] **1.** *a* идеальный **2.** *n* идеал; **~alism** идеализм; **~alist** идеалист; **~alize** [-laɪz] идеализировать

idem [ˈaɪdem] *лат.* 1) тот же автор 2) то же слово

identi||cal [aɪ'dentɪk(ə)l] 1) тождéственный 2) тот же сáмый *(об одном и том же предмете)*; **~fication** [aɪˌdentɪfɪ'keɪʃ(ə)n] 1) отождествлéние 2) опознавáние; **~fy** [aɪ'dentɪfaɪ] 1) отождествля́ть 2) отождествля́ться *(with)* 3) опознавáть; **~ty** [aɪ'dentɪtɪ] 1) тождéственность 2) *мат.* тóждество; ◇ ~ty card удостоверéние ли́чности

ideolo||gical [ˌaɪdɪə'lɔdʒɪk(ə)l] идеологи́ческий; **~gist** [ˌaɪdɪ'ɔlədʒɪst] идеóлог; **~gy** [ˌaɪdɪ'ɔlədʒɪ] идеолóгия

idiocy ['ɪdɪəsɪ] идиоти́зм

idiom ['ɪdɪəm] 1) идиóма, идиомати́ческое выражéние 2) гóвор, диалéкт; **~atic** [ˌɪdɪə'mætɪk] идиомати́ческий

idiot ['ɪdɪət] идиóт; **~ic** [ˌɪdɪ'ɔtɪk] идиóтский

idl||e ['aɪdl] **1.** *a* 1) лени́вый; прáздный 2) нерабóтающий; незáнятый; stand ~ не рабóтать *(о заводе)* 3) бесполéзный, тщéтный **2.** *v* 1) лени́ться; бездéльничать; ~ away one's time бездéльничать 2) *тех.* рабóтать вхолостýю *(о моторе и т. п.)*; **~er** бездéльник; лентя́й

idol ['aɪdl] 1) куми́р 2) и́дол; **~ize** ['aɪdəlaɪz] 1) дéлать куми́ра *(из кого-л.)* 2) поклоня́ться, обожáть

idyll ['ɪdɪl] иди́ллия

if [ɪf] **1.** *cj* 1) éсли; if I see him I'll speak to him я поговорю́ с ним, éсли я егó уви́жу 2) ли; I don't know if they are here я не знáю, здесь ли они́ 3): as if как бýдто, слóвно; as if you did not know! как бýдто вы не знáли!; even if дáже éсли 4) éсли бы; if he'd only come! éсли бы он тóлько пришёл! **2.** *n*: if ifs and ans were pots and pans *погов.* ≅ éсли бы да кабы́

igneous ['ɪgnɪəs] 1) óгненный 2) *геол.* вулкани́ческого происхождéния

ignite [ɪg'naɪt] 1) зажигáть 2) загорáться

ignoble [ɪg'noubl] пóдлый, ни́зкий

ignomi||nious [ˌɪgnə'mɪnɪəs] позóрный; **~ny** ['ɪgnəmɪnɪ] позóр; бесчéстье

ignoramus [ˌɪgnə'reɪməs] невéжда

ignor||ance ['ɪgn(ə)r(ə)ns] 1) невéжество 2) невéдение; **~ant** [-(ə)nt] невéжественный; несведýщий

ignore [ɪg'nɔ:] игнори́ровать

ikon ['aɪkɔn] *см.* icon

il- [ɪl-] *префикс, имеющий отрицательное значение*

ilk [ɪlk] *шотл.*: and others of that ~ и други́е тогó же рóда

ill [ɪl] **1.** *a* 1) *predic* больнóй; be ~ быть больны́м; fall ~ заболéть 2) дурнóй, нехорóший; ~ will враждéбность **2.** *n* 1) зло 2) *pl* несчáстья **3.** *adv* 1) плóхо; speak ~ of smb. плóхо отзывáться о ком-л. 2) едвá ли; I can ~ afford... я с трудóм могý себé позвóлить... ◇ ~ at ease не по себé

ill-advised ['ɪləd'vaɪzd] неблагоразýмный

ill-bred ['ɪl'bred] невоспи́танный

ill-considered ['ɪlkən'sɪdəd] необдýманный

illegal [ɪ'li:g(ə)l] нелегáльный; незакóнный; **~ity** [,ɪli:'gælɪtɪ] незакóнность

illeg||ibility [ɪ,ledʒɪ'bɪlɪtɪ] неразбóрчивость; **~ible** [ɪ'ledʒəbl] неразбóрчивый, нечёткий

illegitimate [,ɪlɪ'dʒɪtɪmɪt] **1.** *n* незаконнорождённый **2.** *a* незакóнный

ill-fated ['ɪl'feɪtɪd] злополýчный

ill-favoured ['ɪl'feɪvəd] некрасúвый

ill-gotten ['ɪl'gɔtn] полýченный нечéстным путём; ~ wealth нагрáбленное богáтство

illiberal [ɪ'lɪb(ə)r(ə)l] 1) ограни́ченный *(о взглядах)* 2) скупóй

illicit [ɪ'lɪsɪt] незакóнный; запрещённый

illimitable [ɪ'lɪmɪtəbl] неограни́ченный

illitera||cy [ɪ'lɪt(ə)rəsɪ] негрáмотность; **~te** [-rɪt] негрáмотный

ill-mannered ['ɪl'mænəd] невоспи́танный

illness ['ɪlnɪs] болéзнь

illogical [ɪ'lɔdʒɪk(ə)l] нелоги́чный

ill-omened ['ɪl'oumend] злове́щий

ill-spoken ['ɪl'spouk(ə)n] пóльзующийся дурнóй репутáцией

ill-starred ['ɪl'stɑ:d] несчастли́вый

ill-tempered ['ɪl'tempəd] дурнóго нрáва; раздражи́тельный

ill-timed ['ɪl'taɪmd] несвоеврéменный

ill-treat ['ɪl'tri:t] плóхо обращáться

illumina||nt [ɪ'lju:mɪnənt] осветúтельное срéдство, истóчник свéта; **~te** [-neɪt] освещáть; **~tion** [ɪ,lju:mɪ'neɪʃ(ə)n] освещéние; иллюминáция

illumine [ɪ'lju:mɪn] 1) освещáть 2) просвещáть

illus||ion [ɪ'lu:ʒ(ə)n] иллю́зия; **~ive, ~ory** [ɪ'lu:sɪv, ɪ'lu:s(ə)rɪ] обмáнчивый, иллюзóрный

illustrat||e ['ɪləstreɪt] иллюстри́ровать; поясня́ть; **~ion** [,ɪləs'treɪʃ(ə)n] рисýнок, иллюстрáция; **~ive** ['ɪləstreɪtɪv] иллюстрати́вный

illustrious [ɪ'lʌstrɪəs] извéстный, знамени́тый; прослáвленный

im- [ɪm-] *префикс, имеющий отрицательное значение*

I'm [aɪm] *сокр. от* I am

image ['ɪmɪdʒ] **1.** *n* 1) óбраз; изображéние 2) отражéние *(в зеркале)* 3) тóчное подóбие *(тж.* living ~, spitting ~) **2.** *v* 1) изображáть 2) отображáть; **~ry** [-(ə)rɪ] 1) óбразность *(речи)* 2) óбразы

imagin||able [ɪ'mædʒɪnəbl] вообрази́мый; **~ary** [-(ə)rɪ] воображáемый, мни́мый; **~ation** [ɪm,ædʒɪ'neɪʃ(ə)n] воображéние; **~ative** [-ətɪv] 1) одарённый воображéнием 2) óбразный

imagine [ɪ'mædʒɪn] 1) воображáть, представля́ть себé 2) предполагáть

imbecil||e ['ɪmbɪsi:l] слабоýмный; **~ity** [,ɪmbɪ'sɪlɪtɪ] слабоýмие

imbibe [ɪm'baɪb] впи́тывать; поглощáть

imbroglio [ɪm'broulɪou] пýтаница

imbue [ɪm'bju:] вдохновля́ть

imitat||e [ˈɪmɪteɪt] подража́ть; имити́ровать; **~ion** [ˌɪmɪˈteɪʃ(ə)n] 1) подража́ние; имита́ция 2) *attr.:* ~ion jewelry бижуте́рия, иску́сственные драгоце́нности; **~ive** [ˈɪmɪtətɪv] подража́тельный; ◇ ~ive arts изобрази́тельные иску́сства

immaculate [ɪˈmækjulɪt] безупре́чный *(часто ирон.)*; ~ conduct безупре́чное поведе́ние; an ~ suit безукори́зненный костю́м

immanent [ˈɪmənənt] прису́щий; постоя́нный

immaterial [ˌɪməˈtɪərɪəl] 1) несуще́ственный 2) невеще́ственный

immature [ˌɪməˈtjuə] незре́лый

immeasurable [ɪˈmeʒ(ə)rəbl] неизмери́мый

immediate [ɪˈmi:djət] 1) непосре́дственный, прямо́й; ~ wants насу́щные потре́бности 2) неме́дленный, безотлага́тельный, сро́чный; **~ly** 1) непосре́дственно 2) неме́дленно, то́тчас же

immemorial [ˌɪmɪˈmɔ:rɪəl] незапа́мятный; from time ~ с незапа́мятных времён

immense [ɪˈmens] необъя́тный; огро́мный, грома́дный; **~ly** *разг.* чрезвыча́йно

immerse [ɪˈmə:s] погружа́ть

immigra||nt [ˈɪmɪgr(ə)nt] **1.** *n* иммигра́нт **2.** *a* переселя́ющийся; **~te** [-greɪt] иммигри́ровать; **~tion** [ˌɪmɪˈgreɪʃ(ə)n] иммигра́ция

immin||ence [ˈɪmɪnəns] бли́зость *(опа́сности)*; угро́за; **~ent** [-ənt] бли́зкий, нави́сший *(об опасности)*; грозя́щий

immobil||e [ɪˈmoubaɪl] неподви́жный; **~ity** [ˌɪmouˈbɪlɪtɪ] неподви́жность; **~ize** [-bɪlaɪz] де́лать неподви́жным

immoderate [ɪˈmɔd(ə)rɪt] неуме́ренный, чрезме́рный

immodest [ɪˈmɔdɪst] 1) нескро́мный 2) на́глый

immoral [ɪˈmɔr(ə)l] безнра́вственный; **~ity** [ˌɪməˈrælɪtɪ] безнра́вственность

immortal [ɪˈmɔ:tl] бессме́ртный; **~ity** [ˌɪmɔ:ˈtælɪtɪ] бессме́ртие

immovable [ɪˈmu:vəbl] **1.** *a* 1) неподви́жный 2) непоколеби́мый **2.** *n pl* недви́жимость

immun||e [ɪˈmju:n] 1) невосприи́мчивый *(к какой-л. боле́зни)* 2) свобо́дный *(от — from)*; **~ity** [-ɪtɪ] 1) невосприи́мчивость *(к какой-л. боле́зни)*, иммуните́т 2): diplomatic ~ity дипломати́ческая неприкоснове́нность

immure [ɪˈmjuə] заточа́ть; ~ oneself запере́ться в четырёх стена́х

immut||ability [ɪˌmju:təˈbɪlɪtɪ] неизме́нность; **~able** [ɪˈmju:təbl] неизме́нный, незы́блемый

imp [ɪmp] чертёнок; *шутл.* шалу́н

impact [ˈɪmpækt] уда́р; столкнове́ние; *перен.* влия́ние

impair [ɪmˈpɛə] поврежда́ть

impalp||ability [ɪmˌpælpəˈbɪlɪtɪ] неосяза́емость; **~able** [ɪmˈpælpəbl] неосяза́емый, неощути́мый

impart [ɪmˈpɑ:t] 1) дава́ть,

передава́ть 2) сообща́ть; дели́ться *(мыслями, чувствами и т. п.)*

impartial [ɪm'pɑːʃ(ə)l] беспристра́стный; **~ity** [ɪm,pɑːʃɪ'ælɪtɪ] беспристра́стие

impas||sable [ɪm'pɑːsəbl] непроходи́мый; **~se** [æm'pɑːs] тупи́к *(тж. перен.)*

impassioned [ɪm'pæʃ(ə)nd] стра́стный

impassive [ɪm'pæsɪv] бесстра́стный

impati||ence [ɪm'peɪʃ(ə)ns] нетерпе́ние; **~ent** [-(ə)nt] 1) нетерпели́вый; беспоко́йный; be ~ent ожида́ть с нетерпе́нием *(чего-либо — for)* 2) раздражи́тельный

impeach [ɪm'piːtʃ] 1) обвиня́ть *(of, with)* 2) брать под сомне́ние; **~ment** обвине́ние; привлече́ние к суду́ *(за государственное преступление)*

impeccable [ɪm'pekəbl] непогреши́мый; безупре́чный

impecunious [,ɪmpɪ'kjuːnjəs] бе́дный, неиму́щий

imped||e [ɪm'piːd] препя́тствовать, заде́рживать; **~iment** [-'pedɪmənt] препя́тствие, заде́ржка ◇ ~iment of speech дефе́кт ре́чи, *особ.* заика́ние

impel [ɪm'pel] 1) приводи́ть в движе́ние 2) принужда́ть *(to)*; побужда́ть *(to)*

impending [ɪm'pendɪŋ] предстоя́щий; грозя́щий, немину́емый

impenetra||bility [ɪm,penɪtrə'bɪlɪtɪ] непроница́емость; **~ble** [ɪm'penɪtrəbl] непроница́емый

imperative [ɪm'perətɪv] **1.** *a* 1) повели́тельный 2) кра́йне необходи́мый **2.** *n*: ~ mood *грам.* повели́тельное наклоне́ние

imperceptible [,ɪmpə'septəbl] незаме́тный

imperfect [ɪm'pəːfɪkt] **1.** *a* 1) несоверше́нный 2) непо́лный **2.** *n грам.* имперфе́кт, проше́дшее несоверше́нное вре́мя; **~ion** [,ɪmpə'fekʃ(ə)n] несоверше́нство; неполнота́; **~ive** [,ɪmpə'fektɪv] *грам.* несоверше́нный *(вид)*

imperial [ɪm'pɪərɪəl] 1) импе́рский 2) импера́торский; *перен.* вели́чественный

imperial||ism [ɪm'pɪərɪəlɪzm] империали́зм; **~ist 1.** *n* империали́ст **2.** *a* империалисти́ческий; **~istic** [ɪm,pɪərɪə'lɪstɪk] империалисти́ческий

imperil [ɪm'perɪl] подверга́ть опа́сности

imperious [ɪm'pɪərɪəs] 1) повели́тельный, вла́стный, могу́щественный; высокоме́рный 2) настоя́тельный

imperishable [ɪm'perɪʃəbl] неруши́мый, ве́чный

impermeable [ɪm'pəːmjəbl] непроница́емый *(обыкн.* водонепроница́емый)

impersonal [ɪm'pəːsnl] безли́чный

impersonate [ɪm'pəːsəneɪt] 1) исполня́ть роль 2) олицетворя́ть, воплоща́ть

impertinent [ɪm'pəːtɪnənt] 1) де́рзкий, наха́льный 2) неуме́стный

imperturbable [,ɪmpəː'təːbəbl] невозмути́мый, споко́йный

impervious [ɪm'pəːvjəs] 1) непроница́емый 2) глухо́й *(к доводам)*

impetu||osity [ɪm,petju'ɔsɪtɪ] стреми́тельность, поры́вистость; **~ous**[-'petjuəs] стреми́тельный, поры́вистый

impetus ['ɪmpɪtəs] 1) дви́жущая си́ла; толчо́к 2) и́мпульс; побужде́ние

impious ['ɪmpɪəs] нечести́вый

impish ['ɪmpɪʃ] шаловли́вый

implacable [ɪm'plækəbl] неумоли́мый; непримири́мый

implant [ɪm'plɑ:nt] насажда́ть *(идеи и т. п.)*; внуша́ть

implement 1. *n* ['ɪmplɪmənt] 1) ору́дие, инструме́нт; принадле́жность; agricultural ~s сельскохозя́йственный инвента́рь 2): kitchen ~s ку́хонная у́тварь **2.** *v* ['ɪmplɪment] выполня́ть

implicat||e ['ɪmplɪkeɪt] впу́тывать, вовлека́ть; **~ion** [,ɪmplɪ'keɪʃ(ə)n] 1) вовлече́ние 2) прича́стность; заме́шанность 3) подразумева́емое

implicit [ɪm'plɪsɪt] 1) подразумева́емый 2) безогово́рочный, по́лный

implore [ɪm'plɔ:] умоля́ть

imply [ɪm'plaɪ] подразумева́ть

impolite [,ɪmpə'laɪt] неве́жливый

imponderable [ɪm'pɔnd(ə)rəbl] невесо́мый; *перен.* неощути́мый

import I **1.** *v* [ɪm'pɔ:t] ввози́ть, импорти́ровать **2.** *n* ['ɪmpɔ:t] 1) и́мпорт, ввоз 2) *(обыкн. pl)* ввози́мые това́ры

import II **1.** *v* [ɪm'pɔ:t] име́ть значе́ние, зна́чить **2.** *n* ['ɪmpɔ:t] значе́ние, смысл

import||ance [ɪm'pɔ:t(ə)ns] ва́жность, значи́тельность; **~ant** [-(ə)nt] ва́жный, значи́тельный

importation [,ɪmpɔ:'teɪʃ(ə)n] ввоз, и́мпорт

importu||nate [ɪm'pɔ:tjunɪt] 1) насто́йчивый, назо́йливый 2) настоя́тельный; **~ne**[-'pɔ:tju:n] насто́йчиво домога́ться, докуча́ть; **~nity** [,ɪmpɔ:'tju:nɪtɪ] насто́йчивость; назо́йливость

impose [ɪm'pouz] 1) облага́ть *(налогом и т.п.)* 2) навя́зывать *(решение и т.п.)*; ~ oneself upon smb. навя́зываться кому́-л. 3) обма́нывать *(upon)*

imposing [ɪm'pouzɪŋ] внуши́тельный

imposs||ibility [ɪm,pɔsə'bɪlɪtɪ] невозмо́жность; **~ible** [ɪm'pɔsəbl] невозмо́жный *(в разн. знач.)*; *разг.* невыноси́мый

impostor [ɪm'pɔstə] самозва́нец

impot||ence ['ɪmpət(ə)ns] бесси́лие; **~ent** [-(ə)nt] 1) бесси́льный 2) *мед.* импоте́нтный

impound [ɪm'paund] 1) *уст.* загоня́ть *(скот)* 2) *юр.* конфискова́ть

impoverish [ɪm'pɔv(ə)rɪʃ] 1) доводи́ть до бе́дности, нищеты́ 2) истоща́ть *(почву, силы и т.п.)*

impracticable [ɪm'præktɪkəbl] 1) невыполни́мый 2) непроходи́мый *(о дороге)*

imprecation [,ɪmprɪ'keɪʃ(ə)n] прокля́тие

impregnable [ɪm'pregnəbl] непристу́пный; неуязви́мый, сто́йкий

impregnate 1. *v* ['ɪmpregneɪt] 1) оплодотворя́ть 2): ~ with насыща́ть; пропи́тывать **2.** *a* [ɪm'pregnɪt] *уст. см.* impregnated; **~d** [-ɪd] *(with)* 1) оплодотворённый 2) насы́щенный; пропи́танный

impresario [ˌɪmpreˈsɑ:rɪou] *ит.* импреса́рию, антрепренёр

impress I [ɪmˈpres] *ист.* 1) наси́льно вербова́ть 2) реквизи́ровать

impress II **1.** *v* [ɪmˈpres] 1) отпеча́тывать; штемпелева́ть 2) производи́ть впечатле́ние 3) внуша́ть; ~ on him that внуши́те ему́, что **2.** *n* [ˈɪmpres] 1) отпеча́ток 2) ште́мпель; печа́ть *(тж. перен.)* 3) впечатле́ние; **~ion** [ɪmˈpreʃ(ə)n] 1) отпеча́ток, о́ттиск 2) изда́ние; переизда́ние *(книги)* 3) впечатле́ние; **~ionable** [-ʃnəbl] впечатли́тельный, восприи́мчивый; **~ive** [ɪmˈpresɪv] производя́щий глубо́кое впечатле́ние; вырази́тельный; волну́ющий

imprint 1. *v* [ɪmˈprɪnt] 1) отпеча́тывать; печа́тать 2) запечатлева́ть **2.** *n* [ˈɪmprɪnt] отпеча́ток *(тж. перен.)*

imprison [ɪmˈprɪzn] заключа́ть в тюрьму́; **~ment** заключе́ние в (тюрьму́)

improbable [ɪmˈprɔbəbl] невероя́тный, неправдоподо́бный

impromptu [ɪmˈprɔmptju:] **1.** *adv* без подгото́вки, экспро́мтом **2.** *n* экспро́мт; импровиза́ция

improp||er [ɪmˈprɔpə] 1) неподходя́щий 2) непра́вильный 3) неприли́чный ◇ ~ fraction *мат.* непра́вильная дробь; **~riety** [ˌɪmprəˈpraɪətɪ] 1) неуме́стность 2) неприли́чие, некорре́ктность

improve [ɪmˈpru:v] 1) улучша́ть; ~ one's skill повыша́ть свою́ квалифика́цию 2) улучша́ться 3) усоверше́нствовать *(upon)*; **~ment** улучше́ние; (у)соверше́нствование

improvid||ence [ɪmˈprɔvɪd(ə)ns] непредусмотри́тельность; **~ent** [-(ə)nt] непредусмотри́тельный

improvise [ˈɪmprəvaɪz] импровизи́ровать

imprud||ence [ɪmˈpru:d(ə)ns] неблагоразу́мие; опроме́тчивость; **~ent** [-(ə)nt] неблагоразу́мный; опроме́тчивый

impud||ence [ˈɪmpjud(ə)ns] бессты́дство, на́глость; **~ent** [-(ə)nt] бессты́дный, на́глый; де́рзкий

impugn [ɪmˈpju:n] оспа́ривать, опроверга́ть

impuls||e [ˈɪmpʌls] 1) побужде́ние, толчо́к 2) и́мпульс, поры́в; act on ~ де́йствовать по вну́треннему побужде́нию; **~ion** [ɪmˈpʌlʃ(ə)n] побужде́ние, и́мпульс; **~ive** [ɪmˈpʌlsɪv] 1) побужда́ющий 2) импульси́вный

impunity [ɪmˈpju:nɪtɪ] безнака́занность; with ~ безнака́занно

impur||e [ɪmˈpjuə] 1) нечи́стый 2) сме́шанный, с при́месью; **~ity** [-rɪtɪ] 1) нечистота́ 2) при́месь; засоре́ние

impute [ɪmˈpju:t] 1) вменя́ть в вину́ 2) припи́сывать

in [ɪn] **1.** *prep* 1) *(при обозначении места, на вопр. «где?»)* в, на; in that town в том го́роде; in the street на у́лице 2) *(при обозначении времени, на вопр. «когда?»)* в; во вре́мя;

че́рез; в продолже́ние *(иногда сочетание* in *с существительным переводится наречием)*; in March в ма́рте; in such a storm во вре́мя тако́й бу́ри; in the morning (evening) у́тром (ве́чером); in summer (winter) ле́том (зимо́й) 3) *(сочетание* in *с существительным в функции обстоятельства образа действия переводится тв. п. или наречием)*: in pencil карандашо́м; paint in oils писа́ть ма́сляными кра́сками; he answered in the negative он отве́тил отрица́тельно 4) *(при обозначении состояния или обстоятельств)* в; при; I found him in a gloomy mood я заста́л его́ в мра́чном настрое́нии; in crossing the river при перепра́ве че́рез ре́ку 5) *(с абстрактными существительными при обозначении цели, причины)* в; in honour в честь; in memory в па́мять; in reply *(to)* в отве́т 6) по, согла́сно; in all probability по всей вероя́тности ◇ hand in hand рука́ о́б руку; the man in question челове́к, о кото́ром идёт речь **2.** *adv* внутри́; внутрь; be in быть до́ма ◇ be in *(for)* быть обречённым *(на)*; we are in for a cold winter нас ожида́ет холо́дная зима́ **3.** *n pl*: ins and outs все углы́ и закоу́лки; подро́бности, дета́ли

in- [ɪn-] *префикс, имеющий отрицательное значение*

inability [,ɪnə'bɪlɪtɪ] неспосо́бность; невозмо́жность

inaccessible [,ɪnæk'sesəbl] недосяга́емый, непристу́пный, недосту́пный

inaccur||acy [ɪn'ækjurəsɪ] нето́чность, оши́бка; **~ate** [ɪn'ækjurɪt] нето́чный, непра́вильный

inact||ion [ɪn'ækʃ(ə)n] безде́йствие; **~ive** [-tɪv] безде́ятельный

inadequate [ɪn'ædɪkwɪt] неадеква́тный; недоста́точный

inadmissible [,ɪnəd'mɪsəbl] недопусти́мый

inadvertent [,ɪnəd'və:t(ə)nt] 1) невнима́тельный; небре́жный 2) неумы́шленный

inalienable [ɪn'eɪljənəbl] неотчужда́емый, неотъе́млемый

inane [ɪ'neɪn] пусто́й, бессодержа́тельный; глу́пый

inanimate [ɪn'ænɪmɪt] 1) неодушевлённый; ~ matter нежива́я мате́рия 2) ску́чный

inanition [,ɪnə'nɪʃ(ə)n] истоще́ние

inanity [ɪ'nænɪtɪ] пустота́, бессодержа́тельность; глу́пость

inapplicable [ɪn'æplɪkəbl] неприме́нимый

inapprecia||ble [,ɪnə'pri:ʃəbl] незаме́тный

inappropriate [,ɪnə'proupriɪt] неподходя́щий

inapt [ɪn'æpt] 1) неподходя́щий 2) неуме́лый, неиску́сный

inarticulate [,ɪnɑ:'tɪkjulɪt] нечленоразде́льный, невня́тный

inasmuch [ɪnəz'mʌtʃ]: ~ as ввиду́ того́, что; так как

inattent||ion [,ɪnə'tenʃ(ə)n] невнима́ние; **~ive** [-tɪv] невнима́тельный

inaudible [ɪn'ɔ:dəbl] неслы́шный, невня́тный

inaugur||al [ɪ'nɔ:gjur(ə)l] вступи́тельный *(о речи)*; вво́дный *(о лекции)*; **~ate** [-reɪt] (торже́ственно) открыва́ть *(выставку и т.п.)*; **~ation** [ɪ,nɔ:gju'reɪʃ(ə)n] 1) торже́ственное откры́тие 2) торже́ственное вступле́ние в до́лжность

inauspicious [,ɪnɔ:s'pɪʃəs] злове́щий

inborn ['ɪn'bɔ:n] врождённый, прирождённый; приро́дный

inbred ['ɪn'bred] 1) *см.* inborn 2) рождённый от роди́телей, состоя́щих в (кро́вном) родстве́ ме́жду собо́й

incalculable [ɪn'kælkjuləbl] несме́тный, неисчисли́мый

incandescent [,ɪnkæn'desnt] раскалённый; ~ lamp ла́мпа нака́ливания

incap||able [ɪn'keɪpəbl] неспосо́бный; **~acitate** [,ɪnkə'pæsɪteɪt] 1) делать неспосо́бным 2) *юр.* лиша́ть пра́ва; **~acity** [,ɪnkə'pæsɪtɪ] 1) неспосо́бность 2) *юр.* неправоспосо́бность

incarcerate [ɪn'kɑ:səreɪt] заключа́ть в тюрьму́

incarnat||e **1.** *v* ['ɪnkɑ:neɪt] воплоща́ть **2.** *a* [ɪn'kɑ:nɪt] воплощённый; **~ion** [,ɪnkɑ:'neɪʃ(ə)n] воплоще́ние

incautious [ɪn'kɔ:ʃəs] опроме́тчивый

incendiary [ɪn'sendjərɪ] **1.** *a* зажига́тельный; *перен.* подстрека́ющий **2.** *n* поджига́тель; *перен. тж.* подстрека́тель

incense I [ɪn'sens] серди́ть

incense II ['ɪnsens] ла́дан; фимиа́м

incentive [ɪn'sentɪv] **1.** *a* побуди́тельный **2.** *n* побужде́ние, сти́мул

incept||ion [ɪn'sepʃ(ə)n] нача́ло; **~ive** [-tɪv] начина́ющий; нача́льный; ~ive verb *грам.* начина́тельный глаго́л

incertitude [ɪn'sə:tɪtju:d] неуве́ренность

incessant [ɪn'sesnt] непрекраща́ющийся, непреры́вный, непреста́нный

incest ['ɪnsest] кровосмеше́ние

inch [ɪntʃ] дюйм ◇ by ~es понемно́гу; every ~ целико́м, по́лностью; he's every ~ a soldier он настоя́щий солда́т

inchoate ['ɪnko(u)eɪt] 1) то́лько что на́чатый 2) зача́точный

incidence ['ɪnsɪd(ə)ns] 1) паде́ние, накло́н 2) сфе́ра де́йствия

incident ['ɪnsɪd(ə)nt] **1.** *a* сво́йственный *(чему-л. — to smth.)* **2.** *n* 1) слу́чай; происше́ствие; инциде́нт 2) эпизо́д; **~al** [,ɪnsɪ'dentl] случа́йный; **~ally** [,ɪnsɪ'dentəlɪ] 1) случа́йно 2) ме́жду про́чим

incinerat||e [ɪn'sɪnəreɪt] сжига́ть; испепеля́ть; **~ion** [ɪn,sɪnə'reɪʃ(ə)n] сжига́ние; **~or** мусоросжига́тельная печь

incipient [ɪn'sɪpɪənt] начина́ющийся; зарожда́ющийся

incis||e [ɪn'saɪz] 1) надреза́ть, 2) выреза́ть; **~ion** [-'sɪʒ(ə)n] надре́з; **~ive** [-'saɪsɪv] о́стрый; ре́зкий, язви́тельный

incite [ɪn'saɪt] возбужда́ть; подстрека́ть; побужда́ть; **~ment** возбужде́ние; подстрека́тельство

incivility [,ɪnsɪ'vɪlɪtɪ] неучти́вость

inclement [ɪn'klemənt] суро́вый *(о погоде, климате)*

inclination [ˌınklıˈneıʃ(ə)n] 1) наклоне́ние, накло́н 2) скло́нность, накло́нность *(to, for)*

incline [ınˈklaın] **1.** *v* 1) наклоня́ть 2) склоня́ть 3) наклоня́ться 4) склоня́ться 5) *(обыкн. pass)*: be ~d to быть располо́женным *(к чему-л.)* **2.** *n* накло́н, скат

inclu||de [ınˈklu:d] включа́ть, заключа́ть; **~sion** [-ʒ(ə)n] включе́ние; **~sive** [-sıv] заключа́ющий в себе́, содержа́щий, включа́ющий

incognito [ınˈkɔgnıtou] инко́гнито, под чужи́м и́менем

incoherent [ˌınko(u)ˈhıər(ə)nt] бессвя́зный

incombustible [ˌınkəmˈbʌstəbl] несгора́емый, огнесто́йкий

income [ˈınkəm] дохо́д, поступле́ние; **~-tax** [-tæks] подохо́дный нало́г

incoming [ˈınˌkʌmıŋ] 1) прибыва́ющий 2) сменя́ющий

incommensura||ble [ˌınkəˈmenʃ(ə)rəbl] несоизмери́мый; **~te** [-ˈmenʃ(ə)rıt] несоразме́рный; несоизмери́мый

incommod||e [ˌınkəˈmoud] беспоко́ить, стесня́ть; **~ious** [-jəs] неудо́бный

incommunicable [ˌınkəˈmju:nıkəbl] непередава́емый, несообща́емый

incompact [ˌınkəmˈpækt] непло́тный

incomparable [ınˈkɔmp(ə)rəbl] 1) несравне́нный, бесподо́бный 2) несравни́мый *(with, to)*

incompatible [ˌınkəmˈpætəbl] несовмести́мый; несообра́зный

incompet||ence [ınˈkɔmpıt(ə)ns] 1) неспосо́бность; некомпете́нтность 2) *юр.* неправоспосо́бность; **~ent** [-(ə)nt] 1) неспосо́бный; некомпете́нтный 2) *юр.* неправоспосо́бный

incomplete [ˌınkəmˈpli:t] непо́лный, незако́нченный

incomprehens||ible [ınˌkɔmprıˈhensəbl] непостижи́мый, непоня́тный; **~ion** [-ʃ(ə)n] непонима́ние

incomputable [ˌınkəmˈpju:təbl] неисчисли́мый

inconceivable [ˌınkənˈsi:vəbl] непостижи́мый; *разг.* невероя́тный

inconclusive [ˌınkənˈklu:sıv] 1) неубеди́тельный 2) нереша́ющий, неоконча́тельный

incongru||ity [ˌınkɔŋˈgru:ıtı] 1) несоотве́тствие 2) неуме́стность; **~ous** [ınˈkɔŋgruəs] 1) несоотве́тственный 2) неуме́стный

inconsequent, ~ial [ınˈkɔnsıkwənt, ınˌkɔnsıˈkwenʃ(ə)l] непосле́довательный; несвя́зный

inconsiderable [ˌınkənˈsıdərəbl] незначи́тельный

inconsiderate [ˌınkənˈsıdərıt] 1) необду́манный 2) невнима́тельный к други́м, неделика́тный

inconsistent [ˌınkənˈsıst(ə)nt] 1) несовмести́мый 2) противоречи́вый

inconsolable [ˌınkənˈsouləbl] безуте́шный, неуте́шный; ~ distress безуте́шное го́ре

inconspicuous [ˌınkənˈspıkjuəs] незаме́тный

inconstant [ınˈkɔnst(ə)nt] непостоя́нный, неусто́йчивый

incontestable [ˌɪnkənˈtestəbl] неопровержи́мый, неоспори́мый

incontinent [ɪnˈkɔntɪnənt] невозде́ржанный; несде́ржанный

incontrovertible [ɪnˈkɔntrəˈvə:təbl] неопровержи́мый, неоспори́мый

inconveni||ence [ˌɪnkənˈvi:njəns] **1.** *n* неудо́бство; беспоко́йство **2.** *v* причиня́ть неудо́бство *(кому-либо)*, беспоко́ить; **~ent** [-nt] неудо́бный

inconvertible [ˌɪnkənˈvə:təbl] не подлежа́щий обме́ну; неразме́нный *(о деньгах)*; ~ currency необрати́мая валю́та

incorpora||te [ɪnˈkɔ:pəreɪt] 1) объединя́ться, соединя́ть *(в одно целое)* 2) сме́шивать; **~tion** [ɪnˌkɔ:pəˈreɪʃ(ə)n] 1) объедине́ние, слия́ние 2) корпора́ция

incorporeal [ˌɪnkɔ:ˈpɔ:rɪəl] беспло́тный, бестеле́сный

incorrect [ˌɪnkəˈrekt] непра́вильный

incorrigible [ɪnˈkɔrɪdʒəbl] неисправи́мый

incorrupt||ibility [ˈɪnkəˌrʌptəˈbɪlɪtɪ] 1) неподку́пность 2) неподве́рженность по́рче; **~ible** [ˌɪnkəˈrʌptəbl] 1) неподку́пный 2) непо́ртящийся

increase 1. *v* [ɪnˈkri:s] 1) увели́чивать, уси́ливать 2) увели́чиваться, уси́ливаться **2.** *n* [ˈɪnkri:s] возраста́ние, увеличе́ние, рост

incredible [ɪnˈkredəbl] невероя́тный

incredul||ity [ˌɪnkrɪˈdju:lɪtɪ] недове́рчивость; **~ous** [ɪnˈkredjuləs] недове́рчивый, скепти́ческий

increment [ˈɪnkrɪmənt] при́быль; приро́ст

incriminate [ɪnˈkrɪmɪneɪt] обвиня́ть *(в преступлении)*; инкримини́ровать

incrustation [ˌɪnkrʌsˈteɪʃ(ə)n] 1) образова́ние коры́, ко́рки 2) кора́, ко́рка 3) инкруста́ция

incubat||e [ˈɪnkjubeɪt] выводи́ть цыпля́т; **~or** инкуба́тор

incubus [ˈɪnkjubəs] кошма́р, тя́жкое бре́мя

inculcate [ˈɪnkʌlkeɪt] внедря́ть, внуша́ть

inculpate [ˈɪnkʌlpeɪt] обвиня́ть; изоблича́ть

incumbent [ɪnˈkʌmbənt]: it is ~ on you to do smth. вам надлежи́т *(или* на вас возлага́ется обя́занность) сде́лать что-л.

incur [ɪnˈkə:] подверга́ться; навлека́ть на себя́; ~ an obligation взять на себя́ обяза́тельство; ~ losses а) терпе́ть убы́тки; б) *воен.* нести́ поте́ри

incurable [ɪnˈkjuərəbl] неизлечи́мый

incurious [ɪnˈkjuərɪəs] нелюбопы́тный

incursion [ɪnˈkə:ʃn] вторже́ние *(тж. перен.)*

indebted [ɪnˈdetɪd] *predic* в долгу́ *(у кого-л. — to)*; обя́занный *(кому-л.)*

indecent [ɪnˈdi:snt] 1) неприли́чный; нескро́мный 2) *разг.* неподоба́ющий; he left in ~ haste он ушёл с неприли́чной поспе́шностью

indecis||ion [ˌɪndɪˈsɪʒ(ə)n] нереши́тельность; **~ive** [-ˈsaɪsɪv] 1) нереши́тельный 2) неопределённый

indeclinable [,ɪndɪ'klaɪnəbl] *грам.* несклоняемый

indecorous [ɪn'dekərəs] неприличный

indeed [ɪn'di:d] 1) в самом деле, действительно 2) неужели! ◇ very glad ~ очень, очень рад

indefatigable [,ɪndɪ'fætɪgəbl] неутомимый

indefeasible [,ɪndɪ'fi:zəbl] неотъемлемый

indefensible [,ɪndɪ'fensəbl] 1) неудобный для обороны 2) не могущий быть оправданным

indefinite [ɪn'defɪnɪt] неопределённый

indelible [ɪn'delɪbl] несмываемый; ◇ ~ pencil химический карандаш

indelica||cy [ɪn'delɪkəsɪ] неделикатность, нескромность; бестактность; **~te** [-kɪt] неделикатный, нескромный; бестактный

indemni||fy [ɪn'demnɪfaɪ] 1) страховать *(от потерь)* 2) компенсировать; **~ty** [-tɪ] 1) гарантия *(от потерь)* 2) компенсация 3) контрибуция

indent I **1.** *v* [ɪn'dent] 1) вырезывать; зазубривать 2) *полигр.* делать отступ, абзац **2.** *n* ['ɪndent] зазубрина, выемка

indent II **1.** *v* [ɪn'dent] заказывать товары **2.** *n* ['ɪndent] заказ на товары

indentation [,ɪnden'teɪʃ(ə)n] 1) зубец; выемка 2) абзац, отступ

indenture [ɪn'dentʃə] **1.** *n* документ; договор **2.** *v* связывать договором

independ||ence [,ɪndɪ'pendəns] независимость; **~ent** [-ənt] независимый

indescribable [,ɪndɪs'kraɪbəbl] неописуемый

indestructible [,ɪndɪs'trʌktəbl] нерушимый

indeterminate [,ɪndɪ'tə:mɪnɪt] 1) неопределённый 2) нерешённый, сомнительный

index ['ɪndeks] **1.** *n (pl тж.* indices) 1) индекс; указатель; показатель 2) стрелка *(на приборах)* 3) указательный палец 4) *мат.* показатель **2.** *v* заносить в указатель, снабжать указателем

Indian ['ɪndjən] **1.** *n* 1) индиец; индианка 2) индеец; индианка **2.** *a* 1) индийский *(относящийся к Индии)* 2) индейский *(относящийся к амер. индейцам)* ◇ ~ corn маис, кукуруза; ~ ink китайская тушь; ~ summer «бабье лето»

india-rubber ['ɪndjə'rʌbə] 1) резина 2) резинка *(для стирания)*

indicat||e ['ɪndɪkeɪt] 1) указывать; показывать 2) предписывать 3) означать; **~ion** [,ɪndɪ'keɪʃ(ə)n] 1) указание 2) показание; **~ive** [ɪn'dɪkətɪv] 1) указывающий 2): ~ive mood *грам.* изъявительное наклонение; **~or** индикатор

indices ['ɪndɪsi:z] *pl от* index

indict [ɪn'daɪt] предъявлять обвинение; **~ment** обвинительный акт

indiffer||ence [ɪn'dɪfr(ə)ns] 1) равнодушие 2) незначительность; **~ent** [-(ə)nt] 1) равнодушный 2) посредственный; неважный 3) нейтральный

indigenous [ɪn'dɪdʒɪnəs] тузéмный, мéстный

indigent ['ɪndɪdʒənt] нуждáющийся

indigestion [,ɪndɪ'dʒestʃ(ə)n] расстрóйство желýдка

indign||ant [ɪn'dɪgnənt] негодýющий; **~ation** [,ɪndɪg'neɪʃ(ə)n] негодовáние

indignity [ɪn'dɪgnɪtɪ] оскорблéние, унижéние

indigo ['ɪndɪgou] 1) индúго *(краска)* 2) сúний цвет

indirect [,ɪndɪ'rekt] непрямóй, кóсвенный, побóчный; окóльный *(о пути)*

indiscernible [,ɪndɪ'sə:nəbl] неразличúмый

indiscre||et [,ɪndɪs'kri:t] 1) нескрóмный, несдéржанный 2) неосторóжный; **~tion** [-'kreʃ(ə)n] 1) нескрóмность 2) неосмотрúтельность

indiscriminate [,ɪndɪs'krɪmɪnɪt] 1) неразбóрчивый; ~ reader неразбóрчивый читáтель 2) смéшанный, беспорядочный

indispensable [,ɪndɪs'pensəbl] совершéнно необходúмый

indispos||ed [,ɪndɪs'pouzd] 1) нерасполóженный 2) нездорóвый; **~ition** [-pə'zɪʃ(ə)n] 1) недомогáние, нездорóвье 2) нерасположéние, отвращéние *(to)*

indisputable [,ɪndɪs'pju:təbl] неоспорúмый

indissoluble [,ɪndɪ'sɔljubl] 1) нерастворúмый 2) прóчный, неразрывный

indistinct [,ɪndɪs'tɪŋkt] неяcный, смýтный

indistinguishable [,ɪndɪs'tɪŋgwɪʃəbl] неразличúмый

indivertible [,ɪndɪ'və:təbl] неотвратúмый

individual [,ɪndɪ'vɪdjuəl] **1.** *a* 1) лúчный, индивидуáльный 2) осóбенный **2.** *n* индивúдуум; *разг.* лúчность, человéк; **~ism** индивидуалúзм; **~ity** [,ɪndɪ,vɪdju'ælɪtɪ] индивидуáльность, лúчность; **~ize** [-aɪz] 1) придавáть индивидуáльный харáктер 2) тóчно определять

indivisible [,ɪndɪ'vɪzəbl] неделúмый

Indo-European ['ɪndo(u),juərə'pi:ən] индоевропéйский

indol||ence ['ɪndələns] лéность; **~ent** [-ənt] ленúвый

indomitable [ɪn'dɔmɪtəbl] неукротúмый; упóрный

Indonesian [,ɪndo(u)'ni:zjən] **1.** *a* индонезúйский **2.** *n* индонезúец; индонезúйка

indoor ['ɪndɔ:] находящийся *или* происходящий внутрú дóма; кóмнатный; ~ games кóмнатные úгры

indoors ['ɪn'dɔ:z] внутрú *(дóма)*; keep ~ не выходúть на ýлицу

indubitable [ɪn'dju:bɪtəbl] несомнéнный

induce [ɪn'dju:s] 1) побуждáть; убеждáть; заставлять *(to)* 2) вызывáть 3) *эл.* индуктúровать; **~ment** стúмул, побуждéние

induction [ɪn'dʌkʃ(ə)n] *эл.* индýкция; **~-coil** [-kɔɪl] индукциóнная катýшка, индýктор

inductive [ɪn'dʌktɪv] *лог.*, *эл.* индуктúвный

indulg||e [ɪn'dʌldʒ] 1) предавáться *(чемý-л.)* 2) потвóрствовать; **~ence** [-(ə)ns] 1) потво́рство свои́м жела́ниям 2) снисходи́тельность; потво́рство 3) *рел.* индульге́нция; **~ent** [-(ə)nt] снисходи́тельный

industrial [ɪn'dʌstrɪəl] 1) промы́шленный; индустриа́льный; ~ goods промы́шленные това́ры 2) произво́дственный; ~ school реме́сленное учи́лище

industrialization [ɪn,dʌstrɪəlaɪ'zeɪʃ(ə)n] индустриализа́ция

industrious [ɪn'dʌstrɪəs] трудолюби́вый, усе́рдный, приле́жный

industry ['ɪndəstrɪ] 1) трудолю́бие, прилежа́ние 2) промы́шленность; large-scale ~ кру́пная промы́шленность 3) о́трасль произво́дства *или* торго́вли

indwelling ['ɪn'dwelɪŋ] постоя́нно пребыва́ющий

inebriate **1.** *n* [ɪ'ni:brɪɪt] пья́ница **2.** *a* [ɪ'ni:brɪɪt] пья́ный **3.** *v* [ɪ'ni:brɪeɪt] опьяня́ть

inedible [ɪn'edɪbl] несъедо́бный

ineffable [ɪn'efəbl] невырази́мый; ~ joy неопису́емый восто́рг

ineffaceable [,ɪnɪ'feɪsəbl] неизглади́мый

ineffective [,ɪnɪ'fektɪv] 1) безрезульта́тный 2) недействи́тельный

ineffectual [,ɪnɪ'fektjuəl] беспло́дный

ineffici||ency [,ɪnɪ'fɪʃ(ə)nsɪ] 1) неспосо́бность 2) безрезульта́тность; **~ent** [-(ə)nt] 1) неспосо́бный 2) безрезульта́тный

ineligible [ɪn'elɪdʒəbl] неподходя́щий; него́дный

inept [ɪ'nept] 1) неуме́стный 2) глу́пый

inequality [,ɪni:'kwɔlɪtɪ] 1) нера́венство; разли́чие; ра́зница 2) неро́вность *(поверхности)*

inequitable [ɪn'ekwɪtəbl] несправедли́вый

ineradicable [,ɪnɪ'rædɪkəbl] неискорени́мый

inert [ɪ'nə:t] ине́ртный, вя́лый; **~ia** [ɪ'nə:ʃjə] 1) *физ.* ине́рция 2) ине́ртность

inescapable [,ɪnɪs'keɪpəbl] неизбе́жный

inessential ['ɪnɪ'senʃ(ə)l] несуще́ственный; нева́жный

inestimable [ɪn'estɪməbl] неоцени́мый

inevitable [ɪn'evɪtəbl] неизбе́жный

inexact [,ɪnɪg'zækt] нето́чный; **~itude** [-ɪtju:d] нето́чность

inexcusable [,ɪnɪks'kju:zəbl] непрости́тельный

inexhaustible [,ɪnɪg'zɔ:stəbl] неистощи́мый, неисчерпа́емый

inexorable [ɪn'eks(ə)rəbl] безжа́лостный; непрекло́нный

inexpedient [,ɪnɪks'pi:djənt] нецелесообра́зный; неблагоразу́мный

inexpensive [,ɪnɪks'pensɪv] недорого́й, дешёвый

inexperienced [,ɪnɪks'pɪərɪənst] нео́пытный

inexpert [,ɪneks'pə:t] неуме́лый, нео́пытный

inexpiable [ɪn'ekspɪəbl] 1) неискупи́мый 2) непримири́мый

inexplicable [ɪn'eksplɪkəbl] необъясни́мый

inexplicit [ˌɪnɪks'plɪsɪt] нея́сно вы́раженный

inexpress||ible [ˌɪnɪks'presəbl] невырази́мый, неопису́емый; ~**ive** [-ɪv] невырази́тельный

inextinguishable [ˌɪnɪks'tɪŋgwɪʃəbl] неугаси́мый

inextricable [ɪn'ekstrɪkəbl] безнадёжно запу́танный

infallible [ɪn'fæləbl] непогреши́мый; безоши́бочный

infamous ['ɪnfəməs] име́ющий позо́рную изве́стность; ни́зкий; бесче́стный

infamy ['ɪnfəmɪ] 1) позо́р 2) гну́сность

inf||ancy ['ɪnfənsɪ] 1) ра́ннее де́тство 2) *юр.* несовершенноле́тие; ~**ant** [-ənt] младе́нец

infanticide [ɪn'fæntɪsaɪd] детоуби́йство

infantile ['ɪnfəntaɪl] младе́нческий; инфанти́льный

infantry ['ɪnf(ə)ntrɪ] пехо́та; mounted ~ механизи́рованная пехо́та

infatuat||e [ɪn'fætjueɪt] вскружи́ть го́лову, увле́чь; ~**ion** [ɪnˌfætju'eɪʃ(ə)n] слепо́е увлече́ние

infect [ɪn'fekt] заража́ть; ~**ion** [-kʃ(ə)n] 1) зара́за 2) зараже́ние; ~**ious** [-kʃəs] 1) зара́зный 2) зарази́тельный

infelicity [ˌɪnfɪ'lɪsɪtɪ] несча́стье

infer [ɪn'fə:] 1) выводи́ть заключе́ние 2) подразумева́ть; ~**ence** ['ɪnf(ə)r(ə)ns] вы́вод

inferior [ɪn'fɪərɪə] 1) ни́зший; подчинённый 2) ху́дший *(по ка́честву)*; ~**ity** [ɪnˌfɪərɪ'ɔrɪtɪ] ни́зшая сте́пень; ху́дшее ка́чество

infer||nal [ɪn'fə:nl] а́дский; ~**no** [-nou] ад

infertile [ɪn'fə:taɪl] неплодоро́дный

infest [ɪn'fest] кише́ть; ~ed with rats кише́щий кры́сами

infidel ['ɪnfɪd(ə)l] 1) атеи́ст, неве́рующий 2) язы́чник; ~**ity** [ˌɪnfɪ'delɪtɪ] неве́рность

infiltrate ['ɪnfɪltreɪt] 1) пропуска́ть *(жидкость)* че́рез фильтр 2) проса́чиваться, проника́ть *(об идеях и т. п.)*

infinite ['ɪnfɪnɪt] 1) безграни́чный; бесконе́чный; ~ series *мат.* бесконе́чный ряд 2) *грам.* неопределённый; ~**simal** [ˌɪnfɪnɪ'tesɪm(ə)l] мельча́йший; бесконе́чно ма́лый

infinitiv||al [ɪnˌfɪnɪ'taɪv(ə)l] *грам.* инфинити́вный; ~**e** [ɪn'fɪnɪtɪv] *грам.* неопределённая фо́рма глаго́ла, инфинити́в; split ~e неопределённая фо́рма глаго́ла с отделённой от него́ части́цей to *(напр.*: no one claims to completely understand it никто́ не утвержда́ет, что вполне́ понима́ет э́то)

infinity [ɪn'fɪnɪtɪ] бесконе́чность *(тж. мат.)*

infirm [ɪn'fə:m] 1) не́мощный 2) нереши́тельный

infirmary [ɪn'fə:mərɪ] больни́ца, лазаре́т

infirmity [ɪn'fə:mɪtɪ] не́мощь, сла́бость

inflam||e [ɪn'fleɪm] воспламеня́ть; возбужда́ть; be ~d а) воспламеня́ться; возбужда́ться; б) *мед.* воспаля́ться; ~**mation** [ˌɪnflə'meɪʃ(ə)n] воспале́ние; ~**matory** [ɪn'flæmət(ə)rɪ] *мед.* воспали́тельный; *перен.*

возбужда́ющий; подстрека́тельский

inflat||e [ɪn'fleɪt] 1) надува́ть *(воздухом, газом)* 2) вздува́ть *(цены)*; **~ion** [-ʃ(ə)n] 1) надува́ние *(воздухом, газом)* 2) инфля́ция

inflect [ɪn'flekt] *грам.* изменя́ть *(слово)*; **~ive** [-ɪv] *грам.* изменя́емый, склоня́емый, спряга́емый

inflexible [ɪn'fleksəbl] неги́бкий; негну́щийся; *перен.* непреклóнный

inflexion [ɪn'flekʃ(ə)n] 1) сгиба́ние 2) модуля́ция гóлоса 3) *грам.* измене́ние *(слова)*; флéксия

inflict [ɪn'flɪkt] 1) наноси́ть *(удар, ущерб)* 2) причиня́ть *(страдание)*

inflow ['ɪnflou] 1) притóк; наплы́в 2) втека́ние; **~ing** впада́ющий, втека́ющий

influ||ence ['ɪnfluəns] **1.** *n* 1) влия́ние *(on, upon, over)* 2) лицó *или* фа́ктор, ока́зывающие влия́ние **2.** *v* влия́ть; **~ential** [,ɪnflu'enʃ(ə)l] влия́тельный

influenza [,ɪnflu'enzə] *мед.* грипп

influx ['ɪnflʌks] притóк *(воды, воздуха)*; *перен.* наплы́в *(публики)*

inform [ɪn'fɔ:m] 1) сообща́ть 2): ~ against smb. обвиня́ть когó-л.; **~al** [-l] неофициа́льный; **~ant** [-ənt] информа́нт; **~ation** [,ɪnfə'meɪʃ(ə)n] 1) сообще́ние 2) донесе́ние; **~ed** [-d] 1) осведомлённый 2) просвещённый; **~er** осведоми́тель, донóсчик

infraction [ɪn'frækʃ(ə)n] наруше́ние

infra dig ['ɪnfrə'dɪg] *(сокр. от* infra dignitatem) *разг.* ни́же чьегó-л. достóинства

infrequent [ɪn'fri:kwənt] ре́дкий

infringe [ɪn'frɪndʒ] наруша́ть *(закон и т. п.)*; **~ment** наруше́ние

infuriate [ɪn'fjuərɪeɪt] приводи́ть в я́рость

infus||e [ɪn'fju:z] 1) влива́ть 2): ~ tea зава́ривать чай 3) вселя́ть *(мужество и т. п. в — into)*; **~ion** [-ʒ(ə)n] 1) влива́ние 2) настóй 3) при́месь

ingathering ['ɪn,gæð(ə)rɪŋ] *поэт.* сбор урожа́я

ingen||ious [ɪn'dʒi:njəs] изобрета́тельный; иску́сный; ~ mind изобрета́тельный ум; ~ solution оригина́льное *(или* остроу́мное) реше́ние; **~uity** [,ɪndʒɪ'nju:ɪtɪ] изобрета́тельность; остроу́мие

ingenuous [ɪn'dʒenjuəs] бесхи́тростный, простоду́шный

ingle-nook ['ɪŋglnuk] местéчко у огня́

inglorious [ɪn'glɔ:rɪəs] 1) бесcла́вный 2) позóрный; посты́дный

ingot ['ɪŋgət] 1) сли́ток; брусóк *(металла)* 2) *тех.* болва́нка

ingrained ['ɪn'greɪnd] укорени́вшийся; закорене́лый

ingratiat||e [ɪn'greɪʃɪeɪt]: ~ oneself into favour with smb. сниска́ть чью-л. ми́лость; **~ing** льсти́вый; заи́скивающий

ingratitude [ɪn'grætɪtju:d] неблагода́рность

ingredient [ɪn'gri:djənt] составна́я часть

ingress ['ɪngres] 1) вход 2) пра́во вхо́да

inhabit [ɪn'hæbɪt] жить, обита́ть; **~ant** [-(ə)nt] жи́тель; **~ation** [ɪn,hæbɪ'teɪʃ(ə)n] прожива́ние

inha||lation [,ɪnhə'leɪʃ(ə)n] вдыха́ние; *мед.* ингаля́ция; **~le** [ɪn'heɪl] вдыха́ть; **~ler** [ɪn'heɪlə] *мед.* ингаля́тор

inherent [ɪn'hɪər(ə)nt] прису́щий ~ contradictions вну́тренние противоре́чия

inherit [ɪn'herɪt] (у)насле́довать; **~ance** [-(ə)ns] 1) насле́дственность 2) насле́дство; *перен. тж.* насле́дие; **~or** насле́дник

inhibit [ɪn'hɪbɪt] препя́тствовать; сде́рживать; **~ion** [,ɪnhɪ'bɪʃ(ə)n] *физиол.* торможе́ние, заде́рживание

inhospitable [ɪn'hɔspɪtəbl] негостеприи́мный

inhuman [ɪn'hju:mən] 1) бесчелове́чный; жесто́кий 2) нечелове́ческий; **~e** [,ɪnhju:'meɪn] негума́нный

inimical [ɪ'nɪmɪk(ə)l] 1) вражде́бный 2) вре́дный

inimitable [ɪ'nɪmɪtəbl] неподража́емый

iniqui||tous [ɪ'nɪkwɪtəs] несправедли́вый; **~ty** [-tɪ] 1) несправедли́вость 2) беззако́ние

initial [ɪ'nɪʃ(ə)l] **1.** *a* (перво)нача́льный, исхо́дный; ~ expenditure предвари́тельные расхо́ды **2.** *n pl* инициа́лы **3.** *v* (по)ста́вить инициа́лы

initiat||e [ɪ'nɪʃɪeɪt] 1) положи́ть нача́ло 2) посвяща́ть *(в тайну)* 3) вводи́ть *(в общество)*; **~ion** [ɪ,nɪʃɪ'eɪʃ(ə)n] 1) посвяще́ние *(в тайну)* 2) приня́тие, введе́ние *(в общество)*; **~ive** [ɪ'nɪʃɪətɪv] 1) инициати́ва; take the ~ive проявля́ть инициати́ву 2) почи́н; **~or** инициа́тор

inject [ɪn'dʒekt] впры́скивать; **~ion** [-kʃ(ə)n] 1) впры́скивание; инъе́кция, уко́л 2) жи́дкость, кото́рая впры́скивается; **~or** *тех.* инже́ктор; форсу́нка

injudicious [,ɪndʒu:'dɪʃəs] неразу́мный; неуме́стный

injunction [ɪn'dʒʌŋkʃ(ə)n] 1) предписа́ние 2) суде́бное постановле́ние

injur||e ['ɪndʒə] повреди́ть; **~ed** [-d] 1) повреждённый; be ~ed пострада́ть 2) оби́женный; оскорблённый; **~ious** [ɪn'dʒuərɪəs] 1) вре́дный 2) оскорби́тельный; **~y** [-rɪ] 1) поврежде́ние; уще́рб 2) оскорбле́ние, оби́да 3) ра́на, уши́б

injustice [ɪn'dʒʌstɪs] несправедли́вость

ink [ɪŋk] черни́ла; printer's ~ типогра́фская кра́ска

inkling ['ɪŋklɪŋ] 1) намёк 2) сла́бое подозре́ние

ink||-pot ['ɪŋkpɔt] черни́льница; **~-stand** [-stænd] черни́льный прибо́р; **~-well** [-wel] черни́льница *(в парте и т. п.)*

inky ['ɪŋkɪ] 1) в черни́лах 2) о́чень чёрный; ~ darkness тьма кроме́шная

inlaid ['ɪn'leɪd] *past и p. p. от* inlay 2

inland 1. *n* ['ɪnlənd] террито́рия, удалённая от мо́ря *или* грани́цы **2.** *a* ['ɪnlənd] 1) удалённый от мо́ря *или* грани́цы 2) вну́тренний **3.** *adv* [ɪn'lænd] внутри́ *(страны)*

in-law ['ɪnlɔ:] *(обыкн. pl)* ро́дственники со стороны́ му́жа *или* жены́

inlay 1. *n* ['ɪnleɪ] мозаи́чная рабо́та; инкруста́ция **2.** *v* ['ɪn-'leɪ] (inlaid) 1) де́лать инкруста́цию 2) выстила́ть *(пол и т. п.)*

inlet ['ɪnlet] 1) зали́в, бу́хточка 2) *тех.* впуск; впускно́е отве́рстие 3) *эл.* ввод 4) *attr.*: ~ sluice впускно́й шлюз

inmate ['ɪnmeɪt] жиле́ц, обита́тель *(прию́та)*; заключённый *(в тюрьме́)*; больно́й *(в больни́це)*

inmost ['ɪnmoust] глубоча́йший, сокрове́нный

inn [ɪn] гости́ница; *уст.* постоя́лый двор

innate ['ɪ'neɪt] врождённый, приро́дный

inner ['ɪnə] вну́тренний; **~-most** [-moust] *см.* inmost

innings ['ɪnɪŋz] *(pl без измен.)* пери́од пребыва́ния у вла́сти *(па́ртии, лица́)*

innkeeper ['ɪn,ki:pə] хозя́ин гости́ницы

innoc||ence ['ɪnəsns] 1) невино́вность 2) неви́нность; наи́вность 3) безвре́дность; **~ent** [-nt] **1.** *a* 1) невино́вный 2) неви́нный; наи́вный 3) безвре́дный 4) *разг.* лишённый *(чего-л.)*; windows ~ent of glass о́кна без стёкол **2.** *n* 1) неви́нный младе́нец 2) проста́к

innocuous [ɪ'nɔkjuəs] безвре́дный

innovat||e ['ɪno(u)veɪt] 1) вводи́ть но́вшества 2) обновля́ть; **~ion** [,ɪno(u)'veɪʃ(ə)n] нововведе́ние; **~or** нова́тор

innuendo [,ɪnju:'endou] инсинуа́ция, намёк

innumerable [ɪ'nju:m(ə)rəbl], бесчи́сленный, несме́тный

inoculate [ɪ'nɔkjuleɪt] привива́ть

inoffensive [,ɪnə'fensɪv] безоби́дный

inoperative [ɪn'ɔp(ə)rətɪv] 1) безде́ятельный 2) неде́йствующий

inopportune [ɪn'ɔpətju:n] несвоевре́менный, неуме́стный

inordinate [ɪ'nɔ:dɪnɪt] чрезме́рный

inorganic [,ɪnɔ:'gænɪk] неоргани́ческий

in-patient ['ɪn,peɪʃ(ə)nt] стациона́рный больно́й

input ['ɪnput] *тех.* 1) вход; подво́д 2) подводи́мая мо́щность

inquest ['ɪnkwest] *юр.* сле́дствие, дозна́ние

inquietude [ɪn'kwaɪɪtju:d] беспоко́йство

inqui||re [ɪn'kwaɪə] 1) спра́шивать, справля́ться *(about, after, for)* 2) иссле́довать; **~ry** [-rɪ] 1) спра́вка 2) вопро́с 3) рассле́дование, сле́дствие 4) *attr.*: **~ry** office спра́вочное бюро́

inquisit||ion [,ɪnkwɪ'zɪʃ(ə)n] 1) рассле́дование 2) инквизи́ция; **~ive** [ɪn'kwɪzɪtɪv] 1) назо́йливо любопы́тный 2) пытли́вый; **~or** [ɪn'kwɪzɪtə] 1) суде́бный сле́дователь 2) *ист.* инквизи́тор

inroad [ˈɪnroud] вторже́ние; *перен.* посяга́тельство

inrush [ˈɪnrʌʃ] напо́р *(воды)*; an ~ of tourists напл́ыв тури́стов

insane [ɪnˈseɪn] безу́мный

insanitary [ɪnˈsænɪt(ə)rɪ] антисанита́рный

insanity [ɪnˈsænɪtɪ] безу́мие

insatiable, insatiate [ɪnˈseɪʃjəbl, ɪnˈseɪʃɪɪt] ненасы́тный, жа́дный

inscri||be [ɪnˈskraɪb] 1) надпи́сывать 2) начерта́ть *(имя, надпись)* 3) *геом.* впи́сывать *(фигуру)*; **~ption** [ɪnˈskrɪpʃ(ə)n] на́дпись

inscrutable [ɪnˈskru:təbl] непостижи́мый; непроница́емый

insect [ˈɪnsekt] насеко́мое

insecur||e [ˌɪnsɪˈkjuə] небезопа́сный; ненадёжный; **~ity** [-rɪtɪ] небезопа́сность; ненадёжность

insemina||te [ɪnˈsemɪneɪt] оплодотворя́ть; **~tion** [ɪnˌsemɪˈneɪʃ(ə)n]: artificial ~tion иску́сственное оплодотворе́ние

insens||ate [ɪnˈsenseɪt] бесчу́вственный; ~rage слепа́я я́рость; **~ibility** [ɪnˌsensəˈbɪlɪtɪ] 1) нечувстви́тельность 2) бессозна́тельное состоя́ние; о́бморок 3) безразли́чие; **~ible** [-əbl] 1) бесчу́вственный 2) равноду́шный; ~ible of danger не сознаю́щий опа́сности 3) потеря́вший созна́ние 4) незаме́тный, неощути́мый; **~itive** [ɪnˈsensɪtɪv] 1) нечувстви́тельный 2) равноду́шный

inseparable [ɪnˈsep(ə)rəbl] неразлу́чный; неотдели́мый, нераздéльный

insert [ɪnˈsə:t] 1) вставля́ть *(in, into, between)* 2) помеща́ть *(в газете)* 3) *эл.* включа́ть *(в цепь)*; **~ion** [-ˈsə:ʃ(ə)n] 1) включе́ние 2) вста́вка 3) помеще́ние *(в газете)* 4) проши́вка 5) *тех.* прокла́дка

inset [ˈɪnset] 1) вкла́дка, вкле́йка *(в книге)* 2) вста́вка *(в платье)*

inshore [ˈɪnˈʃɔ:] **1.** *a* прибре́жный **2.** *adv* у бе́рега

inside [ˈɪnˈsaɪd] **1.** *n* 1) вну́тренняя сторона́, вну́тренность 2) *разг.* желу́док **2.** *a* вну́тренний **3.** *adv.* внутри́

insidious [ɪnˈsɪdɪəs] 1) кова́рный 2) незаме́тно подкра́дывающийся

insight [ˈɪnsaɪt] проница́тельность; понима́ние

insignia [ɪnˈsɪgnɪə] *pl* зна́ки отли́чия *или* разли́чия

insignific||ance [ˌɪnsɪgˈnɪfɪkəns] незначи́тельность; **~ant** [-ənt] незначи́тельный

insincer||e [ˌɪnsɪnˈsɪə] неи́скренний; **~ity** [ˌɪnsɪnˈserɪtɪ] неи́скренность

insinuat||e [ɪnˈsɪnjueɪt] 1) намека́ть; инсинуи́ровать 2): ~ oneself *(into)* вкра́дываться *(в доверие и т. п.)*; **~ion** [ɪnˌsɪnjuˈeɪʃ(ə)n] намёк

insipid [ɪnˈsɪpɪd] безвку́сный *(о пище)*; *перен.* ску́чный; вя́лый

insist [ɪnˈsɪst] наста́ивать *(on, upon)*; утвержда́ть; **~ence** [-(ə)ns] насто́йчивость; **~ent** [-(ə)nt] насто́йчивый

insole [ˈɪnsoul] сте́лька

insol||ence [ˈɪns(ə)ləns] на́глость; **~ent** [-(ə)nt] на́глый

insoluble [ɪnˈsɔljubl] 1) нераствори́мый 2) неразреши́мый

insolvent [ɪnˈsɔlv(ə)nt] **1.** *a* несостоя́тельный *(о должнике)* **2.** *n* банкро́т

insomnia [ɪnˈsɔmnɪə] бессо́нница

insomuch [ˌɪnso(u)ˈmʌtʃ]: ~ as *(или* that) насто́лько... что

insouciance [ɪnˈsu:sjəns] *фр.* беззабо́тность

inspect [ɪnˈspekt] 1) осма́тривать 2) инспекти́ровать; **~ion** [-kʃ(ə)n] 1) осмо́тр 2) инспе́кция; **~or** контролёр, инспе́ктор

inspi||ration [ˌɪnspəˈreɪʃ(ə)n] вдохнове́ние; **~re** [ɪnˈspaɪə] 1) вдохновля́ть 2) та́йно внуша́ть

inspirit [ɪnˈspɪrɪt] воодушевля́ть; ободря́ть

instability [ˌɪnstəˈbɪlɪtɪ] неусто́йчивость, непостоя́нство

install [ɪnˈstɔ:l] 1) устра́ивать 2) устана́вливать *(аппаратуру)* 3) официа́льно вводи́ть в до́лжность 4) *тех.* проводи́ть *(электрическую или отопительную сеть)*; **~ation** [ˌɪnstəˈleɪʃ(ə)n] 1) устано́вка; устро́йство 2) официа́льное введе́ние в до́лжность 3) *тех.* монта́ж, сбо́рка; прово́дка

instalment [ɪnˈstɔ:lmənt] 1) очередно́й взнос 2) отде́льный вы́пуск *(книги и т. п.)*; часть, па́ртия *(товаров)* ◇ by ~s а) в рассро́чку *(о платежах)*; б) отде́льными частя́ми *(о лит. произведениях)*

instance I [ˈɪnstəns] приме́р ◇ for ~ наприме́р

instance II 1) тре́бование; at smb.'s ~ по чьей-л. про́сьбе 2) *юр.* инста́нция

instant [ˈɪnstənt] **1.** *a* 1) неме́дленный 2) настоя́тельный 3) теку́щий *(сокр.* inst.); the 10th ~ деся́того (числа́) теку́щего ме́сяца **2.** *n* мгнове́ние; on the ~ то́тчас; this ~ сейча́с же; **~aneous** [ˌɪnst(ə)nˈteɪnjəs] 1) мгнове́нный 2) одновреме́нный; **~ly** то́тчас, неме́дленно

instead [ɪnˈsted] взаме́н; вме́сто *(of)*

instep [ˈɪnstep] подъём *(ноги)*

instigat||e [ˈɪnstɪgeɪt] подстрека́ть; **~ion** [ˌɪnstɪˈgeɪʃ(ə)n] подстрека́тельство; **~or** подстрека́тель

instil(l) [ɪnˈstɪl] 1) влива́ть по ка́пле 2) и́сподволь внуша́ть

instinct **1.** *n* [ˈɪnstɪŋkt] инсти́нкт **2.** *a* [ɪnˈstɪŋkt]: ~ with по́лный *(жизни, энергии)*; **~ive** [ɪnˈstɪŋktɪv] инстинкти́вный, бессозна́тельный

institut||e [ˈɪnstɪtju:t] **1.** *v* учрежда́ть, осно́вывать **2.** *n* институ́т, учрежде́ние; **~ion** [ˌɪnstɪˈtju:ʃ(ə)n] 1) учрежде́ние; организа́ция 2) установле́ние

instruct [ɪnˈstrʌkt] обуча́ть, инструкти́ровать; **~ion** [-kʃ(ə)n] 1) обуче́ние 2) *pl* инстру́кции; **~ive** [-ɪv] поучи́тельный; **~or** руководи́тель, инстру́ктор; преподава́тель

instrument [ˈɪnstrumənt] 1) инструме́нт; прибо́р; *перен.* сре́дство, ору́дие; ~s of production ору́дия произво́дства 2) музыка́льный инструме́нт 3) *юр.* докуме́нт; **~al** [,ɪnstru'mentl] 1) слу́жащий ору́дием, сре́дством 2) инструмента́льный; ~al case *грам.* твори́тельный паде́ж

insubordinate [,ɪnsə'bɔ:dnɪt] неповину́ющийся, недисциплини́рованный

insubstantial [,ɪnsəb'stænʃ(ə)l] нереа́льный; неоснова́тельный

insufferable [ɪn'sʌf(ə)rəbl] нестерпи́мый

insufficient [,ɪnsə'fɪʃ(ə)nt] недоста́точный

insular ['ɪnsjulə] 1) островно́й 2) обосо́бленный 3) у́зкий *(о взглядах)*; **~ity** [,ɪnsju'lærɪtɪ] обосо́бленность

insulat||e ['ɪnsjuleɪt] изоли́ровать; обособля́ть; **~ing** *тех.* изоляцио́нный; ~ing tape изоляцио́нная ле́нта; **~ion** [,ɪnsju'leɪʃ(ə)n] изоля́ция; **~or** *эл.* изоля́тор

insult 1. *n* ['ɪnsʌlt] оскорбле́ние **2.** *v* [ɪn'sʌlt] оскорбля́ть, наноси́ть оскорбле́ние

insuperable [ɪn'sju:p(ə)rəbl] непреодоли́мый

insupportable [,ɪnsə'pɔ:təbl] невыноси́мый

insurance [ɪn'ʃuər(ə)ns] 1) страхова́ние 2) страхова́я пре́мия 3) *attr.* страхово́й; ~ premium страхова́я пре́мия; ~ policy страхово́й по́лис

insure [ɪn'ʃuə] 1) страхова́ть 2) страхова́ться 3) обеспе́чивать

insurgent [ɪn'sə:dʒ(ə)nt] **1.** *a* восста́вший **2.** *n* повста́нец, бунта́рь

insurmountable [,ɪnsə:'mauntəbl] непреодоли́мый

insurrection [,ɪnsə'rekʃ(ə)n] 1) восста́ние 2) мяте́ж

insusceptible [,ɪnsə'septəbl] невосприи́мчивый; ~ of medical treatment не поддаю́щийся лече́нию

intact [ɪn'tækt] нетро́нутый, неповреждённый; це́лый

intangible [ɪn'tændʒəbl] неосяза́емый; *перен.* неулови́мый, непостижи́мый

integr||al ['ɪntɪgr(ə)l] 1) це́льный; ~ part неотдели́мая часть 2) *мат.* интегра́льный; **~ate** [-reɪt] 1) составля́ть це́лое 2) *мат.* интегри́ровать; **~ity** [ɪn'tegrɪtɪ] 1) че́стность 2) це́лостность

intellect ['ɪntɪlekt] ум, интелле́кт; **~ual** [,ɪntɪ'lektjuəl] **1.** *a* 1) интеллектуа́льный 2) мы́слящий **2.** *n* интеллиге́нт; the ~uals *pl* интеллиге́нция

intellig||ence [ɪn'telɪdʒ(ə)ns] 1) ум; смышлёность 2) све́дения 3) *attr.*: ~ service разве́дывательная слу́жба, разве́дка; **~ent** [-(ə)nt] у́мный, смышлёный

intelligentsia [ɪn,telɪ'dʒentsɪə] интеллиге́нция

intelligible [ɪn'telɪdʒəbl] поня́тный

intemperate [ɪn'temp(ə)rɪt] невозде́ржанный, неуме́ренный

intend [ɪn'tend] 1) намерева́ться, хоте́ть 2): ~ for предназнача́ть 3) име́ть в виду́, подразумева́ть; **~ed** [-ɪd] **1.** *n разг.* наречённый, су́женый, жени́х; наречённая, су́женая, неве́ста **2.** *a* наме́ченный, за́данный

intens||e [ɪn'tens] 1) напряжённый; си́льный 2) пы́лкий; **~ification** [ɪn,tensɪfɪ'keɪʃ(ə)n] усиле́ние; **~ify** [-ɪfaɪ] 1) уси́ливать 2) уси́ливаться; **~ity** [-ɪtɪ] напряжённость; интенси́вность; **~ive** [-ɪv] 1) интенси́вный 2) *грам.* усили́тельный

intent [ɪn'tent] **1.** *n* наме́рение; цель ◇ to all ~s and purposes на са́мом де́ле, факти́чески **2.** *a* 1) стремя́щийся *(к—on)* 2) погружённый *(во что-либо—on)*; за́нятый *(чем--л.)* 3) внима́тельный *(о взгляде и т.п.)*; **~ion** [-ʃ(ə)n] наме́рение, за́мысел; цель; **~ional** [-ʃənl] наме́ренный; умы́шленный

inter [ɪn'tə:] погреба́ть, хорони́ть

inter- [ɪntə(:)-] *префикс, имеющий значение взаимодействия, взаимонаправленности*

interact [,ɪntər'ækt] находи́ться во взаимоде́йствии; **~ion** [-'ækʃ(ə)n] взаимоде́йствие

interbreed ['ɪntə:'bri:d] 1) скре́щивать 2) скре́щиваться

intercede ['ɪntə:'si:d]: ~ with smb. for smb. хода́тайствовать, вступа́ться за кого́-л. перед кем-л.

intercept [,ɪntə:'sept] перехвати́ть; прерва́ть; **~ion** [-'sepʃ(ə)n] перехва́т(ывание); пресече́ние

intercession [,ɪntə'seʃ(ə)n] засту́пничество, хода́тайство; посре́дничество

interchange 1. *v* [,ɪntə:'tʃeɪndʒ] 1) обме́нивать 2) чередова́ть **2.** *n* ['ɪntə:'tʃeɪndʒ] 1) обме́н 2) чередова́ние; **~able** [-əbl] взаимозаменя́емый; равнозна́чный

intercity [,ɪntə'sɪtɪ] междугоро́дный

intercom ['ɪntəkɔm] *разг.* вну́тренняя телефо́нная связь *(в самолёте и т. п.)*

intercommunication ['ɪntə:kə,mju:nɪ'keɪʃ(ə)n] 1) сноше́ние, обще́ние 2) собесе́дование 3) связь

interconnection [,ɪntə:kə'nekʃ(ə)n] 1) взаимосвя́зь 2) *эл.* кустова́ние, объедине́ние энергосисте́м

intercontinental ['ɪntə:,kɔntɪ'nentl] межконтинента́льный

intercourse ['ɪntə:kɔ:s] 1) обще́ние; сноше́ния (ме́жду стра́нами) 2) половы́е сноше́ния

interdepartmental ['ɪntə,di:pɑ:t'mentl] междуве́домственный

interdependence [,ɪntə:dɪ'pendəns] взаимозави́симость

interdict [,ɪntə:'dɪkt] 1) воспреща́ть 2) уде́рживать *(от чего-л.)*

interest ['ɪntrɪst] **1.** *n* 1) интере́с 2) до́ля (капита́ла) в де́ле 3) вы́года 4) проце́нт **2.** *v* 1) интересова́ть 2) интересова́ться; **~ing** интере́сный

interfer||e [,ɪntə'fɪə] 1) меша́ть, надоеда́ть *(with)*; препя́тствовать 2) вме́шиваться 3) ста́лкиваться; **~ence** [-r(ə)ns] 1) вмеша́тельство 2) препя́тствие, поме́ха 3) столкнове́ние 4) *радио* поме́хи *мн.*

interfuse [,ɪntə:'fju:z] 1) переме́шивать 2) переме́шиваться *(with)*

interim ['ɪntərɪm] **1.** *a* вре́менный; промежу́точный; I. Committee межсессио́нный комите́т **2.** *n* промежу́ток, интерва́л; in the ~ тем вре́менем

interior [ɪn'tɪərɪə] **1.** *a* вну́тренний **2.** *n* 1) вну́тренность, вну́тренняя сторона́ 2) вну́тренние дела́ *(государства)*

interjection [,ɪntə:'dʒekʃ(ə)n] 1) восклица́ние 2) *грам.* междоме́тие

interlace [,ɪntə:'leɪs] 1) переплета́ть 2) сплета́ть 3) переплета́ться 4) сплета́ться

interline [,ɪntə:'laɪn] впи́сывать слова́ ме́жду строк

interlock [,ɪntə:'lɔk] 1) сцепля́ть 2) сцепля́ться 3) *тех.* блоки́ровать

interloper ['ɪntə:loupə] незва́ный гость; навя́зчивый челове́к

interlude ['ɪntə:lu:d] 1) антра́кт 2) интерлю́дия

intermar||riage [,ɪntə:'mærɪdʒ] брак ме́жду людьми́ ра́зных рас, национа́льностей; **~ry** [-rɪ] смеша́ться *(о племенах)*

intermedi||ary [,ɪntə:'mi:djərɪ] **1.** *a* промежу́точный **2.** *n* посре́дник; **~ate** [-'mi:djət] промежу́точный

interment [ɪn'tə:mənt] погребе́ние

interminable [ɪn'tə:mɪnəbl] бесконе́чный

intermingle [,ɪntə:'mɪŋgl] 1) переме́шивать 2) переме́шиваться *(with)* 3) обща́ться

inter||mission [,ɪntə:'mɪʃ(ə)n] переры́в; *мед.* перебо́й *(пульса)*; **~mittent** [-'mɪt(ə)nt] перемежа́ющийся

intern [ɪn'tə:n] интерни́ровать

internal [ɪn'tə:nl] вну́тренний; ~ combustion engine *тех.* дви́гатель вну́треннего сгора́ния

international [,ɪntə:'næʃənl] **1.** *a* междунаро́дный **2.** *n*: the I. Интернациона́л

Internationale [,ɪntənæʃə'nɑ:l] Интернациона́л *(гимн)*

internationalism [,ɪntə:'næʃnəlɪzm] интернационали́зм

internecine [,ɪntə:'ni:saɪn] междоусо́бный

internee [,ɪntə:'ni:] *воен.* интерни́рованный

internment [ɪn'tə:nmənt] интерни́рование

interplanetary [,ɪntə:'plænɪt(ə)rɪ] межплане́тный

interplay ['ɪntə:'pleɪ] взаимо(воз)де́йствие

interpose [,ɪntə:'pouz] 1) вставля́ть *(замечание)* 2) посре́дничать

interpret [ɪn'tə:prɪt] 1) толкова́ть, объясня́ть 2) переводи́ть *(устно)*; **~ation** [ɪn,tə:prɪ'teɪʃ(ə)n] толкова́ние, объясне́ние; **~er** перево́дчик

interregnum [,ɪntə'regnəm] междуца́рствие

interrelation ['ɪntə:rɪ'leɪʃ(ə)n] взаимоотноше́ние, соотноше́ние

interrogat||e [ɪn'terəgeɪt] 1) спра́шивать 2) допра́шивать *(в суде и т.п.)*; **~ion** [ɪn,terə'geɪʃ(ə)n] 1) вопро́с; mark (*или* note) of ~ion вопроси́тельный знак 2) допро́с; **~ive** [,ɪntə'rɔgətɪv] вопроси́тельный

interrupt [,ɪntə'rʌpt] 1) прерыва́ть; меша́ть 2) препя́тствовать; преграждáть; **~ion**

[-pʃ(ə)n] 1) переры́в 2) поме́ха, препя́тствие

intersect [ˌɪntə:'sekt] 1) пересека́ть 2) пересека́ться

intersperse [ˌɪntə:'spə:s] рассыпа́ть, пересыпа́ть

intertwine [ˌɪntə:'twaɪn] 1) переплета́ть 2) переплета́ться

interval ['ɪntəv(ə)l] 1) промежу́ток; расстоя́ние; интерва́л; at ~s вре́мя от вре́мени 2) переме́на *(между уроками)*; переры́в; антра́кт *(в театре)*

interven||e [ˌɪntə:'vi:n] 1) вме́шиваться *(in)* 2) происходи́ть *(за такой-то период времени)* 3) находи́ться ме́жду; **~tion** [-'venʃ(ə)n] интерве́нция; вмеша́тельство

interview ['ɪntəvju:] **1.** *n* интервью́; встре́ча; бесе́да **2.** *v* име́ть бесе́ду; интервьюи́ровать

interweave [ˌɪntə:'wi:v] (interwove; interwoven) 1) затка́ть *(узором)* 2) те́сно сплета́ть

interwove [ˌɪntə'wouv] *past от* interweave

interwoven [ˌɪntə'wouvn] *p. p. от* interweave

intestate [ɪn'testɪt]: die ~ умере́ть, не оста́вив завеща́ния

intestine [ɪn'testɪn] *(обыкн. pl)* кишки́; small (large) ~ то́нкая (то́лстая) кишка́

intimacy ['ɪntɪməsɪ] бли́зость, инти́мность

intimate I ['ɪntɪmɪt] 1) бли́зкий; хорошо́ знако́мый 2) инти́мный; ~ details инти́мные подро́бности; 3) сокрове́нный; ~ feelings сокрове́нные чу́вства

intimat||e II ['ɪntɪmeɪt] ста́вить в изве́стность; объявля́ть; **~ion** [ˌɪntɪ'meɪʃ(ə)n] 1) намёк 2) указа́ние

intimidate [ɪn'tɪmɪdeɪt] запу́гивать

into ['ɪntu *(полная форма)*, ɪntə *(редуцированная форма перед согласными и в конечном положении)*, ɪntu *(в неударном положении перед гласными)*] 1) *(при обозначении движения, направления, на вопр. «куда?»)* в; ~ the garden в сад 2) *(при обозначении перехода в другое состояние)* в; make ~ перераба́тывать; turn ~ превраща́ть

intoler||able [ɪn'tɔl(ə)rəbl] невыноси́мый, нестерпи́мый; **~-ance** [-(ə)ns] нетерпи́мость; **~ant** [-(ə)nt] нетерпи́мый *(of)*

inton||ation [ˌɪnto(u)'neɪʃ(ə)n] интона́ция; модуля́ция го́лоса; **~e** [ɪn'toun] интони́ровать, модули́ровать

intoxicat||e [ɪn'tɔksɪkeɪt] опьяня́ть; возбужда́ть; **~ion** [ɪnˌtɔksɪ'keɪʃ(ə)n] 1) опьяне́ние 2) отравле́ние *(алкоголем и т.п.)*

intractable [ɪn'træktəbl] непода́тливый, непоко́рный

intrasigent [ɪn'trænsɪdʒ(ə)nt] непреклóнный

intransitive [ɪn'trænsɪtɪv] *грам.* неперехо́дный *(о глаголе)*

intrepid [ɪn'trepɪd] неустраши́мый; **~ity** [ˌɪntrɪ'pɪdɪtɪ] неустраши́мость, отва́га

intricate ['ɪntrɪkɪt] запу́танный

intrigue [ɪn'tri:g] **1.** *n* интри́га **2.** *v* интригова́ть

intrinsic [ɪn'trɪnsɪk] 1) прису́щий; вну́тренний 2) суще́ственный

introduc||e [ˌɪntrə'dju:s] 1)

вводи́ть 2) представля́ть, знако́мить 3) вноси́ть *(для обсуждения)*; **~tion** [-'dʌkʃ(ə)n] 1) введе́ние; внесе́ние 2) представле́ние; letter of ~tion рекоменда́тельное письмо́ 3) предисло́вие; **~tory** [-'dʌkt(ə)rɪ] вступи́тельный, вво́дный, предвари́тельный

introspection [,ɪntro(u)'spekʃ(ə)n] самоана́лиз; самонаблюде́ние

introvert ['ɪntro(u)və:t] *психол.* челове́к, сосредото́ченный на само́м себе́

intru||de [ɪn'tru:d] 1) вторга́ться *(into)*; am I ~ding? я вам не меша́ю? 2) навя́зывать; ~ oneself upon smb. навя́зываться кому́-л.; ~ one's views upon smb. навя́зывать свои́ взгля́ды кому́-л. 3) навя́зываться *(upon)*; **~sion** [-'tru:ʒ(ə)n] 1) вторже́ние *(into)* 2) навя́зывание свои́х мне́ний *(upon)* 3) *геол.* интру́зия

intuit||ion [,ɪntju:'ɪʃ(ə)n] интуи́ция; **~ive** [ɪn'tju:ɪtɪv] интуити́вный

inundat||e ['ɪnʌndeɪt] наводня́ть *(with) (тж. перен.)*; **~ion** [,ɪnʌn'deɪʃ(ə)n] наводне́ние

inure [ɪ'njuə]: ~ oneself to приуча́ть себя́ к; be ~d to hardships приучи́ться переноси́ть тру́дности

invad||e [ɪn'veɪd] 1) вторга́ться; *перен.* наводня́ть; tourists ~d the city го́род наводни́ли тури́сты 2): ~ smb.'s rights посяга́ть на чьи-л. права́; **~er** захва́тчик

invalid I **1.** *a* ['ɪnvəli:d] 1) больно́й; нетрудоспосо́бный 2) (предназна́ченный) для больны́х; ~ diet дие́та для больны́х; ~ chair кре́сло для инвали́дов **2.** *n* ['ɪnvəli:d] больно́й; инвали́д **3.** *v* [,ɪnvə'li:d] *(обыкн. pass)*: he was ~ed out of the army его́ освободи́ли от вое́нной слу́жбы по инвали́дности

invalid II [ɪn'vælɪd] *юр.* недействи́тельный; **~ate** [-eɪt] *юр.* де́лать недействи́тельным; **~ation** [ɪn,vælɪ'deɪʃ(ə)n] *юр.* аннули́рование

invalidity [,ɪnvə'lɪdɪtɪ] нетрудоспосо́бность

invaluable [ɪn'væljuəbl] неоцени́мый

invariab||le [ɪn'vɛərɪəbl] 1) неизме́нный 2) *мат.* постоя́нный; **~ly** неизме́нно, всегда́; she ~ly dresses in black она́ всегда́ но́сит чёрное

invasion [ɪn'veɪʒ(ə)n] 1) вторже́ние 2) *юр.* посяга́тельство на чьи-л. права́

invective [ɪn'vektɪv] 1) бра́нная, обличи́тельная речь 2) *pl* брань

inveigh [ɪn'veɪ]: ~ against smth. руга́ть, поноси́ть что-л.

inveigle [ɪn'vi:gl] зама́нивать, обольща́ть

invent [ɪn'vent] 1) изобрета́ть 2) вы́думывать; **~ion** [-nʃ(ə)n] 1) изобрете́ние 2) вы́думка; **~or** изобрета́тель

inventory ['ɪnvəntrɪ] **1.** *n* инвента́рь, о́пись иму́щества **2.** *v* инвентаризова́ть

inver||se ['ɪn'və:s] обра́тный; **~sion** [ɪn'və:ʃ(ə)n] инве́рсия, перестано́вка; **~t** [ɪn'və:t] переставля́ть; перевёртывать;

~**ted** [-tɪd]: ~ted commas кавы́чки

invest [ɪn'vest] 1) вкла́дывать *(капитал)* 2) облача́ть 3) облека́ть *(властью и т.п.)* 4) *воен.* блоки́ровать, осажда́ть *(город и т.п.)*

investigat||e [ɪn'vestɪgeɪt] 1) иссле́довать 2) рассле́довать, разузнава́ть; ~**ion** [ɪn,vestɪ'geɪʃ(ə)n] 1) (нау́чное) иссле́дование 2) сле́дствие *(судебное)*

investiture [ɪn'vestɪtʃə] форма́льное введе́ние в до́лжность

invest||ment [ɪn'vestmənt] 1) вклад; капиталовложе́ние 2) вло́женный капита́л 3) облаче́ние, оде́жда 4) *воен.* оса́да, блока́да; ~**or** вкла́дчик

inveterate [ɪn'vet(ə)rɪt] закорене́лый

invidious [ɪn'vɪdɪəs] вызыва́ющий вражде́бное отноше́ние, недоброжела́тельство, за́висть

invigilate [ɪn'vɪdʒɪleɪt] следи́ть за студе́нтами во вре́мя экза́мена

invigorate [ɪn'vɪgəreɪt] подба́дривать

invincible [ɪn'vɪnsəbl] непобеди́мый

inviolable [ɪn'vaɪələbl] неруши́мый; неприкоснове́нный

invisible [ɪn'vɪzəbl] невиди́мый

invitation [,ɪnvɪ'teɪʃ(ə)n] приглаше́ние

invit||e [ɪn'vaɪt] 1) приглаша́ть 2) проси́ть *(о чём-л.)*; ~ questions проси́ть задава́ть вопро́сы; ~ opinions проси́ть выска́зываться 3) привлека́ть, мани́ть; ~**ing** привлека́тельный

invoice ['ɪnvɔɪs] накладна́я, факту́ра, счёт

invoke [ɪn'vouk] взыва́ть *(о помощи)*; заклина́ть

involuntary [ɪn'vɔlənt(ə)rɪ] непроизво́льный; householdнево́льный

involve [ɪn'vɔlv] 1) вовлека́ть; I don't want to ~ you in this affair я не хочу́ вме́шивать вас в э́то де́ло 2) включа́ть в себя́; the job ~s a lot of travelling при э́той рабо́те прихо́дится мно́го разъезжа́ть; ~**d** [-d] сло́жный

invulnerable [ɪn'vʌln(ə)rəbl] неуязви́мый

inward ['ɪnwəd] **1.** *a* 1) вну́тренний 2) у́мственный, духо́вный **2.** *n pl* вну́тренности **3.** *adv* внутрь; ~**ly** вну́тренне, в уме́, в душе́

inwrought ['ɪn'rɔ:t] 1) узо́рчатый 2) сплетённый

iodine ['aɪədi:n] йод

ion ['aɪən] *физ.* ио́н

iota [aɪ'outə] йо́та; not an ~ of truth in a story в э́той исто́рии нет ни ка́пли пра́вды

IOU ['aɪo(u)'ju:] долгова́я распи́ска

ir- [ɪr-] *префикс, имеющий отрицательное значение*

Iranian [ɪ'reɪnjən] **1.** *a* ира́нский; перси́дский **2.** *n* ира́нец; ира́нка

Iraqi [ɪ'rɑ:kɪ] **1.** *n* жи́тель, жи́тельница Ира́ка **2.** *a* ира́кский

irascible [ɪ'ræsɪbl] раздражи́тельный; вспы́льчивый

irate [aɪ'reɪt] гне́вный, разгне́ванный

iridescent [,ɪrɪ'desnt] ра́дужный; перели́вчатый

iris [ˈaɪərɪs] 1) *анат.* ра́дужная оболо́чка *(глаза)* 2) и́рис

Irish [ˈaɪərɪʃ] **1.** *a* ирла́ндский **2.** *n* 1) ирла́ндский язы́к 2): the ~ ирла́ндцы, ирла́ндский наро́д; **~man** [-mən] ирла́ндец; **~woman** [-ˌwumən] ирла́ндка

irk [ˈəːk] утомля́ть, надоеда́ть; **~some** [-səm] утоми́тельный, ску́чный

iron [ˈaɪən] **1.** *n* 1) желе́зо; 2) желе́зное изде́лие; soldering ~ пая́льник 3) утю́г 4) *pl* кандалы́ ◇ strike while the ~ is hot *посл.* куй желе́зо, пока́ горячо́ **2.** *a* желе́зный **3.** *v* утю́жить, гла́дить; **~ out** сгла́живать, ула́живать; **~clad** [-klæd] **1.** *a* покры́тый бронёй, брони́рованный **2.** *n мор.* броненóсец

ironic(al) [aɪˈrɔnɪk(əl)] ирони́ческий

ironmonger [ˈaɪənˌmʌŋgə] торго́вец желе́зными (*или* скобяны́ми) изде́лиями

ironworks [ˈaɪənwəːks] чугуноліте́йный заво́д

irony [ˈaɪərənɪ] иро́ния

irrational [ɪˈræʃənl] **1.** *a* 1) неразу́мный; нерациона́льный 2) *мат.* иррациона́льный **2.** *n мат.* иррациона́льное число́

irreclaimable [ˌɪrɪˈkleɪməbl] неисправи́мый

irreconcilable [ɪˈrekənsaɪləbl] 1) непримири́мый *(о человеке)* 2) противоречи́вый *(о мыслях, поступках и т.п.)*

irrecoverable [ˌɪrɪˈkʌv(ə)rəbl] непоправи́мый

irredeemable [ˌɪrɪˈdiːməbl] 1) неисправи́мый; безнадёжный 2) не подлежа́щий вы́купу *(об акциях)*

irreducible [ˌɪrɪˈdjuːsəbl] 1) непревврати́мый *(в иное состояние)* 2) *мат.* несократи́мый

irrefutable [ɪˈrefjutəbl] неопроверж́имый

irregular [ɪˈregjulə] 1) непра́вильный; ненорма́льный 2) беспоря́дочный 3) неро́вный; **~ity** [ɪˌregjuˈlærɪtɪ] 1) нерегуля́рность, неравноме́рность 2) непра́вильность

irrelevant [ɪˈrelɪvənt] не относя́щийся к де́лу

irremediable [ˌɪrɪˈmiːdjəbl] неизлечи́мый; непоправи́мый

irremovable [ˌɪrɪˈmuːvəbl] несменя́емый, назна́ченный постоя́нно *(на какую-л. должность)*

irreparable [ɪˈrep(ə)rəbl] непоправи́мый

irreplaceable [ˌɪrɪˈpleɪsəbl] незамени́мый

irrepressible [ˌɪrɪˈpresəbl] неукроти́мый; неугомо́нный

irreproachable [ˌɪrɪˈproutʃəbl] безупре́чный

irresistible [ˌɪrɪˈzɪstəbl] неотрази́мый; непреодоли́мый

irresolute [ɪˈrezəluːt] нереши́тельный

irrespective [ˌɪrɪsˈpektɪv]: ~ of безотноси́тельно; незави́симо *(от чего-л.)*

irresponsible [ˌɪrɪsˈpɔnsəbl] безотве́тственный

irretrievable [ˌɪrɪˈtriːvəbl] непоправи́мый; безвозвра́тный

irreveren||ce [ɪˈrev(ə)r(ə)ns] непочти́тельность; **~t** [-(ə)nt] непочти́тельный

irreversible [ˌɪrɪˈvəːsəbl] 1) необрати́мый 2) непрело́жный

irrevocable [ɪˈrevəkəbl] неизменя́емый; неизме́нный; неотменя́емый

irrigat||e [ˈɪrɪgeɪt] ороша́ть; **~ion** [ˌɪrɪˈgeɪʃ(ə)n] ороше́ние, иррига́ция

irrit||able [ˈɪrɪtəbl] раздражи́тельный; **~ant** [-(ə)nt] **1.** *a* вызыва́ющий раздраже́ние **2.** *n* раздражи́тель; **~ate** [-teɪt] раздража́ть; **~ation** [ɪˌrɪˈteɪʃ(ə)n] раздраже́ние

irruption [ɪˈrʌpʃ(ə)n] вторже́ние

is, 's [ɪz, z *(после гласных и звонких согласных)*, s *(после глухих согласных)*] 3 *л. ед. ч. наст. вр. изъяв. накл. от гл.* be

Islam [ˈɪzlɑːm] исла́м; **~ic** [ɪzˈlæmɪk] мусульма́нский

island [ˈaɪlənd] о́стров; **~er** островитя́нин, жи́тель о́строва

isl||e [ˈaɪl] о́стров; **~et** [-ɪt] острово́к

isn't [ˈɪznt] *сокр. от* is not

isolat||e [ˈaɪsəleɪt] 1) изоли́ровать 2) *хим.* выделя́ть, разъединя́ть; **~ion** [ˌaɪsəˈleɪʃ(ə)n] 1) изоли́рование; изоля́ция 2) уедине́ние

issue [ˈɪsjuː] **1.** *n* 1) истече́ние; вы́ход 2) изда́ние, вы́пуск; но́мер *(журнала и т. п.)* 3) вы́пуск *(денег, займа и т. п.)* 4) исхо́д, результа́т 5) пото́мство ◇ take ~ with спо́рить; that is the point at ~ вот об э́том-то и идёт спор **2.** *v* 1) выходи́ть 2) выпуска́ть *(книги, заём и т.п.)* 3) конча́ться *(чем-л.)*

isthmus [ˈɪsməs] переше́ек

it I [ɪt] 1) *pers pron им. п.* он; она́; оно́ 2) *demonstr pron* э́то; it is a map э́то ка́рта 3) *в безличных оборотах, показывающих явления природы, время, расстояние; чаще не переводится:* it is cold (early, far) хо́лодно (ра́но, далеко́); it snows идёт снег 4) *когда* it *вводит инфинитивный или герундиальный оборот или целое придаточное предложение, оно обычно не переводится:* it is difficult to get there туда́ тру́дно добра́ться, it is no use asking them about this бесполе́зно их об э́том спра́шивать; it is necessary that you should consult them необходи́мо, что́бы вы с ни́ми посове́товались

it II [ɪt] *pers pron объектн. п.* его́; ему́; ей

Italian [ɪˈtæljən] **1.** *a* италья́нский **2.** *n* 1) италья́нец; италья́нка 2) италья́нский язы́к

italic [ɪˈtælɪk] *полигр.* **1.** *a* курси́вный **2.** *n pl* курси́в *(тж.* ~ type)

italicize [ɪˈtælɪsaɪz] выделя́ть курси́вом

itch [ɪtʃ] **1.** *n* зуд; чесо́тка **2.** *v* 1) чеса́ться, зуде́ть 2) не терпе́ться; he is ~ing to tell us the news ему́ не те́рпится сообщи́ть нам но́вость

item [ˈaɪtem] **1.** *n* 1) пункт; пара́граф; статья́ 2) любо́й из перечи́сленных предме́тов 3) вопро́с *(на повестке дня);* но́мер *(программы);* статья́ *(счёта)* **2.** *adv* та́кже, то́же

itemize [ˈaɪtemaɪz] *амер.* ука́зывать, перечисля́ть по пу́нктам

iterate [ˈɪtəreɪt] повторя́ть

iteration [ˌɪtəˈreɪʃ(ə)n] повторéние

itinera||nt [ɪˈtɪn(ə)r(ə)nt] стрáнствующий; **~ry** [aɪˈtɪn(ə)rərɪ] **1.** *n* 1) маршрýт 2) путеводи́тель 3) путевы́е замéтки *мн.* **2.** *a* путевóй, дорóжный

its [ɪts] *poss pron* егó, её; свой, своя́, своё

it's [ɪts] *сокр. от* it is

itself [ɪtˈself] 1) *refl pron* 3 *л. ед. ч. ср. р.* себя́, самогó себя́; ~ся; when the monkey saw ~ in the mirror... когдá обезья́на уви́дела себя́ в зéркале... 2) *emphatic pron* сам, самá, самó; the room ~ was furnished very simply самá кóмната былá обстáвлена óчень прóсто ◇ the flower grew there by ~ цветóк рос там оди́н (одинóко, сам по себé)

I've [aɪv] *сокр. от* I have

ivory [ˈaɪv(ə)rɪ] 1) слонóвая кость 2) *pl разг.* игрáльные кóсти

ivy [ˈaɪvɪ] плющ (обыкновéнный)

J

J, j [dʒeɪ] *десятая буква англ. алфавита*

jab [dʒæb] **1.** *v* ты́кать, колóть; пырнýть *(ножом и т.п.)* **2.** *n* 1) толчóк; внезáпный удáр 2) *разг.* укóл

jabber [ˈdʒæbə] **1.** *v* 1) болтáть; таратóрить 2) бормотáть **2.** *n* 1) болтовня́ 2) бормотáние

jack [dʒæk] **1.** *n* 1) пáрень 2) рычáг; *тех.* домкрáт 3) щýка 4) *карт.* валéт **2.** *v* поднимáть домкрáтом

jackal [ˈdʒækɔːl] шакáл

jackdaw [ˈdʒækdɔː] гáлка

jacket [ˈdʒækɪt] 1) жакéт; кýртка 2) шкýра *(животного)* 3) *тех.* кожýх *(машины)* 4) супероблóжка *(книги)* ◇ potatoes in their ~s картóфель в мунди́ре

jack-knife [ˈdʒæknaɪf] большóй складнóй нож

Jack-of-all-trades [ˈdʒækəvˈɔːltreɪdz] мáстер на все рýки

jade I [dʒeɪd] *мин.* нефри́т

jad||e II [ˈdʒeɪd] кля́ча; **~ed** [-ɪd] изнурённый

jag [ˈdʒæg] **1.** *n* óстрый вы́ступ **2.** *v* дéлать зазýбрины; **~ged, ~gy** [-ɪd, -ɪ] зазýбренный, зубчáтый

jaguar [ˈdʒægjuə] ягуáр

jail [ˈdʒeɪl] тюрьмá; **~er** тюрéмщик

jam I [dʒæm] **1.** *v* 1) сжимáть, прищемля́ть; ~ one's fingers in the door прищеми́ть пáльцы двéрью 2) набивáть биткóм 3) *(обыкн. pass) тех.* заедáть, застревáть 4) *радио* искажáть передáчу ◇ ~ on the brakes рéзко затормози́ть **2.** *n* 1) дáвка, толчея́; traffic ~ затóр, «прóбка» 2) перебóй в рабóте *(машины, аппарата и т.п.)* 3) *разг.* нелóвкое положéние

jam II варéнье; джем

jamb [dʒæm] кося́к *(двери, окна)*

jangle [ˈdʒæŋgl] **1.** *n* 1) рéзкий звук **2.** *v* 1) шумéть 2) шýмно спóрить

janitor ['dʒænɪtə] 1) привра́тник 2) *амер.* дво́рник

January ['dʒænjuərɪ] 1) янва́рь 2) *attr.* янва́рский

japan [dʒə'pæn] чёрный лак

Japanese [,dʒæpə'ni:z] **1.** *a* япо́нский **2.** *n* 1) япо́нец; япо́нка 2) япо́нский язы́к

jar I [dʒɑ:] **1.** *v* 1) дребезжа́ть 2) де́йствовать на не́рвы, раздража́ть *(on)* 3) ссо́риться 4) дисгармони́ровать, не согласо́вываться **2.** *n* 1) ре́жущий у́хо звук 2) несогла́сие, ссо́ра 3) не́рвное потрясе́ние; шок

jar II кувши́н, ба́нка

jargon ['dʒɑ:gən] жарго́н

jasmin(e) ['dʒæsmɪn] жасми́н

jaundic||e ['dʒɔ:ndɪs] 1) *мед.* желту́ха 2) жёлчность; **~ed** [-t] больно́й желту́хой; *перен.* жёлчный; зави́стливый

jaunt [dʒɔ:nt] **1.** *n* увесели́тельная прогу́лка **2.** *v* предпринима́ть увесели́тельную прогу́лку

jaunty ['dʒɔ:ntɪ] развя́зный; самодово́льный

jaw ['dʒɔ:] **1.** *n* 1) че́люсть; *pl* рот, пасть 2) *pl* у́зкий вход *(долины, залива)* 3) *pl тех.* тиски́, кле́щи 4) *разг.* ску́чное нравоуче́ние ◇ in the ~s of death в когтя́х сме́рти **2.** *v разг.* 1) вести́ ску́чный разгово́р 2) отчи́тывать; **~-bone** [-boun] челюстна́я кость

jaw-breaker ['dʒɔ:,breɪkə] *разг.* труднопроизноси́мое сло́во

jay [dʒeɪ] 1) со́йка *(птица)* 2) болту́н

jay-walker ['dʒeɪ,wɔ:kə] неосторо́жный пешехо́д

jazz ['dʒæz] **1.** *n* джаз; эстра́дный орке́стр **2.** *a* джа́зовый; **~y** [-ɪ] крича́щий *(о красках и т.п.)*, пёстрый

jealou||s ['dʒeləs] 1) ревни́вый; be ~ ревнова́ть 2) зави́стливый 3) ре́вностный, забо́тливый; **~sy** [-ɪ] 1) ре́вность 2) за́висть

jeer [dʒɪə] **1.** *n* насме́шка **2.** *v* насмеха́ться *(at)*, глуми́ться

jelly ['dʒelɪ] 1) желе́ 2) сту́день; **~-fish** [-fɪʃ] меду́за

jemmy ['dʒemɪ] отмы́чка

jeopar||dize ['dʒepədaɪz] подверга́ть опа́сности, ри́ску; **~dy** [-dɪ] опа́сность, риск

jerk I [dʒə:k] вя́лить *(мясо и т.п.)*

jer||k II ['dʒə:k] **1.** *n* 1) внеза́пный толчо́к 2) подёргивание *(мускула)* **2.** *v* 1) ре́зко толка́ть, дёргать 2) дви́гаться толчка́ми; **~ky** [-ɪ] дви́гающийся ре́зкими толчка́ми 2) отры́вистый

jerry||-builder ['dʒerɪ,bɪldə] плохо́й строи́тель; **~-built** [-bɪlt] постро́енный на ско́рую ру́ку, ко́е-ка́к

jersey ['dʒə:zɪ] 1) фуфа́йка, сви́тер; вя́заная ко́фта 2) то́нкая шерстяна́я пря́жа 3) дже́рси́

jest ['dʒest] **1.** *n* шу́тка; насме́шка; be a standing ~ быть предме́том насме́шек **2.** *v* шути́ть; **~er** 1) шутни́к 2) шут

Jesu||it ['dʒezjuɪt] иезуи́т; **~itic(al)** [,dʒezju'ɪtɪk(ə)l] иезуи́тский; *перен.* лицеме́рный, кова́рный

jet I [dʒet] 1) струя́ 2) *attr.* реакти́вный; ~ aircraft реакти́вный самолёт

jet II ['dʒet] *мин.* ага́т;

~-black [-'blæk] чёрный как смоль

jetsam ['dʒetsəm] груз, сбро́шенный с корабля́ во вре́мя ава́рии и приби́тый к бе́регу

jettison ['dʒetɪsn] выбра́сывать груз за́ борт *(при угрозе аварии)*

jetty ['dʒetɪ] мол

Jew [dʒu:] евре́й

jewel ['dʒu:əl] **1.** *n* 1) драгоце́нный ка́мень 2) драгоце́нность; це́нная вещь **2.** *v (обыкн. p. p.)*: ~led укра́шенный драгоце́нностями; **~ler** 1) ювели́р 2) торго́вец драгоце́нностями

jewel||lery, ~ry ['dʒu:əlrɪ] 1) драгоце́нности 2) ювели́рное иску́сство

Jewess ['dʒu:ɪs] евре́йка

Jewish ['dʒu:ɪʃ] евре́йский

jib I [dʒɪb] *n* 1) *тех.* стрела́ подъёмного кра́на; уко́сина 2) *мор.* кли́вер

jib II ['dʒɪb] пя́титься *(о лошади)*; *перен.* упира́ться; **~ber** норови́стая ло́шадь

jibe [dʒaɪb] *см.* gibe

jiff(y) ['dʒɪf(ɪ)] *разг.* миг, мгнове́ние; in a ~ в оди́н миг; wait half a ~ подожди́те секу́нду

jig [dʒɪg] **1.** *n* джи́га *(танец)* **2.** *v* танцева́ть джи́гу

jilt [dʒɪlt] **1.** *n* обма́нщица **2.** *v* увле́чь и обману́ть *(обыкн. о женщине)*

jingle ['dʒɪŋgl] **1.** *n* 1) звоно́к, звя́канье 2) *лит.* аллитера́ция **2.** *v* звене́ть, звя́кать

jingo ['dʒɪŋgou] шовини́ст; **~ism** шовини́зм

jinks [dʒɪŋks]: high ~ шу́мное весе́лье

jinx [dʒɪŋks] *разг.* челове́к *или* вещь, прнося́щие несча́стье

jitters ['dʒɪtəz] *разг.*: the ~ не́рвное состоя́ние; have the ~ не́рвничать

job ['dʒɔb] **1.** *n* 1) рабо́та; слу́жба; заня́тие; ме́сто; out of a ~ без рабо́ты 2) уро́к, зада́ние 3) *разг.* тру́дное де́ло 4) злоупотребле́ние служе́бным положе́нием 5) *attr.*: a ~ lot ве́щи, ку́пленные по дешёвке для перепрода́жи ◇ a bad ~ ги́блое де́ло; an inside ~ кра́жа, совершённая кем-л. из свои́х **2.** *v* 1) выполня́ть зада́ние; рабо́тать сде́льно 2) брать *или* дава́ть напрока́т *(лошадь, экипаж и т.п.)* 3) злоупотребля́ть свои́м служе́бным положе́нием 4) спекули́ровать; **~ber** ма́клер, комиссионе́р; **~less** безрабо́тный

jockey ['dʒɔkɪ] **1.** *n* жоке́й **2.** *v* обма́нывать, надува́ть

joc||ose [dʒə'kous] шутли́вый, игри́вый, весёлый; **~osity** [dʒou'kɔsɪtɪ] весёлость, игри́вость

jocular ['dʒɔkjulə] *см.* jocose

jocund ['dʒɔkənd] весёлый, живо́й; заба́вный

jog [dʒɔg] **1.** *n* 1) толчо́к 2) ме́дленная ходьба́ *или* езда́ **2.** *v* 1) толка́ть, подта́лкивать; ~ smb.'s memory *перен.* напо́мнить кому́-л.; помо́чь кому́-л. припо́мнить 2) е́хать *или* дви́гаться подска́кивая 3) *перен.* *(часто* ~ along) ме́дленно продвига́ться вперёд

joggle ['dʒɔgl] 1) трясти́ 2) трясти́сь

jog-trot [ˈdʒɔgˈtrɔt] 1) рысца́ 2) однообра́зное движе́ние

join [dʒɔɪn] **1.** *v* 1) соединя́ть; присоединя́ть 2) соединя́ться; присоединя́ться; влива́ться 3) вступа́ть *(в армию, партию, общество и т.п.)* **2.** *n* соедине́ние; то́чка, ли́ния, пло́скость соедине́ния

joiner [ˈdʒɔɪnə] столя́р

joint [dʒɔɪnt] **1.** *n* 1) ме́сто соедине́ния 2) *анат.* суста́в; сочлене́ние 3) *разг.* каба́к **2.** *v* расчленя́ть **3.** *a* соединённый, о́бщий, совме́стный

jointly [ˈdʒɔɪntlɪ] совме́стно

joint-stock [ˈdʒɔɪntstɔk] акционе́рный

jok||e [ˈdʒouk] **1.** *n* шу́тка; остро́та **2.** *v* шути́ть, подшу́чивать; **~er** 1) шутни́к 2) джо́кер *(в покере)*

jolly [ˈdʒɔlɪ] **1.** *a* 1) весёлый, оживлённый 2) подвы́пивший 3) *разг.* прия́тный, преле́стный **2.** *adv разг.* о́чень; ~ fine о́чень хорошо́

jolt [dʒoult] **1.** *n* тря́ска **2.** *v* трясти́, подбра́сывать *(об экипаже)*

jostle [ˈdʒɔsl] 1) толка́ть, пиха́ть 2) толка́ться

jot [dʒɔt] **1.** *n* йо́та, ничто́жное коли́чество **2.** *v* кра́тко записа́ть, наброса́ть, бе́гло очерти́ть *(обыкн.* ~ down)

journal [ˈdʒə:nl] 1) журна́л; газе́та 2) ве́домости 3) дневни́к

journalese [ˌdʒə:nəˈli:z] газе́тный язы́к

journal||ism [ˈdʒə:nəlɪzm] журнали́стика; **~ist** журнали́ст; **~istic** [ˌdʒə:nəˈlɪstɪk] журна́льный; относя́щийся к журнали́стике

journey [ˈdʒə:nɪ] **1.** *n* пое́здка, путеше́ствие *(сухопутное)*; прогу́лка **2.** *v* соверша́ть пое́здку, путеше́ствовать

jovial [ˈdʒouvjəl] весёлый; общи́тельный; **~ity** [ˌdʒouvɪˈælɪtɪ] весёлость; общи́тельность

jowl [dʒaul] че́люсть; челюстна́я кость

joy [ˈdʒɔɪ] **1.** *n* ра́дость; удово́льствие **2.** *v* 1) ра́довать; весели́ть 2) ра́доваться; весели́ться; ликова́ть; **~ful, ~ous** [-əs] весёлый, ра́достный

joy-ride [ˈdʒɔɪraɪd] *разг.* увесели́тельная прогу́лка в чужо́й маши́не *(особ. без разрешения)*

joystick [ˈdʒɔɪstɪk] *ав. разг.* ру́чка управле́ния

jubila||nt [ˈdʒu:bɪlənt] лику́ющий; **~te** [-leɪt] выража́ть ра́дость; ликова́ть

jubilee [ˈdʒu:bɪlɪ:] юбиле́й

judge [ˈdʒʌdʒ] **1.** *n* 1) судья́ 2) знато́к, цени́тель **2.** *v* 1) суди́ть 2) рассма́тривать; составля́ть мне́ние; реша́ть, заключа́ть; **~ment** 1) пригово́р, реше́ние суда́ 2) ка́ра, наказа́ние 3) сужде́ние, мне́ние 4) здра́вый смысл

judicial [dʒu:ˈdɪʃ(ə)l] 1) суде́бный, зако́нный 2) суде́йский 3) рассуди́тельный 4) беспристра́стный

judicious [dʒu:ˈdɪʃəs] рассуди́тельный, благоразу́мный

jug [dʒʌg] **1.** *n* 1) кувши́н 2) *разг.* тюрьма́ **2.** *v* 1) *разг.* посади́ть в тюрьму́ 2) туши́ть *(зайца, кролика)*

juggl||e [ˈdʒʌgl] 1) жонгли́ровать; пока́зывать фо́кусы 2) плутова́ть, обма́нывать; **~er** 1) жонглёр; фо́кусник 2) шарлата́н; **~ery** [-ərɪ] 1) жонгли́рование; пока́зывание фо́кусов 2) плутовство́, обма́н

Jugoslav [ˈju:go(u)ˈslɑ:v] *см.* Yugoslav

jui||ce [ˈdʒu:s] 1) сок 2) *разг.* бензи́н; **~cy** [-ɪ] 1) со́чный 2) *разг.* зама́нчивый, представля́ющий осо́бый интере́с

July [dʒu:ˈlaɪ] 1) ию́ль 2) *attr.* ию́льский

jumble [ˈdʒʌmbl] **1.** *n* толчея́, сумато́ха **2.** *v* 1) беспоря́дочно дви́гать; сме́шивать, перепу́тывать 2) дви́гаться в беспоря́дке; сме́шиваться, перепу́тываться; **~-sale** [-seɪl] дешёвый благотвори́тельный база́р

jumbo [ˈdʒʌmbou] большо́й неуклю́жий челове́к, кру́пное живо́тное, громо́здкая вещь

jump [dʒʌmp] 1) пры́гать, скака́ть; переска́кивать 2) ухвати́ться *(за мысль, предложение — at)* ◇ ~ to conclusions де́лать поспе́шные вы́воды

jumper I [ˈdʒʌmpə] прыгу́н, скаку́н

jumper II 1) дже́мпер 2) матро́сская руба́ха; рабо́чая блу́за

jumpy [ˈdʒʌmpɪ] нерво́зный, не́рвный *(о человеке)*

junction [ˈdʒʌnkʃ(ə)n] 1) соедине́ние; стык 2) *ж.-д.* у́зел; узлова́я ста́нция 3) перекрёсток; fly-over ~ пересече́ние (доро́г) на ра́зных у́ровнях

juncture [ˈdʒʌŋktʃə] 1) соедине́ние 2) положе́ние дел

June [dʒu:n] 1) ию́нь 2) *attr.* ию́ньский

jungle [ˈdʒʌŋgl] 1) джу́нгли 2) *attr.* ~ fever тропи́ческая лихора́дка

junior [ˈdʒu:njə] **1.** *a* мла́дший **2.** *n амер.* студе́нт мла́дшего ку́рса

juniper [ˈdʒu:nɪpə] можжеве́льник

junk [dʒʌŋk] **1.** *n* нену́жный хлам, отбро́сы **2.** *v* выбра́сывать за нена́добностью

junket [ˈdʒʌŋkɪt] *амер.* **1.** *n* пи́ршество; пикни́к **2.** *v* пирова́ть; устра́ивать пикни́к

juridical [dʒuəˈrɪdɪk(ə)l] юриди́ческий; зако́нный, правово́й

jurisdiction [ˌdʒuərɪsˈdɪkʃ(ə)n] 1) правосу́дие 2) юрисди́кция

jurisprudence [ˈdʒuərɪsˌpru:d(ə)ns] юриспруде́нция, правове́дение

jurist [ˈdʒuərɪst] юри́ст; **~ic(al)** [-ˈrɪstɪk(əl)] юриди́ческий

juror [ˈdʒuərə] 1) прися́жный заседа́тель 2) член жюри́ 3) присяга́ющий

jury [ˈdʒuərɪ] 1) прися́жные 2) жюри́

just I [dʒʌst] 1) справедли́вый 2) пра́вильный; до́лжный, надлежа́щий

just II [dʒʌst] **1.** *adv* 1) то́чно, и́менно, как раз 2) то́лько что; ~ now сейча́с, то́лько что 3) *разг.* совсе́м; пря́мо, про́сто; it's ~ splendid э́то про́сто великоле́пно **2.** *part* и́менно, как раз; it is ~ the book I want э́то как раз та кни́га, кото́рая мне нужна́ ◇ ~ a minute подожди́те мину́ту

justice [ˈdʒʌstɪs] 1) правосу́дие 2) справедли́вость 3)

судья́; chief ~ гла́вный судья́; J. of the Peace мирово́й судья́

justi||fiable [ˈdʒʌstɪfaɪəbl] могу́щий быть опра́вданным; позволи́тельный; **~fication** [ˌdʒʌstɪfɪˈkeɪʃ(ə)n] оправда́ние; **~fy** [-faɪ] объясня́ть; опра́вдывать; извиня́ть

jut [dʒʌt] **1.** *n* вы́ступ **2.** *v* выдава́ться, выступа́ть

jute [dʒu:t] джут

juvenile [ˈdʒu:vɪnaɪl] **1.** *n* ю́ноша, подро́сток **2.** *a* ю́ный, ю́ношеский

juxtapos||e [ˈdʒʌkstəpouz] помеща́ть бок о́ бок, ря́дом; сопоставля́ть; **~ition** [ˌdʒʌkstəpəˈzɪʃ(ə)n] сопоставле́ние

K

K, k [keɪ] *одиннадцатая буква англ. алфавита*

kale [keɪl] капу́ста кормова́я

kangaroo [ˌkæŋgəˈru:] кенгуру́

Kazakh [kɑ:ˈzɑ:h] **1.** *a* каза́хский **2.** *n* 1) каза́х; каза́шка 2) каза́хский язы́к

keel [ki:l] **1.** *n* киль **2.** *v* килева́ть *(судно)*; ~ **over** а) опроки́дывать; б) опроки́дываться

keen [ki:n] 1) о́стрый; *перен.* ре́зкий, пронзи́тельный; a ~ wind ре́зкий ве́тер; ~ sarcasm е́дкий сарка́зм 2) проница́тельный 3) то́нкий *(о слухе)* 4) си́льный *(о чувстве, морозе, голоде)* 5) энерги́чный 6) стра́стно жела́ющий *(чего-л.)*; увлека́ющийся; be ~ on smth. си́льно жела́ть чего́-л.

keep [ki:p] **1.** *v* (kept) 1) держа́ть 2) сохраня́ть, храни́ть 3) держа́ть *(слово, обещание)* 4) соблюда́ть *(закон, правило)* 5) име́ть в прода́же; we don't ~ postcards мы не продаём откры́тки 6) содержа́ть, обеспе́чивать 7) находи́ться; держа́ться *(в известном положении, на известном расстоянии)*; ~ in good health сохраня́ть здоро́вье; ~ in touch *(with)* подде́рживать конта́кт; ~ together держа́ться вме́сте 8) возде́рживаться *(from)* 9) приде́рживаться *(to)* 10): ~ (on) продолжа́ть *(делать что-л.)* 11) вести́ *(дневник, счета)* 12) пра́здновать, справля́ть *(день рождения и т.п.)*; ~ **away** а) держа́ться в отдале́нии; б) препя́тствовать; what kept you away? что помеша́ло вам прийти́?; ~ **back** а) уде́рживать; меша́ть; б) скрыва́ть *(факты)*; ~ **down** а) подавля́ть; б) держа́ть в подчине́нии; в): he can't ~ down his food его́ непреста́нно му́чает рво́та; ~ **in** а) заста́вить сиде́ть до́ма *(больного и т.п.)*; ~ in! не пока́зывайтесь!; б) оставля́ть по́сле уро́ков *(школьника)*; в) подде́рживать *(огонь, отношения)*; ~ **off** держа́ться в стороне́, вдали́; ~ off! наза́д!; ~ **out** не допуска́ть, не впуска́ть; ~ **up** подде́рживать; ~ up appearances соблюда́ть прили́чия; ~ up correspondence подде́рживать перепи́ску ◇ ~ accounts *бухг.* вести́ кни́ги; ~

one's bed не встава́ть с посте́ли; ~ cool сохраня́ть хладнокро́вие; ~ one's feet удержа́ться на нога́х, устоя́ть; ~ one's head не теря́ть головы́, сохраня́ть споко́йствие; ~ smb. waiting заставля́ть кого́-л. ждать; ~ silence молча́ть; ~ a stiff upper lip не теря́ть му́жества; ~ oneself to oneself быть необщи́тельным **2.** *n* 1) содержа́ние; пи́ща 2) *ист.* ба́шня *(за́мка)* ◇ for ~s *разг.* навсегда́

keeper ['ki:pə] 1) храни́тель; сто́рож 2) санита́р *(в психиатрической больнице)* 3) *(в сложных словах)* содержа́тель; предпринима́тель; inn ~ хозя́ин гости́ницы; shop ~ владе́лец магази́на

keeping ['ki:pɪŋ]: in smb.'s ~ на чьём-л. попече́нии; in safe ~ в ве́рных рука́х; in ~ *(with)* в соотве́тствии

keepsake ['ki:pseɪk] пода́рок на па́мять

keg [keg] бочо́нок

ken [ken] **1.** *n*: beyond my ~ вы́ше моего́ понима́ния **2.** *v шотл.* знать

kennel ['kenl] соба́чья конура́

kept [kept] *past и p. p. от* keep 1.

kerb [kə:b] край тротуа́ра; обо́чина

kerchief ['kə:tʃɪf] плато́к *(головной)*; косы́нка

kernel ['kə:nl] 1) зерно́, ядро́ *(ореха и т.п.)* 2) суть *(дела и т.п.)*

kerosene ['kerəsi:n] кероси́н

kestrel ['kestr(ə)l] пустельга́ *(птица)*

ketchup ['ketʃəp] ке́тчуп *(соус из томатов, специй и т.п.)*

kettle ['ketl] ча́йник ◇ a fine (nice *или* pretty) ~ of fish *разг. ирон.* хоро́шенькое де́ло; весёленькая исто́рия

kettle-drum ['ketldrʌm] лита́вра

key [ki:] **1.** *n* 1) ключ 2) ключ, разга́дка *(к решению вопроса и т.п.)*; подстро́чный перево́д; собра́ние отве́тов к зада́чам *и т.п.* 3) *муз.* ключ; тона́льность 4) кла́виша *(рояля)* 5) *тех.* шпо́нка; клин; чека́ ◇ ~ industries веду́щие о́трасли промы́шленности **2.** *v*: ~ **up** настра́ивать *(муз. инструмент)*; *перен.* взви́нчивать *(кого-л.)*

keyboard ['ki:bɔ:d] 1) клавиату́ра 2) *эл.* коммута́тор

keyhole ['ki:houl] замо́чная сква́жина

key-note ['ki:nout] *муз.* основна́я но́та ключа́, тона́льность; *перен.* преоблада́ющий тон; основна́я мысль; лейтмоти́в

keystone ['ki:stoun] *архит.* замко́вый ка́мень; *перен.* краеуго́льный ка́мень, основно́й при́нцип

khaki ['kɑ:kɪ] **1.** *a* защи́тного цве́та, ха́ки **2.** *n* мате́рия цве́та ха́ки

kick [kɪk] **1.** *v* 1) ударя́ть ного́й; ляга́ть; ~ a goal заби́ть гол 2) ляга́ться 3) *разг.* жа́ловаться, выража́ть недово́льство *(часто against)* 4) отдава́ть *(о ружье)*; ~ **off** сбро́сить *(туфли)*; ~ **out** вы́швырнуть ◇ ~ up a row подня́ть сканда́л **2.** *n* 1) уда́р ного́й; брыка́ние 2) отда́ча *(ружья)* 3) *разг.* удово́льствие; возбужде́ние 4) *разг.* кре́пость *(вина и т. п.)*

kid I [kɪd] 1) козлёнок 2) ла́йка *(кожа)* 3) *разг.* ребёнок

kid II *v разг.* надува́ть, обма́нывать

kiddy [ˈkɪdɪ] *разг.* ребёнок

kid-glove [ˈkɪdglʌv] ла́йковая перча́тка ◇ with ~s мя́гко, делика́тно

kidnap [ˈkɪdnæp] похища́ть *(людей)*; наси́льно *или* обма́ном увози́ть *(с целью вымогательства)*; **~per** похити́тель *(людей)*

kidney [ˈkɪdnɪ] 1) *анат.* по́чка 2) темпера́мент; склад хара́ктера; a man of that ~ челове́к тако́го скла́да

kidney-bean [ˈkɪdnɪˈbi:n] фасо́ль

kidvid [ˈkɪdvɪd] *разг.* де́тская телепереда́ча

kill [kɪl] **1.** *v* 1) убива́ть; ре́зать *(скот)* 2) разруша́ть *(надежды и т.п.)* 3) не пропусти́ть, не приня́ть, забракова́ть; ~ the bill провали́ть законопрое́кт 4) ослабля́ть эффе́кт *(красок, цветов)* ◇ dressed to ~ оде́тый напока́з; it nearly ~ed me я чуть не у́мер со́ смеху; it was ~ing э́то бы́ло умори́тельно **2.** *n* добы́ча *(на охоте)*

kiln [kɪln] печь для о́бжига и су́шки

kilogram(me) [ˈkɪləgræm] килогра́мм

kilometre [ˈkɪləˌmi:tə] киломе́тр

kilowatt [ˈkɪləwɔt] *эл.* килова́тт

kilt [kɪlt] ю́бка шотла́ндского го́рца

kin [kɪn] **1.** *n* 1) род, семья́ 2) ро́дственники; next of ~ бли́зкий ро́дственник; бли́зкие ро́дственники **2.** *a* ро́дственный *(to)*

kind I [kaɪnd] 1) род; семе́йство 2) сорт, разнови́дность; разря́д, класс; what ~ of person is he? что он за челове́к?; all ~s of things всевозмо́жные ве́щи 3) приро́да, сво́йство, ка́чество *(чего-л.)* ◇ ~ of как бу́дто, ка́к-то; pay in ~ плати́ть нату́рой

kind II до́брый; хоро́ший; серде́чный; любе́зный; ми́лый; with ~ regards *(в письме)* с серде́чным приве́том

kindergarten [ˈkɪndəˌgɑ:tn] де́тский сад

kind-hearted [ˈkaɪndˈhɑ:tɪd] мягкосерде́чный, до́брый; отзы́вчивый

kindl||e [ˈkɪndl] 1) зажига́ть 2) воспламеня́ть, возбужда́ть 3) загора́ться *(тж. перен.)*; **~ing** 1) разжига́ние 2) расто́пка

kindly [ˈkaɪndlɪ] **1.** *a* 1) до́брый, доброжела́тельный 2) благоприя́тный **2.** *adv* 1) доброжела́тельно; ~ let me know бу́дьте добры́ дать мне знать 2) свобо́дно, легко́; he took ~ to his new duties он легко́ осво́ился со свои́ми но́выми обя́занностями

kindness [ˈkaɪndnɪs] 1) доброта́ 2) одолже́ние; любе́зность

kindred [ˈkɪndrɪd] **1.** *n* 1) кро́вное родство́ 2) ро́дственники **2.** *a* 1) ро́дственный 2) схо́дный

kinematics [ˌkaɪnɪ'mætɪks] *физ.* кинема́тика

kinetic [kaɪ'netɪk] *физ.* кинети́ческий

king ['kɪŋ] коро́ль; **~dom** [-dəm] короле́вство

kink [kɪŋk] пе́тля, перекру́чивание *(в проводе, верёвке); перен.* причу́да, заско́к

kinsfolk ['kɪnzfouk] *pl* ро́дственники

kinship ['kɪnʃɪp] 1) родство́ 2) схо́дство

kiosk [kɪ'ɔsk] кио́ск; telephone ~ бу́дка телефо́на-автома́та

kipper ['kɪpə] копчёная ры́ба *(особ. селёдка)*

Kirghiz ['kə:gi:z] **1.** *a* кирги́зский **2.** *n* 1) кирги́з; кирги́зка 2) кирги́зский язы́к

kirk [kə:k] *шотл.* це́рковь

kiss [kɪs] **1.** *n* поцелу́й; blow smb. a ~ посла́ть кому́-л. возду́шный поцелу́й **2.** *v* целова́ть

kit [kɪt] 1) снаряже́ние *(для путешествия и т. п.)* 2) набо́р инструме́нтов

kit-bag ['kɪtbæg] вещево́й мешо́к

kitchen ['kɪtʃɪn] 1) ку́хня 2) *attr.*: ~ garden огоро́д; **~-maid** [-meɪd] судомо́йка

kite [kaɪt] 1) бума́жный змей; fly a ~ пуска́ть бума́жного зме́я; *перен.* пуска́ть про́бный шар 2) ко́ршун; *перен.* хи́щник

kith [kɪθ]: ~ and kin знако́мые и родня́

kitten ['kɪtn] котёнок

knach [næk] 1) уме́ние, ло́вкость, сноро́вка 2) привы́чка

knapsack ['næpsæk] ра́нец; рюкза́к

knav||e ['neɪv] 1) негодя́й 2) *карт.* вале́т; **~ery** [-ərɪ] моше́нничество; **~ish** моше́ннический

knead [ni:d] меси́ть

knee ['ni:] коле́но; **~-cap** [-kæp] 1) *анат.* коле́нная ча́шка 2) наколе́нник; **~-deep** [-'di:p] по коле́но

kneel [ni:l] (knelt, kneeled) стоя́ть на коле́нях; **~ down** станови́ться на коле́ни

knell [nel] 1) похоро́нный звон; sound a *(или* the) ~ звони́ть при похорона́х; *перен.* предвеща́ть дурно́е 2) дурно́е предзнаменова́ние

knelt [nelt] *past и p. p. от* kneel

knew [nju:] *past от* know

knicherbockers ['nɪkəbɔkəz] *pl* бри́джи

knickers ['nɪkəz] *pl* же́нское (тёплое) трико́ до коле́н

knick-knack ['nɪknæk] безделу́шка, украше́ние

knife ['naɪf] **1.** *n* *(pl* knives) нож ◇ before you can say ~ момента́льно **2.** *v* ре́зать; коло́ть *(ножом)*; **~-blade** [-bleɪd] ле́звие ножа́; **~-grinder** [-ˌgraɪndə] точи́льщик

knight ['naɪt] 1) ры́царь 2) зва́ние ни́же бароне́та *(с титулом Sir)* 3) *шахм.* конь; **~hood** [-hud] ры́царство

knit [nɪt] (knitted, knit) 1) вяза́ть 2) свя́зывать, соединя́ть, скрепля́ть *(тж. перен.)* 3) соединя́ться, скрепля́ться; сраста́ться ◇ ~ the brows хму́рить бро́ви

knives [naɪvz] *pl от* knife

knob ['nɔb] 1) кру́глая ру́чка *(у дверей)* 2) ши́шка, вы́пуклость 3) *амер.* хо́лмик ◇ with

~s on в ещё бо́льшей сте́пени; **~by** [-ı] 1) узлова́тый, шишкова́тый 2) *амер.* холми́стый

knock [nɔk] **1.** *v* 1) стуча́ться 2) бить, ударя́ть; стуча́ть *(at)* 3) *амер. разг.* ре́зко критикова́ть; ~ **about** а) болта́ться *(по свету)*; б) колоти́ть; ~ **down** сбива́ть с ног; ~ **out** а) выкола́чивать; б) *спорт.* нокаути́ровать; *перен.* ошеломля́ть, потряса́ть; ~ **together** скола́чивать ◇ ~ home вбива́ть про́чно; ~ to pieces разби́ть вдре́безги; ~ smb. down with a feather *разг.* изумля́ть кого́-либо **2.** *n* 1) стук 2) уда́р

knocker ['nɔkə] дверно́й молото́к, дверно́е кольцо́

knoll [noul] хо́лмик; бугоро́к

knot [nɔt] **1.** *n* 1) у́зел; tie a ~ завяза́ть у́зел 2) бант 3) сою́з, у́зы; wedding ~ бра́чные у́зы 4) затрудне́ние; загво́здка 5) сучо́к; наро́ст 6) гру́ппа, ку́чка *(людей)* 7) *мор.* у́зел *(единица скорости хода)* ◇ tie oneself in ~s запу́таться в тру́дностях **2.** *v* завя́зывать у́зел

knotty ['nɔtı] узлова́тый; *перен.* запу́танный; ~ question тру́дный вопро́с

knout [naut] кнут

know ['nou] (knew; known) 1) знать; not that I ~ *(of)* наско́лько мне изве́стно—нет; ~ how уме́ть; ~ one's mind знать чего́ хо́чешь 2) быть знако́мым 3) узнава́ть; отлича́ть; **~able** [-əbl] *филос.* познава́емый; **~ingly** созна́тельно

knowledge ['nɔlıdʒ] 1) позна́ния, зна́ния 2) зна́ние; нау́ка; branches of ~ о́трасли нау́ки 3) знако́мство

known [noun] **1.** *p. p. от* know **2.** *a* изве́стный

knuckle ['nʌkl] **1.** *n* 1) суста́в *(пальца)* 2) *тех.* шарни́р **2.** *v*: ~ **down** а) уступа́ть; б): ~ down to work энерги́чно взя́ться за рабо́ту

kolkhoz [kɔl'hɔ:z] колхо́з; **~nik** [-nık] колхо́зник

Komsomol ['kɔmsɔmɔl] 1) комсомо́л 2) комсомо́лец 3) *attr.* комсомо́льский

Korean [kə'rıən] **1.** *a* коре́йский **2.** *n* 1) коре́ец; корея́нка 2) коре́йский язы́к

kowtow ['kau'tau] **1.** *n* ни́зкий покло́н; *перен.* раболе́пие **2.** *v* раболе́пствовать, пресмыка́ться *(to)*

Kremlin ['kremlın] Кремль

krone ['krounə] кро́на *(монета)*

kudos ['kju:dɔs] *разг.* честь и сла́ва

Ku-Klux-Klan ['kju:klʌks-'klæn] ку-клу́кс-кла́н

Kurd ['kə:d] курд; ку́рдка; **~ish** ку́рдский

L

L, l *двенадцатая буква англ. алфавита*

label ['leıbl] **1.** *n* ярлы́к; этике́тка **2.** *v* накле́ивать ярлыки́ *(тж. перен.)*

labial ['leıbjəl] **1.** *a* губно́й **2.** *n фон.* губно́й звук

laboratory [lə'bɔrət(ə)rı] лабора́тория

laborious [lə'bɔ:rıəs] 1) тру́дный, утоми́тельный; трудоёмкий 2) вы́мученный *(о стиле)* 3) трудолюби́вый, стара́тельный

labo(u)r ['leıbə] **1.** *n* 1) труд, рабо́та; hired ~ наёмный тру́д; hard ~ ка́торжные рабо́ты 2) *собир.* рабо́чие, рабо́чий класс 3) ро́ды *мн.* 4) *attr.*: ~ union профсою́з; L. party лейбори́стская па́ртия **2.** *v* труди́ться ◇ ~ under a delusion быть в заблужде́нии; **~er** [-rə] рабо́чий

labour-saving ['leıbə,seıvın] даю́щий эконо́мию в труде́, рационализа́торский

labyrinth ['læbərınθ] лабири́нт

lace [leıs] **1.** *n* 1) кру́жево 2) шнуро́к **2.** *v* 1) шнурова́ть 2) *разг.* добавля́ть конья́к, ром *и т. п.* в ко́фе *и т. п.*

lacerate ['læsəreıt] раздира́ть; *перен.* терза́ть, му́чить

lachrym||atory ['lækrımət(ə)rı] слезоточи́вый; **~ose** [-ous] слезли́вый, плакси́вый

lack [læk] **1.** *n* недоста́ток, отсу́тствие; for ~ *(of)* из-за отсу́тствия; из-за недоста́тка **2.** *v* испы́тывать недоста́ток; нужда́ться; не хвата́ть; he ~s persistence ему́ не хвата́ет насто́йчивости

lackadaisical [,lækə'deızık(ə)l] то́мный

lackey ['lækı] **1.** *n* лаке́й **2.** *v* прислу́живать; раболе́пствовать

laconic [lə'kɔnık] лакони́чный, кра́ткий

lacquer ['lækə] лак

lactic ['læktık] моло́чный

lad [læd] ма́льчик, ю́ноша; па́рень

ladder ['lædə] 1) приставна́я ле́стница; *перен.* сре́дство для достиже́ния успе́ха 2) спу́щенная пе́тля на чулке́

lading ['leıdıŋ] погру́зка; bill of ~ *мор. ком.* коносаме́нт

ladle ['leıdl] **1.** *n* ковш, черпа́к **2.** *v* че́рпать; ~ **out** выче́рпывать ◇ ~ out honours раздава́ть награ́ды

lady ['leıdı] 1) да́ма 2) (L.) ле́ди *(титул)*

ladybird ['leıdıbə:d] бо́жья коро́вка

lag I [læg] **1.** *n*: time ~ запа́здывание **2.** *v* отстава́ть *(тж.* ~ behind); запа́здывать

lag II *(часто* old ~) *разг.* ка́торжник

lager (beer) ['lɑ:gə('bıə)] лёгкое пи́во

laggard ['lægəd] у́валень; неповоро́тливый челове́к

lagoon [lə'gu:n] лагу́на

laid [leıd] *past и p. p. от* lay II

lain [leın] *p. p. от* lie II, 1

lair [lɛə] ло́говище, берло́га

laity ['leıtı] *собир.* миря́не

lake [leık] о́зеро

lamb [læm] **1.** *n* ягнёнок **2.** *v* ягни́ться

lambent ['læmbənt] сверка́ющий, лучи́стый *(о звёздах, глазах)*; игра́ющий *(о пламени, свете)*; искря́щийся *(об уме, юморе)*

lame [leım] **1.** *a* хромо́й; *перен.* неубеди́тельный, сла́бый; ~ excuse неуда́чная отгово́рка **2.** *v* изуве́чить

lament [lə'ment] **1.** *n* жáлоба **2.** *v* 1) оплáкивать 2) жáловáться; **~able** прискóрбный, плачéвный

laminated ['læmıneıtıd] листовóй; пластúнчатый; слоúстый

lamp [læmp] лáмпа

lampoon [læm'pu:n] **1.** *n* пáсквиль **2.** *v* писáть пáсквили

lamppost ['læmppoust] фонáрный столб

lamp-shade ['læmpʃeıd] абажýр

lance ['lɑ:ns] пúка; **~-corporal** [-'kɔ:p(ə)r(ə)l] млáдший капрáл

lancer ['lɑ:nsə] улáн

lancet ['lɑ:nsıt] ланцéт

land ['lænd] **1.** *n* 1) землá; dry ~ сýша; пóчва; poor ~ скýдная пóчва; reach ~ достúчь бéрега, вы́йти на зéмлю 2) странá **2.** *v* 1) сходúть, высáживаться *(на берег с парохода и т. п.)* 2) высáживать *(на берег с парохода и т. п.)* 3) приземлúться *(о самолёте)* 4) вытáскивать на бéрег *(рыбу)*; *перен.* добúться *(чего-л.)*; вы́играть; **~ed** [-ıd]земéльный; **~ing** 1) вы́садка; мéсто вы́садки 2) *ав.* посáдка; мéсто посáдки 3) лéстничная площáдка

landing-party ['lændıŋ'pɑ:tı] *воен.* десáнтная грýппа; десáнт

landlady ['læn,leıdı] 1) хозя́йка квартúры, гостúницы; владéлица дóма 2) *редк.* помéщица

landlord ['lænlɔ:d] 1) хозя́ин квартúры, гостúницы; владéлец дóма 2) *редк.* лендлóрд, помéщик

landmark ['lændmɑ:k] 1) межевóй знак, вéха 2) поворóтный пункт, вéха *(в истории)* 3) (назéмный) ориентúр

landowner ['lænd,ounə] землевладéлец

landscape ['lænskeıp] пейзáж, ландшáфт

landslide ['lændslaıd] óползень

lane [leın] переýлок, прохóд ◇ 3-~ motorway движéние в три ря́дá; keep in ~ держúтесь ря́да

lang-syne ['læŋ'saın] *шотл.* **1.** *n* далёкое прóшлое **2.** *adv* давны́м-давнó, в старинý

language ['læŋgwıdʒ] язы́к, речь; bad ~ брань

langu||id ['læŋgwıd] вя́лый; безжúзненный; **~ish** [-gwıʃ] 1) слабéть, чáхнуть 2) принимáть тóмный вид; **~or** [-gə] 1) вя́лость 2) томлéние

lan||k ['læŋk] 1) тóщий 2) прямóй *(о волосах)*; **~ky** [-ı] долговя́зый

lantern ['læntən] фонáрь

lap I [læp] **1.** *n* 1) колéни 2) *спорт.* дистáнция; заéзд; круг беговóй дорóжки; рáунд ◇ in the ~ of luxury в рóскоши **2.** *v* завёртывать, укýтывать

lap II **1.** *n* плеск *(волн)* **2.** *v* 1): ~ up лакáть; жáдно пить; 2) плескáться *(о волнах)*

lapel [lə'pel] отворóт; лáцкан

lapse [læps] **1.** *n* 1) ошúбка, оплóшность; ля́псус; ~ of the pen опúска; ~ of memory провáл пáмяти 2) прегрешéние; падéние 3) промежýток *(времени)*; течéние, ход *(времени)*; with the ~ of time со врéменем

4) *юр.* прекраще́ние, недействи́тельность пра́ва *(на что-л.)* **2.** *v* 1) отклоня́ться (от пра́вильного пути́) 2) *юр.* истека́ть *(о праве)*

larceny ['lɑ:snɪ] воровство́

larch [lɑ:tʃ] *бот.* ли́ственница

lard [lɑ:d] **1.** *n* топлёное свино́е са́ло **2.** *v* 1) шпигова́ть 2) усна́щать *(речь терминами и т. п.)*

larder ['lɑ:də] кладова́я

large ['lɑ:dʒ] большо́й; обши́рный; *перен.* широ́кий ◇ at ~ а) на свобо́де *(о преступнике и т. п.)*; б) простра́нно; **~ly** 1) в большо́й сте́пени 2) оби́льно; ще́дро

largesse [lɑ:'dʒes] ще́дрость; ще́дрый дар

lark I [lɑ:k] жа́воронок

lark II **1.** *n* шу́тка **2.** *v* забавля́ться, резви́ться

larva ['lɑ:və] *(pl* -vae [-vi:]) личи́нка

laryn||gitis [ˌlærɪn'dʒaɪtɪs] *мед.* воспале́ние горта́ни, ларинги́т; **~x** ['lærɪŋks] горта́нь

lascivious [lə'sɪvɪəs] похотли́вый

lash [læʃ] **1.** *n* 1) плеть 2) *(сокр. от* eyelash) ресни́ца **2.** *v* 1) хлеста́ть 2) бичева́ть, высме́ивать 3) свя́зывать *(together)*

lass [læs] *шотл.* де́вушка

lassitude ['læsɪtju:d] уста́лость, вя́лость

last I [lɑ:st] *(превосх. ст. от* late) 1) после́дний 2) про́шлый; ~ year в про́шлом году́; ~ night вчера́ ве́чером ◇ at ~ наконе́ц; ~ but one предпосле́дний; to the ~ до конца́

last II 1) продолжа́ться 2) сохраня́ться *(в хорошем состоянии)*; выде́рживать *(о здоровье и т. п.)* 3) хвата́ть, быть доста́точным

last III коло́дка *(сапожная)*

lasting ['lɑ:stɪŋ] дли́тельный; постоя́нный, про́чный; ~ peace про́чный мир

lastly ['lɑ:stlɪ] в заключе́ние

latch ['lætʃ] щеко́лда, задви́жка, запо́р; **~key** [-ki:] ключ англи́йского замка́

late ['leɪt] **1.** *a* (later, latter; latest, last) 1) по́здний; I was ~ я опозда́л 2) неда́вний 3) поко́йный *(умерший)* **2.** *adv* (later; latest, last) 1) по́здно 2) неда́вно *(тж.* of ~); **~ly** 1) неда́вно 2) за после́днее вре́мя

latent ['leɪt(ə)nt] скры́тый, лате́нтный

lateral ['læt(ə)r(ə)l] боково́й

lath [lɑ:θ] пла́нка, ре́йка; дра́нка

lathe [leɪð] тока́рный стано́к

lather ['lɑ:ðə] **1.** *n* (мы́льная) пе́на **2.** *v* 1) намы́ливать 2) взмы́ливаться *(о лошади)*

Latin ['lætɪn] **1.** *a* лати́нский **2.** *n* лати́нский язы́к

latitude ['lætɪtju:d] 1) *геогр.* широта́ 2) свобо́да; терпи́мость

latrine [lə'tri:n] отхо́жее ме́сто, убо́рная *(в лагере, бараке)*

latter ['lætə] *(сравн. ст. от* late 1) 1) неда́вний 2) после́дний *(из двух)*

lattice ['lætɪs] решётка

Latvian ['lætvɪən] **1.** *a* латви́йский **2.** *n* 1) латы́ш; латы́шка 2) латы́шский язы́к

laud ['lɔ:d] **1.** *n* хвала́ **2.** *v* хвали́ть; **~able** [-əbl] похва́льный

laugh [ˈlɑ:f] **1.** *n* смех **2.** *v* смеяться; ~ at smb. смеяться над кем-л.; make one ~ рассмешить кого-л.; ~ **off** отшутиться, отделаться смехом; ~ **over** смеяться над; ~**ing** 1) смеющийся 2) смешной, забавный

laughing-stock [ˈlɑ:fɪŋstɔk] посмешище

laughter [ˈlɑ:ftə] смех; хохот

launch I [lɔ:ntʃ] 1) спускать *(на воду)* 2) начинать, предпринимать 3) бросать, метать; запускать 4) выпускать 5) бросаться

launch II [lɔ:ntʃ] баркас; (самоходный) катер

launching pad [ˈlɔ:ntʃɪŋˈpæd] *воен.* пусковая установка

launder [ˈlɔ:ndə] 1) стирать и гладить *(бельё)* 2) стираться *(хорошо, плохо — о ткани)*; will these shirts ~ well? эти рубашки хорошо стираются?

laund||**ress** [ˈlɔ:ndrɪs] прачка; ~**rette** [-ret] прачечная самообслуживания; ~**ry** [-rɪ] 1) прачечная 2) бельё *(для стирки)*

laureate [ˈlɔ:rɪɪt] лауреат

laurel [ˈlɔr(ə)l] 1) лавр 2) *(обыкн. pl) перен.* лавры, почести

lav [læv] *сокр. от* lavatory

lava [ˈlɑ:və] лава

lavatory [ˈlævət(ə)rɪ] уборная

lave [leɪv] *поэт.* 1) мыть 2) омывать *(о ручье)*

lavender [ˈlævɪndə] 1) *бот.* лаванда 2) бледно-лиловый цвет

lavish [ˈlævɪʃ] **1.** *a* 1) щедрый, расточительный; be ~ of praise расточать похвалы 2) обильный **2.** *v* расточать; ~ care *(ирон)* окружать заботой

law [lɔ:] 1) закон 2) *юр.* право; civil ~ гражданское право 3) суд, судебный процесс; go to ~ подать в суд ◇ ~ and order правопорядок

law-court [ˈlɔ:kɔ:t] суд

lawful [ˈlɔ:ful] законный

lawn I [lɔ:n] лужайка, газон

lawn II батист

lawsuit [ˈlɔ:sju:t] судебный процесс; тяжба

lawyer [ˈlɔ:jə] юрист; адвокат

lax [læks] 1) слабый 2) неопределённый 3) небрежный; неряшливый

laxative [ˈlæksətɪv] **1.** *n* слабительное средство **2.** *a* слабительный

laxity [ˈlæksɪtɪ] 1) небрежность 2) распущенность

lay I [leɪ] *past от* lie II, 1

lay II (laid) 1) класть; положить 2) нести яйца *(о курице)* 3) приводить в какое-л. состояние 4) накрывать *(стол)*; ~ **aside** откладывать, приберегать; ~ **down** а) сложить *(оружие)*; б) оставлять *(службу)*; в): ~ down one's life пожертвовать жизнью; ~ **off** а) увольнять; б) отдыхать; ~ **up** запасать ◇ ~ bare обнаружить; ~ blame винить; ~ on a party устроить вечеринку; ~ claim *(to)* претендовать *(на что-л.)*; ~ heads together *разг.* совещаться; ~ hold *(of)* завладеть; ~ stress *(on)* подчёркивать

lay III песнь; баллада

lay IV 1) све́тский, недухо́вный 2) непрофессиона́льный

layer ['leɪə] 1) слой, пласт 2) *бот.* отво́док

layette [leɪ'et] *фр.* прида́ное новорождённого

layman ['leɪmən] миря́нин

lay-out ['leɪaut] 1) схе́ма; план 2) планиро́вка

laze [leɪz] безде́льничать

lazy ['leɪzɪ] лени́вый; **~-bones** [-bounz] *разг.* лентя́й

lea [li:] *поэт.* луг, по́ле

lead I [led] 1) свине́ц; black ~ графи́т; white ~ свинцо́вые бели́ла 2) *мор.* ручно́й лот

lead II [li:d] **1.** *v* (led) 1) вести́, пока́зывать путь 2) руководи́ть 3) быть впереди́; занима́ть пе́рвое ме́сто 4) вести́, проводи́ть; ~ a quiet life вести́ споко́йную жизнь 5) приводи́ть *(к чему-либо)*; ~ to nowhere ни к чему́ не привести́ 6) заставля́ть; склоня́ть *(к чему-л.)* 7) *карт.* ходи́ть; ~ hearts ходи́ть с черве́й; ~ **off** начина́ть; ~ **on** увлека́ть, завлека́ть; ~ **up to** наводи́ть разгово́р *(на что-л.)* **2.** *n* 1) приме́р 2) директи́ва ◇ follow the ~ сле́довать *(за кем-л.)*; take the ~ возглавля́ть

leader ['li:də] 1) вождь; руководи́тель; ли́дер 2) передова́я статья́; **~ship** руково́дство; води́тельство

leading ['li:dɪŋ] веду́щий; руководя́щий; передово́й; ~ question наводя́щий вопро́с

leading-strings ['li:dɪŋstrɪŋz] *pl* по́мочи, во́жжи *(для детей)* ◇ be in ~ быть на поводу́ *(у кого-л.)*

leaf ['li:f] *(pl* leaves) 1) лист 2) створка *(двери)* 3) страни́ца *(в книге)* ◇ turn over a new ~ нача́ть но́вую жизнь; **~let** [-lɪt] 1) *бот.* листо́к, ли́стик 2) листо́вка

league [li:g] сою́з, ли́га; Young Communist L. комсомо́л

leak ['li:k] **1.** *n* тень; уте́чка *(газа, жидкости)*; *перен.* уте́чка *(информации)* **2.** *v* пропуска́ть во́ду, течь; *перен.* проса́чиваться *(об информации)*; **~age** [-ɪdʒ] уте́чка

lean I [li:n] 1) то́щий, худо́й 2) по́стный *(о мясе)* 3) ску́дный *(об урожае)*

lean II (leaned, leant) 1) наклоня́ться 2) наклоня́ть 3) прислоня́ться 4) прислоня́ть 5) опира́ться *(on, upon)*; *перен.* полага́ться, осно́вываться *(на — upon)*

leant [lent] *past и p. p. от* lean II

leap [li:p] **1.** *n* прыжо́к, скачо́к ◇ a ~ in the dark прыжо́к в неизве́стность, риско́ванное де́ло; by ~s and bounds бы́стро; не по дням, а по часа́м **2.** *v* (leapt, leaped) пры́гать, скака́ть; переска́кивать

leapt [lept] *past и p. p. от* leap 2

leap-year ['li:pjə:] високо́сный год

learn ['lə:n] (learnt, learned) 1) учи́ться 2) узнава́ть; знако́миться 3) учи́ть *(что-либо)*; **~ed** [-ɪd] учёный; **~ing** 1) позна́ния *мн.* 2) уче́ние

learnt [lə:nt] *past и p. p. от* learn

lease ['li:s] **1.** *n* аре́нда; сда́ча

внаём ◇ get a new ~ of life воспря́нуть ду́хом **2.** *v* сдава́ть внаём *(или* в аре́нду); **~hold** [-hould] арендо́ванная земля́

leash [li:ʃ] сво́ра, при́вязь *(для борзых);* смычо́к *(для гончих)*

least [li:st] *(превосх. ст. от* little **1** *и* 2) **1.** *a* наиме́ньший; ◇ at ~ по кра́йней ме́ре; to say the ~ of it без преувеличе́ния, мя́гко выража́ясь **2.** *adv* ме́ньше всего́

leastways ['li:stweɪz] по кра́йней ме́ре

leather ['leðə] ко́жа *(выделанная);* **~y** [-rɪ] жёсткий *(перен. о бифштексе и т. п.)*

leave I [li:v] 1) разреше́ние 2) о́тпуск *(тж.* ~ of absence) 3) отъе́зд; ухо́д; проща́ние; take ~ попроща́ться ◇ take ~ of one's senses сойти́ с ума́

leave II [li:v] (left) 1) уезжа́ть, уходи́ть; уезжа́ть *(куда-л.— for)* 2) оставля́ть; he left his coat at home он оста́вил своё пальто́ до́ма; ~ in peace оста́вить в поко́е; ~ to chance предоста́вить слу́чаю; **~ behind** забы́ть, оста́вить; **~ off** переста́ть де́лать *(что-л.);* **~ out** пропусти́ть, упусти́ть; **~ over** перенести́ *(на другой раз);* отложи́ть

leaven ['levn] **1.** *n* дро́жжи, заква́ска; *перен.* влия́ние **2.** *v* заква́шивать

leaves [li:vz] *pl от* leaf

leavings ['li:vɪŋz] *pl* оста́тки; объе́дки

lecherous ['letʃ(ə)rəs] распу́тный

lecture ['lektʃə] **1.** *n* 1) ле́кция 2) нота́ция **2.** *v* 1) чита́ть ле́кцию 2) поуча́ть, де́лать вы́говор; **~r** [-rə] 1) ле́ктор 2) преподава́тель университе́та, колле́джа

led [led] *past и p. p. от* lead II, 1

ledge [ledʒ] 1) вы́ступ 2) риф

ledger ['ledʒə] *бухг.* кни́га счето́в, гроссбу́х

lee [li:] 1) подве́тренная сторона́ 2) защи́та, укры́тие; in the ~ of под защи́той

leech [li:tʃ] пия́вка; *перен.* вымога́тель

leek [li:k] лук-поре́й

leer [lɪə] зло́бно смотре́ть

lees [li:z] *pl* оса́док; подо́нки

left I [left] *past и p. p. от* leave II

left II **1.** *a* ле́вый **2.** *n* 1) ле́вая сторона́; on the ~, to the ~ нале́во 2): the L. *полит.* ле́вые ◇ over the ~ *редк.* как раз наоборо́т

left-handed ['left'hændɪd] **1.** *n* левша́ **2.** *a* неуклю́жий, нело́вкий

leftist ['leftɪst] ле́вый; лева́цкий

leg [leg] 1) нога́ *(от бедра до ступни)* 2) но́жка *(мебели)* 3) подста́вка 4) штани́на *(брюк);* па́голенок *(чулка)* ◇ pull smb.'s ~ *разг.* дура́чить, мистифици́ровать кого́-л.

legacy ['legəsɪ] насле́дство

legal ['li:g(ə)l] 1) юриди́ческий, правово́й 2) зако́нный; **~ity** [li(:)'gælɪtɪ] зако́нность; **~ize** ['li:gəlaɪz] узако́нивать

legatee [ˌlegə'ti:] *юр.* насле́дник

legation [lɪ'geɪʃ(ə)n] дипломати́ческая ми́ссия

legend ['ledʒ(ə)nd] леге́нда; **~ary** [-(ə)rɪ] легенда́рный

leggings ['legɪŋz] *pl* гама́ши; кра́ги

legible ['ledʒəbl] разбо́рчивый; чёткий

legion ['li:dʒ(ə)n] легио́н; *перен.* мно́жество

legislat||e ['ledʒɪsleɪt] издава́ть зако́ны; **~ion** [,ledʒɪs'leɪʃ(ə)n] законода́тельство; **~ive** [-ɪv] законода́тельный; **~or** законода́тель

legitimate **1.** *a* [lɪ'dʒɪtɪmɪt] зако́нный **2.** *v* [lɪ'dʒɪtɪmeɪt] узако́нивать

leg-pull ['legpul] *разг.* обма́н, мистифика́ция

leisure ['leʒə] 1) досу́г; at ~ на досу́ге 2) *attr.*: ~ time свобо́дное вре́мя; **~ly** не спеша́

lemon ['lemən] лимо́н

lend ['lend] (lent) 1) дава́ть взаймы́; одалживать *(кому-л.)* 2) сообща́ть, придава́ть ◇ ~ (an) ear вы́слушать; ~ a hand помо́чь; ~ oneself to поддава́ться; **~er** заимода́вец

length ['leŋθ] 1) длина́ 2) расстоя́ние 3) кусо́к, отре́зок ◇ at ~ а) наконе́ц; б) обстоя́тельно, со все́ми подро́бностями; go to all ~s *(или* any ~*)* идти́ на всё; **~en** [-(ə)n] 1) удлиня́ть 2) удлиня́ться; **~y** [-ɪ] растя́нутый

leni||ence, ~ency ['li:njəns, -sɪ] снисходи́тельность, мя́гкость; терпи́мость; **~ent** [-ənt] снисходи́тельный, мя́гкий; терпи́мый

Leninism ['lenɪnɪzm] лени́ни́зм

Leninist ['lenɪnɪst] **1.** *n* ле́нинец **2.** *a* ле́нинский

lens [lenz] ли́нза

lent [lent] *past и p. p. от* lend

Lent [lent] 1) *рел.* вели́кий пост 2) *attr.*: ~ term весе́нний семе́стр в университе́те

lentil ['lentɪl] чечеви́ца

leonine ['li:ənaɪn] льви́ный

leopard ['lepəd] леопа́рд

lep||er ['lepə] прокажённый; **~rosy** ['leprəsɪ] прока́за

lesion ['li:ʒ(ə)n] поврежде́ние *(о́ргана)*

less [les] *(сравн. ст. от* little 1 *и* 2) **1.** *a* ме́ньший **2.** *adv* ме́ньше ◇ no ~ a person than... не кто ино́й, как...; in ~ than no time в мгнове́ние о́ка **3.** *prep* без; here is your pay ~ what you owe me вот ва́ша зарпла́та за вы́четом того́, что вы мне должны́

lessee [le'si:] съёмщик; арендатор

lessen ['lesn] уменьша́ть

lesson ['lesn] **1.** *n* уро́к; the experience taught him a great ~ э́тот слу́чай послужи́л для него́ хоро́шим уро́ком **2.** *v* поуча́ть

lest [lest] что́бы не; как бы не

let [let] (let) 1) позволя́ть 2) пуска́ть 3) сдава́ть внаём; ~ **by** пропуска́ть; ~ **down** а) опуска́ть; б) разочаро́вывать; в) подвести́; ~ **into** а) вста́вить *(кружево и т. п.)*; б) посвяти́ть *(в тайну)*; ~ **loose** вы́пустить, дать свобо́ду; ~ **off** а) разряди́ть; вы́палить, вы́стрелить; б) отпусти́ть *(без наказания)*, прости́ть; be ~ off отде́латься *(от чего-л.)*;

~ **out** выпускáть; ~ **up** прекращáться; the rain hasn't ~ up for 2 days дождь шёл два дня ◇ ~ me alone, ~ me be остáвьте меня́ в покóе; ~ fall а) роня́ть; б) спускáть; ~ go выпускáть, освобождáть; ~ alone не говоря́ ужé о; ~ pass не обрати́ть внимáния; прости́ть; ~'s go! пошли́!; please ~ me have the menu дáйте мне, пожáлуйста, меню́

lethal ['li:θ(ə)l] смертéльный, смертонóсный

lethargy ['leθədʒɪ] вя́лость

Lett [let] 1) латы́ш; латы́шка 2) латы́шский язы́к

letter ['letə] **1.** *n* 1) бу́ква 2) письмó 3) *полигр.* ли́тера 4) *pl* литерату́ра; a man of ~s писáтель; учёный ◇ to the ~ тóчно, буквáльно **2.** *v* 1) надпи́сывать 2) регистри́ровать; **~-box** [-bɔks] почтóвый я́щик

lettered ['letəd] начи́танный; (литерату́рно) образóванный

Lettish ['letɪʃ] **1.** *a* латы́шский **2.** *n* латы́шский язы́к

lettuce ['letɪs] салáт-лату́к

levee ['levɪ] *амер.* дáмба, нáсыпь

level ['levl] **1.** *n* 1) у́ровень; высотá 2) равни́на 3) ватерпáс; нивели́р ◇ find one's ~ найти́ своё мéсто **2.** *a* 1) горизонтáльный 2) рóвный **3.** *v* 1) сглáживать; вырáвнивать 2) цéлиться *(at)*; **~-headed** [-'hedɪd] хладнокрóвный

lever ['li:və] **1.** *n* рычáг **2.** *v* поднимáть рычагóм

levity ['levɪtɪ] легкомы́слие; вéтреность

levy ['levɪ] **1.** *n* 1) сбор *(налогов)* 2) набóр *(рекрутов)* **2.** *v* 1) взимáть *(налоги)* 2) набирáть *(рекрутов)*

lewd [lu:d] разврáтный

lexicon ['leksɪkən] словáрь

li||ability [,laɪə'bɪlɪtɪ] обязáтельство, долг; **~able** ['laɪəbl] 1) отвéтственный *(за — for)*; обя́занный *(to)* 2) подвéрженный *(to)*, подлежáщий *(to)*

liaison [li:'eɪzɔ:ŋ] 1) (любóвная) связь 2) *воен.* связь взаимодéйствия

liar ['laɪə] лгун

libel ['laɪb(ə)l] **1.** *n* клеветá *(в печати и т. п.)* **2.** *v* клеветáть *(в печати и т. п.)*

liberal I ['lɪb(ə)r(ə)l] **1.** *a* либерáльный **2.** *n* либерáл

liberal II 1) щéдрый; ~ gifts щéдрые дары́; ~ of *(или* with) promises щéдрый на обещáния 2) оби́льный; ~ table оби́льный стол

liberat||e ['lɪbəreɪt] освобождáть; **~ion** [,lɪbə'reɪʃ(ə)n] освобождéние; war of ~ion освободи́тельная войнá

libertine ['lɪbə:taɪn] распу́тник

libert||y ['lɪbətɪ] 1) свобóда; civil ~ies граждáнские свобóды 2) вóльность; привилéгия; take the ~ *(of, to)* позвóлить себé *(сделать что-либо)*; take ~ies позволя́ть себé вóльности

librar||ian [laɪ'brɛərɪən] библиотéкарь; **~y** ['laɪbrərɪ] библиотéка

lice [laɪs] *pl от* louse

licence ['laɪs(ə)ns] **1.** *n* 1) разрешéние; лицéнзия 2) вóльность; poetic ~ поэти́ческая во́льность 3) распу́щенность, разну́зданность **2.** *v* 1) разреша́ть 2) выдава́ть пате́нт

license *см.* licence 2

licentiate [laɪ'senʃɪɪt] облада́тель дипло́ма

licentious [laɪ'senʃəs] распу́щенный

lichen ['laɪken] 1) *бот.* лиша́йник 2) лиша́й

lick ['lɪk] **1.** *v* 1) лиза́ть 2) *разг.* би́ть, колоти́ть 3) побежда́ть ◇ ~ one's lips облизываться **2.** *n* 1) лиза́ние 2) незначи́тельное коли́чество *(чего-либо)* 3): at a great ~ бы́стрым ша́гом; **~ing** *разг.* 1) по́рка 2) *спорт.* пораже́ние

lid [lɪd] 1) кры́шка 2) *(сокр. от* eyelid) ве́ко

lie I [laɪ] **1.** *n* ложь, обма́н; give smb. the ~ *(или* give the ~ to smb.) улича́ть кого́-л. во лжи **2.** *v (pres. p.* lying) лгать

lie II **1.** *v* (lay; lain; *pres. p.* lying) 1) лежа́ть; ~ in wait сиде́ть в заса́де; выжида́ть 2) находи́ться, быть располо́женным 3) заключа́ться; ~ **around** валя́ться; ~ **back** а) отки́нуться *(на подушку и т. п.)*; б) безде́йствовать; ~ **in** до́лго спать у́тром; ~ **up** лежа́ть *(из-за нездоровья и т. п.)* **2.** *n* положе́ние ◇ ~ of the land положе́ние дел

lieutenant [lef'tenənt] лейтена́нт; **~-colonel** [-'kə:nl] подполко́вник; **~-general** [-'dʒen(ə)r(ə)l] генера́л-лейтена́нт

life ['laɪf] *(pl* lives) 1) жизнь; social ~ обще́ственная жизнь 2) о́браз жи́зни 3) биогра́фия 4) долгове́чность, срок *(службы машины и т. п.)* 5) эне́ргия, жи́вость, оживле́ние; he's full of ~ жизнь в нём так и кипи́т ◇ as large as ~ в натура́льную величину́; run for dear ~ бежа́ть изо все́х сил; he was the ~ and soul of the party он был душо́ю о́бщества; upon my ~! че́стное сло́во!; **~-belt** [-belt] спаса́тельный по́яс; **~-boat** [-bout] спаса́тельная ло́дка; **~-buoy** [-bɔɪ] спаса́тельный круг; **~-expectation** [-,ekspek'teɪʃ(ə)n] вероя́тная продолжи́тельность жи́зни; **~-guard** [-gɑ:d] 1) *уст.* ли́чная охра́на 2) слу́жащий спаса́тельной ста́нции; **~long** [-lɔŋ] 1) пожи́зненный 2) продолжа́ющийся всю жизнь; **~-sized** [-'saɪzd] в натура́льную величину́

lift [lɪft] **1.** *v* 1) поднима́ть; возвыша́ть 2) копа́ть *(картофель)* 3) красть; соверша́ть плагиа́т 4) рассе́иваться *(о тумане и т. п.)* **2.** *n* 1) подня́тие 2) лифт ◇ give a ~ подсади́ть, подвезти́

ligament ['lɪgəmənt] *анат.* свя́зка

light I [laɪt] **1.** *n* 1) свет; освеще́ние 2) ого́нь 3) свети́ло *(тж. перен.)* 4) *pl* светофо́р 5) *pl* све́дения ◇ bring to ~ выявля́ть, выводи́ть на чи́стую во́ду; come to ~ обнару́житься **2.** *a* све́тлый; бле́дный **3.** *v* (lit, lighted) 1) освеща́ть 2) зажига́ть 3) зажига́ться, загора́ться; ~ **up** а) зажига́ть свет; б) загора́ться, свети́ться, сия́ть *(о лице, глазах)*

light II [laɪt] 1) лёгкий 2) незначи́тельный; ~ rain небольшо́й дождь 3) непостоя́нный, легкомы́сленный; make ~ *(of)* относи́ться несерьёзно 4) *кул.* возду́шный *(о тесте)* ◇ ~ sleep чу́ткий сон; ~ mood весёлое настрое́ние

lighten I ['laɪtn] 1) освеща́ть 2) светле́ть 3) сверка́ть

lighten II 1) облегча́ть 2) смягча́ть

lighter I ['laɪtə] *мор.* ли́хтер

lighter II зажига́лка

light||-headed ['laɪt'hedɪd] пусто́й, легкомы́сленный; **~-hearted** [-'hɑ:tɪd] весёлый, беззабо́тный

lighthouse ['laɪthaus] мая́к

light-minded ['laɪt'maɪndɪd] легкомы́сленный

lightning ['laɪtnɪŋ] мо́лния; summer ~ зарни́ца

lightning-conductor ['laɪtnɪŋkən,dʌktə] молниеотво́д

lightsome ['laɪtsəm] 1) лёгкий; грацио́зный 2) весёлый

like I [laɪk] 1) находи́ть прия́тным, нра́виться, люби́ть; did you ~ this picture? вам понра́вилась э́та карти́на? 2) хоте́ть; I should ~ я хоте́л бы; I would like мне хо́чется

like II **1.** *a* похо́жий, подо́бный; what is he ~? что он за челове́к?; something ~ о́коло, приблизи́тельно; and the ~ и тому́ подо́бное, и т.п. **2.** *prep*: ~ anything о́чень, чрезвыча́йно; ~ a shot вмиг; охо́тно; do not talk ~ that не говори́те так **3.** *n*: the ~ подо́бное

likelihood ['laɪklɪhud] вероя́тность

likely ['laɪklɪ] **1.** *a* 1) вероя́тный; it is ~ to rain to-night похо́же, что ве́чером бу́дет дождь 2) подходя́щий 3) подаю́щий наде́жды **2.** *adv* вероя́тно

like||n ['laɪk(ə)n] уподобля́ть; **~ness** 1) схо́дство 2) портре́т

likewise ['laɪkwaɪz] та́кже

liking ['laɪkɪŋ] 1) расположе́ние 2) вкус; скло́нность

lilac ['laɪlək] **1.** *n* сире́нь **2.** *a* сире́невый

lily ['lɪlɪ] ли́лия ◇ ~ of the valley ла́ндыш

limb [lɪm] 1) член *(тела)* 2) *разг.* не́слух, непослу́шный ребёнок 3) ве́тка, ветвь

limber ['lɪmbə] 1) ги́бкий 2) прово́рный

lime I [laɪm] и́звесть

lime II ли́па

limelight ['laɪmlaɪt]: in the ~ на виду́, в це́нтре внима́ния

limestone ['laɪmstoun] известня́к

limit ['lɪmɪt] **1.** *n* грани́ца, преде́л; it's the ~! э́то уж(е́) сли́шком! **2.** *v* ограни́чивать; **~ation** [,lɪmɪ'teɪʃ(ə)n] 1) ограниче́ние; огово́рка 2) преде́льный срок 3) *pl* недоста́тки; **~ed** [-ɪd] ограни́ченный

limp I [lɪmp] хрома́ть, прихра́мывать

limp II сла́бый; безво́льный

limpid ['lɪmpɪd] прозра́чный

linden ['lɪndən] ли́па

line I [laɪn] класть на подкла́дку; покрыва́ть с вну́тренней стороны́

line II **1.** *n* 1) ли́ния; черта́; пограни́чная черта́ 2) ли́ния *(связи, железнодорожная и т. п.)*; hold the ~ не ве́шайте тру́бку; the ~'s busy за́нято *(о телефоне)*; the ~ is bad пло́хо слы́шно 3) строка́; drop me a few ~s черкни́те мне не́сколько строк 4) морщи́на 5) шере́нга; ряд; о́чередь 6) о́браз де́йствий ◇ it is not in my ~ э́то вне мое́й компете́нции, вне кру́га мои́х интере́сов **2.** *v* 1) проводи́ть ли́нию 2) выстра́ивать в шере́нгу 3) окаймля́ть, обса́живать *(деревьями)*

lineage ['lɪnɪdʒ] происхожде́ние; родосло́вная

linear ['lɪnɪə] 1) лине́йный 2) у́зкий и дли́нный

linen ['lɪnɪn] **1.** *a* льняно́й **2.** *n* 1) полотно́ 2) *собир.* бельё

liner ['laɪnə] ла́йнер, ре́йсовый парохо́д

linesman ['laɪnzmən] *спорт.* судья́ на ли́нии

linger ['lɪŋgə] 1) ме́длить 2) заде́рживаться; заси́живаться *(над — on, over)* 3) затя́гиваться *(о болезни)*

lingerie ['lænʒəri:] *фр.* да́мское бельё

lingo ['lɪngou] тараба́рщина; жарго́н

lingu||ist ['lɪŋgwist] языкове́д, лингви́ст; ~**istics** [-'gwistɪks] языкозна́ние, лингви́стика

liniment ['lɪnɪmənt] жи́дкая мазь *(для растирания)*

lining ['laɪnɪŋ] 1) подкла́дка 2) *тех.* облицо́вка

link [lɪŋk] **1.** *n* 1) звено́ *(цепи)* 2) *pl* за́понки **2.** *v* соединя́ть

linoleum [lɪ'nouljəm] лино́леум

linseed ['lɪnsi:d] льняно́е се́мя

lion ['laɪən] лев; *перен.* знамени́тость; ~**ess** [-ɪs] льви́ца

lip ['lɪp] 1) губа́ 2) край 3) *разг.* де́рзость ◇ escape one's ~s сорва́ться с языка́; ~**stick** [-stɪk] губна́я пома́да

liquefy ['lɪkwɪfaɪ] разжижа́ть; расплавля́ть

liqueur [lɪ'kjuə] ликёр

liquid ['lɪkwɪd] **1.** *a* 1) жи́дкий 2) *фон.* пла́вный **2.** *n* жи́дкость

liquidat||e ['lɪkwɪdeɪt] ликвиди́ровать; ~**ion** [,lɪkwɪ'deɪʃ(ə)n] ликвида́ция ◇ go into ~ion обанкро́титься

liquor ['lɪkə] напи́ток, *особ.* спиртно́й; the worse for ~ пья́ный

lisp [lɪsp] шепеля́вить

lissom ['lɪsəm] 1) ги́бкий 2) прово́рный

list I [lɪst] **1.** *n* спи́сок; пе́речень **2.** *v* вноси́ть в спи́сок

list II **1.** *n мор.* крен **2.** *v* крени́ться

listen ['lɪsn] слу́шать; прислу́шиваться; ~ **in** слу́шать ра́дио

listener ['lɪsnə] слу́шатель

listless ['lɪstlɪs] вя́лый

lit [lɪt] *past и p. p. от* light I, 3

liter||acy ['lɪt(ə)rəsɪ] гра́мотность; ~**al** ['lɪt(ə)r(ə)l] буква́льный, досло́вный

literary ['lɪt(ə)rərɪ] литерату́рный

literate ['lɪtərɪt] гра́мотный

literature ['lɪt(ə)rɪtʃə] литерату́ра

lithe [laɪð] ги́бкий

Lithuanian [ˌlɪθju:'eɪnjən] **1.** *a* лито́вский **2.** *n* 1) лито́вец; лито́вка 2) лито́вский язы́к

litigant ['lɪtɪgənt] *юр.* сторона́ в гражда́нском проце́ссе

litigate ['lɪtɪgeɪt] суди́ться *(с кем-л.)*

litmus ['lɪtməs] ла́кмус

litre ['li:tə] литр

litter ['lɪtə] **1.** *n* 1) носи́лки 2) соло́менная *и т. п.* подсти́лка *(для скота)* 2) помёт *(выводок)* 4) беспоря́док; сор, му́сор **2.** *v* 1) подстила́ть 2) разбра́сывать 3) пороси́ться, щени́ться

little ['lɪtl] **1.** *a* (less; least) ма́ленький; незначи́тельный **2.** *adv* (less; least) 1) ма́ло; ~ by ~ ма́ло-пома́лу, постепе́нно; a ~ немно́го; слегка́ 2) *с глаголами* know, imagine, realize, dream, think *и. т. п.* совсе́м не; ~ did he think that... *(или* he ~ thought that...) он и не ду́мал, что... **3.** *n* 1) немно́гое, ко́е-что́; we see ~ of him мы ре́дко его́ ви́дим 2) коро́ткое, непродолжи́тельное вре́мя

littoral ['lɪtər(ə)l] **1.** *a* прибре́жный **2.** *n* побере́жье; примо́рский райо́н

live I [lɪv] жить, обита́ть; ~ to see smth. дожи́ть до чего́-л.; ~ **down** загла́дить, искупи́ть *(своим поведением, образом жизни)*; ~ **in** име́ть кварти́ру по ме́сту слу́жбы; ~ **out** име́ть кварти́ру не по ме́сту слу́жбы; ~ **through** пережи́ть; he has ~d through two wars он пережи́л две войны́; ~ **up to** жить согла́сно *(принципам и т. п.)* ◇ ~ it up прожига́ть жизнь

live II [laɪv] 1) живо́й 2) де́ятельный, энерги́чный 3) де́йствующий 4) горя́щий; ~ coals раскалённые у́гли 5) жи́зненный; реа́льный; ~ issue актуа́льный вопро́с

livelihood ['laɪvlɪhud] сре́дства к существова́нию

livelong ['lɪvlɔŋ] це́лый, весь; the ~ day день-деньско́й

lively ['laɪvlɪ] 1) живо́й, оживлённый, весёлый 2) я́ркий, си́льный *(о впечатлении и т. п.)*

liven ['laɪvn]: ~ **up** а) развесели́ть; б) развесели́ться

liver ['lɪvə] 1) *анат.* пе́чень 2) печёнка *(кушанье)*

livery ['lɪvərɪ] ливре́я

lives [laɪvz] *pl от* life

live-stock ['laɪvstɔk] скот; живо́й инвента́рь

livid ['lɪvɪd]: with ~ bruises on the body весь в синяка́х; ~ with rage вне себя́ от я́рости

living ['lɪvɪŋ] **1.** *n* 1) сре́дства к существова́нию; make one's ~ зараба́тывать на жизнь 2) о́браз жи́зни; plain ~ проста́я жизнь 3) *attr.*: ~ wage прожи́точный ми́нимум **2.** *a* 1) живо́й; within ~ memory на па́мяти живу́щих 2) о́чень похо́жий; he is the ~ image of his father он вы́литый оте́ц

lizard ['lɪzəd] я́щерица

lo! [lou] *int уст.* вот!, гляди́-ка!

load [loud] **1.** *n* груз; нагру́зка; *перен.* бре́мя **2.** *v* 1) грузи́ть; *перен.* обременя́ть 2) заряжа́ть *(оружие)*

loaf I [louf] безде́льничать, слоня́ться *(часто* ~ about, ~ around)

loaf II [louf] *(pl* loaves) бу́лка; карава́й

loafer ['loufə] безде́льник

loaf-sugar ['louf,ʃugə] кускова́й са́хар

loam [loum] плодоро́дная земля́ *(глина и песок с перегноем)*

loan [loun] **1.** *n* заём **2.** *v* дава́ть взаймы́

loath [louθ] *тк. predic*: be ~ to + *inf* не быть скло́нным, не хоте́ть что-л. де́лать

loath||e ['louð] ненави́деть; **~-some** [-səm] отврати́тельный

loaves [louvz] *pl от* loaf II

lobby ['lɔbɪ] **1.** *n* 1) прихо́жая, вестибю́ль 2) *парл.* кулуа́ры **2.** *v* «обраба́тывать» чле́нов парла́мента, конгре́сса

lobe [loub] *анат.*, *бот.* до́ля ◇ ~ of the ear мо́чка у́ха

lobster ['lɔbstə] ома́р, морско́й рак

local ['louk(ə)l] **1.** *a* ме́стный **2.** *n* 1) ме́стный жи́тель 2) *разг.* ме́стный тракти́р 3) при́городный по́езд; **~ity** [lo(u)'kælɪtɪ] ме́стность; **~ize** [-aɪz] локализова́ть

locat||e [lo(u)'keɪt] 1) определя́ть местонахожде́ние; обнару́живать 2) устра́ивать, поселя́ть 3) устра́иваться, поселя́ться; **~ion** [-ʃ(ə)n] 1) размеще́ние *(предприятий и т. п.)* 2) определе́ние ме́ста

loch [lɔk] *шотл.* 1) о́зеро 2) у́зкий морско́й зали́в

lock I [lɔk] 1) ло́кон 2) *pl поэт.* во́лосы

lock II **1.** *n* 1) замо́к 2) шлюз ◇ ~, stock and barrel *разг.* целико́м; всё вме́сте взя́тое **2.** *v* 1) запира́ть 2) тормози́ть; ~ **in** запере́ть *(в помещении)*; посади́ть в тюрьму́; ~ **out** а) запере́ть дверь и не впуска́ть; б) объявля́ть лока́ут; ~ **up** запира́ть

lock||er ['lɔkə] шка́ф(чик); **~et** [-ɪt] медальо́н

lock-out ['lɔkaut] лока́ут

locksmith ['lɔksmɪθ] сле́сарь

locomot||ion [,loukə'mouʃ(ə)n] передвиже́ние; **~ive** ['loukə,moutɪv] **1.** *a* 1) дви́жущий 2) дви́жущийся **2.** *n* парово́з

locust ['loukəst] саранча́

lode [loud] (ру́дная) жи́ла

lodestar ['loudstɑ:] Поля́рная звезда́; *перен.* путево́дная звезда́

lodestone ['loudstoun] магнети́т, магни́тный железня́к

lodg||e ['lɔdʒ] **1.** *n* 1) сторо́жка 2) ло́жа *(масонская)* **2.** *v* 1) приюти́ть 2) квартирова́ть 3) засе́сть, застря́ть *(о пуле и т. п.)* 4) класть *(в банк)*; дава́ть на хране́ние *(кому-л.— with)* 5) *юр.* подава́ть *(жалобу)*; предъявля́ть *(обвинение)*; **~er** квартира́нт, жиле́ц

lodging ['lɔdʒɪŋ] кварти́ра; **~-house** [-haus] меблиро́ванные ко́мнаты

loft [lɔft] 1) черда́к 2) хо́ры *(в церкви)* 3) голубя́тня

lofty ['lɔftɪ] 1) о́чень высо́кий *(о башне, горе́ и т. п.)* 2) возвы́шенный *(об идеалах)* 3) надме́нный

log [ˈlɔg] 1) чурба́н; бревно́; поле́но 2) *мор.* лаг 3) *см.* ~-book; **~-book** [-buk] *мор.* ва́хтенный журна́л

loggerhead [ˈlɔgəhed]: be at ~s ссо́риться; быть на ножа́х

logic [ˈlɔdʒɪk] ло́гика; **~al** [-əl] 1) логи́ческий 2) логи́чный, после́довательный

loin [lɔɪn] 1) *pl* поясни́ца 2) филе́йная часть *(мясной туши)*

loiter [ˈlɔɪtə] слоня́ться, безде́льничать

loll [lɔl] сиде́ть разваля́сь; стоя́ть облокотя́сь; ~ **out** а) высо́вывать *(язык)*; б) высо́вываться *(о языке)*

lollipops [ˈlɔlɪpɔps] *pl* конфе́ты, сла́сти

lone [ˈloun] 1) одино́кий 2) необита́емый; **~ly** 1) одино́кий 2) уединённый; необита́емый; **~some** [-səm] поки́нутый, одино́кий

long I [lɔŋ] **1.** *a* 1) дли́нный 2) до́лгий 3) дли́тельный ◇ the ~ and the short of it is ко́ротко говоря́ **2.** *adv* 1) до́лго 2) давно́ ◇ ~ ago давно́; ~ after спустя́ мно́го вре́мени, намно́го по́зже; ~ live! да здра́вствует!

long II 1) стра́стно жела́ть *(чего-л.—to)*; стреми́ться *(к—for)* 2) тоскова́ть *(по—for)*

longevity [lɔnˈdʒevɪtɪ] долгове́чность

longing [ˈlɔŋɪŋ] стра́стное жела́ние *(чего-л.—for)*; тоска́ *(по—for)*

longitude [ˈlɔndʒɪtjuːd] *геогр.* долгота́

long-lived [ˈlɔŋˈlɪvd] долгове́чный

look [luk] **1.** *v* 1) смотре́ть, гляде́ть 2) вы́глядеть 3) выходи́ть на *(об окнах и т. п.)*; my room ~s south моя́ ко́мната выхо́дит на юг 4) иска́ть *(for)* 5) иссле́довать *(into)* 6) *амер.* стреми́ться *(to, toward)*; ~ **after** а) забо́титься, следи́ть; б) провожа́ть глаза́ми; ~ **at** смотре́ть на; ~ **down** *(upon)* смотре́ть све́рху вниз; ~ **for** иска́ть; ~ **forward to** ожида́ть с нетерпе́нием; ~ **in** *(on)* загляну́ть *(к)*; ~ **on** а) смотре́ть; б) счита́ть; ~ **out** а) быть настороже́; ~ out! осторо́жно!, береги́сь!; б) поды́скивать; ~ **over** просма́тривать; осма́тривать; ~ **through** просма́тривать; ~ **up** а) навеща́ть *(кого-л.)*; б) поднима́ть глаза́; в) справля́ться, иска́ть *(в словаре, расписании поездов и т. п.)*; ~ **up to** уважа́ть ◇ things are ~ing up положе́ние улучша́ется; ~ here! слу́шай! **2.** *n* 1) взгляд 2) вид; good ~s красота́, привлека́тельная вне́шность ◇ I don't like the ~ of things here мне не нравится то, что здесь происхо́дит

looker-on [ˈlukərˈɔn] зри́тель, наблюда́тель

looking-glass [ˈlukɪŋglɑːs] зе́ркало

loom I [luːm] тка́цкий стано́к

loom II нея́сно вырисо́вываться

loon [luːn] гага́ра

loop [luːp] **1.** *n* пе́тля **2.** *v.* де́лать пе́тлю; ~ the loop *ав.* де́лать мёртвую пе́тлю

loop-hole [ˈlu:phoul] бойни́ца; *перен.* лазе́йка

loos||e [ˈlu:s] **1.** *a* 1) свобо́дный; широ́кий 2) небре́жный 3) нето́чный; расплы́вчатый; 4) распу́щенный ◇ be at a ~ end безде́льничать **2.** *v* распуска́ть, развя́зывать; **~en** [-n] распуска́ть; ослабля́ть

loot [lu:t] **1.** *n* добы́ча **2.** *v* гра́бить

lop I [lɔp] обкорна́ть; подреза́ть

lop II свиса́ть

lope [loup] бежа́ть вприпры́жку

lop-eared [ˈlɔpɪəd] вислоу́хий

loquacious [lo(u)ˈkweɪʃəs] болтли́вый

lord [lɔ:d] **1.** *n* лорд **2.** *v*: ~ it разы́грывать из себя́ ло́рда

lore [lɔ:] преда́ния

lorgnette [lɔ:ˈnjet] *фр.* лорне́т

lorn [lɔ:n] *поэт.*, *шутл.* поки́нутый

lorry [ˈlɔrɪ] грузови́к

lose [lu:z] (lost) 1) теря́ть; лиша́ться; ~ oneself *(или* one's way) заблуди́ться 2) прои́грывать; пропуска́ть; упуска́ть; ~ one's train опозда́ть на по́езд; ~ a good opportunity упусти́ть хоро́ший слу́чай ◇ ~ the day прои́грывать; быть побеждённым

loss [lɔs] 1) поте́ря, убы́ток 2) про́игрыш ◇ be at a ~ быть в замеша́тельстве; растеря́ться

lost [lɔst] **1.** *past и p. p. от* lose **2.** *a* поги́бший

lot [lɔt] **1.** *n* 1) жре́бий 2) у́часть; судьба́ 3) *амер.* уча́сток земли́ 4) па́ртия *(товаров и т. п.)* ◇ a bad ~ плохо́й, дурно́й челове́к; a ~ of, ~s of мно́го, ма́сса; give me a ~ of gravy with my meat да́йте мне побо́льше со́уса к мя́су **2.** *adv* гора́здо, намно́го; a ~ better гора́здо лу́чше

loth [louθ] *см.* loath

lotion [ˈlouʃ(ə)n] 1) примо́чка 2) лосьо́н

lottery [ˈlɔtərɪ] лотере́я

loud [laud] **1.** *a* 1) гро́мкий 2) шумли́вый; развя́зный 3) крича́щий *(о красках)* **2.** *adv* гро́мко

loudspeaker [ˈlaudˏspi:kə] громкоговори́тель

lounge [laundʒ] **1.** *v* 1) слоня́ться, безде́льничать 2) сиде́ть разваля́сь **2.** *n* ко́мната о́тдыха, гости́ная *(в отеле и т.п.)*

lour [ˈlauə] **1.** *n* хму́рость **2.** *v* 1) хму́риться, хму́рить бро́ви 2) темне́ть, покрыва́ться ту́чами *(о небе)*

louse [laus] (*pl* lice) вошь

lout [laut] дереве́нщина; у́валень

lovable [ˈlʌvəbl] ми́лый

lov||e [ˈlʌv] **1.** *n* 1) любо́вь 2) возлю́бленный, возлю́бленная ◇ fall in ~ *(with)* влюби́ться; give one's ~ to smb. переда́ть приве́т кому́-л. **2.** *v* люби́ть ◇ I'd ~ to... я бы о́чень хоте́л...; **~ely** 1) преле́стный 2) *разг.* ми́лый; сла́вный; **~er** 1) любо́вник, возлю́бленный 2) люби́тель *(чего-л.)*; **~ing** не́жный, лю́бящий

low I [lou] **1.** *n* мыча́ние **2.** *v* мыча́ть

low II 1) ни́зкий, невысо́кий

2) сла́бый *(о пульсе)*; ти́хий *(о голосе)* 3) вульга́рный ◇ L. Countries Нидерла́нды; feel ~ чу́вствовать себя́ нева́жно

lower I [ˈlouə] *сравн. ст. от* low II

lower II 1) понижа́ть, снижа́ть, опуска́ть 2) унижа́ть

lower III [ˈlauə] *см.* lour

lowland [ˈlouləndl] *(обыкн. pl)* ни́зменность, доли́на

loyal [ˈlɔɪ(ə)l] ве́рный; лоя́льный; **~ty** [-tɪ] ве́рность; лоя́льность

lubber [ˈlʌbə] у́валень

lubrica||nt [ˈlu:brɪkənt] сма́зка, сма́зочный материа́л; **~te** [-keɪt] сма́зывать

lucid [ˈlu:sɪd] 1) я́сный; прозра́чный 2) *поэт.* я́ркий

luck [ˈlʌk] 1) судьба́ 2) уда́ча; сча́стье ◇ down on one's ~ в беде́; a run of ~ полоса́ сча́стья, уда́чи; worse ~ тем ху́же; he had bad ~ ему́ не повезло́; **~ily** [-ɪlɪ] сча́стли́во; к сча́стью; **~y** [-ɪ] уда́чливый; счастли́вый

lucrative [ˈlu:krətɪv] при́быльный, вы́годный, дохо́дный

ludicrous [ˈlu:dɪkrəs] смешно́й; неле́пый

lug [lʌg] тащи́ть, волочи́ть

luggage [ˈlʌgɪdʒ] бага́ж

lugubrious [lu:ˈgju:brɪəs] мра́чный

lukewarm [ˈlu:kwɔ:m] теплова́тый; *перен.* равноду́шный

lull [lʌl] **1.** *v* 1) убаю́кивать; усыпля́ть 2) успока́ивать **2.** *n* зати́шье; **~aby** [ˈlʌləbaɪ] колыбе́льная пе́сня

lumbago [lʌmˈbeɪgou] *мед.* простре́л

lumber I [ˈlʌmbə] **1.** *n* 1) строево́й лес 2) ру́хлядь, хлам **2.** *v* загроможда́ть

lumber II дви́гаться тяжело́, неуклю́же

lumin||ary [ˈlu:mɪnərɪ] свети́ло *(тж. перен.)*; **~ous** [-nəs] светя́щийся, све́тлый; *перен.* я́сный, поня́тный

lump [lʌmp] **1.** *n* 1) кусо́к; ком, глы́ба; *перен.* «медве́дь» *(о человеке)* 2) ши́шка ◇ a ~ sum о́бщая су́мма; ~ sugar кусково́й са́хар **2.** *v* брать огу́лом ◇ ~ it *разг.* во́лей-нево́лей мири́ться с чем-л.

lunacy [ˈlu:nəsɪ] безу́мие, невменя́емость

lunar [ˈlu:nə] лу́нный

lunatic [ˈlu:nətɪk] сумасше́дший

lunch [lʌntʃ] **1.** *n* ленч, второ́й за́втрак **2.** *v* за́втракать

lung [lʌŋ] лёгкое ◇ ~s of London скве́ры и па́рки Ло́ндона и окре́стностей

lunge [lʌndʒ] **1.** *n* уда́р *(шпагой)* **2.** *v* напада́ть; де́лать вы́пад

lurch I [lə:tʃ]: leave in the ~ покида́ть в беде́

lurch II **1.** *n* 1) крен *(судна)* 2) нетвёрдая похо́дка **2.** *v* 1) крени́ться 2) идти́ шата́ясь

lure [ljuə] **1.** *n охот.* прико́рм; прима́нка; *перен.* собла́зн **2.** *v* соблазня́ть, завлека́ть

lurid [ˈljuərɪd] о́гненный; *перен.* сенсацио́нный

lurk [lə:k] скрыва́ться (в заса́де); *перен.* таи́ться

luscious [ˈlʌʃəs] со́чный; при́торный *(тж. перен.)*

lush [lʌʃ] со́чный, бу́йный *(о растительности)*

lust [lʌst] **1.** *n* вожделе́ние; по́хоть **2.** *v* стра́стно жела́ть

lustre ['lʌstə] 1) гля́нец, блеск 2) сла́ва 3) лю́стра

lusty ['lʌstɪ] здоро́вый, си́льный; живо́й

lute [lu:t] лю́тня

luxuri||ant [lʌg'zjuərɪənt] бу́йный, пы́шный *(о растительности)*; цвети́стый *(о стиле)*; *перен.* бога́тый *(о воображении)*; **~ous** [-əs] 1) роско́шный *(в разн. знач.)*

luxury ['lʌkʃ(ə)rɪ] ро́скошь

lye [laɪ] щёлок

lying ['laɪɪŋ] *pres. p. от* lie I, 2 *и* II, 1

lynch [lɪntʃ] линчева́ть

lynx ['lɪŋks] рысь; **~-eyed** [-aɪd] востроглá́зый

lyric ['lɪrɪk] **1.** *a* лири́ческий **2.** *n* 1) лири́ческое стихотворе́ние 2) *pl* ли́рика; **~al** [-(ə)l] лири́ческий

M

M, m [em] *тринадцатая буква англ. алфавита*

ma [mɑ:] *(сокр. от* mamma) ма́ма

ma'am [mæm] (*сокр. от* madam) суда́рыня

mac [mæk] *сокр. от* mackintosh

macabre [mə'kɑ:br] жу́ткий

macadam [mə'kædəm] щебёночное покры́тие

macaroni [,mækə'rounɪ] макаро́ны

macaroon [,mækə'ru:n] минда́льный бискви́т

mace [meɪs] 1) *ист.* булава́ 2) жезл *(как символ власти)*

machinat||e ['mækɪneɪt] строи́ть ко́зни; **~ion** [,mækɪ'neɪʃ(ə)n] *(обыкн. pl)* ко́зни *мн.*

machine [mə'ʃi:n] **1.** *n* 1) маши́на; механи́зм; стано́к; *перен.* аппара́т; party ~ парти́йный аппара́т 2) *attr.*: ~ building works машинострои́тельный заво́д; ~ shop механи́ческая мастерска́я, цех **2.** *v* обраба́тывать на станке́; шить *(на машине)*; **~-gun** [-gʌn] **1.** *n* пулемёт **2.** *v* обстре́ливать из пулемёта

machinery [mə'ʃi:nərɪ] 1) *собир.* маши́ны 2) аппара́т, организа́ция

machine tool [mə'ʃi:ntu:l] *тех.* стано́к

machinist [mə'ʃi:nɪst] 1) сле́сарь; меха́ник 2) машинострои́тель 3) машини́ст

mack [mæk] *сокр. от* mackintosh

mackintosh ['mækɪntɔʃ] (непромока́емый) плащ

mad ['mæd] 1) сумасше́дший, безу́мный; like ~ как сумасше́дший; be ~ about smth. (*или* smb.) быть без ума́ от чего́-л. (*или* кого́-л.) 2) бе́шеный *(о животном)* 3) *разг.* рассе́рженный; get ~ серди́ться; **~cap** [-kæp] сорвиголова́

madam ['mædəm] мада́м, госпожа́ *(форма обращения)*

madden ['mædn] своди́ть с ума́

made [meɪd] *past и p. p. от* make I

madman [ˈmædmən] сумасше́дший

madness [ˈmædnɪs] сумасше́ствие

maelstrom [ˈmeɪlstroum] водоворо́т; вихрь

magazine [ˌmægəˈzi:n] 1) журна́л 2) *воен.* склад боеприпа́сов 3) магази́нная коро́бка *(винтовки)*

maggot [ˈmægət] личи́нка

magic [ˈmædʒɪk] **1.** *n* ма́гия, волшебство́; *перен.* очарова́ние **2.** *a* волше́бный

magician [məˈdʒɪʃ(ə)n] волше́бник

magisterial [ˌmædʒɪsˈtɪərɪəl] 1) суде́бный 2) повели́тельный, вла́стный

magistrate [ˈmædʒɪstrɪt] судья́; член магистра́та

magnanim||ity [ˌmægnəˈnɪmɪtɪ] великоду́шие; **~ous** [mægˈnænɪməs] великоду́шный

magnate [ˈmægneɪt] магна́т

magnesium [mægˈni:zjəm] ма́гний

magnet [ˈmægnɪt] магни́т

magni||ficent [mægˈnɪfɪsnt] великоле́пный, пы́шный; **~fy** [ˈmægnɪfaɪ] увели́чивать; **~tude** [ˈmægnɪtju:d] 1) величина́ 2) значи́тельность, ва́жность

magpie [ˈmægpaɪ] соро́ка; *перен.* болту́нья

Magyar [ˈmægjɑ:] **1.** *a* венге́рский **2.** *n* 1) венгр, венге́рец, мадья́р; венге́рка, мадья́рка 2) венге́рский язы́к

mahogany [məˈhɔgənɪ] кра́сное де́рево

maid [meɪd] 1) деви́ца, де́вушка; ~ of honour фре́йлина 2) прислу́га; го́рничная *(в гостинице и т.п.)*

maiden [ˈmeɪdn] **1.** *n* деви́ца; де́ва **2.** *a* 1) незаму́жняя 2) де́вичий; ~ name де́вичья фами́лия 3) пе́рвый; ~ voyage пе́рвый рейс *(нового корабля)*; ~ speech пе́рвое выступле́ние чле́на парла́мента; **~hood** [-hud] деви́чество

maidservant [ˈmeɪdˌsə:v(ə)nt] служа́нка

mail I [meɪl] **1.** *n* по́чта, почто́вая корреспонде́нция **2.** *v* посыла́ть по по́чте; опуска́ть в я́щик

mail II [meɪl] кольчу́га

maim [meɪm] уве́чить; кале́чить

main [meɪn] **1.** *a* гла́вный; the ~ body *воен.* гла́вные си́лы **2.** *n* 1) основно́е, гла́вное; in the ~ в основно́м 2): gas ~ газопрово́д

mainland [ˈmeɪnlənd] матери́к

mainly [ˈmeɪnlɪ] 1) гла́вным о́бразом 2) бо́льшей ча́стью

mainspring [ˈmeɪnsprɪŋ] часова́я пружи́на, пружи́нка; *перен.* основно́й дви́гатель

maintain [meɪnˈteɪn] 1) подде́рживать; сохраня́ть *(здоровье, порядок и т.п.)* 2) содержа́ть *(семью и т.п.)* 3) утвержда́ть 4) *тех.* обслу́живать 5) защища́ть *(свои права и т.п.)*

maintenance [ˈmeɪntɪnəns] 1) подде́ржка; содержа́ние 2) *тех.* эксплуата́ция; техни́ческое обслу́живание 3) *attr.*: ~ work теку́щий ремо́нт; ~ equipment ремо́нтное обору́дование

maize [meɪz] майс, кукуру́за

majest||ic [məˈdʒestɪk] вели́чественный; ~ **y** ['mædʒıstı] 1) величественность 2) (Majesty) величество *(титул)*

major ['meıdʒə] **1.** *a* 1) больший; ~ forces *воен.* главные силы 2) более важный 3) старший 4) *муз.* мажорный **2.** *n* 1) совершеннолетний 2) майор; ~**ity** [mə'dʒɔrıtı] 1) большинство; vast ~ity громадное большинство 2) совершеннолетие 3) чин, звание майора

make ['meık] **1.** *v* (made) 1) делать 2) производить, изготовлять 3) составлять; равняться 4) получать; how much do you ~ a month? сколько вы зарабатываете в месяц? 5) заставлять 6) готовить *(обед и т.п.)* 7) назначать *(на должность)*; 8) *мор.* входить *(в порт и т.п.)* ~ **away** *(with)* устранить; убить *(кого-л.)*; ~ away with oneself покончить с собой; ~ **for** направляться; ~ **off** удрать; ~ **out** а) разобрать, понять; б) выписывать *(чек, счёт)*; ~ **up** а) составлять *(речь)*; собирать; б) возмещать; навёрстывать *(for)*; в) гримировать(ся) *(об актёрах)*; г) употреблять косметику *(о женщинах)*; д) выдумывать; ~ up a story сочинить историю ◇ ~ up one's mind а) решить; б) решиться; ~ it up мириться; ~ up for one's mistake загладить свою вину; ~ no bones about it не колебаться; ~ war воевать; ~ a promise обещать; ~ as if to делать вид, что; ~ free а) *(with)* распоряжаться *(чужим)*; б) позволять себе вольности; ~ little *(of)* считать несущественным; what am I to ~ of this? как я должен это понимать? **2.** *n* 1) производство 2) фасон; марка, тип, модель; ~**r** создатель, творец

makeshift ['meıkʃıft] 1) замена, паллиатив 2) временное приспособление

make-up ['meıkʌp] 1) грим; косметика 2) натура; склад *(ума, характера)*

makeweight ['meıkweıt] довесок, добавок

mal- [mæl-] *pref со значением* плохой, недостаточный

maladjusted ['mælə'dʒʌstıd] плохо приспособленный *(к окружающей среде и т.п.)*

maladministration ['mæləd,mınıs'treıʃ(ə)n] плохое управление

malady ['mælədı] болезнь; расстройство

Malay [mə'leı] **1.** *a* малайский **2.** *n* 1) малаец; малайка 2) малайский язык

malcontent ['mælkən,tent] недовольный

male [meıl] **1.** *n* 1) мужчина 2) самец *(животных)* **2.** *a* мужской

malediction [,mælı'dıkʃ(ə)n] проклятие

malefactor ['mælıfæktə] преступник, злодей, злоумышленник

malevolent [mə'levələnt] недоброжелательный

malic‖e ['mælıs] 1) злоба 2) *юр.* преступное намерение; ~**ious** [mə'lıʃəs] злобный

malign [mə'laın] **1.** *a* 1) враждебный 2) *мед.* злокачественный **2.** *v* клеветать

malignant [mə'lıgnənt] 1)

злóбный 2) *мед.* злокáчественный

malinger [mə'lɪŋgə] притворя́ться больны́м

malleable ['mælɪəbl] кóвкий; *перен.* подáтливый, устýпчивый

mallet ['mælɪt] деревя́нный молотóк

malnutrition ['mælnju:'trɪʃ(ə)n] плохóе питáние, недоедáние

malt [mɔ:lt] 1) сóлод 2) *attr.* солодóвый

maltreat [mæl'tri:t] дýрно обращáться

mamma [mə'mɑ:] мáма

mammal ['mæm(ə)l] млекопитáющее

man [mæn] **1.** *n* (*pl* men) 1) мужчи́на 2) человéк 3) муж; ~ and wife муж и женá 3) слугá 5) рабóчий ◇ ~ in the street а) пéрвый встрéчный; б) обывáтель; all to a ~ все до одногó; have a ~-to-~ talk поговори́ть начистотý **2.** *v* снабжáть людьми́, укомплектóвывать ли́чным состáвом

manacle ['mænəkl] **1.** *n* *(обыкн. pl)* кандалы́, нарýчники **2.** *v* надевáть нарýчники

manage ['mænɪdʒ] 1) управля́ть, завéдовать 2) справля́ться, умéть обращáться 3) ухитря́ться; **~ment** 1) завéдование, управлéние 2) обращéние, умéние *(владеть инструментом, работать)* 3) (the ~ment) правлéние, дирéкция; администрáция

manager ['mænɪdʒə] 1) руководи́тель, завéдующий, дирéктор; управля́ющий 2) хозя́ин; хозя́йка; he doesn't earn much but his wife is a good ~ он зарабáтывает немнóго, но егó женá хорóшая хозя́йка

mandat||e ['mændeɪt] мандáт; предписáние; **~ed** [-ɪd] подмандáтный; **~ory** [-dət(ə)rɪ] мандáтный

mane [meɪn] гри́ва; *перен.* кóсмы *мн.*

manful ['mænful] мýжественный, твёрдый

manganese [,mæŋgə'ni:z] мáрганец

mange [meɪndʒ] *вет.* чесóтка

manger ['meɪndʒə] я́сли, кормýшка

mangle I ['mæŋgl] 1) руби́ть 2) калéчить; *перен.* искажáть

mangle II **1.** *n* катóк *(для белья)* **2.** *v* катáть *(бельё)*

mangy ['meɪndʒɪ] чесóточный, парши́вый

manhole ['mænhoul] 1) лаз 2) смотровóе отвéрстие

manhood ['mænhud] 1) возмужáлость 2) мýжественность

manicure ['mænɪkjuə] дéлать маникю́р

manifest ['mænɪfest] **1.** *a* очеви́дный, я́вный **2.** *v* 1) я́сно покáзывать, проявля́ть; ~ itself проявля́ться; **~ation** [,mænɪfes'teɪʃ(ə)n] 1) проявлéние 2) манифестáция

manifesto [,mænɪ'festou] манифéст; the Communist M. Манифéст Коммунисти́ческой пáртии

manifold ['mænɪfould] **1.** *a* 1) многочи́сленный 2) разнообрáзный **2.** *v* размножáть *(документ)*

manipulate [mə'nɪpjuleɪt] 1)

умéло обращáться 2) подтасóвывать

mankind [mæn'kaınd] человéчество

manly ['mænlı] мýжественный, отвáжный

mannequin ['mænıkın] 1) манекéнщица 2) манекéн

manner ['mænə] óбраз, спóсоб, манéра

manoeuvre [mə'nu:və] **1.** *n* манёвр **2.** *v* маневрúровать

man-of-war ['mænəv'wɔ:] *(pl* men-of-war) воéнный корáбль

manor ['mænə] (феодáльное) помéстье

manse [mæns] дом шотлáндского пáстора; son of the ~ сын пáстора

mansion ['mænʃ(ə)n] большóй особня́к

mantelpiece ['mæntlpi:s] камúн

mantle ['mæntl] **1.** *n* 1) мантúлья; мáнтия; *перен.* покрóв 2) *тех.* кожýх **2.** *v* покрывáть; окýтывать, укрывáть

manual ['mænjuəl] **1.** *a* ручнóй; ~ labour физúческий труд **2.** *n* руковóдство *(книга)*, учéбник

manufactur||e [,mænju'fæktʃə] **1.** *n* произвóдство, изготовлéние **2.** *v* выдéлывать, производúть; **~er** [-rə] 1) фабрикáнт 2) изготовúтель

manure [mə'njuə] **1.** *n* навóз; удобрéние **2.** *v* удобря́ть, унавóживать *(землю)*

manuscript ['mænjuskrıpt] рýкопись

many ['menı] **1.** *a (сравн. ст.* more; *превосх. ст.* most) мнóгие; многочúсленные; a good ~ довóльно мнóго; ~ a мнóго; ~ a time чáсто; as ~ стóлько же; not so ~ as мéньше, чем **2.** *n* мнóжество; are there ~ coming to dinner? мнóго нарóду придёт к обéду?

map [mæp] **1.** *n* 1) (географúческая) кáрта 2) план **2.** *v* чертúть кáрту; наносúть на кáрту; ~ **out** планúровать, обдýмывать

maple ['meıpl] клён

mar [mɑ:] испóртить; расстрóить

maraud [mə'rɔ:d] грáбить; **~er** мародёр

marble ['mɑ:bl] мрáмор; **~d** [-d] под мрáмор

March [mɑ:tʃ] 1) март 2) *attr.* мáртовский

march I [mɑ:tʃ] **1.** *v* гранúчить **2.** *n (обыкн. pl)* погранúчная óбласть

march II ['mɑ:tʃ] **1.** *v* маршировáть; ~ **off** а) выступáть; б) отводúть когó-л. **2.** *n* 1) марш 2) перехóд, прóйденное расстоя́ние 3) ход, развúтие *(событий)*; **~er** учáстник похóда-демонстрáции; **~ing** 1) марширóвка 2) *attr.*: ~ing order а) похóдный поря́док; б) *pl* прикáз о выступлéнии

marchioness ['mɑ:ʃ(ə)nıs] маркúза

mare [mɛə] кобы́ла ◇ find a ~'s nest *погов.* попáсть пáльцем в нéбо

margarine [,mɑ:dʒə'ri:n] маргарúн

marge [mɑ:dʒ] *разг. сокр. от* margarine

margin ['mɑ:dʒın] 1) пóле *(книги)* 2) край; полосá; граница 3) резе́рв, запа́с; **~al** [-l] 1) напи́санный на поля́х 2) кра́йний, преде́льный

marinade [ˌmærɪ'neɪd] маринова́ть

marine [mə'ri:n] **1.** *a* морско́й **2.** *n* 1): merchant ~ торго́вый флот 2) солда́т морско́й пехо́ты; **~r** ['mærɪnə] моря́к, матро́с

marital [mə'raɪtl] супру́жеский

maritime ['mærɪtaɪm] примо́рский; морско́й

mark I [mɑ:k] **1.** *n* 1) знак, ме́тка; при́знак 2) отме́тка, оце́нка *(знаний, поведения)* 3) мише́нь; hit the ~ попа́сть в цель; miss the ~ промахну́ться 4) изве́стность, сла́ва; a man of ~ изве́стный челове́к; make one's ~ отличи́ться, вы́двинуться 5) но́рма, у́ровень; below the ~ не на высоте́ *(положения)*; up to the ~ на до́лжной высоте́ ◇ wide of the ~ а) ми́мо це́ли; б) не по существу́, некста́ти **2.** *v* 1) маркирова́ть; ме́тить 2) отмеча́ть; 3) замеча́ть; **~ down** понижа́ть *(цену, курс и т.п.)*; **~ off** разграни́чивать; **~ out** а) размеча́ть; б) предназнача́ть; **~ up** повыша́ть *(цену и т.п.)* ◇ ~ time а) *воен.* обознача́ть шаг на ме́сте; б) топта́ться на ме́сте; выжида́ть

mark II [mɑ:k] ма́рка *(монета)*

market ['mɑ:kɪt] **1.** *n* ры́нок **2.** *v* 1) продава́ть *или* покупа́ть на ры́нке 2) продава́ть, сбыва́ть; **~able** [-əbl] 1) хо́дкий *(о товаре)* 2) го́дный для прода́жи

marksman ['mɑ:ksmən] ме́ткий стрело́к

marmalade ['mɑ:məleɪd] апельси́нное варе́нье

marmot ['mɑ:mət] суро́к

maroon I [mə'ru:n] **1.** *n* тёмно-кра́сный цвет **2.** *a* тёмно-кра́сный

maroon II выса́живать на необита́емом о́строве

marriage ['mærɪdʒ] 1) брак 2) сва́дьба

married ['mærɪd] жена́тый; заму́жняя

marrow ['mærou] ко́стный мозг; *перен.* су́щность

marry ['mærɪ] 1) жени́ться; выходи́ть за́муж 2) жени́ть; венча́ть

marsh [mɑ:ʃ] 1) боло́то; топь 2) *attr.*: ~ gas боло́тный газ, мета́н

marshal ['mɑ:ʃ(ə)l] **1.** *n* 1) ма́ршал 2) церемонийме́йстер 3) *амер.* нача́льник поли́ции *или* пожа́рной охра́ны **2.** *v* 1) выстра́иваться 2) распоряжа́ться

marsupial [mɑ:'sju:pjəl] *зоол.* су́мчатое живо́тное

mart [mɑ:t] *сокр. от* market

marten ['mɑ:tɪn] куни́ца

martial ['mɑ:ʃ(ə)l] 1) вое́нный; ~ law вое́нное положе́ние 2) вои́нственный; ~ spirit вои́нственный дух

martinet [ˌmɑ:tɪ'net] сторо́нник стро́гой дисципли́ны

martyr ['mɑ:tə] **1.** *n* му́ченик; he was a ~ to gout он страда́л пода́грой **2.** *v* му́чить

marvel ['mɑ:v(ə)l] **1.** *n* чу́до, ди́во **2.** *v* удивля́ться, изумля́ться; **~lous** ['mɑ:vɪləs] изуми́тельный, удиви́тельный

Marxian [ˈmɑ:ksjən] **1.** *n* маркси́ст **2.** *a* маркси́стский

Marxism [ˈmɑ:ksɪzm] маркси́зм

Marxism-Leninism [ˈmɑ:ksɪzm-ˈlenɪnɪzm] маркси́зм-ленини́зм

Marxist [ˈmɑ:ksɪst] **1.** *a* маркси́стский **2.** *n* маркси́ст

mascara [mæsˈkɑ:rə] кра́ска, тушь *(для ресниц и бровей)*

mascot [ˈmæskət] талисма́н

masculine [ˈmɑ:skjulɪn] **1.** *a* 1) мужско́й 2) му́жественный 3) *грам.* мужско́го ро́да **2.** *n* *грам.* мужско́й род

mash [mæʃ] **1.** *n* 1) су́сло 2) по́йло из отрубе́й 3) пюре́ **2.** *v* превраща́ть в пюре́, размина́ть

mask [mɑ:sk] **1.** *n* ма́ска; *воен.* противога́з (*тж.* gas-mask); *перен.* личи́на **2.** *v* маскирова́ть, скрыва́ть

mason [ˈmeɪsn] 1) ка́менщик 2) масо́н; **~ry** [-rɪ] ка́менная кла́дка

masquerade [ˌmæskəˈreɪd] **1.** *n* маскара́д **2.** *v*: ~ as выдава́ть себя́ *(за кого-л.)*

mass I [mæs] **1.** *n* 1) ма́сса 2) ку́ча, мно́жество **2.** *v* собира́ть в ку́чу, в ма́ссу; концентри́ровать

mass II ме́сса, литурги́я; обе́дня

massacre [ˈmæsəkə] **1.** *n* резня́; избие́ние **2.** *v* устра́ивать резню́

massage [ˈmæsɑ:ʒ] **1.** *n* масса́ж **2.** *v* масси́ровать

masses [ˈmæsɪz]: the ~ наро́дные ма́ссы

mass||eur [mæˈsə:] *фр.* массажи́ст; **~euse** [-ˈsə:z] *фр.* массажи́стка

massive [ˈmæsɪv] 1) масси́вный 2) огро́мный

mast [mɑ:st] ма́чта

master [ˈmɑ:stə] **1.** *n* 1) хозя́ин 2) учи́тель; head ~ дире́ктор шко́лы 3) маги́стр 4) вели́кий худо́жник, ма́стер 5) *attr.* высококвалифици́рованный ◇ M. of Ceremonies а) церемонийме́йстер; б) конферансье́ **2.** *v* 1) овладе́ть *(чем-л.)*; изучи́ть *(что-л.)* 2) одоле́ть; подчини́ть себе́ 3) руководи́ть, управля́ть; **~ful** 1) вла́стный 2) мастерско́й; **~-key** [-ki:] отмы́чка

masterly [ˈmɑ:stəlɪ] мастерско́й, соверше́нный

master||piece [ˈmɑ:stəpi:s] шеде́вр; **~-stroke** [-strouk] мастерско́й ход, ло́вкий ход

mastery [ˈmɑ:stərɪ] 1) господ́ство, влады́чество 2) мастерство́

masticate [ˈmæstɪkeɪt] жева́ть

mat I [mæt] **1.** *n* 1) полови́к, ко́врик; цино́вка; рого́жа 2) клеёнка *(столовая)* 3) что-л. спу́танное, переплетённое **2.** *v* 1) стели́ть ко́врик *(и т.п.)* 2) спу́тывать

mat II ма́товый

match I [mætʃ] спи́чка

match II **1.** *n* 1) состяза́ние 2) ро́вня, па́ра 3) брак *(супружество)* **2.** *v* 1) состяза́ться 2) подходи́ть, соотве́тствовать, гармони́ровать 3) подбира́ть под па́ру

match-box [ˈmætʃbɔks] спи́чечная коро́бка

matchless ['mætʃlɪs] несравне́нный; непревзойдённый

mate I [meɪt] *шахм.* **1.** *n* мат **2.** *v* сде́лать мат

mate II **1.** *n* 1) това́рищ 2) супру́г; супру́га 3) помо́щник **2.** *v* 1) спа́ривать *(о животных)* 2) спа́риваться

material [mə'tɪərɪəl] **1.** *a* 1) материа́льный, веще́ственный; ~ values материа́льные бла́га; ~ evidence веще́ственные доказа́тельства 2) суще́ственный; ~ witness ва́жный свиде́тель **2.** *n* 1) материа́л; raw ~s сырьё; writing ~s пи́сьменные принадле́жности 2) *текст.* мате́рия

material||ism [mə'tɪərɪəlɪzm] материали́зм; historical ~ истори́ческий материали́зм; dialectical ~ диалекти́ческий материали́зм; **~istic** [məˌtɪərɪə'lɪstɪk] материалисти́ческий

matern||al [mə'tə:nl] матери́нский; **~ity** [-'tə:nɪtɪ] 1) матери́нство 2) *attr.*: ~ity home роди́льный дом

mathematics [ˌmæθɪ'mætɪks] матема́тика

matinee ['mætɪneɪ] дневно́й спекта́кль *или* конце́рт

matriculate [mə'trɪkjuleɪt] принима́ть *или* быть при́нятым в вы́сшее уче́бное заведе́ние

matrimony ['mætrɪm(ə)nɪ] супру́жество; брак

matron ['meɪtr(ə)n] 1) матро́на; мать семе́йства 2) эконо́мка; сестра́-хозя́йка *(в школе и т.п.)*

matter ['mætə] **1.** *n* 1) де́ло, вопро́с; money ~s де́нежные дела́; as a ~ of fact на са́мом де́ле; по пра́вде говоря́; what is the ~? в чём де́ло?; no ~ нева́жно, безразли́чно; for that ~ что каса́ется э́того; no ~ what несмотря́ ни на что 2) вещество́; *филос.* мате́рия 3) предме́т, содержа́ние 4) *мед.* гной **2.** *v*: what does it ~? како́е э́то име́ет значе́ние?; it doesn't ~ ничего́, нева́жно; it ~s very much to me для меня́ э́то о́чень ва́жно; **~-of-course** ['mæt(ə)rəv'kɔ:s] само́ собо́й разуме́ющийся; **~-of-fact** ['mæt(ə)rəv'fækt] сухо́й, прозаи́ческий

matting ['mætɪŋ] 1) цино́вки; материа́л для цино́вок 2) рого́жа

mattock ['mætək] моты́га

mattress ['mætrɪs] матра́ц, тюфя́к

mature [mə'tjuə] **1.** *a* 1) зре́лый; спе́лый 2) хорошо́ обду́манный 3) *ком.* подлежа́щий опла́те **2.** *v* 1) созрева́ть 2) доводи́ть до зре́лости 3) *ком.* наступа́ть *(о сроке платежа)*

maturity [mə'tjuərɪtɪ] зре́лость

maudlin ['mɔ:dlɪn] слезли́вый, плакси́вый *(во хмелю)*

maul [mɔ:l] **1.** *n* деревя́нный мо́лот **2.** *v* кале́чить; вреди́ть; *перен.* жесто́ко критикова́ть

maunder ['mɔ:ndə] говори́ть несвя́зно; бормота́ть

mausoleum [ˌmɔ:sə'lɪəm] мавзоле́й

mauve [mouv] розова́то-лило́вый

mawkish ['mɔ:kɪʃ] сентимента́льный

maxim ['mæksɪm] 1) сенте́нция, афори́зм 2) пра́вило поведе́ния; при́нцип

maximum [ˈmæksɪməm] ма́ксимум

May [meɪ] 1) май 2) *attr.* ма́йский; ~ Day Пе́рвое ма́я

may [meɪ] (*past* might) 1) могу́, мо́жет, мо́жем *и т.д.*; he ~ do it himself он мо́жет сде́лать э́то сам; they ~ come yet они́ ещё мо́гут прийти́; ~ I come in? могу́ я, мо́жно мне войти́? 2) *(в сочет. с перф. инфинитивом)* возмо́жно, мо́жет быть; he ~ have gone возмо́жно *(или* мо́жет быть), он уже́ уе́хал; they ~ have seen us возмо́жно, что они́ нас ви́дели 3) *выражает пожелания*: ~ success attend you! жела́ю вам успе́ха! ◇ be that as it ~ как бы то ни́ было

maybe [ˈmeɪbi:] мо́жет быть

mayor [mɛə] мэр

maze [meɪz] лабири́нт; *перен.* пу́таница

me [mi: *(полная форма)*, mɪ *(редуцированная форма)*] *pers pron (объектн. пад. от* 1) меня́, мне

meadow [ˈmedou] луг

meagre [ˈmi:gə] 1) худо́й, то́щий 2) по́стный, ску́дный 3) бе́дный *(содержанием)*; ~ information ску́дная информа́ция

meal I [mi:l] еда́

meal II мука́

mealtime [ˈmi:ltaɪm] вре́мя приня́тия пи́щи *(обед, ужин и т.п.)*

mealy [ˈmi:lɪ] 1) мучно́й, мучни́стый 2) рассы́пчатый *(о картофеле)*; **~-mouthed** [-ˈmauðd] нei̇скренний

mean I [mi:n] (meant) 1) зна́чить 2) предназнача́ть 3) име́ть наме́рение 4) име́ть в виду́ ◇ ~ well *(by)* жела́ть добра́ *(кому-л.)*

mean II 1) плохо́й; захуда́лый 2) по́длый 3) ска́редный

mean III **1.** *a* сре́дний; ~ line биссектри́са ◇ in the ~-time тем вре́менем, ме́жду тем **2.** *n* 1) середи́на 2) *мат.* сре́днее число́ 3) *pl* сре́дство, спо́соб; by ~s of посре́дством 4) *pl* сре́дства, состоя́ние, бога́тство; this is beyond my ~s э́то мне не по сре́дствам 5) *attr.*: ~s test прове́рка нужда́емости ◇ by any ~s каки́м бы то ни́ было о́бразом; by all ~s а) во что́ бы то ни ста́ло; б) коне́чно

meander [mɪˈændə] **1.** *n pl* изви́лина *(дороги, реки)* **2.** *v* извива́ться

meaning [ˈmi:nɪŋ] **1.** *n* значе́ние; смысл **2.** *a* (много)значи́тельный; **~less** бессмы́сленный

meant [ment] *past и p. p. от* mean I

meantime [ˈmi:nˈtaɪm] *см.* meanwhile

meanwhile [ˈmi:nˈwaɪl] ме́жду тем, тем вре́менем

measles [ˈmi:zlz] *(употр. с гл. в ед. ч.)* корь

measure [ˈmeʒə] **1.** *n* 1) ме́ра; beyond ~ чрезме́рно; in some ~ в изве́стной сте́пени 2) ме́рка; what is your waist ~? како́й у вас объём та́лии?; made to ~ сде́ланный на зака́з 3) *муз.* такт **2.** *v* измеря́ть; снима́ть ме́рку; отмеря́ть; **~ment** 1) измере́ние 2) разме́ры

meat [mi:t] мя́со

mechanic [mɪ'kænɪk] 1) меха́ник 2) машини́ст; опера́тор; **~al** [-(ə)l] механи́ческий; *перен.* машина́льный; **~s** [-s] меха́ника

mechanize ['mekənaɪz] механизи́ровать

medal ['medl] меда́ль

meddle ['medl] вме́шиваться

mediaeval [,medɪ'i:v(ə)l] *см.* medieval

medial ['mi:djəl] сре́дний, среди́нный

median ['mi:djən] **1.** *n* медиа́на **2.** *a см.* medial

medic||al ['medɪk(ə)l] враче́бный; медици́нский; ~ history исто́рия боле́зни; **~ament** [me'dɪkəmənt] лека́рство

medicine ['medsɪn] 1) медици́на *(особ. терапия)*; practise ~ занима́ться враче́бной пра́ктикой 2) лека́рство; **~-man** [-mæn] зна́харь, колду́н, шама́н

medieval [,medɪ'i:v(ə)l] средневеко́вый

mediocre ['mi:dɪoukə] посре́дственный

meditate ['medɪteɪt] 1) замышля́ть; намерева́ться; ~ revenge замышля́ть месть 2) размышля́ть

medium ['mi:djəm] **1.** *n (pl* ~s [-mz], -dia [-djə]) 1) сре́дство 2) среда́ 3) середи́на; happy ~ золота́я середи́на **2.** *a* 1) сре́дний 2) уме́ренный

medley ['medlɪ] 1) смесь; мешани́на 2) разношёрстная толпа́

meek [mi:k] кро́ткий, мя́гкий

meet ['mi:t] (met) 1) встреча́ть 2) собира́ться, встреча́ться 3) знако́миться 4) удовлетворя́ть *(желание и т.п.)* ◇ ~ a bill оплати́ть *(счёт)*; ~ one's death поги́бнуть; **~ing** 1) собра́ние, ми́тинг; заседа́ние 2) встре́ча *(тж. спорт.)*

megaphone ['megəfoun] **1.** *n* мегафо́н, ру́пор **2.** *v* говори́ть в ру́пор

melancholy ['melənkəlɪ] **1.** *n* уны́ние, грусть **2.** *a* гру́стный

mêlée ['meleɪ] *фр.* о́бщая сва́лка

mellifluous [me'lɪfluəs] медото́чивый, сладкоречи́вый

mellow ['melou] **1.** *a* 1) спе́лый 2) со́чный, густо́й *(о голосе, цвете и т.п.)* 3) мя́гкий; дободу́шный 4) *разг.* подвы́пивший; be ~ быть навеселе́ **2.** *v* зреть

melod||ious [mɪ'loudjəs] мелоди́чный; **~y** ['melədɪ] мело́дия

melon ['melən] ды́ня

melt ['melt] 1) та́ять *(о снеге и т.п.)* 2) пла́вить, раста́пливать 3) пла́виться, раста́пливаться; *перен.* смягча́ться; ~ **away** раста́ять; ~ **down** растворя́ть; **~ing**: ~ing point то́чка плавле́ния

member ['membə] член; **~ship** чле́нство

membrane ['membreɪn] плева́, плёнка

memoir ['memwɑ:] 1) кра́ткая биогра́фия 2) *pl* мемуа́ры

memorable ['mem(ə)rəbl] па́мятный

memorandum [,memə'rændəm] 1) заме́тка 2) па́мятная запи́ска, мемора́ндум

memorial [mɪ'mɔ:rɪəl] 1) пáмятник 2) *pl* истори́ческая хрóника

memo||rize ['meməraɪz] заýчивать наизýсть, запоминáть; **~ry** [-rɪ] 1) пáмять 2) воспоминáние

men [men] *pl от* man 1

menace ['menəs] **1.** *n* угрóза; опáсность **2.** *v* угрожáть

menagerie [mɪ'nædʒərɪ] звери́нец

mend [mend] 1) исправля́ть, чини́ть; штóпать *(чулки и т.п.)*; ремонти́ровать *(дорогу т.п.)* 2) улучшáться

mendacious [men'deɪʃəs] лжи́вый; лóжный

mendacity [men'dæsɪtɪ] лжи́вость

menial ['mi:njəl] **1.** *n* слугá; *перен.* лакéй **2.** *a* ни́зкий, лакéйский

men-of-war ['menəv'wɔ:] *pl от* man-of-war

mensurable ['menʃurəbl] измери́мый

mental ['mentl] 1) ýмственный 2) психи́ческий, душéвный; ~ home психиатри́ческая лечéбница; **~ity** [men'tælɪtɪ] склад умá; мышлéние

mention ['menʃ(ə)n] **1.** *v* упоминáть; don't ~ it не стóит благодáрности; пожáлуйста; not to ~ не говоря́ ужé о **2.** *n* упоминáние

mercantile ['mə:k(ə)ntaɪl] торгóвый; коммéрческий

mercenary ['mə:sɪn(ə)rɪ] **1.** *a* коры́стный; продáжный **2.** *n* наёмник

merchandise ['mə:tʃ(ə)ndaɪz] товáры

merchant ['mə:tʃ(ə)nt] купéц, торгóвец

merci||ful ['mə:sɪful] милосéрдный; **~less** безжáлостный

mercury ['mə:kjurɪ] ртуть

mercy ['mə:sɪ] 1) милосéрдие 2) ми́лость; прощéние; at the ~ *(of)* во влáсти, на ми́лость; beg for ~ проси́ть пощáды; have ~ *(upon)* щади́ть, ми́ловать ◇ that's a ~! э́то пря́мо счáстье!

mere ['mɪə] 1) я́вный, сýщий; ~ blunder я́вная оши́бка 2) простóй; a ~ child could do it дáже ребёнок мог (бы) сдéлать э́то; **~ly** прóсто, тóлько; еди́нственно

merg||e ['mə:dʒ] 1) поглощáть 2) сливáться, соединя́ться 3) сливáть, соединя́ть; **~er** слия́ние; объединéние

meridian [mə'rɪdɪən] 1) мериди́ан 2) пóлдень 3) вы́сшая тóчка, расцвéт

merino [mə'ri:nou] 1) меринóс *(порода овец)* 2) меринóсовая шерсть

merit ['merɪt] **1.** *n* достóинство; заслýга ◇ on its ~s по существý **2.** *v* заслýживать, быть достóйным; **~orious** [,merɪ'tɔ:rɪəs] достóйный награ́ды; похвáльный

mer||riment ['merɪmənt] весéлье; **~ry** [-ɪ] весёлый; рáдостный

merry-go-round ['merɪgo(u),raund] карусéль

mesh [meʃ] **1.** *n* пéтля; *pl* сéти: западня́ **2.** *v* лови́ть, опýтывать сетя́ми

mesmerize ['mezm(ə)raɪz] гипнотизи́ровать

mess I [mes] 1) беспоря́док 2) неприя́тность, беда́

mess II офице́рская столо́вая; кают-компа́ния

message ['mesɪdʒ] 1) сообще́ние; донесе́ние; посла́ние 2) поруче́ние

messenger ['mesɪndʒə] ве́стник; посы́льный

messmate ['mesmeɪt] однока́шник

met [met] *past и p. p. от* meet

metal ['metl] **1.** *n* 1) мета́лл 2) щё́бень **2.** *v* 1) покрыва́ть мета́ллом 2) мости́ть щё́бнем; **~lic** [mɪ'tælɪk] металли́ческий

metallurgy [me'tælədʒɪ] металлу́ргия

metaphor ['metəfə] мета́фора

metaphys||**ical** [,metə'fɪzɪk(ə)l] метафизи́ческий; **~ics** [-ɪks] метафи́зика

meteor ['mi:tjə] метео́р

meteorite ['mi:tjəraɪt] метеори́т

meteorology [,mi:tjə'rɔlədʒɪ] метеороло́гия

meter ['mi:tə] 1) *см.* metre I 2) счё́тчик

method ['meθəd] 1) ме́тод, систе́ма 2) спо́соб

methodical [mɪ'θɔdɪk(ə)l] 1) методи́ческий 2) системати́ческий

methylated ['meθɪleɪtɪd]: ~ spirit денатура́т

meticulous [mɪ'tɪkjuləs] педанти́чный, тща́тельный; дото́шный

metre I ['mi:tə] метр *(ме́ра)*

metre II разме́р, ритм

metric ['metrɪk] метри́ческий

metropoli||**s** [mɪ'trɔpəlɪs] столи́ца; **~tan** [,metrə'pɔlɪt(ə)n] столи́чный

mettle ['metl] 1) хара́ктер *(челове́ка)* 2) хра́брость ◇ put smb. on his ~ заста́вить кого́-л. сде́лать всё, что в его́ си́лах

mew I [mju:] **1.** *v* мяу́кать **2.** *n* мяу́канье

mew II *поэт.* ча́йка

mews [mju:z] коню́шни; изво́зчичий двор

Mexican ['meksɪkən] **1.** *n* мексика́нец; мексика́нка **2.** *a* мексика́нский

miaow [mi:'au] *см.* mew I

mica ['maɪkə] слюда́

mice [maɪs] *pl от* mouse 1

microbe ['maɪkroub] микро́б

microphone ['maɪkro(u)foun] микрофо́н

microscope ['maɪkro(u)skoup] микроско́п

mid [mɪd] сре́дний, среди́нный

midday ['mɪddeɪ] по́лдень

middle ['mɪdl] **1.** *a* сре́дний; ~ peasant серbegin середня́к **2.** *n* середи́на; **~-aged** [-'eɪdʒd] сре́дних лет; **~man** [-mæn] 1) посре́дник 2) комиссионе́р

midge [mɪdʒ] мо́шка

midget ['mɪdʒɪt] кро́шечное существо́

Midlands ['mɪdləndz] (the ~) центра́льные гра́фства А́нглии

midnight ['mɪdnaɪt] по́лночь

midst [mɪdst]: in the ~ *(of)* окружё́нный *(кем-л.)*; среди́ *(кого-л.)*; in our ~ среди́ нас

midsummer ['mɪd,sʌmə] середи́на ле́та

midway ['mɪdweɪ] на полпути́; ~ between на полпути́ ме́жду

midwife ['mɪdwaɪf] акушéрка

mien [mi:n] мúна, выражéние лицá

might I [maɪt] *past om* may

migh||t II ['maɪt] 1) могýщество; власть 2) энéргия; сúла; with ~ and main изо всéй сúлы; **~ty** [-tɪ] **1.** *a* могýщественный; мóщный **2.** *adv разг.* óчень

migrate [maɪ'greɪt] 1) переселя́ться 2) совершáть перелёт *(о птицах)*

mild [maɪld] нéжный, мя́гкий; слáбый

mile ['maɪl] мúля; **~age** [-ɪdʒ] расстоя́ние в мúлях

milepost ['maɪlpoust] верстовóй столб

milestone ['maɪlstoun] верстовóй кáмень; *перен.* вéха

milieu ['mi:ljə:] *фр.* окружáющая средá, окружéние

militant ['mɪlɪt(ə)nt] вои́нствующий; боевóй

militarist ['mɪlɪtərɪst] милитари́ст

militarization [ˌmɪlɪtəraɪ'zeɪʃ(ə)n] милитаризáция

military ['mɪlɪt(ə)rɪ] **1.** *a* воéнный; вóинский; ~ age призывнóй вóзраст **2.** *n*: the ~ *собир.* воéнные

militia [mɪ'lɪʃə] *ист.* нарóдное ополчéние *(в Англии)*

milk ['mɪlk] **1.** *n* 1) молокó 2) *бот.* млéчный сок **2.** *v* 1) дои́ть; *перен. разг.* эксплуати́ровать 2) давáть молокó; **~-maid** [-meɪd] доя́рка; **~man** [-mən] разнóсчик молокá; **~sop** [-sɔp] тря́пка, бáба, трус; **~y** [-ɪ] молóчный ◇ Milky Way Млéчный Путь

mill [mɪl] **1.** *n* 1) мéльница 2) фáбрика 3) прокáтный стан 4) *тех.* фрезá **2.** *v* 1) молóть 2) дроби́ть 3) дви́гаться по крýгу, кружи́ть *(о толпе, стаде)*

millennium [mɪ'lenɪəm] тысячелéтие

miller ['mɪlə] мéльник

millet ['mɪlɪt] прóсо

milliard ['mɪljɑ:d] миллиáрд

milligram(me) ['mɪlɪgræm] миллигрáмм

millimetre ['mɪlɪˌmi:tə] миллимéтр

milliner ['mɪlɪnə] моди́стка; **~y** [-rɪ] магази́н дáмских шляп

million ['mɪljən] миллиóн; **~aire** [ˌmɪljə'nɛə] миллионéр

mill||stone ['mɪlstoun] жёрнов; **~-wheel** [-wi:l] мéльничное колесó

mimeograph ['mɪmɪəgrɑ:f] мнóжительный аппарáт *(для документов)*, мимеóграф

mimic ['mɪmɪk] **1.** *a* подражáтельный **2.** *n* имитáтор; *перен.* обезья́на **3.** *v* имити́ровать

minatory ['m(a)ɪnət(ə)rɪ] угрожáющий

mince ['mɪns] кроши́ть; пропускáть *(мясо)* чéрез мясорýбку ◇ not to ~ matters говори́ть пря́мо, без обинякóв; **~meat** [-mi:t] фарш

mind ['maɪnd] **1.** *n* 1) пáмять; keep in ~ пóмнить 2) ум 3) мнéние; мысль ◇ to my ~ по-мóему; give smb. a piece of one's ~ сказáть комý-л. пря́мо в лицó о чём-л.; on one's ~ на душé; have *(или* keep) in ~ имéть в видý; go out of one's ~ сходи́ть с умá; I've got a good ~ to quit у меня́ большо́е жела́ние бро́сить всё э́то; set one's ~ on реши́ть во что бы то ни ста́ло **2.** *v* 1) возража́ть, быть про́тив; are you sure you don't ~? вы действи́тельно ничего́ не име́ете про́тив? 2) забо́титься, смотре́ть *(за чем-либо)*; ~ the dog while I am gone присма́тривайте за соба́кой, пока́ меня́ не бу́дет 3) быть осторо́жным; ~ how you cross the street бу́дьте осторо́жны при перехо́де у́лицы 4) име́ть в виду́; обраща́ть внима́ние; ~! смотри́!; you have to ~ the traffic rules here вы должны́ здесь соблюда́ть пра́вила у́личного движе́ния ◇ would you ~? мо́жно?, вам не меша́ет?; **~ful** по́мнящий, име́ющий в виду́; забо́тливый

mine I [maɪn] *poss pron (несвязанная форма к* my) *употр. вместо сущ.* мой, моя́, моё, мои́; свой, своя́, своё, свои́

min||e II ['maɪn] **1.** *n* 1) рудни́к, ша́хта; *перен.* исто́чник *(сведений и т.п.)* 2) ми́на **2.** *v* 1) разраба́тывать рудни́к; ~ gold добыва́ть зо́лото 2) подка́пываться 3) мини́ровать; **~er** 1) шахтёр; горня́к 2) *воен.* минёр

mineral ['mɪn(ə)r(ə)l] **1.** *n* минера́л **2.** *a* минера́льный; ~ resources минера́льные бога́тства; не́дра; **~ogy** [,mɪnə'ræləd͡ʒɪ] минерало́гия

minethrower ['maɪn,θrouə] миномёт

mingle ['mɪŋgl] 1) сме́шивать 2) сме́шиваться

mingy ['mɪnd͡ʒɪ] *разг.* скупо́й

miniature ['mɪnjətʃə] миниатю́ра

minim||al ['mɪnɪml] минима́льный; **~um** [-əm] ми́нимум

mining ['maɪnɪŋ] 1) го́рное де́ло; го́рная промы́шленность 2) *attr.*: ~ industry горнору́дная промы́шленность

minion ['mɪnjən] 1) фавори́т 2) *презр.* креату́ра

minister ['mɪnɪstə] **1.** *n* 1) мини́стр 2) посла́нник 3) свяще́нник **2.** *v* 1) служи́ть, прислу́живать 2) помога́ть; спосо́бствовать

ministry ['mɪnɪstrɪ] 1) министе́рство; кабине́т, сове́т мини́стров; form a ~ сформирова́ть кабине́т 2) служе́ние

mink [mɪŋk] *зоол.* но́рка

minor ['maɪnə] **1.** *a* 1) ме́ньший 2) незначи́тельный 3) мино́рный 4) мла́дший **2.** *n* несовершенноле́тний; **~ity** [maɪ'nɔrɪtɪ] 1) несовершенноле́тие 2) меньшинство́; insignificant ~ity незначи́тельное меньшинство́

minster ['mɪnstə] собо́р, больша́я це́рковь

mint I [mɪnt] *бот.* мя́та

mint II **1.** *n* моне́тный двор ◇ ~ of money ку́ча де́нег; ~ of trouble ку́ча неприя́тностей **2.** *v* 1) чека́нить *(монету)* 2) создава́ть *(новое слово, выражение)*

minus ['maɪnəs] ми́нус *(в разн. знач.)*

minute I ['mɪnɪt] мину́та

minute II 1) докуме́нт 2) *pl* протоко́л; take ~s вести́ протоко́л

minute III [maɪ'nju:t] 1) ме́лкий, мельча́йший 2) дета́льный; ~ account дета́льный отчёт 3) незначи́тельный; ~ quantity ничто́жное коли́чество

minutiae [maɪ'nju:ʃɪi:] *pl* ме́лочи, дета́ли

minx [mɪŋks] коке́тка; шалу́нья

mirac||le ['mɪrəkl] чу́до; ~**ulous** [mɪ'rækjuləs] сверхъесте́ственный; удиви́тельный

mirage ['mɪrɑ:ʒ] мира́ж

mire ['maɪə] 1) тряси́на 2) грязь *(тж. перен.)*, боло́то

mirror ['mɪrə] **1.** *n* зе́ркало **2.** *v* отража́ть

mirth [mə:θ] весе́лье; ра́дость

mis- [mɪs-] *префикс, означающий неправильность или недостаток*

misadventure ['mɪsəd'ventʃə] несча́стье

misapprehension ['mɪs,æprɪ'henʃ(ə)n] недоразуме́ние

misappropriate ['mɪsə'prouprɪeɪt] незако́нно присва́ивать

misbehave ['mɪsbɪ'heɪv] ду́рно вести́ себя́

miscarriage [mɪs'kærɪdʒ] 1) (есте́ственный) вы́кидыш 2) неуда́ча

miscarry [mɪs'kærɪ] 1) вы́кинуть, не доноси́ть *(ребёнка)* 2) потерпе́ть неуда́чу *(о планах и т.п.)*

miscellaneous [,mɪsɪ'leɪnjəs] 1) сме́шанный 2) разнообра́зный

mischance[mɪs'tʃɑ:ns]неуда́ча

mischie||f ['mɪstʃɪf] 1) вред 2) зло; беда́ 3) озорство́; ~**vous** [-vəs] 1) озорно́й 2) вре́дный

misconduct [mɪs'kɔndəkt] 1) дурно́е поведе́ние, просту́пок 2) супру́жеская неве́рность 3) неуме́лое веде́ние дел

misconstrue ['mɪskən'stru:] непра́вильно истолкова́ть

miscount ['mɪs'kaunt] **1.** *n* непра́вильный подсчёт **2.** *v* ошиба́ться при подсчёте

miscreant ['mɪskrɪənt] негодя́й

misdeed ['mɪs'di:d] злодея́ние

misdemeanour [,mɪsdɪ'mi:nə] просту́пок

miser ['maɪzə] скря́га, скупе́ц

miserable ['mɪz(ə)r(ə)bl] 1) жа́лкий; несча́стный 2) плохо́й; ску́дный

misery['mɪzərɪ] 1) страда́ние, несча́стье; *перен.* «го́ре» 2) нищета́

misfire ['mɪs'faɪə] **1.** *n* осе́чка **2.** *v* дава́ть осе́чку

misfit ['mɪsfɪt] 1) плохо сидя́щее пла́тье 2) *разг.* неуда́чник

misfortune [mɪs'fɔ:tʃ(ə)n] несча́стье; неуда́ча

misgiving [mɪs'gɪvɪŋ] *(часто pl)* дурно́е предчу́вствие; опасе́ние

mishap ['mɪshæp] неуда́ча

misinform ['mɪsɪn'fɔ:m] непра́вильно информи́ровать; вводи́ть в заблужде́ние

misinterpret ['mɪsɪn'tə:prɪt неве́рно истолко́вывать

misjudge ['mɪs'dʒʌdʒ] недооце́нивать

mislaid [mɪs'leɪd] *past и p. p. от* mislay

mislay[mɪs'leɪ](mislaid) положи́ть не на ме́сто, затеря́ть

mislead [mɪsˈliːd] (misled) ввести́ в заблужде́ние

misled [mɪsˈled] *past и p. p. от* mislead

misplace [ˈmɪsˈpleɪs] 1) *см.* mislay 2): ~ one's affections полюби́ть недосто́йного челове́ка

misprint [ˈmɪsˈprɪnt] опеча́тка

misrule [ˈmɪsˈruːl] плохо́е управле́ние

miss I [mɪs] мисс; де́вушка

miss II **1.** *v* 1) промахну́ться; не дости́чь це́ли 2) упусти́ть, пропусти́ть; ~ a train опозда́ть на по́езд; ~ a chance упусти́ть слу́чай; don't ~ seeing this house обяза́тельно обрати́те внима́ние на э́тот дом 3) скуча́ть *(по ком-л., чём-л.)* **2.** *n* поте́ря; про́мах

missile [ˈmɪsaɪl] **1.** *a* мета́тельный **2.** *n* раке́та; реакти́вный снаря́д; guided ~ управля́емая раке́та

missing [ˈmɪsɪŋ] *predic* находя́щийся в отсу́тствии; бе́з вести пропа́вший; отсу́тствующий, недостаю́щий

mission [ˈmɪʃ(ə)n] 1) ми́ссия; представи́тельство 2) поруче́ние 3) призва́ние, цель жи́зни; **~ary** [-ərɪ] **1.** *n* миссионе́р **2.** *a* миссионе́рский

missive [ˈmɪsɪv] *шутл.* посла́ние

mis-spell [ˈmɪsˈspel] (mis-spelt) де́лать орфографи́ческие оши́бки

mis-spelt [ˈmɪsˈspelt] *past и p.p. от* mis-spell

mis-spend [ˈmɪsˈspend] (mis-spent) зря тра́тить *(де́ньги и т. п.)*

mis-spent [ˈmɪsˈspent] *past и p. p. от* mis-spend; ~ youth растра́ченная мо́лодость

mis-state [ˈmɪsˈsteɪt] де́лать неве́рное *или* ло́жное заявле́ние

mist [mɪst] (лёгкий) тума́н; мгла

mistake [mɪsˈteɪk] **1.** *n* оши́бка, заблужде́ние; make a ~ ошиба́ться ◇ sorry, my ~ винова́т, прости́те **2.** *v* (mistook; mistaken) 1) непра́вильно понима́ть 2): be ~n ошиба́ться, заблужда́ться 3): ~ smb. for приня́ть кого́-л. за

mistaken [mɪsˈteɪk(ə)n] **1.** *p. p. от* mistake 2; **2.** *a* оши́бочный

mister [ˈmɪstə] *(в пи́сьменном обраще́нии всегда́ Mr.)* ми́стер, господи́н

mistletoe [ˈmɪsltou] *бот.* оме́ла

mistook [mɪsˈtuk] *past от* mistake **2**

mistress [ˈmɪstrɪs] 1) хозя́йка 2) учи́тельница 3) любо́вница 4) [ˈmɪsɪz] *(в пи́сьменном обраще́нии всегда́ Mrs.)* ми́ссис, госпожа́

mistrust [ˈmɪsˈtrʌst] **1.** недове́рие **2.** *v* не доверя́ть; **~ful** недове́рчивый

misty [ˈmɪstɪ] 1) тума́нный; *перен.* сму́тный, нея́сный 2) затума́ненный

misunderstand [ˈmɪsʌndəˈstænd] (misunderstood) непра́вильно поня́ть; **~ing** недоразуме́ние

misunderstood [ˈmɪsʌndəˈstud] *past и p. p. от* misunderstand

misuse **1.** *n* [ˈmɪsˈjuːs] 1) непра́вильное употребле́ние 2) злоупотребле́ние **2.** *v* ['mɪs-'ju:z] 1) непра́вильно употребля́ть 2) злоупотребля́ть 3) ду́рно обраща́ться

mite [maɪt] 1) скро́мная ле́пта 2) кро́шка *(о ребёнке)*

mitigate ['mɪtɪgeɪt] смягча́ть, ослабля́ть; умеря́ть

mitt(en) ['mɪtn] рукави́ца

mix ['mɪks] 1) сме́шивать 2) сме́шиваться 3) обща́ться; they tried hard to ~ with their neighbours они́ о́чень хоте́ли установи́ть отноше́ния с сосе́дями; ~ **up** а) спу́тать, перепу́тать; б) впу́тывать; don't ~ me up in it не впу́тывай меня́ в э́то; be ~ed up быть заме́шанным *(в чём-л.— in, with)*; ~**ed** [-t] сме́шанный; ра́зных сорто́в; ~**er** 1) меша́лка; смеси́тель, ми́ксер 2): a good (a bad) ~er общи́тельный (необщи́тельный) челове́к; ~**ture** [-tʃə] смесь

mix-up ['mɪks'ʌp] пу́таница

mo [mou] *сокр. от* moment; wait (half) a ~ (подожди́те) мину́тку

moan [moun] **1.** *n* стон **2.** *v* 1) стона́ть 2) жа́ловаться

moat [mout] ров

mob [mɔb] **1.** *n* 1) толпа́; сбо́рище 2) *attr.:* ~ law самосу́д **2.** *v* толпи́ться

mobile ['moubaɪl] подвижно́й, моби́льный; передвижно́й; ~ army полева́я а́рмия

mobiliz||ation [,moubɪlaɪ'zeɪʃ(ə)n] мобилиза́ция; ~**e** ['moubɪlaɪz] 1) мобилизова́ть 2) мобилизова́ться

mock ['mɔk] **1.** *v* дразни́ть; передра́знивать; высме́ивать **2.** *a* подде́льный; ~**ery** [-ərɪ] 1) насме́шка 2) посме́шище

modal ['moudl] *грам.* мода́льный

mode [moud] 1) о́браз де́йствия 2) мо́да, обы́чай

model ['mɔdl] **1.** *n* 1) моде́ль; маке́т 2) образе́ц 3) *разг.* то́чная ко́пия 4) нату́рщик; нату́рщица 5) жива́я моде́ль, манеке́нщица 6) манеке́н **2.** *v* 1) модели́ровать 2) брать за образе́ц

moderat||e **1.** *a* ['mɔdərɪt] 1) уме́ренный 2) сре́дний **2.** *v* ['mɔdəreɪt] умеря́ть; сде́рживать; смягча́ть; ~**ion** уме́ренность; ~**or** арби́тр; посре́дник

modern ['mɔdən] совреме́нный; но́вый; ~ languages но́вые языки́ ◇ ~ conveniences *(часто сокр.* "all mod. cons.") все удо́бства *(в доме и т. п.)*

modes||t ['mɔdɪst] скро́мный; уме́ренный; ~**ty** [-ɪ] скро́мность

modify ['mɔdɪfaɪ] видоизменя́ть

modulate ['mɔdjuleɪt] модули́ровать

moist ['mɔɪst] сыро́й, вла́жный; ~**en** ['mɔɪsn] сма́чивать; ~**ure** [-tʃə] вла́га; вла́жность, сы́рость

molar ['moulə] коренно́й зуб

molasses [mə'læsɪz] па́тока

Moldavian [mɔl'deɪvjən] **1.** *a* молда́вский **2.** *n* 1) молдава́нин; молдава́нка 2) молда́вский язы́к

mole I [moul] ро́динка

mole II *зоол.* крот

mole III мол; да́мба

molecule [ˈmɔlıkju:l] моле́кула

molest [mo(u)ˈlest] пристава́ть, досажда́ть

mollify [ˈmɔlıfaı] смягча́ть, успока́ивать

molly-coddle [ˈmɔlı,kɔdl] **1.** *n* не́женка **2.** *v* балова́ть, не́жить

molten [ˈmoult(ə)n] 1) распла́вленный 2) лито́й

moment [ˈmoumənt] 1) миг, моме́нт; мину́т(к)а; at a ~'s notice в любо́й моме́нт; in a ~ сейча́с; this very ~ сейча́с же 2): of some ~ ва́жный; **~ary** [-(ə)rı] мину́тный, преходя́щий; кратковре́менный; **~ous** [mo(u)ˈmentəs] ва́жный

momentum [mo(u)ˈmentəm] 1) *физ.* ине́рция дви́жущегося те́ла 2) *разг.* и́мпульс, толчо́к

monar||ch [ˈmɔnək] мона́рх; **~chy** [-ı] мона́рхия

monastery [ˈmɔnəst(ə)rı] монасты́рь

Monday [ˈmʌndı] понеде́льник

monetary [ˈmʌnıt(ə)rı] моне́тный, де́нежный

money [ˈmʌnı] 1) де́ньги; бога́тство 2) *attr.*: ~ order де́нежный перево́д; **~-lender** [-,lendə] ростовщи́к

Mongol [ˈmɔŋgɔl] **1.** *a* монго́льский **2.** *n* 1) монго́л; монго́лка 2) монго́льский язы́к

Mongolian [mɔŋˈgouljən] *см.* Mongol

mongrel [ˈmʌŋgr(ə)l] **1.** *n* 1) дворня́жка 2) по́месь; ублю́док **2.** *a* нечистокро́вный

monitor [ˈmɔnıtə] **1.** *n* 1) *школ.* ста́роста *(в классе)* 2) веду́щий радиоперехва́т **2.** *v* вести́ радиоперехва́т

monk [mʌŋk] мона́х

monkey [ˈmʌŋkı] **1.** *n* 1) обезья́на 2) *шутл.* шалу́н, прока́зник **2.** *v* 1) передра́знивать; подшу́чивать 2) вози́ться; забавля́ться

monkey-jacket [ˈmʌŋkı,dʒækıt] матро́сская ку́ртка, бушла́т

monkey-wrench [ˈmʌŋkırentʃ] *тех.* разводно́й га́ечный ключ

monologue [ˈmɔnəlɔg] моноло́г

monopo||list [məˈnɔpəlıst] монополи́ст; **~lize** [-laız] монополизи́ровать; **~ly** моно́полия

monosyllable [ˈmɔnə,sıləbl] односло́жное сло́во

monoto||ne [ˈmɔnətoun] однообра́зный звук; **~nous** [məˈnɔtnəs] моното́нный; ску́чный; **~ny** [məˈnɔtnı] однообра́зие; моното́нность

monoxide [mɔˈnɔksaıd] *хим.* одноо́кись

monsieur [məˈsjə:] *фр.* мосье́, господи́н

monsoon [mɔnˈsu:n] 1) муссо́н 2) дождли́вый сезо́н

monst||er [ˈmɔnstə] уро́д, чудо́вище; **~rous** [-strəs] 1) чудо́вищный; грома́дный 2) *разг.* неле́пый

month [ˈmʌnθ] ме́сяц; **~ly** **1.** *a* ежеме́сячный **2.** *adv* ежеме́сячно

monument [ˈmɔnjumənt] па́мятник, монуме́нт

moo [mu:] **1.** *n* мыча́ние **2.** *v* мыча́ть

mood I [mu:d] *грам* наклоне́ние

mood II настрое́ние

moody ['mu:dɪ] в дурно́м настрое́нии; уны́лый

moon ['mu:n] луна́; full ~ полнолу́ние; **~light** [-laɪt] лу́нный свет; **~lit** [-lɪt] за́литый лу́нным све́том; **~shine** [-ʃaɪn] 1) лу́нный свет 2) фанта́зия; вздор; **~struck** [-strʌk] *разг.* поме́шанный

Moor [muə] мавр

moor I [muə] ве́ресковая пу́стошь

moor II *мор.* швартова́ться

moot [mu:t] **1.** *a* спо́рный; ~ point *(или* question) спо́рный вопро́с **2.** *v (обыкн. pass)* ста́вить на обсужде́ние

mop [mɔp] **1.** *n* 1) шва́бра 2) ко́смы, копна́ *(волос)* **2.** *v* чи́стить шва́брой ◇ ~ one's face утира́ть пот с лица́

mope [moup] **1.** *n pl* хандра́ **2.** *v* хандри́ть

mo-ped [mo(u)'ped] велосипе́д с мото́ром, мопе́д

mora||l ['mɔr(ə)l] **1.** *a* мора́льный; нра́вственный **2.** *n* 1) мора́ль 2) *pl* нра́вы; **~le** [mɔ'rɑ:l] мора́льное состоя́ние; **~lity** [mə'rælɪtɪ] нра́вственность

morass [mə'ræs] боло́то, тряси́на

morbid ['mɔ:bɪd] боле́зненный *(тж. перен.)*

mordant ['mɔ:d(ə)nt] 1) е́дкий *(о хим. веществе)* 2) ко́лкий; саркасти́ческий

more [mɔ:] *(сравн. ст. от* many 1 *и* much) **1.** *a* бо́льший; give me some ~ да́йте мне ещё **2.** *adv* бо́льше; what's ~ бо́льше того́; ~ or less бо́лее и́ли ме́нее ◇ he is no ~ он сконча́лся

moreover [mɔ:'rouvə] кро́ме того́, сверх того́

morgue [mɔ:g] морг

moribund ['mɔrɪbʌnd] умира́ющий, отжи́вший

morn [mɔ:n] *поэт.* у́тро

morning ['mɔ:nɪŋ] 1) у́тро 2) *attr.* у́тренний; ~ star у́тренняя звезда́; Вене́ра

morocco [mə'rɔkou] сафья́н

moron ['mɔ:rɔn] слабоу́мный, идио́т

morose [mə'rous] угрю́мый

morphology [mɔ:'fɔlədʒɪ] морфоло́гия

morrow ['mɔrou] 1) *поэт.* за́втрашний день 2) *уст.* у́тро

Morse [mɔ:s]: ~ code а́збука Мо́рзе

morsel ['mɔ:s(ə)l] кусо́чек

mortal ['mɔ:tl] **1.** *n* челове́к, сме́ртный **2.** *a* 1) сме́ртный 2) смерте́льный; **~ity** [mɔ:'tælɪtɪ] 1) смерте́льность 2) сме́ртность; **~ly** ['mɔ:təlɪ] смерте́льно

mortar ['mɔ:tə] 1) известко́вый раство́р 2) сту́пка 3) *воен.* морти́ра

mortgage ['mɔ:gɪdʒ] **1.** *n* закла́д; закладна́я **2.** *v* закла́дывать

mortification [ˌmɔ:tɪfɪ'keɪʃ(ə)n] 1) униже́ние; чу́вство стыда́, оби́ды, разочарова́ния 2): ~ of the flesh умерщвле́ние пло́ти

mortify ['mɔ:tɪfaɪ] 1) обижа́ть, унижа́ть 2) подавля́ть *(желания)*; умерщвля́ть *(плоть)*

mortuary ['mɔ:tjuərɪ] поко́йницкая, морг

Moslem [′mɔzlem] **1.** *n* мусульма́нин; мусульма́нка **2.** *a* мусульма́нский

mosque [mɔsk] мече́ть

mosquito [məs′ki:tou] моски́т, кома́р; **~-net** [-net] противомоски́тная се́тка; накома́рник

moss [mɔs] 1) мох 2) торфяно́е боло́то

most [′moust] **1.** *a* *(превосх. ст. от* many 1 *и* much) са́мый; ~ interesting наибо́лее *(или* са́мый) интере́сный; for the ~ part бо́льшей ча́стью **2.** *n* бо́льшая часть, наибо́льшее коли́чество; at the ~ са́мое бо́льшее; make the ~ *(of)* испо́льзовать наилу́чшим о́бразом **3.** *adv* *(превосх. ст. от* much) бо́льше всего́; at ~ максима́льно; ~ easily ле́гче всего́; it is really ~ absurd э́то, пра́во, о́чень глу́по; **~ly** бо́льшей ча́стью, гла́вным о́бразом

mote [mout] пыли́нка

motel [mo(u)′tel] моте́ль, гости́ница для автотури́стов

moth [′mɔθ] 1) мотылёк 2) моль; **~-eaten** [-,i:tn] изъе́денный мо́лью; *перен.* устаре́вший

mother [′mʌðə] 1) мать 2) *attr.:* ~ country а) ро́дина; б) метропо́лия; ~ ship *мор.* плаву́чая ба́за; ~ tongue родно́й язы́к; ~ wit приро́дный ум; **~hood** [-hud] матери́нство

mother-in-law [′mʌð(ə)rınlɔ:] тёща *(мать жены)*; свекро́вь *(мать мужа)*

motherland [′mʌðəlænd] ро́дина, отчи́зна

motherly [′mʌðəlı] матери́нский

mother-of-pearl [′mʌð(ə)rəv-′pə:l] перламу́тр

motif [mo(u)′ti:f] *фр.* основна́я те́ма

motion [′mouʃ(ə)n] **1.** *n* 1) движе́ние 2) жест 3) предложе́ние *(на собрании)* ◇ ~ picture фильм; кино́ **2.** *v* пока́зывать же́стом

motivate [′moutıveıt] 1) побужда́ть 2) *(обыкн. pass)* мотиви́ровать

motive [′moutıv] **1.** *n* моти́в; побужде́ние **2.** *a* дви́жущий; ~ power дви́жущая си́ла

motley [′mɔtlı] разноцве́тный, пёстрый

motor [′moutə] **1.** *n* дви́гатель, мото́р **2.** *v* 1) е́хать на автомоби́ле 2) везти́ на автомоби́ле; **~-car** [-kɑ:] автомоби́ль; **~-cycle** [-,saıkl] мотоци́кл

mottle [′mɔtl] испещря́ть

motto [′mɔtou] 1) деви́з 2) эпи́граф

mould I [mould] взрыхлённая земля́

mould II пле́сень

mould III **1.** *n* фо́рма *(литейная)*; *тех.* лека́ло; шабло́н; *перен.* хара́ктер; a man of heroic ~ челове́к герои́ческого скла́да **2.** *v* формова́ть; де́лать по шабло́ну

moulder [′mouldə] рассыпа́ться; *перен.* разлага́ться

moult [moult] линя́ть *(о птицах)*

mound [maund] на́сыпь; burial ~ моги́льный хо́лмик

mount [maunt] **1.** *n* 1) холм, гора́ 2) верхова́я ло́шадь **2.** *v* 1) поднима́ться 2) сади́ться на ло́шадь 3) устана́вливать;

монти́ровать *(картину и т. п.)* 4) ста́вить *(пьесу)* 5) повыша́ться *(о ценах)*

mountain ['mauntın] гора́; *перен.* ма́сса, ку́ча; **~eer** [ˌmauntı'nıə] 1) го́рец 2) альпини́ст; **~eering** [ˌmauntı'nıərıŋ] альпини́зм; **~ous** [-əs] 1) гори́стый 2) грома́дный

mountebank ['mauntıbænk] шарлата́н; фигля́р

mounting ['mauntıŋ] 1) устано́вка 2) монта́ж 3) опра́ва

mourn ['mɔ:n] горева́ть; опла́кивать; **~ful** печа́льный; **~ing** тра́ур

mouse 1. *n* [maus] *(pl* mice*)* мышь **2.** *v* [mauz] лови́ть мыше́й; **~trap** ['maustræp] мышело́вка

moustache [məs'tɑ:ʃ] ус(ы́)

mouth 1. *n* [mauθ] *(pl* ~s [mauðz] 1) рот 2) отве́рстие *(мешка)*; вход *(в пещеру)*; го́рлышко *(бутылки)* 3) у́стье *(реки́)* ◇ down in the ~ в уны́нии; keep one's ~ shut держа́ть язы́к за зуба́ми **2.** *v* [mauð] дви́гать ртом, выгова́ривая слова́; грима́сничать; **~ful** ['mauθful] по́лный рот *(чего-л.)*; кусо́к; глото́к

mouth-organ ['mauθˌɔ:gən] губна́я гармо́шка

mouthpiece ['mauθpi:s] 1) мундшту́к *(трубки, музыкального инструмента)* 2) ора́тор *(от группы)*; вырази́тель *(общего мнения)*

movable ['mu:vəbl] перено́сный; разбо́рный, съёмный

move [mu:v] **1.** *v* 1) дви́гать 2) дви́гаться; I'm so tired I can't ~ я так уста́л, что не могу́ дви́нуться с ме́ста 3) волнова́ть, тро́гать 4) переезжа́ть, переселя́ться 5) развива́ться *(о событиях)* 6) вноси́ть *(предложение)*; **~ away** отодви́нуть; **~ back** пя́титься, дви́гаться наза́д; **~ in** а) вдвига́ть; б) въезжа́ть; **~ off** отодви́нуться; **~ out** а) выдвига́ть; б) выезжа́ть; **~ up** пододви́нуть **2.** *n* 1) ход 2) посту́пок, шаг 3) переме́на жили́ща ◇ be on the ~ быть в разъе́зде; he won't make a ~ without permission он ша́гу не сде́лает без разреше́ния

movement ['mu:vmənt] движе́ние; peace ~ движе́ние сторо́нников ми́ра

movies ['mu:vız] *pl разг.* кино́(карти́ны)

moving ['mu:vıŋ] 1) тро́гательный 2) дви́жущийся; ~ pictures *см.* movies

mow [mou] **1.** *n* 1) стог; скирда́ 2) сенова́л **2.** *v* коси́ть

much [mʌtʃ] (more; most) **1.** *a* мно́го; ~ snow (time) мно́го сне́га (вре́мени); be too ~ *(for)* быть не под си́лу **2.** *adv* о́чень; мно́го; намно́го; гора́здо; very ~ о́чень; ~ the same почти́ то́ же са́мое; ~ better гора́здо лу́чше ◇ so ~ the better тем лу́чше **3.** *n* мно́гое; make ~ of smb., smth. цени́ть кого́-л., что-л.

mucilage ['mju:sılıdʒ] расти́тельный клей

muck [mʌk] **1.** *n* наво́з; *перен.* ме́рзость **2.** *v* па́чкать; **~ about** *разг.* слоня́ться ◇ ~

smth. up *груб.* испоганить что-л.

mucous ['mju:kəs]: ~ membrane *анат.* слизистая оболочка

mud [mʌd] грязь, слякоть

muddle ['mʌdl] спутывать; ~ **along** делать кое-как

muddy ['mʌdɪ] 1) грязный 2) мутный

muff I [mʌf] муфта

muff II несведущий, неумелый в работе; «шляпа»; *спорт.* «мазила»

muffin ['mʌfɪn] сдобная булка

muffl||e ['mʌfl] 1) закутывать 2) заглушать; **~er** 1) шарф, кашне 2) *тех.* глушитель

mufti ['mʌftɪ] штатское платье

mug I [mʌg] 1) кружка 2) *груб.* харя, морда; рыло

mug II нападать сзади, схватив за горло

mugging ['mʌgɪŋ] хулиганское нападение

muggy ['mʌgɪ] тёплый и влажный; удушливый

mulberry ['mʌlb(ə)rɪ] шелковица *(дерево и плод)*

mule [mju:l] 1) мул; *перен.* упрямец 2) *тех.* мюль-машина

mull [mʌl] обдумывать *(over)*

multi- ['mʌltɪ-] *pref со значением* много-

multifarious [,mʌltɪ'fɛərɪəs] разнообразный

multiform ['mʌltɪfɔ:m] многообразный

multilateral ['mʌltɪ'læt(ə)r(ə)l] многосторонний

multi||ple ['mʌltɪpl] **1.** *n мат.* кратное число **2.** *a* 1) имеющий много отделов, частей; составной 2) многократный; **~plication** [,mʌltɪplɪ'keɪʃ(ə)n] умножение; увеличение; **~ply** ['mʌltɪplaɪ] 1) *мат.* умножать, множить 2) увеличивать 3) увеличиваться

multitude ['mʌltɪtju:d] множество

mum I [mʌm] *см.* mummy

mum II: keep ~ молчать

mumble ['mʌmbl] бормотать, мямлить

mummery ['mʌmərɪ] 1) пантомима 2) *презр.* смешной ритуал; «представление»

mummy ['mʌmɪ] *детск.* мама

mumps [mʌmps] *pl мед.* свинка

munch [mʌntʃ] жевать, чавкать

mundane ['mʌndeɪn] светский; мирской

municipal [mju:'nɪsɪp(ə)l] муниципальный

munific||ence [mju:'nɪfɪsns] *высок.* чрезмерная щедрость; **~ent** [-nt] *высок.* чрезмерно щедрый

munition [mju:'nɪʃ(ə)n] *(обыкн. pl)* военные запасы; снаряжение

mural ['mjuər(ə)l] **1.** *a* стенной **2.** *n* фреска

murder ['mə:də] **1.** *n* убийство **2.** *int* караул! **3.** *v* убивать; *перен.* плохо исполнять *(произведение и т. п.)*; **~er** [-rə] убийца; **~ous** ['mə:d(ə)rəs] смертоносный; убийственный

murky ['mə:kɪ] тёмный, мрачный; пасмурный

murmur ['mə:mə] **1.** *n* 1)

журча́ние; жужжа́ние 2) приглушённый шум голосо́в; шёпот 3) ворча́ние, бормота́ние **2.** *v* 1) журча́ть 2) шепта́ть 3) ворча́ть, ропта́ть

muscle ['mʌsl] му́скул; мы́шца

muse I [mju:z] размышля́ть *(о чём-л. — on, upon, over)*

muse II му́за

museum [mju(:)'zɪəm] музе́й

mushroom ['mʌʃrum] **1.** *n* 1) гриб 2) *attr.:* ~ growth *перен.* бы́строе разви́тие *(чего-л.)* **2.** *v* собира́ть грибы́; *перен.* расти́ (бы́стро) как грибы́

music ['mju:zɪk] 1) му́зыка 2) но́ты; **~al** [-(ə)l] **1.** *a* музыка́льный **2.** *n* музыка́льная коме́дия, мю́зикл; **~ian** [-'zɪʃ(ə)n] музыка́нт

musket ['mʌskɪt] *ист.* мушке́т; **~ry** [-rɪ] стрелко́вое де́ло

Muslim ['muslɪm] *см.* Moslem

muss [mʌs) *амер. разг.* беспоря́док

must [mʌst *(полная форма)*, məst *(редуцированная форма)*] 1) до́лжен, должна́, должно́, должны́; all ~ work все должны́ (обя́заны) рабо́тать; they ~ get up early они́ должны́ встава́ть ра́но; I ~ finish my work мне ну́жно (на́до) зако́нчить рабо́ту 2) *(в сочетании с перфектным инфинитивом)* должно́ быть, очеви́дно, вероя́тно; you ~ have seen them вы, должно́ быть (очеви́дно, вероя́тно), уже́ их ви́дели

mustard ['mʌstəd] 1) горчи́ца 2) *attr.:* ~ gas горчи́чный газ, ипри́т

muster ['mʌstə] **1.** *n* сбор, смотр; перекли́чка **2.** *v* 1) собира́ть; ~ (up) all one's courage *перен.* собра́ть всё своё му́жество 2) собира́ться; **~-roll** [-roul] спи́сок ли́чного соста́ва

musty ['mʌstɪ] 1) запле́сневелый, за́тхлый 2) ко́сный, отста́лый

mutable ['mju:təbl] переме́нчивый, непостоя́нный

mute [mju:t] **1.** *a* 1) молчали́вый 2) немо́й **2.** *n* 1) немо́й (челове́к) 2) *муз.* сурди́нка

mutilate ['mju:tɪleɪt] 1) уве́чить; 2) искажа́ть *(смысл)*

mutiny ['mju:tɪnɪ] мяте́ж

mutt [mʌt] *разг.* дура́к

mutter ['mʌtə] **1.** *v* бормота́ть; невня́тно говори́ть **2.** *n* бормота́ние

mutton ['mʌtn] бара́нина

mutual ['mju:tjuəl] 1) взаи́мный; обою́дный 2) о́бщий, совме́стный

muzzle ['mʌzl] **1.** *n* 1) мо́рда 2) намо́рдник 3) ду́ло **2.** *v* 1) надева́ть намо́рдник 2) заста́вить молча́ть

my [maɪ] *poss pron* мой, моя́, моё, мои́; свой, своя́, своё, свои́

myrmidon ['mə:mɪdən] *презр.* наёмник, прислу́жник

myself [maɪ'self] 1) *refl pron 1 л. ед. ч.* себя́; -ся; I saw ~ in the mirror я ви́дел себя́ в зе́ркале 2) *emphatic pron* сам, сама́; I have never been there ~ я сам (сама́) там никогда́ не был(а́) ◇ I am not ~ я сам не свой; I came to ~ я пришёл в себя́; I can do it by ~ я могу́ сде́лать э́то сам (оди́н); as for ~ что каса́ется меня́; all by ~ (совсе́м) оди́н

mysterious [mɪs'tɪərɪəs] таи́нственный

mystery ['mɪst(ə)rɪ] 1) та́йна 2) та́инство

mystify ['mɪstɪfaɪ] мистифици́ровать; озада́чивать

myth [mɪθ] 1) миф 2) мифи́ческое существо́

N

N, n [en] 1) *четырнадцатая буква англ. алфавита* 2) *мат.* неопределённая величина́

nadir ['neɪdɪə] *астр.* нади́р; *перен.* упа́док, са́мый ни́зкий у́ровень

nag I [næg] придира́ться, изводи́ть

nag II (небольша́я) ло́шадь

nail I [neɪl] **1.** *n* гвоздь ◇ pay on the ~ распла́чиваться сра́зу, неме́дленно; hard as ~s закалённый; drive a ~ in smb.'s coffin вгоня́ть кого́-л. в гроб **2.** *v* прибива́ть *(гвоздями)* ◇ ~ smb.'s attention прикова́ть чьё-л. внима́ние; ~ smb. down to his promise тре́бовать от кого́-л. выполне́ния обеща́ния

nail II но́готь

naïve [nɑ:'i:v] наи́вный; простова́тый; **~te, ~ty** [-teɪ, -tɪ] наи́вность

naked ['neɪkɪd] го́лый, наго́й, обнажённый ◇ with the ~ eye невооружённым гла́зом; the ~ truth го́лая и́стина

name [neɪm] **1.** *n* 1) и́мя; by ~ по и́мени; what's your ~? как вас зову́т? 2) назва́ние *(вещей)* 3) репута́ция; make a good ~ for oneself заслужи́ть до́брое и́мя ◇ in the ~ (of) а) во и́мя; б) от и́мени; I haven't a cent to my ~ у меня́ нет ни гроша́ за душо́й **2.** *v* 1) называ́ть; ~ after называ́ть в честь 2) назнача́ть *(день, цену и т. п.)*

name-day ['neɪmdeɪ] имени́ны

nameless ['neɪmlɪs] 1) безымя́нный 2) аноні́мный 3) отврати́тельный

namely ['neɪmlɪ] а и́менно, то́ есть

namesake ['neɪmseɪk] тёзка

nanny ['nænɪ] *детск.* ня́нюшка, ня́нечка

nap I [næp] **1.** *n* дремо́та; take a ~ вздремну́ть **2.** *v* дрема́ть, вздремну́ть ◇ be caught ~ping быть засти́гнутым враспло́х

nap II ворс

nape [neɪp] заты́лок *(тж.* ~ of the neck)

naphtha ['næfθə] *хим.* лигрои́н

napkin ['næpkɪn] 1) салфе́тка 2) подгу́зник

nappy ['næpɪ] *разг.* подгу́зник

narcotic [nɑ:'kɔtɪk] **1.** *a* наркоти́ческий; усыпля́ющий **2.** *n* наркоти́ческое сре́дство

nark [nɑ:k] *разг.* **1.** *n* «лега́вый», стука́ч **2.** *v* раздража́ть

narrat‖e [næ'reɪt] расска́зывать, повествова́ть; **~ion** [-'reɪʃ(ə)n] расска́з; повествова́ние; **~ive** ['nærətɪv] **1.** *n* расска́з; повествова́ние **2.** *a* повествова́тельный

narrow ['nærou] **1.** *a* у́зкий;

те́сный ◇ ~ circumstances стеснённые обстоя́тельства; have a ~ escape едва́ избежа́ть опа́сности **2.** *v* 1) су́живать, уменьша́ть; 2) су́живаться, уменьша́ться; **~-minded** [-'maındıd] ограни́ченный, недалёкий; с предрассу́дками

nasal ['neız(ə)l] **1.** *n фон.* носово́й звук **2.** *a* 1) носово́й 2) гнуса́вый

nasty ['nɑ:stı] 1) га́дкий, скве́рный; play a ~ trick on smb. сде́лать кому́-л. га́дость 2) непристо́йный; гря́зный

nation ['neıʃ(ə)n] на́ция, наро́д; **~al** ['næʃənl] 1) наро́дный, национа́льный; ~al economy эконо́мика страны́; ~al park (госуда́рственный) запове́дник 2) госуда́рственный; ~al colours госуда́рственный флаг

national||ism ['næʃnəlızm] национали́зм; **~ity** ['næʃə'nælıtı] национа́льность; **~ization** [,næʃnəlaı'zeıʃ(ə)n] национализа́ция; **~ize** [-laız] 1) национализи́ровать 2) превраща́ть в на́цию 3) *редк.* принима́ть в гражда́нство

nation-wide ['neıʃ(ə)nwaıd] 1) всенаро́дный 2) общенациона́льный

native ['neıtıv] **1.** *a* 1) родно́й, оте́чественный; ~ land отчи́зна 2) прирождённый, приро́дный; ~ ability for врождённая спосо́бность к 3) ме́стный, тузе́мный 4) чи́стый, саморо́дный *(о металлах и т. п.)* 5) есте́ственный **2.** *n* уроже́нец, тузе́мец

natural ['nætʃr(ə)l] 1) есте́ственный, натура́льный 2) врождённый, прису́щий *(to)*; непринуждённый; it comes ~ to him э́то ему́ легко́ даётся ◇ ~ resources приро́дные бога́тства; ~ phenomena явле́ния приро́ды; ~ history естествозна́ние; a ~ child внебра́чный ребёнок

naturalist ['nætʃrəlıst] естествоиспыта́тель

naturalize ['nætʃrəlaız] 1) принима́ть в гражда́нство 2) принима́ть гражда́нство 3) акклиматизи́роваться *(о животном, растении)* 4) заи́мствовать *(слово и т. п.)* 5) ассимили́роваться *(о слове и т. п.)*

naturally ['nætʃr(ə)lı] 1) есте́ственно 2) коне́чно; как и сле́довало ожида́ть 3) по приро́де

nature ['neıtʃə] 1) приро́да 2) хара́ктер, нрав, нату́ра; by ~ по приро́де; against ~ противоесте́ственный 3) род, сорт; things of this ~ ве́щи подо́бного ро́да

naughty ['nɔ:tı] каприз́ный, непослу́шный

nause||a ['nɔ:sjə] тошнота́; **~ate** [-sıeıt] вызыва́ть тошноту́; *перен.* чу́вствовать отвраще́ние; **~ous** [-sjəs] тошнотво́рный

nautical ['nɔ:tık(ə)l] морско́й, мореходный

naval ['neıv(ə)l] (вое́нно-) морско́й; ~ power морска́я держа́ва; ~ warfare война́ на мо́ре

navel ['neıv(ə)l] пупо́к, пуп

navigable ['nævıgəbl] судохо́дный

navigat||e ['nævıgeıt] 1) пла́вать *(на судне)*; лета́ть *(на* *самолёте)* 2) управля́ть *(судном, самолётом)*; **~ion** [ˌnævɪ'geɪʃ(ə)n] 1) навига́ция 2) шту́рманское де́ло; **~or** 1) шту́рман 2) морепла́ватель

navvy ['nævɪ] 1) землеко́п, чернорабо́чий 2) экскава́тор

navy ['neɪvɪ] вое́нно-морско́й флот, вое́нно-морски́е си́лы

nay [neɪ] **1.** *n* го́лос про́тив *(в английском парламенте при голосовании)* **2.** *adv книжн.* да́же; бо́лее того́

Nazi ['nɑːtsɪ] наци́ст, неме́цкий фаши́ст

near [nɪə] **1.** *prep (при обозначении места)* 1) вблизи́, во́зле; бли́зко 2) *(при обозначении времени)* к, о́коло; the time draws ~ midnight вре́мя подхо́дит к полу́ночи **2.** *adv* 1) по́дле, о́коло; бли́зко *(о местонахождении)*; ~er and ~er всё бли́же и бли́же; ~ by ря́дом, бли́зко 2) почти́, чуть не, едва́ не; I came ~ forgetting я чуть не забы́л ◇ as ~ as I can guess наско́лько я могу́ догада́ться; far and ~ повсю́ду; ~ at hand под руко́й; руко́й пода́ть **3.** *a* 1) ближа́йший *(о времени)*; the ~ future ближа́йшее бу́дущее 2) близлежа́щий, сосе́дний 3) бли́зкий 4) ле́вый *(о ноге лошади, колесе в экипаже и т. п.)* 5) скупо́й **4.** *v* приближа́ться; подходи́ть

near-by ['nɪəbaɪ] бли́зкий, сосе́дний

nearly ['nɪəlɪ] 1) почти́ 2) о́коло, приблизи́тельно 3) бли́зко ◇ not ~ совсе́м не

near-sighted ['nɪə'saɪtɪd] близору́кий

neat [niːt] 1) опря́тный 2) стро́йный *(о фигуре)* 3) изя́щный *(о платье и т. п.)* 4) лакони́чный, отто́ченный *(о языке и т. п.)* 5) неразба́вленный *(особ. о спиртных напитках)*

necessar||y ['nesɪs(ə)rɪ] **1.** *a* 1) необходи́мый 2) неизбе́жный 3) вы́нужденный, недоброво́льный **2.** *n* необходи́мое; ~ies of life предме́ты пе́рвой необходи́мости

necessitate [nɪ'sesɪteɪt] де́лать необходи́мым

necessity [nɪ'sesɪtɪ] 1) необходи́мость 2) нужда́; бе́дность 3) неизбе́жность 4) *(обыкн. pl)* предме́ты пе́рвой необходи́мости

neck [nek] 1) ше́я; break one's ~ сверну́ть себе́ ше́ю 2) го́рлышко *(бутылки)* 3) *геогр.* перешéек ◇ ~ or nothing ≅ ли́бо пан ли́бо пропа́л

necklace ['neklɪs] ожере́лье

necktie ['nektaɪ] га́лстук

née [neɪ] *фр.* урождённая; Mrs. Brown ~ Smith ми́ссис Бра́ун, урождённая Смит

need [niːd] **1.** *n* 1) нужда́, на́добность; be in ~ *(of)* нужда́ться *(в чём-л.)* 2) *pl* потре́бности 3) бе́дность **2.** *v* 1) *(как недостаточный модальный глагол в вопросит. и отриц. предложениях)* быть вы́нужденным, обя́занным *(что-л. сделать)*; I ~ not have done it я не был обя́зан де́лать э́то, мне не ну́жно бы́ло э́того де́лать 2) име́ть потре́бность, нужда́ться *(в чём-*

либо); нужно; надо; if ~ be если нужно; ~ you leave now? вам уже надо уходить?; he ~s a haircut ему нужно подстричься; **~ful 1.** *a* нужный **2.** *n разг.* 1): the ~ful деньги 2): do the ~ful сделать то, что необходимо

needle [ˈni:dl] 1) игла, иголка; ~'s eye игольное ушко 2) спица *или* крючок *(для вязания)* 3) стрелка *(компаса)* 4) *архит.* шпиль

needless [ˈni:dlɪs] ненужный, излишний; бесполезный; ~ to say излишне говорить

needle||woman [ˈni:dl,wumən] швея; **~work** [-wə:k] шитьё; вышивание

ne'er [nɛə] *(сокр. от* never) *поэт.* никогда

ne'er-do-well [ˈnɛədu:,wel] бездельник

negation [nɪˈgeɪʃ(ə)n] отрицание

negative [ˈnegətɪv] **1.** *n* 1) отрицание 2) *фото* негатив **2.** *a* отрицательный; the ~ sign знак минус **3.** *v* 1) отрицать 2) опровергать 3) налагать вето

neglect [nɪˈglekt] **1.** *n* 1) пренебрежение 2) небрежность; in a state of ~ в запущенном состоянии **2.** *v* пренебрегать; запускать *(занятия, дела и т. п.)*; ~ one's children не заботиться о своих детях; **~ful** небрежный; нерадивый

neglig||ence [ˈneglɪdʒ(ə)ns] небрежность; **~ent** [-(ə)nt] небрежный; нерадивый

negligible [ˈneglɪdʒəbl] незначительный; не принимаемый в расчёт

negotiat||e [nɪˈgouʃɪeɪt] 1) вести переговоры 2) совершать сделки; **~ion** [nɪ,gouʃɪˈeɪʃ(ə)n] переговоры; conduct ~ions вести переговоры; **~or** 1) лицо, ведущее переговоры 2) посредник

Negro [ˈni:grou] **1.** *n* негр **2.** *a* негритянский

neigh [neɪ] **1.** *n* ржание **2.** *v* ржать

neighbour [ˈneɪbə] сосед; соседка; he is my next-door ~ он живёт рядом со мной; **~hood** [-hud] 1) соседство, близость; in the ~hood *(of)* а) по соседству с; б) около, приблизительно 2) район; **~ing** [-rɪŋ] соседний, смежный

neither [ˈnaɪðə] **1.** *adv* также не, тоже не; if you don't go, ~ shall I если вы не пойдёте, я тоже не пойду **2.** *cj*: ~ ... nor ни... ни; ◇ it is ~ here not there это не годится, не подходит; ≅ это ни к селу ни к городу **3.** *a* никакой; ~ accusation is true ни то, ни другое обвинение не верно **4.** *indef pron* ни тот ни другой; никто, ничто; ~ knows никто не знает; ~ of the accusations is true ни одно из обвинений не верно

neon [ˈni:ən] *хим.* неон 2) *attr.:* ~ lighting неоновое освещение

nephew [ˈnevju:] племянник

nerv||e [ˈnə:v] **1.** *n* 1) нерв 2) *бот.* жилка *(листа)* 3) *pl* нервное состояние, нервность; get on smb.'s ~s действовать кому-л. на нервы 4) сила воли, энéргия; strain every ~ напрягáть все сúлы; I haven't the ~ to watch it сил нет на э́то смотрéть ◇ lose one's ~ оробéть, потеря́ть самообладáние; he's got a (lot of) ~ to say that у негó хватúло нáглости сказáть э́то **2.** *v* придавáть сúлу, энéргию; **~ous** [-əs] 1) нéрвный; be ~ous *(about smth.)* óчень волновáться, беспокóиться *(о чём-л.)* 2) нервóзный, возбуждённый

nest [nest] **1.** *n* гнездó **2.** *v* вить гнездó; гнездúться

nestle ['nesl] 1) ую́тно устрóиться 2) прильнýть, прижáться 3) ютúться

nestling ['neslɪŋ] птенéц

net I [net] **1.** *n* 1) сеть; тенёта; *перен.* западня́ 2) сéтка *(для волос и т. п.)* **2.** *v* 1) ловúть сетя́ми; расставля́ть сéти *(тж. перен.)* 2) плестú, вязáть сéти

net II **1.** *a ком.* чúстый, нéтто *(о весе, доходе)*; ~ price ценá нéтто **2.** *v* получáть чúстый дохóд

netting ['netɪŋ] 1) сеть, сéтка 2) плетéние сетéй 3) лóвля сетя́ми

nettle ['netl] **1.** *n* крапúва **2.** *v* раздражáть, сердúть; **~-rash** [-ræʃ] *мед.* крапúвница

network ['netwə:k] 1) сéтка, плетёнка 2) вязáние 3) сеть *(проводов, железных дорог и т. п.)*

neurosis [njuə'rousɪs] *мед.* неврóз

neuter ['nju:tə] *грам.* **1.** *a* срéднего рóда **2.** *n* срéдний род

neutral ['nju:tr(ə)l] **1.** *a* нейтрáльный **2.** *n* 1) нейтрáльное госудáрство 2) нейтрáл, граждани́н нейтрáльного госудáрства; **~ity** [nju:'trælɪtɪ] нейтралитéт; **~ize** [-aɪz] нейтрализовáть *(в разн. знач.)*

never ['nevə] 1) никогдá 2) *для усиления*: he ~ answered a word он ни слóва не отвéтил ◇ well I ~! ничегó подóбного! *(не видел или не слышал)*; ~ mind ничегó, пустякú, не обращáйте внимáния; **~more** [-'mɔ:] никогдá бóльше, никогдá впредь

nevertheless [,nevəð(ə)'les] **1.** *adv* всё же, как бы то ни бы́ло; однáко **2.** *cj* несмотря́ на; тем не мéнее

new ['nju:] 1) нóвый 2) свéжий; ~ milk парнóе молокó; ~ wine молодóе винó ◇ N. Year Нóвый год; **~-born** [-bɔ:n] новорождённый; **~-comer** [-'kʌmə] вновь прибы́вший; нóвый человéк *(в данной местности)*

new-fangled ['nju:,fæŋgld] *презр.* новомóдный

newish ['nju:ɪʃ] довóльно нóвый

new-laid ['nju:leɪd] свежеснесённый *(о яйце)*

newly ['nju:lɪ] 1) зáново, вновь 2) недáвно; **~weds** ['nju:lɪ'wedz] *pl* новобрáчные

news ['nju:z] *(употр. как sing)* нóвость; извéстие; нóвости; **~-boy** [-bɔɪ] газéтчик, разнóсчик газéт; **~casting** [-,kɑ:stɪŋ] передáча послéдних извéстий *(по радио или по телевидению)*; **~monger** [-,mʌŋgə] сплéтник; **~paper** [-,peɪpə] газéта; **~-reel** [-ri:l] хрóника, хроника́льный фильм; киножурна́л; **~-stand** [-stænd] газе́тный кио́ск; **~-vendor** [-ˌvendə] продаве́ц газе́т, газе́тчик

newt [nju:t] *зоол.* трито́н

next [nekst] **1.** *a* 1) сле́дующий, ближа́йший; ~ door *(to)* ря́дом, по сосе́дству 2) бу́дущий; ~ time сле́дующий раз **2.** *adv* пото́м, зате́м; what comes ~ ? что же да́льше? **3.** *prep* ря́дом, о́коло; I was standing ~ to him я стоя́л о́коло него́; she loves him ~ to her own child она́ лю́бит его́ почти́ как своего́ со́бственного ребёнка ◇ ~ to nothing почти́ ничего́ **4.** *n* сле́дующий, ближа́йший *(человек или предмет)*; ~, please! сле́дующий, пожа́луйста!

nib [nɪb] ко́нчик, остриё пера́

nibble [ˈnɪbl] 1) поку́сывать, отку́сывать ма́ленькими кусо́чками; надку́сывать 2) клева́ть *(о рыбе)*

nice [ˈnaɪs] 1) прия́тный, хоро́ший 2) любе́зный; ми́лый; сла́вный 3) о́стрый, то́нкий; ~ ear то́нкий слух; ~ judgement то́нкое сужде́ние ◇ ~ question щекотли́вый вопро́с; it is ~ and warm today сего́дня дово́льно тепло́; **~-looking** [-ˌlukɪŋ] милови́дный, привлека́тельный; **~ly** ми́ло, любе́зно; хорошо́

nicety [ˈnaɪsɪtɪ] 1) то́чность 2) *(обыкн. pl)* то́нкости, дета́ли ◇ to a ~ то́чно, как сле́дует

nick [nɪk]: in the (very) ~ of time как раз во́время

nickel [nɪkl] **1.** *n* 1) *хим.* ни́кель 2) *амер. разг.* моне́та в 5 це́нтов **2.** *v* никелирова́ть

nickname [ˈnɪkneɪm] **1.** *n* про́звище **2.** *v* дава́ть про́звище

niece [ˈni:s] племя́нница

niggard [ˈnɪgəd] **1.** *n* скупе́ц, скря́га **2.** *a см.* niggardly **1**; **~ly 1.** *a* 1) скупо́й 2) ску́дный **2.** *adv* ску́по

nigger [ˈnɪgə] *груб.* «черномА́зый»

nigh [naɪ] *поэт.* бли́зкий

night [ˈnaɪt] 1) ночь; have a good (bad) ~ хорошо́ (пло́хо) вы́спаться; all ~ long всю ночь напролёт 2) ве́чер; last ~ вчера́ ве́чером 3) темнота́, мрак ◇ ~ and day всегда́, кру́глые су́тки; make a ~ of it прокути́ть всю ночь; **~-cap** [-kæp] 1) *уст.* ночно́й колпа́к 2) *разг.* стака́нчик спиртно́го на́ ночь; **~fall** [-fɔ:l] наступле́ние но́чи; **~-gown** [-gaun] ночна́я соро́чка *(женская или детская)*

nightingale [ˈnaɪtɪŋgeɪl] солове́й

nightly [ˈnaɪtlɪ] по ноча́м, ка́ждую ночь

nightmare [ˈnaɪtmɛə] кошма́р

night-school [ˈnaɪtsku:l] вече́рняя шко́ла

night-watch [ˈnaɪtˈwɔtʃ] ночно́й дозо́р; *мор.* ночна́я ва́хта

nihilism [ˈnaɪ(h)ɪlɪzm] нигили́зм

nimble [ˈnɪmbl] 1) прово́рный, шу́стрый; подви́жный *(о человеке)* 2) ги́бкий *(об уме)*

nine [ˈnaɪn] **1.** *num* де́вять **2.** *n* девя́тка ◇ dressed up to the ~s расфранчённый; **~fold** [-fould] **1.** *a* девятикра́тный **2.** *adv* в де́вять раз

ninepins [ˈnaɪnpɪnz] ке́гли

nineteen ['naɪn'ti:n] девятна́дцать; **~th** [-θ] девятна́дцатый

ninetieth ['naɪntɪɪθ] девяно́стый

ninet||y ['naɪntɪ] 1) девяно́сто 2): the ~ies девяно́стые го́ды

ninny ['nɪnɪ] простофи́ля

ninth [naɪnθ] девя́тый

nip [nɪp] **1.** *v* 1) щипа́ть; куса́ть 2) поби́ть *(моро́зом)* ◇ ~ in the bud пресе́чь в ко́рне **2.** *n* щипо́к

nipper ['nɪpə] 1) *pl mex.* куса́чки; клёщи 2) *разг.* мальчуга́н 3) клешня́ *(ра́ка)*

nipple ['nɪpl] 1) сосо́к *(груди́)* 2) со́ска

nit [nɪt] гни́да

nitric ['naɪtrɪk] азо́тный

nitrogen ['naɪtrədʒən] азо́т

nitwit ['nɪtwɪt] *разг.* простофи́ля

nix [nɪks] *разг.* ничего́

no [nou] **1.** *отриц. частица* нет **2.** *a* никако́й ◇ by no means ни в ко́ем слу́чае; in no time мгнове́нно; no matter how (when) как (когда́) бы ни; no smoking! не кури́ть! **3.** *adv (перед сравн. ст.)* не, ниско́лько не; no better than before не лу́чше, чем пре́жде; no less (more) than не ме́нее (бо́лее) чем; по кра́йней ме́ре; no longer бо́лее не; whether or no так и́ли ина́че

nob [nɔb] *разг.* высокопоста́вленное лицо́, ши́шка

nobility [no(u)'bɪlɪtɪ] дворя́нство; знать

noble ['noubl] **1.** *n* дворяни́н **2.** *a* 1) благоро́дный 2) зна́тный; **~man** [-mən] дворяни́н

nobody ['noub(ə)dɪ] **никто́** ◇ he is a mere ~ он ничто́жество

nocturnal [nɔk'tə:nl] ночно́й

nocturne ['nɔktə:n] *муз.* ноктю́рн

nod ['nɔd] **1.** *n* 1) киво́к 2) дремо́та **2.** *v* 1) кива́ть голово́й 2) дрема́ть; **~ding**: ~ding acquaintance ша́почное знако́мство

noddle ['nɔdl] *шутл.* башка́

nohow ['nouhau] *разг.* ника́к, нико́им о́бразом

noise ['nɔɪz] шум ◇ big ~ *разг.* ва́жная персо́на, «ши́шка»; be a big ~ станови́ться изве́стным; **~less** бесшу́мный

noisome ['nɔɪsəm] 1) проти́вный; злово́нный 2) вре́дный; нездоро́вый

noisy ['nɔɪzɪ] шу́мный, шутли́вый

nomad ['nɔməd] **1.** *n* коче́вник **2.** *a см.* nomadic; **~ic** [no(u)'mædɪk] кочево́й; бродя́чий

nomenclature [no(u)'menklətʃə] 1) номенклату́ра 2) терминоло́гия

nominal ['nɔmɪnl] 1) номина́льный 2) именно́й *(тж. грам.)*

nominat||e ['nɔmɪneɪt] 1) выставля́ть кандидату́ру 2) назнача́ть *(на до́лжность)*; **~ion** [ˌnɔmɪ'neɪʃ(ə)n] 1) выставле́ние кандида́та 2) назначе́ние *(на до́лжность)*

nominative ['nɔmɪnətɪv] *грам.* имени́тельный паде́ж

nominee [ˌnɔmɪ'ni:] кандида́т *(на до́лжность)*

non- [nɔn-] *префикс, придаю-*

щий отрицательный смысл: non-edible несъедо́бный

nonchalant [ˈnɔnʃ(ə)lənt] безразли́чный; беспе́чный

non-combatant [ˈnɔnˈkɔmbət(ə)nt] **1.** *a* нестроево́й *(о солдате)* **2.** *n pl* ми́рное населе́ние

non-commissioned [ˈnɔnkəˈmɪʃ(ə)nd]: ~ officer сержа́нт

non-committal [ˈnɔnkəˈmɪtl] укло́нчивый; give a ~ answer дать укло́нчивый отве́т

non-conductor [ˈnɔnkənˌdʌktə] *физ.* непроводни́к

none [nʌn] **1.** *pron* никто́, ничто́; ~ of this concerns me всё э́то меня́ не каса́ется; ~ of them spoke to me никто́ из них со мной не разгова́ривал ◇ it is ~ of my business э́то не моё де́ло **2.** *adv* ниско́лько, совсе́м не; I am ~ the better for it мне от э́того ниско́лько не ле́гче; he was ~ the worse for doing this он ничего́ не потеря́л от того́, что сде́лал э́то ◇ ~ the less тем не ме́нее

nonentity [nɔˈnentɪtɪ] 1) ничто́жество 2) несуществу́ющая вещь; плод воображе́ния 3) *филос.* небытие́

non||-interference, ~-intervention [ˈnɔnˌɪntəˈfɪər(ə)ns, -ˌɪntə:ˈvenʃ(ə)n] *полит.* невмеша́тельство

non-party [ˈnɔnˈpɑ:tɪ] беспарти́йный

non-persistent [ˈnɔnpəˈsɪst(ə)nt] *хим.* несто́йкий

nonplus [ˈnɔnˈplʌs] ста́вить в тупи́к *(кого-л.)*, приводи́ть в замеша́тельство; be ~sed быть в замеша́тельстве

nonsens||e [ˈnɔns(ə)ns] 1) вздор; бессмы́слица; пустяки́ 2) сумасбро́дство; бессмы́сленные посту́пки; **~ical** [nɔnˈsensɪk(ə)l] неле́пый, абсу́рдный

non-stop [ˈnɔnˈstɔp] безостано́вочный; беспоса́дочный *(о полёте)*

non-union [ˈnɔnˈju:njən] не свя́занный с профсою́зом, не состоя́щий чле́ном профсою́за; ~ labour рабо́чие — не чле́ны профсою́за *(в капиталистических странах)*

noodle I [ˈnu:dl] простофи́ля

noodle II [*обыкн. pl)* лапша́

nook [nuk] укро́мный уголо́к

noon, ~day, ~tide [ˈnu:n, -deɪ, -taɪd] по́лдень

noose [nu:s] **1.** *n* пе́тля; арка́н **2.** *v* пойма́ть арка́ном; замани́ть в лову́шку

nor [nɔ:] и не, та́кже не, не, ни

norm [nɔ:m] но́рма, образе́ц

normal [ˈnɔ:m(ə)l] **1.** *a* 1) обы́чный 2) норма́льный **2.** *n* норма́льное состоя́ние

north [ˈnɔ:θ] **1.** *n* се́вер; *мор.* норд; the N. се́верные стра́ны **2.** *a* се́верный; ~ wind се́верный ве́тер, норд **3.** *adv* к се́веру, на се́вер; lies ~ and south простира́ется с се́вера на юг; ~ *(of)* к се́веру; **~-east** [-ˈi:st] **1.** *n* 1) се́веро-восто́к 2) *мор.* норд-о́ст **2.** *a* се́веро-восто́чный **3.** *adv* на се́веро-восто́к; **~-easter** [nɔ:θˈi:stə] *мор.* норд-о́ст *(ветер)*

northerly [ˈnɔ:ðəlɪ] **1.** *a* 1) се́верный *(о ветре)* 2) обращённый к се́веру **2.** *n* си́льный се́верный ве́тер

northern [ˈnɔːð(ə)n] се́верный; ~ lights се́верное сия́ние; **~er** северя́нин; **~most** [-moust] са́мый се́верный

north||ward(s) [ˈnɔːθwəd(z)] к се́веру, на се́вер; **~-west** [-ˈwest] **1.** *n* 1) се́веро-за́пад 2) *мор.* норд-ве́ст **2.** *a* се́веро-за́падный **3.** *adv* на се́веро-за́пад; **~-wester** [-ˈwestə] *мор.* норд-ве́ст *(ветер)*

Norwegian [nɔːˈwiːdʒ(ə)n] **1.** *a* норве́жский **2.** *n* 1) норве́жец; норве́жка 2) норве́жский язы́к

nor'-wester [ˈnɔːˈwestə] *см.* north-wester

nose [nouz] **1.** *n* 1) нос; blow one's ~ сморка́ться 2) обоня́ние, нюх; have a good ~ *(for smth.)* име́ть хоро́ший нюх *(на что-л.)* ◇ turn up one's ~ *(at)* вороти́ть нос *(с презрением)*; follow one's ~ а) руково́дствоваться инсти́нктом; б) идти́ пря́мо вперёд; poke one's ~ into smth. сова́ть свой нос в чужи́е дела́ **2.** *v* 1): ~ out чу́ять; *перен.* проню́хать 2) осторо́жно продвига́ться вперёд *(о судне)*

nose-dive [ˈnouzdaɪv] *ав.* **1.** *n* пики́рование, пике́ **2.** *v* пики́ровать

nosegay [ˈnouzgeɪ] буке́тик цвето́в

nostalgia [nɔsˈtældʒɪə] 1) тоска́ по ро́дине, ностальги́я 2) тоска́ по про́шлому

nostril [ˈnɔstrɪl] ноздря́

not [nɔt] не, нет; ни; ~ a few мно́гие ◇ ~ at all а) ниско́лько, ничу́ть; б) не сто́ит *(благодарности)*; не́ за что; ~ in the least ниско́лько

notable [ˈnoutəbl] 1) ви́дный, выдаю́щийся 2) замеча́тельный

notary [ˈnoutərɪ] нота́риус

notation [no(u)ˈteɪʃ(ə)n] 1) систе́ма обозначе́ния 2) *муз.* но́тное письмо́

notch [nɔtʃ] **1.** *n* 1) вы́емка, зару́бка 2) *амер.* сте́пень, у́ровень 3) *амер.* тесни́на, уще́лье **2.** *v* де́лать зару́бку, вы́емку; надсека́ть, надреза́ть

note [ˈnout] **1.** *n* 1) *(обыкн. pl)* за́писи; make *(или* take) ~s *(of)* запи́сывать *(лекции и т.п.)* 2) запи́ска 3) *дип., муз.* но́та 4) но́тка; тон; change one's ~ перемени́ть тон; strike the right ~ взять ве́рный тон 5) примеча́ние ◇ make *(или* take) a ~ *(of)* принима́ть к све́дению, замеча́ть; compare ~s обме́ниваться впечатле́ниями **2.** *v* 1) замеча́ть 2) запи́сывать *(тж.* ~ down); **~book** [-buk] записна́я кни́жка

noted [ˈnoutɪd] изве́стный

note-paper [ˈnout,peɪpə] почто́вая бума́га

noteworthy [ˈnout,wəːðɪ] заслу́живающий внима́ния; достопримеча́тельный

nothing [ˈnʌθɪŋ] **1.** *n* 1) ничто́, ничего́; ~ but то́лько; ничего́ кро́ме; ~ of the kind ничего́ подо́бного 2) пустяки́, ме́лочи 3) нуль ◇ for ~ зря, без по́льзы; have ~ to do *(with)* не име́ть никако́го отноше́ния *(к)*; make ~ *(of)* пренебрега́ть; легко́ относи́ться; ~ doing *разг.* э́тот но́мер не пройдёт; ~ less than пря́мо-таки; про́сто-на́просто; (there's) ~ like что мо́-

жет быть лу́чше **2.** *adv* наско́лько, совсе́м нет; **~ness** 1) небытие́ 2) ничто́жество

notice [ˈnoutɪs] **1.** *n* 1) объявле́ние; извеще́ние; предупрежде́ние; give ~ уведомля́ть; предупрежда́ть 2) внима́ние; come to ~ привле́чь внима́ние; take no ~ *(of)* не обраща́ть никако́го внима́ния; bring to smb.'s ~ обраща́ть чьё-л. внима́ние; доводи́ть до све́дения; this paragraph escaped my ~ я не заме́тил э́тот абза́ц 3) реце́нзия; did you see the ~s about the new play? вы ви́дели реце́нзии на но́вую пье́су? ◇ at short ~ то́тчас же; at ten minutes ~ за де́сять мину́т **2.** *v* замеча́ть; **~-board** [-bɔ:d] доска́ объявле́ний

notification [ˌnoutɪfɪˈkeɪʃ(ə)n] 1) извеще́ние, уведомле́ние 2) объявле́ние

notify [ˈnoutɪfaɪ] 1) извеща́ть, уведомля́ть 2) объявля́ть

notion [ˈnouʃ(ə)n] 1) поня́тие; представле́ние 2) мне́ние 3) наме́рение

notional [ˈnouʃənl] 1) *филос.* умозри́тельный; отвлечённый 2) вообража́емый 3) *лингв.* поняти́йный

notoriety [ˌnoutəˈraɪətɪ] дурна́я сла́ва

notorious [no(u)ˈtɔ:rɪəs] пресло́вутый

notwithstanding [ˌnɔtwɪθˈstændɪŋ] **1.** *prep* несмотря́ на **2.** *adv* тем не ме́нее; одна́ко

nought [nɔ:t] 1) ничто́; bring to ~ а) разоря́ть; б) своди́ть на не́т; come to ~ сойти́ на не́т 2) *мат.* нуль ◇ ~s and crosses кре́стики и но́лики *(игра)*

noun [naun] *грам.* и́мя существи́тельное

nourish [ˈnʌrɪʃ] пита́ть; *перен.* леле́ять *(надежду и т.п.)*; **~ing** пита́тельный; **~ment** пи́ща, пита́ние

nous [naus, nu:s] смышлёность, сообрази́тельность, здра́вый смысл

novel I [ˈnɔv(ə)l] *n* рома́н

novel II *a* но́вый, неизве́данный

novelist [ˈnɔvəlɪst] романи́ст

novelty [ˈnɔv(ə)ltɪ] 1) новизна́ 2) нови́нка, но́вость, но́вшество

November [no(u)ˈvembə] 1) ноя́брь 2) *attr.* ноя́брьский

novice [ˈnɔvɪs] новичо́к

now [ˈnau] **1.** *adv* 1) тепе́рь, сейча́с 2) то́тчас же 3) уже́; he ought to be here by ~ он до́лжен был бы быть уже́ здесь ◇ but ~ то́лько что; come ~! ну же!; ~ then! ну!; every ~ and then, every ~ and again вре́мя от вре́мени; то и де́ло; ~ what do you mean by it? что же вы хоти́те э́тим сказа́ть?; ~ that I know it тепе́рь, когда́ я зна́ю об э́том **2.** *n*: by ~ к настоя́щему моме́нту; till ~ до сих по́р; **~adays** [-ədeɪz] в на́ше вре́мя, тепе́рь

nowhere [ˈnouwɛə] нигде́; никуда́

nowise [ˈnouwaɪz] нико́им о́бразом

noxious [ˈnɔkʃəs] вре́дный

nozzle [ˈnɔzl] 1) наконе́чник; выпускно́е отве́рстие 2) *тех.* сопло́

n't [nt] *сокр. от* not

nth [enθ] *мат.* э́нный

nuance [nju:'ɑ:ns] нюа́нс, отте́нок

nub [nʌb] кусо́чек; ши́шка, утолще́ние; *перен.* суть *(дела)*

nucle||ar ['nju:klɪə] я́дерный; ~ energy а́томная эне́ргия; **~us** [-əs] (*pl* nuclei [-ɪaɪ]) ядро́; центр; яче́йка; *перен.* заро́дыш

nude [nju:d] **1.** *a* 1) наго́й; обнажённый 2) *юр.* недействи́тельный **2.** *n* обнажённая фигу́ра *(особ. в живописи, скульптуре)*; in the ~ в го́лом ви́де, нагишо́м

nudge [nʌdʒ] слегка́ подта́лкивать (ло́ктем)

nudity ['nju:dɪtɪ] нагота́

nugatory ['nju:gət(ə)rɪ] пустя́чный

nugget ['nʌgɪt] саморо́док *(золота)*

nuisance ['nju:sns] 1) неприя́тность, доса́да; what a ~! кака́я доса́да!, кака́я неприя́тность! 2) не́что неприя́тное *или* отврати́тельное *(о человеке, животном и т.п.)*

null [nʌl]: ~ and void *юр.* не име́ющий си́лы; **~ify** [-ɪfaɪ] аннули́ровать; **~ity** [-ɪtɪ] *юр.* недействи́тельность

numb [nʌm] оцепене́лый, онеме́лый

number ['nʌmbə] **1.** *n* 1) число́, коли́чество; they came in ~s их пришло́ мно́жество; a ~ of books ряд книг 2) но́мер 3) *мат.* число́, ци́фра; broken ~ дробь; even (odd) ~ чётное (нечётное) число́ 4) вы́пуск, но́мер *(журнала)* ◇ his ~'s up тепе́рь ему́ кры́шка **2.** *v* 1) нумерова́ть 2) насчи́тывать 3) причисля́ть; I ~ him among my friends я причисля́ю его́ к свои́м друзья́м

numer||al ['nju:m(ə)r(ə)l] **1.** *n* 1) ци́фра 2) *грам.* и́мя числи́тельное **2.** *a* числово́й; **~ation** [,nju:mə'reɪʃ(ə)n] 1) исчисле́ние 2) нумера́ция; **~ator** [-reɪtə] 1) *мат.* числи́тель 2) счётчик; **~ous** [-əs] многочи́сленный

numskull ['nʌmskʌl] болва́н

nun ['nʌn] мона́хиня; **~-nery** [-ərɪ] же́нский монасты́рь

nuptial ['nʌpʃ(ə)l] **1.** *a* бра́чный **2.** *n pl* сва́дьба

nurse ['nə:s] **1.** *n* 1) корми́лица; ня́ня 2) сиде́лка 3) медсестра́ (*тж.* trained ~) **2.** *v* 1) корми́ть *(ребёнка)*; ня́нчить; *перен.* пита́ть; леле́ять 2) уха́живать *(за больным)* ◇ I'm nursing my cold я лечу́сь от просту́ды; **~ling** [-lɪŋ] грудно́й ребёнок; **~ry** [-rɪ] 1) де́тская *(комната)* 2) я́сли (*тж.* day ~ry) 3) пито́мник, расса́дник *(тж. перен.)*

nursling ['nə:slɪŋ] *см.* nurseling

nurture ['nə:tʃə] **1.** *n* воспита́ние **2.** *v* воспи́тывать; выра́щивать

nut [nʌt] 1) оре́х; a hard ~ to crack *перен.* тру́дная зада́ча 2) *тех.* га́йка 3) *pl* ме́лкий у́голь 4) *разг.* голова́, башка́; off one's ~ сумасше́дший; poor ~ болва́н ◇ be ~s on smth. о́чень люби́ть что-л.

nutcracker ['nʌt,krækə] *(обыкн. pl)* щипцы́ для оре́хов

nutmeg ['nʌtmeg] муска́тный оре́х

nutri||ent ['nju:triənt] пита́тельный; **~ment** пита́тельное вещество́; **~tion** [-'triʃ(ə)n] пита́ние; **~tious** [-'triʃəs] пита́тельный; **~tive** [-tiv] пищево́й

nutshell ['nʌtʃel] оре́ховая скорлупа́ ◇ in a ~ кра́тко, в двух слова́х

nuzzle ['nʌzl] 1) ню́хать *(о собаках)* 2) прижа́ться

nymph [nimf] ни́мфа

O

O, o I [ou] *пятнадцатая буква англ. алфавита*

o! II [ou] *int*: O dear me! о бо́же!

o' [ə] *prep сокр. от* of, on; *напр.*, o'clock, o'nights

oak ['ouk] дуб; **~en** [-ən] ду́бовый

oar [ɔ:] 1) весло́ 2) гребе́ц

oarsman ['ɔ:zmən] гребе́ц

oasis [o(u)'eisis] *(pl* -ses [-si:z]) оа́зис

oast-house ['ousthaus] хмелесуши́лка

oat [out] *(обыкн. pl)* овёс

oatcake ['out'keik] овся́ная лепёшка

oath [ouθ] *(pl* oaths [-ðz]) кля́тва, прися́га; make (take *или* swear) an ~ дать кля́тву; on (one's) ~ под прися́гой

oatmeal ['outmi:l] овся́нка *(мука, крупа)*

obdur||acy ['ɔbdjurəsi] закосне́лость; упря́мство; **~ate** [-rit] закосне́лый; упря́мый

obedi||ence [ə'bi:djəns] послуша́ние, повинове́ние, поко́рность ◇ in ~ to согла́сно; **~ent** [-ənt] послу́шный, поко́рный

obeisance [o(u)'beis(ə)ns] 1) почти́тельный покло́н; рева́нс 2) почте́ние, уваже́ние

obes||e [o(u)'bi:s] ту́чный; **-ity** [-iti] ту́чность; ожире́ние

obey [ə'bei] слу́шаться, повинова́ться

obituary [ə'bitjuəri] **1.** *n* некроло́г **2.** *a* некрологи́ческий

object I ['ɔbdʒikt] *n* 1) предме́т, вещь 2) цель, наме́рение 3) *филос.* объе́кт 4) *грам.* дополне́ние

object II [əb'dʒekt] *v* возража́ть, протестова́ть; **~ion** [-ʃ(ə)n] возраже́ние; have ~ions возража́ть; **~ionable** [-ʃ(ə)nəbl] 1) нежела́тельный, вызыва́ющий возраже́ния 2) неприя́тный

objective [əb'dʒektiv] **1.** *a* 1) объекти́вный 2) *грам.*: ~ case объе́ктный *(или* ко́свенный) паде́ж **2.** *n* цель, зада́ча

objurgation [,ɔbdʒə'geiʃ(ə)n] упрёк, вы́говор

oblation [o(u)'bleʃ(ə)n] жертвоприноше́ние

obligat||e ['ɔbligeit] *(обыкн. pass)* обя́зывать; **~ion** [,ɔbli'geiʃ(ə)n] 1) обяза́тельство; undertake an ~ion взять на себя́ обяза́тельство 2) обя́занность; be under an ~ion *(to)* быть обя́занным; **~ory** [ɔ'bligət(ə)ri] обяза́тельный, необходи́мый; обя́зывающий

oblig||e [ə'blaidʒ] 1) обя́зывать; заставля́ть 2) *(обыкн. pass)*; be ~ed to быть обя́занным 3) де́лать одолже́ние; ока́-

зывать услу́гу ◇ much ~ed (to you) благодарю́ (вас); after his death she was ~ed to work по́сле его́ сме́рти ей пришло́сь нача́ть рабо́тать; **~ing** любе́зный

oblique [ə'bli:k] 1) косо́й, накло́нный 2) *грам.* ко́свенный *(о падеже, речи)*

obliterate [ə'blıtəreıt] 1) стира́ть, уничтожа́ть 2) изгла́живать *(из памяти)*

oblivi||on [ə'blıvıən] забве́ние; fall (*или* sink) into ~ быть пре́данным забве́нию; быть забы́тым; **~ous** [-əs] не замеча́ющий

oblong ['ɔblɔŋ] продолгова́тый

obnoxious [əb'nɔkʃəs] проти́вный, несно́сный

obscen||e [ɔb'si:n] непристо́йный; **~ity** [-'si:nıtı] непристо́йность

obscur||e [əb'skjuə] 1) мра́чный; ту́склый, нея́сный 2) невразуми́тельный, непоня́тный 3) неизве́стный; незаме́тный; **~ity** [-rıtı] 1) мрак, тьма 2) нея́сность 3) неизве́стность; незаме́тность

obsequies ['ɔbsıkwız] *pl* по́хороны

obsequious [əb'si:kwıəs] подобостра́стный

observ||ance [əb'zə:v(ə)ns] 1) соблюде́ние, выполне́ние *(закона, обычая и т. п.)* 2) обря́д, ритуа́л; **~ant** [-(ə)nt] 1) наблюда́тельный, внима́тельный 2) соблюда́ющий *(закон, обычай и т.п.)*; ~ant of customs соблюда́ющий обы́чаи

observation [,ɔbzə:'veıʃ(ə)n] 1) наблюде́ние 2) изуче́ние, иссле́дование; he was 'sent to hospital for ~ его́ положи́ли в больни́цу на обсле́дование 3) наблюда́тельность; a man of keen ~ наблюда́тельный челове́к 4) замеча́ние, выска́зывание; **~al** [-'veıʃənl] наблюда́тельный

observatory [əb'zə:vətrı] обсервато́рия

observ||e [əb'zə:v] 1) наблюда́ть, замеча́ть 2) соблюда́ть *(законы, обычаи и т.п)*; ~ silence храни́ть молча́ние; ~ economy соблюда́ть эконо́мию 3) де́лать замеча́ния; **~er** наблюда́тель

obsess [əb'ses] пресле́довать *(о навязчивой идее и т. п)*; **~ion** [-'seʃ(ə)n] наважде́ние; ма́ния

obsolescent [,ɔbsə'lesnt] устарева́ющий

obsolete ['ɔbsəli:t] устаре́лый

obstacle ['ɔbstəkl] препя́тствие, поме́ха; overcome an ~ преодоле́ть препя́тствие

obstetrics [ɔb'stetrıks] акуше́рство

obstin||acy ['ɔbstınəsı] упря́мство; **~ate** [-nıt] упря́мый; ~ate as a mule упря́м как осёл

obstruct [əb'strʌkt] 1) прегражда́ть прохо́д, препя́тствовать продвиже́нию 2): ~ the view заслоня́ть вид 3) чини́ть препя́тствия; устра́ивать обстру́кцию; **~ion** [-kʃ(ə)n] 1) препя́тствие 2) обстру́кция

obtain [əb'teın] 1) добыва́ть, приобрета́ть 2) достига́ть, добива́ться 3) применя́ться; существова́ть

obtrude [əb'tru:d] навя́зывать

(мнение и т.п.); ~ oneself навязываться

obtuse [əb'tju:s] тупо́й *(в разн. знач.)*

obviate ['ɔbvɪeɪt] избега́ть, устраня́ть *(об опасности и т.п.)*

obvious ['ɔbvɪəs] очеви́дный, я́сный

occasion [ə'keɪʒ(ə)n] **1.** *n* 1) слу́чай; обстоя́тельство; on the ~ *(of)* по слу́чаю 2) по́вод, основа́ние 3) собы́тие **2.** *v* дава́ть по́вод *(для чего-л.)*; ~ a lot of talk вызыва́ть то́лки; **~al** [-ʒənl] случа́йный; ре́дкий; **~ally** иногда́, вре́мя от вре́мени

Occident ['ɔksɪd(ə)nt] За́пад, стра́ны За́пада

occidental [,ɔksɪ'dentl] за́падный

occult ['ɔkʌlt] та́йный, сокрове́нный

occup||ant ['ɔkjupənt] 1) жи́тель, обита́тель 2) вре́менный владе́лец, аренда́тор 3) оккупа́нт; **~ation** [,ɔkju'peɪʃ(ə)n] 1) заня́тие, род заня́тий; профе́ссия 2) оккупа́ция

occupy ['ɔkjupaɪ] 1) занима́ть *(место, должность)* 2) оккупи́ровать ◇ school occupies all my time шко́ла отнима́ет у меня́ всё вре́мя

occur [ə'kə:] 1) име́ть ме́сто, случа́ться 2) приходи́ть на ум; it ~red to him ему́ пришла́ в го́лову мысль 3) встреча́ться, попада́ться; **~rence** [ə'kʌr(ə)ns] слу́чай, собы́тие

ocean ['ouʃ(ə)n] океа́н

o'clock [ə'klɔk]: what ~ is it? кото́рый час?; at eight ~ in the morning в во́семь часо́в утра́

October [ɔk'toubə] 1) октя́брь 2) *attr.* октя́брьский

ocular ['ɔkjulə] глазно́й

odd [ɔd] **1.** *a* 1) стра́нный, необы́чный; how ~! как стра́нно! 2) нечётный *(о числе)* 3) непа́рный *(об обуви и т.п.)* 4) разро́зненный; an ~ volume один том из разро́зненного собра́ния сочине́ний 5) ли́шний; forty ~ со́рок с ли́шним 6) случа́йный, нерегуля́рный; ~ job случа́йная рабо́та; at ~ moments в свобо́дные мину́ты; на досу́ге **2.** *n pl* 1) нера́венство 2) преиму́щество, ша́нсы 3) разногла́сие; be at ~s *(with)* не ла́дить ◇ ~s and ends а) оста́тки; обре́зки; б) безделу́шки; **~ity** ['ɔdɪtɪ] 1) стра́нность; чудакова́тость 2) чуда́к 3) стра́нный слу́чай; **~ments** *pl* оста́тки; разро́зненные предме́ты

odious ['oudjəs] отврати́тельный, отта́лкивающий

odium ['oudjəm] всео́бщее осужде́ние

odoriferous [,oudə'rɪfərəs] благоуха́ющий

odorous ['oudərəs] *см.* odoriferous

odo(u)r ['oudə] за́пах *(прия́тный или неприя́тный)* ◇ he is in bad ~ with он в неми́лости *(у кого-л.)*

of [ɔv *(полная форма)*, əv *(редуцированная форма)*] *prep* 1) *служит для выражения принадлежности, происхождения, материала, качества, части целого, а также для выражения цели, сферы деятельности* *и т.п.)*: made of wood сде́лан из де́рева; a man of strong will челове́к си́льной во́ли; a piece of bread кусо́к хле́ба 2) *(перед приложением)*: the city of Moscow го́род Москва́ 3) *(после гл.*: think, hear, speak, inform, remind) о, относи́тельно; I have heard nothing of it я ничего́ не слыха́л об э́том 4) *(для выражения причины)* из-за; от; she died of fever она́ умерла́ от лихора́дки 5) *(после слов*: ashamed, afraid, glad, proud *переводится родит., дат. и творит. п.)*: I am proud of you я горжу́сь ва́ми 6) *(после прил.*: guilty, certain, sure, confident) в; he is guilty of the crime он вино́вен в преступле́нии 7) из, из числа́; one of them оди́н из них

off [ɔ:f] **1.** *prep (для выражения удаления, отделения)* с; от; the village was three miles ~ the town дере́вня была́ располо́жена в трёх ми́лях от го́рода ◇ be run ~ one's legs уста́ть до изнеможе́ния, вали́ться с ног; ~ the point некста́ти, не к де́лу; be ~ the track а) быть на ло́жном пути́; б) уклоня́ться от те́мы **2.** *adv*: ~ with you! *разг.* убира́йтесь!, пойди́те вон!; I must be ~ мне пора́ идти́; be far ~ быть далеко́; ~ and on с переры́вами, попереме́нно **3.** *a* да́льний, бо́лее отдалённый; ~ street бокова́я у́лица

offal [ˈɔf(ə)l] потроха́

offence [əˈfens] 1) просту́пок 2) оби́да, оскорбле́ние; give ~ *(to)* обижа́ть, оскорбля́ть, take ~ обижа́ться; quick to take ~ оби́дчивый 3) *юр.* правонаруше́ние, преступле́ние; this was his third ~ э́то была́ его́ тре́тья суди́мость 4) *воен.* наступле́ние

offend [əˈfend] 1) обижа́ть, оскорбля́ть 2) наруша́ть *(что-л.)* 3) *юр.* соверша́ть просту́пок, преступле́ние; **~er** 1) вино́вник 2) *юр.* правонаруши́тель

offense [əˈfens] *см.* offence

offensive [əˈfensɪv] **1.** *a* 1) оскорби́тельный, оби́дный 2) неприя́тный; проти́вный 3) *воен.* наступа́тельный **2.** *n* наступле́ние; take the ~ перейти́ в наступле́ние

offer [ˈɔfə] **1.** *v* 1) предлага́ть 2) представля́ться *(о случае, возможности)* 3) же́ртвовать ◇ ~ resistance ока́зывать сопротивле́ние **2.** *n* предложе́ние ◇ on ~ в прода́же; **~ing** [-rɪŋ] 1) предложе́ние 2) же́ртва

offhand [ˈɔ:fˈhænd] **1.** *adv* экспро́мтом, без подгото́вки **2.** *a* 1) импровизи́рованный 2) бесцеремо́нный

office [ˈɔfɪs] 1) слу́жба; до́лжность, ме́сто 2) конто́ра; ве́домство, министе́рство 3) долг, обя́занность 4) услу́га 5) обря́д; церко́вная слу́жба ◇ run for ~ выставля́ть кандидату́ру; **~-boy** [-bɔɪ] рассы́льный

officer [ˈɔfɪsə] 1) чино́вник; госуда́рственный слу́жащий, должностно́е лицо́ 2) офице́р; ~s and men офице́рский и рядово́й соста́в

offici||al [əˈfɪʃ(ə)l] **1.** *a* официа́льный; служе́бный **2.** *n* чино́вник, должностно́е лицо́; **~ate** [əˈfɪʃɪeɪt] 1) исполня́ть обязанности 2) совершать богослужение

officious [ə'fɪʃəs] назойливый, вмешивающийся не в своё дело

offing ['ɔfɪŋ] морская даль; be in the ~ виднеться вдали; *перен.* готовиться, назревать *(о ссоре и т.п.)*

offset ['ɔ:fset] **1.** *n* 1) побег 2) ответвление *(трубы)* 3) *полигр.* офсет **2.** *v* возмещать, компенсировать

offshoot ['ɔ:fʃu:t] 1) отросток, ответвление 2) отпрыск

offspring ['ɔ:fsprɪŋ] потомок, отпрыск

oft [ɔ:ft] *поэт.* часто

often ['ɔ:fn] часто, неоднократно

ogle ['ougl] бросать нежные взгляды; строить глазки

ogre ['ougə] великан-людоед

oh! [ou] *int* о!

ohm [oum] *эл.* ом

oil ['ɔɪl] **1.** *n* 1) растительное *или* минеральное масло 2) нефть 3) *pl* масляные краски **2.** *v* смазывать *или* пропитывать маслом; ~ the wheels *перен.* дать взятку, «подмазать»; **~cloth** [-klɔθ] клеёнка; **~-paints** [-'peɪnts] масляные краски; **~-well** [-wel] нефтяная скважина

oily ['ɔɪlɪ] маслянистый; *перен.* елейный, льстивый

ointment ['ɔɪntmənt] мазь

O.K. ['ou'keɪ] *разг.* **1.** *a predic* всё в порядке, хорошо; ладно **2.** *v* одобрять

old ['ould] **1.** *a* 1) старый; grow ~ стариться; ~ age старость; ~ hand умудрённый опытом, знаток; ~ maid старая дева; ~ boy *разг.* старина; дружище; ~ man старик; ~ woman старуха 2) *при указании возраста не переводится*; she is five years ~ ей пять лет; how ~ are you? сколько вам лет? 3) бывший; he's an ~ student of mine он мой бывший ученик ◇ he's an ~ hand at that ≅ он на этом руку набил **2.** *n*: from ~, of ~ в старину, прежде, исстари

old-age ['ould'eɪdʒ] *a*: ~ pension пенсия по старости

old-fashioned ['ould'fæʃ(ə)nd] устарелый, старомодный

old-timer ['ould,taɪmə] старожил

olive ['ɔlɪv] **1.** *n* олива, маслина **2.** *a* оливковый; **~-branch** [-brɑ:ntʃ] оливковая ветвь *(как символ мира)*

Olympic [o(u)'lɪmpɪk]: ~ games Олимпийские игры

om||en ['oumen] **1.** *n* знак, предзнаменование **2.** *v* служить предзнаменованием, предвещать; **~inous** ['ɔmɪnəs] зловещий

omission [o(u)'mɪʃ(ə)n] пропуск; упущение

omit [o(u)'mɪt] 1) упускать *(что-л.)*; пренебрегать *(чем-л.)* 2) пропускать; не включать; опускать

omnibus ['ɔmnɪbəs] 1) омнибус 2) автобус

omnipotent [ɔm'nɪpət(ə)nt] всемогущий

omnipresent ['ɔmnɪ'prez(ə)nt] вездесущий

omniscient [ɔm'nɪsɪənt] всезнающий

omnivorous [ɔm'nɪv(ə)rəs] всеядный

on [ɔn] **1.** *prep* 1) *(при обозначении места на вопр. «где?» и «куда?»)* на; the book is on the table книга на столе́; I have no money on me у меня́ при себе́ нет де́нег 2) *(при обозначении времени)* в; on Friday в пя́тницу; on the seventh of November седьмо́го ноября́ 3) *(после гл.: speak, write, lecture)* о, относи́тельно; *(после гл.: touch, dwell иногда переводится род. п.)*: he spoke on the international situation он говори́л о междунаро́дном положе́нии; many books have been written on that subject мно́го книг бы́ло напи́сано на э́ту те́му; a book on grammar кни́га по грамма́тике 4) на основа́нии, согла́сно; based on facts осно́ванный на фа́ктах 5) по; what are your ideas on the subject? что вы ду́маете по э́тому по́воду? **2.** *adv* да́льше, вперёд; walk on продолжа́ть идти́ вперёд; go on! продолжа́йте!; on and on а) не остана́вливаясь; б) в тече́ние до́лгого вре́мени; later on позднée; пото́м; from that day on с э́того дня; and so on и так да́лее ◇ be on идти́ *(о пьесе и т. п.)*; the radio is on ра́дио включено́

once [wʌns] **1.** *adv* 1) (оди́н) раз; ~ and again неоднокра́тно, не раз; ~ (and) for all раз (и) навсегда́; ~ in a way *(или* a while) иногда́, и́зредка; вре́мя от вре́мени; ~ more ещё раз 2) одна́жды; не́когда, когда́-то; ~ upon a time не́когда, когда́-то *(вступление к сказке и т.п.)* ◇ at ~ а) сра́зу, то́тчас; б) одновре́ме́нно; ~ bitten twice shy *погов.* ≅ обжёгшись на молоке́, бу́дешь дуть и на́ воду **2.** *n* оди́н раз; for *(или* this) ~ на э́тот раз, в ви́де исключе́ния

oncoming [ˈɔnˌkʌmɪŋ] **1.** *n* приближе́ние **2.** *a* надвига́ющийся, приближа́ющийся

one [wʌn] **1.** *num* оди́н **2.** *a* 1) оди́н 2) еди́нственный 3) еди́ный 4): ~ night *(или* day) одна́жды **3.** *n* 1) оди́н; едини́ца; ~ after another, ~ by ~ оди́н за други́м, после́довательно 2) *употр. во избежание повторения ранее упомянутого существительного*: this is a good pencil and that is a bad ~ э́то хоро́ший каранда́ш, а тот — плохо́й ◇ ~ at a time please! по о́череди, пожа́луйста! **4.** *pron* 1) не́кий, не́кто; no ~ никто́; ~ another друг дру́га 2) *как безличное местоимение*: ~ never knows what may happen никогда́ не зна́ешь, что мо́жет случи́ться

oneness [ˈwʌnnɪs] еди́нство, то́ждество

onerous [ˈɔnərəs] обремени́тельный; затрудни́тельный

oneself [wʌnˈself] 1) *indef refl pron* себя́; -ся; one should wash ~ regularly ну́жно мы́ться регуля́рно; one knows ~ better than anybody себя́ зна́ешь лу́чше, чем кого́-л. 2) *emphatic pron* сам, сама́; one should know it ~ ну́жно бы́ло бы самому́ знать об э́том ◇ be ~ быть сами́м собо́й; come to ~ приходи́ть в себя́; one has to do it by ~

прихо́дится де́лать э́то одному́ (самому́)

one-sided ['wʌn'saɪdɪd] кривобо́кий; однобо́кий; *перен.* односторо́нний; пристра́стный

onion ['ʌnjən] лук; лу́ковица

onlooker ['ɔn,lukə] (случа́йный) свиде́тель; зри́тель ◇ the ~ sees most of the game ≅ со стороны́ видне́е

only ['ounlɪ] **1.** *a* еди́нственный **2.** *part* то́лько; исключи́тельно; еди́нственно; if ~ е́сли бы то́лько **3.** *cj* но, то́лько; ~ that за исключе́нием того́, что; е́сли бы то́лько не то, что

onrush ['ɔnrʌʃ] 1) ата́ка, на́тиск 2) наплы́в; пото́к

onset ['ɔnset] 1) ата́ка, нападе́ние 2) нача́ло; at the first ~ сра́зу же

onslaught ['ɔnslɔ:t] я́ростная ата́ка; штурм

onward ['ɔnwəd] **1.** *adv* вперёд; да́лее **2.** *a* напра́вленный вперёд

onwards ['ɔnwədz] *см.* onward 1

ooze [u:z] **1.** *n* ил, ти́на **2.** *v* 1) вытека́ть, сочи́ться 2) his courage ~d away му́жество поки́нуло его́

opal ['oup(ə)l] опа́л

opaque [o(u)'peɪk] непрозра́чный, светонепроница́емый; тёмный

open ['oup(ə)n] **1.** *a* 1) откры́тый 2) свобо́дный, досту́пный; the river is ~ река́ свобо́дна ото льда́ 3) открове́нный; be ~ with smb. быть открове́нным с кем-л. 4) я́вный; ~ contempt я́вное презре́ние **2.** *v* 1) открыва́ть, начина́ть *(собрание и т. п.)*; ~ the parcel вскро́йте паке́т 2) предпринима́ть *(кампанию, поход и т. п.)*; ~ fire откры́ть ого́нь 3) открыва́ться, начина́ться *(о собрании и т. п.)* 4) распуска́ться, расцвета́ть; all the flowers ~ed overnight все цветы́ распусти́лись за́ ночь 5) сообща́ться *(о комнатах — into)* 6) выходи́ть на *(об окне — on)*; ~ **up** а) де́лать изве́стным, раскрыва́ть; б) обнару́живаться, раскрыва́ться

open-air ['oupn'ɛə] на откры́том во́здухе

open-armed ['oupn'ɑ:md] с распростёртыми объя́тиями; тёплый, раду́шный

open-door ['oupn'dɔ:]: ~ policy поли́тика откры́тых двере́й

open-eyed ['oupn'aɪd] с широко́ откры́тыми глаза́ми; *перен.* бди́тельный

open-handed ['oupn'hændɪd] ще́дрый

open-hearted ['oupn,hɑ:tɪd] чистосерде́чный

opening ['oupnɪŋ] **1.** *n* 1) отве́рстие 2) нача́ло, вступле́ние 3) откры́тие *(выставки и т.п.)*; *перен.* удо́бный слу́чай **2.** *n* нача́льный

openly ['oupənlɪ] 1) откры́то, публи́чно 2) открове́нно

open-minded ['oupn'maɪndɪd] непредубеждённый

open-work ['oupnwə:k] ажу́рная ткань; мере́жка

opera ['ɔp(ə)rə] о́пера; **~-glass(es)** [-,glɑ:s(ɪz)] театра́льный бино́кль; **~-house** [-haus] о́перный теа́тр

operate ['ɔpəreɪt] 1) дéйствовать, рабóтать 2) окáзывать дéйствие *(о лекарстве и т. п.)* 3) *мед.* оперúровать 4) производúть операции 5) управлять; приводúть в дéйствие

operation [ˌɔpə'reɪʃ(ə)n] 1) дéйствие; рабóта; put into ~ вводúть в дéйствие *(завод и т. п.)* 2) дéйствие *(лекарства и т. п.)* 3) процéсс 4) *мед.* оперáция 5) *(обыкн. pl) воен.* оперáция, боевы́е дéйствия 6) *мат.* дéйствие

operative ['ɔp(ə)rətɪv] **1.** *a* 1) дéйствующий; дéйственный; действúтельный 2) оперативный *(тж. мед.)* **2.** *n* квалифицированный рабóчий-станóчник

operator ['ɔpəreɪtə] 1) оперáтор 2) телефонúст; радúст, связúст 3) *разг.* спекулянт

operetta [ˌɔpə'retə] оперéтта

opiate ['oupɪɪt] болеутоляющее *или* успокáивающее срéдство

opinion [ə'pɪnjən] 1) мнéние; in my ~ по моемý мнéнию; по-мóему; have no ~ of smb. быть плохóго мнéния о ком-л. 2) совéт специалúста *(юриста, медика)*

opinionated [ə'pɪnjəneɪtɪd] упрямый; чрезмéрно самоувéренный

opponent [ə'pounənt] протúвник; оппонéнт

opportune ['ɔpətju:n] благоприятный; своеврéменный

opportun||ism ['ɔpətju:nɪzm] оппортунúзм; **~ist** оппортунúст

opportunity [ˌɔpə'tju:nɪtɪ] удóбный слýчай; take the ~ *(of)* воспóльзоваться слýчаем

oppose [ə'pouz] 1) сопротивляться, быть прóтив 2) противопоставлять

opposite ['ɔpəzɪt] **1.** *a* противополóжный **2.** *n* противополóжность; direct ~ прямáя противополóжность **3.** *adv, prep* напрóтив; прóтив

opposition [ˌɔpə'zɪʃ(ə)n] 1) сопротивлéние 2) противополóжность, контрáст 3) оппозúция 4) *астр.* противостояние

oppress [ə'pres] 1) притеснять; угнетáть 2) дéйствовать угнетáюще; feel ~ed with the heat томúться от жары́; **~ion** [ə'preʃ(ə)n] 1) притеснéние, угнетéние 2) угнетённость, подáвленность; **~ive** [-ɪv] 1) деспотúческий 2) гнетýщий, угнетáющий; ~ive weather дýшная погóда; **~or** притеснúтель, угнетáтель

opt [ɔpt]: ~ **out** *разг.* отказáться от учáстия *(в чём-л.)*

optic ['ɔptɪk] глазнóй; зрúтельный; **~al** [-(ə)] зрúтельный; оптúческий; ~al illusion оптúческий обмáн; **~s** [-s] óптика

optim||ism ['ɔptɪmɪzm] оптимúзм; **~ist** оптимúст; **~istic** [ˌɔptɪ'mɪstɪk] оптимистúческий

optimum ['ɔptɪməm] 1) наибóлее благоприятные услóвия 2) *attr.* оптимáльный

option ['ɔpʃ(ə)n] прáво вы́бора; óпция; **~al** ['ɔpʃənl] необязáтельный; факультатúвный

opul||ence ['ɔpjuləns] богáтство, оби́лие; **~ent** [-ənt] бога́тый, оби́льный

or [ɔ: *(перед согласными полная форма)*, ə *(редуцированная форма)*; ɔ:r *(перед гласными полная форма)*, ər *(редуцированная форма)*] *cj* и́ли

orac||le ['ɔrəkl] 1) ора́кул 2) прорица́ние; **~ular** [ɔ'rækjulə] 1) проро́ческий 2) догмати́ческий 3) двусмы́сленный

oral ['ɔ:r(ə)l] у́стный; **~ly** у́стно

orange ['ɔrındʒ] **1.** *n* 1) апельси́н 2) апельси́новое де́рево 3) ора́нжевый цвет **2.** *a* ора́нжевый

orat||ion [ɔ:'reıʃ(ə)n] речь *(особ. торжественная)*; **~or** ['ɔrətə] ора́тор; **~orical** [,ɔrə'tɔrık(ə)l] ора́торский; ритори́ческий; **~ory** ['ɔrət(ə)rı] красноре́чие; рито́рика

orbit ['ɔ:bıt] 1) орби́та 2) сфе́ра, разма́х де́ятельности 3) *анат.* глазна́я впа́дина

orchard ['ɔ:tʃəd] фрукто́вый сад

orchestr||a ['ɔ:kıstrə] 1) орке́стр 2) ме́сто для орке́стра *или* хо́ра 3) *амер.* парте́р; **~al** [ɔ:'kestr(ə)l] оркестро́вый; **~ate** [-eıt] оркестрова́ть, инструментова́ть

ordeal [ɔ:'di:l] тяжёлое испыта́ние

order ['ɔ:də] **1.** *n* 1) поря́док; call to ~ а) призва́ть к поря́дку; б) *амер.* откры́ть заседа́ние 2) *воен.* строй; close ~ со́мкнутый строй 3) прика́з, распоряже́ние; by ~ согла́сно предписа́нию; on smb.'s ~ по прика́зу кого́-л. 4) зака́з; made to ~ сде́ланный на зака́з 5) знак отли́чия, о́рден 6) *воен.* ранг; чин, зва́ние 7) о́рден *(монашеский, рыцарский и т.п.)* ◇ be out of ~ быть испо́рченным, не рабо́тать *(о телефоне, машине и т.п.)*; in ~ to *(или* that) для того́, что́бы **2.** *v* 1) прика́зывать 2) зака́зывать 3) приводи́ть в поря́док ◇ ~ smb. about помыка́ть кем-л.; **~ly 1.** *a* 1) аккура́тный, опря́тный 2) дисциплини́рованный **2.** *n воен.* связно́й; ордина́рец; днева́льный

ordinal ['ɔ:dınl] **1.** *a* поря́дковый **2.** *n* поря́дковое числи́тельное

ordinance ['ɔ:dınəns] ука́з, декре́т; зако́н; *амер.* постановле́ние ме́стных власте́й

ordinary ['ɔ:dnrı] обы́чный; зауря́дный

ordnance ['ɔ:dnəns] артиллери́йские ору́дия, артилле́рия

ore [ɔ:] руда́

organ ['ɔ:gən] 1) о́рган; *перен.* сре́дство 2) *муз.* орга́н; **~-grinder** [-,graındə] шарма́нщик

organic [ɔ:'gænık] органи́ческий

organism ['ɔ:gənızm] органи́зм

organ||ization [,ɔ:gənaı'zeıʃ(ə)n] 1) организа́ция; устро́йство 2) органи́зм; **~ize** ['ɔ:gənaız] организова́ть; **~izer** организа́тор

orgy ['ɔ:dʒı] о́ргия

orient 1. *n* ['ɔ:rıənt] 1) восто́к 2): the O. Восто́к, восто́чные стра́ны **2.** *v* ['ɔ:rıent] *см.* orientate; **~al** [,ɔ:rı'entl] восто́чный; азиа́тский; **~ate** [ˈɔ:rɪenteɪt] определя́ть местонахожде́ние *(по компасу)*; ~ate oneself ориенти́роваться; **~ation** [ˌɔ:rɪenˈteɪʃ(ə)n] ориента́ция

orifice [ˈɔrɪfɪs] отве́рстие

origin [ˈɔrɪdʒɪn] 1) исто́чник, нача́ло 2) происхожде́ние; by ~ по происхожде́нию; **~al** [əˈrɪdʒənl] **1.** *a* 1) первонача́льный; пе́рвый 2) по́длинный 3) оригина́льный, своеобра́зный 4) тво́рческий **2.** *n* 1) по́длинник, оригина́л; in the ~al в оригина́ле 2) чуда́к; **~ality** [əˌrɪdʒɪˈnælɪtɪ] 1) по́длинность 2) оригина́льность; **~ally** [əˈrɪdʒnəlɪ] 1) первонача́льно; снача́ла 2) по происхожде́нию; my father came from that country ~ally мой оте́ц ро́дом из э́той страны́; **~ate** [əˈrɪdʒɪneɪt] 1) дава́ть нача́ло, порожда́ть 2) брать нача́ло, происходи́ть

ornament **1.** *n* [ˈɔ:nəmənt] украше́ние, орна́мент **2.** *v* [ˈɔ:nəment] украша́ть; **~al** [ˌɔ:nəˈmentl] декорати́вный; **~ation** [ˌɔ:nəmenˈteɪʃ(ə)n] украше́ние

ornate [ɔ:ˈneɪt] разукра́шенный; витиева́тый *(о стиле)*

orphan [ˈɔ:fən] **1.** *n* сирота́ **2.** *a* сиро́тский **3.** *v* сде́лать сирото́й; he was ~ed by war война́ сде́лала его́ сирото́й; **~age** [-ɪdʒ] прию́т для сиро́т

orthodox [ˈɔ:θədɔks] 1) ортодокса́льный 2) правосла́вный

orthography [ɔ:ˈθɔgrəfɪ] орфогра́фия, правописа́ние

oscillat||e [ˈɔsɪleɪt] кача́ться, вибри́ровать; *перен.* колеба́ться; **~ion** [ˌɔsɪˈleɪʃ(ə)n] кача́ние, вибра́ция, колеба́ние; **~ory** [ˈɔsɪlət(ə)rɪ] колеба́тельный

osier [ˈouʒə] 1) и́ва 2) лоза́, побе́г и́вы

ossify [ˈɔsɪfaɪ] костене́ть

ostensible [ɔsˈtensəbl] мни́мый, показно́й; слу́жащий предло́гом

ostentatious [ˌɔstenˈteɪʃəs] показно́й

ostler [ˈɔslə] *уст.* ко́нюх на постоя́лом дворе́

ostrich [ˈɔstrɪtʃ] стра́ус

other [ˈʌðə] **1.** *a* 1) друго́й, ино́й; every ~ day че́рез день 2) ещё (оди́н), дополни́тельный; how many ~ children have you? ско́лько у вас ещё дете́й? ◇ the ~ day на днях, неда́вно; every ~ hour ка́ждые два часа́ **2.** *indef pron* друго́й; none ~ than не кто ино́й, как; some time or ~ когда́-нибудь; ра́но и́ли по́здно; where are the ~s? где остальны́е?; every ~ ка́ждый второ́й

otherwise [ˈʌðəwaɪz] 1) ина́че 2) в проти́вном слу́чае 3) в други́х отноше́ниях

otter [ˈɔtə] вы́дра

ought [ɔ:t] до́лжен бы, должна́ бы, должно́ бы, должны́ бы *и т. д.*; мне бы, вам бы *и т. д.* сле́довало; you ~ to go there вы должны́ бы, вам бы сле́довало туда́ пойти́; it ~ to be a fine day tomorrow за́втра до́лжен быть хоро́ший день

ounce [auns] у́нция (= 28,3 *г*)

our [ˈauə] *poss pron* наш, на́ша, на́ше, на́ши; свой, своя́, своё, свои́

ours [ˈauəz] *poss pron (несвязанная форма к* our*) употр.*

вместо сущ. наш, на́ша, на́ше, на́ши; свой, своя́, своё, свои́

ourselves ['auə'selvz] 1) *refl pron* 1 *л. мн. ч.* себя́; ~ся; we hid ~ мы спря́тались; we called ~ sisters мы называ́ли себя́ сёстрами 2) *emphatic pron* са́ми; we knew nothing ~ мы ничего́ са́ми не зна́ли ◇ we came to ~ мы пришли́ в себя́; we are not ~ мы са́ми не свои́; we dined (all) by ~ мы пообе́дали одни́

oust [aust] вытесня́ть

out [aut] **1.** *adv* из; вне, нару́жу; вон ◇ he is ~ его́ нет до́ма; be ~ to do smth. собира́ться сде́лать что-л.; they voted him ~ его́ не избра́ли вновь; the miners are ~ горняки́ басту́ют; the candle is ~ свеча́ поту́хла; the book is ~ кни́га вы́шла из печа́ти; ~ at elbows с про́дранными локтя́ми **2.**: ~ **of** из, вне; he took a watch ~ of his pocket он вы́нул часы́ из карма́на; we found lodgings ~ of town мы нашли́ кварти́ру вне го́рода ◇ ~ of his money он без де́нег; that is ~ of the question об э́том не мо́жет быть и ре́чи; ~ of curiosity из любопы́тства; we are ~ of cigarettes у нас ко́нчились сигаре́ты; where will I be ~ of the way? где я не бу́ду (никому́) меша́ть?

out-and-out ['autənd'aut] отъя́вленный; ≅ до мо́зга косте́й

outbade [aut'beɪd] *past от* outbid

outbalance [aut'bæləns] 1) переве́шивать 2) превосходи́ть *(по значению)*

outbid [aut'bɪd] (outbade, outbid; outbidden, outbid) перебива́ть це́ну

outbidden [aut'bɪdn] *p. p. от* outbid

outboard ['autbɔːd]: ~ motor подвесно́й (ло́дочный) дви́гатель

outbreak ['autbreɪk] 1) взрыв, вспы́шка *(гнева, эпидемии)* 2) (внеза́пное) нача́ло *(войны и т.п.)*

outbuilding ['aut,bɪldɪŋ] надво́рное строе́ние

outburst ['autbəːst] взрыв, вспы́шка; ~ of tears пото́к слёз

outcast ['autkɑːst] **1.** *n* изгна́нник **2.** *a* и́згнанный; отве́рженный

outcome ['autkʌm] результа́т

outcry ['autkraɪ] 1) крик 2) вы́крик

outdated ['aut'deɪtɪd] устаре́лый, устаре́вший

outdid [aut'dɪd] *past от* outdo

outdistance [aut'dɪstəns] обогна́ть; перегна́ть

outdo [aut'duː] (outdid; outdone) превосходи́ть

outdone [aut'dʌn] *p. p. от* outdo

outdoor ['autdɔː] 1) находя́щийся *или* соверша́ющийся вне до́ма 2) на откры́том во́здухе; ~ games и́гры на (откры́том) во́здухе

outdoors ['aut'dɔːz] на (откры́том) во́здухе; на у́лице

outfit ['autfɪt] **1.** *n* 1) снаряже́ние; экипиро́вка; по́лный компле́кт оде́жды; camping ~

туристское снаряжение **2.** *v (обыкн. p. p.)* снаряжать, экипировать

outflank [aut'flæŋk] обойти фланг *(противника); перен.* перехитрить

outgoing ['aut,go(u)ıŋ] **1.** *a* уходящий **2.** *n (обыкн. pl)* расходы, издержки

outgrew [aut'gru:] *past от* outgrow

outgrow [aut'grou] (outgrew; outgrown) 1) перерастать, вырастать 2) отделываться с возрастом *(от дурной привычки и т. п.)*

outgrown [aut'groun] *p. p. от* outgrow

outhouse ['authaus] *см.* outbuilding

outing ['autıŋ] экскурсия, прогулка

outlandish [aut'lændıʃ] 1) чужестранный 2) диковинный; странный

outlast [aut'lɑ:st] 1) продолжаться дольше *(чего-л.)* 2) пережить *(кого-л., что-л.)*

outlaw ['autlɔ:] **1.** *n* человек, объявленный вне закона **2.** *v* объявлять вне закона

outlay ['autleı] издержки, расходы

outlet ['autlet] выпускное отверстие; *перен.* выход, отдушина

outline ['autlaın] **1.** *n* 1) очертание, контур 2) набросок; конспект; очерк **2.** *v* нарисовать контур; обвести; *перен.* обрисовать в общих чертах, сделать резюме

outlive [aut'lıv] пережить *(кого-л., что-л.)*

outlook ['autluk] 1) вид, перспектива 2) точка зрения

outlying ['aut,laııŋ] удалённый, далёкий

outmoded [aut'moudıd] старомодный, отживший

outnumber [aut'nʌmbə] превосходить численно

out-of-date ['autəv'deıt] устарелый, старомодный

out-of-door ['autəv'dɔ:] *см.* outdoor

out-of-the-way ['autəvðə'weı] 1) уединённый, удалённый 2) редкий; необычный; эксцентричный

out-of-work ['autəv'wə:k] безработный

out-patient ['aut,peıʃ(ə)nt] амбулаторный больной

outplay [aut'pleı] *спорт.* обыграть

outpost ['autpoust] аванпост; застава

output ['autput] 1) продукция, выпуск 2) *тех.* производительность; мощность; пропускная способность 3) *горн.* добыча

outrage ['autreıdʒ] **1.** *n* 1) грубое нарушение чьих-л. прав; беззаконие 2) поругание, оскорбление **2.** *v* 1) нарушать закон, права 2) оскорбить; надругаться; **~ous** [aut'reıdʒəs] 1) чрезмерный, крайний 2) неистовый, жестокий 3) возмутительный, оскорбительный

outran [aut'ræn] *past от* outrun

outrank [aut'ræŋk] иметь более высокий чин

outré ['u:treı] *фр.* эксцентричный

outright 1. *adv* [aut'raıt] 1) откры́то, пря́мо 2) сра́зу 3) по́лностью; раз навсегда́ **2.** *a* ['autraɪt] по́лный, соверше́нный; отъя́вленный

outrival [aut'raɪv(ə)l] превосходи́ть

outrun [aut'rʌn] (outran; outrun) 1) перегоня́ть, опережа́ть 2) выходи́ть за преде́лы *(чего-либо)*

outset ['autset]: at the (first) ~ внача́ле

outshine [aut'ʃaɪn] (outshone) затмева́ть

outshone [aut'ʃɔn] *past u p. p. от* outshine

outsid||e ['aut'saɪd] **1.** *n* 1) нару́жная сторона́ 2) вне́шность **2.** *a* нару́жный, вне́шний; I want an ~ seat я хочу́ ме́сто с кра́ю **3.** *adv* снару́жи, извне́; на у́лице; нару́жу; is it cold ~? хо́лодно на у́лице? **4.** *prep* вне, за преде́лы; **~er** посторо́нний (челове́к)

outsize ['autsaɪz] разме́р бо́льше станда́ртного

outskirts ['autskə:ts] *pl* 1) окра́ина, предме́стье *(города)* 2) опу́шка *(леса)*

outspoken [aut'spouk(ə)n] и́скренний, открове́нный, прямо́й

outspread ['aut'spred] распростёртый

outstanding [aut'stændɪŋ] 1) выдаю́щийся 2) неупла́ченный

outstay [aut'steɪ]: ~ one's welcome злоупотребля́ть чьим-л. гостеприи́мством

outstretched ['autstretʃt] протя́нутый; распростёртый

outstrip [aut'strɪp] 1) обгоня́ть, опережа́ть 2) превосходи́ть *(в чём-л.)*

outvote [aut'vout] 1) име́ть переве́с голосо́в 2) забаллоти́ровать

outward ['autwəd] 1) вне́шний, нару́жный 2) ви́димый; **~ly** вне́шне, снару́жи, по ви́ду

outwards ['autwədz] нару́жу

outweigh [aut'weɪ] превосходи́ть в ве́се; *перен.* переве́шивать

outwit [aut'wɪt] перехитри́ть

outwork ['autwə:k] 1) рабо́та вне предприя́тия 2) *pl воен.* передовы́е оборони́тельные сооруже́ния

outworn ['autwɔ:n] 1) изно́шенный 2) изнурённый, изму́ченный 3) устаре́лый *(о поня́тиях)*

ova ['ouvə] *pl от* ovum

oval ['ouv(ə)l] **1.** *a* ова́льный; яйцеви́дный **2.** *n* ова́л

ovary ['ouvərɪ] 1) *анат.* яи́чник 2) *бот.* за́вязь

ovation [o(u)'veɪʃ(ə)n] ова́ция

oven ['ʌvn] печь; духо́вка

over ['ouvə] **1.** *prep* 1) *(при обозначении места)* над; вокру́г; че́рез; night had fallen ~ the desert ночь спусти́лась над пусты́ней; the boys were sitting ~ the burning fire ма́льчики сиде́ли вокру́г горя́щего костра́; a bridge ~ the river мост че́рез ре́ку; what is ~ there? что э́то вон там? 2) *(при обозначении распространения действия)* по, че́рез *(в пространстве)*; на, до *(во времени)*; he has travelled all ~ Europe он путеше́ствовал по всей Евро́пе; we had to stay there ~ night мы должны́ бы́ли оста́ться там на́ ночь; he stayed there ~ the week-end он оста́лся там до понеде́льника 3) на, пове́рх; she put a shawl ~ her dress она́ наки́нула шаль пове́рх пла́тья 4) свы́ше, бо́лее; ~ and above the plan сверх пла́на; this book costs ~ five roubles э́та кни́га сто́ит бо́лее пяти́ рубле́й 5) *(при выражении предпочтения, влияния, превосходства и т. п.)* на; над; have you no influence ~ him? ра́зве вы не мо́жете повлия́ть на него́?; our troops gained a victory ~ the enemy на́ши войска́ одержа́ли побе́ду над враго́м **2.** *adv*: be ~ быть око́нченным; ~ and ~ again сно́ва и сно́ва

over- ['ouvə-] *pref* сверх-, над-, пере-, чрезме́рно

overact ['ouvər'ækt] переи́грывать *(роль)*

over-all ['ouvərɔ:l] по́лный, о́бщий

overall ['ouvərɔ:l] 1) рабо́чий хала́т; спецоде́жда 2) *pl* широ́кие рабо́чие брю́ки

overawe [,ouvər'ɔ:] внуша́ть благогове́йный страх

overbalance [,ouvə'bæləns] 1) теря́ть равнове́сие, па́дать 2) переве́шивать; превосходи́ть

overbear [,ouvə'bɛə] (overbore; overborne) переси́ливать; подавля́ть; **~ing** [-rɪŋ] вла́стный, повели́тельный

overboard ['ouvəbɔ:d] за́ борт; man ~! челове́к за бо́ртом!; throw ~ броса́ть за́ борт; *перен.* отка́зываться *(от чего-л.)*, броса́ть

overbore [,ouvə'bɔ:] *past от* overbear

overborne [,ouvə'bɔ:n] *p. p. от* overbear

overcame [,ouvə'keɪm] *past от* overcome 1

overcast ['ouvəkɑ:st] покры́тый облака́ми; *перен.* мра́чный

overcharge ['ouvə'tʃɑ:dʒ] 1) запра́шивать чрезме́рную це́ну 2) перегружа́ть; загроможда́ть

overcloud [,ouvə'klaud] застила́ть облака́ми; *перен.* омрача́ть

overcoat ['ouvəkout] пальто́

overcome [,ouvə'kʌm] **1.** *v* (overcame; overcome) поборо́ть, преодоле́ть **2.** *a* обесси́ленный, истощённый

overcrowd [,ouvə'kraud] 1) переполня́ть 2) толпи́ться

overdid [,ouvə'dɪd] *past от* overdo

overdo [,ouvə'du:] (overdid; overdone) 1) заходи́ть сли́шком далеко́; переба́рщивать, утри́ровать 2) пережа́ривать 3) переутомля́ть ◇ ~ it а) переутомля́ться; б) переба́рщивать

overdone [,ouvə'dʌn] *p. p. от* overdo

overdress ['ouvə'dres] одева́ться сли́шком наря́дно

overdue ['ouvə'dju:] 1) запозда́лый 2) просро́ченный

overestimate **1.** *v* ['ouvər'estɪmeɪt] переоце́нивать **2.** *n* ['ouvər'estɪmɪt] сли́шком высо́кая оце́нка

overflow **1.** *v* [,ouvə'flou] перелива́ться че́рез край **2.** *n* ['ouvəflou] 1) разли́в, наводне́ние 2) избы́ток

overgrew ['ouvə'gru:] *past от* overgrow

overgrow ['ouvə'grou] (overgrew; overgrown) 1) заглуша́ть *(о сорняках)* 2) расти́ сли́шком бы́стро

overgrown [ˈouvəˈgroun] *p. p. от* overgrow

overhang [ˈouvəˈhæŋ] (overhung) све́шиваться

overhaul [ˌouvəˈhɔːl] 1) осма́тривать, ремонти́ровать *(механизм)* 2) *мор.* догоня́ть

overhead [ˈouvəˈhed] **1.** *adv* наверху́; над голово́й **2.** *a* ве́рхний, надзе́мный

overhear [ˌouvəˈhɪə] (overheard) 1) подслу́шивать 2) неча́янно услы́шать

overheard [ˌouvəˈhəːd] *past и p. p. от* overhear

overheat [ˈouvəˈhiːt] **1.** *v* 1) перегрева́ть 2) перегрева́ться **2.** *n* перегре́в

overhung [ˈouvəˈhʌŋ] *past и p. p. от* overhang

overjoyed [ˌouvəˈdʒɔɪd] вне себя́ от ра́дости, счастли́вый, о́чень дово́льный

overland **1.** *adv* [ˌouvəˈlænd] по су́ше **2.** *a* [ˈouvəlænd] сухопу́тный

overlap [ˌouvəˈlæp] 1) части́чно покрыва́ть 2) *тех.* перекрыва́ть 3) части́чно совпада́ть

overleaf [ˈouvəˈliːf] на обра́тной стороне́ листа́ *или* страни́цы; на оборо́те

overload [ˈouvəˈloud] перегружа́ть

overlook [ˌouvəˈluk] 1) обозрева́ть; смотре́ть све́рху *(на что-л.)* 2) выходи́ть на *(об окнах)* 3) не заме́тить; пропусти́ть; *перен.* смотре́ть сквозь па́льцы 4) надзира́ть; смотре́ть *(за чем-л.)*

overlord [ˈouvəlɔːd] повели́тель

overmaster [ˌouvəˈmɑːstə] подчиня́ть себе́; овладева́ть всеце́ло

overmuch [ˈouvəˈmʌtʃ] чрезме́рно, сли́шком мно́го

overnight [ˈouvəˈnaɪt] 1) накану́не ве́чером 2) всю ночь; stay ~ (пере)ночева́ть

overpower [ˌouvəˈpauə] подавля́ть, побежда́ть; **~ing** [-rɪŋ] непреодоли́мый; подавля́ющий; неодоли́мый

overproduction [ˈouvəprəˈdʌkʃ(ə)n] перепроизво́дство

overran [ˌouvəˈræn] *past от* overrun

overrate [ˈouvəˈreɪt] переоце́нивать

overreach [ˌouvəˈriːtʃ] 1) перехитри́ть 2): ~ oneself перестара́ться; зарва́ться

override [ˌouvəˈraɪd] не принима́ть во внима́ние, отверга́ть

overrule [ˌouvəˈruːl] отверга́ть; отклоня́ть

overrun [ˌouvəˈrʌn] (overran; overrun) 1) перелива́ться че́рез край 2) наводня́ть; кише́ть *(о паразитах)* 3) глуши́ть *(о сорняках)* 4) разоря́ть, опустоша́ть 5) переходи́ть грани́цы

oversea [ˈouvəˈsiː] замо́рский

overseas [ˈouvəˈsiːz] **1.** *adv* за́ морем **2.** *a см.* oversea

overseer [ˈouvəsɪə] надзира́тель, надсмо́трщик

overshadow [ˌouvəˈʃædou] 1) затемня́ть 2) затмева́ть 3) омрача́ть

overshoe [ˈouvəʃuː] гало́ша; бо́тик

oversight ['ouvəsaɪt] недосмо́тр; оплóшность; упущéние

oversleep ['ouvə'sli:p] (overslept) проспа́ть

overslept ['ouvə'slept] *past и p. p. от* oversleep

overstate ['ouvə'steɪt] преувели́чивать

overstep ['ouvə'step] переступи́ть, перешагну́ть

overstrain 1. *v* ['ouvə'streɪn] переутомля́ть, перенапряга́ть **2.** *n* ['ouvəstreɪn] чрезмéрное напряжéние

overstrung ['ouvə'strʌŋ]: he is ~ он сли́шком взви́нчен

overt ['ouvə:t] нескрыва́емый, откры́тый

overtake [,ouvə'teɪk] (overtook; overtaken) 1) догна́ть, наверста́ть 2) засти́гнуть (врасплóх) *(о непогоде и т. п.)* 3) постига́ть *(о несчастье и т. п.)* 4) овладева́ть, охва́тывать *(о чувстве)*

overtaken [,ouvə'teɪk(ə)n] *p. p. от* overtake

overtax ['ouvə'tæks] 1) сли́шком напряга́ть *(силы и т. п.)* 2) обременя́ть чрезмéрными налóгами

overthrew [,ouvə'θru:] *past от* overthrow 1

overthrow 1. *v* [,ouvə'θrou] (overthrew; overthrown) опроки́дывать; *перен.* сверга́ть **2.** *n* ['ouvəθrou] свержéние

overthrown [,ouvə'θroun] *p. p. от* overthrow 1

overtime ['ouvətaɪm] **1.** *n* сверхурóчное врéмя **2.** *a* сверхурóчный **3.** *adv* сверхурóчно

overtook [,ouvə'tuk] *past от* overtake

overture ['ouvətjuə] 1) *муз.* увертю́ра; вступлéние 2) *(обыкн. pl)* нача́ло переговóров 3) попы́тка, предложéние

overturn 1. *v* [,ouvə'tə:n] 1) опроки́дывать; низверга́ть 2) опроки́дываться **2.** *n* ['ouvətə:n] низвержéние; *амер.* переворóт

overvalue ['ouvə'vælju:] переоцéнивать

overweening [,ouvə'wi:nɪŋ] высокомéрный; самонадéянный

overweight ['ouvə'weɪt] 1) изли́шек вéса 2) перевéс, преоблада́ние

overwhelm [,ouvə'welm] 1) залива́ть; *перен.* засыпа́ть 2) поглоща́ть *(о волнах)* 3) сокруша́ть; разбива́ть *(неприятеля)* 4) овладева́ть, переполня́ть *(о чувстве и т. п.)*; **~ing** 1) несмéтный; ~ing sorrow безграни́чная печа́ль 2) подавля́ющий; ~ing majority подавля́ющее большинствó 3) непреодоли́мый

overwork ['ouvə'wə:k] **1.** *v* 1) переутомля́ться, сли́шком мнóго рабóтать 2) переутомля́ть, заставля́ть сли́шком мнóго рабóтать **2.** *n* 1) чрезмéрная рабóта 2) перегру́зка, перенапряжéние

overwrought ['ouvə'rɔ:t] переутомлённый

ovum ['ouvəm] *(pl* ova) *биол.* яйцó

ow||e ['ou] 1) быть дóлжным, задолжа́ть *(кому-л.)*; I ~ him money я дóлжен ему́ дéньги 2) быть в долгу́ *(перед кем-л.)*; быть обя́занным *(кому-л. чем-либо)*; we ~ this to him э́тим мы обя́заны ему́; **~ing**: he paid all that was ~ing он заплати́л всё, что сле́довало ◇ ~ing to вследствие, благодаря́

owl [aul] сова́

own [oun] **1.** *a (после притяж. мест.)* свой, со́бственный ◇ have one's ~ way поступа́ть по-сво́ему; ~ brother родно́й брат; ~ cousin двою́родный брат; двою́родная сестра́ **2.** *v* 1) владе́ть 2) признава́ть; допуска́ть 3) признава́ться *(в чём-л.)* 4) признава́ть свои́м *(о ребёнке, авторстве)*; ~ **up** *разг.* открове́нно признава́ться

owner ['ounə] владе́лец, со́бственник, хозя́ин; ~**ship** 1) пра́во со́бственности 2) со́бственность; public ~ship обще́ственная со́бственность

ox [ɔks] *(pl* oxen) бык; вол

oxen ['ɔks(ə)n] *pl от* ox

oxid||**e** ['ɔksaɪd] о́кись; ~**ize** ['ɔksɪdaɪz] 1) окисля́ть; оксиди́ровать 2) окисля́ться

oxygen ['ɔksɪdʒ(ə)n] кислоро́д; ~**ate** [ɔk'sɪdʒɪneɪt] окисля́ть

oyster ['ɔɪstə] у́стрица

ozone ['ouzoun] озо́н

P

P, p [pi:] *шестнадцатая буква англ. алфавита*

pa [pɑ:] *разг.* па́па

pace [peɪs] **1.** *n* 1) шаг; длина́ ша́га 2) ско́рость, темп; keep ~ *(with)* не отстава́ть от; идти́ наравне́ с *(кем-л., чем-л.)* 3) по́ступь, похо́дка 4) аллю́р *(лошади)* **2.** *v* 1) шага́ть; идти́; ходи́ть взад и вперёд 2) измеря́ть шага́ми 3) идти́ и́ноходью 4) вести́ бег, лиди́ровать *(в состязании)*

pacific [pə'sɪfɪk] миролюби́вый; споко́йный, ми́рный; ~-**ation** [,pæsɪfɪ'keɪʃ(ə)n] умиротворе́ние, успокое́ние; усмире́ние

pacif||**icist** [pə'sɪfɪsɪst], ~**ist** ['pæsɪfɪst] пацифи́ст

pacify ['pæsɪfaɪ] успока́ивать, умиротворя́ть; восстана́вливать мир

pack ['pæk] **1.** *n* 1) па́чка *(папирос и т. п.)*; ки́па *(бумаг и т. п.)*; у́зел; свя́зка 2) *воен.* ра́нец 3) сво́ра *(собак)*; ста́я *(волков)* 4) *презр.* ку́чка; ша́йка 5) коло́да *(карт)* 6) па́ковый лёд ◇ a ~ of lies одно́ враньё **2.** *v* 1) укла́дывать, упако́вывать 2) укла́дываться, упако́вываться 3) набива́ть, заполня́ть *(пространство)*; the train was really ~ed по́езд был битко́м наби́т 4) набива́ться 5) законопа́чивать 6) заполня́ть свои́ми сторо́нниками *(собрание и т. п.)* 7) консерви́ровать ◇ it's time to ~ up пора́ собира́ться домо́й; ~**age** [-ɪdʒ] тюк; свёрток; посы́лка ◇ a ~age deal *ком.* соглаше́ние о поку́пке *или* прода́же не́скольких ви́дов това́ров

pack-animal ['pæk,ænɪm(ə)l] вью́чное живо́тное

packet ['pækɪt] паке́т, свёрток; па́чка; ~-**boat** [-bout] почто́вый парохо́д; пакетбо́т

pack-horse ['pækhɔ:s] вью́чная ло́шадь

packing ['pækɪŋ] 1) упако́вка, укла́дка; уку́порка 2) *attr.*: ~ paper обёрточная бума́га

pact [pækt] пакт, догово́р

pad ['pæd] **1.** *n* 1) мя́гкая прокла́дка 2) бюва́р; блокно́т 3) поду́шечка *(у животных или насекомых)* **2.** *v* де́лать мя́гким; подбива́ть ва́той; набива́ть чем-л. мя́гким; **~ding** наби́вка, наби́вочный материа́л

paddle I ['pædl] шлёпать по воде́, плеска́ться

paddle II ['pædl] **1.** *n* весло́; ло́пасть *(пароходного колеса)* **2.** *v* грести́ *(одним веслом)*; **~** a canoe плыть на байда́рке; **~-wheel** [-wi:l] гребно́е колесо́

paddock ['pædək] вы́гон *(для лошадей)*

paddy ['pædɪ] рис *(на корню или в шелухе)*

padlock ['pædlɔk] **1.** *n* вися́чий замо́к **2.** *v* запира́ть на вися́чий замо́к

padre ['pɑ:drɪ] *разг.* полково́й *или* судово́й свяще́нник

paediatric [,pi:dɪ'ætrɪk] педиатри́ческий; **~ian** [-ə'trɪʃ(ə)n] педиа́тр, врач по де́тским боле́зням; **~s** [-s] педиатри́я

pagan ['peɪgən] **1.** *n* язы́чник **2.** *a* язы́ческий; **~ism** язы́чество

page I [peɪdʒ] **1.** *n* страни́ца **2.** *v* нумерова́ть *(страницы)*

page II паж

pageant ['pædʒ(ə)nt] 1) карнава́льное ше́ствие 2) пы́шное зре́лище; **~ry** [-rɪ] пы́шность; блеск; *перен.* одна́ ви́димость

pagination [,pædʒɪ'neɪʃ(ə)n] число́ страни́ц *(в книге)*; пагина́ция

pah! [pɑ:] фу!

paid [peɪd] *past и p. p. от* pay 2

pail ['peɪl] ведро́; бадья́; **~ful** ведро́ *(как мера)*

pain ['peɪn] **1.** *n* 1) страда́ние 2) боль 3) *pl*: take **~**s прилага́ть уси́лия; spare no **~**s стара́ться изо все́х сил 4): on *(или* under) **~** of death под стра́хом сме́ртной ка́зни ◇ labour **~**s ро́ды **2.** *v* причиня́ть боль; боле́ть; *перен.* му́чить, огорча́ть; **~ful** 1) боле́зненный 2) мучи́тельный; тя́жкий; **~less** безболе́зненный, не причиня́ющий бо́ли

painstaking ['peɪnz,teɪkɪŋ] усе́рдный, стара́тельный

paint [peɪnt] **1.** *n* кра́ска; окра́ска **2.** *v* 1) кра́сить, окра́шивать 2) писа́ть кра́сками 3) опи́сывать, изобража́ть; **~ out** закра́сить ◇ not so black as he is **~**ed не так плох, как его́ изобража́ют

painter ['peɪntə] 1) живопи́сец, худо́жник 2) маля́р

painting ['peɪntɪŋ] 1) жи́вопись 2) карти́на; ро́спись 3) окра́ска

pair [pɛə] **1.** *n* 1) па́ра 2) чета́ *(супружеская)* ◇ a **~** of scissors но́жницы **2.** *v* 1) располага́ть па́рами; соединя́ть по́ двое 2) спа́ривать *(животных)* 3) спа́риваться; **~ off** а) разделя́ться на па́ры; б) *(with) разг.* жени́ться

pajamas [pə'dʒɑ:məz] *см.* pyjamas

pal [pæl] *разг.* **1.** *n* това́рищ **2.** *v (обыкн.* **~** up) подружи́ться

palace ['pælɪs] дворе́ц

palat||able ['pælətəbl] 1) вку́сный 2) прие́млемый; **~al** [-tl]

1. *a* нёбный 2. *n* палата́льный звук

palate [ˈpælɪt] 1) нёбо 2) вкус 3) склóнность, интерéс

palatial [pəˈleɪʃ(ə)l] вели́чественный, великолéпный

palaver [pəˈlɑːvə] 1. *n* болтовня́ 2. *v* болта́ть

pale I [peɪl] 1. *a* 1) блéдный 2) сла́бый, ту́склый *(о цвете, свете)* 2. *v* 1) бледнéть 2) тускнéть

pale II кол ◇ beyond *(или* outside) the ~ за ра́мками *(приличия и т. п.)*; within the ~ в ра́мках *(приличия и т. п.)*

palette [ˈpælɪt] пали́тра

paling [ˈpeɪlɪŋ] частокóл; тын

palisade [ˌpælɪˈseɪd] 1. *n* забóр, частокóл, палиса́д 2. *v* обноси́ть частокóлом

pall I [pɔːl] *(обыкн.* ~ on) пресыща́ть; надоеда́ть

pall II покрóв *(на гробе)*

pallet [ˈpælɪt] солóменный тюфя́к

palliat||e [ˈpælɪeɪt] 1) облегча́ть *(боль)* 2) преуменьша́ть *(вину, преступление)*; ~**ive** [-ətɪv] 1. *a* паллиати́вный 2. *n* 1) паллиати́в; полумéра 2) смягча́ющее обстоя́тельство

pallid [ˈpælɪd] блéдный

pallor [ˈpælə] блéдность

palm I [pɑːm] 1. *n* ладóнь 2. *v* пря́тать в рука́х; ~ **off** лóвко всучи́ть

palm II па́льма

palm-oil [ˈpɑːmɔɪl] па́льмовое ма́сло

palpable [ˈpælpəbl] осяза́емый, ощути́мый; *перен.* очеви́дный, я́вный, не вызыва́ющий сомнéния

palpitat||e [ˈpælpɪteɪt] би́ться, пульси́ровать; ~**ion** [ˌpælpɪˈteɪʃ(ə)n] биéние *(сердца)*, пульса́ция

palsied [ˈpɔːlzɪd] парализóванный

paltry [ˈpɔːltrɪ] мéлкий, незначи́тельный; презрéнный, ничтóжный

pampas [ˈpæmpəs] *pl* пампа́сы

pamper [ˈpæmpə] балова́ть, изнéживать

pamphlet [ˈpæmflɪt] 1) брошю́ра 2) памфлéт

pan [pæn] 1. *n* кастрю́ля; roasting ~ прóтивень 2. *v*: ~ **off** промыва́ть золотонóсный песóк; ~ **out** намыва́ть *(золото)*; *перен. разг.* преуспева́ть; удава́ться

pancake [ˈpænkeɪk] 1. *n* блин, ола́дья 2. *v ав. разг.* парашюти́ровать

pancreas [ˈpæŋkrɪəs] *анат.* поджелу́дочная железа́

pandemonium [ˌpændɪˈmounjəm] *разг.* ад кромéшный, «вавилóнское столпотворéние»

pander [ˈpændə] 1. *n* свóдник 2. *v* 1) свóдничать 2): ~ to потвóрствовать

pane [peɪn] окóнное стеклó

panegyric [ˌpænɪˈdʒɪrɪk] панеги́рик

panel [ˈpænl] 1. *n* 1) филёнка, панéль 2) спи́сок *(жюри, присяжных заседателей и т. п.)* 2. *v* обшива́ть панéлями

pang [pæŋ] 1) óстрая боль 2) *(часто pl)* угрызéния сóвести

panic [ˈpænɪk] 1. *n* па́ника 2.

a пани́ческий; **~ky** [-ɪ] *разг.* пани́ческий

panic||-monger [ˈpænɪkˌmʌŋgə] паникёр; **~-stricken** [-ˌstrɪk(ə)n] охва́ченный па́никой

panoplied [ˈpænəplɪd] во всеору́жии

panoply [ˈpænəplɪ] доспе́хи *(тж. перен.)*

panorama [ˌpænəˈrɑːmə] панора́ма

pansy [ˈpænzɪ] *бот.* аню́тины гла́зки

pant [pænt] **1.** *v* 1) тяжело́ дыша́ть, задыха́ться 2) стра́стно жела́ть, тоскова́ть *(о чём-л. — for)* **2.** *n* 1) тяжёлое дыха́ние 2) бие́ние *(сердца)*

pantaloons [ˌpæntəˈluːnz] *pl* рейту́зы; *амер.* брю́ки

pantechnicon [pænˈteknɪkən] фурго́н для перево́зки ме́бели

panther [ˈpænθə] панте́ра

panties [ˈpæntɪz] тру́сики

panto [ˈpænto(u)] *сокр. от* pantomime

pantomime [ˈpæntəmaɪm] пантоми́ма

pantry [ˈpæntrɪ] кладова́я, чула́н

pants [pænts] *pl разг.* 1) брю́ки 2) кальсо́ны

pap [pæp] жи́дкая ка́ша *(для детей или больных)*

papacy [ˈpeɪpəsɪ] па́пство

paper [ˈpeɪpə] **1.** *n* 1) бума́га 2) газе́та 3) статья́; нау́чный докла́д 4) докуме́нт **2.** *v* окле́ивать *(обоями и т. п.)*; **~-knife** [-naɪf] разрезно́й нож; **~-mill** [-mɪl] бума́жная фа́брика; **~-money** [-ˌmʌnɪ] бума́жные де́ньги, банкно́ты; **~-weight** [-weɪt] пресс-папье́

pappy [ˈpæpɪ] мя́гкий, со́чный

paprika [ˈpæprɪkə] кра́сный пе́рец

par [pɑː] 1) ра́венство; on a ~ (with) наравне́ с; на ра́вных нача́лах с 2) нарица́тельная цена́; at ~ по номина́льной сто́имости; above (below) ~ вы́ше (ни́же) номина́ла

parable [ˈpærəbl] при́тча, иносказа́ние

parabola [pəˈræbələ] *мат.* пара́бола

parachut||e [ˈpærəʃuːt] **1.** *n* 1) парашю́т 2) *attr.*: ~ landing вы́броска парашю́тного деса́нта; ~ jumper парашюти́ст **2.** *v* спуска́ться с парашю́том; **~ist** парашюти́ст

parade [pəˈreɪd] **1.** *n* пара́д **2.** *v* дефили́ровать, маршнрова́ть; **~-ground** [-graund] уче́бный плац

paradise [ˈpærədaɪs] рай

paradox [ˈpærədɔks] парадо́кс

paraffin [ˈpærəfɪn] 1) парафи́н 2) *attr.*: ~ oil кероси́н; парафи́новое ма́сло

paragon [ˈpærəgən] образе́ц *(совершенства)*

paragraph [ˈpærəgrɑːf] 1) пара́граф 2) абза́ц 3) газе́тная заме́тка

parallel [ˈpærəlel] **1.** *n* 1) паралле́льная ли́ния 2) паралле́ль, соотве́тствие, анало́гия; draw a ~ проводи́ть паралле́ль 3) *эл.* паралле́льное соедине́ние **2.** *a* 1) паралле́льный; ~ bars *спорт.* паралле́льные бру́сья 2) подо́бный; похо́жий **3.** *v* 1) сра́внивать 2) уподобля́ть

parallelepiped [ˌpærəle'lepɪped] параллелепи́пед

parallelogram [ˌpærə'leləgræm] параллелогра́мм

paraly||se ['pærəlaɪz] парализова́ть; **~sis** [pə'rælɪsɪs] парали́ч; **~tic** [ˌpærə'lɪtɪk] парали́тик

paramount ['pærəmaunt] верхо́вный; вы́сший; первостепе́нный; of ~ importance величайшей ва́жности

paramour ['pærəmuə] любо́вник; любо́вница

parapet ['pærəpɪt] 1) парапе́т; пери́ла 2) *воен.* бру́ствер

paraphernalia [ˌpærəfə'neɪljə] 1) вещи́чки, ме́лочи 2) инструме́нт, «хозя́йство»

paraphrase ['pærəfreɪz] **1.** *n* парафра́за; переска́з **2.** *v* парафрази́ровать; переска́зывать

parasit||e ['pærəsaɪt] парази́т; **~ic** [ˌpærə'sɪtɪk] парази́тный, паразити́ческий

parasol [ˌpærə'sɔl] зо́нтик *(от солнца)*

paratroops ['pærətru:ps] *pl* парашю́тно-деса́нтные войска́

parboil ['pɑ:bɔɪl] слегка́ отва́ривать

parcel ['pɑ:sl] **1.** *n* 1) паке́т, свёрток; тюк 2) посы́лка 3) па́ртия *(товара)* **2.** *v* дели́ть на ча́сти; ~ **out** выделя́ть

parch [pɑ:tʃ] 1) слегка́ поджа́ривать 2) опаля́ть, иссуша́ть *(о солнце)* 3) пересыха́ть *(о горле, рте)*; **~ed** [-t] 1) сожжённый, опалённый 2) пересо́хший

parchment ['pɑ:tʃmənt] 1) перга́мент 2) ру́копись на перга́менте 3) перга́ментная бума́га

pardon ['pɑ:dn] **1.** *n* проще́ние, извине́ние; *юр.* поми́лование **2.** *v* проща́ть, извиня́ть; *юр.* поми́ловать; **~able** [-əbl] прости́тельный, извини́тельный

pare [pɛə] 1) обреза́ть, среза́ть 2) чи́стить *(картофель, фрукты)*; ~ **down** уре́зывать, сокраща́ть *(расходы)*

parent ['pɛər(ə)nt] **1.** *n* 1) оте́ц; мать 2) *pl* роди́тели 3) пре́док **2.** *a* ро́дственный ◇ ~ ship плаву́чая ба́за; **~age** [-ɪdʒ] происхожде́ние; ли́ния родства́; **~al** [pə'rentl] роди́тельский, оте́ческий

parenthe||sis [pə'renθɪsɪs] *(pl* ~ses [-si:z]) 1) вво́дное сло́во *или* предложе́ние 2) *pl* кру́глые ско́бки 3) интерме́дия; **~tic** [ˌpær(ə)n'θetɪk] вво́дный

parenthood ['pɛər(ə)nthud] отцо́вство; матери́нство

par excellence [pɑ:r'eksəlɑ:ns] *фр.* преиму́щественно, гла́вным о́бразом

parings ['pɛərɪŋz] *pl* обре́зки

parish ['pærɪʃ] церко́вный прихо́д; прихожа́не

parishioner [pə'rɪʃənə] прихожа́нин

parish register ['pærɪʃ'redʒɪstə] метри́ческая кни́га

parity ['pærɪtɪ] ра́венство; парите́т

park ['pɑ:k] **1.** *n* парк; national ~ запове́дник **2.** *v* ста́вить на стоя́нку *(автомобиль и т. п.)*; оставля́ть *(вещи и т. п.)*; **~ing** стоя́нка; no ~ing стоя́нка маши́н запрещена́

parlance ['pɑ:ləns] спо́соб выраже́ния; мане́ра говори́ть; in legal, medical, common ~ выража́ясь юриди́чески, говоря́ медици́нским, обы́чным языко́м

parley [ˈpɑːlɪ] **1.** *n* переговóры; beat, sound a ~ *воен.* сигнализи́ровать о жела́нии вступи́ть в перегово́ры **2.** *v* вести́ перегово́ры

parliament [ˈpɑːləmənt] парла́мент; **~ary** [ˌpɑːləˈment(ə)rɪ] парла́ментский; парламента́рный

parlo(u)r [ˈpɑːlə] гости́ная; **~maid** [-meɪd] го́рничная

parochial [pəˈroukjəl] 1) прихо́дский 2) у́зкий, ограни́ченный; ме́стный

parody [ˈpærədɪ] **1.** *n* паро́дия **2.** *v* пароди́ровать; высме́ивать, писа́ть паро́дию

parole [pəˈroul] **1.** *n* 1) че́стное сло́во; обеща́ние; free on ~ освобожда́ть под че́стное сло́во 2) *воен.* паро́ль

parquet [ˈpɑːkeɪ] 1) парке́т 2) *амер.* парте́р; **~ry** [-trɪ] парке́т

parrot [ˈpærət] попуга́й

parry [ˈpærɪ] **1.** *n* пари́рование, отраже́ние уда́ра **2.** *v* пари́ровать, отража́ть

parse [pɑːz] де́лать граммати́ческий разбо́р

parsimo||nious [ˌpɑːsɪˈmounjəs] скупо́й; **~ny** [ˈpɑːsɪmənɪ] ску́пость

parsley [ˈpɑːslɪ] *бот.* петру́шка

parsnip [ˈpɑːsnɪp] *бот.* пастерна́к

parson [ˈpɑːsn] свяще́нник; **~age** [-ɪdʒ] дом свяще́нника

part [pɑːt] **1.** *n* 1) часть; до́ля; in ~ части́чно 2) *pl* ме́стность, край 3) роль; play a ~ а) игра́ть роль; б) притворя́ться 4) уча́стие *(в работе и т. п.)*; take ~ in smth. приня́ть уча́стие *(в чём-л.)* 5) сторона́ *(в споре и т. п.)*; he always takes his brother's ~ он всегда́ встаёт на сто́рону бра́та 6) *муз.* па́ртия, го́лос ◇ ~ time непо́лный рабо́чий день; I only work ~ time я рабо́таю то́лько часть дня; for my ~ я, со свое́й стороны́; on the ~ *(of)* со стороны́; take the ~ of а) игра́ть роль; б) стать на сто́рону *(кого-л.)*; for the most ~ бо́льшей ча́стью; ~ and parcel of неотъе́млемая часть *(чего-л.)* **2.** *v* 1) дели́ть, отделя́ть 2) отделя́ться 3) разлуча́ть; разнима́ть 4) разлуча́ться, расстава́ться; *см. тж.* ~ with 5) заставля́ть расступи́ться; the soldiers ~ed the crowd солда́ты заста́вили толпу́ расступи́ться; **~ with** отдава́ть *(что-л.)*; расстава́ться *(с чем-л.)* ◇ ~ one's hair расчёсывать на пробо́р во́лосы

partake [pɑːˈteɪk] (partook; partaken) 1) принима́ть уча́стие 2) *разг.* вы́пить, съесть *(of)* 3) *(of)* отдава́ть *(чем-л.)*; име́ть налёт *(чего-л.)*; it ~s of insolence в э́том есть что́-то на́глое

partaken [pɑːˈteɪk(ə)n] *p. p. от* partake

parterre [pɑːˈtɛə] 1) цветни́к 2) парте́р

partial [ˈpɑːʃ(ə)l] 1) части́чный 2) пристра́стный; неравноду́шный *(to)*; **~ity** [ˌpɑːʃɪˈælɪtɪ] 1) пристра́стность 2) скло́нность, пристра́стие

participa||nt [pɑ:'tɪsɪpənt] уча́стник; **~te** [-peɪt] 1) принима́ть уча́стие, уча́ствовать 2) разделя́ть *(радость и т. п. — in)*; ~te in smb.'s joy разделя́ть ра́дость с кем-л.; **~tion** [pɑ:ˌtɪsɪ'peɪʃ(ə)n] уча́стие; **~tor** [-peɪtə] уча́стник

particip||ial [ˌpɑ:tɪ'sɪpɪəl] *грам.* прича́стный; **~le** ['pɑ:tsɪpl] *грам.* прича́стие

particle ['pɑ:tɪkl] 1) части́ца; крупи́ца 2) *грам.* неизменя́емая части́ца; су́ффикс; пре́фикс

particoloured ['pɑ:tɪˌkʌləd] разноцве́тный, пёстрый

particular [pə'tɪkjulə] **1.** *a* 1) осо́бенный; осо́бый 2) ча́стный; отде́льный 3) подро́бный, дета́льный 4) разбо́рчивый; щепети́льный **2.** *n* 1) дета́ль, подро́бность; in ~ в осо́бенности; в ча́стности 2) *pl* подро́бный отчёт 3) *pl* обстоя́тельства; **~ity** [pəˌtɪkju'lærɪtɪ] подро́бность; осо́бенность; **~ize** [raɪz] вдава́ться в подро́бности; **~ly** 1) осо́бенно, в осо́бенности; о́чень 2) осо́бым о́бразом 3) в ча́стности; generally and ~ly в о́бщем и в ча́стности

parting ['pɑ:tɪŋ] **1.** *n* 1) расстава́ние, разлу́ка; проща́ние 2) разделе́ние; at the ~ of the ways на перепу́тье *(тж. перен.)* 3) пробо́р *(в волосах)* **2.** *a* проща́льный

partisan [ˌpɑ:tɪ'zæn] 1) сторо́нник; приве́рженец 2) партиза́н

partition [pɑ:'tɪʃ(ə)n] **1.** *n* 1) расчлене́ние 2) отделе́ние *(в шкафу и т. п.)* 3) перегоро́дка; просте́нок **2.** *v* расчленя́ть; ~ **off** отделя́ть, отгора́живать

partly ['pɑ:tlɪ] части́чно, отча́сти

partner ['pɑ:tnə] уча́стник; компаньо́н; партнёр; **~ship** това́рищество; уча́стие

partook [pɑ:'tuk] *past от* partake

partridge ['pɑ:trɪdʒ] куропа́тка

party I ['pɑ:tɪ] *полит.* 1) па́ртия 2) *attr.* парти́йный; ~ card парти́йный биле́т; ~ dues парти́йные взно́сы; ~ man, ~ member член па́ртии

party II 1) гру́ппа, кома́нда, отря́д 2) компа́ния 3) приём госте́й; вечери́нка; give a ~ устра́ивать вечери́нку, ве́чер 4) *юр.* сторона́

parvenu ['pɑ:vənju:] вы́скочка

pass [pɑ:s] **1.** *n* 1) прохо́д 2) перева́л; уще́лье 3) про́пуск; па́спорт 4) сда́ча экза́мена без отли́чия **2.** *v* 1) проходи́ть, проезжа́ть; переходи́ть, пересека́ть 2) проводи́ть *(время)* 3) превраща́ться, переходи́ть *(из одного состояния в другое)* 4) передава́ть 5) принима́ть *(закон, резолюцию)* 6) выноси́ть *(приговор, решение)* 7) сдать *(экзамен)* 8) *(for)* сойти́ *(за кого-л., слыть кем-л.)*; ~ **away** а) сконча́ться; б) исче́знуть; ~ **off** пройти́ *(о событиях, ощущениях)*; ~ **on** передава́ть; ~ **over** прогляде́ть, не заме́тить; упусти́ть

pass||able ['pɑ:səbl] 1) проходи́мый, прое́зжий 2) сно́сный; **~age** ['pæsɪdʒ] 1) прохо́д, прое́зд 2) переéзд; рейс; 3) перелёт *(птиц)* 4) утверждéние *(закона)* 5) коридóр 6) отры́вок, вы́держка *(из книги)* 7) разговóр, сты́чка 8) *муз.* пассáж

passenger ['pæsɪndʒə] пассажи́р

passer-by ['pɑ:sə'baɪ] проéзжий, прохóжий

passing ['pɑ:sɪŋ] **1.** *a* преходя́щий; мимолётный **2.** *n* прохождéние; перехóд ◇ in ~ мимохóдом, мéжду прóчим

passion ['pæʃ(ə)n] 1) страсть; пыл 2) любóвь; увлечéние 3) вспы́шка гнéва; **~ate** ['pæʃ(ə)nɪt] 1) стрáстный; пы́лкий 2) вспы́льчивый, невы́держанный

passiv||e ['pæsɪv] **1.** *a* 1) пасси́вный; инéртный 2) *грам.* страдáтельный **2.** *n грам.* страдáтельный залóг; **~ity** [pæ'sɪvɪtɪ] пасси́вность

passport ['pɑ:spɔ:t] пáспорт

password ['pɑ:swə:d] парóль

past [pɑ:st] **1.** *n* прóшлое **2.** *a* 1) прóшлый, минýвший 2) *грам.* прошéдший; ~ participle причáстие прошéдшего врéмени; ~ tense прошéдшее врéмя **3.** *prep* 1) пóсле, за 2) ми́мо 3) сверх *(чего-л.)* **4.** *adv* ми́мо

paste ['peɪst] **1.** *n* 1) тéсто *(сдобное)* 2) клéйстер 3) масти́ка; пáста **2.** *v* склéивать, наклéивать; **~-board** [-bɔ:d] картóн

pastille [pæs'ti:l] лепёшка, таблéтка

pastime ['pɑ:staɪm] игрá, развлечéние

pastor ['pɑ:stə] пáстор

pastoral ['pɑ:st(ə)r(ə)l] **1.** *n* пасторáль **2.** *a* пастýшеский; пасторáльный

pastry ['peɪstrɪ] конди́терские издéлия *(пирожные, торты, печенье и т. п.)*; **~-cook** [-kuk] конди́тер

pasture ['pæstʃə] **1** *n* 1) поднóжный корм 2) пáстбище, вы́гон **2.** *v* 1) пасти́ 2) пасти́сь

pasty 1. *n* ['pæstɪ] пирóг с мя́сом, с я́блоками *или* с варéньем **2.** *a* ['peɪstɪ] тестообрáзный; *перен.* блéдный, одутловáтый

pat I [pæt] **1.** *n* 1) похлóпывание 2) комóк *(масла)* **2.** *v* хлóпать; похлóпывать

pat II **1.** *adv* кстáти, как раз; his answer came ~ отвéт у негó ужé готóв был **2.** *a* своеврéменный, умéстный

patch ['pætʃ] **1.** *n* 1) заплáта 2) плáстырь 3): he wore a ~ on his eye for several days он нéсколько дней ходи́л с повя́зкой па глазý 4) мýшка *(на лице)* 5) клочóк земли́ 6) обры́вок, лоскýт ◇ not a ~ on smth. ничтó в сравнéнии с чем-л. **2.** *v* чини́ть; латáть; **~ up** а) задéлывать; чини́ть; мастери́ть; б) улáживать *(ссору)*; **~work** [-wə:k] 1) лоскýтное одея́ло; кóврик *и т. п.* из разноцвéтных лоскуткóв 2) мешани́на, ералáш

patchy ['pætʃɪ] пятни́стый; неоднорóдный; нерóвный

pate [peɪt] *разг.* башкá

paté [pɑ:'teɪ] *фр.* паштéт

patent I ['peɪt(ə)nt] **1.** *a* 1) очеви́дный, я́вный 2) патентóванный 3) оригинáльный; сóбственного изобретéния **2.** *n* патéнт

patent II: ~ leather лакирóванная кóжа, лак

pater [ˈpeɪtə] *школ. уст.* отéц; **~nal** [pəˈtə:nl] отцóвский; отéческий; **~nity** [pəˈtə:nɪtɪ] отцóвство; *перен.* áвторство

path [pɑ:θ] 1) тропи́нка, дорóжка 2) путь

pathetic [pəˈθetɪk] трóгательный; жáлостный; жáлкий

pathfinder [ˈpɑ:θˌfaɪndə] исслéдователь *(страны)*; следопы́т

pathless [ˈpɑ:θlɪs] 1) бездорóжный 2) непроторённый

pathway [ˈpɑ:θweɪ] 1) тропá 2) мостки́

pati||ence [ˈpeɪʃ(ə)ns] 1) терпéние 2) пасья́нс; **~ent** [-(ə)nt] **1.** *n* пациéнт, больнóй **2.** *a* терпели́вый

patriarch [ˈpeɪtrɪɑ:k] патриáрх; **~al** [ˌpeɪtrɪˈɑ:k(ə)l] 1) патриархáльный 2) патриáрший

patrician [pəˈtrɪʃ(ə)n] **1.** *n* патри́ций; аристокрáт **2.** *a* аристократи́ческий

patrimo||nial [ˌpætrɪˈmounjəl] родовóй; вóтчинный; **~ny** [ˈpætrɪmənɪ] вóтчина, родовóе помéстье

patriot [ˈpeɪtrɪət] патриóт; **~ic** [ˌpætrɪˈɔtɪk] патриоти́ческий; the Great Patriotic War Вели́кая Отéчественная войнá; **~ism** [ˈpætrɪətɪzm] патриоти́зм

patrol [pəˈtroul] **1.** *n* патрýль; дозóр; on ~ в дозóре **2.** *v* патрули́ровать, обходи́ть дозóром

patron [ˈpeɪtr(ə)n] покрови́тель; **~age** [ˈpætrənɪdʒ] покрови́тельство; **~ize** [ˈpætrənaɪz] 1) покрови́тельствовать, поддéрживать 2) относи́ться снисходи́тельно

patronymic [ˌpætrəˈnɪmɪk] **1.** *n* родовóе и́мя; óтчество **2.** *a* родовóй

patter I [ˈpætə] **1.** *n* 1) стук дождевы́х кáпель 2) топотáние **2.** *v* 1) барабáнить 2) топотáть

patter II 1) жаргóн 2) скоровóрка 3) речитати́в

pattern [ˈpætən] 1) образéц; модéль; обрáзчик; вы́кройка 2) *attr.* примéрный, образцóвый

patty [ˈpætɪ] пирожóк

paunch [ˈpɔ:ntʃ] брю́хо; **~y** [-ɪ] с брюшкóм

pauper [ˈpɔ:pə] бедня́к, ни́щий; **~ism** [-rɪzm] ни́щенство, паупери́зм

pause [pɔ:z] **1.** *n* пáуза, остан́овка; переды́шка **2.** *v* дéлать пáузу; останáвливаться; мéдлить

pave [ˈpeɪv] 1) мости́ть 2) устилáть, усéивать ◇ ~ the way *(for)* подготóвить пóчву для; **~ment** тротуáр

pavilion [pəˈvɪljən] 1) палáтка, шатёр 2) павильóн

paw [pɔ:] **1.** *n* лáпа ◇ make smb. a cat's ~ сдéлать когó-л. своúм орýдием **2.** *v* 1) трóгать лáпой; бить копы́том 2) *разг.* хватáть рукáми, лáпать

pawl [pɔ:l] *тех.* защёлка; предохрани́тель

pawn I [pɔ:n] *шахм.* пéшка *(тж. перен.)*

pawn II [ˈpɔ:n] **1.** *n* залóг, заклáд **2.** *v* заклáдывать; ~-

broker [-ˌbroukə] ростовщи́к; **~shop** [-ʃɔp] ломба́рд

pax [pæks] *школ. разг.*: ~! мир!

pay [ˈpeɪ] **1.** *n* 1) пла́та 2) зарпла́та, жа́лованье **2.** *v* (paid) 1) плати́ть; опла́чивать 2) ока́зывать *(внимание, честь)*; ~ a visit наноси́ть визи́т 3) приноси́ть дохо́д; this machine will ~ for itself in no time э́та маши́на о́чень ско́ро оку́пит себя́; ~ **back** а) верну́ть де́ньги; б) отплати́ть; ~**down** плати́ть нали́чными; ~ **in** вноси́ть де́ньги; ~ **off** а) уво́лить; б) расплати́ться; ~ **out** а) выпла́чивать; б) отплати́ть; в) *мор.* трави́ть кана́т; ~ **up** выпла́чивать сполна́ ◇ ~ one's way жить по сре́дствам; ~ smb. in his own coin отплати́ть кому́-л. той же моне́той; you couldn't ~ me to do that я не сде́лаю э́того ни за каки́е де́ньги; it doesn't ~ to spend too much time on this work на э́ту рабо́ту не сто́ит тра́тить сли́шком мно́го вре́мени; ~ through the nose заплати́ть втри́дорога; ~**able** [-əbl] 1) подлежа́щий упла́те 2) при́быльный, вы́годный

pay-day [ˈpeɪdeɪ] день вы́платы жа́лованья

payee [peɪˈi:] получа́тель *(денег)*

paymaster [ˈpeɪmɑ:stə] казначе́й, касси́р

payment [ˈpeɪmənt] 1) опла́та; платёж; взнос; ~ in kind пла́та нату́рой 2) вознагражде́ние; возме́здие

pay-‖office [ˈpeɪˌɔfɪs] ка́сса; ~**-roll** [-roul], ~**-sheet** [-ʃi:t] платёжная ве́домость

pea [pi:] 1) горо́шина 2) *pl* горо́х ◇ as like as two ~s неразличи́мые, похо́жие как две ка́пли воды́

peace [ˈpi:s] 1) мир; make ~ заключа́ть мир; make one's ~ with smb. мири́ться с кем-л. 2) споко́йствие, тишина́ ◇ hold one's ~ молча́ть; ~**able** [-əbl], ~**ful** ми́рный

peace-loving [ˈpi:sˌlʌvɪŋ] миролюби́вый

peach I [pi:tʃ] 1) пе́рсик 2) *разг.* «пе́рвый сорт»

peach II *разг.* доноси́ть *(на — on)*

peacock [ˈpi:kɔk] павли́н

pea-jacket [ˈpi:ˌdʒækɪt] *мор.* бушла́т

peak I [pi:k] 1) пик, верши́на; *перен.* вы́сшая то́чка 2) козырёк *(кепки, фуражки)* 3) *мат.* ма́ксимум *(кривой)* ◇ ~ hours часы́ пик

peak II слабе́ть, ча́хнуть; ~ and pine ча́хнуть и томи́ться

peaked [pi:kt] остроконе́чный

peal [pi:l] **1.** *n* 1) звон колоколо́в 2) раска́т *(грома)*; взрыв *(смеха)* **2.** *v* трезво́нить

peanut [ˈpi:nʌt] земляно́й оре́х

pear [pɛə] гру́ша

pearl [ˈpə:l] **1.** *n* жемчу́жина; же́мчуг; перл *(тж. перен.)* **2.** *v* добыва́ть же́мчуг; ~**-barley** [-ˈbɑ:lɪ] перло́вая крупа́; ~**-diver** [-ˌdaɪvə] лове́ц же́мчуга; ~**-oyster** [-ˌɔɪstə] жемчу́жница *(моллюск)*; ~**-shell** [-ʃel] жемчу́жная ра́ковина

peasant [ˈpez(ə)nt] кресть́янин; middle ~ середня́к; poor ~ бедня́к; ~**ry** [-rɪ] крестья́нство

peat [pi:t] торф

pebble ['pebl] голы́ш, га́лька

peccable ['pekəbl] грехо́вный

peck I [pek] пек *(мера сыпучих тел = 9,09 л)*; *перен.* ма́сса, ку́ча

peck II **1.** *n* 1) уда́р клю́вом; клево́к 2) *разг.* лёгкий поцелу́й **2.** *v* 1) клева́ть, долби́ть клю́вом 2): ~ at one's food *разг.* отщи́пывать пи́щу, «клева́ть» 3) *разг.* чмо́кнуть

pectoral ['pektər(ə)l] грудно́й

peculat||e ['pekjuleɪt] присва́ивать, расхища́ть; растра́чивать (обще́ственные) де́ньги; ~**ion** [,pekju'leɪʃ(ə)n] расхище́ние; растра́та

peculiar [pɪ'kju:ljə] 1) осо́бый, специа́льный 2) стра́нный; he is a very ~ person он челове́к со стра́нностями; ~ity [pɪ,kju:lɪ'ærɪtɪ] 1) осо́бенность; хара́ктерная черта́ 2) стра́нность

pecuniary [pɪ'kju:njərɪ] де́нежный

pedagog||ic(al) [,pedə'gɔdʒɪk(əl)] педагоги́ческий; ~**ics** [-ɪks] педаго́гика

pedagogue ['pedəgɔg] педаго́г

pedal ['pedl] **1.** *n* 1) педа́ль 2) *attr.* ножно́й **2.** *v* нажима́ть педа́ль; рабо́тать педа́лями

pedant ['ped(ə)nt] педа́нт; ~-**ic** [pɪ'dæntɪk] педанти́чный; ~-**ry** ['ped(ə)ntrɪ] педанти́зм

peddle ['pedl] торгова́ть вразно́с

pedestrian [pɪ'destrɪən] **1.** *n* пешехо́д **2.** *a* 1) пе́ший, пешехо́дный 2) ску́чный, прозаи́ческий

pedigree ['pedɪgri:] 1) родосло́вная 2) *attr.*: ~ cattle племенно́й скот

pedlar ['pedlə] коробе́йник, разно́счик

peel ['pi:l] **1.** *n* 1) кожура́, ко́жица 2) ко́рка *(апельсинная и т. п.)* **2.** *v* 1) снима́ть ко́рку, ко́жицу; чи́стить *(овощи, фрукты)* 2) лупи́ться, шелуши́ться *(часто ~ off)*; ~**ings** *pl* очи́стки *(особ. картофельные)*

peep I [pi:p] **1.** *v* чири́кать, пища́ть **2.** *v* чири́канье, писк

peep II ['pi:p] **1.** *n* взгляд укра́дкой ◇ the ~ of day, the ~ of dawn рассве́т **2.** *v* 1) взгля́дывать укра́дкой; загля́дывать 2) прогля́дывать *(о свете)*; появля́ться; ~ **out** выгля́дывать *(о солнце и т. п.)*; ~-**hole** [-houl] смотрово́е отве́рстие; глазо́к

peer I [pɪə] 1) всма́триваться; вгля́дываться *(на, в — at, into)* 2) пока́зываться, выгля́дывать *(из окна и т. п.)*

peer II ['pɪə] 1) ро́вня 2) пэр; ~**age** [-rɪdʒ] 1) зва́ние пэ́ра 2) сосло́вие пэ́ров; ~**less** несравне́нный

peevish ['pi:vɪʃ] 1) брюзгли́вый; сварли́вый 2) капри́зный, неужи́вчивый

peg [peg] **1.** *n* 1) ко́лышек; шпенёк 2) ве́шалка 3) коло́к *(скрипки)* 4) *разг.* предло́г, заце́пка ◇ take smb. down a ~ or two осади́ть кого́-л., сбить спесь с кого́-л. **2.** *v* прикрепля́ть ко́лышком; ~ **away** *(at)* упо́рно рабо́тать, корпе́ть *(над чем-л.)*

pellet [ˈpelɪt] 1) ша́рик, ка́тышек *(из бумаги, хлеба и т. п.)* 2) пилю́ля 3) пу́ля, дроби́нка

pell-mell [ˈpelˈmel] в беспоря́дке, ко́е-ка́к

pellucid [peˈlju:sɪd] 1) прозра́чный 2) я́сный, поня́тный, просто́й

pelt I [pelt] 1) броса́ть камня́ми, гря́зью 2) лить *(о дожде и т. п.)*

pelt II шку́ра

pelv||ic [ˈpelvɪk] *анат.* та́зовый; **~is** [-ɪs] *анат.* таз

pen I [pen] **1.** *n* перо́ **2.** *v* писа́ть

pen II **1.** *n* заго́н **2.** *v* загоня́ть *(скот)*

penal [ˈpi:nl] кара́тельный; уголо́вный *(о законах)*; ~ servitude ка́торжные рабо́ты; **~ize** [ˈpi:nəlaɪz] 1) нака́зывать; кара́ть 2) *спорт.* штрафова́ть; **~ty** [ˈpenltɪ] 1) наказа́ние; взыска́ние; on *(или* under) ~ty *(of)* под стра́хом наказа́ния 2) штраф; *спорт.* пена́льти 3) *attr.*: ~ty kick *спорт.* одиннадцатиметро́вый штрафно́й уда́р

penance [ˈpenəns]: do ~ for принести́ покая́ние; *перен.* распла́чиваться *(за что-л.)*

pence [pens] *(pl от* penny) пе́нсы *(как сумма)*

pencil [ˈpensl] **1.** *n* каранда́ш **2.** *v* писа́ть, рисова́ть, отмеча́ть карандашо́м; **~-case** [-keɪs] пена́л

pend||ant [ˈpendənt] **1.** *n* 1) подве́ска; кулóн, брело́к 2) па́ра *(к какому-л. предмету)* 3) *мор.* вы́мпел **2.** *a* 1) вися́чий 2) ожида́ющий реше́ния 3) *грам.* незако́нченный *(о предложении)*; **~ing 1.** *a* ожида́емый; ожида́ющий реше́ния **2.** *prep* 1) во вре́мя, в продолже́ние 2) (вплоть) до

pendulum [ˈpendjuləm] ма́ятник

penetrat||e [ˈpenɪtreɪt] 1) проника́ть внутрь, проходи́ть сквозь, прони́зывать 2) постига́ть, понима́ть 3) пропи́тывать; охва́тывать; **~ing** 1) проница́тельный 2) пронзи́тельный; **~ion** [ˌpenɪˈtreɪʃ(ə)n] 1) проница́тельность 2): peaceful ~ion ми́рное проникнове́ние; **~ive** [-trətɪv] проница́тельный, прозорли́вый

penholder [ˈpenˌhouldə] ру́чка *(для пера)*

peninsul||a [pɪˈnɪnsjulə] полуо́стров; **~ar** [-lə] полуостровно́й

penit||ence [ˈpenɪt(ə)ns] раска́яние; покая́ние; **~ent** [-(ə)nt] ка́ющийся

penitentiary [ˌpenɪˈtenʃərɪ] **1.** *n* исправи́тельный дом **2.** *a* исправи́тельный

penknife [ˈpennaɪf] перочи́нный нож

penmanship [ˈpenmənʃɪp] каллигра́фия; по́черк

pen-name [ˈpenneɪm] псевдони́м

pennies [ˈpenɪz] *(pl от* penny) пе́нни *(отдельные монеты)*

penniless [ˈpenɪlɪs] неиму́щий, без де́нег

penny [ˈpenɪ] *(pl* pence *и* pennies) 1) пе́нни 2) *амер.* оди́н цент; **~weight** [-weɪt] ме́ра ве́са (= *24 гранам или 1,56 г)*

pension [ˈpenʃ(ə)n] **1.** *n* пе́нсия **2.** *v* дава́ть пе́нсию; ~ **off** увольня́ть на пе́нсию; **~ary** [-ʃən(ə)rɪ] пенсио́нный; **~er** [ˈpenʃənə] пенсионе́р

pensive [ˈpensɪv] заду́мчивый

pent [pent] заключённый, за́пертый; *перен. см.* pent-up

pentagon [ˈpentəgən] 1) пятиуго́льник 2): the P. Пентаго́н, министе́рство оборо́ны США; **~al** [penˈtægənl] пятиуго́льный

penthouse [ˈpenthaus] 1) наве́с 2) особня́к, вы́строенный на кры́ше небоскрёба

pent-up [ˈpentˈʌp] (едва́) сде́рживаемый

penu||rious [pɪˈnjuərɪəs] 1) бе́дный; неиму́щий 2) скупо́й; **~ry** [ˈpenjurɪ] нищета́; нужда́

peony [ˈpɪənɪ] *бот.* пио́н

people [ˈpi:pl] **1.** *n* 1) наро́д, на́ция 2) лю́ди; населе́ние, жи́тели 3) родны́е, ро́дственники; my ~ мои́ ро́дственники **2.** *v* заселя́ть; населя́ть

pep [pep] *разг.* **1.** *n* бо́дрость ду́ха ◇ ~ talk подба́дривание **2.** *v*: ~ **up** вселя́ть бо́дрость

pepper [ˈpepə] **1.** *n* пе́рец **2.** *v* 1) пе́рчить 2) осыпа́ть; усе́ивать *(галькой и т.п.)* 3) забра́сывать *(вопросами)*; **~-box** [-bɔks], **~-castor** [-ˌkɑ:stə] пе́речница

peppermint [ˈpepəmɪnt] мя́тная лепёшка

pepper-pot [ˈpepəpɔt] пе́речница

peppery [ˈpepərɪ] напе́рченный; *перен.* вспы́льчивый

pep||sin [ˈpepsɪn] пепси́н; **~tic** [-tɪk] пищевари́тельный

per [pə:] 1) че́рез, посре́дством, по 2) в, на, с, за; ~ month в ме́сяц; how much are eggs ~ dozen? ско́лько сто́ит дю́жина яи́ц?

perambulat||e [pəˈræmbjuleɪt] броди́ть; скита́ться; **~or** [ˈpræmbjuleɪtə] де́тская коля́ска

perceive [pəˈsi:v] 1) постига́ть, понима́ть 2) различа́ть; ощуща́ть

per cent [pəˈsent] проце́нт

percentage [pəˈsentɪdʒ] 1) проце́нт 2) проце́нтное отноше́ние

percept||ibility [pəˌseptəˈbɪlɪtɪ] ощути́мость; **~ible** [pəˈseptəbl] ощути́мый; заме́тный; **~ion** [pəˈsepʃ(ə)n] 1) восприя́тие; ~ion of the senses физи́ческое восприя́тие 2) понима́ние; **~ive** [pəˈseptɪv] воспринима́ющий, познаю́щий

perch I [pə:tʃ] **1.** *n* 1) насе́ст 2) высо́кое положе́ние 3) ме́ра длины́ (*-5м*) 4) *мор.* ве́ха, шест **2.** *v* сади́ться *(на насест, дерево)*

perch II о́кунь

perchance [pəˈtʃɑ:ns] *уст.* 1) случа́йно 2) мо́жет быть, возмо́жно

percolat||e [ˈpə:kəleɪt] 1) фильтрова́ть, проце́живать 2) проса́чиваться; **~ion** [ˌpə:kəˈleɪʃ(ə)n] 1) фильтрова́ние 2) проса́чивание; **~or** кофе́йник с си́течком

percus||sion [pə:ˈkʌʃ(ə)n] 1) уда́р; столкнове́ние, сотрясе́ние 2) *собир. муз.* уда́рные инструме́нты 3) *мед.* высту́кивание; **~sive** [-sɪv] уда́рный

perdition [pəˈdɪʃ(ə)n] прокля́тие, поги́бель

peregrination [ˌperɪgrɪˈneɪʃ(ə)n] стра́нствие

peremptory [pə'rempt(ə)rı] повели́тельный; не допуска́ющий возраже́ний, безапелляцио́нный

perennial [pə'renjəl] **1.** *n бот.* многоле́тнее расте́ние **2.** *a* 1) для́щийся кру́глый год 2) не высыха́ющий ле́том *(о ручье и т. п.)* 3) *бот.* многоле́тний

perfect 1. *a* ['pə:fıkt] 1) соверше́нный, безупре́чный, прекра́сный 2) по́лный, абсолю́тный, зако́нченный **2.** *n* ['pə:fıkt] *грам.* соверше́нная фо́рма, перфе́кт **3.** *v* [pə'fekt] соверше́нствовать 2) заверша́ть; **~ion** [pə'fekʃ(ə)n] 1) соверше́нствование 2) соверше́нство; to ~ion в соверше́нстве 3) заверше́ние; **~ive** [pə'fektıv] *грам.* соверше́нный; **~ly** ['pə:fıktlı] 1) отли́чно 2) соверше́нно, вполне́

perfi||dious [pə:'fıdıəs] преда́тельский; вероло́мный; **~dy** ['pə:fıdı] вероло́мство

perforat||e ['pə:fəreıt] просве́рливать; перфори́ровать; **~ion** [ˌpə:fə'reıʃ(ə)n] просве́рливание; перфора́ция; **~or** перфора́тор

perforce [pə'fɔ:s] по необходи́мости; во́лей-нево́лей

perform [pə'fɔ:m] 1) выполня́ть; соверша́ть 2) *театр.* представля́ть; исполня́ть *(роль, муз. произведение)*; **~ance** [-əns] 1) исполне́ние 2) *театр.* представле́ние; спекта́кль 3) *pl ав.* лётные ка́чества; **~er** исполни́тель

perfume 1. *n* ['pə:fju:m] 1) арома́т 2) духи́ **2.** *v* [pə'fju:m] надуши́ть; **~ry** [pə'fju:mərı] парфюме́рия

perfunctory [pə'fʌŋktərı] небре́жный; пове́рхностный; a ~ inspection пове́рхностный осмо́тр

perhaps [pə'hæps, præps] мо́жет быть, возмо́жно

peril ['perıl] **1.** *n* опа́сность **2.** *v поэт.* подверга́ть опа́сности; **~ous** [-əs] опа́сный; риско́ванный

period ['pıərıəd] 1) пери́од; цикл 2) эпо́ха, вре́мя 3) па́уза в конце́ предложе́ния; то́чка 4) ста́дия *(болезни)*; **~ic** [ˌpıərı'ɔdık] периоди́ческий; **~ical** [ˌpıərı'ɔdık(ə)l] **1.** *a* периоди́ческий **2.** *n* журна́л

periphery [pə'rıfərı] перифери́я

periscope ['perıskoup] periско́п

perish ['perıʃ] 1) погиба́ть; умира́ть 2) *(обыкн. pass)* губи́ть; we were ~ed with hunger мы погиба́ли от го́лода; **~able** [-əbl] **1.** *a* 1) бре́нный, непро́чный 2) скоропо́ртящийся **2.** *n pl* скоропо́ртящиеся проду́кты

periwig ['perıwıg] пари́к

perju||re ['pə:dʒə] лжесвиде́тельствовать; наруша́ть кля́тву; **~rer** [-rə] клятвопресту́пник; **~ry** [-rı] клятвопреступле́ние

per||k ['pə:k]: ~ **up** а) оживи́ться, приободри́ться; б) прихора́шиваться; **~ks** [-s] при́работок; **~ky** [-kı] 1) бо́йкий 2) де́рзкий; на́глый

perman||ence ['pə:mənəns] постоя́нство; **~ency** [-ans] 1) *см.* permanence 2) постоя́нное заня́тие; **~ent** [-ənt] постоя́нный; неизме́нный

permea||bility [ˌpəːmjəˈbılıtı] проница́емость; **~te** [ˈpəːmıeıt] 1) проника́ть, проходи́ть сквозь; пропи́тывать 2) распространя́ться; **~tion** [ˌpəːmıˈeıʃ(ə)n] проника́ние

permiss||ible [pəˈmısəbl] позволи́тельный, допусти́мый; **~ion** [-ˈmıʃ(ə)n] позволе́ние, разреше́ние

permit **1.** *n* [ˈpəːmıt] 1) разреше́ние 2) про́пуск **2.** *v* [pəˈmıt] разреша́ть, позволя́ть; допуска́ть

pernicious [pəːˈnıʃəs] па́губный; вре́дный

peroration [ˌperəˈreıʃ(ə)n] заключи́тельная часть, резюме́ *(речи)*

peroxide [pəˈrɔksaıd] *хим.* пе́рекись

perpendicular [ˌpəːp(ə)nˈdıkjulə] **1.** *n* 1) перпендикуля́р 2) вертика́ль; отве́с **2.** *a* 1) перпендикуля́рный 2) отве́сный

perpetrat||e [ˈpəːpıtreıt] соверша́ть *(преступление)*; **~ion** [ˌpəːpıˈtreıʃ(ə)n] соверше́ние *(преступления)*; **~or** престу́пник, вино́вник

perpetu||al [pəˈpetjuəl] 1) ве́чный; пожи́зненный 2) беспреста́нный, непрекраща́ющийся; **~ate** [-eıt] увекове́чивать

perpetuity [ˌpəːpıˈtjuːıtı]: in ~ навсегда́

perplex [pəˈpleks] сбива́ть с то́лку; запу́тывать; **~ity** [-ıtı] замеша́тельство; затрудне́ние

perquisite [ˈpəːkwızıt] при́работок

persecut||e [ˈpəːsıkjuːt] 1) пресле́довать; подверга́ть гоне́ниям 2) докуча́ть; **~ion** [ˌpəːsıˈkjuːʃ(ə)n] гоне́ние, пресле́дование; **~or** пресле́дователь, гони́тель

perseve||rance [ˌpəːsıˈvıər(ə)ns] упо́рство; насто́йчивость; **~re** [-ˈvıə] проявля́ть упо́рство, насто́йчивость, упо́рно добива́ться

Persian [ˈpəːʃ(ə)n] **1.** *a* перси́дский; ира́нский **2.** *n* 1) перси́дский язы́к 2) перс; персия́нка

persiflage [ˌpεəsıˈflɑːʒ] лёгкая шу́тка, подшу́чивание

persist [pəˈsıst] 1) упо́рствовать 2) продолжа́ть существова́ть, сохраня́ться; **~ence, ~ency** [-(ə)ns, -(ə)nsı] насто́йчивость, упо́рство; постоя́нство; **~ent** [-(ə)nt] 1) насто́йчивый, упо́рный 2) сто́йкий, постоя́нный

person [ˈpəːsn] 1) лицо́, ли́чность, осо́ба, челове́к; in one's (own) ~ ли́чно, со́бственной персо́ной 2) *грам.* лицо́; **~able** [-əbl] ви́дный, краси́вый; **~age** [-ıdʒ] 1) выдаю́щаяся ли́чность 2) персона́ж; **~al** [-l] 1) ли́чный *(тж. грам.)* 2) *юр.* дви́жимый *(об имуществе)*; **~ality** [ˌpəːsəˈnælıtı] 1) ли́чность 2) *(обыкн. pl)* вы́пады *(против кого-л.)*; **~ally** ли́чно, сам; I'll take care of the matter ~ally я сам займу́сь э́тим де́лом; **~ate** [ˈpəːsəneıt] 1) *театр.* игра́ть роль 2) выдава́ть себя́ за *(кого-л.)*

person||ification [pəːˌsɔnıfıˈkeıʃ(ə)n] олицетворе́ние; воплоще́ние; **~ify** [-ˈsɔnıfaı] олицетворя́ть

personnel [ˌpəːsəˈnel] персона́л; ка́дры

perspective [pə'spektɪv] **1.** *n* перспекти́ва **2.** *a* перспекти́вный

perspicaci||ous [ˌpə:spɪ'keɪʃəs] проница́тельный; **~ty** [-'kæsɪtɪ] проница́тельность

perspicu||ity [ˌpə:spɪ'kju:ɪtɪ] я́сность, поня́тность; **~ous** [pə'spɪkjuəs] я́сный, поня́тный

perspi||ration [ˌpə:spə'reɪʃ(ə)n] испа́рина; пот; **~re** [pəs'paɪə] поте́ть

persua||de [pə'sweɪd] 1) убежда́ть 2) угова́ривать, склоня́ть *(к чему-л. — into)*; отгова́ривать *(out of, not to)*; **~sion** [-'sweɪʒ(ə)n] убежде́ние; **~sive** [-'sweɪsɪv] убеди́тельный

pert [pə:t] де́рзкий; развя́зный

pertain [pə:'teɪn] 1) принадлежа́ть, быть сво́йственным 2) относи́ться, име́ть отноше́ние *(к чему-л.)*

pertinaci||ous [ˌpə:tɪ'neɪʃəs] упря́мый; упо́рный; **~ty** [-'næsɪtɪ] упря́мство; упо́рство

pertinent ['pə:tɪnənt] подходя́щий, уме́стный, по существу́

perturb [pə'tə:b] приводи́ть в смяте́ние; волнова́ть; **~ation** [ˌpə:tə:'beɪʃ(ə)n] 1) смяте́ние; беспоко́йство, волне́ние 2) пертурба́ция

perusal [pə'ru:z(ə)l] внима́тельное чте́ние

peruse [pə'ru:z] внима́тельно прочита́ть

pervade [pə:'veɪd] распространя́ться, проника́ть; пропи́тывать

pervers||e [pə'və:s] 1) несгово́рчивый; капри́зный; упря́мый 2) превра́тный, непра́вильный; **~ion** [-'və:ʃ(ə)n] 1) искаже́ние, извраще́ние 2) извращённость; **~ity** [-'və:sɪtɪ] упря́мство; несгово́рчивость

pervert **1.** *v* [pə'və:t] 1) извраща́ть 2) совраща́ть **2.** *n* ['pə:və:t] извращённый челове́к; **~ed** [-ɪd] извращённый; испо́рченный

pervious ['pə:vjəs] проница́емый; проходи́мый

pessimistic [ˌpesɪ'mɪstɪk] пессимисти́ческий

pest [pest] чума́; *перен.* я́зва, бич

pester ['pestə] докуча́ть, надоеда́ть

pesti||ferous [pes'tɪf(ə)rəs] вре́дный; зара́зный; **~lent** ['pestɪlənt] вре́дный; зара́зный; ядови́тый; **~lential** [ˌpestɪ'lenʃ(ə)l] 1) = pestilent 2) *разг.* «прокля́тый», надое́дливый

pestle ['pesl] **1.** *n* пе́стик *(ступки)* **2.** *v* толо́чь

pet I [pet] **1.** *n* 1) люби́мец, ба́ловень 2) *attr.*: ~ name уменьши́тельное *или* ласка́тельное и́мя **2.** *v* балова́ть; ласка́ть

pet II плохо́е настрое́ние

petal ['petl] лепесто́к

peter ['pi:tə] *разг.*: **~ out** уменьша́ться, иссяка́ть

petition [pɪ'tɪʃ(ə)n] **1.** *n* про́сьба; пети́ция, проше́ние **2.** *v* 1) хода́тайствовать; 2) умоля́ть, проси́ть; **~er** проси́тель

petrel ['petr(ə)l] буреве́стник

petri||faction [ˌpætrɪ'fækʃ(ə)n] окамене́ние; окамене́лость; **~fy** ['petrɪfaɪ] окамене́ть; *перен.* оцепене́ть *(от ужаса и т.п.)*

petrol ['petr(ə)l] 1) бензи́н;

газоли́н 2) *attr.*: ~ bomb напа́лмовая бо́мба; **~eum** [pɪ'trouljəm] нефть

petticoat ['petɪkout] ни́жняя ю́бка

pettifog ['petɪfɔg] 1) занима́ться кля́узами 2) вздо́рить; **~ger** крючкотво́р; **~ging** ме́лкий, ме́лочный

pettish ['petɪʃ] раздражи́тельный

petty ['petɪ] 1) малова́жный, пустя́чный 2) ме́лкий; ~ bourgeois ме́лкий буржуа́; ~ cash ме́лкие су́ммы 3) ме́лочный; у́зкий, ограни́ченный ◇ ~ officer *мор.* старшина́

petulant ['petjulənt] раздражи́тельный, вздо́рный; нетерпели́вый

pew [pju:] 1) скамья́ в це́ркви 2) *разг.* стул, сиде́нье; take a ~ сади́тесь

pewter ['pju:tə] 1) сплав о́лова со свинцо́м 2) оловя́нная посу́да

phantasy ['fæntəsɪ] фанта́зия

phantom ['fæntəm] 1) фанто́м, при́зрак 2) иллю́зия 3) *attr.* иллюзо́рный; при́зрачный

pharma||cology [,fɑ:mə'kɔlədʒɪ] фармаколо́гия; **~cy** ['fɑ:məsɪ] 1) фармаце́втика 2) апте́ка

phase [feɪz] фа́за

pheasant ['feznt] фаза́н

phenomenon [fɪ'nɔmɪnən] *(pl* phenomena [-nə]) явле́ние, фено́мен

philander [fɪ'lændə] уха́живать, флиртова́ть; **~er** [-rə] ухажёр, волоки́та

philanthrop||ic [,fɪlən'θrɔpɪk] филантропи́ческий; **~ist** [fɪ'lænθrəpɪst] филантро́п; **~y** [fɪ'lænθrəpɪ] филантро́пия

philistine ['fɪlɪstaɪn] обыва́тель, мещани́н; фили́стер

phillumenist [fɪ'lu:mɪnɪst] филумени́ст, коллекционе́р этике́ток спи́чечных коро́бок

philolo||gist [fɪ'lɔlədʒɪst] фило́лог; языкове́д; **~gy** [-dʒɪ] филоло́гия

philoso||pher [fɪ'lɔsəfə] фило́соф; **~phy** [-fɪ] филосо́фия

phlegm [flem] 1) мокро́та; слизь 2) флегмати́чность; хладнокро́вие; **~atic** [fleg'mætɪk] флегмати́чный, вя́лый

phone [foun] *разг.* **1.** *n* телефо́н **2.** *v* звони́ть по телефо́ну

phoneti||c [fo(u)'netɪk] фонети́ческий; **~cian** [,founɪ'tɪʃ(ə)n] фонети́ст; **~cs** [fo(u)'netɪks] фоне́тика

phoney ['founɪ] *амер. разг.* фальши́вый, подде́льный

phosph||ate ['fɔsfeɪt] фосфа́т; **~orus** [-f(ə)rəs] фо́сфор

photo||graph ['foutəgrɑ:f] **1.** *n* фотогра́фия *(снимок)* **2.** *v* фотографи́ровать; **~grapher** [fə'tɔgrəfə] фото́граф; **~graphy** [fə'tɔgrəfɪ] фотогра́фия, фотографи́рование

phrase ['freɪz] **1.** *n* 1) фра́за, выраже́ние *(тж.* идиомати́ческое); оборо́т 2) ме́ткое выраже́ние 3) *муз.* фра́за **2.** *v* выража́ть в слова́х; **~-monger** [-,mʌŋgə] фразёр

phraseology [,freɪzɪ'ɔlədʒɪ] 1) фразеоло́гия 2) язы́к, слог

phrenetic [frɪ'netɪk] я́ростный; фанати́ческий

physical ['fɪzɪk(ə)l] 1) физи́ческий 2) теле́сный

physician [fɪ'zɪʃ(ə)n] врач

physicist ['fɪzɪsɪst] фи́зик

physics ['fɪzɪks] фи́зика

physiognomy [ˌfɪzɪ'ɔnəmɪ] 1) физиогно́мика 2) физионо́мия, о́блик, лицо́

physiolo||gist [ˌfɪzɪ'ɔlədʒɪst] физио́лог; **~gy** [-dʒɪ] физиоло́гия

physique [fɪ'zi:k] телосложе́ние

pianist ['pjænɪst] пиани́ст; пиани́стка

piano ['pjænou] роя́ль; upright ~ пиани́но

piazza [pɪ'ædzə] 1) пло́щадь *(особ. в Италии)* 2) *амер.* вера́нда

pica||resque [ˌpɪkə'resk]: ~ fiction *лит.* плутовско́й рома́н

pick I [pɪk] **1.** *v* 1) собира́ть, рвать 2) выбира́ть, подбира́ть; ~ and choose быть разбо́рчивым 3) долби́ть; бура́вить; ~ **off** а) обрыва́ть; б) перестреля́ть; ~ **out** выбира́ть; ~ **up** а) подбира́ть; поднима́ть; захва́тывать с собо́й; ~ oneself up подня́ться по́сле паде́ния; б) приобрета́ть; добыва́ть; в) поправля́ться; г) *разг.* заводи́ть знако́мство *(с кем-л. — with)*; д): ~ up speed набира́ть ско́рость ◇ ~ at one's food «клева́ть», есть ма́ленькими кусо́чками; ~ a lock взлома́ть замо́к; ~ to pieces раскритикова́ть, «разде́лать под оре́х» **2.** *n* вы́бор; the ~ *(of)* лу́чшая часть *(чего-л.)*

pick II 1) кирка́; кайла́ 2) зубочи́стка

pickax(e) ['pɪkæks] кирка́

picket ['pɪkɪt] **1.** *n* 1) кол 2) пике́т 3) *воен.* (сторожева́я) заста́ва **2.** *v* 1) огора́живать 2) пикети́ровать

picking ['pɪkɪŋ] 1) сбор *(плодов и т. п.)* 2) *pl* оста́тки, объе́дки 3) *pl* пожи́ва от ме́лкой кра́жи 4): ~ and stealing ме́лкая кра́жа

pickle ['pɪkl] **1.** *n* 1) марина́д; рассо́л 2) *pl* пи́кули 3) *разг.* неприя́тное положе́ние **2.** *v* марино́ва́ть, соли́ть

pickpocket ['pɪkˌpɔkɪt] (вор-) карма́нник

picnic ['pɪknɪk] пикни́к ◇ it is no ~ э́то нелёгкое де́ло

picric ['pɪkrɪk]: ~ acid *хим.* пикри́новая кислота́

pictorial [pɪk'tɔ:rɪəl] **1.** *n* иллюстри́рованный журна́л **2.** *a* 1) иллюстри́рованный; с карти́нками 2) живопи́сный

picture ['pɪktʃə] **1.** *n* 1) карти́на; карти́нка 2) фотогра́фия 3) ко́пия, портре́т 4) (живопи́сное) описа́ние 5) *pl* кино́ **2.** *v* 1) писа́ть *(красками)*; рисова́ть 2) опи́сывать, изобража́ть 3) воображáть, представля́ть себе́; **~-book** [-buk] де́тская кни́жка с карти́нками; **~-card** [-kɑ:d] *карт.* фигу́ра *(король, дама, валет)*

picturesque [ˌpɪktʃə'resk] 1) живопи́сный 2) о́бразный 3) колори́тный

pie [paɪ] пиро́г ◇ have a finger in the ~ принима́ть уча́стие; быть заме́шанным в чём-либо

piebald ['paɪbɔ:ld] **1.** *a* пе́гий; пёстрый **2.** *n* пе́гая ло́шадь

piece ['pi:s] **1.** *n* 1) кусо́к; часть; ~ of land уча́сток земли́; ~ of paper листо́к бума́ги; ~ of a machine часть маши́ны 2) шту́ка 3) моне́та 4) произведе́ние иску́сства; пье́са; карти́на ◇ to ~s на ча́сти; that was a fine ~ of luck э́то была́ больша́я уда́ча **2.** *v* 1): ~ together составля́ть из кусо́чков 2) чини́ть, лата́ть; ~ **out** восполня́ть; догада́ться; **~-meal** [-mi:l] 1) пошту́чно 2) постепе́нно; **~-work** [-wə:k] сде́льная рабо́та

pied [paɪd] пёстрый

pier [pɪə] 1) мол, волноло́м 2) *мор.* пирс 3) простёнок 4) столб, сва́я

pierc||e [ˈpɪəs] 1) пронза́ть; прока́лывать 2) проходи́ть, проника́ть; **~ing** 1) о́стрый; пронзи́тельный 2) прони́зывающий

pier-glass [ˈpɪəglɑ:s] трюмо́

piety [ˈpaɪətɪ] благоче́стие, на́божность

piffle [ˈpɪfl] *разг.* вздор

pig [pɪg] **1.** *n* 1) свинья́, поросёнок 2) *тех.* болва́нка; чу́шка **2.** *v* 1) пороси́ться 2): ~ it *разг.* жить те́сно и неую́тно, юти́ться

pigeon [ˈpɪdʒɪn] 1) го́лубь 2) проста́к; **~-hole** [-houl] отделе́ние *(пи́сьменного стола́ и т. п.)*

piggish [ˈpɪgɪʃ] *разг.* свино́ский; гря́зный; жа́дный

piggy [ˈpɪgɪ] жа́дный

pigmy [ˈpɪgmɪ] *см.* pygmy

pigsty [ˈpɪgstaɪ] свина́рник

pigtail [ˈpɪgteɪl] коси́чка, коса́

pike I [paɪk] 1) пи́ка, копьё 2) пик

pike II щу́ка

pilchard [ˈpɪltʃəd] сарди́н(к)а

pile I [paɪl] **1.** *n* 1) ку́ча, гру́да; сто́пка 2) *эл.* батаре́я ◇ ~(s) of money ку́ча де́нег **2.** *v* 1) скла́дывать в ку́чу 2) нагроможда́ть; зава́ливать; сва́ливать; нава́ливать

pile II *текст.* ворс

pile III [ˈpaɪl] сва́я; **~-driver** [-ˌdraɪvə] копёр

piles [paɪlz] *pl* геморро́й

pilfer [ˈpɪlfə] ворова́ть, таска́ть; **~age** [-rɪdʒ] ме́лкая кра́жа; **~er** [-rə] ме́лкий вори́шка

pilgrim [ˈpɪlgrɪm] пилигри́м, пало́мник; стра́нник; **~age** [-ɪdʒ] пало́мничество; стра́нствие

pill [pɪl] пилю́ля, табле́тка

pillage [ˈpɪlɪdʒ] **1.** *n* 1) грабёж 2) добы́ча **2.** *v* гра́бить; маро-дёрствовать

pillar [ˈpɪlə] столб, коло́нна; *перен.* опо́ра, столп; **~-box** [-bɔks] почто́вый я́щик

pill-box [ˈpɪlbɔks] 1) коро́бочка для пилю́ль 2) *воен.* закры́тое огнево́е сооруже́ние

pillion [ˈpɪljən] за́днее сиде́нье мотоци́кла

pillory [ˈpɪlərɪ] позо́рный столб

pillow [ˈpɪlou] поду́шка; **~-case** [-keɪs] на́волочка

pilot [ˈpaɪlət] **1.** *n* 1) пило́т, лётчик; *мор.* ло́цман; *перен.* проводни́к, вожа́к 2) *attr.* ло́цманский; шту́рманский **2.** *v* пилоти́ровать; *перен.* дава́ть направле́ние; **~age** [-ɪdʒ] 1) ло́цманское де́ло 2) пилота́ж

pimple [ˈpɪmpl] пры́щик

pin [pɪn] **1.** *n* 1) була́вка 2) *тех.* штифт; ца́пфа 3) *муз.* коло́к **2.** *v* ска́лывать, скрепля́ть;

прика́лывать; ~ **down** ско́вывать; ~ down to a promise свя́зывать обеща́нием; ~**on** втыка́ть

pinafore ['pɪnəfɔ:] пере́дник *(особ.* де́тский)

pincers ['pɪnsəz] *pl* щипцы́, клёщи; пинце́т

pinch [pɪntʃ] **1.** *n* 1) щипо́к 2) щепо́тка *(соли и т. п.)* 3) нужда́; кра́йность **2.** *v* 1) щипа́ть 2) жать *(об обуви)* 3) *(обыкн. pass)* му́чить, причиня́ть страда́ния 4) *разг.* стащи́ть 5) *разг.* арестова́ть

pinchbeck ['pɪntʃbek] **1.** *n* томпа́к **2.** *a* фальши́вый, подде́льный

pine I [paɪn] ча́хнуть; томи́ться; ~ **away** ча́хнуть

pine II ['paɪn] сосна́; ~**apple** [-,æpl] анана́с; ~**-cone** [-koun] сосно́вая ши́шка

ping [pɪŋ] **1.** *n* свист **2.** *v* свисте́ть

pinion I ['pɪnjən] **1.** *n* 1) перо́ *(птичьего крыла)* 2) *поэт.* крыло́ **2.** *v* 1) подреза́ть кры́лья 2) свя́зывать ру́ки

pinion II *тех.* шестерня́

pink I [pɪŋk] прока́лывать; протыка́ть

pink II ['pɪŋk] **1.** *n* 1) *бот.* гвозди́ка 2) ро́зовый цвет ◇ in the ~ *разг.* в прекра́сном состоя́нии *(о здоровье)*; the ~ of health воплоще́ние здоро́вья **2.** *a* ро́зовый; ~**ish** розова́тый

pinnacle ['pɪnəkl] 1) *архит.* бельведе́р, шпиц 2) верши́на горы́ 3) кульминацио́нный пункт; at the ~ of his fame в зени́те сла́вы

pinnate ['pɪnɪt] *бот.* пе́ристый

pinny ['pɪnɪ] *детск.* пере́дничек

pin-point ['pɪnpɔɪnt] *воен.* определя́ть (то́чное) положе́ние; засека́ть цель

pint [paɪnt] пи́нта (= 0,57 *л*)

pioneer [,paɪə'nɪə] **1.** *n* 1) пионе́р 2) *воен.* сапёр **2.** *v* прокла́дывать путь, быть пионе́ром

pious ['paɪəs] на́божный, благочести́вый

pip I [pɪp] ко́сточка, зёрнышко *(яблока и т. п.)*

pip II 1) очко́ *(в картах, домино)* 2) звёздочка *(на погонах)*

pip III [pɪp] высо́кий коро́ткий звук *(радиосигнала, телефона)*

pip IV: have the ~ *разг.* быть в плохо́м настрое́нии

pipe ['paɪp] 1) труба́ 2) тру́бка 3) фле́йта, свире́ль, ду́дка; ~**-clay** [-kleɪ] бе́лая гли́на; ~**-line** [-laɪn] трубопрово́д; нефтепрово́д

piping ['paɪpɪŋ] 1) тру́бы; трубопрово́д 2) кант

piqu||ancy ['pi:kənsɪ] пика́нтность; ~**ant** [-ənt] пика́нтный

pique [pi:k] **1.** *n* оскорблённое самолю́бие; доса́да **2.** *v* 1) коло́ть; уязвля́ть 2): ~ oneself on smth. чва́ниться чем-л. 3) возбужда́ть *(любопытство)*

piracy ['paɪərəsɪ] 1) морско́й разбо́й, пира́тство 2) наруше́ние а́вторского пра́ва

pirate ['paɪərɪt] 1) пира́т 2) наруши́тель а́вторского пра́ва

piscatorial [,pɪskə'tɔ:rɪəl] рыбо́ловный

pistachio [pɪs'tɑ:ʃɪou] фиста́шка

pistil ['pıstıl] *бот.* пе́стик

pistol ['pıstl] пистоле́т; револьве́р

piston ['pıstən] *тех.* 1) по́ршень 2) *attr.*: ~ stroke ход по́ршня; **~-rod** [-rɔd] шату́н

pit I [pıt] **1.** *n* 1) я́ма 2) копь, ша́хта; шурф 3) *театр.* парте́р *(последние ряды)* 4) ряби́на *(на коже)* **2.** *v* 1) выставля́ть в ка́честве проти́вника 2) де́лать я́мки; оставля́ть следы́; ~ted with smallpox рябо́й

pit II *амер.* ко́сточка *(вишни и т. п.)*

pit-a-pat ['pıtə'pæt]: his heart went ~ его́ се́рдце заби́лось

pitch I [pıtʃ] смола́; дёготь; вар ◇ ~ black чёрный как смоль; ~ darkness тьма кроме́шная

pitch II [pıtʃ] **1.** *n* 1) *мор.* килева́я ка́чка 2) высота́ *(звука, тона)* 3) сте́пень, си́ла **2.** *v* 1) устана́вливать; ста́вить *(палатки)*; разбива́ть *(лагерь)* 2) броса́ть; кида́ть 3): the boat is ~ing ло́дку кача́ет 4) *муз.* име́ть *или* придава́ть определённую высоту́; ~ one's voice higher повы́сить го́лос; **~ed** [-t] 1): high (low) ~ed voice высо́кий (ни́зкий) го́лос 2): the roof is ~ed too steeply кры́ша сли́шком крута́ 3): ~ed battle реши́тельное, генера́льное сраже́ние

pitcher ['pıtʃə] кувши́н

pitchfork ['pıtʃfɔ:k] ви́лы

piteous ['pıtıəs] жа́лкий

pitfall ['pıtfɔ:l] лову́шка, западня́

pith [pıθ] *бот.* сердцеви́на 2) суть, су́щность 3) си́ла, эне́ргия

piti||able ['pıtıəbl] жа́лкий; **~ful** 1) сострада́тельный 2) возбужда́ющий сострада́ние 3) жа́лкий, ничто́жный; **~less** безжа́лостный

pittance ['pıt(ə)ns] ничто́жное жа́лованье; пода́чка

pity ['pıtı] **1.** *n* жа́лость; сожале́ние; take ~ сжа́литься **2.** *v* жале́ть соболе́зновать

pivot ['pıvət] **1.** *n* 1) то́чка враще́ния; то́чка опо́ры 2) *тех.* сте́ржень 3) основно́й пункт **2.** *v* враща́ться, верте́ться; **~al** [-l] осево́й, стержнево́й

placable ['plækəbl] кро́ткий

placard ['plækɑ:d] плака́т, афи́ша

placate [plə'keıt] успока́ивать; умиротворя́ть; зада́бривать

place [pleıs] **1.** *n* 1) ме́сто 2) положе́ние; до́лжность ◇ it's not my ~ to inquire into that не моя́ обя́занность выясня́ть э́то де́ло; in the first ~ во-пе́рвых; out of ~ неуме́стный; take ~ происходи́ть; take the ~ of заменя́ть **2.** *v* помеща́ть; ста́вить, класть

placid ['plæsıd] споко́йный, безмяте́жный; ми́рный; **~ity** [plæ'sıdıtı] споко́йствие, безмяте́жность

plagiar||ism ['pleıdʒjərızm] плагиа́т; **~ist** плагиа́тор

plague [pleıg] **1.** *n* 1) чума́, мор 2) бе́дствие 3) *разг.* доса́да **2.** *v* надоеда́ть; досажда́ть

plaid [plæd] 1) плед 2) шотла́ндка *(ткань)*

plain ['pleın] **1.** *n* 1) равни́на 2) *pl* сте́пи; *амер.* пре́рии **2.**

a 1) я́сный; очеви́дный 2) просто́й ◇ ~ clothes шта́тское пла́тье **3.** *adv* я́сно, чётко; **~-spoken** [-ˈspouk(ə)n] прямо́й, открове́нный

plaintiff [ˈpleɪntɪf] *юр.* исте́ц

plaintive [ˈpleɪntɪv] зауны́вный

plait [plæt] **1.** *n* коса́ *(из волос)* **2.** *v* заплета́ть

plan [plæn] **1.** *n* 1) план; прое́кт; чертёж; схе́ма 2) за́мысел, план, наме́рение **2.** *v* 1) плани́ровать *(работу и т. п.)* 2) составля́ть чертёж, прое́кт 3) замышля́ть, намерева́ться, затева́ть

plane I [pleɪn] **1.** *n* 1) пло́скость 2) самолёт **2.** *a* пло́ский, ро́вный **3.** *v ав.* плани́ровать

plane II **1.** *n* руба́нок **2.** *v* строга́ть

plane III [pleɪn] *бот.* плата́н, чина́ра

planet [ˈplænɪt] плане́та; **~arium** [ˌplænɪˈtɛərɪəm] планета́рий; **~ary** [-(ə)rɪ] плане́тный

plank [ˈplæŋk] **1.** *n* 1) доска́ 2) *attr.*: ~ bed на́ры **2.** *v* 1) обшива́ть доска́ми 2): ~ smth. down выкла́дывать де́ньги, раскоше́ливаться; **~ing** доща́тая обши́вка; насти́л

plant I [plɑ:nt] **1.** *n* расте́ние **2.** *v* сажа́ть; *перен.* насажда́ть

plant II 1) заво́д 2) устано́вка

plantain [ˈplæntɪn] *бот.* подоро́жник

plantation [plænˈteɪʃ(ə)n] планта́ция

planter [ˈplɑ:ntə] планта́тор

plaque [plɑ:k]: memorial ~ мемориа́льная доска́

plash [plæʃ] **1.** *n* всплеск **2.** *v* 1) плеска́ть 2) плеска́ться

plaster [ˈplɑ:stə] **1.** *n* 1) штукату́рка 2) пла́стырь 3) гипс **2.** *v* 1) штукату́рить; зама́зывать 2) прикла́дывать пла́стырь; **~er** [-rə] штукату́р

plastic [ˈplæstɪk] пласти́ческий; пласти́чный

plasticine [ˈplæstɪsi:n] пластили́н

plasticity [plæsˈtɪsɪtɪ] пласти́чность

plate [pleɪt] **1.** *n* 1) таре́лка 2) пласти́нка; лист 3) столо́вое серебро́ **2.** *v* 1) око́вывать, брони́ровать 2) золоти́ть, серебри́ть, никели́ровать 3) *полигр.* стереотипи́ровать

plateau [ˈplætou] *(pl* ~s, ~x [-z]) плато́, плоского́рье

plateful [ˈpleɪtful] по́лная таре́лка *(чего-л.)*

platform [ˈplætfɔ:m] 1) перро́н 2) эстра́да *(концертная)*; сце́на, трибу́на 2) *полит.* платфо́рма

platitud||e [ˈplætɪtju:d] по́шлость; **~inous** [ˌplætɪˈtju:dɪnəs] по́шлый

platoon [pləˈtu:n] *воен.* взвод

plaudit [ˈplɔ:dɪt] *(обыкн. pl)* аплодисме́нты

plaus||ibility [ˌplɔ:zəˈbɪlɪtɪ] вероя́тность; правдоподо́бие; **~-ible** [ˈplɔ:zəbl] вероя́тный; правдоподо́бный

play [pleɪ] **1.** *n* 1) игра́ 2) пье́са 3) плеск *(воды)*; перели́вы *(красок, света)* **2.** *v* 1) игра́ть; забавля́ться; ~ a double game вести́ двойну́ю игру́; ~ fair поступа́ть че́стно; ~ a trick сыгра́ть, вы́кинуть штýку; ~ the fool валя́ть дурака́ 2) исполня́ть *(роль, муз. произведение)* 3) поступа́ть, де́йствовать 4) бить *(о фонтане)*; перелива́ться *(о свете)*; ~ **off** разы́грывать, дура́чить *(кого-л.)*; ~ **up** а) привлека́ть к себе́ внима́ние; тре́бовать внима́ния; б) *театр.* поды́грывать; в) обы́грывать; to ~ up a fact вся́чески испо́льзовать факт ◇ be ~ed out выдыха́ться; ~ safe де́йствовать наверняка́

playbill ['pleɪbɪl] програ́мма; афи́ша

player ['pleɪə] 1) актёр 2) игро́к

playfellow ['pleɪˏfelou] друг де́тства

playful ['pleɪful] игри́вый; шутли́вый

play||goer ['pleɪˏgouə] театра́л; ~**ground** [-graund] площа́дка *(для детей)*; ~**house** [-haus] теа́тр; ~**ing-field** [-ɪŋfi:ld] спортплоща́дка; ~**mate** [-meɪt] партнёр; ~**thing** [-θɪŋ] игру́шка; ~**wright** [-raɪt] драмату́рг

plea [pli:] 1) *юр.* заявле́ние подсуди́мого *или* защи́тника 2) оправда́ние; до́вод 3) мольба́

plead ['pli:d] (pleaded, pled) 1) *юр.* выступа́ть в суде́; защища́ть подсуди́мого; ~ guilty призна́ть себя́ вино́вным; ~ not guilty отрица́ть вино́вность 2) умоля́ть 3) хода́тайствовать 4) приводи́ть в оправда́ние; ~**ing** *юр.* 1) выступле́ние адвока́та в суде́ 2) *pl* судоговоре́ние

pleasant ['pleznt] прия́тный; ми́лый

please [pli:z] 1) хоте́ть, соблаговоли́ть 2): if you ~! бу́дьте так добры́!, пожа́луйста! 3) доставля́ть удово́льствие, угожда́ть; she is a hard person to ~ ей тру́дно угоди́ть 4) нра́виться; do as you ~ де́лайте как хоти́те

pleasure ['pleʒə] удово́льствие; ~**-boat** [-bout] я́хта; ~**-ground** [-graund] 1) парк для прогу́лок 2) площа́дка для игр

pleat [pli:t] **1.** *n* скла́дка **2.** *v* де́лать скла́дки; плиссирова́ть

plebiscite ['plebɪsɪt] плебисци́т

pled [pled] *амер. разг. past и p. p. от* plead

pledge [pledʒ] **1.** *n* 1) зало́г, закла́д 2) обеща́ние; обяза́тельство **2.** *v* 1) закла́дывать 2) руча́ться; ~ one's word дава́ть сло́во 3) брать на себя́ обяза́тельство *(тж.* ~ oneself)

plenary ['pli:nərɪ] 1) по́лный, неограни́ченный 2) плена́рный

plenipotentiary [ˏplenɪpə'tenʃ(ə)rɪ] **1.** *n* полномо́чный представи́тель **2.** *a* полномо́чный; Minister P. полномо́чный мини́стр

plenitude ['plenɪtju:d] полнота́, оби́лие

plen||tiful ['plentɪful] 1) оби́льный, бога́тый чем-л. *(in)* 2) плодоро́дный; ~**ty** [-tɪ] **1.** *n* изоби́лие, избы́ток; ~ty *(of)* мно́го, мно́жество **2.** *adv разг.* вполне́

plethor||a ['pleθərə] 1) *мед.* полнокро́вие 2) избы́ток

pleurisy ['pluərɪsɪ] плеври́т

pli||ability [ˏplaɪə'bɪlɪtɪ] 1) ги́бкость 2) усту́пчивость; ~**able** ['plaɪəbl] 1) ги́бкий 2) усту́пчивый; ~**ant** [-ənt] *см.* pliable

pliers [ˈplaɪəz] *pl* щи́пчики, плоскогу́бцы

plight [plaɪt] (бе́дственное) положе́ние

plimsolls [ˈplɪms(ə)lz] *pl* лёгкие паруси́новые ту́фли на рези́новой подо́шве

plinth [plɪnθ] *стр.* 1) цо́коль 2) пли́нтус

plod [plɔd] 1) корпе́ть *(над — at)* 2): ~ (on) one's way, ~ along тащи́ться, брести́; **~der** работя́га

plop [plɔp] шлёпнуться; булты́хнуться

plot I [plɔt] **1.** *n* 1) за́говор 2) сюже́т, фа́була **2.** *v* составля́ть за́говор; замышля́ть; интригова́ть

plot II **1.** *n* уча́сток *(земли)* **2.** *v* наноси́ть на ка́рту, диагра́мму

plough [ˈplau] **1.** *n* 1) плуг 2) па́шня **2.** *v* 1) паха́ть; ships are ~ing the seas *поэт.* корабли́ борозжя́т океа́ны 2) *разг.* провали́ть на экза́мене; ~ **through** с трудо́м пробира́ться ◇ ~ one's way прокла́дывать себе́ путь; пробира́ться с трудо́м; **~man** [-mən] па́харь; **~share** [-ʃɛə] сошни́к, ле́мех

plow [plau] *амер. см.* plough

ploy [plɔɪ] *разг.* де́ло, рабо́та, заня́тие

plu||ck [plʌk] **1.** *n* 1) дёрганье 2) ли́вер 3) му́жество **2.** *v* 1) собира́ть, срыва́ть *(цветы)* 2) щипа́ть *(струны)* 3) *разг.* обира́ть; обма́нывать; 4) провали́ть на экза́мене 5): ~ at дёргать; **~cky** [ˈplʌkɪ] сме́лый, отва́жный

plug [plʌg] **1.** *n* 1) заты́чка, вту́лка, про́бка 2) *эл.* ште́псель 3) (пожа́рный) кра́н 4) прессо́ванный таба́к *(для жевания)* **2.** *v* 1) затыка́ть; заку́поривать *(тж.* ~ up) 2) *разг.* популяризи́ровать *(песню и т. п.)*; ~ **away** *(at)* корпе́ть *(над)*; ~ **in** вставля́ть ште́псель

plum [plʌm] сли́ва

plumage [ˈplu:mɪdʒ] опере́ние

plumb [plʌm] **1.** *n* 1) отве́с 2) лот **2.** *a* вертика́льный **3.** *adv* 1) вертика́льно 2) то́чно, пря́мо 3) *амер. разг.* соверше́нно, совсе́м **4.** *v* 1) измеря́ть глубину́; *перен.* проника́ть *(в тайну и т. п.)* 2) устана́вливать вертика́льно

plumb||er [ˈplʌmə] 1) водопрово́дчик 2) пая́льщик; **~ing** 1) водопрово́дное де́ло 2) водопрово́д

plumb-line [ˈplʌmlaɪn] отве́с

plume [plu:m] **1.** *n* 1) перо́ *(обыкн. большое)* 2) плюма́ж, султа́н *(на шляпе)* **2.** *v* 1) оправля́ть пе́рья *(о птице)* 2) украша́ть *(перьями)* ◇ ~ oneself *(on)* кичи́ться чем-л., задира́ть нос

plummet [ˈplʌmɪt] 1) отве́с 2) лот 3) грузи́ло *(отвеса или удочки)*

plump I [plʌmp] **1.** *a* пу́хлый; по́лный **2.** *v* толсте́ть, жире́ть

plump II **1.** *v* голосова́ть то́лько за одного́ кандида́та; ~ **down** плю́хаться **2.** *adv* 1) внеза́пно 2) напрями́к **3.** *a* реши́тельный *(об отказе и т. п.)*

plunder [ˈplʌndə] **1.** *n* 1) грабёж 2) добы́ча **2.** *v* гра́бить *(особ. на войне)*

plunge [plʌndʒ] **1.** *v* 1) окуна́ть, погружа́ть 2) оку́наться, погружа́ться 3) ныря́ть 4) *разг.* аза́ртно игра́ть **2.** *n* ныря́ние; погруже́ние

pluperfect ['plu:'pə:fıkt]: ~ tense *грам.* давнопроше́дшее вре́мя

plural ['pluər(ə)l] **1.** *n грам.* мно́жественное число́ **2.** *a* многочи́сленный; ~**ity** [pluə'rælıtı] 1) мно́жественность 2) большинство́ голосо́в

plus [plʌs] **1.** *prep* плюс **2.** *a* 1) доба́вочный 2) *мат.*, *эл.* положи́тельный **3.** *n* знак плюс; ~**-fours** ['plʌs'fɔ:z] брю́ки «гольф»

plush ['plʌʃ] 1) плис, плюш 2) *attr. разг. см.* plushy; ~**y** [-ı] *разг.* мо́дный, роско́шный

pluvial ['plu:vjəl] дождево́й

ply I [plaı] 1) сгиб, скла́дка 2) одина́рная толщина́ *(ткани)*

ply II 1) усе́рдно рабо́тать; ~ the needle быть портни́хой; шить 2) уси́ленно угоща́ть *(with)* 3) донима́ть *(расспросами, уговорами и т. п.)* 4) курси́ровать 5) *мор.* лави́ровать

plywood ['plaıwud] фане́ра

pneumatic [nju:'mætık] пневмати́ческий

pneumonia [nju:'mounjə] пневмони́я, воспале́ние лёгких

poach I [poutʃ] вари́ть яйцо́-пашо́т

poach II ['poutʃ] незако́нно охо́титься, браконье́рствовать; *перен.* вторга́ться; ~**er** браконье́р

pock [pɔk] о́спина

pocket ['pɔkıt] **1.** *n* 1) карма́н 2) ларь; бу́нкер 3) лу́за *(бильярда)* 4) *ав.* возду́шная я́ма 5) *воен.* «котёл», окруже́ние **2.** *a* карма́нный **3.** *v* 1) класть в карма́н 2) прикарма́нивать 3) загоня́ть шар (в лу́зу); ~**-book** [-buk] 1) записна́я кни́жка 2) бума́жник; ~**-knife** [-naıf] перочи́нный нож

pock-marked ['pɔkma:kt] ряба́й

pod [pɔd] **1.** *n* стручо́к **2.** *v* лущи́ть, шелуши́ть

podgy ['pɔdʒı] *разг.* ни́зенький и то́лстый

poem ['pouım] 1) поэ́ма 2) стихотворе́ние

poet ['pouıt] поэ́т; ~**ic(al)** [po(u)'etık(əl)] поэти́ческий; ~**ics** [po(u)'etıks] поэ́тика; ~**ry** [-rı] поэ́зия, стихи́

poign||ancy ['pɔınənsı] острота́; ~**ant** [-ənt] 1) о́стрый 2) мучи́тельный

point ['pɔınt] **1.** *n* 1) остриё; ко́нчик 2) то́чка 3) пункт; вопро́с; sore ~ больно́й вопро́с; at *(или* on) every ~ по всем пу́нктам 4) де́ло, суть; to the ~ к де́лу, кста́ти 5) *геогр.* мыс 6) *спорт.* очко́ ◇ stretch a ~ де́лать усту́пки; the job has its good ~s у э́той рабо́ты есть свои́ хоро́шие сто́роны; make a ~ of поста́вить себе́ за пра́вило; ~ of view то́чка зре́ния; пункт **2.** *v* 1) ука́зывать, пока́зывать 2) наце́ливать, наводи́ть; ~ **out** ука́зывать; ~**-blank** [-'blæŋk] наотре́з; ~**-duty** [-ˌdju:tı] обя́занности полице́йского-регулиро́вщика

pointed ['pɔıntıd] 1) остроконе́чный 2) ре́зкий 3) наведённый *(об оружии)*

pointer [ˈpɔɪntə] 1) указа́тель; стре́лка 2) по́йнтер *(порода собак)*

pointless [ˈpɔɪntlɪs] 1) бесце́льный, бессмы́сленный; глу́пый 2) *спорт.* с неоткры́тым счётом

poise [pɔɪz] **1.** *n* равнове́сие; *перен.* уравнове́шенность **2.** *v* 1) уравнове́шивать 2) уравнове́шиваться

poison [ˈpɔɪzn] **1.** *n* яд; отра́ва **2.** *v* отравля́ть, заража́ть; **~ous** [-əs] ядови́тый

poke [pouk] **1.** *n* толчо́к **2.** *v* 1) сова́ть; ты́кать 2) меша́ть *(кочергой)*; **~ about, ~ around, ~ into** выи́скивать; допы́тываться

poker I [ˈpoukə] кочерга́

poker II по́кер *(карточная игра)*

poky [ˈpoukɪ] ма́ленький, те́сный *(о комнате и т. п.)*

polar [ˈpoulə] поля́рный; по́люсный; ~ bear бе́лый медве́дь; ~ lights се́верное сия́ние; **~ity** [po(u)ˈlærɪtɪ] поля́рность; **~ize** [-raɪz] поляризова́ть

Pole [poul] поля́к; по́лька

pole I [poul] по́люс

pole II шест, столб; ма́чта ◇ up the ~ а) в тру́дном положе́нии; б) чо́кнутый

polecat [ˈpoulkæt] *зоол.* хорёк

polemic [pɔˈlemɪk] **1.** *n* поле́мика **2.** *a* полеми́ческий

police [pəˈliːs] поли́ция; **~man** [-mən], **~-officer** [-ˌɔfɪsə] полице́йский; **~-station** [-ˌsteɪʃ(ə)n] полице́йский уча́сток

policy I [ˈpɔlɪsɪ] 1) поли́тика 2) о́браз де́йствий, та́ктика

policy II по́лис *(страховой)*

Polish [ˈpoulɪʃ] **1.** *a* по́льский **2.** *n* по́льский язы́к

polish [ˈpɔlɪʃ] **1.** *n* 1) полиро́вка; чи́стка; shoe ~ гутали́н; furniture ~ полиро́ль; floor ~ масти́ка 2) лоск, гля́нец; *перен.* изы́сканность, лоск **2.** *v* полирова́ть, шлифова́ть; ~ shoes чи́стить о́бувь; **~ off** бы́стро распра́виться, поко́нчить; ~ off a bottle of wine вы́пить буты́лку вина́; **~ up** освежа́ть *(знания и т. п.)*; **~ed** [-t] 1) полиро́ванный 2) изы́сканный

polite [pəˈlaɪt] ве́жливый; **~ness** ве́жливость

politic [ˈpɔlɪtɪk] 1) обду́манный 2) расчётливый

politi||cal [pəˈlɪtɪk(ə)l] полити́ческий; **~cian** [ˌpɔlɪˈtɪʃ(ə)n] 1) поли́тик; госуда́рственный де́ятель 2) *амер. презр.* политика́н

politics [ˈpɔlɪtɪks] поли́тика

polka-dot [ˈpɔlkəˈdɔt]: ~ material ткань в горо́шек

poll [poul] **1.** *n* 1) спи́сок избира́телей 2) подсчёт голосо́в 3) баллотиро́вка; голосова́ние 4) *(обыкн. pl) амер.* избира́тельный пункт 5) *шутл.* голова́ **2.** *v* 1) проводи́ть голосова́ние 2) голосова́ть 3) получа́ть голоса́

pollard [ˈpɔləd] подстри́женное де́рево

poll||en [ˈpɔlɪn] *бот.* пыльца́; **~inate** [-eɪt] *бот.* опыля́ть

polling-booth [ˈpoulɪŋˈbuːð] каби́на для голосова́ния

pollut||e [pəˈluːt] оскверня́ть; загрязня́ть; **~ion** [-ˈluːʃ(ə)n] 1) оскверне́ние; загрязне́ние 2) поллю́ция

poltergeist [ˈpɔltəgaɪst] привидéние, домовóй

poltroon [pɔlˈtruːn] трус

polytechnic [pɔlɪˈteknɪk] политехни́ческий

pomegranate [ˈpɔmˌgrænɪt] *бот.* гранáт

pomp [ˈpɔmp] пы́шность, великолéпие; пóмпа; **~ous** [-əs] напы́щенный

pond [pɔnd] пруд

ponder [ˈpɔndə] обдýмывать; размышля́ть; взвéшивать; **~-able** [-rəbl] 1) весóмый 2) вéский; **~ous** [-rəs] 1) тяжёлый; тяжеловéсный 2) скýчный; ~ous speech нýдный доклáд

pontiff [ˈpɔntɪf] 1) пáпа (ри́мский) 2) архиерéй 3) первосвящéнник

pontoon [pɔnˈtuːn] понтóн; **~-bridge** [-brɪdʒ] понтóнный мост

pony [ˈpounɪ] 1) пóни 2) *разг.* 25 фýнтов; **~-tail** [-teɪl] «кóнский хвост» *(женская причёска)*

pooh! [p(h)uː] фу!

pool I [puːl] 1) лýжа 2) óмут 3) бассéйн

pool II пýлька *(в карточной игре)*

pool III **1.** *n* пул *(соглашение между предпринимателями для устранения конкуренции)* **2.** *v*: ~ resources *(или* money) сложи́ться

poop [puːp] *мор.* полуют

poor [ˈpuə] **1.** *a* 1) бéдный *(о человеке)*; скýдный *(об урожае, обеде и т. п.)* 2) несчáстный; жáлкий 3) плохóй ◇ ~ fellow бедня́га **2.** *n*: the ~ беднотá, бéдные; **~-house** [-haus] богадéльня; **~-law** [-lɔː] закóн о бéдных

poor||ly [ˈpuəlɪ] плóхо, недостáточно; **~ness** недостáточность; скýдность

poor-spirited [ˈpuəˈspɪrɪtɪd] трусли́вый, малодýшный; рóбкий

pop [pɔp] **1.** *n* 1) звук *(как от выскочившей пробки)* 2) *разг.* шипýчий напи́ток 3) *разг.* вы́стрел **2.** *v* хлóпать *(о пробке)*; **~ in** заглянýть; **~ up** неожи́данно появи́ться ◇ she ~ped her head out of the window онá вы́сунула гóлову из окнá **3.** *adv*: go ~ хлóпнуть, вы́стрелить

pope [poup] пáпа (ри́мский)

popinjay [ˈpɔpɪndʒeɪ] фат

poplar [ˈpɔplə] тóполь

poppet [ˈpɔpɪt] *разг.* ми́лочка

poppy [ˈpɔpɪ] мак

poppycock [ˈpɔpɪkɔk] *разг.* чепухá, чушь

populace [ˈpɔpjuləs] населéние

popular [ˈpɔpjulə] 1) нарóдный 2) популя́рный; he is a very ~ singer он óчень популя́рный певéц 3) общедостýпный 4) (обще)распространённый; **~ity** [ˌpɔpjuˈlærɪtɪ] популя́рность; **~ize** [-raɪz] популяризи́ровать

popul||ate [ˈpɔpjuleɪt] населя́ть; заселя́ть; **~ation** [ˌpɔpjuˈleɪʃ(ə)n] 1) населéние 2) заселéние; **~ous** [ˈpɔpjuləs] густонаселённый, лю́дный

porcelain [ˈpɔːslɪn] **1.** *n* фарфóр; фарфóровое издéлие **2.** *a* фарфóровый

porch [pɔːtʃ] 1) крыльцó; пóртик 2) *амер.* верáнда, террáса

porcine ['pɔ:saɪn] сви́нский

porcupine ['pɔ:kjupaɪn] дикобра́з

pore I [pɔ:] 1) *(обыкн. pl)* по́ра 2) *геол.* по́ра, сква́жина

pore II сосредото́читься *(на чём-л.—over smth.)*

pork [pɔ:k] свини́на

porous ['pɔ:rəs] по́ристый

porridge ['pɔrɪdʒ] (овся́ная) ка́ша

port I [pɔ:t] порт, га́вань

port II *мор.* 1) ле́вый борт 2) *attr.* ле́вый

port III портве́йн

portable ['pɔ:təbl] портати́вный, перено́сный; съёмный, складно́й, разбо́рный

portage ['pɔ:tɪdʒ] 1) перево́зка; сто́имость перево́зки 2) переправа, во́лок

portal ['pɔ:tl] порта́л; гла́вный вход

port||end [pɔ:'tend] предвеща́ть; **~ent** ['pɔ:tent] 1) предзнаменова́ние 2) чу́до; **~entous** [-'tentəs] 1) злове́щий 2) необыча́йный; удиви́тельный

porter I ['pɔ:tə] 1) швейца́р 2) носи́льщик

porter II по́ртер *(пиво)*

portfolio [pɔ:t'fouljou] 1) портфе́ль 2) па́пка, «де́ло»

porthole ['pɔ:thoul] *мор.* (бортово́й) иллюмина́тор

portico ['pɔ:tɪkou] *архит.* по́ртик; кры́тая галере́я

portion ['pɔ:ʃ(ə)n] **1.** *n* 1) часть, до́ля 2) уде́л, у́часть **2.** *v* дели́ть на ча́сти

portly ['pɔ:tlɪ] по́лный, доро́дный

portmanteau [pɔ:t'mæntou] *фр.* *(pl* ~s, ~x [-z]) чемода́н

portrait ['pɔ:trɪt] портре́т; *перен.* живо́е описа́ние, изображе́ние

portray [pɔ:'treɪ] рисова́ть портре́т; *перен.* изобража́ть, опи́сывать

Portuguese [,pɔ:tju'gi:z] **1.** *a* португа́льский **2.** *n* 1) португа́лец; португа́лка 2) португа́льский язы́к

pos||e ['pouz] **1.** *n* по́за *(тж. перен.)* **2.** *v* 1) пози́ровать; *перен.* рисова́ться; ~ as принима́ть по́зу, вид *(кого-л.)* 2) ста́вить *(вопрос, задачу)*; **~er** тру́дный вопро́с, тру́дная зада́ча, пробле́ма

position [pə'zɪʃ(ə)n] 1) местонахожде́ние; from this ~ с э́того пу́нкта 2) положе́ние, пози́ция 3) до́лжность, ме́сто 4) состоя́ние

positive ['pɔzətɪv] **1.** *n* 1) *грам.* положи́тельная сте́пень 2) *фото* позити́в **2.** *a* 1) то́чный, определённый 2) уве́ренный 3) положи́тельный; ~ plate *эл.* ано́д; ~ sign знак плюс 4) несомне́нный, безусло́вный

posse ['pɔsɪ] 1) гру́ппа гра́ждан, созыва́емая шери́фом *(для подавления беспорядков, розыска преступника и т. п.)* 2) полице́йский отря́д

possess [pə'zes] владе́ть; облада́ть; ~ oneself *(of)* завладе́ть *(чем-л.)*; **~ed** [-t] одержи́мый; **~ion** [pə'zeʃ(ə)n] 1) владе́ние, облада́ние; in ~ion *(of)* владе́ющий *(чем-л.)*; in the ~ion of smb. в чьём-л. владе́нии 2) *pl* иму́щество; **~ive** [-ɪv] 1) име́ющий, владе́ющий 2) *грам.* притяжа́тельный; ~ive case притяжа́тельный паде́ж; **~or** владе́лец

possib||ility [ˌpɔsəˈbɪlɪtɪ] возмо́жность; **~le** [ˈpɔsəbl] возмо́жный; **~ly** [ˈpɔsəblɪ] 1) по возмо́жности 2) возмо́жно

post I [poust] **1.** *n* 1) столб 2) сто́йка; подпо́рка; ма́чта **2.** *v*: ~ up a notice выве́шивать объявле́ние

post II **1.** *n* по́чта **2.** *v* отправля́ть по по́чте; опуска́ть в почто́вый я́щик

post III пост; до́лжность

post IV *воен.* ста́вить карау́л

post- [poust-] *pref со знач.* после-

postage [ˈpoustɪdʒ] 1) сто́имость почтового отправле́ния 2) *attr.*: ~ stamp почто́вая ма́рка

postal [ˈpoust(ə)l] **1.** *a* почто́вый; ~ order почто́вый перево́д **2.** *n амер.* откры́тка

post||card [ˈpoustkɑːd] откры́тка; **~-chaise** [-ʃeɪz] почто́вая каре́та, дилижа́нс

poster [ˈpoustə] плака́т, афи́ша

poste restante [ˈpoustˈrestɑːŋt] *фр.* до востре́бования *(надпись на конвертах и т. п.)*

posterior [pɔsˈtɪərɪə] 1) позднейший, после́дующий 2) за́дний

posterity [pɔsˈterɪtɪ] пото́мство; пото́мки

post-graduate [ˈpoustˈgrædjuɪt] аспира́нт

posthumous [ˈpɔstjuməs] посме́ртный

post||man [ˈpoustmən] почтальо́н; **~mark** [-mɑːk] почто́вый ште́мпель; **~master** [-ˌmɑːstə] почтме́йстер; нача́льник почто́вого отделе́ния; Postmaster General мини́стр почт

post meridiem [ˈpoustməˈrɪdɪəm] *(сокр.* p. m.) по́сле полу́дня

post mortem [ˈpoustˈmɔːtem] по́сле сме́рти

post-mortem [ˈpoustˈmɔːtem] **1.** *a* посме́ртный **2.** *n* вскры́тие тру́па

post-office [ˈpoustˌɔfɪs] по́чта, почто́вое отделе́ние; General Post Office Центра́льный почта́мт *(в Лондоне)*

postpone [poustˈpoun] откла́дывать, отсро́чивать; **~ment** отсро́чка

postscript [ˈpoustskrɪpt] постскри́птум

postulate [ˈpɔstjuleɪt] 1) принима́ть без доказа́тельств 2) ста́вить усло́вием 3) *(обыкн. p. p.)* тре́бовать

posture [ˈpɔstʃə] **1.** *n* по́за; положе́ние **2.** *v* пози́ровать

post-war [ˈpoustˈwɔː] послевое́нный

posy [ˈpouzɪ] буке́тик цвето́в

pot [pɔt] **1.** *n* 1) горшо́к; котело́к 2) *разг.* приз 3) *разг.* марихуа́на *(наркотик)* ◇ do smth. in order to keep the ~ boiling зараба́тывать на жизнь **2.** *v* 1) класть в котело́к 2) сажа́ть *(растение)* в горшо́к 3) консерви́ровать

potash [ˈpɔtæʃ] *хим.* пота́ш

potassium [pəˈtæsjəm] *хим.* ка́лий

potato [p(ə)ˈteɪtou] *(pl* ~es [-z]) карто́фель

pot||ency [ˈpout(ə)nsɪ] си́ла, могу́щество; **~ent** [-(ə)nt] 1) могу́щественный; мо́щный 2) убеди́тельный *(о доводе)* 3) эффекти́вный, сильноде́йствующий *(о лекарстве)*

potentate ['pout(ə)nteɪt] власти́тель

potential [pə'tenʃ(ə)l] **1.** *a* потенциа́льный **2.** *n* потенциа́л

potentiality [pə,tenʃɪ'ælɪtɪ] потенциа́льность; потенциа́льная возмо́жность

potion ['pouʃ(ə)n] до́за лека́рства *или* я́да ◇ love ~ любо́вный напи́ток

pot-pourri [po(u)'puri:] *фр.* 1) аромати́ческая смесь *(из сухих лепестков)*, сухи́е духи́ 2) попурри́

potter I ['pɔtə] 1) рабо́тать спустя́ рукава́ *(at—над чем-л.; тж. ~ about)* 2) вря проводи́ть вре́мя

potter II ['pɔtə] гонча́р; **~y** [-rɪ] 1) гли́няная посу́да; фая́нс 2) гонча́рное произво́дство, кера́мика 3) гонча́рная мастерска́я

potty ['pɔtɪ] *разг.* 1) ме́лкий, незначи́тельный 2) ненорма́льный; поме́шанный на *(about)*

pouch [pautʃ] **1.** *n* 1) мешо́чек, су́мка 2): ~es under the eyes мешки́ под глаза́ми **2.** *v* 1) прикарма́нивать 2) де́лать на́пуск *(на платье)*

poultice ['poultɪs] припа́рка

poultry ['poultrɪ] дома́шняя пти́ца

pounce [pauns] **1.** *n* внеза́пный спуск; прыжо́к **2.** *v* 1) налета́ть, набра́сываться 2) ухвати́ться *(за ошибку)*

pound I [paund] 1) колоти́ть 2) обстре́ливать, бомбардирова́ть 3) толо́чь

pound II [paund] 1) фунт *(единица веса)* 2) фунт *(стерлингов)*

pour [pɔ:] 1) лить 2) ли́ться; ~ **in** а) налива́ть; б) устремля́ться; ~ **out** а) вылива́ть; разлива́ть *(чай и т. п.)*; б) вылива́ться, ли́ться

pout [paut] **1.** *n* недово́льная грима́са **2.** *v* надува́ть гу́бы

poverty ['pɔvətɪ] бе́дность

powder ['paudə] **1.** *n* **1)** поро́шо́к 2) пу́дра 3) по́рох **2.** *v* 1) толо́чь 2) пу́дрить; **~-puff** [-pʌf] пухо́вка для пу́дры

power ['pauə] 1) си́ла, мощь, эне́ргия; purchasing ~ покупа́тельная спосо́бность 2) власть 3) держа́ва 4) *мат.* сте́пень; **~-boat** [-bout] мото́рный ка́тер

powerful ['pauəful] 1) си́льный, мо́щный 2) могу́щественный

power-house ['pauəhaus] силова́я ста́нция

powerless ['pauəlɪs] бесси́льный

power-station ['pauə,steɪʃ(ə)n] электроста́нция

practicable ['præktɪkəbl] 1) осуществи́мый, реа́льный 2) проходи́мый, прое́зжий *(о дороге)*

practical ['præktɪk(ə)l] 1) практи́ческий; ~ suggestion практи́ческое предложе́ние 2) практи́чный; a very ~ man о́чень практи́чный челове́к; **~ly** 1) ['præktɪkəlɪ] практи́чески; факти́чески, на де́ле 2) [-klɪ] почти́

practice ['præktɪs] 1) пра́ктика; the doctor has a large ~ у врача́ больша́я пра́ктика; in ~ на де́ле, факти́чески 2) тренировка, упражнение; навык 3) обычай 4) *воен.* учебная стрельба 5) *attr.*: ~ ground учебный плац ◇ make smth. a ~ поставить себе за правило; sharp ~ мошенничество

practise [ˈpræktɪs] 1) упражняться, практиковаться 2) заниматься, иметь профессию 3) практиковать, применять

practitioner [prækˈtɪʃnə] практикующий врач, терапевт

prairie [ˈprɛərɪ] прерия, степь

praise [ˈpreɪz] **1.** *n* похвала **2.** *v* хвалить; **~worthy** [-ˌwəːðɪ] похвальный

pram [præm] *разг. (сокр. от* perambulator) детская коляска

prance [prɑːns] скачок; курбет

prank I [præŋk] выходка, шалость; play ~s откалывать штуки

prank II 1) украшать 2) наряжаться

prate [preɪt] 1) болтать 2) разбалтывать

prattle [ˈprætl] **1.** *n* лепет **2.** *v* лепетать

pray [preɪ] 1) молиться 2) умолять; просить; ~! пожалуйста!; **~er** [prɛə] 1) молитва 2) мольба

prayer-book [ˈprɛəbuk] молитвенник

pre- [priː-] *pref* до-, пред-

preach [ˈpriːtʃ] проповедовать; **~er** проповедник

preamble [priːˈæmbl] 1) преамбула 2) вступление, предисловие

prearranged [ˈpriːəˈreɪndʒd] заранее подготовленный

precarious [prɪˈkɛərɪəs] 1) случайный, ненадёжный 2) опасный, рискованный

precaution [prɪˈkɔːʃ(ə)n] предосторожность; **~ary** [-ˈkɔːʃnərɪ] предупредительный

preced||e [priːˈsiːd] предшествовать; **~ence** [-(ə)ns] первенство, старшинство; **~ent** [ˈpresɪd(ə)nt] прецедент

precept [ˈpriːsept] 1) правило, указание 2) *юр.* предписание 3) заповедь; **~or** [prɪˈseptə] наставник

precinct [ˈpriːsɪŋkt] 1) огороженная территория, прилегающая к зданию *(особ. к церкви)* 2) *pl* окрестности 3) *амер.* избирательный *или* полицейский округ

precious [ˈpreʃəs] **1.** *a* 1) драгоценный 2) манерно-изысканный **2.** *n*: my ~! мой милый! **3.** *adv*: ~ little очень мало

precipi||ce [ˈpresɪpɪs] пропасть; **~tate 1.** *v* [prɪˈsɪpɪteɪt] 1) низвергать 2) *хим.* осаждать 3) ускорять **2.** *a* [prɪˈsɪpɪtɪt] 1) стремительный 2) опрометчивый **3.** *n* [prɪˈsɪpɪtɪt] *хим.* осадок; **~tation** [prɪˈsɪpɪˈteɪʃ(ə)n] 1) стремительность 2) выпадение осадков 3) *хим.* осаждение; **~tous** [prɪˈsɪpɪtəs] обрывистый

précis [ˈpreɪsiː] *фр.* краткое изложение, конспект

precis||e [prɪˈsaɪs] 1) точный; определённый 2) аккуратный, пунктуальный; педантичный; щепетильный; **~ely** 1) точно 2) вот именно, совершенно верно *(как ответ)*; **~ion** [-ˈsɪʒ-

(ə)n] 1) то́чность; чёткость 2) ме́ткость

preclude [prɪ'klu:d] устраня́ть; предотвраща́ть; ~ **from** препя́тствовать

precoci||ous [prɪ'kouʃəs] 1) ра́но разви́вшийся 2) скороспе́лый; **~ty** [-'kɔsɪtɪ] ра́ннее разви́тие

precon||ceived ['pri:kən'si:vd] предвзя́тый; **~ception** [-'sepʃ(ə)n] предвзя́тое мне́ние

preconcerted ['pri:kən'sə:tɪd] зара́нее подгото́вленный

precursor [pri:'kə:sə] предте́ча; предве́стник; предше́ственник

predatory ['predət(ə)rɪ] хи́щный, граби́тельский

predecessor ['pri:dɪsesə] предше́ственник

predesti||nation [pri:ˌdestɪ'neɪʃ(ə)n] предопределе́ние; **~ne** [-'destɪn] предопределя́ть

predetermine ['pri:dɪ'tə:mɪn] предреша́ть; предопределя́ть

predicament [prɪ'dɪkəmənt] неприя́тное, затрудни́тельное положе́ние

predica||te 1. *v* ['predɪkeɪt] утвержда́ть; объявля́ть **2.** *n* ['predɪkɪt] *грам.* сказу́емое, предика́т; **~tive** [prɪ'dɪkətɪv] *грам.* предикати́вный

predict [prɪ'dɪkt] предска́зывать; **~ion** [-kʃ(ə)n] предсказа́ние

predispos||e ['pri:dɪs'pouz] предрасполага́ть; **~ition** ['pri:ˌdɪspə'zɪʃ(ə)n] предрасположе́ние

predomin||ance [prɪ'dɔmɪnəns] преоблада́ние; превосхо́дство; **~ant** [-ənt] преоблада́ющий; **~ate** [-neɪt] преоблада́ть, госпо́дствовать

pre-emin||ence [pri:'emɪnəns] превосхо́дство; **~ent** [-ənt] выдаю́щийся; превосходя́щий (други́х)

preen [pri:n] 1) чи́стить пе́рья клю́вом 2): ~ oneself прихора́шиваться; *перен.* быть самодово́льным *(on)*

pre-establish ['pri:ɪs'tæblɪʃ] устана́вливать зара́нее

prefabricated ['pri:'fæbrɪkeɪtɪd] заводско́го изготовле́ния; ~ house сбо́рный дом

prefa||ce ['prefɪs] **1.** *n* предисло́вие; введе́ние **2.** *v* снабжа́ть предисло́вием; де́лать предвари́тельные замеча́ния; **~tory** [-fət(ə)rɪ] вво́дный, вступи́тельный

prefect ['pri:fekt] 1) префе́кт 2) *школ.* ста́рший учени́к

prefer [prɪ'fə:] 1) предпочита́ть 2) повыша́ть *(по службе)*; **~able** ['pref(ə)rəbl] предпочти́тельный; **~ence** ['pref(ə)r(ə)ns] 1) предпочте́ние 2) преиму́щественное пра́во; **~ential** [ˌprefə'renʃ(ə)l] 1) по́льзующийся предпочте́нием 2) льго́тный *(о пошлинах)*; **~ment** [prɪ'fə:mənt] 1) предпочте́ние 2) продвиже́ние по слу́жбе, повыше́ние

prefix 1. *n* ['pri:fɪks] *грам.* пре́фикс, приста́вка **2.** *v* [pri:'fɪks] 1) предпосыла́ть 2) ста́вить пре́фикс

pregn||ancy ['pregnənsɪ] 1) бере́менность 2) чрева́тость; **~ant** [-ənt] 1) бере́менная 2) чрева́тый *(последствиями и т. п.)*

prehensile [prɪ'hensaɪl] *зоол.* це́пкий

prehistoric ['pri:hɪs'tɔrɪk] доистори́ческий

prejudge ['pri:'dʒʌdʒ] осужда́ть зара́нее; предреша́ть

prejudic||e ['predʒudɪs] **1.** *n* 1) предубежде́ние; предвзя́тость 2) предрассу́док 3): in ~ *(of)*, to the ~ *(of)* в уще́рб *(кому-л., чему-л.)*; without ~ *(to)* без уще́рба *(для)* **2.** *v* 1): ~ smb. in favour of smb. располага́ть кого́-л. в чью-л. по́льзу 2): ~ smb. against smb. восстана́вливать кого́-л. про́тив кого́-л. 3) наноси́ть уще́рб; **~ed** [-t] предвзя́тый; **~ial** [,predʒu'dɪʃ(ə)l] вре́дный, па́губный

preliminary [prɪ'lɪmɪnərɪ] предвари́тельный; ~ examination *(часто сокр.* prelim) вступи́тельный экза́мен

prelude ['prelju:d] **1.** *n* прелю́дия; вступле́ние **2.** *v* служи́ть вступле́нием

premature [,premə'tjuə] преждевре́менный

premedit||ated [pri:'medɪteɪtɪd] преднаме́ренный; **~ation** [pri:,medɪ'teɪʃ(ə)n] преднаме́ренность

premier ['premjə] **1.** *a* пе́рвый *(по рангу)* **2.** *n* премье́р-мини́стр

première [prəm'jɛə] *фр.* премье́ра

premise **1.** *n* ['premɪs] 1) предпосы́лка 2) *pl юр.* вступи́тельная часть докуме́нта 3) *pl* помеще́ние **2.** *v* [prɪ'maɪz] предпосыла́ть

premium ['pri:mjəm] 1) награ́да, пре́мия 2) пла́та за обуче́ние ◇ at a ~ по́льзующийся больши́м спро́сом

premonit||ion [,pri:mə'nɪʃ(ə)n] предчу́вствие; **~ory** [prɪ'mɔnɪt(ə)rɪ] предваря́ющий, предостерега́ющий

preoccu||pation [pri:,ɔkju'peɪʃ(ə)n] озабо́ченность; поглощённость *(чем-л.)*; **~pied** озабо́ченный; поглощённый мы́слями; **~py** [-'ɔkjupaɪ] поглоща́ть внима́ние; занима́ть

prepaid ['pri:'peɪd] опла́ченный отправи́телем *(о письме и т. п.)*

prepar||ation [,prepə'reɪʃ(ə)n] 1) подгото́вка 2) *pl* приготовле́ния 3) препара́т; **~ative** [prɪ'pærətɪv] подготови́тельный; **~atory** [prɪ'pærət(ə)rɪ] 1) вступи́тельный 2) подготови́тельный; приготови́тельный; ~atory school приготови́тельная ча́стная шко́ла 3): ~atory to пре́жде чем; до того́ как

prepar||e [prɪ'pɛə] 1) гото́вить, подготовля́ть 2) гото́виться, подготовля́ться ◇ be ~ed to быть гото́вым, мочь *(сделать что-л.)*; **~edness** [-dnɪs] гото́вность

prepay ['pri:'peɪ] плати́ть вперёд

preponder||ance [prɪ'pɔnd(ə)r(ə)ns] переве́с; превосхо́дство; **~ant** [-(ə)nt] переве́шивающий, преоблада́ющий; **~ate** [-eɪt] переве́шивать; превосходи́ть; превыша́ть

preposition [,prepə'zɪʃ(ə)n] *грам.* предло́г; **~al** [-l] *грам.* предло́жный

prepossess [,pri:pə'zes]: ~ smb. towards располага́ть кого́-л. в по́льзу *(кого-л., чего-л.)*; I was ~ed by him он произвёл на меня́ благоприя́тное впечатле́ние; **~ing** располага́ющий, прия́тный

preposterous [prɪ'pɔst(ə)rəs] неле́пый, абсу́рдный

prerequisite ['pri:'rekwɪzɪt] **1.** *n* предпосы́лка **2.** *a* необходи́мый как предвари́тельное усло́вие

prerogative [prɪ'rɔgətɪv] прерогати́ва

presage ['presɪdʒ] **1.** *n* 1) предзнаменова́ние; предсказа́ние 2) предчу́вствие **2.** *v* 1) предска́зывать, предвеща́ть 2) предчу́вствовать

Presbyterian [,prezbɪ'tɪərɪən] **1.** *n* пресвитериа́нин **2.** *a* пресвитериа́нский

presci||ence ['presɪəns] предви́дение; **~ent** [-ənt] предви́дящий

prescribe [prɪs'kraɪb] 1) предпи́сывать 2) пропи́сывать *(лека́рство кому-л.—to, for; про́тив чего-л.—for)*

prescript||ion [prɪs'krɪpʃ(ə)n] 1) предписа́ние 2) *мед.* реце́пт; **~ive** [prɪs'krɪptɪv] предпи́сывающий

presence ['prezns] прису́тствие; ~ of mind прису́тствие ду́ха

present I ['preznt] **1.** *a* 1) прису́тствующий; be ~ прису́тствовать 2) настоя́щий, ны́нешний 3) да́нный **2.** *n* 1) настоя́щее вре́мя; at ~ в да́нное вре́мя, сейча́с; for the ~ пока́, на э́тот раз; that will be enough for the ~ пока́ дово́льно 2) *грам.* настоя́щее вре́мя

present II **1.** *n* ['preznt] пода́рок **2.** *v* [prɪ'zent] 1) преподноси́ть, дари́ть 2) представля́ть

present||able [prɪ'zentəbl] прили́чный, презента́бельный; **~ation** [,prezen'teɪʃ(ə)n] 1) представле́ние 2) поднесе́ние *(пода́рка)*

presentiment [prɪ'zentɪmənt] предчу́вствие *(обыкн. дурно́е)*

presently ['prezntlɪ] сейча́с

preservat||ion [,prezə:'veɪʃ(ə)n] 1) сохране́ние 2) сохра́нность 3) консерви́рование; **~ive** [prɪ'zə:vətɪv] **1.** *n* предохрани́тельное сре́дство **2.** *a* предохрани́тельный

preserv||e [prɪ'zə:v] **1.** *v* 1) сохраня́ть 2) консерви́ровать **2.** *n* 1) *(обыкн. pl)* варе́нье 2) запове́дник; **~ed** [-d] консерви́рованный; ~ed fruit консерви́рованные фру́кты

preside [prɪ'zaɪd] председа́тельствовать

presidency ['prezɪd(ə)nsɪ] 1) президе́нтство 2) председа́тельство

president ['prezɪd(ə)nt] 1) президе́нт 2) председа́тель 3) ре́ктор *(университе́тского колле́джа)*; *амер.* ре́ктор *(университе́та)*; **~ial** [,prezɪ'denʃ(ə)l] президе́нтский

press I [pres] 1) жать; дави́ть; нажима́ть; прессова́ть; ~ the button нажми́те кно́пку 2) наста́ивать; понужда́ть 3): be ~ed for time име́ть ма́ло вре́мени, торопи́ться 4) гла́дить, утю́жить

press II 1) да́вка 2) спе́шка 3) толпа́ 4) нада́вливание; give it a light ~ слегка́ нажми́те 5) *тех.* пресс 6) печа́тный стано́к 7): the ~ пре́сса; печа́ть; представи́тели печа́ти *мн.* 8) *attr.*: ~ cutting газе́тная вы́резка

press III *ист.* вербова́ть наси́льно

pressing ['presɪŋ] неотло́жный, сро́чный

pressman ['presmən] журнали́ст

pressur||**e** ['preʃə] 1) давле́ние *(тж. перен.)* 2) *тех.* прессова́ние 3) *эл.* напряже́ние ◇ I can't put any ~ on this foot yet я ещё не могу́ наступа́ть на э́ту но́гу; **~ized** [-raɪzd] *тех.* 1) гермети́ческий 2) находя́щийся под давле́нием

prestige [pres'ti:ʒ] прести́ж

presu||**mably** [prɪ'zju:məblɪ] вероя́тно; предположи́тельно; **~me** [-'zju:m] 1) предполага́ть 2) позволя́ть себе́, осме́ливаться 3) злоупотребля́ть *(on, upon)*

presumpt||**ion** [prɪ'zʌmpʃ(ə)n] 1) предположе́ние 2) самонаде́янность; *ирон.* сме́лость; if you will excuse my ~ прости́те мою́ сме́лость; **~ive** [-ptɪv] предполага́емый; **~uous** [-ptjuəs] сли́шком самонаде́янный

presuppos||**e** [,pri:sə'pouz] предполага́ть; **~ition** [,pri:sʌpə'zɪʃ(ə)n] предположе́ние

pretence [prɪ'tens] 1) притво́рство 2) отгово́рка, предло́г; under ~ of под предло́гом 3) прете́нзия

preten||**d** [prɪ'tend] 1) притворя́ться 2) претендова́ть, име́ть ви́ды *(на что-л.)*; **~der** 1) претенде́нт 2) притво́рщик 3) *ист.* самозва́нец; **~sion** [-ʃ(ə)n] 1) прете́нзия 2) претенцио́зность; **~tious** [-ʃəs] претенцио́зный

preterit(e) ['pret(ə)rɪt] *грам.* проше́дшее вре́мя

preternatural [,pri:tə'nætʃrəl] сверхъесте́ственный

pretext ['pri:tekst] предло́г, отгово́рка; on *(или* under) the ~ of под предло́гом

prettiness ['prɪtɪnɪs] милови́дность

pretty ['prɪtɪ] **1.** *a* 1) хоро́шенький *(тж. ирон.)*; a ~ business! хоро́шенькое де́ло! 2) *разг.* значи́тельный; a ~ penny кру́гленькая су́мма **2.** *adv разг.* дово́льно, доста́точно ◇ ~ much the same thing почти́ то́ же са́мое

prevail [prɪ'veɪl] 1) одолева́ть *(over)*; успе́шно боро́ться *(против кого-л., чего-л.—against)* 2) преоблада́ть 3) быть распространённым; существова́ть 4) убеди́ть *(кого-л.—(up)on smb.)*; **~ing** распространённый; the ~ing fashions совреме́нные мо́ды

prevalent ['prev(ə)lənt] (широко́) распространённый

prevaricate [prɪ'værɪkeɪt] уклоня́ться от и́стины

prevent [prɪ'vent] 1) предотвраща́ть 2) меша́ть, препя́тствовать *(from)*; **~ion** [-nʃ(ə)n] предотвраще́ние, предупрежде́ние; **~ive** [-ɪv] **1.** *n* предупреди́тельная ме́ра **2.** *a* предупреди́тельный; превенти́вный; профилакти́ческий

preview ['pri:'vju:] закры́тый просмо́тр кинофи́льма, вы́ставки *и т. п.*

previous ['pri:vjəs] **1.** *a* 1) предыду́щий; пре́жний 2) *разг.* преждевре́менный, поспе́шный

2. *adv*: ~ to до, пре́жде, ра́нее; предвари́тельно; **~ly** предвари́тельно

prevision [pri:'vɪʒ(ə)n] предви́дение

pre-war ['pri:'wɔ:] довое́нный

prey [preɪ] **1.** *n* добы́ча; be a ~ to smth. *перен.* быть же́ртвой чего́-л. **2.** *v*: ~ **upon** а) гра́бить; б) терза́ть; в) подта́чивать *(здоровье)*

price ['praɪs] **1.** *n* 1) цена́; all-in ~ цена́, в кото́рую включены́ все услу́ги 2) *attr.*: ~ ticket ярлы́к **2.** *v* назнача́ть це́ну; **~-cutting** [-,kʌtɪŋ] сниже́ние цен

priceless ['praɪslɪs] бесце́нный

price-list ['praɪslɪst] прейскура́нт

prick [prɪk] **1.** *n* 1) уко́л; pin ~ а) була́вочный уко́л; б) *перен.* ме́лкая неприя́тность 2) о́страя боль (как) от уко́ла ◇ ~ of conscience угрызе́ния со́вести **2.** *v* 1) коло́ть; *перен.* му́чить; ~ oneself уколо́ться; my conscience ~ed me меня́ му́чила со́весть 2) прока́лывать; нака́лывать *(узор)*; ~ **off,** ~ **out** сажа́ть расса́ду ◇ ~ up one's ears навостри́ть у́ши, насторожи́ться

prick||le ['prɪkl] **1.** *n* шип, колю́чка **2.** *v* 1) уколо́ть 2) уколо́ться; **~ly** колю́чий

pride [praɪd] **1.** *n* 1) го́рдость; proper ~ чу́вство со́бственного досто́инства; false ~ тщесла́вие; take ~ горди́ться 2) предме́т го́рдости ◇ in the ~ of one's youth в расцве́те сил **2.** *v*: ~ oneself (up)on горди́ться чем-л.

priest ['pri:st] свяще́нник; **~-ess** [-ɪs] жри́ца; **~hood** [-hud] духове́нство

prig ['prɪg] формали́ст; педа́нт; ограни́ченный и самодово́льный челове́к; **~gish** педанти́чный; самодово́льный

prim [prɪm] чо́порный; подтя́нутый

primacy ['praɪməsɪ] пе́рвенство

primal ['praɪm(ə)l] 1) первобы́тный 2) гла́вный, основно́й

primary ['praɪmərɪ] 1) перви́чный; нача́льный; ~ school нача́льная шко́ла 2) первостепе́нный; гла́вный; of ~ importance первостепе́нной ва́жности

primate ['praɪmɪt] архиепи́скоп

prime [praɪm] **1.** *n* расцве́т **2.** *a* 1) гла́вный, основно́й; ~ cost себесто́имость; P. Minister премье́р-мини́стр 2) наилу́чший ◇ ~ number просто́е число́ **3.** *v* 1) *жив.* грунтова́ть 2) *разг.* «накача́ть» *(обыкн. в p. p.)*; the witness had been ~d by a lawyer свиде́тель был зара́нее «обрабо́тан» адвока́том; he came well ~d with liquor он пришёл, изря́дно «накача́вшись»

primer ['praɪmə] буква́рь; нача́льный уче́бник

primeval [praɪ'mi:v(ə)l] первобы́тный

primitive ['prɪmɪtɪv] 1) первобы́тный 2) примити́вный, просто́й

primordial [praɪ'mɔ:djəl] изнача́льный, иско́нный

primrose ['prɪmrouz] при́мула

princ||e ['prɪns] принц; князь; **~ely** 1) ца́рственный 2) великоле́пный; **~ess** [prɪn'ses] принце́сса

principal ['prɪnsəp(ə)l] **1.** *n* 1) нача́льник, патро́н 2) дире́ктор *(школы)* **2.** *a* гла́вный, основно́й; ~ clause *грам.* гла́вное предложе́ние; **~ly** гла́вным о́бразом

principle ['prɪnsəpl] 1) при́нцип; зако́н; on ~ из при́нципа; принципиа́льно 2) первопричи́на; осно́ва

print ['prɪnt] **1.** *n* 1) отпеча́ток; след 2) печа́ть; шрифт 3) гравю́ра 4) си́тец 5) *attr.* си́тцевый ◇ out of ~ распро́дано *(об издании)* **2.** *v* 1) печа́тать 2) запечатлева́ть 3) набива́ть *(ткань)*; **~er** 1) печа́тник, типо́граф 2) *текст.* набо́йщик

printing ['prɪntɪŋ] печа́тание; **~-office** [-ˌɔfɪs] типогра́фия; **~-press** [-pres] печа́тная маши́на; **~-type** [-taɪp] шрифт

prior I ['praɪə] настоя́тель *(монастыря)*

prior II 1) предше́ствующий 2): ~ to ра́ньше, пре́жде

priority [praɪ'ɔrɪtɪ] 1) приорите́т; старшинство́ 2) поря́док сро́чности, очерёдность

priory ['praɪərɪ] монасты́рь

prison ['prɪzn] 1) тюрьма́ 2) *attr.*: ~ camp ла́герь для военнопле́нных; **~er** 1) заключённый 2) пле́нный; ~er of war военнопле́нный

pristine ['prɪstaɪn] дре́вний; первонача́льный

privacy ['praɪvəsɪ]: I don't want my ~ disturbed я не хочу́, что́бы меня́ беспоко́или; ~ was impossible бы́ло невозмо́жно побы́ть одному́; they were married in strict ~ никого́ из посторо́нних на их сва́дьбе не́ было

private ['praɪvɪt] **1.** *a* 1) ча́стный; ли́чный 2) закры́тый; секре́тный 3) уединённый ◇ ~ member рядово́й член парла́мента; ~ soldier рядово́й **2.** *n* рядово́й ◇ in ~ а) наедине́; б) по секре́ту

privation [praɪ'veɪʃ(ə)n] лише́ние, нужда́

privilege ['prɪvɪlɪdʒ] привиле́гия

privy ['prɪvɪ] та́йный; P. Council та́йный сове́т; ~ councillor член та́йного сове́та; ~ seal ма́лая госуда́рственная печа́ть

prize ['praɪz] **1.** *n* приз, пре́мия, награ́да **2.** *v* 1) высоко́ цени́ть 2) оце́нивать; **~-fighter** [-ˌfaɪtə] боксёр; **~-ring** [-'rɪŋ] ринг

pro [prou]: ~ and con за и про́тив; ~s and cons до́воды за и про́тив

pro- [prou-] *pref* за, для, вме́сто

probab||ility [ˌprɔbə'bɪlɪtɪ] вероя́тность; **~le** ['prɔbəbl] вероя́тный; возмо́жный; правдоподо́бный; **~ly** ['prɔbəblɪ] вероя́тно

probation [prə'beɪʃ(ə)n] испыта́ние, стажиро́вка; **~ary** [-'beɪʃn(ə)rɪ] испыта́тельный; **~er** испыту́емый, стажёр, *особ.* медсестра́

probe [proub] **1.** *n* зонд **2.** *v* зонди́ровать

probity ['proubɪtɪ] че́стность, неподку́пность

problem ['prɔbləm] пробле́ма, зада́ча; **~atic(al)** [,prɔblɪ'mætɪk(əl)] проблемати́чный, спо́рный; сомни́тельный

proboscis [prə'bɔsɪs] 1) хо́бот 2) хобото́к *(насекомого)*

procedure [prə'si:dʒə] процеду́ра

proceed [prə'si:d] 1) продолжа́ть 2) происходи́ть; исходи́ть *(from)* 3) переходи́ть *(к чему-л.)*; **~ing** 1) посту́пок 2) *pl* судопроизво́дство 3) *pl* труды́, протоко́лы *(учёного общества и т. п.)*

proceeds ['prousi:dz] *pl* вы́ручка; дохо́д

process 1. *n* ['prouses] проце́сс; ход разви́тия; ста́дия 2. *v* [prə'ses] обраба́тывать; **~ion** [prə'seʃ(ə)n] проце́ссия

procla||im [prə'kleɪm] провозглаша́ть, объявля́ть; **~mation** [,prɔklə'meɪʃ(ə)n] 1) провозглаше́ние; объявле́ние 2) воззва́ние

proclivity [prə'klɪvɪtɪ] скло́нность

procrastinat||e [pro(u)'kræstɪneɪt] откла́дывать, ме́длить; **~ion** [pro(u),kræstɪ'neɪʃ(ə)n] промедле́ние

procreat||e ['proukrɪeɪt] порожда́ть; **~ion** [,proukrɪ'eɪʃ(ə)n] порожде́ние

procur||ation [,prɔkjuə'reɪʃ(ə)n] 1) веде́ние дел по дове́ренности 2) дове́ренность; **~ator** ['prɔkju(ə)reɪtə] дове́ренный; *юр.* пове́ренный

procure [prə'kjuə] достава́ть, добыва́ть; обеспе́чивать

prod [prɔd] 1. *n* тычо́к 2. *v* ты́кать *(пальцем, палкой)*

prodigal ['prɔdɪg(ə)l] 1. *n* мот 2. *a* расточи́тельный; **~ity** [,prɔdɪ'gælɪtɪ] расточи́тельность

prodi||gious [prə'dɪdʒəs] 1) грома́дный 2) удиви́тельный, чуде́сный; **~gy** ['prɔdɪdʒɪ] чу́до

produc||e 1. *n* ['prɔdju:s] проду́кция; проду́кты; *перен.* результа́т 2. *v* [prə'dju:s] 1) предъявля́ть *(факты, билеты, документы)* 2) производи́ть; выраба́тывать; создава́ть 3) (по)ста́вить *(пьесу, кинофильм)*; **~er** [prə'dju:sə] 1) производи́тель 2) продю́сер; режиссёр; постано́вщик 3) *тех.* генера́тор

product ['prɔdəkt] 1) проду́кт, фабрика́т 2) результа́т 3) *мат.* произведе́ние; **~ion** [prə'dʌkʃ(ə)n] 1) вы́работка; произво́дство 2) проду́кция 3) постано́вка, произво́дство *(фильма)* 4) произведе́ние *(литературное)* 5) *attr.*: ~ion target произво́дственное зада́ние; **~ive** [prə'dʌktɪv] 1) производи́тельный 2) плодоро́дный

profan||e [prə'feɪn] 1. *a* 1) све́тский, мирско́й 2) непосвящённый 3) богоху́льный 2. *v* оскверня́ть; профани́ровать; **~ity** [-'fænɪtɪ] богоху́льство

profess [prə'fes] заявля́ть; признава́ть; **~edly** [-ɪdlɪ] по со́бственному призна́нию; **~ion** [-'feʃ(ə)n] 1) профе́ссия 2) лю́ди како́й-л. профе́ссии 3) вероиспове́дание; **~ional** [-'feʃ(ə)nl] 1. *n* профессиона́л 2. *a* профессиона́льный

professor [prə'fesə] профе́ссор; **~ial** [,prɔfə'sɔ:rɪəl] профе́ссорский; **~ship** профессу́ра

proffer ['prɔfə] **1.** *n* предложéние **2.** *v* предлагáть

profici||ency [prə'fɪʃ(ə)nsɪ] óпытность, сноро́вка; **~ent** [-(ə)nt] искýсный, óпытный

profile ['proufi:l] **1.** *n* прóфиль **2.** *v* изображáть в прóфиль; изображáть в разрéзе

profit ['prɔfɪt] **1.** *n* 1) пóльза; вы́года 2) при́быль, дохóд **2.** *v* 1) приноси́ть пóльзу, вы́году; *перен.* извлекáть пóльзу 2): ~ from *(или* by) воспóльзоваться чем-л.; **~able** [-əbl] 1) при́быльный, вы́годный 2) полéзный; **~eer** [ˌprɔfɪ'tɪə] спекуля́нт

profliga||cy ['prɔflɪgəsɪ] распýтство; **~te** [-gɪt] **1.** *n* распýтник **2.** *a* 1) распýтный 2) безрассýдный, расточи́тельный

profound [prə'faund] глубóкий *(тж. перен.)*

profundity [prə'fʌndɪtɪ] *(обыкн. перен.)* глубинá

profus||e [prə'fju:s] 1) оби́льный; чрезмéрный 2) расточи́тельный; **~ion** [-'fju:ʒ(ə)n] изоби́лие

proge||nitor [pro(u)'dʒenɪtə] прароди́тель; **~ny** ['prɔdʒɪnɪ] 1) потóмок 2) потóмство

prognos||is [prɔg'nousɪs] *(pl* ~es [-si:z]) прогнóз; **~tic** [prəg'nɔstɪk] **1.** *n* предвéстие; предсказáние **2.** *a* предвещáющий; **~ticate** [prəg'nɔstɪkeɪt] предскáзывать; предви́деть; **~tication** [prəg'nɔstɪ'keɪʃ(ə)n] предсказáние

program(me) ['prougræm] прогрáмма; план

progress **1.** *n* ['prougres] 1) продвижéние 2) разви́тие, прогрéсс; рост; be in ~ продолжáться; продвигáться; make ~ развивáться **2.** *v* [prə'gres] продвигáться вперёд; прогресси́ровать; развивáться; **~ion** [prə'greʃ(ə)n] 1) движéние вперёд 2) *мат.* прогрéссия; **~ive** [prə'gresɪv] 1) поступáтельный 2) прогресси́вный, передовóй 3) возрастáющий

prohibit [prə'hɪbɪt] запрещáть; **~ion** [ˌpro(u)ɪ'bɪʃ(ə)n] запрещéние *(особ. продажи спиртных напитков)*; **~ionist** [ˌprə(u)ɪ'bɪʃənɪst] сторóнник запрещéния продáжи спиртны́х напи́тков; **~ive** [-ɪv] 1) запрети́тельный 2) чрезмéрно высóкий *(о ценах)*

project **1.** *v* [prə'dʒekt] 1) проекти́ровать 2) составля́ть, обдýмывать *(план)* 3) выдавáться; the stairway ~s into the living-room лéстница выхóдит пря́мо в кóмнату **2.** *n* ['prɔdʒekt] 1) проéкт, план 2) новострóйка

projectile **1.** *n* ['prɔdʒɪktaɪl] (реакти́вный) снаря́д; пýля; guided ~ управля́емая ракéта **2.** *a* [prə'dʒektaɪl] метáтельный

project||ion [prə'dʒekʃ(ə)n] 1) проекти́рование 2) проéкция 3) вы́ступ; **~or** 1) проектирóвщик 2) прожéктор 3) «волшéбный» фонáрь

proletar||ian [ˌproulɪ'tɛərɪən] **1.** *n* пролетáрий **2.** *a* пролетáрский; **~iat** [-ət] пролетариáт

prolific [prə'lɪfɪk] плодови́тый *(тж. перен.)*

prolix ['proulɪks] многослóвный; скýчный, нýдный; **~ity** [pro(u)'lɪksɪtɪ] многослóвие

prologue [ˈproulɔg] проло́г

prolong [prəˈlɔŋ] продли́ть; **~ation** [ˌproulɔŋˈgeiʃ(ə)n] продле́ние; пролонга́ция; отсро́чка; **~ed** [-d] дли́тельный

promenade [ˌprɔmɪˈnɑ:d] **1.** *n* 1) прогу́лка 2) ме́сто для прогу́лки **2.** *v* прогу́ливаться

promin||ence [ˈprɔmɪnəns] 1) вы́ступ 2) выдаю́щееся, ви́дное положе́ние; **~ent** [-ənt] 1) выступа́ющий 2) выдаю́щийся, изве́стный *(о человеке);* ви́дный *(о должности и т. п.)*

promiscu||ity [ˌprɔmɪsˈkju:ɪtɪ] 1) беспоря́дочность 2) неразбо́рчивость *(особ. в половых сношениях);* **~ous** [prəˈmɪskjuəs] 1) беспоря́дочный 2) неразбо́рчивый *(особ. в половых сношениях)*

promis||e [ˈprɔmɪs] **1.** *n* обеща́ние ◇ the new planes show great ~ у но́вых самолётов большо́е бу́дущее **2.** *v* обеща́ть; **~sory** [-ərɪ]: a ~sory note долгово́е обяза́тельство

promontory [ˈprɔməntrɪ] мыс

promot||e [prəˈmout] 1) продвига́ть *(по службе);* повыша́ть в чи́не 2) соде́йствовать, помога́ть; **~er** покрови́тель, патро́н; учреди́тель; **~ion** [-ʃ(ə)n] 1) продвиже́ние *(по службе)* 2) соде́йствие; поощре́ние

prompt [ˈprɔmpt] **1.** *a* 1) бы́стрый; прово́рный 2) сро́чный, неме́дленный; he's ~ in paying his debts он аккура́тно пла́тит долги́ ◇ for ~ cash за нали́чный расчёт **2.** *v* 1) побужда́ть; внуша́ть; what ~ed you to say that? что вас побуди́ло сказа́ть э́то? 2) суфли́ровать, подска́зывать; **~-box** [-bɔks] суфлёрская бу́дка

prompter [ˈprɔmptə] суфлёр

promptitude [ˈprɔmptɪtju:d] быстрота́, прово́рство

promulgat||e [ˈprɔm(ə)lgeɪt] обнаро́довать; опублико́вывать; **~ion** [ˌprɔm(ə)lˈgeiʃ(ə)n] обнаро́дование, опубликова́ние

prone [proun] 1) лежа́щий ничко́м; распростёртый 2) скло́нный *(to)*

prong [prɔŋ] зубе́ц *(вилки и т. п.)*

pronominal [prəˈnɔmɪnl] *грам.* местоиме́нный

pronoun [ˈprounaun] *грам.* местоиме́ние

pronounce [prəˈnauns] 1) объявля́ть; ~ a sentence объявля́ть пригово́р 2) произноси́ть 3) выска́зываться *(о — on; за — for; против — against);* **~d** [-t] я́рко вы́раженный; **~ment** объявле́ние *(решения);* официа́льное заявле́ние

pronunciation [prəˌnʌnsɪˈeiʃ(ə)n] произноше́ние

proof [ˈpru:f] **1.** *n* 1) доказа́тельство 2) испыта́ние; про́ба 3) гра́нка; корректу́ра 4) кре́пость *(спирта)* **2.** *a* 1) непроница́емый *(against)* 2) не поддаю́щийся *(лести и т. п.; against);* **~-reader** [-ˌri:də] корре́ктор; **~-sheet** [-ʃi:t] корректу́рный лист

prop [prɔp] **1.** *n* 1) подпо́рка; подста́вка 2) опо́ра **2.** *v* подпира́ть, подде́рживать

propagand||a [ˌprɔpəˈgændə] пропага́нда; **~ist** пропаганди́ст

propagat||**e** [ˈprɔpəgeɪt] 1) размножа́ть 2) распространя́ть 3) размножа́ться 4) распространя́ться; **~ion** [ˌprɔpəˈgeɪʃ(ə)n] 1) размноже́ние 2) распростране́ние

propel [prəˈpel] дви́гать; гнать вперёд; приводи́ть в движе́ние; **~ler** 1) *ав.* возду́шный винт 2) *мор.* гребно́й винт

propensity [prəˈpensɪtɪ] скло́нность *(к чему-л.)*

proper [ˈprɔpə] 1) *грам.* со́бственный; ~ name, ~ noun и́мя со́бственное 2) прису́щий, сво́йственный *(to)* 3) пра́вильный; надлежа́щий; ~ fraction *мат.* пра́вильная дробь 4) прили́чный 5) *разг.* настоя́щий, су́щий ◇ at the ~ time когда́ придёт вре́мя; **~ly** *разг.* хороше́нько, здо́рово ◇ ~ly speaking со́бственно говоря́; по существу́

propertied [ˈprɔpətɪd]: ~ classes иму́щие кла́ссы

property [ˈprɔpətɪ] 1) иму́щество; со́бственность; man of ~ бога́тый, состоя́тельный челове́к 2) зе́мельная со́бственность 3) сво́йство 4) *pl* бутафо́рия

proph||**ecy** [ˈprɔfɪsɪ] проро́чество; **~esy** [-fɪsaɪ] проро́чить, предска́зывать; **~et** [-ɪt] проро́к; **~etic** [prəˈfetɪk] проро́ческий

prophy||**lactic** [ˌprɔfɪˈlæktɪk] профилакти́ческий; **~laxis** [-ˈlæksɪs] профила́ктика

propinquity [prəˈpɪŋkwɪtɪ] бли́зость; родство́

propiti||**ate** [prəˈpɪʃɪeɪt] уми́лостивить; **~atory** [-ˈpɪʃɪət(ə)rɪ] примири́тельный; **~ous** [-ˈpɪʃəs] 1) благоприя́тный 2) благоскло́нный

proportion [prəˈpɔːʃ(ə)n] **1.** *n* 1) пропо́рция; соотноше́ние; your demands are entirely out of ~ ва́ши тре́бования безме́рны 2) *pl* разме́ры 3) часть **2.** *v* соразмеря́ть; **~al** [-ˈpɔːʃənl] **1.** *a* пропорциона́льный **2.** *n* *мат.* член пропо́рции; **~ate** [-ˈpɔːʃnɪt] соразме́рный; пропорциона́льный

propo||**sal** [prəˈpouz(ə)l] предложе́ние; **~se** [-ˈpouz] 1) предлага́ть 2) де́лать предложе́ние *(о браке)* 3) предполага́ть; стро́ить пла́ны

proposition [ˌprɔpəˈzɪʃ(ə)n] 1) утвержде́ние 2) предположе́ние 3) *разг.* де́ло 4) *мат.* теоре́ма; зада́ча

propound [prəˈpaund] ста́вить на обсужде́ние; выдвига́ть *(теорию)*

propriet||**ary** [prəˈpraɪət(ə)rɪ] со́бственнический; составля́ющий со́бственность; ~ rights права́ со́бственности ◇ ~ medicine патенто́ванное лека́рство; **~or** владе́лец, со́бственник; **~ress** [-rɪs] владе́лица, со́бственница

propriety [prəˈpraɪətɪ] 1) пра́вильность; уме́стность 2) *pl* пра́вила прили́чия, присто́йность

props [prɔps] *сокр. от* property 4)

propul||**sion** [prəˈpʌlʃ(ə)n] 1) толчо́к 2) движе́ние вперёд; **~sive** [-sɪv] приводя́щий в движе́ние; продвига́ющий

proro||**gation** [ˌprourəˈgeɪʃ(ə)n]

перерыв в работе парламента; **~gue** [prə'roug] назначать перерыв в работе парламента

prosaic [pro(u)'zeɪɪk] прозаический; *перен.* прозаичный, повседневный

proscenium [pro(u)'si:njəm] авансцена

prose [prouz] **1.** *n* **1)** проза 2) *attr.* прозаичный **2.** *v* скучно говорить

prosecut||e ['prɔsɪkju:t] 1) вести *(занятия и т. п.)* 2) преследовать судебным порядком; **~ion** [,prɔsɪ'kju:ʃ(ə)n] **1)** выполнение *(работы)*; ведение *(занятий)*; ~ion of war ведение войны 2) *юр.* преследование 3) *юр.* обвинение *(сторона)*; **~or** 1) истец 2) обвинитель; public ~or прокурор

proselyte ['prɔsɪlaɪt] новообращённый

prospect 1. *n* ['prɔspekt] 1) вид, перспектива 2) *(часто pl)* планы, виды на будущее 3) *горн.* разведка **2.** *v* [prəs'pekt] исследовать; делать изыскания; **~ive** [prəs'pektɪv] будущий; ожидаемый; **~or** [prəs'pektə] *горн.* разведчик; изыскатель; золотоискатель

prosper ['prɔspə] преуспевать; процветать; **~ity** [-'perɪtɪ] процветание; благосостояние; **~ous** [-rəs] 1) процветающий 2) благоприятный

prostitut||e ['prɔstɪtju:t] проститутка; **~ion** [,prɔstɪ'tju:ʃ(ə)n] проституция

prostrat||e 1. *a* ['prɔstreɪt] 1) распростёртый 2) изнеможённый **2.** *v* [prɔs'treɪt] 1) повергать 2): ~ oneself а) падать ниц; б) унижаться 3) *(обыкн. pass)* истощать 4) *(обыкн. pass)* доводить до отчаяния; **~ion** [prɔs'treɪʃ(ə)n] 1) поверженное состояние 2) истощение; упадок сил; прострация; изнеможение

prosy ['prouzɪ] скучный *(о писателе и т.п.)*

protagonist [pro(u)'tægənɪst] 1) главный герой *(драмы)* 2) актёр, играющий главную роль 3) поборник

protect [prə'tekt] 1) охранять, защищать; ограждать 2) покровительствовать; **~ion** [-kʃ(ə)n] 1) защита, охрана; охранение 2) покровительство; протекционизм; **~ive** [-ɪv] 1) защитный; предохранительный 2) покровительственный

protector [prə'tektə] 1) защитник; покровитель 2) *тех.* предохранитель; защитное приспособление; **~ate** [-(ə)rɪt] протекторат

protest 1. *v* [prə'test] 1) протестовать 2) заявлять *(торжественно)* **2.** *n* ['proutest] 1) протест; under ~ вынужденно, против воли 2) опротестование *(векселя)*; **~ant** ['prɔtɪst(ə)nt] *рел.* протестант; **~ation** [,proutes'teɪʃ(ə)n] 1) заявление *(торжественное)* 2) протест

protocol ['proutəkɔl] протокол

protract [prə'trækt] 1) тянуть, медлить, затягивать 2) чертить *(план)*; **~ed** [-ɪd] длительный; ~ed war затяжная война; **~or** транспортир; угломер

protru||de [prə'tru:d] торчать; выдаваться наружу; **~sion** [-ʒ(ə)n] выступ

protuber||ance [prə'tju:b(ə)r(ə)ns] 1) вы́пуклость 2) о́пухоль; **~ant** [-(ə)nt] вы́пуклый, выдаю́щийся вперёд

proud [praud] 1) го́рдый; be ~ of горди́ться *(чем-л.)* 2) надме́нный 3) велича́вый; великоле́пный

prove [pru:v] 1) дока́зывать 2) удостоверя́ть 3) испы́тывать; про́бовать 4): ~ (to be) ока́зываться 5): ~ a will *юр.* утвержда́ть завеща́ние 6): ~ oneself проявля́ть, пока́зывать себя́

provender ['prɔvındə] 1) фура́ж; корм 2) *разг.* пи́ща

proverb ['prɔvəb] посло́вица; погово́рка; **~ial** [prə'və:bjəl] воше́дший в погово́рку; общеизве́стный

provid||e [prə'vaıd] 1) запаса́ть 2) запаса́ться 3) снабжа́ть, обеспе́чивать 4) принима́ть ме́ры *(против — against)* 5) *юр.* предусма́тривать; **~ed** [-ıd]: ~ed that при усло́вии, что; **~ence** ['prɔvıd(ə)ns] 1) предусмотри́тельность 2) бережли́вость 3) (Providence) провиде́ние; **~ent** ['prɔvıd(ə)nt] 1) предусмотри́тельный; осторо́жный 2) бережли́вый; **~er** поставщи́к; **~ing**: ~ing that *см.* provided that

provinc||e ['prɔvıns] 1) прови́нция; о́бласть 2) сфе́ра де́ятельности; компете́нция; **~ial** [prə'vınʃ(ə)l] **1.** *n* провинциа́л **2.** *a* провинциа́льный; **~ialism** [prə'vınʃəlızm] 1) провинциа́льность 2) провинциали́зм *(в языке)*

provision [prə'vıʒ(ə)n] **1.** *n* 1) обеспе́чение; make ~ for позабо́титься о 2) заготовле́ние; запа́с 3) *pl* прови́зия, провиа́нт 4) *юр.* положе́ние; постановле́ние **2.** *v* снабжа́ть продово́льствием; **~al** [-ʒənl] вре́менный

proviso [prə'vaızou] усло́вие; огово́рка в усло́вии; **~ry** [-z(ə)rı] 1) усло́вный 2) вре́менный

provo||cation [,prɔvə'keıʃ(ə)n] 1) вы́зов 2) провока́ция 3) раздраже́ние; **~cative** [prə'vɔkətıv] 1) вызыва́ющий 2) возбужда́ющий 3) провокацио́нный; **~ke** [prə'vouk] 1) вызыва́ть 2) провоци́ровать 3) серди́ть; раздража́ть

provoking [prə'voukıŋ] доса́дный

provost 1) ['prɔvəst] ре́ктор *(в университетских колледжах); амер.* проре́ктор *(в университетах)* 2) ['prɔvəst] *шотл.* мэр 3) [prə'vou] нача́льник вое́нной поли́ции

prow [prau] нос *(судна)*

prowess ['prauıs] до́блесть; у́даль

prowl [praul] 1) кра́сться 2) броди́ть

proxim||ate ['prɔksımıt] ближа́йший, непосре́дственный; **~ity** [prɔk'sımıtı] бли́зость

proxy ['prɔksı] 1) дове́ренное лицо́, уполномо́ченный, замести́тель 2) дове́ренность; полномо́чие

prude [pru:d] жема́нница

prud||ence ['pru:d(ə)ns] благоразу́мие; осмотри́тельность; **~ent** [-(ə)nt] осторо́жный; осмотри́тельный; благоразу́мный

prudish ['pru:dıʃ] жема́нный

prune I [pru:n] чернослив

prune II подрезать ветви; *перен.* а) сокращать *(расходы)*; б) упрощать, отделывать *(стиль)*

prussic [ˈprʌsɪk]: ~ acid синильная кислота

pry I [praɪ] совать нос в чужие дела *(into)*; подсматривать *(часто* ~ about, ~ into)

pry II: ~ open подымать при помощи рычага; ~ **out** допытываться

psalm [sɑ:m] псалом

pseudo- [ˈpsju:do(u)-] *pref* ложно-, псевдо-

pseudonym [ˈpsju:dənɪm] псевдоним; **~ous** [psju:ˈdɔnɪməs] под псевдонимом

pshaw [pʃɔ:] *int* фи!

psyche [ˈsaɪki:] душа, дух

psychia||trist [saɪˈkaɪətrɪst] психиатр; **~try** [-trɪ] психиатрия

psychoanalysis [ˌsaɪko(u)əˈnæləsɪs] психоанализ

psycholog||ist [saɪˈkɔlədʒɪst] психолог; **~y** [-dʒɪ] психология

pub [pʌb] *разг.* трактир, кабак, пивная

pube||rty [ˈpju:bətɪ] половая зрелость; **~scence** [pju:ˈbesns] 1) половое созревание 2) пушок *(на растениях)*

public [ˈpʌblɪk] **1.** *n* 1) народ 2) широкая публика; общественность; select ~ избранная публика **2.** *a* 1) публичный, общедоступный 2) народный; this land is ~ property эта земля — народное достояние 3) общественный; ~ opinion общественное мнение 4) коммунальный; ~ services коммунальные предприятия 5) государственный; ~ debt государственный долг; an important ~ office важный правительственный пост 6) открытый; this is a ~ meeting это открытое собрание ◇ ~ school а) привилегированное частное закрытое платное среднее учебное заведение для мальчиков *(в Англии)*; б) бесплатная средняя школа *(в США, Шотландии)*

publican [ˈpʌblɪkən] трактирщик

public||ation [ˌpʌblɪˈkeɪʃ(ə)n] 1) опубликование; оглашение 2) издание; **~ity** [pʌbˈlɪsɪtɪ] 1) гласность 2) реклама 3) *attr.*: ~ity agent агент по рекламе; **~ly** [ˈpʌblɪklɪ] публично, открыто

publish [ˈpʌblɪʃ] 1) опубликовывать; 2) издавать; **~er** издатель; **~ing**: ~ing house, ~ing office издательство

puce [pju:s] лилово-коричневый цвет

pucker [ˈpʌkə] **1.** *n* морщина; складка; сборка **2.** *v* 1) морщить 2) морщиться 3) делать складки 4) морщить

puckish [ˈpʌkɪʃ] озорной

pudding [ˈpudɪŋ] пудинг

puddle [ˈpʌdl] лужа

pudgy [ˈpʌdʒɪ] низенький и толстый

pueril||e [ˈpjuəraɪl] ребяческий; **~ity** [pjuəˈrɪlɪtɪ] ребячество

puff [pʌf] **1.** *n* 1) дуновение *(ветра)*; клуб *(дыма, пара)* 2) пуховка для пудры 3) *разг.* дутая реклама 4) *attr.*: ~

sleeves рукава́ с бу́фами; ~ pastry слоёное те́сто **2.** *v* 1) пыхте́ть; ~ and blow запыха́ться 2) надува́ть; выпя́чивать 3) шу́мно реклами́ровать; ~ **at** попы́хивать *(сигарой)*

puff-box ['pʌfbɔks] пу́дреница

puffed-up ['pʌft'ʌp] надме́нный

puffy ['pʌfɪ] 1) одутлова́тый 2) страда́ющий оды́шкой

pug [pʌg] мопс

pugil||ism ['pju:dʒɪlɪzm] бокс; ~**ist** боксёр

pugnac||ious [pʌg'neɪʃəs] 1) драчли́вый 2) скло́нный к поле́мике; ~**ity** [-'næsɪtɪ] 1) драчли́вость 2) боево́й задо́р

pug-nosed ['pʌgnouzd] курно́сый

puissance ['pju:ɪsns] *поэт.* могу́щество

pule [pju:l] хны́кать, пища́ть

pull [pul] **1.** *v* 1) тяну́ть, тащи́ть 2) дёргать; ~ a bell дёрнуть за шнур звонка́ 3) натя́гивать 4) грести́, идти́ на вёслах; ~ ashore грести́ к бе́регу 5) *полигр.* де́лать о́ттиск 6) отбива́ть *или* посыла́ть мяч *(налево — в крикете, гольфе)* 7) выдёргивать *(зуб и т. п.)*; ~ **about** гру́бо обраща́ться; ~ **at** а) дёргать; б) затя́гиваться *(папиросой и т. п.)*; ~ **back** оття́гивать наза́д; ~ **down** а) опуска́ть *(шторы)*; б) сноси́ть *(здания)*; опроки́дывать; в): his illness ~ed him down бо́лезнь его́ изнури́ла; ~ **in** а) втя́гивать; б) сокраща́ть расхо́ды; в) прибыва́ть на ста́нцию *(о поезде)*; ~ **off** а) снима́ть; б) доби́ться, успе́шно осуществи́ть, несмотря́ на тру́дности; вы́играть *(приз и т. п.)*; it's a good idea if you can ~ it off мысль неплоха́я, е́сли, коне́чно, вам уда́стся её осуществи́ть; в) выходи́ть из га́вани; отча́ливать *(о лодке и т. п.)*; ~ **on** натя́гивать *(чулки и т. п.)*; ~ **out** отходи́ть от ста́нции *(о поезде)*; ~ **over** а) надева́ть че́рез го́лову; б) перетя́гивать; перета́скивать; ~ **through** вы́путаться *(из беды)*; спра́виться *(с болезнью)*; ~ **together** рабо́тать дру́жно; ~ oneself together собра́ться с ду́хом; ~ **up** а) останови́ть; б) останови́ться; в) продвига́ться вперёд *(в состязании)*; г) выдёргивать ◇ ~ faces грима́сничать; ~ a fast one ло́вко обману́ть; ~ to pieces а) разорва́ть на куски́; б) раскритикова́ть; «разде́лать под оре́х»; ~ wires *(или* strings) нажима́ть та́йные пружи́ны, влия́ть на ход де́ла **2.** *n* 1) дёрганье; натяже́ние 2) напряже́ние, уси́лие; a long ~ uphill тру́дный подъём в го́ру 3) гре́бля 4) глото́к; a ~ at the bottle глото́к из буты́лки 5) затя́жка 6) шнуро́к, ру́чка *(висячего звонка)* 7) влия́ние; проте́кция

pullet ['pulɪt] моло́дка *(курица)*

pulley ['pulɪ] *тех.* шкив, во́рот

pull-over ['pul,ouvə] фуфа́йка, сви́тер, пуло́вер

pulmonary ['pʌlmənərɪ] *мед.* лёгочный

pulp [pʌlp] **1.** *n* 1) мя́коть

(плода) 2) пу́льпа 3) мя́гкая бесфо́рменная ма́сса **2.** *v* 1) превраща́ть в мя́коть 2) превраща́ться в мя́коть 3) очища́ть от шелухи́

pulpit ['pulpɪt] ка́федра *(проповедника)*

pulpy ['pʌlpɪ] мя́гкий, мяси́стый

pulsat||e [pʌl'seɪt] пульси́ровать; би́ться; **~ion** [-'seɪʃ(ə)n] пульса́ция

pulse [pʌls] **1.** *n* 1) пульс, бие́ние; feel one's ~ щу́пать пульс 2) вибра́ция **2.** *v* пульси́ровать

pulveriz||e ['pʌlvəraɪz] 1) растира́ть в порошо́к; *перен.* сокруша́ть 2) распыля́ть; **~er** распыли́тель; пульверiза́тор; форсу́нка

pumice, ~-stone ['pʌmɪs, -stoun] пе́мза

pummel ['pʌml] бить *(кулаками)*; тузи́ть

pump [pʌmp] **1.** *n* 1) насо́с 2) водока́чка **2.** *v* 1) кача́ть, нака́чивать; ~ dry вы́качать до́суха; ~ hard накача́ть *(шину)* 2) *разг.* выве́дывать; ~ **out** выка́чивать; ~ **up** нака́чивать *(шину)*

pumpkin ['pʌmpkɪn] ты́ква

pumps [pʌmps] *pl* лакиро́ванные ба́льные ту́фли

pun [pʌn] **1.** *n* каламбу́р **2.** *v* каламбу́рить

Punch [pʌntʃ] Петру́шка

punch I [pʌntʃ] **1.** *v* 1) удар́ять кулако́м 2) пробива́ть *(отверстия)* 3) штампова́ть **2.** *n* 1) уда́р кулако́м 2) *тех.* ке́рнер, пробо́йник

punch II пунш

punctili||o [pʌŋk'tɪlɪou] форма́льность; педанти́чность; **~ous** [-ɪəs] о́чень щепети́льный

punctual ['pʌŋktjuəl] пунктуа́льный, то́чный; **~ity** [ˌpʌŋktju'ælɪtɪ] пунктуа́льность, то́чность

punctuat||e ['pʌŋktjueɪt] 1) ста́вить зна́ки препина́ния 2) прерыва́ть, перемежа́ть; **~ion** [ˌpʌŋktju'eɪʃ(ə)n] пунктуа́ция

puncture ['pʌŋktʃə] **1.** *n* проко́л *(шины)* **2.** *v* 1) прока́лывать, пробива́ть 2) получа́ть проко́л; **~d** [-d]: **~d** wound ко́лотая ра́на

pung||ency ['pʌndʒ(ə)nsɪ] острота́, е́дкость; **~ent** [-(ə)nt] о́стрый, е́дкий

punish ['pʌnɪʃ] нака́зывать; **~ment** наказа́ние

punitive ['pju:nɪtɪv] кара́тельный

punster ['pʌnstə] остря́к

punt I [pʌnt] **1.** *n* плоскодо́нный я́лик **2.** *v* плыть на плоскодо́нном я́лике

punt II **1.** *v* поддава́ть ного́й *(мяч)* **2.** *n* уда́р ного́й *(по мячу)*

punt III ['pʌnt] понти́ровать; ста́вить ста́вку; **~er** игро́к; понтёр

puny ['pju:nɪ] ма́ленький; хи́лый

pup [pʌp] **1.** *n* щено́к **2.** *v* щени́ться

pupa ['pju:pə] *зоол.* ку́колка

pupil I ['pju:pl] учени́к; воспи́танник

pupil II зрачо́к

pupilary ['pju:pɪlərɪ] зрачко́вый

puppet ['pʌpɪt] 1) марионе́тка

2) *attr.*: ~ government марионе́точное прави́тельство; ~-**-play** [-pleɪ] *см.* puppet-show

puppet-show [ˈpʌpɪtʃou] ку́кольный теа́тр

puppy [ˈpʌpɪ] 1) щено́к 2) *разг.* фат

purblind [ˈpə:blaɪnd] подслепова́тый; *перен.* недальнови́дный; тупо́й

purchase [ˈpə:tʃəs] **1.** *n* 1) поку́пка 2) приспособле́ние для подня́тия и перемеще́ния гру́зов **2.** *v* покупа́ть; закупа́ть

pure [ˈpjuə] 1) чи́стый; без при́меси 2) чистокро́вный 3) целому́дренный ◇ that is ~ nonsense э́то абсолю́тная чепуха́; **~ly** 1) чи́сто 2) соверше́нно, вполне́

purgat||ive [ˈpə:gətɪv] слаби́тельное; **~ory** [-ərɪ] чисти́лище

purge [pə:dʒ] **1.** *n* очище́ние; чи́стка *(тж. политическая)* **2.** *v* 1) очища́ть *(от чего-л.)*; *мед.* дава́ть слаби́тельное 2) искупа́ть *(вину)*

puri||fication [ˌpjuərɪfɪˈkeɪʃ(ə)n] очи́стка; очище́ние; **~ficatory** [ˈpjuərɪfɪkeɪtərɪ] очисти́тельный; **~fy** [ˈpjuərɪfaɪ] очища́ть; **~ty** [ˈpjuərɪtɪ] 1) чистота́ 2) непоро́чность 3) про́ба *(драгоценных металлов)*

purl I [pə:l] **1.** *n* журча́ние **2.** *v* журча́ть

purl II **1.** *n* оборо́тное двухлицево́е вяза́ние **2.** *v* вяза́ть пе́тлей наизна́нку

purlieus [ˈpə:lju:z] *pl* окре́стности; при́городы

purloin [pə:ˈlɔɪn] ворова́ть, похища́ть

purple [ˈpə:pl] **1.** *n* 1) багря́ный, пурпу́рный, тёмно-кра́сный цвет 2) фиоле́товый цвет 3) порфи́ра 4) сан кардина́ла **2.** *a* 1) багря́ный; пурпу́рный 2) фиоле́товый

purport [ˈpə:pət] **1.** *n* 1) смысл, содержа́ние, значе́ние 2) наме́рение **2.** *v* 1) подразумева́ть, означа́ть 2) говори́ть *(о чём-л.)*, свиде́тельствовать; претендова́ть

purpose [ˈpə:pəs] **1.** *n* 1) наме́рение; цель; answer the ~ годи́ться, соотве́тствовать; подходи́ть; of set ~ с у́мыслом; on ~ наро́чно; to the ~ как раз, кста́ти; to little ~, to no ~ зря, напра́сно; to some ~ не зря, не напра́сно 2) целеустремлённость, во́ля **2.** *v* намерева́ться; **~ful** 1) целеустремлённый 2) умы́шленный; **~less** бесце́льный, бесполе́зный; **~ly** наро́чно, с це́лью, наме́ренно

purr [pə:] **1.** *n* мурлы́канье **2.** *v* мурлы́кать

purse [pə:s] **1.** *n* 1) кошелёк; *перен.* мошна́, де́ньги; public ~ казна́ 2) приз **2.** *v* мо́рщить

pursu||ance [pəˈsju:əns] выполне́ние, исполне́ние; in ~ *(of)* во исполне́ние *(чего-л.)*; **~ant** [-ənt] согла́сно, в соотве́тствии *(to)*

pursu||e [pəˈsju:] 1) пресле́довать; гна́ться 2) продолжа́ть ◇ ~ a policy *(of)* проводи́ть поли́тику *(чего-л.)*; **~er** пресле́дователь

pursuit [pəˈsju:t] 1) пресле́дование; пого́ня 2) заня́тие; daily ~s повседне́вные дела́, заня́тия

purulent [ˈpjuərulənt] гно́йный, гноя́щийся

purvey [pə:ˈveɪ] снабжа́ть *(продуктами)*; **~or** поставщи́к *(продовольствия)*

purview [ˈpə:vju:] кругозо́р; *перен.* компете́нция

pus [pʌs] гной

push [puʃ] **1.** *n* 1) толчо́к 2) давле́ние, нажи́м 3) *воен.* наступле́ние 4) эне́ргия, реши́мость 5) кно́пка *(тж.* ~-button) **2.** *v* 1) толка́ть; ~ the table over by the window подви́ньте стол к окну́ 2) прота́лкивать; ~ things on «прота́лкивать» де́ло 3) прота́лкиваться 4) нажима́ть *(кнопку и т. п.)* 5) продвига́ть вперёд 6) продвига́ться вперёд 7): ~ oneself стара́ться вы́двинуться; ~ **away** отта́лкивать; ~ **forward** стреми́ться вперёд: ~ **off** а) *мор.* оттолкну́ться; отвали́ть *(от берега)*; б) сбыва́ть това́ры; ~ **on** продвига́ться *(или* спеши́ть) вперёд ◇ ~ one's wares реклами́ровать свои́ това́ры; ~ smth. on smb. навя́зывать что-л. кому́-л.

push-button [ˈpuʃˌbʌtn]: ~ war «кно́почная» война́

push-cart [ˈpuʃkɑ:t] теле́жка *(ручная)*

pushing [ˈpuʃɪŋ] напо́ристый

pusillanim||ity [ˌpju:sɪləˈnɪmɪtɪ] малоду́шие; **~ous** [-ˈlænɪməs] малоду́шный

puss [pus] ко́шечка

pussy [ˈpusɪ] ки́ска; **~-cat** [-kæt] ки́ска; **~-willow** [-ˌwɪlou] ве́рба

pustul||ate [ˈpʌstjuleɪt] покрыва́ться прыща́ми; **~e** [ˈpʌstju:l] гнойничо́к, прыщ

put [put] (put) 1) положи́ть; (по)ста́вить 2) помеща́ть 3) броса́ть, мета́ть 4): ~ the value of smth. at оцени́ть что-л. в; ~ the distance at определя́ть расстоя́ние на глаз в 5): ~ into words *(или* writing) выража́ть слова́ми; ~ into English переводи́ть на англи́йский язы́к 6) приводи́ть в определённое состоя́ние *или* положе́ние; ~ in order приводи́ть в поря́док; ~ to sleep усыпи́ть; ~ to shame пристыди́ть; ~ to inconvenience причини́ть неудо́бство; ~ smb. at his ease ободри́ть кого́-л.; ~ **about** а) *мор.* лечь на друго́й галс; б) распространя́ть *(слух и т. п.)*; ~ **across** а) перевози́ть, переправля́ть *(на лодке и т. п.)*; б) обману́ть *(кого-л.)*; ~ **aside** а) откла́дывать *(в сторону)*; б) копи́ть; ~ aside for a rainy day откла́дывать на чёрный день; ~ **away** а) убира́ть; б) откла́дывать *(деньги)*; в) *разг.* съеда́ть, пожира́ть *(пищу)*; ~ **back** а) положи́ть на ме́сто, поста́вить обра́тно; б) *мор.* верну́ться в га́вань; в) передвига́ть наза́д *(стрелки часов)*; ~ **by** откла́дывать *(про запас)*; ~ **down** а) выса́живать *(пассажиров)*; б) запи́сывать; в) подавля́ть *(силой)*; г) припи́сывать *(чему-л.—to)*; д): ~ down to smb.'s account записа́ть на чей-л. счёт; ~ **forward** а) выдвига́ть, предлага́ть *(вопрос и т. п.)*; б) передвига́ть вперёд *(стрелки часов)*; ~ **in**

а) *мор.* входи́ть в порт; пристава́ть к бе́регу; б) представля́ть на рассмотре́ние *(докуме́нт и т. п.)*; в) вставля́ть *(замеча́ние)*; г): ~ in some hours work прорабо́тать не́сколько часо́в; ~ in an hour reading провести́ час за чте́нием; д): ~ smb. in for a job вы́двинуть чью-л. кандидату́ру; е): ~ in an appearance появи́ться, показа́ться; ~ **off** а) откла́дывать; б): he ~ it off on the grounds of ill health он отгова́ривался боле́знью; he tried to ~ me off with vague excuses он пыта́лся отде́латься от меня́ под ра́зными предло́гами; в): ~ off with empty promises отде́лываться пусты́ми обеща́ниями; г) *мор.* отча́ливать; ~ **on** а) надева́ть; б): ~ on make-up употребля́ть косме́тику; в): ~ on an air of innocence принима́ть неви́нный вид; ~ on airs ва́жничать; г): ~ on a play поста́вить пье́су; д): ~ on weight толсте́ть; е): ~ on the clock передвига́ть вперёд *(стре́лки часо́в)*; ~ **out** а) гаси́ть *(свет, ого́нь)*; б): ~ out to sea *мор.* выходи́ть в мо́ре; в) вы́вихнуть *(плечо́, коле́но)*; г) выкла́дывать *(ве́щи)*; д) выпуска́ть, издава́ть *(кни́ги и т. п.)*; е): ~ out the shoots дава́ть побе́ги; ж): ~ smb. out *разг.* отвлека́ть кого́-л.; з) *разг.* беспоко́ить(ся); don't ~ yourself out on my account не беспоко́йтесь за меня́; и) вы́тянуть *(ру́ку и т. п.)*; ~ **through** а) выполня́ть, проводи́ть *(рабо́ту)*; б) соединя́ть *(по телефо́ну)*; ~ **together** а) сопоставля́ть; б) компили́ровать; в) собира́ть *(механи́зм)*; ~ **up** а) стро́ить *(зда́ние и т. п.)*; б) вспугну́ть *(дичь)*; в) поднима́ть це́ну; г) выве́шивать *(объявле́ние)*; д): ~ up for auction продава́ть с аукцио́на; е): ~ smb. up to smth. подстрека́ть кого́-л. к чему́-л.; ~ smb. up to a trick подби́ть кого́-л. на шу́тку; ж) приюти́ть; ~ **up at** останови́ться *(в гости́нице)*; ~ **up with** терпе́ть, мири́ться ◇ ~ an end *(to)* прекраща́ть, конча́ть; ~ one's hand *(to)* нача́ть рабо́тать *(над чем-л.)*; ~ the blame on smb. возложи́ть вину́ на кого́-л.; ~ into effect вводи́ть в де́йствие; приводи́ть в исполне́ние; ~ into service *воен.* принима́ть на вооруже́ние; ~ smb. on his guard предостерега́ть кого́-л.; ~ smb. off his guard усыпля́ть чью-л. бди́тельность; ~ off the scent сбить со следа́; ~ smb. right *(with)* оправда́ть кого́-л. в глаза́х друго́го

putative ['pju:tətɪv] предполага́емый

putr||efaction [ˌpju:trɪ'fækʃ(ə)n] гние́ние; **~efy** ['pju:trɪfaɪ] 1) гнить; разлага́ться 2) заража́ть гни́лью

putrid ['pju:trɪd] 1) гнило́й; испо́рченный 2) воню́чий; **~ity** [pju:'trɪdɪtɪ] гниль; гни́лость

puttee ['pʌtɪ] 1) обмо́тка *(для ног)* 2) *pl* кра́ги

putty ['pʌtɪ] **1.** *n* зама́зка, шпаклёвка **2.** *v* зама́зывать; шпаклева́ть

put-up [ˈputˈʌp]: a ~ job подстро́енное де́ло

puzzle [ˈpʌzl] **1.** *n* 1) зага́дка, головоло́мка 2) недоуме́ние 3) неразреши́мый вопро́с **2.** *v* 1) поста́вить в тупи́к; озада́чить; привести́ в замеша́тельство 2) лома́ть го́лову *(над чем-л.)*; ~ **out** разобра́ться *(в чём-л.)*; распу́тать *(что-л.)*; **~ment** замеша́тельство; смуще́ние

pygmy [ˈpɪgmɪ] пигме́й, ка́рлик

pyjamas [pəˈdʒɑːməz] *pl* пижа́ма

pyramid [ˈpɪrəmɪd] пирами́да

pyre [ˈpaɪə] погреба́льный костёр

Q

Q, q [kjuː] *семнадцатая буква англ. алфавита*

quack I [kwæk] **1.** *n* кря́канье **2.** *v* кря́кать

quack II [ˈkwæk] зна́харь, шарлата́н; **~ery** [-ərɪ] шарлата́нство

quadrangle [ˈkwɔˌdræŋgl] четырёхуго́льник

quadrant [ˈkwɔdr(ə)nt] квадра́нт

quadrilateral [ˌkwɔdrɪˈlæt(ə)r(ə)l] четырёхсторо́нний

quadruped [ˈkwɔdruped] четвероно́гое

quadruple [ˈkwɔdrupl] четверно́й; состоя́щий из четырёх часте́й

quaff [kwɑːf] пить больши́ми глотка́ми

quagmire [ˈkwægmaɪə] боло́то, тряси́на

quail I [kweɪl] пе́репел, перепёлка

quail II дро́гнуть, стру́сить

quaint [kweɪnt] стра́нный; причу́дливый

quake [kweɪk] дрожа́ть, трясти́сь

Quaker [ˈkweɪkə] ква́кер

quali||fication [ˌkwɔlɪfɪˈkeɪʃ(ə)n] 1) огово́рка, ограниче́ние 2) квалифика́ция 3) (избира́тельный) ценз; **~fy** [ˈkwɔlɪfaɪ] 1) приобрета́ть каку́ю-л. специа́льность 2) точне́е определя́ть 3) ограни́чивать

qualitative [ˈkwɔlɪtətɪv] ка́чественный; **~ly** ка́чественно

quality [ˈkwɔlɪtɪ] 1) ка́чество; сорт 2) досто́инство

qualm [kwɔːm] 1) тошнота́ 2) опасе́ние; сомне́ния *мн.*; при́ступ малоду́шия ◇ ~s of conscience угрызе́ния со́вести

quandary [ˈkwɔndərɪ] затрудни́тельное положе́ние

quantitative [ˈkwɔntɪtətɪv] коли́чественный

quantity [ˈkwɔntɪtɪ] коли́чество

quarantine [ˈkwɔr(ə)ntiːn] **1.** *n* каранти́н **2.** *v* подверга́ть каранти́ну

quarrel [ˈkwɔr(ə)l] **1.** *n* ссо́ра; make up a ~ помири́ться **2.** *v* ссо́риться; **~some** [-səm] задиристый; сварли́вый; вздо́рный

quarry I [ˈkwɔrɪ] добы́ча *(на охоте)*; пресле́дуемый зверь

quarry II **1.** *n* 1) каменоло́мня, карье́р 2) исто́чник све́дений **2.** *v* добыва́ть *(из карьера)*

quart [kwɔːt] ква́рта *(= 1,14 литра)*

quarter [ˈkwɔːtə] **1.** *n* 1) че́тверть 2) че́тверть часа́ 3) кварта́л *(города, года)* 4) страна́ све́та 5) *pl* жили́ще; *воен.* помеще́ния 6) сторона́; from all ~s отовсю́ду 7) *амер.* моне́та в 25 це́нтов ◇ at close ~s в непосре́дственном соприкоснове́нии; come to close ~s а) вступи́ть врукопа́шную; б) сцепи́ться в спо́ре **2.** *v* 1) дели́ть на четы́ре 2) расквартиро́вывать; **~ly 1.** *a* трёхме́сячный, кварта́льный **2.** *n* журна́л, выходя́щий раз в 3 ме́сяца

quartermaster [ˈkwɔːtəˌmɑːstə] *воен.* квартирме́йстер

quartz [kwɔːts] кварц

quash [kwɔʃ] аннули́ровать

quasi [ˈkwɑːzɪ] как бу́дто

quaver [ˈkweɪvə] **1.** *n* 1) дрожа́ние 2) трель 3) *муз.* восьма́я но́та **2.** *v* дрожа́ть, вибри́ровать

quay [kiː] на́бережная

queas||iness [ˈkwiːzɪnɪs] тошнота́; **~y** [-zɪ] 1) сла́бый *(о желудке)* 2) испы́тывающий тошноту́ 3) щепети́льный

queen [kwiːn] 1) короле́ва 2) *карт.* да́ма 3) *шахм.* ферзь 4) ма́тка *(у пчёл)*

queer [kwɪə] 1) стра́нный 2) подозри́тельный ◇ in Q. street *разг.* в затрудни́тельном положе́нии; в долга́х; feel ~ чу́вствовать тошноту́, головокруже́ние

quell [kwel] подавля́ть, сокруша́ть

quench [ˈkwentʃ] 1) утоля́ть *(жажду)* 2) туши́ть *(огонь)*; *перен.* охлажда́ть *(пыл)*; подавля́ть *(желание, чувство)*; **~ing** зака́лка *(металла)*

querulous [ˈkwerʊləs] ворчли́вый; постоя́нно жа́лующийся

query [ˈkwɪərɪ] **1.** *n* вопро́с **2.** *v* 1) спра́шивать 2) подверга́ть сомне́нию

quest [kwest] **1.** *n* 1) по́иски 2) иско́мый предме́т **2.** *v* иска́ть

question [ˈkwestʃ(ə)n] **1.** *n* 1) вопро́с 2) пробле́ма; де́ло; the ~ is де́ло в том; this is out of the ~ об э́том не мо́жет быть и ре́чи; beside the ~ не относи́ться к де́лу 3) сомне́ние; beyond *(или* past) ~ безусло́вно **2.** *v* 1) задава́ть вопро́с 2) допра́шивать 3) подверга́ть сомне́нию; **~able** [ˈkwestʃənəbl] сомни́тельный; **~ing** допро́с; **~-mark** [ˈkwestʃənmɑːk] знак вопро́са

questionnaire [ˌkwestɪəˈnɛə] вопро́сник, анке́та

queue [kjuː] **1.** *n* 1) коси́чка *(парика)* 2) о́чередь **2.** *v* стоя́ть в о́череди

quibble [ˈkwɪbl] **1.** *n* 1) игра́ слов 2) увёртка **2.** *v* 1) игра́ть слова́ми 2) уклоня́ться *(от прямого ответа, от сути дела, вопроса)*

quick [kwɪk] **1.** *a* 1) бы́стрый; ско́рый 2) живо́й, прово́рный 3) сообрази́тельный, смышлёный; ~ to learn бы́стро схва́тывающий ◇ ~ temper вспы́льчивость **2.** *n* чувстви́тельное ме́сто; cut *(или* touch) to the ~ заде́ть за живо́е **3.** *adv* бы́стро, ско́ро

quicklime [ˈkwɪklaɪm] нега-шёная и́звесть

quickly [ˈkwɪklɪ] бы́стро, ско́ро

quicksand [ˈkwɪksænd] зыбу́чий песо́к; плыву́н

quicksilver [ˈkwɪkˌsɪlvə] ртуть

quick||-tempered [ˈkwɪkˈtempəd] вспы́льчивый; **~-witted** [-ˈwɪtɪd] сообрази́тельный

quid I [kwɪd] *разг.* фунт сте́рлингов

quid II жева́тельный таба́к

quiescent [kwaɪˈesnt] неподви́жный; безде́йствующий; в состоя́нии поко́я

quiet [ˈkwaɪət] **1.** *n* поко́й, тишина́ **2.** *a* 1) споко́йный, ти́хий, бесшу́мный; keep ~! не шуми́те! 2) ми́рный, споко́йный 3) нея́ркий *(о цвете)* 4) та́йный, скры́тый; on the ~ тайко́м; втихомо́лку; keep smth. ~ ума́лчивать о чём-л. **3.** *v* 1) успока́ивать 2) успока́иваться; ~ **down** утиха́ть

quietly [ˈkwaɪətlɪ] споко́йно, ти́хо

quietude [ˈkwaɪɪtju:d] тишина́

quill [kwɪl] перо́ *(птицы)*

quilt [kwɪlt] одея́ло *(стёганое)*

quince [kwɪns] айва́

quinine [kwɪˈni:n] хини́н

quinsy [ˈkwɪnzɪ] анги́на

quip [kwɪp] **1.** *n* эпигра́мма; ко́лкость **2.** *v* де́лать ко́лкие замеча́ния; насмеха́ться

quirk [kwə:k] причу́да

quit [kwɪt] 1) оставля́ть, покида́ть 2) броса́ть *(работу)*

quite [kwaɪt] вполне́, совсе́м; ~ so! соверше́нно ве́рно!; ~ good совсе́м неплохо́й; ~ a lot of money дово́льно мно́го де́нег ◇ it is ~ the thing э́то мо́дно

quits [kwɪts]: be ~ *(with)* расквита́ться, быть в расчёте *(с кем-л.)*

quiver I [ˈkwɪvə] **1.** *n* дрожь; тре́пет **2.** *v* дрожа́ть; трепета́ть

quiver II колча́н

quixotic [kwɪkˈsɔtɪk] донкихо́тский

quiz I [kwɪz] **1.** *n* (теле)виктори́на **2.** *v* 1) *уст.* насмеха́ться 2) выспра́шивать *(кого-л. о чём-л.)*

quiz II *амер.* **1.** *n* предвари́тельный экза́мен; прове́рочные вопро́сы **2.** *v* производи́ть прове́рочные испыта́ния

quizzical [ˈkwɪzɪk(ə)l] 1) насме́шливый 2) чудакова́тый

quod [kwɔd] *разг.* тюрьма́

quoit [kɔɪt] мета́тельное кольцо́; ~s [-s] *pl* мета́ние коле́ц в цель *(игра)*

quondam [ˈkwɔndæm] бы́вший

quorum [ˈkwɔ:rəm] *лат.* кво́рум

quota [ˈkwoutə] кво́та; до́ля; но́рма вы́работки

quotation [kwo(u)ˈteɪʃ(ə)n] 1) цити́рование 2) цита́та 3) расце́нка, котиро́вка *(на бирже)*; **~-marks** [-mɑ:ks] кавы́чки

quote [kwout] **1.** *n* 1) *разг.* цита́та 2) *pl* кавы́чки **2.** *v* 1) цити́ровать; ссыла́ться 2) назнача́ть це́ну

R

R, r [ɑ:] *восемнадцатая буква англ. алфавита*

rabbit [ˈræbɪt] кро́лик

rabble [ˈræbl] сброд, чернь

rabid [ˈræbɪd] неи́стовый, я́ростный; бе́шеный

rabies ['reɪbi:z] *мед.* водобоя́знь, бе́шенство

raccoon [rə'ku:n] *см.* racoon

race I [reɪs] 1) ра́са 2) род; пле́мя

race II ['reɪs] **1.** *n* 1) состяза́ние в ско́рости 2) бы́строе тече́ние *(реки и т. п.)* **2.** *v* 1) состяза́ться в ско́рости 2) уча́ствовать в ска́чках *(о лошадях и их владельцах)* 3) мча́ться ◇ ~ an engine рабо́тать на холосто́м ходу́ *(о моторе)*; **~course** [-kɔ:s] ипподро́м; **~-horse** [-hɔ:s] скакова́я ло́шадь

racial ['reɪʃ(ə)l] ра́совый

raci||ly ['reɪsɪlɪ] пика́нтно; **~-ness** пика́нтность

racing ['reɪsɪŋ] 1) состяза́ние в ско́рости 2) игра́ на ска́чках

rack [ræk] **1.** *n* 1) корму́шка 2) ра́ма, подста́вка 3) ве́шалка 4) по́лка, се́тка *(для вещей в вагоне)* 5) *ист.* ды́ба; *перен.* пы́тка **2.** *v* 1) пыта́ть, му́чить 2) изнуря́ть непоси́льной рабо́той ◇ ~ one's brains лома́ть себе́ го́лову

racket I ['rækɪt] раке́тка *(для игры в теннис)*

racket II ['rækɪt] 1) шум, суета́ 2) *амер.* шанта́ж, вымога́тельство; жу́льничество; **~eer** [,rækɪ'tɪə] *амер.* банди́т-вымога́тель; га́нгстер, рэкети́р; **~-eering** [,rækɪ'tɪərɪŋ] *амер.* гангстери́зм

rack-rent ['rækrent] чрезме́рно высо́кая аре́ндная пла́та

racoon [rə'ku:n] ено́т

racquet ['rækɪt] *см.* racket I

racy ['reɪsɪ] 1) характе́рный 2) живо́й, эне́ргичный 3) пика́нтный

radar ['reɪdə] радиолока́тор

radi||al ['reɪdjəl] лучево́й 2) лучи́стый; **~ance** [-əns] сия́ние; **~ant** [-ənt] лучи́стый; *перен.* сия́ющий

radiat||e ['reɪdɪeɪt] излуча́ть; **~ion** [,reɪdɪ'eɪʃ(ə)n] 1) излуче́ние; радиа́ция 2) *attr.*: **~ion** sickness лучева́я боле́знь; **~or** радиа́тор

radical I ['rædɪk(ə)l] **1.** *n*: R. *полит.* радика́л **2.** *a* коренно́й, радика́льный

radical II ['rædɪk(ə)l] *мат.* ко́рень

radio ['reɪdɪou] **1.** *n* ра́дио **2.** *v* передава́ть радиогра́мму

radio-activ||e ['reɪdɪo(u)'æktɪv] радиоакти́вный; **~ity** [-æk'tɪvɪtɪ] радиоакти́вность

radio||gram ['reɪdɪo(u)græm] 1) радиогра́мма 2) *сокр. от* radio-gramophone; **~-gramophone** [-'græməfoun] радио́ла

radiograph ['reɪdɪo(u)grɑ:f] рентге́новский сни́мок

radio||-location ['reɪdɪo(u)-lo(u)'keɪʃ(ə)n] радиолока́ция; **~-operator** [-,ɔpəreɪtə] ради́ст

radish ['rædɪʃ] реди́ска

radium ['reɪdjəm] ра́дий

raffish ['ræfɪʃ] беспу́тный

raffle ['ræfl] **1.** *n* лотере́я **2.** *v* разы́грывать в лотере́е

raft ['rɑ:ft] **1.** *n* плот; паро́м **2.** *v* переправля́ть на паро́ме, на плоту́; **~er** стропи́ло, ба́лка; **~sman** [-smən] плотовщи́к; паро́мщик

rag I [ræg] 1) тря́пка 2) *pl* тряпьё 3) *pl* отре́пья 4) *презр.* листо́к *(о газете)* 5) обры́вок, клочо́к ◇ not a ~ of evidence никаки́х ули́к

rag II *разг.* 1) дразни́ть 2) сканда́лить, шуме́ть

ragamuffin [ˈrægəˌmʌfɪn] обо́рванец

rage [reɪdʒ] **1.** *n* 1) гнев 2) *разг.* увлече́ние, мо́да **2.** *v* 1) беси́ться 2) бушева́ть *(об эпидемии и т. п.)*

ragged [ˈrægɪd] 1) истрёпанный, обо́рванный 2) шерохова́тый, зазу́бренный

ragtag [ˈrægtæg]: ~ and bobtail сброд

ragtime [ˈrægtaɪm] джа́зовый ритм

raid [reɪd] **1.** *n* набе́г, налёт, рейд **2.** *v* де́лать налёт, обла́ву

rail I [reɪl] руга́ть, поноси́ть

rail II **1.** *n* 1) пери́ла; огра́да; по́ручни 2) рельс; by ~ по желе́зной доро́ге, по́ездом; off the ~s *перен.* вы́битый из колеи́ **2.** *v*: ~ round *(или* off) обноси́ть пери́лами; отгора́живать

railing I [ˈreɪlɪŋ] нагоня́й

railing II 1) пери́ла 2) огра́да

raillery [ˈreɪlərɪ] доброду́шная шу́тка

railroad [ˈreɪlroud] *амер.* **1.** *n* желе́зная доро́га **2.** *v*: ~ smth. through *разг.* протолкну́ть, провести́ в спе́шном поря́дке *(дело, законопроект)*

railway [ˈreɪlweɪ] желе́зная доро́га

raiment [ˈreɪmənt] *поэт.* одея́ние

rain [ˈreɪn] **1.** *n* дождь; light ~ до́ждик; heavy ~ си́льный дождь **2.** *v* 1): it ~s, it is ~ing идёт дождь 2) сы́пать 3) сы́паться ◇ it ~s cats and dogs дождь льёт как из ведра́; **~bow** [-bou] ра́дуга; **~coat** [-kout] непромока́емый плащ; **~fall** [-fɔːl] 1) ли́вень 2) коли́чество оса́дков

rainless [ˈreɪnlɪs] засу́шливый

rainproof [ˈreɪnpruːf] непроница́емый для дождя́, непромока́емый

rainy [ˈreɪnɪ] дождли́вый

raise [reɪz] 1) поднима́ть; воздвига́ть; ~ production увели́чивать произво́дство 2) вызыва́ть *(смех, тревогу и т. п.)* 3) выра́щивать; воспи́тывать 4) собира́ть; ~ money достава́ть де́ньги; ~ troops набира́ть войска́ ◇ ~ the blockade (the siege) снима́ть блока́ду (оса́ду); ~ bread заква́сить те́сто; ~ the devil *(или* hell), *амер.* ~ the roof шуме́ть, буя́нить; ~ the wind *разг.* раздобы́ть де́нег

raisin [ˈreɪzn] изю́м

rajah [ˈrɑːdʒə] ра́джа

rake I [reɪk] **1.** *n* гра́бли **2.** *v* 1) ровня́ть, подчища́ть гра́блями 2): ~ up *(или* together) сгреба́ть; загреба́ть 3): ~ out выгреба́ть; *перен.* тща́тельно иска́ть, ры́ться *(в чём-л. — in, among)* ◇ ~ in money загреба́ть де́ньги

rake II [reɪk] пове́са, распу́тник

rake-off [ˈreɪkˈɔːf] *амер. разг.* до́ля посре́дника в дохо́де; взя́тка

rakish [ˈreɪkɪʃ] распу́щенный, распу́тный

rally I [ˈrælɪ] подшу́чивать *(над кем-л.)*

rally II **1.** *n* 1) слёт, сбор 2) восстановле́ние *(сил, энер-*

гии) **2.** *v* 1) сплоти́ться 2) собира́ться с си́лами, оправля́ться

ram [ræm] **1.** *n* 1) бара́н 2) гидравли́ческий тара́н **2.** *v* 1) тара́нить 2) забива́ть 3) трамбова́ть

rambl||e ['ræmbl] **1.** *n* прогу́лка *(без определённой цели)* **2.** *v* 1) броди́ть 2) говори́ть бессвя́зно 3) ви́ться *(о растениях)*; **~ing** 1) бессвя́зный *(о речи)* 2) разбро́санный *(о городе и т. п.)* 3) слоня́ющийся 4) ползу́чий *(о растении)*

ramification [,ræmɪfɪ'keɪʃ(ə)n] разветвле́ние; ответвле́ние; отро́сток

ramp I [ræmp] скат, укло́н *(стены́, вала)*

ramp II *разг.* жу́льничество

ramp III *шутл.* бушева́ть

rampage [ræm'peɪdʒ] бу́йствовать

rampant ['ræmpənt] 1) неи́стовый 2) бу́йно разро́сшийся *(о растительности)* 3) си́льно распространённый *(о пороках, болезнях)* 4) стоя́щий на за́дних ла́пах *(о геральдических животных)*

rampart ['ræmpɑːt] вал; *перен.* оплот

ramrod ['ræmrɔd] шо́мпол ◇ straight as a ~ ≅ сло́вно арши́н проглоти́л

ramshackle ['ræm,ʃækl] ве́тхий

ran [ræn] *past от* run I

ranch [rɑːntʃ] (скотово́дческая) фе́рма, ра́нчо

rancid ['rænsɪd] прого́рклый

rancour ['ræŋkə] зло́ба, затаённая оби́да

random ['rændəm] **1.** *a* случа́йный; **2.** *n*: at ~ науга́д, наобу́м

rang [ræŋ] *past от* ring I, 1

range I [reɪndʒ] **1.** *n* 1) ряд; ли́ния; цепь *(гор)* 2) *воен.* да́льность; дальнобо́йность; досяга́емость 3) преде́лы; разма́х; *перен.* о́бласть распростране́ния 4) полиго́н **2.** *v* 1) помеща́ть, ста́вить в ряд, в строй 2) колеба́ться *(в определённых пределах—о ценах и т. п.)* 3) *воен.* определя́ть расстоя́ние до це́ли

range II ку́хонная плита́

ranger ['reɪndʒə] *амер.* 1) лесни́чий 2) ко́нный полице́йский

rank I [ræŋk] **1.** *n* 1) ряд, шере́нга 2) зва́ние, положе́ние 3) катего́рия, разря́д ◇ ~ and file *(тж.* the ~s) рядовы́е **2.** *v* 1) стро́ить в шере́нгу 2) классифици́ровать 3) занима́ть како́е-л. ме́сто *(among, with, as)*

rank II 1) бу́йный *(о растительности)* 2) плодоро́дный *(о почве)*

rank III 1) воню́чий *(о табаке)*; прого́рклый *(о масле и т. п.)* 2) отъя́вленный; ~ ingratitude чёрная неблагода́рность

rankle ['ræŋkl] му́чить, терза́ть *(о воспоминании и т. п.)*

ransack ['rænsæk] 1) обы́скивать, ры́ться 2) гра́бить

ransom ['rænsəm] **1.** *n* вы́куп **2.** *v* выкупа́ть

rant [rænt] говори́ть напы́щенно

rap I [ræp] *n* 1) лёгкий уда́р, стук 2) *разг.* наказа́ние; take a ~ получи́ть вы́говор **2.** *v* слегка́ ударя́ть; ~ **out** вы́крикнуть; ~ out a reply ре́зко отве́тить

rap II: I don't care a ~ мне на э́то наплева́ть

rapaci||ous [rə'peɪʃəs] 1) жа́дный 2) хи́щный *(о живо́тном)*; **~ty** [-'pæsɪtɪ] жа́дность

rape I [reɪp] *бот.* рапс

rape II изнаси́лование

rapid ['ræpɪd] **1.** *a* 1) бы́стрый, ско́рый 2) круто́й **2.** *n* *(обыкн. pl)* поро́ги *(реки́)*; **~ity** [rə'pɪdɪtɪ] быстрота́, ско́рость

rapine ['ræpaɪn] грабёж

rapprochement [ræ'prɔʃmɑːŋ] *фр. дип.* возобновле́ние дру́жественных отноше́ний

rapt ['ræpt] 1) восхищённый; увлечённый 2) поглощённый *(мы́слью и т. п.)*; **~ure** [-ptʃə] восто́рг, восхище́ние

rar||e ['rɛə] 1) ре́дкий 2) разрежённый 3) превосхо́дный 4) *амер.* недожа́ренный; **~ely** 1) ре́дко 2) необыча́йно; **~ity** [-rɪtɪ] ре́дкость, дико́вина; рарите́т

rascal ['rɑːsk(ə)l] негодя́й; моше́нник

rase [reɪz] *см.* raze

rash I [ræʃ] сыпь

rash II стреми́тельный; опроме́тчивый, безрассу́дный

rasher ['ræʃə] ло́мтик груди́нки *или* ветчины́ *(для жаренья)*

rashness ['ræʃnɪs] стреми́тельность; опроме́тчивость

rasp [rɑːsp] **1.** *n* 1) напи́льник 2) скре́жет **2.** *v* 1) соска́бливать; тере́ть 2) раздража́ть; ре́зать у́хо

raspberry ['rɑːzb(ə)rɪ] мали́на

rat [ræt] **1.** *n* 1) кры́са 2) преда́тель, перебе́жчик ◇ ~ race мыши́ная возня́ **2.** *v* *разг.* 1) истребля́ть крыс 2) изменя́ть свое́й па́ртии

rate I [reɪt] брани́ть, зада́ть головомо́йку

rate II ['reɪt] **1.** *n* 1) но́рма 2) ста́вка; тари́ф, расце́нка 3) ме́стный нало́г 4) темп 5) разря́д, класс; сорт; first-~ первокла́ссный; third-~ третьестепе́нный ◇ at any ~ во вся́ком слу́чае; at that ~ в тако́м слу́чае **2.** *v* оце́нивать; **~payer** [-ˌpeɪə] налогоплате́льщик

rather ['rɑːðə] 1): ~ than скоре́е... чем; лу́чше... чем; or ~ верне́е говоря́, верне́е 2) слегка́, до не́которой сте́пени; ~ cold дово́льно хо́лодно 3): I would ~ have ice-cream я предпочёл бы моро́женое; would you ~ come with us? не пойти́ ли вам лу́чше с на́ми? 4) *разг.* *(в отве́т)* ещё бы!

rati||fication [ˌrætɪfɪ'keɪʃ(ə)n] ратифика́ция; **~fy** ['rætɪfaɪ] подтвержда́ть; ратифици́ровать

rating I ['reɪtɪŋ] вы́говор, нагоня́й

rating II 1) оце́нка *(иму́щества)* 2) класс; разря́д; классифика́ция 3) *мор.* рядово́й (матро́с)

ratio ['reɪʃɪou] отноше́ние, пропо́рция

ration ['ræʃ(ə)n] **1.** *n* 1) паёк, рацио́н 2) *pl* продово́льствие **2.** *v* 1) норми́ровать, ограни́чивать *(вы́дачу чего́-л.)* 2): ~ out выдава́ть *(паёк)*

rational ['ræʃənl] разу́мный; целесообра́зный, рациона́льный; **~ity** [ˌræʃəˈnælɪtɪ] разу́мность; рациона́льность

rational||ization [ˌræʃnəlaɪˈzeɪʃ(ə)n] рационализа́ция; **~ize** [ˈræʃnəlaɪz] рационализи́ровать

rattle [ˈrætl] **1.** *v* 1) грохота́ть; проноси́ться с гро́хотом 2) болта́ть без у́молку 3) *разг.* пуга́ть, волнова́ть; ~ **off** «отбараба́нить» *(урок, речь)* **2.** *n* 1) трещо́тка; погрему́шка 2) трескотня́, шу́мная болтовня́ 3) гро́хот; **~brained** [-breɪnd] пустоголо́вый; **~snake** [-sneɪk] грему́чая змея́

raucous [ˈrɔːkəs] хри́плый, гру́бый *(о голосе, смехе)*

ravage [ˈrævɪdʒ] **1.** *n* опустоше́ние; *pl* разруши́тельное де́йствие **2.** *v* опустоша́ть

rave [reɪv] **1.** *v* 1) говори́ть бессвя́зно, бре́дить 2) бушева́ть; ~ **about** говори́ть восто́рженно **2.** *a*: a ~ review восто́рженная кри́тика

raven [ˈreɪvn] во́рон

ravenous [ˈrævɪnəs] прожо́рливый; ~ appetite во́лчий аппети́т

ravine [rəˈviːn] глубо́кое уще́лье; у́зкий овра́г, лощи́на; ложби́на

ravish [ˈrævɪʃ] восхища́ть

raw [rɔː] 1) сыро́й; необрабо́танный; ~ material сырьё 2) нео́пытный 3) со́дранный *(о коже и т. п.)* 4) промо́зглый *(о погоде)* ◇ touch on the ~ заде́ть за живо́е; **~-boned** [ˈrɔːˈbound] худо́й, костля́вый; ко́жа да ко́сти

ray I [reɪ] луч

ray II скат *(рыба)*

rayon [ˈreɪɔn] иску́сственный шёлк, виско́за

raze [reɪz] разруша́ть до основа́ния; ~ to the ground сровня́ть с землёй

razor [ˈreɪzə] бри́тва

razzle [ˈræzl]: be *(или* go) on the ~ кути́ть

re- [riː-] *pref придаёт глаголу значения повторения, возобновления действия*: сно́ва, за́ново, ещё раз; пере-; reread перечи́тывать; rewrite перепи́сывать *и т. п.*

reach [riːtʃ] **1.** *v* 1) протя́гивать; вытя́гивать 2) достава́ть 3) достига́ть 4) доезжа́ть до 5) простира́ться **2.** *n* преде́л досяга́емости; охва́т; beyond *(или* out of) ~ вне преде́лов досяга́емости; within ~ в преде́лах досяга́емости

react [riːˈækt] 1) реаги́ровать 2) противоде́йствовать *(against)*

reaction [riːˈækʃ(ə)n] реа́кция; **~ary** [-kʃnərɪ] **1.** *a* реакцио́нный **2.** *n* реакционе́р

reactive [riːˈæktɪv] 1) реаги́рующий 2) реакти́вный

read [ˈriːd] (read [red]) 1) чита́ть; ~ aloud чита́ть вслух; ~ to oneself чита́ть про себя́ 2) изуча́ть; ~ law изуча́ть пра́во 3) пока́зывать *(о приборе)*; **~er** 1) чита́тель 2) ле́ктор 3) хрестома́тия 4) чтец 5) корре́ктор 6) рецензе́нт

readily [ˈredɪlɪ] охо́тно, легко́

readiness [ˈredɪnɪs] 1) гото́вность 2) нахо́дчивость

reading [ˈriːdɪŋ] 1) чте́ние 2) начи́танность 3) показа́ние прибо́ра 4) толкова́ние; **~-room**

[-rum] чита́льный зал, чита́льня

readjust ['ri:ə'dʒʌst] переде́лывать; исправля́ть (за́ново); (за́ново) приспоса́бливать

ready ['redɪ] 1) *predic* гото́вый; ~ for school подгото́вленный к шко́ле 2) скло́нный; give a ~ assent охо́тно согласи́ться 3) (находя́щийся) под руко́й ◇ ~ money нали́чные де́ньги; **~-made** [-'meɪd] гото́вый *(о пла́тье и т. п.)*

reagent [ri:'eɪdʒ(ə)nt] реакти́в

real [rɪəl] 1) настоя́щий, реа́льный; ~ wages реа́льная за́работная пла́та 2): ~ property *юр.* недви́жимое иму́щество 3) *разг.* по́длинный; и́стинный; a ~ pleasure и́стинное удово́льствие; **~ism** ['rɪəlɪzm] реали́зм; **~istic** [rɪə'lɪstɪk] реалисти́ческий; **~ity** [ri:'ælɪtɪ] действи́тельность, реа́льность; in ~ity действи́тельно, на са́мом де́ле

real‖ization [ˌrɪəlaɪ'zeɪʃ(ə)n] осуществле́ние, реализа́ция; **~ize** ['rɪəlaɪz] 1) представля́ть себе́; осознава́ть, понима́ть 2) осуществля́ть; реализова́ть

really ['rɪəlɪ] действи́тельно, пра́во

realm [relm] 1) короле́вство 2) о́бласть, сфе́ра

reanimate ['ri:'ænɪmeɪt] оживля́ть, возвраща́ть к жи́зни

reap ['ri:p] жать; *перен.* пожина́ть; **~ing-hook** [-ɪŋhuk] серп

reappear ['ri:ə'pɪə] сно́ва появля́ться

reappraise ['ri:ə'preɪz] за́ново оцени́ть

rear I [rɪə] 1) поднима́ть *(го́лову, мо́рду)* 2) воздвига́ть 3) воспи́тывать; выра́щивать 4) станови́ться на дыбы́

rear II [rɪə] **1.** *n* тыл; за́дняя сторона́ ◇ bring up the ~ замыка́ть ше́ствие **2.** *a* за́дний; **~-admiral** ['rɪər'ædm(ə)r(ə)l] контр-адмира́л; **~guard** ['rɪəgɑ:d] арьерга́рд

rearm ['ri:'ɑ:m] перевооружа́ться; **~ament** [-əmənt] перевооруже́ние

rearmost ['rɪəmoust] са́мый за́дний, ты́льный

reason ['ri:zn] **1.** *n* 1) причи́на, до́вод; основа́ние 2) ра́зум, рассу́док; hear *(или* listen to) ~ дать себя́ убеди́ть; it stands to ~ я́сно, очеви́дно **2.** *v* 1) рассужда́ть 2) обсужда́ть 3) убежда́ть; ~ with smb. угова́ривать кого́-л.; ~ smb. into убежда́ть кого́-л.; ~ smb. out of smth. разубежда́ть кого́-л. в чём-л.; **~able** [-əbl] 1) (благо)разу́мный 2) уме́ренный

reassure [ˌri:ə'ʃuə] уверя́ть; успока́ивать

rebel **1.** *n* ['rebl] повста́нец, бунтовщи́к **2.** *v* [rɪ'bel] восстава́ть; **~lion** [rɪ'beljən] восста́ние; **~lious** [rɪ'beljəs] мяте́жный, бунта́рский

rebound [rɪ'baund] **1.** *n* отда́ча; рикоше́т **2.** *v* отска́кивать

rebuff [rɪ'bʌf] **1.** *n* отпо́р; ре́зкий отка́з **2.** *v* дава́ть отпо́р

rebuke [rɪ'bju:k] **1.** *n* 1) упрёк 2) вы́говор **2.** *v* 1) упрека́ть 2) де́лать вы́говор

recalcitrant [rɪ'kælsɪtr(ə)nt] непоко́рный

recall [rɪ'kɔ:l] **1.** *v* 1) отзыва́ть *(должностное лицо)* 2) вспомина́ть; напомина́ть 3) отменя́ть **2.** *n* отозва́ние *(должностного лица)* ◇ beyond ~ непоправи́мый, безвозвра́тный

recant [rɪ'kænt] отрека́ться

recapitulat||e [ˌri:kə'pitjuleɪt] резюми́ровать; перечисля́ть основны́е пу́нкты; **~ion** ['ri:kəˌpɪtju'leɪʃ(ə)n] сумми́рование, резюме́; перечисле́ние

recast ['ri:'kɑ:st] 1) придава́ть но́вую фо́рму 2) *театр.* перераспределя́ть ро́ли

recede [ri:'si:d] 1) отступа́ть; удаля́ться 2) отка́зываться *(от мнения и т. п.)* 3) па́дать *(о цене)*

receipt [rɪ'si:t] 1) получе́ние 2) распи́ска в получе́нии; квита́нция 3) *(обыкн. pl)* прихо́д 4) реце́пт *(особ. кулинарный)*

receive [rɪ'si:v] 1) получа́ть 2) принима́ть 3) восприни́ма́ть; **~d** [-d]: the ~d opinion общепри́нятое мне́ние

receiver [rɪ'si:və] 1) получа́тель 2) радиоприёмник 3) телефо́нная тру́бка 4) укрыва́тель кра́деного

recent ['ri:snt] неда́вний, но́вый; совреме́нный; **~ly** неда́вно

receptacle [rɪ'septəkl] вмести́лище, та́ра

recept||ion [rɪ'sepʃ(ə)n] 1) приём 2) получе́ние 3) *радио* приём; **~ive** [-tɪv] восприи́мчивый

recess I [rɪ'ses] переры́в в рабо́те, заня́тиях; *амер.* кани́кулы

recess II [rɪ'ses] 1) ни́ша 2) тайни́к; **~ion** [-'seʃ(ə)n] 1) удале́ние 2) *эк.* спад; **~ive** [-ɪv] *биол.* рецесси́вный

recipe ['resɪpɪ] реце́пт; сре́дство

recipient [rɪ'sɪpɪənt] получа́тель

reciproc||al [rɪ'sɪprək(ə)l] взаи́мный; **~ate** [-keɪt] 1) обме́ниваться *(услугами и т. п.)* 2) *тех.* дви́гаться взад и вперёд; **~ity** [ˌresɪ'prɔsɪtɪ] 1) взаи́мность 2) взаимоде́йствие 3) взаи́мный обме́н *(услугами и т. п.)*

reci||tal [rɪ'saɪtl] 1) подро́бное перечисле́ние *(фактов и т. п.)* 2) конце́рт одного́ арти́ста *(или композитора)*; **~tation** [ˌresɪ'teɪʃ(ə)n] деклама́ция; **~te** [rɪ'saɪt] 1) чита́ть наизу́сть, деклами́ровать 2) перечисля́ть

reckless ['reklɪs] безрассу́дный; опроме́тчивый; беспе́чный; ~ driver води́тель-лиха́ч

reckon ['rek(ə)n] 1) счита́ть; подсчи́тывать 2) причисля́ть, относи́ть *(к кому-л.)* 3) рассчи́тываться *(с кем-л.)* 4) *амер.* полага́ть, ду́мать; **~ing** счёт; подсчёт; расчёт

reclaim [rɪ'kleɪm] 1) исправля́ть *(нравственно)* 2) поднима́ть *(неудобные, заброшенные земли)*; проводи́ть мелиора́цию 3) тре́бовать обра́тно

reclamation [ˌreklə'meɪʃ(ə)n] 1) исправле́ние 2) освое́ние *(ранее не обрабатываемых земель)*; осу́шка, мелиора́ция

recline [rɪ'klaɪn] полулежа́ть, сиде́ть отки́нувшись; приле́чь

recluse [rɪ'klu:s] затво́рник; затво́рница

recogni||tion [ˌrekəg'nɪʃ(ə)n]

1) узнава́ние 2) призна́ние, одобре́ние; **~ze** ['rekəgnaɪz] 1) узнава́ть 2) признава́ть

recoil [rɪ'kɔɪl] **1.** *n* 1) отда́ча 2) отвраще́ние **2.** *v* 1) отпря́нуть, отшатну́ться 2) отдава́ть *(о ружье)*

recollect [,rekə'lekt] вспомина́ть; **~ion** [-kʃ(ə)n] воспомина́ние; within my ~ion на мое́й па́мяти

recommend [,rekə'mend] 1) рекомендова́ть 2) поруча́ть попече́нию; **~ation** [,rekəmen'deɪʃ(ə)n] рекоменда́ция

recompense ['rekəmpens] **1.** *n* компенса́ция **2.** *v* компенси́ровать; отпла́чивать

reconcil||e ['rekənsaɪl] 1) примиря́ть 2) ула́живать *(ссору, спор)* 3) согласо́вывать; **~iation** [,rekənsɪlɪ'eɪʃ(ə)n] примире́ние

recondition ['ri:kən'dɪʃ(ə)n] ремонти́ровать, приводи́ть в испра́вное состоя́ние

reconnaissance [rɪ'kɔnɪs(ə)ns] разве́дка

reconnoitre [,ekə'nɔɪtə] производи́ть разве́дку, разве́дывать; производи́ть рекогносциро́вку

reconstruct ['ri:kəns'trʌkt] реконструи́ровать; восстана́вливать; **~ion** [-kʃ(ə)n] перестро́йка, реконстру́кция; восстановле́ние

record 1. *n* ['rekɔ:d] 1) за́пись 2) докуме́нт 3) протоко́л 4) граммофо́нная пласти́нка 5) реко́рд 6) репута́ция ◇ off the ~ неофициа́льно; конфиденциа́льно; for the ~ к све́дению **2.** *v* [rɪ'kɔ:d] 1) запи́сывать, регистри́ровать 2) увекове́чивать 3) запи́сывать на пласти́нку **3.** *a* ['rekɔ:d] реко́рдный

re-count ['ri:'kaunt] пересчи́тывать

recount [rɪ'kaunt] расска́зывать

recoup [rɪ'ku:p] компенси́ровать

recourse [rɪ'kɔ:s]: have ~ to обраща́ться за по́мощью

recove||r [rɪ'kʌvə] 1) возвраща́ть себе́; получа́ть обра́тно 2) выздора́вливать; приходи́ть в себя́; **~ry** [-rɪ] 1) выздоровле́ние 2) восстановле́ние

recreation [,rekrɪ'eɪʃ(ə)n] о́тдых, восстановле́ние сил; развлече́ние

recrimination [rɪ,krɪmɪ'neɪʃ(ə)n] взаи́мные обвине́ния *мн.*

recruit [rɪ'kru:t] **1.** *n* ре́крут, новобра́нец **2.** *v* 1) вербова́ть, набира́ть *(в армию)* 2) укрепля́ть *(здоровье)*; **~ment** набо́р новобра́нцев, вербо́вка

rectang||le ['rek,tæŋgl] прямоуго́льник; **~ular** [rek'tæŋgjulə] прямоуго́льный

rectif||ication [,rektɪfɪ'keɪʃ(ə)n] 1) исправле́ние 2) *хим.* очище́ние 3) *эл.* выпрямле́ние *(тока)*; **~y** ['rektɪfaɪ] 1) исправля́ть 2) *хим.* очища́ть 3) *эл.* выпрямля́ть *(ток)*

rectitude ['rektɪtju:d] че́стность, прямота́

rector ['rektə] 1) ре́ктор 2) прихо́дский свяще́нник; **~y** [-rɪ] дом прихо́дского свяще́нника

recumbent [rɪ'kʌmbənt] лежа́щий; отки́нувшийся на что-л.

recupera||te [rɪ'kju:pəreɪt] восстана́вливать си́лы; **~tion** [rɪˌkju:pə'reɪʃ(ə)n] восстановле́ние сил

|recur [rɪ'kə:] 1) повторя́ться 2) возвраща́ться *(к чему-л.)* 3) *мед.* рецидиви́ровать; **~rence** [-'kʌr(ə)ns] возвраще́ние, повторе́ние; **~rent** [-'kʌr(ə)nt] 1) повторя́ющийся; периоди́ческий 2) *мед.* возвра́тный

red [red] *a* 1) кра́сный; get ~ покрасне́ть 2) ры́жий ◇ ~ tape канцеля́рщина, бюрократи́зм; see ~ обезу́меть, прийти́ в бе́шенство

redbreast ['redbrest] мали́новка

redcoat ['redkout] *ист.* англи́йский солда́т

redden ['redn] красне́ть, залива́ться румя́нцем

redeem [rɪ'di:m] 1) выкупа́ть *(заложенные вещи и т. п.)* 2) выполня́ть *(обещание)* 3) спаса́ть, избавля́ть 4) возмеща́ть 5) искупа́ть *(грехи)*

red-handed ['red'hændɪd]: be caught ~ быть захва́ченным на ме́сте преступле́ния

red-herring ['red'herɪŋ] 1) копчёная селёдка 2) что́-л. сбива́ющее с то́лку

red-hot ['red'hɔt] накалённый докрасна́; *перен.* возбуждённый; рассе́рженный

rediffusion ['ri:dɪ'fju:ʒ(ə)n] радиофика́ция площаде́й, у́лиц *и т. п. (во время какого-л. торжественного события)*

redolent ['redo(u)lənt] па́хнущий *(чем-л.— of)*; *перен.* напомина́ющий *(что-л.)*

redouble [rɪ'dʌbl] 1) удва́ивать, увели́чивать 2) удва́иваться, увели́чиваться

redoubtable [rɪ'dautəbl] *книжн.* гро́зный

redress [rɪ'dres] **1.** *n* 1) исправле́ние 2) возмеще́ние **2.** *v* 1) восстана́вливать *(равновесие)* 2) загла́живать *(обиду)*

reduc||e [rɪ'dju:s] 1) уменьша́ть; сокраща́ть; ~ prices снижа́ть це́ны 2) худе́ть 3) заставля́ть; ~ to silence заста́вить замолча́ть; 4) понижа́ть в до́лжности; **~ed** [-t]: ~ed circumstances стеснённые обстоя́тельства; **~tion** [-'dʌkʃ(ə)n] 1) уменьше́ние, сокраще́ние 2) ски́дка 3) пониже́ние в до́лжности

redundan||ce, ~cy [rɪ'dʌndəns, -sɪ] избы́ток; изли́шество; **~t** [-ənt] избы́точный; изли́шний

reed [ri:d] тростни́к, камы́ш

reef [ri:f] риф

reek [ri:k] **1.** *v* 1) дыми́ться 2) па́хнуть; отдава́ть *(чем-л.)* **2.** *n* скве́рный за́пах, вонь

reel I [ri:l] **1.** *v* 1) кружи́ться, верте́ться 2) поша́тываться **2.** *n* 1) шата́ние 2) вихрь; круже́ние 3) шотла́ндский та́нец

reel II **1.** *n* 1) кату́шка 2) *тех.* бараба́н 3) *кино* часть фи́льма **2.** *v*: ~ **off** а) разма́тывать б) расска́зывать бы́стро, гла́дко; ~ **up** нама́тывать

re-entry [ri(:)'entrɪ] вход *или* возвраще́ние в пло́тные слои́ атмосфе́ры *(космического корабля)*

re-establish ['ri:ɪs'tæblɪʃ] восстана́вливать

refer [rɪ'fə:] 1) направля́ть *(к кому-л.)* 2) ссыла́ться *(на что-л.)* 3) име́ть отноше́ние, относи́ться *(к чему-л., кому-л.)*; **~ee** [ˌrefəˈri:] 1) трете́йский судья́ 2) *спорт.* судья́; **~ence** [ˈrefr(ə)ns] 1) упомина́ние 2) рекоменда́ция 3) спра́вка 4) ссы́лка; in *(или* with) ~ence *(to)* ссыла́ясь на, что каса́ется, относи́тельно того́, что ◇ without ~ence to безотноси́тельно, незави́симо от

refine [rɪuˈfaɪn] очища́ть; **~d** [-d] 1) утончённый, изы́сканный 2) рафини́рованный; **~ment** утончённость, изы́сканность; **~ry** [-ərɪ] рафиниро́вочный заво́д

refit [ˈri:ˈfɪt] **1.** *v* 1) снаряжа́ть за́ново 2) ремонти́ровать **2.** *n* 1) ремо́нт 2) перебо́рка *(механизма)*

reflect [rɪˈflekt] 1) отража́ть *(тж. перен.)* 2) отража́ться *(тж. перен.)* 3) размышля́ть; **~ion** [-kʃ(ə)n] 1) отраже́ние; отображе́ние 2) размышле́ние; on ~ion поду́мав; **~ive** [-ɪv] размышля́ющий

reflex [ˈri:fleks] **1.** *n* 1) отраже́ние 2) рефле́кс **2.** *a* рефлекто́рный

reform [rɪˈfɔ:m] **1.** *n* рефо́рма; исправле́ние **2.** *v* 1) исправля́ть; реформи́ровать 2) исправля́ться; **~ation** [ˌrefəˈmeɪʃ(ə)n] 1) преобразова́ние 2): Reformation *ист.* Рефо́рма́ция; **~atory** [-mət(ə)rɪ] **1.** *n* исправи́тельное заведе́ние **2.** *a* исправи́тельный; **~er** реформа́тор

refract [rɪˈfrækt] *физ.* преломля́ть

refractory [rɪˈfrækt(ə)rɪ] 1) непоко́рный, упо́рный 2) тугопла́вкий 3) огнеупо́рный

refrain I [rɪˈfreɪn] возде́рживаться *(от—from)*

refrain II припе́в

refresh [rɪˈfreʃ] освежа́ть; подкрепля́ть; ~ oneself подкрепля́ться *(едой, питьём)*; освежа́ться *(купанием)* ◇ ~ one's memory освежи́ть в па́мяти, вспо́мнить; **~er**: ~er course переподгото́вка, ку́рсы повыше́ния квалифика́ции; **~ment** 1) *(обыкн. pl)* заку́ски и напи́тки, буфе́т 2) *attr.*: ~ment room буфе́т *(на вокзале и т. п.)*

refrigerat||e [rɪˈfrɪdʒəreɪt] охлажда́ть; замора́живать; **~or** холоди́льник, рефрижера́тор

refuel [ˈri:ˈfjuəl] заправля́ться горю́чим, то́пливом

refug||e [ˈrefju:dʒ] убе́жище; **~ee** [ˌrefju:ˈdʒi:] бе́женец; эмигра́нт

refund [ri:ˈfʌnd] **1.** *n* опла́та *(расходов)* **2.** *v* опла́чивать *(расходы)*

refusal [rɪˈfju:z(ə)l] отка́з

refuse I [rɪˈfju:z] 1) отка́зывать 2) отка́зываться

refuse II [ˈrefju:s] отбро́сы

refu||tation [ˌrefju:ˈteɪʃ(ə)n] опроверже́ние; **~te** [rɪˈfju:t] опроверга́ть

regain [rɪˈgeɪn] 1) сно́ва приобрета́ть 2) вновь верну́ться

regal [ˈri:g(ə)l] ца́рственный

regale [rɪˈgeɪl] угоща́ть, по́тчевать *(with)*

regard [rɪˈgɑ:d] **1.** *n* 1) уваже́ние; show ~ for счита́ться с 2) *(обыкн. pl)* приве́т; my best ~s мой серде́чный приве́т 3) внима́ние 4) взгляд ◇ in ~ to относи́тельно; with ~ to your letter of.. в отве́т на ва́ше письмо́ от... **2.** *v* 1) счита́ть; they ~ him as a great pianist они́ счита́ют его́ вели́ким пиани́стом 2) относи́ться, каса́ться 3) смотре́ть 4) счита́ться *(с кем-л., чем-л.)*; уважа́ть ◇ as ~s что каса́ется; **~ing** относи́тельно, о, об; **~less** не счита́ясь *(с кем-л., чем-л.)*; невзира́я на

regency [ˈriːdʒ(ə)nsɪ] ре́гентство

regenerate 1. *v* [rɪˈdʒenəreɪt] 1) перерожда́ться 2) регенери́ровать, восстана́вливать **2.** *a* [rɪˈdʒenərɪt] возрождённый

regent [ˈriːdʒənt] ре́гент

regime [reɪˈʒiːm] режи́м

regiment [ˈredʒɪmənt] полк; **~al** [ˌredʒɪˈmentl] полково́й

region [ˈriːdʒ(ə)n] о́бласть; сфе́ра; **~al** [ˈriːdʒənl] ме́стный; областно́й

regist||er [ˈredʒɪstə] **1.** *n* 1) журна́л *(для записей)* 2) счётчик 3) *муз.* реги́стр **2.** *v* регистри́ровать; **~ered** [-d]: ~ered letter заказно́е письмо́; **~ration** [ˌredʒɪsˈtreɪʃ(ə)n] регистра́ция; **~ry** [-trɪ] регистрату́ра

regression [rɪˈgreʃ(ə)n] регре́сс; упа́док

regret [rɪˈgret] **1.** *n* сожале́ние, раска́яние **2.** *v* сожале́ть, раска́иваться; **~table** [-əbl] приско́рбный

regular [ˈregjulə] **1.** *a* 1) пра́вильный; регуля́рный 2) обы́чный 3) квалифици́рованный 4) *разг.* настоя́щий **2.** *n* солда́т регуля́рной а́рмии; **~ity** [ˌregjuˈlærɪtɪ] регуля́рность; **~ize** [-raɪz] упоря́дочивать

regula||te [ˈregjuleɪt] регули́ровать; **~tion** [ˌregjuˈleɪʃ(ə)n] 1) регули́рование 2) пра́вило 3) *pl* уста́в

rehabilitation [ˈriːəˌbɪlɪˈteɪʃ(ə)n] 1) реабилита́ция 2) реконстру́кция, восстановле́ние; ремо́нт

rehear||sal [rɪˈhəːs(ə)l] репети́ция; **~se** [-ˈhəːs] репети́ровать

rehouse [ˈriːˈhauz] пересели́ть в но́вые дома́

reign [reɪn] **1.** *n* ца́рствование; госпо́дство **2.** *v* ца́рствовать; госпо́дствовать; silence ~ed during the speech во вре́мя ре́чи цари́ло молча́ние

reimburse [ˌriːɪmˈbəːs] возмеща́ть *(сумму)*

rein [reɪn] **1.** *n (часто pl)* по́вод, вожжа́; *перен.* узда́, контро́ль; ~s of government бразды́ правле́ния; give ~ to one's imagination дать во́лю воображе́нию **2.** *v* пра́вить *(лошадью)*; **~ back, ~ in** сде́рживать; уде́рживать

reincarnation [ˈriːɪnkaːˈneɪʃ(ə)n] перевоплоще́ние

reindeer [ˈreɪndɪə] се́верный оле́нь

reinforce [ˌriːɪnˈfɔːs] уси́ливать, подкрепля́ть; **~d** [-t]: ~d concrete железобето́н; **~ment** подкрепле́ние

reinstate [ˈriːɪnˈsteɪt] восстана́вливать *(в правах)*

reissue [ˈriːˈisjuː] переизда́ние

reiterate [ri(ː)ˈɪtəreɪt] повторя́ть

reject [rɪˈdʒekt] 1) отклоня́ть, отверга́ть 2) бракова́ть; **~ion** [-kʃ(ə)n] отклоне́ние; отка́з

rejoice [rɪ'dʒɔɪs] 1) ра́довать 2) ра́доваться

rejoin [rɪ'dʒɔɪn] 1) сно́ва примкну́ть, присоедини́ться *(к кому-л., чему-л.)* 2) возража́ть; **~der** [rɪ'dʒɔɪndə] возраже́ние

rejuvenate [rɪ'dʒu:vɪneɪt] омолоди́ть

relapse [rɪ'læps] **1.** *n* рециди́в, повторе́ние **2.** *v* сно́ва заболе́ть; сно́ва впасть *(в какое-л. состояние)*; ~ into silence сно́ва замолча́ть

relat||e [rɪ'leɪt] 1) расска́зывать 2) име́ть отноше́ние; **~ed** [-ɪd] ро́дственный; свя́занный *(с кем-л., чем-л.)*; **~ion** [-'leɪʃ(ə)n] 1) повествова́ние 2) отноше́ние; соотноше́ние, связь; diplomatic ~ions дипломати́ческие отноше́ния 3) ро́дственник; **~ive** ['relətɪv] **1.** *n* ро́дственник; ро́дственница **2.** *a* 1) относи́тельный 2) соотве́тствующий

relax [rɪ'læks] 1) ослабля́ть, смягча́ть; расслабля́ть 2) ослабля́ться, смягча́ться; расслабля́ться; **~ation** [,ri:læk'seɪʃ(ə)n] 1) ослабле́ние, смягче́ние 2) о́тдых; переды́шка; развлече́ние 3) релакса́ция

relay **1.** *n* 1) [rɪ'leɪ] сме́на 2) ['ri:'leɪ] *радио* трансля́ция **2.** *v* [rɪ'leɪ] 1) сменя́ть 2) *радио* передава́ть, трансли́ровать; **~-race** ['ri:leɪ'reɪs] эстафе́тный бег

release [rɪ'li:s] **1.** *n* освобожде́ние ◇ press ~ официа́льное заявле́ние для печа́ти **2.** *v* 1) освобожда́ть 2) выпуска́ть 3) разреша́ть публика́цию *(книги, речи и т. п.)*, демонстра́цию *(фильма)*

relegate ['relɪgeɪt] 1) отсыла́ть, направля́ть 2) разжа́ловать

relent [rɪ'lent] смягча́ться; **~less** 1) безжа́лостный, неумоли́мый 2) неосла́бный; неотсту́пный

relevant ['relɪvənt] уме́стный, относя́щийся к де́лу

reli||able [rɪ'laɪəbl] надёжный; **~ance** [-əns] 1) дове́рие 2) наде́жда, опо́ра

relic ['relɪk] 1) рели́квия 2) *pl* оста́нки; оста́тки

relief I [rɪ'li:f] 1) облегче́ние; по́мощь 2) сме́на 3) посо́бие *(по безработице)*

relief II релье́ф

relieve [rɪ'li:v] 1) облегча́ть 2) выруча́ть 3) сменя́ть

religio||n [rɪ'lɪdʒ(ə)n] рели́гия; **~us** [-dʒəs] религио́зный

relinquish [rɪ'lɪŋkwɪʃ] броса́ть, покида́ть

relish ['relɪʃ] **1.** *n* 1) (прия́тный) вкус 2) припра́ва 3) удово́льствие **2.** *v* получа́ть удово́льствие *(от чего-л.)*

reluct||ance [rɪ'lʌktəns] нехо́та, нежела́ние; **~ant** [-ənt] неохо́тный

rely [rɪ'laɪ] полага́ться, доверя́ть; ~ on it that быть уве́ренным, что; ~ on smb. *(или* smth.) рассчи́тывать на кого́-л. *(или* что-л.)

remain [rɪ'meɪn] **1.** *v* остава́ться **2.** *n pl* оста́нки; оста́тки; **~der** [-də] оста́ток

remak||e ['ri:'meɪk] преобразо́вывать; переде́лывать; **~ing** преобразова́ние

remark [rɪ'mɑ:k] **1.** *n* 1) замеча́ние 2) заме́тка **2.** *v* 1) замеча́ть 2) де́лать замеча́ние; **~able** [-əbl] замеча́тельный

remedy ['remɪdɪ] 1) лека́рство 2) сре́дство, ме́ра *(против чего-л.)*

rememb||er [rɪ'membə] по́мнить, вспомина́ть ◇ ~ me *(to)* передайте приве́т; **~rance** [-br(ə)ns] воспомина́ние; па́мять

remind [rɪ'maɪnd] напомина́ть

reminiscen||ce [,remɪ'nɪsns] воспомина́ние; **~t** [-nt] напомина́ющий

remiss [rɪ'mɪs] 1) небре́жный 2) сла́бый; **~ion** [-'mɪʃ(ə)n] 1) проще́ние 2) ослабле́ние, смягче́ние

remit [rɪ'mɪt] 1) проща́ть; отпуска́ть *(грехи)* 2) освобожда́ть *(от штрафа и т.п.)* 3) пересыла́ть *(деньги)*; **~tance** [-(ə)ns] де́нежный перево́д

remnant ['remnənt] оста́ток

remonstr||ance [rɪ'mɔnstr(ə)ns] проте́ст; **~ate** ['remənstreɪt] протестова́ть

remorse [rɪ'mɔ:s] раска́яние; pangs of ~ угрызе́ния со́вести; **~ful** по́лный раска́яния; **~less** безжа́лостный

remote [rɪ'mout] 1) отдалённый; уединённый 2) сла́бый ◇ ~ control дистанцио́нное управле́ние, телеуправле́ние

remo||val [rɪ'mu:v(ə)l] 1) удале́ние; устране́ние 2) перемеще́ние; **~ve** [-'mu:v] 1) передвига́ть 2) устраня́ть; удаля́ть; 3) переезжа́ть

remunerat||ion [rɪ,mju:nə'reɪʃ(ə)n] вознагражде́ние, опла́та; **~ive** [rɪ'mju:n(ə)rətɪv] вы́годный

rename ['ri:'neɪm] дать но́вое и́мя, переименова́ть

rend [rend] (rent) 1) разрыва́ть, раздира́ть 2) разрыва́ться, раздира́ться

render ['rendə] 1) воздава́ть; ~ assistance ока́зывать по́мощь; ~ thanks *высок.* принести́ть благода́рность 2) представля́ть; ~ an account (for payment) предста́вить счёт к опла́те; ~ an account of докла́дывать, де́лать отчёт *(о чём-л.)* 3) де́лать, превраща́ть 4) *муз.* исполня́ть 5) переводи́ть *(на другой язык)* 6) *кул.* топи́ть *(сало и т.п.)*; **~ing** 1) перево́д 2) исполне́ние *(музыкального произведения и т.п.)*

rendezvous ['rɔndɪvu:] *фр.* свида́ние

renegade ['renɪgeɪd] ренега́т, отсту́пник

renew [rɪ'nju:] возобновля́ть; **~al** [-(ə)l] возобновле́ние

renounce [rɪ'nauns] отрека́ться; отверга́ть

renovate ['reno(u)veɪt] обновля́ть; восстана́вливать; освежа́ть

renown [rɪ'naun] сла́ва, изве́стность; **~ed** знамени́тый; просла́вленный

rent I [rent] **1.** *n* аре́ндная пла́та; ре́нта; ~ in kind нату-ра́льная ре́нта **2.** *v* 1) арендова́ть 2) сдава́ть в аре́нду 3) брать напрока́т

rent II 1) проре́ха, дыра́ 2) раско́л *(в партии)*

rent III *past и p. p. от* rend

renunciation [rɪˌnʌnsɪ'eɪʃ(ə)n] отка́з, отрече́ние

reorganize ['ri:'ɔ:gənaɪz] реорганизова́ть

repair [rɪ'pɛə] **1.** *n* ремо́нт, почи́нка; in bad ~ в неиспра́вном состоя́нии; in good ~ в хоро́шем состоя́нии; out of ~ нужда́ющийся в ремо́нте; under ~ в ремо́нте **2.** *v* 1) чини́ть, ремонти́ровать 2) исправля́ть

reparation [ˌrepə'reɪʃ(ə)n] возмеще́ние, репара́ция

repartee [ˌrepɑ:'ti:] остроу́мный отве́т

repast [rɪ'pɑ:st] *офиц.* банке́т

repatriat||e [ri:'pætrɪeɪt] репатрии́ровать; **~ion** ['ri:pætrɪ'eɪʃ(ə)n] репатриа́ция

repay [ri:'peɪ] 1) отдава́ть долг 2) отпла́чивать 3) возмеща́ть

repeal [rɪ'pi:l] **1.** *n* отме́на *(закона)* **2.** *v* отменя́ть, аннули́ровать

repeat [rɪ'pi:t] повторя́ть; **~edly** [-ɪdlɪ] неоднокра́тно; **~er** 1) часы́ с репети́цией 2) *воен.* магази́нная винто́вка

repel [rɪ'pel] отта́лкивать; отража́ть *(нападение и т. п.)*; *перен.* внуша́ть *или* вызыва́ть отвраще́ние; **~lent** [-lənt] проти́вный, отта́лкивающий ◇ water ~lent водоотта́лкивающий *(о ткани)*

repent [rɪ'pent] раска́иваться; сожале́ть; **~ance** [-əns] раска́яние; сожале́ние; **~ant** [-ənt] ка́ющийся

repercussion [ˌri:pə:'kʌʃ(ə)n] 1) отда́ча *(после удара)* 2) отраже́ние, влия́ние, после́дствия *(событий)*

repertory ['repət(ə)rɪ]: ~ theatre теа́тр с постоя́нной тру́ппой и с определённым реперту́аром

repetition [ˌrepɪ'tɪʃ(ə)n] повторе́ние

replace [rɪ'pleɪs] 1) ста́вить, класть обра́тно на ме́сто 2) замеща́ть, заменя́ть; **~ment** заме́на, пополне́ние

replenish [rɪ'plenɪʃ] сно́ва наполня́ть, пополня́ть

replet||e [rɪ'pli:t] напо́лненный; насы́щенный; **~ion** [-'pli:ʃ(ə)n] пресыще́ние

reply [rɪ'plaɪ] **1.** *n* отве́т **2.** *v* отвеча́ть

report [rɪ'pɔ:t] **1.** *n* 1) докла́д; отчёт 2) молва́, слух 3) репута́ция, сла́ва 4) звук взры́ва, вы́стрела **2.** *v* 1) докла́дывать; сообща́ть 2) отчи́тываться; ~ to the electors отчи́тываться пе́ред избира́телями 3) явля́ться; ~ for work явля́ться на рабо́ту 4) составля́ть, де́лать отчёт *(для прессы)* 5) жа́ловаться; **~er** 1) репортёр 2) докла́дчик

repose [rɪ'pouz] о́тдых; поко́й

repository [rɪ'pɔzɪt(ə)rɪ] вмести́лище, храни́лище

reprehend [ˌreprɪ'hend] де́лать вы́говор

represent [ˌreprɪ'zent] 1) представля́ть, изобража́ть 2) быть представи́телем, представля́ть

representative [ˌreprɪ'zentətɪv] **1.** *n* представи́тель ◇ House of Representatives пала́та представи́телей *(нижняя палата конгресса США)* **2.** *a* 1) типи́чный 2) *полит.* представи́тельный

repress [rɪ'pres] подавля́ть; **~ion** [-'preʃ(ə)n] подавле́ние; репре́ссия

reprieve [rɪ'pri:v] отме́на *или* заме́на пригово́ра; *перен.* переды́шка

reprimand ['reprɪmɑ:nd] **1.** *n* вы́говор **2.** *v* де́лать вы́говор

reprint ['ri:'prɪnt] переиздава́ть; перепеча́тывать

reprisal [rɪ'praɪz(ə)l] *(обыкн. pl)* отме́стка, возме́здие

reproach [rɪ'proutʃ] **1.** *n* упрёк, уко́р **2.** *v* упрека́ть, укоря́ть

reprobate ['repro(u)beɪt] него́дя́й

reproduc||e [ˌri:prə'dju:s] воспроизводи́ть; **~tion** [-'dʌkʃ(ə)n] воспроизведе́ние

repro||of [rɪ'pru:f] порица́ние, вы́говор; **~ve** [-'pru:v] кори́ть, де́лать вы́говор

reptile ['reptaɪl] *зоол.* пресмыка́ющееся

republic [rɪ'pʌblɪk] респу́блика; People's R. наро́дная респу́блика; **~an** [-ən] **1.** *a* республика́нский **2.** *n* республика́нец

repudiate [rɪ'pju:dɪeɪt] отрека́ться *(от чего-л.)*; отверга́ть

repugn||ance [rɪ'pʌgnəns] отвраще́ние; **~ant** [-ənt] отврати́тельный

repuls||e [rɪ'pʌls] **1.** *n* отпо́р **2.** *v* 1) отража́ть *(атаку)* 2) отверга́ть; **~ion** [-'pʌlʃ(ə)n] 1) отвраще́ние 2) *физ.* отта́лкивание; **~ive** [-ɪv] отта́лкивающий

repu||tation [ˌrepju:'teɪʃ(ə)n] репута́ция; **~te** [rɪ'pju:t] **1.** *n* репута́ция; (до́брая) сла́ва **2.** *v* *(обыкн. pass)* счита́ть, полага́ть; **~ted** [rɪ'pju:tɪd] предполага́емый; his ~ted father его́ предполага́емый оте́ц

request [rɪ'kwest] **1.** *n* про́сьба; запро́с; be in great ~ быть в большо́м спро́се **2.** *v* проси́ть; запра́шивать

require [rɪ'kwaɪə] тре́бовать; **~ment** потре́бность; тре́бование

requisit||e ['rekwɪzɪt] тре́буемый, необходи́мый; **~ion** [ˌrekwɪ'zɪʃ(ə)n] **1.** *n* 1) реквизи́ция 2) официа́льное тре́бование **2.** *v* реквизи́ровать

rescind [rɪ'sɪnd] отменя́ть *(закон и т.п.)*

rescu||e ['reskju:] **1.** *n* 1) спасе́ние 2) *attr.*: ~ operations спаса́тельные рабо́ты, опера́ции **2.** *v* спаса́ть, избавля́ть; **~er** спаси́тель, избави́тель

research [rɪ'sə:tʃ] 1) нау́чное иссле́дование 2) *pl* тща́тельные по́иски

resemb||lance [rɪ'zembləns] схо́дство; **~le** [-'zembl] быть похо́жим

resent [rɪ'zent] негодова́ть; обижа́ться; **~ful** 1) оби́женный 2) злопа́мятный; **~ment** оби́да; негодова́ние

reservation [ˌrezə'veɪʃ(ə)n] 1) огово́рка 2) резерва́ция 3) ме́сто, зака́занное зара́нее *(в гостинице и т. п.)*

reserv||e [rɪ'zə:v] **1.** *n* 1) запа́с, резе́рв 2) огово́рка 3) сде́ржанность ◇ without ~ без стесне́ния, открове́нно **2.** *v* 1) сберега́ть; запаса́ть 2) зака́зывать, брони́ровать *(место в поезде, комнату в гостинице)*; **~ed** [-d] 1) зака́занный зара́-

нее 2) скры́тный, сде́ржанный; необщи́тельный

reservoir ['rezəvwɑ:] резерву́ар, бассе́йн

reshuffle ['ri:'ʃʌfl] 1) перетасова́ть *(карты)* 2) производи́ть перестано́вку *(в кабинете министров)*

resid||e [rɪ'zaɪd] прожива́ть; **~ence** ['rezɪd(ə)ns] местожи́тельство, резиде́нция; **~ent** ['rezɪd(ə)nt] **1.** *n* постоя́нный жи́тель **2.** *a* прожива́ющий; **~ential** [,rezɪ'denʃ(ə)l]: ~ential area (фешене́бельные) жилы́е кварта́лы

residue ['rezɪdju:] оста́ток, оса́док

resign [rɪ'zaɪn] 1) уходи́ть в отста́вку 2): ~ oneself подчиня́ться, покоря́ться; ~ oneself to the inevitable смири́ться с неизбе́жным; **~ation** [,rezɪg'neɪʃ(ə)n] 1) отста́вка 2) смире́ние; **~ed** [-d] смири́вшийся; безро́потный

resili||ence [rɪ'zɪlɪəns] упру́гость; **~ent** [-ənt] упру́гий; эласти́чный

resin ['rezɪn] смола́

resist [rɪ'zɪst] сопротивля́ться; **~ance** [-(ə)ns] сопротивле́ние; **~ant** [-(ə)nt] сто́йкий; про́чный

resolut||e ['rezəlu:t] реши́тельный; **~ion** [,rezə'lu:ʃ(ə)n] 1) реше́ние, резолю́ция 2) реши́мость

resolve [rɪ'zɔlv] **1.** *n* 1) реше́ние; наме́рение 2) реши́мость **2.** *v* 1) реша́ть 2) разреша́ть *(сомнения)* 3) распада́ться *(на составные части)* 4) растворя́ться

resonant ['reznənt] 1) резони́рующий, звуча́щий 2) *лингв.* соно́рный

resort [rɪ'zɔ:t] **1.** *n* 1) прибе́жище 2) куро́рт ◇ in the last *(или* as a last) ~ в кра́йнем слу́чае, как после́днее сре́дство **2.** *v* обраща́ться, прибега́ть *(к чему-л. — to)*

resound [rɪ'zaund] 1) звуча́ть 2) повторя́ть *(звук)* 3) оглаша́ться, отдава́ться э́хом 4) прославля́ть

resource [rɪ'sɔ:s] 1) *(обыкн. pl)* ресу́рсы, сре́дства; возмо́жности; be at the end of one's ~s исче́рпать все возмо́жности 2) нахо́дчивость, изобрета́тельность; **~ful** нахо́дчивый, изобрета́тельный

respect [rɪs'pekt] **1.** *n* 1) уваже́ние 2) отноше́ние; in ~ *(of)*, with ~ *(to)* что каса́ется; in all ~s во всех отноше́ниях ◇ my best ~s to him переда́йте ему́ мой серде́чный приве́т **2.** *v* уважа́ть; **~able** [-əbl] 1) поря́дочный, почте́нный 2) прили́чный 3) значи́тельный *(о количестве)*; **~ful** почти́тельный; **~ing** относи́тельно; **~ive** [-ɪv] соотве́тственный

respirat||ion [,respə'reɪʃ(ə)n] дыха́ние; **~or** ['respəreɪtə] респира́тор

respite ['respaɪt] 1) отсро́чка 2) переды́шка

resplendent [rɪs'plendənt] блестя́щий

respon||d [rɪs'pɔnd] 1) отвеча́ть 2) реаги́ровать; отзыва́ться; **~se** [-'pɔns] 1) отве́т 2) о́тклик; **~sibility** [-,pɔnsə'bɪlɪtɪ] отве́тственность; **~sible** [-'pɔnsəbl] отве́тственный; be ~sible for отвеча́ть за; **~sive** [-'pɔnsɪv] 1) отве́тный 2) отзы́вчивый

rest I [rest]: the ~ а) остально́е, оста́ток; б) остальны́е

rest II **1.** *n* 1) поко́й, о́тдых; put smb.'s mind at ~ успоко́ить *(кого-л.)* 2) опо́ра 3) *муз.* па́уза **2.** *v* 1) отдыха́ть; дава́ть о́тдых 2) опира́ться *(на что-л.)*, прислоня́ться; *перен.* обосно́вывать; ~ your foot on the rail поста́вьте но́гу на перекла́дину ◇ it ~s with you де́ло за ва́ми; ~ assured that... бу́дьте уве́рены, что...; let the matter ~ for a while оста́вим э́то пока́

restaurant ['rest(ə)rɔːŋ] рестора́н

restful ['restful] успокои́тельный

restitution [ˌrestɪ'tjuːʃ(ə)n] возвраще́ние *(утраченного)*; возмеще́ние убы́тков

restive ['restɪv] 1) беспоко́йный 2) норови́стый *(о лошади)*

restless ['restlɪs] 1) беспоко́йный, неугомо́нный 2) неспоко́йный; нетерпели́вый

resto||ration [ˌrestə'reɪʃ(ə)n] реставра́ция; **~rative** [rɪs'tɔrətɪv] укрепля́ющее сре́дство; **~re** [rɪs'tɔː] 1) возвраща́ть 2) восстана́вливать; реставри́ровать

restrai||n [rɪs'treɪn] сде́рживать, уде́рживать; **~nt** [-nt] 1) сде́ржанность 2) ограниче́ние; принужде́ние

restrict [rɪs'trɪkt] ограни́чивать; **~ion** [-'trɪkʃ(ə)n] ограниче́ние; **~ive** [-ɪv] ограничи́тельный; сде́рживающий

result [rɪ'zʌlt] **1.** *n* результа́т **2.** *v* 1) проистека́ть 2) име́ть результа́том; приводи́ть *(к чему-л.)*, конча́ться *(чем-л. — in)*

resume [rɪ'zjuːm] 1) получа́ть обра́тно 2) возобновля́ть 3) резюми́ровать

resumption [rɪ'zʌmpʃ(ə)n] возобновле́ние

resurgent [rɪ'səːdʒənt] возрожда́ющийся *(о надеждах и т. п.)*

resurrect [ˌrezə'rekt] воскреша́ть; **~ion** [-'rekʃ(ə)n] 1) воскреше́ние *(обычая и т. п.)* 2): Resurrection *рел.* воскресе́ние

resuscitate [rɪ'sʌsɪteɪt] воскреша́ть, возвраща́ть к жи́зни *(утопающего и т. п.)*

retail 1. *n* ['riːteɪl] ро́зничная прода́жа **2.** *adv* ['riːteɪl] в ро́зницу **3.** *v* [riː'teɪl] 1) продава́ть в ро́зницу 2) переска́зывать *(новости, сплетни)*; **~er** [riː'teɪlə] ро́зничный торго́вец

retain [rɪ'teɪn] 1) уде́рживать; сохраня́ть; ~ the *(или* a) memory по́мнить 2) приглаша́ть, нанима́ть *(адвоката и т.п.)*

retaliat||e [rɪ'tælɪeɪt] отпла́чивать; **~ion** [rɪˌtælɪ'eɪʃ(ə)n] возме́здие, отпла́та; отве́тный уда́р

retard [rɪ'tɑːd] замедля́ть; заде́рживать

retch [riːtʃ] рыга́ть

retent||ion [rɪ'tenʃ(ə)n] уде́рживание, сохране́ние, заде́рживание; **~ive** [-tɪv] уде́рживающий, сохраня́ющий; a ~ive memory хоро́шая па́мять

rethink ['riː'θɪŋk] пересма́тривать за́ново

retic||ence [ˈretɪs(ə)ns] сде́ржанность; скры́тность; **~ent** [-(ə)nt] сде́ржанный; скры́тный

retinue [ˈretɪnjuː] сви́та

retir||e [rɪˈtaɪə] 1) удаля́ться; уходи́ть; отходи́ть наза́д 2) *воен.* отступа́ть 3) уходи́ть в отста́вку 4) ложи́ться спать; **~ed** [-d] 1) уединённый 2) отставно́й; **~ement** 1) уедине́ние 2) отста́вка; **~ing** [-rɪŋ] 1) засте́нчивый, скро́мный 2) уходя́щий в отста́вку

retort [rɪˈtɔːt] **1.** *n* возраже́ние; остроу́мный отве́т **2.** *v* возража́ть; пари́ровать *(колкость)*; отвеча́ть на оскорбле́ние тем же

retouch [ˈriːˈtʌtʃ] 1) подкра́шивать *(волосы и т. п.)* 2) де́лать попра́вки *(в картинах, стихах и т. п.)*

retrace [rɪˈtreɪs]: ~ one's steps возвраща́ться по про́йденному пути́; *перен.* мы́сленно возвраща́ться

retract [rɪˈtrækt] 1) втя́гивать *(когти и т. п.)* 2) брать наза́д *(слова и т. п.)*; отка́зываться *(от чего-л.)*

retreat [rɪˈtriːt] **1.** *n* 1) отступле́ние 2) *воен.* отбо́й; вече́рняя заря́ 3) убе́жище **2.** *v* отступа́ть; уходи́ть

retrench [rɪˈtrentʃ] уменьша́ть, уре́зывать *(расходы)*

retribution [ˌretrɪˈbjuːʃ(ə)n] возме́здие

retrieve [rɪˈtriːv] 1) верну́ть (себе́); взять обра́тно 2) восстанови́ть

retrospect||ion [ˌretro(u)ˈspekʃ(ə)n] размышле́ние о про́шлом; **~ive** [-tɪv] 1) ретроспекти́вный 2) име́ющий обра́тную си́лу *(о законе)*

return [rɪˈtəːn] **1.** *n* 1) возвраще́ние 2) возвра́т, отда́ча; in ~ в отве́т; в обме́н 3) при́быль 4) официа́льный отчёт; *pl* да́нные 5) *attr.*: ~ post обра́тная по́чта; ~ ticket обра́тный биле́т ◇ many happy ~s of the day! поздравля́ю с днём рожде́ния! **2.** *v* 1) возвраща́ть 2) возвраща́ться 3) отвеча́ть; ~ thanks отвеча́ть на тост 4) официа́льно объявля́ть, докла́дывать 5) приноси́ть *(доходы)* 6) избира́ть *(в парламент)*

reunion [ˈriːˈjuːnjən] воссоедине́ние

reveal [rɪˈviːl] 1) обнару́живать 2) открыва́ть, выдава́ть *(секрет)*

reveille [rɪˈvælɪ] *воен.* побу́дка

revel [ˈrevl] пирова́ть

revelation [ˌrevɪˈleɪʃ(ə)n] открове́ние

revenge [rɪˈvendʒ] **1.** *n* месть; take ~ *(upon)* отомсти́ть **2.** *v* мстить

revenue [ˈrevɪnjuː] дохо́д *(особ. государственный)*

reverbera||te [rɪˈvəːb(ə)reɪt] 1) отража́ть 2) отража́ться; **~tion** [rɪˌvəːbəˈreɪʃ(ə)n] 1) отраже́ние 2) э́хо

rever||ence [ˈrev(ə)r(ə)ns] почте́ние, благогове́ние; **~end** [-(ə)nd] преподо́бный *(титул священника)*; **~ent** [-(ə)nt] почти́тельный, благогове́йный

reverie [ˈrevərɪ] 1) мечта́, грёза 2) мечта́ние

rever||sal [rɪˈvəːs(ə)l] 1) переме́на, перестано́вка 2) отме́на;

~se [-ˈvəːs] **1.** *v* 1) переставля́ть; перевора́чивать 2) отменя́ть 3) дава́ть обра́тный ход *(машине)* **2.** *a* обра́тный **3.** *n* 1) обра́тное, противополо́жное 2) оборо́тная сторона́ 3) превра́тность 4) неуда́ча; *воен.* пораже́ние 5) *тех.* обра́тный ход; **~sible** [-əbl] 1) обрати́мый 2) одина́ковый с двух сторо́н *(о ткани)*; **~sion** [-ʃ(ə)n] возвраще́ние *(в прежнее состояние)*

revert [rɪˈvəːt] возвраща́ться *(в прежнее состояние)*

revet [rɪˈvet] облицо́вывать

review [rɪˈvjuː] **1.** *n* 1) обозре́ние; обзо́р; under ~ рассма́триваемый 2) реце́нзия 3) периоди́ческий журна́л 4) *воен.* смотр; пара́д 5) *юр.* пересмо́тр **2.** *v* 1) обозрева́ть, просма́тривать 2) рецензи́ровать, де́лать обзо́р 3) *воен.* производи́ть смотр 4) *юр.* пересма́тривать; **~er** обозрева́тель; реценз́ент

revis||e [rɪˈvaɪz] исправля́ть; **~ion** [-ˈvɪʒ(ə)n] пересмо́тр, реви́зия

revi||val [rɪˈvaɪv(ə)l] возрожде́ние; **~ve** [-ˈvaɪv] 1) приходи́ть в себя́, ожива́ть 2) приводи́ть в чу́вство *(кого-л.)* 3) ожива́ть *(о надеждах и т. п.)* 4) воскреша́ть *(моду и т. п.)* 5) возобновля́ть *(постановку пьесы, обычай и т. п.)*

revoke [rɪˈvouk] 1) отменя́ть *(закон)* 2) брать наза́д *(обещание)*

revolt [rɪˈvoult] **1.** *n* восста́ние, мяте́ж **2.** *v* 1) восстава́ть 2) чу́вствовать отвраще́ние 3) вызыва́ть отвраще́ние; **~ing** отврати́тельный

revolution I [ˌrevəˈluːʃ(ə)n] револю́ция

revolution II *тех.* 1) враще́ние 2) оборо́т *(машины и т. п.)*

revolutionary [ˌrevəˈluːʃnərɪ] **1.** *n* революционе́р **2.** *a* революцио́нный

revolutionize [ˌrevəˈluːʃnaɪz] революционизи́ровать

revolve [rɪˈvɔlv] 1) враща́ться 2) периоди́чески возвраща́ться

revolver [rɪˈvɔlvə] 1) револьве́р 2) *тех.* бараба́н

revue [rɪˈvjuː] эстра́дное обозре́ние, ревю́

revulsion [rɪˈvʌlʃ(ə)n] 1) внеза́пное измене́ние *(чувств и т. п.)* 2) отвраще́ние

reward [rɪˈwɔːd] **1.** *n* вознагражде́ние; награ́да **2.** *v* 1) награжда́ть 2) воздава́ть

reword [ˈriːˈwəːd] выража́ть други́ми слова́ми

rhapsody [ˈræpsədɪ] 1) рапсо́дия 2) восто́рженная *или* напы́щенная речь

rheumatic [ruːˈmætɪk] **1.** *a* ревмати́ческий **2.** *n* 1) ревма́тик 2) *pl разг.* ревмати́зм

rhinoceros [raɪˈnɔs(ə)rəs] носоро́г

rhombus [ˈrɔmbəs] ромб

rhubarb [ˈruːbɑːb] реве́нь

rhyme [raɪm] **1.** *n* ри́фма **2.** *v* рифмова́ть

rhythm [ˈrɪð(ə)m] ритм; **~ic(al)** [-ɪk(əl)] ритми́ческий

rib [rɪb] 1) ребро́ 2) *бот.* жи́лка *(листа)* 3) *мор.* шпанго́ут

ribald [ˈrɪb(ə)ld] непристо́йный

ribbed [rɪbd] ребри́стый

ribbon [ˈrɪbən] 1) ле́нта 2) у́зкая поло́ска *(чего-л.)* 3) *pl* кло́чья; torn to ~s разо́рванный в кло́чья 4) *attr.*: ~ development *стр.* ле́нточная застро́йка

rice [raɪs] 1) рис 2) *attr.* ри́совый

rich [ˈrɪtʃ] **1.** *a* 1) бога́тый 2) оби́льный 3) жи́рный *(о пище)*, сдо́бный; тяжёлый 4) це́нный *(о подарках и т. п.)* 5) зву́чный, глубо́кий *(о тоне)*; я́ркий *(о краске)* 6) *разг.* заба́вный **2.** *n*: the ~ бога́тые; **~es** [-ɪz] *pl* бога́тство; **~ness** 1) бога́тство 2) я́ркость 3) сдо́бность

rick [rɪk] стог, скирда́

ricke||ts [ˈrɪkɪts] рахи́т; **~ty** [-tɪ] *мед.* рахити́чный; *перен.* ша́ткий *(о мебели)*

rickshaw [ˈrɪkʃɔ:] ри́кша

rid [rɪd] (rid, ridded; rid) избавля́ть *(от чего-л.)*; get ~ *(of)* избавля́ться *(от кого-л., чего-либо)*

riddance [ˈrɪd(ə)ns] избавле́ние

ridden [ˈrɪdn] *p. p. от* ride 2

riddle I [ˈrɪdl] зага́дка

riddle II **1.** *n* решето́ **2.** *v* 1) просе́ивать 2) изрешети́ть

rid||e [ˈraɪd] **1.** *n* езда́; прогу́лка *(особ. верхом или на велосипеде)*; go for a ~ прокати́ться ◇ take for a ~ подшути́ть *(над кем-л.)*, одура́чить *(кого-л.)* **2.** *v* (rode; ridden) 1) е́хать верхо́м; е́хать *(в экипаже и т. п.)*; ~ to death загна́ть, зае́здить *(лошадь; тж. перен.)* 2): ~ at anchor стоя́ть на я́коре ◇ ~ for a fall де́йствовать безрассу́дно; **~er** 1) вса́дник 2) дополне́ние, попра́вка *(к документу)*

ridge [rɪdʒ] гре́бень горы́

ridged [rɪdʒd] остроконе́чный

ridicul||e [ˈrɪdɪkju:l] **1.** *n* осмея́ние **2.** *v* высме́ивать; **~ous** [-ˈdɪkjuləs] неле́пый, смехотво́рный

riff-raff [ˈrɪfræf] подо́нки *мн.*

rifle I [ˈraɪfl] гра́бить

rifle II [ˈraɪfl] 1) винто́вка 2) *pl* стрелки́; **~man** [-mən] стрело́к; **~-range** [-reɪn(d)ʒ] тир

rift [rɪft] тре́щина, щель; разры́в

rig I [rɪg] **1.** *n* 1) осна́стка; снаряже́ние 2) *ирон.* костю́м; наря́д **2.** *v* 1) оснаща́ть *(судно)* 2): ~ smb. out with снаряжа́ть кого́-л.; ~ **up** стро́ить на́спех

rig II де́йствовать нече́стно

right [raɪt] **1.** *a* 1) пра́вый 2) справедли́вый 3) пра́вильный 4) прямо́й; ~ angle прямо́й у́гол 5) подходя́щий; the ~ size подходя́щий разме́р ◇ he's not in his ~ mind он не в своём уме́; you'll be all ~ in a few days вы попра́витесь че́рез не́сколько дней; on the ~ side of thirty (forty *etc)* моло́же тридцати́ (сорока́ *и т. п.)* **2.** *v* 1) выпрямля́ть, исправля́ть 2) загла́живать *(вину и т. п.)* **3.** *n* 1) пра́во *(на что-л.)*; be in the ~ быть пра́вым 2) пра́вая сторона́ *или* рука́ 3): set *(или* put) to ~s навести́ поря́док 4): the R. *полит.* пра́вые ◇ to the ~ напра́во *(куда)*; on the ~ напра́во *(где)*; have no idea of ~ and wrong не понима́ть, что хорошо́, а что пло́хо **4.** *adv* 1) справедли́во 2) пря́мо; go ~ ahead *(или* on) иди́те пря́мо вперёд 3) пра́вильно; put *(или* set) ~ приводи́ть в поря́док; ула́дить 4) напра́во ◇ ~ here как раз здесь; ~ now, ~ away, ~ off как раз тепе́рь, сию́ мину́ту, сейча́с же; ~ to the end до са́мого конца́; I know ~ well я хорошо́ зна́ю

righteous ['raɪtʃəs] 1) справедли́вый 2) пра́ведный

rigid ['rɪdʒɪd] 1) жёсткий; негну́щийся 2) суро́вый; **~ity** [-'dʒɪdɪtɪ] 1) жёсткость, твёрдость 2) суро́вость

rigmarole ['rɪgm(ə)roul] бессвя́зная болтовня́; вздор

rigor ['rɪgə] *см.* rigour; **~ous** [-rəs] стро́гий, суро́вый

rigour ['rɪgə] 1) стро́гость, суро́вость 2) *pl* тяжёлые усло́вия, обстоя́тельства

rile [raɪl] *разг.* раздража́ть, серди́ть

rill [rɪl] *книжн., поэт.* ручеёк

rim [rɪm] о́бод; край, ободо́к

rime [raɪm] и́ней

rind [raɪnd] 1) кора́; кожура́ 2) ко́рка

ring I [rɪŋ] **1.** *v* (rang, rung; rung) 1) звене́ть 2) оглаша́ться 3) звони́ть *(тж.* ~ up); ~ **off** дава́ть отбо́й *(по телефону);* ~ **out** разда́ться *(о выстрелах);* ~ **up** звони́ть, вызыва́ть по телефо́ну **2.** *n* 1) звон, звоно́к; give a ~ позвони́ть 2) звуча́ние

ring II ['rɪŋ] **1.** *n* 1) кольцо́; круг 2) цирково́я аре́на; ринг 3) ша́йка, кли́ка **2.** *v* окружа́ть (кольцо́м); the valley is ~ed with mountains доли́на окружена́ гора́ми; **~leader** [-,li:də] зачи́нщик

ringlet ['rɪŋlɪt] ло́кон

rink [rɪŋk] като́к

rinse [rɪns] **1.** *v* полоска́ть **2.** *n* полоска́ние

riot ['raɪət] **1.** *n* 1) бунт 2) беспоря́док 3) пы́шность, бу́йство *(красок, цветения)* 4) *разг.* что-л. вызыва́ющее бу́рный восто́рг **2.** *v* 1) бунтова́ть 2) бу́йствовать, шуме́ть; **~ous** [-əs] бу́йный, шу́мный

rip I [rɪp] **1.** *v* 1) разреза́ть; рвать; распа́рывать, раска́лывать; ~ open вскрыва́ть 2) рва́ться, поро́ться; ~ **off** сдира́ть; ~ **out** выдира́ть; ~ **up** а) распа́рывать; б) вскрыва́ть **2.** *n* разры́в, разре́з; проре́ха

rip II распу́тник

rip||e ['raɪp] зре́лый, спе́лый; гото́вый; **~en** [-(ə)n] зреть, созрева́ть

ripping ['rɪpɪŋ] *разг.* великоле́пный, превосхо́дный

ripple ['rɪpl] **1.** *n* 1) рябь 2) журча́ние **2.** *v* 1) покрыва́ться ря́бью 2) журча́ть

rise [raɪz] **1.** *v* (rose; risen) 1) поднима́ться, встава́ть; восходи́ть *(о солнце)* 2) возвыша́ться; ~ in the world идти́ в го́ру 3) уси́ливаться, увели́чиваться, возраста́ть 4) восстава́ть; ~ in arms восста́ть с ору́жием в рука́х 5) происходи́ть, начина́ться ◇ ~ to the occasion быть на высоте́ положе́ния **2.** *n* 1) подъём 2) повыше́ние; приба́вка *(к зарплате)* 3) происхожде́ние, нача́ло 4) восхо́д *(солнца)* ◇ give ~ to причиня́ть

risen ['rɪzn] *p. p. от* rise 1

rising ['raɪzɪŋ] **1.** *n* 1) встава́-

ние; восхо́д *(солнца)* 2) повыше́ние; возвыше́ние 3) восста́ние **2.** *a* 1) восходя́щий, возраста́ющий 2) подраста́ющий

risk [rɪsk] **1.** *n* риск **2.** *v* отва́житься; рискова́ть; ~ one's neck рискова́ть свое́й голово́й

risqué ['rɪskeɪ] «солёный» *(об анекдоте и т. п.)*

rite [raɪt] обря́д, церемо́ния; ритуа́л

rival ['raɪv(ə)l] **1.** *n* сопе́рник **2.** *v* сопе́рничать; **~ry** [-rɪ] сопе́рничество

river ['rɪvə] река́; **~-bed** [-'bed] ру́сло реки́, **~side** [-saɪd] бе́рег реки́, прибре́жная полоса́

rivet ['rɪvɪt] **1.** *n* заклёпка **2.** *v* клепа́ть; заклёпывать; *перен.* прико́вывать *(взор, внимание)*

roach [routʃ] плотва́, во́бла *(рыба)*

road ['roud] доро́га, путь; country ~ просёлочная доро́га; **~-metal** [-,metl] щёбень; **~side** [-saɪd] 1) край доро́ги 2) *attr.* придоро́жный

roadstead ['roudsted] *мор.* рейд

roadster ['roudstə] двухме́стный откры́тый автомоби́ль

roam [roum] броди́ть; скита́ться

roan [roun] ча́лая ло́шадь

roar [rɔ:] **1.** *n* рёв; шум; раска́т *(смеха, грома)*; ~s of laughter взры́вы сме́ха **2.** *v* реве́ть, ора́ть; грохота́ть; оглуши́тельно хохота́ть

roast [roust] **1.** *v* 1) жа́рить, печь 2) жа́риться, пе́чься 3) греть; ~ oneself in front of the fire гре́ться у огня́ 4) *разг.* насмеха́ться **2.** *a* жа́реный; ~ beef ро́стбиф **3.** *n* жарко́е, жа́реное

rob ['rɔb] гра́бить; **~ber** граби́тель, разбо́йник; **~bery** [-ərɪ] грабёж

robe [roub] 1) ма́нтия 2) хала́т

robin ['rɔbɪn] мали́новка

robot ['roubɔt] 1) ро́бот 2) *attr.* автомати́ческий

robust [rə'bʌst] кре́пкий, здоро́вый

rock I [rɔk] 1) скала́, утёс 2) го́рная поро́да 3) большо́й ка́мень, валу́н ◇ be on the ~s быть «на мели́»

rock II 1) кача́ть, ука́чивать 2) кача́ться

rocket ['rɔkɪt] раке́та; take-off ~ ста́ртовая раке́та

rocking-chair ['rɔkɪŋtʃɛə] кача́лка

rocky ['rɔkɪ] скали́стый

rod [rɔd] 1) прут; па́лка 2) у́дочка 3) ме́ра длины́ *(около 5 м)*

rode [roud] *past от* ride 2

rodent ['roud(ə)nt] грызу́н

roe [rou] косу́ля

rogu||e ['roug] плут; **~ery** [-ərɪ] плу́тни; **~ish** плутовско́й

roister ['rɔɪstə] шу́мно весели́ться

role [roul] роль

roll I [roul] бу́лочка *(тж.* a ~ of bread)

roll II ['roul] **1.** *n* 1) спи́сок; ~ of honour спи́сок уби́тых на войне́ 2) свёрток *(трубочкой)* 3) враще́ние, ка́чка 4) раска́т *(грома, голоса)* **2.** *v* 1) враща́ть, кати́ть 2) враща́ться; кати́ться 3) кача́ться 4) прока́тывать *(металл)* 5) свёртывать, завёртывать 6) греме́ть; **~-call** [-kɔ:l] перекли́чка

roller ['roulə] 1) ро́лик 2) вал; **~-towel** [-'tau(ə)l] полоте́нце на ро́лике

rollick ['rɔlɪk] весели́ться

rolling-mill ['roulɪŋmɪl] прока́тный стан

rolling-pin ['roulɪŋpɪn] ска́лка *(для теста)*

rolling-stock ['roulɪŋstɔk) *ж.-д.* подвижно́й соста́в

roly-poly ['roulɪ'poulɪ] 1) пу́динг с варе́ньем *(тж.* ~ pudding) 2) *разг.* коροты́шка *(о ребёнке)*

Roman ['roumən] **1.** *a* 1) ри́мский 2) (ри́мско-)католи́ческий **2.** *n* ри́млянин

roman||ce [rə'mæns] 1) рома́н *(рыцарский, приключенческий)* 2) любо́вная исто́рия, рома́н 3) рома́нтика 4) рома́нс; **~tic** [-tɪk] **1.** *a* романти́чный; романти́ческий **2.** *n* рома́нтик

romp [rɔmp] **1.** *v* 1) вози́ться, шуме́ть *(о детях)* 2) *разг.*: ~ home, ~ in, ~ away вы́играть с лёгкостью *(о лошади)* **2.** *n* 1) возня́, шу́мная игра́ *(детей)* 2) шалу́н; шалу́нья

roof [ru:f] кры́ша; кров ◇ the ~ of the mouth нёбо

rook I [ruk] *шахм.* ладья́

rook II **1.** *n* 1) грач 2) моше́нник, шу́лер **2.** *v* выма́нивать де́ньги

room [rum] **1.** *n* 1) ко́мната 2) ме́сто; *перен.* возмо́жность; make ~ *(for)* сторони́ться; освобожда́ть ме́сто **2.** *v амер.* снима́ть, занима́ть ко́мнату

room-mate ['rummeɪt] кварти́рант

roomy ['rumɪ] просто́рный

rooster ['ru:stə] пету́х

root I [ru:t] *амер. разг.* ободря́ть, поощря́ть; ~ **for** «боле́ть» за кого́-л. *(на состязании и т. п.)*

root II ['ru:t] **1.** *n* 1) ко́рень 2) *pl* корнеплоды 3) причи́на 4) *мат.* ко́рень ◇ get to the ~ of the matter добира́ться до су́ти де́ла **2.** *v* 1) укореня́ться 2) прико́вывать *(к месту — об ужасе)*; ~ **out,** ~ **up** вырыва́ть с ко́рнем; **~ed** [-ɪd] укорени́вшийся

rootlet ['ru:tlɪt] корешо́к

rope I [roup] **1.** *n* верёвка, кана́т; трос ◇ know the ~s хорошо́ разбира́ться *(в чём-л.)* **2.** *v* привя́зывать; свя́зывать кана́том, верёвкой; ~ **in,** ~ **off** отгороди́ть кана́том *(участок земли и т. п.)* ◇ ~ smb. in втя́гивать кого́-л. *(во что-л.)*

rosary ['rouzərɪ] 1) роза́рий 2) чётки *мн.*

rose I [rouz] *past от* rise 1

rose II ['rouz] ро́за; **~bud** [-bʌd] буто́н ро́зы; **~-bush** [-buʃ] ро́зовый куст

rosin ['rɔzɪn] смола́, канифо́ль

roster ['roustə] *воен.* расписа́ние наря́дов, дежу́рств

rosy ['rouzɪ] ро́зовый; румя́ный; цвету́щий

rot [rɔt] **1.** *v* 1) гнить, по́ртиться 2) гнои́ть, по́ртить **2.** *n* 1) гние́ние 2) *разг.* вздор; talk ~ нести́ вздор

rota ['routə] расписа́ние дежу́рств

rota||ry [ˈroutərɪ] **1.** *a* вращáтельный **2.** *n* ротациóнная маши́на; **~te** [ro(u)ˈteɪt] 1) вращáть 2) вращáться 3) чередовáть 4) чередовáться; **~tion** [ro(u)ˈteɪʃ(ə)n] 1) вращéние 2) чередовáние

rote [rout]: learn by ~ учи́ть наизýсть

rott||en [ˈrɔtn] 1) гнилóй, испóрченный 2) *разг.* гáдкий; **~er** [ˈrɔtə] *разг.* дрянь *(о человеке)*

rotund [ro(u)ˈtʌnd] 1) пóлный, тóлстый 2) высокопáрный *(о стиле)*

rouble [ˈru:bl] рубль

rouge [ru:ʒ] **1.** *n* румя́на *мн.* **2.** *v* румя́ниться

rough [rʌf] **1.** *a* 1) грýбый; шершáвый; шероховáтый; ~ road ухáбистая дорóга 2) бýрный *(о море)*; вéтреный *(о погоде)* 3) черновóй; ~ draft черновóй набрóсок 4) приблизи́тельный 5) грýбый, рéзкий ◇ they had a ~ time of it *разг.* им тогдá пришлóсь óчень трýдно; ~ house *разг.* скандáл, доходя́щий до дрáки **2.** *n* хулигáн **3.** *v*: ~ it обходи́ться без обы́чных удóбств

rough-and-tumble [ˈrʌfənˈtʌmbl] **1.** *a* беспоря́дочный **2.** *n* дрáка, свáлка

roughcast [ˈrʌfkɑ:st] **1.** *a* оштукатýренный **2.** *v* штукатýрить

roughen [ˈrʌfn] грубéть

rough-neck [ˈrʌfnek] *амер.* хулигáн; буя́н

Roumanian [ru:ˈmeɪnjən] **1.** *a* румы́нский **2.** *n* 1) румы́н; румы́нка 2) румы́нский язы́к

round [ˈraund] **1.** *a* 1) крýглый 2) круговóй; ~ trip поéздка тудá и обрáтно 3) сплошнóй, пóлный 4) откровéнный *(о высказывании)* **2.** *n* 1) круг 2) обхóд 3) цикл 4) *спорт.* тур, рáунд ◇ he ordered another ~ of drinks он заказáл ещё по однóй (пóрции спиртнóго) **3.** *adv* вокрýг; ~ the clock круглосýточно; all the year ~ крýглый год ◇ is there enough fruit to go ~? здесь на всех хвáтит фрýктов? **4.** *prep* вокрýг, кругóм; ~ the corner зá угол, за углóм **5.** *v* 1) округля́ть 2) округля́ться 3) огибáть; as soon as you ~ the corner как тóлько вы завернёте зá угол; ~ **off** закругля́ть, закáнчивать; ~ **out** полнéть; ~ **up** а) сгоня́ть *(скот)*; б) арестóвывать; **~about** [-əbaut] **1.** *a* окóльный **2.** *n* 1) карусéль 2) окóльный путь 3) трáнспортная развя́зка *(с движением машин только справа налево)*

roundhead [ˈraundhed] *ист.* пуритáнин

roundly [ˈraundlɪ] напрями́к, откровéнно

rouse [rauz] 1) вспугнýть 2) буди́ть 3) воодушевля́ть

rout [raut] **1.** *n* поражéние **2.** *v* разби́ть нáголову

route [ru:t] маршрýт; bus ~ маршрýт автóбуса

routine [ru:ˈti:n] заведённый поря́док; рути́на, шаблóн

rove [rouv] скитáться, броди́ть

row I [rou] ряд; stand in a ~ стоя́ть в рядý; in ~s ря́дами

row II [rou] грести́

row III [rau] *разг.* спор; ссо́ра

rowan ['rauən] ряби́на

rowdy ['raudı] **1.** *a* бу́йный, шу́мный **2.** *n* хулига́н

rowlock ['rɔlək] уклю́чина

royal ['rɔı(ə)l] 1) короле́вский 2) великоле́пный ◇ R. Exchange Ло́ндонская би́ржа; R. Society Короле́вское о́бщество (соде́йствия разви́тию естествозна́ния);' **~ty** [-tı] 1) короле́вская власть 2) член короле́вской семьи́ 3) короле́вские привиле́гии 4) *pl* аре́ндная пла́та за разрабо́тку недр 5) *pl* а́вторский гонора́р

rub [rʌb] **1.** *v* 1) тере́ть 2) тере́ться 3) приходи́ть в соприкоснове́ние; ~ **in**: don't ~ it in *разг.* ≅ не растравля́йте ра́ну; ~ **out** стира́ть, счища́ть; ~ **up** освежа́ть *(в па́мяти)* ◇ ~ the wrong way гла́дить «про́тив ше́рсти» **2.** *n* 1) растира́ние 2) *разг.* препя́тствие, затрудне́ние; поме́ха

rubber ['rʌbə] 1) рези́на, каучу́к 2) рези́нка 3) *pl* гало́ши

rubbish ['rʌbıʃ] 1) хлам; му́сор 2) чепуха́; вздор

rubble ['rʌbl] ще́бень; булы́жник

rubicund ['ru:bıkənd] румя́ный

ruby ['ru:bı] **1.** *n* руби́н **2.** *a* 1) руби́новый 2) кра́сный

ruck [rʌk] скла́дка, морщи́на *(особенно на одежде)*

rudder ['rʌdə] руль; **~less** без руля́; *перен.* без руково́дства

ruddy ['rʌdı] румя́ный, краснова́тый, кра́сный; ~ health цвету́щее здоро́вье

rude [ru:d] 1) гру́бый *(о человеке)* 2) неотде́ланный ◇ ~ shock внеза́пный уда́р

rudimentary [,ru:dı'ment(ə)rı] элемента́рный; рудимента́рный

rudiments ['ru:dımənts] *pl* нача́тки

rue [ru:] сожале́ть; раска́иваться

rueful ['ru:ful] уны́лый, печа́льный

ruff I [rʌf] *карт.* ко́зырь

ruff II бры́жи

ruffian ['rʌfjən] хулига́н, буя́н, головоре́з

ruffle ['rʌfl] **1.** *n* 1) рябь 2) сумато́ха, волне́ние 3) кружевна́я, гофриро́ванная манже́та 4) обо́рка **2.** *v* ряби́ть *(воду)*; еро́шить *(волосы)*; *перен.* наруша́ть споко́йствие; беспоко́иться

rug [rʌg] 1) ковёр 2) плед

Rugby ['rʌgbı] ре́гби

rugged ['rʌgıd] 1) изре́занный, неро́вный *(о местности)* 2) суро́вый *(о человеке)*

ruin ['ruın] **1.** *n* 1) ги́бель 2) разва́лина **2.** *v* разруша́ть; по́ртить, губи́ть; разоря́ть; **~ous** [-əs] губи́тельный, разруши́тельный; разори́тельный

rul||e ['ru:l] **1.** *n* 1) пра́вило 2) правле́ние 3) лине́йка ◇ make it a ~ взять за пра́вило; as a ~ как пра́вило; smoking is against the ~s here здесь кури́ть воспреща́ется **2.** *v* 1) пра́вить 2): ~ that постановля́ть 3) линова́ть; **~er** 1) прави́тель 2) лине́йка; **~ing** 1) управле́ние 2) постановле́ние

rum I [rʌm] ром

rum II *разг.* стра́нный, чудно́й

Rumanian [ru:'meɪnjən] *см.* Roumanian

rumble ['rʌmbl] **1.** *n* громыха́ние **2.** *v* громыха́ть

ruminate ['ru:mɪneɪt] 1) жева́ть жва́чку 2) разду́мывать, размышля́ть

rummage ['rʌmɪdʒ] **1.** *n* по́иски *мн.;* о́быск **2.** *v* ры́ться; осма́тривать, обы́скивать; ~ **out** выта́скивать

rummy ['rʌmɪ] *см.* rum II

rumour ['ru:mə] **1.** *n* слух, молва́ **2.** *v (обыкн. pass.);* it is ~ed говоря́т, хо́дят слу́хи

rump [rʌmp] 1) огу́зок; 2) *attr.:* ~ steak ромште́кс

rumple ['rʌmpl] 1) мять 2) взъеро́шивать

run [rʌn] **1.** *v* (ran; run) 1) бе́гать; бежа́ть 2) рабо́тать *(о машине)* 3) бы́стро распространя́ться 4) простира́ться 5): ~ a business вести́ де́ло; ~ a machine обраща́ться с маши́ной 6) столкну́ться *(against)* 7): ~ for office выставля́ть свою́ кандидату́ру; ~ smb. as a candidate for выставля́ть чью-л. кандидату́ру *(куда-л.)* 8) гнать *(зверя);* ~ to earth а) загна́ть; б) *перен.* вы́следить, отыска́ть 9) гласи́ть 10) линя́ть *(о красках);* ~ **across** случа́йно встре́тить; ~ **down** а) остана́вливаться *(о часах);* б) истоща́ть; в) истоща́ться; г) настига́ть; д) очерни́ть *(кого-л.);* ~ **out** а) выбега́ть; б) истека́ть; ~ **through** а) прока́лывать; б) бе́гло просма́тривать; в) промота́ть *(состояние);* ~ **up** бы́стро расти́ *(о счёте и т. п.);* ~ **up against** наткну́ться на ◇ ~ a risk рискова́ть; ~ dry вы́сохнуть; ~ short истоща́ться, не хвата́ть; my money is ~ning low де́ньги у меня́ почти́ на исхо́де; we're letting them ~ wild мы про́сто даём им по́лную свобо́ду **2.** *n* 1) бег 2) тече́ние, продолже́ние 3) управле́ние 4) *амер.* спусти́вшаяся пе́тля на чулке́ ◇ at a ~ подря́д; in the long ~ в конце́ концо́в

runaway ['rʌnəweɪ] бегле́ц

rung I [rʌŋ] *past и p. p. от* ring I, 1

rung II 1) ступе́нька 2) перекла́дина

runner ['rʌnə] бегу́н

running ['rʌnɪŋ] 1) бегу́щий 2) теку́щий 3) после́довательный; for three days ~ три дня подря́д 4) гноя́щийся; ~-**board** [-bɔ:d] подно́жка автомоби́ля

runway ['rʌnweɪ] *ав.* взлётно-поса́дочная полоса́

rupture ['rʌptʃə] **1.** *n* 1) перело́м 2) разры́в; ~ between friends ссо́ра друзе́й 3) *мед.* гры́жа **2.** *v* 1) прорыва́ть 2) порыва́ть *(связь)*

rural ['ruər(ə)l] се́льский, дереве́нский

ruse [ru:z] уло́вка; хи́трость

rush I [rʌʃ] **1.** *v* 1) броса́ться; мча́ться, нести́сь 2) нахлы́нуть *(о воспоминаниях и т.п.)* 3) увлека́ть, торопи́ть 4) брать стреми́тельным на́тиском **2.** *n* 1) на́тиск, напо́р; спе́шка 2) наплы́в 3) стреми́тельное движе́ние ◇ ~ job спе́шная рабо́та

rush II камы́ш; тростни́к

rush-hours [ˈrʌʃ,auəz] часы́ «пик»

rusk [rʌsk] суха́рь

russet [ˈrʌsɪt] красноватo-кори́чневый

Russian [ˈrʌʃ(ə)n] **1.** *a* ру́сский **2.** *n* 1) ру́сский; ру́сская 2) ру́сский язы́к

rust [rʌst] **1.** *n* ржа́вчина **2.** *v* 1) ржа́веть 2) по́ртиться, притупля́ться

rustic [ˈrʌstɪk] **1.** *a* 1) се́льский 2) просто́й 3) гру́бый **2.** *n* дереве́нский жи́тель, крестья́нин; **~ate** [-eɪt] 1) жить в дере́вне 2) вре́менно исключа́ть из университе́та *(студента)*

rustl||e [ˈrʌsl] **1.** *n* ше́лест **2.** *v* 1) шурша́ть, шелесте́ть 2) *амер. разг.* красть скот; **~er** *амер. разг.* челове́к, занима́ющийся кра́жей скота́

rusty [ˈrʌstɪ] 1) ржа́вый 2) цве́та ржа́вчины; *перен.* запу́щенный 3) порыже́вший

rut [rʌt] колея́; *перен.* привы́чка

ruthless [ˈru:θlɪs] безжа́лостный

rye [raɪ] 1) рожь 2) *амер.* ви́ски из ржи

S

S, s [es] *девятнадцатая буква англ. алфавита*

sable I [ˈseɪbl] 1) со́боль 2) собо́лий мех

sable II *книжн.* чёрный, мра́чный; тра́урный

sabotage [ˈsæbətɑ:ʒ] **1.** *n* диве́рсия **2.** *v* 1) организо́вывать диве́рсию 2) *разг.* срыва́ть

saboteur [,sæbɔˈtə:] диверса́нт; вреди́тель

sabre [ˈseɪbə] са́бля

saccharin [ˈsækərɪn] сахари́н

saccharine [ˈsækəraɪn] са́харный

sachet [ˈsæʃeɪ] саше́, сухи́е духи́

sack I [sæk] гра́бить *(побеждённый город)*

sack II [ˈsæk] **1.** *n* мешо́к, куль ◇ get the ~ быть уво́ленным **2.** *v* 1) класть, ссыпа́ть в мешо́к 2) увольня́ть; **~cloth** [-klɔθ] дерю́га, холст, мешкови́на

sackful [ˈsækful] мешо́к *(мера)*

sacrament [ˈsækrəmənt] *рел.* та́инство; прича́стие; **~al** [,sækrəˈmentl] свяще́нный; заве́тный

sacred [ˈseɪkrɪd] свяще́нный; ~ music духо́вная му́зыка

sacrif||ice [ˈsækrɪfaɪs] **1.** *n* 1) жертвоприноше́ние 2) же́ртва **2.** *v* 1) принести́ же́ртву 2) же́ртвовать; **~icial** [,sækrɪˈfɪʃ(ə)l] же́ртвенный

sacrile||ge [ˈsækrɪlɪdʒ] святота́тство, кощу́нство; **~gious** [,sækrɪˈlɪdʒəs] святота́тственный

sad [sæd] 1) печа́льный; гру́стный 2) *разг.* ужа́сный; плохо́й; that's a ~ excuse э́то плохо́е оправда́ние; **~den** [ˈsædn] 1) печа́лить 2) печа́литься

saddle [ˈsædl] **1.** *n* седло́ **2.**

v седла́ть; **~-horse** [-hɔ:s] верхова́я ло́шадь

saddler [ˈsædlə] шо́рник

safe [seɪf] **1.** *a* 1) невреди́мый; ~ and sound цел и невреди́м 2) безопа́сный; надёжный; ~ conduct охра́нное свиде́тельство; ◇ that's a ~ guess э́то мо́жно сказа́ть с уве́ренностью **2.** *n* 1) сейф 2) холо́дный чула́н

safeguard [ˈseɪfgɑ:d] **1.** *n* 1) охра́на 2) предосторо́жность 3) *тех.* предохрани́тель **2.** *v* охраня́ть

safely [ˈseɪflɪ] 1) безопа́сно; благополу́чно 2) в сохра́нности

safety [ˈseɪftɪ] 1) безопа́сность; сохра́нность 2) *attr.* безопа́сный; ~ belt спаса́тельный по́яс; **~-match** [-mætʃ] (безопа́сная) спи́чка; **~-pin** [-pɪn] безопа́сная *(или* англи́йская) була́вка; **~-razor** [-ˌreɪzə] безопа́сная бри́тва; **~-valve** [-vælv] *тех.* предохрани́тельный кла́пан; *перен.* отду́шина

saffron [ˈsæfr(ə)n] **1.** *n* шафра́н **2.** *a* шафра́нный

sag [sæg] 1) оседа́ть; обвиса́ть 2) па́дать *(о цене)*

saga [ˈsɑ:gə] са́га

sagacious [səˈgeɪʃəs] 1) сме́тливый, сообрази́тельный; проница́тельный 2) у́мный *(о животном)*

sagacity [səˈgæsɪtɪ] 1) смека́лка 2) проница́тельность

sage I [seɪdʒ] *бот.* шалфе́й

sage II **1.** *a* му́дрый, у́мный **2.** *n* мудре́ц

said [sed] **1.** *past и p. p. от* say 1 **2.** *a*: the ~ (вы́ше)упомя́нутый

sail [ˈseɪl] **1.** *n* па́рус(а́); full ~ на всех паруса́х; set ~ отправля́ться в пла́вание **2.** *v* 1) плыть; идти́ под паруса́ми 2) отходи́ть *(о судне)* 3) управля́ть *(кораблём)*; **~-cloth** [-klɔθ] паруси́на

sailor [ˈseɪlə] моря́к, матро́с; ◇ he is a bad ~ он подве́ржен морско́й боле́зни

saint [seɪnt] свято́й

sake [seɪk]: for the ~ *(of)* ра́ди; for conscience' ~ для успокое́ния со́вести

salable [ˈseɪləbl] хо́дкий *(о товаре)*

salad [ˈsæləd] сала́т; **~-oil** [-ɔɪl] прова́нское ма́сло

salary [ˈsælərɪ] жа́лованье, окла́д

sale [seɪl] прода́жа; be for *(или* on) ~ быть в прода́же, продава́ться

sales||man [ˈseɪlzmən] продаве́ц; **~woman** [-ˌwumən] продавщи́ца

salient [ˈseɪljənt] **1.** *a* 1) выда́ющийся 2) характе́рный **2.** *n* вы́ступ

saliva [səˈlaɪvə] слюна́

sallow [ˈsælou] желтова́тый, боле́зненный *(о цвете лица)*

sally [ˈsælɪ] **1.** *n* 1) остроу́мная ре́плика 2) *воен.* вы́лазка **2.** *v* 1) *воен.* де́лать вы́лазку *(тж.* ~ out) 2): ~ forth *(или* out) отправля́ться *(куда-л.)*

salmon [ˈsæmən] **1.** *n (pl без измен.)* лосо́сь; сёмга **2.** *a* желтова́то-ро́зовый

saloon [səˈlu:n] 1) *уст.* зал 2) *мор.* сало́н 3) *амер.* бар 4) автомоби́ль с закры́тым ку́зовом

salt [ˈsɔ:lt] **1.** *n* соль ◇ take smth. with a grain of ~ относи́ться к чему́-л. скепти́чески; old ~ *разг.* морско́й волк **2.** *a* солёный **3.** *v* соли́ть; ~ **away** соли́ть; *перен.* копи́ть, откла́дывать; **~-cellar** [-ˌselə] соло́нка; **~-marsh** [-mɑ:ʃ] солонча́к

saltpeter, saltpetre [ˈsɔ:ltˌpi:tə] сели́тра

salty [ˈsɔ:ltɪ] 1) солёный 2) остроу́мный *(о замечании и т. п.)*

salubrious [səˈlu:brɪəs] здоро́вый, целе́бный; поле́зный

salutary [ˈsæljut(ə)rɪ] благотво́рный, целе́бный

salutation [ˌsælju:ˈteɪʃ(ə)n] приве́тствие

salute [səˈlu:t] **1.** *n* 1) покло́н, приве́тствие 2) салю́т 3) *воен.* отда́ние че́сти **2.** *v* 1) приве́тствовать, здоро́ваться 2) *воен.* отдава́ть честь 3) салютова́ть

salv||age [ˈsælvɪdʒ] **1.** *n* 1) спасе́ние иму́щества *(от огня и т. п.)* 2) вознагражде́ние за спасе́ние корабля́, иму́щества *(от огня и т.п.)* 3) спасённое иму́щество **2.** *v* спаса́ть кора́бль, иму́щество *(от огня и т.п.)*; **~ation** [-ˈveɪʃ(ə)n] спасе́ние

salve I [sælv] *см.* salvage 2

salve II [sɑ:v] **1.** *n* целе́бная мазь ◇ ~ for one's conscience сре́дство для успокое́ния со́вести **2.** *v* 1) сма́зывать *(мазью)* 2) успока́ивать *(совесть, боль)*

salver [ˈsælvə] подно́с *(обыкн. серебряный)*

salvo [ˈsælvou] 1) оруди́йный залп 2) взрыв аплодисме́нтов

same [ˈseɪm] 1) тот же (са́мый); just the ~ одно́ и то же; much the ~ почти́ одно́ и то же 2) одина́ковый; **~ness** 1) то́ждество; схо́дство 2) однообра́зие

sampl||e [ˈsɑ:mpl] **1.** *n* 1) обра-зе́ц, обра́зчик 2) шабло́н, моде́ль **2.** *v* про́бовать; **~er** 1) обра́зчик вы́шивки 2) *тех.* моде́ль

sanat||ive [ˈsænətɪv] целе́бный, оздоровля́ющий; **~orium** [ˌsænəˈtɔ:rɪəm] санато́рий; **~ory** [ˈsænət(ə)rɪ] *см.* sanative

sanctify [ˈsæŋktɪfaɪ] 1) освяща́ть 2) санкциони́ровать

sancti||monious [ˌsæŋktɪˈmounjəs] ха́нжеский; **~mony** [ˈsæŋktɪmənɪ] ха́нжество́

sanction [ˈsæŋkʃ(ə)n] **1.** *n* са́нкция; утвержде́ние **2.** *v* санкциони́ровать

sanctity [ˈsæŋktɪtɪ] свя́тость

sand [sænd] **1.** *n* 1) песо́к 2) *pl* песча́ный пляж ◇ ~s (of time) are running out жизнь бли́зится к концу́ **2.** *v* 1) посыпа́ть песко́м 2) чи́стить песко́м

sandal [ˈsændl] *(обыкн. pl)* санда́лия

sandalwood [ˈsændlwud] санда́ловое де́рево

sand||bank [ˈsændbæŋk] о́тмель; **~-glass** [-glɑ:s] песо́чные часы́; **~paper** [-ˌpeɪpə] нажда́чная бума́га; **~stone** [-stoun] песча́ник; **~-storm** [-stɔ:m] саму́м

sandwich [ˈsænwɪdʒ] бутербро́д

sandy [ˈsændɪ] 1) песча́ный 2) песо́чного цве́та

sane [seɪn] 1) норма́льный, в своём уме́ 2) здра́вый; здравомы́слящий; разу́мный

sang [sæŋ] *past от* sing

sangui||nary ['sæŋgwɪnərɪ] 1) кровопроли́тный 2) кровожа́дный; **~ne** ['sæŋgwɪn] 1) сангвини́ческий; оптимисти́ческий 2) цвету́щий, румя́ный

sanit||ary ['sænɪt(ə)rɪ] санита́рный, гигиени́ческий; **~ation** [,sænɪ'teɪʃ(ə)n] 1) оздоровле́ние; улучше́ние санита́рных усло́вий 2) санитари́я 3) канализа́ция

sanity ['sænɪtɪ] 1) здравомы́слие 2) норма́льное психи́ческое состоя́ние

sank [sæŋk] *past от* sink II

Santa ['sæntə] *разг. см.* Santa Claus

Santa Claus [,sæntə'klɔ:z] Са́нта Кла́ус, рожде́ственский дед, дед-моро́з

sap I [sæp] **1.** *n* сок *(расте́ний)*; *перен.* жи́зненные си́лы *мн.* **2.** *v* истоща́ть *(си́лы, эне́ргию и т. п.)*

sap II [sæp] **1.** *n воен.* са́па; подры́в **2.** *v* подрыва́ть *(тж. перен.)*

sapi||ence ['seɪpjəns] *ирон.* му́дрость; **~ent** [-ənt] *ирон.* му́дрый, му́дрствующий

sapling ['sæplɪŋ] молодо́е де́ревце; *перен.* юне́ц

sapper ['sæpə] сапёр

sapphire ['sæfaɪə] сапфи́р

sappy ['sæpɪ] 1) со́чный 2) си́льный, молодо́й, энерги́чный 3) *разг.* глу́пый

sarcas||m ['sɑ:kæzm] сарка́зм; **~tic** [sɑ:'kæstɪk] саркасти́ческий

sardine [sɑ:'di:n] сарди́на

sardonic [sɑ:'dɔnɪk] сардони́ческий; язви́тельный

sash I [sæʃ] куша́к; шарф

sash II ['sæʃ] око́нная ра́ма; **~-window** [-,wɪndou] подъёмное окно́

sat [sæt] *past и p. p. от* sit

Satan ['seɪt(ə)n] сатана́

satanic [sə'tænɪk] satани́нский

satchel ['sætʃ(ə)l] су́мка *(для книг)*; ра́нец

sate [seɪt] насыща́ть; пресыща́ть

sateen [sæ'ti:n] сати́н

satellite ['sætəlaɪt] 1) *астр.* сателли́т, спу́тник 2) приве́рженец

sati||ate ['seɪʃɪeɪt] насыща́ть; **~ation** [,seɪʃɪ'eɪʃ(ə)n] *см.* satiety; **~ety** [sə'taɪətɪ] насыще́ние; пресы́щенность

satin ['sætɪn] атла́с

satir||e ['sætaɪə] сати́ра; **~ic(al)** [sə'tɪrɪk(əl)] сатири́ческий; **~ist** ['sætərɪst] сати́рик

satisfact||ion [,sætɪs'fækʃ(ə)n] удовлетворе́ние; **~ory** [-t(ə)rɪ] удовлетвори́тельный; удовлетворя́ющий; is everything ~ory? всё в поря́дке?

satisfy ['sætɪsfaɪ] 1) удовлетворя́ть; ~ thirst утоля́ть жа́жду; be satisfied быть дово́льным 2) удовлетворя́ться ◇ ~ oneself of smth. убеди́ться в чём-л.

saturat||e ['sætʃəreɪt] 1) пропи́тывать, насыща́ть 2) *хим.* нейтрализова́ть; **~ion** [,sætʃə'reɪʃ(ə)n] насыще́ние

Saturday ['sætədɪ] суббо́та

satyr ['sætə] сати́р; **~ic** [sə'tɪrɪk] сатири́ческий

sauce [sɔ:s] **1.** *n* 1) со́ус 2) *разг.* де́рзость **2.** *v разг.* дерзи́ть

saucepan ['sɔ:spən] кастрю́ля

saucer ['sɔ:sə] блю́дце

saucy ['sɔ:sɪ] 1) де́рзкий, наха́льный 2) *разг.* щегольско́й

sauerkraut ['sauərkraut] *нем.* ки́слая капу́ста

saunter ['sɔ:ntə] **1.** *n* прогу́лка **2.** *v* прогу́ливаться

sausage ['sɔsɪdʒ] колбаса́, соси́ска

savage ['sævɪdʒ] **1.** *n* 1) дика́рь 2) гру́бый, жесто́кий челове́к **2.** *a* 1) ди́кий 2) жесто́кий

savant ['sævənt] учёный

save I [seɪv] 1) спаса́ть 2) копи́ть; эконо́мить 3) бере́чь *(силы и т. п.)*; ~ **up** копи́ть ◇ ~ oneself trouble не труди́ться (понапра́сну); ~ appearances соблюда́ть прили́чия

save II *prep, cj* кро́ме

saving ['seɪvɪŋ] **1.** *a* 1) бережли́вый; эконо́мный 2) спаси́тельный **2.** *n pl* сбереже́ния **3.** *prep*: ~ your presence извини́те за выраже́ние

savings bank ['seɪvɪŋz'bæŋk] сберега́тельная ка́сса

saviour ['seɪvjə] спаси́тель

savou‖r ['seɪvə] **1.** *n* вкус, при́вкус; пика́нтность **2.** *v* смакова́ть; ~ of *перен.* отдава́ть *(чем-л.)*; **~ry** [-rɪ] **1.** *a* 1) вку́сный 2) о́стрый на вкус **2.** *n* о́страя заку́ска

saw I [sɔ:] *past от* see

saw II погово́рка

saw III ['sɔ:] **1.** *n* пила́ **2.** *v* (sawed; sawed, sawn) пили́ть; **~dust** [-dʌst] опи́лки; **~mill** [-mɪl] лесопи́лка

sawn [sɔ:n] *p. p. от* saw III, 2

saxony ['sæks(ə)nɪ] то́нкая шерсть; то́нкая шерстяна́я мате́рия

say [seɪ] **1.** *v* (said) говори́ть, сказа́ть; ~ openly (*или* frankly) выска́зываться, говори́ть открове́нно; ~ **over** повторя́ть ◇ I ~! послу́шайте!; I should ~ я ду́маю, полага́ю; let us ~ допу́стим, поло́жим; that is to ~ то́ есть; they ~ говоря́т **2.** *n* мне́ние, сло́во; let him have his ~ пусть он вы́скажется

saying ['seɪɪŋ] погово́рка

scab [skæb] 1) струп 2) парша́, чесо́тка 3) *разг.* штрейкбре́хер

scabbard ['skæbəd] но́жны *мн.*

scaffold ['skæf(ə)ld] 1) леса́ *(строительные) мн.* 2) эшафо́т; **~ing** леса́ *мн.*; помо́ст

scald ['skɔ:ld] **1.** *v* обва́ривать, ошпа́ривать **2.** *n* ожо́г; **~ing**: ~ing tears жгу́чие слёзы

scale I [skeɪl] **1.** *n* 1) чешуя́; шелуха́ 2) на́кипь **2.** *v* 1) шелуши́ть; чи́стить, соска́бливать 2) шелуши́ться

scale II [skeɪl] **1.** *n* 1) ча́ша весо́в; that victory turned the ~s in our favour э́та побе́да реши́ла исхо́д де́ла в на́шу по́льзу 2) *pl* весы́ **2.** *v* 1) взве́шивать 2) ве́сить

scale III **1.** *n* 1) масшта́б, разме́р; to ~ по масшта́бу; on a vast ~ в большо́м масшта́бе; on a world ~ в мирово́м масшта́бе 2) шкала́ 3) ле́стница; be high in the social ~ занима́ть высо́кое положе́ние в о́бществе 4) *муз.* га́мма; practice ~s игра́ть га́ммы 5) масшта́бная лине́йка **2.** *v* взбира́ться *(по лестнице)*

scaled [skeɪld] 1) чешу́йчатый 2) покры́тый на́кипью

scalene ['skeɪli:n] *мат.* неравносторо́нний

scalp [skælp] **1.** *n* скальп **2.** *v* скальпи́ровать

scalpel ['skælp(ə)l] ска́льпель

scamp [skæmp] **1.** *n* негодя́й, безде́льник **2.** *v* рабо́тать спустя́ рукава́

scamper ['skæmpə] **1.** *v* удира́ть, убега́ть **2.** *n* поспе́шное бе́гство

scan [skæn] 1) внима́тельно рассма́тривать, изуча́ть 2) сканди́ровать *(стихи)* 3) бе́гло просма́тривать, пробега́ть глаза́ми

scandal ['skændl] 1) позо́р; сканда́л 2) злосло́вие, спле́тни; **~ize** ['skændəlaɪz] шоки́ровать

scandalmonger ['skændl,mʌŋgə] спле́тник, клеветни́к

scandalous ['skændələs] 1) сканда́льный; позо́рный 2) клеветни́ческий; ~ rumours клеветни́ческие слу́хи

Scandinavian [,skændɪ'neɪvjən] скандина́вский

scant [skænt] ску́дный, ограни́ченный

scanty ['skæntɪ] ску́дный, недоста́точный

scapegoat ['skeɪpgout] козёл отпуще́ния

scapegrace ['skeɪpgreɪs] безде́льник, шалопа́й; него́дник

scar [skɑ:] **1.** *n* шрам, рубе́ц **2.** *v* 1) *(обыкн. pass)* покрыва́ть рубца́ми 2) зарубцева́ться (*тж.* ~ over)

scarc||e ['skɛəs] 1) ску́дный, недоста́точный 2) ре́дкий *(о книге и т.п.)*; **~ely** 1) едва́, то́лько что 2) едва́ ли; (на)вря́д ли; **~ity** [-ɪtɪ] нехва́тка, недоста́ток

scare ['skɛə] **1.** *n* внеза́пный испу́г; get a ~ испуга́ться **2.** *v* пуга́ть; отпу́гивать; he was ~d stiff он перепуга́лся до́ смерти; **~crow** [-krou] пу́гало; **~monger** [-,mʌŋgə] паникёр

scarf [skɑ:f] шарф; га́лстук; ше́йный плато́к

scarlet ['skɑ:lɪt] **1.** *n* а́лый цвет **2.** *a* а́лый ◇ ~ fever скарлати́на

scarp [skɑ:p] круто́й отко́с; *воен.* эска́рп

scathing ['skeɪðɪŋ] язви́тельный, злой

scatter ['skætə] разбра́сывать, расшвы́ривать, рассыпа́ть

scatter-brain ['skætəbreɪn] легкомы́сленный челове́к; **~ed** [-d] легкомы́сленный; рассе́янный

scaveng||e ['skævɪndʒ] убира́ть му́сор *(с улиц)*; **~er** му́сорщик

scenario [sɪ'nɑ:rɪou] сцена́рий

scene ['si:n] 1) ме́сто де́йствия; the ~ is laid... де́йствие происхо́дит...; the ~ of operations теа́тр вое́нных де́йствий 2) зре́лище; пейза́ж, вид 3) *театр.* явле́ние, сце́на 4) декора́ция; behind the ~s за кули́сами 5) *разг.* сканда́л, сце́на; **~-painter** [-,peɪntə] худо́жник-декора́тор

scenery ['si:nərɪ] 1) декора́ции 2) пейза́ж, вид; ландша́фт

scenic ['si:nɪk] сцени́чный; театра́льный

scent [sent] **1.** *n* 1) за́пах 2) духи́ 3) нюх, чутьё 4) след **2.** *v* 1) чу́ять; ню́хать; *перен.* подозрева́ть 2) души́ть *(платок и т. п.)*

sceptic ['skeptɪk] ске́птик; **~al** [-əl] скепти́ческий

sceptre ['septə] ски́петр

schedule ['ʃedju:l] **1.** *n* 1) расписа́ние; распоря́док; ahead of ~ досро́чно 2) спи́сок, пе́речень **2.** *v* составля́ть расписа́ние

schem||e ['ski:m] **1.** *n* 1) схе́ма; прое́кт 2) план, чертёж 3) интри́га, про́иски **2.** *v* плани́ровать, проекти́ровать 2) интригова́ть; **~er** интрига́н

schism ['sɪz(ə)m] раско́л *(церковный)*

scholar ['skɔlə] 1) стипендиа́т 2) учёный 3) *разг.* образо́ванный челове́к; **~ship** 1) учёность, эруди́ция 2) стипе́ндия

scholastic [skə'læstɪk] схоласти́ческий

school I [sku:l] **1.** *n* 1) шко́ла 2) заня́тия *мн.*, уро́ки *мн.* *(в школе)* 3) направле́ние *(в литературе и т. п.)* ◇ ~ of life жи́зненный о́пыт **2.** *v* 1) обуча́ть 2) приуча́ть, дисциплини́ровать

school II ста́я, кося́к *(рыб)*

school||-board ['sku:lbɔ:d] шко́льный сове́т; **~-book** [-buk] уче́бник; **~boy** [-bɔɪ] шко́льник; **~fellow** [-ˌfelou] шко́льный това́рищ; **~girl** [-gə:l] шко́льница

schooling ['sku:lɪŋ] обуче́ние в шко́ле; have a good ~ пройти́ хоро́шую шко́лу, име́ть хоро́шую подгото́вку

school||master ['sku:lˌmɑ:stə] шко́льный учи́тель; **~mate** [-meɪt] шко́льный това́рищ; **~mistress** [-ˌmɪstrɪs] шко́льная учи́тельница; **~room** [-rum] класс

schooner ['sku:nə] шху́на

sciati||c [saɪ'ætɪk] *анат.* седа́лищный; **~ca** [-ə] *мед.* и́шиас

scien||ce ['saɪəns] 1) нау́ка; natural ~s есте́ственные нау́ки 2) сноро́вка; **~tific** [ˌsaɪən'tɪfɪk] 1) нау́чный; учёный 2) иску́сный, уме́лый; высо́кого кла́сса; **~tist** 1) учёный 2) естествоиспыта́тель

scintillat||e ['sɪntɪleɪt] блесте́ть, сверка́ть; **~ion** [ˌsɪntɪ'leɪʃ(ə)n] блеск, сверка́ние

scion ['saɪən] 1) *бот.* побе́г 2) о́тпрыск, пото́мок

scissors ['sɪzəz] *pl* но́жницы

scoff I [skɔf] **1.** *n* 1) насме́шка 2) посме́шище **2.** *v* осме́ивать; насмеха́ться *(над—at)*

scoff II *разг.* жа́дно есть

scoffer ['skɔfə] насме́шник

scold ['skould] брани́ть; **~ing** брань; нагоня́й

scone [skɔn] ячме́нная *или* пшени́чная лепёшка

scoop [sku:p] **1.** *n* 1) ковш, черпа́к 2) сово́к 3) *разг.* сенсацио́нная но́вость *(опубликованная в газете до её появления в других газетах)* **2.** *v* вычёрпывать

scoot [sku:t] *разг.* срыва́ться с ме́ста, удира́ть

scooter ['sku:tə] 1) де́тский самока́т 2) моторо́ллер

scope [skoup] 1) кругозо́р; he has a mind of wide ~ у него́ широ́кий кругозо́р 2) возмо́жности; his work gives him plenty of ~ for imagination его́ рабо́та даёт большо́й просто́р для тво́рческой фанта́зии 3) сфе́ра *(деятельности)*

scorbutic [skɔːˈbjuːtɪk] *мед.* цинго́тный

scorch [skɔːtʃ] 1) опаля́ть, обжига́ть; подпа́ливать 2) обжига́ться 3) *разг.* гнать маши́ну с бе́шеной ско́ростью

score [skɔː] **1.** *n* 1) зару́бка, ме́тка 2) счёт; on that ~ на э́тот счёт, в э́том отноше́нии 3) счёт очко́в *(в игре)* 4) *муз.* партиту́ра 5) два деся́тка ◇ ~s of times мно́го раз; pay off (*или* settle) old ~s свести́ счёты *(с кем-л.)* **2.** *v* 1) де́лать зару́бки, отме́тки 2) вести́ счёт *(в игре)*; засчи́тывать *(очки и т.п.)* 3) выи́грывать; ~ a victory одержа́ть побе́ду; ~ first, second *etc* place заня́ть пе́рвое, второ́е *и т.д.* ме́сто; ~ **off** одержа́ть верх; ~ **out** вычёркивать; ~ **under** подчёркивать

scorer [ˈskɔːrə] маркёр; счётчик *(в спорт. играх)*

scorn [ˈskɔːn] **1.** *n* 1) презре́ние 2) насме́шка 3) объе́кт презре́ния **2.** *v* презира́ть; ~**ful** презри́тельный

Scot [skɔt] шотла́ндец; шотла́ндка

Scotch [skɔtʃ] шотла́ндский

scotch [skɔtʃ] *разг.* шотла́ндское ви́ски

scot-free [ˈskɔtˈfriː] ненака́занный

Scotland Yard [ˈskɔtləndˈjɑːd] Ско́тленд-Ярд *(центр английской полиции в Лондоне и сыскное отделение)*

Scottish [ˈskɔtɪʃ] шотла́ндский

scoundrel [ˈskaundr(ə)l] негодя́й, подле́ц

scour [ˈskauə] отчища́ть, чи́стить

scourge [skəːdʒ] бич *(тж. перен.)*

scout I [skaut] **1.** *n* разве́дчик **2.** *v* разве́дывать; вести́ по́иск

scout II отверга́ть с презре́нием; пренебрега́ть

scow [skau] шала́нда

scowl [skaul] **1.** *n* хму́рый вид **2.** *v* хму́риться

scrabble [ˈskræbl] цара́пать; писа́ть неразбо́рчиво

scrag [ˈskræg] о́чень худо́й челове́к *или* то́щее живо́тное, «ко́жа да ко́сти»; ~**gy** [-ɪ] сухопа́рый, то́щий

scram! [skræm] *разг.* убира́йся!

scramble [ˈskræmbl] **1.** *n* 1) кара́бканье 2) схва́тка, сва́лка **2.** *v* 1) ползти́, кара́бкаться 2) боро́ться за захва́т *(чего-л.)* 3) де́лать яи́чницу-болту́нью ◇ ~d eggs яи́чница-болту́нья

scrap I [skræp] **1.** *n* 1) клочо́к, лоскуто́к 2) вы́резка *(из газеты и т.п.)* 3) *pl* оста́тки; отбро́сы; ~s of food объе́дки 4) металли́ческий лом **2.** *v* сдава́ть в лом

scrap II *разг.* **1.** *n* сты́чка, дра́ка **2.** *v* ссо́риться, дра́ться

scrape [skreɪp] **1.** *n* 1) чи́стка; скобле́ние 2) затрудне́ние; беда́; get into a ~ попа́сть в беду́ **2.** *v* 1) скобли́ть, скрести́; отчища́ть 2) задева́ть; ша́ркать 3) наскрести́, накопи́ть с трудо́м; ~ **through** е́ле вы́держать *(экзамен)* ◇ ~ (up) an acquaintance with smb. навя́зываться на знако́мство с кем-л.

scrap||**-heap** [ˈskræphiːp] сва́лка отбро́сов; ~**-iron** [-ˈaɪən],

~-metal [-'metl] металли́ческий лом

scrappy ['skræpɪ] 1) лоску́тный 2) бессвя́зный

scratch [skrætʃ] **1.** *n* 1) цара́пина 2) почёсывание ◇ will he come up to ~? пойдёт ли он на э́то?; start from ~ начина́ть на пусто́м ме́сте **2.** *v* 1) цара́пать, скрести́; чеса́ть 2) цара́паться; чеса́ться 3) вычёркивать *(из списка кандидатов)* 4) отка́зываться *(от состязаний)* 5) скрипе́ть *(о пере)*; **~ off, ~ out** вычёркивать **3.** *a* случа́йный; разношёрстный, сбо́рный; a ~ dinner импровизи́рованный обе́д, обе́д на ско́рую ру́ку

scratchy ['skrætʃɪ] 1) небре́жный, неиску́сный *(о рисунке)* 2) скрипу́чий, цара́пающий *(о пере)*

scrawl [skrɔ:l] **1.** *n* кара́кули **2.** *v* писа́ть кара́кулями; писа́ть *или* рисова́ть небре́жно, на́спех

scream ['skri:m] **1.** *n* пронзи́тельный крик; визг ◇ it's a ~ *разг.* э́то про́сто умо́ра **2.** *v* крича́ть, визжа́ть; **~ingly**: ~ingly funny умори́тельный

screech| ['skri:tʃ] **1.** *n* крик *(ужаса, ярости)*; вопль **2.** *v* пронзи́тельно *или* злове́ще крича́ть; **~-owl** [-aul] сова́-сипу́ха; *перен.* предсказа́тель беды́

screen I [skri:n] **1.** *n* 1) ши́рма; экра́н; щит 2) перегоро́дка 3) *воен.* заве́са **2.** *v* 1) прикрыва́ть, укрыва́ть 2) экранизи́ровать

screen II **1.** *n* решето́ **2.** *v* 1) просе́ивать 2) *разг.* проверя́ть полити́ческую благонадёжность *(кого-л.)*

screw [skru:] **1.** *n* 1) винт 2) поворо́т винта́ 3) *разг.* кля́ча 4) *разг.* зарпла́та **2.** *v* 1) ввинчи́вать, зави́нчивать 2) крути́ть, выкру́чивать 3) нажима́ть; угнета́ть; **~ down** *см.* ~ up; **~ on** приви́нчивать *(к чему-л.)*; **~ out** *(of)* вымога́ть *(деньги, согласие — у кого-л.)*; **~ up** подви́нчивать, зави́нчивать ◇ ~ up one's courage подбодри́ться, набра́ться хра́брости; ~ up one's eyes прищу́риться

screw-driver ['skru:,draɪvə] отвёртка

screwed [skru:d] *разг.* навеселе́

screwy ['skru:ɪ] *разг.* 1) чудно́й, «чо́кнутый» 2) подозри́тельный

scribble ['skrɪbl] **1.** *n* кара́кули; мазня́ **2.** *v* писа́ть небре́жно, второпя́х

scribbler ['skrɪblə] писа́ка, бумагомара́тель

scribe [skraɪb] 1) писе́ц; перепи́счик 2) грамоте́й

scrimmage ['skrɪmɪdʒ] **1.** *n* сты́чка, сва́лка, потасо́вка; ссо́ра **2.** *v* уча́ствовать в сты́чке

scrimp ['skrɪmp] уре́зывать, эконо́мить; **~y** [-ɪ] ску́дный

scrimshank ['skrɪmʃænk] *воен. разг.* уклоня́ться от выполне́ния обя́занностей

script [skrɪpt] сцена́рий

scripture ['sktɪptʃə] свяще́нное писа́ние, би́блия

scriptwriter ['skrɪpt,raɪtə] сценари́ст

scrofula ['skrɔfjulə] *мед.* золоту́ха

scroll [skroul] 1) свиток 2) *архит.* завиток

scrounge [skraundʒ] *разг.* попрошайничать; жить на чужой счёт

scrub I [skrʌb] 1) кустарник 2) поросшая кустарником местность 3) малорослое животное 4) ничтожный человек

scrub II **1.** *n* чистка щёткой, скребницей **2.** *v* тереть, скрести; чистить щёткой

scrubbing-brush ['skrʌbɪŋbrʌʃ] скребница

scrubby ['skrʌbɪ] 1) низкорослый 2) жалкий, захудалый

scruff [skrʌf] загривок; take smb. by the ~ of the neck взять кого-л. за шиворот

scruple I ['skru:pl] скрупул *(мера веса = 20 гранам)*

scruple II **1.** *n* сомнение, колебание; совестливость; have no ~s about doing smth. делать что-л. со спокойной совестью; a man without ~(s) неразборчивый в средствах (*или* недобросовестный) человек **2.** *v* колебаться; совеститься

scrupulous ['skru:pjuləs] щепетильный; добросовестный; скрупулёзный

scrutinize ['skru:tɪnaɪz] 1) рассматривать 2) тщательно исследовать, изучать

scrutiny ['skru:tɪnɪ] 1) рассмотрение, критический разбор 2) проверка правильности подсчёта бюллетеней 3) испытующий взгляд

scud [skʌd] **1.** *v* 1) нестись 2): ~ before the wind *мор.* идти под ветром **2.** *n* 1) стремительный бег 2) несущиеся облака

scuff [skʌf] идти волоча ноги

scuffle ['skʌfl] **1.** *n* драка, потасовка; **2.** *v* драться; участвовать в потасовке

scull [skʌl] **1.** *n* кормовое весло **2.** *v* грести (одним веслом)

scullery ['skʌl(ə)rɪ] помещение при кухне для мытья посуды

sculpt||or ['skʌlptə] скульптор; **~ress** [-rɪs] женщина-скульптор; **~ural** [-ptʃ(ə)r(ə)l] скульптурный; **~ure** [-ptʃə] **1.** *n* скульптура **2.** *v* 1) ваять, высекать, лепить 2) украшать скульптурой

scum ['skʌm] **1.** *n* пена; накипь; *перен.* подонки *(общества)* **2.** *v* 1) пениться 2) снимать пену; **~my** [-ɪ] пенистый

scurf [skə:f] перхоть

scurrilous ['skʌrɪləs] грубый; непристойный

scurry ['skʌrɪ] **1.** *n* беготня, суета **2.** *v* бегать, сновать; суетиться

scurvy I ['skə:vɪ] цинга

scurvy II *книжн.* низкий, подлый

scutch ['skʌtʃ] трепать лён; **~er** трепальная машина

scuttle I ['skʌtl] ведро *или* ящик для угля

scuttle II *мор.* затопить (свой) корабль

scuttle III **1.** *n* поспешное бегство **2.** *v*: ~ off (*или* away) удирать

scythe [saɪð] **1.** *n* коса **2.** *v* косить

sea ['si:] море, океан; at ~ в (открытом) море; a wild *(или* a stormy) ~ бурное море; beyond the ~(s) за морем; за море; by ~ морем; put to ~

уходи́ть в мо́ре ◇ go to ~ стать моряко́м; be (all) at ~ недоумева́ть; the ~s were mountains high бы́ли огро́мные во́лны; ~-bear [-bεə] морско́й ко́тик; ~board [-bɔ:d] морско́е побере́жье; примо́рье; ~-calf [-kɑ:f] тюле́нь; ~-coast [-koust] морско́й бе́рег; ~-dog [-dɔg] тюле́нь; *перен.* «морско́й волк», ста́рый моря́к; ~-front [-frʌnt] примо́рская часть го́рода

seagoing ['si:͵gouɪŋ] да́льнего пла́вания *(о судне)*

sea||-gull ['si:gʌl] ча́йка; **~-horse** [-hɔ:s] 1) морско́й конёк 2) морж

seal I [si:l] **1.** *n* печа́ть; пло́мба **2.** *v* 1) скрепля́ть печа́тью, запеча́тывать; ~ up a window зама́зывать окно́ 2) опеча́тывать, пломбирова́ть 3) запечатлева́ть; налага́ть отпеча́ток ◇ it is a ~ed book to me ≅ э́то для меня́ кни́га за семью́ печа́тями

seal II **1.** *n* 1) тюле́нь 2) морско́й ко́тик **2.** *v* бить тюле́ней

sea-legs ['si:legz]: find *(или* get) one's ~ привы́кнуть к морско́й ка́чке

sealer ['si:lə] 1) охо́тник на тюле́ней 2) зверобо́йное су́дно; **~-fishery** [-͵fɪʃərɪ] тюле́ний, ко́тиковый про́мысел

sealskin ['si:lskɪn] 1) тюле́нья ко́жа 2) ко́тиковый мех

seam [si:m] **1.** *n* 1) шов 2) шрам 3) *геол.* пласт **2.** *v* 1) сшива́ть 2) изборозди́ть морщи́нами, скла́дками

seaman ['si:mən] моря́к; **~ship** иску́сство морепла́вания

seamew ['si:mju:] ча́йка

seamstress ['semstrɪs] швея́

seamy ['si:mɪ] со шва́ми ◇ the ~ side of life «изна́нка», тёмные сто́роны жи́зни

séance ['seɪɑ:ns] *фр.* 1) заседа́ние 2) сеа́нс

seaplane ['si:pleɪn] гидросамолёт

seaport ['si:pɔ:t] морско́й порт, порто́вый го́род

sear [sɪə] **1.** *v* 1) иссуша́ть 2) опаля́ть; прижига́ть 3) притупля́ть *(чувства)* **2.** *a* увя́дший, засо́хший

search ['sə:tʃ] **1.** *n* 1) по́иски 2) о́быск **2.** *v* 1) иска́ть; обы́скивать 2) иссле́довать; **~light** [-laɪt] проже́ктор; **~-warrant** [-͵wɔr(ə)nt] о́рдер на о́быск

sea||-scape ['si:skeɪp] морско́й пейза́ж; **~shore** [-'ʃɔ:] морско́й бе́рег, побере́жье; **~sickness** [-͵sɪknɪs] морска́я боле́знь; **~side** [-'saɪd] *см.* seashore

season ['si:zn] **1.** *n* вре́мя го́да; сезо́н **2.** *v* 1) суши́ть *(лесоматериалы)*; *перен.* приуча́ть, закаля́ть 2) придава́ть вкус, остроту́, приправля́ть; **~able** ['si:znəbl] подходя́щий, своевре́менный; **~al** ['si:zənl] сезо́нный

seasoning ['si:znɪŋ] припра́ва

season-ticket ['si:zn͵tɪkɪt] сезо́нный биле́т

seat [si:t] **1.** *n* 1) ме́сто *(для сидения)*; стул, скамья́ *и т. п.*; take a ~ сади́ться 2) сиде́нье *(стула и т. п.)* 3) зад *(брюк)* 4) ме́сто; местонахожде́ние; ~ of government местопребыва́ние прави́тельства ◇ take a back ~ занима́ть скро́мное положе́ние **2.** *v* усади́ть, посади́ть; this hall will ~ 5 000 э́тот зал вмеща́ет 5 000 челове́к

sea-wall ['si:wɔ:l] да́мба

seaward ['si:wəd] **1.** *a* напра́вленный к мо́рю **2.** *adv* по направле́нию к мо́рю

seaweed ['si:wi:d] морска́я во́доросль

seaworthy ['si:ˌwə:ðɪ] го́дный для пла́вания; хорошо́ оснащённый

secant ['si:k(ə)nt] *мат.* **1.** *n* се́канс; секу́щая **2.** *a* секу́щий, пересека́ющий

secede [sɪ'si:d] отделя́ться, отка́лываться

secession [sɪ'seʃ(ə)n] отпаде́ние; раско́л

seclu||de [sɪ'klu:d] отделя́ть, изоли́ровать; ~ oneself уединя́ться; **~sion** [-ʒ(ə)n] уедине́ние; изоля́ция

second I ['sek(ə)nd] секу́нда

second II ['sek(ə)nd] **1.** *a* 1) второ́й 2) второстепе́нный ◇ be ~ to smb. in smth. уступа́ть кому́-л. в чём-л.; be ~ to none не уступа́ть никому́; ~ teeth постоя́нные зу́бы *(не моло́чные)*; on ~ thoughts по зре́лом размышле́нии; in the ~ place во-вторы́х **2.** *n* 1) помо́щник 2) секунда́нт 3) *pl* това́ры второ́го со́рта **3.** *v* подде́рживать, помога́ть; **~ary** [-(ə)rɪ] 1) второстепе́нный; побо́чный 2) втори́чный; произво́дный ◇ ~ary school сре́дняя шко́ла

second-best ['sek(ə)nd'best] второ́го со́рта

second-hand ['sek(ə)nd'hænd] 1) поде́ржанный *(о вещах)* 2) не из пе́рвых рук *(о новостях и т. п.)*

secondly ['sek(ə)ndlɪ] во-вторы́х

second-rate ['sek(ə)nd'reɪt] второсо́ртный; a ~ actor посре́дственный актёр

secrecy ['si:krɪsɪ] 1) секре́тность; in ~ под секре́том 2) уме́ние сохраня́ть та́йну; конспира́ция 3) скры́тность

secret ['si:krɪt] **1.** *n* секре́т, та́йна; keep a ~ сохраня́ть та́йну; open ~ секре́т полишине́ля **2.** *a* 1) та́йный, секре́тный 2) скры́тный

secreta||rial [ˌsekrə'tɛərɪəl] секрета́рский; **~riat(e)** [-rɪət] секретариа́т; **~ry** ['sekrətrɪ] 1) секрета́рь; ~ry general генера́льный секрета́рь 2) мини́стр; Secretary of State а) мини́стр *(в Англии)*; б) госуда́рственный секрета́рь, мини́стр иностра́нных дел *(в США)*

secret||e [sɪ'kri:t] 1) пря́тать 2) выделя́ть *(о железах)*; **~ion** [-'kri:ʃ(ə)n] 1) сокры́тие 2) секре́ция, выделе́ние

secretive [sɪ'kri:tɪv] скры́тный

sect [sekt] се́кта; **~arian** [sek'tɛərɪən] **1.** *n* секта́нт **2.** *a* секта́нтский

section ['sekʃ(ə)n] 1) часть *(целого)*; до́лька; отре́зок 2) се́кция, дета́ль 3) отде́л *(газеты и т.п.)* 4) райо́н го́рода 5) пара́граф 6) сече́ние, разре́з 7) *воен.* отделе́ние; **~al** [-ʃənl] 1) секцио́нный 2) разбо́рный

sector ['sektə] 1) се́ктор 2) часть, уча́сток

secular ['sekjulə] мирско́й, све́тский

secure [sɪ'kjuə] **1.** *a* 1) споко́йный; уве́ренный 2) безопа́сный 3) про́чный, надёжный **2.** *v* 1) гаранти́ровать, обеспе́чивать 2) укрепля́ть 3) запира́ть 4) получа́ть, добива́ться

security [sɪ'kjuərɪtɪ] 1) безопа́сность 2) уве́ренность *(в бу́дущем)* 3) гара́нтия, зало́г 4) *pl* це́нные бума́ги 5) *attr.*: S. Council Сове́т Безопа́сности

sedate [sɪ'deɪt] сде́ржанный, споко́йный; степе́нный

sedative ['sedətɪv] успока́ивающий; *мед. тж.* болеутоля́ющий

sedentary ['sedntərɪ] сидя́чий *(об о́бразе жи́зни)*

sediment ['sedɪmənt] оса́док; гу́ща; **~ary** [ˌsedɪ'ment(ə)rɪ] оса́дочный

sedit||ion [sɪ'dɪʃ(ə)n] призы́в к бу́нту, мятежу́; **~ious** [-ʃəs] мяте́жный, бунта́рский

seduc||e [sɪ'dju:s] соблазня́ть, обольща́ть; **~tion** [-'dʌkʃ(ə)n] собла́зн, обольще́ние; **~tive** [-'dʌktɪv] соблазни́тельный

sedulous ['sedjuləs] усе́рдный, приле́жный

see [si:] (saw; seen) 1) ви́деть, смотре́ть; ~ one another ви́деться, встреча́ться 2) осма́тривать (достопримеча́тельности) 3) присма́тривать *(after)* 4) забо́титься, позабо́титься *(to, about)* 5) вника́ть *(into)*; ~ **off** провожа́ть *(уезжа́ющего)* ◇ as far as I can ~ наско́лько я могу́ суди́ть; I ~ я понима́ю; let me ~ да́йте мне поду́мать; come to ~ прийти́ в го́сти; go to ~ пойти́ навести́ть; ~ smb. home проводи́ть кого́-л. домо́й; ~ through smth. ви́деть насквозь; ~ smth. through доводи́ть до конца́; ~ smb. through помога́ть кому́-л. довести́ де́ло до конца́

seed ['si:d] **1.** *n* се́мя, зерно́; *собир.* семена́ **2.** *v* 1) пойти́ в се́мя 2) се́ять; **~-bed** [-bed] парни́к; **~-cake** [-'keɪk] бу́лочка с тми́ном; **~-corn** [-kɔ:n] посевно́е зерно́; **~-drill** [-drɪl] рядова́я се́ялка

seeding-machine ['si:dɪŋməˌʃi:n] се́ялка

seedling ['si:dlɪŋ] *с.-х.* се́янец

seed||-pearl ['si:d'pə:l] ме́лкий же́мчуг; **~-plot** [-plɔt] пито́мник; **~-time** [-taɪm] вре́мя посе́ва

seedy ['si:dɪ] 1) напо́лненный семена́ми 2) обтрёпанный, обноси́вшийся *(о челове́ке)* 3) *разг.* нездоро́вый

seeing ['si:ɪŋ] ввиду́ того́, что; принима́я во внима́ние, поско́льку

seek [si:k] (sought) иска́ть, разы́скивать; ~ after *(или* for) smth. добива́ться чего́-л.

seem ['si:m] каза́ться; it ~s to me мне́ ка́жется; **~ing** 1) ка́жущийся 2) притво́рный; **~ingly** 1) на вид 2) по-ви́димому

seemly ['si:mlɪ] прили́чный, подоба́ющий

seen [si:n] *p. p. от* see

seep [si:p] проса́чиваться

seer ['si:ə] прови́дец, проро́к

seesaw ['si:sɔ:] **1.** *n* кача́ние на доске́ **2.** *v* 1) кача́ться на доске́ 2) колеба́ться, быть неусто́йчивым

seethe [si:ð] кипе́ть, бурли́ть

segment ['segmənt] 1) часть, кусо́к; до́ля 2) *мат.* сегме́нт

segregat||e ['segrɪgeɪt] отделя́ть, изоли́ровать; **~ion** [,segrɪ'geɪʃ(ə)n] изоля́ция, отделе́ние; сегрега́ция

seine [seɪn] не́вод, сеть

seism||ic ['saɪzmɪk] сейсми́ческий; **~ograph** [-məgrɑ:f] сейсмо́граф

seize [si:z] 1) захва́тывать, завладева́ть; конфискова́ть 2) хвата́ть, схвати́ть; *перен.* поня́ть *(мысль)* 3) *(тж.* ~ upon) воспо́льзоваться *(случаем, предлогом)* 4) *юр.* вводи́ть во владе́ние

seizure ['si:ʒə] 1) захва́т 2) наложе́ние аре́ста, конфиска́ция

seldom ['seldəm] ре́дко

select [sɪ'lekt] **1.** *v* выбира́ть, отбира́ть, подбира́ть **2.** *a* и́збранный; отбо́рный; **~ion** [-kʃ(ə)n] 1) вы́бор, подбо́р 2) и́збранные произведе́ния 3) *биол.* отбо́р, селе́кция; natural ~ion есте́ственный отбо́р; **~ive** [-ɪv] отбо́рочный

self [self] *(pl* selves) сам; себя́

self- [self-] *pref* само-

self-absorbed ['selfəb'sɔ:bd] эгоцентри́чный

self-assertive ['selfə,sə:tɪv] напо́ристый

self-centred ['self'sentəd] эгоцентри́чный

self-collected ['selfkə'lektɪd] хладнокро́вный, невозмути́мый

self-command ['selfkə'mɑ:nd] самооблада́ние

self-confident ['self'kɔnfɪdənt] самоуве́ренный; самонаде́янный

self-conscious ['self'kɔnʃəs] засте́нчивый

self-contained ['selfkən'teɪnd] изоли́рованный, отде́льный *(о квартире и т. п.)*

self-control ['selfkən'troul] самооблада́ние

self-defence ['selfdɪ'fens] самооборо́на, самозащи́та

self-denial ['selfdɪ'naɪ(ə)l] самоотрече́ние

self-determination ['selfdɪ,tə:mɪ'neɪʃ(ə)n] самоопределе́ние

self-educated ['self,edju:keɪtɪd]: a ~ man само́учка

self-effacing ['selfɪ'feɪsɪŋ] скро́мный

self-esteem ['selfɪs'ti:m] самоуваже́ние

self-evident ['self'evɪd(ə)nt] самоочеви́дный

self-explanatory ['selfɪks'plænət(ə)rɪ] не тре́бующий поясне́ний

self-importance ['selfɪm'pɔ:t(ə)ns] большо́е самомне́ние

self-indulg||ence ['selfɪn'dʌldʒ(ə)ns] неспосо́бность себе́ в чём-л. отказа́ть; **~ent** потво́рствующий свои́м жела́ниям

self-interest ['self'ɪntrɪst] эгои́зм

selfish ['selfɪʃ] эгоисти́чный

selfless ['selflɪs] самоотве́рженный

self-made ['self'meɪd] обя́занный всем самому́ себе́

self-portrait ['self'pɔ:trɪt] автопортре́т

self-possessed ['selfpə'zest] хладнокро́вный

self-preservation ['self,prezə:'veɪʃ(ə)n] самосохранéние

self-reliant ['selfrɪ'laɪənt] увéренный в себé

self-respect ['selfrɪs'pekt] чýвство сóбственного достóинства

self-righteous ['self'raɪtʃəs] самодовóльный

self-sacrifice ['self'sækrɪfaɪs] самопожéртвование

selfsame ['selfseɪm] тот же сáмый

self-satisfied ['self'sætɪsfaɪd] самодовóльный

self-seeking ['self'si:kɪŋ] своекорыстный

self-service ['self'sə:vɪs] самообслýживание

self-starter ['self'stɑ:tə] автоматúческий завóд *(у мотора)*; самопýск

self-sufficient ['selfsə'fɪʃ(ə)nt] самостоятельный

self-supporting ['selfsə'pɔ:tɪŋ] независимый

self-willed ['selfwɪld] своевóльный

sell [sel] (sold) продавáть; торговáть *(чем-л.)*; ~ **out** распродавáть; ~ **up** продавáть с торгóв

seller ['selə] 1) продавéц 2): best ~ хóдкая кнúга, бестсéллер; хóдкий товáр

selvage, selvedge ['selvɪdʒ] крóмка *(у ткани)*

selves [selvz] *pl от* self

semantic [sɪ'mæntɪk] семантúческий; ~**s** [-s] семáнтика

semaphore ['seməfɔ:] **1.** *n* семафóр **2.** *v* сигнализúровать

semblance ['sembləns] схóдство, подóбие

semester [sɪ'mestə] семéстр

semi- ['semɪ-] *pref* пóлу-, наполовúну

semi-basement ['semɪ'beɪsmənt] полуподвáл

semicolon ['semɪ'koulən] тóчка с запятóй

seminar ['semɪnɑ:] семинáр

semitone ['semɪtoun] *муз.* полутóн

semolina [,semə'li:nə] мáнная крупá

senat||e ['senɪt] сенáт; ~**or** ['senətə] сенáтор; ~**orial** [,senə'tɔ:rɪəl] сенáторский

send [send] (sent) посылáть, отправлять; ~ word сообщáть, извещáть; ~ **forth** издавáть; испускáть; ~ **off** а) отсылáть; б) прогонять; в) устрáивать прóводы; ~**-off** [-'ɔ:f] give smb. a good ~-off устрáивать комý-л. пышные прóводы

senescent [sɪ'nesnt] старéющий

senil||e ['sɪ:naɪl] стáрческий; ~**ity** [sɪ'nɪlɪtɪ] стáрость

senior ['si:njə] **1.** *a* стáрший **2.** *n* 1) стáрший *(по возрасту или положению)* 2) старшекýрсник; ~**ity** [,si:nɪ'ɔrɪtɪ] старшинствó

sensation [sen'seɪʃ(ə)n] 1) чýвство, ощущéние 2) сенсáция; ~**al** [-ʃənl] сенсациóнный

sensation-monger [sen'seɪʃ(ə)n,mʌŋgə] распространúтель сенсациóнных слýхов

sense ['sens] **1.** *n* 1) чýвство; ощущéние; ~ of humour чýвство юмора 2) *pl* сознáние, рассýдок; рáзум; go out of one's ~s сойтú с умá 3) здрáвый смысл *(тж.* common ~); talk ~ говорúть дéло 4) смысл;

значе́ние; in a ~ в изве́стном смы́сле **2.** *v* 1) чу́вствовать; ощуща́ть 2) понима́ть; **~less** 1) бесчу́вственный, без созна́ния 2) бессмы́сленный

sensibility [ˌsensɪˈbɪlɪtɪ] чувстви́тельность

sensible [ˈsensəbl] 1) разу́мный, благоразу́мный 2) значи́тельный, ощути́мый

sensitive [ˈsensɪtɪv] 1) чувстви́тельный; восприи́мчивый; ~ paper светочувстви́тельная бума́га 2) оби́дчивый; **~ness** чувстви́тельность

sensu||al [ˈsensjuəl] чу́вственный; **~ality** [ˌsensjuˈælɪtɪ] чу́вственность; **~ous** [-əs] чу́вственный *(о восприятии)*

sent [sent] *past и p. p. от* send

sentence [ˈsentəns] **1.** *n* 1) *грам.* предложе́ние 2) пригово́р; реше́ние **2.** *v* осужда́ть, пригова́ривать

sententious [senˈtenʃəs] нравоучи́тельный

sentiment [ˈsentɪmənt] 1) чу́вство 2) *(часто pl)* мне́ние, отноше́ние; настрое́ние; **~al** [ˌsentɪˈmentl] чувстви́тельный; сентимента́льный; **~ality** [ˌsentɪmenˈtælɪtɪ] сентимента́льность

sentinel [ˈsentɪnl] часово́й; *поэт.* страж

sentry [ˈsentrɪ] часово́й; stand ~ стоя́ть на часа́х; **~-box** [-bɔks] карау́льная бу́дка

separable [ˈsep(ə)rəbl] отдели́мый

separat||e 1. *a* [ˈseprɪt] 1) отде́льный 2) осо́бый 3) изоли́рованный; уединённый **2.** *v* [ˈsepəreɪt] 1) отделя́ть, разделя́ть; разлуча́ть 2) разлага́ть *(на составные части)* 3) отделя́ться; разлуча́ться; расходи́ться *(о супругах)*; **~ion** [ˌsepəˈreɪʃ(ə)n] 1) разлу́ка 2) разделе́ние

September [səpˈtembə] 1) сентя́брь 2) *attr.* сентя́брьский

septennial [sepˈtenjəl] семиле́тний

septic [ˈseptɪk] септи́ческий; **~aemia** [ˌseptɪˈsiːmɪə] се́псис, зараже́ние кро́ви

sepulchral [ˈsep(ə)lkr(ə)l] моги́льный; *перен.* замоги́льный *(о голосе и т. п.)*

sequel [ˈsiːkw(ə)l] 1) сле́дствие, после́дствие; результа́т 2) продолже́ние

sequ||ence [ˈsiːkwəns] после́довательность; ~ of tenses *грам.* после́довательность времён; **~ential** [-ənʃ(ə)l] сле́дующий, после́дующий

sequester [sɪˈkwestə] *юр.* секвестрова́ть; конфискова́ть

sere [sɪə] *поэт. см.* sear 2

serenade [ˌserɪˈneɪd] **1.** *n* серена́да **2.** *v* исполня́ть серена́ду

seren||e [sɪˈriːn] я́сный, споко́йный, безмяте́жный; **~ity** [-ˈrenɪtɪ] безмяте́жность, споко́йствие

serf [ˈsəːf] крепостно́й; **~-dom** [-dəm] крепостно́е пра́во

sergeant [ˈsɑːdʒ(ə)nt] сержа́нт

serial [ˈsɪərɪəl] **1.** *a* 1) выходя́щий вы́пусками 2) сери́йный **2.** *n* рома́н, выходя́щий отде́льными частя́ми; фильм в не́скольких се́риях

sericulture [ˈserɪkʌltʃə] шелково́дство

series [ˈsɪəri:z] 1) сéрия, ряд 2) *эл.* послéдовательное соединéние

serious [ˈsɪərɪəs] серьёзный; вáжный; ~**ness** серьёзность

sermon [ˈsə:mən] прóповедь; поучéние

serpent [ˈsə:p(ə)nt] змея́; ~**ine** [-aɪn] **1.** *a* змеевúдный, извивáющийся **2.** *n мин.* серпентúн **3.** *v* извивáться

serried [ˈserɪd] сóмкнутый, плечóм к плечý

servant [ˈsə:v(ə)nt] слугá, прислýга

serve [sə:v] **1.** *v* 1) служúть; ~ as служúть в кáчестве *(чего-л., кого-л.)*, заменя́ть *(что-л.)* 2) подавáть; обслýживать *(в ресторане и т. п.)* 3): ~ smb. well (badly) обходúться с кем-л. хорошó (плóхо) 4) годúться, удовлетворя́ть; it will ~ а) э́то то, что нýжно; б) э́того бýдет достáточно 5) отбывáть срок *(тж.* ~ one's time) 6): ~ a summons on smb. вручúть комý-л. повéстку в суд ◇ it ~s him right! подéлом емý! **2.** *n спорт.* подáча *(мяча)*

service [ˈsə:vɪs] **1.** *n* 1) слýжба; church ~ богослужéние; military ~ воéнная слýжба 2) обслýживание; сéрвис 3): railway ~ железнодорóжное движéние; steamboat ~ пароходное движéние 4) услýга, одолжéние; at your ~ к вáшим услýгам; be of ~ *(to)* быть полéзным; пригодúться 5) сервúз 6) *attr.* служéбный; ~ record послужнóй спúсок **2.** *v*: ~ a car привестú машúну в поря́док; ~**able** [-əbl] 1) прóчный, нóский 2) пригóдный, полéзный

serviette [ˌsə:vɪˈet] салфéтка

servi||**le** [ˈsə:vaɪl] 1) рáбский 2) раболéпный, холóпский; ~**lity** [-ˈvɪlɪtɪ] раболéпство; ~**tude** [-vɪtju:d] рáбство

session [ˈseʃ(ə)n] 1) сéссия 2) заседáние

set I [set] (set) 1) стáвить; класть; размещáть 2) садúться *(о солнце)* 3): ~ the price *(at)* назнáчить цéну 4) твердéть, застывáть 5) приступáть *(about)* 6) противопоставля́ть *(against)* 7): ~ a hen (on eggs) сажáть насéдку (на я́йца) 8): ~ oneself a task постáвить себé задáчу; ~ **aside** а) отклáдывать; б) отвергáть; ~ **back** осадúть; оказáть противодéйствие; ~ **by** отклáдывать, приберегáть; ~ **down** а) запúсывать; б) припúсывать *(чему-л.)*; ~ **forth** а) отправля́ться; б) формулúровать, излагáть; ~ **in** наступáть *(о времени года)*; the rainy season ~ in early this year в э́том годý дождлúвая погóда наступúла рáно; ~ **off** оттеня́ть, украшáть; ~ **on** подстрекáть, натрáвливать; ~ **up** а) воздвигáть; учреждáть; б) поднимáть *(шум, крик)*; в): ~ oneself up as кóрчить из себя́ ◇ ~ ashore вы́садиться на бéрег; ~ an example подавáть примéр; ~ at ease успокóить; ~ in order приводúть в поря́док; ~ a poem to music положúть стихú на мýзыку; ~ at liberty *(или* free) отпустúть на свобóду; освободúть; ~ in motion приводúть в движéние; ~ one's teeth сти́снуть зу́бы; ~ store (by) высоко́ цени́ть; ~ the table накрыва́ть на стол; ~ in type *полигр.* набира́ть; he will never ~ the Thames on fire *погов.* ≅ он по́роха не вы́думает

set II [set] 1) неподви́жный, засты́вший *(о взгляде, улыбке)* 2) обду́манный 3) назна́ченный; устано́вленный 4) твёрдый, непоколеби́мый 5) установи́вшийся *(о погоде)* 6) сверну́вшийся *(о молоке)* 7) *разг.* гото́вый; we're all ~ to go мы все гото́вы е́хать

set III [set] 1) направле́ние *(течения)* 2) очерта́ние, фо́рма 3) поса́дка *(головы)* 4) молодо́й побе́г 5) покро́й

set IV 1) компле́кт, набо́р; tea (dinner) ~ ча́йный (обе́денный) серви́з 2) гру́ппа, круг лиц 3) декора́ция 4) устано́вка; агрега́т

set-back [ˈsetbæk] заде́ржка; препя́тствие

sett [set] *n* брусча́тка

settee [seˈtiː] (небольшо́й) дива́н

setting [ˈsetɪŋ] 1) опра́ва *(камня)* 2) окружа́ющая обстано́вка 3) му́зыка на слова́ 4) *театр.* постано́вка, оформле́ние спекта́кля

settle [ˈsetl] 1) реша́ть, принима́ть реше́ние; ~ a question разреша́ть вопро́с 2) приводи́ть в поря́док, регули́ровать 3) опла́чивать *(счета и т. п.)* 4) обосно́вываться, поселя́ться *(тж. ~ down)* 5) заселя́ть, колонизи́ровать 6) устра́иваться, уса́живаться; he ~d himself in the armchair он усе́лся в кре́сло 7) отста́иваться; ~ **down** а) остепени́ться; б) успока́иваться; в) взя́ться за; he couldn't ~ down to his work он ника́к не мог взя́ться за рабо́ту; ~ **on** а) договори́ться *(о чём-л.)*; приня́ть како́е-л. реше́ние; б) *юр.* завеща́ть; **~d** [-d] 1) усто́йчивый *(о погоде и т. п.)* 2) реши́тельный *(о суждениях)* 3) осе́длый; **~ment** 1) поселе́ние, коло́ния 2) урегули́рование, реше́ние *(вопроса)*; соглаше́ние; **~r** поселе́нец

seven [ˈsevn] семь; **~fold** [-fould] **1.** *a* семикра́тный **2.** *adv* в семь раз; **~teen** [-ˈtiːn] семна́дцать; **~teenth** [-ˈtiːnθ] семна́дцатый; **~th** [-θ] седьмо́й; **~tieth** [-tɪɪθ] семидеся́тый; **~ty** [-tɪ] 1) се́мьдесят; 2): the ~ties семидеся́тые го́ды

sever [ˈsevə] 1) разъединя́ть; разделя́ть, отделя́ть 2) рвать 3) рва́ться

several [ˈsevr(ə)l] 1) не́сколько 2) отде́льный 3) разли́чный 4) осо́бый

severance [ˈsevər(ə)ns] отделе́ние, разры́в

sever||**e** [sɪˈvɪə] 1) стро́гий; суро́вый 2) жесто́кий, тяжёлый *(о болезни, утрате и т. п.)* 3) холо́дный, суро́вый *(о климате, погоде)*; **~ity** [-ˈverɪtɪ] суро́вость; стро́гость; жесто́кость

sew [sou] (sewed; sewn, sewed) шить; зашива́ть; ~ **on** пришива́ть

sewage [ˈsjuːɪdʒ] сто́чные во́ды

sewerage ['sjuərɪdʒ] канализáция

sewing-machine ['so(u)ɪŋmə‚ʃi:n] швéйная машúна

sewn [soun] *p. p. от* sew

sex [seks] 1) *биол.* пол 2) секс

sexual ['seksjuəl] половóй, сексуáльный

shabby ['ʃæbɪ] 1) понóшенный, обóрванный 2) нúзкий, пóдлый; ~ trick гнýсный обмáн

shack [ʃæk] лачýга, хибáрка

shackle ['ʃækl] 1. *n pl* кандалы́; *перен.* окóвы; ýзы 2. *v* закóвывать в кандалы́; *перен.* скóвывать; обýздывать

shade [ʃeɪd] 1. *n* 1) тень 2) оттéнок; нюáнс 3) экрáн 4) *амер.* штóра ◇ put smb. in the ~ затмúть когó-л.; a ~ more expensive *разг.* чýточку дорóже 2. *v* 1) заслонять от свéта, затенять 2) омрачáть 3) тушевáть, штриховáть 4): ~ into незамéтно переходúть *(в другой цвет)*

shadow ['ʃædou] 1. *n* 1) тень *(человека, предмета)* 2) *pl* сýмрак, полумрáк 3) прúзрак 4) шпик ◇ ~ of doubt тень сомнéния 2. *v* 1) отбрáсывать тень 2) омрачáть 3) слéдовать по пятáм; выслéживать; **~y** [-ɪ] 1) тенúстый 2) тёмный, мрáчный 3) неясный, прúзрачный

shady ['ʃeɪdɪ] 1) тенúстый 2) тёмный, сомнúтельный; a ~ transaction тёмное дéло

shaft [ʃɑ:ft] 1) дрéвко *(копья)* 2) луч *(света)* 3) вспы́шка *(молнии)* 4) *тех.* вал, ось 5) оглóбля

shaggy ['ʃægɪ] лохмáтый, космáтый

shake [ʃeɪk] 1. *n* 1) встря́ска, сотрясéние, толчóк 2) *разг.* мгновéние; in a ~, in two ~s, in half a ~ вмиг, мгновéнно ◇ no great ~s невáжный; with a ~ of the head кивнýв головóй 2. *v* (shook; shaken) 1) трястú, встря́хивать; ~ hands обменя́ться рукопожáтием; пожáть рýку; ~ one's head отрицáтельно покачáть головóй 2) потрясáть, волновáть; I am shaken я потрясён 3) дрожáть 4) взбáлтывать *(бутылку)*; ~ **down** стря́хивать *(плоды с дерева)*; ~ **off** стря́хивать *(пыль)*; *перен.* избавля́ться *(от уныния и т. п.)*; ~ **up** встря́хивать

shaken ['ʃeɪk(ə)n] *p. p. от* shake 2

shaky ['ʃeɪkɪ] 1) шáткий, нетвёрдый 2) трясýщийся 3) дрожáщий

shall [ʃæl *(полная форма)*, ʃəl *(редуцированная форма)*] (should) 1) *вспомогат. гл., образующий 1 л. ед. и мн. ч. будущего времени*: I ~ go there tomorrow я поéду тудá зáвтра 2) *выражает обязательность действия, угрозу и т. п.*: you ~ do this immediately вы сдéлаете э́то немéдленно; he ~ answer for his actions он отвéтит за своú дéйствия

shallow ['ʃælou] 1. *a* 1) мéлкий 2)повéрхностный, пустóй 2. *n* мелковóдье, мель; óтмель 3. *v* мелéть

shalt [ʃælt] *уст.* 2 *л. ед. ч. наст. вр. от* shall

sham [ʃæm] 1. *n* 1) поддéлка 2) притвóрщик, симуля́нт 3) притвóрство 2. *v* притворя́ться, симули́ровать **3.** *a* притво́рный, фальши́вый

shamble [ˈʃæmbl] **1.** *n* неуклю́жая похо́дка **2.** *v* волочи́ть но́ги, тащи́ться

shambles [ˈʃæmblz] *pl (употр. с гл. в ед. ч.)* бо́йня; *перен. разг.* каварда́к

shame [ˈʃeɪm] **1.** *n* 1) стыд; for ~! сты́дно!; ~ on you! как вам не сты́дно! 2) позо́р **2.** *v* 1) срами́ть; стыди́ть 2) позо́рить; **~faced** [-feɪst] стыдли́вый, засте́нчивый

shame‖ful [ˈʃeɪmful] позо́рный, посты́дный; **~less** бессты́дный

shammy [ˈʃæmɪ] за́мша

shampoo [ʃæmˈpuː] **1.** *n* 1) мытьё головы́ 2) шампу́нь **2.** *v* мыть го́лову

shamrock [ˈʃæmrɔk] *бот.* кисли́ца

shank [ʃæŋk] го́лень ◇ on Shank's mare ≅ на свои́х на двои́х

shan't [ʃɑːnt] *сокр. от* shall not

shape [ˈʃeɪp] **1.** *n* 1) фо́рма; очерта́ние; вид; take ~ оформля́ться 2) *разг.* положе́ние, состоя́ние 3) образе́ц, моде́ль **2.** *v* образо́вывать, придава́ть *или* принима́ть вид, фо́рму; **~less** бесфо́рменный; **~ly** стро́йный

share I [ʃɛə] ле́ме́х, сошни́к *(плуга)*

share II [ˈʃɛə] **1.** *n* 1) часть, до́ля 2) пай; а́кция **2.** *v* 1) дели́ть, разделя́ть; they ~d the secret они́ бы́ли посвящены́ в э́ту та́йну 2) дели́ться 3) владе́ть совме́стно 4) име́ть до́лю *(в чём-л.)*; уча́ствовать; **~-holder** [-ˌhouldə] акционе́р; па́йщик

shark [ʃɑːk] аку́ла

sharp [ʃɑːp] **1.** *a* 1) о́стрый, остроконе́чный, отто́ченный 2) круто́й, ре́зкий *(поворот, спуск)* 3) отчётливый 4) ре́зкий, пронзи́тельный 5) о́стрый, то́нкий *(о зрении, слухе)* 6) язви́тельный, остроу́мный **2.** *n муз.* дие́з **3.** *v* плутова́ть **4.** *adv* то́чно, пунктуа́льно ◇ look ~! а) живе́е!; б) береги́сь!; **~en** [ˈʃɑːp(ə)n] точи́ть; заостря́ть

sharper [ˈʃɑːpə] шу́лер

sharpshooter [ˈʃɑːpˌʃuːtə] сна́йпер

shatter [ˈʃætə] 1) разбива́ть вдре́безги 2) расша́тывать *(нервы, здоровье)* 3) разруша́ть *(надежды)*; расстра́ивать *(планы и т.п.)*

shave [ʃeɪv] **1.** *n* бритьё **2.** *v* (shaved; shaved, shaven) 1) брить 2) бри́ться 3) почти́ заде́ть 4) скобли́ть

shaven [ˈʃeɪvn] *p. p. от* shave 2

shaving-brush [ˈʃeɪvɪŋbrʌʃ] ки́сточка для бритья́

shavings [ˈʃeɪvɪŋz] *pl* стру́жки

shawl [ʃɔːl] шаль

she [ʃiː *(полная форма)*, ʃɪ *(редуцированная форма)*] *pers pron им. п. (объектн. п.* her) 1) она́ 2) *pref при добавлении к сущ. обозначает самку*: ~-goat коза́

sheaf [ʃiːf] **1.** *n (pl* sheaves) 1) сноп, вяза́нка *(соломы и т. п.)* 2) свя́зка, па́чка *(бумаг и т. п.)* **2.** *v* вяза́ть снопы́

shear [ʃɪə] **1.** *v* (sheared, *уст.* shore; shorn, sheared) стричь **2.** *n* 1) стри́жка 2) *pl* но́жницы

sheath [ʃiːθ] 1) но́жны 2) футля́р 3) *анат.* оболо́чка

sheathe [ʃi:ð] 1) вкла́дывать в но́жны, в футля́р 2) *тех.* защища́ть

sheave [ʃi:v] *см.* sheaf 2

sheaves [ʃi:vz] *pl от* sheaf 1

shed I [ʃed] (shed) 1) роня́ть; теря́ть *(во́лосы, зу́бы и т. п.)* 2) пролива́ть *(кровь, слёзы)* 3) излуча́ть *(свет, тепло)*

shed II [ʃed] наве́с; сара́й

sheen [ʃi:n] сия́ние; блеск

sheep ['ʃi:p] *(тж. pl)* бара́н, овца́; **~-dog** [-dɔg] овча́рка; **~fold** [-fould] овча́рня

sheepish ['ʃi:pɪʃ] 1) ро́бкий, застéнчивый 2) глупова́тый

sheepskin ['ʃi:pskɪn] овчи́на

sheer I [ʃɪə] **1.** *a* 1) я́вный 2) то́нкий *(о тканях)* 3) отве́сный, круто́й **2.** *adv* отве́сно **3.** *n pl* то́нкие чулки́ «паути́нка»

sheer II [ʃɪə] отклоня́ться от ку́рса

sheet [ʃi:t] 1) простыня́ 2) лист *(бумаги и т.п.)* 3) широ́кая полоса́ 4) газе́та 5) *attr.*: ~ iron листово́е желе́зо

shelf [ʃelf] *(pl* shelves) 1) по́лка 2) усту́п *(скалы́)* 3) мель, риф ◇ be on the ~ быть ста́рым и нену́жным

shell [ʃel] **1.** *n* 1) ра́ковина 2) скорлупа́ *(яйца́ и т. п.)*, оболо́чка 3) ги́льза *(патрона)* 4) артиллери́йский снаря́д **2.** *v* 1) вынима́ть из ра́ковины 2) очища́ть *(от скорлупы)*; лущи́ть *(горох)* 3) обстре́ливать *(снарядами)*; ~ **out** *разг.* раскоше́ливаться

shellfish ['ʃelfɪʃ] *зоол.* 1) моллю́ск 2) ракообра́зное

shell||-proof ['ʃelpru:f] защищённый от артиллери́йского огня́; брониро́ванный; **~-shock** [-ʃɔk] конту́зия

shelter ['ʃeltə] **1.** *n* прию́т, кров, убе́жище; take ~ укры́ться *(от дождя и т. п.)* **2.** *v* 1) приюти́ть 2) служи́ть прикры́тием 3) приюти́ться

shelve I [ʃelv] ста́вить на по́лку; *перен.* откла́дывать, класть в до́лгий я́щик

shelve II отло́го спуска́ться

shelves [ʃelvz] *pl от* shelf

shepherd ['ʃepəd] **1.** *n* пасту́х **2.** *v* 1) пасти́ ове́ц 2) присма́тривать *(за кем-л.)*; **~ess** [-ɪs] *поэт.* пасту́шка

sheriff ['ʃerɪf] шери́ф

sherry ['ʃerɪ] хе́рес

shield [ʃi:ld] **1.** *n* щит; *перен.* защи́тник; защи́та **2.** *v* защища́ть, заслоня́ть

shift ['ʃɪft] **1.** *n* 1) измене́ние; передвиже́ние 2) (рабо́чая) сме́на 3) уло́вка, увёртка **2.** *v* 1) сдвига́ть; перемеща́ть; заменя́ть 2) ухищря́ться, изворáчиваться 3) меня́ться; перемеща́ться ◇ ~ for oneself обходи́ться без посторо́нней по́мощи; ~ the blame on to smb. else свали́ть вину́ на друго́го; ~ one's ground измени́ть то́чку зре́ния; **~ing**: ~ing sands зыбу́чие пески́; **~less** 1) неуме́лый 2) лени́вый

shifty ['ʃɪftɪ] продувно́й; хи́трый

shilling ['ʃɪlɪŋ] ши́ллинг

shilly-shally ['ʃɪlɪˌʃælɪ] **1.** *n* нереши́тельность **2.** *v* колеба́ться

shimmer ['ʃɪmə] **1.** *n* мерца́ние **2.** *v* мерца́ть

shin [ʃɪn] го́лень

shindy ['ʃɪndɪ] *разг.* шум; суматóха; скандáл; дрáка

shine [ʃaɪn] **1.** *n* 1) сия́ние; свет *(солнечный, лунный)* 2) блеск, гля́нец, лоск **2.** *v* (shone) 1) светúть 2) сия́ть; сверкáть 3) полировáть, придавáть блеск; чúстить *(обувь)*

shingle I ['ʃɪŋgl] *стр.* дрáнка

shingle II стрúчь

shingle III гáлька

shingles ['ʃɪŋglz] *pl мед.* опоя́сывающий лишáй

shining ['ʃaɪnɪŋ] 1) сия́ющий 2) блестя́щий

shiny ['ʃaɪnɪ] блестя́щий

ship ['ʃɪp] **1.** *n* 1) корáбль, сýдно 2) *амер.* самолёт **2.** *v* 1) перевозúть *(груз)* 2) грузúть, производúть посáдку, погрýзку *(на корабль)* ◇ ~ water зачерпнýть вóду *(при качке)*; **~building** [-,bɪldɪŋ] кораблестроéние; **~mate** [-meɪt] товáрищ по плáванию

shipment ['ʃɪpmənt] 1) груз 2) погрýзка

shipping ['ʃɪpɪŋ] 1) (торгóвый) флот 2) погрýзка, перевóзка грýзов

shipshape ['ʃɪpʃeɪp] *predic* в пóлном порядке

ship||wreck ['ʃɪprek] **1.** *n* (кораблe)крушéние **2.** *v* потерпéть (кораблe)крушéние; **~-wright** [-raɪt] кораблестрóитель; **~yard** [-jɑ:d] вéрфь

shire ['ʃaɪə] грáфство *(административно - территориальная единица в Англии)*

shirk ['ʃə:k] увúливать, уклоня́ться *(от работы, обязанностей)*; **~er** человéк, уклоня́ющийся от рабóты

shirt ['ʃə:t] мужскáя рубáшка; блýза; **~ing** матéрия для мужскúх рубáшек

shirt-sleeves ['ʃə:tsli:vz]: in one's ~ в рубáшке *(без пиджака)*

shirty ['ʃə:tɪ] *разг.* раздражúтельный

shiver I ['ʃɪvə] **1.** *n* дрожь, трéпет, содрогáние; it gives me the ~s это вызывáет у меня́ дрожь **2.** *v* дрожáть, трястúсь

shiver II **1.** *n (обыкн. pl)* оскóлки; облóмки **2.** *v* 1) разбивáть вдрéбезги 2) разбивáться вдрéбезги

shivery ['ʃɪvərɪ] дрожáщий, трепéщущий

shoal I [ʃoul] **1.** *n* кося́к, стáя *(рыб)* ◇ ~s of people мáсса людéй **2.** *v* собирáться стáями *(о рыбах)*

shoal II **1.** *n* мель; *pl перен. книжн.* скрытые опáсности *или* трýдности **2.** *a*: ~ water мелковóдье **3.** *v* мелéть

shock I [ʃɔk] **1.** *n с.-х.* копнá **2.** *v* стáвить в кóпны

shock II копнá волóс, всклокóченные вóлосы

shock III ['ʃɔk] **1.** *n* 1) удáр; толчóк 2) потрясéние 3) *мед.* шок **2.** *v* 1) потрясáть 2) шокúровать, возмущáть; **~ing** **1.** *a* потрясáющий, скандáльный, ужáсный **2.** *adv разг.* óчень

shod [ʃɔd] *past и p. p. от* shoe 2

shoddy ['ʃɔdɪ] дряннóй

shoe ['ʃu:] **1.** *n* 1) башмáк, тýфля 2) подкóва **2.** *v* (shod) 1) *(обыкн. pass)* обувáть; well shod в прóчной óбуви 2) подкóвывать *(лошадь)*; **~black**

[-blæk] чистильщик сапо́г; **~-horn** [-hɔ:n] рожо́к *(для обуви)*; **~-lace** [-leɪs] шнуро́к для боти́нок; **~maker** [-ˌmeɪkə] сапо́жник

shone [ʃɔn] *past и p. p. от* shine 2

shoo [ʃu:] вспу́гивать, прогоня́ть *(птиц)*

shook [ʃuk] *past от* shake 2

shoot [ˈʃu:t] **1.** *v* (shot) 1) стреля́ть; расстре́ливать 2) пронести́сь, промча́ться, промелькну́ть 3) распуска́ться, пуска́ть ростки́ 4) *разг.* фотографи́ровать; снима́ть фильм 5) *спорт.* бить *(или* ударя́ть) по мячу́ **2.** *n* 1) росто́к; побе́г 2) накло́нный сток, жёлоб 3) состяза́ние в стрельбе́; **~ing** 1) стрельба́ 2) охо́та 3) пра́во охо́ты

shooting-gallery [ˈʃu:tɪŋˈgæl**ə**rɪ] кры́тый тир

shooting-range [ˈʃu:tɪŋreɪndʒ] тир

shooting-star [ˈʃu:tɪŋstɑ:] па́дающая звезда́

shop [ˈʃɔp] **1.** *n* 1) магази́н; ла́вка 2) мастерска́я, цех 3) *attr.*: ~ assistant продаве́ц; ~ window витри́на ◇ all over the ~ в беспоря́дке; talk ~ говори́ть в о́бществе о свои́х служе́бных дела́х **2.** *v* покупа́ть, де́лать поку́пки; **~keeper** [-ˌki:pə] ла́вочник; **~-steward** [-ˌstjuəd] цехово́й ста́роста

shore I [ʃɔ:] бе́рег

shore II *past от* shear 1

shore III **1.** *n* подпо́рка **2.** *v*: ~ **up** подпира́ть

shoreward [ˈʃɔ:wəd] по направле́нию к бе́регу

shorn [ʃɔ:n] *p. p. от* shear 1

short [ʃɔ:t] **1.** *a* 1) коро́ткий; кра́ткий 2) ни́зкий *(о росте)* 3) ску́дный; недоста́точный; ~ of breath запыха́вшийся; ~ weight непо́лный вес, недове́с; fall ~ а) не хвата́ть; б) обману́ть ожида́ния; we are ~ of supplies запа́сов у нас недоста́точно 4) гру́бый, ре́зкий *(об ответе, речи и т. п.)*; he was very ~ with me он был со мной ре́зок ◇ nothing ~ of не ме́нее чем; his action is nothing ~ of criminal его́ посту́пок — про́сто преступле́ние **2.** *adv* ре́зко, кру́то; внеза́пно; cut ~ оборва́ть, пресе́чь; stop ~ внеза́пно останови́ться ◇ fall ~ of expectations не оправда́ть наде́жд; go *(или* be) ~ of не хвата́ть *(чего-л.)* **3.** *n* 1) *грам.* кра́ткий гла́сный *или* слог 2) *pl* трусы́; шо́рты 3) *эл.* коро́ткое замыка́ние ◇ in ~ вкра́тце, ко́ротко говоря́

shortage [ˈʃɔ:tɪdʒ] нехва́тка, недоста́ток

shortbread [ˈʃɔ:tbred] песо́чное пече́нье

short-circuit [ˈʃɔ:tˈsə:kɪt] *эл.* коро́ткое замыка́ние

shortcoming [ʃɔ:tˈkʌmɪŋ] *(обыкн. pl)* недоста́ток, дефе́кт

shorten [ˈʃɔ:tn] 1) укора́чивать 2) укора́чиваться

shorthand [ˈʃɔ:thænd] стеногра́фия

short-lived [ˈʃɔ:tˈlɪvd] недолгове́чный, мимолётный

shortly [ˈʃɔ:tlɪ] 1) вско́ре 2) вкра́тце 3) отры́висто, ре́зко

short-sighted [ˈʃɔ:tˈsaɪtɪd] близору́кий; *перен.* недальнови́дный

short-tempered [ˈʃɔ:tˈtempəd] вспы́льчивый

shot I [ʃɔt] *past и p. p. от* shoot 1

shot II **1.** *n* 1) вы́стрел; good ~ ме́ткий вы́стрел 2) попы́тка; have a ~ at smth. пыта́ться сде́лать что-л. 3) стрело́к; first-class ~ первокла́ссный стрело́к 4) ядро́, пу́ля; дробь 5) *кино* кадр 6) *разг.* впры́скивание ◇ big ~ ва́жная ши́шка **2.** *v* заряжа́ть

should [ʃud *(полная форма)*, ʃəd *(редуцированная форма)*] 1) *вспомогат. гл., образующий 1 л. ед. и мн. ч.*: а) *будущее в прошедшем*: I (we) told them I (we) ~ be able to come я (мы) сказа́л (сказа́ли), что смогу́ (смо́жем) прийти́; б) *условное накл.*: if I knew them I ~ speak to them е́сли бы я их знал, я бы с ни́ми поговори́л; if we had known him then we ~ have spoken to him е́сли бы мы его́ тогда́ зна́ли, мы бы с ним поговори́ли; I ~ like to go there я бы хоте́л пойти́ туда́ 2) *предположительное накл. (для всех лиц)*: I suggest that he ~ go there я предлага́ю, что́бы он пое́хал туда́ 3) до́лжен бы, должна́ бы, должно́ бы *и т. д.*: you ~ be more attentive вы должны́ бы (вам бы сле́довало) быть бо́лее внима́тельным; he ~ have consulted a doctor ему́ сле́довало бы посове́товаться с врачо́м ◇ why ~ I do this? заче́м бы я стал э́то де́лать?; whom ~ I meet there but John himself? кого́ же (ты ду́маешь) я встре́тил там, как не самого́ Джо́на!; he ~ be at home now он до́лжен бы быть сейча́с до́ма

shoulder [ˈʃouldə] **1.** *n* плечо́; лопа́тка ◇ straight from the ~ пря́мо, без обиняко́в **2.** *v* 1) взва́ливать на́ спину *(или* на плечи́); *перен.* брать на себя́ *(ответственность, работу)* 2) прота́лкиваться; **~-blade** [-bleɪd] *анат.* лопа́тка; **~-strap** [-stræp] *воен.* пого́н

shout [ʃaut] **1.** *n* крик **2.** *v* крича́ть

shove [ʃʌv] 1) толка́ть 2) сова́ть, впи́хивать

shovel [ˈʃʌvl] лопа́та; сово́к

show [ʃou] **1.** *n* 1) пока́з 2) вы́ставка 3) вне́шний вид, ви́димость 4) спекта́кль ◇ vote by ~ of hand голосова́ть подня́тием руки́ **2.** *v* (showed; showed, shown) 1) пока́зывать, демонстри́ровать; ~ one's teeth оска́лить зу́бы, зарыча́ть 2) проявля́ть *(чувства)*; he ~ed me great kindness он прояви́л ко мне большо́е уча́стие 3) провожа́ть 4) пока́зываться, появля́ться; ~ **in** вводи́ть, провести́ *(в помещение)*; ~ **off** пуска́ть пыль в глаза́; рисова́ться; ~ **round** пока́зывать *(город, музей, дом и т. п.)*; ~ **up** а) изоблича́ть, разоблача́ть; б) приходи́ть; has my friend shown up yet? мой друг уже́ пришёл?; he never ~ed up at the theatre он так и не яви́лся в теа́тр

shower [ˈʃauə] **1.** *n* 1) ли́вень 2) град *(пуль, вопросов и т. п.)* **2.** *v* 1) ли́ться ли́внем 2) засыпáть *(камнями, вопросами и т.п.)*; **~-bath** [-bɑ:θ] душ

shown [ʃoun] *p. p. от* show 2

show-window [ˈʃouˈwɪndou] витрúна

showy [ˈʃouɪ] 1) я́ркий; эффéктный 2) *(обыкн. презр.)* кричáщий

shrank [ʃræŋk] *past от* shrink

shred [ʃred] **1.** *n* лоскутóк, тря́пка; клочóк; tear (in)to ~s разорвáть в клочкú ◇ not a ~ of evidence ни малéйших улúк **2.** *v* (shred, shredded) рвать, кромсáть

shrew [ʃru:] 1) сварлúвая жéнщина 2) *зоол.* землерóйка

shrewd [ʃru:d] 1) проницáтельный *(о человеке)* 2) удáчный *(об ответе и т. п.)* 3) пронзúтельный, рéзкий *(о ветре)*

shrewish [ˈʃru:ɪʃ] сварлúвый

shriek [ʃri:k] **1.** *n* пронзúтельный крик **2.** *v* пронзúтельно кричáть

shrill [ʃrɪl] **1.** *a* рéзкий, пронзúтельный **2.** *v* пронзúтельно кричáть, визжáть; выть *(тж. перен.)*

shrimp [ʃrɪmp] кревéтка; *перен. шутл.* козя́вка

shrine [ʃraɪn] придорóжный крест, часóвня

shrink [ˈʃrɪŋk] (shrank, shrunk; shrunk, shrunken) 1) сжимáться; садúться *(о материи)*; смóрщиваться 2) отпря́нуть; отступáть; ~ from society избегáть óбщества; **~age** [-ɪdʒ] сокращéние, сжáтие

shrivel [ˈʃrɪvl] съёживаться, ссыхáться

shroud [ʃraud] **1.** *n* 1) сáван 2) покрóв 3) *тех.* кожу́х 4) *pl* *мор.* вáнты **2.** *v* 1) завёртывать в сáван 2) скрывáть, укрывáть

Shrovetide [ˈʃrouvtaɪd] мáсленица

shrub [ˈʃrʌb] куст; кустáрник; **~bery** [-ərɪ] зáросли кустáрника

shrug [ʃrʌg]: ~ one's shoulders пожимáть плечáми

shrunk [ʃrʌŋk] *past и p. p. от* shrink

shrunken [ˈʃrʌŋk(ə)n] *p. p. от* shrink

shudder [ˈʃʌdə] **1.** *n* дрожь; содрогáние **2.** *v* вздрáгивать; содрогáться

shuffle [ˈʃʌfl] **1.** *n* 1) шáрканье 2) тасовáние *(карт)* 3) перемещéние 4) улóвка **2.** *v* 1) волочúть нóги 2) подтасóвывать фáкты; виля́ть, хитрúть 3) перемéшивать, перемещáть 4) тасовáть *(карты)*

shun [ʃʌn] избегáть, остерегáться

shunt [ʃʌnt] **1.** *v ж.-д.* переводúть на запáсный путь; *перен., разг.* отклáдывать, класть под сукнó **2.** *n* 1) *ж.-д.* перевóд на запáсный путь 2) *эл.* шунт

shut [ʃʌt] (shut) 1) закрывáть, затворя́ть 2) закрывáться, затворя́ться; ~ **down** а) закрывáть; б) прекращáть рабóту *(на фабрике и т. п.)*; ~ **in** запирáть; ~ **off** выключáть *(воду, ток)*; ~ **out** не допускáть ◇ ~ up! *разг.* (за)молчú!

shutter [ˈʃʌtə] стáвень

shy [ʃaɪ] **1.** *a* рóбкий, застéнчивый **2.** *v* бросáться в стóрону *(о лошади)*

sibilant [ˈsɪbɪlənt] шипя́щий, свистя́щий *(звук)*

sick ['sɪk] 1) *predic*: feel ~ чу́вствовать тошноту́ 2) больно́й; fall ~ заболе́ть 3) *разг.* пресы́щенный, уста́вший *(от чего-л.)*; I am ~ and tired of it мне э́то до́ смерти надое́ло ◇ ~ at *разг.* огорчённый; ~ for тоску́ющий о, по; **~-bed** [-bed] посте́ль больно́го

sicken ['sɪkn] 1) заболе́ть 2) вызыва́ть отвраще́ние 3) чу́вствовать отвраще́ние

sickle ['sɪkl] серп

sick||-leave ['sɪk'li:v] о́тпуск по боле́зни; **~list** [-lɪst] больни́чный лист

sick||ly ['sɪklɪ] 1) боле́зненный; сла́бого здоро́вья 2) тошнотво́рный; **~ness** 1) боле́знь 2) тошнота́

side [saɪd] **1.** *n* 1) сторона́; бок; ~ by ~ ря́дом; on the ~ of the box на я́щике сбо́ку 2) край; склон *(горы́)* 3) ли́ния *(родства)* ◇ work on the ~ подраба́тывать на стороне́; take ~s стать на чью-л. сто́рону; ~ issues второстепе́нные вопро́сы **2.** *v* *(with)* примкну́ть *(к кому-л.)*, быть на стороне́ *(кого-л.)*

sideboard ['saɪdbɔ:d] буфе́т

side-car ['saɪdkɑ:] коля́ска мотоци́кла

side-line ['saɪdlaɪn] побо́чная рабо́та

sidelong ['saɪdlɔŋ] **1.** *a* 1) боково́й 2) косо́й **2.** *adv* вкось

side-saddle ['saɪd,sædl] да́мское седло́

side-slip ['saɪdslɪp] 1) скользи́ть вбок 2) *ав.* скользи́ть на крыло́

side-track ['saɪdtræk] **1.** *n* *ж.-д.* запа́сный путь **2.** *v* *ж.-д.* переводи́ть на запа́сный путь; *перен.* перевести́ разгово́р на другу́ю те́му

side-view ['saɪdvju:] про́филь; вид сбо́ку

side-walk ['saɪdwɔ:k] *амер.* тротуа́р

side||ward(s), ~ways ['saɪdwəd(z), -weɪz] 1) в сто́рону; вбок 2) ко́свенно

siding ['saɪdɪŋ] *ж.-д.* запа́сный путь

sidle ['saɪdl] (под)ходи́ть бочко́м

siege ['si:dʒ] оса́да; lay ~ *(to)* осади́ть; stand a ~ вы́держать оса́ду; **~-gun** [-gʌn] *ист.* оса́дное ору́дие

sienna [sɪ'enə] сие́на *(краска)*

sieve [sɪv] **1.** *n* решето́; си́то; a memory like a ~ ≅ голова́ как решето́ **2.** *v* просе́ивать

sift [sɪft] 1) просе́ивать; отсе́ивать 2) тща́тельно иссле́довать, проверя́ть *(факты, данные)*

sigh [saɪ] **1.** *n* вздох **2.** *v* 1) вздыха́ть 2) тоскова́ть *(for)*

sight ['saɪt] **1.** *n* 1) зре́ние; по́ле зре́ния; catch ~ *(of)* уви́деть; lose ~ *(of)* потеря́ть и́з виду; забы́ть, упусти́ть и́з виду; in ~ в по́ле зре́ния 2) вид, зре́лище 3) *pl* достоприме́чательности; see the ~s *(of)* осмотре́ть достопримеча́тельности *(города и т. п.)* 4) прице́л 5) *разг.* мно́жество ◇ shoot at *(или* on) ~ стреля́ть без предупрежде́ния **2.** *v* 1) уви́деть, заме́тить 2) наблюда́ть *(за звёздами)* 3) наводи́ть *(ору-*

дие); ~**less** слепо́й; ~**ly** кра-си́вый, прия́тный на вид; ви́дный

sightseeing ['saɪtˌsiːɪŋ]: go ~ осма́тривать достопримеча́тельности

sign [saɪn] **1.** *n* 1) при́знак; си́мвол 2) знак 3) вы́веска; указа́тель **2.** *v* 1) подпи́сывать; ~ a contract подписа́ть контра́кт 2) подпи́сываться 3) ста́вить знак 4) де́лать знак *(рукой)*; ~ **away**, ~ **over** передава́ть *(права и т. п.)*; ~ **up** запи́сываться доброво́льцем *(в армию)*

signal ['sɪgnl] **1.** *n* сигна́л; знак **2.** *a* выдаю́щийся, замеча́тельный **3.** *v* сигнализи́ровать, дава́ть сигна́л; ~**-book** [-buk] код, сигна́льная кни́га; ~**-box** [-bɔks] *ж.-д.* сигна́льная бу́дка

signalize ['sɪgnəlaɪz] отмеча́ть, прославля́ть

signalman ['sɪgnlmən] сигна́льщик

signatory ['sɪgnət(ə)rɪ] **1.** *n* сторона́, подписа́вшая догово́р **2.** *a* подписа́вший *(договор)*

signature ['sɪgnɪtʃə] по́дпись

signboard ['saɪnbɔːd] вы́веска

signet ['sɪgnɪt] печа́ть, печа́тка

signific||ance [sɪg'nɪfɪkəns] 1) значе́ние; смысл 2) (много)значи́тельность; ~**ant** [-ənt] ва́жный; многозначи́тельный; ~**ation** [ˌsɪgnɪfɪ'keɪʃ(ə)n] смысл, значе́ние

signify ['sɪgnɪfaɪ] 1) выража́ть 2) зна́чить, означа́ть; име́ть значе́ние

signpost ['saɪnpoust] указа́тельный столб

silage ['saɪlɪdʒ] си́лос

silence ['saɪləns] **1.** *n* тишина́; молча́ние; break ~ наруша́ть тишину́ *(или* молча́ние) **2.** *v* 1) заставля́ть молча́ть; успока́ивать 2) заглуша́ть

silencer ['saɪlənsə] *тех.* глуши́тель

silent ['saɪlənt] 1) безмо́лвный; ти́хий 2) молчали́вый

silhouette [ˌsɪlu:'et] силуэ́т

silica ['sɪlɪkə] кремнезём

silk ['sɪlk] 1) шёлк 2) шёлковая мате́рия; ~**en** [-(ə)n] шелкови́стый

silk-mill ['sɪlkmɪl] шёлкопряди́льная фа́брика

silkworm ['sɪlkwəːm] шелкови́чный червь

silky ['sɪlkɪ] шелкови́стый, мя́гкий

sill [sɪl] подоко́нник

silly ['sɪlɪ] 1) глу́пый 2) слабоу́мный

silo ['saɪlou] си́лосная я́ма *или* ба́шня

silt [sɪlt] ил; оса́док

silvan ['sɪlvən] *см.* sylvan

silver ['sɪlvə] **1.** *n* серебро́ **2.** *a* 1) сере́бряный 2) серебри́стый *(тж. перен.—о звуке)*; ~ fox черно-бу́рая лиси́ца ◇ be born with a ~ spoon in one's mouth ≅ роди́ться в руба́шке **3.** *v* 1) серебри́ть; покрыва́ть рту́тью 2) серебри́ться; ~**smith** [-smɪθ] сере́бряных дел ма́стер; ~**ware** [-wɛə] сере́бряные изде́лия

silvery ['sɪlv(ə)rɪ] 1) серебри́стый 2) чи́стый, я́сный *(о звуке)*; мелоди́чный

simi||lar ['sɪmɪlə] похо́жий *(на)*, схо́дный *(с)*; ~ expressions одина́ковые выраже́ния; ~ to smth. подо́бный чему́-л.; **~larity** [ˌsɪmɪ'lærɪtɪ] схо́дство; **~litude** [sɪ'mɪlɪtju:d] подо́бие

simmer ['sɪmə] 1) закипа́ть 2): ~ with laughter (rage) е́ле сде́рживать смех (гнев); ~ **down** *перен.* успока́иваться, остыва́ть

simper ['sɪmpə] **1.** *n* глу́пая *или* самодово́льная улы́бка; ухмы́лка **2.** *v* глу́по *или* самодово́льно улыба́ться; ухмыля́ться

simple ['sɪmpl] 1) просто́й, нело́жный; неразложи́мый на ча́сти; ~ equation *мат.* уравне́ние пе́рвой сте́пени; ~ fraction *мат.* пра́вильная дробь; ~ interest просты́е проце́нты; ~ quantity однозна́чное число́; ~ sentence *грам.* просто́е предложе́ние 2) глупова́тый ◇ ~ facts го́лые фа́кты; **~-hearted, ~-minded** [-'hɑ:tɪd, -'maɪndɪd] простоду́шный

simpleton ['sɪmplt(ə)n] проста́к

simplicity [sɪm'plɪsɪtɪ] 1) простота́ 2) простоду́шие

simplify ['sɪmplɪfaɪ] упроща́ть

simply ['sɪmplɪ] 1) про́сто, несло́жно 2) скро́мно 3) простоду́шно; и́скренне 4) про́сто, пря́мо-таки

simula||te ['sɪmjuleɪt] симули́ровать; **~tion** [ˌsɪmju'leɪʃ(ə)n] симуля́ция

simultane||ity [ˌsɪm(ə)ltə'nɪətɪ] одновре́менность; **~ous** [-'teɪnjəs] одновре́менный

sin [sɪn] **1.** *n* грех **2.** *v* греши́ть

since [sɪns] **1.** *prep* с; I have not seen him ~ 1960 я не ви́дел его́ с 1960 го́да **2.** *cj* 1) с тех пор как; where have you been ~ I saw you last? где вы бы́ли с тех пор, как я ви́дел вас в после́дний раз? 2) так как, поско́льку; ~ that is so, there is no more to be said раз так, то не́ о чем бо́льше говори́ть **3.** *adv* с тех пор; I have not seen her ~ я её не ви́дел с тех пор

sincer||e [sɪn'sɪə] и́скренний; **~ity** [-'serɪtɪ] и́скренность

sine [saɪn] *мат.* си́нус

sinew ['sɪnju:] 1) сухожи́лие 2) *pl* мускулату́ра; физи́ческая си́ла; **~y** [-ɪ] му́скулистый

sinful ['sɪnful] гре́шный

sing [sɪŋ] (sang; sung) петь; *поэт.* воспева́ть; ~ **out** крича́ть ◇ ~ another song перемени́ть тон; ~ small сба́вить тон

singe [sɪndʒ] опали́ть *(птицу и т. п.)*

singer ['sɪŋə] пев́ец; певи́ца

single ['sɪŋgl] **1.** *a* 1) еди́нственный, оди́н 2) отде́льный, обосо́бленный 3) одино́кий, холосто́й; незаму́жняя ◇ a ~ room ко́мната на одного́ **2.** *v* отбира́ть, выбира́ть (*тж.* ~ out); **~-breasted** [-'brestɪd] однобо́ртный; **~-seater** [-ˌsi:tə] одноме́стный автомоби́ль *или* самолёт

singlet ['sɪŋglɪt] фуфа́йка

singsong ['sɪŋsɔŋ] 1) импровизи́рованный конце́рт 2) *attr.*: a ~ voice моното́нный го́лос

singular ['sɪŋgjulə] **1.** *a* 1) стра́нный, необы́чный, своеобра́зный 2) исключи́тельный, необыкнове́нный 3) *грам.* еди́нственный **2.** *n грам.* еди́нственное число́; **~ity** [ˌsɪŋgju'lærɪtɪ] 1) стра́нность; осо́бенность; своеобра́зие 2) специфи́чность

sinister ['sɪnɪstə] дурно́й; злове́щий

sink I [sɪŋk] ра́ковина *(кухонная)*

sink II ['sɪŋk] (sank; sunk, sunken) 1) тону́ть, утопа́ть 2) погружа́ть; опуска́ть 3) погружа́ться; опуска́ться, оседа́ть 4) запада́ть *(о щеках, глазах)* 5): he was ~ing fast он бы́стро угаса́л ◇ I hope these words sank into your mind наде́юсь, что э́ти слова́ вы твёрдо запо́мнили; **~er** грузи́ло; **~ing** погруже́ние

sinking-fund ['sɪŋkɪŋ'fʌnd] *эк.* амортизацио́нный фонд

sinless ['sɪnlɪs] безгре́шный

sinner ['sɪnə] гре́шник

sinuous ['sɪnjuəs] изви́листый

sip [sɪp] **1.** *n* ма́ленький глото́к **2.** *v* пить ма́ленькими глотка́ми; потя́гивать

siphon ['saɪf(ə)n] сифо́н

sir [sə:] сэр, су́дарь, господи́н

sirloin ['sə:lɔɪn] филе́йная часть *(туши)*

siskin ['sɪskɪn] чиж

sissy ['sɪsɪ] *презр.* не́женка

sister ['sɪstə] сестра́; **~-in-law** ['sɪst(ə)rɪnlɔ:] (*pl* sisters-in-law) неве́стка *(жена брата)*; золо́вка *(сестра мужа)*; своя́ченица *(сестра жены)*

sisterly ['sɪstəlɪ] се́стринский

sit [sɪt] (sat) 1) сиде́ть 2) пози́ровать *(for)* 3) представля́ть в парла́менте *(округ, партию)* 4) заседа́ть *(о суде)*; **~ down** сади́ться; **~ out** а) досиде́ть до конца́; б) сиде́ть и не танцева́ть; **~ up** а) сиде́ть *(в постели)*; б) не ложи́ться спать; we sat up all night talking мы всю ночь проговори́ли

site [saɪt] 1) ме́сто, уча́сток; building ~ строи́тельная площа́дка 2) местоположе́ние, местонахожде́ние

sitter-in ['sɪtər'ɪn] приходя́щая ня́ня

sitting ['sɪtɪŋ] 1) заседа́ние 2) сеа́нс ◇ at a ~ в оди́н присе́ст; **~-room** [-rum] гости́ная

situated ['sɪtjueɪtɪd] располо́женный

situation [ˌsɪtju'eɪʃ(ə)n] 1) местоположе́ние, ме́сто 2) положе́ние, ситуа́ция 3) рабо́та, до́лжность

six ['sɪks] шесть ◇ at ~es and sevens в беспоря́дке, вверх дном; **~fold** [-fould] **1.** *a* шестикра́тный **2.** *adv* вше́стеро; **~-shooter** [-'ʃu:tə] *разг.* шестизаря́дный револьве́р

six||teen ['sɪks'ti:n] шестна́дцать; **~teenth** [-'ti:nθ] шестна́дцатый; **~th** [-θ] шесто́й; **~tieth** [-tɪɪθ] шестидеся́тый; **~ty** 1) шестьдеся́т 2): the ~ties шестидеся́тые го́ды

sizable ['saɪzəbl] значи́тельных разме́ров

size [saɪz] 1) разме́р, величина́; объём 2) форма́т

sizzle ['sɪzl] **1.** *n* шипе́ние **2.** *v* шипе́ть

skate I [skeɪt] скат *(рыба)*

skat||e II ['skeɪt] **1.** *n* конёк **2.** *v* ката́ться на конька́х ◇ ~ over thin ice делика́тно каса́ться щекотли́вой те́мы; **~er** конькобе́жец

skating-rink [ˈskeɪtɪŋrɪŋk] като́к

skein [skeɪn] мото́к

skeleton [ˈskelɪtn] 1) скеле́т, о́стов; карка́с 2) набро́сок, план ◇ ~ key отмы́чка; family ~ семе́йная та́йна

sketch [ˈsketʃ] **1.** *n* 1) эски́з, набро́сок 2) скетч **2.** *v* де́лать набро́сок, эски́з; **~-book** [-buk] альбо́м для зарисо́вок

sketchy [ˈsketʃɪ] 1) эски́зный; кра́ткий, схемати́чный 2) пове́рхностный; отры́вочный

skew [skju:] 1) косо́й 2) асимметри́чный

skewbald [ˈskju:bɔ:ld] пе́гий

skewer [skjuə] **1.** *n* ве́ртел **2.** *v* наса́живать на ве́ртел

skew-eyed [ˈskju:ˈaɪd] косогла́зый

ski [ski:] **1.** *n* лы́жа **2.** *v* (ski'd) ходи́ть на лы́жах

skid [skɪd] *тех.* **1.** *n* 1) тормозно́й башма́к 2) скольже́ние колёс **2.** *v* скользи́ть; буксова́ть

ski'd [ski:d] *past и p. p. от* ski 2

skier [ˈski:ə] лы́жник

skiff [skɪf] я́лик

skilful [ˈskɪlful] иску́сный, уме́лый

skill [skɪl] мастерство́, иску́сство; сноро́вка; **~ed** [-d] о́пытный; квалифици́рованный

skim [ˈskɪm] **1.** *v* 1) снима́ть *(сливки, пенки)* 2) скользи́ть по пове́рхности (*тж.* ~ through) 3) бе́гло прочи́тывать **2.** *a*: ~ milk снято́е молоко́; **~mer** шумо́вка

skimp [ˈskɪmp] 1) ску́дно снабжа́ть 2) эконо́мить; **~y** [-ɪ] 1) ску́дный, недоста́точный 2) скупо́й

skin [skɪn] **1.** *n* 1) ко́жа; шку́ра 2) мех *(для вина)* 3) кожура́; baked potatoes in their ~s карто́фель в мунди́ре ◇ have a thin ~ быть оби́дчивым **2.** *v* сдира́ть *(кожу, шкуру, кожуру; тж. перен.)*; ~ **over** покрыва́ться ко́жицей; зарубцо́вываться *(о ране)*

skin-deep [ˈskɪnˈdi:p] пове́рхностный

skinflint [ˈskɪnflɪnt] скупе́ц, скря́га

skin-grafting [ˈskɪnˌgrɑ:ftɪŋ] *мед.* переса́дка ко́жи

skinner [ˈskɪnə] скорня́к

skinny [ˈskɪnɪ] худо́й, то́щий

skip [skɪp] **1.** *n* прыжо́к, скачо́к **2.** *v* пры́гать, скака́ть; *перен.* перека́кивать *(с одной темы на другую и т. п.)*

skipper [ˈskɪpə] шки́пер, капита́н *(торгового судна)*

skirmish [ˈskə:mɪʃ] **1.** *n* схва́тка, сты́чка; перестре́лка **2.** *v* сража́ться ме́лкими отря́дами

skirt [skə:t] **1.** *n* 1) ю́бка 2) пола́ *(платья)* 3) *(обыкн. pl)* край, окра́ина **2.** *v* быть располо́женным, идти́ по кра́ю; окружа́ть, окаймля́ть; ~ **along** идти́ *(вдоль берега, стены и т. п.)*

skirting(-board) [ˈskə:tɪŋbɔ:d] пли́нтус

skit [ˈskɪt] шу́тка; паро́дия; **~tish** 1) игри́вый, ре́звый; весёлый 2) норови́стый *(о лошади)*

skittles [ˈskɪtlz] *pl* ке́гли

skulk [skʌlk] 1) таи́ться, скрыва́ться; отлы́нивать от рабо́ты 2) кра́сться

skull ['skʌl] че́реп; **~-cap** [-kæp] ермо́лка; тюбете́йка

skunk [skʌŋk] 1) *зоол.* ску́нс, воню́чка 2) ску́нсовый мех 3) *разг.* подле́ц, дрянь *(о человеке)*

sky ['skaı] не́бо, небеса́; praise to the skies превознoси́ть до небе́с; **~-blue** [-'blu:] лазу́рный; **~-high** [-'haı] до небе́с, о́чень высоко́; **~lark** [-lɑ:k] **1.** *n* жа́воронок **2.** *v* забавля́ться, прока́зничать; **~light** [-laıt] светово́й люк; **~-scraper** [-ˌskreıpə] небоскрёб

skyward(s) ['skaıwəd(z)] (напра́вленный) к не́бу

slab [slæb] плита́, пласти́на

slack I [slæk] у́гольная пыль

slack II **1.** *a* 1) *разг.* расхля́банный 2) ненатя́нутый *(о канате)* 3) вя́лый 4) сла́бый ◇ ~ water вре́мя ме́жду прили́вом и отли́вом **2.** *v* распуска́ться; ло́дырничать; **~ up** замедля́ть ско́рость

slack||**en** ['slæk(ə)n] 1) ослабля́ть, развя́зывать, отпуска́ть 2) замедля́ть *(скорость)*; **~er** ло́дырь, прогу́льщик

slacks [slæks] *pl* широ́кие брю́ки; да́мские брю́ки

slag [slæg] шлак

slain [sleın] *p. p. от* slay

slake [sleık] утоля́ть *(жажду)*

slalom ['sleılәm] *спорт.* сла́лом

slam [slæm] **1.** *v* 1) хло́пать 2) захло́пнуть **2.** *n* хло́панье *(дверями)*

slander ['slɑ:ndə] **1.** *n* клевета́; спле́тня **2.** *v* клевета́ть, злосло́вить; **~ous** [-rəs] клеветни́ческий

slang ['slæŋ] сленг; жарго́н; **~y** [-ı] жарго́нный

slant ['slɑ:nt] **1.** *n* укло́н; накло́н **2.** *v* 1) наклоня́ть; отклоня́ть 2) наклоня́ться; отклоня́ться; **~ing** накло́нный; косо́й; **~wise** [-waız] ко́со

slap ['slæp] **1.** *n* шлепо́к; ~ in the face пощёчина **2.** *v* шлёпать, хло́пать **3.** *adv разг.* вдруг; пря́мо

slash ['slæʃ] **1.** *n* 1) уда́р сплеча́ 2) разре́з 3) вы́рубка **2.** *v* 1) руби́ть *(саблей)*; полосова́ть; хлеста́ть 2) де́лать разре́з; **~ing**: ~ing criticism ре́зкая кри́тика

slat [slæt] перекла́дина, пла́нка

slate I [sleıt] *разг.* раскритикова́ть

slate II ['sleıt] **1.** *n* 1) сла́нец; ши́фер 2) гри́фельная доска́ 3) *амер.* спи́сок кандида́тов **2.** *v* крыть ши́фером *(крышу)*; **~-pencil** [-'pensl] гри́фель

slattern ['slætə:n] неря́ха; **~ly** неря́шливый

slaughter ['slɔ:tə] **1.** *n* 1) забо́й, убо́й *(скота)* 2) кровопроли́тие, резня́ **2.** *v* убива́ть; ре́зать; **~-house** [-haus] бо́йня

Slav [slɑ:v] **1.** *a* славя́нский **2.** *n* славяни́н; славя́нка

slave ['sleıv] 1) раб, нево́льник 2) *attr.* ра́бский; **~-driver** [-ˌdraıvə] надсмо́трщик над нево́льниками; *перен.* эксплуата́тор

slaver I ['sleıvə] **1.** *n* слюна́ **2.** *v* пуска́ть слюну́

slaver II ['sleıvə] 1) работорго́вец 2) нево́льничье су́дно; **~y** [-rı] 1) ра́бство 2) тяжёлая *или* пло́хо опла́чиваемая рабо́та

slavish [ˈsleɪvɪʃ] ра́бский

slaw [slɔ:] *амер.* сала́т из шинко́ванной капу́сты (*тж.* cold ~)

slay [sleɪ] (slew; slain) убива́ть

sleazy [ˈsli:zɪ] *разг.* неря́шливый

sled [sled] *см.* sledge I

sledge I [sledʒ] **1.** *n* са́ни *мн.*, сала́зки *мн.* **2.** *v* ката́ться на саня́х

sledge II [ˈsledʒ] кузне́чный мо́лот; **~-hammer** [-ˌhæmə] *см.* sledge II

sleek [sli:k] **1.** *a* гла́дкий; лосня́щийся; прили́занный **2.** *v* пригла́живать, прили́зывать

sleep [sli:p] **1.** *n* сон; deep ~ глубо́кий сон; sound ~ кре́пкий сон; go to ~ засыпа́ть; get enough ~ вы́спаться **2.** *v* (slept) спать, засну́ть; ~ oneself out вы́спаться; ~ the clock round проспа́ть це́лые су́тки; ~ **away** проспа́ть *(что-л.)*

sleeper [ˈsli:pə] 1) спя́щий 2) *ж.-д.* шпа́ла

sleeping-bag [ˈsli:pɪŋbæg] спа́льный мешо́к

sleeping-car [ˈsli:pɪŋkɑ:] спа́льный ваго́н

sleeping-draught [ˈsli:pɪŋdrɑ:ft] снотво́рное (сре́дство)

sleeping-sickness [ˈsli:pɪŋˌsɪknɪs] *мед.* со́нная боле́знь

sleepless [ˈsli:plɪs] бессо́нный

sleep-walker [ˈsli:pˌwɔ:kə] луна́тик

sleepy [ˈsli:pɪ] со́нный; сонли́вый

sleet [ˈsli:t] **1.** *n* снег *или* град с дождём **2.** *v безл.*: it ~s идёт снег *или* град с дождём; **~y** [-ɪ] сля́котный

sleeve [sli:v] 1) рука́в 2) *тех.* му́фта ◇ laugh up one's ~ смея́ться укра́дкой

sleigh [ˈsleɪ] са́ни; **~-bell** [-bel] бубе́нчик

slender [ˈslendə] 1) то́нкий, стро́йный, ги́бкий 2) ску́дный, незначи́тельный 3) сла́бый, небольшо́й

slept [slept] *past и p. p. от* sleep 2

sleuth(-hound) [ˈslu:θ(-haund)] 1) соба́ка-ище́йка 2) *разг.* сы́щик

slew I [slu:] *past от* slay

slew II повора́чивать, враща́ть (*тж.* ~ round)

slice [slaɪs] **1.** *n* 1) ло́мтик; то́нкий слой 2) широ́кий нож **2.** *v* 1) ре́зать ло́мтиками 2) *спорт.* сре́зать *(мяч)*

slick [slɪk] *разг.* **1.** *a* 1) гла́дкий 2) ло́вкий, бы́стрый; хи́трый **2.** *adv* гла́дко, ло́вко

slid [slɪd] *past и p. p. от* slide 2

slid||e [ˈslaɪd] **1.** *n* 1) скольже́ние 2) като́к; ледяна́я гора́ **2.** *v* (slid) скользи́ть; кати́ться *(по льду)*; ката́ться с горы́; **~ing:** ~ing scale скользя́щая шкала́

slight I [slaɪt] 1) изя́щный, стро́йный, хру́пкий 2) ску́дный, недоста́точный 3) незначи́тельный, лёгкий, сла́бый

slight II **1.** *n* пренебреже́ние; неуваже́ние **2.** *v* пренебрега́ть; трети́ровать

slim [slɪm] **1.** *a* то́нкий, стро́йный ◇ a ~ chance сла́бая наде́жда **2.** *v* (по)худе́ть

slime [slaɪm] ли́пкая грязь, ил

slimy ['slaɪmɪ] 1) то́пкий, боло́тистый 2) ско́льзкий; *перен.* заи́скивающий; еле́йный

sling [slɪŋ] **1.** *n* 1) реме́нь; ля́мка 2) *мед.* повя́зка **2.** *v* (slung) 1) швыря́ть 2) тащи́ть с по́мощью ля́мки

slink [slɪŋk] (slunk) идти́ кра́дучись; ~ **away,** ~ **off** улизну́ть

slip I [slɪp] **1.** *n* 1) скольже́ние 2) оши́бка, про́мах; ~ of the pen опи́ска; ~ of the tongue огово́рка 3) комбина́ция *(женское бельё)* 4) чехо́л *(для мебели)* **2.** *v* 1) скользи́ть; поскользну́ться 2) ускользну́ть; вы́скользнуть; ~ one's mind вы́лететь из головы́; let ~ упуска́ть *(случай и т. п.)* 3) ошиби́ться; ~ **away** ускользну́ть; ~ **by** промелькну́ть *(о времени)*; ~ **in** вкра́сться *(об ошибке)*; ~ **out** сорва́ться *(тж. перен.)*; he let the name ~ out и́мя сорва́лось у него́ с языка́

slip II 1) побе́г; черено́к 2) дли́нная у́зкая полоса́ 3) *полигр.* гра́нка ◇ a ~ of a girl ху́денькая де́вушка

slipper ['slɪpə] ко́мнатная ту́фля

slipp||ery ['slɪpərɪ] 1) ско́льзкий 2) ненадёжный; ~**y** [-ɪ] 1) ско́льзкий 2) *разг.* бы́стрый ◇ look ~y! пошеве́ливайся!

slipshod ['slɪpʃɔd] неря́шливый; небре́жный *(о стиле)*

slit [slɪt] **1.** *n* продо́льный разре́з; щель **2.** *v* (slitted, slit) разреза́ть *или* разрыва́ть в длину́

slither ['slɪðə] скользи́ть

sliver ['slɪvə] ще́пка, лучи́на

slobber ['slɔbə] распусти́ть слю́ни; ◇ ~ over smb. *презр.* сюсю́кать над кем-л.; ~**y** [-rɪ] слюня́вый

sloe [slou] тёрн

slog [slɔg] *разг.* упо́рно рабо́тать (*тж.* ~ away)

slogan ['slougən] ло́зунг

slop ['slɔp] **1.** *n* *(обыкн. pl)* 1) помо́и 2) жи́дкая пи́ща *(для больных и детей)* **2.** *v* пролива́ть, расплёскивать; ~**-basin** [-,beɪsn] полоска́тельница

slope [sloup] **1.** *n* накло́н; отко́с; косого́р **2.** *v* 1) клони́ться 2) наклоня́ть

slop-pail ['slɔppeɪl] помо́йное ведро́

sloppy ['slɔpɪ] 1) мо́крый и гря́зный, сля́котный 2) гря́зный; забры́зганный гря́зью 3) *разг.* неря́шливый 4) жи́дкий *(о пище)* 5) *презр.* сентимента́льный

slot [slɔt] паз; щель

sloth [slouθ] лень

slot-machine ['slɔtmə,ʃi:n] автома́т *(в магазине и т. п.)*

slouch [slautʃ] **1.** *n*: he walks with a ~ у него́ неуклю́жая похо́дка; he sits with a ~ он суту́лится, когда́ сиди́т **2.** *v* 1) неуклю́же держа́ться; суту́литься 2) свиса́ть *(о полях шляпы)*

slough I [slau] боло́то, тряси́на

slough II [slʌf] **1.** *n* 1) сбро́шенная ко́жа *(змеи)* **2.** *v* сбра́сывать *(кожу)*

sloven ['slʌvn] неря́ха; ~**ly** неря́шливый

slow [ˈslou] **1.** *a* 1) мéдленный; тúхий; my watch is five minutes ~ мой часы́ отстаю́т на пять мину́т 2) медлúтельный 3) тупóй, непоня́тливый 4) неинтерéсный, скýчный **2.** *adv* мéдленно **3.** *v* 1) замедля́ть 2) замедля́ться; **~-witted** [-ˌwɪtɪd] тупóй, несообразúтельный

sludge [slʌdʒ] сля́коть; грязь; ил

sludgy [ˈslʌdʒɪ] тóпкий, гря́зный

slugg||ard [ˈslʌgəd] лентя́й; **~ish** 1) ленúвый 2) медлúтельный

sluice [ˈslu:s] шлюз; **~-gate** [-ˈgeɪt] шлю́зные ворóта

slum [slʌm] *(обыкн. pl)* трущóба

slumber [ˈslʌmbə] **1.** *n* сон, дремóта **2.** *v* дремáть, спать; **~ away** проспáть

slump [slʌmp] **1.** *n* 1) рéзкое падéние *(цен, спроса)* 2) крúзис **2.** *v* 1) рéзко пáдать *(о ценах, спросе)* 2) вызывáть рéзкое падéние *(цен, спроса)*

slung [slʌŋ] *past и p. p. от* sling 2

slunk [slʌŋk] *past и p. p. от* slink

slur I [slə:] **1.** *v* 1) произносúть нея́сно; глотáть словá 2) замáлчивать, обходúть молчáнием (*обыкн.* ~ over) **2.** *n* 1) неотчётливое произношéние *(звуков, слов)* 2) *муз.* лúга

slur II упрёк, обвинéние; пятнó на репутáции; cast a ~ upon smb. опорóчить когó-л.

slush [slʌʃ] тáлый снег; сля́коть; грязь

slut [ˈslʌt] неря́ха; **~tish** неря́шливый, неопря́тный

sly [ˈslaɪ] 1) лукáвый, хúтрый, проны́рливый 2) тáйный, скры́тый ◇ on the ~ тайкóм; **~ness** лукáвство

smack I [smæk] **1.** *n* вкус, прúвкус **2.** *v* отдавáть *(чем-л.)*, имéть прúвкус

smack II [smæk] одномáчтовое рыболóвное сýдно

smack III **1.** *n* 1) шлепóк 2) звук удáра *(ладонью)* 3) чмóканье; звóнкий поцелýй **2.** *v* 1) шлёпать 2): ~ one's lips чмóкать **3.** *adv* пря́мо; he ran ~ into a wall он врéзался пря́мо в стéну

small [smɔ:l] **1.** *a* 1) мáленький; небольшóй 2) мéлкий, незначúтельный; ~ change мéлкие дéньги, сдáча ◇ ~ hours пéрвые часы́ пóсле полýночи; ~ talk пустóй разговóр **2.** *n*: the ~ of the back пояснúца

small-arms [ˈsmɔ:lɑ:mz] *pl* стрелкóвое орýжие

small-minded [ˈsmɔ:lˈmaɪndɪd] 1) ограничéнный 2) мéлочный

smallpox [ˈsmɔ:lpɔks] óспа

smart I [smɑ:t] **1.** *n* жгýчая боль **2.** *v* испы́тывать *или* причиня́ть óструю боль; ◇ ~ for smth. поплатúться за что-л.

smart II [ˈsmɑ:t] 1) рéзкий, сúльный *(об ударе, боли)* 2) бы́стрый 3) ýмный, остроýмный 4) хорошó одéтый, мóдный 5) элегáнтный, изя́щный; **~en** [-n]: ~en oneself up принаряжáться; **~ness** шик, наря́дность

smash [ˈsmæʃ] **1.** *n* 1) битьё *(посуды и т. п.)* 2) разгрóм *(неприятеля)* 3) разоре́ние, банкро́тство 4) столкнове́ние, катастро́фа **2.** *v* 1) лома́ть, разбива́ть вдре́безги 2) разби́ть, уничто́жить *(неприятеля)* 3) лома́ться, разбива́ться вдре́безги 4) обанкро́титься; **~er** *разг.* 1) си́льный уда́р 2) убеди́тельный до́вод; **~ing** *школ. разг.* потряса́ющий

smattering ['smætərɪŋ] пове́рхностное зна́ние

smear [smɪə] **1.** *n* пятно́ **2.** *v* ма́зать, па́чкать

smell [smel] **1.** *n* 1) обоня́ние; нюх; have a good sense of ~ име́ть то́нкое обоня́ние 2) за́пах **2.** *v* (smelt, smelled) 1) па́хнуть 2) обоня́ть; ню́хать 3) чу́вствовать за́пах; ~ **out** вы́следить, разню́хать ◇ ~ a rat чу́ять обма́н

smelling||-bottle ['smelɪŋ,bɔtl] флако́н с ню́хательной со́лью; **~-salts** [-sɔ:lts] *pl* ню́хательная соль

smelt I [smelt] *past и p. p. от* smell 2

smelt II пла́вить

smile [smaɪl] **1.** *n* улы́бка **2.** *v* улыба́ться

smirch [smə:tʃ] **1.** *n* пятно́ **2.** *v* па́чкать; *перен.* пятна́ть *(репутацию и т. п.)*

smirk [smə:k] **1.** *n* де́ланная *или* глу́пая улы́бка **2.** *v* ухмыля́ться; натя́нуто улыба́ться

smite [smaɪt] (smote; smitten) 1) ударя́ть; поража́ть 2) *(обыкн. p. p.)* заража́ть, охва́тывать *(ужасом и т. п)*

smith [smɪθ] кузне́ц

smithereens ['smɪðə'ri:nz] *pl* обло́мки, черепки́; break into ~ а) разби́ть вдре́безги; б) разби́ться вдре́безги

smithy ['smɪðɪ] ку́зница

smitten ['smɪtn] *p. p. от* smite

smock [smɔk] 1) де́тский комбинезо́н 2) толсто́вка *(мужская блуза)*

smoke [smouk] **1.** *n* 1) дым 2) куре́ние ◇ there is no ~ without fire *погов.* нет ды́ма без огня́; end in ~ ко́нчиться ниче́м; like ~ *разг.* ми́гом; «без сучка́, без задо́ринки» **2.** *v* 1) кури́ть 2) дыми́ть 3) копти́ть *(о лампе)* 4) дыми́ться 5) копти́ть *(рыбу)*; ~ **out** выку́ривать

smoker ['smoukə] 1) куря́щий; be a heavy ~ мно́го кури́ть 2) ваго́н для куря́щих

smoke-screen ['smoukskri:n] дымова́я заве́са

smoking||-carriage ['smoukɪŋ,kærɪdʒ] ваго́н для куря́щих; **~-room** [-rum] кури́тельная (ко́мната)

smoky ['smoukɪ] 1) ды́мный 2) закопчённый

smooth ['smu:ð] **1.** *a* 1) гла́дкий, ро́вный; споко́йный 2) пла́вный; ~ crossing споко́йный перее́зд по́ морю 3) вкра́дчивый; a ~ salesman ло́вкий продаве́ц **2.** *v* 1) пригла́живать; де́лать ро́вным, гла́дким *(тж.* ~ down, ~ out) 2) смягча́ть; успока́ивать *(тж.* ~ away, ~ over) ◇ ~ the way подгото́вить по́чву; **~-faced** [-feɪst] лицеме́рный; **~-tongued** [-tʌŋd] вкра́дчивый

smote [smout] *past от* smite

smother ['smʌðə] 1) души́ть, задуши́ть; подавля́ть *(чувство,* *зевок)* 2) замя́ть, зама́лчивать *(факты и т. п.)*

smoulder ['smouldə] **1.** *v* тлеть; *перен.* таи́ться *(о ненависти, недовольстве)* **2.** *n* тле́ющий ого́нь; **~ing** тле́ющий; ~ing discontent скры́тое недово́льство

smudge [smʌdʒ] **1.** *n* гря́зное пятно́ **2.** *v* 1) запа́чкать 2) запа́чкаться

smug [smʌg] самодово́льный

smuggl||e ['smʌgl] занима́ться контраба́ндой; **~er** контраба́ндист

smut ['smʌt] **1.** *n* 1) са́жа; грязь *(пятно)* 2) непристо́йности *мн.* 3) *с.-х.* головня́ **2.** *v* па́чкать са́жей; **~ty** [-ɪ] 1) гря́зный 2) непристо́йный

snack ['snæk] лёгкая заку́ска; **~-bar** [-bɑ:] заку́сочная, буфе́т

snag [snæg] 1) сучо́к; коря́га 2) *разг.*) препя́тствие

snail [sneɪl] 1) ули́тка 2) *тех.* спира́ль ◇ at a ~'s pace черепа́шьим ша́гом

snake [sneɪk] змея́

snap ['snæp] **1.** *v* 1) ца́пнуть, укуси́ть *(о собаке); перен.* огрыза́ться *(тж.* ~ out) 2) щёлкнуть 3) ло́пнуть 4) ухвати́ться *(за предложение—at)* 5) набро́ситься *(at)* 6) де́лать сни́мок, фотогра́фию ◇ ~ out of it! *разг.* встряхни́тесь! **2.** *n* 1) щёлканье; треск 2) застёжка 3): a cold ~ внеза́пное похолода́ние 4) де́тская ка́рточная игра́ 5) сни́мок, фотогра́фия 6) сухо́е хрустя́щее пече́нье **3.** *adv* неожи́данно; **~pish** раздражи́тельный

snapshot ['snæpʃɔt] фотогра́фия, сни́мок

snare [snɛə] **1.** *n* лову́шка *(тж. перен.)* **2.** *v* пойма́ть в лову́шку

snarl [snɑ:l] **1.** *n* рыча́ние **2.** *v* рыча́ть, огрыза́ться

snatch [snætʃ] **1.** *v* хвата́ть; вырыва́ть *(из рук);* ~ at smth. ухвати́ться за что́-л. **2.** *n* 1) рыво́к, хвата́ние 2) отры́вок, обры́вок *(песни, разговора и т. п.)*

snatchy ['snætʃɪ] отры́вистый

sneak [sni:k] **1.** *v* кра́сться, подкра́дываться 2) *разг.* доноси́ть, фиска́лить 3) *разг.* укра́сть **2.** *n* 1) трус 2) *разг.* спле́тник, доно́счик; я́беда

sneakers ['sni:kəz] *pl* та́почки

sneer [snɪə] **1.** *n* 1) усме́шка 2) насме́шка **2.** *v* 1) усмеха́ться 2) насмеха́ться, высме́ивать

sneeze [sni:z] **1.** *n* чиха́нье **2.** *v* чиха́ть

sniff ['snɪf] **1.** *n* 1) сопе́ние 2) (презри́тельное) фы́рканье **2.** *v* 1) сопе́ть 2) (презри́тельно) фы́ркать 3) ню́хать, чу́ять; **~y** [-ɪ] *разг.* презри́тельный; фы́ркающий

snigger ['snɪgə] **1.** *n* хихи́канье **2.** *v* хихи́кать

snip [snɪp] **1.** *n* обре́зок **2.** *v* ре́зать но́жницами

snipe [snaɪp] **1.** *n* бека́с **2.** *v* стреля́ть из укры́тия

sniper ['snaɪpə] сна́йпер

snivel ['snɪvl] **1.** *n* хны́канье **2.** *v* хны́кать

snob ['snɔb] сноб; **~bery** [-ərɪ] сноби́зм

snook [snu:k]: cock a ~ at smb. пока́зывать дли́нный нос кому́-л.

snoop [snu:p] *разг.* сова́ть нос в чужи́е дела́

snooze [snu:z] *разг.* вздремну́ть

snore [snɔ:] **1.** *n* храп **2.** *v* храпе́ть

snort [snɔ:t] **1.** *n* фы́рканье **2.** *v* фы́ркать

snout [snaut] ры́ло

snow ['snou] **1.** *n* 1) снег 2) *attr.* сне́жный; ~ man а) сне́жная ба́ба; б) сне́жный челове́к **2.** *v безл.*: it is ~ing идёт снег; **~ in, ~ up** заноси́ть сне́гом; **~ball** [-bɔ:l] снежо́к; сне́жный ком

snow||-bound ['snoubaund] 1) занесённый сне́гом 2) заде́ржанный сне́жными зано́сами; **~-capped** [-kæpt] покры́тый сне́гом *(о горах)*

snow||-drift ['snoudrɪft] сугро́б; **~drop** [-drɔp] подсне́жник; **~-fall** [-fɔ:l] снегопа́д; **~flake** [-fleɪk] снежи́нка; *pl* хло́пья сне́га; **~-plough** [-'plau] снегоочисти́тель; **~-shoes** [-ʃu:z] *pl* снегосту́пы; **~-storm** [-stɔ:m] мете́ль; **~-white** [-'waɪt] белосне́жный

snowy ['snouɪ] сне́жный

snub I [snʌb] **1.** *n* отпо́р **2.** *v* дава́ть отпо́р, оса́живать

snub II ['snʌb] вздёрнутый *(о носе)*; **~-nosed** [-nouzd] курно́сый

snuff I [snʌf] **1.** *n* нага́р на свече́ **2.** *v* снима́ть нага́р

snuff II ['snʌf] **1.** *n* ню́хательный таба́к **2.** *v* ню́хать *(табак)*; **~-box** [-bɔks] табаке́рка

snuffers ['snʌfəz] *pl* щипцы́ *(для снимания нагара со свечей)*

snuffle ['snʌfl] сопе́ть

snug [snʌg] ую́тный; удо́бный

snuggle ['snʌgl] 1): ~ down in bed прикорну́ть 2): ~ up прильну́ть, прижа́ться

so [sou *(полная форма)*, sɔ, sə *(редуцированные формы)*] **1.** *adv* 1) так; ита́к; насто́лько; is that so? вот как?; you said it was good and so it is вы сказа́ли, что э́то хорошо́, так оно́ и есть 2) э́то; то; I told you so я э́то говори́л, я так и говори́л ◇ two hundred or so две́сти и́ли о́коло э́того; so far пока́ что; so far as поско́льку; so long *разг.* пока́, до свида́ния; so many сто́лько-то; so so *разг.* та́к себе; so that's that та́к-то вот; so... that так... что; so that что́бы; so what? ну и *(или* так*)* что?; a day or so денька́ два **2.** *cj* сле́довательно; поэ́тому

soak [souk] 1) намочи́ть; выма́чивать 2): be ~ed вы́мокнуть; be ~ed to the skin промо́кнуть до косте́й; **~ in, ~ up** впи́тывать ◇ ~ oneself in a subject погрузи́ться в рабо́ту

so-and-so ['so(u)ənsou] тако́й-то *(вместо имени)*

soap ['soup] **1.** *n* мы́ло **2.** *v* 1) намы́ливать 2) мы́ться мы́лом 3) льстить; **~-box** [-bɔks] 1) мы́льница 2) *разг.* импровизи́рованная трибу́на; **~-bubble** [-'bʌbl] мы́льный пузы́рь; **~-suds** [-sʌdz] *pl* мы́льная пе́на

soapy ['soupɪ] мы́льный; *перен.* вкра́дчивый, льсти́вый

soar [sɔ:] пари́ть, высоко́ лета́ть

sob [sɔb] **1.** *n* рыда́ние; всхли́пывание **2.** *v* рыда́ть; всхли́пывать

sober ['soubə] **1.** *a* 1) тре́звый; as ~ as a judge ≅ ни в одно́м глазу́ 2) здравомы́слящий 3) споко́йный **2.** *v* *(часто* ~ down) 1) отрезвля́ть 2) протрезви́ться; *перен.* успоко́иться

sobriety [so(u)'braɪətɪ] тре́звость

sobriquet ['soubrɪkeɪ] кли́чка, про́звище

so-called ['sou'kɔ:ld] так называ́емый

soccer ['sɔkə] *разг.* футбо́л

sociab||ility [,souʃə'bɪlɪtɪ] общи́тельность; **~le** ['souʃəbl] общи́тельный

social ['souʃ(ə)l] **1.** *a* 1) обще́ственный; социа́льный; ~ sciences обще́ственные нау́ки; ~ welfare социа́льное обеспе́чение 2) общи́тельный **2.** *n* собра́ние, встре́ча *(членов клуба, общества и т. п.)*

social||ism ['souʃəlɪzm] социали́зм; **~ist 1.** *n* социали́ст **2.** *a* социалисти́ческий; **~istic** [,souʃə'lɪstɪk] социалисти́ческий

society [sə'saɪətɪ] 1) о́бщество 2) обще́ственность 3) све́тское о́бщество

sock [sɔk] 1) носо́к 2) сте́лька

socket ['sɔkɪt] 1) гнездо́, углубле́ние 2) *эл.* патро́н *(для лампы)*

sod [sɔd] дёрн

soda ['soudə] со́да

sodden ['sɔdn] **1.** *a* 1) намо́ченный; пропи́танный; подмо́кший 2) сыро́й *(о хлебе); перен.* отупе́вший *(от пьянства)* **2.** *v* 1) подма́чивать 2) сыре́ть, отсырева́ть

sodium ['soudjəm] на́трий

sofa ['soufə] софа́, дива́н

soft [sɔft] **1.** *a* 1) мя́гкий 2) нея́ркий *(о цвете и т. п.)* 3) прия́тный; не́жный; ти́хий *(о звуке)* ◇ ~ water мя́гкая вода́ **2.** *adv* мя́гко ◇ boil an egg ~ вари́ть яйцо́ всмя́тку **3.** *int* ти́ше!; **~en** ['sɔfn] 1) смягча́ть 2) смягча́ться

soft||-headed ['sɔft,hedɪd] глу́пый; **~-hearted** [-'hɑ:tɪd] мягкосерде́чный; **~-soap** [-soup] льстить; **~y** [-ɪ] бесхара́ктерный, глупова́тый челове́к

soggy ['sɔgɪ] сыро́й, мо́крый

soil I [sɔɪl] земля́, по́чва; rich ~ плодоро́дная земля́

soil II ['sɔɪl] **1.** *v* 1) грязни́ть, па́чкать 2) грязни́ться, па́чкаться **2.** *n* 1) пятно́ 2) грязь; **~-pipe** [-paɪp] канализацио́нная труба́

sojourn ['sɔdʒə:n] **1.** *n* вре́менное пребыва́ние **2.** *v* гости́ть; вре́менно жить

sol [sɔl] *муз.* но́та соль

solace ['sɔləs] **1.** *n* утеше́ние **2.** *v* утеша́ть

solar ['soulə] со́лнечный ◇ ~ plexus *анат.* со́лнечное сплете́ние

sold [sould] *past и p. p. от* sell

solder ['sɔldə] **1.** *n* припо́й **2.** *v* пая́ть, спа́ивать

soldier ['souldʒə] **1.** *n* 1) солда́т, бое́ц 2) полково́дец **2.** *v* служи́ть в а́рмии; **~ly** му́жественный

sole I [soul] **1.** *n* 1) подо́шва,

ступня́ 2) подмётка **2.** *v* ста́вить подмётки

sole II 1) оди́н, еди́нственный 2) исключи́тельный

solemn [ˈsɔləm] торже́ственный; **~ity** [səˈlemnɪtɪ] торже́ственность; **~ize** [-naɪz] пра́здновать; торже́ственно отмеча́ть

solicit [səˈlɪsɪt] 1) проси́ть, хода́тайствовать 2) пристава́ть *(к мужчинам — о проститутках)*; **~ation** [səˌlɪsɪˈteɪʃ(ə)n] про́сьба, хода́тайство; **~or** адвока́т; **~ous** [-əs] забо́тливый; озабо́ченный; **~ude** [-ju:d] 1) озабо́ченность 2) забо́та; show ~ude *(for)* проявля́ть забо́ту

solid [ˈsɔlɪd] **1.** *a* 1) твёрдый; кре́пкий; про́чный 2) сплошно́й; це́лый 3) основа́тельный, убеди́тельный *(об аргументе и т. п.)* 4): ~ geometry *мат.* стереоме́трия **2.** *n* 1) *физ.* твёрдое те́ло 2) *мат.* геометри́ческое те́ло 3) *pl* твёрдая пи́ща

solidarity [ˌsɔlɪˈdærɪtɪ] солида́рность

solid||ify [səˈlɪdɪfaɪ] тверде́ть, застыва́ть; **~ity** [-tɪ] твёрдость

soliloquy [səˈlɪləkwɪ] моноло́г

solit||ary [ˈsɔlɪt(ə)rɪ] 1) одино́кий 2) уединённый; **~ude** [-tju:d] 1) одино́чество 2) уедине́ние

solo [ˈsoulou] со́ло; **~ist** соли́ст

solstice [ˈsɔlstɪs] *астр.* солнцесто́яние

solub||ility [ˌsɔljuˈbɪlɪtɪ] раствори́мость; **~le** [ˈsɔljubl] раствори́мый

solution [səˈlu:ʃ(ə)n] 1) раство́р 2) реше́ние, разреше́ние *(задачи, проблемы)*

solvable [ˈsɔlvəbl] разреши́мый

solve [sɔlv] реша́ть; разреша́ть *(задачу, проблему и т. п.)*

solvency [ˈsɔlv(ə)nsɪ] платёжеспосо́бность

solvent I [ˈsɔlv(ə)nt] **1.** *a* растворя́ющий **2.** *n* раствори́тель

solvent II платёжеспосо́бный

sombre [ˈsɔmbə] тёмный; мра́чный

some [sʌm] **1.** *a* 1) не́кий; не́который, како́й-нибудь 2) не́сколько, не́которое коли́чество ◇ she's ~ girl! де́вушка, что на́до!; ~ day когда́-нибудь; ~ place где́-нибудь; ~ ... or other како́й-то; in ~ book or other в како́й-то кни́ге, в одно́й из книг **2.** *pron* ко́е-кто́; не́которые; одни́; други́е

somebody [ˈsʌmbədɪ] не́кто, кто́-нибудь

somehow [ˈsʌmhau] ка́к-нибудь; ~ or other так и́ли ина́че

someone [ˈsʌmwʌn] *см.* somebody

somersault [ˈsʌmə:sɔ:lt] са́льто

something [ˈsʌmθɪŋ] что́-либо, что́-нибудь

sometime [ˈsʌmtaɪm] когда́-нибудь

sometimes [ˈsʌmtaɪmz] иногда́

somewhat [ˈsʌmwɔt] отча́сти; дово́льно

somewhere [ˈsʌmwɛə] где́-нибудь, где́-либо; ~ else где́-либо в друго́м ме́сте

somnambulist [sɔmˈnæmbjulɪst] луна́тик

somniferous [sɔmˈnɪfərəs] снотво́рный, усыпля́ющий

somnol||ence [ˈsɔmnələns] сонли́вость; дремо́та; **~ent** [-ənt] 1) дре́млющий 2) снотво́рный

son [sʌn] сын

song [ˈsɔŋ] пе́сня; **~ster** [-stə] 1) певе́ц 2) пе́вчая пти́ца

son-in-law [ˈsʌnınlɔ:] *(pl* sons--in-law) зять

sonny [ˈsʌnı] *разг.* сыно́к *(в обращении)*

sonor||ity [səˈnɔrıtı] зву́чность; **~ous** [-ˈnɔ:rəs] зву́чный, зво́нкий

soon [su:n] 1) вско́ре, ско́ро; come again ~ приходи́те поскоре́е опя́ть 2) ра́но; the ~er the better чем ра́ньше, тем лу́чше; ~er or later ра́но или по́здно, в конце́ концо́в ◇ as ~ as как то́лько; no ~er than как то́лько; I'd ~er go there than stay here я предпочёл бы пойти́ туда́, чем остава́ться здесь; no ~er said than done ска́зано—сде́лано; I'd just as ~ not go to-day я предпочита́ю сего́дня не ходи́ть; it's too ~ to tell what's the matter with him сейча́с ещё тру́дно сказа́ть, что с ним

soot [sut] са́жа

sooth [su:θ] *уст.* пра́вда; ~ to say по пра́вде говоря́

soothe [su:ð] 1) успока́ивать, утеша́ть 2) облегча́ть *(боль, горе)*

soothsayer [ˈsu:θˌseıə] предсказа́тель

sooty [ˈsutı] закопчённый; чёрный как са́жа

sop [sɔp] **1.** *n* 1) кусо́чек хле́ба *(намоченный в подливке, молоке)* 2) пода́рок *или* пода́чка *(чтобы задобрить)* **2.** *v* 1) мака́ть; мочи́ть 2) впитывать

soph [sɔf] *разг. сокр. от* sophomore

soph||ism [ˈsɔfızm] софи́зм; **~isticated** [səˈfıstıkeıtıd] искушённый; умудрённый о́пытом; **~istication** [səˌfıstıˈkeıʃ(ə)n] 1) софи́стика 2) фальсифика́ция

sophomore [ˈsɔfəmɔ:] *амер.* студе́нт-второку́рсник

soporific [ˌsoupəˈrıfık] **1.** *a* усыпля́ющий, наркоти́ческий. **2.** *n* нарко́тик, снотво́рное сре́дство

soppy [ˈsɔpı] 1) мо́крый 2) *разг.* сентимента́льный; слаща́вый

soprano [səˈprɑ:noul сопра́но

sorce||rer [ˈsɔ:s(ə)rə] колду́н; **~ress** [-rıs] колду́нья; **~ry** [-rı] колдовство́, волшебство́

sordid [ˈsɔ:dıd] 1) убо́гий *(о жилище и т. п.)* 2) ни́зкий, по́длый

sore [sɔ:] **1.** *a* 1) больно́й 2) боле́зненный 3) раздражённый; get *(или* be) ~ зли́ться **2.** *n* я́зва; боля́чка.; больно́е ме́сто **3.** *adv* бо́льно, тя́жко

sorrel I [ˈsɔr(ə)l] щаве́ль

sorrel II **1.** *n* гнеда́я ло́шадь **2.** *a* гнедо́й

sorrow [ˈsɔrou] **1.** *n* печа́ль, го́ре **2.** *v* горева́ть, печа́литься; **~ful** печа́льный; ско́рбный

sorry [ˈsɔrı] 1) *predic* огорчённый, сожале́ющий; be ~ жале́ть, сожале́ть; I am ~ мне жаль!; прости́те!; I'm ~ to be so late извини́те, что опозда́л; feel ~ for smb. сочу́вствовать кому́-л. 2) жа́лкий; плохо́й

sort [sɔ:t] **1.** *n* сорт, род, вид;

books of all ~s всякие книги; all ~s of things всевозможные вещи ◇ nothing of the ~ ничего подобного; be out of ~s а) быть не в духе; б) плохо себя чувствовать; ~ of а) своего рода; it's a ~ of gift это своего рода талант; б) *разг.* отчасти; I'm ~ of glad... я отчасти рад, что...; he's not a bad ~ он неплохой парень **2.** *v* сортировать; разбирать; ~ **out** отбирать; рассортировывать

S.O.S. [ˌesˌou'es] *радио* сигнал бедствия

sot [sɔt] горький пьяница

sough [sau] **1.** *n* шелест, лёгкий шум *(ветра)* **2.** *v* шелестеть *(о ветре)*

sought [sɔ:t] *past и p. p. от* seek

soul ['soul] 1) душа; дух 2) человек; существо; not a single ~ knows about it никто не знает об этом; ~**less** бездушный

sound I [saund] **1.** *n* звук, шум **2.** *v* 1) звучать, издавать звуки 2) выстукивать *(о колесе)* 3) выслушивать *(больного)*

sound II **1.** *a* 1) здоровый; крепкий 2) исправный 3) неиспорченный *(о фруктах и т. п.)* 4) правильный; здравый 5) глубокий *(о сне)* **2.** *adv:* be ~ asleep крепко спать

sound III [saund] 1) измерять глубину *(воды)* 2) зондировать *(тж. перен.)*; ~ out smb.'s intentions выяснять чьи-л. намерения

sound-film ['saundfɪlm] звуковой фильм

soup ['su:p] суп ◇ in the ~ *разг.* в затруднении; ~**-plate** [-pleɪt] глубокая тарелка

sour ['sauə] **1.** *a* кислый; прокисший; *перен.* угрюмый; ~ cream сметана **2.** *v* скисать, прокисать; *перен.* озлоблять; ~ed by misfortunes озлобленный неудачами

source [sɔ:s] ключ; источник *(тж. перен.)*

south ['sauθ] **1.** *n* юг; *мор.* зюйд; the S. южные страны **2.** *a* южный **3.** *adv* на юг; ~**-east** [-'i:st] **1.** *n* юго-восток **2.** *a* юго-восточный **3.** *adv* в юго-восточном направлении

south||erly, ~ern ['sʌðəlɪ, 'sʌðən] южный; ~**erner** ['sʌðənə] южанин; ~**ernmost** ['sʌðənmoust] самый южный

south||ward ['sauθwəd] **1.** *adv* на юг **2.** *a* обращённый на юг; ~**wards** [-wədz] *см.* southward 1; ~**-west** [-'west] **1.** *n* юго-запад **2.** *a* юго-западный **3.** *adv* в юго-западном направлении

souvenir ['su:v(ə)nɪə] сувенир, памятный подарок

sovereign ['sɔvrɪn] **1.** *n* 1) монарх 2) соверен *(золотая монета в 1 фунт стерлингов)* **2.** *a* 1) наивысший 2) суверенный, независимый; ~**ty** [-r(ə)ntɪ] 1) верховная власть 2) суверенитет

Soviet ['souvɪet] **1.** *n* совет *(орган государственной власти в СССР)* **2.** *a* советский; the ~ Union Советский Союз

sow I [sou] (sowed; sowed, sown) сеять; засевать ◇ ~ one's wild oats *погов.* бурно провести молодость; «перебеситься»

sow II [sau] свинья́

sowing ['souɪŋ] посе́в, сев; **~-machine** [-məˌʃi:n] се́ялка

sown [soun] *p. p. от* sow I

spa [spɑ:] куро́рт с минера́льными во́дами

space ['speɪs] **1.** *n* 1) простра́нство, ме́сто 2) расстоя́ние 3) промежу́ток *(времени)*; in the ~ of a day в тече́ние дня 4) ко́смос 5) *полигр.* шпа́ция **2.** *a* косми́ческий; ~ vehicle косми́ческий кора́бль; ~ station косми́ческая ста́нция; **~man** [-mæn] космона́вт

spaceship ['speɪsʃɪp] косми́ческий кора́бль

spacious ['speɪʃəs] просто́рный; обши́рный

spade I [speɪd] лопа́та; за́ступ ◇ call a ~ a ~ называ́ть ве́щи свои́ми имена́ми

spade II *(обыкн. pl) карт.* пи́ки

span I [spæn] **1.** *n* 1) коро́ткое расстоя́ние; пядь 2) промежу́ток *(времени)* 3) пролёт *(моста)* **2.** *v* 1) измеря́ть *(пядями)* 2) покрыва́ть *(пространство)* 3) соединя́ть берега́ *(мостом)*

span II *past от* spin 1

spangle ['spæŋgl] *(обыкн. pl)* блёстка

Spaniard ['spænjəd] испа́нец; испа́нка

Spanish ['spænɪʃ] **1.** *a* испа́нский **2.** *n* испа́нский язы́к

spank [spæŋk] **1.** *v* хло́пать; шлёпать ладо́нью **2.** *n* шлепо́к

spanner ['spænə] га́ечный ключ

spar I [spɑ:] брус; перекла́дина

spar II дра́ться на кула́чках; *перен.* препира́ться

spar||e [spɛə] **1.** *v* 1) эконо́мить, бере́чь; ~ no expense не жале́ть расхо́дов 2) уделя́ть *(время и т. п.)* 3) оберега́ть, щади́ть; ~ me the details изба́вьте меня́ от подро́бностей **2.** *a* 1) запа́сный, запасно́й, ли́шний, свобо́дный; ~ parts запасны́е ча́сти; ~ cash ли́шние де́ньги; ~ time свобо́дное вре́мя 2) ску́дный 3) худоща́вый **3.** *n* запасна́я часть *(машины)*; **~ing** бережли́вый

spark I [spɑ:k] **1.** *n* 1) и́скра 2) вспы́шка *(тж. перен.)* **2.** *v* 1) и́скри́ться 2) вспы́хивать ◇ ~ smth. off *разг.* привести́ *(к чему-л.)*; стать причи́ной *(чего-л.)*

spark II весельча́к

sparkle ['spɑ:kl] **1.** *n* блеск, сверка́ние; и́скорка **2.** *v* сверка́ть, и́скри́ться

sparklet ['spɑ:klɪt] и́скорка

sparkling ['spɑ:klɪŋ] 1) сверка́ющий, блестя́щий 2) шипу́чий, искри́стый *(о винах)*

sparrow ['spærou] воробе́й

sparse [spɑ:s] ре́дкий; рассе́янный, разбро́санный

spasm [spæzm] спа́зма, су́дорога; *перен.* поры́в, взрыв *(гнева и т. п.)*; **~odic** [spæz'mɔdɪk] спазмати́ческий, су́дорожный

spat I [spæt] *past и p. p. от* spit I, 2

spat II [spæt] *(обыкн. pl)* ге́тра

spate [speɪt] внеза́пное наводне́ние

spatial ['speɪʃ(ə)l] простра́нственный

spatter ['spætə] **1.** *n* 1) брызги *мн.* 2) брызганье **2.** *v* брызгать; разбрызгивать; расплёскивать

spawn [spɔ:n] **1.** *n* 1) икра 2) *презр.* отродье; исчадие **2.** *v* 1) метать икру 2) *презр.* плодиться *(о людях)*

speak ['spi:k] (spoke; spoken) говорить, разговаривать; ~ English (уметь) говорить по-английски; ~ one's mind говорить откровенно; ~ for smb. говорить от имени кого-л.; ~ **out**, ~ **up** а) говорить громко и отчётливо; б) высказываться откровенно; ~**er** 1) оратор, докладчик 2): the Speaker спикер *(председатель палаты общин в Англии, председатель палаты представителей в США)*

spear [spɪəl **1.** *n* копьё; дротик **2.** *v* пронзать; вонзать *(копьё)*

spearmint ['spɪəmɪnt] мята

special ['speʃ(ə)l] 1) особый, специальный, особенный 2) экстренный; ~**ist** специалист; ~**ity** [ˌspeʃɪ'ælɪtɪl специальность ~**ize** [-aɪz] 1) специализироваться 2) специализировать 3) ограничивать; уточнять

species ['spi:ʃi:z] *(pl без измен.)* 1) *биол.* вид 2) род; разновидность

specific [spɪ'sɪfɪk] 1) особый, специфический 2) *биол.* видовой 3) характерный; особенный 4) *физ.* удельный; ~ gravity, ~ weight удельный вес

specification [ˌspesɪfɪ'keɪʃ(ə)n] 1) спецификация 2) *(обыкн. pl)* детали *(контракта и т. п.)*

specify ['spesɪfaɪ] точно определять; подробно обозначать

specimen ['spesɪmɪn] образец, образчик

specious ['spi:ʃəsl правдоподобный; ~ excuse благовидный предлог

speck [spek] **1.** *n* пятнышко; крапинка **2.** *v* пятнать; ~**le** ['spekl] **1.** *n* пятнышко; крапинка **2.** *v* испещрять

spectacle ['spektəkl] спектакль, зрелище

spectacled ['spektəkld] в очках

spectacles ['spektəklz] *pl* очки

spectacular [spek'tækjulə] эффектный, импозантный

spectator [spek'teɪtə] наблюдатель, зритель

spect||ral ['spektrəl] 1) призрачный 2) *физ.* спектральный; ~**re** [-tə] призрак

spectrum ['spektrəm] *(pl* -tra [-trə], -s [-z]) *физ.* спектр

speculat||e ['spekjuleɪt] 1) размышлять; делать предположение 2) спекулировать; ~**ion** [ˌspekju'leɪʃ(ə)n] 1) размышление 2) спекуляция; ~**ive** [-lətɪv] 1) умозрительный 2) спекулятивный; ~**or** спекулянт

sped [sped] *past и p. p. от* speed 2

speech ['spi:tʃ] 1) речь, говор; sometimes gestures are more expressive than ~ иногда жесты красноречивей слов 2) выступление, речь; make a ~ произносить речь; ~**less** безмолвный

speed ['spi:d] **1.** *n* скорость; быстрота; at full ~ на полной скорости; полным ходом **2.** *v* (sped) спешить; ~ **up** ускорять;

~ up the execution of the plan ускóрить выполнéние плáна; **~-limit** [-,lɪmɪt] дозвóленная скóрость

speedy ['spi:dɪ] бы́стрый, провóрный

spell I [spel] (spelt, spelled) писáть *или* произноси́ть словá по бу́квам; **~ out** читáть по складáм

spell II 1) заклинáние 2) чáры *мн.;* обая́ние; under a ~ зачарóванный

spell III корóткий промежу́ток врéмени; these hot ~s don't last long такáя жарá продéржится недóлго

spellbound ['spelbaund] очарóванный

spelling ['spelɪŋ] орфогрáфия; **~-book** [-buk] учéбник правописáния

spelt [spelt] *past и p. p. от* spell I

spend [spend] (spent) 1) трáтить, расхóдовать 2) истощáть; ~ oneself вы́мотаться; устáть; the storm has spent itself бу́ря ути́хла 3) проводи́ть *(время);* how do you ~ your leisure? как вы провóдите свой досу́г?

spendthrift ['spendθrɪft] мот

spent [spent] **1.** *past и p. p. от* spend **2.** *a* 1) истощённый; исчéрпанный; ~ life прóжитая жизнь 2) устáлый

sperm [spə:m] *биол.* спéрма

sphere [sfɪə] 1) шар 2) глóбус; земнóй шар 3) сфéра, пóле дéятельности; that is not in my ~ э́то вне моéй компетéнции

spherical ['sferɪk(ə)l] шарообрáзный, сфери́ческий

spice [spaɪs] **1.** *n* спéция, пря́ность **2.** *v* приправля́ть

spick [spɪk]: ~ and span с игóлочки

spicy ['spaɪsɪ] пря́ный; ароматúчный; *перен.* пикáнтный; ~ bits of scandal пикáнтные подрóбности

spider ['spaɪdə] паýк

spigot ['spɪgət] втýлка

spik||e ['spaɪk] **1.** *n* 1) остриё 2) шип, гвоздь *(на подошве сапога)* 3) клин 4) *бот.* кóлос **2.** *v* прибивáть гвоздя́ми; **~y** [-ɪ] остроконéчный, заострённый

spill I [spɪl] (spilt, spilled) 1) проливáть, разливáть 2) проливáться, разливáться 3) сбрáсывать *(седока с седла)* ◇ there is no use crying over spilt milk *погов.* ≅ слезáми гóрю не помóжешь

spill II 1) лучи́на 2) скру́ченный кусóк бумáги

spillikin ['spɪlɪkɪn] бирю́лька

spilt [spɪlt] *past и p. p. от* spill I

spin [spɪn] **1.** *v* (span, spun; spun) 1) прясть, сучи́ть 2) плести́; заплетáть 3) кружи́ть, вертéть; пускáть *(волчок)* **2.** *n* 1) кружéние, верчéние 2) корóткая прогу́лка *или* поéздка *(на автомобиле и т. п.);* go for a ~ немнóго покатáться

spinach ['spɪnɪdʒ] шпинáт

spinal ['spaɪnl] *анат.* спиннóй; ~ column позвонóчник; ~ cord спиннóй мозг

spindle ['spɪndl] 1) веретенó 2) *тех.* ось; вал

spine ['spaɪn] 1) позвонóчный столб 2) шип, колю́чка; иглá;

~**less** беспозвоночный; *перен.* бесхарактерный

spinster [ˈspɪnstə] старая дева; *юр.* незамужняя женщина

spiny [ˈspaɪnɪ] колючий; в шипах

spiral [ˈspaɪər(ə)l] **1.** *n* спираль **2.** *a* спиральный, винтовой

spire [ˈspaɪə] шпиль; остроконечная верхушка

spirit [ˈspɪrɪt] **1.** *n* 1) дух; душа 2) привидение 3) воодушевление 4) *pl* настроение; be in high (low) ~s быть в приподнятом (подавленном) настроении; try to keep up your ~s не падайте духом 5) *(обыкн. pl)* спирт **2.** *v*: ~ **away**, ~ **off** похищать; ~**ed** [-ɪd] 1) живой, оживлённый, 2) быстрый, смелый *(ответ и т. п.)* 3) горячий *(о лошади)*

spirit-lamp [ˈspɪrɪtlæmp] спиртовка

spiritless [ˈspɪrɪtlɪs] вялый

spiritual [ˈspɪrɪtjuəl] **1.** *a* 1) духовный 2) одухотворённый **2.** *n амер.* негритянская религиозная песнь

spirituous [ˈspɪrɪtjuəs] спиртной

spit I [spɪt] **1.** *n* 1) слюна 2) плевок; ◇ he is the ~ and image of his father он вылитый отец **2.** *v* (spat) 1) плевать; харкать 2) плеваться 3) фыркать, шипеть *(о кошке)* 4) трещать *(об огне и т. п.)* 5) моросить *(о дожде)*; ~ **at**, ~ **on** «плевать» на; ~ **out** выплёвывать; ~ **upon** *см.* ~ on

spit II отмель, коса

spit III **1.** *n* вертел **2.** *v* 1) насаживать на вертел 2) прокалывать, пронзать

spite [ˈspaɪt] **1.** *n* злость, злоба; out of ~ со зла, назло ◇ in ~ *(of)* вопреки; несмотря на **2.** *v* досаждать, делать назло; ~**ful** злобный

spittle [ˈspɪtl] слюна; плевок

spittoon [spɪˈtuːn] плевательница

spiv [spɪv] *разг.* спекулянт

splash [ˈsplæʃ] **1.** *n* 1) брызги *мн.* 2) плеск 3) пятно **2.** *v* 1) брызгать 2) брызгаться; плескаться 3) шлёпать *(по грязи, воде)*

spleen [spliːn] 1) *анат.* селезёнка 2) раздражительность; плохое настроение

splend‖id [ˈsplendɪd] великолепный, роскошный; замечательный; прекрасный; ~**our** [-ə] великолепие, роскошь

splenetic [splɪˈnetɪk] раздражительный

splint [splɪnt] *мед.* лубок, шина

splinter [ˈsplɪntə] **1.** *n* 1) осколок 2) лучина 3) заноза **2.** *v* 1) раскалывать, расщеплять 2) раскалываться, расщепляться

split [ˈsplɪt] **1.** *n* 1) расщепление 2) щель, трещина; *перен.* раскол **2.** *v* *(split)* 1) раскалывать, расщеплять 2) раскалываться, расщепляться 3) делить на части ◇ ~ one's sides надрываться от хохота; ~ hairs спорить о мелочах; ~ on smb. доносить на кого-л.; ~ the difference а) поделить разницу пополам б) идти на компромисс; **~ting**: ~ting headache сильная головная боль

splod||ge [ˈsplɔdʒ] пачкать; **~gy** [-ɪ] запачканный

splotch [splɔtʃ] *см.* splodge

splutter [ˈsplʌtə] говорить быстро и невнятно *(от возбуждения и т. п.)*

spoil [spɔɪl] **1.** *v* (spoilt, spoiled) 1) портить 2) баловать 3) портиться *(о продуктах)* 4) (spoiled) *книжн.* грабить ◇ be ~ing for fight лезть в драку **2.** *n* добыча, награбленное

spoilt [spɔɪlt] *past и p. p. от* spoil 1

spoke I [spouk] *past от* speak

spoke II 1) спица *(колеса)* 2) перекладина *(приставной лестницы)* ◇ put a ~ in smb.'s wheel ≅ вставлять палки в колёса

spoken [ˈspoukn] **1.** *p.p. от* speak **2.** *a* разговорный; ~ language разговорный язык

spokesman [ˈspouksmən] 1) представитель, делегат 2) оратор

spon||ge [ˈspʌndʒ] **1.** *n* губка; have a ~ down обтираться губкой **2.** *v* 1) мыть губкой 2) жить на чужой счёт; **~ger** паразит, приживальщик; **~gy** [-ɪ] 1) губчатый 2) топкий

sponsor [ˈspɔnsə] 1) поручитель 2) крёстный отец; крёстная мать 3) устроитель, организатор; заказчик

spontaneous [spɔnˈteɪnjəs] самопроизвольный

spook [spu:k] *шутл.* привидение

spool [spu:l] шпулька; катушка

spoon I [spu:n] ложка

spoon II *разг., шутл.* нежничать, любезничать *(о влюблённых)*

spoonful [ˈspu:nful] полная ложка *(как мера)*

spoony [ˈspu:nɪ] *разг., шутл.* влюблённый

spoor [spuə] след *(животного)*; follow a ~ идти по следу, выслеживать

sporadic [spəˈrædɪk] спорадический

spore [spɔ:] *бот.* спора

sport [ˈspɔ:t] **1.** *n* 1) развлечение, игра 2) спорт 3) *биол.* мутация 4) *разг.* славный малый, молодец **2.** *v* 1) играть, веселиться 2) *биол.* отклоняться от нормального типа 3) выставлять напоказ; **~ing** спортивный; **~ive** [-ɪv] игривый, резвый

sportsman [ˈspɔ:tsmən] спортсмен; **~like** [-laɪk] спортсменский, спортивный

sportswoman [ˈspɔ:tsˌwumən] спортсменка

spot [ˈspɔt] **1.** *n* 1) место 2) пятно; крапинка ◇ a ~ of *разг.* немножко *(чего-л.)*; on the ~ а) на месте; б) тотчас же; в) в беде; put smb. on the ~ угробить кого-л. **2.** *v* 1) пятнать, пачкать 2) узнавать, замечать; **~less** 1) безупречный 2) чистый

spotlight [ˈspɔtlaɪt] 1) *театр.* прожектор *(для подсветки)* 2) центр внимания

spotty [ˈspɔtɪ] пятнистый; пёстрый

spouse [spauz] *уст.* супруг; супруга

spout [spaut] **1.** *n* 1) но́сик *(чайника и т. п.)* 2) водосто́чная труба́ 3) струя́ **2.** 1) бить струёй 2) *разг.* разглаго́льствовать, ора́торствовать

sprain [sprein] **1.** *n* растяже́ние сухожи́лия **2.** *v* растяну́ть сухожи́лие

sprang [spræŋ] *past от* spring II, 1

sprat [spræt] шпро́та

sprawl [sprɔ:l] 1) развали́ться; сиде́ть развали́сь 2) растяну́ться

spray I [sprei] ве́тка; побе́г

spray II ['sprei] бры́зги *мн.;* водяна́я пыль; **~er** пульвериза́тор; форсу́нка

spread [spred] **1.** *v* (spread) 1) расстила́ть; развёртывать 2) нама́зывать; разма́зывать 3) распространя́ть 4) распространя́ться 5) простира́ться, расстила́ться **2.** *n* 1) распростране́ние 2) протяже́ние 3) *разг.* оби́льное угоще́ние

spree [spri:] весе́лье; кутёж; go on the ~ весели́ться; кути́ть

sprig [sprig] 1) ве́точка 2) отро́сток; *перен. презр.* о́тпрыск

sprightly ['spraitli] оживлённый, весёлый

spring I [spriŋ] 1) весна́ 2) *attr.* весе́нний; ~ crops яровы́е культу́ры

spring II ['spriŋ] **1.** *v* (sprang, sprung; sprung) 1) пры́гать; вска́кивать; ~ to one's feet вскочи́ть на́ ноги 2) зарожда́ться, брать нача́ло 3) вспу́гивать *(дичь)* 4) коро́биться *(о доске);* **~ up** внеза́пно выраста́ть, возника́ть *(тж. перен.)* ◇ ~ a leak дать течь *(о судне)* **2.** *n* 1) прыжо́к 2) исто́чник, родни́к 3) рессо́ра, пружи́на 4) упру́гость, эласти́чность 5) *attr.*: ~ water ключева́я вода́; ~ balance безме́н; ~ bed пружи́нный матра́ц; **~-board** [-bɔ:d] трампли́н

sprinkle ['spriŋkl] **1.** *v* 1) бры́згать, кропи́ть 2) посыпа́ть *(песком и т. п.)* **2.** *n* ме́лкий дождь

sprint ['sprint] **1.** *n* бег на коро́ткую диста́нцию, спринт **2.** *v* бежа́ть на коро́ткую диста́нцию; **~er** бегу́н на коро́ткие диста́нции, спри́нтер

sprite [sprait] эльф; фе́я

sprout [spraut] **1.** *n* 1) отро́сток, побе́г 2) *pl* брюссе́льская капу́ста *(тж.* Brussels ~s) **2.** *v* пуска́ть ростки́, расти́

spruce I [spru:s] щеголева́тый, наря́дный; элега́нтный

spruce II кана́дская ель

sprung [sprʌŋ] *past и p. p. от* spring II, 1

spry [sprai] прово́рный, живо́й

spud [spʌd] 1) *разг.* карто́фелина 2) моты́га

spume [spju:m] **1.** *n* пе́на **2.** *v* пе́ниться

spun [spʌn] *past и p. p. от* spin 1

spunk [spʌŋk] *разг.* му́жество

spur [spə:] **1.** *n* 1) шпо́ра 2) сти́мул, побужде́ние 3) отро́г *(горы́)* ◇ on the ~ of the moment экспро́мтом, под влия́нием мину́ты **2.** *v* пришпо́ривать; *перен.* подстрека́ть *(тж.* ~ on)

spurious ['spjuəriəs] подде́льный, подло́жный; ~ coin фальши́вая моне́та

spurn [spə:n] отверга́ть с презре́нием

spurt [spə:t] бить струёй

sputter [ˈspʌtə] 1) плева́ться, бры́згать слюно́й 2) шипе́ть *(о дровах и т. п.)*

spy [ˈspaɪ] **1.** *n* шпио́н **2.** *v* 1) шпио́нить; высле́живать; разузнава́ть 2) заме́тить, разгляде́ть; **~glass** [-glɑ:s] подзо́рная труба́

squabble [ˈskwɔbl] **1.** *n* ссо́ра из-за пустяко́в **2.** *v* ссо́риться из-за пустяко́в

squad [skwɔd] *воен.* отделе́ние *(тж. полицейское)*; flying ~ а) наря́д поли́ции; б) дежу́рная полице́йская автомаши́на

squadron [ˈskwɔdr(ə)n] 1) *воен.* эскадро́н 2) *мор.* эска́дра 3) *ав.* эскадри́лья

squalid [ˈskwɔlɪd] гря́зный, запу́щенный; убо́гий

squall [ˈskwɔ:l] **1.** *n* 1) писк, визг 2) шквал, вихрь **2.** *v* пища́ть, визжа́ть; **~y** [-ɪ] бу́рный, поры́вистый *(о ветре)*

squalor [ˈskwɔlə] 1) грязь, запу́щенность 2) нищета́, убо́гость

squander [ˈskwɔndə] расточа́ть, прома́тывать; растра́чивать

square [skwɛə] **1.** *a* 1) квадра́тный; прямоуго́льный; ~ root *мат.* квадра́тный ко́рень 2) *разг.* прямо́й, че́стный; справедли́вый; a ~ deal че́стная сде́лка ◇ get ~ with smb. свести́ счёты с кем-л.; have a ~ meal пло́тно пое́сть; ~ refusal категори́ческий отка́з **2.** *adv* пря́мо; че́стно; справедли́во **3.** *n* 1) квадра́т; прямоуго́льник 2) сквер; 3) пло́щадь 4) *воен.* каре́ 5) *мат.* квадра́т **4.** *v* 1) де́лать прямоуго́льным *или* квадра́тным 2) распрямля́ть 3) *мат.* возводи́ть в квадра́т 4) согласо́вывать 5) согласо́вываться; his account doesn't ~ with yours его́ отчёт не схо́дится с ва́шим 6) *разг.* подкупа́ть; ~ **up** а) приводи́ть в поря́док; б) своди́ть счёты ◇ ~ accounts *(with)* свести́ счёты, отомсти́ть; ~ the circle добива́ться я́вно невозмо́жного

square-built [ˈskwɛəbɪlt] широкопле́чий

squash I [skwɔʃ] **1.** *n* 1) разда́вленная ма́сса, «ка́ша» 2) толпа́; да́вка 3) фрукто́вый напи́ток **2.** *v* 1) сжима́ть, сда́вливать 2) толпи́ться 3) *разг.* обре́зать *(кого-л.)*

squash II *амер.* ты́ква; кабачо́к

squat [skwɔt] **1.** *v* сиде́ть на ко́рточках **2.** *a* корена́стый

squaw [skwɔ:] индиа́нка

squawk [skwɔ:k] **1.** *n* пронзи́тельный крик *(птицы)* **2.** *v* пронзи́тельно крича́ть *(о птице)*

squeak [skwi:k] **1.** *n* писк; скрип **2.** *v* 1) пища́ть; скрипе́ть 2) *разг.* доноси́ть

squeal [skwi:l] **1.** *n* визг **2.** *v* 1) визжа́ть 2) *разг.* доноси́ть

squeamish [ˈskwi:mɪʃ] 1) подве́рженный тошноте́ 2) щепети́льный 3) разбо́рчивый

squeeze [skwi:z] **1.** *n* 1) сжа́тие 2) да́вка 3) *разг.* вымога́-

тельство **2.** *v* 1) выжимáть, давúть; прижимáть 2) вымогáть 3) впúхивать 4) протúскиваться

squelch [skweltʃ]: ~ through mud хлю́пать по гря́зи *или* водé

squib [skwɪb] 1) петáрда 2) *книжн.* памфлéт; эпигрáмма

squint ['skwɪnt] **1.** *n* 1) косоглáзие 2) *разг.* взгляд укрáдкой, úскоса **2.** *v* 1) косúть 2) смотрéть укрáдкой, úскоса **3.** *a* косоглáзый; раскóсый; **~-eyed** [-aɪd] косóй; *перен.* зловéщий, злой; злóбный

squire ['skwaɪə] сквайр, помéщик

squirm [skwə:m] извивáться, кóрчиться

squirrel ['skwɪr(ə)l] бéлка

squirt [skwə:t] **1.** *n* 1) струя́ 2) шприц **2.** *v* 1) пускáть струю́ 2) бить струёй 3) распыля́ть

stab [stæb] **1.** *v* закáлывать *(кинжалом)*; ~ smb. in the back а) всадúть нож в спúну; б) *перен.* нанестú предáтельский удáр; в) *перен.* злослóвить за спинóй *(кого-л.)*; ◇ his conscience ~bed him егó мýчила сóвесть **2.** *n* 1) удáр *(кинжалом)* 2) внезáпная óстрая боль

stabili||ty [stə'bɪlɪtɪ] устóйчивость; **~zation** [,steɪbɪlaɪ'zeɪʃ(ə)n] стабилизáция; **~ze** ['steɪbɪlaɪz] 1) стабилизúровать 2) стабилизúроваться

stabilizer ['steɪbɪlaɪzə] *тех.* стабилизáтор

stable ['steɪbl] 1) устóйчивый 2) прóчный 3) твёрдый, непоколебúмый

stabling ['steɪblɪŋ] конюшня

stack [stæk] 1) стог, скирдá 2) кúпа *(бумаг и т. п.)* 3) *разг.* мнóжество, мáсса 4) дымовáя трубá

stadium ['steɪdjəm] стадиóн

staff I [stɑ:f] **1.** *n* 1) штат, персонáл; кáдры; on the ~ в штáте 2) *воен.* штаб; general ~ генерáльный штаб **2.** *v* набирáть кáдры

staff II 1) жезл 2) пáлка, пóсох

stag [stæg] 1) олéнь-самéц 2) биржевóй спекуля́нт 3) *разг.* холостя́к

stag-beetle ['stæg,bi:tl] жук-рогáч

stage I [steɪdʒ] **1.** *n* 1) сцéна, подмóстки *мн.* 2) *attr.*: ~ manager режиссёр **2.** *v* стáвить *(пьесу)*

stage II ['steɪdʒ] 1) останóвка, стáнция; перегóн 2) стáдия, этáп; **~-coach** [-koutʃ] почтóвая карéта

stager ['steɪdʒə]: old ~ бывáлый человéк

stagger ['stægə] **1.** *n* 1) пошáтывание 2) *pl* вертя́чка *(болезнь овец)* **2.** *v* 1) шатáться; идтú шатáясь 2) колебáться 3) шатáть; вызывáть колебáния 4) регулúровать часы́ рабóты *(учреждений, магазинов и т. п.)*

stagnant ['stægnənt] 1) стоя́чий *(о воде)* 2) кóсный; инéртный

stagna||te ['stægneɪt] застáиваться; **~tion** [-'neɪʃ(ə)n] застóй; кóсность

stag-party ['stæg,pɑ:tɪ] приём обéд *(и т. п. — без приглашения женщин)*

staid [steɪd] трéзвый; благоразýмный; степéнный

stain ['steɪn] **1.** *n* 1) пятнó *(тж. перен.)* 2) крáска **2.** *v* 1) пáчкать; *перен.* пятнáть 2) крáсить, окрáшивать; **~less** безупрéчный; незапя́тнанный ◇ ~less steel нержавéющая сталь

stair ['stɛə] ступéнька; **~case** [-keɪs] лéстница

stake I [steɪk] **1.** *n* кол, столб **2.** *v* вколáчивать столб; огорáживать столбáми

stake II **1.** *n* стáвка *(на бегах, в пари)*; be at ~ быть постáвленным на кáрту **2.** *v* рисковáть *(чем-л.)*; стáвить на кáрту

stale I [steɪl] **1.** *a* чёрствый, несвéжий *(о хлебе и т.п.)*; *перен.* избúтый, банáльный **2.** *v* изнáшиваться, теря́ть свéжесть

stale II мочá *(животных)*

stalemate ['steɪl'meɪt] *шахм.* пат

stalk I [stɔ:k] стéбель

stalk II 1) подкрáдываться *(к дичи)* 2) шéствовать, гóрдо выступáть

stall [stɔ:l] 1) стóйло 2) ларёк, палáтка 3) крéсло в партéре

stallion ['stæljən] жеребéц

stalwart ['stɔ:lwət] **1.** *a* 1) рóслый, дю́жий 2) мýжественный; стóйкий **2.** *n* стóйкий член пáртии

stamen ['steɪmen] *бот.* тычúнка

stamina ['stæmɪnə] *pl* запáс жúзненных сил; выносливость

stammer ['stæmə] **1.** *v* 1) заикáться 2) запинáться *(от волнения)* **2.** *n* заикáние; **~er** [-rə] зáйка

stamp ['stæmp] **1.** *v* 1) наклáдывать *(штамп, печать и т. п.)* 2) наклéивать мáрки; стáвить клеймó *(на товаре)* 3) тóпать ногáми 4) чекáнить; **~ out** а) подавля́ть; б) ликвидúровать **2.** *n* 1) клеймó, плóмба 2) штамп, печáть; óттиск 3) мáрка 4) тóпанье, тóпот; **~-duty** [-ˌdju:tɪ] гéрбовый сбор

stampede [stæm'pi:d] **1.** *n* панúческое бéгство **2.** *v* 1) бросáться врассыпнýю 2) обращáть в панúческое бéгство

stanch ['stɑ:ntʃ] *см.* staunch I, II

stanchion [stɑ:nʃ(ə)n] подпóрка; стóйка

stand [stænd] **1.** *v* (stood) 1) стоя́ть; вставáть 2) *(for)* олицетворя́ть, символизúровать; стоя́ть *(за что-л.)*; ~ for peace стоя́ть за мир 3) устоя́ть, вы́стоять; ~ the test вы́держать испытáние; ~ one's ground не сдавáться 4) стáвить, помещáть 5) переносúть, терпéть 6) оставáться в сúле; what I said yesterday still ~s то, что я вчерá сказáл, остаётся в сúле; **~ aside** отходúть в стóрону; **~ out** выделя́ться; **~ up** вставáть; **~ up for** вставáть на защúту; **~ up (to)** перéчить, прекослóвить ◇ ~ in awe *(of)* боя́ться; ~ in good stead быть полéзным **2.** *n* 1) пьедестáл; подстáвка, стóйка 2) палáтка, киóск 3) трибýна 4) мéсто, позúция; стоя́нка 5) остановка

standard ['stændəd] **1.** *n* 1) знáмя, флаг, штанда́рт 2) станда́рт; образе́ц; мери́ло; ~ of living жи́зненный у́ровень; ~s of weight ме́ры ве́са 3) но́рма 4) класс *(в начальной школе)* **2.** *a* 1) станда́ртный; типово́й; образцо́вый 2) стоя́чий; ~ lamp торше́р; **~-bearer** [-bɛərə] знамено́сец

standardize [ˈstændədaɪz] стандартизи́ровать

stand-by [ˈstændbaɪ] надёжная опо́ра

standing [ˈstændɪŋ] **1.** *a* 1) стоя́щий, стоя́чий 2) постоя́нный; устано́вленный **2.** *n* 1) продолжи́тельность 2) положе́ние; вес *(в обществе и т.п.)*

standpoint [ˈstændpɔɪnt] то́чка зре́ния

standstill [ˈstændstɪl] безде́йствие, засто́й; come to a ~ останови́ться

stand-up [ˈstændʌp] 1) стоя́чий *(о воротнике)* 2): ~ fight кула́чный бой 3): ~ meal еда́ сто́я *(или* а-ля-фурше́т)

stank [stæŋk] *past от* stink 2

staple I [ˈsteɪpl] **1.** *n* основно́й проду́кт; гла́вный предме́т торго́вли **2.** *a* основно́й; поле́зный

staple II скоба́

star [stɑ:] **1.** *n* 1) звезда́; свети́ло; film ~ кинозвезда́ 2) *attr.*: ~ pupil отли́чник **2.** *v* игра́ть гла́вную роль

starboard [ˈstɑ:bəd] *мор.* пра́вый борт

starch [ˈstɑ:tʃ] **1.** *n* крахма́л **2.** *v* крахма́лить; **~y** [-ɪ] накрахма́ленный; *перен.* чо́порный

stare [stɛə] **1.** *n* изумлённый *или* при́стальный взгляд **2.** *v* смотре́ть при́стально; тара́щить глаза́

stark [stɑ:k] **1.** *a* 1) окочене́вший 2) по́лный, соверше́нный; ~ nonsense чисте́йший вздор **2.** *adv* соверше́нно; ~ naked соверше́нно го́лый

starling [ˈstɑ:lɪŋ] скворе́ц

starry [ˈstɑ:rɪ] звёздный

start [stɑ:t] **1.** *v* 1) отправля́ться 2) начина́ть, предпринима́ть 3) пуска́ть *(машину и т.п.)* 4) вздра́гивать 5) вска́кивать 6) вспу́гивать **2.** *n* 1) отправле́ние, нача́ло; *спорт.* старт; make a ~ начина́ть 2) внеза́пное движе́ние, рыво́к 3) вздра́гивание *(от испуга)*

startle [ˈstɑ:tl] испуга́ть; порази́ть

starvation [stɑ:ˈveɪʃ(ə)n] 1) го́лод 2) голодо́вка; death from *(или* by) ~ голо́дная смерть

starve [ˈstɑ:v] 1) умира́ть от истоще́ния, голода́ть 2) мори́ть го́лодом 3) *разг.* быть о́чень голо́дным ◇ ~ with cold *разг.* умира́ть от хо́лода; **~ling** [-lɪŋ] замо́рыш

state I [steɪt] **1.** *n* 1) состоя́ние, положе́ние 2) велико́лепие, пы́шность **2.** *a* пара́дный

state II **1.** *n* 1) госуда́рство 2) штат **2.** *a* госуда́рственный; S. Department госуда́рственный департа́мент *(министерство иностранных дел США)*

state III заявля́ть, констати́ровать

stately [ˈsteɪtlɪ] велича́вый

statement [ˈsteɪtmənt] заявле́ние, утвержде́ние

state-room [ˈsteɪtrum] 1) пара́дный зал 2) *мор.* отде́льная каю́та

statesman [ˈsteɪtsmən] госуда́рственный де́ятель

static [ˈstætɪk] 1) неподви́жный 2) *тех.* стати́ческий

station [ˈsteɪʃ(ə)n] **1.** *n* 1) ме́сто; пост 2) ста́нция; пункт; dressing ~ перевя́зочный пункт; lifeboat ~ спаса́тельная ста́нция; wireless ~ радиоста́нция 3) железнодоро́жная ста́нция; вокза́л 4) остано́вка *(трамвая и т.п.)* 5) обще́ственное положе́ние **2.** *v* 1) ста́вить, помеща́ть 2) *воен.* размеща́ть, бази́ровать; **~ary** [-ʃnərɪ] 1) неподви́жный 2) стациона́рный

stationer [ˈsteɪʃnə] торго́вец канцеля́рскими принадле́жностями; **~y** [-ʃnərɪ] канцеля́рские принадле́жности

station-master [ˈsteɪʃ(ə)nˌmɑːstə] нача́льник ста́нции

statist [ˈsteɪtɪst] стати́стик; **~ical** [stəˈtɪstɪk(ə)l] статисти́ческий; **~ician** [ˌstætɪsˈtɪʃ(ə)n] *см.* statist; **~ics** [stəˈtɪstɪks] стати́стика

statuary [ˈstætjuərɪ] собра́ние скульпту́р

statue [ˈstætjuː] ста́туя

statuesque [ˌstætjuˈesk] монумента́льный

statuette [ˌstætjuˈet] статуэ́тка

stature [ˈstætʃə] рост; grow in ~ расти́

status [ˈsteɪtəs] 1) обще́ственное положе́ние 2) *юр.* ста́тус; гражда́нское состоя́ние

statut||e [ˈstætjuːt] 1) стату́т; зако́н; 2) *pl* уста́в 3) *attr.*: ~ law пи́санный зако́н; **~ory** [-jut(ə)rɪ] устано́вленный зако́ном

staunch I [stɔːntʃ] ве́рный, сто́йкий; лоя́льный

staunch II остана́вливать *(кровь)*

stave [steɪv] **1.** *n* 1) боча́рная доска́, клёпка 2) *pl муз.* но́тные линéйки **2.** *v* (staved, stove): ~ **in** проломи́ть *(бочку, лодку и т.п.)*; ~ **off** предотвраща́ть, отсро́чивать *(разоблачение, поражение и т.п.)*

stay [steɪ] **1.** *n* 1) пребыва́ние; остано́вка 2) *юр.* отсро́чка **2.** *v* 1) остава́ться 2) остана́вливаться; жить, гости́ть 3) приостана́вливать, заде́рживать 4) выде́рживать, выноси́ть 5) утоля́ть *(голод)*; ~ **away,** ~ **out** отсу́тствовать, не быть до́ма

stead [sted]: in his ~ на его́ ме́сто, вме́сто него́

steadfast [ˈstedfəst] 1) сто́йкий, твёрдый 2) про́чный

steady [ˈstedɪ] **1.** *a* 1) усто́йчивый 2) постоя́нный, ро́вный; неизме́нный 3) степе́нный; уравнове́шенный **2.** *v* 1) де́лать твёрдым, сто́йким 2) де́латься сто́йким; прийти́ в равнове́сие ◇ ~ oneself удержа́ться на нога́х

steak [steɪk] кусо́к *(мяса, рыбы)*

steal [stiːl] (stole; stolen) 1) ворова́ть; красть 2) прокра́дываться; кра́дучись войти́; ~ **away** незаме́тно ускользну́ть; ~ **by** проскользну́ть ми́мо; ~ **in** войти́ кра́дучись; ~ **out** улизну́ть

stealth [ˈstelθ]: by ~ укра́дкой; ~**ily** [-ılı] укра́дкой, втихомо́лку

stealthy ['stelθı] та́йный, скры́тый; ~ glance взгляд укра́дкой

steam ['sti:m] **1.** *n* 1) пар; get up ~ развести́ пары́; *перен.* собра́ться с си́лами 2) испаре́ние **2.** *v* 1) выпуска́ть пар 2) дви́гаться *(посредством пара)* 3) па́рить, выпа́ривать; ~**boat** [-bout] парохо́д; ~**-boiler** [-ˌbɔılə] парово́й котёл; ~**-engine** [-'endʒın] парова́я маши́на

steamer ['sti:mə] парохо́д

steamship ['sti:mʃıp] парохо́д

steed [sti:d] *поэт.* конь

steel ['sti:l] **1.** *n* 1) сталь 2) меч, шпа́га, са́бля; cold ~ холо́дное ору́жие **2.** *v* закаля́ть; ~**-clad** [-klæd] зако́ванный в броню́

steely ['sti:lı] как сталь; ~ glance суро́вый взгляд

steelyard ['sti:ljɑ:d] безме́н

steep I [sti:p] 1) погружа́ть 2) погружа́ться; be ~ed in prejudice погря́знуть в предрассу́дках

steep II ['sti:p] 1) круто́й 2) *разг.* чрезме́рный, невероя́тный; ~**en** [-ə)n] 1) де́лать кру́че 2) де́латься кру́че

steeple ['sti:pl] шпиль

steeplechase ['sti:pltʃeıs] ска́чки с препя́тствиями

steeplejack ['sti:pldʒæk] верхола́з

steer I [stıə] молодо́й вол, бычо́к

steer II ['stıə] управля́ть, вести́ *(корабль, автомобиль и т.п.)*; ~**age** [-rıdʒ] *мор.* четвёртый класс *(палубные пассажиры)*

steersman ['stıəzmən] рулево́й; шту́рман

stellar ['stelə] звёздный; ~ light свет звёзд

stem I [stem] 1) ствол; сте́бель 2) но́жка *(рюмки)* 3) *грам.* осно́ва 4) нос *(корабля)*

stem II 1) остана́вливать 2) идти́ про́тив тече́ния; сопротивля́ться

stench [stentʃ] злово́ние, вонь

stencil ['stensl] **1.** *n* трафаре́т, шабло́н **2.** *v* раскра́шивать по трафаре́ту

stenogra||pher [ste'nɔgrəfə] стенографи́ст; стенографи́стка; ~**phic** [ˌstenə'græfık] стенографи́ческий; ~**phy** [-fı] стеногра́фия

stentorian [sten'tɔ:rıən] громово́й, зы́чный *(о голосе)*

step I [step] **1.** *v* шага́ть, де́лать шаг; ~ **aside** посторони́ться; *перен.* уступи́ть доро́гу *(кому-л.)*; отстрани́ться; ~ **in** а) зайти́; б) вме́шиваться; ~ **off** сойти́ *(с чего-л.)*; ~ **over** перешагну́ть **2.** *n* 1) шаг; take a ~ сде́лать шаг; ~ by ~ шаг за ша́гом; постепе́нно; in ~ в но́гу; a ~ forward шаг вперёд; keep ~ *(with)* идти́ в но́гу 2) по́ступь 3) па *(в танцах)* 4) ме́ра, шаг; take ~s принима́ть ме́ры 5) подно́жка, ступе́нька ◇ this is only the first ~ э́то то́лько нача́ло; what's the next ~? что да́льше де́лать?

step II ['step]: ~**brother** [-ˌbrʌðə] сво́дный брат; ~**daughter** [-ˌdɔ:tə] па́дчерица; ~**father** [-ˌfɑ:ðə] о́тчим; ~**mother** [-ˌmʌðə] ма́чеха; ~**sister** [-ˌsıstə] сво́дная сестра́; **~son** [-sʌn] па́сынок

steril||e [ˈsteraɪl] 1) беспло́дный 2) стери́льный; **~ity** [steˈrɪlɪtɪ] 1) беспло́дие 2) стери́льность

sterling [ˈstəːlɪŋ] **1.** *a* полнове́сный; полноце́нный *(о золоте, серебре); перен.* надёжный, че́стный; ~ silver чи́стое серебро́ **2.** *n* 1) сте́рлинг 2) *attr.*: ~ zone сте́рлинговая зо́на

stern I [stəːn] стро́гий, суро́вый, неумоли́мый

stern II 1) корма́ 2) зад 3) хвост *(гончей, терьера)*

stevedore [ˈstiːvɪdɔː] гру́зчик *(портовый)*

stew [stjuː] **1.** *n* тушёное мя́со ◇ get into a ~ разволнова́ться **2.** *v* 1) туши́ть *(мясо)* 2) па́риться 3) изнемога́ть от жары́

steward [ˈstjuəd] 1) официа́нт; бортпроводни́к *(на пароходе, самолёте)* 2) управля́ющий *(имением, домом)*; дворе́цкий; **~ess** [-ɪs] официа́нтка; стюарде́сса, бортпроводни́ца *(на пароходе, самолёте)*

stew||-pan, ~-pot [ˈstjuːpæn, -pɔt] кастрю́ля

stick I [stɪk] (stuck) 1) коло́ть; втыка́ть 2) коло́ться 3) прикле́ивать 4) прикле́иваться, ли́пнуть 5) приде́рживаться *(мнения и т.п. — to)* 6) застрева́ть *(о машине и т.п.)* 7) *разг.* терпе́ть, мири́ться; he could not ~ it any longer он бо́льше не мог э́того вы́нести; **~ around** быть на подхва́те; **~ at** упо́рно продолжа́ть *(что-л. делать)*; ~ at nothing ни перед че́м не остана́вливаться; **~ out** а) высо́вывать; б) высо́вываться; в) не поддава́ться; г) бастова́ть; **~ out for** наста́ивать *(на чём-л.)*; **~ up** торча́ть; **~ up for** защища́ть, подде́рживать

stick II [stɪk] 1) па́лка; прут; тро́сточка 2): ~ of chocolate пли́тка шокола́да; ~ of chewing-gum пли́точка жева́тельной рези́нки 3) *разг.* тупи́ца

stickler [ˈstɪklə] я́рый сторо́нник *(дисциплины и т.п.)*

sticky [ˈstɪkɪ] 1) ли́пкий, клейки́й 2) *разг.* жа́ркий и вла́жный *(о погоде)* 3) *разг.* тру́дный, неприя́тный

stiff [ˈstɪf] **1.** *a* 1) туго́й, неги́бкий; жёсткий; *перен.* холо́дный; чо́порный 2) кре́пкий *(о напитках)* 3) круто́й *(о тесте)* 4) высо́кий *(о ценах)* 5) тру́дный *(об экзамене)* ◇ he has a ~ neck ему́ наду́ло в ше́ю; it bored me ~ я чуть не у́мер от ску́ки **2.** *n разг.* труп; **~en** [-n] 1) де́лать жёстким, неги́бким 2) де́латься жёстким, неги́бким, кочене́ть, костене́ть

stiff-necked [ˈstɪfˈnekt] упря́мый

stifl||e [ˈstaɪfl] 1) души́ть 2) задыха́ться ◇ ~ a yawn подави́ть зево́к; **~ing** ду́шный

stigma [ˈstɪgmə] 1) пятно́, позо́р 2) *бот.* ры́льце *(пестика)*

stigmatize [ˈstɪgmətaɪz] клейми́ть позо́ром, бесче́стить

stile [staɪl] присту́пок, ступе́ньки для перехо́да че́рез и́згородь

still I [stɪl] **1.** *adv* 1) до сих по́р; всё ещё 2) ещё *(в срав-*

нении); ~ longer ещё длиннée **2.** *cj* однáко

still II **1.** *a* 1) неподви́жный; ~ life натюрмóрт 2) бесшу́мный; ти́хий ◇ ~ waters run deep *погов.* ≅ в ти́хом óмуте чéрти вóдятся **2.** *n поэт.* тишинá, безмóлвие **3.** *v* успокáивать; унимáть

still III перегóнный куб

still-born ['stɪlbɔ:n] мертворождённый

stilt ['stɪlt] ходу́ля; **~ed** [-ɪd] напы́щенный; высокопáрный

stimul||ant ['stɪmjulənt] возбуждáющее срéдство *(чáсто спиртнóе)*; **~ate** [-eɪt] стимули́ровать; **~ation** [ˌstɪmju'leɪʃ(ə)n] поощрéние; **~us** [-əs] сти́мул

sting [stɪŋ] **1.** *n* 1) жáло *(насекóмого)* 2) уку́с; *перен.* кóлкость 3) жгу́чая боль **2.** *v* (stung) 1) жáлить 2) уязвля́ть

stingy ['stɪndʒɪ] скупóй

stink [stɪŋk] **1.** *n* зловóние, вонь **2.** *v* (stank, stunk; stunk) воня́ть

stint [stɪnt] **1.** *n* 1): without ~ без ограничéния 2): do one's daily ~ вы́полнить дневнóй урóк **2.** *v* ску́дно снабжáть: урéзывать

stipend ['staɪpend] 1) жáлованье, оклáд 2) стипéндия; **~iary** [-'pendjərɪ] *офиц.* оплáчиваемый

stipulat||e ['stɪpjuleɪt] обуслóвливать, стáвить услóвием; **~ion** [ˌstɪpju'leɪʃ(ə)n] услóвие

stir ['stə:] **1.** *n* 1) движéние 2) суетá, суматóха; всеóбщее возбуждéние; make a ~ возбуждáть óбщий интерéс **2.** *v* 1) шевели́ть 2) шевели́ться 3) размéшивать 4) возбуждáть; **~ring** [-rɪŋ] волну́ющий; ~ring times временá, пóлные собы́тий

stirrup ['stɪrəp] стрéмя

stitch [stɪtʃ] **1.** *n* стежóк; пéтля *(в вязании)* **2.** *v* шить; стегáть

stoat [stout] горностáй

stock [stɔk] **1.** *n* 1) ствол 2) скот 3) род; порóда 4) запáс, фонд; in ~ в запáсе 5) *pl* áкции; фóнды **2.** *v* 1) снабжáть 2) имéть на склáде

stock-breeder ['stɔkˌbri:də] животновóд

stockbroker ['stɔkˌbroukə] биржевóй мáклер

stockholder ['stɔkˌhouldə] акционéр

stockinet [ˌstɔkɪ'net] трикó *(ткань)*

stocking ['stɔkɪŋ] чулóк

stock-market ['stɔkˌmɑ:kɪt] фóндовая би́ржа

stock-still ['stɔk'stɪl] неподви́жный; остолбенéвший

stock-taking ['stɔkˌteɪkɪŋ] инвентаризáция; (перé)учёт товáров

stocky ['stɔkɪ] призéмистый, коренáстый

stodgy ['stɔdʒɪ] 1) тяжёлый *(о пище)* 2) тяжеловéсный; ску́чный; ~ book ску́чная кни́га

stoke ['stouk] забрáсывать тóпливо, загружáть тóпку; **~hold, ~hole** [-hould, -houl] кочегáрка

stoker ['stoukə] 1) кочегáр; истопни́к 2) механи́ческая тóпка

stole [stoul] *past от* steal

stolen ['stoul(ə)n] *p. p. от* steal

stolid ['stɔlɪd] флегмати́чный; **~ity** [stɔ'lɪdɪtɪ] ту́пость; вя́лость, флегмати́чность

stomach ['stʌmək] **1.** *n* желу́док; живо́т ◇ turn one's ~ вызыва́ть тошноту́ **2.** *v* терпе́ть, сноси́ть; I cannot ~ it я не перева́риваю э́того

stone ['stoun] **1.** *n* 1) ка́мень; precious ~ драгоце́нный ка́мень 2) ко́сточка, зёрнышко *(плода)* 3) сто́ун *(мера веса =6,33 кг)* ◇ leave no ~ unturned испро́бовать все возмо́жные сре́дства; within a ~'s throw о́чень бли́зко **2.** *v* 1) побива́ть камня́ми 2) вынима́ть ко́сточки *(из фруктов)*; **~-blind** [-'blaɪnd] соверше́нно слепо́й; **~-mason** [-ˌmeɪsn] ка́менщик; **~ware** [-wɛə] гли́няная посу́да

stony ['stounɪ] камени́стый; *перен.* холо́дный; безжа́лостный; ~ politeness холо́дная учти́вость; ~ stare неподви́жный взгляд

stony-broke ['stounɪbrouk] *разг.* без гроша́

stood [stud] *past и p. p. от* stand 1

stool [stu:l] 1) табуре́т 2) стульча́к 3) *мед.* стул

stool-pigeon ['stu:l'pɪdʒɪn] го́лубь-мано́к; *перен.* провока́тор, осведоми́тель

stoop [stu:p] **1.** *n* суту́лость **2.** *v* 1) наклоня́ться, нагиба́ться 2) суту́литься 3) снизойти́ *(до — to)*

stop ['stɔp] **1.** *n* 1) остано́вка; заде́ржка; come to a ~ останови́ться 2) прекраще́ние, коне́ц; put a ~ to smth. положи́ть коне́ц чему́-л. 3) знак препина́ния; full ~ то́чка **2.** *v* 1) остана́вливать; прекраща́ть; *тех.* засто́поривать, выключа́ть; ~ it! переста́ньте! 2) остана́вливаться; прекраща́ться; has it ~ped raining? дождь прошёл? 3) остана́вливаться *(в гостинице и т. п.)*; **~ off** заезжа́ть; **~ up** а) затыка́ть; б): ~ up late по́здно ложи́ться спать ◇ ~ a tooth запломбирова́ть зуб; ~ a wound останови́ть кровотече́ние из ра́ны; **~cock** [-kɔk] *тех.* запо́рный кран; **~gap** [-gæp] заме́на; замени́тель *(временный)*

stopp||age ['stɔpɪdʒ] 1) остано́вка; поме́ха; заде́ржка 2) забасто́вка, прекраще́ние рабо́ты; **~er** зату́чка, про́бка; **~ing** зубна́я пло́мба

storage ['stɔ:rɪdʒ] 1) хране́ние 2) склад; храни́лище 3) пла́та за хране́ние

store ['stɔ:] **1.** *n* 1) запа́с 2) *pl* запа́сы 3) склад 4) *pl* универса́льный магази́н ◇ set ~ by smth. придава́ть большо́е значе́ние чему́-л.; I have a surprise in ~ for you у меня́ для вас пригото́влен сюрпри́з **2.** *v* 1) запаса́ть; откла́дывать 2) храни́ть на скла́де; **~house** [-haus] амба́р; кладова́я; *перен.* сокро́вищница; **~keeper** [-ˌki:pə] *амер.* ла́вочник; **~-room** [-rum] кладова́я

storey ['stɔ:rɪ] эта́ж; я́рус

stork [stɔ:k] а́ист

storm ['stɔ:m] **1.** *n* 1) бу́ря,

грозá; шторм 2) *воен.* штурм; take by ~ взять штýрмом **2.** *v* 1) штурмовáть, брать прúступом 2) бушевáть; **~bound** [-baund] задéржанный штóрмом

stormy ['stɔ:mɪ] бýрный; ярóстный; ~ petrel буревéстник

story I ['stɔ:rɪ] *см.* storey

story II ['stɔ:rɪ] 1) рассказ; пóвесть; funny ~ анекдóт 2) предáние; скáзка 3) фáбула 4) *разг. преим. детск.* вы́думка, ложь; **~-teller** [-ˌtelə] 1) расскáзчик 2) скáзочник 3) áвтор расскáзов 4) *разг.* лгунúшка

stout I [staut] 1) сúльный, крéпкий 2) отвáжный, решúтельный; ~ resistance упóрное сопротивлéние 3) тýчный, тóлстый

stout II крéпкий пóртер

stove I [stouv] печь, пéчка; кýхонная плитá

stove II *past и p. p. от* stave 2

stow [stou] 1) убирáть, прятать; склáдывать 2): ~ cargo погрузúть товáры *(на судно)*; ~ **away** а) прятать; б) éхать без билéта *(на пароходе или самолёте)* ◇ ~ it! *разг.* заткнúсь!; **~age** ['sto(u)ɪdʒ] 1) склáдывание, уклáдка 2) *мор.* погрýзка 3) склáдочное мéсто; **~away** ['sto(u)əweɪ] безбилéтный пассажúр, зáяц

straddle ['strædl] 1) расставлять нóги 2) сидéть верхóм

straggle ['strægl] 1) отставáть; идтú вразбрóд 2) быть разбрóсанным

straight ['streɪt] **1.** *a* 1) прямóй 2) прáвильный 3) чéстный 4) *амер.* неразбáвленный **2.** *adv* 1) прямо 2) немéдленно; ~ away срáзу; **~en** [-n] 1) выпрямлять 2) выпрямляться; **~en out** приводúть в порядок

straightforward [streɪt'fɔ:wəd] чéстный, прямóй; открытый

straightway ['streɪtweɪ] немéдленно

strain I [streɪn] 1) порóда; род 2) наслéдственная чертá; склóнность (харáктера)

strain II ['streɪn] **1.** *n* 1) растяжéние 2) напряжéние, усúлие **2.** *v* 1) натягивать; растягивать; 2) напрягáть; ~ the eyes утомлять глазá 3) напрягáться 4) фильтровáть; процéживать; **~er** фильтр

strait ['streɪt] **1.** *a* ýзкий; ~ jacket *(или* waistcoat) смирúтельная рубáшка **2.** *n* 1) *(тж. pl)* ýзкий пролúв 2) *(обыкн. pl)* затруднúтельное положéние, нуждá; **~ened** [-nd]: in ~ened circumstances в стеснённых обстоятельствах

strand I [strænd] **1.** *n* бéрег; прибрéжная полосá **2.** *v* сесть *(или* посадúть) на мель; be ~ed *перен.* быть на мелú

strand II прядь

strang‖e ['streɪndʒ] 1) чужóй, незнакóмый 2) стрáнный; **~er** 1) чужестрáнец, инострáнец 2) незнакóмец; посторóнний человéк

strangle ['stræŋgl] душúть

strangulation [ˌstræŋgju'leɪʃ(ə)n] удушéние

strap ['stræp] **1.** *n* 1) ремéнь, кушáк, пóяс 2) длúнная ýзкая полосá **2.** *v* 1) стягивать ремнём 2) бить ремнём 3) *мед.*

наклáдывать плáстырь; **~ping** **1.** *a* рóслый, дю́жий **2.** *n* ли́пкий плáстырь

strata ['strɑ:tə] *pl от* stratum

stratagem ['strætɪdʒəm] воéнная хи́трость; улóвка

strate||gic(al) [strə'ti:dʒɪk(əl)] стратеги́ческий; **~gics** [-ks] стратéгия; **~gist** ['strætɪdʒɪst] стратéг; **~gy** ['strætɪdʒɪ] стратéгия

stratosphere ['strætо(u)sfɪə] стратосфéра

stratum ['strɑ:təm] *(pl* strata) *геол.* пласт; *перен.* слой *(общества)*

straw [strɔ:] 1) солóма 2) солóминка ◇ not to care a ~ относи́ться совершéнно безразли́чно; the last ~ ≅ послéдняя кáпля *(переполнившая чашу терпения)*

strawberry ['strɔ:b(ə)rɪ] земляни́ка; клубни́ка

stray [streɪ] **1.** *v* сби́ться с пути́, блуждáть **2.** *n* заблуди́вшееся живóтное; беспризóрный ребёнок **3.** *a* случáйный; ~ bullet шальнáя пу́ля

streak ['stri:k] **1.** *n* полóска; a ~ of obstinacy *перен.* нéкоторое упря́мство ◇ like a ~ of lightning с быстротóй мóлнии **2.** *v* проводи́ть пóлосы; ~ **off** *(или* **past)** мелькáть; **~y** [-ɪ] полосáтый

stream ['stri:m] **1.** *n* 1) потóк; рекá; ручéй 2) течéние; up ~ вверх по течéнию; down ~ вниз по течéнию **2.** *v* 1) вытекáть; течь, струи́ться 2) развевáться *(о знамёнах, волосах)*; **~er** 1) вы́мпел 2) дли́нная развевáющаяся лéнта; **~let** [-lɪt] ручеёк

streamlined ['stri:mlaɪnd] обтекáемой фóрмы

street [stri:t] у́лица; one-way ~ односторóннее движéние; the man in the ~ обыкновéнный человéк; обывáтель

strength ['streŋθ] 1) си́ла 2) прóчность; крéпость ◇ in full ~ в пóлном состáве; on the ~ of smth. благодаря́ чему́-л.; **~en** [-(ə)n] 1) уси́ливать 2) уси́ливаться

strenuous ['strenjuəs] энерги́чный *(о человеке)*; напряжённый *(о работе)*

stress [stres] **1.** *n* 1) нажи́м; давлéние, напряжéние 2) ударéние **2.** *v* подчёркивать; дéлать ударéние

stretch ['stretʃ] **1.** *n* 1) вытя́гивание 2) протяжéние; пространство 3) промежу́ток врéмени; at a ~ в оди́н присéст, не отрывáясь **2.** *v* 1) тяну́ть, вытя́гивать, натя́гивать 2) преувели́чивать 3) тяну́ться; вытя́гиваться 4) простирáться; ~ **out** тяну́ться, растя́гиваться; **~er** носи́лки

strew [stru:] (strewed; strewn, strewed) 1) разбрáсывать 2) посыпáть; усыпáть *(цветами)*

strewn [stru:n] *p. p. от* strew

stricken ['strɪk(ə)n] **1.** *уст. p. p. от* strike II **2.** *a книжн.*: ~ in years престарéлый

strict ['strɪkt] 1) стрóгий 2) тóчный; **~ure** [-tʃə] 1) *(обыкн. pl)* сурóвая кри́тика, осуждéние 2) *мед.* сужéние

stridden ['strɪdn] *p. p. от* stride 2

stride [straɪd] **1.** *n* большо́й шаг ◇ make great ~s де́лать больши́е успе́хи **2.** *v* (strode; *p. p. редко* stridden) идти́ широ́ким ша́гом; ~ **across,** ~ **over** перешагну́ть

strident ['straɪdnt] ре́зкий, скрипу́чий

strife [straɪf] **1)** борьба́ 2) спор, препира́тельство

strike I [straɪk] **1.** *n* забасто́вка; general ~ всео́бщая забасто́вка; sit-down *(или* stay-in) ~италья́нская забасто́вка; be on ~ бастова́ть; go on ~ объявля́ть забасто́вку **2.** *v* бастова́ть, объявля́ть забасто́вку

strike II (struck; **s**truck, stricken) 1) ударя́ть, наноси́ть уда́р; поража́ть 2): ~ a match зажига́ть спи́чку 3) бить *(о часах)* 4) поража́ть, удивля́ть 5) *безл.* прийти́ в го́лову, осени́ть; ~ **off** а) вычёркивать; б) *полигр.* отпеча́тывать; ~ **out** вачёркивать; ~ **up** начина́ть; ~ up a friendship подружи́ться ◇ ~ a bargain заключи́ть сде́лку; ~ camp снима́ться с ла́геря; ~ oil найти́ нефтяно́й исто́чник; *перен.* преуспе́ть

strike-breaker ['straɪk,breɪkə] штрейкбре́хер

striker ['straɪkə] забасто́вщик

striking ['straɪkɪŋ] удиви́тельный, порази́тельный

string [strɪŋ] **1.** *n* **1**) верёвка, шнуро́к 2) струна́ 3) ни́тка *(бус и т. п.)* 4) тетива́ *(лука)* 5) ряд *(фактов, примеров)* 6) *attr.*: ~ band стру́нный орке́стр **2.** *v* (strung) 1) снабжа́ть струно́й 2) натя́гивать *(струны)* 3) нани́зывать *(бусы)* 4): ~ up завя́зывать; ~**ed** [-d]: ~ed instrument стру́нный инструме́нт

string||ency ['strɪndʒ(ə)nsɪ] стро́гость; ~**ent** [-(ə)nt] 1) стро́гий 2) стеснённый *(в деньгах)*

stringy ['strɪŋɪ] волокни́стый

strip [strɪp] **1.** *n* поло́ска, лоску́т **2.** *v* 1) сдира́ть, обдира́ть 2) раздева́ть; снима́ть 3) гра́бить

strip||e [straɪp] **1)** полоса́ 2) *воен.* наши́вка; ~**ed** [-t] полоса́тый

stripling ['strɪplɪŋ] юне́ц, подро́сток

strive [straɪv] (strove; striven) 1) стара́ться 2) боро́ться *(за—for; против—against; с—with)*

striven ['strɪvn] *p. p. от* strive

strode [stroud] *past от* stride 2

stroke I [strouk] 1) уда́р *(тж. мед.)* 2) взмах 3) ход, приём *(в политике и т. п.)* 4) бой *(часов)* ◇ a ~ of luck уда́ча, везе́ние

stroke II **1.** *n* погла́живание *(рукой)* **2.** *v* гла́дить, погла́живать

stroll [stroul] **1.** *n* прогу́лка; take a ~ прогуля́ться **2.** *v* прогу́ливаться, броди́ть

strong ['strɔŋ] 1) си́льный 2) здоро́вый 3) кре́пкий; ~ drink спиртны́е напи́тки 4) ре́зкий; ~**-box** [-bɔks] сейф

stronghold ['strɔŋhould] цитаде́ль; тверды́ня; оплот

strop [strɔp] **1.** *n* реме́нь *(для правки бритв)* **2.** *v* пра́вить *(бритву)*

strove [strouv] *past от* strive

struck [strʌk] *past и p. p. от* strike II

structural [ˈstrʌktʃ(ə)r(ə)l] структу́рный

structure [ˈstrʌktʃə] 1) структу́ра, устро́йство; строй 2) зда́ние, сооруже́ние

struggle [ˈstrʌgl] **1.** *n* борьба́ **2.** *v* 1) боро́ться 2) прилага́ть все уси́лия

strum [ˈstrʌm] бренча́ть; **~-ming** [-mɪŋ] бренча́ние

strung [strʌŋ] **1.** *past и p. p. от* string 2 **2.** *a*: a highly ~ person о́чень не́рвный челове́к; highly ~ nerves натя́нутые не́рвы

strut I [strʌt] **1.** *n* ва́жная по́ступь **2.** *v* ва́жничать, го́рдо выступа́ть

strut II **1.** *n тех.* сто́йка; распо́рка **2.** *v* подпира́ть

stub [stʌb] 1) пень 2) обло́мок; огры́зок *(карандаша)* 3) оку́рок 4) корешо́к *(чека, квитанции и т. п.)*

stubble [ˈstʌbl] 1) жнивьё 2) щети́на, небри́тая борода́

stubborn [ˈstʌbən] упря́мый; упо́рный; **~ness** упря́мство; упо́рство

stucco [ˈstʌkou] **1.** *n* штукату́рка **2.** *v* штукату́рить

stuck [stʌk] *past и p. p. от* stick I

stuck-up [ˈstʌkˈʌp] *разг.* высокоме́рный, зано́счивый

stud I [stʌd] **1.** *n* 1) за́понка; пу́говица 2) гвоздь с большо́й шля́пкой **2.** *v* 1) обива́ть *(гвоздями)* 2) *(обыкн. p. p.)*: ~ded with smth. усы́панный чем-л.

stud II [ˈstʌd] ко́нский заво́д; **~-book** родосло́вная чистокро́вных лошаде́й

student [ˈstjuːd(ə)nt] 1) студе́нт 2) изуча́ющий *(что-л.)*

studied [ˈstʌdɪd] обду́манный, преднаме́ренный; ~ insult умы́шленное оскорбле́ние

studio [ˈstjuːdɪou] сту́дия

studious [ˈstjuːdjəs] приле́жный, стара́тельный

study [ˈstʌdɪ] **1.** *n* 1) изуче́ние, иссле́дование 2) заня́тие *(наукой)* 3) предме́т изуче́ния 4) кабине́т ◇ in a brown ~ в заду́мчивости, в разду́мье **2.** *v* 1) занима́ться, учи́ться 2) изуча́ть, иссле́довать

stuff [ˈstʌf] **1.** *n* 1) вещество́, мате́рия; we'll see what ~ he's made of посмо́трим, что он из себя́ представля́ет; what's that ~ you're eating? что э́то тако́е вы еди́те? 2) *разг.* пожи́тки; take your ~ out of my room убери́те ва́ши пожи́тки из мое́й ко́мнаты ◇ ~ and nonsense! чепуха́! **2.** *v* 1) засо́вывать, впи́хивать 2) набива́ть; де́лать чу́чело 3) фарширова́ть 4) *разг.* втира́ть очки́ *(кому-л.)* 5): ~ oneself with *разг.* объеда́ться; **~ing** 1) наби́вка 2) начи́нка, фарш

stuffy [ˈstʌfɪ] спёртый; ду́шный

stultify [ˈstʌltɪfaɪ] выставля́ть в смешно́м ви́де

stumble [ˈstʌmbl] **1.** *n* запи́нка **2.** *v* 1): ~ over спотыка́ться 2) запина́ться; **~ across, ~ (up)on** наткну́ться *(на что-л.)*

stumbling-block [ˈstʌmblɪŋblɔk] ка́мень преткнове́ния

stump [stʌmp] **1.** *n* 1) пень 2) обру́бок **2.** *v* 1) ковыля́ть 2) *разг.* ста́вить в тупи́к

stun [stʌn] оглуша́ть, ошеломля́ть

stung [stʌŋ] *past и p. p. от* sting 2

stunk [stʌŋk] *past и p. p. от* stink 2

stunn||er [ˈstʌnə]: she is a ~ *разг.* она́ чу́до что за же́нщина; **~ing** 1) ошеломля́ющий 2) *разг.* изуми́тельный

stunt I [stʌnt] заде́рживать рост

stunt II [stʌnt] *разг.* трюк, фо́кус

stunted [ˈstʌntɪd] малоро́слый, ча́хлый

stupefaction [ˌstjuːpɪˈfækʃ(ə)n] оцепене́ние, остолбене́ние

stupefy [ˈstjuːpɪfaɪ] притупля́ть *(ум, чувства)*

stupendous [stjuːˈpendəs] грома́дный; изумля́ющий

stupid [ˈstjuːpɪd] глу́пый; **~ity** [stjuːˈpɪdɪtɪ] глу́пость

stupor [ˈstjuːpə] оцепене́ние, столбня́к

sturdy [ˈstəːdɪ] 1) кре́пкий, си́льный 2) сто́йкий, твёрдый

sturgeon [ˈstəːdʒ(ə)n] *зоол.* осётр

stutter [ˈstʌtə] **1.** *v* заика́ться; запина́ться **2.** *n* заика́ние; **~er** [-rə] заи́ка

sty I [staɪ] 1) свина́рник 2) гря́зное помеще́ние, хлев

sty II ячме́нь *(на глазу)*

styl||e [ˈstaɪl] **1.** *n* 1) стиль; слог; мане́ра 2) шко́ла, направле́ние *(в искусстве)* 3) мо́да; покро́й, фасо́н 4) ти́тул **2.** *v* велича́ть; титулова́ть; **~ish** мо́дный; шика́рный; **~istic** [-ˈlɪstɪk] стилисти́ческий

stylus [ˈstaɪləs] граммофо́нная иго́лка

stymie [ˈstaɪmɪ] поста́вить в тупи́к *(кого-л.)*

suav||e [swɑːv] учти́вый; мя́гкий; **~ity** [ˈswævɪtɪ] учти́вость; мя́гкость

sub- [sʌb-] *pref* под-, недо-; суб-

subaltern [ˈsʌblt(ə)n] мла́дший офице́р *(ниже капитана)*

subcommittee [ˈsʌbkəˌmɪtɪ] подкомите́т

subconscious [ˈsʌbˈkɔnʃəs] подсозна́тельный

subdivide [ˈsʌbdɪˈvaɪd] 1) подразделя́ть 2) подразделя́ться

subdivision [ˈsʌbdɪˌvɪʒ(ə)n] подразделе́ние

subdue [səbˈdjuː] 1) покоря́ть; подавля́ть 2) смягча́ть, ослабля́ть; ~d voices приглушённые голоса́

subheading [ˈsʌbˈhedɪŋ] подзаголо́вок

subject 1. *a* [ˈsʌbdʒɪkt] 1) подчинённый, подвла́стный 2) (to) подве́рженный 3) (to) подлежа́щий **2.** *n* [ˈsʌbdʒɪkt] 1) предме́т, те́ма; вопро́с 2) предме́т, дисципли́на 3) по́дданный 4) *грам.* подлежа́щее ◇ on the ~ of по по́воду *(чего-л.)* **3.** *prep* [ˈsʌbdʒɪkt]: ~ to при усло́вии, допуска́я **4.** *v* [səbˈdʒekt] 1) подчиня́ть 2) подверга́ть *(воздействию, влиянию и т. п.)*; **~ion** [səbˈdʒekʃ(ə)n] 1) подчине́ние; покоре́ние 2) зави́симость; **~ive** [sʌbˈdʒektɪv] 1) субъекти́вный 2) *грам.* субъе́ктный

subjoin [ˈsʌbˈdʒɔɪn] добавля́ть, прилага́ть в конце́

subjugat||e [ˈsʌbdʒugeɪt] покоря́ть, подчиня́ть; **~ion** [ˌsʌbdʒuˈgeɪʃ(ə)n] подчине́ние; покоре́ние; **~or** покори́тель; угнета́тель

subjunctive [səbˈdʒʌŋktɪv] *грам.* сослага́тельное наклоне́ние

sublease [ˈsʌbˈliːs] субаре́нда

sublimate [ˈsʌblɪmeɪt] *хим.* сублими́ровать; *перен.* возвыша́ть

sublime [səˈblaɪm] **1.** *a* вели́чественный, грандио́зный; возвы́шенный **2.** *v см.* sublimate

submarine [ˈsʌbməriːn] **1.** *n* подво́дная ло́дка **2.** *a* подво́дный

submerge [səbˈməːdʒ] 1) затопля́ть; погружа́ть 2) погружа́ться

submis||sion [səbˈmɪʃ(ə)n] 1) подчине́ние 2) поко́рность 3) *(обыкн. юр.)* предоставле́ние, пода́ча *(документов)*; **~sive** [-ˈmɪsɪv] поко́рный; смире́нный

submit [səbˈmɪt] 1) подчиня́ться 2) *(обыкн. юр.)* подава́ть, представля́ть на рассмотре́ние

subordinat||e 1. *a* [səˈbɔːdnɪt] 1) подчинённый 2) второстепе́нный 3) *грам.* прида́точный **2.** *v* [səˈbɔːdɪneɪt] подчиня́ть; **~ion** [səˌbɔːdɪˈneɪʃ(ə)n] подчине́ние, субордина́ция

suborn [sʌˈbɔːn] подкупа́ть

subpoena [səbˈpiːnə] **1.** *n* пове́стка, вы́зов в суд **2.** *v* вызыва́ть в суд

subscrib||e [səbˈskraɪb] 1) же́ртвовать *(деньги)*; субсиди́ровать 2): ~ to *(или* for) подпи́сываться *(на газету и т. п.)* 3): ~ to smb.'s opinion присоединя́ться к чьему́-л. мне́нию; **~er** подпи́счик

subscription [səbˈskrɪpʃ(ə)n] 1) подпи́ска *(на газету и т. п.)* 2) взнос 3) о́бщая су́мма подпи́ски 4) *attr.*: ~ list подписно́й лист

subsequent [ˈsʌbsɪkwənt] после́дующий; **~ly** впосле́дствии

subserv||e [səbˈsəːv] соде́йствовать; **~ient** [-jənt] уго́дливый, раболе́пный

subside [səbˈsaɪd] 1) спада́ть, убыва́ть 2) оседа́ть *(о почве и т. п.)* 3) утиха́ть *(о ветре, возбуждении)*

subsi||diary [səbˈsɪdjərɪ] вспомога́тельный, дополни́тельный; **~dize** [ˈsʌbsɪdaɪz] субсиди́ровать; **~dy** [ˈsʌbsɪdɪ] субси́дия; дота́ция

subsist [səbˈsɪst]: ~ **on** существова́ть *(за счёт чего-л.)*; ~ on vegetable diet быть вегетариа́нцем; **~ence** [-(ə)ns] 1) существова́ние 2) сре́дства к существова́нию 3) *attr.*: ~ence diet голо́дный паёк

subsoil [ˈsʌbsɔɪl] подпо́чва

substan||ce [ˈsʌbst(ə)ns] 1) вещество́; мате́рия, субста́нция 2) су́щность; in ~ по существу́; **~tial** [səbˈstænʃ(ə)l] 1) суще́ственный; a ~tial difference суще́ственное разли́чие 2) про́чный; a ~tial house про́чный дом 3) состоя́тельный 4) реа́льный; **~tiate** [səbˈstænʃɪeɪt] приводи́ть доста́точные основа́ния, дока́зывать

substantiation [səbˌstænʃɪ'eɪʃ(ə)n] доказа́тельство; обоснова́ние

substantive ['sʌbstəntɪv] *грам.* и́мя существи́тельное

substation ['sʌb'steɪʃ(ə)n] подста́нция

substitut||e ['sʌbstɪtju:t] **1.** *n* 1) замести́тель 2) заме́на; замени́тель; суррога́т **2.** *v* заменя́ть, замеща́ть; **~ion** [ˌsʌbstɪ'tju:ʃ(ə)n] 1) заме́на, замеще́ние 2) *мат.* подстано́вка

substratum ['sʌb'strɑ:təm] ни́жний слой; подпо́чва; *перен.* основа́ние

subterfuge ['sʌbtəfju:dʒ] увёртка, отгово́рка

subterranean [ˌsʌbtə'reɪnjən] подзе́мный

subtitle ['sʌb'taɪtl] подзаголо́вок

subtle ['sʌtl] 1) то́нкий, неулови́мый; ~ distinction то́нкое разли́чие 2) иску́сный, ло́вкий 3) проница́тельный; ~ observer проница́тельный наблюда́тель 4) утончённый; **~ty** [-tɪ] 1) то́нкость; не́жность 2) иску́сность, ло́вкость 3) проница́тельность 4) утончённость

subtract [səb'trækt] *мат.* вычита́ть; **~ion** [-kʃ(ə)n] *мат.* вычита́ние

subtrahend ['sʌbtrəhend] *мат.* вычита́емое

suburb ['sʌbə:b] при́город; *pl* предме́стья, окре́стности; **~an** [sə'bə:b(ə)n] при́городный

subvention [səb'venʃ(ə)n] субси́дия, дота́ция

subversion [sʌb'və:ʃ(ə)n] ниспроверже́ние

subversive [sʌb'və:sɪv] разруши́тельный; подрывно́й; ~ activity подрывна́я де́ятельность

subvert [sʌb'və:t] ниспроверга́ть; разруша́ть; *перен.* подрыва́ть

subway ['sʌbweɪ] 1) тунне́ль 2) *амер.* метрополите́н

succeed [sək'si:d] 1) насле́довать; who ~ed him? кто был его́ пре́емником? 2) сле́довать 3) преуспева́ть, достига́ть це́ли; our plan didn't ~ наш план не уда́лся

success [sək'ses] 1) успе́х; be a (great) ~ име́ть (большо́й) успе́х 2) име́ющий успе́х; the experiment is a ~ о́пыт уда́лся; **~ful** уда́чный; успе́шный

success||ion [sək'seʃ(ə)n] 1) пра́во насле́дования 2) после́довательность 3) ряд *(собы́тий и т. п.)*; **~ive** [-'sesɪv] после́довательный; сле́дующий оди́н за други́м; **~or** пре́емник

succinct [sək'sɪŋkt] кра́ткий, сжа́тый

succo(u)r ['sʌkə] **1.** *n* по́мощь **2.** *v* помога́ть; приходи́ть на по́мощь

succul||ence ['sʌkjuləns] со́чность; **~ent** [-ənt] со́чный

succumb [sə'kʌm] 1) подда́ться, уступи́ть 2) стать же́ртвой *(чего-л.)* he ~ed to pneumonia он у́мер от воспале́ния лёгких

such ['sʌtʃ] **1.** *a* тако́й; ~ people таки́е лю́ди; ~ **as** как наприме́р; ~ **...as** а) тако́й как; ~ a man as I imagined тако́й челове́к, каки́м я его́ себе́ представля́ла; б) тако́й, кото́рый; I'll give you ~ information as is necessary я дам вам таки́е све́дения, кото́рые вам нужны́; в) такóй, чтóбы; ~ **that** а) такóй что; the road is ~ that it can only be travelled on foot э́то такáя дорóга, по котóрой мóжно тóлько идти́ пешкóм; б) так что; he said it in ~ a way that I couldn't help laughing он так э́то сказáл, что я не мог удержáться от смéха **2.** *pron* таковóй; ~ is life! таковá жизнь!; **~-and-~** [ˈsʌtʃənsʌtʃ] такóй-то; **~like** [-laɪk] *разг.* такóй

suck [ˈsʌk] **1.** *v* сосáть, всáсывать; ~ **in,** ~ **up** засáсывать, поглощáть **2.** *n* сосáние; **~er** 1) *разг.* леденéц на пáлочке 2) *разг.* молокосóс 3) *разг.* простáк 4) *бот.* боковóй побéг

suckl||e [ˈsʌkl] корми́ть грýдью; **~ing** груднóй ребёнок; сосунóк

suction [ˈsʌkʃ(ə)n] сосáние; присáсывание

sudden [ˈsʌdn] **1.** *a* внезáпный **2.** *n*: on a ~, of a ~, all of a ~ вдруг; **~ly** внезáпно, вдруг

suds [sʌdz] *pl* мы́льная водá *или* пéна *ед.*

sue [sjuː] 1) преслéдовать судéбным поря́дком 2) проси́ть, умоля́ть

suède [sweɪd] зáмша

suet [sjuɪt] пóчечное *или* нутрянóе сáло

suffer [ˈsʌfə] 1) страдáть; испы́тывать *(боль и т. п.)* 2) нести́ *(потери, поражение)* 3) терпéть, сноси́ть; позволя́ть, допускáть ◇ ~ a change претерпéть изменéние; **~ance** [-r(ə)ns] 1) терпи́мость 2) *уст.* молчали́вое соглáсие, попусти́тельство; **~ing** [-rɪŋ] страдáние

suffic||e [səˈfaɪs] быть достáточным; удовлетворя́ть; ~ it to say достáточно сказáть; **~iency** [-ˈfɪʃ(ə)nsɪ] достáточность; **~ient** [-ˈfɪʃ(ə)nt] достáточный

suffix [ˈsʌfɪks] сýффикс

suffocat||e [ˈsʌfəkeɪt] 1) души́ть 2) задыхáться; **~ion** [ˌsʌfəˈkeɪʃ(ə)n] удушéние

suffrag||e [ˈsʌfrɪdʒ] прáво гóлоса; избирáтельное прáво; **~ette** [ˌsʌfrəˈdʒet] суфражи́стка

suffus||e [səˈfjuːz] заливáть *(слезами)*; покрывáть *(румянцем и т. п.)*

sugar [ˈʃugə] **1.** *n* сáхар **2.** *v* подслáщивать, обсáхаривать; **~-basin** [-ˌbeɪsn] сáхарница; **~-beet** [-biːt] сáхарная свёкла; **~-cane** [-keɪn] сáхарный тростни́к; **~-refinery** [-rɪˌfaɪnərɪ] рафинáдный завóд; **~-tongs** [-tɔŋz] щи́пчики для сáхара

sugary [ˈʃugərɪ] слáдкий; сáхарный; *перен.* слащáвый

suggest [səˈdʒest] 1) предлагáть 2) внушáть, наводи́ть на мысль; намекáть *(на что-л.)*; **~ion** [-ˈdʒestʃ(ə)n] 1) совéт, предложéние 2) внушéние 3) намёк; **~ive** [-ɪv] 1) наводя́щий на мысль, вызывáющий мы́сли 2) намекáющий на что-л. неприли́чное; непристóйный

suicidal [sjuɪˈsaɪdl] убийственный, губи́тельный; ги́бельный

suicide [ˈsjuɪsaɪd] 1) самоуби́йство; commit ~ покóнчить жизнь самоуби́йством 2) самоубийца

suit I [sju:t] прошéние 2) *юр.* тя́жба; иск; bring a ~ *(against)* предъяви́ть иск

suit II 1) костю́м 2) комплéкт 3) *карт.* масть

suit III ['sju:t] 1) годи́ться; соотвéтствовать, подходи́ть 2) быть к лицу́; this colour doesn't ~ you э́тот цвет вам не идёт 3) приспоса́бливать ◇ ~ yourself дéлайте как хоти́те; **~able** [-əbl] подходя́щий; го́дный

suitcase ['sju:tkeɪs] небольшо́й чемода́н

suite [swi:t] 1) сви́та 2) набо́р, комплéкт; гарниту́р 3) *муз.* сюи́та 4) но́мер-люкс *(в гостинице)*

suitor ['sju:tə] 1) проси́тель 2) *юр.* истéц

sulk [sʌlk] ду́ться

sulky ['sʌlkɪ] хму́рый, наду́тый

sullen ['sʌlən] угрю́мый, серди́тый

sully ['sʌlɪ] *(обыкн. перен.)* пятна́ть *(репутацию и т. п.)*

sulph||ate ['sʌlfeɪt] сульфа́т; **~ite** [-faɪt] сульфи́т

sulphur ['sʌlfə] сéра; **~eous** [-'fjuərɪəs] серни́стый; **~ic** [-'fjuərɪk] ~ic acid сéрная кислота́

sultan ['sʌlt(ə)n] султа́н

sultry ['sʌltrɪ] знóйный, ду́шный

sum [sʌm] **1.** *n* 1) су́мма, итóг *(тж.* ~ total) 2) су́щность 3) арифмети́ческая зада́ча; do a ~ реша́ть зада́чу **2.** *v*: ~ **up** резюми́ровать; сумми́ровать; to ~ up (одни́м) сло́вом, ко́ротко говоря́

summar||ize ['sʌməraɪz] сумми́ровать; **~y** [-rɪ] **1.** *n* кра́ткое изложéние, конспéкт **2.** *a* 1) кра́ткий, сумма́рный 2) скóрый, ускóренный

summer ['sʌmə] 1) лéто 2) *attr.* лéтний; ~ cottage да́ча

summer-house ['sʌməhaus] бесéдка

summit ['sʌmɪt] верши́на; *перен.* предéл, верх

summon ['sʌmən] 1) созыва́ть 2) вызыва́ть *(в суд)* ◇ ~ up one's courage собра́ться с ду́хом

summons ['sʌmənz] вы́зов *(в суд и т. п.)*

sump [sʌmp] *тех.* 1) отстóйник 2) маслосбóрник

sumptuous ['sʌmptjuəs] роскóшный, пы́шный

sun ['sʌn] **1.** *n* 1) сóлнце; in the ~ на сóлнце 2) *attr.*: ~ tan зага́р **2.** *v* грéться на сóлнце *(тж.* ~ oneself); **~-bath** [-bɑ:θ] сóлнечная ва́нна; **~beam** [-bi:m] луч сóлнца; **~-blind** [-blaɪnd] тент, марки́за

sunburn ['sʌnbə:n] зага́р; **~t** [-t] загорéлый

sundae ['sʌndeɪ] сли́вочное морóженое с фру́ктами

Sunday ['sʌndɪ] **1.** *n* воскресéнье **2.** *a* воскрéсный

sundew ['sʌndju:] *бот.* росянка

sun-dial ['sʌndaɪ(ə)l] сóлнечные часы́

sundown ['sʌndaun] зака́т

sundries ['sʌndrɪz] *pl* вся́кая вся́чина

sundry ['sʌndrɪ] разли́чный, ра́зный

sunflower ['sʌnˌflauə] подсóлнечник

sung [sʌŋ] *p. p. от* sing

sunk [sʌŋk] *p. p. от* sink II

sunken ['sʌŋkən] **1.** *уст. p. p. от* sink II **2.** *a* 1) затону́вший; погружённый 2) впа́лый; ~ cheeks впа́лые щёки

sun||light ['sʌnlaɪt] со́лнечный свет; **~lit** [-lɪt] освещённый со́лнцем

sunny ['sʌnɪ] со́лнечный; *перен.* ра́достный; ~ smile счастли́вая улы́бка

sun||rise ['sʌnraɪz] восхо́д со́лнца; **~set** [-set] захо́д со́лнца, зака́т; **~shade** [-ʃeɪd] зо́нтик от со́лнца; **~shine** [-ʃaɪn] со́лнечный свет; in the ~shine на со́лнце; **~-spot** [-spɔt] весну́шка; **~stroke** [-strouk] со́лнечный уда́р

sup [sʌp] **1.** *n* глото́к **2.** *v* отхлёбывать; to ~ sorrow хлебну́ть го́ря

super ['sju:pə] **1.** *a* превосхо́дный, отли́чный **2.** *n театр.* стати́ст

super- ['sju:pə-] *pref* сверх-; над-

superannuat||e [ˏsju:pə'rænjueɪt] увольня́ть по ста́рости *(или* здоро́вью); переводи́ть на пе́нсию; **~ed** [-ɪd] 1) вы́шедший на пе́нсию 2) устаре́лый *(о модели автомобиля и т. п.)*; **~ion** [ˏsju:pəˏrænju'eɪʃ(ə)n] увольне́ние по ста́рости (с пе́нсией)

superb [sju:'pə:b] великоле́пный; прекра́сный

supercilious [ˏsju:pə'sɪlɪəs] высокоме́рный

superficial [ˏsju:pə'fɪʃ(ə)l] пове́рхностный; ~ knowledge пове́рхностные зна́ния

superfine ['sju:pə'faɪn] 1) вы́сшего со́рта 2) чрезме́рно утончённый

superflu||ity [ˏsju:pə'flu:ɪtɪ] 1) изли́шек 2) изли́шество; **~ous** [-'pə:fluəs] изли́шний

superhuman [ˏsju:pə'hju:mən] сверхчелове́ческий

superintend [ˏsju:prɪn'tend] 1) управля́ть 2) надзира́ть; **~ence** [-əns] надзо́р; **~ent** [-ənt] управля́ющий

superior [sju:'pɪərɪə] **1.** *a* 1) вы́сший, превосходя́щий 2) вы́сшего ка́чества; незауря́дный 3) высокоме́рный ◇ be ~ to smth. быть вы́ше чего́-л. **2.** *n* 1) ста́рший, нача́льник 2) настоя́тель *(монастыря)*; **~ity** [sjuˏpɪərɪ'ɔrɪtɪ] 1) превосхо́дство 2) старшинство́

superlative [sju:'pə:lətɪv] **1.** *a* превосхо́дный **2.** *n грам.* превосхо́дная сте́пень

superman ['sju:pəmæn] сверхчелове́к

supermarket [ˏsju:pə'mɑ:kɪt] большо́й продово́льственный магази́н самообслу́живания

supernatural [ˏsju:pə'nætʃr(ə)l] сверхъесте́ственный

supernumerary [ˏsju:pə'nju:m(ə)rərɪ] **1.** *a* сверхшта́тный; дополни́тельный **2.** *n* 1) сверхшта́тный рабо́тник 2) *театр.* стати́ст

supersede [ˏsju:pə'si:d] заменя́ть

superstiti||on [ˏsju:pə'stɪʃ(ə)n] суеве́рие; **~ous** [-ʃəs] суеве́рный

superstructure ['sju:pəˏstrʌktʃə] надстро́йка

supertax ['sju:pə'tæks] нало́г на сверхпри́быль

supervene [ˌsju:pə'vi:n] слéдовать за; вытекáть из

supervis||e ['sju:pəvaɪz] смотрéть, наблюдáть *(за чем-л.)*; **~ion** [ˌsju:pə'vɪʒ(ə)n] надзóр; **~or** 1) надзирáтель, надсмóтрщик 2) контролёр

supine **1.** *a* [sju:'paɪn] 1) лежáщий нáвзничь 2) ленúвый; безразлúчный **2.** *n* ['sju:paɪn] *грам.* супúн

supper ['sʌpə] ýжин

supplant [sə'plɑ:nt] 1) вытеснять *(что-л.)* 2) выживáть *(кого-л.— особ. хитростью)*

supple ['sʌpl] гúбкий *(тж. перен.)*

supplement **1.** *n* ['sʌplɪmənt] добавлéние; приложéние **2.** *v* ['sʌplɪment] дополнять; **~ary** [ˌsʌplɪ'ment(ə)rɪ] дополнúтельный

suppliant ['sʌplɪənt] **1.** *n* просúтель **2.** *a* просúтельный, умоляющий

suppli||cate ['sʌplɪkeɪt] умолять; **~cation** [ˌsʌplɪ'keɪʃ(ə)n] мольбá

supply [sə'plaɪ] **1.** *n* 1) *pl* запáсы 2) снабжéние ◇ ~ and demand предложéние и спрос **2.** *v* 1) снабжáть, поставлять 2) возмещáть; удовлетворять *(потребность)*

support [sə'pɔ:t] **1.** *n* поддéржка; опóра **2.** *v* 1) поддéрживать *(тж. перен.)* 2) содержáть *(семью)*

supporter [sə'pɔ:tə] сторóнник

suppos||e [sə'pouz] предполагáть; полагáть; считáть; **~ed** [-d] мнúмый; предполагáемый; **~ition** [ˌsʌpə'zɪʃ(ə)n] предположéние

suppress [sə'pres] 1) подавлять, пресекáть 2) сдéрживать, подавлять *(стон, боль и т. п.)* 3) запрещáть *(газету и т. п.)* 4) замáлчивать *(правду и т. п.)*; **~ion** [-'preʃ(ə)n] 1) подавлéние 2) запрещéние *(газеты и т. п.)*

suppurat||e ['sʌpjuəreɪt] гноúться; **~ion** [ˌsʌpjuə'reɪʃ(ə)n] нагноéние

supremacy [sju'preməsɪ] 1) превосхóдство 2) верхóвная власть

supreme [sju:'pri:m] верхóвный, вы́сший; S. Soviet of the USSR Верхóвный Совéт СССР

surcharge ['sə:tʃɑ:dʒ] перегрýзка

sure ['ʃuə] **1.** *a* 1) *predic* увéренный *(в чём-л.— of)*; he is ~ to come он обязáтельно придёт 2) вéрный, надёжный ◇ be ~ and wear your overcoat обязáтельно надéньте пальтó; be ~ to lock the door не забýдьте заперéть дверь; for ~ а) обязáтельно; б) тóчно, навернякá; ~ thing безуслóвно, конéчно; make ~ of *(или* that) а) быть увéренным в чём-л.; б) убедúться, удостовéриться в чём-л. **2.** *adv* 1): ~ enough на сáмом дéле; you said it would rain and ~ enough it did вы сказáли, что бýдет дождь, так онó и бы́ло 2): as ~ as безуслóвно; as ~ as fate как пить дать 3) *амер. разг.* несомнéнно, конéчно; it ~ was cold конéчно, бы́ло хóлодно; **~ly** несомнéнно; конéчно; **~ty** [-tɪ] 1) порýка 2) поручúтель; stand ~ty *(for)* поручúться *(за кого-л.)*

surf [sə:f] прибо́й

surface ['sə:fɪs] пове́рхность

surfeit ['sə:fɪt] **1.** *n* изли́шество, пресыще́ние **2.** *v* пресыща́ться

surge [sə:dʒ] **1.** *n* во́лны *мн.;* волна́ *(тж. перен.);* a ~ of anger волна́ гне́ва **2.** *v* нараста́ть *(о чувстве и т. п.);* anger ~d up within him в нём нараста́л гнев

surg||eon ['sə:dʒ(ə)n] хиру́рг; **~ery** [-dʒ(ə)rɪ] 1) хирурги́я 2) приёмная врача́ с апте́кой; **~ical** [-dʒɪk(ə)l] хирурги́ческий

surly ['sə:lɪ] угрю́мый; гру́бый

surmise 1. *n* ['sə:maɪz] предположе́ние, дога́дка **2.** *v* [sə:'maɪz] выска́зывать предположе́ние, подозрева́ть

surmount [sə:'maunt] преодолева́ть

surname ['sə:neɪm] фами́лия

surpass [sə:'pɑ:s] превосходи́ть, превыша́ть

surplus ['sə:pləs] 1) изли́шек, оста́ток 2) *attr.* изли́шний; *полит.-эк.* приба́вочный

surpris||e [sə'praɪz] **1.** *n* 1) удивле́ние 2) неожи́данность; сюрпри́з; take by ~ захвати́ть враспло́х 3) *attr.* неожи́данный; *воен.* внеза́пный **2.** *v* 1) заста́ть враспло́х 2) удивля́ть, поража́ть; **~ing** неожи́данный; порази́тельный

surrender [sə'rendə] **1.** *n* сда́ча, капитуля́ция **2.** *v* 1) сдава́ться, капитули́ровать 2) отка́зываться *(от чего-л.)* ◇ ~ oneself поддава́ться; предава́ться; ~ (oneself) to despair впасть в отча́яние

surreptitious [ˌsʌrəp'tɪʃəs] та́йный, сде́ланный укра́дкой; ~ look взгляд исподтишка́

surround [sə'raund] окружа́ть; **~ings** [ɪŋz] *pl* 1) окре́стности 2) среда́, окруже́ние

surtax ['sə:tæks] доба́вочный нало́г

surveillance [sə:'veɪləns] надзо́р, наблюде́ние

survey 1. *n* ['sə:veɪ] 1) обозре́ние; осмо́тр 2) съёмка; межева́ние **2.** *v* [sə:'veɪ] 1) обозрева́ть; осма́тривать 2) производи́ть съёмку; межева́ть; **~or** [sə:'veɪə] землеме́р; топо́граф

survival [sə'vaɪv(ə)l] 1) выжива́ние 2): a *(или* the) ~ пережи́ток

survive [sə'vaɪv] 1) пережи́ть *(современников, события и т. п.)* 2) вы́жить

suscepti||bility [səˌseptə'bɪlɪtɪ] впечатли́тельность; **~ble** [sə'septəbl] 1) впечатли́тельный 2) чувстви́тельный 3) *(of)* допуска́ющий; a theory ~ble of proof доказу́емая тео́рия

suspect 1. *v* [səs'pekt] подозрева́ть; ~ smb. of lying подозрева́ть кого́-л. во лжи **2.** *n* ['sʌspekt] подозри́тельный *или* подозрева́емый челове́к

suspend [səs'pend] 1) ве́шать; подве́шивать 2) приостана́вливать, откла́дывать 3) вре́менно отстраня́ть *(игрока и т. п.);* **~ers** [-əz] *pl* подтя́жки

suspense [səs'pens] состоя́ние неизве́стности, беспоко́йства

suspension [səs'penʃ(ə)n] 1) подве́шивание 2) приостано́вка 3) *attr.*: ~ bridge вися́чий мост

suspici||on [səs'pɪʃ(ə)n] подозре́ние; **~ous** [-ʃəs] подозри́тельный

sustain [səs'teɪn] 1) подде́рживать *(тж. перен)* 2) выде́рживать 3) переноси́ть; ~ a wound получи́ть ране́ние

sustenance ['sʌstɪnəns] пита́ние; пи́ща

suture ['sju:tʃə] *мед.* шов

swab [swɔb] 1) шва́бра 2) *мед.* тампо́н

swaddle ['swɔdl] пелена́ть

swagger ['swægə] **1.** *n* ва́жный вид; чва́нство **2.** *v* 1) ва́жничать 2) хва́статься **3.** *a разг.* шика́рный, мо́дный

swallow I ['swɔlou] **1.** *n* глото́к; at a ~ за́лпом **2.** *v* глота́ть ◇ ~ one's pride подави́ть своё самолю́бие; ~ all one hears ≅ принима́ть за чи́стую моне́ту всё, что расска́зывают

swallow II ла́сточка

swam [swæm] *past от* swim 2

swamp [swɔmp] **1.** *n* боло́то, топь **2.** *v* залива́ть, затопля́ть; *перен.* засыпа́ть, зава́ливать *(письмами и т. п.)*; **~y** [-ɪ] боло́тистый

swan [swɔn] ле́бедь

swank [swæŋk] **1.** *n разг.* хвастовство́, бахва́льство **2.** *v* хва́стать, бахва́литься

sward [swɔ:d] *книжн.* газо́н; дёрн

swarm [swɔ:m] **1.** *n* 1) рой; ста́я 2) ма́сса; толпа́ **2.** *v* 1) рои́ться; кише́ть 2) толпи́ться

swarthy ['swɔ:ðɪ] сму́глый

swat [swɔt] прихло́пнуть *(муху и т. п.)*

swath [swɔ:θ] полоса́ ско́шенной травы́; проко́с

swathe [sweɪð] 1) бинтова́ть 2) заку́тывать

sway I [sweɪ] **1.** *n* кача́ние **2.** *v* 1) кача́ться 2) кача́ть

sway II [sweɪ] **1.** *n* правле́ние; власть **2.** *v* 1) управля́ть 2) име́ть влия́ние *(на кого-л., что-л.)*

swear ['swɛə] (swore; sworn) 1) кля́сться; присяга́ть 2) руга́ться; ~ **in** приводи́ть к прися́ге; **~ing** руга́тельство; **~-word** [-wə:d] бра́нное сло́во

sweat [swet] **1.** *n* 1) пот, испа́рина 2) *разг.* тяжёлый труд ◇ what a ~! кака́я моро́ка! **2.** *v* 1) поте́ть 2) *разг.* «поте́ть» *(над чем-л.)* 3) *разг.* эксплуати́ровать

sweater ['swetə] сви́тер

Swede [swi:d] швед; шве́дка

Swedish ['swi:dɪʃ] **1.** *a* шве́дский **2.** *n* шве́дский язы́к

sweep ['swi:p] **1.** *n* 1) вымета́ние; подмета́ние; чи́стка 2) разма́х *(руки́)* 3) кругозо́р 4) изги́б *(дороги)* **2.** *v* (swept) 1) вымета́ть; мести́; ~ the chimney чи́стить дымохо́д; ~ up *(или* out) the room подмести́ в ко́мнате 2): ~ away, ~ off уноси́ть *(тж. перен.)* 3): ~ away смета́ть; уничтожа́ть 4): ~ along *(или* over) простира́ться, тяну́ться; **~-net** [net] не́вод

sweet [swi:t] **1.** *a* 1) сла́дкий 2) све́жий; несолёный, неки́слый 3) души́стый; ~ pea души́стый горо́шек 4) мелоди́чный 5) прия́тный 6) ми́лый; люби́мый; *разг.* хоро́шенький **2.** *n* 1) конфе́та 2) сла́дкое 3): my ~ *разг.* ла́пушка моя́

sweet-brier ['swi:t'braɪə] шипо́вник

sweeten ['swi:tn] подсла́щивать

sweetheart ['swi:thɑ:t] возлю́бленный; возлю́бленная

sweetmeats ['swi:tmi:ts] *pl* 1) конфе́ты, сла́сти 2) заса́харенные фру́кты

swell ['swel] **1.** *n* 1) возвыше́ние, вы́пуклость 2) о́пухоль 3) зыбь, волне́ние 4) *разг.* щёголь **2.** *v* (swelled; swollen) разбуха́ть; пу́хнуть **3.** *a разг.* 1) шика́рный; щегольско́й 2) *амер. разг.* отли́чный, первокла́сный; that's ~! здо́рово!; **~ing** о́пухоль

swelter ['sweltə] изнемога́ть от зно́я

swept [swept] *past и p. p. от* sweep 2

swerve [swə:v] отклоня́ться

swift [swɪft] **1.** *a* ско́рый, бы́стрый **2.** *n зоол.* стриж

swig [swɪg] *разг.* **1.** *v* вы́пить **2.** *n* глото́к *(спиртного)*

swill [swɪl] **1.** *v* 1) полоска́ть 2) *разг.* жа́дно пить **2.** *n* 1) полоска́ние 2) по́йло; помо́и *мн.*

swim ['swɪm] **1.** *n* пла́вание; go for a ~ попла́вать **2.** *v* (swam; swum) пла́вать, плыть; ~ a river переплы́ть ре́ку; everything is ~ming in front of me всё плывёт у меня́ пе́ред глаза́ми; **~mer** плове́ц

swimming-bath ['swɪmɪŋbɑ:θ] закры́тый бассе́йн для пла́вания

swimmingly ['swɪmɪŋlɪ] гла́дко, без поме́х

swimming-pool ['swɪmɪŋ'pu:l] откры́тый бассе́йн для пла́вания

swindl||e ['swɪndl] **1.** *n* моше́нничество **2.** *v* моше́нничать; **~er** плут, моше́нник

swine ['swaɪn] *(pl без измен.)* свинья́; **~herd** [-hə:d] свинопа́с

swing [swɪŋ] **1.** *n* 1) кача́ние; разма́х 2) каче́ли *мн.* 3) *attr.*: ~ music суи́нг *(разновидность джазовой музыки)* ◇ in full ~ в по́лном разга́ре **2.** *v* (swung) 1) кача́ть, колеба́ть 2) кача́ться, колеба́ться

swirl [swə:l] **1.** *n* водоворо́т; круже́ние; поры́в *(ветра)* **2.** *v* кружи́ться, нести́сь ви́хрем

swish [swɪʃ] **1.** *v* 1) рассека́ть во́здух со сви́стом 2) сечь *(розгой)* **2.** *n* 1) свист *(хлыста и т. п.)*; взмах *(косы́)* 2) ше́лест, шурша́ние *(шёлка и т.п.)*

Swiss [swɪs] **1.** *a* швейца́рский **2.** *n (pl без измен.)* швейца́рец; швейца́рка

switch [swɪtʃ] **1.** *n* 1) прут 2) фальши́вая коса́; накла́дка *(волос)* 3) *эл.* выключа́тель 4) *ж.-д.* стре́лка **2.** *v* 1) сечь *(прутом)* 2) переводи́ть *(поезд)* на друго́й путь 3) *эл.* переключа́ть *(ток)* 4) направля́ть *(мысли, разговор)* на другу́ю те́му; ~ **off** выключа́ть ток; ~ **on** включа́ть ток

switchboard ['swɪtʃbɔ:d] *эл.* распредели́тельный щит; коммута́тор

swollen ['swoul(ə)n] *p. p. от* swell 2

swoon [swu:n] **1.** *n* о́бморок **2.** *v* па́дать в о́бморок

swoop [swu:p] **1.** *n.* внеза́пное нападе́ние **2.** *v.* броса́ться, устремля́ться *(на добычу и т. п.)*; налета́ть *(о хищной птице)*

sword [ˈsɔ:d] меч; са́бля; шпа́га; **~-belt** [-belt] портупе́я

swore [swɔ:] *past от* swear

sworn [swɔ:n] *p. p. от* swear

swot [swɔt] *разг.* зубри́ть

swum [swʌm] *p. p. от* swim 2

swung [swʌŋ] *past и p. p. от* swing 2

sycamore [ˈsɪkəmɔ:] 1) смоко́вница 2) *амер.* плата́н

sycophant [ˈsɪkəfənt] льстец, подхали́м

syllabic [sɪˈlæbɪk] слогово́й

syllable [ˈsɪləbl] слог

syllabus [ˈsɪləbəs] програ́мма *(обучения)*

sylvan [ˈsɪlvən] 1) лесно́й 2) леси́стый

symbol [ˈsɪmb(ə)l] си́мвол, знак; **~ic(al)** [-ˈbɔlɪk(əl)] символи́ческий; **~ize** [-aɪz] символизи́ровать

symmetrical [sɪˈmetrɪk(ə)l] симметри́ческий

symmetry [ˈsɪmɪtrɪ] симметри́я

sympa||thetic [ˌsɪmpəˈθetɪk] по́лный сочу́вствия; сочу́вственный; **~thize** [ˈsɪmpəθaɪz] сочу́вствовать; **~thy** [ˈsɪmpəθɪ] 1) симпа́тия 2) сочу́вствие

symphony [ˈsɪmfənɪ] симфо́ния

symptom [ˈsɪmptəm] симпто́м

syncopate [ˈsɪŋkəpeɪt] 1) *грам.* сокраща́ть сло́во *(на звук или слог)* 2) *муз.* синкопи́ровать

syndicate **1.** *n* [ˈsɪndɪkɪt] синдика́т **2.** *v* [ˈsɪndɪkeɪt] объединя́ть в синдика́ты

synonym [ˈsɪnənɪm] сино́ним; **~ous** [sɪˈnɔnɪməs] синоними́ческий

synop||sis [sɪˈnɔpsɪs] *(pl* -ses [-si:z]) конспе́кт; сино́псис; **~tic(al)** [-ˈnɔptɪk(əl)] сво́дный; обзо́рный; синопти́ческий

syntax [ˈsɪntæks] си́нтаксис

synthe||sis [ˈsɪnθɪsɪs] *(pl* -ses [-si:z]) си́нтез; **~tic** [-ˈθetɪk] иску́сственный, синтети́ческий

syphon [ˈsaɪf(ə)n] *см.* siphon

Syrian [ˈsɪrɪən] **1.** *a* сири́йский **2.** *n* сири́ец; сири́йка

syringe [ˈsɪrɪndʒ] шприц; hypodermic ~ шприц для подко́жных впры́скиваний

syrup [ˈsɪrəp] сиро́п

system [ˈsɪstɪm] 1) систе́ма; ме́тод 2) устро́йство; social ~ обще́ственный строй; socialist ~ социалисти́ческий строй; railway ~ железнодоро́жная сеть; **~atic(al)** [ˌsɪstɪˈmætɪk(ə)l] системати́ческий; **~atize** [-ətaɪz] систематизи́ровать

T

T, t [ti:] *двадцатая буква англ. алфавита* ◇ to a T то́чь-в-то́чь

ta [ta:] *детск.* спаси́бо

tab [tæb] 1) ве́шалка, пе́телька, ушко́ 2) петли́ца *(на воротнике)* 3) *разг.* счёт; keep ~s *(или* a ~) on a) вести́ счёт; б) следи́ть *(за чем-л.)*

table [ˈteɪbl] **1.** *n* 1) стол; at ~ за столо́м, за едо́й 2) пи́ща, стол; they keep a good ~ у них хорошо́ ко́рмят 3) табли́ца;

~ of contents оглавле́ние **2.** *v* класть на стол; **~-cloth** [-klɔθ] ска́терть; **~land** [-lænd] плоского́рье

tablet ['tæblɪt] 1) доще́чка *(с надписью)* 2) табле́тка

tabular ['tæbjulə] 1) табли́чный, в ви́де табли́ц 2) пло́ский

tacit ['tæsɪt] 1) молчали́вый 2) мы́сленный

taciturn ['tæsɪtə:n] молчали́вый

tack [tæk] **1.** *n* 1) кно́пка; гво́здик 2) стежо́к; намётка 3) *мор.* галс; *перен.* курс, полити́ческая ли́ния **2.** *v* 1): ~ down прикрепля́ть *(кнопками)*; приbudва́ть 2) смётывать; ~ on to *перен.* добавля́ть, присовокупля́ть 3) *мор.* повора́чивать на друго́й галс

tackle ['tækl] **1.** *n* 1) принадле́жности *мн.* 2) *мор.* такела́ж 3) *тех.* полиспа́ст 4) *спорт.* блокиро́вка **2.** *v* 1) занима́ться *(чем-л.)*; бра́ться *(за что-л.)* 2) *спорт.* блоки́ровать *(игрока)*

tacky ['tækɪ] ли́пкий

tact ['tækt] такт; **~ful** такти́чный; **~ical** [-ɪk(ə)l] такти́ческий

tactics ['tæktɪks] *pl* та́ктика *ед.*

tactile ['tæktaɪl] осяза́тельный; осяза́емый

tactless ['tæktlɪs] беста́ктный

tadpole ['tædpoul] голова́стик

tag [tæg] 1) ярлычо́к; этике́тка 2) металли́ческий наконе́чник 3) ушко́ 4) изби́тая фра́за, штамп

tail ['teɪl] **1.** *n* 1) хвост 2) коса́ *(волос)* 3) о́чередь 4) *ав.* хвостова́я часть, хвостово́е опере́ние ◇ ~ wind попу́тный ве́тер **2.** *v* сле́довать по пята́м; **~ away, ~ off** а) исчеза́ть вдали́; б) убыва́ть; **~-coat** ['-kout] фрак; **~-light** [-laɪt] *авт.* за́дний фона́рь

tailor ['teɪlə] портно́й

taint [teɪnt] **1.** *n* налёт *(чего-л.)*, следы́ *(чего-л.)* **2.** *v* 1) по́ртить; заража́ть 2) по́ртиться; заража́ться

Tajik ['tɑ:dʒɪk] **1.** *a* таджи́кский **2.** *n* 1) таджи́к; таджи́чка 2) таджи́кский язы́к

take [teɪk] *v* (took; taken) 1) брать, взять 2) принима́ть 3) провожа́ть; ~ smb. home (to the station) провожа́ть кого́-л. домо́й (на вокза́л) 4): ~ smth. to eat есть; ~ smth. to drink пить; ~ medicine принима́ть лека́рство 5) пристрасти́ться *(to)*; ~ **after** походи́ть *(на кого-л.)*; ~ **in** а) принима́ть *(гостя)*; б) ушива́ть; в) обма́нывать; be ~n in быть обма́нутым; ~ **off** а) снима́ть; ~ off one's hat to smb. *перен.* преклоня́ться пе́ред кем-л.; б) подража́ть, копи́ровать; в) *ав.* взлета́ть; ~ **on** а) брать *(на работу и т. п.)*; бра́ться *(за работу и т. п.)*; б) *разг.* си́льно волнова́ться; ~ **out** а) вынима́ть *(спички и т. п.)*; б) выводи́ть *(пятно)*; в) пригласи́ть, повести́ *(в театр и т. п.)*; д) брать *(патент)*; ~ **to**: а) ~ to one's heels удира́ть; б): ~ to smb. привяза́ться, полюби́ть кого́-л.; в): ~ to one's bed заболе́ть; ~ **up** а) обсужда́ть *(план и т. п.)*; б) поднима́ть; в) отнима́ть *(время, место и т. п.)*; г) брать, принима́ть *(пассажиров)* ◇ be ~n ill заболе́ть; is this seat ~n? э́то ме́сто за́нято?; when was he ~n to hospital? когда́ его́ взя́ли в больни́цу?; how long will it ~ to press my trousers? ско́лько пона́добится вре́мени, что́бы вы́гладить мои́ брю́ки?; should I ~ the trouble of writing to him about it? сто́ит ли ему́ писа́ть об э́том?; ~ one's degree получи́ть учёную сте́пень; ~ it easy относи́ться споко́йно; не принима́ть бли́зко к се́рдцу; ~ fright испуга́ться; ~ smb.'s measure раскуси́ть кого́-л.; ~ smb.'s measurements снять ме́рку

taken ['teɪk(ə)n] *p. p. от* take

taking ['teɪkɪŋ] **1.** *a* привлека́тельный **2.** *n pl* бары́ши

tale [teɪl] 1) расска́з; исто́рия 2) вы́думка ◇ tell ~s *школ.* а) я́бедничать; б) сплетничать

talent ['tælənt] тала́нт; **~ed** [-ɪd] тала́нтливый

talk ['tɔ:k] **1.** *n* 1) разгово́р 2) слу́х(и) 3) выступле́ние, обраще́ние *(по радио)* **2.** *v* 1) разгова́ривать 2) спле́тничать; ~ **down** а) перекрича́ть *(кого-л.)*; б): ~ down to smb. разгова́ривать с кем-л. снисходи́тельно; ~ **up** говори́ть гро́мко и я́сно ◇ ~ big хваста́ть; ~ smb. into doing smth. уговори́ть кого́-л. сде́лать что-л.; **~ative** [-ətɪv] болтли́вый

tall [tɔ:l] высо́кий, ро́слый

tallow ['tælou] жир, са́ло

tally ['tælɪ] **1.** *n* 1) би́рка 2) квита́нция **2.** *v* соотве́тствовать, совпада́ть

talon ['tælən] ко́готь

tambourine [ˌtæmbə'ri:n] бу́бен

tame [teɪm] **1.** *a* 1) ручно́й, приручённый 2) *презр.* поко́рный *(о человеке)* 3) неинтере́сный **2.** *v* 1) прируча́ть, дрессирова́ть 2) усмиря́ть

tamp [tæmp] трамбова́ть

tamper ['tæmpə]: ~ with вме́шиваться *(во что-л.)*

tan [tæn] **1.** *n* 1) корьё, толчёная дубо́вая кора́ 2) зага́р **2.** *a* рыжева́то-кори́чневый **3.** *v* 1) дуби́ть ко́жу 2) загора́ть

tandem ['tændəm] **1.** *adv* гусько́м, цу́гом **2.** *n* велосипе́д-та́ндем *(тж.* ~ bicycle)

tang [tæŋ] ре́зкий при́вкус *или* за́пах

tangent ['tændʒ(ə)nt] *мат.* 1) каса́тельная 2) та́нгенс ◇ fly *(или* go) off at a ~ внеза́пно отклони́ться *(от темы и т. п.)*

tangerine [ˌtændʒə'ri:n] мандари́н

tangible ['tændʒəbl] осяза́емый; реа́льный

tangle ['tæŋgl] **1.** *n* пу́таница **2.** *v* 1) запу́тывать 2) запу́тываться

tank I [tæŋk] 1) танк 2) *attr.* та́нковый

tank II **1.** *n* 1) резервуа́р; бак 2) *attr.*: ~ truck ваго́н-цисте́рна; *амер.* автоцисте́рна

tankage ['tæŋkɪdʒ] ёмкость ба́ка, цисте́рны

tankard ['tæŋkəd] больша́я кру́жка *(с крышкой)*

tanker [ˈtæŋkə] 1) та́нкер *(наливное судно)* 2) автоцисте́рна

tannery [ˈtænərɪ] коже́венный заво́д

tantalize [ˈtæntəlaɪz] му́чить

tantamount [ˈtæntəmaunt]: ~ to равноси́льный *(чему-л.)*

tantrum [ˈtæntrəm] вспы́шка гне́ва, раздраже́ния; плохо́е настрое́ние

tap I [tæp] **1.** *v* стуча́ть **2.** *n* лёгкий стук

tap II **1.** *n* кран; про́бка **2.** *v* 1) почина́ть *(бочонок)* 2) де́лать надре́з на де́реве 3) перехва́тывать *(телефонные разговоры и т. п.)*

tape [ˈteɪp] 1) тесьма́ 2) (телегра́фная) ле́нта; **~-measure** [-ˌmeʒə] руле́тка

taper [ˈteɪpə] **1.** *n* то́нкая све́чка **2.** *v* 1) су́живать; заостря́ть 2) су́живаться к концу́; **~ing** [-rɪŋ] заострённый

tape-recorder [ˈteɪprɪˌkɔ:də] магнитофо́н

tapestry [ˈtæpɪstrɪ] декорати́вная ткань; гобеле́н

tar [tɑ:] **1.** *n* 1) дёготь; жи́дкая смола́; гудро́н 2) *разг.* моря́к **2.** *v* ма́зать дёгтем; смоли́ть

tardy [ˈtɑ:dɪ] запозда́лый; по́здний

target [ˈtɑ:gɪt] цель, мише́нь

tariff [ˈtærɪf] тари́ф

tarpaulin [tɑ:ˈpɔ:lɪn] брезе́нт

tarry I [ˈtɑ:rɪ] вы́мазанный смоло́й, дёгтем

tarry II [ˈtærɪ] ме́длить; ждать

tart I [tɑ:t] 1) ки́слый; те́рпкий 2) ре́зкий, ко́лкий

tart II сла́дкий пиро́г

tart III *разг.* проститу́тка

tartan [ˈtɑ:t(ə)n] клётчатая шерстяна́я мате́рия, шотла́ндка

Tartar [ˈtɑ:tə] **1.** *a* тата́рский **2.** *n* 1) тата́рин; тата́рка 2) тата́рский язы́к ◇ young ~ капри́зный ребёнок

tartar [ˈtɑ:tə] ви́нный ка́мень

task [ˈtɑ:sk] **1.** *n* зада́ние; уро́к; зада́ча; take to ~ призва́ть к отве́ту; «взять в оборо́т»; urgent ~ неотло́жное де́ло **2.** *v*: it ~s my powers э́то тре́бует от меня́ большо́го напряже́ния сил; **~master** [-ˌmɑ:stə] надсмо́трщик

tassel [ˈtæs(ə)l] ки́сточка *(украшение)*

taste [ˈteɪst] **1.** *n* 1) вкус; *перен. тж.* скло́нность; пристра́стие 2) про́ба **2.** *v* 1) про́бовать 2) име́ть вкус, при́вкус; **~ful** сде́ланный со вку́сом; **~less** безвку́сный

tasty [ˈteɪstɪ] вку́сный

ta-ta [ˈtæˈtɑ:] *детск.* до свида́ния

tatters [ˈtætəz] *pl* лохмо́тья

tattle [ˈtætl] сплéтничать

tattoo I [təˈtu:] 1) *воен.* ве́черняя заря́ *(сигнал)* 2): beat a ~ with one's fingers *(on the table etc)* бараба́нить па́льцами *(по столу и т. п.)*

tattoo II **1.** *v* татуи́ровать **2.** *n* татуиро́вка

taught [tɔ:t] *past и p. p. от* teach

taunt [tɔ:nt] **1.** *n* насме́шка, «шпи́лька» **2.** *v* говори́ть ко́лкости, язви́ть

taut [tɔ:t] ту́го натя́нутый *(о верёвке)*; *перен.* напряжённый

tawdry [ˈtɔ:drı] мишу́рный; крича́щий; безвку́сный

tawny [ˈtɔ:nı] рыжева́то-кори́чневый

tax [tæks] **1.** *n* нало́г **2.** *v* 1) облага́ть нало́гом 2) подверга́ть испыта́нию *(терпение)* 3) обвиня́ть *(в — with)*; **~ation** [tækˈseıʃ(ə)n] 1) обложе́ние нало́гом 2) нало́ги *мн.*

taxi [ˈtæksı] **1.** *n* такси́ **2.** *v* е́хать на такси́; **~-cab** [-kæb] *см.* taxi I

tea [ti:] **чай**; high ~ пло́тная еда́ с ча́ем вме́сто обе́да

teach [ˈti:tʃ] (taught) 1) учи́ть, обуча́ть; преподава́ть 2) приучи́ть; ~ smb. discipline приучи́ть кого́-л. к дисципли́не 3) проучи́ть; I will ~ him a lesson я проучу́ его́; **~er** учи́тель; **~ing** 1) обуче́ние 2) *часто pl* уче́ние, доктри́на

teacup [ˈti:kʌp] ча́йная ча́шка

team [ˈti:m] 1) спорти́вная кома́нда 2) упря́жка; **~-work** [-wə:k] 1) рабо́та брига́дой 2) согласо́ванная рабо́та; сла́женность

tea-party [ˈti:ˌpɑ:tı] зва́ный чай

tea-pot [ˈti:pɔt] ча́йник

tear I [tɛə] **1.** *v* (tore; torn) 1) рвать; разрыва́ть 2) цара́пать; ра́нить 3) рва́ться, изна́шиваться 4) мча́ться; ~ **along** бро́ситься, устреми́ться **2.** *n* дыра́; проре́з

tear II [ˈtıə] слеза́; **~ful** пла́чущий; слезли́вый

tease [ti:z] дразни́ть; надоеда́ть

tea-spoon [ˈti:spu:n] ча́йная ло́жка

teat [ti:t] сосо́к

tea-urn [ˈti:ə:n] 1) кипяти́льник 2) самова́р

tec [tek] *разг. сокр. от* detective 2

techni||cal [ˈteknık(ə)l] техни́ческий; **~cian** [-ˈnıʃ(ə)n] 1) те́хник 2) специали́ст; **~cs** [-ks] те́хника, техни́ческие нау́ки; **~que** [tekˈni:k] те́хника; техни́ческие приёмы

teddy-bear [ˈtedıˈbɛə] плю́шевый медвежо́нок *(детская игрушка)*

tedious [ˈti:djəs] ску́чный; утоми́тельный

teem [ti:m] кише́ть, изоби́ловать *(чем-л.)*

teen-ager [ˈti:nˌeıdʒə] подро́сток

teens [ti:nz] *pl* во́зраст от 13 до 19 лет

teeth [ti:θ] *pl от* tooth

teetotaller [ti:ˈtout(ə)lə] тре́звенник

telecast [ˈtelıkɑ:st] **1.** *n* телевизио́нная переда́ча **2.** *v* передава́ть телевизио́нную програ́мму

telegram [ˈtelıgræm] телегра́мма

telegraph [ˈtelıgrɑ:f] телегра́ф; **~ist** [tıˈlegrəfıst] телеграфи́ст

telephone [ˈtelıfoun] **1.** *n* телефо́н **2.** *v* звони́ть по телефо́ну

telescope [ˈtelıskoup] телеско́п

television [ˈtelıvıʒ(ə)n] 1) телеви́дение 2) *attr.* телевизио́нный; ~ set телеви́зор; ~ viewer телезри́тель

tell [ˈtel] (told) 1) расска́зывать 2) сказа́ть, говори́ть; ~ the driver to wait for us скажи́те шофёру, что́бы он нас подожда́л 3) прика́зывать 4) ска́зываться ◇ I ~ you, I can ~ you, let me ~ you уверя́ю вас; ~ one from the other отлича́ть друг от дру́га; **~ing** эффе́ктный

telltale ['telteil] 1) я́бедник; спле́тник 2) *attr.* преда́тельский

temper ['tempə] **1.** *v* 1) смягча́ть, умеря́ть 2) *тех.* отпуска́ть *(металл)* **2.** *n* 1) хара́ктер 2) настрое́ние; lose one's ~ вы́йти из себя́; out of ~ не в ду́хе; show ~ проявля́ть раздраже́ние; **~ament** [-rəmənt] темпера́мент; **~ance** [-r(ə)ns] 1) уме́ренность 2) тре́звенность

temperature ['tempritʃə] температу́ра

tempest ['tempist] бу́ря; **~uous** [tem'pestjuəs] бу́рный, бу́йный

temple I ['templ] храм

temple II висо́к

tempor||al ['temp(ə)r(ə)l] 1) мирско́й, све́тский 2) вре́менный; преходя́щий; **~ary** [-r(ə)ri] вре́менный; **~ize** [-raiz] ме́длить, тяну́ть вре́мя

tempt [tempt] искуша́ть, соблазня́ть; **~ation** [temp'teiʃ(ə)n] искуше́ние, собла́зн

ten [ten] де́сять

tenable ['tenəbl] 1) про́чный *(о позиции)* 2) разу́мный *(о доводе)*

tenaci||ous [ti'neiʃəs] 1) це́пкий; ~ memory хоро́шая па́мять 2) упо́рный 3) вя́зкий, ли́пкий; **~ty** [-'næsiti] 1) це́пкость 2) упо́рство 3) вя́зкость

tenant ['tenənt] **1.** *n* аренда́тор; жиле́ц **2.** *v* арендова́ть, нанима́ть

tend I [tend] 1) име́ть тенде́нцию, скло́нность 2) направля́ться; стреми́ться

tend II *книжн.* стере́чь *(стадо)*

tenden||cy ['tendənsi] 1) накло́нность 2) тенде́нция; **~tious** [ten'denʃəs] тенденцио́зный

tender I ['tendə] **1.** *v* 1) предлага́ть *(деньги, услуги и т. п.)*; ~ one's resignation пода́ть в отста́вку 2) подава́ть *(предложение, заявку)* **2.** *n* предложе́ние, зая́вка

tender II *ж.-д.* те́ндер

tender III ['tendə] 1) не́жный; мя́гкий 2) чувстви́тельный; ~ subject щекотли́вый вопро́с; **~foot** [-fut] *разг.* новичо́к

tendon ['tendən] *анат.* сухожи́лие

tendril ['tendril] *бот.* у́сик

tenement ['tenimənt], **~-house** [-haus] многокварти́рный дом

tenet ['ti:net] до́гмат; при́нцип

tenfold ['tenfould] десятикра́тный

tenner ['tenə] *разг.* деся́тка; банкно́та в 10 фу́нтов *или* в 10 до́лларов

tennis ['tenis] те́ннис

tenor I ['tenə] 1) тече́ние, направле́ние; укла́д *(жизни)* 2) о́бщий смысл, содержа́ние

tenor II ['tenə] *муз.* те́нор

tense I [tens] *грам.* вре́мя

tens||e II ['tens] натя́нутый, напряжённый *(о мышцах, нервах, выражении лица и т. п.)*; we were ~ with expectancy мы напряжённо жда́ли; **~ile** [-ail] растяжи́мый; **~ion** [-ʃ(ə)n] натяже́ние; напряже́ние

tent [tent] пала́тка

tentacle ['tentəkl] *зоол.* щу́пальце

tentative ['tentətɪv] 1) про́бный, эксперимента́льный 2) предвари́тельный

tenth [tenθ] деся́тый ◇ ~ wave девя́тый вал

tenu||ity [te'njui:tɪ] 1) то́нкость 2) разрежённость *(воздуха)*; **~ous** ['tenjuəs] 1) о́чень то́нкий 2) разрежённый *(о воздухе)*

tenure ['tenjuə] 1) владе́ние 2) срок владе́ния; срок пребыва́ния *(в должности)*

tepid ['tepɪd] теплова́тый

term [tə:m] **1.** *n* 1) срок 2) семе́стр 3) *pl* усло́вия *(договора)*; come to ~s прийти́ к соглаше́нию, договори́ться 4) *pl* (ли́чные) отноше́ния; be on good (bad) ~s быть в хоро́ших (плохи́х) отноше́ниях 5) те́рмин 6) *pl* выраже́ния, язы́к ◇ in set ~s определённо **2.** *v* называ́ть, выража́ть

termin||al ['tə:mɪnl] **1.** *a* 1) коне́чный 2) семестро́вый **2.** *n* 1) коне́чный пункт; коне́чная ста́нция 2) коне́чный слог 3) *эл.* зажи́м; **~ate** [-neɪt] 1) конча́ть; ста́вить преде́л 2) зака́нчиваться 3) ограни́чивать; **~ation** [ˌtə:mɪ'neɪʃ(ə)n] 1) коне́ц 2) оконча́ние *(тж. грам.)*

terminology [ˌtə:mɪ'nɔlədʒɪ] терминоло́гия

terminus ['tə:mɪnəs] коне́чная ста́нция

terrace ['terəs] терра́са

terrain ['tereɪn] ме́стность

terrestrial [tɪ'restrɪəl] земно́й

terrible ['terəbl] ужа́сный

terri||fic [tə'rɪfɪk] 1) ужаса́ющий 2) *разг. (с усилит. знач.)* огро́мный; необыча́йный; **~fy** ['terɪfaɪ] ужаса́ть

territo||rial [ˌterɪ'tɔ:rɪəl] территориа́льный; **~ry** ['terɪt(ə)rɪ] террито́рия

terror ['terə] 1) у́жас 2) терро́р ◇ a holy ~ *разг.* несно́сный ребёнок

terse [tə:s] сжа́тый, кра́ткий *(о стиле)*

test [test] **1.** *n* 1) про́ба; испыта́ние; контро́льная рабо́та; put to the ~ подве́ргнуть испыта́нию; stand the ~ вы́держать испыта́ние 2) мери́ло; крите́рий; *хим.* реакти́в **2.** *v* подверга́ть испыта́нию; проверя́ть

testament ['testəmənt] завеща́ние ◇ The New (Old) T. Но́вый (Ве́тхий) Заве́т

testify ['testɪfaɪ] свиде́тельствовать; дава́ть показа́ния

testily ['testɪlɪ] раздражи́тельно, запа́льчиво

testimo||nial [ˌtestɪ'mounjəl] аттеста́т, свиде́тельство; **~ny** ['testɪmənɪ] показа́ние; свиде́тельство

test-tube ['testtju:b] проби́рка

testy ['testɪ] вспы́льчивый, раздражи́тельный

tetchy ['tetʃɪ] раздражи́тельный; оби́дчивый

tether ['teðə] **1.** *n* при́вязь, пу́ты ◇ come to the end of one's ~ дойти́ до то́чки, дойти́ до преде́ла (сил) **2.** *v* привя́зывать

text ['tekst] 1) текст 2) те́ма *(лекции и т. п.)*; **~book** [-buk] уче́бник

text||ile ['tekstaɪl] текстильный; **~ure** [-stʃə] 1) стéпень плóтности ткáни 2) строéние *(ткани, кости и т. п.)*

than [ðæn *(полная форма)*, ðən *(редуцированная форма)*] *cj* чем *(после прил. или нареч. в сравн. ст.)*

thank ['θæŋk] **1.** *v* благодарить **2.** *n* 1) *pl* благодáрность; ~s! спасибо! 2): ~s to благодаря; **~ful** благодáрный; **~less** неблагодáрный

that [ðæt *(полная форма)*, ðət *(редуцированная форма)*] **1.** *pron relat* котóрый; the book ~ I bought yesterday книга, котóрую я вчерá купил **2.** *pron demonstr (pl* those) (э́)тот, (э́)та, (э́)то **3.** *cj* 1) что; there is no doubt ~ he... нет никакóго сомнéния, что он... 2) то что; ~ he was right is quite clear то, что он был прав, совершéнно я́сно; what have I done ~ he should be so angry with me? что я сдéлал, что он так рассерди́лся на меня́?; I did it—not ~ I wanted to я сдéлал э́то, хотя́ и не хотéл 3) чтóбы; in order ~ для тогó, чтóбы **4.** *adv* настóлько, так ◇ oh, ~ I knew the truth! о, éсли бы я знал прáвду!; now ~ you know the truth тепéрь, когдá вы знáете прáвду, ~ is то есть; ~ is why вот почему́

thatch [θætʃ] **1.** *n* солóменная кры́ша **2.** *v* крыть солóмой

thaw [θɔ:] **1.** *n* óттепель **2.** *v* тáять

the [ðə *(перед словами, начинающимися с согласного)*, ðɪ *(перед словами, начинающимися с гласного)*, ði: *(под ударением)*] **1.** *опред. артикль* **2.** *adv* тем; ~ more ~ better чем бóльше, тем лу́чше; ~ worse for him тем ху́же для негó; I am none ~ better for this мне от э́того ничу́ть не лéгче

theater ['θɪətə] *амер. см.* theatre

theatre ['θɪətə] теáтр

thee [ði:] *pers pron (объектн. п. от* thou) *уст., поэт.* тебя́, тебé

theft [θeft] воровствó, крáжа

their [ðɛə] *poss pron* их *(принадлежащий им);* свой, своя́, своё, свои́

theirs [ðɛəz] *poss pron (несвязанная форма к* their) *употр. вместо сущ.* их; свой, своя́, своё, свои́

them [ðem *(полная форма)*, ðəm *(редуцированная форма)*] *pers pron (объектн. п. от* they) их, им

theme [θi:m] тéма, предмéт

themselves [ðem'selvz] 1) *refl pron 3 л. мн. ч.* себя́; -ся; they saw ~ in the film они́ уви́дели себя́ в карти́не 2) *emphatic pron* сáми; they knew nothing ~ они́ сáми ничегó не знáли ◇ they played by ~ они́ игрáли одни́ *(сами по себе)*

then [ðen] **1.** *adv* 1) тогдá, в то врéмя; by ~ к тому́ врéмени; since ~ с тогó врéмени 2) затéм, пóсле э́того 3) знáчит, в такóм слу́чае ◇ now and ~ врéмя от врéмени **2.** *a* тогдáшний

thence [ðens] 1) *уст.* оттýда 2) отсю́да, из э́того (слéдует); **~forth** ['ðens'fɔ:θ], **~forward**

['ðens'fɔ:wəd] с э́того вре́мени, впредь

theorem ['θıərəm] теоре́ма

theoretic(al) [θıə'retık(əl)] теорети́ческий

theory ['θıərı] тео́рия

there [ðεə] **1.** *adv* 1) там 2) туда́ 3) *с глаголом* be: ~ is, ~ are есть, име́ется, име́ются **2.** *n*: from ~ отту́да **3.** *int* вот; ну

thereabout(s) ['ðεərəbaut(s)] побли́зости; о́коло э́того

thereafter [ðεər'ɑ:ftə] с э́того вре́мени

thereat [ðεər'æt] 1) там, туда́ 2) при э́том, по по́воду э́того

thereby ['ðεə'baı] посре́дством э́того

therefore ['ðεəfɔ:] поэ́тому; сле́довательно

therein [ðεər'ın] 1) здесь; там 2) в э́том отноше́нии

thereon [ðεər'ɔn] 1) на том, на э́том 2) по́сле того́, вслед за тем

thereto [ðεə'tu:] кро́ме того́, к тому́ же

thereupon ['ðεərə'pɔn] зате́м

therewith [ðεə'wıθ] 1) к тому́ же 2) то́тчас, неме́дленно

thermal ['θə:m(ə)l] 1) теплово́й, терми́ческий 2) горя́чий *(об источнике)*

thermometer [θə'mɔmıtə] термо́метр, гра́дусник

thermos ['θə:mɔs] те́рмос

these [ði:z] *pl от* this

thesis ['θi:sıs] *(pl* -ses [-si:z]) 1) те́зис 2) диссерта́ция

they [ðeı] *pers pron. им. п. (объектн. п.* them) они́ ◇ ~ say говоря́т

thick ['θık] 1) то́лстый 2) густо́й ◇ in the ~ of it а) в са́мой гу́ще; б) в разга́ре; **~en** [-(ə)n] де́латься пло́тным, густе́ть

thicket ['θıkıt] ча́ща

thick-headed, ~-witted ['θık-'hedıd, 'θık'wıtıd] глу́пый, тупо́й

thief [θi:f] *(pl* thieves) вор

thieves [θi:vz] *pl от* thief

thigh ['θaı] бедро́; **~-bone** [-boun] бе́дренная кость

thimble ['θımbl] напёрсток

thin [θın] 1) то́нкий; худоща́вый 2) ре́дкий 3) жи́дкий ◇ ~ excuse сла́бая отгово́рка

thine [ðaın] *poss pron уст., поэт. (несвязанная форма к* thy) *употр. вместо сущ.* твой, твоя́, твоё, твои́; свой, своя́, своё, свои́

thing [θıŋ] 1) вещь 2) де́ло; факт 3) существо́; little ~ малю́тка ◇ I don't feel quite the ~ today мне сего́дня нездоро́вится; it is just the ~ э́то как раз то (что на́до); make a good ~ *(of)* извлека́ть по́льзу *(из чего-л.)*

think [θıŋk] (thought) 1) ду́мать; мы́слить 2) счита́ть, полага́ть; ~ **over** обсуди́ть, обду́мать ◇ ~ no end of smb. о́чень высоко́ цени́ть кого́-л.

thinking ['θıŋkıŋ] **1.** *a* мы́слящий **2.** *n* 1) размышле́ние 2) мне́ние

third [θə:d] тре́тий ◇ ~ party *юр.* тре́тья сторона́

thirst [θə:st] **1.** *n* жа́жда **2.** *v* жа́ждать

thirsty ['θə:stı] 1) испы́тывающий жа́жду; *перен.* жа́ждущий; be ~ хоте́ть пить 2) *(о почве)* пересо́хший; иссо́хший

thir||teen ['θə:'ti:n] трина́дцать; **~teenth** [-θ] трина́дцатый; **~tieth** [-tɪɪθ] тридца́тый

thirt||y ['θə:tɪ] 1) три́дцать 2): the ~ies тридца́тые го́ды

this [ðɪs] *(pl* these) э́тот, э́та, э́то; long before ~ задо́лго до э́того; do it like ~ сде́лайте э́то так ◇ ~ much сто́лько-то; I know ~ much, that the thing is absurd я, по кра́йней ме́ре, зна́ю, что э́то абсу́рд

thistle ['θɪsl] чертополо́х

tho' [ðou] *сокр. от* though

thole [θoul] уклю́чина

thong [θɔŋ] реме́нь; плеть

thorax ['θɔ:ræks] грудна́я кле́тка

thorn [θɔ:n] шип, колю́чка

thorough ['θʌrə] по́лный, соверше́нный; **~bred** [-bred] чистокро́вный; поро́дистый; **~fare** [-fɛə] 1) прохо́д, прое́зд 2) у́лица; **~going** [,gouɪŋ] иду́щий напроло́м; радика́льный

thorough||ly ['θʌrəlɪ] до конца́; тща́тельно; **~ness** основа́тельность, тща́тельность

those [ðouz] *pl от* that 2

thou [ðau] *pers pron уст., поэт. (объектн. п.* thee) ты

though [ðou] **1.** *adv* всё-таки; одна́ко же **2.** *cj* хотя́ ◇ as ~ как бу́дто, е́сли бы

thought I [θɔ:t] *past и. p. p. от* think

thought II ['θɔ:t] 1) мысль; sunk in ~ погружённый в размышле́ния; on second ~s по зре́лом размышле́нии 2) наме́рение; зате́я; **~ful** 1) заду́мчивый 2) вду́мчивый; глубо́кий по мы́сли 3) внима́тельный, забо́тливый; **~less** 1) беспе́чный 2) необду́манный

thousand ['θauzənd] ты́сяча; **~th** [-θ] ты́сячный

thrash [θræʃ] 1) бить 2) *см.* thresh; ~ **about** мета́ться

thread ['θred] **1.** *n* 1) ни́тка; нить *(тж. перен.)* 2) *тех.* наре́зка **2.** *v* продева́ть ни́тку; нани́зывать *(бусы)* ◇ ~ one's way through a crowd пробира́ться сквозь толпу́; **~bare** [-bɛə] 1) потёртый; изно́шенный 2) изби́тый *(о доводе и т. п.)*

threat ['θret] угро́за; **~en** [-n] грози́ть, угрожа́ть

three [θri:] три

thresh ['θreʃ] молоти́ть; **~er** молоти́лка

threshold ['θreʃ(h)ould] поро́г; *перен.* отправно́й пункт

threw [θru:] *past от* throw 1

thrice [θraɪs] три́жды

thrift ['θrɪft] бережли́вость; **~less** расточи́тельный

thrifty ['θrɪftɪ] бережли́вый; эконо́мный

thrill ['θrɪl] **1.** *n* си́льное волне́ние *(обыкн. прия́тное)*, тре́пет **2.** *v* 1) чу́вствовать си́льное волне́ние, тре́пет; **~er** *разг.* сенсацио́нный *(особ.* детекти́вный) рома́н, фильм, боеви́к

thrive [θraɪv] (throve; thriven) процвета́ть; преуспева́ть

thriven ['θrɪvn] *p. p. от* thrive

thro [θru:] *сокр. от* through

throat [θrout] го́рло ◇ jump down smb.'s ~ не дава́ть кому́-л. сло́ва сказа́ть; stick in one's ~ застрева́ть в гло́тке *(о словах)*

throb [θrɔb] **1.** *v* 1) би́ться, пульси́ровать 2) трепета́ть **2.** *n* 1) бие́ние, пульса́ция 2) тре́пет

throe [θrou] *(обыкн. pl)* 1) си́льная боль, му́ка 2) родовы́е му́ки *мн.*

throne [θroun] трон

throng [θrɔŋ] **1.** *n* толпа́ **2.** *v* толпи́ться

throttle ['θrɔtl] **1.** *v* души́ть **2.** *n* *тех.* регуля́тор, дро́ссель

through [θru:] **1.** *prep* че́рез; сквозь; из-за **2.** *adv* 1) наскво́зь 2) от нача́ла до конца́ ◇ are you ~? *разг.* вы ко́нчили? **3.** *a* беспереса́дочный *(о поездах и т. п.)*

throughout [θru:'aut] 1) во всех отноше́ниях 2) повсю́ду

throve [θrouv] *past от* thrive

throw [θrou] **1.** *v* (threw; thrown) броса́ть; кида́ть **2.** *n* бросо́к

thrown [θroun] *p. p. от* throw 1

thru [θru:] *амер. см.* through

thrum [θrʌm] **1.** *v* 1) бренча́ть 2) бараба́нить па́льцами **2.** *n* бренча́ние

thrush [θrʌʃ] дрозд

thrust [θrʌst] **1.** *v* (thrust) 1) толка́ть; ты́кать 2) пронза́ть **2.** *n* 1) толчо́к; уда́р 2) *тех.* нажи́м; напо́р

thud [θʌd] **1.** *n* глухо́й стук **2.** *v* свали́ться, упа́сть с глухи́м сту́ком

thug [θʌg] уби́йца; головоре́з

thumb [θʌm] **1.** *n* большо́й па́лец *(руки́)* ◇ under smb.'s ~ в чьей-л. вла́сти; ~s up! недУ́рно! **2.** *v* листа́ть *(кни́гу)* ◇ ~ a lift «голосова́ть» *(на доро́ге)*; ~ one's nose at smb. показа́ть нос кому́-л.

thump [θʌmp] **1.** *v* наноси́ть тяжёлый уда́р; колоти́ть **2.** *n* глухо́й стук, уда́р

thunder ['θʌndə] **1.** *n* гром **2.** *v* греме́ть; he was in a ~ing rage *перен.* ≅ он мета́л гро́мы и мо́лнии; **~bolt** [-boult] уда́р мо́лнии; *перен.* как гром среди́ я́сного не́ба; **~clap** [-klæp] уда́р гро́ма; *перен.* неожи́данное собы́тие *или* изве́стие; **~-cloud** [-klaud] грозова́я ту́ча

thunderous ['θʌnd(ə)rəs] грозово́й; *перен.* громово́й, оглуша́ющий

thunder||storm ['θʌndəstɔ:m] гроза́; **~struck** [-strʌk] как гро́мом поражённый

Thursday ['θə:zdɪ] четве́рг

thus [ðʌs] так; таки́м о́бразом; ~ and ~ та́к-то и та́к-то; ~ far до сих по́р; ~ much сто́лько

thwack [θwæk] *см.* whack

thwart [θwɔ:t] пере́чить; меша́ть; расстра́ивать

thy [ðaɪ] *poss pron уст., поэт.* твой, твоя́, твоё, твои́; свой, своя́, своё, свои́

tick I [tɪk] **1.** *n* 1) ти́канье; ~ of a clock ти́канье часо́в 2) поме́тка «пти́чка», «га́лочка» ◇ in a ~ сейча́с же **2.** *v* 1) ти́кать 2) отмеча́ть «га́лочкой»

tick II *зоол.* клещ

tick III 1) чехо́л; на́воло(ч)ка 2) тик *(материя)*

tick IV [tɪk] *разг.* **1.** *n* креди́т **2.** *v* брать, отпуска́ть в креди́т

ticket ['tɪkɪt] **1.** *n* 1) биле́т 2) ярлы́к 3) квита́нция; номеро́к 4) *амер.* спи́сок кандида́тов на вы́борах **2.** *v* прикрепля́ть ярлы́к

ticking ['tɪkɪŋ] *см.* tick III, 2)

tickle [ˈtɪkl] **1.** *v* 1) щекота́ть 2) доставля́ть удово́льствие **2.** *n* щеко́тка

tide [taɪd] **1.** *n* 1) прили́в и отли́в 2) пото́к, тече́ние; go with the ~ *перен.* плыть по тече́нию **2.** *v*: ~ over a difficulty преодоле́ть затрудне́ние

tidiness [ˈtaɪdɪnɪs] опря́тность

tidings [ˈtaɪdɪŋz] *pl книжн.* но́вости, изве́стия

tidy [ˈtaɪdɪ] **1.** *a* 1) опря́тный, аккура́тный 2) *разг.* значи́тельный; a ~ sum кру́гленькая су́мма **2.** *v* приводи́ть в поря́док

tie [taɪ] **1.** *v* завя́зывать; ~ **down** свя́зывать, стесня́ть; ~ **up** а) привя́зывать; перевя́зывать; свя́зывать; б): be ~d up with быть свя́занным с ◇ the two teams ~d 2 кома́нды сыгра́ли вничью́ **2.** *n* 1) га́лстук 2) скре́па 3) связь; у́зы *мн.*

tier [tɪə] ряд, я́рус

tiff [tɪf] размо́лвка

tiger [ˈtaɪgə] тигр

tight [ˈtaɪt] 1) пло́тный, сжа́тый; компа́ктный 2) непроница́емый 3) те́сный, у́зкий *(об обуви, платье)* 4) *разг.* навеселе́ 5) *разг.* скупо́й ◇ money is ~ с де́ньгами тру́дно; ~ corner *(или* squeeze) тяжёлое положе́ние, затрудне́ние; **~en** [-n] стя́гивать, сжима́ть

tight-fisted [ˈtaɪtˈfɪstɪd] *разг.* скупо́й

tights [taɪts] *pl* трико́; колго́ты

tile [taɪl] **1.** *n* черепи́ца; ка́фель **2.** *v* крыть черепи́цей *или* ка́фелем

till I [tɪl] **1.** *prep* до **2.** *cj* до тех пор пока́ (не)

till II де́нежный я́щик *(в магазине или банке)*

till III [ˈtɪl] возде́лывать *(землю)*; **~age** [-ɪdʒ] обрабо́тка земли́; **~er** земледе́лец

tilt I [tɪlt] **1.** *n* накло́н; крен **2.** *v* 1) наклоня́ть; опроки́дывать 2) наклоня́ться; крени́ться; опроки́дываться

tilt II паруси́новый наве́с

tilth [tɪlθ] возде́ланная земля́; па́шня

timber [ˈtɪmbə] 1) лесоматериа́л; строево́й лес 2) ба́лка

timbre [ˈtæmbə] тембр

time [ˈtaɪm] **1.** *n* 1) вре́мя; in ~ во́время; at the same ~ в то же вре́мя; have a good ~ хорошо́ провести́ вре́мя; it will last our ~ на наш век хва́тит; it is high ~ давно́ пора́; ~ is up вре́мя истекло́; what ~ is it?, what is the ~? кото́рый час? 2) пери́од, пора́; ~ out of mind с незапа́мятных времён 3) раз; many a ~, ~ and again неоднокра́тно; three ~s two is six 3x2=6; three ~s as large в три ра́за бо́льше; every ~ ка́ждый раз **2.** *v* 1) выбира́ть, назнача́ть вре́мя 2) хрономе́три́ровать; **~ly** своевре́менный

time||**-server** [ˈtaɪmˌsəːvə] приспосо́бле́нец; оппортуни́ст; **~-table** [-ˌteɪbl] расписа́ние

timid [ˈtɪmɪd] ро́бкий

timorous [ˈtɪmərəs] боязли́вый

tin [tɪn] **1.** *n* 1) о́лово 2) консе́рвная ба́нка 3) *разг.* де́ньги *мн.* **2.** *v* 1) консерви́ровать 2) луди́ть **3.** *a* оловя́нный

tincture [ˈtɪŋktʃə] **1.** *n* 1) настóйка *(о лекарстве)* 2) оттéнок 3) прúвкус **2.** *v* слегкá окрáшивать; придавáть оттéнок

ting [tɪŋ] *см.* tinkle

tinge [tɪndʒ] **1.** *n* оттéнок, тон **2.** *v* слегкá окрáшивать

tingle [ˈtɪŋgl] испы́тывать боль, зуд, покáлывание *(в онемевших частях тела)*; *перен.* дрожáть, трепетáть

tinker [ˈtɪŋkə] мéдник; лудúльщик

tinkle [ˈtɪŋkl] **1.** *n* звон *(колокольчика и т. п.)*, звя́канье **2.** *v* звенéть; звонúть

tinned [tɪnd] консервúрованный; ~ meat мясны́е консéрвы

tinsel [ˈtɪns(ə)l] блёстки *мн.*; мишурá

tint [tɪnt] **1.** *n* тон, оттéнок **2.** *v* подцвéчивать; слегкá окрáшивать

tiny [ˈtaɪnɪ] крóшечный

tip I [tɪp] 1) кóнчик 2) наконéчник

tip II **1.** *n* 1) мéсто свáлки 2) *attr.*: ~ lorry самосвáл **2.** *v* 1) наклоня́ть; ~ the scale склонúть чáшу весóв 2) наклоня́ться 3) опрокúдывать, вывáливать

tip III **1.** *n* 1) чаевы́е *мн.* 2) намёк; совéт **2.** *v* давáть «на чай» ◇ ~ a man the wink сдéлать комý-л. знак укрáдкой, подмигнýть

tipple [ˈtɪpl] **1.** *v* пья́нствовать **2.** *n* (спиртнóй) напúток

tipster [ˈtɪpstə] «жучóк» *(на скачках)*

tipsy [ˈtɪpsɪ] подвы́пивший

tiptoe [ˈtɪptou]: on ~ на цы́почках

tiptop [ˈtɪpˈtɔp] *разг.* превосхóдный, первоклáссный

tire I [ˈtaɪə] шúна; óбод

tire II [ˈtaɪə] 1) утомля́ть, надоедáть; прискýчить 2) утомля́ться; I am ~d я устáл; ~**less** неутомúмый, неустáнный; ~**some** [-səm] утомúтельный; надоéдливый; скýчный

tiro [ˈtaɪərou] начинáющий; новичóк

'tis [tɪz] *сокр. от* it is

tissue [ˈtɪsju:] ткань *(в разн. знач.)* ◇ ~ of lies *разг.* паутúна лжи; ~**-paper** [-ˌpeɪpə] тóнкая обёрточная бумáга

tit [tɪt]: ~ for tat *погов.* ≅ как áукнется, так и отклúкнется; óко за óко, зýб зá зуб

tit-bit [ˈtɪtbɪt] 1) лáкомый кусóчек 2) пикáнтная нóвость

tithe [taɪð] 1) деся́тая часть 2) церкóвная десятúна

titillate [ˈtɪtɪleɪt] щекотáть, прия́тно возбуждáть

titivate [ˈtɪtɪveɪt] *разг.* прихорáшиваться

title [ˈtaɪtl] 1) заглáвие 2) тúтул; звáние

titmice [ˈtɪtmaɪs] *pl от* titmouse

titmouse [ˈtɪtmaus] *(pl* titmice) синúца

titter [ˈtɪtə] **1.** *v* хихúкать **2.** *n* хихúканье

tittle [ˈtɪtl]: not one jot or ~ ≅ ни кáпельки

tittle-tattle [ˈtɪtlˌtætl] болтовня́; сплéтни *мн.*

titular [ˈtɪtjulə] номинáльный

to I [tu: *(полная форма)*, tə *(редуцированная форма перед согласными)*, tu *(перед глас-*

ными)] **1.** *prep* 1) *(для выражения движения к цели)* к; в; на; he ran up to the window он подбежáл к окнý; he went to the cinema он пошёл в кинó; on his way to the station по дорóге на стáнцию 2) *(сущ. в сочетании с* to *перев. рус. дат. п.)*: I gave this book to my friend я дал э́ту кни́гу моемý дрýгу 3) *(при сравнении)* по сравнéнию с, по отношéнию к; this is nothing to what it might have been э́то ничтó по сравнéнию с тем, что моглó бы быть; 3 is to 4 as 6 is to 8 *мат.* 3 отнóсится к 4 как 6 к 8 ◇ five minutes to six без пяти́ минýт шесть; to arms! к орýжию!; to my knowledge наскóлько мне извéстно; to my taste по моемý вкýсу **2.** *adv*: to and fro взад и вперёд, тудá и сюдá

to II [tu, tə] 1) *приинфинитивная частица*: he meant to call but forgot он собирáлся зайти́, но забы́л; it is difficult to explain э́то трýдно объясни́ть 2) *употребляется вместо подразумеваемого инфинитива, чтобы избежать повторения*: I shall go there if you want me to я пойдý тудá, éсли вы хоти́те (чтóбы я э́то сдéлал)

toad [toud] жáба

toadstool [ˈtoudstu:l] поганка *(гриб)*

toady [ˈtoudɪ] **1.** *n* лизоблю́д **2.** *v* льстить, низкопоклóнничать

toast I [toust] **1.** *n* подрумя́ненный лóмтик хлéба; гренóк **2.** *v* поджáривать хлеб

toast II [toust] **1.** *n* тост **2.** *v* пить за чьё-л. здорóвье

tobacco [təˈbækou] табáк

to-be [təˈbi:] бýдущий

toboggan [təˈbɔgən] **1.** *n* салáзки *мн.*, тобóгган **2.** *v* катáться на салáзках *(с горы)*

tocsin [ˈtɔksɪn] 1) набáтный кóлокол 2) набáт

today, to-day [təˈdeɪ] 1) сегóдня 2) в нáши дни

toddle [ˈtɔdl] 1) ковыля́ть 2) *разг.* прогýливаться; **~r** ребёнок *(начинающий ходить)*

to-do [təˈdu:]: a ~ *разг.* суетá, суматóха

toe [tou] **1.** *n* 1) пáлец ноги́ 2) носóк *(сапога, чулка)* ◇ from top to ~ с головы́ до пят; tread on smb.'s **~s** наступи́ть на люби́мую мозóль, задéть чьи-л. чýвства **2.** *v* 1) касáтьсяноскóм; ~ the line встать на стáртовую чертý; *перен.* подчини́ться трéбованиям 2) надвя́зывать чулки́, носки́

toff [tɔf] *разг.* франт

toffee [ˈtɔfɪ] ири́ска

tog [tɔg]: ~ oneself up наряжáться

together [təˈgeðə] вмéсте

togs [tɔgz] *pl разг.* одéжда *ед.*

toil [ˈtɔɪl] **1.** *v* 1) труди́ться 2) продвигáться с трудóм **2.** *n* тяжёлый труд; **~er** трýженик

toilet [ˈtɔɪlɪt] 1) туалéт, одевáние 2) костю́м, туалéт 3) *амер.* убóрная

toils [tɔɪlz] *pl (обыкн. перен.)* сéти

token [ˈtouk(ə)n] знак; си́мвол; as a ~ *(of)* в знак; на пáмять

told [tould] *past и p. p. от* tell

toler||able ['tɔlərəbl] терпи́мый, сно́сный; **~ant** [-(ə)nt] терпи́мый *(о человеке)*; **~ate** [-reit] терпе́ть, сноси́ть; **~-ation** [ˌtɔlə'reiʃ(ə)n] терпи́мость

toll I [toul] по́шлина ◇ ~ of the roads несча́стные слу́чаи на доро́гах

toll II 1) колоко́льный звон, бла́говест 2) похоро́нный звон

tomato [tə'mɑ:tou] помидо́р

tomb [tu:m] моги́ла *(обыкн. с надгробием)*; **~-stone** [-stoun] надгро́бный ка́мень

tome [toum] том

tomfool ['tɔm'fu:l] 1) дура́к 2) *attr.* глу́пый

Tommy ['tɔmi] То́мми *(прозвище английского солдата)*

tommy-gun ['tɔmi'gʌn] *воен. разг.* автома́т

tommy-rot ['tɔmi'rɔt] *разг.* ди́кая чушь

tomorrow, to-morrow [tə'mɔrou] за́втра

ton [tʌn] то́нна

tone ['toun] **1.** *n* тон **2.** *v* 1) настра́ивать 2) гармони́ровать *(с — in with)*; **~less** невырази́тельный

tongs [tɔŋz] *pl* щипцы́; кле́щи

tongue ['tʌŋ] язы́к ◇ hold your ~! *груб.* попридержи́ язы́к!; **~-tied** [-taid] косноязы́чный

tonic ['tɔnik] *мед.* **1.** *a* тонизи́рующий, укрепля́ющий **2.** *n* тонизи́рующее, укрепля́ющее сре́дство

tonight, to-night [tə'nait] сего́дня ве́чером

tonnage ['tʌnidʒ] тонна́ж; грузоподъёмность

tonsillitis [ˌtɔnsi'laitis] *мед.* тонзилли́т

too [tu:] *adv* 1) та́кже 2) кро́ме того́ 3) сли́шком

took [tuk] *past от* take

tool [tu:l] (рабо́чий) инструме́нт; *перен.* ору́дие

toot [tu:t] труби́ть в рог; дава́ть гудо́к

tooth ['tu:θ] (*pl* teeth) 1) зуб; false ~ вставно́й зуб; he has cut a ~ у него́ проре́зался зуб 2) *тех.* зубе́ц ◇ in the teeth *(of)* вопреки́, напереко́р; cast smth. in smb.'s teeth ≅ броса́ть упрёк кому́-л.; fight ~ and nail боро́ться не на жизнь, а на смерть; **~ache** [eik] зубна́я боль; **~-brush** зубна́я щётка; **~-paste** [-peist] зубна́я па́ста

toothsome ['tu:θsəm] вку́сный

tootle ['tu:tl] труби́ть; ду́деть; гуде́ть

top I [tɔp] **1.** *n* ве́рхняя часть *(чего-л.)*; on the ~ *(of)* наверху́ ◇ ~ secret соверше́нно секре́тный; at the ~ of one's voice во весь го́лос **2.** *v* 1) покрыва́ть 2) превосходи́ть

top II волчо́к ◇ sleep like a ~ *разг.* ≅ спать без за́дних ног

top-hole ['tɔp'houl] *разг.* первокла́ссный, превосхо́дный

topic ['tɔpik] предме́т, те́ма; the ~ of the day злободне́вная те́ма; **~al** [-(ə)l] злободне́вный; ~al question злободне́вный вопро́с

topmost ['tɔpmoust] са́мый ве́рхний

topography [tə'pɔgrəfi] топогра́фия

topple ['tɔpl] 1) вали́ться,

опроки́дываться 2) вали́ть, опроки́дывать

topsy-turvy ['tɔpsɪ'tə:vɪ] вверх дном; ши́ворот-навы́ворот

torch [tɔ:tʃ] фа́кел; *перен.* све́точ; electric ~ карма́нный электри́ческий фона́рь

tore [tɔ:] *past от* tear I, 1

torment 1. *n* ['tɔ:ment] муче́ние, му́ка **2.** *v* [tɔ:'ment] му́чить; **~or** [tɔ:'mentə] мучи́тель

torn [tɔ:n] *p. p. от* tear I, 1

tornado [tɔ:'neɪdou] си́льный шквал; урага́н; *перен.* взрыв

torpedo [tɔ:'pi:dou] торпе́да; **~-boat** [-bout] торпе́дный ка́тер

torpid ['tɔ:pɪd] 1) *зоол.* находя́щийся в состоя́нии спя́чки 2) вя́лый, тупо́й

torrent ['tɔr(ə)nt] пото́к

torrid ['tɔrɪd] жа́ркий, зно́йный; ~ zone тропи́ческий по́яс

tortoise ['tɔ:təs] черепа́ха

tortuous ['tɔ:tjuəs] изви́листый; *перен.* укло́нчивый

torture ['tɔ:tʃə] **1.** *n* пы́тка **2.** *v* 1) пыта́ть 2) му́чить

Tory ['tɔ:rɪ] то́ри, консерва́тор

tosh [tɔʃ] *разг.* вздор

toss [tɔs] 1) броса́ть 2) подбра́сывать 3) вски́дывать *(голову)* 4) беспоко́йно мета́ться *(о больном)*

tot [tɔt] *разг.* 1) малы́ш 2) ма́ленькая рю́мка

total ['toutl] **1.** *a* (все)о́бщий; по́лный; сумма́рный **2.** *n* це́лое; ито́г **3.** *v* 1) подводи́ть ито́г 2) доходи́ть до *(о сумме)*

totter ['tɔtə] 1) идти́ неве́рными шага́ми 2) шата́ться, колеба́ться

touch ['tʌtʃ] **1.** *v* соприкаса́ться; дотра́гиваться, каса́ться; *перен.* тро́гать; ~ **on** каса́ться *(темы и т. п.)*; ~ **up** зака́нчивать, отде́лывать; ~ **upon** *см.* ~ on **2.** *n* 1) прикоснове́ние 2) осяза́ние; soft to the ~ мя́гкий на о́щупь 3) мазо́к, штрих; чу́точка; a ~ of salt чу́точка со́ли ◇ keep (lose) ~ with smb. подде́рживать (потеря́ть) связь с кем-л.; put finishing ~es де́лать после́дние штрихи́; отде́лывать; зака́нчивать; **~-and-go** ['tʌtʃən'gou] риско́ванное де́ло

touching ['tʌtʃɪŋ] тро́гательный

touchy ['tʌtʃɪ] оби́дчивый

tough [tʌf] **1.** *a* 1) жёсткий 2) про́чный 3) сто́йкий, выно́сливый 4) тру́дный; упря́мый 5) *разг.* хулига́нский **2.** *n разг.* хулига́н

tour ['tuə] путеше́ствие; пое́здка; экску́рсия; **~ist** [-rɪst] тури́ст; путеше́ственник

tournament ['tuənəmənt] турни́р

tousle ['tauzl] еро́шить

tout [taut] *разг.* 1) навя́зывать това́р 2) зазыва́ть *(покупателей и т.п.)*

tow I [tou] па́кля

tow II **1.** *v* букси́ровать **2.** *n* букси́р(ный кана́т)

toward(s) [tə'wɔ:d(z)] *prep* 1) *(при обозначении места на вопрос «куда?»)* к, по направле́нию к 2) к, по отноше́нию к 3) *(при обозначении времени на вопрос «когда?, к какому времени?»)* к, о́коло; ~ noon к полу́дню 4) для, с це́лью; ~

saving some money с це́лью скопи́ть немно́го де́нег

towel ['tauəl] полоте́нце; **~-horse** [-hɔ:s] ве́шалка для полоте́нца

tower ['tauə] **1.** *n* ба́шня; вы́шка **2.** *v* вы́ситься; вздыма́ться; **~ing** [-rɪŋ]: in a ~ing rage в я́рости

town ['taun] 1) го́род 2) *attr.*: ~ hall ра́туша ◇ man about ~ све́тский челове́к; **~ee** [tau'ni:] *презр.* горожа́нин *(в противоп. сельскому жителю)*; **~ship** *амер.* райо́н *(часть округа)*

toxic ['tɔksɪk] ядови́тый; токси́ческий

toy [tɔɪ] **1.** *n* игру́шка, заба́ва **2.** *v* 1) верте́ть в рука́х; he ~ed with a pencil он верте́л в рука́х каранда́ш 2): ~ with an idea *(of)* несерьёзно относи́ться к мы́сли *(о чём-л.)*

trace I [treɪs] **1.** *n* 1) след 2) черта́ 3) небольшо́е коли́чество **2.** *v* 1) черти́ть 2) кальки́ровать 3) просле́живать

trace II постро́мка

tracing ['treɪsɪŋ] кальки́рование; **~-paper** [-ˌpeɪpə] ка́лька

track [træk] **1.** *n* 1) след 2) колея́; путь; lay a ~ прокла́дывать путь 3) *спорт.* трек 4) гу́сеница *(трактора, танка)* **2.** *v* высле́живать

tract I [trækt] 1) простра́нство, полоса́ *(земли́, воды́)* 2) *анат.* тракт

tract II брошю́ра; тракта́т

tractable ['træktəbl] 1) сгово́рчивый; послу́шный 2) поддаю́щийся обрабо́тке

traction ['trækʃ(ə)n] тя́га

tractor ['træktə] тра́ктор

trade [treɪd] 1) профе́ссия, ремесло́ 2) торго́вля; home ~ вну́тренняя торго́вля; foreign ~ вне́шняя торго́вля 3) *attr.*: ~ mark фабри́чная ма́рка; **~r** торго́вец

tradesman ['treɪdzmən] ла́вочник

trade-union ['treɪdˌju:njən] профсою́з; тред-юнио́н

tradition [trə'dɪʃ(ə)n] 1) тради́ция 2) преда́ние

traduce [trə'dju:s] клевета́ть, злосло́вить

traffic ['træfɪk] **1.** *n* 1) у́личное движе́ние; тра́нспорт 2) торго́вля 3) *attr.*: ~ jam зато́р в движе́нии, «про́бка»; ~ light светофо́р **2.** *v*: ~ in smth. торгова́ть чем-л.; **~ator** [-eɪtə] *дор.* указа́тель поворо́та

tragedy ['trædʒɪdɪ] траге́дия

tragic ['trædʒɪk] траги́ческий

trail [treɪl] **1.** *v* 1) высле́живать 2) волочи́ть 3) волочи́ться; тащи́ться; свиса́ть **2.** *n* 1) след 2) тропи́нка

train ['treɪn] **1.** *n* 1) по́езд; take a ~ е́хать по́ездом 2) шлейф; хвост 3) сви́та 4) обо́з; карава́н 5) цепь, верени́ца; ряд **2.** *v* 1) обуча́ть 2) дрессирова́ть 3) тренирова́ть; **~ed** [-d] 1) обу́ченный 2) трениро́ванный; **~er** тре́нер; **~ing** 1) обуче́ние 2) дрессиро́вка 3) трениро́вка

train-oil ['treɪnɔɪl] во́рвань

trait [treɪ] штрих; характе́рная черта́

traitor ['treɪtə] преда́тель, изме́нник; **~ous** [-rəs] преда́тельский

trajectory [ˈtrædʒɪkt(ə)rɪ] траектóрия

tram [træm] 1) трамвáй 2) вагонéтка *(в шахте)*

trammel [ˈtræməl] свя́зывать, препя́тствовать; **~s**[-z] *pl* пýты, препя́тствие, помéха *ед.*

tramp [træmp] **1.** *v* 1) тяжелó ступáть 2) идти́ пешкóм 3) бродя́жничать **2.** *n* 1) бродя́га 2) дóлгое путешéствие пешкóм 3) тяжёлая пóступь

trample [ˈtræmpl] топтáть

tramway [ˈtræmweɪ] трамвáй

trance [trɑːns] 1) транс 2) экстáз

tranquil [ˈtræŋkwɪl] спокóйный; **~lity** [træŋˈkwɪlɪtɪ] спокóйствие

trans- [trænz-] *pref* чéрез, за, транс-; пере-

transact [trænˈzækt] вести́ *(дело)*; заключáть *(сделку)*; **~ion** [-kʃ(ə)n] 1) дéло; сдéлка 2) *pl* труды́, протокóлы *(научного общества)*

transatlantic [ˈtrænzətˈlæntɪk] трансатланти́ческий

transcend [trænˈsend] 1) переступáть предéлы 2) превосходи́ть

transcontinental [ˈtrænzˌkɔntɪˈnentl] трансконтинентáльный; пересекáющий матери́к

transcri||be [trænsˈkraɪb] 1) перепи́сывать 2) транскриби́ровать; **~ption** [-ˈkrɪpʃ(ə)n] транскриби́рование, транскри́пция

transfer 1. *v* [trænsˈfəː] 1 переноси́ть *(в — to; из — from)*; перемещáть; **~** a child to another school перевести́ ребёнка в другýю шкóлу 2) передавáть *(имущество и т. п.)* **2.** *n* [ˈtrænsfəː] 1) передáча 2) перенóс; перевóд 3) переводнáя карти́нка

transfigure [trænsˈfɪgə] преображáть

transfix [trænsˈfɪks] пронзáть; *перен.* пригвождáть к мéсту

transform [trænsˈfɔːm] 1) преобразóвывать 2) превращáть; **~ation** [ˌtrænsfəˈmeɪʃ(ə)n] 1) преобразовáние 2) превращéние; **~er** *эл.* трансформáтор

transfus||e [trænsˈfjuːz] передавáть *(энтузиазм и т.п.)*; **~ion** [-ˈfjuːʒ(ə)n] переливáние

transgress [trænsˈgres] нарушáть; преступáть *(закон)*

transient [ˈtrænzɪənt] скоротéчный, преходя́щий; врéменный

transistor [trænˈzɪstə] *радио* транзи́стор

transit [ˈtrænzɪt] 1) прохождéние 2) транзи́т; **~ion** [-ˈsɪʒ(ə)n] 1) перехóд 2) изменéние; **~ional** [-ˈsɪʒənl] перехóдный; **~ive** [-ɪv] *грам.* перехóдный; **~ory** [-(ə)rɪ] преходя́щий

translat||e [trænsˈleɪt] переводи́ть; **~ion** [-ˈleɪʃ(ə)n] перевóд; **~or** перевóдчик

translucent [trænzˈluːsnt] просвéчивающий; полупрозрáчный

transmission [trænzˈmɪʃ(ə)n] передáча, трансми́ссия

transmit [trænzˈmɪt] передавáть; **~ter** (радио)передáтчик

transmute [trænzˈmjuːt] превращáть

transom [ˈtrænsəm] 1) фрамýга 2) поперéчина, переклáдина; переплёт *(оконный)*

transparent [træns'pɛər(ə)nt] прозра́чный, я́сный

transpire [træns'paɪə] 1) обнару́живаться, станови́ться изве́стным 2) проса́чиваться

transplant [træns'plɑ:nt] переса́живать

transport 1. *v* [træns'pɔ:t] перевози́ть **2.** *n* ['trænspɔ:t] перево́зка, тра́нспорт

transportation [ˌtrænspɔ:'teɪʃ(ə)n] ссы́лка

transpose [træns'pouz] перемеща́ть; *муз.* транспони́ровать

transver||sal, ~se [trænz'və:s(ə)l, 'trænzvə:s] попере́чный

trap [træp] **1.** *n* 1) западня́; лову́шка 2) *тех.* сифо́н **2.** *v* пойма́ть в лову́шку

trapdoor ['træp'dɔ:] люк

trapes [treɪps] *разг.* тащи́ться

trapeze [trə'pi:z] трапе́ция

trappings ['træpɪŋz] *pl разг.* вне́шние атрибу́ты *(занимаемой должности и т. п.)*

traps [træps] *pl амер. разг.* пожи́тки

trash [træʃ] дрянь, хлам

travel ['trævl] **1.** *v* 1) путеше́ствовать 2) передвига́ться **2.** *n* 1) передвиже́ние 2) путеше́ствие 3) *pl* описа́ние путеше́ствия; **~ler** 1) путеше́ственник 2) коммивояжёр; **~ling** 1) доро́жный; похо́дный 2) путеше́ствующий; ~ling expenses путевы́е расхо́ды

traverse ['trævə:s] **1.** *v* пересека́ть **2.** *n* попере́чина

travesty ['trævɪstɪ] **1.** *n* паро́дия **2.** *v* пароди́ровать

trawl ['trɔ:l] **1.** *n* не́вод; трал **2.** *v* 1) тащи́ть се́ти по дну 2) тра́лить; **~er** тра́улер

tray [treɪ] подно́с

treache||rous ['tretʃ(ə)rəs] преда́тельский; **~ry** [-rɪ] преда́тельство, изме́на

treacle ['tri:kl] па́тока

tread [tred] **1.** *v* (trod; trodden) 1) ступа́ть 2) топта́ть; наступа́ть; *перен.* попира́ть ◇ ~ on air не чу́вствовать под собо́й ног *(от радости)*; ~ lightly де́йствовать осторо́жно, такти́чно **2.** *n* 1) по́ступь 2) ступе́нька

treadle ['tredl] педа́ль

treason ['tri:zn] изме́на; high ~ госуда́рственная изме́на

treasu||re ['treʒə] **1.** *n* сокро́вище, клад **2.** *v* 1) храни́ть 2) высоко́ цени́ть; **~rer** [-rə] казначе́й

treasury ['treʒ(ə)rɪ] 1) сокро́вищница 2) казна́; казначе́йство

treat ['tri:t] **1.** *n* 1) развлече́ние 2) угоще́ние **2.** *v* 1) обраща́ться *(с кем-л.)* 2) тракто-ва́ть 3) лечи́ть 4) угоща́ть; **~ise** [-ɪz] тракта́т; **~ment** 1) обраще́ние, обхожде́ние 2) обрабо́тка 3) лече́ние

treaty ['tri:tɪ] (междунаро́дный) догово́р

treble ['trebl] **1.** *a* тройно́й **2.** *v* 1) утра́ивать 2) утра́иваться

tree [tri:] де́рево

trefoil ['trefɔɪl] *бот.* трили́стник

trellis ['trelɪs] решётка; шпале́ра

tremble ['trembl] дрожа́ть, трепета́ть ◇ ~ in the balance висéть на волоскé; быть в критúческом положéнии

tremendous [trɪ'mendəs] 1) ужáсный 2) *разг.* огрóмный

tremor ['tremə] дрожь; трéпет

tremulous ['tremjuləs] 1) дрожáщий 2) трéпетный; рóбкий

trench [trentʃ] **1.** *n* 1) ров 2) *воен.* окóп, траншéя **2.** *v* 1) рыть канáвы, траншéи 2) вскáпывать

trend [trend] **1.** *n* тендéнция, уклóн **2.** *v* 1) имéть тендéнцию 2) отклоня́ться; склоня́ться

trepidation [,trepɪ'deɪʃ(ə)n] смятéние; трéпет, дрожь

trespass ['trespəs] 1) нарушáть чужóе прáво владéния 2) *(on, upon)* злоупотребля́ть, *(чем-л.)*; ~ (up)on smb.'s hospitality злоупотребля́ть чьим-л. гостеприúмством

tress [tres] лóкон; косá

trestle ['tresl] кóзлы *мн.*

trial ['traɪəl] 1) испытáние, прóба 2) суд, судéбное разбирáтельство 3) *attr.*: ~ period испытáтельный срок ◇ that child is a real ~ *разг.* ребёнок э́тот — однó мучéние; life is full of little ~s жизнь полнá мéлких невзгóд; **~-trip** [-trɪp] прóбный рейс; ходовы́е испытáния *мн.*

triang||le ['traɪæŋgl] треугóльник; **~ular** [-'æŋgjulə] треугóльный

tribe [traɪb] род; плéмя

tribulation [,trɪbju'leɪʃ(ə)n] гóре, бéдствие

tribunal [traɪ'bju:nl] суд; трибунáл

tribune ['trɪbju:n] трибу́на

tributary ['trɪbjut(ə)rɪ] 1) дáнник 2) притóк *(рекú)*

tribute ['trɪbju:t] дань

trice [traɪs]: in a ~ мгновéнно

trick [trɪk] **1.** *n* 1) хúтрость; обмáн 2) фóкус, трюк 3) *карт.* взя́тка **2.** *v* обмáнывать

trickery ['trɪkərɪ] надувáтельство, обмáн

trickle ['trɪkl] **1.** *n* стру́йка **2.** *v* кáпать

tricolour ['trɪkələ] трёхцвéтный флаг

tricycle ['traɪsɪkl] трёхколёсный велосипéд

triennial [traɪ'enjəl] **1.** *a* трёхлéтний **2.** *n* трёхлéтие

trifl||e ['traɪfl] **1.** *n* пустя́к, бездéлица; cost a ~ стóить пустякú ◇ a ~ немнóго; this dress is a ~ too short э́то плáтье чуть-чу́ть коротковáто **2.** *v* 1): ~ with smb., smth. шутúть, относúться несерьёзно к кому́-л., чему́-л.; he's not a man to be ~ed with с ним шу́тки плóхи 2) вестú себя́ легкомы́сленно; ~ **away** трáтить понапрáсну; ~ away one's time зря трáтить врéмя; **~ing** пустя́чный, пустякóвый; незначúтельный

trig I [trɪg] наря́дный

trig II *школ. сокр. от* trigonometry

trigger ['trɪgə] 1) защёлка 2) *воен.* спусковóй крючóк

trigonometry [,trɪgə'nɔmɪtrɪ] тригономéтрия

trill [trɪl] трель

trillion ['trɪljən] триллиóн; *амер.* биллиóн

trilogy ['trɪlədʒɪ] трило́гия

trim ['trɪm] **1.** *a* 1) щегольва́тый 2) аккура́тный **2.** *v* 1) отде́лывать *(платье)*, украша́ть *(блюдо)* 2) подреза́ть *(фитиль лампы)*; подстрига́ть *(волосы)*; подра́внивать 3) *мор.* уравнове́шивать 4) *полит.* баланси́ровать ме́жду па́ртиями **3.** *n.* поря́док; состоя́ние гото́вности; ~**ming** отде́лка

trinket ['trɪŋkɪt] безделу́шка; брело́к

trio ['tri:ou] три́о

trip [trɪp] **1.** *v* 1) идти́ легко́ и бы́стро; бежа́ть вприпры́жку 2) спотыка́ться 3) подста́вить но́жку *(тж. перен.)*; ~ **up** сбить с то́лку, запу́тать **2.** *n* 1) экску́рсия; путеше́ствие; пое́здка 2) лёгкая бы́страя похо́дка 3) оши́бка, ля́псус; ло́жный шаг

tripartite ['traɪ'pɑ:taɪt] 1) трёхсторо́нний *(о соглашении)* 2) состоя́щий из трёх часте́й

tripe [traɪp] 1) рубе́ц *(кушанье)* 2) *разг.* чепуха́, дрянь

triple ['trɪpl] **1.** *a* утро́енный; тройно́й **2.** *v* 1) утра́ивать 2) утра́иваться

tripod ['traɪpɔd] трено́жник

tripper ['trɪpə] *часто презр.* экскурса́нт

trite [traɪt] бана́льный, изби́тый

triumph ['traɪəmf] **1.** *n* триу́мф **2.** *v* торжествова́ть побе́ду; ~**ant** [traɪ'ʌmfənt] 1) победоно́сный 2) торжеству́ющий; лику́ющий

trivet ['trɪvɪt] тага́н

trivial ['trɪvɪəl] 1) обы́денный, тривиа́льный 2) незначи́тельный 3) пусто́й *(о человеке)*

trod [trɔd] *past от* tread 1

trodden ['trɔdn] *p. p. от* tread 1

trolley ['trɔlɪ] 1) ваго́нетка 2) конта́ктный ро́лик 3) *амер. разг.* трамва́й; ~**-bus** [-bʌs] тролле́йбус

troop [tru:p] **1.** *n* 1) гру́ппа люде́й; a ~ of school-children гру́ппа шко́льников 2) кавалери́йский взвод; *амер.* эскадро́н 3) *pl.* войска́ **2.** *v* собира́ться толпо́й

trophy ['troufɪ] трофе́й

tropic ['trɔpɪk] тро́пик; ~**al** [-(ə)l] тропи́ческий

trot ['trɔt] **1.** *v* бежа́ть ры́сью **2.** *n* рысь; ~**ter** рыса́к

trouble ['trʌbl] **1.** *n* 1) непри́ятность; беда́; get into ~ попа́сть в беду́ 2) беспоко́йство, хло́поты; it is too much ~ э́то сли́шком хло́потно 3) *тех.* неиспра́вность ◇ ask *(или* look) for ~ лезть на рожо́н; what's the ~? в чём де́ло?; take ~ стара́ться **2.** *v* 1) беспоко́ить, трево́жить 2) пристава́ть, надоеда́ть; проси́ть; may I ~ you for the salt? переда́йте мне, пожа́луйста, соль 3) затрудня́ть 4) *тех.* наруша́ть ◇ fish in ~d waters лови́ть ры́бку в му́тной воде́

troublesome ['trʌblsəm] 1) беспоко́йный 2) хло́потный 3) мучи́тельный

trough [trɔf] 1) корму́шка 2) жёлоб 3) подо́шва *(волны́)*

trounce [trauns] бить, поро́ть; нака́зывать

troupe [tru:p] тру́ппа

trousers ['trauzəz] брю́ки

trousseau [ˈtruːsou] *(pl* -seaux) *фр.* прида́ное

trout [traut] форе́ль

trowel [ˈtrau(ə)l] 1) лопа́тка *(штукатура)* 2) садо́вый сово́к

truant [ˈtruːənt] 1) прогу́льщик 2) лентя́й

truce [truːs] 1) переми́рие 2) передышка; зати́шье

truck I [trʌk] ме́на, обме́н ◇ have no ~ with smb. не име́ть никаки́х дел с кем-л.

truck II 1) грузови́к 2) ваго́н-платфо́рма 3) теле́жка *(носильщика)*

truck III *амер.* 1) о́вощи *мн.* 2) *attr.*: ~ farmer огоро́дник

truckle [ˈtrʌkl]: ~ to smb. раболе́пствовать перед ке́м-л.

truculent [ˈtrʌkjulənt] свире́пый

trudge [trʌdʒ] **1.** *v* идти́ с трудо́м, тащи́ться **2.** *n* утоми́тельная прогу́лка

true [truː] 1) ве́рный, пра́вильный 2) по́длинный; ~ copy заве́ренная ко́пия 3) пре́данный, ве́рный

truly [ˈtruːlɪ] 1) правди́во, и́скренне 2) то́чно; пра́вильно 3) действи́тельно, и́стинно ◇ yours ~ пре́данный вам *(в конце письма)*

trump [trʌmp] 1) ко́зырь 2) *разг.* сла́вный ма́лый

trumpery [ˈtrʌmpərɪ] мишура́, хлам

trumpet [ˈtrʌmpɪt] **1.** *n* труба́ **2.** *v* 1) труби́ть; *перен.* возвеща́ть 2) реве́ть *(о слоне)*

truncheon [ˈtrʌntʃ(ə)n] 1) дуби́нка полице́йского 2) жезл

trundle [ˈtrʌndl] 1) кати́ть 2) кати́ться

trunk [ˈtrʌŋk] 1) ствол *(дерева)* 2) ту́ловище 3) сунду́к 4) хо́бот *(слона)*; **~-call** [-kɔːl] вы́зов по междугоро́дному телефо́ну

truss [trʌs] **1.** *n* 1) оха́пка; большо́й пук *(сена, соломы)* 2) *мед.* банда́ж 3) *стр.* ба́лка; фе́рма **2.** *v* 1) увя́зывать *(сено)*; связывать *(птицу при жаренье)* 2) скрепля́ть

trust [trʌst] **1.** *n* 1) дове́рие; take on ~ ве́рить на́ слово 2) отве́тственность 3) трест **2.** *v* 1): ~ smb. доверя́ть, ве́рить кому́-л. 2): ~ smth. to smb., ~ smb with smth. вверя́ть, доверя́ть что-л. кому́-л. 3): ~ to *(или* in) полага́ться на ◇ I ~ you slept well наде́юсь, вы спа́ли хорошо́; **~ee** [trʌsˈtiː] опеку́н

truth [ˈtruːθ] пра́вда; и́стина; **~ful** правди́вый

try [ˈtraɪ] **1.** *v* 1) про́бовать 2) стара́ться 3) суди́ть 4) утомля́ть; ~ **on** а) примеря́ть; б) *разг.* про́бовать, примеря́ться; it's no use ~ing it on with me со мной э́тот но́мер не пройдёт **2.** *n* попы́тка; **~ing** 1) изнури́тельный *(о жаре и т. п.)* 2) доку́чливый *(о человеке)*; **~-on** [-ˈɔn] *разг.* 1) приме́рка 2) попы́тка обману́ть

tsar [zɑː] царь

T-shirt [ˈtiːˈʃəːt] ма́йка

tub [tʌb] ка́дка; лоха́нь

tube [tjuːb] 1) труба́, тру́бка 2) тю́бик 3) метрополите́н *(в Лондоне)* 4) *радио* электро́нная ла́мпа

tuberculosis [tjuːˌbəːkjuˈlousɪs] туберкулёз

tuck [tʌk] **1.** *n* скла́дка *(на платье)* **2.** *v*: ~ **up** засу́чивать *(рукава)*; подоткну́ть *(подол; одеяло—ребёнку)*

Tuesday ['tju:zdɪ] вто́рник

tuft [tʌft] 1) пучо́к 2) гру́ппа дере́вьев, кусто́в

tug [tʌg] **1.** *v* 1) дёргать 2) букси́ровать **2.** *n* 1) рыво́к 2) букси́р(ный парохо́д) ◇ ~ of war *спорт.* перетя́гивание на кана́те

tuition [tju:'ɪʃ(ə)n] обуче́ние; fee for ~ пла́та за обуче́ние

tulip ['tju:lɪp] тюльпа́н

tumble ['tʌmbl] **1.** *v* 1) па́дать 2) броса́ться; ~ into bed бро́ситься в посте́ль; ~ out of bed вы́скочить из посте́ли 3) кувырка́ться 4) мета́ться 5) приводи́ть в беспоря́док ◇ ~ to smth. *разг.* поня́ть, догада́ться о чём-л. **2.** *n разг.* паде́ние 2) беспоря́док; беспоря́дочно нава́ленные ве́щи *и т. п.*; гру́да предме́тов; ~ **down** [-daun] полуразру́шенный, ве́тхий

tumbler ['tʌmblə] 1) акроба́т 2) стака́н

tumid ['tju:mɪd] распу́хший; *перен.* напы́щенный

tummy ['tʌmɪ] *разг.* живо́т(ик)

tumour ['tju:mə] о́пухоль

tumult ['tju:mʌlt] 1) шум 2) смяте́ние; ~**uous** [tju'mʌltjuəs] шу́мный, бу́йный

tune [tju:n] **1.** *n* мело́дия, моти́в; sing another *(или* change one's) ~ перемени́ть тон; out of ~ расстро́енный *(тж. перен.)* **2.** *v* настра́ивать; ~**in** настра́ивать радиоприёмник

tune||ful ['tju:nful] мелоди́чный; ~**less** 1) немелоди́чный 2) беззву́чный

tuner ['tju:nə] настро́йщик

tungsten ['tʌŋstən] *хим.* вольфра́м

tunic ['tju:nɪk] 1) туни́ка 2) *воен.* ки́тель

tunnel ['tʌnl] **1.** *n* тунне́ль **2.** *v* проводи́ть тунне́ль

turbid ['tə:bɪd] 1) му́тный 2) тума́нный, запу́танный

turbine ['tə:bɪn] турби́на

turbulent ['tə:bjulənt] бу́йный, непоко́рный

tureen [tə:'ri:n] супова́я ми́ска

turf [tə:f] 1) дёрн 2) *ирл.* торф

turgid ['tə:dʒɪd] 1) опу́хший 2) напы́щенный *(о стиле)*

Turk [tə:k] ту́рок; турча́нка

turkey ['tə:kɪ] индю́к; инде́йка

Turkish ['tə:kɪʃ] **1.** *a* туре́цкий **2.** *n* туре́цкий язы́к

Turk(o)man ['tə:kəmən] 1) туркме́н 2) туркме́нский язы́к

turmoil ['tə:mɔɪl] шум, сумато́ха

turn [tə:n] **1.** *v* 1) верте́ть, повора́чивать 2) обора́чиваться; повора́чиваться; верте́ться 3) станови́ться, превраща́ться 4) направля́ть *(внимание)*; ~ **away** а) отвора́чиваться; б) прогоня́ть; ~ **down** а) убавля́ть *(свет)*; б) отклоня́ть *(предложение)*; ~ **in** а) зайти́ *(мимоходом)*; б) *разг.* ложи́ться спать; в) возвраща́ть, сдава́ть, отдава́ть; ~ **off** закры́ть *(кран)*; вы́ключить *(свет)*; ~**on** а) откры́ть *(кран)*; включи́ть *(свет)*; б) зави́сеть; ~ **out** а) увольня́ть; выгоня́ть; б) ока́зываться; ~ **over** а) перевора́чивать(ся); б) обду́мывать; ~ **up** а) поднима́ть вверх; б) внеза́пно появля́ться; в) уси́ливать *(звук)*; ~ up the radio сде́лать ра́дио погро́мче ◇ ~ to smth. приня́ться за что-*л.*; ~ a deaf ear *(to)* отка́зываться слу́шать; ~ one's hand *(to)* взя́ться *(за что-либо)*; ~ loose вы́пустить на свобо́ду; ~ the scale оказа́ться реша́ющим **2.** *n* 1) поворо́т 2) оборо́т 3) о́чередь; in *(или* by) ~s по о́череди 4) услу́га 5) скло́нность 6) *разг.* потрясе́ние, шок ◇ go for a ~, take a ~ прогуля́ться

turncoat ['tə:nkout] ренега́т

turner ['tə:nə] то́карь

turning ['tə:nɪŋ] перекрёсток; поворо́т; **~-point** [-pɔint] поворо́тный пункт; перело́м, кри́зис

turnip ['tə:nɪp] ре́па

turn-out ['tə:n'aut] 1) собра́ние 2) вы́пуск проду́кции; **~-over** [-ˌouvə] **1.** *n* 1) *ком.* оборо́т 2) теку́честь *(рабочей силы)* 3) полукру́глый пиро́г с начи́нкой **2.** *a* отложно́й *(о воротнике)*

turpentine ['tə:p(ə)ntaɪn] скипида́р

turpitude ['tə:pɪtju:d] ни́зость, по́длость

turquoise ['tə:kwɑ:z] 1) бирюза́ 2) *attr.* бирюзо́вый *(о цвете)*

turret ['tʌrɪt] 1) ба́шенка 2) *воен.* оруди́йная ба́шня

turtle ['tə:tl] черепа́ха *(преим. морская)*

turtle-dove ['tə:tldʌv] го́рлица

tusk [tʌsk] би́вень, клык

tussle ['tʌsl] **1.** *n* борьба́ **2.** *v* боро́ться

tut [tʌt] *int* ах ты!; фу ты!

tutor ['tju:tə] **1.** *n* 1) преподава́тель *(в университетах Англии)* 2) *уст.* дома́шний учи́тель **2.** *v* обуча́ть, дава́ть ча́стные уро́ки

tuxedo [tʌk'si:dou] *амер.* смо́кинг

twaddle ['twɔdl] **1.** *n* пустосло́вие **2.** *v* болта́ть, пустосло́вить

twang [twæŋ] **1.** *n* 1) звук струны́ 2) гнуса́вость **2.** *v* звене́ть *(о натянутой струне)*

tweak [twi:k] **1.** *v* ущипну́ть **2.** *n* щипо́к

tweet [twi:t] **1.** *v* щебета́ть, чири́кать **2.** *n* чири́канье, щёбет

tweezers ['twi:zəz] *pl* пинце́т

twelfth [twelfθ] двена́дцатый

twelve [twelv] двена́дцать

twen‖tieth ['twentɪɪθ] двадца́тый; **~ty** [-tɪ] два́дцать

twice [twaɪs] два́жды

twiddle ['twɪdl] верте́ть, крути́ть *(бесцельно)* ◇ ~ one's thumbs бить баклу́ши

twig I [twɪg] ве́точка

twig II *разг.* разгада́ть, поня́ть

twilight ['twaɪlaɪt] су́мерки *мн.*

twin [twɪn] **1.** *n* 1) близне́ц 2) двойни́к **2.** *a* двойно́й

twine [twaɪn] **1.** *n* бечёвка **2.** *v* 1) вить, плести́ 2) обвива́ться

twinge [twɪndʒ] при́ступ *(боли)*; угрызе́ние *(совести)*

twinkle ['twɪŋkl] **1.** *n* 1) мерца́ние 2) блеск *(глаз)* **2.** *v* мерца́ть; мига́ть

twirl [twə:l] **1.** *v* 1) кружи́ть; верте́ть 2) кружи́ться, верте́ться **2.** *n* 1) враще́ние, круче́ние 2) ро́счерк

twirp [twə:p] *разг.* хам

twist ['twɪst] **1.** *v* 1) скру́чивать; вить 2) ви́ться 3) верте́ть, повора́чивать 4) искажа́ть **2.** *n* 1) круче́ние 2) искривле́ние 3) поворо́т; изги́б; **~er** *разг.* обма́нщик

twit [twɪt] попрека́ть

twitch [twɪtʃ] **1.** *v* 1) дёргаться 2) дёргать **2.** *n* су́дорога

twitter ['twɪtə] *см.* tweet

two ['tu:] два, двое́; **~** and **~** попа́рно, па́рами; in **~** на́двое; **~fold** [-fould] **1.** *a* двойно́й, двукра́тный **2.** *adv* вдвойне́; вдвое́

tycoon [taɪ'ku:n] промы́шленный магна́т

tying ['taɪɪŋ] *pres. p. от* tie

type ['taɪp] **1.** *n* 1) тип 2) образе́ц 3) си́мвол 4) *полигр.* набо́р; шрифт **2.** *v* писа́ть на маши́нке; **~-setter** [-ˌsetə] набо́рщик; **~writer** [-ˌraɪtə] пи́шущая маши́нка

typhoid ['taɪfɔɪd] брюшно́й тиф

typhus ['taɪfəs] сыпно́й тиф

typical ['tɪpɪk(ə)l] типи́чный

typify ['tɪpɪfaɪ] служи́ть типи́чным приме́ром

typist ['taɪpɪst] машини́стка

tyranny ['tɪrənɪ] тирани́я; деспоти́зм

tyrant ['taɪər(ə)nt] тира́н; де́спот

tyre ['taɪə] ши́на

tyro ['taɪərou] *см.* tiro

tzar [zɑ:] *см.* tsar

U

U, u [ju:] *двадцать первая буква англ. алфавита*

ubiquitous [ju:'bɪkwɪtəs] повсеме́стный

udder ['ʌdə] вы́мя

ugly ['ʌglɪ] безобра́зный

Ukrainian [ju:'kreɪnjən] **1.** *a* украи́нский **2.** *n* 1) украи́нец; украи́нка 2) украи́нский язы́к

ukulele [ˌju:kə'leɪlɪ] гава́йская гита́ра

ulcer ['ʌlsə] я́зва

ulster ['ʌlstə] дли́нное свобо́дное пальто́

ulterior [ʌl'tɪərɪə] скры́тый *(о цели и т. п.)*

ultimate ['ʌltɪmɪt] 1) после́дний, оконча́тельный 2) основно́й; **~ly** в коне́чном счёте

ultimatum [ˌʌltɪ'meɪtəm] ультима́тум

ultimo ['ʌltɪmou] *ком.* про́шлого ме́сяца *(в письмах)*; your letter of the 20th **~** ва́ше письмо́ от 20-го числа́ исте́кшего ме́сяца

ultra ['ʌltrə] **1.** *a* кра́йний *(об убеждениях, взглядах)* **2.** *n* челове́к кра́йних взгля́дов, у́льтра

ultra- *pref* сверх-, у́льтра-

ultramarine [ˌʌltrəmə'ri:n] ультрамари́новый

ultra-violet ['ʌltrə'vaɪəlɪt] ультрафиоле́товый

umber ['ʌmbə] **1.** *n* у́мбра *(краска)* **2.** *a* кори́чневый

umbilicus [ʌm'bɪlɪkəs] пуп(о́к)

umbrage I ['ʌmbrɪdʒ]: take **~** оби́деться

umbrage II [ˈʌmbrɪdʒ] *поэт.* тень, сень; **~ous** [ʌmˈbreɪdʒəs] тени́стый

umbrella [ʌmˈbrelə] зо́нтик

umpire [ˈʌmpaɪə] 1) трете́йский судья́ 2) *спорт.* судья́

umpteen [ˈʌm(p)ti:n] *разг.* многочи́сленный; **~th** [-θ]: for the ~th time в со́тый раз

un- [ʌn-] *pref* не-, без- *(глаголам обычно придаёт противоп. значение)*

unabashed [ˈʌnəˈbæʃt] несмути́вшийся, неиспуга́вшийся

unable [ˈʌnˈeɪbl] неспосо́бный, не уме́ющий *(что-л. сделать)*

unacceptable [ˈʌnəkˈseptəbl] неприе́млемый

unaccompanied [ˈʌnəˈkʌmp(ə)nɪd] 1) не сопровожда́емый 2) *муз.* без аккомпанеме́нта

unaccountable [ˈʌnəˈkauntəbl] необъясни́мый, стра́нный

unaccustomed [ˈʌnəˈkʌstəmd] 1) непривы́кший 2) необы́чный

unacquainted [ˈʌnəˈkweɪntɪd] незнако́мый *(с чем-л.)*

unadopted [ˈʌnəˈdɔptɪd] не находя́щийся в ве́дении ме́стных власте́й *(о дорогах)*

unadvisedly [ˈʌnədˈvaɪzədlɪ] опроме́тчиво; безрассу́дно

unaffected [ˈʌnəˈfektɪd] 1) и́скренний, просто́й 2) безуча́стный

unaided [ˈʌnˈeɪdɪd] без (посторо́нней) по́мощи

unalterable [ʌnˈɔ:lt(ə)rəbl] неизменя́емый, не поддаю́щийся измене́нию; усто́йчивый

unanimity [ˌju:nəˈnɪmɪtɪ] единогла́сие

unanimous [ju:ˈnænɪməs] единогла́сный

unanswerable [ʌnˈɑ:ns(ə)rəbl] неопровержи́мый, неоспори́мый

unanswered [ˈʌnˈɑ:nsəd] оста́вшийся без отве́та *(о письмах, просьбах)*; не получи́вший отве́та *(о любви и т. п.)*

unarmed [ˈʌnˈɑ:md] невооружённый; безору́жный

unasked [ˈʌnˈɑ:skt] доброво́льный

unassailable [ˌʌnəˈseɪləbl] непристу́пный; *перен.* неопровержи́мый *(о доводе и т. п.)*

unassuming [ˈʌnəˈsju:mɪŋ] скро́мный; непритяза́тельный

unattainable [ˈʌnəˈteɪnəbl] недосяга́емый

unattended [ˈʌnəˈtendɪd] 1) несопровожда́емый 2) оста́вленный без ухо́да, без присмо́тра; she left the sick woman ~ all day она́ оста́вила больну́ю же́нщину на це́лый день без присмо́тра

unavailing [ˈʌnəˈveɪlɪŋ] бесполе́зный; беспло́дный

unawar||e [ˈʌnəˈwɛə] незна́ющий, неподозрева́ющий; **~es** [-z] 1) неожи́данно, врасплóх 2) неча́янно

unbalanced [ˈʌnˈbælənst] неусто́йчивый *(о психике)*

unbearable [ʌnˈbɛərəbl] невыноси́мый; ужа́сный

unbecoming [ˈʌnbɪˈkʌmɪŋ] 1) не к лицу́ *(об одежде и т. п.)* 2) неприли́чный *(о поведении)*

unbeknown, unbeknownst [ˈʌnbɪˈnoun, -st]: ~st to smb. *разг.* без чьего́-л. ве́дома

unbelie||f [ˈʌnbɪˈli:f] неве́рие; **~vable** [ˌʌnbɪˈli:vəbl] невероя́тный; **~ving** [ˈʌnbɪˈli:vɪŋ] неве́рующий

unbend ['ʌn'bend] (unbent) 1) разгиба́ть, выпрямля́ть 2) разгиба́ться, выпрямля́ться 3) ослабля́ть напряже́ние; отбро́сить чо́порность 4) расслабля́ться; **~ing** непрекло́нный

unbent ['ʌn'bent] *past и p. p. от* unbend

unbiassed ['ʌn'baɪəst] беспристра́стный

unbidden ['ʌn'bɪdn] непро́шеный, незва́ный

unbind ['ʌn'baɪnd] (unbound) развя́зывать

unblemished [ʌn'blemɪʃt] незапя́тнанный, безупре́чный

unbound ['ʌn'baund] *past и p. p. от* unbind

unbounded [ʌn'baundɪd] безграни́чный, беспреде́льный; безме́рный

unbridled [ʌn'braɪdld] разну́зданный

unbroken ['ʌn'brouk(ə)n] 1) це́лый, неразби́тый *(о посуде)* 2) непреры́вный *(о сне и т. п.)* 3) непоби́тый *(о рекорде)*

unburden [ʌn'bə:dn] *(обыкн. перен.)*: ~ oneself, ~ one's heart *(или* conscience) отвести́ ду́шу

unbuttoned ['ʌn'bʌtnd] расстёгнутый; *перен.* непринуждённый

uncalled-for [ʌn'kɔ:ldfɔ:] неуме́стный

uncanny [ʌn'kænɪ] жу́ткий

uncared-for ['ʌn'kɛədfɔ:] забро́шенный *(о человеке, саде и т. п.)*; запу́щенный *(о наружности, одежде)*

unceasing [ʌn'si:sɪŋ] непреры́вный

unceremonious ['ʌnˌserɪ'mounjəs] 1) неофициа́льный 2) бесцеремо́нный

uncertain [ʌn'sə:tn] 1) неуве́ренный; сомнева́ющийся 2) переме́нчивый; ненадёжный

unchain ['ʌn'tʃeɪn] спуска́ть с це́пи *(собаку)*

uncharitable ['ʌn'tʃærɪtəbl] зло́стный

unchristian ['ʌn'krɪstjən] 1) недо́брый 2): call on smb. at an ~ hour *разг.* прийти́ к кому́-л. в неподходя́щий час

uncle ['ʌŋkl] дя́дя ◇ U. Sam *разг.* дя́дя Сэм *(шутливое прозвище США)*

uncoil ['ʌn'kɔɪl] 1) разма́тывать 2) разма́тываться

uncomely ['ʌn'kʌmlɪ] *книжн.* некраси́вый

uncomfortable [ʌn'kʌmf(ə)təbl] неудо́бный

uncommitted ['ʌnkə'mɪtɪd] не свя́занный догово́ром; ~ countries неприсоедини́вшиеся стра́ны

uncommon [ʌn'kɔmən] необыкнове́нный, замеча́тельный; **~ly** *разг.* замеча́тельно; о́чень

uncompromising [ʌn'kɔmprəmaɪzɪŋ] непрекло́нный, сто́йкий

unconcerned ['ʌnkən'sə:nd] 1) беспе́чный, беззабо́тный 2) незаинтересо́ванный

unconditional ['ʌnkən'dɪʃənl] безоговоро́чный; безусло́вный

unconscious ['ʌn'kɔnʃəs] **1.** *a* 1) не сознаю́щий *(чего-л.)* 2) бессозна́тельный; потеря́вший созна́ние **2.** *n*: the ~ подсозна́тельное; **~ly** бессозна́тельно

uncouth [ʌn'ku:θ] нескла́дный *(о человеке)*

uncover [ʌn'kʌvə] открыва́ть; обнажа́ть

unctuous ['ʌŋktjuəs] еле́йный

undaunted [ʌn'dɔ:ntɪd] неустраши́мый

undeceive ['ʌndɪ'si:v] открыва́ть глаза́, выводи́ть из заблужде́ния

undecided ['ʌndɪ'saɪdɪd] 1) нерешённый 2) нереши́тельный

undeniable [,ʌndɪ'naɪəbl] неоспори́мый

under ['ʌndə] **1.** *prep* 1) под 2) ни́же, ме́ньше чем; sell ~ cost продава́ть ни́же сто́имости; children ~ 16 де́ти до 16 лет 3) по, в соотве́тствии, согла́сно; при *(тж. о времени)*; ~ the present agreement по настоя́щему соглаше́нию; ~ present conditions при таки́х усло́виях; ~ Peter I при Петре́ I; ~ the new law по но́вому зако́ну ◇ be ~ repair быть в почи́нке; speak ~ one's breath говори́ть шёпотом; ~ oath под прися́гой **2.** *adv* ни́же; вниз; внизу́ **3.** *a* 1) ни́жний 2) ни́зший 3) подчинённый

under- ['ʌndə-] *pref* ниже-, под-; недо-

under-carriage ['ʌndə,kærɪdʒ] *ав.* шасси́

underclothes *pl*, **underclothing** ['ʌndəklouðz, 'ʌndə,klouðɪŋ] ни́жнее бельё

undercut ['ʌndə'kʌt] продава́ть по бо́лее ни́зким це́нам *(по сравнению с конкурентами)*

under-developed ['ʌndədɪ'veləpt] слабора́звитый

underdog ['ʌndə'dɔg]: the ~ уни́женный, отве́рженный; неуда́чник

underdone ['ʌndədʌn] недожа́ренный

underestimate 1. *v* ['ʌndər'estɪmeɪt] недооце́нивать **2.** *n* ['ʌndər'estɪmɪt] недооце́нка

underfoot [,ʌndə'fut] под нога́ми

undergarment ['ʌndə,gɑ:mənt] предме́т ни́жнего белья́

undergo [,ʌndə'gou] (underwent; undergone) подверга́ться, претерпева́ть

undergone [,ʌndə'gɔn] *p. p. от* undergo

undergraduate [,ʌndə'grædjuɪt] студе́нт

underground 1. *adv* [,ʌndə'graund] под зе́млю, под землёй; *перен.* подпо́льно, та́йно **2.** *a* ['ʌndəgraund] подзе́мный; *перен.* подпо́льный **3.** *n* ['ʌndəgraund]: the U. метрополите́н

underhand ['ʌndəhænd] та́йный, закули́сный

underlain [,ʌndə'leɪn] *p. p. от* underlie

underlay [,ʌndə'leɪ] *past от* underlie

underlie [,ʌndə'laɪ] (underlay; underlain) лежа́ть *(под чем-л.)*; *перен.* лежа́ть в осно́ве *(теории и т. п.)*

underline [,ʌndə'laɪn] подчёркивать

undermine [,ʌndə'maɪn] 1) подка́пывать 2) подмыва́ть *(берег)* 3) мини́ровать; *перен.* разруша́ть *(здоровье и т. п.)*; подрыва́ть *(авторитет, экономику и т. п.)*

undermost ['ʌndəmoust] са́мый ни́жний; ни́зший

underneath [,ʌndə'ni:θ] **1.** *adv* вниз; внизу́ **2.** *prep* под

underpaid ['ʌndə'peɪd] *past и p. p. от* underpay

underpass ['ʌndəpɑ:s] проéзд под полотнóм дорóги

underpay ['ʌndə'peɪ] (underpaid) (слúшком) нúзко оплáчивать

underprivileged ['ʌndə'prɪvɪlɪdʒd] 1) пóльзующийся мéньшими правáми 2) неимýщий; бéдный

underproduction ['ʌndəprə'dʌkʃ(ə)n] недопроизвóдство

underrate [ˌʌndə'reɪt] недооцéнивать

under-secretary ['ʌndə'sekrət(ə)rɪ] заместúтель *или* помóщник минúстра

undersigned [ˌʌndə'saɪnd] нижеподписáвшийся

undersized ['ʌndə'saɪzd] низкорóслый

understand [ˌʌndə'stænd] (understood) 1) понимáть 2) подразумевáть; предполагáть; **~ing** 1) понимáние 2) рáзум, рассýдок 3) соглáсие, взаимопонимáние

understate ['ʌndə'steɪt] преуменьшáть

understood [ˌʌndə'stud] *past и p. p. от* understand

understudy ['ʌndəˌstʌdɪ] *театр.* **1.** *n* дублёр **2.** *v* дублúровать

undertake ['ʌndəˌteɪk] (undertook; undertaken) 1) предпринимáть 2) обязáться; ручáться

undertaken [ˌʌndə'teɪk(ə)n] *p. p. от* undertake

undertak||er ['ʌndəˌteɪkə] владéлец похорóнного бюрó; **~ing** 1) предприятие 2) обещáние

undertone ['ʌndətoun] 1) полутóн 2) оттéнок 3) скры́тый смысл, подтéкст

undertook [ˌʌndə'tuk] *past от* undertake

undervalue ['ʌndə'vælju:] недооцéнивать

underwear ['ʌndə'wɛə] нúжнее бельё

underwent [ˌʌndə'went] *past от* undergo

underworld ['ʌndəwə:ld] 1) преиспóдняя 2) подóнки óбщества

underwrite ['ʌndəraɪt] (underwrote; underwritten) *ком.* 1) гарантúровать размещéние *(займа, ценных бумаг)* 2) принимáть на страх *(суда, грузы)*

underwritten ['ʌndəˌrɪtn] *p. p. от* underwrite

underwrote ['ʌndərout] *past от* underwrite

undeservedly ['ʌndɪ'zə:vɪdlɪ] незаслýженно

undesirable ['ʌndɪ'zaɪərəbl] нежелáтельный

undeveloped ['ʌndɪ'veləpt] неразвитóй

undid ['ʌn'dɪd] *past от* undo

undies ['ʌndɪz] *pl разг.* жéнское нúжнее бельё

undistinguishable ['ʌndɪs'tɪŋgwɪʃəbl] неразличúмый

undo ['ʌn'du:] (undid; undone) 1) развя́зывать, расстёгивать 2) расторгáть; нарушáть 3) уничтожáть

undone ['ʌn'dʌn] **1.** *p. p. от* undo **2.** *a* 1) несдéланный 2) погýбленный; we are **~** мы погúбли

undoubted [ʌn'dautɪd] несомнéнный; **~ly** несомнéнно

undreamt-of [ʌn'dremtɔv] небыва́лый, невероя́тный

undress ['ʌn'dres] 1) раздева́ть 2) раздева́ться

undue ['ʌn'dju:] чрезме́рный

undying [ʌn'daiiŋ] бессме́ртный

unearned ['ʌn'ə:nd]: ~ income *эк.* непроизво́дственный дохо́д; ~ praise незаслу́женная похвала́

unearth ['ʌn'ə:θ] оты́скивать, отка́пывать; ~ new facts обнару́жить но́вые фа́кты

unearthly [ʌn'ə:θlɪ] 1) неземно́й; сверхъесте́ственный 2) стра́нный; ди́кий; wake smb. at an ~ hour буди́ть кого́-л. ни свет ни заря́

uneasiness [ʌn'i:zɪnɪs] 1) неудо́бство 2) беспоко́йство, трево́га

uneasy [ʌn'i:zɪ] 1) неудо́бный 2) обеспоко́енный, встрево́женный 3) смущённый

unemploy||ed ['ʌnɪm'plɔɪd] безрабо́тный; **~ment** 1) безрабо́тица 2) *attr.*: ~ment benefit посо́бие по безрабо́тице

unendurable ['ʌnɪn'djuərəbl] нестерпи́мый; невыноси́мый

unequal ['ʌn'i:kwəl] нера́вный, неравноце́нный

unequalled ['ʌn'i:kwəld] непревзойдённый

unequivocal ['ʌnɪ'kwɪvəkəl] недвусмы́сленный; определённый, я́сный

unerring ['ʌn'ə:rɪŋ] 1) ве́рный, безоши́бочный 2) непогреши́мый

uneven ['ʌn'i:vən] 1) неро́вный 2) нечётный

unexampled [ˌʌnɪg'zɑ:mpld] беспримерный

unexpected ['ʌnɪks'pektɪd] неожи́данный, непредви́денный

unexperienced [ˌʌnɪks'pɪərɪənst] нео́пытный

unfailing [ʌn'feɪlɪŋ] 1) неистощи́мый 2) надёжный

unfair ['ʌn'fɛə] 1) несправедли́вый; пристра́стный 2) нече́стный

unfaithful ['ʌn'feɪθf(u)l] неве́рный

unfaltering [ʌn'fɔ:lt(ə)rɪŋ] твёрдый, реши́тельный

unfasten ['ʌn'fɑ:sn] отвя́зывать, открепля́ть; расстёгивать

unfeeling [ʌn'fi:lɪŋ] бесчу́вственный, чёрствый

unfeigned [ʌn'feɪnd] непритво́рный, и́скренний

unfit **1.** *a* ['ʌn'fɪt] неподходя́щий, него́дный **2.** *v* [ʌn'fɪt] де́лать неприго́дным; по́ртить

unfold ['ʌn'fould] 1) развёртываться 2) развёртывать, расстила́ть 3) открыва́ть *(планы, замыслы)*

unforeseen ['ʌnfɔ:'si:n] непредусмо́тренный, непредви́денный

unforgettable ['ʌnfə'getəbl] незабве́нный; незабыва́емый

unforgivable ['ʌnfə'gɪvəbl] непрости́тельный

unfortunate [ʌn'fɔ:tʃnɪt] 1) несча́стный, несчастли́вый 2) неуда́чный

unfounded ['ʌn'faundɪd] необосно́ванный, беспо́чвенный

ungainly [ʌn'geɪnlɪ] неуклю́жий, нескла́дный

ungovernable [ʌn'gʌv(ə)nəbl] неукроти́мый; необу́зданный

ungracious ['ʌn'greɪʃəs] неприве́тливый, нелюбе́зный

ungrateful [ʌn'greɪtful] неблагода́рный

ungrounded ['ʌn'graundɪd] необосно́ванный

unguarded ['ʌn'gɑ:dɪd] неосторо́жный

unhappy [ʌn'hæpɪ] 1) несча́стный 2) неуда́чный

unhealthy [ʌn'helθɪ] нездоро́вый

unheard-of [ʌn'hə:dɔv] неслы́ханный; бесприме́рный

unhinge ['ʌn'hɪn(d)ʒ] снима́ть с пе́тель *(дверь и т. п.)*; **~d** [-d] «чо́кнутый»

unholy [ʌn'houlɪ] 1) нечести́вый 2) *разг.* стра́шный, ужа́сный

unified ['ju:nɪfaɪd] еди́ный

uniform ['ju:nɪfɔ:m] **1.** *n* фо́рменная оде́жда **2.** *a* еди́ный; одноро́дный; **~ity** [,ju:nɪ'fɔ:mɪtɪ] единообра́зие; одноро́дность

unify ['ju:nɪfaɪ] 1) объединя́ть 2) унифици́ровать

unilateral [,ju:ni'læt(ə)r(ə)l] односторо́нний *(о догово́ре и т. п.)*

uninformed ['ʌnɪn'fɔ:md] неосведомлённый; несве́дущий

union ['ju:njən] сою́з, объедине́ние, соедине́ние; the Soviet Union Сове́тский Сою́з; **~ist** член профсою́за, тред-юнио́на

unique [ju:'ni:k] еди́нственный в своём ро́де, уника́льный

unison ['ju:nɪzn] 1) *муз.* унисо́н 2) согла́сие

unit ['ju:nɪt] 1) едини́ца 2) едини́ца измере́ния 3) во́инская часть

unite [ju:'naɪt] 1) соединя́ть, объединя́ть 2) соединя́ться, объединя́ться; United Nations Organization Организа́ция Объединённых На́ций

unity ['ju:nɪtɪ] 1) еди́нство; согла́сие 2) *мат.* едини́ца

universal [,ju:nɪ'və:s(ə)l] 1) всео́бщий, всеми́рный 2) универса́льный

universe ['ju:nɪvə:s] мир, вселе́нная

university [,ju:nɪ'və:sɪtɪ] университе́т

unjust ['ʌn'dʒʌst] несправедли́вый

unkempt ['ʌn'kempt] непричёсанный

unkind [ʌn'kaɪnd] злой, недо́брый

unknown ['ʌn'noun] **1.** *a* 1) неизве́стный 2): ~ to без ве́дома **2.** *n мат.* неизве́стное

unlace ['ʌn'leɪs] расшнуро́вывать

unlawful ['ʌn'lɔ:ful] незако́нный, противозако́нный

unleash ['ʌn'li:ʃ] спуска́ть с при́вязи ◇ ~ war развяза́ть войну́

unless [ən'les] е́сли не

unlettered ['ʌn'letəd] негра́мотный

unlike ['ʌn'laɪk] непохо́жий; не тако́й, как; ~ smb. в отли́чие от кого́-л.; **~ly** неправдоподо́бный, маловероя́тный

unlimited [ʌn'lɪmɪtɪd] безграни́чный; неограни́ченный

unload [ʌn'loud] 1) разгружа́ть, выгружа́ть 2) разряжа́ть *(оружие)*

unlock [ˈʌnˈlɔk] отпира́ть; открыва́ть

unlooked-for [ʌnˈluktfɔ:] неожи́данный, непредви́денный

unlucky [ʌnˈlʌkɪ] несчастли́вый, неуда́чный

unman [ˈʌnˈmæn] лиша́ть му́жества; приводи́ть в уны́ние

unmanned [ˈʌnˈmænd] 1) не укомплекто́ванный *(людьми и т. п.)* 2) *ав.* беспило́тный

unmannerly [ʌnˈmænəlɪ] невоспи́танный

unmarried [ˈʌnˈmærɪd] нежена́тый; незаму́жняя

unmask [ˈʌnˈmɑ:sk] срыва́ть ма́ску; разоблача́ть

unmatched [ˈʌnˈmætʃt] не име́ющий себе́ ра́вного, бесподо́бный

unmeaning [ʌnˈmi:nɪŋ] бессмы́сленный

unmentionable [ʌnˈmenʃnəbl] нецензу́рный, неприли́чный

unmerciful [ʌnˈmə:sɪful] беспоща́дный, немилосе́рдный

unmistakable [ˈʌnmɪsˈteɪkəbl] несомне́нный, я́сный

unmitigated [ʌnˈmɪtɪgeɪtɪd] соверше́нный, абсолю́тный; ~ liar отъя́вленный лжец

unnatural [ʌnˈnætʃr(ə)l] 1) несте́ственный 2) противоесте́ственный

unnecessary [ʌnˈnesɪs(ə)rɪ] нену́жный, изли́шний

unnerve [ˈʌnˈnə:v] лиша́ть прису́тствия ду́ха

unpack [ˈʌnˈpæk] распако́вывать

unpaid [ˈʌnˈpeɪd] неупла́ченный; неопла́ченный

unparalleled [ʌnˈpærəleld] бесприме́рный

unpleasant [ʌnˈpleznt] неприя́тный

unpopular [ˈʌnˈpɔpjulə] непопуля́рный

unprecedented [ʌnˈpresɪdəntɪd] бесприме́рный

unprejudiced [ʌnˈpredʒudɪst] беспристра́стный, непредубеждённый

unpretentious [ˈʌnprɪˈtenʃəs] скро́мный, без прете́нзий

unprintable [ˈʌnˈprɪntəbl] нецензу́рный

unproductive [ˈʌnprəˈdʌktɪv] непроизводи́тельный, непродукти́вный

unprofitable [ʌnˈprɔfɪtəbl] невы́годный; бесполе́зный

unpromising [ˈʌnˈprɔmɪsɪŋ] не обеща́ющий ничего́ хоро́шего

unprompted [ˈʌnˈprɔmptɪd] самопроизво́льный

unprovided [ˈʌnprəˈvaɪdɪd] не снабжённый, не обеспе́ченный *(чем-л.; тж.* ~ for); the widow was left ~ for вдова́ оста́лась без средств

unpublished [ˈʌnˈpʌblɪʃt] неопублико́ванный, неи́зданный

unqualified [ˈʌnˈkwɔlɪfaɪd] 1) не име́ющий квалифика́ции 2) безогово́рочный; ~ refusal реши́тельный отка́з

unquenchable [ʌnˈkwentʃəbl] неутоли́мый, неугаси́мый; ~ fire ве́чный ого́нь

unquestion||able [ʌnˈkwestʃənəbl] несомне́нный; **~ing** по́лный, абсолю́тный; ~ing obedience слепо́е повинове́ние

unquiet [ˈʌnˈkwaɪət] неспоко́йный

unread [ʌnˈred] нечи́танный *(о книге)*

unreal [ˈʌnˈrɪəl] нереа́льный, иллюзо́рный

unreasonable [ʌnˈri:znəbl] 1) неразу́мный, безрассу́дный *(о поступке, человеке)* 2) чрезме́рный *(о требованиях)*

unreliable [ˈʌnrɪˈlaɪəbl] ненадёжный

unrelieved [ˈʌnrɪˈli:vd] 1) не освобождённый *(от должности и т. п.)* 2) однообра́зный; моното́нный ◇ ~ boredom смерте́льная ску́ка

unremitting [ˌʌnrɪˈmɪtɪŋ] неосла́бный; беспреста́нный; упо́рный

unrequited [ˈʌnrɪˈkwaɪtɪd] невознаграждённый; ~ service неопла́ченная услу́га; ~ love любо́вь без взаи́мности

unrest [ˈʌnˈrest] 1) беспоко́йство, волне́ние 2) сму́та; беспоря́дки *мн.*

unrestrained [ˈʌnrɪsˈtreɪnd] необу́зданный, несде́ржанный; непринуждённый

unrivalled [ʌnˈraɪvəld] не име́ющий себе́ ра́вного, непревзойдённый

unruly [ʌnˈru:lɪ] непоко́рный; бу́йный; ~ locks *перен.* непоко́рные ку́дри

unsafe [ˈʌnˈseɪf] ненадёжный, опа́сный

unsaid [ˈʌnˈsed]: better left ~ лу́чше об э́том не говори́ть

unsatisfactory [ˈʌnˌsætɪsˈfækt(ə)rɪ] неудовлетвори́тельный

unsavoury [ˈʌnˈseɪv(ə)rɪ] невку́сный; *перен.* отврати́тельный

unscrew [ˈʌnˈskru:] отви́нчивать, разви́нчивать

unscrupulous [ʌnˈskru:pjuləs] неразбо́рчивый в сре́дствах; беспринци́пный

unseemly [ʌnˈsi:mlɪ] непристо́йный; неподоба́ющий

unseen [ˈʌnˈsi:n] **1.** *a* 1) неви́данный 2) неви́димый **2.** *n*: an ~ а) перево́д с листа́; б) отры́вок для перево́да с листа́

unselfish [ˈʌnˈselfɪʃ] бескоры́стный

unsettled [ˈʌnˈsetld] 1) неустро́енный; неула́женный 2) нерешённый 3) необита́емый; незаселённый 4) неопла́ченный *(о чеке, векселе)*

unshakable [ʌnˈʃeɪkəbl] непоколеби́мый

unsightly [ʌnˈsaɪtlɪ] неприглядный; уро́дливый

unskilled [ˈʌnˈskɪld] 1) необу́ченный, неквалифици́рованный 2) неуме́лый

unsound [ˈʌnˈsaund] 1) нездоро́вый; ~ of mind душевнобольно́й 2) испо́рченный, гнило́й 3) необосно́ванный 4) ненадёжный

unsparing [ʌnˈspɛərɪŋ] 1) беспоща́дный 2) расточи́тельный; ще́дрый

unspeakable [ʌnˈspi:kəbl] невырази́мый

unspotted [ˈʌnˈspɔtɪd] незапя́тнанный *(о репутации)*

unsteady [ˈʌnˈstedɪ] 1) неусто́йчивый; ша́ткий 2) непостоя́нный

unstop [ˈʌnˈstɔp] прочища́ть *(раковину и т.п.)*

unstressed [ˈʌnˈstrest] безуда́рный *(звук, слог)*

unstrung [ˈʌnˈstrʌŋ] расша́танный *(о нервах)*

unstudied [ˈʌnˈstʌdɪd] естéственный, непринуждённый

unsuited [ˈʌnˈsju:tɪd] неподходя́щий

unswerving [ʌnˈswə:vɪŋ] непоколеби́мый

untaught [ʌnˈtɔ:t] 1) необу́ченный; невéжественный 2) естéственный, прису́щий

unthink||able [ʌnˈθɪŋkəbl] 1) невообрази́мый 2) *разг.* немы́слимый; it's quite ~ э́то невообрази́мо; **~ing** безду́мный

untie [ˈʌnˈtaɪ] развя́зывать

until [ənˈtɪl] *см.* till I

untimely [ʌnˈtaɪmlɪ] **1.** *a* несвоеврéменный; безврéменный **2.** *adv* несвоеврéменно, не во́время; безврéменно

unto [ˈʌntu] *уст. см.* to I

untold [ˈʌnˈtould] 1) нерасска́занный 2) бессчётный

un||true [ˈʌnˈtru:] 1) ло́жный; непра́вильный 2) невéрный *(кому-л. — to)*; **~truth** [-ˈtru:θ] ложь; tell an ~ солга́ть

unusual [ʌnˈju:ʒuəl] необыкновéнный

unutterable [ʌnˈʌtərəbl] невырази́мый

unveil [ʌnˈveɪl] снима́ть покрыва́ло; *перен.* раскрыва́ть *(планы и т. п.)*

unwearying [ʌnˈwɪərɪɪŋ] неутоми́мый

unwelcome [ʌnˈwelkəm] 1) неприя́тный, нежела́тельный 2) незва́ный

unwell [ˈʌnˈwel] нездоро́вый

unwieldy [ʌnˈwi:ldɪ] громо́здкий, неуклю́жий

unwilling [ˈʌnˈwɪlɪŋ] несклóнный; нерасполóженный; **~ly** неохóтно

unwise [ʌnˈwaɪz] глу́пый, неблагоразу́мный

unwished [ˈʌnˈwɪʃt] нежела́тельный *(for)*

unworthy [ʌnˈwə:ðɪ] недостóйный

unwrap [ˈʌnˈræp] 1) развёртывать 2) развёртываться

unwritten [ˈʌnˈrɪtn] непи́саный; **~ law** а) непи́саный закóн; б) *юр.* прецедéнтное пра́во

unyielding [ʌnˈji:ldɪŋ] непода́тливый; твёрдый, упóрный

up [ʌp] **1.** *adv* 1) навéрх(у́), вверх(у́) 2) *означает приближение*: a boy came up подошёл ма́льчик 3) *указывает на истечение срока, завершение или результат действия*: time is up врéмя истеклó; eat up съесть; save up скопи́ть ◇ up to вплоть до; what is up? в чём дéло? **2.** *prep* вверх; up the river вверх по рекé **3.** *a* иду́щий вверх; up train пóезд, иду́щий в центр, в столи́цу **4.** *n*: ups and downs уда́чи и неуда́чи

upbraid [ʌpˈbreɪd] брани́ть, укоря́ть

upbringing [ˈʌpˌbrɪŋɪŋ] воспита́ние

up-country [ʌpˈkʌntrɪ] внутрь страны́

upheaval [ʌpˈhi:vəl] 1) сдвиг; *перен.* переворóт 2) *геол.* смещéние пластóв

upheld [ʌpˈheld] *past и p. p. от* uphold

uphill [ˈʌpˈhɪl] **1.** *adv* в гóру **2.** *a* иду́щий в гóру; *перен.* тяжёлый, тру́дный

uphold [ʌpˈhould] (upheld) поддéрживать *(тж. перен.)*

upholster [ʌp'houlstə] обива́ть *(мебель)*; **~er** [-rə] обо́йщик

upkeep ['ʌpki:p] 1) содержа́ние *(автомашины и т. п.)* в испра́вности 2) ремо́нт

upland ['ʌplənd] **1.** *a* наго́рный **2.** *n* *(обыкн. pl)* гори́стая часть страны́

uplift 1. *v* [ʌp'lɪft] поднима́ть *(настроение)* **2.** *n* ['ʌplɪft] духо́вный подъём

upon [ə'pɔn *(полная форма)*, əpən *(редуцированная форма)*] *см.* on

upper ['ʌpə] ве́рхний; вы́сший ◇ get *(или* have) the ~ hand одержа́ть побе́ду; взять верх; **~most** [-moust] 1) са́мый ве́рхний; наивы́сший 2) преоблада́ющий, госпо́дствующий

uppish ['ʌpɪʃ] самодово́льный

uppity ['ʌpɪtɪ] *разг. см.* uppish

upraise [ʌp'reɪz] поднима́ть; возвыша́ть

upright 1. *a* ['ʌpraɪt] 1) прямо́й 2) че́стный **2.** *adv* ['ʌp'raɪt] стоймя́, вертика́льно; keep oneself ~ держа́ться пря́мо

uprising [ʌp'raɪzɪŋ] восста́ние; бунт

uproar ['ʌprɔ:] шум, гам; **~ious** [ʌp'rɔ:rɪəs] шу́мный, бу́йный

uproot [ʌp'ru:t] вырыва́ть с ко́рнем, искореня́ть

upset [ʌp'set] **1.** *v* (upset) 1) опроки́дывать 2) опроки́дываться 3) наруша́ть, расстра́ивать **2.** *n* расстро́йство, огорче́ние

upshot ['ʌpʃɔt] развя́зка; результа́т; заключе́ние

upside-down ['ʌpsaɪd'daun] вверх дном

upstairs ['ʌp'stɛəz] **1.** *adv* 1) наверху́, в ве́рхнем этаже́ 2) вверх по ле́стнице; наве́рх **2.** *a* находя́щийся в ве́рхнем этаже́

upstanding ['ʌp'stændɪŋ] 1) с прямо́й оса́нкой 2) здоро́вый

upstart ['ʌpstɑ:t] вы́скочка

upstream ['ʌp'stri:m] вверх по тече́нию

upsurge [ʌp'sə:dʒ]: ~ of anger волна́ гне́ва

uptake ['ʌpteɪk]: he is quick (slow) in the ~ он бы́стро (ме́дленно) сообража́ет

up-to-date ['ʌptə'deɪt] совреме́нный; передово́й

upturn [ʌp'tə:n] переверты́вать

upward ['ʌpwəd] **1.** *a* напра́вленный *или* дви́жущийся вверх **2.** *adv см.* upwards

upwards ['ʌpwədz] вверх; вы́ше

urban ['ə:bən] городско́й

urban||e [ə:'beɪn] ве́жливый; изы́сканный; **~ity** [ə:'bænɪtɪ] ве́жливость; изы́сканность

urchin ['ə:tʃɪn] мальчи́шка, постре́л

urg||e ['ə:dʒ] 1) понужда́ть, подгоня́ть 2) убежда́ть; наста́ивать; **~ency** [-(ə)nsɪ] насто́ятельность; кра́йняя необходи́мость; **~ent** [-(ə)nt] насто́ятельный; кра́йне необходи́мый

urine ['juərɪn] моча́

urn [ɔ:n] у́рна

us [ʌs *(полная форма)*, əs *(редуцированная форма)*] *pers pron* *(объектн. п. от* we) нас, нам

usage ['ju:zɪdʒ] 1) употребле́ние 2) обраще́ние, обхожде́ние;

harsh ~ гру́бое обраще́ние 3) обы́чай

use **1.** *n* [ju:s] 1) употребле́ние, примене́ние; be *(или* fall) out of ~ вы́йти из употребле́ния; make ~ *(of)* испо́льзовать 2) по́льза; be of (no) ~ быть (бес)поле́зным; is there any ~? сто́ит ли?; what's the ~ of arguing? к чему́ спо́рить?; there's no ~ hurrying не сто́ит торопи́ться ◇ I have no ~ for it а) мне э́то соверше́нно не ну́жно; б) *разг.* я э́то не выношу́; lose the ~ *(of)* потеря́ть спосо́бность владе́ть *(чем-л.)* **2.** *v* [ju:z] 1) употребля́ть, по́льзоваться; may I ~ your name? могу́ я сосла́ться на вас? 2) обраща́ться, обходи́ться *(с кем-либо)*; ~ **up** а) израсхо́довать, испо́льзовать; истра́тить; б) истощи́ть

used I [ju:zd] подёржанный, ста́рый; испо́льзованный

used II [ju:st] *predic*: get ~ *(to)* привыка́ть; I am ~ to it я к э́тому привы́к

used III [ju:st] *(в сочетании с инфинитивом для выражения повторного действия в прошлом)*: I ~ to walk there я быва́ло гуля́л там; the bell ~ to ring at one звоно́к пре́жде звони́л в час; I ~ to eat breakfast there every day я там в своё вре́мя за́втракал ка́ждый день

use||ful ['ju:sful] 1) поле́зный, приго́дный 2) *разг.* спосо́бный; успе́шный; he is a ~ footballer он спосо́бный футболи́ст; ~**less** бесполе́зный, никуда́ не го́дный

usher ['ʌʃə] **1.** *n* 1) швейца́р 2) капельди́нер, билетёр **2.** *v* вводи́ть *(в зал, в комнату)*

usual ['ju:ʒuəl] обыкнове́нный, обы́чный; ~**ly** обыкнове́нно, обы́чно

usurer ['ju:ʒ(ə)rə] ростовщи́к

usurious [ju:'zjuərɪəs] ростовщи́ческий

usurp [ju:'zə:p] узурпи́ровать, незако́нно захва́тывать; ~**er** узурпа́тор

usury ['ju:ʒu(ə)rɪ] ростовщи́чество

utensil [ju:'tensl] *(обыкн. pl)* 1) посу́да, у́тварь 2) принадле́жности; writing ~s пи́сьменные принадле́жности

uter||ine ['ju:təraɪn] *анат.* ма́точный; ~**us** [-rəs] *анат.* ма́тка

utilitarian [ˌju:tɪlɪ'tɛərɪən] утилита́рный

utilit||y [ju:'tɪlɪtɪ] 1) по́льза; вы́годность 2): public ~ies предприя́тия обще́ственного по́льзования; коммуна́льные услу́ги

utilize ['ju:tɪlaɪz] утилизи́ровать; испо́льзовать

utmost ['ʌtmoust] **1.** *a* 1) са́мый отдалённый 2) кра́йний; преде́льный **2.** *n* всё возмо́жное; one's ~ всё, что в чьих-л. си́лах

utter I ['ʌtə] по́лный; абсолю́тный; ~ darkness абсолю́тная темнота́; ~ stranger соверше́нно незнако́мый челове́к

utter II ['ʌtə] произноси́ть; издава́ть *(звук)*; ~**ance** [-r(ə)ns] 1) произнесе́ние, выраже́ние в слова́х 2) произноше́ние 3) выска́зывание; public ~ance публи́чное заявле́ние

utterly ['ʌtəlɪ] кра́йне, чрезвыча́йно

uttermost ['ʌtəmoust] *см.* utmost

Uzbek ['u:zbek] **1.** *a* узбе́кский **2.** *n* 1) узбе́к; узбе́чка 2) узбе́кский язы́к

V

V, v [vi:] *два́дцать втора́я бу́ква англ. алфави́та*

vac||ancy ['veɪk(ə)nsɪ] 1) пустота́; пробе́л 2) вака́нсия; **~ant** [-(ə)nt] 1) свобо́дный, вака́нтный; be ~ant пустова́ть 2) отсу́тствующий *(взгляд, вид)*; рассе́янный; a ~ant smile отсу́тствующая улы́бка; **~ate** [və'keɪt] освобожда́ть *(ме́сто, до́лжность)*; покида́ть; **~ation** [və'keɪʃ(ə)n] 1) оставле́ние, освобожде́ние 2) кани́кулы *мн.* 3) о́тпуск

vacci||nate ['væksɪneɪt] *мед.* де́лать приви́вку; **~ne** [-si:n] *мед.* вакци́на

vacillat||e ['væsɪleɪt] колеба́ться; **~ion** [ˌvæsɪ'leɪʃ(ə)n] *(обыкн. перен.)* колеба́ние; нереши́тельность; непостоя́нство

vacu||ity [væ'kju:ɪtɪ] пустота́; **~ous** ['vækjuəs] пусто́й

vacuum ['vækjuəm] 1) безвозду́шное простра́нство, ва́куум, пустота́ 2) *attr.*: ~ cleaner пылесо́с; ~ flask те́рмос

vagabond ['vægəbənd] бродя́га

vagary ['veɪgərɪ] причу́да, капри́з

vagr||ancy ['veɪgr(ə)nsɪ] бродя́жничество; **~ant** [-(ə)nt] **1.** *n* бродя́га **2.** *a* стра́нствующий

vague [veɪg] неопределённый, сму́тный, нея́сный

vain [veɪn] 1) тще́тный; in ~ напра́сно 2) пусто́й; тщесла́вный; **~glorious** [-'glɔ:rɪəs] хвастли́вый; тщесла́вный

valedictory [ˌvælɪ'dɪktərɪ]: ~ speech проща́льная речь

valet ['vælɪt] слуга́, камерди́нер

valiant ['væljənt] до́блестный

valid ['vælɪd] действи́тельный; име́ющий си́лу; **~ity** [və'lɪdɪtɪ] действи́тельность; зако́нность

valise [və'li:z] чемода́н; саквоя́ж

valley ['vælɪ] доли́на

valour ['vælə] до́блесть

valuable ['væljuəbl] це́нный

valuation [ˌvælju'eɪʃ(ə)n] оце́нка

value ['vælju:] **1.** *n* 1) це́нность 2) *эк.* сто́имость 3) значе́ние 4) *мат.* величина́ **2.** *v* цени́ть; оце́нивать

valve [vælv] 1) кла́пан 2) *ра́дио* электро́нная ла́мпа; 3) *тех.* золотни́к 4) *attr.*: ~ set ла́мповый приёмник

vamp I [væmp] *разг.* **1.** *n* обольсти́тельница, рокова́я же́нщина **2.** *v* завлека́ть; соблазня́ть

vamp II 1) лата́ть; чини́ть 2) *муз.* импровизи́ровать аккомпанеме́нт

vampire ['væmpaɪə] вампи́р

van I [væn] 1) фурго́н 2) бага́жный *или* това́рный ваго́н

van II авангáрд

vandal ['vænd(ə)l] *ист.* вандáл; *перен.* хулигáн

vane [veɪn] 1) флю́гер 2) лóпасть; крылó *(ветряной мельницы)*

vanguard ['vængɑ:d] авангáрд

vanish ['vænɪʃ] исчезáть

vanity ['vænɪtɪ] 1) сýетность, тщетá 2) тщеслáвие ◇ ~ bag, ~ case дáмская сýмочка; кармáнный несессéр

vanquish ['væŋkwɪʃ] побеждáть, покорять

vapid ['væpɪd] плóский, бессодержáтельный

vapor ['veɪpə] *см.* vapour; **~ize** [-raɪz] испаря́ться; **~ous** [-rəs] парообрáзный

vapour ['veɪpə] пар; пáры́ *мн;* испарéние

vari||ance ['vɛərɪəns] изменéние; **~ant** [-ənt] **1.** *a* различный; инóй **2.** *n* вариáнт

variation [ˌvɛərɪ'eɪʃ(ə)n] 1) изменéние; перемéна 2) *муз.* вариáция

varied ['vɛərɪd] **1.** *past и p. p. от* vary **2.** *a* разнообрáзный

variegated ['vɛərɪgeɪtɪd] пёстрый

variety [və'raɪətɪ] 1) разнообрáзие 2) ряд, мнóжество; he couldn't come for a ~ of reasons он не смог приéхать по цéлому ря́ду причи́н 3) *биол.* разнови́дность 4) *attr.*: ~ show эстрáдный концéрт

various ['vɛərɪəs] разли́чный

varnish ['vɑ:nɪʃ] **1.** *n* 1) лак 2) лоск **2.** *v* лакировáть

varsity ['vɑ:sɪtɪ] *разг.* университéт

vary ['vɛərɪ] 1) изменя́ться; рáзниться, расходи́ться 2) разнообрáзить

vascular ['væskjulə] *анат.* сосýдистый

vase [vɑ:z] вáза

vast [vɑ:st] обши́рный, огрóмный

vat [væt] чан, бак

vault I [vɔ:lt] 1) свод 2) подвáл; склеп

vault II **1.** *n* прыжóк **2.** *v* пры́гать

vaulting-horse ['vɔ:ltɪŋhɔ:s] гимнасти́ческий конь

V-day ['vi:'deɪ] День побéды *(во 2-й мировой войне)*

veal [vi:l] теля́тина

veer [vɪə] меня́ть направлéние, отклоня́ться

vegeta||ble ['vedʒɪtəbl] **1.** *n* óвощ **2.** *a* расти́тельный; **~rian** [ˌvedʒɪ'tɛərɪən] вегетариáнец; **~tion** [ˌvedʒɪ'teɪʃ(ə)n] расти́тельность

vehem||ence ['vi:ɪməns] неи́стовство; **~ent** [-ənt] неи́стовый

vehicle ['vi:ɪkl] 1) сухопýтное трáнспортное срéдство *(экипаж, повозка, машина, автомобиль и т. п.)* 2) срéдство *(выражения, распространения и т. п.)* 3) *хим.* раствори́тель

veil [veɪl] **1.** *n* покрывáло; вуáль; *перен.* завéса **2.** *v* покрывáть покрывáлом, вуáлью; *перен.* завуали́ровать

vein [veɪn] 1) вéна 2) жи́ла 3) настроéние; be in the (right) ~ for smth. быть в настроéнии дéлать что-л.

velocity [vɪ'lɔsɪtɪ] скóрость

velve||t ['velvɪt] **1.** *n* бáрхат

2. *a* бáрхатный; **~ty** [-ɪ] бархати́стый

venal ['vi:nl] продáжный, подкупнóй

vendor ['vendə] продавéц

veneer [vɪ'nɪə] 1) фанéра 2) налёт, внéшний лоск

venera||ble ['ven(ə)rəbl] почтéнный; **~tion** [ˌvenə'reɪʃ(ə)n] благоговéние

veneral [vɪ'nɪərɪəl] венери́ческий

venge||ance ['vendʒ(ə)ns] месть; **~ful** мсти́тельный

venial ['vi:njəl] прости́тельный

venison ['venzn] олéнина

venom ['venəm] яд; *перен. тж.* злóба; **~ous** [-əs] ядови́тый *(тж. перен.)*

vent [vent] **1.** *n* вы́ход, отвéрстие; *перен.* вы́ход; give ~ to one's feelings дать вы́ход свои́м чу́вствам **2.** *v* давáть вы́ход, изливáть; ~ one's wrath upon smb. изливáть гнев на когó-л.

ventilat||e ['ventɪleɪt] провéтривать; **~ion** [ˌventɪ'leɪʃ(ə)n] провéтривание; вентиля́ция; **~or** вентиля́тор

venture ['ventʃə] **1.** *n* рискóванное предприя́тие ◇ at a ~ наугáд **2.** *v* 1) рисковáть 2) отвáживаться; ~ a remark позвóлить себé сдéлать замечáние

veraci||ous [və'reɪʃəs] правди́вый; **~ty** [-'ræsɪtɪ] правди́вость

verb ['və:b] глагóл; **~al** [-əl] 1) у́стный 2) буквáльный 3) *грам.* (от)глагóльный

verbiage ['və:bɪɪdʒ] многослóвие

verbose [və:'bous] многослóвный

verdant ['və:d(ə)nt] зелёный; ~ lawns зелёные газóны

verdict ['və:dɪkt] приговóр

verdure ['və:dʒə] зéлень, зелёная листвá

verge [və:dʒ] **1.** *n* 1) край 2) грань, предéл **2.** *v* 1) грани́чить; ~ on smth. грани́чить с чем-л.; it ~s on madness э́то грани́чит с безу́мием 2) приближáться *(к—to, towards)*

verif||ication [ˌverɪfɪ'keɪʃ(ə)n] провéрка; **~y** ['verɪfaɪ] 1) проверя́ть 2) подтверждáть

veritable ['verɪtəbl] и́стинный; настоя́щий

vermilion [və'mɪljən] **1.** *a* я́рко-крáсный **2.** *n* ки́новарь

vermin ['və:mɪn] 1) хи́щное живóтное; кры́сы и мы́ши 2) *собир.* парази́ты; *перен.* подóнки; престу́пник(и); **~ous** [-əs] 1) кишáщий парази́тами *(о людях, животных)* 2) *мед.* передавáемый парази́тами *(о болезни)*

vernacular [və'nækjulə] мéстный (тузéмный) язы́к

versati||le ['və:sətaɪl] многосторóнний; **~lity** [ˌvə:sə'tɪlɪtɪ] многосторóнность

verse [və:s] 1) стих; строфá 2) стихи́ *мн.*

versed [və:st] óпытный, свéдущий *(в чём-л.—in)*

version ['və:ʃ(ə)n] 1) перевóд, текст перевóда 2) вéрсия

versus ['və:səs] прóтив

vertical ['və:tɪk(ə)l] вертикáльный

very ['verɪ] **1.** *adv* óчень **2.** *a* тот сáмый; сáмый

vessel ['vesl] 1) сосу́д 2) су́дно, кора́бль

vest [vest] **1.** *n* нате́льная соро́чка **2.** *v* облека́ть; ~ with power облека́ть вла́стью

vestige ['vestɪdʒ] след, при́знак

vestment ['vestmənt] *церк.* облаче́ние

vet [vet] **1.** *n сокр. от* veterinary surgeon **2.** *v разг.* 1) подверга́ть медосмо́тру 2) просма́тривать *(рукопись и т. п.)*

veteran ['vet(ə)r(ə)n] 1) ветера́н 2) (бы́вший) уча́стник войны́

veterinary ['vet(ə)rɪn(ə)rɪ] ветерина́рный; ~ surgeon ветерина́рный врач

veto ['viːtou] **1.** *n* ве́то **2.** *v* налага́ть ве́то

vex ['veks] раздража́ть; досажда́ть, огорча́ть; **~ation** [vek'seɪʃ(ə)n] 1) доса́да 2) неприя́тность; **~atious** [-'seɪʃəs], **~ing** доса́дный

via ['vaɪə] че́рез

viands ['vaɪəndz] *pl* я́ства, прови́зия

vibrant ['vaɪbr(ə)nt] вибри́рующий

vibrat||e [vaɪ'breɪt] вибри́ровать, дрожа́ть; **~ion** [-'breɪʃ(ə)n] вибра́ция

vicar ['vɪkə] прихо́дский свяще́нник; **~age** [-rɪdʒ] дом свяще́нника

vice I [vaɪs] 1) поро́к; зло 2) недоста́ток, дефе́кт 3) но́ров *(у лошади)*

vice II тиски́ *мн.*

vice III ['vaɪs] замести́тель; вице-; **~-chairman** [-'tʃɛəmən] замести́тель председа́теля; **~-president** [-'prezɪd(ə)nt] вице-президе́нт; **~roy** [-rɔɪ] вице-коро́ль

vice versa ['vaɪsɪ'vəːsə] наоборо́т

vicinity [vɪ'sɪnɪtɪ] 1) сосе́дство, бли́зость; in the ~ *(of)* побли́зости 2) окру́га; окре́стности *мн.*

vicious ['vɪʃəs] 1) поро́чный 2) зло́бный; злой *(о взгляде, словах)* 3) оши́бочный; дефе́ктный 4) норови́стый *(о лошади)* ◇ ~ circle поро́чный круг

vicissitude [vɪ'sɪsɪtjuːd] превра́тность

victim ['vɪktɪm] же́ртва; **~ization** [ˌvɪktɪmaɪ'zeɪʃ(ə)n] пресле́дование; **~ize** [-aɪz] му́чить; пресле́довать

Victoria Cross [vɪk'tɔːrɪə'krɔs] Крест Викто́рии *(высшая военная награда в Англии)*

Victorian [vɪk'tɔːrɪən] викториа́нский

victo||rious [vɪk'tɔːrɪəs] победоно́сный; **~ry** ['vɪkt(ə)rɪ] побе́да

victual ['vɪtl] *(обыкн. pl)* прови́зия; **~ling** снабже́ние продово́льствием

vie [vaɪ] сопе́рничать

Vietnamese [ˌvjetnə'miːz] **1.** *a* вьетна́мский **2.** *n (pl без измен.)* вьетна́мец; вьетна́мка

view ['vjuː] **1.** *n* 1) вид 2) кругозо́р 3) взгляд, мне́ние ◇ with a ~ *(to)* с це́лью; in ~ of ввиду́ *(чего-л.)*; принима́я во внима́ние *(что-л.)* **2.** *v* обозрева́ть; **~point** [-pɔɪnt] то́чка зре́ния

vigil ['vɪdʒɪl] бо́дрствование

vigil||ance ['vɪdʒɪləns] бди́тельность; **~ant** [-ənt] бди́тельный

vigor ['vɪgə] *см.* vigour

vigorous ['vɪgərəs] си́льный, энерги́чный

vigour ['vɪgə] си́ла, эне́ргия

vile [vaɪl] по́длый, гну́сный

village ['vɪlɪdʒ] дере́вня, село́

villain ['vɪlən] злоде́й, негодя́й *(тж. шутл.)*; **~ous** [-əs] 1) по́длый 2) *разг.* ме́рзкий; **~y** [-nɪ] по́длость

vindicat||e ['vɪndɪkeɪt] 1) дока́зывать 2) отста́ивать *(права и т. п.)*; **~ion** [,vɪndɪ'keɪʃ(ə)n] 1) доказа́тельство 2) защи́та 3) оправда́ние

vindictive [vɪn'dɪktɪv] мсти́тельный

vine [vaɪn] виногра́дная лоза́

vinegar ['vɪnɪgə] у́ксус

vineyard ['vɪnjəd] виногра́дник

vintage ['vɪntɪdʒ] 1) сбор виногра́да 2) вино́ урожа́я определённого го́да 3) *attr.*: a ~ wine вино́ вы́сшего ка́чества, ма́рочное вино́ ◇ ~ cars автомоби́ли ста́рых ма́рок

violat||e ['vaɪəleɪt] 1) оскверня́ть 2) наруша́ть *(догово́р, прися́гу, зако́н и т. п.)* 3) наси́ловать; **~ion** [,vaɪə'leɪʃ(ə)n] наруше́ние

viol||ence ['vaɪələns] 1) си́ла, стреми́тельность 2) наси́лие; **~ent** [-ənt] 1) си́льный *(о бо́ли, бу́ре и т. п.)*; бу́рный *(об объясне́нии и т. п.)* 2) наси́льственный *(о сме́рти)*

violet ['vaɪəlɪt] **1.** *n* фиа́лка **2.** *a* фиоле́товый

violin [,vaɪə'lɪn] скри́пка; **~ist** скрипа́ч

violoncello [,vaɪələn'tʃelou] *(pl* -os [-z]) виолонче́ль

viper ['vaɪpə] випе́ра

virago [vɪ'rɑːgou] сварли́вая же́нщина

virgin ['vəːdʒɪn] **1.** *n* де́ва, де́вственница **2.** *a* де́вственный; *перен.* чи́стый *(о сне́ге и т. п.)*; ~ forest де́вственный лес

viril||e ['vɪraɪl] му́жественный; возмужа́лый; **~ity** [vɪ'rɪlɪtɪ] му́жество

virtual ['vəːtjuəl] факти́ческий

virtu||e ['vəːtjuː] 1) де́йственность, си́ла 2) доброде́тель 3) целому́дрие 4) досто́инство ◇ in *(или* by*)* ~ *(of)* благодаря́ *(чему-л.)*, посре́дством *(чего-либо)*; **~ous** [-tjuəs] 1) доброде́тельный 2) целому́дренный

virul||ence ['vɪruləns] 1) ядови́тость 2) зло́ба; **~ent** [-ənt] 1) си́льный *(о я́де)* 2) зло́бный

visa ['viːzə] **1.** *n* ви́за **2.** *v* визи́ровать

viscose ['vɪskous] виско́за

viscount ['vaɪkaunt] вико́нт

visib||ility [,vɪzɪ'bɪlɪtɪ] ви́димость; **~le** ['vɪzəbl] ви́димый, я́вный

vision ['vɪʒ(ə)n] 1) зре́ние 2) предви́дение 3) виде́ние 4) мечта́; **~ary** ['vɪʒ(ə)nərɪ] 1) при́зрачный, фантасти́ческий 2) мечта́тельный

visit ['vɪzɪt] **1.** *n* посеще́ние; визи́т **2.** *v* навеща́ть; be **~ing** smb. гости́ть у кого́-л.; **~or** посети́тель

visor ['vaɪzə] 1) козырёк *(фура́жки)* 2) *ист.* забра́ло

visual ['vɪzjuəl] зри́тельный,

нагля́дный; **~ize** [-aɪz] нагля́дно представля́ть себе́

vital ['vaɪtl] 1) жи́зненный 2) насу́щный 3) по́лный жи́зни 4): he was wounded in a ~ part он получи́л смерте́льную ра́ну; **~ity** [-'tælɪtɪ] жизнеспосо́бность, жи́зненность

vitals ['vaɪtlz] *pl* жи́зненно ва́жные о́рганы

vitamin ['vɪtəmɪn] витами́н

vitiate ['vɪʃɪeɪt] по́ртить

vitriol ['vɪtrɪəl] купоро́с

vituperat||ion [vɪˌtju:pə'reɪʃ(ə)n] брань, поноше́ние; **~ive** [-'tju:p(ə)rətɪv] бра́нный, руга́тельный

viva ['vaɪvə] *разг. см.* viva-voce

vivaci||ous [vɪ'veɪʃəs] живо́й, оживлённый; **~ty** [-'væsɪtɪ] живо́сть

viva-voce ['vaɪvə'vousɪ] у́стный экза́мен

vivid ['vɪvɪd] я́ркий, живо́й

vixen ['vɪksn] лиси́ца-са́мка; *перен.* сварли́вая же́нщина

vocabulary [və'kæbjulərɪ] 1) слова́рь 2) запа́с слов 3) слова́рный соста́в *(языка)*

vocal ['vouk(ə)l] 1) голосово́й; ~ chords голосовы́е свя́зки 2) вока́льный

vocation [vo(u)'keɪʃ(ə)n] 1) призва́ние 2) профе́ссия, заня́тие; **~al** [-əl] профессиона́льный

vociferous [vo(u)'sɪf(ə)rəs] крикли́вый, горла́стый

vogue [voug] мо́да; популя́рность

voice I [vɔɪs] **1.** *n* го́лос **2.** *v* выража́ть *(словами)*

voice II *грам.* зало́г

voiceless ['vɔɪslɪs] 1) безгла́сный, немо́й 2) *фон.* глухо́й

void [vɔɪd] **1.** *n* пустота́ **2.** *a* 1) пусто́й 2) *юр.* недействи́тельный

volatile ['vɔlətaɪl] 1) лету́чий 2) непостоя́нный, изме́нчивый

volca||nic [vɔl'kænɪk] вулкани́ческий; **~no** [-'keɪnou] вулка́н

volition [vo(u)'lɪʃ(ə)n] во́ля; by one's own ~ по свое́й (до́брой) во́ле

volley ['vɔlɪ] *воен.* залп; **~-ball** [-bɔ:l] волейбо́л

volt [voult] *эл.* вольт

volte-face ['vɔlt'fɑ:s] ре́зкая переме́на *(взглядов, политики и т. п.)*

volub||ility [ˌvɔlju'bɪlɪtɪ] говорли́вость; **~le** ['vɔljubl] многоречи́вый

volum||e ['vɔljum] 1) том 2) объём; **~inous** [və'lju:mɪnəs] 1) многото́мный 2) плодови́тый *(о писателе)* 3) объёмистый; обши́рный

volunt||ary ['vɔlənt(ə)rɪ] доброво́льный; **~eer** [ˌvɔlən'tɪə] **1.** *n* доброво́лец **2.** *v* идти́ доброво́льцем

voluptuos [və'lʌptjuəs] чу́вственный

vomit ['vɔmɪt] **1.** *v* 1) страда́ть рво́той; *перен.* изверга́ть **2.** *n* рво́та

voraci||ous [və'reɪʃəs] прожо́рливый; **~ty** [vɔ'ræsɪtɪ] прожо́рливость

vortex ['vɔ:teks] вихрь, водоворо́т

vot||e ['vout] **1.** *n* 1) голосова́ние 2) го́лос 3) пра́во го́лоса; have the ~ име́ть пра́во го́лоса 4): the Army ~ ассигнова́-

ния на а́рмию; educational ~ ассигнова́ния на образова́ние **2.** *v* 1) голосова́ть 2) ассигно́вывать; выделя́ть *(средства)*; ~ **down** провали́ть при голосова́нии, забаллоти́ровать; **~er** избира́тель; **~ing** голосова́ние, вы́боры

vouch ['vautʃ]: ~ for smb., smth. руча́ться за кого́-л., что-л.; **~er** 1) распи́ска 2) поручи́тель

vouchsafe [vautʃ'seɪf] *книжн.* соизво́лить, удосто́ить

vow [vau] **1.** *n* кля́тва; обе́т **2.** *v* кля́сться; дава́ть обе́т

vowel ['vau(ə)l] **гла́сный** (звук)

voyage [vɔɪdʒ] **путеше́ствие** *(особ. морское)*

vulcan||ite ['vʌlkənaɪt] вулканизи́рованная рези́на, эбони́т; **~ize** [-naɪz] вулканизи́ровать

vulgar ['vʌlgə] 1) гру́бый; вульга́рный; по́шлый 2) простонаро́дный; **~ity** [-'gærɪtɪ] вульга́рность; по́шлость; **~ize** [-raɪz] опошля́ть

vulnerab||ility [ˌvʌln(ə)rə'bɪlɪtɪ] уязви́мость; **~le** ['vʌln(ə)rəbl] уязви́мый

vulture ['vʌltʃə] я́стреб, стервя́тник; *перен.* хи́щник

vying ['vaɪɪŋ] *pres. p. от* vie

W

W, w ['dʌblju:] *двадцать третья буква англ. алфавита*

wad [wɔd] 1) кусо́к ва́ты 2) *разг.* па́чка (де́нег)

wadding ['wɔdɪŋ] 1) **ва́та**; вати́н 2) наби́вка

waddle ['wɔdl] **ходи́ть** перева́ливаясь

wade ['weɪd] переходи́ть вброд; пробира́ться; **~rs** [-əz] *pl* боло́тные сапоги́

wafer ['weɪfə] ва́фля

waft [wɑ:ft] **1.** *n* дунове́ние **2.** *v* 1) нести́ 2) переноси́ться *(по воздуху, воде)*

wag I [wæg] **1.** *n* **взмах** **2.** *v* маха́ть

wag II шутни́к

wage I [weɪdʒ]: ~ **war вести́** войну́

wage II ['weɪdʒ] *(обыкн. pl)* за́работная пла́та; **~-cut** [-kʌt] сниже́ние зарпла́ты

wager ['weɪdʒə] **1.** *n* пари́; ста́вка **2.** *v* держа́ть пари́

waggish ['wægɪʃ] шаловли́вый, игри́вый

wag(g)on ['wægən] 1) теле́га; фурго́н, подво́да 2) ваго́н-платфо́рма; това́рный ваго́н

wagon-lit ['vægɔ:ŋ'li:] *фр.* спа́льный ваго́н

waif [weɪf] 1) беспризо́рный ребёнок 2) заблуди́вшееся дома́шнее живо́тное

wail [weɪl] 1) опла́кивать, причита́ть 2) выть

waist [weɪst] та́лия; **~coat** ['weɪskout] жиле́т

wait [weɪt] ждать *(for)*; ~ **on**, ~ **upon** прислу́живать

wait||er ['weɪtə] официа́нт; **~ress** [-trɪs] официа́нтка

waive [weɪv] *юр.* отка́зываться *(от права)*

wake I [weɪk] *мор.* кильва́тер ◇ in the ~ of по пята́м, по следа́м; вслед

wake II ['weɪk] (woke, waked; waked, woke, woken) 1) просыпа́ться; пробужда́ться 2) буди́ть; **~ful** 1) бо́дрствующий 2) бессо́нный 3) бди́тельный

walk ['wɔ:k] **1.** *n* 1) прогу́лка пешко́м; take a ~ прогуля́ться 2) ходьба́ 3) похо́дка 4) тропа́ 5) обще́ственное положе́ние; заня́тие, профе́ссия **2.** *v* идти́ пешко́м, гуля́ть; **~ out** *разг.* бастова́ть; **~ out on** *(smb.)* улизну́ть *(от кого-л.)*, бро́сить *(невесту, жену и т. п.)*; **~-over** [-'ouvə] лёгкая побе́да

wall [wɔ:l] **1.** *n* стена́ ◇ the weakest goes to the ~ ≅ сла́бых бьют **2.** *v*: **~ up** замуро́вывать

wallet ['wɔlɪt] бума́жник

wall-eyed ['wɔ:laɪd] с бельмо́м на глазу́

wallflower ['wɔ:lˌflauə] 1) *бот.* желтофио́ль 2) *шутл.* да́ма, оста́вшаяся без кавале́ра *(на балу)*

wallop ['wɔləp] **1.** *v* бить **2.** *n* *разг.* си́льный уда́р

wallow ['wɔlou] валя́ться; бара́хтаться

wallpaper ['wɔ:lˌpeɪpə] обо́и *мн.*

Wall Street ['wɔ:l'stri:t] Уо́лл-стрит *(улица в Нью-Йорке — центр финансовой жизни США, синоним американской финансовой олигархии)*

walnut ['wɔ:lnət] 1) гре́цкий оре́х 2) оре́ховое де́рево

walrus ['wɔ:lrəs] морж

waltz [wɔ:ls] **1.** *n* вальс **2.** *v* вальси́ровать

wan [wɔn] бле́дный; изнурённый

wand [wɔnd] жезл; па́лочка

wander ['wɔndə] 1) скита́ться; блужда́ть; броди́ть 2) бре́дить, загова́риваться 3) быть рассе́янным

wane [weɪn] **1.** *n* убыва́ние *(о луне)*; *перен.* упа́док **2.** *v* убыва́ть *(о луне)*; *перен.* слабе́ть, уменьша́ться

wangle ['wæŋgl] *разг.* **1.** *n* хи́трость **2.** *v* доби́ться хи́тростью; ухитри́ться получи́ть

want ['wɔnt] **1.** *n* 1) нужда́; недоста́ток, отсу́тствие *(чего-л.)*; for ~ *(of)* из-за недоста́тка, за неиме́нием 2) потре́бность **2.** *v* 1) нужда́ться 2) хоте́ть 3) недостава́ть ◇ he is ~ed by the police его́ разы́скивает поли́ция; **~ing** 1) недостаю́щий 2) неудовлетвори́тельный

wanton ['wɔntən] 1) произво́льный; беспричи́нный 2) бу́йный *(о растительности)* 3) изме́нчивый *(о ветре и т. п.)* 4) распу́тный

war [wɔ:] 1) война́; at ~ в состоя́нии войны́ 2) *attr.* вое́нный; W. Office вое́нное министе́рство *(в Англии)*

warble ['wɔ:bl] петь *(о птицах)*, щебета́ть

ward I [wɔ:d] 1) опе́ка; be in ~ находи́ться под опе́кой 2) опека́емый, подопе́чный

ward II ['wɔ:d] 1) пала́та *(в больнице)*; ка́мера *(в тюрьме)* 2) администрати́вный райо́н го́рода; **~en** [-n] 1) уполномо́ченный по охра́не *(чего-л.)* 2) ре́ктор *(в некоторых английских колледжах)* 3) нача́льник тюрьмы́ 4) церко́вный ста́роста; **~er** тюре́мщик

wardrobe ['wɔ:droub] гардеро́б

wardroom ['wɔ:drum] офице́рская кают-компа́ния

warehouse ['wɛəhaus] склад това́ров

wares [wɛəz] *pl* изде́лия; това́ры

warfare ['wɔ:fɛə] война́

warily ['wɛərılı] осторо́жно

warlike ['wɔ:laık] вои́нственный

warm [wɔ:m] **1.** *a* тёплый; *перен.* серде́чный **2.** *v* 1) греть 2) гре́ться 3) разгорячи́ть 4) разгорячи́ться; ~ **up** а) подогрева́ть; б) подогрева́ться ◇ make things ~ for smb. насоли́ть кому́-л.

warmonger ['wɔ:ˌmʌŋgə] поджига́тель войны́

warmth [wɔ:mθ] 1) тепло́; *перен.* серде́чность 2) горя́чность

warn ['wɔ:n] предостерега́ть; предупрежда́ть; ~**ing** предостереже́ние; предупрежде́ние

warp [wɔ:p] 1) коро́бить, искривля́ть 2) коро́биться, искривля́ться

warrant ['wɔr(ə)nt] **1.** *n* 1) оправда́ние *(чего-л.)*; he had no ~ for saying that он не име́л пра́ва так говори́ть 2) о́рдер *(на арест)* 3) гара́нтия, подтвержде́ние **2.** *v* 1) опра́вдывать; what I said didn't ~ such a rude answer мои́ слова́ не дава́ли по́вода для столь гру́бого отве́та 2) гаранти́ровать

warrior ['wɔrıə] *поэт.* боец, во́ин

warship ['wɔ:ʃıp] вое́нный кора́бль

wart [wɔ:t] борода́вка

wary ['wɛərı] осторо́жный, осмотри́тельный

was [wɔz *(полная форма)*, wəz *(редуцированная форма)*] *past sing от* be

wash [wɔʃ] **1.** *n* 1): a ~ мытьё; have a ~ помы́ться; give a ~ помы́ть 2): the ~ сти́рка; send clothes to the ~ отда́ть бельё в сти́рку 3): the ~ бельё; the ~ hasn't come back from the laundry бельё ещё не принесли́ из пра́чечной 4) прибо́й 5) помо́и *мн.* **2.** *v* 1) мыть; обмыва́ть; промыва́ть; ~ your hands before dinner помо́йте ру́ки пе́ред обе́дом 2) умыва́ться; мы́ться; ~ before dinner у́мыться пе́ред обе́дом 3) стира́ть; ~ shirts стира́ть руба́шки 4) омыва́ть *(берега́)* 5) плеска́ться; ~ **up** мыть посу́ду

washed-out ['wɔʃt'aut] вы́линявший, полиня́вший; *перен. разг.* бле́дный; утомлённый

washerwoman ['wɔʃəˌwumən] пра́чка

washing ['wɔʃıŋ] 1) бельё *(для стирки)* 2) мытьё; сти́рка

wash-leather ['wɔʃˌleðə] мо́ющаяся за́мша

wash-out ['wɔʃ'aut] *разг.* 1) неуда́чник 2) по́лная неуда́ча

wash-stand ['wɔʃstænd] умыва́льник

wasp [wɔsp] оса́

waste ['weıst] **1.** *n* 1) бесполе́зная тра́та, расточи́тельство 2) отбро́сы *(производства) мн.* 3) пусты́ня **2.** *a* 1) невозде́ланный 2) опустошённый 3) нену́жный 4) отрабо́танный *(о* *паре и т. п.)* **3.** *v* 1) тра́тить зря; расточа́ть; опустоша́ть 2) изнуря́ть 3) ча́хнуть; ~**ful** расточи́тельный

waste-paper-basket [weɪst'peɪpəˌbɑ:skɪt] корзи́на для (нену́жных) бума́г

waste-pipe ['weɪstpaɪp] сто́чная труба́

watch I [wɔtʃ] карма́нные *или* ручны́е часы́

watch II ['wɔtʃ] **1.** *n* стра́жа, карау́л; *мор.* ва́хта ◇ keep ~ а) быть настороже́; б) карау́лить **2.** *v* 1) следи́ть, наблюда́ть, смотре́ть 2) подстерега́ть, выжида́ть 3) сторожи́ть; ~**ful** бди́тельный

watch-maker ['wɔtʃˌmeɪkə] часовщи́к

watch||man ['wɔtʃmən] (ночно́й) сто́рож; ~**word** [-wə:d] 1) паро́ль 2) ло́зунг

water ['wɔ:tə] **1.** *n* вода́ **2.** *v* 1) полива́ть, ороша́ть 2) разбавля́ть *(водой)* 3) пои́ть *(скот)*; ~**-colour** [-ˌkʌlə] *(обыкн. pl)* акваре́ль; ~**fall** [-fɔ:l] водопа́д

watering||-can ['wɔ:tərɪŋkæn] ле́йка; ~**-place** [-pleɪs] 1) водопо́й 2) во́ды *мн.*, куро́рт; ~**-pot** [-pɔt] *см.* watering-can

water||-line ['wɔ:təlaɪn] *мор.* ватерли́ния; ~**-melon** [-ˌmelən] арбу́з; ~**proof** [-pru:f] **1.** *a* непромока́емый **2.** *n* непромока́емый плащ; ~**shed** [-ʃed] водоразде́л; ~**tight** [-taɪt] водонепроница́емый; ~**-tower** [-'tauə] водонапо́рная ба́шня; ~**-works** [-wə:ks] водопрово́дные сооруже́ния

watery ['wɔ:tərɪ] 1) водяни́стый; жи́дкий 2) бле́дный, бесцве́тный *(о языке, чувствах и т. п.)* 3) предвеща́ющий дождь *(о небе и т. п.)*

watt [wɔt] *эл.* ватт

wattle ['wɔtl] плете́нь

wave [weɪv] **1.** *n* 1) волна́ 2) волни́стая ли́ния, волни́стая пове́рхность; hair ~ зави́вка; permanent ~ пермане́нт 3) маха́ние, взмах; *перен.* подъём; ~ of enthusiasm волна́ энтузиа́зма 4) *физ.* колеба́ние **2.** *v* 1) кача́ться *(о вещах)*, колыха́ться 2) маха́ть; сде́лать знак *(рукой)* 3) ви́ться *(о волосах)*

waver ['weɪvə] 1) колеба́ться 2) дро́гнуть *(о войсках)*

wavy ['weɪvɪ] волни́стый

wax I [wæks] 1) прибыва́ть *(о луне)* 2) де́латься, станови́ться

wax II *разг.* при́ступ гне́ва

wax III ['wæks] **1.** *n* воск **2.** *a* восково́й **3.** *v* вощи́ть; ~**en** [-(ə)n] восково́й *(тж. перен.)*

way ['weɪ] 1) доро́га, путь; on the ~ по доро́ге 2) расстоя́ние 3) о́браз де́йствия; спо́соб 4) направле́ние 5) обы́чай, привы́чка ◇ by ~ of а) че́рез; by ~ of the mountains че́рез го́ры; б) ра́ди, с це́лью; by ~ of a joke шу́тки ра́ди; by the ~ кста́ти; go out of one's ~ приложи́ть все уси́лия; have one's ~ поступа́ть (*или* сде́лать) по-сво́ему; I can't see a ~ out of this difficulty не ви́жу вы́хода из э́того тру́дного положе́ния; preparations are under ~ ведётся подгото́вка; ~**side** [-saɪd] край доро́ги, обо́чина

wayward ['weɪwəd] своенра́вный

we [wi:] *pers pron им. п. (объектн. п.* us) мы

weak [wi:k] сла́бый; **~en** [-(ə)n] 1) ослабля́ть 2) слабе́ть; **~ling** [-lɪŋ] сла́бое существо́, слабово́льный челове́к; **~ly 1.** *a* хи́лый **2.** *adv* сла́бо; **~ness** сла́бость

weal [wi:l] *книжн*: for the public ~ для о́бщего бла́га; in ~ and woe и в сча́стье и в беде́

weal||th ['welθ] 1) бога́тство 2) изоби́лие; **~thy** [-ɪ] бога́тый

wean [wi:n] 1) отнима́ть от груди́ 2) отуча́ть *(от вредных привычек и т. п.)*

weapon ['wepən] ору́жие

wear [wɛə] **1** *v* (wore; worn) 1) носи́ть *(одежду и т. п.)*; надева́ть; which dress are you going to ~ tonight? како́е пла́тье вы наде́нете сего́дня ве́чером?; he's ~ing a blue suit он в си́нем костю́ме 2) *(тж.* ~ out) изна́шивать; *перен.* истоща́ть 3) носи́ться *(о платье)*; this coat has worn well э́то пальто́ хорошо́ носи́лось; ~ **down** а) утомля́ть *(кого-л.)*; б) изна́шивать *(обувь и т.п.)*; ~ **off** проходи́ть, прекраща́ться; ~ **out** а) изна́шивать *(обувь и т. п.)*; б): be worn out истоща́ться *(о терпении и т. п.)*; в): worn out измо́танный *(о человеке)* **2.** *n* 1) ноше́ние, но́ска *(платья)* 2) изно́с; ~ and tear изно́с, амортиза́ция

weariness ['wɪərɪnɪs] 1) уста́лость 2) ску́ка

weary ['wɪərɪ] **1.** *a* 1) уста́лый; утомлённый 2) утоми́тельный **2.** *v* 1) утомля́ть 2) утомля́ться

weasel ['wi:zl] *зоол.* ла́ска

weatehr ['weðə] **1.** *n* пого́да ◇ be under the ~ *разг.* пло́хо себя́ чу́вствовать **2.** *v* 1) благополу́чно выде́рживать шторм 2) *геол.* выве́триваться; **~-beaten** [-ˌbi:tn] обве́тренный; загоре́лый; **~-bureau** [-bjuəˌrou] бюро́ пого́ды; **~cock** [-kɔk] флю́гер; **~-forecast** [-'fɔ:kɑ:st] прогно́з пого́ды; **~-proof** [-pru:f] защищённый от непого́ды

weav||e ['wi:v] (wove; woven) ткать; **~er** ткач; ткачи́ха

web [web] 1): spider's ~ паути́на 2): a ~ of lies *перен.* паути́на лжи 3) пла́вательная перепо́нка *(у водоплавающих птиц)*; перепо́нка *(у летучей мыши)* 4): ~ of material шту́ка тка́ни

wed ['wed] 1) венча́ться 2) сочета́ть; **~ding** сва́дьба

wedge [wedʒ] **1.** *n* клин **2.** *v* вбива́ть клин; ~ **in** вкли́нивать; be ~d in вкли́ниваться

wedlock ['wedlɔk] супру́жество; брак

Wednesday ['wenzdɪ] среда́

wee [wi:] кро́шечный

weed [wi:d] со́рная трава́

weeds [wi:dz] *pl* тра́ур, тра́урная оде́жда *(вдовы)*

weedy ['wi:dɪ] 1) заро́сший сорняка́ми 2) то́щий; хи́лый

week ['wi:k] неде́ля; in a ~ че́рез неде́лю; **~-end** [-end] вре́мя о́тдыха с суббо́ты до понеде́льника

weekly ['wi:klɪ] **1.** *a* еженeде́льный **2.** *n* еженеде́льник *(журнал)*

weep [wi:p] (wept) пла́кать

weigh [weɪ] 1) взве́шивать *(тж. перен.)*; ~ one's words взве́шивать свои́ слова́ 2) ве́сить; ~ **down** а) отягоща́ть; переве́шивать; б) угнета́ть; ~ **on** тяготи́ть; ~ **out** отве́шивать; ~ **up** *перен.* взве́шивать, оце́нивать ◇ ~ anchor а) сня́ться с я́коря; б) тро́нуться в путь

weigh||t ['weɪt] **1.** *n* 1) вес; *перен.* значе́ние; put on ~ толсте́ть; attach too much ~ to придава́ть сли́шком большо́е значе́ние *(чему-л.)* 2) ги́ря ◇ lift a ~ off smb.'s mind снять ка́мень с чьей-л. души́ **2.** *v* отягоща́ть; ~**ty** [-ɪ] 1) тяжёлый; обремени́тельный 2) ва́жный, ве́ский

weir [wɪə] запру́да, плоти́на

weird [wɪəd] 1) жу́ткий; сверхъесте́ственный 2) *разг.* стра́нный

welcome ['welkəm] **1.** *int* добро́ пожа́ловать!; ~ back! с возвраще́нием! **2.** *v* приве́тствовать **3.** *a* 1) жела́нный; ~ news прия́тная но́вость 2): ~ to *predic* име́ющий пра́во *или* разреше́ние по́льзоваться, распоряжа́ться *(чем-л.)*; you are ~ to any book in my library вы мо́жете взять любу́ю кни́гу в мое́й библиоте́ке; you are ~! не́ за что *(в ответ на благодарность)* **4.** *n* раду́шный приём

weld [weld] *тех.* сва́ривать

welfare ['welfɛə] благосостоя́ние; благополу́чие

well I [wel] **1.** *n* 1) коло́дец 2) исто́чник *(тж. перен.)* **2.** *v*: ~ up, ~ out, ~ forth, ~ from хлы́нуть; напо́лнить

well II ['wel] **1.** *adv (сравн. ст.* better, *превосх. ст.* best) 1) хорошо́; ~ grounded обосно́ванный; ~ timed своевре́менный; ~ turned ло́вкий; do ~ преуспева́ть 2) значи́тельно; ~ over a 1000 people значи́тельно бо́льше ты́сячи челове́к ◇ as ~ (as) и..., и, вдоба́вок; leave *(или* let) ~ alone ≅ оста́вить как есть, от добра́ добра́ не и́щут **2.** *a predic* здоро́вый; хоро́ший; be ~ чу́вствовать себя́ хорошо́ **3.** *int* ну!; ~**-being** [-'bi:ɪŋ] благополу́чие; ~**-bred** [-'bred] 1) благовоспи́танный 2) чистокро́вный *(о лошади)*; ~**-heeled** [-'hi:ld] *разг.* бога́тый; ~**-knit** [-'nɪt] кре́пкого сложе́ния; ~**-off** [-'ɔ:f] зажи́точный, состоя́тельный; ~**-read** [-'red] начи́танный; ~**-reputed** [-rɪ'pju:tɪd] по́льзующийся до́брой сла́вой

well-to-do ['weltə'du:] *см.* well-off

welt [welt] рант *(обуви)*

welter ['weltə] **1.** *v* валя́ться, бара́хтаться **2.** *n* столпотворе́ние; сумбу́р

wend [wend]: ~ one's way *книжн.* направля́ться

went [went] *past от* go 1

wept [wept] *past и p. p. от* weep

were [wə:] *past pl и сослагательное наклонение от* be: I wish she ~ here now я бы хоте́л, что́бы она́ была́ тепе́рь здесь

west [west] **1.** *n* за́пад **2.** *a* за́падный **3.** *adv* на за́пад, к за́паду

West-End ['west'end] Утэс-

-Энд *(аристократический квартал Лондона)*

western ['westən] **1.** *a* за́падный **2.** *n амер. разг.* ковбойский фильм

Westminster ['westmınstə] 1) английский парла́мент 2) *attr.*: ~ Abbey Вестми́нстерское аб-ба́тство *(являющееся усыпальницей знаменитых людей)*; ~ Palace Вестми́нстерский дворе́ц *(здание английского парламента)*

westward ['westwəd] напра́вленный к за́паду; **~s** [-z] на за́пад

wet ['wet] **1.** *a* 1) мо́крый; ~ dock *мор.* док-бассе́йн 2) дождли́вый **2.** *v* мочи́ть **3.** *n* вла́жность; **~-nurse** [-nə:s] корми́лица

whack [wæk] **1.** *n* си́льный уда́р **2.** *v* ударя́ть, колоти́ть

whale I [weıl]: a ~ of *разг.* ма́сса, о́чень мно́го

whale II ['weıl] кит; **~-boat** [-bout] китобо́йное су́дно; **~bone** [-boun] кито́вый ус

whaler ['weılə] 1) *см.* whale-boat 2) китобо́й

wharf [wɔ:f] (*pl* -ves, -fs [-vz, -s]) при́стань; на́бережная

what [wɔt] что; како́й, кото́рый; ~ for? заче́м?; ~ good is it? кака́я по́льза от э́того?; ~'s next? что да́льше?; ~'s up? что происхо́дит?

whate'er [wɔt'εə] *поэт. см.* whatever

whatever [wɔt'evə] **1.** *pron* что бы ни; всё что **2.** *a* любо́й

what-not ['wɔtnɔt] 1) этаже́рка для безделу́шек 2) вся́кая вся́чина

whatsoe'er [ˌwɔtso(u)'εə] *поэт. см.* whatsoever

whatsoever [ˌwɔtso(u)'evə] *см.* whatever

wheat [wi:t] пшени́ца

wheedle ['wi:dl]: ~ smth. out of smb. вы́просить что-л. у кого́-л.; ~ smb. into doing smth. ле́стью заста́вить кого́-л. сде́лать что-л.

wheel ['wi:l] **1.** *n* 1) колесо́ 2): right ~! *воен.* пра́вое плечо́ вперёд—марш! **2.** *v* 1) кати́ть 2) опи́сывать круги́, обора́чиваться круго́м; **~barrow** [-ˌbærou] та́чка

wheeze [wi:z] **1.** *n* 1) сопе́ние 2) *разг.* блестя́щая мысль **2.** *v* сопе́ть

whelp [welp] щено́к; детёныш

when [wen] **1.** *adv* когда́ **2.** *cj* когда́, в то вре́мя как

whence [wens] отку́да

whenever [wen'evə] когда́ бы ни, вся́кий раз как

where [wεə] *adv, cj* где; куда́; туда́

where||abouts ['wεərə'bauts] *pl (с гл. в ед. и мн. ч.)* местонахожде́ние; **~as** [wεər'æz] тогда́ как; **~by** [wεə'baı] 1) посре́дством чего́ 2) как?

wherein [wεər'ın] в чём?

wherever [wεər'evə] где бы ни; куда́ бы ни

whet [wet] точи́ть; *перен.* возбужда́ть *(аппетит, желание)*

whether ['weðə] ли

whey [weı] сы́воротка

which [wıtʃ] кото́рый; како́й; что

whichever [wıtʃ'evə] любо́й

whiff [wıf] 1) дунове́ние 2)

дымо́к 3) сла́бый за́пах *(часто неприятный)*

whig [wɪg] *ист.* виг

while [waɪl] **1.** *cj* 1) пока́, в то вре́мя как 2) несмотря́ на то, что; ~ he is respected, he is not loved хотя́ его́ и уважа́ют, его́ не лю́бят **2.** *n* вре́мя; промежу́ток вре́мени; a long ~ до́лго; a short ~ недо́лго; in a little ~ ско́ро; for a ~ на вре́мя; for a good ~ поря́дочно, давно́ **3.** *v*: ~ away проводи́ть *(время)*

whilst [waɪlst] *см.* while 1

whim [wɪm] при́хоть, причу́да; капри́з

whimper ['wɪmpə] **1.** *n* хны́канье **2.** *v* хны́кать

whimsical ['wɪmzɪk(ə)l] причу́дливый, капри́зный

whine [waɪn] **1.** *n* жа́лобный визг **2.** *v* подвыва́ть, скули́ть

whinny ['wɪnɪ] **1.** *n* ти́хое *или* ра́достное ржа́ние **2.** *v* ти́хо ржать

whip [wɪp] **1.** *n* хлыст; кнут **2.** *v* 1) хлеста́ть 2) подгоня́ть 3) сбива́ть *(сливки и т. п.)* 4) рвану́ться, бро́ситься; ~ **round** бы́стро поверну́ться; ~ **up** разжига́ть *(чувство)*; расшеве́ливать

whipper-snapper ['wɪpəˌsnæpə] *презр.* «мальчи́шка»

whip-round ['wɪpraund] сбор де́нег *(на благотворительные цели)*

whir [wə:] *см.* whirr

whirl ['wə:l] **1.** *n* 1) враще́ние, круже́ние 2) вихрь **2.** *v* 1) верте́ть, кружи́ть 2) верте́ться, кружи́ться 3) проноси́ться, мча́ться; ~**igig** [-ɪgɪg] 1) волчо́к 2) карусе́ль; ~**pool** [-pu:l] водоворо́т; ~**wind** [-wɪnd] вихрь, урага́н

whirr [wə:] **1.** *n* жужжа́ние **2.** *v* жужжа́ть

whisk [wɪsk] **1.** *n* 1) ве́ничек; метёлка 2) пома́хивание **2.** *v* 1): ~ away, ~ off а) сма́хивать; б) бы́стро уноси́ть 2) пома́хивать 3) юркну́ть 4) взбива́ть *(крем, яйца и т. п.)*

whiskers ['wɪskəz] *pl* 1) бакенба́рды 2) усы́ *(кошки, крысы и т. п.)*

whisky ['wɪskɪ] ви́ски

whisper ['wɪspə] **1.** *n* шёпот **2.** *v* шепта́ть

whistle ['wɪsl] **1.** *n* 1) свист 2) свисто́к **2.** *v* свисте́ть

whit [wɪt]: not a ~, no ~ ни чу́точки, ничу́ть не...

white [waɪt] **1.** *a* бе́лый ◇ ~collar *амер.* слу́жащий; ~ lie неви́нная ложь **2.** *n* 1) бе́лый цвет 2) бело́к *(яйца)*

white-hot ['waɪt'hɔt] раскалённый до́бела́

White House ['waɪt'haus] Бе́лый дом *(резиденция президента США)*

whiten ['waɪtn] 1) бели́ть 2) отбе́ливать

whitewash ['waɪtwɔʃ] **1.** *n* раство́р для побе́лки **2.** *v* бели́ть; *перен. разг.* обеля́ть

whiting ['waɪtɪŋ] мерла́нг *(рыба)*

whittle ['wɪtl] строга́ть; ~ **away,** ~ **down** *перен. разг.* уменьша́ть, своди́ть на не́т

whiz [wɪz] **1.** *n* свист *(рассекаемого воздуха)* **2.** *v* свисте́ть

who [hu:] кто; тот, кто; кото́рый

whodun(n)it [ˈhu:dʌnɪt] *разг.* детекти́вный рома́н

whoever [hu:ˈevə] кто бы ни

whole [ˈhoul] **1.** *a* 1) весь, це́лый 2) невреди́мый **2.** *n* це́лое, су́мма *(чего-л.)*; on the ~ в це́лом; **~-hearted** [-ˈhɑ:tɪd] и́скренний; **~meal** [-mi:l] непросе́янная мука́; **~sale** [-seɪl] **1.** *n* опто́вая торго́вля **2.** *adv* о́птом

wholesome [ˈhoulsəm] здоро́вый, целе́бный, благотво́рный

whom [hu:m] кого́; кому́; кото́рого

whooping-cough [ˈhu:pɪŋkɔ:f] *мед.* коклю́ш

whore [hɔ:] проститу́тка

whortleberry [ˈwə:tlˌberɪ] черни́ка; red ~ брусни́ка

whose [hu:z] чей

whosoever [ˌhu:so(u)ˈevə] *уст.* кто бы ни

why [waɪ] **1.** *adv* почему́ **2.** *int* да ведь; ну!

wick [wɪk] фити́ль

wicked [ˈwɪkɪd] 1) злой, плохо́й 2) безнра́вственный 3) вре́дный, злонаме́ренный 4) озорно́й *(о ребёнке)*

wicker [ˈwɪkə] плетёный; ~ furniture плетёная ме́бель

wicket [ˈwɪkɪt] 1) кали́тка 2) око́шечко в дверя́х 3) воро́тца *(в крикете)*

wide [waɪd] **1.** *a* широ́кий, обши́рный ◇ ~ awake а) бо́дрствующий; б) бди́тельный **2.** *adv* 1) широко́; open the window ~ откры́ть окно́ на́стежь 2) далеко́; ~ of the truth далеко́ от и́стины 3) ми́мо (це́ли); ~ of the mark ми́мо це́ли

widen [ˈwaɪdn] 1) расширя́ть 2) расширя́ться

widow [ˈwɪdou] вдова́; **~er** вдове́ц

width [wɪdθ] 1) ширина́, широта́ 2) поло́тнище

wife [waɪf] (*pl* -ves) жена́

wig [wɪg] пари́к

wigging [ˈwɪgɪŋ] *разг.* брань, нагоня́й

wild [waɪld] 1) ди́кий 2) бу́йный; бу́рный 3) взбешённый; неи́стовый 4) необду́манный; сумасбро́дный ◇ be ~ about быть без ума́ от

wilderness [ˈwɪldənɪs] пусты́ня; ди́кая ме́стность

wile [waɪl] **1.** *n* *(обыкн. pl)* хи́трая проде́лка **2.** *v* зама́нивать; завлека́ть

wilful [ˈwɪlful] 1) своенра́вный 2) преднаме́ренный

will I [wɪl] **1.** *n* 1) во́ля, жела́ние; free (ill) ~ до́брая (зла́я) во́ля; against one's ~ про́тив во́ли (*или* жела́ния); of one's own free ~ по свое́й до́брой во́ле 2) во́ля, си́ла во́ли; strong (weak) ~ си́льная (сла́бая) во́ля 3) завеща́ние; make one's ~ написа́ть завеща́ние ◇ at ~ по жела́нию; как (*или* когда́) уго́дно; a ~ of one's own своенра́вие, своево́лие **2.** *v* (willed) 1) хоте́ть, жела́ть 2) заставля́ть, веле́ть; we'll have to do as he ~s мы должны́ бу́дем сде́лать, как он вели́т 3): ~ oneself to do smth. заставля́ть себя́ де́лать что-л. 4) завеща́ть

will II (would) 1) *вспомогат. гл., образующий* 2 *и* 3 *л. ед. и мн. ч. будущего времени*: she ~ come tomorrow за́втра она́ придёт; you ~ write to us, won't you? вы бу́дете нам писа́ть, не пра́вда ли? 2) *в 1 л. выражает желание, намерение*: all right, I'll come хорошо́, я охо́тно приду́; we'll pay back the money soon мы ско́ро возврати́м де́ньги ◇ you ~ have seen the notice вы, должно́ быть, ви́дели э́то объявле́ние

willing ['wılıŋ] 1) *predic* гото́вый, согла́сный; I am ~ я гото́в (*или* согла́сен) 2) стара́тельный; he is a ~ worker он стара́тельный рабо́тник

will-o'-the-wisp ['wıləðwısp] блужда́ющий огонёк

willow ['wılou] и́ва; **~y** [-ı] ги́бкий и то́нкий

willynilly ['wılı'nılı] во́лей-нево́лей

wilt I [wılt] вя́нуть, поника́ть

wilt II *уст* 2 *л. ед. ч. от* will II

wily ['waılı] хи́трый, кова́рный

win [wın] (won) **1.** *v* 1) выи́грывать; побежда́ть; ~ the day одержа́ть побе́ду 2) (*обыкн.* ~ over, ~ to) убеди́ть; расположи́ть к себе́; склони́ть на свою́ сто́рону 3) добира́ться, достига́ть; ~ **through** проби́ться; преодоле́ть **2.** *n* побе́да (*в игре*)

wince [wıns] вздро́гнуть, содрогну́ться (*от боли и т. п.*)

winch [wıntʃ] *тех.* лебёдка, во́рот

wind I [wınd] **1.** *n* 1) ве́тер 2) дыха́ние; lose one's ~ запыха́ться; recover one's ~ отдыша́ться 3): the ~ духовы́е инструме́нты *мн.* 4) *мед.* га́зы ◇ get ~ (*of*) проню́хать (*о чём-л.*) **2.** *v* 1) чу́ять 2) вы́звать оды́шку; заста́вить задохну́ться 3) дать перевести́ дух

wind II [waınd] труби́ть; игра́ть (*на духовых инструментах*)

wind III [waınd] (wound) 1) ви́ться; извива́ться 2) нама́тывать, обма́тывать 3) нама́тываться, обма́тываться 4) заводи́ть (*часы*); ~ **off** а) разма́тывать; б) разма́тываться; ~ **up** а) нама́тывать; б) зака́нчивать; ликвиди́ровать (*предприятие*); в) заводи́ть (*часы*); г) взви́нчивать

windbag ['wındbæg] болту́н

windfall ['wındfɔ:l] плод, сби́тый ве́тром, па́данец; *перен.* неожи́данное сча́стье, уда́ча

window ['wındou] окно́

windpipe ['wındpaıp] дыха́тельное го́рло

wind-screen ['wındskri:n] *авт.* 1) пере́днее стекло́ 2) *attr.*: ~ wipers «дво́рники»

windward ['wındwəd] **1.** *a* наве́тренный **2.** *adv* про́тив ве́тра **3.** *n* наве́тренная сторона́

windy ['wındı] 1) ве́треный 2) *разг.* хвастли́вый; болтли́вый 3) *разг.* испу́ганный

wine ['waın] вино́; **~glass** [-glɑ:s] рю́мка, бока́л, сто́пка

wing ['wıŋ] **1.** *n* 1) крыло́ 2) фли́гель (*дома*) 3) *pl театр.* кули́сы 4) *воен.* фланг 5) *ав.* **ави**акрыло́ (*тактическая единица*) **2.** *v* 1) ра́нить в крыло́ 2): ~ one's way *поэт.* лете́ть; **~-commander** [-kə,mɑ:ndə] подполко́вник авиа́ции (*в Англии*)

wink [wɪŋk] **1.** *n* морга́ние **2.** *v* мига́ть, морга́ть; ~ **at** а) подми́гивать; б) смотре́ть сквозь па́льцы

winner ['wɪnə] победи́тель

winning ['wɪnɪŋ] **1.** *a* привлека́тельный **2.** *n pl* вы́игрыш

winnow ['wɪnou] 1) ве́ять *(зерно)* 2) просе́ивать

winter ['wɪntə] 1) зима́ 2) *attr.* зи́мний

wintry ['wɪntrɪ] зи́мний, холо́дный

wipe ['waɪp] вытира́ть; стира́ть *(пятно и т. п.)*; ~ one's eyes утира́ть слёзы; ~ **away,** ~ **off** стира́ть; вытира́ть; ~ **out** уничто́жить; *перен.* смыть *(позор и т. п.)*; ~ **up** подтира́ть; ~**r** тря́пка

wire ['waɪə] **1.** *n* 1) про́волока 2) про́вод 3) *разг.* телегра́мма 4) *attr.*: ~ entanglement про́волочное загражде́ние **2.** *v* 1) свя́зывать про́волокой 2) де́лать электропрово́дку 3) *разг.* телеграфи́ровать; ~ **in** *разг.* рабо́тать изо всех сил; ~**less 1.** *n* ра́дио; радиоприёмник; by ~less по ра́дио **2.** *a* беспро́волочный

wiring ['waɪərɪŋ] электропрово́дка

wiry ['waɪərɪ] выно́сливый; жи́листый

wisdom ['wɪzdəm] му́дрость

wise [waɪz] му́дрый

wisecrack ['waɪzkræk] *амер. разг.* уда́чное замеча́ние; остро́та

wish [wɪʃ] **1.** *n* жела́ние **2.** *v* жела́ть

wishy-washy ['wɪʃɪ,wɔʃɪ] 1) жи́дкий 2) бесцве́тный

wisp [wɪsp] клочо́к, пучо́к

wistful ['wɪstful] заду́мчивый, гру́стный

wit [wɪt] 1) ум 2) остроу́мие 3) остря́к ◇ at one's ~'s end в тупике́

witch ['wɪtʃ] ве́дьма; *шутл.* чароде́йка; ~**ery** [-ərɪ] колдовство́; ча́ры *мн.*

witch-hunt ['wɪtʃhʌnt] 1) *ист.* охо́та за ве́дьмами 2) *полит.* пресле́дование прогресси́вных элеме́нтов

with [wɪð] 1) *(при обозначении совместности действия)* с, вме́сте с 2) *(при обозначении инструмента — соответствует тв. п)*: cut ~ a knife ре́зать ножо́м 3) *(по причине)* от; tremble ~ fear дрожа́ть от стра́ха 4) *(при обозначении образа действия)* с; *(переводится тж. наречием)*; ~ sympathy сочу́вственно 5) *(с глаголами* argue, dispute, quarrel, fight, struggle *и т. п.)* про́тив, с

withdraw [wɪð'drɔ:] (withdrew; withdrawn) 1) отдёргивать 2) брать наза́д 3) *воен.* отводи́ть *(войска)* 4) удаля́ться; отходи́ть; ~**al** [-əl] 1) взя́тие наза́д; изъя́тие 2) удале́ние 3) *воен.* отхо́д, вы́вод *(войск)* 4) ухо́д, отхо́д

withdrawn [wɪð'drɔ:n] *p. p. от* withdraw

withdrew [wɪð'dru:] *past от* withdraw

wither ['wɪðə] вя́нуть, высыха́ть

withheld [wɪð'held] *past и p. p. от* withhold

withhold [wɪð'hould] (withheld) уде́рживать; ~ one's consent не давать согласия; ~ one's information утаивать сведения

within [wɪ'ðɪn] 1) *(при обозначении места)* внутри, в пределах; ~ call поблизости; ~ hearing в пределах слышимости 2) в пределах указанного времени; ~ a year в течение года

without [wɪ'ðaut] 1) без; go ~ обходиться без 2) *уст.* вне, снаружи

withstand [wɪð'stænd] (withstood) выдержать

withstood [wɪð'stud] *past и p. p. от* withstand

witless ['wɪtlɪs] глупый

witness ['wɪtnɪs] **1.** *n* 1) свидетельство 2) свидетель **2.** *v* 1) быть свидетелем *(чего-л.)* 2) заверять *(документ в качестве свидетеля)*

witticism ['wɪtɪsɪzm] острота

wittingly ['wɪtɪŋlɪ] умышленно

witty ['wɪtɪ] остроумный

wives [waɪvz] *pl от* wife

wizard ['wɪzəd] колдун

wizen(ed) ['wɪzn(d)] сморщенный, высохший

wobbl||e ['wɔbl] 1) шататься 2) шатать, качать; **~y** [-ɪ] шаткий

woe ['wou] *поэт., шутл.* горе; **~begone** [-bɪˌgɔn] удручённый; **~ful** скорбный, горестный; жалкий

woke [wouk] *past и p. p. от* wake II

woken ['wouk(ə)n] *p. p. от* wake II

wolf ['wulf] **1.** *n* (*pl* -ves) волк **2.** *v разг.* пожирать *(тж.* ~ down); **~ish** волчий

wolves [wulvz] *pl от* wolf

woman ['wumən] (*pl* women) женщина; **~hood** [-hud] 1) зрелость, расцвет женщины 2) *собир.* женщины 3) женственность; **~ly** женственный

womb [wu:m] *анат.* матка; *перен. книжн.* лоно

women ['wɪmɪn] *pl от* woman; **~folk** [-fouk] *собир.* женщины

won [wʌn] *past и p. p. от* win

wonder ['wʌndə] **1.** *n* 1) чудо; work ~s творить чудеса 2) удивление; no ~ it's cold, the window is open неудивительно, что здесь холодно — окно открыто **2.** *v* 1) удивляться 2) желать знать ◇ I shouldn't ~ if неудивительно будет, если...; **~ful** удивительный, замечательный

wont [wount] **1.** *n*: (he) as was his ~ (он) по своему обыкновению... **2.** *predic a*: be ~ to иметь привычку

won't [wount] *сокр. от* will not

woo [wu:] ухаживать *(за женщиной)*; свататься

wood ['wud] 1) лес 2) дерево *(как материал)* 3) дрова; **~-cock** [-kɔk] вальдшнеп; **~cut** [-kʌt] гравюра на дереве; **~cutter** [-ˌkʌtə] 1) дровосек 2) гравёр по дереву

wooded ['wudɪd] лесистый

wooden ['wudn] деревянный

wood||pecker ['wudˌpekə] дятел; **~-pulp** [-pʌlp] древесная масса; **~-work** [-wə:k] *собир.* 1) деревянные части *(строения)* 2) изделия из дерева

wool [wul] шерсть

wool-gathering ['wulˌgæðərɪŋ]

рассе́янность, вита́ние в облака́х

wool||len [ˈwulɪn] **1.** *a* шерстяно́й **2.** *n (обыкн. pl)* шерстяна́я мате́рия, оде́жда; **~ly 1.** *a* покры́тый ше́рстью; *перен.* нея́сный, расплы́вчатый **2.** *n разг.* сви́тер

word [ˈwəːd] **1.** *n* 1) сло́во; be as good as one's ~ сдержа́ть обеща́ние; оправда́ть дове́рие; have ~s *(with)* кру́пно поссо́риться; in a ~ одни́м сло́вом 2) ве́сти *мн.;* изве́стие, сообще́ние 3) приказа́ние 4) паро́ль ◇ by ~ of mouth у́стно, на слова́х; the last ~ *(in smth.)* после́днее сло́во, нове́йшее достиже́ние *(в чём-л.)* **2.** *v* выража́ть слова́ми, формули́ровать; ~ a telegram соста́вить телегра́мму; **~ing** формулиро́вка, реда́кция *(документа)*

wore [wɔː] *past от* wear **1**

work [wəːk] **1.** *n* 1) рабо́та, труд; де́ло; де́йствие; at ~ а) за рабо́той; б) в де́йствии; out of ~ безрабо́тный 2) произведе́ние; сочине́ние 3) *pl* заво́д; мастерски́е 4) *pl* строи́тельные рабо́ты 5) *(обыкн. pl) воен.* оборони́тельные укрепле́ния 6) *pl* механи́зм **2.** *v* 1) рабо́тать 2) заставля́ть рабо́тать 3) управля́ть *(машиной и т. п.)* 4) де́йствовать, ока́зывать де́йствие 5): ~ one's way through проника́ть, прокла́дывать себе́ доро́гу 6): ~ mines разраба́тывать ко́пи; ~ **at** рабо́тать над; ~ **into** вставля́ть; can you ~ this quotation into your speech? вы мо́жете вста́вить э́ту цита́ту в ва́шу речь?; ~ **on**: ~ on smb. to обраба́тывать кого́-л.; ~ **out**: ~ out a plan вы́работать план; ~ **over**: ~ over a letter переде́лать письмо́; ~ **up**: ~ up an appetite нагуля́ть себе́ аппети́т ◇ ~ against time стара́ться ко́нчить к определённому сро́ку; she is ~ing herself to death она́ убива́ет себя́ рабо́той; the plan didn't ~ из э́того пла́на ничего́ не вы́шло

worker [ˈwəːkə] рабо́чий; рабо́тник

working [ˈwəːkɪŋ] рабо́тающий, рабо́чий; ~ capacity трудоспосо́бность; ~ capital *эк.* оборо́тный капита́л

workmanship [ˈwəːkmənʃɪp] иску́сство, мастерство́

workshop [ˈwəːkʃɔp] мастерска́я; цех

world [ˈwəːld] 1) мир, свет 2) *attr.* мирово́й, всеми́рный ◇ be on top of the ~ быть на седьмо́м не́бе; think the ~ of быть о́чень высо́кого мне́ния о; I wouldn't go there for the ~ я ни за что не пойду́ туда́; **~ly** мирско́й, земно́й

world-wide [ˈwəːldwaɪd] мирово́й; распространённый по всему́ све́ту

worm [wəːm] **1.** *n* 1) червя́к, червь 2) глист **2.** *v*: ~ one's way вполза́ть ◇ ~ a secret out of smb. вы́ведать та́йну у кого́-л.; ~ oneself into smb.'s confidence вкра́сться к кому́-л. в дове́рие

wormwood [ˈwəːmwud] полы́нь; the thought was ~ to him *перен.* ему́ бы́ло о́чень го́рько от э́той мы́сли

worn [wɔːn] *p. p. от* wear **1**

worry ['wʌrı] **1.** *n* беспоко́йство; трево́га **2.** *v* 1) надоеда́ть 2) му́чить 3) беспоко́иться 4) терза́ть, рвать зуба́ми *(о собаке)*

worse [wə:s] *(сравн. ст. от* bad) ху́дший; ху́же

worship ['wə:ʃıp] **1.** *n* 1) богослуже́ние 2) поклоне́ние; обожа́ние ◇ your W. ва́ша ми́лость *(обращение)* **2.** *v* поклоня́ться; обожа́ть; почита́ть

worst [wə:st] **1.** *a (превосх. ст. от* bad) наиху́дший **2.** *adv (превосх. ст. от* badly) ху́же всего́ **3.** *v книжн.* одержа́ть верх; нанести́ пораже́ние; победи́ть **4.** *n*: if the ~ comes to the ~ в са́мом ху́дшем слу́чае; he always thinks the ~ of everybody он всегда́ ду́мает о лю́дях то́лько са́мое плохо́е; at (the) ~ в ху́дшем слу́чае

worsted ['wustıd] шерстяно́й; камво́льный

worth ['wə:θ] **1.** *n* 1) це́нность; значе́ние; he was never aware of her ~ он никогда́ не отдава́л ей до́лжного 2) сто́имость **2.** *predic a* 1) сто́ящий; it is ~... э́то сто́ит...; what is it ~? ско́лько э́то сто́ит? 2) заслу́живающий; it is not ~ taking the trouble э́то не сто́ит того́, что́бы беспоко́иться ◇ for all one is ~ изо всех сил; he was running for all he was ~ он бежа́л изо всех сил; **~less** *a* 1) *predic*: it is ~less э́то ничего́ не сто́ит 2) никчёмный, никуды́шный; **~-while** [-waıl] сто́ящий

worthy ['wə:ðı] *a* 1) досто́йный 2) *predic*: the plan isn't ~ of further consideration э́тот план не заслу́живает дальне́йшего обсужде́ния 3) *ирон.* достопочте́нный

would [wud *(полная форма)*, wəd, əd, d *(редуцированные формы)*] 1) *past indicative от* will II: they ~ not help him они́ не хоте́ли *(или* не жела́ли) помо́чь ему́ 2) *вспомогат. глагол, образующий*: а) 2 *и* 3 *л. ед. и мн. ч. будущего в прошедшем*: he said he ~ help us он сказа́л, что помо́жет нам; he said that they ~ have come by that time он сказа́л, что они́ к тому́ вре́мени уже́ приду́т; б) *условное накл.*: if he knew them he ~ speak to them е́сли бы он знал их, он бы с ни́ми поговори́л 3) ***в* 1** *л. с оттенком желания, намерения*: we ~ have come if it had not rained мы бы обяза́тельно пришли́, е́сли бы не лил дождь 4) *(обычное, повторяющееся действие в прошлом)*: she ~ sit for hours doing nothing она́, быва́ло, сиде́ла часа́ми, ничего́ не де́лая ◇ I ~ rather *(или* sooner) go я бы предпочёл пойти́; я бы лу́чше пошёл

would-be ['wudbi:] с претензией *(на что-л.)*

wound I [wu:nd] **1.** *n* ра́на **2.** *v* ра́нить

wound II [waund] *past и p. p. от* wind III

wove [wouv] *past от* weave

woven ['wouv(ə)n] *p. p. от* weave

wraith [reıθ] при́зрак

wrangl||e ['ræŋgl] **1.** *n* шу́мный спор; ссо́ра **2.** *v* спо́рить; **~er** спо́рщик

wrap ['ræp] **1.** *n pl* шаль;

плед **2.** *v* завёртывать; заку́тывать; **~per** 1) обёртка 2) хала́т; **~ping** 1) обёртка 2) обёрточная бума́га

wrath [rɔ:θ] гнев

wreak [ri:k]: ~ one's anger upon smb. изли́ть свой гнев на кого́-л.; ~ vengeance upon smb. отомсти́ть кому́-л.

wreath [ri:θ] 1) вено́к; гирля́нда 2) кольцо́ *(дыма)*

wreathe [ri:ð] 1) плести́ *(венок)* 2) обвива́ть 3) обвива́ться 4) клуби́ться *(о дыме)*

wreck ['rek] **1.** *n* 1) круше́ние, ава́рия; *перен.* разва́лина; he's just a ~ of his former self в каку́ю он преврати́лся разва́лину 2) о́стов разби́того су́дна **2.** *v* топи́ть *(судно)*; вы́звать ава́рию; *перен.* разруша́ть *(здоровье, планы)*; **~age** [-ɪdʒ] обло́мки круше́ния *мн.*; **~er** вреди́тель

wrench [rentʃ] **1.** *n* 1) дёрганье 2) вы́вих *(ноги и т. п.)* 3) боль, тоска́ *(при внезапной разлуке)* 4) *тех.* га́ечный ключ **2.** *v* 1) вы́рвать; дёрнуть 2) вы́вихнуть *(ногу и т. п.)* 3) искажа́ть *(смысл, факты и т. п.)*

wrest [rest] 1) вырыва́ть *(из рук)* 2) исторга́ть *(согласие)* 3) искажа́ть; истолко́вывать в свою́ по́льзу

wrestle ['resl] **1.** *v* боро́ться **2.** *n* борьба́

wretch ['retʃ] 1) несча́стный; poor ~ бедня́га 2) негодя́й; **~ed** [-ɪd] 1) несча́стный 2) никуды́шный 3) скве́рный

wriggle ['rɪgl] **1.** *n* изги́б; изви́в **2.** *v* извива́ться; ёрзать; ~ out of smth. увиливать от чего́-л.

wring [rɪŋ] (wrung) 1) *(тж.* ~ out) выжима́ть *(о белье, соке и т. п.)* 2): ~smb.'s hand кре́пко пожа́ть кому́-л. ру́ку; ~ one's hands лома́ть ру́ки 3) терза́ть *(душу)* 4): ~ smth. out of smb. вымога́ть что-л. у кого́-л.

wrinkle I ['rɪŋkl] **1.** *n* морщи́на **2.** *v* 1) мо́рщить 2) мо́рщиться

wrinkle II *разг.* поле́зный сове́т, намёк

wrist ['rɪst] запя́стье; **~band** [-bænd] манже́та, обшла́г

writ [rɪt] *юр.* пове́стка, предписа́ние; исково́е заявле́ние

write [raɪt] (wrote; written) писа́ть; ~ **down** запи́сывать; ~ **off** а) писа́ть с лёгкостью; б) отсыла́ть письмо́; в) аннули́ровать; спи́сывать со счёта; ~ **out**: ~ out in full выпи́сывать по́лностью; ~ **up** а) подро́бно опи́сывать; б) расхва́ливать *(в печати)*

writer ['raɪtə] писа́тель; а́втор

write-up ['raɪt'ʌp] 1) похва́льная статья́ *(в печати)* 2) подро́бный газе́тный отчёт

writhe [raɪð] ко́рчиться *(от боли)*; *перен.* терза́ться

writing ['raɪtɪŋ] 1) писа́ние 2) *pl* (литерату́рные) произведе́ния

written ['rɪtn] *p. p. от* write

wrong [rɔŋ] **1.** *a* 1) несправедли́вый; дурно́й 2) непра́вильный, оши́бочный; не тот ◇ on the ~ side of thirty (forty *etc)* за три́дцать (со́рок *и т. п.)* лет; **2.** *adv* непра́вильно, неве́рно; go ~ а) сби́ться с пути́ и́стинного; б) не удава́ться **3.** *n* 1) зло; непра́вда 2) несправедли́вость ◇ do ~ греши́ть; be in the ~ быть непра́вым **4.** *v* быть несправедли́вым; причини́ть зло

wrote [rout] *past от* write

wrought [rɔ:t] *уст. past и p. p. от* work 2

wrought-up ['rɔ:t'ʌp] взви́нченный

wrung [rʌŋ] *past и p. p. от* wring

wry [raɪ] криво́й, перекошенный

X

X, x I [eks] *двадцать четвёртая буква англ. алфавита*

x II *мат.* икс, неизве́стная величина́

xenomania [ˌzenə'meɪnjə] страсть ко всему́ иностра́нному

Xmas ['krɪsməs] *см.* Christmas

X-rays ['eks'reɪz] *pl* рентге́новы лучи́

xylonite ['zaɪlənaɪt] целлуло́ид

xylophone ['zaɪləfoun] *муз.* ксилофо́н

Y

Y, y [waɪ] *двадцать пятая буква англ. алфавита*

yacht [jɔt] я́хта

Yankee ['jæŋkɪ] я́нки, америка́нец

yap [jæp] **1.** *n* тя́вканье **2.** *v* тя́вкать; *разг.* болта́ть

yard I [jɑ:d] 1) ярд (914 *см*) 2) *мор.* ре́я

yard II двор

yarn [jɑ:n] 1) пря́жа 2) *разг.* расска́з; ска́зка; анекдо́т

yawl [jɔ:l] *мор.* ял

yawn [jɔ:n] **1.** *n* зево́та **2.** *v* 1) зева́ть 2) зия́ть

ye [ji:] *уст., поэт.* вы

yea [jeɪ] *уст. см.* yes

year ['jə:] год; ~ by ~ ка́ждый год; ~ in ~ out из го́да в год; **~-book** [-buk] ежего́дник

yearn [jə:n] 1) томи́ться, тоскова́ть *(по — for, after)* 2) стреми́ться *(к — for, to)*

yeast [ji:st] дро́жжи

yell [jel] **1.** *n* пронзи́тельный крик, вопль **2.** *v* крича́ть, вопи́ть

yellow ['jelou] **1.** *a* 1) жёлтый 2) бульва́рный, прода́жный *(о прессе)* 3) *разг.* трусли́вый **2.** *n* жёлтый цвет

yelp [jelp] **1.** *n* соба́чий визг, лай **2.** *v* ла́ять, тя́вкать, визжа́ть

yeoman ['joumən] *ист.* ио́мен; **~ry** [-rɪ] *ист.* 1) ме́лкие землевладе́льцы; ио́мены 2) территориа́льная доброво́льческая ко́нница

yes ['jes] да; **~-man** [-mæn] *разг.* челове́к, всегда́ подда́кивающий; подхали́м

yesterday ['jestədɪ] вчера́

yet [jet] **1.** *adv* 1) ещё 2) всё ещё; ещё не 3) уже́; need you go ~? вам уже́ на́до идти́? 4) да́же; ~ more important да́же важне́е ◇ strange and ~ true стра́нно, но тем не ме́нее ве́рно; the largest specimen found ~ са́мый кру́пный экземпля́р из ра́нее на́йденных **2.** *cj* 1) одна́ко 2) всё же, тем не ме́нее

Yiddish ['jɪdɪʃ] и́диш, евре́йский язы́к

yield [ji:ld] **1.** *n* 1) сбор плодо́в; урожа́й 2) коли́чество добыва́емого проду́кта **2.** *v* 1) производи́ть, приноси́ть *(урожай, доход)* 2) уступа́ть; сдава́ться

yoke [jouk] **1.** *n* 1) ярмо́; *перен. тж.* и́го 2) коромы́сло *(для вёдер)* 3): ~ of oxen па́ра запряжённых воло́в 4) коке́тка *(на платье)* **2.** *v* 1) впряга́ть в ярмо́ 2) соединя́ть, спа́ривать

yokel ['jouk(ə)l] дереве́нщина

yolk [jouk] желто́к

yonder ['jɔndə] **1.** *adv* вон та́м **2.** *a книжн.* вон то́т

yore [jɔ:]: (in days) of ~ во вре́мя о́но

you [ju: *(полная форма)*, ju *(редуцированная форма)*] *pers pron* вы; ты; *объектн. п.* вас, вам; тебя́, тебе́

young ['jʌŋ] **1.** *a* 1) молодо́й 2) нео́пытный 3) неда́вний **2.** *n:* the ~ *собир.* а) молодёжь; б) молодня́к *(животных)*; **~ster** [-stə] юне́ц

your [jɔ: *(полная форма перед согласным)*, jɔ *(редуцированная форма перед согласным)*, jɔ:r *(полная форма перед гласным)*, jɔr *(редуцированная форма перед гласным)*] *poss pron* ваш, ва́ша, ва́ше, ва́ши; твой, твоя́, твоё, твои́; свой, своя́, своё, свои́

yours [jɔ:z] *poss pron (несвязанная форма к* your*)*, *употр. вместо сущ.* ваш, ва́ша, ва́ше, ва́ши; твой, твоя́, твоё, твои́; свой, своя́, своё, свои́

yourself [jɔ:'self] 1) *refl pron 2 л. ед. ч.* себя́, -ся; look at ~ посмотри́(те) на себя́ 2) *emphatic pron (для усиления)* са́м(и); you know it ~ ты зна́ешь (вы зна́ете) э́то са́м(и) ◇ you came to ~ ты пришёл (вы пришли́) в себя́; you are not ~ ты (вы) сам не свой; do it by ~ сде́лай(те) э́то са́м(и)

yourselves [jɔ:'selvz] 1) *refl pron 2 л. мн. ч.* себя́, -ся 2) *emphatic pron (для усиления)* са́ми; you know it ~ вы зна́ете э́то са́ми ◇ you came to ~ rather late вы пришли́ в себя́ дово́льно по́здно; you will do the work all by ~ вы сде́лаете э́ту рабо́ту соверше́нно самостоя́тельно (одни́)

youth ['ju:θ] 1) ю́ность 2) ю́ноша 3) *собир.* молодёжь; **~ful** ю́ный, ю́ношеский; моложа́вый

Yugoslav ['ju:go(u)'slɑ:v] **1.** *a* югосла́вский **2.** *n* югосла́в; югосла́вка

Z

Z, z [zed] *двадцать шестая буква англ. алфавита*

zeal [zi:l] рве́ние, усе́рдие

zealous ['zeləs] рья́ный, ре́вностный, усе́рдный

zephyr ['zefə] 1) (Z.) за́падный ве́тер 2) *поэт.* зефи́р, лёгкий ветеро́к

zero [ˈzɪərou] 1) нуль 2) нулевая точка *(шкалы)* 3) *attr.*: ~ hour а) *воен.* час начала наступления; б) решительный час

zest [zest] 1) «изюминка», пикантность 2) интерес, жар

zinc [zɪŋk] 1) цинк 2) *attr.*: ~ white цинковые белила *мн.*

zip [zɪp] **1.** *n* 1) свист пули; свистящий звук 2) энергия, живость; стремительность **2.** *v*: ~ **up** застёгивать на «молнию»

zip-fastener, zipper [ˈzɪpˌfɑːsnə, ˈzɪpə] «молния» *(застёжка)*

zodiac [ˈzoudɪæk] *астр.* зодиак; signs of the ~ знаки зодиака

zone [zoun] **1.** *n* зона, пояс; полоса; район **2.** *v* опоясывать

Zoo [zuː] *разг.* зоопарк

zoology [zo(u)ˈɔlədʒɪ] зоология

ГЕОГРАФИЧЕСКИЕ НАЗВАНИЯ

Accra [ə'krɑ:] А́ккра

Addis Ababa ['ædɪs'æbəbə] Адди́с-Абе́ба

Aden ['ɑ:dn] А́ден

Adriatic Sea [ˌeɪdrɪ'ætɪk'si:] Адриати́ческое мо́ре

Aegean Sea [i:'dʒi:ən'si:] Эге́йское мо́ре

Afghanistan [æf'gænɪstæn] Афганиста́н; **Republic of Afghanistan** [rɪ'pʌblɪk] əvæf'gænɪstæn] Респу́блика Афганиста́н

Africa ['æfrɪkə] А́фрика

Åland Islands [oulɑ:nd'aɪləndz] Ала́ндские острова́

Alaska [ə'læskə] Аля́ска

Albania [æl'beɪnjə] Алба́ния; **People's Socialist Republic of Albania** ['pi:plz'souʃəlɪstrɪ'pʌblɪkəvæl'beɪnjə] Наро́дная Социалисти́ческая Респу́блика Алба́ния

Aleutian Islands [ə'lu:ʃən'aɪləndz] Алеу́тские острова́

Alexandria [ˌælɪg'zɑ:ndrɪə] Александри́я

Algeria [æl'dʒɪərɪə] Алжи́р

Algiers [æl'dʒɪəz] *г.* Алжи́р

Alma-Ata [ˌɑ:lmɑ:ɑ:'tɑ:] Алма́-Ата́

Alps [ælps] А́льпы

Amazon ['æməzən] *р.* Амазо́нка

America (North, South) [ə'merɪkə (nɔ:θ, sauθ)] Аме́рика (Се́верная, Ю́жная)

Amsterdam ['æmstədæm] Амстерда́м

Amu Darya [ɑ:'mu:dɑ:r'jɑ:] *р.* Амударья́

Amur [ə'muə] *р.* Аму́р

Andes ['ændi:z] А́нды

Angola [æŋ'goulə] Анго́ла; **People's Republic of Angola** ['pi:plzrɪ'pʌblɪkəvæŋ'goulə] Наро́дная Респу́блика Анго́ла

Ankara ['æŋkərə] Анкара́

Antarctic Continent [ænt'ɑ:ktɪk'kɔntɪnənt] Антаркти́да

Antarctic Region [ænt'ɑ:ktɪk'ri:dʒ(ə)n] Анта́рктика

Apennines ['æpɪnaɪnz] Апенни́ны

Appalachians [ˌæpə'lætʃɪənz] Аппала́чи

Arabia [ə'reɪbjə] Ара́вия

Aral Sea ['ɑ:rəl'si:] Ара́льское мо́ре

Arctic Ocean ['ɑ:ktɪk'ouʃ(ə)n] Се́верный Ледови́тый океа́н

Arctic Region ['ɑ:ktɪk'ri:dʒ(ə)n] А́рктика

Argentina [ˌɑ:dʒən'ti:nə] Аргенти́на

Armenian Soviet Socialist Republic [ɑ:'mi:njən'souvɪet'souʃəlɪstrɪ'pʌblɪk] Армя́нская Сове́тская Социалисти́ческая Респу́блика

Ashkhabad [ˌɑ:ʃkɑ:'bɑ:d] Ашхаба́д

Asia ['eɪʃə] А́зия

Asia Minor ['eɪʃə'maɪnə] Máлая Áзия

Athens ['æθənz] Афи́ны

Atlantic Ocean [ət'læntɪk'ouʃ(ə)n] Атланти́ческий океа́н

Australia [ɔ:s'treɪljə] Австрáлия

Austria ['ɔ:strɪə] Áвстрия

Azerbaijan Soviet Socialist Republic [ɑ:ˌzəbaɪ'dʒɑ:n'souvɪet'souʃəlɪstrɪ'pʌblɪk] Азербайджа́нская Сове́тская Социалисти́ческая Респу́блика

Azov, Sea of ['si:əvɑ:'zɔ:f] Азо́вское мо́ре

Bag(h)dad [bæg'dæd] Багда́д

Baikal, Lake ['leɪkbaɪ'kɑ:l] *оз.* Байка́л

Baku [bɑ:'ku:] Баку́

Balkans ['bɔ:lkənz] Балка́ны

Baltic Sea ['bɔ:ltɪk'si:] Балти́йское мо́ре

Bangkok [bæŋ'kɔk] Бангко́к

Bangladesh [ˌbɑ:ŋlə'deʃ] Бангладе́ш

Barents Sea ['bærənts'si:] Ба́ренцево мо́ре

Beirut [beɪ'ru:t] Бейру́т

Belgium ['beldʒəm] Бе́льгия

Belgrade ['belgreɪd] Белгра́д

Bering Sea ['berɪŋ'si:] Бе́рингово мо́ре

Bering Strait ['berɪŋ'streɪt] Бе́рингов проли́в

Berlin [bə:'lɪn] Берли́н

Bermuda Islands, Bermudas [bə'mju:də'aɪləndz, bə'mju:dəz] Берму́дские острова́

Bern(e) [bə:n] Берн

Birmingham ['bə:mɪŋəm] Би́рмингем

Biscay, Bay of ['beɪəv'bɪskeɪ] Биска́йский зали́в

Bissau [bɪ'sau] Биса́у

Black Sea ['blæk'si:] Чёрное мо́ре

Bolivia [bə'lɪvɪə] Боли́вия

Bombay [bɔm'beɪ] Бомбе́й

Bonn [bɔn] Бонн

Boston ['bɔstən] Бо́стон

Botswana [bɔts'wɑ:nə] Ботсва́на

Brasilia [brə'zɪlɪə] *г.* Брази́лиа

Brazil [brə'zɪl] Брази́лия

Brazzaville ['bræzəvɪl] Браззави́ль

Bristol ['brɪstl] Бристо́ль

Brussels ['brʌslz] Брюссе́ль

Bucharest [bju:kə'rest] Бухаре́ст

Budapest ['bju:də'pest] Будапе́шт

Buenos Aires ['bwenəs'aɪərɪz] Буэ́нос-А́йрес

Bulgaria [bʌl'gɛərɪə] Болга́рия; **People's Republic of Bulgaria** ['pi:plzrɪ'pʌblɪkəvbʌl'gɛərɪə] Наро́дная Респу́блика Болга́рия

Burkina Faso [bu(r)kɪ'nɑ:fʌ'sɔ:] Буркина́ Фасо́

Burma ['bə:mə] Би́рма

Burundi [bu:'ru:ndɪ] Буру́нди

Byelorussian Soviet Socialist Republic [ˌbjelo(u)'rʌʃ(ə)n'souvɪet'souʃəlɪstrɪ'pʌblɪk] Белору́сская Сове́тская Социалисти́ческая Респу́блика

Cabo Verde ['kɑ:vu'və:d] Ка́бо-Ве́рде; **Republic Cabo Verde** [rɪ'pʌblɪk'kɑ:vu'və:d] Респу́блика Ка́бо-Ве́рде

Cairo ['kaɪərou] Каи́р

Calcutta [kæl'kʌtə] Кальку́тта

California [ˌkælɪ'fɔ:njə] Калифо́рния

Cambridge ['keɪmbrɪdʒ] Ке́мбридж

Cameroon [ˈkæməru:n] Камеру́н

Canada [ˈkænədə] Кана́да

Canberra [ˈkænbərə] Ка́нбе́рра

Cape Town, Capetown [ˈkeɪpˌtaun] Ке́йптаун

Cardiff [ˈkɑ:dɪf] Ка́рдифф

Carpathians [kɑ:ˈpeɪθɪənz] Карпа́ты

Caspian Sea [ˈkæspɪənˈsi:] Каспи́йское мо́ре

Caucasus [ˈkɔ:kəsəs] Кавка́з

Central African Republic [ˈsentr(ə)lˈæfrɪkənrɪˈpʌblɪk] Центра́льноафрика́нская Респу́блика

Chad [tʃæd] *см.* Tchad

Chicago [ʃɪˈkɑ:gou] Чика́го

Chile [ˈtʃɪlɪ] Чи́ли

China [ˈtʃaɪnə] Кита́й; **People's Republic of China** [ˈpi:plzrɪˈpʌblɪkəvˈtʃaɪnə] Кита́йская Наро́дная Респу́блика

Clyde [klaɪd] *р.* Клайд

Cologne [ko(u)ˈloun] Кёльн

Colombia [kəˈlʌmbɪə] Колу́мбия

Conakry [ˈkɔ:nəkrɪ] Ко́накри

Congo [ˈkɔŋgou] *р.* Ко́нго

Copenhagen [ˌkoup(ə)nˈheɪg(ə)n] Копенга́ген

Cordillera [ˌkɔ:dɪˈljeɪrɑ:] Кордилье́ры

Corfu [kɔ:ˈfu:] *о-в* Ко́рфу

Cornwall [ˈkɔ:nwɔ:l] Ко́рнуолл

Costa Rica [ˈkɔstəˈri:kə] Ко́ста-Ри́ка

Côte d'Ivoire [ˈkɔtdɪvuˈɑ:] Кот-д'Ивуа́р

Coventry [ˈkɔvəntrɪ] Ко́вентри

Crete [kri:t] *о-в* Крит

Crimea [kraɪˈmi:ə] Крым

Cuba [ˈkju:bə] Ку́ба; **Republic of Cuba** [rɪˈpʌblɪkəvˈkju:bə] Респу́блика Ку́ба

Cyprus [ˈsaɪprəs] *о-в* Кипр

Czechoslovakia [ˈtʃeko(u)slo(u)ˈvækɪə] Чехослова́кия; **Czechoslovak Socialist Republic** [ˈtʃeko(u)slo(u)ˈvɑ:kˈsouʃəlɪstrɪˈpʌblɪk] Чехослова́цкая Социалисти́ческая Респу́блика

Dacca [ˈdækə] Да́кка

Damascus [dəˈmæskəs] Дама́ск

Danube [ˈdænju:b] *р.* Дуна́й

Delhi [ˈdelɪ] Де́ли

Denmark [ˈdenmɑ:k] Да́ния

Detroit [dɪˈtrɔɪt] Детро́йт

Dnieper [ˈni:pə] *р.* Днепр

Dniester [ˈni:stə] *р.* Днестр

Dominican Republic [do(u)ˈmɪnɪkənrɪˈpʌblɪk] Доминика́нская Респу́блика

Don [dɔn] *р.* Дон

Dover [ˈdouvə] Дувр

Dover, Strait of [ˈstreɪtəvˈdouvə] Па-де-Кале́

Dublin [ˈdʌblɪn] Ду́блин

Dunkirk [ˈdʌnkə:k] Дюнке́рк

Dushanbe [dju:ˈʃɑ:mbə] Душанбе́

Ecuador [ˌekwəˈdɔ:] Эквадо́р

Edinburgh [ˈednbərə] Э́динбург

Egypt [ˈi:dʒɪpt] Еги́пет; **Arab Republic of Egypt** [ˈærəbrɪˈpʌblɪkəvˈi:dʒɪpt] Ара́бская Респу́блика Еги́пет

Elba [ˈelbə] *о-в* Э́льба

Elbe [elb] *р.* Э́льба

England [ˈɪŋglənd] А́нглия

English Channel [ˈɪŋglɪʃˈtʃænl] Ла-Ма́нш

Estonian Soviet Socialist Republic [esˈtounjənˈsouvɪetˈsouʃəlɪstrɪˈpʌblɪk] Эсто́нская Сове́тская Социалисти́ческая Респу́блика

Ethiopia [ˌi:θɪˈoupɪə] Эфио́-

пия; **People's Democratic Republic of Ethiopia** ['pi:plz,demə'krætıkrı'pʌblık əv,i:θı'oupıə] Наро́дная Демократи́ческая Респу́блика Эфио́пия

Etna ['etnə] Э́тна

Europe ['juərəp] Евро́па

Everest ['evərəst] Эвере́ст

Federal Republic of Germany ['fedər(ə)lrı'pʌblıkəv'dʒə:mənı] Федерати́вная Респу́блика Герма́нии

Finland ['fınlənd] Финля́ндия

Florida ['flɔrıdə] Флори́да

France [frɑ:ns] Фра́нция

Frunze ['fru:nzə] Фру́нзе

Gabon [gɑ:'bɔ:ŋ] Габо́н

Gambia ['gæmbıə] Га́мбия

Ganges ['gændʒi:z] *р.* Ганг

Geneva [dʒı'ni:və] Жене́ва

Georgetown ['dʒɔ:dʒtaun] Джо́рджтаун

Georgian Soviet Socialist Republic ['dʒɔ:dʒjən'souvıet'souʃəlıstrı'pʌblık] Грузи́нская Сове́тская Социалисти́ческая Респу́блика

German Democratic Republic ['dʒə:mən,demə'krætıkrı'pʌblık] Герма́нская Демократи́ческая Респу́блика

Ghana ['gɑ:nə] Га́на

Gibraltar [dʒı'brɔ:ltə] Гибралта́р

Glasgow ['glɑ:sgou] Гла́зго

Great Britain ['greıt'brıtn] Великобрита́ния

Greece [gri:s] Гре́ция

Greenland ['gri:nlənd] Гренла́ндия

Greenwich ['grınıdʒ] Гри́нвич

Guatemala [,gwɑ:tı'mɑ:lə] Гватема́ла

Guinea ['gını] Гвине́я

Guinea-Bissau ['gınıbı'sau] Гвине́я-Биса́у

Guyana [gaı'ɑ:nə] Гайа́на

Hague, the [heıg] Гаа́га

Haiti ['heıtı] *о-в* Гаи́ти

Hanoi [hɑ:'nɔı] Хано́й

Havana [hə'vænə] Гава́на

Hawaiian Islands [hə'waııən'aıləndz] Гава́йские острова́

Hebrides ['hebrıdi:z] Гебри́дские острова́

Helsinki ['helsıŋkı] Хе́льсинки

Himalaya(s) [,hımə'leıə(z)] Гимала́и

Hindustan [,hındu'stɑ:n] *п-ов* Индоста́н

Hiroshima [hı'rɔʃımə] Хиро́сима

Ho Chi Minh [,hou,tʃi:'mın] Хошими́н

Holland ['hɔlənd] Голла́ндия; *см.* Netherlands

Hollywood ['hɔlıwud] Голливу́д

Honduras [hɔn'djuərəs] Гондура́с

Hong-Kong ['hɔŋ'kɔŋ] Гонко́нг

Horn, Cape ['keıp'hɔ:n] мыс Горн

Hudson ['hʌdsn] *р.* Гудзо́н

Hungary ['hʌŋgərı] Ве́нгрия; **Hungarian People's Republic** [hʌŋ'gεərıən'pi:plzrı'pʌblık] Венге́рская Наро́дная Респу́блика

Hwang Ho ['hwæŋ'hou] *р.* Хуанхэ́

Iceland ['aıslənd] Исла́ндия

India ['ındjə] И́ндия

Indian Ocean ['ındjən'ouʃ(ə)n] Инди́йский океа́н

Indonesia [,ındo(u)'ni:ʒə] Индоне́зия

Iran [ɪ'rɑ:n] Ира́н
Iraq [ɪ'rɑ:k] Ира́к
Ireland ['aɪələnd] Ирла́ндия
Israel ['ɪzreɪ(ə)l] Изра́иль
Istanbul [ˌɪstæm'bu:l] Стамбу́л
Italy ['ɪtəlɪ] Ита́лия

Jakarta [dʒə'kɑ:tə] Джака́рта
Jamaica [dʒə'meɪkə] Яма́йка
Japan [dʒə'pæn] Япо́ния
Jerusalem [dʒə'ru:sələm] Иерусали́м
Jordan ['dʒɔ:d(ə)n] Иорда́ния
Jugoslavia ['ju:go(u)'slævjə] *см.* Yugoslavia

Kabul ['kɔ:bl] Кабу́л
Kampuchea [kəm'pu:tʃɪə] Кампучи́я; **People's Republic of Kampuchea** ['pi:plzrɪ'pʌblɪkəvkəm'pu:tʃɪə] Наро́дная Респу́блика Кампучи́я
Karachi [kə'rɑ:tʃɪ] Кара́чи
Kara Sea ['kɑ:rə'si:] Ка́рское мо́ре
Kashmir ['kæʃmɪə] Кашми́р
Kazakh Soviet Socialist Republic [kə'zɑ:h'souvɪet'souʃəlɪstrɪ'pʌblɪk] Каза́хская Сове́тская Социалисти́ческая Респу́блика
Kenya ['ki:njə] Ке́ния
Kiev ['ki:jef] Ки́ев
Kinshasa [kɪn'ʃɑ:sə] Кинша́са
Kirghiz Soviet Socialist Republic [kə:'gi:z'souvɪet'souʃəlɪstrɪ'pʌblɪk] Кирги́зская Сове́тская Социалисти́ческая Респу́блика
Kishinev [ˌkɪʃɪ'njɔ:f] Кишинёв
Korea [ko(u)'ri:ə] Коре́я: **Democratic People's Republic of Korea** [ˌdemə'krætɪk'pi:plzrɪ'pʌblɪkəvko(u)'ri:ə] Коре́йская Наро́дно-Демократи́ческая Респу́блика; **South Korea** ['sauθko(u)'ri:ə] Ю́жная Коре́я
Kuala Lumpur ['kwɑ:lə'lumpuə] Куа́ла-Лу́мпур
Kuril(e) Islands [ku'ri:l'aɪləndz] Кури́льские острова́
Kuwait [ku'weɪt] Куве́йт

La Manche [lɑ:'mɑ:ŋʃ] Ла-Ма́нш
Laos [lauz] Лао́с; **Lao People's Democratic Republic** [lau'pi:plzˌdemə'krætɪkrɪ'pʌblɪk] Лао́сская Наро́дно-Демократи́ческая Респу́блика
Latvian Soviet Socialist Republic ['lætvɪən'souvɪet'souʃəlɪstrɪ'pʌblɪk] Латви́йская Сове́тская Социалисти́ческая Респу́блика
Lebanon ['lebənən] Лива́н
Leeds [li:dz] Лидс
Lena ['ljenə] *р.* Ле́на
Leningrad ['lenɪngrɑ:d] Ленингра́д
Lesotho [le'sɔtə] Лесо́то
Lhasa ['lɑ:sə] Лха́са
Liberia [laɪ'bɪərɪə] Либе́рия
Libya ['lɪbɪə] Ли́вия
Lisbon ['lɪzbən] Лиссабо́н
Lithuanian Soviet Socialist Republic [ˌlɪθju:'eɪnjən'souvɪet'souʃəlɪstrɪ'pʌblɪk] Лито́вская Сове́тская Социалисти́ческая Респу́блика
Liverpool ['lɪvəpu:l] Ливерпу́ль
London ['lʌndən] Ло́ндон
Los Angeles [lɔs'ændʒələs] Лос-А́нджелес
Luxemburg ['lʌksəmbə:g] Люксембу́рг

Madagascar [ˌmædə'gæskə] Мадагаска́р

Madrid [mə'drɪd] Мадри́д
Malawi [mɑ:'lɑ:wɪ] Мала́ви
Malaysia [mə'leɪʒə] Мала́йзия
Maldive Islands ['mældaɪv-'aɪləndz] Мальди́вские острова́
Mali ['mɑ:lɪ] Мали́
Malta ['mɔ:ltə] Ма́льта
Managua [mɑ:'nɑ:gwɑ:] Мана́гуа
Manchester ['mæntʃɪstə] Ма́нчестер
Massachusetts [,mæsə'tʃu:sets] Массачу́сетс
Mauritania [,mɔ:rɪ'teɪnɪə] Маврита́ния
Mediterranean Sea [,medɪtə'reɪnjən'si:] Средизе́мное мо́ре
Mexico ['meksɪkou] Ме́ксика
Michigan ['mɪʃɪgən] Мичига́н
Middle East ['mɪdli:st] Бли́жний Восто́к
Minsk [mɪnsk] Минск
Mississippi [,mɪsɪ'sɪpɪ] *р.* Миссиси́пи
Missouri [mɪ'zuərɪ] *р.* Миссу́ри
Moldavian Soviet Socialist Republic [mɔl'deɪvjən'souvɪet-'souʃəlɪstrɪ'pʌblɪk] Молда́вская Сове́тская Социалисти́ческая Респу́блика
Mongolia [mɔŋ'gouljə] Монго́лия; **Mongolian People's Republic** [mɔŋ'gouljən'pi:plzrɪ-'pʌblɪk] Монго́льская Наро́дная Респу́блика
Morocco [mo(u)'rɔkou] Маро́кко
Moscow ['mɔskou] Москва́
Munich ['mju:nɪk] Мю́нхен

Nanking ['næn'kɪŋ] Нанки́н
Nepal [nɪ'pɔ:l] Непа́л
Netherlands ['neðələndz] Нидерла́нды
Neva [nje'vɑ:] *р.* Нева́
Newcastle ['nju:,kɑ:sl] Нью-ка́сл
New York ['nju:'jɔ:k] Нью-Йо́рк
New Zealand ['nju:'zi:lənd] Но́вая Зела́ндия
Niagara [naɪ'ægərə] *р.* Ниага́ра
Nicaragua [,nɪkə'rɑ:gwə] Никара́гуа; **Republic of Nicaragua** [rɪ'pʌblɪkəv,nɪkə'rɑ:gwə] Респу́блика Никара́гуа
Niger ['naɪdʒə] Ни́гер
Nigeria [naɪ'dʒɪərɪə] Ниге́рия
Nile [naɪl] *р.* Нил
Northern Dvina ['nɔ:ð(ə)ndvɪ-'nɑ:] *р.* Се́верная Двина́
North Pole ['nɔ:θ'poul] Се́верный по́люс
North Sea ['nɔ:θ'si:] Се́верное мо́ре
Norway ['nɔ:weɪ] Норве́гия
Nuremberg, Nürnberg ['njuərəmbə:g, 'nju:rnberh] Ню́рнберг

Ob [ɔb] *р.* Обь
Oder ['oudə] *р.* О́дер
Odessa [o(u)'desə] Оде́сса
Ogden ['ɔgdən] О́гден
Orinoco [,ourɪ'noukou] *р.* Орино́ко
Orkney Islands ['ɔ:knɪ'aɪləndz] Оркне́йские острова́
Oslo ['ɔslou] О́сло
Ottawa ['ɔtəwə] Отта́ва
Oxford ['ɔksfəd] О́ксфорд

Pacific Ocean [pə'sɪfɪk'ouʃ(ə)n] Ти́хий океа́н
Pakistan [,pækɪs'tɑ:n] Пакиста́н
Panama ['pænəmɑ:] Пана́ма
Panama Canal ['pænəmɑ:kə-'næl] Пана́мский кана́л
Paraguay ['pærəgwaɪ] Парагва́й

Paris ['pærɪs] Пари́ж

Peking ['pi:'kɪŋ] Пеки́н

Peru [pə'ru:] Перу́

Philadelphia [ˌfɪlə'delfɪə] Филаде́льфия

Philippine Islands ['fɪlɪpi:n-'aɪləndz] Филиппи́нские острова́, Филиппи́ны

Philippines ['fɪlɪpi:nz] 1) Филиппи́ны *(государство)* 2) *см.* Philippine Islands

Plymouth ['plɪməθ] Пли́мут

Pnompenh [nɔm'pen] Пномпе́нь

Poland ['poulənd] По́льша; **Polish People's Republic** ['poulɪʃ'pi:plzrɪ'pʌblɪk] По́льская Наро́дная Респу́блика

Portsmouth ['pɔ:tsməθ] По́ртсмут

Portugal ['pɔ:tjug(ə)l] Португа́лия

Prague [prɑ:g] Пра́га

Pyongyang ['pjə:ŋ'jɑ:ŋ] Пхенья́н

Pyrennes [ˌpɪrə'ni:z] Пирене́и

Quebec [kwɪ'bek] Квебе́к

Rangoon [ræŋ'gu:n] Рангу́н

Red Sea ['red'si:] Кра́сное мо́ре

Republic of South Africa [rɪ-'pʌblɪkəv'sauθ'æfrɪkə] Южно-Африка́нская Респу́блика

Reykjavik ['reɪkjɑ:ˌvi:k] Ре́йкьявик

Rhine [raɪn] *р.* Рейн

Riga ['ri:gə] Ри́га

Rio de Janeiro ['ri:oudədʒə-'neɪrou] Ри́о-де-Жане́йро

Rocky Mountains ['rɔkɪ-'mauntɪnz] Скали́стые го́ры

Rome [roum] Рим

R(o)umania [ru:'meɪnjə] Румы́ния; **Socialist Republic of R(o)umania** ['souʃəlɪstrɪ'pʌblɪkəvru:'meɪnjə] Социалисти́ческая Респу́блика Румы́ния

Russia ['rʌʃə] Росси́я

Russian Soviet Federative Socialist Republic ['rʌʃ(ə)n'souvɪet-'fedərətɪv'souʃəlɪstrɪ'pʌblɪk] Росси́йская Сове́тская Федерати́вная Социалисти́ческая Респу́блика

Rwanda [ru:'ɑ:ndə] Руа́нда

Sahara [sə'hɑ:rə] Саха́ра

Salvador ['sælvədɔ:] Сальвадо́р

Sana, Sanaa [sɑ:'nɑ:, sɔn'æ] Сана́

San Francisco [ˌsænfrən'sɪs-kou] Сан-Франци́ско

Saudi Arabia [sɑ:'u:dɪə'reɪ-bɪə] Сау́довская Ара́вия

Scotland ['skɔtlənd] Шотла́ндия

Seine [seɪn] *р.* Се́на

Senegal [ˌsenɪ'gɔ:l] Сенега́л

Seoul [seɪ'u:l] Сеу́л

Sevastopol [ˌsɪvʌs'tɔ:pəlj] Севасто́поль

Shanghai ['ʃæŋ'haɪ] Шанха́й

Sheffield ['ʃefi:ld] Ше́ффилд

Shetland Islands ['ʃetlənd'aɪ-ləndz] Шетла́ндские острова́

Siberia [saɪ'bɪərɪə] Сиби́рь

Singapore [ˌsɪŋgə'pɔ:] Сингапу́р

Sofia ['soufɪə] Софи́я

Somalia [so(u)'mɑ:lɪə] Сомали́

Southampton [sauθ'æm(p)-tən] Саутге́мптон

South Pole ['sauθ'poul] Ю́жный по́люс

Spain [speɪn] Испа́ния

Sri Lanka ['srɪ'læŋkə] Шри-Ла́нка

Stockholm [ˈstɔkhoum] Стокго́льм

Sucre [ˈsu:kreɪ] Су́кре

Sudan [su:ˈdæn] Суда́н

Suez Canal [ˈsu:ɪzkəˈnæl] Суэ́цкий кана́л

Swaziland [ˈswɑ:zɪˌlænd) Сва́зиленд

Sweden [ˈswi:dn] Шве́ция

Switzerland [ˈswɪtsələnd] Швейца́рия

Sydney [ˈsɪdnɪ] Си́дней

Syr-Darya [ˈsɪrdɑ:rˈjɑ:] *р.* Сырдарья́

Syria [ˈsɪrɪə] Си́рия

Tadjik Soviet Socialist Republic [tɑ:ˈdʒɪkˈsouvɪetˈsouʃəlɪstrɪˈpʌblɪk] Таджи́кская Сове́тская Социалисти́ческая Респу́блика

Taiwan [taɪˈwɑ:n] *о-в* Тайва́нь

Tallinn [ˈtɑ:lɪn] Та́ллин

Tanganyika, Lake [ˈleɪkˌtæŋgəˈnji:kə] *оз.* Танганьи́ка

Tanzania [ˌtænˈzɑ:njə] Танза́ния

Tashkent [tɑ:ʃˈkent] Ташке́нт

Tbilisi [tbɪˈlɪsɪ] Тбили́си

Tchad [tʃɑ:d] Чад

Teheran, Tehran [ˌtɪəˈrɑ:n, teˈhrɑ:n] Тегера́н

Tel Aviv [ˈteləˈvi:v] Тель-Ави́в

Thailand [ˈtaɪlænd] Таила́нд

Thames [temz] *р.* Те́мза

Tibet [tɪˈbet] Тибе́т

Tirana [tɪˈrɑ:nɑ:] Тира́на

Togo [ˈtougou] То́го

Tokyo [ˈtoukɪou] То́кио

Trieste [trɪˈest] Трие́ст

Trinidad and Tobago [ˈtrɪnɪdædəndto(u)ˈbeɪgou] Тринида́д и Тоба́го

Tunisia [tju:ˈnɪʒɪə] Туни́с

Turkey [ˈtə:kɪ] Ту́рция

Turkmen Soviet Socialist Republic [ˈtə:kmənˈsouvɪetˈsouʃəlɪstrɪˈpʌblɪk] Туркме́нская Сове́тская Социалисти́ческая Респу́блика

Uganda [ju:ˈgændə] Уга́нда

Ukrainian Soviet Socialist Republic [ju:ˈkreɪnjənˈsouvɪetˈsouʃəlɪstrɪˈpʌblɪk] Украи́нская Сове́тская Социалисти́ческая Респу́блика

Ulan Bator [ˈu:lɑ:nˈbɑ:tɔ:] Ула́н-Ба́тор

Union of Soviet Socialist Republics [ˈju:njənəvˈsouvɪetˈsouʃəlɪstrɪˈpʌblɪks] Сою́з Сове́тских Социалисти́ческих Респу́блик

United Kingdom of Great Britain and Northern Ireland [ju:ˈnaɪtɪdˈkɪŋdəməvˈgreɪtˈbrɪtnəndˈnɔ:ð(ə)nˈaɪələnd] Соединённое Короле́вство Великобрита́нии и Се́верной Ирла́ндии

United States of America [ju:ˈnaɪtɪdˈsteɪtsəvəˈmerɪkə] Соединённые Шта́ты Аме́рики

Urals [ˈjuər(ə)lz] Ура́л

Uruguay [ˈurugwaɪ] Уругва́й

Uzbek Soviet Socialist Republic [ˈuzbekˈsouvɪetˈsouʃəlɪstrɪˈpʌblɪk] Узбе́кская Сове́тская Социалисти́ческая Респу́блика

Vatican (City) [ˈvætɪkən (ˈsɪtɪ)] Ватика́н

Venezuela [ˌvenəˈzweɪlə] Венесуэ́ла

Venice [ˈvenɪs] Вене́ция

Vesuvius [vɪˈsju:vɪəs] Везу́вий

Vienna [vɪˈenə] Ве́на

Vietnam [ˈvjetˈnæm] Вьетна́м;

Socialist Republic of Vietnam [ˈsouʃəlistrɪˈpʌblɪkəvˈvjetˈnæm] Социалисти́ческая Респу́блика Вьетна́м

Vilnius [ˈvɪlnɪəs] Ви́льнюс

Vistula [ˈvɪstjulə] *р.* Ви́сла

Vladivostok [ˌvlædɪˈvɔstɔk] Владивосто́к

Volga [ˈvɔlgə] *р.* Во́лга

Volgograd [ˌvɔlgəˈgrɑːd] Волгогра́д

Wales [weɪlz] Уэ́льс

Warsaw [ˈwɔːsɔː] Варша́ва

Washington [ˈwɔʃɪŋtən] Вашингто́н

White Sea [ˈwaɪtˈsiː] Бе́лое мо́ре

Yemen [ˈjemən] Йе́мен; **People's Democratic Republic of Yemen** [ˈpiːplzˌdeməˈkrætɪkrɪˈpʌblɪkəvˈjemən] Наро́дная Демократи́ческая Респу́блика Йе́мен; **Yemen Arab Republic** [ˈjemənˈærəbrɪˈpʌblɪk] Йе́менская Ара́бская Респу́блика

Yenisei [ˌjenɪˈseɪ] *р.* Енисе́й

Yerevan [ˌjereˈvɑːn] Ерева́н

Yugoslavia [ˈjuːgo(u)ˈslɑːvjə] Югосла́вия; **Socialist Federal Republic of Yugoslavia** [ˈsouʃəlɪstˈfedərəlrɪˈpʌblɪkəvˈjuːgo(u)ˈslɑːvjə] Социалисти́ческая Федерати́вная Респу́блика Югосла́вия

Zaire [zɑːˈɪə(r)] Заи́р

Zambia [ˈzæmbɪə] За́мбия

Zanzibar [ˈzænzɪbɑː] *о-в* Занзиба́р

Zealand [ˈziːlənd] *о-в* Зела́ндия

Zimbabwe [zɪmˈbɑːbwɪ] Зимба́бве

НАИБОЛЕЕ УПОТРЕБИТЕЛЬНЫЕ СОКРАЩЕНИЯ, ПРИНЯТЫЕ В ВЕЛИКОБРИТАНИИ И В США

A. Academy акаде́мия; America Аме́рика

a. acre акр (4047 $м^2$); afternoon по́сле полу́дня

A. 1. первокла́ссный

A.A. American Army америка́нская а́рмия

AAAS American Association for the Advancement of Science Америка́нская ассоциа́ция соде́йствия разви́тию нау́ки

A.B. able-bodied го́ден (к вое́нной слу́жбе)

abbr.; abbrev. abbreviation сокраще́ние; abbreviated сокращённый

ABC *см. в корпусе словаря*

ab. init. ab initio *лат.* снача́ла

Abp archbishop архиепи́скоп

A.C., AC ante Christum *лат.* до на́шей э́ры; aircraftman рядово́й авиа́ции *(в Англии)*

AC, ac alternating current переме́нный ток

a/c account current теку́щий счёт

A.D. Anno Domini *лат.* на́шей э́ры

ad *см.* advt

Adm Admiral адмира́л

advt advertisement объявле́ние, рекла́ма

AEC Atomic Energy Commission Коми́ссия по а́томной эне́ргии

AFL—CIO American Federation of Labor—Congress of Industrial Organization АФТ—КПП, Америка́нская федера́ция труда́ и Конгре́сс произво́дственных профсою́зов

Agcy agency управле́ние; аге́нтство

a. h. ampere-hour ампе́р-час

A.L. American Legion «Америка́нский легио́н» *(организация участников первой и второй мировых войн)*

Ala Alabama штат Алаба́ма

a.m. ante meridiem *лат.* до полу́дня

A.P. Associated Press информацио́нное аге́нтство Ассо́шиэйтед пресс

Appx. appendix приложе́ние

Apr. April апре́ль

AR annual return годово́й отчёт

Ariz. Arizona штат Аризо́на

Ark. Arkansas штат Арканза́с

A.S. Anglo-Saxon англо-саксо́нский

Assoc. Association о́бщество, ассоциа́ция

Asst assistant ассисте́нт; помо́щник; замести́тель

Aug. August а́вгуст

B. bachelor бакала́вр

B.A. Bachelor of Arts бакала́вр гуманита́рных нау́к; British Academy Брита́нская акаде́мия

BAEC British Atomic Energy Corporation Брита́нская корпора́ция по а́томной эне́ргии

BBC British Broadcasting Corporation Брита́нская радиовеща́тельная корпора́ция, Би-Би-Си́

B.C. before Christ до на́шей э́ры

B.E. Bank of England Англи́йский банк

B.M. Bachelor of Medicine бакала́вр медици́ны

B.N. bank-note банкно́та

B. of E. Bank of England Англи́йский банк

bot. botanical ботани́ческий

Brit. British брита́нский

Bros brothers бра́тья *(в названиях компаний)*

B.S. bill of sale закладна́я

B. Sc. Bachelor of Science бакала́вр есте́ственных нау́к

bsh bushel бу́шель

Bt Baronet барон́ет

BW biological warfare биологи́ческая война́

C. Centigrade стогра́дусная температу́рная шкала́ (Це́льсия)

c. capacity 1) производи́тельность; мо́щность 2) грузоподъёмность; centimetre сантиме́тр

Cal. California штат Калифо́рния

Can. Canada Кана́да

Cantab. Cantabrigian Ке́мбриджский

Capt. Captain капита́н

C.C. cash credit (ба́нковский) креди́т нали́чными деньга́ми

C.D. Civil Defense Act гражда́нская оборо́на

C.E. Church of England англика́нская це́рковь; Civil Engineer (гражда́нский) инжене́р, инжене́р-строи́тель

Cent. Centigrade стогра́дусная температу́рная шкала́ (Це́льсия)

cf. confer сравни́

ch., chap chapter глава́

C.I.D. Criminal Investigation Department Отде́л уголо́вного ро́зыска *(Англия)*

C.-in-C. Commander-in-Chief главнокома́ндующий

C.J. Chief Justice председа́тель суда́

cm. centimetre сантиме́тр

CM court marshal вое́нный суд

Co. company компа́ния *(промышленная, торговая и т. п.)*; county *англ.* гра́фство; *амер.* о́круг

c/o care of для переда́чи *(такому-то)*

COD cash on delivery нало́женный платёж

Col. Colonel полко́вник

Colo. Colorado штат Колора́до

Com. Communist 1) коммуни́ст 2) коммунисти́ческий

Conn. Connecticut штат Конне́ктикут

Corn. Cornwall Ко́рнуолл

C.P. Communist Party коммунисти́ческая па́ртия

cp. compare сравни́

CPA Communist Party of Australia Коммунисти́ческая па́ртия Австра́лии

C.P.G.B. Communist Party of Great Britain Коммунисти́ческая па́ртия Великобрита́нии

C.P.S.U. Communist Party of the Soviet Union КПСС, Коммунистическая партия Советского Союза

C.P.U.S.A. Communist Party of the United States of America Коммунистическая партия США

Cr. creditor кредитор

C.S. Civil Service государственная гражданская служба

cu. cubic кубический

Cumb. Cumberland Камберленд

D. Democrat демократ, член демократической партии; Democratic демократический, относящийся к демократической партии

d. denarius *лат.* пенни

D.A. *амер.* District Attorney окружной прокурор

Dak. Dakota штат Дакота

D.C. District of Columbia округ Колумбия

D.C.L. Doctor of Civil Law доктор гражданского права

d—d damned проклятый

D.E. degree of elasticity степень упругости

Dec. December декабрь

deg. degree 1) степень 2) градус

Del. Delaware штат Делавэр

Dem. Democrat демократ, член демократической партии; Democratic демократический, относящийся к демократической партии

Dept. department отдел; управление; министерство; ведомство

D.F.C. Distinguished Flying Cross крест «За лётные боевые заслуги»

D. Lit. Doctor of Literature доктор литературы

D.M. Doctor of Medicine доктор медицины

D.O.R.A. Defence of the Realm Act закон об обороне королевства

D.P. displaced person перемещённое лицо

D. Phil. Doctor of Philosophy доктор философии

Dr. doctor доктор

dram. pers. dramatis personae *лат.* действующие лица

D.S.C. Distinguished Service Cross крест «За боевые заслуги»

E. East восток; English английский

E.B. Encyclopedia Britannica *лат.* Британская Энциклопедия

E.C. Executive Committee исполнительный комитет

ed. editor редактор; edition издание

e. g. exempli gratia *лат.* например

Eng. England Англия

eng. engineer инженер

esp. especially особенно

Esq. Esquire эсквайр

etc. et cetera *лат.* и прочее

exx examples примеры

F. Fahrenheit температурная шкала Фаренгейта; February февраль; Fellow член *(какого-л. общества)*; French французский; Friday пятница

f. following следующий

F.A.O. Food and Agricultural Organization of the United Nations ФАО, Продовольственная и сельскохозяйственная организация

F.B.I. Federal Bureau of Investigation ФБР, Федеральное бюро́ расследований *(США)*

F.C.D.A. Federal Civil Defense Administration Федера́льное управле́ние гражда́нской оборо́ны *(США)*

Feb. February февра́ль

fem. feminine же́нский род

Fla. Florida штат Флори́да

F.M. Field Marshal фельдма́ршал

F.O. Foreign Office Министе́рство иностра́нных дел *(Англии)*

Fri. Friday пя́тница

F.R.S. Fellow of the Royal Society член Короле́вского о́бщества (соде́йствия разви́тию естествозна́ния)

ft foot фут (0,305 *м)*

g. guinea гине́я

Ga. Georgia штат Джо́рджия

gal. gallon галло́н

G.B. Great Britain Великобрита́ния

Gen. General генера́л

gen. general гла́вный; всео́бщий

Ger. German неме́цкий, герма́нский

G.H.Q. General Headquarters ста́вка, гла́вное кома́ндование

G.I. Government Issue *амер. разг.* солда́т

Gk. Greek гре́ческий

gm. gram(me) грамм

G.M.T. Greenwich mean time сре́днее вре́мя по гри́н(в)ичскому меридиа́ну

Gov. governor губерна́тор

Govt. Government прави́тельство

G.P.O. General Post Office гла́вное почто́вое управле́ние

gr. gram(me) грамм

G.S. General Staff о́бщий штаб

Gs. gs guineas гине́и

H., h. harbour га́вань, порт; height высота́; hour час; hundred сто, со́тня

ha. hectare гекта́р

H.C. House of Commons пала́та о́бщин

H.E. His Excellency его́ превосходи́тельство

H.G. Home Guard войска́ ме́стной оборо́ны

H.L. House of Lords пала́та ло́рдов

H.M. His (Her) Majesty его́ (её) вели́чество

H.M.S. His (Her) Majesty's Ship кора́бль англи́йского вое́нно-морско́го фло́та

H.O. Home Office Министе́рство вну́тренних дел *(Англии)*

Hon. Honorary почётный

h. p. high pressure высо́кое давле́ние; horsepower *тех.* лошади́ная си́ла

H.Q. Headquarters штаб

H.R. House of Representatives пала́та представи́телей

hr hour час

I. Idaho штат Айда́хо; Iowa штат А́йова

Ia. Iowa штат А́йова

ib, ibid ibidem *лат.* там же

id. idem *лат.* тот же

i.e. id est *лат.* т.е., то́ есть

Ill. Illinois штат Иллино́йс

in. inch дюйм

Ind. Indiana штат Индиа́на

Inst. Institute институ́т

inst. instant *лат.* сего́ ме́сяца

I.O.M. Isle of Man *о-в* Мэн

IOU I owe you я вам до́лжен *(форма долговой расписки)*

Ir. Irish ирла́ндский

IRC International Red Cross Междунаро́дное о́бщество Кра́сного Креста́

ISO International Organization for Standardization Междунаро́дная организа́ция по стандартиза́ции

It Italian италья́нский

ital. italics курси́в

I. W. Isle of Wight *о-в* Уайт

J. judge судья́

Jan. January янва́рь

J.P. Justice of the Peace мирово́й судья́

Jr. Junior мла́дший

Kan. Kansas штат Канза́с

K. C. King's Counsel короле́вский адвока́т

kg. kilogram(me) килогра́мм

KKK Ku-Klux-Klan ку-клукс-кла́н *(террористическая расистская организация в США)*

km. kilometre киломе́тр

K.O. knock-out *спорт.* нока́ут

Kt Knight 1) ры́царь 2) кавале́р о́рдена

kts knots *мор.* узлы́

Ky. Kentucky штат Кенту́кки

L. Lady ле́ди; Latin лати́нский; libra *лат.* фунт *(стерлингов)*

l. latitude широта́

La. Louisiana штат Луизиа́на

Lancs. Lancashire Ла́нкашир

Lat. Latin лати́нский

lat. latitude широта́

lb. libra *лат.* фунт

Ld limited (компа́ния) с ограни́ченной отве́тственностью

Leics. Leicestershire Ле́стершир

Lincs. Lincolnshire Ли́нкольншир

LL.D. Legum Doctor *лат.* до́ктор прав

long. longitude долгота́

L.P. Labour Party лейбори́стская па́ртия

L.s.d. librae, solidi, denarii *лат.* фу́нты (сте́рлингов), ши́ллинги, пе́нсы

Lt Lieutenant лейтена́нт

Ltd *см.* Ld

M. Manitoba Манито́ба; Master маги́стр; Monday понеде́льник

m. masculine мужско́й род; metre метр; mile ми́ля; minute мину́та

M. A. Master of Arts маги́стр гуманита́рных нау́к

Maj. Major майо́р

Man. Manitoba Манито́ба

Mar. March март

masc. masculine мужско́й род

Mass. Massachusetts штат Массачу́сетс

M.C. Member of Congress член Конгре́сса

M.D. Doctor of Medicine до́ктор медици́ны

Md. Maryland штат Мэ́риленд

Me. Maine штат Мэн

mg. milligram(me) миллигра́мм

M.H.R. Member of the House of Representatives член пала́ты представи́телей

Mich. Michigan штат Мичига́н

mil. military вое́нный, во́инский

Minn. Minnesota штат Миннесо́та

Miss. Mississippi штат Миссиси́пи

mm. millimetre миллиме́тр
Mo. Missouri штат Миссу́ри
mo. month ме́сяц
mod. moderate 1) уме́ренный 2) сре́дний
Mon. Monday понеде́льник
Mont. Montana штат Монта́на
mos. months ме́сяцы
M. P. Member of Parliament член парла́мента; Military Police вое́нная поли́ция
m.p.h. miles per hour (сто́лько-то) миль в час
Mr. Mister ми́стер, господи́н
Mrs Mistress ми́ссис, госпожа́
MS. manuscript ру́копись
MSS. manuscripts ру́кописи
Mt. mount гора́

N. North се́вер
n. neuter сре́дний род; neutral нейтра́льный; noun и́мя существи́тельное
N.A. North America Се́верная Аме́рика
NAM National Association of Manufacturers Национа́льная ассоциа́ция промы́шленников *(США)*
NAS National Academy of Sciences Национа́льная акаде́мия наук *(США)*
NATO North Atlantic Treaty Organization НАТО, Североатланти́ческий сою́з
naut. nautical морско́й; морехо́дный
nav. naval вое́нно-морско́й
N.B. nota bene *лат.* нотабе́не
N.C. North Carolina штат Се́верная Кароли́на
N. C. O. non-commissioned officer сержа́нт
N. Dak. North Dakota штат Се́верная Дако́та
N.E. New England Но́вая А́нглия; north-east се́веро-восто́к
Neb. Nebraska штат Небра́ска
Nev. Nevada штат Нева́да
N.F. Newfoundland Ньюфаундле́нд
N.H. New Hampshire штат Нью-Ге́мпшир
N.J. New Jersey штат Нью-Дже́рси
N. Mex. New Mexico шта́т Нью-Ме́ксико
no. number 1) но́мер 2) число́
non-com. *см.* N. C. O.
nos. numbers номера́
Notts. Nottinghamshire Но́ттингемшир
Nov. November ноя́брь
N.S. new style но́вый стиль
N.S.W. New South Wales Но́вый Ю́жный Уэ́льс
N.Y. New York Нью-Йо́рк
N.Z. New Zealand Но́вая Зела́ндия

O. Ohio штат Ога́йо
O.B.E. Officer (of the Order) of the British Empire кавале́р о́рдена Брита́нской импе́рии 4-й сте́пени
obs. obsolete устаре́вший
Oct. October октя́брь
O.K. all correct всё в поря́дке; хорошо́, ла́дно
Okla. Oklahoma штат Оклахо́ма
Ont. Ontario Онта́рио
Oreg. Oregon штат Орего́н
O.S. old style ста́рый стиль
O.U. Oxford University О́ксфордский университе́т
Oxon. Oxonian *лат.* О́ксфордский
oz ounce(s) у́нция(-ии)

p. page страни́ца

par. paragraph пара́граф, абза́ц

Parl. parliament парла́мент

P. C. police constable полице́йский, консте́бль

p. c. per cent проце́нт, %

Penn., Penna. Pennsylvania штат Пенсильва́ния

Ph. D. Doctor of Philosophy до́ктор филосо́фии

phr. phrase фра́за

pl. plural мно́жественное число́

P.M. Prime Minister премье́р-мини́стр

p. m. post meridiem *лат.* пополу́дни

P.O. postal order де́нежный перево́д по по́чте; Post Office почто́вое отделе́ние

P.O.B. Post Office Box почто́вый абонеме́нтный я́щик

pol. political полити́ческий

P.O.W. prisoner of war военнопле́нный

pp. pages страни́цы

pref. preface предисло́вие

Prof. Professor профе́ссор

prox. proximo *лат.* сле́дующего́ ме́сяца

P. S. postscript постскри́птум, припи́ска

psi pound per square inch (сто́лько-то) фу́нтов на квадра́тный дюйм

P.T. physical training физи́ческая подгото́вка

pt part часть; port порт

Pte Private рядово́й

P.T.O. please turn over смотри́ на оборо́те

Q. question вопро́с

Q.C. Queen's Counsel короле́вский адвока́т

Que. Quebec Квебе́к

quot. quotation цита́та

R. Réaumur температу́рная шкала́ (Реомю́ра)

R.A.A. Royal Academy of Arts Короле́вская акаде́мия (изобрази́тельных) иску́сств

rad. radical радика́л

R.A.F. Royal Air Force англи́йские вое́нно-возду́шные си́лы

R.C. Red Cross Кра́сный Крест

R.C.A. Radio Corporation

rd road доро́га

regt regiment полк; regimental полково́й

Rep. Representative конгрессме́н *(США)*; Republican член республика́нской па́ртии *(США)*

Rev., Revd Reverend преподо́бный *(титул священника)*

R. N. Royal Navy англи́йский вое́нно-морско́й флот

R. S. P. C. A. Royal Society for the Prevention of Cruelty to Animals Короле́вское о́бщество защи́ты живо́тных

Russ. Russian ру́сский

Ry railway желе́зная доро́га

S. South юг; Southern ю́жный

s. second секу́нда; shilling ши́ллинг

S.A. Salvation Army А́рмия спасе́ния *(религиозная организация)*; South Africa Ю́жная А́фрика; South America Ю́жная Аме́рика

Sat. Saturday суббо́та

SC Security Council Сове́т Безопа́сности

S.C. South Carolina штат Ю́жная Кароли́на

Sc. Scotch шотла́ндец; Scottish шотла́ндский

S. Dak. South Dakota штат Ю́жная Дако́та

S.E. South-east юго-восто́к

Sec. Secretary секрета́рь; мини́стр

sec. second секу́нда

Secy. Secretary секрета́рь; мини́стр

Sen. Senate сена́т; Senator сена́тор

Sept. September сентя́брь

Sergt. Sergeant сержа́нт

s.g. specific gravity уде́льный вес

sh. shilling ши́ллинг

SOS междунаро́дный радиосигна́л бе́дствия

spt. seaport морско́й порт

Sr Senior ста́рший

S.S. steamship парохо́д

St saint свято́й; street у́лица

St.Ex. Stock Exchange фо́ндовая би́ржа

Su. Sunday воскресе́нье

sub. substitute замени́тель

Sun. Sunday воскресе́нье

suppl. supplement приложе́ние

surg. surgeon хиру́рг; вое́нный врач

S.W. South-west юго-за́пад

Sw. Sweden Шве́ция

t. temperature температу́ра; ton то́нна; town го́род

Tasm. Tasmania Тасма́ния

tech. technical техни́ческий

Tenn. Tennessee штат Теннесси́

Th. Thursday четве́рг

T.U. trade union тред-юнио́н; профессиона́льный сою́з, профсою́з

T.U.C. Trade Union Congress Конгре́сс (брита́нских) тред-юнио́нов

Tues. Tuesday вто́рник

TV television телеви́дение

U. Union сою́з; University университе́т

u. upper ве́рхний

U.K. United Kingdom (of Great Britain and Northern Ireland) Соединённое Короле́вство (Великобрита́нии и Се́верной Ирла́ндии)

ult. ultimo *лат.* исте́кшего ме́сяца

UN United Nations ООН, Организа́ция Объединённых На́ций

UNESCO United Nations Educational, Scientific and Cultural Organization ЮНЕСКО, Организа́ция Объединённых На́ций по вопро́сам образова́ния и культу́ры

Univ. University университе́т

UNO United Nations Organization ООН, Организа́ция Объединённых На́ций

U.P.I. United Press International ЮПИ, информацио́нное аге́нтство Юна́йтед пресс Интерна́шнл

US United States (of America) Соединённые Шта́ты (Аме́рики)

USA United States Army сухопу́тные войска́ США; United States of America США, Соединённые Шта́ты Аме́рики

USAEC United States Atomic Energy Commission Коми́ссия по а́томной эне́ргии США

USAF United States Air Force вое́нно-возду́шные си́лы США

USDA United States Department of Agriculture Министе́рство се́льского хозя́йства США

U.S.N. United States Navy военно-морские силы США

USS United States Senate сенат США; United States Ship военный корабль США

U.S.S.R. Union of Soviet Socialist Republics СССР, Союз Советских Социалистических Республик

usu. usually обычно, обыкновенно

v. versus *лат.* против; в сравнении с; vide *лат.* смотри; volt *эл.* вольт

V.A. Vice-Admiral вице-адмирал

Va. Virginia штат Виргиния

VAT value-added tax налог на добавленную и приращённую стоимость

V.C. *англ.* Vice-Chancellor вице-канцлер; Victoria Cross «Крест Виктории» *(высший военный орден Англии)*

V-E Day Victory in Europe Day День победы в Европе *(во второй мировой войне)*

v.g. very good очень хорошо

viz videlicet *лат.* то есть; а именно

vol. volume 1) объём 2) том 3) громкость

vs. versus *лат.* против; в сравнении с

Vt. Vermont штат Вермонт

W. Wales Уэльс; Wednesday среда; West запад

w. watt *эл.* ватт; weight вес

War. Warwickshire Уоррикшир

Wash. Washington Вашингтон *(штат и город)*

Wed. Wednesday среда

W.F.D.Y. World Federation of Democratic Youth ВФДМ, Всемирная Федерация Демократической Молодёжи

W.F.T.U. World Federation of Trade Unions ВФП, Всемирная Федерация Профсоюзов

WHO World Health Organization Всемирная организация здравоохранения *(ООН)*

whsle wholesale оптовая торговля

WIDF Women's International Democratic Federation Международная Демократическая Федерация Женщин

Wis. Wisconsin штат Висконсин

wk. week неделя

Worcs. Worcestershire Вустершир

WPC World Peace Council Всемирный Совет Мира

wt weight вес

Wyo. Wyoming штат Вайоминг

YB year-book ежегодник

yd. yard ярд (91,44 *см)*

yld your letter dated ваше письмо от (такого-то) числа

Y. M. C. A. Young Men's Christian Association Христианский союз молодых людей *(международная организация)*

Yorks Yorkshire Йоркшир

yr year год

yr. younger младший

Y.W.C.A. Young Women's Christian Association Христианский союз молодых женщин *(международная организация)*

Z, z zero нуль; zone зона

ТАБЛИЦА ГЛАГОЛОВ, ИЗМЕНЯЮЩИХСЯ НЕ ПО ОБЩИМ ПРАВИЛАМ

Неопределённая форма	Прошедшее время	Причастие прошедшего времени	Основные значения
abide [əˈbaɪd]	abode [əˈboud] abided [əˈbaɪdəd]	abode [əˈboud] abided [əˈbaɪdəd]	пребыва́ть; жить; приде́рживаться *(чего-л.)*
arise [əˈraɪz]	arose [əˈrouz]	arisen [əˈrɪzn]	подня́ться; возни́кнуть
awake [əˈweɪk]	awoke [əˈwouk]	awaked [əˈweɪkt] awoke [əˈwouk]	буди́ть; просну́ться
be [bi:]	was [wɔz] were [wə:]	been [bi:n]	быть
bear [bɛə]	bore [bɔ:]	born(e) [bɔ:n]	нести́; роди́ть
beat [bi:t]	beat [bi:t]	beaten [ˈbi:tn]	бить
become [bɪˈkʌm]	became [bɪˈkeɪm]	become [bɪˈkʌm]	стать, сде́латься
befall [bɪˈfɔ:l]	befell [bɪˈfel]	befallen [bɪˈfɔ:l(ə)n]	случи́ться
begin [bɪˈgɪn]	began [bɪˈgæn]	begun [bɪˈgʌn]	нача́ть
bend [bend]	bent [bent]	bent [bent] bended [ˈbendɪd]	согну́ть(ся)
beseech [bɪˈsi:tʃ]	besought [bɪˈsɔ:t]	besought [bɪˈsɔ:t]	умоля́ть, упра́шивать
bid [bɪd]	bad(e) [beɪd] bid [bɪd]	bid(den) [ˈbɪd(n)]	предлага́ть *(цену)*; веле́ть, проси́ть
bind [baɪnd]	bound [baund]	bound [baund]	связа́ть
bite [baɪt]	bit [bɪt]	bit(ten) [ˈbɪt(n)]	куса́ть
bleed [bli:d]	bled [bled]	bled [bled]	кровоточи́ть
blow [blou]	blew [blu:]	blown [bloun]	дуть

break [breɪk]	broke [brouk]	broken [ˈbrouk(ə)n]	(с)лома́ть
breed [bri:d]	bred [bred]	bred [bred]	выра́щивать
bring [brɪŋ]	brought [brɔ:t]	brought [brɔ:t]	принести́
build [bɪld]	built [bɪlt]	built [bɪlt]	стро́ить
burn [bə:n]	burnt [bə:nt]	burnt [bə:nt]	жечь; горе́ть
burst [bə:st]	burst [bə:st]	burst [bə:st]	разрази́ться; взорва́ться
buy [baɪ]	bought [bɔ:t]	bought [bɔ:t]	купи́ть
cast [kɑ:st]	cast [kɑ:st]	cast [kɑ:st]	ки́нуть; лить *(металл)*
catch [kætʃ]	caught [kɔ:t]	caught [kɔ:t]	лови́ть, пойма́ть
choose [tʃu:z]	chose [tʃouz]	chosen [ˈtʃouzn]	вы́брать
cleave [kli:v]	{ clove [klouv] cleft [kleft]	{ cloven [ˈklouvn] cleft [kleft]	рассе́чь
cling [klɪŋ]	clung [klʌŋ]	clung [klʌŋ]	цепля́ться; льнуть
clothe [klouð]	clothed [klouðd]	clothed [klouðd]	оде́ть
come [kʌm]	came [keɪm]	come [kʌm]	прийти́
cost [kɔst]	cost [kɔst]	cost [kɔst]	сто́ить
creep [kri:p]	crept [krept]	crept [krept]	ползти́
cut [kʌt]	cut [kʌt]	cut [kʌt]	ре́зать
dare [dɛə]	{ durst [də:st] dared [dɛəd]	dared [dɛəd]	сметь
deal [di:l]	dealt [delt]	dealt [delt]	име́ть де́ло
dig [dɪg]	dug [dʌg]	dug [dʌg]	копа́ть
do [du:]	did [dɪd]	done [dʌn]	де́лать
draw [drɔ:]	drew [dru:]	drawn [drɔ:n]	тащи́ть; рисова́ть
dream [dri:m]	{ dreamt [dremt] dreamed [dri:md]	{ dreamt [dremt] dreamed [dri:md]	гре́зить, мечта́ть; ви́деть сны
drink [drɪŋk]	drank [dræŋk]	drunk [drʌŋk]	пить, вы́пить
drive [draɪv]	drove [drouv]	driven [ˈdrɪvn]	гнать; е́хать
dwell [dwel]	dwelt [dwelt]	dwelt [dwelt]	обита́ть; заде́рживаться *(на чём-л.)*

Неопределённая форма	Прошедшее время	Причастие прошедшего времени	Основные значения
eat [i:t]	ate [et]	eaten ['i:tn]	ку́шать, есть
fall [fɔ:l]	fell [fel]	fallen ['fɔ:l(ə)n]	па́дать
feed [fi:d]	fed [fed]	fed [fed]	корми́ть
feel [fi:l]	felt [felt]	felt [felt]	чу́вствовать
fight [faɪt]	fought [fɔ:t]	fought [fɔ:t]	сража́ться
find [faɪnd]	found [faund]	found [faund]	находи́ть
flee [fli:]	fled [fled]	fled [fled]	бежа́ть, спаса́ться
fling [flɪŋ]	flung [flʌŋ]	flung [flʌŋ]	бро́сить
fly [flaɪ]	flew [flu:]	flown [floun]	лета́ть
forbid [fə'bɪd]	forbade [fə'beɪd]	forbidden [fə'bɪdn]	запрети́ть
forget [fə'get]	forgot [fə'gɔt]	forgotten [fə'gɔtn]	забы́ть
forgive [fə'gɪv]	forgave [fə'geɪv]	forgiven [fə'gɪvn]	прости́ть
freeze [fri:z]	froze [frouz]	frozen ['frouzn]	замёрзнуть; замора́живать
get [get]	got [gɔt]	got [gɔt]	получи́ть
gild [gɪld]	{ gilt [gɪlt] gilded ['gɪldɪd]	{ gilt [gɪlt] gilded ['gɪldɪd]	позолоти́ть
give [gɪv]	gave [geɪv]	given ['gɪvn]	дать
go [gou]	went [went]	gone [gɔn]	идти́; уходи́ть; уезжа́ть
grind [graɪnd]	ground [graund]	ground [graund]	точи́ть; моло́ть
grow [grou]	grew [gru:]	grown [groun]	расти́
hang [hæŋ]	{ hung [hʌŋ] hanged [hæŋd]	{ hung [hʌŋ] hanged [hæŋd]	висе́ть; пове́сить
have [hæv]	had [hæd]	had [hæd]	име́ть
hear [hɪə]	heard [hə:d]	heard [hə:d]	слы́шать
hew [hju:]	hewed [hju:d]	{ hewed [hju:d] hewn [hju:n]	руби́ть, теса́ть

hide [haɪd]	hid [hɪd]	hidden ['hɪdn]	прятать(ся)
hit [hɪt]	hit [hɪt]	hit [hɪt]	уда́рить; попа́сть
hold [hould]	held [held]	held [held]	держа́ть
hurt [hə:t]	hurt [hə:t]	hurt [hə:t]	причини́ть боль
keep [ki:p]	kept [kept]	kept [kept]	храни́ть
kneel [ni:l]	knelt [nelt]	knelt [nelt]	станови́ться на коле́ни; стоя́ть на коле́нях
knit [nɪt]	knit [nɪt]	knit(ted) ['nɪt(ɪd)]	вяза́ть
know [nou]	knew [nju:]	known [noun]	знать
lay [leɪ]	laid [leɪd]	laid [leɪd]	класть, положи́ть
lead [li:d]	led [led]	led [led]	вести́
lean [li:n]	{ leant [lent] leaned [li:nd]	{ leant [lent] leaned [li:nd]	опере́ться, прислони́ться
leap [li:p]	{ leapt [lept] leaped [li:pt]	{ leapt [lept] leaped [li:pt]	пры́гать
learn [lə:n]	learnt learned } [lə:nt]	learnt learned } [lə:nt]	учи́ть
leave [li:v]	left [left]	left [left]	оста́вить
lend [lend]	lent [lent]	lent [lent]	одолжи́ть
let [let]	let [let]	let [let]	пусти́ть; дать
lie [laɪ]	lay [leɪ]	lain [leɪn]	лежа́ть
light [laɪt]	lit [lɪt]	lit [lɪt]	освети́ть
lose [lu:z]	lost [lɔst]	lost [lɔst]	теря́ть
make [meɪk]	made [meɪd]	made [meɪd]	де́лать
mean [mi:n]	meant [ment]	meant [ment]	подразумева́ть
meet [mi:t]	met [met]	met [met]	встре́тить
mishear [mɪs'hɪə]	misheard [mɪs'hə:d]	misheard [mɪs'hə:d]	ослы́шаться
mislead [mɪs'li:d]	misled [mɪs'led]	misled [mɪs'led]	ввести́ в заблужде́ние
mistake [mɪs'teɪk]	mistook [mɪs'tuk]	mistaken [mɪs'teɪk(ə)n]	непра́вильно понима́ть

Неопределённая форма	Прошедшее время	Причастие прошедшего времени	Основные значения
mow [mou]	mowed [moud]	mown [moun]	косить
pay [peɪ]	paid [peɪd]	paid [peɪd]	платить
put [put]	put [put]	put [put]	класть
read [ri:d]	read [red]	read [red]	читать
rebuild [rɪ'bɪld]	rebuilt [rɪ'bɪlt]	rebuilt [rɪ'bɪlt]	перестроить
ride [raɪd]	rode [roud]	ridden ['rɪdn]	ездить верхом
ring [rɪŋ]	rang [ræŋ]	rung [rʌŋ]	звонить
rise [raɪz]	rose [rouz]	risen ['rɪzn]	подняться
run [rʌn]	ran [ræn]	run [rʌn]	бежать, течь
saw [sɔ:]	sawed [sɔ:d]	{ sawn [sɔ:n] sawed [sɔ:d]	пилить
say [seɪ]	said [sed]	said [sed]	говорить, сказать
see [si:]	saw [sɔ:]	seen [si:n]	видеть
seek [si:k]	sought [sɔ:t]	sought [sɔ:t]	искать
sell [sel]	sold [sould]	sold [sould]	продавать
send [send]	sent [sent]	sent [sent]	послать
set [set]	set [set]	set [set]	устанавливать
sew [sou]	sewed [soud]	{ sewed [soud] sewn [soun]	шить
shake [ʃeɪk]	shook [ʃuk]	shaken ['ʃeɪk(ə)n]	трясти
shave [ʃeɪv]	shaved [ʃeɪvd]	{ shaved [ʃeɪvd] shaven ['ʃeɪvn]	брить(ся)
shear [ʃɪə]	sheared [ʃɪəd]	shorn [ʃɔ:n]	стричь
shed [ʃed]	shed [ʃed]	shed [ʃed]	проливать *(слёзы)*; сбрасывать
shine [ʃaɪn]	shone [ʃɔn]	shone [ʃɔn]	светить, сиять

shoe [ʃu:]	shod [ʃɔd]	shod [ʃɔd]	обува́ть; подко́вывать
shoot [ʃu:t]	shot [ʃɔt]	shot [ʃɔt]	стреля́ть; дава́ть побе́ги
show [ʃou]	showed [ʃoud]	shown [ʃoun]	пока́зывать
shrink [ʃrɪŋk]	shrank [ʃræŋk]	shrunk [ʃrʌŋk]	сокраща́ться, сжима́ться; отпря́нуть
shut [ʃʌt]	shut [ʃʌt]	shut [ʃʌt]	закрыва́ть
sing [sɪŋ]	sang [sæŋ]	sung [sʌŋ]	петь
sink [sɪŋk]	sank [sæŋk]	sunk [sʌŋk]	опуска́ться, погружа́ться
sit [sɪt]	sat [sæt]	sat [sæt]	сиде́ть
sleep [sli:p]	slept [slept]	slept [slept]	спать
slide [slaɪd]	slid [slɪd]	slid [slɪd]	скользи́ть
smell [smel]	smelt [smelt]	smelt [smelt]	па́хнуть; ню́хать
sow [sou]	sowed [soud]	{ sowed [soud] sown [soun]	(по)се́ять
speak [spi:k]	spoke [spouk]	spoken [ˈspouk(ə)n]	говори́ть
speed [spi:d]	sped [sped]	sped [sped]	ускоря́ть; спеши́ть
spell [spel]	spelt spelled } [spelt]	spelt spelled { [spelt]	писа́ть *или* чита́ть по бу́квам
spend [spend]	spent [spent]	spent [spent]	тра́тить
spill [spɪl]	{ spilt [spɪlt] spilled [spɪld]	{ spilt [spɪlt] spilled [spɪld]	проли́ть
spin [spɪn]	{ spun [spʌn] span [spæn]	spun [spʌn]	прясть
spit [spɪt]	spat [spæt]	spat [spæt]	плева́ть
split [splɪt]	split [splɪt]	split [splɪt]	расщепи́ть(ся)
spoil [spɔɪl]	spoilt spoiled } [spɔɪlt]	spoilt spoiled } [spɔɪlt]	по́ртить

Неопределённая форма	Прошедшее время	Причастие прошедшего времени	Основные значения
spread [spred]	spread [spred]	spread [spred]	распространи́ться
spring [sprɪŋ]	sprang [spræŋ]	sprung [sprʌŋ]	вскочи́ть; возни́кнут
stand [stænd]	stood [stud]	stood [stud]	стоя́ть
steal [sti:l]	stole [stoul]	stolen [ˈstoul(ə)n]	укра́сть
stick [stɪk]	stuck [stʌk]	stuck [stʌk]	уколо́ть; прикле́ить
sting [stɪŋ]	stung [stʌŋ]	stung [stʌŋ]	ужа́лить
stink [stɪŋk]	stank [stæŋk] stunk [stʌŋk]	stunk [stʌŋk]	воня́ть
strew [stru:]	strewed [stru:d]	strewn [stru:n] strewed [stru:d]	усе́ять, устла́ть
stride [straɪd]	strode [stroud]	stridden [ˈstrɪdn]	шага́ть
strike [straɪk]	struck [strʌk]	struck [strʌk]	уда́рить, бить; басто́вать
string [strɪŋ]	strung [strʌŋ]	strung [strʌŋ]	наниза́ть; натяну́ть
strive [straɪv]	strove [strouv]	striven [ˈstrɪvn]	стара́ться
swear [swɛə]	swore [swɔ:]	sworn [swɔ:n]	(по)кля́сться, присягну́ть
sweep [swi:p]	swept [swept]	swept [swept]	мести́; промча́ться
swell [swel]	swelled [sweld]	swollen [ˈswoul(ə)n]	взду́ться
swim [swɪm]	swam [swæm]	swum [swʌm]	плыть
swing [swɪŋ]	swung [swʌŋ]	swung [swʌŋ]	кача́ться
take [teɪk]	took [tuk]	taken [ˈteɪk(ə)n]	взять, брать

teach [ti:tʃ]	taught [tɔ:t]	taught [tɔ:t]	учи́ть
tear [tεə]	tore [tɔ:]	torn [tɔ:n]	рвать
tell [tel]	told [tould]	told [tould]	рассказа́ть, сказа́ть
think [θɪŋk]	thought [θɔ:t]	thought [θɔ:t]	ду́мать
throw [θrou]	threw [θru:]	thrown [θroun]	бро́сить
thrust [θrʌst]	thrust [θrʌst]	thrust [θrʌst]	толкну́ть; су́нуть
tread [tred]	trod [trɔd]	trodden ['trɔdn]	ступа́ть
unbend ['ʌn'bend]	unbent ['ʌn'bent]	unbent ['ʌn'bent]	разогну́ть(ся)
understand [,ʌndə'stænd]	understood [,ʌndə'stud]	understood [,ʌndə'stud]	понима́ть
undertake [,ʌndə'teɪk]	undertook ['ʌndə'tuk]	undertaken [,ʌndə'teɪk(ə)n]	предприня́ть
upset [ʌp'set]	upset [ʌp'set]	upset [ʌp'set]	опроки́нуть(ся)
wake [weɪk]	{ woke [wouk] waked [weɪkt]	{ woken ['wouk(ə)n] waked [weɪkt]	просыпа́ться; буди́ть
wear [wεə]	wore [wɔ:]	worn [wɔ:n]	носи́ть *(одежду)*
weave [wi:v]	wove [wouv]	woven ['wouv(ə)n]	ткать
weep [wi:p]	wept [wept]	wept [wept]	пла́кать
win [wɪn]	won [wʌn]	won [wʌn]	вы́играть
wind [waɪnd]	wound [waund]	wound [waund]	заводи́ть *(механизм)*
withdraw [wɪð'drɔ:]	withdrew [wɪð'dru:]	withdrawn [wɪð'drɔ:n]	взять наза́д; отозва́ть
wring [rɪŋ]	wrung [rʌŋ]	wrung [rʌŋ]	скрути́ть; сжать
write [raɪt]	wrote [rout]	written ['rɪtn]	писа́ть

MEASURES AND WEIGHTS ТАБЛИЦА МЕР И ВЕСОВ

Measures of Length Меры длины

English	inch In.	foot Ft.	yard	mile	centi-metre	metre	kilo-metre
Russian	дюйм	фут	ярд	миля	санти-метр см	метр м	кило-метр км
1 inch =					2,54		
1 foot =	12				30,5	0,3	
1 yard =	36	3			91,44	0,9	
1 mile =			1 760				1,609
1 centimetre =	0,39						
1 metre =	39,4	3,28	1,09		100		
1 kilometre =			1 094	0,6		1 000	

Weights Меры массы (веса)

English	ounce Oz.	pound Lb.	gram	kilogram	tonne
Russian	унция	фунт	грамм г	килограмм кг	тонна г
1 ounce =			28,3		
1 pound =	16		454	0,45	
1 gram =	0,35				
1 kilogram =		2,2	1000		
1 tonne =		2204,6		1000	

РУССКО-АНГЛИЙСКИЙ СЛОВАРЬ

около 25 000 слов

RUSSIAN-ENGLISH DICTIONARY

25 000 entries approx.

РУССКИЙ АЛФАВИТ

Аа	Жж	Нн	Фф	Ыы
Бб	Зз	Оо	Хх	Ьь
Вв	Ии	Пп	Цц	Ээ
Гг	Йй	Рр	Чч	Юю
Дд	Кк	Сс	Шш	Яя
Ее	Лл	Тт	Щщ	
Ёё	Мм	Уу	Ъъ	

О ПОЛЬЗОВАНИИ СЛОВАРЕМ

Словарь построен по гнездовой системе, в строго алфавитном порядке.

Неизменяемая часть заглавного слова гнезда отделяется от изменяемого окончания двумя вертикальными чертами (||).

Заглавное слово при повторении его без изменения, а также его неизменяемую часть в производных словах заменяет знак тильда (~).

Омонимы даны в отдельных гнездах и обозначены римскими цифрами (I, II и т. д.).

Разные значения русского слова отмечаются арабскими полужирными цифрами с точкой (**1.**, **2.** и т. д.).

Курсивом даны все пояснения отдельных значений русского слова, условные сокращения и предложное управление к английским переводам.

В скобках даются те английские слова или части слов, употребление которых факультативно; напр.: **автомати́ческий** automátic(al); скобка показывает, что русское слово может быть переведено и как automátic и как automátical.

Синонимы в переводе даны через запятую; точкой с запятой отделяются разные оттенки значения, обычно сопровождаемые пояснением в скобках.

Если русское слово самостоятельно не употребляется, то после него ставится двоеточие и дается соответствующий пример его употребления, напр.: **на́голову:** разби́ть ~ deféat útterly, rout.

Фразеологический материал и идиоматика включены в настоящий словарь в ограниченном количестве. За ромбом (◇) даются выражения, связь которых с данными в словаре значениями основного слова утрачена.

На всех русских и английских словах, кроме односложных, поставлено основное ударение. Если написание иностранных слов, употребительных в английском языке, может вызвать неправильную постановку ударения, то после таких слов в квадратных скобках дается принятое для них в английском языке произношение при помощи транскрипции; напр.: **завсегда́тай** habitué [həɪ'bɪtjueɪ].

Русские г л а г о л ы, как правило, даны с переводом при форме совершенного вида. При форме несовершенного вида дается ссылка на совершенный.

Перевод л и ч н ы х м е с т о и м е н и й дан при местоимении в именительном падеже. Косвенные падежи приводятся на своем алфавитном месте со ссылкой на именительный падеж.

Если русское п р и л а г а т е л ь н о е переводится существительным, то после перевода дается помета *attr.*, указывающая на атрибутивное употребление (в качестве прилагательного); напр.: **папиро́сный** cigaréttе *attr.*

Перевод прилагательных в тех их значениях, которые они имеют при с у б с т а н т и в а ц и и, дается после пометы *как сущ.* (т.е. *как существительное*) при соответствующих прилагательных, если они еще не стали самостоятельными существительными.

Если в переводе русского с у щ е с т в и т е л ь н о г о имеется различие в числе, то это указывается после перевода пометами *pl.* и *sg.*; напр.: **пе́пел** áshes *pl.*, **де́ньги** mónеy *sg.*

К словарю приложен список географических названий.

УСЛОВНЫЕ СОКРАЩЕНИЯ

ав. — авиация
авт. — автомобильное дело
амер. — американизм
анат. — анатомия
архит. — архитектура
астр. — астрономия
бакт. — бактериология
безл. — безличная форма
биол. — биология
бот. — ботаника
бран. — бранное слово, выражение
бухг. — бухгалтерия
вводн. сл. — вводное слово
вет. — ветеринария
вн. — винительный падеж
воен. — военное дело
геогр. — география
геол. — геология
геом. — геометрия
гл. — глагол
горн. — горное дело
грам. — грамматика
дт. — дательный падеж
ед. — единственное число
ж. — женский род
ж.-д. — железнодорожное дело
жив. — живопись
зоол. — зоология
идиом. — идиоматическое выражение
им. — именительный падеж
инф. — инфинитив
ирон. — ироническое выражение
ист. — история
карт. — термин карточной игры
кино — кинематография
книжн. — книжное слово, выражение
косв. — косвенный падеж
кул. — кулинария
л. — либо
лингв. — лингвистика
лит. — литература, литературоведение
лог. — логика
м. — мужской род
мат. — математика
мед. — медицина
межд. — междометие
мест. — местоимение
метеор. — метеорология
мин. — минералогия
мн. — множественное число
мор. — морское дело
муз. — музыка
нареч. — наречие
неол. — неологизм
офиц. — официальный термин
охот. — охотничий термин
перен. — в переносном значении
погов. — поговорка
полигр. — полиграфия
полит. — политический термин
посл. — пословица

поэт. — поэтическое выражение
пр. — предложный падеж
предик. — предикативное употребление
предл. — предлог
презр. — презрительно
пренебр. — пренебрежительно
прил. — прилагательное
прям. — в прямом значении
радио — радиотехника
разг. — разговорное слово, выражение
разн. знач. — разные значения
рд. — родительный падеж
рел. — религия
рыб. — рыболовство
с. — средний род
см. — смотри
собир. — собирательно
сокр. — сокращенно
спорт. — физкультура и спорт
стр. — строительное дело
сущ. — существительное
с.-х. — сельское хозяйство
тв. — творительный падеж
театр. — театроведение
текст. — текстильное дело
тех. — техника
тж. — также
уменьш. — уменьшительная форма
уст. — устаревшее слово, выражение
фарм. — фармацевтический термин
физ. — физика
физиол. — физиология
филос. — философия
фин. — финансовый термин
фото — фотография
хим. — химия
хир. — хирургия
ч. — число
числит. — числительное
шахм. — шахматы
школьн. — школьное слово, выражение
эк. — экономика
эл. — электротехника
юр. — юридический термин

attr. – attributive
etc. – et cetera
inf. – infinitive
pl. – plural
predic. – predicative
sg. – singular
smb. – somebody
smth. – something

А

а I *союз* **1.** *(присоединительный)* and; вот перó, а вот бумáга here is a pen, and here is a sheet of páper **2.** *(противительный)* and; but; я здесь, а онá там I am here and she is there; не он, а егó товáрищ not he, but his mate; прошлó дéсять лет, а я всё пóмню ten years have passed, but I remémber éverything **3.** *(после придаточного уступительного предложения)*: как э́то ни прия́тно, а нáдо уходи́ть howéver pléasant it may be, I shall have to leave **4.** *(в смысле* «между тéм»*)* now *(в начале предложения)*; а вы все знáете, что... now you all know that... ◇ а слéдовательно so; а то, а не то or else; спеши́, а то опаздáешь húrry up or else you will be late; а и́менно námely, that is

а II *частица* **1.** *(в начале предложения обычно не переводится)*: откýда вы э́то знáете? — А мне товáрищ сказáл how do you know? — A cómrade told me **2.** *(в начале вопросительного предложения)* and; э́то Ивано́в. — А э́то кто? this is Ivanóv. — And who is that? **3.** *(при переспросе)* what?, eh?

а! III *межд.* ah!; oh!

а- *(приставка в некоторых иностранных словах, придающая отрицательное значение)* a-, non-; асимметри́ческий asymmétric(al); аморáльный amóral, nonmóral

абажýр lámp-shade

аббáт ábbot

абзáц páragraph

абон||емéнт subscríption *(to, for)*; séason-ticket *(в театре и т. п.)* ◇ сверх ~емéнта éxtra; **~éнт** subscríber; **~и́ровать: ~и́ровать** мéсто в теáтре buy *(или* get) a séason-ticket; **~и́роваться** *(на)* subscríbe *(to)*

абóрт abórtion; сдéлать ~ have an abórtion

абрикóс ápricot *(плод)*; ápricot-tree *(дерево)*; **~овый** ápricot *attr.*

абсолю́тн||ый ábsolute; ~ое большинствó ábsolute majórity; ~ чемпиóн óverall chámpion; ~о невозмóжно it is a sheer impossibílity

абстрáктный ábstract

абстракцион||и́зм abstráctionism; **~и́ст** ábstract páinter

абсýрд absúrdity; **~ный** absúrd, ridículous

абхáз||ец Abkházian; **~ский** Abkházian

авангáрд **1.** *воен.* vánguard,

van *(тж. перен.)*; в ~е in the van 2. *перен.* avant-garde [ɑ:vɑ̃:n'gɑ:d]

ава́нс prepáyment; получа́ть ~ get an advánce of sálary

авансце́на *театр.* proscénium

авантю́р||а advénture; vénture; вое́нная ~ mílitary gamble; **~и́зм** advénturism; **~и́ст** advénturer; **~ный** vénturesome; ~ный рома́н advénture stóry

авари́йный emérgency

ава́рия áccident; автомоби́льная ~ car áccident

а́вгуст Áugust; **~овский** Áugust *attr.*

авиа||ба́за áir-base; **~бо́мба** (air) bomb; **~деса́нт** air lánding; áirborne troops *(войска)*; **~констру́ктор** áircraft desígner; **~но́сец** áircraft cárrier; **~по́чта** air mail; посла́ть письмо́ ~по́чтой send a létter by air *(или* air mail)

авиацио́н||ный aviátion *attr.*, áircraft *attr.*; ~ая промы́шленность áircraft índustry; ~ заво́д áircraft fáctory *(или* works); ~ая шко́ла flýing school

авиа́ция aviátion; *собир. тж* áircraft; истреби́тельная ~ fíghting áircraft; бомбардиро́вочная ~ bómber áircraft; селькохозя́йственная ~ agricúltural aviátion

аво́сь *разг.* perháps, may be ◇ на ~ on the óff-chánce

авра́||л *мор.* all hands on deck; *перен.* all hand's job; объяви́ть ~ call all hands on deck; **~льный** emérgency *attr.*

австрал||и́ец Austrálian, **~и́йский** Austrálian

австр||и́ец Áustrian; **~и́йский** Áustrian

автоба́за mótor dépot

автобиогра́фия autobiógraphy

автоблокиро́вка *ж.-д.* automátic block sýstem

авто́бус (mótor) bus; áutobus *(амер.)*; е́хать на ~е go by bus

автоге́нн||ый *тех.* ~ая сва́рка gas wélding

авто́граф áutograph

авто||заво́д áutomobile *(или* mótor) works; áutomobile plant; **~магистра́ль** mótor-way

автома́т 1. automátic machíne; slót-machine *(действующий при опускании монеты)*; autómaton *(перен. о человеке)* **2.** *воен.* súbmachíne gun; tómmy gun *разг.*

автоматиза́ция automátion

автомати́ческ||ий automátic; ~ая телефо́нная ста́нция automátic télephone exchánge

автома́тчик *воен.* súbmachíne gúnner

автомоби́ль (mótor-)car; áutomobile *(амер.)*; **~ный** mótor(-car) *attr.*; ~ный заво́д *см.* автозаво́д; ~ная ши́на tyre

автоно́м||ия autónomy, sélf-góvernment; **~ный** autónomous; ~ная о́бласть autónomous région

автопортре́т sélf-pórtrait

а́втор áuthor

авторите́т authórity; по́льзоваться ~ом у кого́-л. have great authórity with smb.; **~ный** authoritátive; он ~ный учёный he is a schólar of authórity

áвтор||ский áuthor's; ~ гонорáр, ~ские róyalties; ~ское прáво cópyright; **~ство** áuthorship

авторýчка fóuntain-pen

автострáда mótor way

автотрáкторный mótor and tráctor *attr.*

автотрáнспорт mótor tránsport

агéнт ágent; **~ство** ágency; **~ýра 1.** intélligence *(или* sécret) sérvice **2.** *собир.* ágents *pl.*

агит||áтор propagándist, ágitator; **~ациóнный** propagánda *attr.*; **~áция** agitátion; propagánda; предвы́борная ~áция eléction campáign

агитбригáда propagánda team

агити́ровать ágitate *(for, against)*, make propagánda *(for)*

агитпýнкт propagánda státion, agitátion céntre

агóния ágony

агрáрный agrárian

агрегáт únit

агресси́вный aggréssive

агрéсс||ия aggréssion; **~ор** agréssor

агробиолóгия agricúltural biólogy

агронóм agrónomist; **~и́ческий** agronómical; **~ия** agrónomy

агротéхника agrotéchnics

ад hell

адвокáт láwyer; bárrister *(выступающий в суде)*; **~ýра** the bar; занимáться ~ýрой práctise as a defénding láwyer

аджáр||ец Adzhár; **~ский** Adzhár

администрати́вный admínistrative

администрá||тор administrátor; *театр.* búsiness mánager; **~ция** administrátion; mánagement *(гостиницы, театра)*

адмирáл ádmiral; **~тéйство** the Ádmiralty

áдрес addréss; **~áт** addresséé; **~ный:** ~ный стол informátion buréau *(for addresses)*; ~ная кни́га diréctory; **~овáть** addréss; diréct

áдск||ий héllish; ~ шум hell of a noise; ~ая головнáя боль splítting héadache

адъютáнт áide-de-cámp; aide *(амер.)*

азáрт heat *(запальчивость)*; excitement *(возбуждение)*; pássion *(увлечение)*; входи́ть в ~ get excíted; **~ный** pássionate; ~ная игрá game of chance

áзбу||ка 1. álphabet; ABC *разг.*; *перен.* the ABC *(of)* **2.** *(букварь)* ABC-book ◇ ~ Мóрзе Morse code; **~чный:** ~чная и́стина trúism

азербайджáн||ец Azerbaijánian; **~ский** Azerbaiján; ~ский язы́к Azerbaijánian, the Azerbaijánian lánguage

азиáтский Asiátic

азóт *хим.* nítrogen

áист stork

акадéм||ик mémber of the Acádemy, academícian; **~и́ческий** académic

акадéмия Acádemy; Академия наýк Acádemy of Sciences

акáция acácia

акварéль wáter-colour

аква́риум aquárium

акклиматизи́роваться acclímatize oneséłf

аккомпан||еме́нт accómpaniment; **~иа́тор** accómpanist; **~и́ровать** accómpany

акко́рд chord

аккордео́н *муз.* accórdion

акко́рдн||ый: ~ая пла́та páyment in accórdance with amóunt done; ~ая рабо́та work done accórding to agréement

аккредит||и́в létter of crédit; **~ова́ть** accrédit

аккумуля́тор accúmulator

аккура́тн||о *нареч.* púnctually *(точно)*; néatly *(опрятно)*; **~ость** punctuálity *(точность)*; tídiness, néatness *(опрятность)*; **~ый** púnctual *(точный)* tídy, neat *(опрятный)*

акроба́т ácrobat; **~и́ческий** acrobátic

аксио́ма áxiom

акт 1. *театр.* act **2.** *(действие)* act **3.** *юр.* deed **4.** *(документ)* státement; соста́вить ~ draw up a státement.

актёр áctor

акти́в I *собир.* the most áctive mémbers *pl*

акти́в II *фин.* ássets *pl.;* записа́ть в ~ énter on the crédit side

актив||изи́ровать áctivate; **~и́ст** áctivist

акти́вн||о *нареч.* áctively; ~ уча́ствовать take an áctive part; **~ость** actívity; **~ый** áctive

а́ктовый: ~ зал assémbly hall

актри́са áctress

актуа́льный présent-day, áctual; ~ вопро́с vítal quéstion

аку́ла shark

аку́стика acóustics

акуше́рка mídwife

акце́нт áccent

акционе́р sháreholder; stóckholder; **~ный:** ~ное о́бщество jóint-stock cómpany

а́кция I *эк.* share

а́кция II *полит.* áction

алба́н||ец Albánian; **~ский** Albánian; ~ский язы́к Albánian, the Albánian lánguage

а́лгебра álgebra

але́ть 1. rédden **2.** *(виднеться)* show red; glow *(о закате)*

алиме́нты álimony *sg.*

алког||оли́зм alcóholism; **~о́лик** alcohólic; drúnkard *(пьяница)*; **~о́ль** álcohol; **~о́льный** alcohólic; ~о́льные напи́тки spírits, strong drinks

аллег||ори́ческий allegórical; **~о́рия** állegory

алле́я ávenue; álley *(в парке)*

алло́! húlló!; hélló!

алма́з díamond; glázier's díamond *(для резки стекла)*; **~ный** díamond *attr.*

алфави́т álphabet; ABC *разг.;* по ~у in alphabétical órder

а́лчн||ость gréediness *(of, for)*; cupídity *(of, for)*; **~ый** gréedy *(of, for)*

а́лый scárlet

альбо́м álbum; skétch-book *(для рисунков)*

альмана́х álmanac, líterary miscéllany

альпи́йский álpine

альпин||и́зм mountainéering; **~и́ст** mountainéer

алюми́н||иевый aluminium *attr.;* **~ий** aluminium

амбразу́ра embrásure

амбулато́р||ия dispénsary; **~ный: ~**ный больно́й óut-patient

америка́н||ец Américan; **~ский** Américan

амни́стия ámnesty; *юр.* free párdon

амора́льный amóral, immóral

амортиза́ция 1. *(износ)* depreciátion, wear and tear **2.** *(смягчение удара)* shock absórption

ампе́р *физ.* ámpere

амплиту́да ámplitude

амплуа́ *театр.* line, part, theátrical cháracter

ампут||а́ция amputátion; **~и́ровать** ámputate

амуни́ция mílitary equípment

амфитеа́тр ámphitheatre; *театр. тж.* circle

ана́лиз análysis; **~** кро́ви blood test; **~и́ровать** ánalyse

анал||оги́чный análogous *(to);* **~о́гия** análogy; по **~**о́гии by análogy *(to, with);* провести́ **~**о́гию draw an análogy

анана́с píne-apple; **~ный** píne-apple *attr.*

анархи́||зм ánarchism; **~ст** ánarchist

ана́рхия ánarchy; **~** произво́дства ánarchy in prodúction

ана́том anátomist; **~и́ровать** anátomize, disséct

анато́мия anátomy

анахрони́зм anáchronism

анга́р hángar

а́нгел ángel

анги́на quínsy, tonsillítis

англи́йский Énglish; **~** язы́к Énglish, the Énglish lánguage

англича́н||е *мн. собир.* the Énglish; **~ин** Énglishman; **~ка** Énglishwoman

англосаксо́нский Ánglo-Sáxon

анекдо́т joke, fúnny stóry; **~и́ческий, ~и́чный** cómical, impróbable

анке́т||а form, questionnáire; запо́лнить **~**у fill in a form

аннот||а́ция ábstract; **~и́ровать** ánnotate

аннули́ровать annúl; núllify; cáncel *(долг, постановление)*

ано́д *физ.* ánode

анома́лия anómaly

анони́мный anónymous

ано́нс annóuncement, nótice

анса́мбль ensémble [ɑ̃:n-'sɑ̃:mbl].

антагони́||зм antágonism; **~сти́ческий** antagonístic

анте́нна áerial

антивое́нный ánti-war, ánti-mílitary

антиимпериалисти́ческий ánti-impérialist

антиква́р ántiquary; **~ный** antiquárian; **~**ный магази́н antíque shop

антимилитаристи́ческий ánti-mílitarist

антинаро́дный ánti-nátional, ánti-pópular

антиобще́ственный ánti-sócial

антипа́тия antípathy, avérsion

антирелигио́зный ánti-relígious

антисанита́рный insánitary, unhygiénic

антисемити́зм ánti-Sémitism
антисове́тский ánti-Sóviet
антифаши́ст ánti-fáscist; **~ский** ánti-fáscist
анти́чный antíque
анто́ним *лингв.* ántonym
антра́кт ínterval
антраци́т ánthracite
антрепренёр mánager, impresário
аншла́г the "sold out" nótice; пье́са идёт с ~ом the house is sold out évery night
апати́чный apathétic; indífferent; lístless
апа́тия ápathy; indífference
апелл||и́ровать appéal; **~я́ция** appéal
апельси́н órange; **~овый** órange *attr.*
аплод||и́ровать appláud; **~исме́нты** appláuse *sg.*; бу́рные ~исме́нты storm of appláuse
апло́мб assúrance, áplomb [ˈæplɔ̃:ŋ]
аполити́чный indífferent to pólitics
апостро́ф apóstrophe
апофео́з apotheósis, tríumph
аппара́т 1. devíce, apparátus; телефо́нный ~ télephone set; **2.** *(штат)* staff; personnél ◇ госуда́рственный ~ State machínery; **~у́ра** apparátus
аппендици́т *мед.* appéndicitis
аппети́т áppetite; есть с ~ом eat héartily; **~ный** áppetizing
апре́ль Ápril; **~ский** Ápril *attr.*
апте́||ка chémist's shop; drúg-store *(амер.)*; **~карь** chémist; drúggist *(амер.)*; **~чка** médicine chest *(ящичек с лекарствами)*; fírst-aid óutfít *(первой помощи)*
ара́б Árab; **~ский** Arábian, Árabic; ~ский язы́к Árabic, the Árabic lánguage; ◇ ~ская ци́фра Árabic númeral
арби́тр árbiter; **~а́ж** arbitrátion
арбу́з wáter-mélon
аргенти́н||ец Argentínian; **~ский** Árgentine
аргуме́нт árgument; **~а́ция** argumentátion; **~и́ровать** árgue
аре́на aréna; ~ де́ятельности field *(или* sphere) of áction
аре́нд||а lease; брать в ~у rent; сдава́ть в ~у lease, rent; **~а́тор** lessée, ténant; **~ный:** ~ная пла́та rent; **~ова́ть** lease, rent
аре́ст arrést; находи́ться под ~ом be únder arrést; **~а́нт** *уст.* prísoner; **~ова́ть, ~о́вывать** arrést
аристокра́т áristocrat; **~и́ческий** aristocrátic; **~ия** aristócracy
арифме́т||ика aríthmetic; **~и́ческий** arithmétical; ~и́ческая зада́ча sum
а́рия ária
а́рка arch
аркти́ческий árctic
арме́йский ármy *attr.*
а́рмия ármy; Сове́тская А́рмия the Sóviet Ármy
армяни́н Arménian
армя́нский Arménian; ~ язы́к Arménian, the Arménian lánguage
арома́т aróma, pérfume; frá-

grance *(благоухание)*; **~и́чный, ~ный** arománic; frágrant

арсена́л ársenal

артезиа́нский: ~ коло́дец artésian well

арте́ль artél, co-óperative; сельскохозя́йственная ~ agricúltural co-óperative; colléctive farm

арте́рия ártery; во́дная ~ wáter-way

артиллери́йский artíllery *attr.*; ~ ого́нь artíllery fire

артиллери́ст artílleryman

артилле́рия artíllery; противота́нковая ~ ánti-tánk artíllery; лёгкая ~ light artíllery; тяжёлая ~ héavy artíllery

арти́ст ártist; áctor *(актёр)*; о́перный ~ ópera-sínger; ~ бале́та bállet-dancer; **~и́ческий** artístic; **~ка** áctress *(актриса)*

а́рфа harp

арха||и́зм *лингв.* árchaism; **~и́ческий** archáic

археол||о́г archaeólogist; **~о́гия** archaeólogy

архи́в árchives *pl.*; files *pl.* *(материалы)*

архипела́г archipélago

архите́кт||ор árchitect; **~у́ра** árchitecture; **~у́рный** architéctural

ары́к irrigátion ditch

арьерга́рд réar-guard

аске́т ascétic

аспира́нт, ~ка póst-gráduate (stúdent); **~у́ра** póst-gráduate course

ассамбле́я assémbly

ассигнова́||ние appropriátion; **~ть** assígn *(to)*, appróprіate *(for)*

ассимил||и́роваться assímilate; **~я́ция** assimilátion

ассисте́нт assístant

ассортиме́нт assórtment; choice *(выбор)*

ассоци||а́ция *в разн. знач.* associátion; **~и́роваться** assóciate

астеро́ид *астр.* ásteroid

а́стма *мед.* ásthma; **~ти́ческий** asthmátic

а́стра áster

астрона́вт ástronaut; spáceman *(космонавт)*; **~ика** astronáutics

астроно́м astrónomer; **~и́ческий** astronómic(al); **~ия** astrónomy

астрофи́зик astrophýsicist; **~а** astrophýsics

асфа́льт ásphalt; **~и́ровать** pave with ásphalt; **~овый** ásphalt *attr.*; ásphalted *(покрытый асфальтом)*

атави́||зм átavism; **~сти́ческий** atavístic

ата́к||а attáck; charge *(кавалерийская)*; идти́ в ~у rush to the attáck; charge; **~ова́ть** attáck; charge

ате́и||зм átheism; **~ст** átheist

ателье́ 1. *(художника, фотографа)* stúdio **2.** *(пошивочная мастерская)* dréssmaking and táiloring estáblishment

а́тлас *геогр.* átlas

атла́с *(ткань)* sátin; **~ный** sátin *attr.*

атле́т áthlete; **~ика** athlétics

атмосфе́р||а átmosphere; **~ный** atmosphéric; ~ные оса́дки precipitátion *sg.*

а́том átom

а́томн||ый atómic; ~ вес atómic weight; ~ая бо́мба átom

bomb, A-bomb; ~ая энéргия atómic énergy; ~ая электростáнция núclear pówer-státion; ~ое ядрó atómic núcleus; ~ое орýжие atómic wéapon

атрибýт *филос., грам.* áttribute

атрофи́роваться átrophy

атташé attaché [ə'tæʃeɪ]

аттестáт certíficate; ~ зрéлости schóol-leaving certíficate

аудитóрия 1. *(помещение)* lécture-hall, lécture-room 2. *собир. (слушатели)* áudience

аукциóн áuction; продавáть с ~а sell by áuction

афгáн||ец Áfghan; **~ский** Áfghan; ~ский язы́к Áfghan, the Áfghan lánguage

афéр||а shády transáction; **~и́ст** swíndler; spiv *разг.*

афи́ша bill, póster; театрáльная ~ pláybill

афори́зм áphorism

ах! *межд.* ah!

ахин||éя drivel, nónsense, rúbbish; нести́ ~ею talk nónsense

áхнуть *разг.* gasp; ◇ он и ~ не успéл ≅ befóre he could say knife

аэродрóм áerodrome; áirdrome *(амер.)*

аэроклýб ámateur flýing club

аэронавигáция áeronavigation

аэро||плáн áeroplane; **~пóрт** áirport; **~сáни** propéller-sleigh *sg.*; **~стáт** balóon; ~стáт воздýшного заграждéния bárrage ballóon; **~съёмка** air súrvey; **~фотосъёмка** air photógraphy

Б

б *частица см.* бы

бáб||а 1. *уст.* péasant wóman 2. *пренебр.* wóman, old wóman; mílksop *(о мужчине)* ◇ снéжная ~ snówman; **~ий**: ~ье лéто ≅ Índian súmmer

бáбочка bútterfly

бáбушка grándmother; gránny *разг.*

багáж lúggage; bággage *(гл. обр. амер.)*; отпрáвить что-л. ~óм send smth. as héavy lúggage; **~ный** lúggage *attr.*; ~ный вагóн lúggage van

багрóвый purple

бадья́ búcket; pail *(металлическая)*

бáза I base; básis, foundátion *(эк., тех. и т. п.)*; сырьевáя ~ source of raw matérials

бáза II 1. *(склад)* stórehouse, wárehouse 2. *(туристская)* tóurist céntre

базáр márket; bazáar *(на Востоке; тж. благотворительный)*; кни́жный ~ book fair; **~ный** márket *attr.*

бази́ровать base *(on)*; **~ся** be based *(on, upon)*; rest *(on; о теории, убеждении)*

бáзис básis, foundátion

байдáрк||а canóe; катáться на ~е paddle

бáйк||а (thick) flannelétte; **~овый** flannelétte *attr.*; ~овое одея́ло flannelétte blánket

бак cístern, tank

бакалéйный grócery *attr.*; ~ магази́н grócery

бакалéя grócery

бактери||óлог bacteriólogist

~ологи́ческий bacteriológical; ~ологи́ческая война́ germ wárfare; **~оло́гия** bacteriólogy

бакте́рия bactérium

бал ball; dance

балага́н booth; shów-booth; *перен.* farce, buffóonery

балала́йка balaláika

бала́нс bálance; подвести́ ~ strike a bálance

балери́на bállet-dancer

бале́т bállet; **~ный** bállet *attr.*

ба́лка beam; gírder; попере́чная ~ cróss-beam

балка́нский Bálkan

балко́н bálcony; úpper circle *(в театре)*

балл 1. *спорт.* point **2.** *(отметка)* mark **3.**: ве́тер в 6 ~ов wind force 6

балла́да bállad

балла́ст bállast; *перен.* lúmber, dead weight

балло́н 1. cýlinder *(для газа)* **2.** *(шины)* inner tube

баллоти́р||овать bállot *(for)*, vote *(for)*; **~оваться** stand *(for)*; be a cándidate *(for)*; **~о́вка** bállot, vóting

бало́в||анный spoilt; **~а́ть** spoil, pet; **~а́ться** *(шалить)* be náughty

ба́лов||ень fávourite, pet; **~ство́ 1.** *(шалость)* náughtiness **2.** *(потакание)* spóiling

балти́йский Báltic; ~ флот the Báltic Fleet

бальзами́ровать embálm

бамбу́к bambóo

бана́льный cómmonplace *(об истине)*; háckneyed, trite *(о выражении)*

бана́н banána

ба́нда gang

банда́ж *мед.* truss

бандеро́ль prínted mátter; посла́ть ~ю send by bóok-post

банди́т bándit; gángster *(тж. перен.)*; **~и́зм** gángsterism

банк bank; Госуда́рственный ~ the State Bank

ба́нка 1. jar; tin, can *(жестяная)* **2.** *мед.* cúpping-glass

банке́т bánquet

банки́р bánker

банкро́т bánkrupt; **~ство** bánkruptcy; fáilure

бант bow; завяза́ть ~ом tie in a bow

ба́ня báth-house

бараба́н drum; **~ить** drum; pátter *(о дожде)*; **~ный**: ~ный бой drúmbeat; ~ая перепо́нка *анат.* éar-drum; **~щик** drúmmer

бара́к bárrack, hut

бара́н ram; sheep; **~ий** sheep's; shéepskin *attr.* *(о мехе)*; mútton *attr.* *(о мясе)*; **~ина** mútton

бара́ш||ек 1. lamb **2.** *(мех)* lámbskin; ástrakhan **3.** *мн.*: ~ки *(облака)* fléecy clouds **4.** *мн.*: ~ки *(на море)* white hórses

барелье́ф bás-relief

ба́ржа barge

ба́рин *уст.* géntleman; máster *(хозяин)*; sir *(в обращении)*; *перен. презр.* lord, (grand) géntleman

барито́н báritone

барока́мера préssure chámber

баро́метр barómeter

баррика́да barricáde

ба́рский lórdly; grand

барсу́к bádger

ба́рхат vélvet; **~ный** vélvet *attr.*

ба́рыня *уст.* lády; místress *(хозяйка)*; mádam, ma'am *(в обращении)*; *перен. презр.* (grand) lády, fine lády

бары́ш prófit, gain

ба́рышня young lády; miss *(в обращении)*

барье́р bárrier; húrdle *(на скачках)*; брать ~ clear a húrdle

бас bass

баскетбо́л *спорт.* básket-ball

басносло́вный fábulous, incrédible

ба́сня fable

бассе́йн **1.** pond; réservoir ['rezəvwa:] *(водохранилище)*; ~ для пла́вания swímming-bath, swímming-pool; **2.** *геогр.* dráinage-basin *(реки)*

бастова́ть be on strike

батальо́н *воен.* battálion; стрелко́вый ~ ínfantry battálion; **~ный** battálion *attr.*

батаре́я **1.** *в разн. знач.* báttery; электри́ческая ~ eléctric báttery; зени́тная ~ *воен.* ánti-áircraft báttery **2.** *(парового отопления)* rádiator

бати́ст cámbric; **~овый** cámbric *attr.*

бато́н long loaf

батра́к farm lábourer, fárm-hand

бахва́льство brágging

бахрома́ fringe

баци́лла bacíllus

ба́шенка túrret

башки́р Báshkir; **~ский** Báshkir

башма́к shoe; boot *(высокий)*

ба́шня tówer; ору́дийная ~ túrret

бая́н bayán *(kind of accordion)*

бди́тельн||ость vígilance, wátchfulness; **~ый** vígilant, wátchful

бег rún(ning); **~а́** the ráces

бе́гать *см.* бежа́ть **1**

бегемо́т hippopótamus

бегле́ц fúgitive; rúnaway

бе́гл||о *нареч.* flúently; **~ый** **1.** *(убежавший)* rúnaway **2.** *(о чтении и т. п.)* flúent **3.** *(поверхностный)* cúrsory; **~ый** ого́нь *воен.* rápid fire

бегов||о́й race *attr.*; rúnning; ~а́я доро́жка rácecourse; rúnning track; ~а́я ло́шадь rácehorse

бего́м *нареч.* rúnning; беги́ ~! húrry!

беготня́ bustle, rúnning abóut

бе́гство flight

бегу́н *спорт.* rúnner

бед||а́ misfórtune *(несчастье)*; tróuble *(затруднение, беспокойство)*; попа́сть в ~у́ get ínto tróuble; ~ в том, что the tróuble is that; в э́том нет большо́й ~ы́ there is no harm in that ◇ на ~у́ unlúckily; не ~ it doesn't mátter

бедне́ть grow *(или* becóme) poor

бе́дн||ость póverty; **~ота́** *собир.* the poor; **~ый** **1.** *прил.* poor **2.** *как сущ.* poor man; **~я́га** poor féllow; **~я́жка** poor thing; **~я́к** **1.** poor man **2.** *(о крестьянине)* poor péasant; **~я́цкий** poor péasant *attr.*

бедо́вый dáring; fóolhardy

бедро́ thigh; hip

бе́дств||енный calámitous, disástrous; míserable *(о положении)*; **~ие** calámity, disáster; ~**овать** live in (great) póverty

бежáть 1. run **2.** *(от чего-л.)* flee; escápe *(спасаться бегством)* **3.** *(течь)* run; go by, fly *(о времени)*

бéженец refugée

без *предл.* withóut; ~ исключéния withóut excéption; мéсяц ~ пятѝ дней five days short of a month; ~ 20 грáммов килогрáмм twénty grams short of a kílo; ~ пятѝ шесть five mínutes to six; ~ вас приходѝли посетѝтели some people called while you were out

без- *приставка, указывающая на отсутствие признака; соответствует англ.* in-, ir-, -less, un-; бездéятельный ináctive; безукорѝзненный irrepróachable; бездéтный chíldless; безнакáзанный unpúnished

безалáберный disórganised, sláp-dash

безапелляциóнный allówing of no appéal, fínal, categórical

безбилéтный withóut a tícket; ~ пассажѝр stówaway *(на корабле или самолёте)*

безбóжник átheist

безболéзненный páinless

безбрéжный bóundless, withóut end

безвéстный únknówn; obscúre

безвкýсный tásteless; insípid *(невкусный)*

безвлáстие ánarchy

безвóдный árid

безвозврáтный irretríevable, irrévocable

безвоздýшн||ый áirless; ~ое прострáнство *физ.* vácuum

безвозмéздн||о withóut compensátion; ~**ый** gratúitous

безвó||лие weak will, lack of will; ~**льный** wéak-wílled

безврéдный hármless

безвы́ездно *нареч. разг.* withóut quítting the place

безвы́ходный hópeless, désperate

безголóвый *разг.* bráinless *(глупый)*; scátter-bráined *(рассеянный)*

безголóсый vóiceless; who has no voice *(о певце)*

безгрáмотн||ость illíteracy; ígnorance *(невежество)*; ~**ый** illíterate; ignorant *(невежественный)*

безгранѝчный bóundless; infinite

бездáрный untálented, not gifted

бездéйств||ие ináction; inactívity; ~**овать** be ináctive; do nóthing; be idle *(о машине и т. п.)*

бездéлица trifle, bagatélle

безделýшка trínket, knick-knack, toy

бездéль||е ídleness; ~**ник** ídler, lóafer; ~**ничать** idle, loaf

бездéнежье lack of móney

бездéтн||ость chíldlessness; ~**ый** chíldless

бéздна 1. abýss, chasm **2.** *разг. (множество)* a heap *(of)*; ~ дел másses to do; ~ неприя́тностей a heap of troubles

бездóмный hómeless

бездóнный bóttomless; fáthomless *(о пропасти)*

бездорóжье lack of (good) roads; impassabílity of roads *(непроходимость дорог)*

безду́шный héartless, cállous

бездыха́нный lífeless

безжа́лостный pítiless, rúthless

беззабо́тный cáre-frée; líght-héarted

беззаве́тн||ый whóle-héarted; ~ая пре́данность úttеr devótion

беззако́н||ие láwlessness; láwless áction *(незаконное действие)*; **~ный** láwless

беззасте́нчивый sháméless; ímpudent *(наглый)*

беззащи́тный defénceless, unprotécted

беззву́чный sóundless; nóiseless *(бесшумный)*

безземе́льный lándless

беззло́бный góod-nátured

беззу́бый tóothless

безли́чный 1. *грам.* impérsonal **2.** *(о людях)* withóut personálity

безлю́дный lónely, sólitary; thínly pópulated *(малонаселённый)*

безме́рный imméasurable, bóundless; infínite *(бесконечный)*

безмо́зглый *разг.* bráinless, stúpid

безмо́лв||ие sílence; **~ный** sílent

безмяте́жный seréne

безнадёжный hópeless

безнака́занн||о *нареч.* with impúnity; **~ый** únpúnished

безнали́чн||ый: ~ расчёт chárging to accóunt; páyment by cheque

безно́гий légless; óne-légged *(без одной ноги)*

безнра́вственн||ость immorálity; **~ый** immóral

безоби́дный inoffénsive; hármless *(безвредный)*

безо́блачн||ый clóudless; *перен.* únclóuded; ~ое сча́стье únclóuded háppiness

безобра́з||ие 1. úgliness; defórmity *(уродство)* **2.** *(беспорядок, бесчинство)* disgráce; scándal; **~ничать** *разг.* beháve disgrácefully; be up to míschief *(о детях)*; **~ный 1.** úgly; defórmed *(уродливый)* **2.** *(возмутительный)* disgráceful, shócking

безогово́рочн||о *нареч.* únconditionally, withóut resérve; **~ый** únconditional

безопа́сн||ость sáfety; secúrity *(общественная)*; те́хника ~ости sáfety precáutions *pl*; **~ый** safe; *тех.* secúre; ~ая бри́тва sáfety rázor

безору́жный únármed

безостано́вочный úncéasing; nón-stop *(о движении и т. п.)*

безотве́тственн||ость irresponsibílity; **~ый** irrespónsible

безотка́зно withóut a hitch

безотра́дный chéerless

безотчётный irrátional, instínctive, subcónscious

безоши́бочный únérring, fáultless

безрабо́т||ица únemplóyment; **~ный 1.** *прил.* únemplóyed; jóbless *(амер.)*; быть ~ным be out of work **2.** *как сущ.* únemplóyed; **~ные** *собир.* the únemplóyed

безразли́ч||ие indífference, ápathy; **~но 1.** *нареч.* with indífference; относи́ться ~но be indífferent *(to)*; **2.** *предик.*

безл. it is all the same; мне ~но it is all the same to me; I don't care; ~**ный** indífferent, lístless

безрассу́дн||о ráshly; ~**ый** réckless

безрезульта́тн||о *нареч.* withóut resúlt; in vain *(тщетно)*; ~**ый** fútile; vain *(тщетный)*

безро́потный úncompláining; resígned *(покорный)*

безру́кий ármless; óne-ármed *(без одной руки)*; *перен. разг.* áwkward, clúmsy

безуда́рный *лингв.* únstréssed

безу́держный únrestráined, unbrídled

безукори́зненный irrepróachable, immáculate

безу́м||ец mádman; ~**ие** mádness; fólly *(безрассудство)*; ~**но** *нареч.* mádly; térribly *(крайне)*; ~**ный** mad, insáne

без у́молку *нареч.* withóut stópping, incéssantly

безу́мство fólly, mádness

безупре́чный *см.* безукори́зненный

безусло́вн||о *нареч.* undóubtedly; ~**ый** ábsolute; undóubted *(несомненный)*

безуспе́шный únsuccéssful

безуте́шный inconsólable, discónsolate

безуча́стный lístless, indífferent *(к чему-л.)*; apathétic *(о взгляде, виде и т. п.)*

безыде́йный lácking both prínciples and idéas

безымя́нный anónymous ◇ ~ па́лец ríng-finger

безысхо́дн||ый éndless; ~ое го́ре inconsólable grief

белёсый whítish

беле́ть 1. *(становиться белым)* becóme white; **2.** *(виднеться)* show white

белизна́ whíteness

бели́ла 1. zinc white *sg.* *(цинковые)*; white lead *sg.* *(свинцовые)* **2.** *(косметика)* céruse *sg.*

бели́ть bleach *(ткань и т. п.)*; whítewash *(здание, стену)*

бе́личий squírrel *attr.*

бе́лка squírrel

белко́вый *хим.* albúminous

беллетри́стика fíction

белогварде́ец white guard

бело́к 1. *(яйца́)* white (of the egg) **2.** *(гла́за)* white (of the eye); **3.** *хим.* álbumen

белоку́рый blond, fair

белору́с Byelorússian; ~**ский** Byelorússian; ~ский язы́к Byelorússian, the Byelorússian lánguage

белосне́жный snów-white

белошве́йка séamstress

белу́га belúga, white stúrgeon

бе́л||ый white ◇ ~ гриб white múshroom; Бе́лый дом the White House; ~ медве́дь pólar bear; ~ые стихи́ blank verse *sg.*; на ~ом све́те in the wide world

бельги́||ец Bélgian; ~**йский** Bélgian

бельё línen; wáshing *(для стирки)*; посте́льное ~ béd-clothes *pl.*

бельмо́ *мед.* wáll-eye ◇ он как ~ на глазу́ *разг.* he is as an éyesore

бельэта́ж 1. *(до́ма)* first floor; **2.** *театр.* dress circle

бемо́ль *муз.* flat

бензи́н 1. *хим.* benzíne **2.** *(горючее)* pétrol; gásoline, gas *(амер.)*

бензоколо́нка filling-station; pétrol-station, pétrol pump

бе́рег shore; séashóre, coast *(морской)*; bank *(реки́)*; beach *(пляж)*; идти́ к ~у *мор.* make for the shore; сойти́ на ~ go ashóre

береги́сь! look out!, take care!; ~ автомоби́ля! watch out for the car!

берегов||о́й coast *attr.*, ríver bank *attr.*, cóastal; ~а́я охра́на cóastguard

бережли́вый thrífty, económical

бе́режный cáreful; cáutious

берёз||а birch; **~овый** birch *attr.*; ~овая ро́ща birch grove

бере́менн||ая prégnant; **~ость** prégnancy

бере́т béret

бере́чь take care *(of)*; guard *(хранить)*; spare *(щадить)*; **~ся** be cáreful; bewáre *(of; остерегаться)*

берло́га den, lair

бес| démon

бесе́д||а conversátion, talk; провести́ ~у give a talk

бесе́дка súmmer-house; árbour

бесе́довать talk

беси́ть mádden, drive wild; **~ся** rage

бескла́ссов||ый clássless; ~ое о́бщество clássless society

бесконе́чн||о *нареч.* ínfinitely, éndlessly; **~ость** infínity; **~ый** éndless, ínfinite

бесконтро́льный úncontrólled

бескоры́стный disínterested

беснова́ться rage, rave

беспа́мятство uncónsciousness

беспарти́йный 1. *прил.* nón-Párty *attr.* **2.** *как сущ.* nón-Párty man

бесперебо́йный úninterrúpted, contínuous

беспереса́дочный through, withóut chánging on a jóurney

беспе́чный cáreless; líght-héarted *(легкомысленный)*

беспла́новый unplánned

беспла́тн||о *нареч.* free of charge, grátis; **~ый** free

беспло́дн||о *нареч.* in vain; **~ый** stérile, bárren; *перен.* frúitless; fútile *(тщетный)*

беспоборо́тный irrévocable

беспод́обный incómparable, inímitable

беспоко́ить 1. *(нарушать покой)* distúrb; trouble, bóther *(утруждать)* **2.** *(волновать)* wórry, upsét; **~ся 1.** *(волноваться)* wórry; be ánxious **2.** *(утруждать себя)* trouble, bóther; не беспоко́йтесь! don't wórry!

беспоко́й||ный réstless; unéasy *(тревожный)*; ~ взгляд troubled look; **~ство 1.** anxíety; wórry *(волнение)* **2.** *(хлопоты)* trouble

бесполе́зн||о *предик. безл.* it is úseless; it is of no use; ~ разгова́ривать it is no use tálking *разг.*; **~ый** úseless

беспо́мощный hélpless, ineffféctual

беспоря́д||ок disórder; confúsion *(путаница)*; **~очный** disórderly; confúsed

беспоса́дочный: ~ перелёт *ав.* nón-stóp flight

беспо́чвенный gróundless

беспо́шлинн||ый dúty-frée; ~ая торго́вля free trade

беспоща́дный rúthless, mérciless

беспра́вный deprívеd of cívil rights

беспреде́льный unlímited, bóundless

беспрекосло́вн||ый unquéstioning: ~ое повинове́ние implícit obédience

беспрепя́тственный free, únimpéded

беспреры́вный contínuous, incéssant

беспрецеде́нтный unprécedented

беспризо́рн||ый 1. *прил.* úncáred-for; neglécted *(заброшенный)*; hómeless *(бездомный)*; ~ая соба́ка stray dog 2. *как сущ.* waif, hómeless child

бесприме́рный unpréсedented, unexámpled

беспринци́пный unprı́ncipled, unsrúpulous

беспристра́стный impártial, únbías(s)ed

беспричи́нн||о *нареч.* withóut réason; ~ый gróundless; cáuseless

беспробу́дный deep, dead

беспро́волочный wíreless

беспро́игрышн||ый safe; ~ заём repáyable loan; ~ая лотере́я áll-prize lóttery

беспросве́тный pitch dark, dense; *перен.* hópeless

беспроце́нтный béaring no ínterest

беспу́тный díssolute *(о человеке, поведении)*; dissipated *(о жизни)*

бессвя́зный incónsequent, incohérent

бессерде́чный héartless

бесси́льный weak; ímpotent

бессисте́мный únsystemátic

бессла́вный ignomínious, inglórious

бессле́дн||о *нареч.* withóut léaving a trace; ~ый tráceless

бесслове́сный dumb, mute; *перен.* meek

бессме́нный pérmanent

бессме́рт||ие immortálity; ~ный immórtal; ~ная сла́ва everlásting fame, undying glóry

бессмы́сл||енный sénseless, absúrd; ~ица nónsense

бессо́вестный unscrúpulous; shámeless *(бесстыдный)*

бессодержа́тельный émpty, vápid

бессозна́тельный úncónscious; únintentional

бессо́нн||ица sléeplessness; insómnia; ~ый sléepless

бесспо́рный indispútable; irréfutable *(неопровержимый)*

бессро́чный with no fixed term, indéfinite

бесстра́стный impássive

бесстра́шный féarless

бессты́дный shámeless

беста́ктный táctless

бестолко́вый stúpid, múddle-headed

бесфо́рменный fórmless, shápeless

бесхара́ктерный wéak-wílled, spíneless

бесхи́тростный ártless, símple, símple-mínded

бесхозя́йственн||ость mísmánagement, thríftlessness; ~ый thríftless; ~ый человéк bad mánager

бесцвéтный cólourless

бесцéльный áimless

бесцéнный príceless, inváluable

бесцéнок: купи́ть за ~ buy for a song

бесцеремóнный únceremónious

бесчеловéчный inhúman; brútal *(жестокий)*

бесчéст||ный dishónourable; **~ье** dishónour, disgráce

бесчи́нство excéss, óutrage; **~вать** commít óutrages

бесчи́сленный cóuntless, innúmerable

бесчу́вственный 1. insénsible **2.** *(жестокий)* unféeling, cállous

бесшу́мный nóiseless

бетóн cóncrete; **~ный** cóncrete

бетономешáлка cóncrete míxer

бечёвка string, twine

бéшен||ство *мед.* hydrophóbia; *перен.* rage, fúry; **~ый** mad; *перен.* fúrious

библиогрáфия bibliógraphy

библиотé||ка líbrary; **~карь** librárian; **~чный** líbrary *attr.*

би́блия the Bible

бидóн can; ~ для молокá mílk-can

биéние béating; thróbbing, pulsátion

билéт 1. tícket, card; все ~ы прóданы all seats sold **2.** *(удостоверение)* páper, card; профсою́зный ~ tráde-union card ◇ креди́тный ~ bánk-note; **~ёр** tícket colléctor; **~ный:** ~ная кáсса bóoking-office

бильярд bílliards

бинóкль ópera-glass(es) *(pl.)* *(театральный)*; binócular(s), fíeld-glass(es) *(pl.)* *(полевой)*

бинт bándage; **~овáть** bándage; dress

биогрáфия biógraphy

биó||лог biólogist; **~лóгия** biólogy

биохи́мия biochémistry

би́ржа exchánge; ~ трудá lábour exchánge; фóндовая ~ stock exchánge

бирмáн||ец Burmése, Búrman; **~ский** Burmése, Búrman; ~ский язы́к Burmése, the Burmése lánguage

бис encóre; петь, игрáть на ~ sing, play an encóre

би́сер (glass) beads *pl.*

бискви́т spónge-cáke

биссектри́са *мат.* biséctor

би́тва battle

биткóм: ~ наби́тый packed, crám-fúll

би́тый béaten; bróken *(о посуде)*; ◇ ~ час *разг.* a whole hour

бить 1. beat, hit *(ударять)*; break, smash *(разбивать)* **2.** *(о часах)* strike **3.** *(убивать)* kill; sláughter *(скот)* **4.** *(о воде)* gush out ◇ ~ тревóгу raise the alárm; ~ в ладóши clap one's hands; ~ отбóй beat the retréat

би́ться 1. *(с врагом)* fight **2.** *(обо что-л.)* knock *(against)* **3.** *(о сердце)* beat **4.** *(над; стараться)* struggle *(with)* ◇ ~ об заклáд bet

бич lash, whip; *перен.* plague, scourge

блáг||о *сущ.* good; wélfare;

материа́льные ~а matérial wealth *sg*.

благови́дный: ~ предло́г plausible excúse

благовоспи́танный wéll-bréd

благодари́ть thank

благода́рн||ость grátitude ◇ не сто́ит ~ости don't méntion it; not at all; **~ый** gráteful, thánkful; ~ый труд grátifying lábour

благодаря́ *предл.* thanks to

благоде́тель *уст.* bénefactor

благодея́ние good deed, boon

благоду́шие kíndliness

благожела́тельн||о *нареч.* fávourably; **~ый** wéll-dispósed, kíndly

благозву́чный harmónious

благонадёжный trústworthy, relíable

благополу́ч||ие wéll-béing; prospérity; **~но** *нареч.* all right; well *(хорошо)*; háppily *(счастливо)*; **~ный** háppy

благоприя́тный fávourable, propítious

благоразу́м||ие sense; prúdence *(осторожность)*; **~ный** réasonable, sénsible; wise *(рассудительный)*; prúdent *(осторожный)*

благоро́дн||ый noble; génerous; ~ мета́лл noble *(или* précious) métal; **~ство** nobílity; generósity

благоскло́нный benévolent

благослов||и́ть, ~ля́ть bless

благососто́яние wéll-béing, prospérity

благотвори́тельность chárity, philánthropy

благотво́рный benefícial

благоустро́||енный cómfortable, well equipped; ~ го́род a town with good aménities; **~йство**: ~йство городо́в town plánning and organizátion of públic sérvices

благоуха́ние frágrance

блаже́нство bliss

бланк form; заполня́ть ~ fill in a form

бледне́ть turn *(или* grow) pale

бле́дн||ость páIlor, páleness; **~ый** pale

блёк||лый fáded; **~нуть** fade; wither

блеск lústre; brílliance; shine

блесна́ spóon-bait

блесну́ть flash

блесте́ть shine; glítter

блестя́щий shíning; brílliant *(тж. перен.)*

ближа́йш||ий 1. néarest; the next; в ~ем бу́дущем in the near fúture; в ~ие дни withín the next few days **2.** *(непосредственный)* immédiate

бли́жние *сущ.* fellow créatures

бли́жний néighbouring; near; néarest *(кратчайший)*

близ *предл.* near, close *(to)*

бли́зиться appróach, come

бли́зкие *сущ.*: мой ~ my fámily

бли́зк||ий 1. near; на ~ом расстоя́нии at a short dístance **2.** *(сходный)* like; close *(to; о переводе)* **3.** *(об отношениях)* íntimate; close; **~о 1.** *нареч.* near; *перен. тж.* close **2.** *предик. безл.* it is not far

близнецы́ twins

близору́к||ий myópic; shórt-sighted *(тж. перен.)*; **~ость**

myópia; shórt-síghtedness *(тж. перен.)*

бли́зость 1. *(по месту, времени)* néarness, proxímity **2.** *(отношений)* íntimacy

блик patch of refléeted light; high light *(в живописи)*

блин páncake

блинда́ж *воен.* dúg-out

блиста́ть shine, glow, scíntillate

блок I *полит.* bloc

блок II *тех.* block, púlley

блок||а́да blockáde; **~и́ровать** blockáde

блокно́т nóte-book, wríting-pad

блонди́н fáir-háired man; **~ка** blonde

блоха́ flea

блужда́||ть roam, wánder; **~ющий** wándering; ~ющая по́чка *мед.* flóating kídney; ~ющий огонёк will-o'-the-wisp

блу́з(к)а blouse

блю́дечко sáucer; jam dish *(для варенья)*

блю́до *в разн. знач.* dish ◇ пе́рвое, второ́е ~ first, sécond course

блю́дце sáucer

блюсти́ guard; obsérve; ~ интере́сы трудя́щихся watch óver the ínterests of wórking másses

боб bean

бобёр béaver

бо́брик *текст.* cástor

бобро́вый béaver *attr.*

бог God

богате́ть grow rich

бога́т||ство ríches *pl.*, wealth; приро́дные ~ства nátural resóurces; **~ый 1.** *прил.* rich; wéalthy *(состоятельный)* **2.** *как сущ.* rich man

богаты́||рский Hercúlean, gíant; **~рь 1.** (épic) héro **2.** *(силач)* Hércules

бога́ч rich man; **~и́** *собир.* the rich

бода́ть(ся) butt

бодри́ть invígorate; **~ся** brace onesélf

бо́др||ость chéerfulness; **~ствовать** be awáke, watch; **~ый** chéerful, robúst

бодря́щий brácing

боев||о́й fíghting; battle *attr.*; ~а́я подгото́вка cómbat tráining; ~а́я заслу́га sérvice in battle; ~ поря́док battle formátion; ~ кора́бль wárship; ~а́я мощь fíghting strength

боеприпа́сы *воен.* ammunítion *sg.*

боеспосо́бность fíghting effíciency

бое́ц 1. prívate; man in the ranks *(рядовой в армии)*; офице́ры и бойцы́ ófficers and men **2.** fíghter; wárrior *(борец; тж. перен.)*

бо||й I fight, battle; в ~ю́ in áction; взять с ~ю take by force; возду́шный ~ air fight

бой II: ~ часо́в stríking of a clock; the chimes *pl.*

бо́йк||ий smart; sharp; glib *(о языке)* ◇ ~ое ме́сто a búsy place; ~ая у́лица a búsy thóroughfare

бойко́т bóycott; **~и́ровать** bóycott

бойни́ца lóop-hole

бо́йня 1. sláughter-house **2.** *(массовое избиение)* mássacre, sláughter

бок side ◇ ~ о́ ~ side by side

бока́л góblet; glass

боков||о́й side *attr.;* láteral; ~ая у́лица side street

бо́ком *нареч.* sídeways

бокс bóxing; ~**ёр** bóxer

болва́н blóckhead

болга́р||ин Bulgárian; ~**ский** Bulgárian; ~ский язы́к Bulgárian, the Bulgárian lánguage

бо́лее *нареч.* more; ~ всего́ most of all; ~ того́ móreover, more than that; тем ~ что all the more that

боле́зненный 1. síckly; féeble *(хилый);* ~ ребёнок a délicate child **2.** *(причиняющий боль)* páinful

боле́знь íllness; diséase *(определённая);* душе́вная ~ méntal disórder; морска́я ~ séasickness

боле́льщик *спорт. разг.* fan

бо́лен *предик. см.* больно́й 1

бол||е́ть 1. *(быть больным)* be ill **2.** *(об органе, части тела)* ache, hurt; у меня́ ~и́т голова́ I have a héadache; у меня́ ~и́т го́рло I have a sore throat; у меня́ ~я́т глаза́ my eyes hurt

болеутоля́ющее *(средство)* sédative; páin-killer *разг.*

боло́тистый swámpy, márshy

боло́тный swámpy, márshy

боло́то swamp, marsh

болт *(двери и т. п.)* bolt

болта́ть I *(взбалтывать)* stir, shake up ◇ ~ нога́ми dangle one's legs

болта́ть II *(говорить)* chátter

болта́ться *разг.* **1.** *(висеть)* dangle; hang lóosely **2.** *(слоняться)* hang abóut

болт||ли́вый tálkative; ~**овня́** chátter; jábber; twaddle; (idle) talk

болту́н (idle) tálker; chátterbox

боль pain, ache; pang *(острая)*

больни́ца hóspital

больни́чный hóspital *attr.;* ~ лист sіck-list

бо́льно I *предик. безл.* it hurts; вам бу́дет ~ it will give you pain

бо́льно II *нареч.* bádly, hard; ~ ушиби́ться hurt onesélf bádly

больн||о́й 1. *прич.* sick, ill; sore *(об органах, частях тела);* он бо́лен he is ill; ~а́я нога́ bad foot ◇ ~ вопро́с préssing próblem; ~о́е ме́сто ténder *(или* sore) spot **2.** *сущ.* sick man; pátient; ínvalid; ín-patient *(находящийся в больнице)*

бо́льше 1. *прил.* lárger, bígger; gréater **2.** *нареч.* more; ~ не no more, no lónger; как мо́жно ~ as much as póssible; не ~ чем no more than; no lónger than *(о времени);* чем ~, тем лу́чше the more, the bétter

большев||и́к Bólshevik; ~**и́стский** Bólshevist, Bólshevik

бо́льш||ий gréater; ~ая часть the gréater part, most *(of);* ~ей ча́стью for the most part

большинств||о́ majórity; most *(of);* в ~е́ слу́чаев in most cáses

больш||о́й big, large; great *(значительный);* придава́ть ~о́е значе́ние attách great impórtance; в ~ сте́пени lárgely; ◇ ~ па́лец thumb *(на руке);*

big toe *(на ноге)*; ~ая дорóга main road; ~ая бýква cápital létter

болячка sore

бóмб||а bomb; оскóлочная ~ personnél bomb; сбрáсывать ~ы drop bombs

бомбардир||овáть bombárd; **~óвка** bombárdment; **~óвщик** bómber

бомб||ёжка *разг.* bómbing; **~ить** *разг.* bomb

бомбоубéжище bomb shélter

бор pine fórest

бор||éц **1.** fíghter *(for)*; chámpion *(of)*; ~цы́ за мир fíghters for peace **2.** *спорт.* wréstler

бормотáть mútter

бóрн||ый bóric; ~ая кислотá bóric ácid

бородá beard

бородáвка wart

бородáтый béarded

боpоздá fúrrow

борон||á hárrow; **~и́ть** hárrow

борóться **1.** struggle, fight **2.** *спорт.* wrestle

борт **1.** *(судна)* side; на ~ý on board; за ~ом óverboard; с ~а парохóда from the deck of a stéamer **2.** *(одежды)* cóat-breast

борьбá **1.** struggle, fight **2.** *спорт.* wréstling

бос||икóм *нареч.* bárefoot; **~óй** bárefoot; **~онóжки** *(обувь)* sándals; ópen-toe sándals

ботáн||ика bótany; **~и́ческий** botánic(al); ~и́ческий сад botánical gárdens *pl.*

бóтики high óvershoes

боти́нок boot; high shoe *(амер.)*

бóчка bárrel, cask

бочóнок keg, small bárrel

боязли́вый tímid

боя́знь fear, dread

боя́ться be afráid *(of)*, fear

брази́||лец Brazílian; **~льский** Brazílian

брак I márriage; mátrimony

брак II *(в производстве)* defect; **~óванный** deféctive; **~овáть** reject as deféctive

брани́ть scold; **~ся** **1.** *(ругаться)* swear **2.** *(ссориться)* quárrel

брáнный abúsive

брань swéaring, bad lánguage

браслéт brácelet, bangle

брат bróther

брáт||ский brótherly, fratérnal; ~ская респýблика síster repúblic; **~ство** brótherhood, fratérnity; ~ство нарóдов the brótherhood of nátions

брать *см.* взять ◇ ~ начáло oríginate *(in, from)*; **~ся** *см.* взя́ться

брáчный márriage *attr.*, cónjugal

бревéнчатый tímbered; ~ дом lóghouse

бревнó log

бред delírium; rávings *pl.*; **~ить** be delírious; **~овóй** delírious

брéзгать be squéamish

брезгли́вый squéamish

брезéнт tarpáulin

брéмя búrden, load

брести́ make one's way, go

брешь breach, gap; пробивáть ~ breach

брéющий: ~ полёт lów-level flight

бригáд||а brigáde, team; ~

отли́чного ка́чества fírst-cláss group of wórkers; ~**и́р** *(ста́рший рабо́чий)* brigáde-léader

брилья́нт díamond; brílliant

брита́нский Brítish

бри́т||ва rázor; ~**венный:** ~венный прибо́р sháving set; ~**ый** (cléan-)sháven

бри́ть(ся) shave

бров||ь éyebrow; brow ◇ он и ~ью не повёл ≅ he did not turn a hair; не в ~, а в глаз ≅ hit the (right) nail on the head

брод ford

броди́ть I *(о вине, пиве)* fermént

брод||и́ть II *(странствовать)* wánder; stroll *(прогуливаться)*; ~**я́га** tramp, vágrant; ~**я́жничать** be a vágrant, live as a tramp; ~**я́чий:** ~я́чий музыка́нт strólling musícian; ~я́чий о́браз жи́зни nómad life

броже́ние 1. fermentátion **2.** *(недовольство)* únrést

бронебо́йный ármour-piercing

броневи́к ármoured car

бронено́сец *мор. уст.* báttleship; íron-clad

бронепо́езд ármoured train

бро́нз||а bronze; ~**овый** bronze; bronzed *(о цвете)*

брониро́ванный ármoured, iron-clad

брони́ровать *(оставлять за кем-л.)* resérve; book

бронирова́ть *(покрывать бронёй)* ármour

бро́нх||и *анат.* brónchial tubes; ~**и́т** bronchítis

бро́ня *(на место)* resérved place

броня́ *воен.* ármour

броса́ть *см.* бро́сить ◇ его́ броса́ет то в жар, то в хо́лод he goes hot and cold; ~**ся** *см.* бро́ситься

бро́сить 1. *(кинуть)* throw **2.** *(оставить)* abándon, desért **3.** *(перестать)* give up; quit ◇ ~ взгляд cast a glance; ~ я́корь drop ánchor; ~ войска́ send in the troops; бро́сьте! don't!; его́ бро́сило в жар he went hot all óver; ~**ся** dash, rush; throw onesélf; ~ся в во́ду plunge ínto the wáter ◇ ~ся в глаза́ be évident, be stríking

бро́шенный *(покинутый)* abándoned, desérted

бро́шка, брошь brooch

брошю́ра bóoklet, pámphlet

брус *стр.* beam ◇ паралле́льные ~ья *спорт.* párallel bars

бруси́ка red bílberry

брусо́к bar; ~ мы́ла bar of soap

бры́з||гать splash; sprinkle; spátter; ~**ги** spláshes; spray *sg.*

бры́знуть *см.* бры́згать

брыка́ться kick

брюзга́ grúmbler

брюзжа́ть grumble

брю́ква swede, túrnip

брю́ки tróusers

брюне́т dárk(-haired) man; ~**ка** brunétte

брюш||и́на *анат.* peritonéum; ~**но́й** abdóminal; ~но́й тиф týphoid (féver)

бряца́ть clank; ~ ору́жием brándish one's arms

бу́бны *карт.* diamonds

буго́р híllock

бу́дет I *3 л. ед. ч. буд. вр. см.* быть

бу́дет II *(довольно)* that'll do! that's enóugh!; ~ тебе́! stop it!

буди́льник alárm-clock

буди́ть wake, call; *перен.* rouse, awáken

бу́дка box, cábin; телефо́нная ~ télephone kiósk; télephone booth *(амер.)*; соба́чья ~ kénnel

бу́дни wéek-days; **~чный** éveryday

будора́жить distúrb

бу́дто *союз* as if, as though; ~ бы ничего́ не случи́лось as if nóthing had háppened

бу́дущее the fúture *(тж. грам.)*

бу́дущ||ий fúture, cóming; next *(следующий)*; to be *(после сущ.; предполагаемый)*; в ~ем ме́сяце next month; ◇ ~ее вре́мя *грам.* the fúture tense; **~ность** fúture

бу́йвол búffalo

бу́йн||ый víolent; ~ая расти́тельность luxúriant vegetátion

бу́йство túmult, úproar; **~вать** rage, storm

бук beech

бука́шка (small) ínsect

бу́ква létter

буква́льно *нареч.* líterally; word for word *(дословно)*

буква́рь ABC-book; school prímer

буке́т bunch of flówers, nósegay, bóuquet ['bukeɪ]

букини́ст sécond-hand bóokseller; **~и́ческий:** ~и́ческий магази́н sécond-hand bóokshop

букси́р 1. *(судно)* tug, túgboat 2. *(канат)* tow; взять на ~ take in tow

була́вка pin ◇ англи́йская ~ sáfety-pin

бу́лка roll; bun *(сдобная)*

бу́лочная báker's, báker's shop

булы́жник cóbble-stone

бульва́р bóulevard

бульдо́г búlldog

бульдо́зер búlldozer

бульо́н broth

бума́га 1. páper 2. *(документ)* páper, dócument

бума́жник wállet, pócket-book

бума́жный I páper *attr.*

бума́жный II *(хлопчатобумажный)* cótton *attr.*

бумазе́я flannelétte

бунт riot; **~ова́ть** ríot; **~овщи́к** rioter

бура́в gímlet; **~ить** bore, drill

бура́н snów-storm

бурда́ *разг.* dish wáter

буреве́стник stórmy pétrel

буре́ние bóring, drílling

буржуа́ bóurgeois ['buəʒwɑ:]; **~зи́я** bourgeoisíe [buəʒwɑ:'zi:]; кру́пная ~зи́я big bourgeoisíe; ме́лкая ~зи́я pétty bourgeoisíe

буржуа́зно-демократи́ческий bóurgeois-democrátic

буржуа́зный bóurgeois

бури́ть bore

бу́рка felt cloak

бу́рки felt boots

бурли́ть seethe

бу́рный stórmy; *(о море тж.)* héavy; ~ рост промы́шленности rápid growth of índustry

буров||о́й: ~а́я сква́жина bóre-hole

бу́рый gréyish-brown; *(о растительности тж.)* múddy-

-brown, wíthered ◇ ~ медве́дь brown bear; ~ у́голь brown coal

бу́ря storm, témpest

бу́сы beads

бутафо́рия 1. *театр.* próperties *pl.* **2.** *(в витрине)* plástic dúmmies *pl.*

бутербро́д sándwich

буто́н bud

бу́тсы *спорт.* fóotball boots

буты́лка bottle

бу́фер búffer

буфе́т 1. *(мебель)* sídeboard **2.** *(закусочная)* snack bar, búffet; refréshment room; **~чик** atténdant (in a snack bar)

бухга́лт||ер bóok-keeper, accóuntant; гла́вный ~ chief accóuntant; **~е́рия 1.** bóok-keeping **2.** *(помещение)* accóunt's depártment

бу́хта bay

бушева́ть storm, rage *(тж. перен.)*

буя́н rówdy, rúffian; **~ить** make a row

бы *частица (употребляется для образования сослагательного наклонения)*: я писа́л бы, е́сли бы не́ был за́нят I would write if I were not búsy; кто бы э́то мог быть? who could that be?; что бы ни whatéver; как бы ни howéver; когда́ бы ни whenéver; где бы ни wheréver; без како́го бы то ни́ было труда́ withóut ány trouble whatéver

быва́ло: он ~ ча́сто ходи́л туда́ he would óften go there, he used to go there óften ◇ как ни в чём не ~ as if nóthing had háppened, as though nóthing were the mátter

быва́лый wórldly-wíse; expérienced *(опытный)*

быва́ть 1. *(находиться)* be; он всегда́ быва́ет до́ма по воскресе́ньям he is álways at home on Súndays **2.** *(случаться)* háppen **3.** *(происходить)* take place, be held **4.** *(посещать)* vísit

бы́вший fórmer, late; ex- *(о председателе и т. п.)*

бык I bull; búllock *(кастрированный)*

бык II *(моста)* pier

бы́ло *частица (почти, вот-вот)*: он чуть ~ не забы́л he véry néarly forgót; он чуть ~ не ушёл he was just abóut to leave

был||о́е the past; býgones *pl.*; **~о́й** fórmer, past, býgone

быль fact; true stóry

бы́стро *нареч.* fast, quíckly, rápidly

быстрота́ speed; quíckness, rapídity

бы́стрый quick, rápid, fast; swift *(стремительный)*; prompt *(немедленный)*

быт mode of life; но́вый ~ new life

бытие́ béing, exístence; обще́ственное ~ sócial béing

бытов||о́й: **~ы́е** усло́вия condítions of life

быть be; háppen *(случаться, происходить)*; он был здесь he was here; что бу́дет, е́сли он всё узна́ет? what will háppen if he learns éverything?; у меня́ есть I have; у меня́ бы́ло I had; ~ в отсу́тствии be awáy, be ábsent; ~ впо́ру fit; ~ в состоя́нии be able; ~

вы́нужденным be oblíged, have to; ~ начеку́ be on the alért; ~ свиде́телем wítness; как ~? what is to be done?; будь что бу́дет come what may; будь по-ва́шему! let it be as you wish!; бу́дьте добры́ be so kind as, please

бюдже́т búdget; **~ный**: ~ный год físcal year

бюллете́нь **1.** búlletin; избира́тельный ~ vóting-paper; bállot(-paper) **2.** *(больничный листок)* dóctor's *(или* médical) certíficate

бюро́ óffice, buréau; ~ нахо́док lost próperty óffice; ~ пого́ды wéather-bureau

бюрокра́т búreaucrat; **~и́зм** buréaucratism; red tape; **~и́ческий** bureaucrátic; **~ия** buréaucracy

бюст bust

бюстга́льтер brassière ['bræsɪɛə]

бязь unbléached cálico

В

в *предл.* **1.** *(для обозначения места; тж.* «внутри́») in, at; в Москве́ in Móscow; в институ́те at the ínstitute; в теа́тре at the théatre; в я́щике стола́ in a dráwer **2.** *(при глаголах, обознач. движение куда-л.)* into, in; войти́ в дом go ínto the house; положи́ть в я́щик put into a box **3.** *(для обозначения направления)* to; for *(о месте назначения)*; пое́хать в Москву́ go to Móscow; отпра́виться, уе́хать в Москву́ start, leave for Móscow; идти́ в шко́лу go to school **4.** *(для обозначения времени)* in *(при обозначении года и в назнаниях месяцев)*; on *(при названиях дней недели и обозначениях чисел месяца)*; at *(при обозначении часа)*; в 1980 г. in 1980; в ма́е in May; в сре́ду on Wédnesday; в два часа́ at two o'clóck; в э́том году́ this year; в э́том ме́сяце this month; в э́тот день that day **5.** *(при обозначении изменения состояния)* to, ínto; преврати́ть во́ду в лёд convért wáter ínto ice **6.** *(в течение)* in; э́то мо́жно сде́лать в три дня it can be done in three days **7.** *(для обозначения размера) не переводится*: длино́й в два ме́тра two metres long **8.** *(при обозначении расстояния от чего-л.)* at a dístance of; в двух киломе́трах от Москвы́ at a dístance of two kílometres from Móscow **9.** *(при обозначении качества, характера, состава чего-л.)* in; пье́са в пяти́ а́ктах a play in five acts **10.** *(при сравнении) не переводится:* в пять раз бо́льше five times as much; в пять раз ме́ньше five times less; ◇ быть в пальто́ wear a coat; в войска́х in the ármy; в день a day; недоста́ток в чём-л. lack of smth.; он пошёл в отца́ he takes áfter his fáther

ваго́н ráilway cárriage; мя́гкий ~ uphólstered cárriage; е́хать в жёстком ~е trável hard; е́хать в мя́гком ~е trável soft; почто́вый ~ mail van; mail car *амер.*; спа́льный ~

sléeping-car; санита́рный ~ hóspital-car

вагоне́тка trólley, truck

вагоновожа́тый trám-driver

ваго́н-рестора́н díning-car

ва́жничать put on airs, give onesélf airs

ва́жн||о 1. *предик. безл.* it is impórtant; это не так ~ *разг.* it does not mátter **2.** *нареч.* *(с важным видом)* with an air of impórtance; **~ость 1.** impórtance; signíficance *(значение)* **2.** *(надменность)* pompósity; **~ый 1.** impórtant; signíficant *(значительный)* **2.** *(надменный)* grand; pómpous

ва́за vase, bowl

вазели́н váseline

вака́н||сия vácancy; **~тный** vácant

ва́кса black shoe pólish; blacking

вакци́на *бакт., мед.* váccine

вал I *(земляной)* mound; *воен.* rámpart

вал II *тех.* shaft

вал III *(волна)* róller, large wave, bréaker

ва́ленки válenki *(felt boots)*

вале́т *карт.* knave, Jack

ва́лик 1. *(диванный)* bólster; **2.** *тех.* cýlinder

вали́ть 1. throw down; overtúrn *(опрокидывать)*; fell *(деревья)* **2.** *(в кучу)* heap up, pile up; **~ся** tumble down, fall down

валов||о́й *эк.* gross; ~а́я проду́кция gross óutput

вальс waltz

валю́та cúrrency

валя́ть 1. *(по полу)* drag alóng **2.** *(в чём-л.)* roll; drag in **3.** *(сукно)* full ◇ ~ дурака́ *разг.* play the fool; **~ся 1.** *(о вещах)* lie abóut; ~ся в беспоря́дке be scáttered abóut **2.** *(о человеке)* lie; loll

вам *дт. см.* вы

ва́ми *тв. см.* вы

ванда́л Vándal

вани́ль vanílla

ва́нн||а bath; со́лнечная ~ sún-bath; приня́ть ~у take a bath; **~ая** báth-room

вар pitch

ва́рвар barbárian; **~ский** bárbarous; **~ство** barbárity, crúelty

ва́режки míttens

варёный boiled

варе́нье jam

вариа́||нт vérsion, réading, váriant *(текста)*; **~ция** variátion

вари́ть boil; cook *(стряпать)*; ~ пи́во brew beer; ~ варе́нье make jam; **~ся** be bóiling; be cóoking

ва́рка cóoking; ~ варе́нья jám-making

вас *рд., вн., пр. см.* вы

василёк córn-flower

васса́л vással

ва́та cótton wool; wádding *(подкладка)*

вата́га gang, band

ватер||ли́ния *мор.* wáter-line; **~па́с** *тех.* wáter-lével

вати́н wádding

ва́тник *разг.* quilted jácket

ва́тн||ый wádded, quilted; ~ое одея́ло quilt

ватру́шка chéese-cake

ватт *эл.* watt

ва́фля wáfer

ва́хт||а *мор.* watch; на ~е on dúty; стоя́ть на ~е keep watch ◇ ~ ми́ра éfforts for peace

ваш *мест. (при сущ.)* your; *(без сущ.)* yours; э́то ~а книга this is your book; э́та книга ~а this book is yours

вая́ние scúlpture

вбе||га́ть, ~жа́ть run in(to); rush in(to)

вбива́ть *см.* вбить

вбира́ть absórb, drink in

вбить drive in; wedge *(клин)* ◇ ~ себе́ в го́лову, что get it into one's head that

вблизи́ *нареч.* near by, not far from *(или* off)

вброд *нареч.*: переходи́ть (ре́ку́) ~ ford

вва́ливаться *см.* ввали́ться

ввали́||ться 1. *(упасть)* tumble *(in, into)* **2.** *разг. (войти)* barge *(in)* **3.**: глаза́ ~лись the eyes becáme súnken; щёки ~лись the cheeks becáme hóllow

введе́ние introdúction

ввезти́ impórt

вве́рить *(кому-л. что-л.)* (en)trúst *(smb. with smth.)*

вверну́ть, ввёртывать 1. screw in **2.** *разг. (слово)* put in

вверх *нареч.* up, úpwards; ~ по реке́ úp-stréam; ~ по ле́стнице úpstáirs; подня́ть ~ lift up; поднима́ться ~ go up ◇ ~ дном úpside-dówn; ~у́ *нареч.* abóve; óverhead *(над головой)*

вверя́ть *см.* вве́рить

ввести́ introdúce; ~ в ко́мнату bring ínto the room; ~ войска́ bring the troops in ◇ ~ в де́йствие put ínto operátion *(или* commísion); ~ в заблужде́ние misléad, decéive; ~ кого́-л. в расхо́д put smb. to expénse; ~ кого́-л. в курс put smb. in the pícture; ~ во владе́ние *юр.* confírm smb. in légal ównership, grant próbate to smb.

ввиду́ *предл.* in view *(of)*; ~ того́, что as, in view of the fact that, consídering that

ввинти́ть, вви́нчивать screw in

вводи́ть *см.* ввести́

вво́дн||ый 1. introdúctory; préfatory **2.** *грам.*: ~ое сло́во introdúctory word; ~ое предложе́ние parenthétical clause

ввоз ímport; **~и́ть** *см.* ввезти́; **~ный** impórted; ~ная по́шлина ímport dúty

вво́лю *нареч. разг.* to one's heart's contént

ввысь *нареч.* up, úpwards

ввяза́ться, ввя́зываться *разг.* put in one's oar, poke one's nose *(in)*

вглубь *нареч.* deep *(into)*; ~ страны́ far ínland; ~ лесо́в ínto the heart of the fórests; проника́ть ~ pénetrate deep *(into)*

вгляде́ться, вгля́дываться peer *(at, into)*; look nárrowly *(at)*

вгоня́ть *см.* вогна́ть

вдава́ться jut out *(into)* ◇ ~ в подро́бности go ínto détails; ~ в кра́йности go from one extréme to the óther

вдави́ть, вда́вливать press in

вдалеке́, вдали́ *нареч.* **1.** in the dístance **2.** *(от чего-л.)* far *(from)*; держа́ться ~ keep one's dístance *(тж. перен.)*

вдаль *нареч.* ínto the dístance

вдвига́ть, вдви́нуть push *(in, into)*, move *(in, into)*

вдвóе *нареч.* double, twice; ~ бóльше twice as much *(с сущ. в ед. ч.)*; twice as mány *(с сущ. во мн. ч.)*; увели́чить ~ double; умéньшить ~ halve; склáдывать ~ fold in two

вдвоём *нареч.* the two of (us, you, them); both *(of)*; éсли вы пойдёте тудá ~ if you go there togéther, if both of you go there

вдвойнé *нареч.* double; заплати́ть ~ pay double

вдевáть *см.* вдеть

вдéсятеро: ~ бóльше ten times as much *(с сущ. в ед. ч.)*; ten times as mány *(с сущ. во мн. ч.)*

вдеть: ~ ни́тку в игóлку thread a needle; ~ нóгу в стрéмя put one's foot in the stírrup

вдобáвок *нареч.* in addítion

вдов||á wídow; **~éц** wídower

вдóволь *нареч.* to one's heart's contént; всегó бы́ло ~ there was plénty of éverything

вдогóнку *нареч.* áfter; in pursúit of; брóситься ~ за кем-л. rush áfter smb.

вдолби́ть *разг.* drum, din

вдоль *нареч. и предл.* alóng ◇ ~ и поперёк far and wide

вдохнов||éние inspirátion; **~ённый** inspíred; **~и́тель** inspírer; **~и́ть** inspíre; **~и́ться** be inspíred; **~ля́ть(ся)** *см.* вдохнови́ть(ся)

вдохну́ть 1. inhále **2.** *(бóдрость, мужество)* inspíre with cóurage

вдрéбезги *нареч.* ínto smithereéns; to píeces; разби́ть smash to píeces ◇ ~ пьян dead drunk

вдруг *нареч.* súddenly, all of a súdden

вдувáть *см.* вдуть

вду́м||аться consíder, think óver; **~чивый** thóughtful, sérious; **~ываться** *см.* вду́маться

вдуть blow in

вдыхáть *см.* вдохну́ть 1

вегетариáн||ец vegetárian; **~ский** vegetárian

вéдать 1. *(заведовать)* be in charge of, mánage **2.** *уст.* *(знать)* know

вéдени||е cómpetence; э́то не в моём ~и it is not withín my próvince

ведéние: ~ хозя́йства hóusekeeping; ~ книг *бухг.* bóok-keeping; ~ судéбного дéла the cónduct of a case

вéдом||о: без моегó ~а withóut my knówledge; withóut my consént *(без моего согласия)*

вéдомость list; платёжная ~ páy-sheet; páy-roll

вéдомство (góvernment) depártment

ведрó pail, búcket; ~ для му́сора wáste-bin

веду́щ||ий chief, léading; **~ие** óтрасли промы́шленности key índustries

ведь: ~ э́то прáвда? it's true, isn't? ~ я же ему́ сказáла háven't I told him?; да ~ онá же пришлá well, but she has come; да ~ э́то онá why, it's she

вéдьма witch

вéер fan

вéжлив||о *нареч.* polítely; **~ость** civílity, políteness; долг

~ости ≅ políteness requíres; ~ый políte, cívil

везде́ *нареч.* éverywhere

везти́ I cárry; drive, take *(на автомобиле и т. п.)*; transpórt *(перевозить)*; draw *(телегу и т. п.)*

вез||ти́ II *безл.*: ему́ ~ёт he has luck, he is lúcky

век 1. céntury; age *(эпоха)* **2.** *(жизнь)* life; на мой ~ хва́тит it will last my time; на своём ~у́ in one's time ◇ в ко́и-то ~и ≅ once in a blue moon

ве́ко éyelid

вековóй sécular

ве́ксель prómissory note; bill of exchánge *(переводной)*

веле́ть órder; tell

вели́к: э́тот костю́м мне ~ this suit is too big for me

велика́н gíant

вели́к||ий great; ~ие держа́вы the Great Pówers

великоду́ш||ие generósity, magnanímity; ~ный génerous, magnánimous

великоле́пный magníficent, spléndid; fine

вели́чественный majéstic, grand; impósing *(внушительный)*

вели́чие grándeur

величина́ size; *мат.* quántity, válue; постоя́нная ~ cónstant

велосипе́д bícycle; cycle; bike *разг.*; е́здить на ~е cycle; ~и́ст cýclist

ве́на *анат.* vein

венге́рский Hungárian; ~ язы́к Hungárian, the Hungárian lánguage

венгр Hungárian

венери́ческий venéreal

вене́ц crown *(тж. перен.)*

ве́ник short brush of bound straw; switch of birch twigs *(в бане)*

вено́зный vénous

вено́к wreath

вентил||и́ровать véntilate; ~я́тор véntilator, fan; ~я́ция ventilátion

ве́ра faith; belíef

вера́нда verándah

ве́рба pússy-willow

верблю́д cámel

верб||ова́ть recrúit, enlíst; ~о́вка recrúitment

верёвка cord; rope *(толстая)*; string *(тонкая)*; ~ для белья́ clóthes-line

верени́ца row, file

ве́реск héather

вери́тельн||ый: ~ые гра́моты credéntials

ве́рить belíeve *(in)*; ~ кому́-л. на́ слово take smb.'s word for it; take on trust; ~ся *безл.*: мне не ве́рится I can't belíeve

вермише́ль vermicélli

ве́рно I **1.** *нареч.* *(правильно)* corréctly, right **2.** *нареч.* *(преданно)* fáithfully **3.** *предик. безл.* it is right; ~! that's right!

ве́рно II *вводн. сл.* *(вероятно)* próbably

ве́рность 1. *(правильность)* truth, corréctness **2.** *(преданность)* fáithfulness, lóyalty

верну́ть 1. *(отдать обратно)* give back, retúrn **2.** *(получить обратно)* get back **3.** *(заставить кого-л. вернуться)* bring smb. back; ~ся retúrn, come back

ве́рн||ый 1. *(правильный)* corréct, right **2.** *(преданный)* fáithful, true, lóyal **3.** *(надёжный)* relíable; sure *(несомненный)*; ~ое сре́дство infállible rémedy

ве́рование belíef, creed

вероисповеда́ние relígion

вероло́мный tréacherous, perfídious

веротерпи́мость tolerátion

вероя́т||но véry líkely, próbably; **~ность** probabílity; по всей ~ности in all probabílity; **~ный** próbable, líkely

ве́рсия vérsion

верста́к jóiner's bench

верста́ть *полигр.* make up in páges; impóse

вёрстка *полигр.* páge-proofs

ве́ртел spit

верте́ть turn; twirl, spin *(быстро)*; ~ в рука́х twiddle; **~ся 1.** turn, turn round; spin *(быстро)* **2.** *(ёрзать)* fídget, move; ◇ э́то ве́ртится у него́ на языке́ it is on the tip of his tóngue; ~ся под нога́ми be in the way

вертика́льный vértical

вертля́вый *разг.* fídgety

ве́рующий 1. *прил.* relígious, píous; **2.** *как сущ.* 1) a believer; 2) *мн.*: ~ие the fáithful

верфь shípyard, dóckyard

верх 1. top *(верхушка)*; úpper part *(верхняя часть)*; hood *(экипажа)* **2.** *(высшая ступень)* height; **~ний** úpper; ~ний эта́ж úpper floor

верхо́вн||ый supréme; ~ая власть supréme pówer; Верхо́вный Сове́т СССР Supréme Sóviet of the USSR; Верхо́вный Суд Supréme Court of Jústice

верхов||о́й 1. *прил.*: ~а́я езда́ ríding; ~а́я ло́шадь sáddle-horse **2.** *как сущ.* ríder

верхо́вье úpper réaches *pl.*; ~ Во́лги the Úpper Vólga

верхо́м *нареч.* on hórseback *(на лошади)*; е́здить ~ ride

верху́шка top

верши́на ápex; súmmit, peak *(пик)*

вес weight; *перен.* weight, ínfluence

весели́ть cheer; amúse, divért *(забавлять)*; **~ся** make mérry, have fun, enjóy onesélf

ве́село 1. *нареч.* gáily, mérrily; как ~! what fun!; ~ провести́ вре́мя have a good time **2.** *предик. безл.*: мне ~ I am enjóying mysélf

весёл||ость gáiety, chéerfulness; **~ый** mérry, gay; ~ое настрое́ние a gay mood

весе́лье mérriment, mérry-making, fun

весе́нний spring *attr.*

ве́с||ить weigh; **~кий** wéighty

весло́ oar; scull

весн||а́ spring; **~о́й** *нареч.* in spring

весну́||шки freckles; **~шчатый** freckled

вести́ 1. *в разн. знач.* condúct, lead; ~ кружо́к condúct a círcle; ~ собра́ние presíde óver a méeting **2.** *(машину)* drive ◇ ~ перепи́ску keep up a correspóndence; ~ разгово́р hold a conversátion; ~ борьбу́ cárry on a strúggle; ~ войну́ с кем-л. wage war upón smb.; ~ кни́ги *бухг.* keep books; ~ хозя́йство keep house; ~ нача́ло от óriginate from; ~ себя́ beháve; веди́те себя́ прили́чно! beháve yoursélf!; **~сь** be in prógress; be únder way

ве́стник hérald

вестово́й órderly

вест||ь news, piece of news; пропа́сть бе́з **~и** be míssing

весы́ scales; bálance *sg.*

весь, вся, всё (все) *мест.* all, the whole; он всё забы́л he has forgótten everything; по всей стране́ throughóut the cóuntry; во всю длину́ at full length; он всех уви́дел he has seen éverybody ◇ э́то всё равно́ it's all the same; при всём том for all that; во весь го́лос at the top of one's voice; всего́ хоро́шего! góod-býe!; все до одного́ to a man

весьма́ *нареч.* híghly; ~ вероя́тно most próbably

ветви́стый bránchy

ветвь branch; bough *(сук)*

ве́т||ер wind ◇ броса́ть слова́ на ~ waste one's breath; держа́ть нос по **~ру** wait to see which way the wind blows

ветера́н véteran

ветерина́р véterinary; **~ный** véterinary

ветеро́к (light) breeze

ве́тка branch; железнодоро́жная ~ branch line

ве́то véto

ве́точка twig, shoot

ве́треный 1. *(о погоде)* wíndy; gústy **2.** *(легкомысленный)* flíghty, féather-bráined

ветрян||о́й: **~а́я** ме́льница windmill

ве́трян||ый: **~ая** о́спа chícken-pox

ве́тхий old, rámshackle, dilápidated

ветчина́ ham

ве́ха 1. lándmark; пограни́чная ~ bóundary mark **2.** *мор.* spár-buoy **3.** *перен.* mílestone, lándmark

ве́чер 1. évening **2.** *(собрание)* párty; литерату́рный ~ líterary soirée; ~ па́мяти Пу́шкина Púshkin memórial évening

вечери́нка évening-party

вече́рн||ий évening *attr.*; **~ие** заня́тия night clásses; **~яя** заря́ áfterglow

ве́чером *нареч.* in the évening; сего́дня ~ toníght; за́втра ~ tomórrow night; вчера́ ~ last night; по́здно ~ late in the évening

ве́чн||о *нареч.* etérnally; álways *(всегда)*; **~ость** etérnity; я не ви́дел его́ це́лую **~ость** *разг.* I háven't seen him for áges; **~ый** etérnal, everlásting; perpétual *(непрерывный)* ◇ **~ое** перо́ fóuntain-pen

ве́шалка 1. dréss-hanger; cóat-hook, cóat-rack **2.** *(у платья)* tab; у него́ оборвала́сь ~ the tab of his coat is torn off **3.** *разг.* *(помещение)* clóak-room

ве́шать I hang, hang up

ве́шать II *(казнить)* hang

ве́шать III *(на весах)* weigh

вещево́й: ~ мешо́к knápsack; ~ склад store, wárehouse

веще́ственн||ый matérial; **~ое** доказа́тельство matérial évidence

вещество́ súbstance, mátter

вещ||ь 1. thing, óbject **2.** *мн.*: **~и** *(имущество)* things, belóngings

вéялка *с.-х.* winnowing machíne

вéя||ние I *(ветра)* breath, blówing; *перен.* trend; нóвые **~ния** new idéas

вéяние II *(зерна)* winnowing

вéять I *(о ветре)* blow

вéять II *(зерно)* winnow

взад *нареч.*: ~ и вперёд up and down, back and forth, to and fro

взаимн||ость reciprócity; **~ый** mútual, recíprocal

взаимодéйствие interáction; co-operátion, co-ordináted áction

взаимоотношéние relátion, interrelátion

взаимопóмощ||ь mútual aid; договóр о **~и** mútual aid pact

взаимосвя́зь correlátion

взаймы́: брать ~ bórrow; давáть ~ lend

взамéн *предл.* in exchánge for, in retúrn for

взаперти́ *нареч.* locked up; únder lock and key

взбáлмошный únbálanced

взбáлтывать *см.* взболтáть

взбегáть, взбежáть run up

взбеси́ть enráge, infúriate; **~ся** súffer from rábies; *перен.* go mad, get fúrious

взбешённый fúrious, infúriated

взбивáть *см.* взбить

взбирáться *см.* взобрáться

взбить 1. *(яйца, сливки)* beat up, whip **2.** *(подушки)* shake up; fluff up *(волосы)*

взболтáть shake up, stir

взбрести́: ~ на ум, ~ в гóлову комý-л. occúr to smb., take a nótion

взбудорáжить distúrb, ágitate

взбунтовáться revólt, mútiny

взвáливать, взвали́ть load, charge; ~ нá спину shóulder ◇ ~ винý на когó-л. throw the blame on smb.

взвéсить *прям., перен.* weigh; **~ся** weigh oneséIf

взвести́ raise; ~ курóк cock a gun ◇ ~ обвинéние на когó-л. put the blame on smb.

взвéшивать(ся) *см.* взвéсить (-ся)

взвивáться *см.* взви́ться

взви́зг||ивать, ~нуть squeak, scream; yelp *(о собаке)*

взвинти́ть, взви́нчивать work up, excíte ◇ ~ цéны infláte príces

взви́ться fly up

взвод *воен.* platóon

взводи́ть *см.* взвести́

взвóдный *(командир)* platóon commánder

взволнóв||анный ágitated, excíted; **~áть** ágitate, excíte; move *(растрогать)*; **~áться** get ágitated (*или* excíted)

взгляд 1. look; glance *(мимолётный)*; gaze, stare *(пристальный)*; на пéрвый ~ on the face of it; с пéрвого ~а at first sight; брóсить ~ cast a glance; take a look **2.** *(воззрение)* view, opínion; здрáвый ~ на вéщи sound júdgement; на мой ~ in my opínion; **~ы** на жизнь views on life

взгля́||дывать, ~нýть cast a glance *(at)*, throw a glance *(at)*, look *(at)*

взгромозди́ться climb *(upon)*; clámber *(upon)*

вздёр||гивать jerk up; **~ну́тый:** ~нутый нос snub nose

вздёрнуть *см.* вздёргивать

вздор nónsense, rúbbish, trash; **~ный** *(о человеке)* quárrelsome

вздорожа́ть rise in price

вздох sigh; **~ну́ть** sigh; draw breath *(перевести дыхание)*

вздра́гивать *см.* вздро́гнуть

вздремну́ть take a nap

вздро́гнуть start; give a start *(от неожиданности)*; shúdder *(от ужаса)*; wince, flinch *(от боли)*

вздува́ть *см.* вздуть 1

взду́м||ать take it ínto one's head; **~аться** *безл.*: ему́ ~алось he took it ínto his head; поступа́ть как ~ается fóllow one's fáncy

взду́тие swélling

вздуть 1. infláte *(тж. о ценах)* **2.** *разг.* *(отколотить)* thrash, lick

вздыха́ть *см.* вздохну́ть; ~ о чём-л. sigh *(for)*, long *(for)*

взим||а́ть lévy, raise, colléct; ~а́ется штраф a státutory fine is impósed

взира́ть *уст.* look *(на — at)*, gaze *(на — at, on, upon)*

взла́мывать *см.* взлома́ть

взлёт *ав.* táke-óff

взле||та́ть, ~те́ть 1. fly up; **2.** *ав.* take off ◇ ~те́ть на во́здух *(взорваться)* blow up

взлом bréaking ópen; **~а́ть** break ópen; **~щик** búrglar

взмах stroke, sweep *(вёсел, косы́)*; wave, móvement *(руками)*; flap *(крыльев)*

взма́х||ивать, ~ну́ть flap *(крыльями)*; wave *(рукой, флажком)*

взмо́рье séashore, beach

взнос páyment; fees, dues *pl.* *(членский)*; subscríption *(в добровольных обществах, клубах и т. п.)*

взнузда́ть, взну́здывать bridle

взобра́ться climb *(upon)*; mount

взойти́ 1. ascénd; mount **2.** *(о солнце)* rise **3.** *(о семенах)* sprout

взор look; gaze *(пристальный)*; устреми́ть ~ fix one's eyes *(on)*

взорва́ть 1. blow up **2.** *(возмутить)* rouse one's indignátion, infúriate; **~ся** explóde, burst, be blown up

взро́слый grówn-up, adúlt

взрыв explósion; *перен.* (óut)burst; ~ сме́ха burst (*или* peal) of láughter; ~ гне́ва burst of ánger; **~а́тель** *тех.* fuse; **~а́ть (-ся)** *см.* взорва́ть(ся); **~но́й** explósive

взры́вчат||ый explósive; ~ое вещество́ explósive

взъеро́шить tousle, dishével

взыва́ть appéal *(to; к кому-л.)*; call *(for; о чём-л.)*

взыска́ние pénalty, réprimand *(выговор)*; получи́ть ~ be réprimanded

взыска́тельный exácting, strict

взыска́ть, взы́скивать exáct; recóver *(получить)*

взя́тие táking; séizure *(власти)*; cápture *(крепости)*

взя́т||ка 1. bribe; дать ~ку bribe **2.** *карт.* trick; брать ~ку take a trick

взя́точни||к táker of bribes; **~чество** táking of bribes; corrúption, graft

взять take; ~ взаймы́ bórrow; ~ напрока́т hire; ~ на пору́ки go bail *(for)* ◇ ~ обяза́тельство undertáke, accépt an obligátion; ~ приме́р с кого́-л. fóllow smb.'s exámple; ~ себя́ в ру́ки take onesélf in hand, pull onesélf togéther; ~ сло́во take the floor; ~ свои́ слова́ обра́тно withdráw one's words; ~ с кого́-л. сло́во make smb. prómise; ~ за пра́вило make it a rule; ~ чью-л. сто́рону side with smb.; ~ по́д руку take smb.'s arm; чёрт возьми́! damn it!; **~ся 1.** *(приняться)* take up, set to **2.** *(обязаться)* undertáke **3.** *(руками)* touch; ~ся рука́ми за что-л. take (*или* hold) smth. in one's hands ◇ ~ся за́ руки hold (*или* join) hands; отку́да ни возьми́сь quite únexpéctedly, all of a súdden; ~ся за ум come to one's sénses

вибр||а́ция vibrátion; **~и́ровать** vibráte

вид I **1.** appéarance, look; air **2.** *(пейзаж)* view **3.** *(форма)* shape, form; condítion *(состояние)*; в ~е in the form of **4.** *(поле зрения)* sight; не теря́ть и́з ~у keep in view **5.** *тк. мн.* *(предположения, планы)* plans, inténtions, име́ть ~ы на кого́-л. have one's eye on smb.; ~ы на урожа́й hárvest próspects ◇ при ~е at the sight *(of)*; под ~ом únder the prétext; ни под каки́м ~ом by no means; де́лать ~ preténd; у него́ хоро́ший ~ he looks well, he looks quite fit

вид II **1.** *(род, сорт)* kind **2.** *биол.* spécies

вид III *грам.* áspect

виде́ние vísion

ви́деть see; ~ во сне dream *(of)*; **~ся** see each óther

ви́димо *вводн. сл.* appárently, évidently

ви́димо-неви́димо *нареч. разг.* by thóusands, by the thóusand

ви́дим||ость visibílity; *перен.* appéarance; **~ый** vísible

видне́ться be vísible

ви́дн||о 1. *предик. безл.* one can see; *перен.* it is clear **2.** *вводн. сл.* *(по-видимому)* it seems; **~ый 1.** *(видимый)* vísible **2.** *(значительный)* éminent; próminent *(выдающийся)*; занима́ть ~ый пост óccupy a high (*или* próminent) posítion **3.** *разг.* *(о внешности)* státely; ~ый мужчи́на a man of hándsome présence

видоизмен||е́ние modificátion, alterátion; **~и́ть, ~я́ть** álter

ви́з||а vísa; получи́ть ~у get a vísa; предоста́вить ~у grant a vísa

виз||г squeal; yelp *(собаки)*; **~гли́вый** shrill; **~жа́ть** squeal, screech; yelp *(о собаке)*

визи́ровать vísa

визи́т call, vísit

ви́ка *бот.* vetch

виктори́на quízzing game, quiz

ви́лка 1. fork **2.** *эл.* eléctric plug

ви́лы pítchfork *sg.*

виля́ть *(хвостом)* wag; *перен.* shuffle, preváricate

вин||á guilt, fault; по ~é когó-л. through smb.'s fault

винегрéт sálad of béetroot, ghérkins *etc.*, dréssed with oil and vínegar

винúтельный: ~ падéж *грам.* accúsative (case)

винúть blame *(smb. for)*

вúнн||ый wine *attr.* ◇ ~ кá-мень tártar; ~ая я́года fig

винó wine

виновáт: ~! sórry!, excúse me; он не ~ it isn't his fault; я ~ пéред вáми it's all my fault; ~ый gúilty

винóвн||ик cúlprit; *перен.* cause; ~ торжествá héro of the occásion; ~ый gúilty

виногрáд grapes *pl.*; **~арство** víticulture; **~ник** víneyard; **~ный:** ~ная лозá vine

вино||дéлие wíne-making; **~кýренный:** ~кýренный завóд distíllery

винт screw

винтóвка rifle; автоматúческая ~ automátic rifle; магазúнная ~ magazíne rifle

винтов||óй spíral; ~ая нарéзка thread; ~áя лéстница spíral stáircase

виолончелúст céllist

виолончéль 'céllo

виртуóз virtuóso

вúрус *биол.* vírus

вúселица gállows, gíbbet

ви||сéть hang ◇ э́то ~сúт в вóздухе it is still in the air, nóthing is séttled

вискóза ráyon

висóк temple

високóсный: ~ год léap-year

висáч||ий hánding, péndant; ~ замóк pádlock; ~ мост suspénsion bridge; ~ая лáмпа céiling péndant

витамúн vítamin

витáть soar ◇ ~ в облакáх be up in the clouds

витрúна shop wíndow *(окно)*; shów-case *(в музее)*

вить twist; weave *(плести)*; ◇ ~ гнездó make (*или* build) a nest; **~ся 1.** *(о волосах)* curl **2.** *(о растениях)* climb **3.** *(о реке)* wind

вихрь whírlwind

вице-адмирáл více-ádmiral

вишнёвый chérry *attr.*; ~ сад chérry órchard

вúшня chérry *(плод)*; chérry-tree *(дерево)*

вкатúть, вкáтывать roll in; wheel in *(на колёсах)*

вклад depósit; invéstment *(доля участия)*; subscríption; *перен.* contribútion; ~ в дéло мúра contribútion to the cause of peace

вклáд||ка *(в книгу)* ínset; **~нóй:** ~нóй лист loose leaf

вклáд||чик depósitor; **~ывать** *см.* вложúть

вклéивать, вклéить paste in

вклúн||иваться, ~иться be wedged in

включ||áть(ся) *см.* включúть(ся); **~áя** inclúding; inclúded *(после сущ.)*

включ||éние 1. inclúsion; insértion *(вставка)* **2.** *эл.*, *радио* switching on; **~úтельно** *нареч.* inclúsive; с 1 по 10 ~úтельно from the lst to the 10th inclúsive

включúть 1. inclúde; insért *(вставить)* **2.** *эл.*, *радио* switch on; **~ся** join; be inclúded *(in)*

вкола́чивать *см.* вколоти́ть

вколоти́ть drive in; hámmer in *(молотком)*

вконе́ц *нареч.* útterly, thóroughly

вко́панный dug in ◇ останови́ться как ~ stop dead

вкорен||и́вшийся róoted; **~и́ться, ~я́ться** take root

вкось *нареч.* aslánt, diágonally

вкра́дчивый ingrátiating

вкра́||дываться, ~сться steal (*или* slip) in ◇ ~ в дове́рие к кому́-л. worm oneсélf ínto smb.'s cónfidence

вкра́тце *нареч.* bríefly, in brief, in short

вкривь *нареч.*: ~ и вкось at rándom, hápházard

вкруту́ю *нареч.*: яйцо́ ~ hárd-bóiled egg

вкус taste; по ~у to smb.'s taste; *перен.* to smb.'s líking; э́то прия́тно на ~ it tastes nice; э́то де́ло ~а it is a mátter of taste; **~ный** good; tásty, delícious; nice

вла́га móisture

владе́||лец ówner, propríetor; **~ние 1.** posséssion, ównership **2.** *(собственность)* próperty; estáte *(земельное)*

владе́ть own, posséss ◇ ~ собо́й contról oneсélf; ~ языко́м máster a lánguage; ~ ору́жием know how to handle arms

влады́чество domínion, émpire

вла́жн||ость humídity; **~ый** damp, moist, húmid

вла́мываться *см.* вломи́ться

вла́ствовать hold sway *(over)*

вла́стный impérious, commánding

власт||ь I pówer; во ~и чего́-л. in the pówer of smth.; быть во ~и кого́-л. be at smb.'s mércy; э́то не в мое́й ~и it's not in my pówer

власть II authórity; rule *(управление)*

влачи́ть: ~ жа́лкое существова́ние drag out a míserable existence

вле́во *нареч.* to the left

влеза́ть, влезть get in (*или* ínto), climb in (*или* ínto); ~ на де́рево climb a tree; ~ в окно́ get in through the window

влета́ть, влете́ть fly in (*или* ínto)

влече́ние *(к)* inclinátion *(for)*, bent *(for)*

влечь attráct ◇ ~ за собо́й неприя́тности mean (*или* entáil) trouble

влива́ние infúsion; injéction; де́лать внутриве́нное ~ injéct intravénously

влива́ть, влить pour in; *перен.* instíl; **~ся 1.** flow ínto **2.** *(присоединяться)* join; но́вые ка́дры влива́ются в на́шу организа́цию new mémbers swell our ranks (*или* join our organizátion)

влия́||ние ínfluence; **~тельный** influéntial; **~ть** ínfluence, have ínfluence *(on, over, upon)*

ВЛКСМ (Всесою́зный Ле́нинский Коммунисти́ческий Сою́з Молодёжи) L.Y.C.L.S.U. (Léninist Young Cómmunist League of the Sóviet Únion)

вложи́ть 1. put in; enclóse

(в конверт) **2.** *(деньги, капитал)* invést, depósit

вломи́ться break in; *перен.* burst in

влюб||и́ться fall in love *(with)*; **~лённый 1.** *прил.* in love *(после сущ.)*; быть ~лённым be in love *(with)* **2.** *как сущ.* lóver; **~ля́ться** *см.* влюби́ться

вмен||и́ть, ~я́ть: ~ что-л. в вину́ кому́-л. impúte smth. to smb., lay smth. at smb.'s door; ~ что-л. в обя́занность кому́-л. make smb. respónsible for smth., make it smb.'s dúty to do smth.

вме́сте *нареч.* togéther ◇ ~ с тем at the same time

вмести́||мость capácity; **~тельность** spáciousness *(о помещении)*; capáciousness *(о сосуде)*; **~тельный** spácious *(о помещении)*; capácious *(о сосуде)*; **~ть** contáin, hold; accómmodate *(о помещении, транспорте)*; seat *(о зрительном зале)*

вме́сто *предл.* instéad of; in place of; э́тот я́щик слу́жит ему́ ~ стола́ this chest serves him as a table

вмеша́тельство interférence; intervéntion

вмеша́ться, вме́шиваться intervéne *(in)*; *(впутаться)* interfére *(in, with)*, meddle *(in)*

вмеща́ть *см.* вмести́ть

вмиг *нареч.* in a móment, in no time

внаём, внаймы́ *нареч.*: взять ~ hire, take a lease; сдава́ть ~ let; rent

внача́ле *нареч.* at first, at the beginning, at the óutset

вне *предл.* out of, óutside ◇ ~ себя́ beside onesélf; ~ сомне́ния undóubtedly, beyónd quéstion

внедр||е́ние inculcátion; ~ достиже́ний нау́ки в произво́дство applicátion of the achíevements of science to prodúction; **~и́ть** inculcate, estáblish; ~и́ть передову́ю те́хнику get progréssive techníques adópted (incórporated *или* estáblished); **~и́ться** take root; **~я́ть(ся)** *см.* внедри́ть(ся)

внеза́пн||о *нареч.* súddenly; all of a súdden *(вдруг)*; **~ый** súdden

внеочередно́й 1. *(сверх очереди)* extraórdinary **2.** *(вне очереди)* out of turn

внепла́новый not envísaged in the plan

внести́ 1. carry (*или* bring) in **2.** *(плату)* pay in **3.** *(в список и т. п.)* énter **4.** *(исправления и т. п.)* insért; ~ измене́ния introdúce chánges ◇ ~ предложе́ние bring in a mótion, move that

внешко́льный éxtra-currícular, out of school

вне́шне *нареч.* óutwardly, in óutward appéarance

вне́шн||ий 1. óutward, extérnal; ~ вид (óutward) appéarance **2.** *(о политике, торговле и т. п.)* fóreign; **~ость** appéarance; extérior

внешта́тный supernúmerary

вниз *нареч.* down, dównwards

внизу́ 1. *нареч.* belów, dównstáirs *(о нижнем этаже)* **2.** *предл.* at the foot of, at the bóttom of; ~ страни́цы at the foot of the page

вникáть, вни́кнуть go deep *(into)*; consíder cárefully

внимáни||е atténtion; care *(заботливость)*; не обращáйте на э́то ~я take no nótice of that, néver mind that; быть в цéнтре ~я be at the céntre of atténtion; be in the líme-light *(быть на виду)* ◇ приня́ть во ~ take ínto consid-erátion; принимáя во ~ in view of, táking ínto consid-erátion

внимáтельн||о *нареч.* atténtively; **~ый 1.** atténtive **2.** *(любезный)* kind, consíderate

вничью́ *нареч.*: окóнчиться ~ end in a draw

вновь *нареч.* **1.** agáin, anéw **2.** *(недавно)* néwly; ~ прибы́вший néw-cómer

вноси́ть *см.* внести́

внук grándson, grándchild

вну́тренний 1. ínside, ínner; *перен.* ínward **2.** *(о политике, торговле и т. п.)* home, intérnal, doméstic

вну́тренн||ости intérnal órgans; ínside *sg. разг.*; éntrails *(кишки)*; **~ость** intérior

внутри́ 1. *нареч.* in, ínside; **2.** *предл.* within, ínside

внутрь *нареч. и предл.* in, ínto, ínside; путешéствие ~ страны́ ínland vóyage

вну́чка gránddaughter; grándchild

внуш||áть suggést *(мысль)*; inspíre *(with; чувство)*; impréss *(upon; заставить понять)*; **~éние** suggéstion; inspirátion ◇ сдéлать комý-л. ~éние give smb. a good tálking *(или* a dréssing down), tear a strip off smb.; **~и́тельный** impréssive; **~и́ть** *см.* внушáть

вня́тн||о *нареч.* distínctly; áudibly; **~ый** distínct; áudible

во *см.* в ◇ ~ что бы то ни стáло at ány price; ~ главé at the head *(of)*

вобрáть *см.* вбирáть

вовлекáть, вовлéчь draw in *(или* ínto); invólve *(запутать)*

вóвремя *нареч.* in time; не ~ inópportunely; at the wrong móment

вóвсе *нареч. разг.*: ~ нет not at all, not in the least

вовсю́ *нареч. разг.* to the útmost extént, with might and main

во-вторы́х *вводн. сл.* sécondly, in the sécond place

вогнáть drive in ◇ ~ когó-л. в крáску *разг.* make smb. blush

вóгнутый cóncáve

вод||á wáter; минерáльная ~ míneral wáter; морскáя ~ sea wáter; ◇ он вы́шел сухи́м из ~ы́ he got out of it; мнóго ~ы́ утеклó с тех пор much wáter has flowed únder the bridge since then

водвор||и́ть 1. instáll; settle **2.** *(установить)* estáblish; **~и́ться** settle; **~я́ть(ся)** *см.* водвори́ть(ся)

водеви́ль váudeville, cómic sketch

води́тель *(транспорта)* dríver; ~ автóбуса bús-dríver; ~ такси́ táxi-dríver; **~ский** dríver's; ~ские правá dríving lícence [ˈlaɪ-]

води́ть *см.* вести́ 2.

води́ться *(иметься)* be found ◇ как вóдится as úsual; э́то за ним во́дится *разг.* it's the sort of thing that háppens with him, he is álways dóing that

во́дка vódka

во́дн||ый: ~ путь wáterway; ~ым путём by wáter; ~ая ста́нция aquátic sports céntre

водобоя́знь *мед.* hydrophóbia

водоворо́т whírlpool; éddy *(небольшой)*

водоём básin, réservoir ['rezəvwɑ:]

водоизмеще́ние displácement, tónnage

водока́чка púmp-house

водола́з díver

водолече́ние hydrópathy, wáter-cure

водопа́д falls *pl.*, wáterfall; cascáde *(небольшой)*

водопо́й wátering-place

водопрово́д wáter-pipe; wáter-supply *(водоснабжение)*; rúnning wáter *(в квартире)*; **~чик** plúmber

водоразде́л *геогр.* wátershed

водоро́д *хим.* hýdrogen; **~ный** hydrógenous; hýdrogen *attr.*

во́доросль aquátic plant; séaweed *(морская)*

водосто́чн||ый drain *attr.*; ~ая труба́ dráin-pipe

водохрани́лище réservoir ['rezəvwɑ:], tank

водру||жа́ть, ~зи́ть put up, raise, eréct; ~ зна́мя raise a stándard (*или* bánner); ~ флаг raise (*или* hoist) a flag

водяни́стый wátery, thin; *перен.* insípid

водя́нка *мед.* drópsy

водян||о́й wáter *attr.*; aquátic *(живущий в воде)*; ~а́я ме́льница wáter-mill

воева́ть wage (*или* make) war, be at war

воеди́но *нареч.* togéther

военача́льник mílitary léader; commánder

военииз||а́ция militarizátion; **~и́рованный** mílitarized; **~и́ровать** mílitarize

воен||ко́м (вое́нный комисса́р) mílitary commissár; **~кома́т** (вое́нный комиссариа́т) recrúitment óffice; **~ко́р** (вое́нный корреспонде́нт) mílitary correspóndent

вое́нно-возду́шн||ый: ~ые си́лы Air Force *sg.*

военнообя́занный resérvist

военнопле́нный prísoner of war

вое́нно-полево́й: ~ суд court mártial

военнослу́жащий sérving sóldier; régular; он ~ he is in the sérvices

вое́нн||ый 1. *прил.* mílitary, war *attr.*; ~ заво́д munítions fáctory; ~ кора́бль mán-of-wár, wárship; ~ флот návy; ~ое положе́ние mártial law; нача́ло ~ых де́йствий óutbreak of hostílities; ~ая та́йна mílitary sécret(s) **2.** *как сущ.*: он ~ he is in the ármy

вожа́к léader

вожа́тый: ~ пионеротря́да Young Pionéer léader

вождь léader

во́жжи reins

воз cart; cárt-load *(содержимое или мера)*

возбуди́мость excitabílity

возбуди́тель stímulus; ~ боле́зни ágent of a diséase

возбуди́ть 1. excíte **2.** *(вызвать)* rouse, aróuse; ~ любопы́тство rouse curiósity ◇ ~ вопро́с raise the quéstion; ~ внима́ние draw atténtion; ~ иск (де́ло) bring an áction *(against)*

возбужд||а́ть *см.* возбуди́ть; **~а́ться** get excíted; **~а́ющий** excíting, stímulant; ~а́ющее сре́дство stímulant; **~е́ние** excítement; **~ённый** excíted

возвели́ч||ивать, -ить exált

возвести́, возводи́ть 1. *(строить)* eréct, raise **2.** *(в степень)* raise *(to)* ◇ ~ обвине́ние на кого́-л. accúse smb. *(в чём-л. — of)*; charge smb. *(with)*; ~ что-л. в при́нцип make a prínciple of smth.; make smth. ínto a prínciple

возвра́т retúrn; repáyment *(денег, ссуд)*; restitútion *(имущества)*; ~ ру́кописи retúrn of a mánuscript; ~ боле́зни recúrrence of an íllness, relápse ◇ без ~а irrevócably, beyónd recáll, irrevérsibly; **~и́ть** retúrn, give back; repáy *(деньги)*; restóre *(имущество, права)*; recóver *(здоровье, силы)*; **~и́ться** retúrn, come back; recúr *(о болезни)*; ~и́ться к расска́зу resúme one's stóry; **~ный** *грам.* refléxive

возвращ||а́ть(ся) *см.* возврати́ть(ся); **~е́ние 1.** retúrn **2.** *(отдача)* retúrn, reimbúrsement *(денег, ссуд)*

возвы́||сить élevate, raise *(голос)*; **~ситься** rise (*или* tówer) abóve; **~ша́ть(ся)** *см.* возвы́сить(ся); **~ше́ние** éminence; elevátion

возвы́шенн||ость height; **~ый** high, élevated

возгла́в||ить, ~ля́ть be at the head *(of)*

во́зглас exclamátion, ejaculátion; ~ы одобре́ния cheers of appróval; ~ы удивле́ния shouts of surpríse

воздава́ть, возда́ть réndеr; ~ по́чести réndеr hómage; ~ до́лжное кому́-л. give smb. his due

воздвига́ть, воздви́гнуть eréct, set up

возде́йств||ие ínfluence; **~овать** ínfluence, éxercise ínfluence *(over)*; afféct

возде́л||ать, ~ывать cúltivate, till

воздержа́вши||йся *как сущ.*: ~хся не́ было there were no absténtions

воздержа́ние absténtion; ábstinence; témperance *(умеренность)*

возде́ржанный abstémious, témperate, spáring

воздерж||а́ться abstáin *(from)*; refráin *(from)*; **~иваться** *см.* воздержа́ться

во́здух air; на све́жем (*или* на откры́том) ~е out of doors (*или* in the ópen)

воздухонепроница́емый áir-tight

воздухопла́вание aeronáutics

возду́шн||ый 1. air *attr.*; ~ое сообще́ние air sérvice, air communicátions *pl.*; ~ая по́чта air mail; ~ая я́ма *ав.* áir-pocket **2.** *(лёгкий)* áiry

воззва́ние appéal; proclamátion

воззва́ть *см.* взыва́ть

воззре́ние view, opínion

вози́ть *см.* везти́ I

вози́ться 1. *(заниматься чем-л., кем-л.)* take much trouble *(over)*; я не хочу́ с э́тим ~ I don't want to take much trouble óver this; мне прихо́дится мно́го с э́тим ~ I have to take a lot of trouble óver this **2.** *(шумно играть)* romp

возлага́ть *см.* возложи́ть; ~ наде́жды put (*или* pin) one's hopes *(on)*

во́зле *нареч. и предл.* beside, by, near

возложи́ть lay *(upon)*; *перен.* charge *(with)*; ~ вено́к lay a wreath *(on)*; ~ поруче́ние на кого́-л. put the mátter in smb.'s hands; ~ отве́тственность на кого́-л. make smb. respónsible *(for)*

возлю́бленный 1. *прил.* belóved **2.** *сущ.* lóver, love; sweetheart

возме́здие requítal, retribútion; получи́ть ~ get what one desérves

возме||сти́ть make up *(for)*, cómpensate, récompense, make good; ~ убы́тки кому́-л. indémnify smb. for lósses; ~ расхо́ды pay (*или* refúnd) expénses; **~ща́ть** *см.* возмести́ть; **~ще́ние** compensátion; récompense, indémnity; ~ще́ние убы́тков *юр.* dámages *pl.*

возмо́жн||о 1. *предик. безл.* it is póssible **2.** *вводн. сл.* póssibly, perháps, máybe; о́чень ~ véry líkely **3.** *нареч.* as... as póssible; ~ быстре́е as quick as póssible; **~ость** possibílity, opportúnity; chance *(удобный случай)*; дать ~ость give a chance, enáble; упусти́ть ~ость lose an opportúnity; **~ый 1.** *прил.* póssible **2.** *как сущ.*: сде́лать всё ~ое do one's best

возмужа́||лость matúrity; mánhood; **~лый** grówn-up; **~ть** grow ínto a man

возмути́тельн||о *предик. безл.* it is scándalous (*или* revólting); **~ый** scándalous, revólting, disgústing

возму||ти́ть rouse the indignátion *(of)*; **~ти́ться** be indígnant *(at)*; **~ща́ть(ся)** *см.* возмути́ть(ся); **~ще́ние** indignátion; **~щённый** indígnant

вознагра||ди́ть, ~жда́ть rewárd, récompense; **~жде́ние** rewárd, récompense; bónus, gratúity *(денежное)*; honorárium, fee *(гонорар)*

возненави́деть concéive a hátred *(for)*, come to hate

возника́ть *см.* возни́кнуть

возникнове́ние órigin(s), begínning(s); ~ жи́зни на Земле́ begínnings of life on Earth

возни́к||нуть aríse; возни́к вопро́с a quéstion came up (*или* aróse); у него́ ~ла мысль it occúrred to him, he got the idéa

возня́ 1. fuss, bustle, trouble *(хлопоты)* **2.** *(шум)* rómping, noise

возобнов||и́ть renéw; resúme; **~ле́ние** renéwal; resúmption; **~ля́ть** *см.* возобнови́ть

возраж||а́ть *см.* возрази́ть; е́сли вы не ~а́ете if you don't mind; **~éние** objéction; retórt *(ответ)*

возрази́ть objéct; raise an objéction; rejóin; retórt *(резко ответить)*

во́зраст age

возраста́||ние growth, íncrease; **~ть** *см.* возрасти́

возрасти́ grow, incréase; rise *(о ценах)*

возро||ди́ть, ~жда́ть revíve, regénerate; ~ к жи́зни resúscitate; **~жде́ние** revíval; regenerátion; эпóха Возрожде́ния *ист.* Renáissance

во́зчик cárter

во́ин wárrior; sóldier; **~ский** military; war *attr.*; ~ская обя́занность military sérvice

во́инств||енный wárlike; mártial; **~ующий** militant

вой howl, hówling; wail, whine *(жалобный)*

во́йлок felt

война́ war; термоя́дерная ~ núclear wárfare

войска́ troops, fórce(s); инжене́рные ~ sáppers; Róyal Enginéers *(в Англии)*

во́йско ármy

войти́ 1. énter, go in; come in; войди́те! come in! **2.** *(уместиться)* go *(into)*, get in ◇ ~ во вкус acquíre a taste *(for)*; ~ в дове́рие к кому́-л. get ínto smb.'s cónfidence; ~ в исто́рию becóme hístory; у него́ э́то вошло́ в привы́чку this has become a hábit with him; ~ в погово́рку pass ínto a próverb; becóme provérbial; ~ в си́лу come ínto force; ~ в употребле́ние come ínto use; ~ в мо́ду come ínto fáshion; becóme fáshionable; ~ в чьё-л. положе́ние put onesélf in smb.'s place

вока́льн||ый vócal; ~ая му́зыка vócal músic

вокза́л (ráilway) státion

вокру́г *нареч. и предл.* round, aróund, abóut ◇ ходи́ть ~ да о́коло *разг.* go round in small circles, beat abóut the bush, díther

вол ox ◇ рабо́тать как ~ work like a horse

волды́рь blíster

волево́й stróng-willed

волейбо́л vólley-ball

во́лей-нево́лей *нареч. разг.* wílly-nílly

волк wolf

волна́ wave

волне́н||ие 1. emótion, agitátion; нас охвати́ло глубо́кое ~ we were in the grip of deep emótion; от ~ия он не мог говори́ть he was so moved he could not útter a word **2.** *(народное)* únrést, distúrbance **3.**: ~ на́ море rough *(или* héavy) sea

волни́стый wávy

волнова́ть ágitate; alárm *(тревожить)*; distúrb, wórry *(беспокоить)*; upsét *(расстраивать)*; э́то его́ волну́ет he is déeply concérned abóut this; **~ся 1.** *(нервничать)* be nérvous; wórry (abóut), feel concérn for, be concérned abóut *(беспокоиться)*; be ágitated, be excíted *(быть возбуждённым)* **2.** *(о море)* surge; be rough

волнообра́зный úndulating

волну́ющий excíting, stírring

волоки́та *(канцелярская)* procrastinátion

волок||ни́стый fíbrous; **~но́** fibre, fílament

во́лос hair; **~а́тый** háiry; shággy; **~о́к** hair; fílament *(в лампочке)* ◇ быть на ~о́к от чего́-л. have a háirbreadth *(или* nárrow) escápe, have a close shave; висе́ть на волоске́ hang by a thread; **~яно́й** hair *attr.;* ~яно́й матра́ц hair máttress *(of horse hair)*

волочи́ть drag, trail; **~ся 1.** drag onesélf **2.** *разг. (ухаживать)* trail áfter, hang aróund

во́лч||ий wólfish; **~и́ца** shé-wolf

волчо́к top

волчо́нок wólf-cub

волше́б||ник magícian; **~ница** sórceress, enchántress; **~ный** mágic; **~ство́** mágic, wítchery

во́льно! *воен.* (stand) at ease!

вольнонаё́мный civílian *(in army employ)*

вольнослу́шатель extérnal stúdent

во́льн||ость líberty, fréedom; familiárity; позволя́ть себе́ ~ости take líberties; поэти́ческая ~ poétic lícense; **~ый** free, indepéndent ◇ ~ый перево́д free translátion

вольт *эл.* volt; **~а́ж** vóltage

во́л||я 1. will; си́ла ~и will-power **2.** *(свобода)* fréedom; líberty

вон I *нареч. (прочь)* out; вы́гнать ~ turn out; пошёл ~! get out!, out with you!; ◇ э́то из рук ~ пло́хо this is a real mess; сде́лать что-л. из рук ~ пло́хо bungle smth.

вон II *нареч. (вот)* there, here; ~ там óver there

вонз||а́ть, ~и́ть thrust, stick

вон||ь stench, stink; **~ю́чий** stínking, foul; **~я́ть** stink

воображ||а́емый imáginary; **~а́ть** *см.* вообрази́ть; ~а́ть о себе́ *разг.* have a good concéit of onesélf; **~е́ние** imaginátion, fáncy

вообра||зи́ть imágine, fáncy; ~зи́те! imágine!, fáncy!

вообще́ *нареч.* génerally; in géneral; ~ не not at all ◇ ~ говоря́ génerally spéaking

воодушев||и́ть inspíre, ánimate; **~ле́ние** enthúsiasm, árdour; **~ля́ть** *см.* воодушеви́ть

вооружа́ть(ся) *см.* вооружи́ть(ся)

вооруж||е́ние 1. *(действие)* árming **2.** *(оружие)* arms *pl.;* ármaments *pl.;* **~ённый** armed; ~ённое столкнове́ние armed cónflict; **~и́ть** arm; **~и́ться** arm (onesélf), take up arms

вoо́чию *нареч.* with one's own eyes

во-пе́рвых *вводн. сл.* fírstly, in the first place

вопи́ть *разг.* cry out, shout; howl *(выть)*

вопию́щ||ий crýing; ~ая несправедли́вость crýing injústice

вопло||ти́ть, ~ща́ть embódy; ~ мечту́ в жизнь make a dream come true; **~ще́ние** embódiment, personificátion; ~ще́ние доброты́ kíndness itsélf; **~щённый** persónified; он ~щённая че́стность he is hónesty itsélf, he is hónesty persónified

вопль cry, wail

вопреки́ *предл.* in spite of, despíte; ~ всем пра́вилам cóntrary to all the rules

вопро́с 1. quéstion **2.** *(проблема)* quéstion, próblem; ~ жи́зни и сме́рти a mátter of life and death; ~ не в э́том that's not the point; ~ы, стоя́щие на пове́стке дня points on the agénda; **~и́тельный** interrógative; ~и́тельный знак note of interrogátion, quéstion-mark

вор thief; píckpocket *(карманный)*

ворва́ться burst *(into)*

воркова́||ние cóoing; **~ть** coo

воробе́й spárrow

вор||ова́ть steal; **~о́вка** thief; **~овство́** stéaling, theft

во́рон ráven

воро́на crow ◇ воро́н счита́ть *разг.* gape

воро́нка 1. fúnnel **2.** *(яма)* cráter

вороно́й black

во́рот I cóllar; схвати́ть за ~ take by the scruff of the neck

во́рот II *тех.* wíndlass

воро́та 1. gate(s) **2.** *спорт.* goal *sg.*

воротни́||к, ~чо́к cóllar

во́рох pile, heap

воро́ч||ать turn, roll; он ~ает все́ми дела́ми éverything goes through his hands, he is the kíngpin; **~аться** turn; toss *(в кровати)*

вороши́ть turn óver; ~ се́но toss the hay

ворс pile; nap *(сукна́)*

ворч||а́ние grúmbling, grumble; snarl *(собаки)*; **~а́ть** grumble, grouse; growl; snarl *(о собаке)*; ~а́ть себе́ по́д нос mútter únder one's breath; он всё вре́мя ~и́т he's for éver bléating abóut smth., he has álways got a grouse; **~ли́вый** grúmbling, gróusing; **~у́н, ~у́нья** grúmbler

восвоя́си *нареч. разг.* back home

восемна́дца||тый the éightéenth; **~ть** éightéen

во́семь eight; **~десят** éighty; **~сот** eight húndred; **~ю** *нареч.* eight times

воск wax

воскли́||кнуть excláim; ejáculate; **~ца́ние** exclamátion; ejaculátion; **~ца́тельный** exclámatory; ~ца́тельный знак exclamátion mark; **~ца́ть** *см.* воскли́кнуть

восков||о́й wáxen, wáxy; ~а́я свеча́ táper

воскреса́ть *см.* воскре́снуть

воскресе́нье *(день)* Súnday

воскреси́ть resúscitate; raise from the dead; *перен.* revíve

воскре́снуть rise from the dead, be resurrécted *(тж. перен.)*

воспал||е́ние inflammátion; ~ лёгких pneumónia; ~ по́чек nephrítis; **~ённый** inflámed; **~и́тельный** inflámmatory; **~и́ться, ~я́ться** get inflámed

воспева́ть, воспе́ть hymn, sing the práises *(of)*, praise in song

восп||ита́ние educátion; tráining *(подготовка)*; úpbringing *(ребёнка)*; **~и́танник, ~и́танница** púpil; **~и́танный** wéll brought up; пло́хо ~и́танный íll-bréd, bádly brought up;

~итáтель tútor, téacher; **~итáть, ~ѝтывать** bring up *(вырастить);* éducate *(дать образование)*

воспламен||ѝть, ~я́ть ignite; *перен.* inflame

воспóлнить, восполня́ть fill up; ~ пробéл в нáших знáниях fill a gap in our knówledge

воспóльзоваться make use *(of)*, prófit *(by) (использовать);* seize the opportúnity, take advántage *(of; случаем);* ~ чем-л. в кáчестве предлóга make smth. one's excúse, use smth. as an excúse

воспоминá||ние 1. recolléction, mémory **2.** *мн.*: ~ния *лит.* reminíscences, mémoirs ['memwɑ:z]

воспрепя́тствовать hínder, prevént

воспре||тѝть, ~щáть forbíd, prohíbit; **~щáться:** курѝть ~щáется no smóking; **~щéние** prohibítion

воспри||ѝмчивый recéptive; suscéptible; **~нимáть** percéive; assímilate *(усваивать);* **~ня́ть** *см.* воспринимáть, **~я́тие** percéption, apprehénsion

воспроиз||ведéние reprodúction; **~вестѝ, ~водѝть** reprodúce; ~вестѝ, ~водѝть в пáмяти call to mind; **~вóдство** *эк.* reprodúction

воспротѝвиться oppóse, resíst

воспря́нуть: ~ дýхом cheer up, take heart

воссоединéние reúnion

восставáть *см.* восстáть

восстанáвливать *см.* восстановѝть

восстáние rísing, rebéllion, revólt, insurréction

восстанов||ѝть restóre; recóver *(силы, здоровье);* ~ когó-л. в правáх restóre smb.'s rights; ~ когó-л. прóтив себя́ antágonize smb.; **~лéние** ré-estáblishment, restorátion; reconstrúction *(промышленности и т. п.);* recóvery *(сил);* rehabilitátion *(прав);* ~лéние разрýшенных райóнов rebuílding of destróyed áreas

восстáть rise, revólt, rebél; oppóse stróngly *(быть против)*

востóк east; órient; Ближний Востóк Near East; Дáльний Востóк Far East; на ~ éastward; к ~у *(от)* east *(of)*

востóрг delíght, enthúsiasm, rápture; быть в ~е be in ráptures, be in écstasies *(или* in tránsports of joy); **~áться** be thrilled, be in ráptures, be in écstasies

востóрженный enthusiástic, ecstátic, exálted, rápturous

восторжествовáть tríumph *(over)*

востóчный éast(ern); oriéntal *(о культуре)*

вострéбован||ие: до ~ия *(о письмах)* to be called for, poste réstante

восхвал||éние práising; **~я́ть** praise

восхитѝ||тельный chárming, delíghtful; **~ть(ся)** *см.* восхищáть(ся)

восхищ||áть charm, delíght, win all hearts; **~áться** admíre, be delíghted *(with);* be cárried awáy *(by);* **~éние** admirátion; с ~éнием admíringly, with admirátion

восхóд rise, rísing; ~ сóлнца súnrise

восхождéние ascént

восьмёрка *карт.* the eight

восьмидесят||ый éightieth; ~ые гóды the éighties

восьмисóтый éight-húndredth

восьмиугóльный octágonal

восьмичасовóй éight-hour *attr.*; ~ рабóчий день éight-hour wórking-day

восьм||óй éighth; **~ýшка** eight part

вот *частица* here, there; ~, возьмúте here take it; ~ он there he is; ~и всё that's all; ~ это хорошó! spléndid!, (that's) fine!; ~ как! you don't say!; ~ человéк! what a man!

воткнýть thrust (*или* drive) in

вóтум vote; ~ довéрия vote of cónfidence; ~ недовéрия vote of no cónfidence, vote of cénsure

воцар||úться, ~яться (*наступить*) reign; ~úлось молчáние sílence reigned; ~úлась мёртвая тишинá a déathly hush preváiled

вошь louse

воюющ||ий bellígerent; wárring; ~ие держáвы bellígerent pówers

воя́ка *ирон.* fíghter

впад||áть 1. (*о реке*) flow (*into*) **2.** *см.* впасть; **~éние** cónfluence (*слияние*); mouth (*устье*)

впáдина hóllow, cávity; глазнáя ~ éye-sócket

впáлый hóllow, súnken

впасть 1. fall (*into*) **2.** (*о щеках*) sink in, becóme hóllow ◇ ~ в немúлость fall ínto disgráce

впервы́е *нареч.* for the first time, first

вперёд *нареч.* on, fórward, ahéad, ónward; идúте прямо ~ go straight on ◇ мой часы́ идýт ~ my watch is fast; платúть ~ pay in advánce

впередú 1. *нареч.* ahéad, in front; befóre (*тж. перен.*) **2.** *предл.* in front of, befóre, ahéad of

вперемéжку *нареч.* in turn, turn abóut, altérnately

вперемéшку *нареч.* in confúsion, in cháos, in a jumble

вперúть, вперя́ть fix; ~ взор, взгляд в когó-л. fix one's gaze on smb.

впечатл||éние impréssion; **~úтельность** impressionabílity, susceptibílity; **~úтельный** impréssionable, sénsitive, suscéptible

впивáться *см.* **впúться**

вписáть, впúсывать 1. énter; put down **2.** *геом.* inscríbe

впитáть absórb, soak up, imbíbe; **~ся** soak in

впúтывать(ся) *см.* впитáть(ся)

впúться (*когтями, зубами и т. п.*) dig (*into*); ~ во что-л. глазáми *перен.* glue one's eyes on smth.

впúх||ивать, ~нýть push in; shove in; squeeze in (*втиснуть*)

вплавь *нареч.*: перепрáвиться ~ swim acróss

впле||стú, ~тáть intertwíne *(with)*; plait *(into; в косу)*

вплотнýю *нареч.* close, clósely

вплоть: ~ до right up to; ~ до сáмого вéчера right up till the évening

вполгóлоса *нареч.* in únder-tones, in a low voice

вполз||áть, ~тú crawl *(или* creep) in

вполнé *нареч.* quite, fúlly, pérfectly; altogéther *(всецело)*

впопыхáх *нареч.* in a húrry; hélter-skélter

впóру *нареч.*: быть ~ fit; э́ти тýфли мне ~ these shoes fit *(или* are the right size for) me

впослéдствии *нареч.* áfterwards, láter on

впотьмáх *нареч.* in the dark

впрáве: быть ~ have a right (+*inf.*)

впрáв||ить, ~ля́ть (*вывих*): set a bone

впрáво *нареч.* to the right (*of*); возьмúте ~ turn to the right

впредь *нареч.* hénceforth, in the fúture, from this time ónward(s); ~ до untíl

впрóголодь *нареч.* hálf-stárving; жить ~ starve, live from hand to mouth, live in want

в продолжéние *предл.* dúring, for, in the course (*of*)

впрок: заготовля́ть ~ lay in store, presérve

впросáк *нареч.*: попáсть ~ put one's foot in it

впрóчем *союз* howéver, but, then

впры́г||ивать, ~нуть jump (*in, on*)

впры́с||кивание *мед.* injéction; **~кивать, ~нуть** injéct

впрягáть, впрячь hárness

впус||кáть, ~тúть let in, admít

впустýю *нареч.* to no púrpose, in vain

впýтать invólve, entángle; **~ся** meddle *(in)*, interfére *(in, with)*

впýтывать(ся) *см.* впýтать(ся)

враг énemy, foe

враж||дá énmity, hostílity; feud *(кровная)*; **~дéбно** *нареч.* with animósity; **~дéбность** hostílity, animósity; **~дéбный** hóstile, inímical

врáжеский énemy's, hóstile

вразбрóд *нареч.* in all diréctions; *перен.* at six and sévens

вразрéз *нареч.* cóntrary *(to)*; идтú ~ с чем-л. run cóunter to smth.

вразум||úтельный clear, intélligible; **~úть, ~ля́ть** make smb. lísten to réason

враньё *разг.* fib

врасплóх *нареч.* únawáres, by surpríse; застúгнутый ~ táken únawáres *(или* by surpríse)

врассыпнýю *нареч.*: брóситься ~ scútter in all diréctions

враст||áть, ~ú grow ínwards; *перен.* take root

вратáрь *спорт.* góalkeeper

врать *разг.* lie, tell lies

врач physícian, dóctor; воéнный ~ ármy dóctor

врачéбный médical; ~ обхóд dóctor's rounds *pl.*

вращ||áть revólve, turn, rotáte; **~áться** revólve, rotáte;

run *(о колесе)* ◇ ~а́ться в о́бществе кого́-л. move in smb.'s circle; **~а́ющийся** revólving; **~е́ние** revólving rotátion

вред harm, dámage; ínjury

вред||и́тель *с.-х.* **1.** vérmin **2.** *мн.* ~и́тели vérmin *sg.;* **~и́ть** ínjure, harm, do harm, dámage

вре́дн||о 1. *нареч.*: ~ влия́ть на чьё-л. здоро́вье be bad for smb.'s health; э́то мне ~ this is not good *(или* bad*)* for me **2.** *предик. безл.* it is bad; **~ый** bad; ~ый кли́мат an unhéalthy clímate; ~ое уче́ние pernícious dóctrine

вре́заться cut ínto; ~ в зе́млю *(о самолёте)* tear ínto the ground ◇ ~ в па́мять be engráved on one's mémory

вреза́ться *см.* вре́заться

вре́менн||о *нареч.* témporarily; **~ый** témporary, provísional

вре́м||я 1. time; ~ го́да séason; ~ не ждёт time présses; верну́ть потёрянное ~ make up for lost time; во ~ dúring; в то са́мое ~ как just as; за после́днее ~ látely, récently; ~ от ~ени from time to time, (évery) now and then, now and agáin **2.** *мн.*: ~ена́ tímes; ~ена́ми now and then, at times **3.** *грам.* tense

времяисчисле́ние cálendar

времяпровожде́ние pástime

вро́вень *нареч.* lével *(with)*; ~ с края́ми up to the brim

вро́де *предл.* like; не́что ~ *разг.* sómething in the náture of, a kind of

врождённый ínnáte, ínbórn

врозь *нареч.* apárt, séparately

врун, ~ья *разг.* líar, fíbber

вруч||а́ть hand in, delíver; presént *(награду, премию)*

врыва́ться *см.* ворва́ться

вряд ли *нареч.* it's unlíkely, scárcely líkely

всади́ть stick *(into)*, thrust *(into)*, plunge *(into)*

вса́дник ríder, hórseman

вса́сывать *см.* всоса́ть

все *мн. см.* весь

всё I *мест. см.* весь

всё II *нареч.*: ~ ещё still; ~ лу́чше и лу́чше bétter and bétter; ~ же neverthelе́ss, howéver, still

всевозмо́жный of évery kind, all póssible

всегда́ *нареч.* álways

всего́ I *рд. см.* весь

всего́ II *нареч.* **1.** *(итого)* in all **2.** *(лишь)* ónly; ◇ то́лько и ~ and nóthing more; **~-на́всего** *нареч. разг.* in all; ónly

вселе́ние installátion

вселе́нная úniverse, world

всел||и́ть instáll, move in ◇ ~ наде́жду give hope; ~ в кого́-л. страх make smb. afráid; **~и́ться** settle, move in; **~я́ть(ся)** *см.* всели́ть(ся)

всеме́рно *нареч.* in évery póssible way, to the útmost

всеми́рный univérsal; world *attr.;* Всеми́рный Сове́т Ми́ра The World Peace Cóuncil

всемогу́щий omnípotent, áll-pówerful

всенаро́дн||ый nátion-wide, nátional; ~ая пе́репись nátional *(или* géneral) cénsus; ~ пра́здник nátional hóliday

всео́бщ||ий géneral, univérsal; ~ее избира́тельное пра́во univérsal súffrage; ~ее одобрéние géneral appróval

всеорýжи||е: во ~и fúlly equipped, wéll-ármed

всепобеждáющий áll-cónquering, áll-triúmphant

всероссийский Áll-Rússian

всерьёз *нареч.* in éarnest

всесильный omnípotent; áll-pówerful

всесоюзный Áll-Únion

всесторóнн||ий thórough, detailed, óverall, áll-róund; ~ее развитие áll-róund devélopment

всё-таки *союз* for all that, neverthelеss

всеуслышание: во ~ in éveryone's héaring

всецéло *нареч.* entírely, whólly

вскáкивать *см.* вскочить

вскáпывать *см.* вскопáть

вскарáбкаться climb *(up)*, clámber *(upon)*

вскáрмливать *см.* вскормить

вскачь *нареч.* at a gállop; нестись ~ gállop

вски||дывать, ~нуть throw up; toss up; ~ ружьё take aim

вски||пáть, ~пéть boil up

вскипятить boil

всколыхнýть stir, rustle; *перен.* rouse

вскользь *нареч.* cásually, in pássing; сдéлать замечáние ~ make a pássing remárk

вскопáть dig

вскóре *нареч.* soon áfter; shórtly áfter; befóre long

вскормить rear; nurse *(младенца)*

вскочить jump up; spring *(или* leap) up

вскрик||ивать, ~нуть útter a cry, give a scream

вскружить: ~ гóлову комý-л. turn smb.'s head

вскрывáть(ся) *см.* вскрыть (-ся)

вскрытие 1. ópening **2.** *мед.* áutopsy, póst-mórtem examinátion

вскрыть 1. ópen; ~ письмó tear a létter ópen, ópen a létter **2.** *(обнаружить)* revéal **3.** *мед.* disséct; make a póst-mórtem examinátion **4.:** ~ нарыв ópen an ábscess; **~ся 1.** be found out *(или* revéaled); **2.** *(о нарыве)* burst; ◇ рекá вскрылась the ice has brόken up on the ríver

вслед *нареч. и предл.* áfter; идти ~ за кем-л. fóllow smb.; ~ за fóllowing, immédiately áfter

вслéдствие *предл.* becáuse of, in cónsequence of, on accóunt of, ówing to

вслепýю *нареч.* blíndly, in a dark

вслух *нареч.* alóud

вслýш||аться, ~иваться lísten atténtively

всмáтриваться, всмотрéться *см.* вглядéться, вглядываться

всмятку *нареч.*: яйцó ~ sóft-bóiled egg

всóвывать *см.* всýнуть

всосáть suck in *(или* up); absórb

вспахáть, вспáхивать plough, till

вспáшка plóughing, tíllage

вспéни||ваться, ~ться 1. froth **2.** *(о мыле)* láther

всплеск splash

всплесну́ть: ~ рука́ми throw up one's hands

всплыва́ть, всплыть 1. come to the súrface **2.** *(обнаруживаться)* come to light, leak out

всполоши́ть startle; rouse; **~ся** take alárm; get fríghtened *(испугаться)*

вспомина́ть(ся) *см.* вспо́мнить(ся)

вспо́мнить recolléct, remémber, recáll; **~ся:** мне вспо́мнилось I recálled

вспомога́тельный auxíliary

вспорхну́ть take wing

вспоте́ть sweat, perspíre

вспры́г||ивать, ~нуть jump up

вспры́скивание *мед.* injéction

вспры́с||кивать, ~нуть 1. sprinkle **2.** *мед.* injéct

вспу́г||ивать, ~ну́ть fríghten awáy

вспыли́ть flare up

вспы́льчив||ость hot témper, irascibílity; **~ый** hót-témpered, quick-témpered

вспы́х||ивать, ~нуть 1. flash up, burst ínto flames; *перен.* break *(или* burst) out *(о войне, эпидемии и т. п.);* flare up *(о гневе, пламени);* **2.** *(покраснеть)* blush crímson *(или* a deep red)

вспы́шка flare, flash; *перен.* óutburst; óutbreak *(эпидемии и т. п.);* ~ гне́ва fit of ánger

встава́ние rísing, gétting up

встава́ть *см.* встать

вста́в||ить put in; insért *(в текст);* ~ в ра́му frame; ~ о́кна *(застеклить)* glaze; ~ слове́чко put in a word; ~ зу́бы have a dénture made; **~ка** insértion; front, dícky *(манишка);* **~ля́ть** *см.* вста́вить; **~но́й:** ~ы́е зу́бы false teeth

встать get up, rise; stand up *(на ноги)* ◇ ~ на чью-л. сто́рону take smb.'s side

встрево́жить alárm; give the alárm; **~ся** take alárm

встрепену́ться start, give a start

встре́тить 1. meet; come acróss *(случайно)* **2.** *(принять)* recéive; wélcome *(приветствовать)* **3.** *(найти, увидеть)* find ◇ ~ Но́вый год see the New Year in; **~ся** meet

встре́ч||а 1. méeting; recéption *(приём);* раду́шная ~ hearty wélcome **2.** *спорт.* match; **~а́ть** *см.* встре́тить; **~а́ться** *см.* встре́титься; ре́дко ~а́ться с кем-л. see véry little of smb.

встре́чный: ~ ве́тер cóntrary *(или* head) wind; ~ план cóunter-plan; ~ по́езд train cóming the óther way, train from the ópposite diréction; ◇ пе́рвый ~ the first pérson one sees *(или* meets)

встря́ска sháking

встря́х||ивать(ся) *см.* встряхну́ть(ся); **~ну́ть** shake up; **~ну́ться** rouse onesélf

вступа́ть *см.* вступи́ть

вступа́ться *см.* вступи́ться

вступи́тельн||ый introdúctory, ópening, éntrance *attr.;* ~ взнос éntrance fee; ~ые экза́мены éntrance examinátions; ~ое сло́во ópening addréss

вступи́ть 1. énter; join; march *(in, into; о войсках);* ~ в па́ртию join the párty; ~ в профсою́з becóme a mémber of a trade únion **2.** *(начать что-л.)* énter on, start; ~ в спор start an árgument; ~ в перегово́ры begín negotiátions ◇ ~ в де́йствие come ínto operátion; ~ в си́лу come ínto force; ~ во владе́ние *юр.* come ínto posséssion; ~ в брак márry; ~ в сою́з form an allíance

вступи́ться stand up *(for)*; take smb.'s part

вступле́ние 1. *(куда-л.)* éntry *(into)* **2.** *(к чему-л.)* introdúction

всу́нуть put, thrust ín(to); slip in

всухомя́тку *нареч.*: есть ~ eat cold food, live on dry rátions

всхли́пыва||ние gúlping with sobs; **~ть** gulp down sobs

всходи́ть *см.* взойти́

всхо́ды young growth *sg.*

всы́пать, всыпа́ть pour *(into)*

всю *вн. ж. см.* весь

всю́ду *нареч.* éverywhere, ánywhere

вся *им. ж. см.* весь

вся́к||ий 1. *прил.* ány; ~ раз évery time; ~ раз как whenéver ◇ во ~ом слу́чае at ány rate, in ány case **2.** *как сущ.* éverybody, ánybody *(каждый)*; ányone *(кто угодно)*

вся́чески *нареч.* in évery way

вта́йне *нареч.* sécretly, in sécret

вта́лкивать *см.* втолкну́ть

вта́птывать *см.* втопта́ть

вта́скивать, втащи́ть drag *(или* pull*)* in; drag *(или* pull) up *(наверх)*

втека́ть flow ín(to)

втере́ть rub in ◇ ~ очки́ кому́-л. *разг.* pull wool óver smb.'s eyes; **~ся:** ~ся в дове́рие к кому́-л. gain smb.'s cónfidence in an únderhand way

в тече́ние *предл.* dúring, in the course of

втира́ть(ся) *см.* втере́ть(ся)

вти́скивать, вти́снуть press *(или* squeeze) in; **~ся** squeeze onesélf *(into)*

втихомо́лку *нареч.* withóut sáying a word; on the quiet *разг.*

втолкну́ть push *(или* shove*)* in

втолк||ова́ть, ~о́вывать make understánd

втопта́ть trample down, tread in ◇ ~ в грязь fling mud *(at)*, ride róughshod *(over)*

втор||га́ться, вто́ргнуться: ~ в страну́ inváde a cóuntry; вто́ргнуться в чужи́е владе́ния tréspass; **~же́ние** invásion

вто́рить 1. écho **2.** *муз.* sing *(или* play) the sécond part

втори́чн||о *нареч.* a sécond time, for the sécond time; **~ый** sécond

вто́рник Túesday

второ́е *(блюдо)* sécond course

втор||о́й sécond; the látter *(из двух упомянутых)*; ~ час it is past one; ~о́е ма́я the sécond of May ◇ из ~ы́х рук sécond-hand

второ||кла́ссник class II boy, sécond-form boy; **~кла́ссница** class II girl, sécond-form girl; **~ку́рсник** sécond-year stúdent; sóphomore *(амер.)*

второпя́х *нареч.* in a húrry, in haste

второстепе́нный of mínor impórtance, sécondary

в-тре́тьих *вводн. сл.* thírdly, in the third place

втро́е *нареч.* three times as much; увели́чить ~ treble

втроём *нареч.* the three of (us, you, them), all three

втыка́ть *см.* воткну́ть

втя́гивать(ся) *см.* втяну́ть(ся)

втяну́ть draw in; draw up *(наверх); перен.* entángle, invólve

втяну́ться get used *(или* accústomed)

вуа́ль veil

вуз (вы́сшее учéбное заведéние) hígher educátional institútion; cóllege

вулка́н volcáno; **~и́ческий** volcánic

вульга́рный vúlgar

вундерки́нд ínfant pródigy

вход éntrance; гла́вный ~ main éntrance; ~ воспрещён no admíttance; ~а нет no éntry; ~ по биле́там éntrance by tícket; ~ беспла́тный *(или* свобо́дный) admíssion free

входи́ть *см.* войти́

входно́й éntrance *attr.;* ~ биле́т éntrance card

вцеп||и́ться, ~ля́ться hold fast, clutch *(at; держа́ться);* seize, catch hold *(of; схвати́ться)*

ВЦСПС (Всесою́зный Центра́льный Сове́т Профессиона́льных Сою́зов) The Áll-Únion Céntral Cóuncil of Trade Únions

вчера́ *нареч.* yésterday; ~ ве́чером last night; **~шний** yésterday('s); last night's

вчерне́ *нареч.* in the rough, in a rough cópy

вче́тверо *нареч.* four times

вчита́ться, вчи́тываться read véry atténtively

вшива́ть *см.* вшить

вши́вый lóusy

вшить sew *(или* stitch) in

въеда́ться eat ínto

въезд cárriage éntrance, drive

въезжа́ть, въе́хать 1. énter; ride in *(верхо́м);* drive ínto *(в экипа́же)* **2.** *(в кварти́ру)* move ín(to)

вы you; благодарю́ вас thank you; он дал вам кни́гу he gave you the book, he gave the book to you; э́то ва́ми напи́сано? did you write this?; что с ва́ми? what's the mátter with you?

выба́лтывать *см.* вы́болтать

выбега́ть, вы́бежать run out

выбива́ть(ся) *см.* вы́бить(ся)

выбира́ть *см.* вы́брать

выбира́ться *см.* вы́браться

вы́бить beat out; knock out; ~ ковры́ beat cárpets; ~ око́нное стекло́ smash a pane; ~ неприя́теля *воен.* dislódge the énemy; **~ся:** ~ся из сил be exháusted

вы́болтать let *(или* blab) out

вы́бор choice; seléction *(отбо́р)*

вы́борный 1. *прил.* eléction *attr.;* eléctoral *(относя́щийся к вы́борам)* **2.** *как сущ.* délegate

вы́боры eléction *sg.;* всео́бщие ~ géneral eléction; дополни́тельные ~ bý-eléction *sg.*

выбра́сывать(ся) *см.* вы́бросить(ся)

вы́брать 1. choose, pick out **2.** *(голосова́нием)* eléct

вы́браться get out; ~ из затрудне́ния éxtricate oneséłf from a dífficulty

вы́брить shave; **~ся** shave oneséłf clean

вы́бросить throw out ◇ вы́бросите э́то из головы́ put it (*или* the idéa) out of your head; **~ся** throw oneséłf out; ~ся с парашю́том bale out; ~ся на мель run agróund

выбыва́ть, вы́быть leave, quit ◇ ~ из стро́я quit the ranks; *воен.* becóme a cásualty; ~ из игры́ leave the field

выва́ливать(ся) *см.* вы́валить(-ся)

вы́валить émpty, throw out; **~ся** fall out

выва́ривать, вы́варить boil down

вы́ведать, выве́дывать extráct (*или* worm out) informátion

вы́везти 1. remóve, bring (*along with* — привезти́) **2.** (*за грани́цу*) expórt

вы́верить check, vérify; régulate (*часы*)

вы́вернуть 1. únscréw **2.**: ~ наизна́нку turn ínside out

вы́вернуться (*из затрудни́тельного положе́ния*) wriggle out (*of*)

вывёртывать *см.* вы́вернуть

выверя́ть *см.* вы́верить

вы́весить hang out; ~ объявле́ние put up a nótice

вы́веска sígnboard

вы́вести 1. (*отку́да-л.*) take (*или* lead) out; withdráw (*войска́*) **2.** (*пятно*) remóve **3.** (*уничто́жить*) extérminate **4.** (*сде́лать вы́вод*) infér; conclúde, dedúce **5.** (*вы́растить*) raise; hatch (*птенцо́в*) ◇ ~ кого́-л. из себя́ drive smb. to distráction, infúriate smb.; ~ из стро́я put out of áction, wreck; **~сь** disappéar

выве́тривание *геол.* wéathering

выве́шивать *см.* вы́весить

вы́винтить, выви́нчивать screw out

вы́вих dislocátion; **~нуть** díslocate, put out of joint

вы́вод 1. (*войск*) withdráwal **2.** (*заключе́ние*) conclúsion, ínference

выводи́ть(ся) *см* вы́вести(сь)

вы́водок brood; hátching (*о пти́цах*)

вы́воз éxport; **~и́ть** *см.* вы́везти

волáкивать drag out

вывора́чивать *см.* вы́вернуть

вы́гадать, выга́дывать gain, save

выгиба́ть curve, bend; ~ спи́ну (*о живо́тных*) arch one's back

вы́гладить (*бельё*) íron, press

вы́глядеть look, appéar; ~ моло́же свои́х лет look young for one's age; wear one's years well

выгля́дывать, вы́глянуть look (*или* peep) out

вы́гнать 1. drive (*или* turn) out; ~ ста́до в по́ле turn cattle out to grass **2.** (*исключи́ть*) expél **3.** *разг.* (*уво́лить*) sack, fire (out), dismiss

выгова́ривать 1. *см.* вы́говорить **2.** (*де́лать замеча́ние*) tick off, scold

вы́говор 1. *(произношение)* pronunciátion **2.** *(замечание)* scólding

вы́говорить 1. pronóunce; útter *(вымолвить)* **2.** *(обусловить)* add provísory cláuses, stípulate

вы́год||а prófit, gain *(прибыль)*; advántage *(преимущество)*; **~но** *предик. безл.* it is prófitable, it is advantágeous, it pays; **~ный** prófitable, advantágeous; páying, remúnerative *(в денежном отношении)*; ~ное де́ло páying proposítion

вы́гон pásture land

выгоня́ть *см.* вы́гнать

выгора́живать *см.* вы́городить

выгора́ть *см.* вы́гореть

вы́горе||ть 1. burn down; be destróyed by fire **2.** *(о краске)* fade ◇ де́ло не ~ло it all fizzled out, it was a compléte flop

вы́городить fence off; *перен.* stand up *(for)*

выгружа́ть, вы́грузить únlóad

вы́грузка únlóading; disembarkátion *(с корабля)*

выдава́ть *см.* вы́дать

выдава́ться protrúde, jut out

вы́давить, выда́вливать press *(или* squeeze) out ◇ ~ стекло́ break a wíndow-pane

выда́лбливать *см.* вы́долбить

вы́дать 1. give; distríbute; ~ зарпла́ту pay a sálary **2.** *(предать)* betráy; give awáy; ~ себя́ give onesélf awáy ◇ ~ себя́ за pass onesélf off as; ~ за́муж márry; **~ся:** как то́лько у меня́ вы́дастся свобо́дное вре́мя as soon as I have a free móment

вы́дача 1. distribútion; páyment *(выплата)*; за́втра ~ зарпла́ты tomórrow is páy-day **2.** *(преступника)* extradítion

выдаю́щийся outstánding, éminent, distínguished; stríking, remárkable *(замечательный)*; ~ челове́к a man of mark

выдвига́ть(ся) *см.* вы́двинуть(ся)

вы́двинуть 1. pull out; ~ я́щик ópen a dráwer **2.** *(теорию)* advánce, put fórward **3.** *(кандидатуру или на должность)* promóte *(to)*, nóminate *(for)*; **~ся** rise, be promóted

выделе́ние *физиол.* secrétion; гно́йное ~ pus

вы́делить 1. *(отличить)* distínguish **2.** *(отобрать)* pick out **3.** *(часть имущества)* allót; **~ся** stand out; be outstánding *(отличиться)*

вы́делка 1. *(производство)* manufácture **2.** *(качество)* make, quálity

выде́лывать make, manufácture, prodúce; ~ ко́жу dress skins

выделя́ть 1. *см.* вы́делить **2.** *физ., хим.* give off, yield, emít; **~ся 1.** *см.* вы́делиться **2.** *физиол.* secréte **3.** *физ., хим.* be gíven off, escápe, émanate *(from)*

выдёргивать *см.* вы́дернуть

вы́держ||анный sélf-restráined, sélf-posséssed; ~анное вино́ séasoned wine; **~ать** stand, bear; *перен. тж.* endúre ◇ ~ать хара́ктер stand firm; ~ать не́сколько изда́ний run into *(или* through) séveral edítions; ~ать экзáмен pass an examinátion; онá не ~ала и заплáкала she broke down and cried

выдéрживать *см.* вы́держать

вы́держка I *(из книги и т. п.)* éxtract, pássage; éxcerpt *(цитата)*

вы́держка II **1.** *(о характере)* sélf-contról; stáying pówer, pówers *pl.* of endúrance **2.** *фото* expósure

вы́дернуть pull out; ~ зуб have a tooth out, extráct a tooth

вы́долбить hóllow out

вы́дохнуть breathe out; **~ся** lose the frágrance; *перен.* be used up, get exháusted

вы́дра *зоол.* ótter

вы́дум||ать invént; make up *(сочинить)*; **~ка** invéntion; fib *(ложь)*

выдýмывать *см.* вы́думать

выдыхáть(ся) *см.* вы́дохнуть(ся)

вы́езд depárture

выезжáть *см.* вы́ехать

вы́емка 1. hóllow, groove **2.** *(писем)* colléction

вы́ехать leave; depárt; move *(переехать)*

вы́жать squeeze out, press out; wring out *(бельё)*

вы́ждать seize the opportúnity; он вы́ждал удóбный момéнт he seized the right móment

вы́жечь burn out; burn down *(сжечь)*; ~ клеймó brand

выживáть *см.* вы́жить

выжигáть *см.* вы́жечь

выжидáть *см.* вы́ждать

выжимáть *см.* вы́жать

вы́жи||ть 1. survíve; live *(после болезни)*; он не ~вет he won't live *(или* pull through) **2.** *разг. (выгнать)* drive out ◇ ~ из умá becóme sénile

вы́звать 1. call; súmmon(s) *(в суд и т. п.)*; ~ по телефóну call up; ~ к телефóну call to the télephone; ~ дóктора súmmon *(или* call) a dóctor **2.** *(на соревнование)* chállenge **3.** *(быть причиной)* evóke, cause, rouse; ~ интерéс excíte ínterest **4.** *(воспоминания и т. п.)* evóke, bring back **5.** *(заказать)* órder; ~ таксú órder a táxi; **~ся** voluntéer

выздорáвлива||ть *см.* вы́здороветь; **~ющий** *прил., как сущ.* convaléscent

вы́здоров||еть get bétter, recóver; **~лéние** convaléscence, recóvery

вы́зов 1. call; súmmons *(в суд и т. п.)*; ~ по телефóну télephone call **2.** *(на соревнование)* chállenge

вы́зубрить *разг.* learn by heart *(или* rote)

вызывáть(ся) *см.* вы́звать(ся)

вызывáющий defíant

вы́играть, вы́игрывать win; gain *(время и т. п.)*

вы́игрыш prize; wínnings *pl.* *(выигранные деньги)*; gain *(выгода)*; **~ный:** ~ный билéт lóttery tícket; ~ный заём lóttery loan; ~ное положéние advantágeous posítion

вы́йти 1. go out, come out; get out; alíght *(из вагона и т. п.)* **2.** *(быть изданным и т. п.)* be públished, appéar, come *(или* be) out; вы́шла (из печáти) но́вая кни́га a new book is out **3.** *(получи́ться, уда́ться)* come *(или* turn) out; из э́того ничего́ не вы́йдет it will come to nóthing; вы́шло о́чень хорошо́ it túrned out véry well ◇ ~ из себя́ lose one's témper *(или* one's pátience); be besíde onesélf; ~ в лю́ди make one's way in life; ~ в отста́вку retíre; ~ из употребле́ния go out of use; becóme óbsolete; ~ из мо́ды go out of fáshion; ~ нару́жу *(выясниться)* come out ínto the ópen, come to light; у нас вы́шли все спи́чки we are out of mátches; ~ из стро́я be out of áction; be disábled

вы́казать, выка́зывать show; displáy

выка́лывать *см.* вы́колоть

выка́пывать *см.* вы́копать

выка́рмливать *см.* вы́кормить

вы́качать, выка́чивать pump out

выки́дывать *см.* вы́кинуть

вы́кидыш abórtion; miscárriage *(естественный)*

вы́кинуть throw out *(или* awáy) ◇ ~ флаг break out a flag; ~ шту́ку play a trick

выкла́дывать *см.* вы́ложить

выклика́ть, вы́кликнуть call out

выключа́||тель switch; **~ть** *см.* вы́ключить

вы́ключить turn off, shut off *(газ, воду)*; turn out *(свет)*; switch off *(ток)*; ~ мото́р switch *(или* turn) off the éngine

вы́ковать, выко́вывать hámmer, forge; *перен.* mould

выкола́чивать, вы́колотить knock *(или* beat) out; ~ пыль shake out dust

вы́колоть prick out

вы́копать dig; dig up *(или* out) *(откопать)*

вы́кормить 1. *(ребёнка)* bring up **2.** *(домашних животных)* rear, raise

вы́корчевать, выкорчёвывать root out *(тж. перен.)*

выкра́ивать *см.* вы́кроить

вы́красить paint; dye *(ткань, волосы)*

вы́крик cry, shout

выкри́кивать, вы́крикнуть cry out

вы́кро||ить cut out; **~йка** páttern

вы́крутить únscréw; **~ся** *разг.* get out of a dífficulty *(или* of a scrape)

выкру́чивать(ся) *см.* вы́крутить(ся)

вы́куп ránsom

вы́купать bathe

выкупа́ть, вы́купить redéem; ránsom *(пленника)*

выку́ривать, вы́курить smoke out *(тж. перен.)*

выла́вливать *см.* вы́ловить

вы́лазка 1. *воен.* sálly **2.** *(прогулка)* excúrsion

выла́мывать *см.* вы́ломать

вылеза́ть, вы́лезть 1. come *(или* climb) out; get out *(выходить)* **2.** *(о волосах)* come *(или* fall) out

вы́лепить módel

вы́лет flight, táke-off *(отправление самолёта)*

вылета́ть, вы́лететь fly out; start *(о самолёте)*

выле́чивать(ся) *см.* вы́лечить(ся)

вы́лечить cure; **~ся** get cured

вылива́ть(ся) *см.* вы́лить(ся)

вы́литый: он ~ оте́ц he is the véry spit of his fáther

вы́лить pour out; **~ся** run out; flow out

вы́ловить fish out

вы́ложить 1. lay out **2.** *(чем-л.)* lay *(with)*; ~ дёрном turf; ~ кирпичо́м brick; ~ ка́мнем face with másonry

вы́ломать break out

вы́лупиться hatch

вы́мазать soil, smear; **~ся** get dírty

выма́ливать beg, implóre

выма́нивать, вы́манить (кого́-л.) lure smb. out *(или* awáy); ~ что-л. у кого́-л. wheedle smth. out of smb.

выма́чивать *см.* вы́мочить

выме́нивать, вы́менять exchánge, bárter

вы́мереть die out; becóme extínct *(о породе животных)*

вымерза́ть, вы́мерзнуть 1. *(промерзать)* freeze **2.** *(погибать от мороза)* be destróyed by frost

вы́мести sweep

вы́местить: ~ зло́бу wreak one's ánger

вымета́ть *см.* вы́мести

вымеща́ть *см.* вы́местить

вымира́ть *см.* вы́мереть

вымога́||тель extórtioner; **~тельство** extórtion, squeeze; **~ть** extórt

вымока́ть, вы́мокнуть get wet through, be drenched; ~ до ни́тки get wet to the skin

вы́молвить útter

вы́мол||ить obtáin what one has begged for; он ~ил себе́ проще́ние his práyers for forgíveness succéeded

вы́мостить pave

вы́мочить drench, soak, steep

вы́мпел pénnant

вы́мысел fíction, fántasy

вы́мыть(ся) *см.* мы́ть(ся)

вы́мышленн||ый invénted; **~ое** и́мя assúmed name

вы́мя údder

вы́нести 1. cárry *(или* take) out **2.** *(вытерпеть)* endúre, stand ◇ ~ резолю́цию pass *(или* cárry) a resolútion; ~ пригово́р pass séntence

вынима́ть *см.* вы́нуть

выноси́ть *см.* вы́нести

выно́слив||ость endúrance; hárdiness; **~ый** endúring; hárdy

вы́ну||дить, ~жда́ть force, compél; oblíge; **~жденный: ~жденная** поса́дка *ав.* forced *(или* emérgency) lánding

вы́нуть take out

вы́нырнуть come up to the súrface; emérge *(тж. перен.)*

вы́пад 1. attáck **2.** *спорт.* lunge; отве́тный ~ ripóste

выпада́ть *см.* вы́пасть

выпа́лывать *см.* вы́полоть

выпа́ривание *хим.* evaporátion

выпа́ривать, вы́парить *хим.* eváporate

вы́пасть 1. fall *(или* drop) out; slip out *(выскользнуть)* **2.** *(о волосах)* come out **3.** *(о снеге)* fall ◇ ~ на до́лю fall to one's lot

выпека́ть, вы́печь bake

выпива́ть *см.* вы́пить

вы́пивка *разг.* **1.** drínking **2.** *(напитки)* drinks *pl.*

выпи́ливать, вы́пилить saw out, cut out

вы́пис||ать 1. write out; cópy *(списать)* **2.** *(заказать)* órder; take; какие газеты вы выписываете? what (néws-)papers do you subscríbe to? **3.:** ~ из больни́цы dischárge from hóspital; **~ка** éxtract; метри́ческая ~ка birth certíficate

выпи́сывать *см.* вы́писать

вы́пить drink; take *(кофе, чай)*; ~ до дна drain dry *(или* to the dregs); ~ за́лпом toss down; ~ ли́шнее have a drop too much; ~ ча́шку ча́я have a cup of tea

вы́плав||ить smelt; **~ка** smélting; **~ля́ть** *см.* вы́плавить

вы́плат||а páyment; **~ить** pay, pay off; ~ить в рассро́чку pay by instálments

выпла́чивать *см.* вы́платить

выплёвывать *см.* вы́плюнуть

выплёскивать, вы́плеснуть throw *(или* émpty) out brískly

выплыва́ть, вы́плыть 1. swim out, emérge; ~ на пове́рхность come to the súrface **2.** *(обнаруживаться)* leak out, come to light

вы́плюнуть spit out

выполза́ть, вы́ползти crawl *(или* creep) out

выполн||е́ние execútion, fulfílment; cárrying out; **~и́мый** práctícable; féasible

вы́полн||ить, ~я́ть éxecute, fulfíl; cárry out; ~ свой долг do one's dúty; ~ зака́з compléte *(или* fulfíl) an órder

вы́полоскать rinse out

вы́полоть weed, weed out

вы́править corréct

вы́прав||ка: вое́нная ~ mílitary béaring; **~ля́ть** *см.* вы́править

выпра́шивать beg, impórtune

выпрова́живать, вы́проводить send pácking

вы́просить succéed in obtáining *(one's urgent request)*

выпры́гивать, вы́прыгнуть jump out

выпряга́ть únhárness

вы́прямить stráighten, únbénd; **~ся** draw onesélf up

выпрямля́ть(ся) *см.* вы́прямить(ся)

вы́пукл||ость 1. próminence **2.** *физ.* convéxity; **~ый 1.** búlging, próminent; ~ые глаза́ próminent eyes; ~ые бу́квы raised léttering **2.** *физ.* cónvéx

вы́пуск 1. *(продукции)* óutput **2.** *(журнала, денег)* íssue **3.** *(выпускники)* gráduates *pl.*; **~а́ть** *см.* вы́пустить

выпускни́к gráduate

выпускн||о́й: ~ кла́пан *тех.* exháust valve; ~ы́е экза́мены final *(или* pássing-out) examinátions

вы́пустить 1. let out; let go *(отпустить)*; set free, reléase *(на свободу)* **2.** *(заём, деньги)* íssue **3.** *(издать)* bring out, públish; reléase *(фильм)* **4.** *(пропустить)* omít; ~ часть те́кста omít a pórtion of the text **5.** *(продукцию)* prodúce; put out; ~ в прода́жу put on sale; put on the márket *(на рынок)*

вы́путаться éxtricate onesélf; ~ из беды́ get out of a scrape

вы́пытать extráct *(или* extórt) informátion from smb.

выпы́тывать try to force smb. to tell smth.

выраба́тывать, вы́работать 1. *(товары)* manufácture, prodúce **2.** *(план)* work out, draw up **3.** *(зарабатывать)* earn *(или* make) móney

вы́работка *(продукция)* óutput

выра́внивать(ся) *см.* вы́ровнять(ся)

выраж||а́ть(ся) *см.* вы́разить(ся); **~е́ние** expréssion; **~е́ние лица́** look, expréssion on one's face

вы́раженн||ый 1. expréssed **2.:** ре́зко ~ая тенде́нция a stróngly marked *(или* pronóunced) téndency

вырази́тельн||о *нареч.* expréssively; **~ость** expréssiveness; **~ый** expréssive; significant, *(многозначительный)*

вы́разить expréss; ~ неудово́льствие show displéasure; ~ слова́ми put ínto words; **~ся 1.** *(высказаться)* expréss onesélf **2.** *(проявиться)* mánifest itsélf, be expréssed

выраста́ть, вы́расти grow; grow up *(о ребёнке)*

вы́растить, выра́щивать 1. *(детей)* bring up **2.** *(растения)* grow, raise from seed

вы́рвать pull *(или* tear) out; snatch out *(из рук)*; ~ с ко́рнем upróot

вы́рв||аться 1. tear onesélf *(или* break) awáy; ~ вперёд dash fórward **2.** *(о стоне и т. п.)* escápe; у него́ ~ался крик a cry escáped him

вы́рез 1. cut **2.** *(платья)*: большо́й ~ a lów-cut dress; пла́тье с ~ом по ше́е a róund-necked dress

вы́резать, выреза́ть cut out; carve *(по дереву)*; engráve *(по металлу)*

вы́резка *(газетная)* clípping

выре́зывать *см.* вы́резать

вырисо́вываться stand out *(against)*, be silhouétted *(against)*, be vísible

вы́ровнять 1. éven; smooth out *(разгладить)* **2.** *воен.* draw up, form a line; **~ся 1.** becóme éven, smooth **2.** *воен.* draw up

вы́род||иться degénerate; **~ок** degénerate, black sheep; он ~ок в семье́ he is the black sheep of the fámily

вырожд||а́ться *см.* вы́родиться; **~е́ние** degenerátion

вы́ронить drop, let fall

выруба́ть, вы́рубить *(лес)* cut down; fell

вы́ругать scold; **~ся** swear

выруча́ть *см.* вы́ручить

вы́руч||ить 1. help out; réscue *(спасти)* **2.** *(деньги)* gain; **~ка 1.** *(помощь)* réscue **2.** *(деньги)* gain, prófit

вырыва́ть I *см.* **вы́рвать**

вырыва́ть II *см.* вы́рыть

вырыва́ться *см.* вы́рваться

вы́рыть dig; dig up *(или* out) *(откопать)*

вы́сад||ить 1. *(на берег)* land, put ashóre; dísembárk; drop, set down *(из автомобиля)* **2.** *(растение)* transplánt; **~иться** land; disembárk; **~ка 1.** disembarkátion **2.** *(десанта)* lánding

выса́живать(ся) *см.* вы́садить(ся)

выса́сывать *см.* вы́сосать

высве́рливать, вы́сверлить drill, bore

высека́ть *см.* вы́сечь I

выселе́ние evíction

вы́сел||ить, ~я́ть evíct

вы́сечь I cut, hew

вы́сечь II *(розгой)* whip, flog

вы́сидеть, выси́живать 1. *(некоторое время)* remáin, stay; **2.** *(птенцов)* hatch

вы́ситься rise, tówer

выска́бливать *см.* вы́скоблить

вы́сказ||ать expréss; ~ мне́ние expréss *(или* útter) an opínion; ~ предположе́ние, что... suggést that perháps...; он ~ал предположе́ние, что... his théory was that...; **~аться** speak out; ~аться открове́нно speak one's mind; ~аться за suppórt; ~аться про́тив oppóse; ~ся по вопро́су speak on *(или* to) the súbject

выска́зыва||ние opínion, sáying; státement; **~ть(ся)** *см.* вы́сказать(ся)

выска́кивать *см.* вы́скочить

выска́льзывать *см.* вы́скользнуть

вы́скоблить scrape out *(или* off)

вы́скользнуть slip out

вы́скоч||ить jump out; **~ка** úpstart, párvenu

вы́слать 1. *(что-л.)* send fórward **2.** *(административно)* éxile, bánish; depórt *(из страны)*

вы́следить, высле́живать track down, trace

вы́слуг||а: за ~у лет ≅ for long and meritórious sérvice

выслу́живаться, вы́служиться *разг.* to seek promótion, to cúrry fávour *(with)*

вы́слушать, выслу́шивать 1. hear; lísten **2.** *мед.* sound, áuscultate

высме́ивать, вы́смеять rídicule

вы́сморкаться blow one's nose

высо́вывать(ся) *см.* вы́сунуть(ся)

высо́кий 1. high; tall *(о человеке)* **2.** *(возвышенный)* élevated, lófty **3.** *(о звуке)* hígh-pítched

высо́ко́ *нареч.* high; high up *(в воздухе);* alóft

высоково́льтный *эл.* hígh-voltage *attr.*

высокока́чественный hígh-quality *attr.*

высококвалифици́рованный híghly quálified

высоко́ме́р||ие háughtiness, árrogance; **~ный** háughty, supercílious, árrogant

высокопа́рный pómpous, stílted

вы́сосать suck out

высот||а́ height; áltitude *(над уровнем моря);* súmmit *(вершина);* pitch *(то́на, звука)* ◇ быть на ~е́ rise to the occásion

высо́тн||ый: ~ полёт *ав.* hígh-áltitude flight; ~ые зда́ния múlti-storeyed búildings, tall hóuses

вы́сох||нуть dry up; wíther *(о растении);* **~ший** dríed-up, withered *(о растении);* wízened *(о человеке)*

вы́спаться sleep onesélf out, have a good sleep

вы́ставить 1. *(вперёд)* put fórward; expóse *(на свет, воздух)* **2.** *(на выставке)* exhibit **3.** *разг.* *(выгнать)* turn out ◇ ~ чью-л. кандидату́ру nóminate smb. *(for)*; ~ око́нную ра́му take out the window-frame

вы́ставк||а 1. exhibítion; show; ~ цвето́в flówer-show **2.** *(в магазине)* displáy, (shop) wíndow; shówcase *(витрина)*; на ~е in the wíndow

выставля́ть *см.* вы́ставить

вы́стирать wash

вы́страдать súffer

выстра́ивать *см.* вы́строить II; **~ся** *см.* вы́строиться

вы́стрел shot; repórt *(звук выстрела)*; на расстоя́нии ~а withín range *(или* gúnshot); **~ить** fire, shoot; ружьё ~ило the gun went off

вы́строить I *(дом и т. п.)* build

вы́строить II *(в ряд)* draw *(или* line) up; **~ся** line up; *воен.* form up

вы́ступ projéction, ledge *(скалы и т. п.)*

выступа́ть, вы́ступить 1. come fórward; ~ из берего́в overflów the banks **2.** *(публично)* come out, appéar; speak, make a speech *(говорить)*; perfórm *(на сцене)*; ~ в защи́ту ми́ра come out in defénce of peace; ~ в пре́ниях take the floor **3.** *(выдаваться вперёд)* projéct, protrúde

выступле́ние 1. *воен.* march, depárture **2.** *(публичное)* appéarance; speech *(речь)*; státement *(заявление)*; perfórmance *(на сцене)*

вы́сунуть put *(или* poke) out; ~ язы́к put one's tongue out; **~ся** hang out; ~ся из окна́ lean out of the wíndow

вы́сушить dry

вы́сш||ий 1. *(более высокий)* hígher; supérior *(по качеству, положению)* **2.** *(самый высокий)* híghest; supréme *(верховный)*; ~ее образова́ние hígher educátion; ~ая ме́ра наказа́ния cápital púnishment; ~ая шко́ла hígher ínstitutes of léarning; ~его ка́чества of éxtra quálity ◇ в ~ей сте́пени híghly, in high degrée

высыла́ть *см.* вы́слать

вы́сылка 1. dispátch, sénding **2.** *(административная)* éxile, bánishment; deportátion *(из страны)*

вы́сыпать, высыпа́ть 1. pour out; émpty *(опорожнить)* **2.** *(о сыпи)* break *(или* come) out

вы́сыпаться spill out; be scáttered

высыпа́ться I *см.* вы́сыпаться

высыпа́ться II *см.* вы́спаться

высыха́ть *см.* вы́сохнуть

высь height

выта́лкивать *см.* вы́толкнуть

вы́таращить: ~ глаза́ *разг.* stare, ópen one's eyes wide

выта́скивать, вы́тащить drag out, pull out *(выдёргивать)*; steal *(красть)*

вытека́||ть 1. *см.* вы́течь **2.** *(о следствии)* fóllow; отсю́да ~ет, что it fóllows that

вы́тереть wipe; dry *(осушить)*; ~ рот wipe one's

mouth; ~ лицó mop one's face; **~ся** dry onesélf

вы́теснить; вытесня́ть force out; oust

вы́течь flow *(или* run) out

вытира́ть(ся) *см.* вы́тереть (-ся)

вы́ткать weave

вы́толкнуть push out

вы́тря||сти, ~хнуть shake out

выть howl

вытя́гивать(ся) *см.* вы́тянуть(ся)

вы́тяжка *хим.* éxtract

вы́тян||уть stretch (out); extráct; из негó ли́шнего слóва не ~ешь he doesn't waste words; **~уться 1.** *(растянуться)* stretch onesélf **2.** *(выпрямиться)* stand erect

вы́удить, выу́живать fish out

вы́учить 1. *(кого-л.)* teach; train **2.** *(что-л.)* learn; **~ся** learn

выха́живать *см.* вы́ходить

вы́хватить, выхва́тывать snatch out

вы́хлопот||ать obtáin by petítioning; он ~ал разрешéние he got the permíssion he sought

вы́ход 1. *(действие)* góing out **2.** *(место выхода)* éxit, óutlet; way out *(тж. перен.)*; ~а нет *(объявление)* no éxit; другóго ~а нет it's the ónly way out **3.** *(об издании)* íssue *(журнала)*; publicátion *(книги)*

вы́ходец: ~ из крестья́нской среды́ a péasant by birth *(или* órigin)

вы́ходить rear *(ребёнка)*; pull through *(больного)*

выходи́ть 1. *см.* вы́йти; не ~ из дому stay índóors **2.** *(об окнах и т. п.)* look out *(at, on)*, have a view *(over)* ◇ выхóдит, что it fóllows *(или* it appéars) that

вы́ход||ка trick; prank *(шаловливая)*; **~ки** intólerable beháviour *sg.*

выходн||óй: ~ день day off; rést-day, day of rest; ~óе пособие gratúity, dischárge pay

вы́холенный well cáred-for, wéll-gróomed

вы́царапать, выцара́пывать scratch out

вы́цве||сти, ~та́ть fade, lose cólour

вычёркивать, вы́черкнуть strike *(или* cross) out, deléte

вы́черпать, вычéрпывать scoop dry; bale out *(из лодки)*

вы́честь 1. dedúct **2.** *мат.* subtráct

вы́чет dedúction; за ~ом less, mínus

вычислéние calculátion

вы́числ||ить, ~я́ть cálculate

вы́чистить clean; brush *(щёткой)*; pólish *(обувь)*

вычита́емое *мат.* súbtrahend

вычита́ние *мат.* subtráction

вычита́ть *см.* вы́честь

вычища́ть *см.* вы́чистить

вы́чурный ornáte, preténtious

вы́швырнуть hurl *(или* fling) out

вы́ше 1. *прил.* hígher; táller *(ростом)* **2.** *нареч.* abóve; э́то ~ моегó понима́ния it is beyónd my compreh́énsion ◇ быть ~ чегó-л. rise abóve smth.

вы́ше||озна́ченный, ~приведённый, ~ука́занный, ~упо-

мя́нутый əfóresaid, abóve-méntioned

вышива́||ние embróidery, fáncy-work; **~ть** *см.* вы́шить

вышин||а́ height; **~о́й** в 10 ме́тров ten métres high

вы́шитый embróidered

вы́шить embróider

вы́шка tówer; нефтяна́я ~ óil-derrick

вы́яв||ить, ~ля́ть revéal, bring to light

выясне́ние elucidátion, clarificátion

вы́ясн||ить elúcidate, make clear, find out; ascértain *(установи́ть)*; **~иться** turn out; come to light; как ~илось as it turned out; э́то сего́дня ~ится todáy it will becóme clear; **~я́ть(ся)** *см.* вы́яснить(-ся)

вьетна́м||ец Vietnamése; **~ский** Vietnamése; ~ский язы́к Vietnamése, the Vietnamése lánguage

вью́га snów-storm; blízzard *(пурга́)*

вью́чн||ый: ~ое живо́тное beast of búrden; ~ое седло́ páck-saddle

вью́щ||ийся cúrly, crisp *(о волоса́х)*; clímbing *(о расте́нии)*; ~ееся расте́ние a clímbing plant, a clímber

вя́жущий astríngent

вяз elm

вяза́ние knítting; cróchet-work *(крючко́м)*

вяза́нка bundle; ~ хво́роста fággot

вяза́ть 1. *(свя́зывать)* tie up, bind **2.** *(чулки́ и т. п.)* knit

вяза́ться tálly *(with)*; fit in *(with)*

вя́з||кий víscous, sticky; míry, squélchy *(то́пкий)*; **~нуть** stick

вя́лить drý-cúre

вя́лый slack; lífeless; spíritless

вя́нуть wíther; fade, lose heart *(о челове́ке)*

Г

га *см.* гекта́р

га́вань hárbour; войти́ в ~ énter hárbour

гага́чий: ~ пух éider-down

гад *зоол.* réptile; *перен.* vile créature

гада́||лка fórtune-teller; **~ние 1.** divinátion; fórtune-telling *(предсказывание бу́дущего)* **2.** *(дога́дка)* conjécture, guéss-work; **~тельный** problemátic, conjéctural; dóubtful *(сомни́тельный)*; **~ть 1.** *(предска́зывать)* tell fórtunes **2.** *(предполага́ть)* conjécture, guess

га́дить *разг.* **1.** foul, make dírty **2.** *(вреди́ть)* make mís-chief; play dírty tricks *(или* a dírty trick) *(on)*

га́д||кий násty; bad; wícked; **~ость** *разг.* **1.** filth; говори́ть ~ости о ком-л. tell smútty stóries abóut smb.; repéat smútty góssip abóut smb. **2.** *(по́длый посту́пок)* a dírty trick

гадю́ка ádder; víper *(тж. перен.)*

газ gas; ядови́тый ~ póison gas

газе́т||а néwspaper; páper *разг.*; у́тренняя ~ mórning páper; вече́рняя ~ évening páper; **~ный** news *attr.*; ~ный киоск néws-stand; ~ная заме́тка páragraph; ~ая статья́ néwspaper árticle; ~ная бума́га néwsprint

газиро́ванн||ый: ~ые напи́тки áerated wáters

га́зов||ый gas *attr.*; ~ заво́д gás-works; ~ая плита́ gás-stóve

газогенера́тор *тех.* gas génerator

газо́н lawn

газообра́зный gáseous

газопрово́д gás-main

газоубе́жище gás-proof shélter

га́йк||а nut ◇ закру́чивать ~и tíghten up, clamp down *(on)*

галантер||е́йный: ~ магази́н háberdasher's (shop); **~е́я** háberdashery

галере́я gállery

галёрка *разг.* gállery

га́лка jáckdaw, daw

галлюцина́ция hallucinátion

гало́п gállop; **~ом** *нареч.* at a gállop

гало́ши *мн.* galóshes *pl.*; rúbbers *pl.* *(амер.)*

га́лстук tie, nécktie

гальван||иза́ция galvanizátion; **~и́ческий** galvánic

га́лька pebbles *pl.*; shingle

гам *разг.* úproar

гама́к hámmock

га́мма *муз.* scale; *перен.* range, gámut

гангре́н||а *мед.* gángrene; **~о́зный** gángrenous

ганте́ли dúmb-bells

гара́ж gárage

гаранти́ровать guarantée

гара́нти||я guarantée; с ~ей на... guarantéed for...

гардеро́б **1.** *(помещение)* clóak-room; где ~? where is the clóak-room? **2.** *(шкаф)* wárdrobe **3.** *(платья)* clothes *pl.*, wárdrobe; **~щик** clóak-room atténdant

гарди́на (wíndow-)cúrtain

гармо́ника *муз.* accórdion

гармони́ровать hármonize *(with)*; *перен.* be in hármony *(with)*, go well togéther

гармони́ст accórdion pláyer

гармон||и́ческий harmónic; **~и́чный** harmónious

гармо́ния hármony

гарнизо́н gárrison

гарни́р *кул.* gárnish; végetables *pl.* *(овощной)*

гарниту́р **1.** *(комплект)* set **2.** *(о мебели)* suite of fúrniture; спа́льный ~ bédroom suite **3.** *(бельё)*: да́мский ~ twó-piece *(или* thrée-piece) set of ládies' únderwear

гарцева́ть prance

гарь: па́хнет ~ю there is a smell of búrning

гаси́ть **1.** extínguish, put out; blow out *(задувать)*; ~ электри́чество switch *(или* turn) off the light **2.** *спорт.* kill the ball

га́снуть go out; die out *(догорать)*; *перен.* die down

гастр||олёр guest ártist; áctor on tour; **~оли́ровать** tour; **~о́ль** tour; выезжа́ть на ~о́ли go on tour; **~о́льный:** ~о́льная поéздка tour

гастрономи́ческий: ~ магази́н grócery and provísion shop; food store *(большой)*

гауптва́хта guárd-house

гвалт *разг.* húbbub, úproar

гвард||е́ец gúardsman; **~е́йский** guards *attr.*; ~е́йская часть guards únit; ~е́йское зна́мя guards bánner

гва́рдия Guards *pl.*

гвозди́ка I *(цветок)* pink; carnátion *(махровая)*

гвозди́ка II *(пряность)* clove

гвоздь nail; peg *(деревянный)* ◇ ~ сезо́на hit of the séason

где *нареч.* where; ~ бы то ни́ было wheréver, wheresoéver ◇ ~ ему́ быть писа́телем! how can such a one be a writer?

где́-либо, где́-нибудь, где́-то *нареч.* sómewhere; ánywhere *(при вопросе)*; где́-нибудь в друго́м ме́сте sómewhere else; где́-то здесь sómewhere here, héreabout(s)

гегемо́ния hegémony

гекта́р héctare

гемоглоби́н *физиол.* haemoglóbin

генеало́гия geneálogy

ге́незис génesis, órigin

генера́л géneral; ~ а́рмии full géneral

генерали́ссимус Generalíssimo

генера́л||-лейтена́нт lieuténant-géneral; **~-майо́р** májor-général; **~-полко́вник** cólonel-géneral

генера́льн||ый *в разн. знач.* géneral; ~ штаб Géneral Staff; ~ая репети́ция dress rehéarsal

генера́тор *тех.* generátor

гениа́льн||ый brílliant; of génius *(после сущ.)*; ~ челове́к man of génius; ~ые произведе́ния works of génius

ге́ний génius

гео́гр||аф geógrapher; **~афи́ческий** geográphic(al); **~а́фия** geógraphy

геоде́зия (lánd-)survéying

гео́||лог geólogist; **~логи́ческий** geológical; **~ло́гия** geólogy

геом||етри́ческий geométrical; **~е́трия** geómetry

георги́н dáhlia

геофизи́ческий geophýsical

гера́нь geránium

герб coat of arms; insígnia *pl.*; серп и мо́лот — госуда́рственный ~ СССР the State insígnia of the Sóviet Únion are the hámmer and sickle

герба́рий herbárium

ге́рбов||ый béaring an offícial stamp *(или* device*)*; ~ сбор stámp-duty; ~ая ма́рка offícial stamp; ~ая бума́га offícially stámped *(или* héaded*)* páper

герма́нский Germánic; Gérman *(немецкий)*

герметі́ческий hermétically sealed

геро||и́зм héroism; **~и́ческий** heróic

геро́й héro ◇ Геро́й Сове́тского Сою́за Héro of the Sóviet Únion; Геро́й Социалисти́ческого Труда́ Héro of Sócialist Lábour; **~ский** heróic; ~ский посту́пок heróic deed, feat

ге́тры gáiters, léggings *(длинные)*; spats *(короткие)*

гиаци́нт hýacinth

ги́бель rúin; destrúction

(уничтожение); loss *(города, экспедиции)*; wreck *(судна)*; **~ный** disástrous; rúinous *(пагубный)*; fátal *(роковой)*

гибк||ий **1.** fléxible; lithe, supple; ~ая тáлия supple waist **2.** *перен.* fléxible, adáptable; **~ость** flexibílity; súppleness

ги́бл||ый *разг.*: ~ое дéло bad job

ги́бнуть pérish

гибри́д hýbrid

гигáнт gíant; **~ский** gigántic

гигиéн||а hýgiene; **~и́ческий** hygíenic

гигроскопи́ческий hygroscópic

гид guide

гидроплáн hýdroplane

гидростáнция hýdro-eléctric pówer státion

гиéна hyéna

ги́льза **1.** *(у патрона)* cártridge-case **2.** *(папиросная)* cigarétte-wrapper

гимн hymn; государственный ~ nátional ánthem

гимнáст gýmnast; выступлéние ~ов gymnástics displáy; **~ика** phýsical tráining *(или* éxercises*)*; gymnástics; спорти́вная ~ика compétitive gymnástics; худóжественная ~ика callisthénics, free stánding éxercises; **~и́ческий** gymnástic; ~и́ческий зал gymnásium; gym *разг.*

гинекóлог gynaecólogist

гипéрбола **1.** *лит.* hypérbole **2.** *мат.* hypérbola

гипнó||з hypnósis; **~тизи́ровать** hýpnotize

гипóтеза hypóthesis

гипотенýза *геом.* hypótenuse

гипс **1.** *мин.* gýps(um) **2.** *(в скульптуре, хирургии)* pláster (of Páris); **~овый** pláster *attr.*; ~овая повя́зка pláster (cast)

гирля́нда gárland

ги́ря weight

гитáра guitár

главá I *(в книге)* chápter

глав||á II *(руководитель)* head ◇ стоя́ть во ~é чегó-л. head smth., be at the head of smth.; во ~é с кем-л. héaded by smb.

главáрь léader; ríngleader *(зачинщик)*

главéнство suprémacy; **~вать** dominéer, dóminate

главнокомáндующий Commánder-in-Chief

глáвн||ый chief, príncipal, main; ~ гóрод *(столица)* cápital; ~ая ýлица main street; ~ые си́лы main fórces; ~ая кварти́ра *воен.* héadquárters *pl.*; ~ое управлéние céntral board; ~ инженéр chief enginéer; ~ое предложéние *грам.* príncipal clause; ~ым óбразом máinly

глаг||óл *грам.* verb; **~óльный** vérbal

глагóл-свя́зка línk-verb

глáдить **1.** *(утюжить)* íron **2.** *(ласкать)* stroke, caréss

глáдкий **1.** smooth **2.** *(о ткани)* unprínted, plain

гладь I smooth súrface ◇ тишь да ~ *разг.* pérfect peace; peace and hármony

гладь II *(вышивка)* sátin-stitch

глáженье íroning

глаз eye ◇ на ~ appróximately; сказáть пря́мо в ~á

кому́-л. say straight to smb.'s face; смотре́ть кому́-л. в ~а́ look smb. (full) in the face; с ~у на ~ confidéntially; в ~а́х кого́-л. in smb.'s opínion; смотре́ть во все ~а́ be all eyes; идти́ куда́ ~а́ глядя́т wánder áimlessly; невооружённым ~ом with the náked eye; за ~а́ behínd smb.'s back *(в отсутствии кого-л.)*; за ~а́ дово́льно more than enóugh

глазе́ть *(на) разг.* stare *(at)*, gape *(at)*

глазн||о́й eye *attr.*; ~ врач óculist; ~о́е я́блоко *анат.* éye-ball; ~а́я впа́дина éye-hole; ~а́я лече́бница éye-hospital

глазо́к *(окошечко)* spý-hole

глазоме́р: у него́ хоро́ший ~ he has a véry áccurate eye

глазу́нья *(яичница)* fried eggs *pl.*

глазу́рь 1. *(сахарная)* ícing **2.** *(на посуде)* glaze

гла́нды *мн. анат.* tónsils

гла́сност||ь publícity; ópenness; предава́ть что-л. ~и make smth. públic

гла́сный I *(публичный)* públic

гла́сный II *лингв.* vówel

гле́тчер glácier

гли́н||а clay; **~истый** cláyey

гли́няный éarthenware *attr.* *(о посуде)*

гли́ссер hýdroplane

глист intéstinal worm

глицери́н glýcerine

гло́бус globe, sphere

глода́ть gnaw

глота́ть swállow

гло́тк||а *разг.* throat; во всю ~у at the top of one's voice

глот||о́к móuthful; sip *(маленький)*; gulp *(большой)*; одни́м ~ко́м at one gulp; ~ воды́ a drink of wáter

гло́хнуть grow deaf

глубин||а́ depth; *перен.* depths *pl.*; измеря́ть ~у́ *(в море)* sound

глубо́к||ий deep; *перен. тж.* profóund; ~ая таре́лка sóup-plate ◇ ~ой но́чью late in the night; ~ой о́сенью in the late áutumn

глубо́ко́ 1. *предик. безл.* it is deep; здесь ~ it is deep here **2.** *нареч.* déeply; *перен. тж.* profóundly

глубокомы́сленный profóund, thóughtful; grave *(серьёзный)*

глубь *см.* глубина́

глум||и́ться *(над)* sneer *(at)*, mock *(at)*; **~ле́ние** sneer, móckery

глуп||е́ть grow stúpid; **~е́ц** fool, dolt; **~и́ть** be fóolish, make a fool of onesélf

глу́п||о *нареч.* stúpidly, fóolishly; как э́то ~! how stúpid!; **~ость 1.** stupídity, fóolishness **2.** *(бессмыслица)* nónsense; **~ый** stúpid, fóolish, sílly

глух||и́е *мн. собир.* the deaf; **~о́й 1.** *прил.* deaf; ~ звук *лингв.* vóiceless sound **2.** *как сущ.* deaf man

глухонемо́й 1. *прил.* déaf-and-dúmb **2.** *как сущ.* déaf-múte

глухота́ déafness

глуши́тель *тех.* sílencer, múffler

глушь báckwoods *pl.* *(лесная)*; *перен.* sólitary place

глы́ба block; clod *(земли́)*

глюкоза glúcose

глядеть *(на) разг.* look *(at)*; stare *(at; пристально)*

глян||ец pólish; lústre; **~цевитый** glóssy, lústrous

гнать 1. *(стадо и т. п.)* drive **2.** *(преследовать)* pursúe **3.** *разг.* *(торопить)* húrry, urge **4.** *(спирт и т. п.)* distíl; **~ся** pursúe; *перен.* hunt *(after)*; strive *(for)*; ~ся за мячом run áfter the ball

гнев ánger; wrath *поэт.*; **~ный** ángry; wráthful *поэт.*

гнедой bay

гнездиться nest; *перен.* nestle

гнездо 1. nest; áerie *(хищной птицы)* **2.** *лингв.* fámily of words

гнёт oppréssion; yoke *(иго)*

гнетущий depréssing

гниение rótting; *перен.* decáy; corrúption

гнилой rótten; decáyed

гнить rot; decáy

гноиться féster *(о ране)*

гной pus; mátter; **~ник** ábscess; **~ный** púrulent

гнусавить speak with a násal twang

гнусн||ость ínfamy, víleness; **~ый** ínfamous, vile

гнуть 1. bend; curve *(изгибать)*; bow *(наклонять)* **2.** *разг.* *(клонить к чему-л.)*: я вижу, куда он гнёт I see what he is áfter; **~ся** bend; stoop *(о человеке)*

гнушаться shun *(чуждаться)*; disdáin *(пренебрегать)*

говор 1. sound of vóices, múrmur **2.** *(диалект)* díalect; pátois ['pætwɑ:] *(местный)*

говор||ить speak, talk *(разговаривать)*; say, tell *(сказать что-л.)*; ~ правду tell *(или* speak) the truth; ~ неправду tell a lie *(или* lies); ~ по-английски speak Énglish; они не ~ят друг с другом they are not on spéaking terms; ~ит Москва *радио* this is Móscow cálling ◇ ~ят *(ходят слухи)* it is said; it is rúmoured; иначе ~я in óther words; по правде ~я to tell the truth; не ~я ни слова withóut (sáying) a word; не ~я уже... not to méntion...; это ~ит само за себя it speaks for itsélf

говорливый tálkative

говядина beef

гоготать 1. cackle **2.** *разг.* roar with láughter

год year; который ему ~? how old is he?; учебный ~ school year; прошлый ~ last year; будущий ~ next year; круглый ~ the whole year round; в восьмидесятых ~ах in the éighties

год||иться 1. do; be fítted, be súited *(о человеке)*; be of use *(быть полезным)*; я не гожусь на это дело I'm not the pérson for this job; эта бумага ему ~ится this páper will be all right for him; эта бумага ~ится только на обёртку this páper is ónly súitable *(или* fit) for wrápping párcels; эта бумага ему не ~ится this páper isn't what he wants *(или* needs) **2.** *(быть впору)* fit; это пальто мне не ~ится this coat doesn't fit me ◇ не ~ится *(+ инф.)*: так поступать не ~ится one can't do that, you mustn't beháve like that

годи́чный ánnual; yéarly; ~ срок a year's span, one year

го́дный fit; súitable *(подходящий)*; ~ для еды́ édible; ~ для питья́ drínkable; ни на что не ~ góod-for-nóthing

годов||а́лый one year old; **~о́й** ánnual; ~о́й отчёт ánnual repórt

годовщи́на annivérsary

гол *спорт.* goal; заби́ть ~ score a goal

голени́ще top of a boot

голла́нд||ец Dútchman; **~ский** Dutch; ~ский язы́к Dutch, the Dutch lánguage

голов||а́ head ◇ в пе́рвую го́лову first and fóremost; как снег на́ ~у like a bolt from the blue; име́ть го́лову на плеча́х have one's head on one's shóulders

голова́стик *зоол.* tádpole

голове́шка fíre-brand

голо́в||ка *(була́вки, гвоздя и т. п.)* head ◇ ~ чеснока́ a head of gárlic; ~ лу́ку an ónion; **~но́й 1.** head *attr.*; ~на́я боль héadache; ~но́й убо́р hat, héad-dress; héadgear **2.** *(пере́дний)* léading; ~но́й отря́д vánguard

головокруж||е́ние dízziness, gíddiness; **~и́тельный** dízzy, gíddy

головоло́мка puzzle; téaser, póser

головомо́йк||а *разг.* dréssing down, sevére scólding; зада́ть ~у кому́-л. wash smb.'s head for him

головоре́з *разг.* cútthroat

головотя́п *разг.* búngler; **~ство** *разг.* búngling

го́лод húnger; starvátion; fámine *(наро́дное бе́дствие)*; **~а́ть** starve

голо́дн||ый húngry; ~ая смерть death from starvátion

голодо́вка *(в тюрьме́)* húnger-strike

гололе́дица glássy ice on the ground; black ice; на у́лице ~ the streets are like glass *разг.*

го́лос 1. voice **2.** *(избира́тельный)* vote; ~а́ за и про́тив the ayes and the noes; при́нято большинство́м ~о́в the ayes have it ◇ в оди́н ~ unánimously

голосло́вн||о *нареч.* on one's bare word; withóut proof; **~ый** not fúrnished with proofs; ~ое обвине́ние an accusátion unsuppórted by any évidence

голосов||а́ние vóting; откры́тое ~ ópen vote; та́йное ~ sécret bállot; (по)ста́вить на ~ put to the vote; **~а́ть** vote

голосов||о́й vócal; ~ы́е свя́зки *анат.* vócal chords

голубо́й blue, ský-blúe

го́луб||ь pígeon; dove *поэт.*; ~ ми́ра the dove of peace; **~я́тня** dóve-cote

го́л||ый náked; bare; с ~ыми нога́ми báre-légged ◇ ~ые фа́кты bare facts; ~ая и́стина the náked truth; ~ыми рука́ми with bare hands

гомеопа́тия homeópathy

гондо́ла góndola *(тж. ав.)*

гоне́ние persecútion

гоне́ц méssenger

го́нка *разг.* haste, húrry; ~

вооруже́ний а́rmaments' race (*или* drive)

го́нки *спорт.* ráces; regátta *sg.* (*на воде*)

го́нор *разг.*, árrogance

гонора́р fee; róyalties *pl.*

го́ночный rácing; ~ автомоби́ль rácing car, rácer

гонча́р pótter; **~ный** pótter's; ~ные изде́лия póttery *sg.*

го́нчая hound

гоня́ть 1. drive (abóut); ~ с ме́ста на ме́сто chase from place to place **2.** *разг.* (*посылать*) send abóut; send on érrands; **~ся** *см.* гна́ться

гор||а́ móuntain; идти́ в го́ру go úphíll; *перен.* rise in the world; идти́ по́д ~у go dównhíll ◇ не за ~а́ми not far off; у меня́ ~ с плеч свали́лась *разг.* a load was táken off my mind

гора́здо *нареч.* much, far

горб hump, hunch; **~а́тый** húmpbacked, húnchbacked

го́рб||иться stoop; **~у́н, ~у́нья** húnchback, húmpback

горбу́шка crust, the end

горделивый proud

горди́ться be proud (*of*), take pride (*in*)

го́рд||ость pride; **~ый** proud

го́р||е grief, distréss; misfórtune (*несчастье*) ◇ с ~я of grief, with grief; ему́ и ~я ма́ло he does not care; ~ в том, что the trouble is that; ~ мне с тобо́й *разг.* ≅ what a trouble you are; **~ева́ть** grieve

горе́лка búrner

горе́лый burnt

горе́ние búrning; combústion (*сгорание*)

го́рестный sad

горе́ть burn; blaze (*ярким пламенем*); glow (*без пламени*); be on fire (*о доме и т. п.*); shine (*светиться*)

го́рец mountainéer

го́речь bítter taste; *перен.* bítterness

горизо́нт horízon; **~а́льный** horizóntal

гори́стый móuntainous

го́рка hill

го́рло throat; по ~ up to the neck; у меня́ боли́т ~ I have a sore throat

го́рлышко (*бутылки*) neck

горн I fúrnace; forge (*кузнечный*)

горн II *воен.*, *муз.* bugle; **~и́ст** búgler

горнозаво́дск||ий míning and metallúrgical; ~ое де́ло míning and metallúrgical índustry

горнорабо́чий míner

горноста́й érmine

го́рн||ый 1. mountáinous **2.:** ~ая промы́шленность míning índustry; ~ое де́ло míning; ~ хруста́ль róck-crystal; ~ институ́т Míning ínstitute, School of Mines; **~я́к** míner

го́род town; cíty (*большой*); **~ско́й** town *attr.*; úrban; munícipal (*об учреждениях*); ~ско́й сове́т Town Sóviet

горожа́н||е tównspeople, tównsfolk; **~ин** tównsman

горо́х *собир.* peas *pl.*; **~овый** pea *attr.*

горо́шек: души́стый ~ sweet peas *pl.*; зелёный ~ green peas *pl.*

горсть hándful

горта́||нный gúttural; **~нь** *анат.* lárynx

горчи́ть taste bítter

горчи́ца mústard

горчи́чн||ик mústard póultice *(или* plástеr); ста́вить ~ applý a mústard plástеr *(to)*; **~ица** mústard-pot

горшо́к pot; де́тский ~ child's pótty

го́рьк||ий bítter; ~ая до́ля bítter lot; ~ пья́ница héavy drínker

горю́чее fuel; *(для автомобиля тж.)* pétrol; gás(oline) *(амер.)*

горя́ч||ий hot; *перен.* warm *(о приёме, встрече)*; árdent, pássionate, férvent *(страстный)*; quíck-témpered *(вспыльчивый)*; **~и́ться** get ínto a pássion; **~ка** búrning féver; **~ность 1.** árdour, férvour **2.** *(вспыльчивость)* hot témper

горячо́ *нареч.* hót(ly); ~ люби́ть love déarly; ~ поздравля́ть congrátulate héartily; ~ взя́ться за что-л. set to work on smth. with enthúsiasm *(или* a will)

Госба́нк (Госуда́рственный банк) the State Bank

го́спиталь (mílitary) hóspital

Госпла́н (Госуда́рственный пла́новый комите́т) State Plánning Commíttee

господи́н 1. géntleman; Mr. *(в соединении с фамилией)* **2.** *(хозяин)* máster

госпо́дств||о dominátion; suprémacy; мирово́е ~ world dominátion; **~овать** dóminate; reign *(царить)*; **~ующий** rúling; ~ующий класс rúling class

госпожа́ 1. lády; Mrs. *(в соединении с фамилией)*; Miss *(о незамужней женщине)* **2.** *(хозяйка)* místresss

госстра́х (госуда́рственное страхова́ние) State *(или* Nátional) Insúrance

гостеприи́м||ный hóspitable; **~ство** hospitálity

гости́ная 1. dráwing-room **2.** *(в гостинице)* lounge

гости́ница hotél; inn *(небольшая)*

гости́ть *(у)* be on a vísit *(to)*; stay *(with)*

гост||ь guest; vísitor; **идти́** в ~и pay a vísit; быть в ~я́х be on a vísit; встреча́ть ~е́й wélcome one's guests

госуда́рственн||ый State *attr.*; ~ строй regíme, polítical sýstem; ~ая власть the góvernment; ~ флаг nátional flag

госуда́рство State; Сове́тское ~ Sóviet State

готи́ческий Góthic

готова́льня case of dráwing (mathemátical) ínstruments

гото́вить 1. prepáre, make réady; ~ конце́ртную програ́мму work up *(или* prepáre) a cóncert prógramme **2.** *(стряпать)* cook; **~ся** *(к)* get réady *(for)*, prepáre onesélf *(for)*

гото́вност||ь réadiness; prepáredness; éagerness, wíllingness *(склонность)* ◇ в боево́й ~и in fíghting trim *(или* órder), réady for áction

гото́в||ый réady; fínished *(законченный)* ◇ ~ое пла́тье réady-máde clothes *pl.*; жить на всём ~ом be províded with board and lódging; всегда́ гото́в! *(возглас пионеров)* éver réady!

гофриро́ванный córrugated; góffered *(о платье)*

граб||ёж róbbery; plúnder; **~и́тель** róbber; **~и́тельский** prédatory; **~и́тельские** во́йны prédatory wars

гра́бить rob; plúnder

гра́бли rake *sg.*

гравёр engráver; étcher *(офортист)*

гра́вий grável

гравирова́ть engráve

гравю́ра engráving, print; étching *(офорт)*

град hail; ~ идёт it is háiling

гра́дом *нареч.*: с него́ пот ка́тится ~ *разг.* he is in a much sweat, he is swéating at évery pore; уда́ры сы́пались ~ blows rained thick and fast

гра́дус degrée; ско́лько сего́дня ~ов? what is the témperature todáy?; **~ник** thermómeter

гражд||ани́н, ~а́нка cítizen

гражда́нск||ий cívil; cívic *(подобающий гражданину)*; civílian *(штатский)*; ~ая война́ cívil war; ~ое му́жество cívic cóurage; ~ое пла́тье civílian clothes *pl.*

гражда́нств||о cítizenship; получи́ть права́ ~а *перен.* be univérsally accépted; приня́ть ~ be náturalized; приня́ть сове́тское ~ becóme a Sóviet cítizen

грамза́пи||сь (grámophone) recórding; в ~си recórded

грамм gramme, gram

граммат||ика grámmar; **~и́ческий** grammátical; ~и́ческая табли́ца páradigm

гра́мота 1. réading and wríting **2.** *(документ)* deed

гра́мотн||ость líteracy; **~ый** líterate

грана́т I *бот.* pómegranate

грана́т II *мин.* gárnet

грана́та *воен.* granáde *(ручная)*

грандио́зный grándiose, grand

гранён||ый fáceted *(о драгоценном камне)*; ~ое стекло́ cut glass

грани́т gránite; **~ный** gránite *attr.*

грани́||ца 1. bórder, bóundary; fróntier *(государственная)*; за ~цей abróad **2.** *(предел)* límit; всему́ есть ~ there's a límit to éverything; **~чить** bórder *(on, upon)*; *перен.* verge *(on, upon)*; э́то ~чит с безу́мием this vérges on lúnacy

гра́нка *полигр.* gálley-proof

гран||ь 1. side; fácet *(драгоценного камня)* **2.** *(граница)* bórder, verge; быть на ~и чего́-л. be on the verge of smth.; на ~и войны́ on the brink of war

граф count

графа́ cólumn

гра́фик graph, díagram; tíme-table *(расписание)*

гра́фика gráphic arts *pl.*, dráwing

графи́н wáter-bottle, caráfe *(для воды)*; decánter *(для вина)*

графи́ня cóuntess

графи́т 1. *мин.* gráphite **2.** *(в карандаше)* lead

графи́ческий gráphic

грацио́зный gráceful

гра́ция grace

грач rook

гребёнк||а comb ◇ стри́чься под ~у have one's hair cropped

гребень 1. *см.* гребёнка 2. *(у птицы)* crest; comb *(петуха)* 3. ridge *(горы́)*; crest *(волны́)*

гребе́ц óarsman, rówer

гре́б||ля rówing; **~но́й:** ~но́й спорт rówing

грёза (dáy-)dream

гре́зить dream *(of)*

грек Greek

гре́лка hót-water bottle, fóot-warmer

грем||е́ть thúnder; rumble; clank, jingle, ring *(чем-л. металлическим)*; **~у́чий:** ~у́чая змея́ ráttlesnake

грести́ I row, pull; scull *(одним веслом)*

грести́ II *(сено)* rake

греть 1. warm, heat; ~ ру́ки warm one's hands 2. *(излучать тепло)* give out warmth; со́лнце си́льно гре́ет it's véry warm in the sun; **~ся** warm oneсélf; ~ся на со́лнце bask in the sun, sun oneсélf

грех sin

гре́цкий: ~ оре́х wálnut

гре́ческий Greek; ~ язы́к Greek, the Greek lánguage

гречи́ха búckwheat

гре́чневый búckwheat *attr.*

греши́ть sin

гре́шный sínful

гриб múshroom

гри́ва mane

гри́венник *разг.* tén-cópeck coin

грим máke-up; gréase-paint *(театральный)*

грима́с||а grimáce; **~ничать** make fáces; grimáce

гримирова́ть, ~ся make up

грипп *мед.* influénza, grippe; flu *разг.*; у него́ ~ he has the flu

гри́фель sláte-péncil

гроб cóffin; **~ни́ца** tomb; **~овщи́к** cóffin-máker; úndertaker

гроза́ 1. thúnder-storm 2. *(о человеке)* térror

гроздь clúster; bunch *(винограда)*

грози́||ть thréaten; дом ~т паде́нием the house looks like fálling *(или* thréatens to fall)

гро́зный thréatening, ménacing *(угрожающий)*; fórmidable, térrible *(вызывающий страх)*; ~ взгляд ménacing look; ~ враг fórmidable énemy

грозов||о́й storm *attr.*; **~ы́е** облака́ stórm-clouds

гром thúnder ◇ как ~ом поражённый thúnderstruck; мета́ть ~ы и мо́лнии rage, fúlminate

грома́д||а mass; enórmous thing; **~ный** huge; vast *(обширный)*

громи́ть smash; destróy *(уничтожать)*

гро́м||кий 1. loud; nóisy *(шумный)* 2. *(известный)* fámous; great *(об имени)* ◇ ~кие слова́ fine words; **~ко** *нареч.* 1. lóudly; alóud *(вслух)* 2. *(открыто)* in éverybody's héaring, públicly

громкоговори́тель *радио* loud spéaker

громов||о́й thúnderous; ~ы́е раска́ты peals of thúnder

громогла́сн||о *нареч.* in a loud voice; públicly *(открыто)*; **~ый** loud

громозди́ть heap up, pile up; **~ся** tówer

громо́здкий cúmbersome; unwíeldy

громоотво́д líghtning-condúctor

громыха́ть rattle

гроссме́йстер *шахм.* grand chéss-máster

грот grótto

гро́хнуться *разг.* crash (down)

гро́хот crash *(от падения)*; rumble *(грома)*; rattle *(колёс и т. п.)*; како́й ~! what a din!; **~а́ть** crash; rumble *(о громе)*

грош hálf-cópeck piece ◇ э́то ~а́ ло́маного не сто́ит *разг.* it is not worth a brass fárthing; быть без ~а́ be pénniless; **~о́вый** not worth a fárthing, wórthless

гру||би́ть *(кому-л.)* be rude *(to)*; **~бия́н** rúffian, rude féllow

гру́б||ость cóarseness; rúdeness *(невежливость)*; **~ый** rough, coarse; rude *(невежливый)*; harsh, gruff *(о голосе)*; horny *(о руках)*; crude, rough *(о работе)*; ~ая отде́лка rough *(или* poor) fínish ◇ ~ая оши́бка gross érror, blúnder

гру́да heap, pile, mass

груди́нка brísket; bácon *(копчёная)*

грудн||о́й: ~а́я кле́тка thórax; ~ ребёнок báby; ínfant in arms

грудь breast; chest; bósom *(бюст)* ◇ стоя́ть ~ю *(за кого-л., что-л.)* stand up stáunchly *(for)*

груз 1. load; cárgo, freight *(судна)* **2.** *(тяжесть)* weight; búrden *(ноша)*

грузи́ло plúmmet

грузи́н Géorgian; **~ский** Géorgian; ~ский язы́к Géorgian; the Géorgian lánguage

грузи́ть load; ship *(на суда)*

гру́зный mássive; córpulent *(о человеке)*

грузов||и́к lórry; truck *(амер.)*; **~о́й** cárgo *attr.*; ~о́й автомоби́ль lórry; ~о́е су́дно cárgo ship, fréighter

грузооборо́т *эк.* goods túrnover

грузоподъёмность cárrying capácity

гру́зчик ráilway wórker *(ж.-д.)*; dócker *(судовой)*

грунт 1. *(почва)* soil **2.** *жив.* prímer; **~ова́ть** *жив.* prime; **~ово́й**: ~овы́е во́ды subterránean wáters; ~ова́я доро́га unmétalled road; dirt road *(амер.)*

гру́пп||а group; ~ зри́телей clúster of spectátors; **~ирова́ть, ~ирова́ться** group; **~иро́вка** gróuping

грусти́ть be mélancholy; ~ по ком-л. long for smb.

гру́стн||о *предик. безл.*: мне ~ I feel sad; **~ый** sad

грусть sádness, mélancholy

гру́ш||а 1. *(плод)* pear **2.** *(дерево)* péar-tree; **~еви́дный** péar-shaped

гры́жа *мед.* hérnia

грызня́ fight *(о собаках)*; *перен.* quárrelling

грызть gnaw; crack *(орехи)*; bite *(ногти)*; **~ся** fight *(о собаках)*; *перен.* quárrel

грызу́н *зоол.* ródent

гряда́ 1. bed 2. *(гор)* ridge 3. *(облаков)* bank

гря́дка *см.* гряда́ 1

гряду́щий cóming

гря́зи *мед.* mud *sg.*

гря́зн||ый dírty; múddy *(о дороге и т.п.)*; ~ая рабо́та dírty work; *перен.* slóvenly work; ~ое бельё dírty línen

грязь dirt; mud *(на улице, дороге и т. п.)* ◇ не уда́рить лицо́м в ~ *разг.* make a créditable shówing, put up a good show, rise to the occásion

гря́ну||ть crash; break out *(разразиться — о войне)*; гром ~л there was a peal *(или* burst) of thúnder; ~л вы́стрел a shot rang out

губа́ I lip; наду́ть гу́бы pout; ве́рхняя ~ úpper lip; ни́жняя ~ lówer lip

губа́ II *геогр.* bay; gulf *(залив)*

губерна́тор góvernor

губе́рния *ист.* próvince

губи́||тельный destrúctive, disástrous; fátal; ~**ть** destróy, ruin

гу́бка I sponge

гу́бка II *(на дереве)* fúngus

губн||о́й 1. *лингв.* lábial 2. lip *attr.*; ~а́я гармо́ника móuth-organ; ~а́я пома́да lípstick

гуде́ние búzzing; drone; hum *(голосов)*

гуде́ть buzz; drone; hoot *(о гудке, сирене и т.п.)*

гудо́к hóoter; síren *(фабричный)*; horn *(автомобильный)*

гудро́н tar, petróleum ásphalt

гужев||о́й ánimal-drawn; ~а́я доро́га cárriage-road; ~ тра́нспорт cárting, cártage

гул boom; rumble *(грохот)*; ~ голосо́в drone of vóices; ~**кий** 1. hóllow 2. *(громкий)* loud

гуля́||нье stroll, walk; наро́дное ~ féstive gáthering in the ópen streets *(или* squares) on públic hólidays; ~**ть** 1. stroll, take a turn *(или* a walk) 2. *разг.* *(быть свободным от работы)* have tíme-off, have free time 3. *(развлекаться)* be on the spree *разг.*

гуля́ш *кул.* góulash

гуман||и́зм húmanism; ~**и́ст** húmanist; ~**ита́рный** humanitárian; ~ита́рные нау́ки the humánities

гума́нн||ость humánity; ~**ый** humáne

гуммиара́бик gum, glue

гумно́ thréshing-floor

гурт herd, drove

гурьб||а́ crowd; ~**о́й** in a crowd

гу́сени||ца *зоол., тех.* cáterpillar, track *(танка, трактора)*; ~**чный**: ~чный тра́ктор cáterpillar tráctor

гусёнок gósling

гуси́н||ый goose *attr.*; ~ое са́ло goose fat ◇ ~ая ко́жа góose-flesh

густе́ть thícken, get *(или* becóme) thick

густ||о́й thick, dense; ~о́е населе́ние dense populátion; ~ суп thick soup; ~**ота́** thíckness; dénsity

гус||ь goose ◇ как с ~я вода́ *погов.* ≅ like wáter off a duck's back

гусько́м *нареч.* in single file

гуся́тина goose(-flesh)

гутали́н shoe pólish, boot cream

гу́ща sédiment; grounds *pl.* *(кофейная)*; lees *pl* *(пивная)*

Д

да I *утверждение* yes

да II *усилительная частица*: да не мо́жет быть!?, да ну? you don't say so!

да III *союз* **1.** *(соединительный)* and; он да я he and I **2.** *(противительный)* but; я охо́тно сде́лал бы э́то, да у меня́ нет вре́мени I would glа́dly do it, but I have no time

да IV *модальная частица* *(пусть)*: да здра́вствует Сове́тский Сою́з! long live the Sо́viet Ú́nion!

дава́||ть *см.* дать; ~й(те)! let us; ~йте рабо́тать let's get down to work

дави́ть 1. press; squeeze *(выжимать)* **2.** *(раздавливать)* crush **3.** *(угнетать)* opprе́ss

дави́ться choke

да́вка jam, crush

давле́ние pré́ssure; кровяно́е ~ blood pré́ssure; ока́зывать ~ exе́rt pré́ssure

да́вн||ий old; for а́ges *разг.*; с ~их пор for a long time; for а́ges

давно́ *нареч.* long agó, for a long time

да́вность remóteness; antíquity *(древность)*

да́же *частица* е́ven

да́лее *нареч.* fúrther; then *(затем)* ◇ и так ~ et cе́tera, etc.

далёкий far; remóte *(отдалённый)*; ~ от и́стины, це́ли wide of the truth, mark; он далёк от подозре́ний he is far from suspе́cting а́nything

далеко́ *нареч.* far off; a long way off; ~ *(от)* far *(from)* ◇ ~ за́ по́лночь far into the night; он ~ не дура́к he is far from bе́ing a fool; он ~ пойдёт he will go far

даль dístance; the world's end

дальне́йш||ий fúrther ◇ в ~ем lа́ter on; in the fúture *(в будущем)*

да́льний dístant; remóte *(отдалённый)*; ~ путь long way

дальнобо́йный *воен.* of lóng-rа́nge; lóng-rа́nge *attr.*

дальнови́дн||ость fóresight; ~ый fа́r-síghted, fа́r-sе́eing

дальнозо́ркий fа́r-síghted

да́льность dístance, remóteness *(удалённость)*; ~ полёта *воен.* range

да́льше *нареч.* **1.** fúrther; fа́rther **2.** *(потом)* then; что же ~? what next? ◇ ~! *(продолжайте)* go on!

да́ма 1. lа́dy **2.** *(в танцах)* pа́rtner **3.** *карт.* queen

да́мба dam; dike

да́мка *(в шашках)* king

да́мск||ий lа́dy's; ~ая ко́мната lа́dies' room

да́нны||е dа́ta, facts, statístics; согла́сно официа́льным ~м accórding to official retúrns; по бо́лее по́лным ~м accórding to fúller informа́tion ◇ анке́тные ~ pе́rsonal particulars

да́нный *(этот)* given, présent

дань *ист.* tribute, lévy; *перен.* tríbute, hómage; отда́ть ~ pay tríbute *(to)*

дар gift

дарвини́зм Dárwinism

дари́ть give, make a présent; ~ на па́мять give as a sóuvenir

даров||а́ние gift, tálent; **~и́тый** gifted, tálented

даровóй free (of charge); gratúitous

да́ром *нареч.* **1.** grátis, for nóthing **2.** *(напрасно)* in vain; ~ тра́тить вре́мя waste time

да́та date

да́тельный: ~ паде́ж *грам.* dátive (case)

дати́ровать date

да́т||ский Dánish; ~ язы́к Dánish, the Dánish lánguage; **~ча́нин** Dane

дать 1. *в разн. знач.* give; да́йте, пожа́луйста I want... *(в магазине)*; pass *(the salt, etc.)* please *(за столом)*; ~ взаймы́ lend **2.** *(позволить)* let; ~ знать кому́-л. let smb. know ◇ ~ согла́сие give one's consént; ~ нача́ло give rise *(to)*; ~ залп fire a vólley; ~ звоно́к ring the bell; ~ сло́во give one's word; ~ кля́тву swear, take an oath; ~ кому́-л. сло́во *(на собрании)* give smb. the floor; ~ доро́гу give way *(to)*; ~ течь spring a leak; ~ тре́щину crack, split; ~ ход де́лу allów an áction to procéed; ~ телегра́мму send a télegram; ему́ нельзя́ ~ бо́льше десяти́ лет he does not look more than ten years old; не ~ в оби́ду stand up *(for)*

да́ч||а súmmer cóttage; dácha; жить на ~е live in the cóuntry; **~ник** súmmer résident; **~ный**: ~ный по́езд subúrban train

два two; ка́ждые ~ дня évery óther day ◇ в ~ счёта *разг.* in a jiffy; в двух слова́х in a word; в двух шага́х near by, a few steps awáy

двадцатиле́т||ие *(годовщина)* twéntieth annivérsary; **~ний** of twénty years; twénty-year-óld *(о возрасте)*

двадца́тый twéntieth

два́дцать twénty; a score *(два десятка)*

два́жды *нареч.* twice; ◇ я́сно как ~ два четы́ре *разг.* as sure as two and two make four

двена́дца||тый twelfth; **~ть** twelve

дверь door; входна́я ~ éntrance

две́сти two húndred

дви́г||атель mótor, éngine; ~ вну́треннего сгора́ния intérnal-combústion éngine; **~ать(ся)** *см.* дви́нуть(ся)

движе́ние 1. móvement, mótion; привести́ в ~ set in mótion; прийти́ в ~ start móving **2.** tráffic; железнодоро́жное ~ ráilway tráffic; train sérvice; интенси́вное ~ héavy tráffic **3.** *(общественное)* móvement; национа́льно-освободи́тельное ~ nátional liberátion móvement

дви́жущ||ий: ~ие си́лы dríving *(или* mótive) force *sg.*

дви́нуть move, set in mótion; advánce *(вперёд)*; push *(толк-*

нуть); **~ся** move; advánce *(вперёд);* ~ся в путь set out

двóе two

двоетóчие cólon

двóйка 1. *карт.* two **2.** *(отметка)* low mark, two

двойни́к double, twin

двойн||óй double; twófold; ~ подборóдок a double chin ◇ ~áя игрá double game

двóйня twins *pl.*

двóйственн||ый 1. *(противоречивый)* ambívalent, indecísive **2.** *(двуличный)* dóuble-faced; ~ая полúтика twó-faced pólicy ◇ ~ое числó *грам.* the dúal númber.

двор 1. court, yard, cóurtyard **2.** *(крестьянское хозяйство)* fármstead; **3.** *(королевский)* court ◇ постоя́лый ~inn; на ~é *(вне дома)* óut-of-dóors

дворéц pálace

двóрник jánitor, yárd-keeper

дворня́жка móngrel, cur

дворцóвый court *attr.;* ~ переворóт pálace revolútion

двор||яни́н nóbleman; **~я́нский** of noble fámily, of the nobílity; **~я́нство** *собир.* nobílity; nobles *pl.*

двою́родн||ый: ~ брат, ~ая сестрá cóusin

двоя́к||ий double; **~о** *нареч.* in two ways

двубóртный dóuble-bréasted

двукрáтный twófold, double; twice repéated *(повторный)*

двули́чный dóuble-faced, hypocrítical

двуру́шн||ик dóuble-déaler; **~ичество** dóuble-déaling; duplícity *(двуличность)*

двусмы́сленн||ый ambíguous, equívocal

двуспáльн||ый: ~ая кровáть double bed

двусторóнний biláteral

двух||годи́чный twó-year *attr.;* **~годовáлый** twó-year-óld

двухлéтний of two years; two years old *(о ребёнке);* biénnial *(о растении)*

двухмéстный *(об автомобиле и т.п.)* twó-séater

двухмéсячный twó-month *attr.;* twó-month-óld *(о возрасте)*

двухнедéльный 1. for two weeks; ~ óтпуск two weeks' leave **2.** *(об издании)* fórtnightly

двухсóтый twó-húndredth

двухэтáжный twó-stóreyed

двучлéн *мат.* binómial

дебáты debáte *sg.*

дéбет *бухг.* débit

дéбри thíckets; *перен.* maze *sg.*

дебю́т 1. début ['deıbu:] **2.** *шахм.* ópening

девальвáция *эк.* devaluátion

девáть(ся) *см.* дéть(ся)

деви́з mótto

деви́ца girl, máiden

дéвочка (little) girl

дéвственный vírgin

дéвушка girl

девянóст||о nínety; **~ый** nínetieth

девятисóтый níne-húndredth

девя́тка *карт.* nine

девятнáдц||атый ninetéenth; **~ать** ninetéen

девя́тый ninth

дéвять nine

девятьсóт nine húndred

дегаза́ция decontaminátion

дегенера́т degénerate; **~и́вный** degénerate

дёготь tar

дед grándfather ◇ Дед Моро́з Sánta Claus *(новогодний)*; **~ушка** *разг. см.* дед

деепричáстие *грам.* vérbal ádverb

дежу́р||ить be on dúty; watch *(у постели больного)*; **~ный** on dúty *(после сущ.)*; *воен.* órderly ◇ ~ное блю́до stánding dish; **~ство** dúty; ночнóе ~ство night dúty; night-wátch *(у постели больного)*; чьё сегóдня ~ство? who is on dúty todáy?

дезерти́р desérter; **~овать** desért; **~ство** desértion

дезинфéкция disinféction

дезинфици́р||овать disinféct; **~ующий** disinféctant; ~ующее срéдство disinféctant

дезорганиз||áция disorganizátion; **~ова́ть, ~о́вывать** disórganize

дéйственный effícient; efféctive

дéйств||ие 1. áction, work; operátion; вoéнные ~ия mílitary operátions; ~происхóдит the scene is laid *(in, at)* **2.** *(влияние)* ínfluence, efféct **3.** *театр.* act; вторóе ~ начнётся чéрез пять минýт the sécond act will begín in five mínutes **4.** *мат.* operátion; четы́ре ~ия арифмéтики the four rules of aríthmetic ◇ предостáвить комý-л. свобóду ~ий give smb. a free hand

действи́тельн||о *нареч.* áctually, réally, in fact; **~ость** reálity; **~ый 1.** áctual, real **2.** *(имеющий силу)* válid

дéйств||овать 1. act; fúnction, work *(работать)*; run *(о машине и т. п.)*; телефóн не ~ует the télephone isn't wórking; у негó не ~ует прáвая рукá he has lost the use of his right arm **2.** *(влиять)* have efféct; ~ комý-л. на нéрвы get on smb.'s nerves; ~ успокоительно soothe

дéйствующ||ий in force *(после сущ.)*; ácting; ~ закóн the law cúrrently in force ◇ ~ая áрмия Ármy in the field; ~ее лицó *театр., лит.* cháracter; ~ие ли́ца *(на афише, в программе и т. п.)* drámatis persónae, cháracters in the play

декáбрь Decémber; **~ский** Decémber *attr.*

декáда tén-day périod

декáн dean; **~áт** dean's office

деклам||áция (públic) recitátion *(поэзии)*; dramátic réading *(прозы)*; **~и́ровать** recíte *(или* read) in públic

деклара́ция declarátion

декор||ати́вный décorative; **~áция** scénery, set

декрéт decrée; **~ный: ~ный** óтпуск matérnity leave

дéланный feigned, símulated; ~ смех an affécted láughter

дéла||ть 1. do; make *(производить)*; ~ доклáд make a repórt; ~ заря́дку do one's mórning éxercises; ~ ошúбку make a mistáke; ~ комý-л. одолжéние do smb. a fávour; ~ визи́т pay a vísit; ~ вы́говор scold; reprimánd *(по службе)*; ~ вы́вод draw a conclúsion, infér, dedúce; ~ объявлéние make an annóuncement **2.** *(проходить расстояние)* do; пóезд ~ет 70 километров в час the train does 70 kílometres an hour; ◇ что мне ~? what am I to do?; ~ вид pretend; ~ по-своему have one's (own) way

делаться 1. *(становиться)* becóme; grow; дéлается хóлодно it is gétting *(или* grówing) cold **2.** *(происходить)* háppen; что там дéлается? what is góing on there?

делег||áт délegate; spókesman; **~áция** delegátion

делёж sháring out; partítion *(недвижимости)*

делéние 1. divísion **2.** *(на шкале)* point

делéц búsiness man; óperator *разг.*

деликáтн||ость délicacy, tact; **~ый** délicate, táctful

дели́||мое *мат.* dívidend; **~мость** divisibílity; **~тель** *мат.* divísor; óбщий наибóльший ~тель the gréatest cómmon méasure

дели́ть 1. *(на части)* divíde *(тж. мат.)* **2.** *(с кем-л. что-л.)* share *(smth. with smb.)*; **~ся 1.** *(чем-л. с кем-л.)* share *(smth. with smb.)* **2.** *(на) мат.* divíde *(into, by)* **3.** *(сообщать кому-л. что-л.)* confíde *(smth. to smb.)*

дéл||о 1. affáir, búsiness, occupátion **2.** *(поступок)* act, deed **3.** *(цель, интересы)* cause; óбщее ~ cómmon cause; защищáть ~ ми́ра defénd the cause of peace **4.** *юр.* case **5.** *канц.* file ◇ в чём ~? what is the mátter?; ~ в том the point is; на сáмом ~е as a mátter of fact; ~ не в этом that's not the point; то и ~ (évery) now and then; говори́ть ~ talk sense

делов||óй búsiness-like; **~óе** свидáние búsiness appóintment

дéльный effícient, práctical *(о человеке)*; sénsible, práctical *(о предложении)*; ~ совéт práctical advíce

дельфи́н dólphin

демагóг démagogue; **~ия** démagogy

демаркациóнн||ый: ~ая ли́ния line of demarcátion

демилитаризáция démilitarizátion

демобилиз||áция démobilizátion; **~овáть** demóbilize

демокрáт démocrat; **~изáция** democratizátion; **~и́ческий** democrátic

демокрáт||ия demócracy; социалисти́ческая ~ Sócialist demócracy

демонстрати́вный: ~ откáз a refúsal as a delíberate act of prótest; ~ ухóд a wálk-out in prótest

демонстрáция 1. demonstrátion; первомáйская ~ First of May paráde **2.** *(показ)* displáy; show; ~ фи́льма film shówing; ~ модéлей готóвого плáтья fáshion-show, fáshion paráde

деморализ||áция demoralizátion; **~овáть** demóralize

дéнежн||ый móney *attr.*; pecúniary; ~ перевóд móney órder; póstal órder *(почтовый)*; ~ая рефóрма cúrrency refórm; ~ая пóмощь pecúniary aid

день day; ~ рождéния bírthday; ~ Совéтской Áрмии annivérsary of the Sóviet Ármy; ~ побéды Víctory day; чéрез ~ évery óther day; дóбрый ~! good áfternoon!; в оди́н прекрáсный ~ one fine day

дéньги móney *sg.*; крýпные ~ big bánk-notes; игрáть не на ~ *карт.* play for love

депó dépot

депрéссия depréssion

депутá||т députy; **~тский** députy *attr.*; **~ция** deputátion

дёргать pull *(at)*; *перен.* nag; **~ся** twitch

деревéнский rúral, rústic; cóuntry

дерéвн||я víllage; cóuntry *(в противополóжность гóроду)*; éхать в ~ю go to the cóuntry; жить в ~е live in the cóuntry

дéрево 1. tree **2.** *(материáл)* wood; чёрное ~ ébony

деревя́нный wóoden

держáва State, pówer

держáть hold; keep; ~ зá руку hold by the hand; ~ когó-л. в рукáх have smb. well in hand; ~ экзáмен take an examinátion; ~ себя́ beháve; ~ курс *(на) мор., ав.* head *(for)*; ~ речь make a speech; ~ слóво keep one's word; ~ чью-л. стóрону take smb.'s side

держáться 1. *(за когó-л., за что-л.)* hold *(on)*; ~ за пери́ла hold on to the rail **2.** *(чегó-л.; придéрживаться)* stick *(to)* **3.** *(вести себя)* beháve, compórt onesélf **4.** *(на чём-л.)* be suppórted *(by)* ◇ ~ в сторонé stand asíde *(или* alóof); ~ пря́мо hold onesélf eréct *(или* úpright)

дерзá||ние dáring; **~ть** dare

дéрзкий 1. chéeky, impértinent; ínsolent, rude **2.** *(смéлый)* bold, dáring

дерзновéнный dáring, audácious

дерзнýть *см.* дерзáть

дéрзос||ть 1. impértinence; ínsolence **2.** *(смéлость)* dáring; audácity; и у негó хвати́ло ~ти сказáть мне э́то he had the audácity to tell me that

дёрн turf

дёрнуть(ся) *см.* дёргать(ся)

десáнт *воен.* lánding

десéрт dessért; на ~ for dessért

деснá gum

дéспот déspot; **~и́зм** déspotism; **~и́ческий** despótic

десятиднéвный tén-day *attr.*

десятикрáтный ténfold

десятилéтие 1. décade, tén-year périod **2.** *(годовщи́на)* tenth annivérsary

десятилéтний tén-year *attr.*; tén-year-óld *(о вóзрасте)*

десяти́чн||ый *мат.* décimal; ~ая дробь a décimal

деся́тка 1. *разг.* ten roubles *pl.* **2.** *карт.* ten

деся́тник fóreman

деся́т||ок 1. ten **2.** *мн.*: ~ки *перен.* *(мнóжество)* dózens, scores; ◇ емý пошёл шестóй ~ he is past fífty; он не рóбкого ~ка he is no cóward; **~ый** tenth ◇ чéрез пя́тое на ~ое cárelessly, ányhow

дéсять ten

детáль détail; part *(маши́ны)*; **~но** *нареч.* in détail; **~ный** détailed, minúte

детворá *собир.* chíldren *pl.*

детёныш báby ánimal; cub

дéт||и chíldren; kids *разг.;* **~ский** child's, chíldren's; chíldish *(свойственный детям);* ~ский сад kíndergarten; ~ский дом chíldren's home; ~ская (кóмната) núrsery; **~ство** chíldhood ◇ впасть в ~ство énter one's sécond chíldhood, becóme sénile, be in one's dótage

деть do *(with);* put *(положить)*; кудá он дел мою кни́гу? where did he put my book?; what has he done with my book?; **~ся** go, get *(to)*; disappéar; кудá он дéлся? what has becóme of him?; кудá дéлись мои́ очки́? where have my spéctacles got to?

дефéкт deféct

дефици́т déficit; **~ный** defícient; scarce *(редкий)*

дешев||éть fall in price, becóme chéaper; **~и́зна** chéapness; low príces *pl.*

дёшево *нареч.* chéaply; он ~ отдéлался he got off líghtly

дешёвый cheap

дéятель: госудáрственный ~ státesman, públic fígure; общéственный ~ públic bénefactor; **~ность** actívity; actívities *pl.*; work *(работа)*; общéственная ~ность públic work; **~ный** áctive, energétic

джéмпер júmper; púll-over; jérsey

джýнгли jungle *sg.*

диáгноз diagnósis; стáвить ~ díagnose

диагонáль 1. *мат.* diágonal **2.** *текст.* matérial wóven on the cross; **~ный** diágonal

диагрáмма díagram

диалéкт *лингв.* díalect

диалéк||тика dialéctics; **~ти́ческий** dialéctical; маркси́стский ~ти́ческий мéтод Márxist dialéctical méthod; ~ти́ческий материали́зм dialéctical matérialism

диалóг díalogue

диáметр diámeter; ~ом в три мéтра three métres in diámeter

диапазóн range; cómpass *(гóлоса, инструмента)*

дивáн sófa

диверс||áнт sabotéur; **~иóнный** wrécking, subvérsive

дивéрсия 1. divérsion **2.** sábotage *(в тылу)*

диви́зия divísion

ди́вный márvellous; wónderful

диéз *муз.* sharp

диéт||а díet; быть на ~е be on a díet; **~и́ческий** dietétic, díetary

ди́зель *тех.* Díesel éngine, díesel *разг.*

дизентери́я *мед.* dýsentery

дикáрь sávage; *перен.* shy féllow

ди́кий 1. wild; sávage *(дикарский)* **2.** *(нелепый)* odd; absúrd **3.** *(застенчивый)* unsóciable, shy

ди́кость sávagery, wíldness

диктáнт dictátion

диктáтор dictátor; **~ский** dictatórial

диктатýра dictátorship; ~ пролетариáта dictátorship of the proletáriat

дикт||овáть dictáte; **~óвка** dictátion; писáть под чью-л.

~о́вку take down from smb.'s dictátion

ди́ктор annóuncer; bróadcaster *(амер.)*

ди́кция enunciátion, articulátion; у него́ прекра́сная ~ he artículates very well

дилета́нт ámateur, dilettánte; **~ский** ámateur

дина́мика dynámics

динами́т dýnamite

динами́ческий dynámic

дина́мо-маши́на dýnamo

дина́стия dýnasty, house

дипло́м diplóma

диплома́т díplomat; **~и́ческий** diplomátic; ~и́ческие отноше́ния diplomátic relátions; **~ия** diplómacy

дипло́мн||ый: ~ая рабо́та graduátion páper

директи́в||а instrúctions *pl.*, diréctions *pl.*, diréctives *pl.*; **~ный** diréctive

дире́к||тор diréctor; mánager; ~ шко́лы head máster, príncipal; **~ция** board of diréctors

дирижа́бль áirship

дириж||ёр condúctor; **~и́ровать** condúct

диск disk; *спорт.* díscus

дискредити́ровать discrédit

дискримина́ция *полит.* discriminátion; ра́совая ~ rácial discriminátion

диску́||ссия discússion, debáte; **~ти́ровать** discúss, debáte

диспансе́р dispénsary

диспе́тчер contróller

ди́спут disputátion; организова́ть ~ spónsor a debáte

диссерта́ци||я thésis, dissertátion; защища́ть ~ю defénd a thésis

диссон||а́нс díssonance, díscord; **~и́ровать** discórd, be out of tune

диста́нция dístance

дистилл||иро́ванный distílled; **~и́ровать** distíl; **~я́ция** distillátion

дисципли́н||а **1.** díscipline; парти́йная ~ Párty díscipline **2.** *(отрасль науки)* branch of science; **~а́рный** dísciplinary; **~иро́ванный** dísciplined

дитя́ child

дифтери́т *мед.* diphthéria

дифто́нг *лингв.* díphthong

дифференц||иа́л *мат.* differéntial; **~иа́льный:** ~иа́льное исчисле́ние differéntial cálculus

дифференц||иа́ция differentiátion; **~и́ровать** differéntiate

дичи́ться **1.** be unsóciable; be shy **2.** *(избегать)* shun

дичь I game

дичь II *разг.* *(вздор)* nónsense ◇ поро́ть ~ talk rúbbish

длин||а́ length; ~о́й в 4 ме́тра four métres long; ме́ры ~ы́ línear méasures

дли́нный long

дли́тельный long, protrácted, prolónged

дли́ться contínue, go on, last; на́ша бесе́да дли́лась до́лго our conversátion went on a long time

для *предл.* **1.** for; я сде́лаю э́то ~ вас I will do it for you; ~ чего́? what for?; книга́ ~ дете́й a book for chíldren; ваго́н ~ куря́щих smóking cárriage; о́чень тепло́ ~ зимы́ it is véry warm for a wínter day **2.** *(по* *отношению к)* to; э́то ~ него́ ничего́ не зна́чит it is nóthing to him ◇ ~ того́, что́бы (+ *инф.)* in órder (to + *inf.)*

дневни́к díary, jóurnal; вести́ ~ keep a díary

дневно́й day *attr.*, dáily

днём *нареч.* in the dáy-time, by day; ~ и но́чью day and night

дн||о bóttom; на ~е at the bóttom; пей до ~а! bóttoms up! ◇ золото́е ~ *разг.* góld-mine; вверх ~ом úpside-dówn

до I *муз.* C, do

до II *предл.* **1.** *(указывает на пространств. предел)* to; up to, as far as *(указывает на конечный пункт движения)*; от Москвы́ до Ленингра́да from Móscow to Léningrad; мы добежа́ли до ле́са we ran as far as the wood **2.** *(указывает на временной предел)* to, till, untíl; до на́ших дней to our time; до сих по́р so far; ждать до ве́чера wait till évening **3.** *(раньше)* befóre; до войны́ befóre the war **4.** *(указывает предел)* to; до не́которой сте́пени to a cértain extént; до кра́йности to excéss; промо́к до косте́й wet to the skin **5.** *(меньше)* únder, less than; де́ти до 16 лет chíldren únder síxtéen **6.** *(около)* abóut; у меня́ до 5 000 книг I have abóut 5 000 books; моро́з доходи́л до 30° it was abóut 30 degrées belów zéro ◇ до свида́ния! góod-býe!; мне не до шу́ток I am in no mood for jóking; что мне до э́того? what have I to do with it?

доба́в||ить add; **~ле́ние** addítion; **~ля́ть** *см.* доба́вить; **~очный** addítional, éxtra

добе||га́ть, ~жа́ть *(до)* run up *(to)*

до́бела́ *нареч.*: раскалённый ~ héated to a white heat

добива́ть *см.* доби́ть

добива́ться try to get; seek *(after)*; strive *(for)*; ~ невозмо́жного attémpt the impóssible; ≅ the sky is the límit

добира́ться *см.* добра́ться

доби́ть fínish

доби́ться get; obtáin, achíeve; ~ своего́ get one's own way

до́блестный válorous; váliant; heróic *(героический)*; ~ труд distínguished públic sérvice

до́блесть válour; héroism *(геройство)*

добра́ться *(до)* get *(to)*; reach; ~ до су́ти де́ла *перен.* get to the heart of the mátter

добр||о́ I **1.** *(благо)* good; жела́ть ~а́ кому́-л. wish smb. well **2.** *(имущество)* próperty ◇ э́то не к ~у́ *разг.* it is a bad sign

добро́ II: ~ пожа́ловать! wélcome!

доброво́||лец voluntéer; **~льно** *нареч.* vóluntarily, of one's own accórd *(или* free will); **~льный** vóluntary

доброде́тель vírtue; **~ный** vírtuous

добродуш||ие good náture; **~ный** góod-nátured

доброжела́тельный benévolent; wéll-dispósed

доброка́чественный of good *(или* of high) quálity

добросо́вестный consciéntious, hónest

доброта́ kíndness

до́бр||ый kind, good ◇ по ~ой во́ле of one's own accórd (*или* free will); ~ое у́тро! good mórning!; бу́дьте ~ы́ will you be so kind as; всего́ ~ого! góod-býe!

добыва́ть 1. *см.* добы́ть **2.** *(минералы и т. п.)* extráct, mine

добы́ть mánage to get; obtáin *(с трудом)*

добы́ча 1. *(угля, руды и т. п.)* extráction; míning **2.** *(производительность шахты и т. п.)* óutput **3.** *(захваченное)* prey; bóoty

довезти́ *(до)* take *(to, as far as)*; он довёз меня́ до ста́нции he took me to the státion, he took me as far as the státion

дове́ренность pówer of attórney

дове́р||ие trust, cónfidence; **~ить** entrúst *(to)*; **~иться** trust; confíde *(in)*; **~чивый** trústful; crédulous *(легковерный)*

доверше́ние: в ~ всего́ to crown all

доверя́ть 1. *см.* дове́рить **2.** trust; не ~ distrúst; **~ся** *см.* дове́риться

довести́ 1. *(до)* lead *(to, as far as)*; accómpany, escórt *(проводить)*; ~ до́ дому see home **2.** *(до какого-л. состояния)* bring *(to)*; drive *(to)*; ~ до конца́ bring to an end; ~ до отча́яния drive to despáir; ~ до чьего́-л. све́дения bring (offícially) to the nótice of smb., infórm smb. (offícially); ~ кого́-л. до слёз redúce smb. to tears

до́вод réason, árgument; соглаша́ться с чьи́ми-л. ~ами agrée with smb.'s árguments

доводи́ть *см.* довести́

довое́нный pré-wár

довози́ть *см.* довезти́

дово́льно 1. *нареч.* ráther, fáirly; ~ хорошо́ ráther well, fáirly well; ~ хо́лодно it's prétty cold **2.** *(хватит!)* (it is) enóugh!; that will do!

дово́льный contént *(with)*, sátisfied *(with)*

дово́льств||о satisfáction, conténtment ◇ жить в ~е live like a king, be in clóver

дово́льствоваться be contént *(with)*

дог mástiff

догада́ться guess *(угадать)*; understánd *(понять)*

дога́д||ка guess; conjécture, supposítion *(предположение)*; **~ливый** quíck-wítted, quick in the úptake; **~ываться 1.** *см* догада́ться **2.** *(подозревать)* suspéct

до́гма dógma; **~ти́ческий** dogmátic

догна́ть catch up *(with)*, overtáke *(тж. перен.)* ◇ ~ и перегна́ть overtáke and surpáss

догова́ривать *см.* договори́ть

догова́рива||ться *см.* договори́ться; ~ющиеся сто́роны contrácting párties; Высо́кие Догова́ривающиеся Сто́роны *дип* the High Contrácting Párties

догово́р agréement; cóntract, tréaty; pact *(пакт)*; **~ённость** understánding

договори́ть fínish tálking; oумо́лк, не договори́в he fell sílent withóut fínishing what he was sáying

дого||вори́ться reach agrée-ment; ну, до чего́ вы **~вори́-лись?** well, what conclúsions have you réached?; **~во́рный** agréed by cóntract; на **~во́рных** нача́лах on a contráctual básis

догоня́ть 1. *см.* догна́ть **2.** run *(after)*; pursúe *(преследовать)*

дого||ра́ть, ~ре́ть burn out (*или* down)

доде́л||ать, ~ывать fínish, compléte

доду́м||аться, ~ываться *разг.*: ~ до... arríve at..., take it into one's head to...

доеда́ть *см.* дое́сть

доезжа́ть *см.* дое́хать

дое́сть fínish éating

дое́хать reach *(a place)*

дожд||а́ться: он **~а́лся** наконе́ц письма́ he recéived a létter at long last; мы ждём не **~ёмся** ва́шего прие́зда we are lónging for you to arríve (*или* for your arríval)

дождев||о́й rain *attr.*; **~а́я** вода́ ráin-water; **~** червь (éarth)worm

дождли́вый ráiny

дождь rain; **~** идёт it is ráining; **~** мороси́т it is drízzling

дожива́ть *см.* дожи́ть

дожида́ться be wáiting *(for)* ◇ вы у меня́ дождётесь! just you wait!

дожи́ть live *(till)*; reach *(достичь)*

до́за dose

дозво́л||енный permítted; légal *(законный)*; **~ить, ~я́ть** permít, allów

дозвони́ться *разг.* ring till the bell is ánswered *(у двери)*; get smb. on the phone *(по телефону)*

дозо́р patról; ночно́й **~** night watch

дозрева́ть, дозре́ть rípen

доигра́ть fínish pláying; **~ся** *разг.* fínish bádly, come to grief

дои́грывать *см.* доигра́ть

доиска́ться find out, discóver

дои́скиваться search *(for, after)*, seek *(for, after)*

доистори́ческий prehistóric

дои́ть milk

до́йн||ый: ~ая коро́ва cow in milk, mílking cow, a mílker; *перен.* a gold mine

дойти́ *(до)* reach, come *(to)*

док dock

доказа́тельство proof; évidence; árgument *(довод)*; в **~** as proof of

доказа́ть, дока́зывать prove; что и тре́бовалось доказа́ть which requíred to be proved; Q.E.D. *(тж. мат.)*

дока́нчивать *см.* доко́нчить

до́кер dócker

докла́д lécture; páper; repórt *(отчётный)*; **~но́й: ~на́я** запи́ска memorándum, repórt; **~чик** lécturer, spéaker; **~ывать** *см.* доложи́ть

докона́ть *разг.* be the end *(of)*; rúin

доко́нчить fínish, end

до́красна́ *нареч.*: раскалённый **~** réd-hót

до́ктор dóctor

доктри́на dóctrine

докуме́нт dócument; **~а́ль-**

ный documéntary; **~áльный фильм** documéntary

долби́ть 1. hóllow; peck *(о птице)* **2.** *разг. (повторять)* repéat óver and óver agáin **3.** *разг. (зубрить)* learn by rote, cram

долг 1. *(обязанность)* dúty; он счита́ет свои́м ~ом сказа́ть вам об э́том he considers it his dúty to tell you abóut it **2.** *(взятое взаймы)* debt; взять в ~ bórrow; дать в ~ lend; быть в ~у́ owe, be indébted *(to)*

до́л||гий long; **~го** *нареч.* long, (for) a long time

долгове́чный lásting

долговре́менный of long durátion, lásting long

долгожда́нный lóng-awáited

долгоигра́ющ||ий: ~ая пласти́нка lóng-playing récord

долголе́тн||ий of mány years stánding, long; ~яя дру́жба a fríendship of mány years' stánding

долгосро́чный lóng-térm

долгота́ *геогр., астр.* lóngitude

до́лее *нареч.* lónger

до́лжен *предик.* **1.** *переводится личными формами глагола* owe *(to);* он ~ мне де́сять рубле́й he owes me ten roubles **2.** *(обязан)* must; он ~ идти́ he must go; ◇ должно́ быть próbably; вы, должно́ быть, слы́шали об э́том you must have heard of it

должни́к débtor

до́лжность posítion, post

до́лжн||ый due, próper; на ~ой высоте́ up to the mark; ~ым о́бразом própérly

доли́на válley

до́ллар dóllar

доложи́ть 1. make a repórt **2.** *(о ком-л.)* annóunce

доло́й *нареч.* awáy, off; ~! down (with)!; ~ поджига́телей войны́! down with the wármongers!

долото́ chísel

до́лька lóbule; clove *(чеснока)*

до́льше *нареч.* lónger

до́ля I *(часть)* part, pórtion, share

до́ля II *(судьба)* fate, lot

дом 1. house; ~ о́тдыха rest home; ~ моде́лей fáshion house **2.** *(домашний очаг)* home ◇ вне ~а óut-of-dóors; **~а** *нареч.* at home; его́ нет ~а he is out; ~а ли он? is he in?

дома́шн||ий 1. *прил.* doméstic; house *attr.*, home *attr.;* ~яя хозя́йка hóusewife **2.** *как сущ.*: ~ие *(семья)* fámily *sg.*

до́менн||ый: ~ая печь blást-furnace

доминио́н domínion

до́мна blást-furnace

домовладе́лец lándlord

домо́в||ый: ~ая кни́га hóuse-régister

домога́ться seek *(for)*, solícit

домо́й *нареч.* home; идти́ ~ go home

домоуправле́ние house mánagement

донесе́ние repórt, dispátch

донести́ I *(до)* cárry *(to, as far as)*

донести́ II 1. *(о чём-л.)* repórt; **2.** *(на кого-л.)* infórm *(against smb.)*

донести́сь *(о звуке)* be heard, reach one's ears

до́низу *нареч.* to the bóttom;

све́рху ~ from top to bóttom

до́нор dónor

доно́с denunciátion; **~и́ть** *см.* донести́ II

доноси́ться *см.* донести́сь

доно́счик infórmer

допива́ть drink up

дописа́ть, дописывать fínish writing

допи́ть *см.* допива́ть

допла́т||а additíonal páyment; excéss fare *(ж.-д.)*; excéss póstage *(за письмо)*; **~и́ть** pay in addítion; я доплачу́ I'll make up the dífference

допла́чивать *см.* доплати́ть

доплыва́ть, доплы́ть come to the shore

дополне́ние 1. súpplement, appéndix, addítion; в ~ in addítion **2.** *грам.* óbject; прямо́е ~ diréct óbject; ко́свенное ~ indiréct óbject

дополни́тельн||о *нареч.* in addítion; **~ый** additíonal, suppleméntary

допо́лн||ить, ~я́ть súpplement; compléte

допра́шивать *см.* допроси́ть

допризы́в||ник youth of premílitary age; **~ный:** ~ная подгото́вка premílitary tráining

допро́с cróss-examinátion, interrogátion; **~и́ть** intérrogate; cróss-exámine *(на суде)*; ~и́ть свиде́теля quéstion a wítness

до́пуск pass, pérmit

допуска́ть *см.* допусти́ть

допусти́мый permíssible

допусти́ть 1. admít **2.** *(позволить)* permít, allów; súffer *(стерпеть)* **3.** *(предложить)* assúme ◇ ~ оши́бку make a mistáke

допуще́ние assúmption

допы́тываться try to find out

дорва́ться *(до) разг.* fall gréedily *(ирон)*

дореволюцио́нный pré-revolútionary

доро́г||а 1. road, way; желе́зная ~ ráilway; ráilroad *(амер.)* **2.** *(путешествие)* jóurney; он про́был в ~е три дня the jóurney (*или* vóyage) took him three days ◇ туда́ ему́ и ~! *разг.* it serves him right!; мне с ва́ми по ~е I am góing your way; мне с ва́ми не по ~е we are poles apárt, we are útterly at váriance

до́рог||о *нареч.* dear; déarly *(перен.)*; expénsive *(о стоимости)*; **~ови́зна** high príces *pl.*; **~о́й 1.** *(дорогостоящий)* dear, expénsive **2.** *(милый, любимый)* dárling, dear

доро́дный córpulent

дорожа́ть rise in price

дорожи́ть válue; care *(for)*

доро́жка 1. path, walk **2.** *(из материи)* strip of cárpet; rúnner *(на стол)*

доро́жн||ый 1. road *attr.*; ~ое строи́тельство róad-building; ~ знак róad-sign **2.** *(служащий для путешествия)* trávelling

доса́д||а annóyance; vexátion *(разочарование)*; кака́я ~! what a núisance!; what a píty! *(как жаль)*; **~и́ть** annóy; **~но** *предик. безл.* it is a píty; как ~но, что... what a shame that...; ему́ бы́ло ~но, что... he was vexed that...; **~ный** annóying; disappóinting

досажда́ть *см.* досади́ть

доск||а́ board; plank *(тол-*

стая); гри́фельная ~ slate; ~ объявле́ний nótice-board; ~ почёта hónour roll ◇ ста́вить на одну́ до́ску put on a lével *(with)*; нельзя́ всех ста́вить на одну́ до́ску one can't put éveryone on the same plane, one can't applý the same yárdstick to éveryone; от ~и́ до ~и́ from cóver to cóver

досло́вн||о *нареч.* líterally; word for word; **~ый** líteral

досро́чн||о *нареч.* ahéad of time (*или* schédule), befóre the appóinted time; **~ый** pré-térm; ~ое выполне́ние пла́на fulfílment of a plan ahéad of time

достава́ть(ся) *см.* доста́ть(ся)

доста́в||ить 1. *(това́ры, пи́сьма и т. п.)* delíver **2.** *(причини́ть)* cause; give; ~ беспоко́йство give tróuble; ~ удово́льствие give pléasure; **~ка** delívery; cárriage *(на большо́е расстоя́ние)*

доставля́ть *см.* доста́вить

доста́точн||о 1. *нареч.* enóugh, suffíciently **2.** *предик. безл.* it is enóugh; э́того ~ that is enóugh, that will do; **~ый** suffícient

доста́ть 1. reach; touch *(косну́ться)* **2.** *(добы́ть)* get; obtáin *(с трудо́м)* **3.** *(вы́нуть)* take out; **~ся 1.** *(вы́пасть на до́лю)* fall to smb.'s lot **2.** *(при ро́зыгрыше)* win **3.** *безл. разг. (получи́ть нагоня́й)* catch it

дост||ига́ть, ~и́гнуть *см.* дости́чь

достиж||е́ние achíevement; impróvement, prógress *(улучше́ние)*; **~и́мый** attáinable, cápable of achíevement

дости́чь 1. reach; arríve *(at)*; ~ бе́рега reach the shore **2.** *(успе́ха и т. п.)* attáin, achíeve; ~ вла́сти obtáin pówer **3.** *(о це́нах и т. п.)* mount *(to)*

достове́рн||ый relíable, trústworthy; authéntic *(о докуме́нте, ру́кописи и т. п.)*; из ~ых исто́чников from relíable sóurces

досто́инств||о 1. dígnity; чу́вство со́бственного ~а sélf-respéct **2.** *(ка́чество)* quálity

досто́йн||ый wórthy, desérving; быть ~ым be wórthy *(of)*, desérve, mérit

достопримеча́тельн||ость sights *pl.*; осма́тривать ~ости see the sights *(of)*; **~ый** nótable, remárkable

достоя́ние próperty

до́ступ áccess, appróach; име́ть ~ к чему́-л. have áccess to smth.

досту́пный accéssible

досу́г léisure; на ~е at léisure

до́суха *нареч.* dry; вытира́ть ~ wipe dry

до́сыта *нареч.* to one's heart's contént

дота́ция grant, súbsidy

дотла́ *нареч.* útterly, complétely; сгоре́ть ~ burn to the ground

дотр||а́гиваться, ~о́нуться touch

до́хлый dead; *перен.* púny, síckly

дохо́д íncome; retúrn

доходи́ть *см.* дойти́

дохо́дный prófitable

доце́нт réader *(in university)*; lécturer; dócent *(амер.)*

до́чиста *нареч. перен.* complétely

дочита́ть, дочи́тывать read to the end, fínish

до́чка, дочь dáughter

дошко́льн||ик child únder school age; **~ый** pré-schóol

дощ||а́тый (made) of planks *(после сущ.)*; **~е́чка** small plank; small plate *(с надписью)*

доя́рка mílkmaid

драгоце́нн||ость jéwel; **~ый** précious; ~ый ка́мень précious stone, gem

дразни́ть tease

дра́ка fight

драко́н drágon

дра́ма dráma; **~ти́ческий** dramátic; **~ту́рг** pláywright, drámatist

драп thick cloth; **~овый** of thick cloth

драть 1. tear **2.** *(сечь)* flog

дра́ться fight

дребезжа́ть rattle, jingle

древеси́на wood

древе́сный wood *attr.*; ~ у́голь chárcoal

дре́вко *(флага)* small flág-pole

дре́вн||ий áncient; old *(старый)*; **~ость** antíquity

дрези́на trólley

дрейф *мор.* drift; **~ова́ть** drift

дрема́ть doze; drowse; **не ~** *перен.* be on the alért

дремо́та drówsiness

дрему́чий dense, thick

дрессир||о́ванный trained; ~о́ванные живо́тные perfórming ánimals; **~ова́ть** train

дроби́ть 1. *(камень и т. п.)* crush **2.** *(делить)* break (up) into small parts

дробь I *собир.* *(ружейная)* shot

дробь II *мат.* fráction

дрова́ fírewood *sg.*

дровосе́к wóodcutter

дро́гнуть I *(зябнуть)* shíver

дро́гну||ть II shake; move *(о мускуле)*; quáver *(о голосе, звуке)*; wáver *(перен. о войсках)*; его́ рука́ не ~ла his hand did not fálter

дрожа́||ть 1. tremble, shíver; ~ от хо́лода shíver with cold; ~ всем те́лом tremble all óver; у неё го́лос ~л от волне́ния her voice broke with emótion **2.** *(за)* tremble *(for)* **3.** *(над)* take excéssive care *(of)*, fuss *(over)*; **~щий** trémbling

дро́жжи yeast *sg.*; léaven *sg.* *(закваска)*; пивны́е ~ bréwer's yeast

дрожь trémbling, shívering

дрозд thrush

друг I friend; ~ де́тства pláyfellow

друг II: ~ ~а each óther; ~ за ~ом one áfter anóther; ~ про́тив ~а *(напротив)* face to face; ~ с ~ом with each óther

други́е *как сущ.* óthers; the rest *(остальные)*

друго́й *прил. и как сущ.* óther; anóther; и тот и ~ both; ни тот ни ~ néither; на ~ день the next day

дру́ж||ба fríendship; **~елю́бный, ~еский** fríendly

дружи́ть be friends *(with)*

дру́жн||о *нареч.* in a fríendly fáshion, ámicably; **~ый 1.** fríendly, ámicable; ~ая семья́ uníted fámily **2.** *(единогласный)* unánimous; раздáлся ~ый смех éveryone burst out láughing

дрянь trash

дря́хлый decrépit

дуб óak(-tree)

дуби́на cúdgel; *перен. разг.* blóckhead *(о человеке)*

дубликáт dúplicate

дубли́ровать dúplicate; *театр.* únderstudy; *кино* dub

дубóвый oak *attr.*, óaken

дуг||á 1. arc, arch **2.** *(в упряжи)* sháft-bow ◇ у негó спинá ~óй his back is bent

дýдка pipe

дýло muzzle

дýма I *(мысль)* thought

дýма II *ист.* dúma

дýма||ть 1. think **2.** (+ *инф.; намереваться)* think *(of)*; have the inténtion ◇ недóлго ~я withóut thínking twice; я ~ю! *(конечно)* I should think so!

дуновéние breath, whiff

дýнуть *см.* дуть

дуплó hóllow

дýр||а, ~áк fool; **~áчить** fool; **~áчиться** play the fool

дурмáн narcótic; **~ить** intóxicate, stúpefy

дурнéть lose one's good looks

дýрно 1. *нареч.* bádly, bad **2.** *предик. безл.*: мне ~ I feel faint

дурнот||á giddiness; чýвствовать ~ý feel faint

дурь *разг.* fólly

дýтый *перен.* exággerated, false; infláted *(о ценах)*

дуть blow; здесь дýет there is a draught here

дýться be súlky, be in the sulks

дух 1. spírit; cóurage *(бодрость)* **2.** *(призрак)* spírit, ghost ◇ во весь ~ at full speed; о нём ни слýху ни ~у nóthing is heard of him; не в моём ~е not to my taste; быть не в ~е be in low spírits *pl.*; ~ захвáтывает it takes one's breath awáy

духи́ pérfume *sg.*; scent *sg.*

духовéнство *собир.* clérgy

духóвка óven

духóвный spíritual

духов||óй: ~ инструмéнт wínd-ínstrument; ~ оркéстр brass band

духотá clóseness, stúffy air

душ shówer(-bath)

душ||á soul ◇ в глубинé ~и́ in one's heart of hearts; скóлько ~é угóдно to one's heart's contént; жить ~ в дýшу live in cóncord; не имéть ни грошá за ~óй not have a pénny to one's name; у негó ~ в пя́тки ушлá *разг.* his heart sank to his boots; от всей ~и́ from the bóttom of one's heart; ~и́ не чáять dote *(upon)*; на дýшу *(населения)* per head, per cápita

душевнобольнóй lúnatic; insáne (pérson)

душéвн||ый 1.: ~ое спокóйствие peace of mind **2.** *(сердечный, искренний)* sincére **3.** *(психический)* méntal

душегýбка gas chámber

души́стый frágrant, swéet-scénted

души́ть strangle

души́ться use scent; perfúme onesélf

дýшн||о *предик. безл.* it is stúffy; **~ый** close; stúffy

дуэ́ль dúel
дуэ́т duét
ды́бом *нареч.*: у меня́ во́лосы ста́ли ~ my hair stood on end
дыбы́: встать на ~ rear; *перен.* kick
дым smoke ◇ нет ~а без огня́ there's no smoke withóut fire; **~и́ться** smoke; **~ка** haze, mist; **~ный** smóky; **~ово́й** smoke *attr.;* ~ова́я заве́са smóke-screen
дымохо́д flue
ды́ня mélon
дыра́ hole
дыря́вый full of holes
дыха́||ние bréathing, respirátion; **~тельный** réspiratory; ~тельное го́рло *анат.* windpipe
дыша́ть breathe ◇ ~ здоро́вьем look the pícture of health
дья́вол dévil
дю́жина dózen ◇ чёртова ~ báker's dózen
дю́ны dunes, sánd-hills
дя́дя uncle
дя́тел wóodpecker

Е

ева́нгелие góspel
евре́й Jew; **~ский** Jéwish
европ||е́ец Européan; **~е́йский** Européan
еги́петский Egýptian
его́ I *рд., вн. см.* он, оно́
его́ II *мест. притяж.* his; its, of it
еда́ 1. *(пища)* food **2.** *(трапеза)* meal; сы́тная ~ substántial *(или* héarty) meal
едва́ *нареч.* hárdly; ~ не néarly, álmost; ~-~ scárcely; ~ ли it is dóubtful
едине́н||ие únity; в те́сном ~ии in close únity
едини́||ца 1. únit **2.** *(цифра)* one **3.** *(отметка)* bad mark; **~чный** single, ísolated
единовре́менн||ый: ~ое посо́бие one time grant, gratúity
единогла́сн||о *нареч.* unánimously; **~ый** unánimous
единоду́ш||ие unanímity; **~ный** unánimous
единоли́чн||ик indivídual péasant; **~ый** indivídual; pérsonal
единомы́шленник adhérent; sýmpathiser
единонача́лие óne-man mánagement
единообра́з||ие unifórmity; **~ный** úniform
еди́нственн||ый the ónly, sole; ~ в своём ро́де uníque; ~ое число́ *грам.* síngular; ~ ребёнок ónly child
еди́нство únity; ~ де́йствий únity of áctions
еди́ный 1. united; indivísible *(неделимый);* ~ фронт рабо́чего кла́сса united front of the wórking class; ~ фронт сторо́нников ми́ра united front of suppórters of peace **2.** *(о денежной системе и т. п.)* single
е́дк||ий 1. cáustic; ácrid *(о дыме)* **2.** *перен. (язвительный)* cáustic, bíting; ~ая усме́шка sneer; ~ое замеча́ние cáustic remárk
едо́к éater; mouth to feed
её I *рд., вн. см.* она́
её II *мест. притяж.* her

(при сущ.); hers *(без сущ.)*; its, of it

ёж hédgehog

ежеви́ка bláckberry; bramble *(кустарник)*

ежего́д||ник ánnual, yéar-book; **~ный** ánnual, yéarly

ежедне́вн||о *нареч.* évery day, dáily; **~ый** dáily; éveryday *(будничный)*

ежеме́сячный mónthly

ежеми́нутно *нареч.* évery mínute

еженеде́ль||ник wéekly; **~ный** wéekly

ежеча́сно hóurly

ежо́в||ый: держа́ть в ~ых рукави́цах *разг.* rule with a rod of íron

езд||а́ **1.** drive, dríving *(в экипаже)*; ride, ríding *(верхом, на велосипеде)*; в трёх часа́х ~ы́ *(от)* three hours' jóurney *(from)* **2.** *(уличное движение)* tráffic

е́здить **1.** drive *(в экипаже)*; ride *(верхом, на велосипеде)*; go *(на трамвае, поезде)* **2.** *(путешествовать)* trável; vóyage *(морем)*

ей *дат. см.* она́

е́ле *нареч.* hárdly, scárcely

ёлка fír-tree; новогóдняя ~ Néw-Yéar's tree

ело́вый fir *attr.*

ель fir

ёмк||ий capácious; **~ость** capácity; ме́ры ~ости méasures of capácity

ему́ *дат. см.* он

ено́т rac(c)óon

епи́скоп bíshop

е́ресь héresy

ерети́к héretic

ёрзать fídget

ерунда́ nónsense, rúbbish; trífle *(пустяк)*

е́сли *союз* if, in case; ~ бы не but for; ~ бы не она́, он никогда́ не сде́лал бы э́того but for her he would have néver done it; ~ то́лько províded, if ónly; что ~ what if; что ~ он узна́ет об э́том? what if he finds out abóut it?; ~ не unléss; if... not; о, ~ бы! if ónly!

есте́ственн||о **1.** *нареч.* náturally; **2.** *предик. безл.* it is nátural; **~ый** nátural; ~ым о́бразом náturally; ~ый отбо́р nátural seléction

естествозна́ние nátural hístory

есть I eat

есть II **1.** *см.* **быть** **2.** *безл.* there is, there are; *переводится тж. личными формами глагола* have; у неё ~ брат she has a bróther ◇ так и ~! and so it is indéed!

ефре́йтор *воен.* lánce-córporal

е́хать **1.** *см.* е́здить **2.** *(уезжать)* leave *(for)*, go *(to)*

ехи́дный malícious, spíteful

ещё *нареч.* **1.** *(всё ещё)* still; ~ не not yet; ли́стья ~ зелёные the leaves are still green; он ~ не уста́л he is not tired yet **2.** *(дополнительно)* some more; дай мне ~ де́нег give me some more móney; ~ раз once more, once agáin **3.** *(при сравнит. степ.)* still; она́ ста́ла ~ краси́вее she has becóme still more béautiful ◇ ~ бы! I should think so!, of course!; вот ~! what next!; I like that; что ~? what else?

е́ю *тв. см.* она́

Ж

жа́ба I *зоол.* toad

жа́ба II *мед.* quínsy; грудна́я ~ angína péctoris

жа́бры gills

жа́воронок (ský)lark

жа́д||ничать *разг.* be gréedy; **~но** *нареч.* gréedily; **~ность** gréediness, greed; **~ный** gréedy

жа́жд||а thirst; ~ зна́ний thirst for knówledge; **~ать** thirst *(for)*, crave *(for)*; **~ущий** cráving *(for, after)*

жаке́т jácket

жале́ть 1. *(кого-л.)* píty; be sórry *(for)* **2.** *(беречь)* spare **3.** *разг. (скупиться)* grudge

жа́лить sting

жа́л||кий pítiful, pítiable; míserable *(ничтожный)*; **~ко** *см.* жаль

жа́ло sting

жа́лоб||а compláint; **~ный** pláintive ◇ ~ная кни́га book of compláints

жа́лованье sálary; wáge(s) *(pl.)*

жа́ловаться *(на)* compláin *(of)*

жа́лостливый pítiful

жа́лость píty

жаль *предик. безл.* **1.** *(кого-л.) переводится формами глаголов* píty, be sórry *(for)*; мне ~ его́ I am sórry for him **2.** *(прискорбно)* it is a píty; как ~! what a píty! **3.** *(чего-л.) переводится формами глагола* grudge; мне ~ тра́тить вре́мя I grudge spénding (the) time

жанда́рм géndarme [ʹʒɑ̃:ndɑ:m]

жанр genre [ʒɑ:ŋr]

жар 1. *(зной)* heat **2.** *(пыл)* árdour **3.** *(повышенная температура)* féver **4.** *(горячие угли)* émbers *pl.* ◇ чужи́ми рука́ми ~ загреба́ть *погов.* get smb. else to do one's dírty work

жара́ heat, hot wéather

жарго́н járgon, slang

жа́р||еный fried *(на сковороде)*; roast *(в духовке)*; ~ карто́фель chips *pl.*; **~иться** fry; roast ◇ ~иться на со́лнце *разг.* bask in the sun

жа́рк||ий hot; *перен.* árdent; **~о** *предик безл.* it is hot; мне ~о I am hot

жарко́е roast meat

жаро́вня brázier

жаропонижа́ющ||ий ánti-féver; ~ее сре́дство médicine to redúce féver

жасми́н jásmin(e)

жа́тв||а hárvest; **~енный** réaping; ~енная маши́на réaping-machíne, réaper

жать I **1.** *(давить)* squeeze, press **2.** *(быть тесным)* pinch, hurt ◇ жму (ва́шу) ру́ку *(в письме)* with best wishes

жать II *с.-х* reap; cut, crop *(серпом)*

жва́ч||ка cud; **~ный** rúminant ~ное живо́тное rúminant

жгут 1. a twist of smth. **2.** *мед.* tóurniquet

жгу́чий búrning ◇ ~ брюне́т ráven-head

ждать wait *(for)*; expéct *(ожидать)*; заста́вить ~ кого́-л. keep smb. wáiting; вре́мя не ждёт time présses ◇ он ждёт не дождётся... *разг.* he can't wait till...

же I *союз* **1.** *(при противоположении)* and; as to; but *(в смысле «но»)*; я остаюсь, он же уезжáет I shall stay here and he will go; éсли же вы не хотите but if you'd ráther not **2.** *(в смысле «ведь»)*: почемý вы емý не вéрите, он же дóктор? why don't you trust him, he is a dóctor, isn't he?

же II *частица* **1.** *(усилительная)*: когдá ~ вы бýдете готóвы? aren't you éver góing to be reády?; пойдём ~! come along!; говорите ~! say sómething for góodness' sake! **2.** *(означает тождество)*: тот ~, такóй ~ the same; тогда ~ on the same day, on the véry day; там ~ in the same place

жевáть chew; rúminate *(о жвачных)*; *перен.* harp on smth.

жезл báton

желáн||ие wish, desíre; **~ный** desírable, long wished for

желáтельн||о *предик. безл.* it is desírable; **~ый** desírable

желатин gelatíne

желá||ть wish, desíre; ~ю вам успéха! good luck!; **~ющие** *как сущ.* those who wish

желé jélly

железá *анат.* gland

желéзистый *хим.* ferríferous; chalýbeate [ke'lıbııt] *(о воде)*

железнодорóж||ник ráilwayman; ráilroadman *(амер.)*; **~ный** ráilway *attr.*; ráilroad *attr.* *(амер.)*; ~ный ýзел ráilway júnction; ~ная вéтка bránch-line; ~ный билéт ráilway tícket

желéзн||ый íron ◇ **~ая дорóга** ráilway; ráilroad *(амер.)*

желéзо íron

железо||бетóн reinfórced cóncrete, férro-cóncrete; **~прокáтный**: ~прокáтный стан rólling mill

жёлоб *(на крыше)* gútter; *тех.* chute

желтéть **1.** get *(или* grow) yéllow **2.** *(виднеться)* show yéllow

желтóк yolk

жёлтый yéllow

желýд||ок stómach; **~очный** gástric

жёлудь ácorn

жёлчный bílious *(тж. перен.)*; ~ кáмень gáll-stone; ~ пузырь gáll-bladder

жёлчь gall; bile *(тж. перен.)*

жемáн||иться be affécted; **~ный** affécted

жéмч||уг, ~ýжина pearl; **~ýжный** pearl *attr.*

жен||á wife; **~áтый** márried

женить márry; **~ба** márriage; wédding *(свадьба)*; **~ся** márry

жених fiancé [fı'ɑ̃:nseı]; brídegroom *(во время свадьбы)*

жéнский fémale; féminine; wóman's; ~ род *грам.* féminine génder

жéнственный wómanly

жéнщина wóman

жердь pole

жеребёнок foal

жеребьёвка cásting of lots

жерлó mouth; ~ вулкáна mouth of a volcáno

жёрнов míllstone, gríndstone

жéртв||а **1.** sácrifice; приноси́ть в ~у sácrifice **2.** *(пострадавший)*, víctim; **~овать 1.** *(дарить)* endów, give, confér as a gift **2.** *(приносить в жертву)* sácrifice

жест gésture; **~икули́ровать** gesticulate; **~икуля́ция** gesticulátion

жёстк||ий hard; *перен.* rígid; ~ое мя́со tough meat; ~ая вода́ hard wáter; ~ие ме́ры strict méasures

жесто́к||ий crúel; *перен.* *(о морозе и т. п.)* sevére; **~ость** crúelty

жест||ь tin; **~я́нка** tin; box, can *(амер.)*; **~яно́й** tin

жето́н cóunter

жечь burn

живи́тельный invigoráting; crisp *(о воздухе)*

жи́во *нареч.* **1.** vívidly; stríkingly *(сильно, остро)* **2.** *(оживлённо)* with animátion **3.** *разг.* *(быстро)* quíckly, prómptly

жив||о́й 1. líving; alíve *predic.* **2.** *(оживлённый)* ánimated, lívely ◇ ~ы́е цветы́ fresh flówers; ~ язы́к líving lánguage; ~а́я бесе́да lívely talk; жив и здоро́в safe and sound; ни жив ни мёртв páralysed with fear

живопи́сец páinter

живопи́сный picturésque

жи́вопись páinting

жи́вость animátion, líveliness

живо́т stómach; bélly

животново́д||ство stóck-bréeding; **~ческий** stóck-bréeding *attr.*

живо́тное ánimal; beast *(зверь)*; *перен.* brute

живо́тн||ый ánimal ◇ ~ое ца́рство the ánimal kíngdom; ~ страх blind fear

животрепе́щущий búrning; of vítal impórtance *(после сущ.)*

живу́чий of great vitálity *(после сущ.)*

живьём *нареч.* *разг.* alíve

жи́дк||ий 1. líquid; wátery *(водянистый)*; thin *(о каше и т. п.)* **2.** *(редкий)* scánty; ~ие во́лосы thínning hair *sg.* **3.** *(слабый — о чае и т. п.)* weak; **~ость** líquid

жи́жа *(навозная)* líquid manúre

жи́зненный of life; ~ у́ровень stándard of líving; ~ путь the course of life

жизнеописа́ние biógraphy

жизнера́достный chéerful

жизнеспосо́бный of great vitálity *(после сущ.)*; víable

жизнь life

жи́ла 1. sínew *(сухожилие)*; vein *(кровеносный сосуд)* **2.** *горн.* vein

жиле́т wáistcoat

жиле́ц lódger, ténant

жи́листый sínewy, stríngy

жили́щ||е dwélling; **~ный** hóusing; ~ное строи́тельство hóuse-building; ~ные усло́вия líving conditions

жи́лка 1. *бот.* vein **2.** *(склонность)* streak, vein

жило́й dwélling *attr.*; hábitable, fit to live in *(годный для жилья)*; ~ дом dwélling house

жилпло́щадь (жила́я пло́щадь) dwélling space; dwélling, flat

жильё dwélling

жир fat; grease

жире́ть grow fat

жи́рный 1. fat; rich *(о кушанье)* **2.** *(сальный)* gréasy

жите́йск||ий wórldly, éveryday; ~ая му́дрость wórldly wísdom

жи́тель inhábitant; городско́й ~ tównsman, cítizen; се́льский ~ víllager; **~ство:** ме́сто ~ства résidence, dómicile

жи́тница gránary

жи́то corn

жить live; он живёт свое́й рабо́той his work is meat and drink to him

жму́риться screw up one's eyes

жму́рки *мн.* *(игра)* blind man's buff *sg.*

жмыхи́ *мн.* oil cake *sg.*

жне́йка *с.-х.* réaping-machíne, réaper

жнец, жни́ца réaper

жре́бий lot; *перен. тж.* fate; броса́ть ~ throw *(или* cast) lots *мн.* ◇ ~ бро́шен the die is cast

жрец priest ◇ ~ нау́ки priest of science

жужж||а́ние hum, buzz; **~а́ть** hum, buzz

жук beetle

жу́лик rogue, swíndler

жу́льничать *разг.* swíndle; cheat *(в игре)*

жура́вль crane

жури́ть repróve

журна́л 1. jóurnal, magazíne; но́мер ~а íssue of a magazíne; ~ мод fáshion-magazíne, fáshions jóurnal **2.** *(книга для записи)* jóurnal, díary; régister; *мор.* log; **~и́ст** jóurnalist, préssman

журч||а́ние rípple, babble; múrmur; **~а́ть** rípple, babble

жу́тк||ий térrible; sínister *(зловещий)*; dréadful *(страшный)*; **~о** *предик. безл.*: мне ~о I am afráid, I am térrified

жюри́ júry; adjudicátors *pl.*, board of adjudicátors *(на конкурсе и т. п.)*

З

за *предл.* **1.** *(о местоположении)* behínd *(позади)*; beyónd, acróss, óver *(по ту сторону)*; out of *(вне)*; за до́мом behínd the house; за реко́й acróss *(или* óver) the ríver; за го́родом out of town; in the cóuntry *(в деревне)*; за гора́ми beyónd the móuntains; за бо́ртом óverboard; за угло́м round the córner **2.** *(вслед, следом)* áfter; оди́н за други́м one áfter the óther **3.** *(около, вокруг)* at; сиде́ть за столо́м sit at the table **4.** *(для обозначения цели)* for *(при некоторых глаголах опускается)*: посла́ть за до́ктором send for a dóctor; сходи́ть за водо́й fetch some wáter **5.** *(вследствие)*: за недоста́тком for want of; за отсу́тствием in the ábsence of **6.** *(больше, сверх)* óver, past; ему́ за 40 лет he is óver fórty, he is past fórty; уже́ за́ полночь it is past mídnight **7.** *(на расстоянии)* at a dístance of; за 100 киломе́тров от Москвы́ 100 kílometres from Móscow **8.** *(какой-л. промежуток времени)* withín, in, for; э́то мо́жно сде́лать за час it can be done withín an hour; за после́дние 10 лет for the last ten years **9.** *(раньше)* befóre; за́ два дня до пра́здников two days befóre the hólidays; за день, за ме́сяц до э́того a day, a month befóre **10.** *(вместо)* for; я расписа́лся за него́ I signed for him; он рабо́тает за трои́х he does the work of three **11.** *(при указании цены)* for; купи́ть за 5 рубле́й buy for 5 roubles **12.** *(ради)* for; боро́ться за свобо́ду fight for fréedom **13.** *(в течение, в продолжение)* at; за обе́дом at dínner; за рабо́той at work ◇ за здоро́вье to the health; за мной 5 рубле́й I owe 5 roubles; ни за что́ on no accóunt; за счёт кого́-л. at smb.'s expénse; я за э́то I am for this

заба́в||а amúsement; **~ля́ть** amúse; **~ля́ться** amúse onesélf; **~но 1.** *нареч.* amúsingly **2.** *предик. безл.* it is fun, it is amúsing; **~ный** amúsing; fúnny

забаллоти́ровать fail to eléct, rejéct a cándidate

забастова́ть go on strike

забаст||о́вка strike; всео́бщая ~ géneral strike; **~о́вочный:** ~о́вочный комите́т strike commíttee

забве́ние oblívion

забе́г *спорт.* heat; tríal *(предварительный)*

забе||га́ть, ~жа́ть *(к кому-либо)* call on; drop in ◇ ~ вперёд forestáll

забере́менеть becóme prégnant, concéive

забива́ть *см.* заби́ть

забива́ться *см.* заби́ться I

забинтова́ть bándage

забира́ть *см.* забра́ть

забира́ться *см.* забра́ться

заби́тый dówntrodden

заби́ть 1. *(вколотить, вбить)* drive in, hámmer in; ~ я́щик nail down a box **2.** *(закрыть)* stop up; block up

заби́ться I *(спрятаться)* hide

заби́ться II *(начать биться)* begín to beat; begín to thump *(о сердце)*

забия́ка squábbler, bráwler

заблаговре́менн||о *нареч.* in good time; **~ый** done in good time

заблагорассу́ди||ться *безл.*: поступа́ть, как ~тся do as one pléases; он де́лает, что ему́ ~тся he does what he likes *(или* whatéver he pléases)

заблесте́ть becóme shíny; shine

заблуди́ться lose one's way, get lost

заблужд||а́ться err, be mistáken; **~е́ние** érror, mistáke

забо́й *гор.* face; **~щик** míner

заболева́||емость sick rate; **~ние** diséase

заболева́ть, заболе́ть fall ill *(о человеке)*; ache, hurt *(о какой-л. части тела)*; у него́ заболе́ла голова́ he has a héadache

забо́р fence

забо́т||а care; anxíety *(беспокойство)*; trouble *(хлопоты)*; без забо́т cárefree; **~иться** take care *(of)*; ~иться о своём здоро́вье take care of one's health; **~ливый** cáreful, thóughtful; ~ливый ухóд good care *(of или for)*

забраковáть rejéct

забрáсывать I *см.* забросáть

забрáсывать II *см.* забрóсить

забрáть 1. *(взять)* take awáy cápture *(захватить)* **2.** *(задержать)* arrést

забрáться 1. *(взобраться)* climb *(on)*, perch *(on)* **2.** *(проникнуть)* pénetrate *(into)*

забрести́ 1. *(сбившись с пути)* wánder **2.** *(зайти)* drop in

заброни́ровать resérve

забросáть 1. throw *(at)*, bespátter *(with)*; *перен.* shówer *(upon)*; **~** цветáми pelt with flówers; **~** вопрóсами bombárd with quéstions **2.** *(заполнить)* fill *(with)*; fill up sómehow

забрó||сить 1. *(далеко бросить)* throw; **~** мяч throw a ball **2.** *(оставить без внимания)* neglect **3.** *(перестать заниматься)* give up; **~шенный** neglécted; desérted *(необитаемый)*; ~шенный сад neglécted gárden; ~шенный дом desérted house

забры́зг||ать, ~ивать bespátter, splash

забывáть *см.* забы́ть

забывáться *см.* забы́ться

забы́вчивый forgétful; ábsent-minded *(рассеянный)*

забы́||тый 1. forgótten **2.**: ~тые вéщи lost próperty; **~ть 1.** forgét **2.** *(оставить)* leave behínd; вы ничегó не ~ли? *(не оставили)* you've táken éverything with you, háven't you?

забытьё uncónsciousness *(потеря сознания)*; drówsiness *(дремота)*

забы́ться 1. *(сном)* doze off **2.** *(о поведении)* forgét onesélf

завáливать, завали́ть 1. block up *(with)* **2.** *(переобременять)* óverlóad; **~ся** fall; be misláid *(затеряться)*

завáр||ивать, ~и́ть *(чай, кофе)* make

заведéние institútion, учéбное **~** educátional institútion; вы́сшее учéбное **~** hígher educátional estáblishment

завéд||ование mánagement, superinténdence; **~овать** mánage, be the head *(of)*

завéдомо *нареч.* wittingly

завéдующий mánager, chief, head

завез||ти́ 1. *(мимоездом)* leave, drop off **2.** *(привезти)* bring, take; кудá вы нас ~ли́? where on earth have you lánded us?

завербовáть recrúit

завéрить 1. *(уверить)* assúre **2.** *(подпись)* wítness, cértify

заверн||у́ть 1. wrap up; ~и́те э́то, пожáлуйста wrap it up, please **2.** *(свернуть в сторону)* turn **3.** *разг.* *(зайти)* drop in **4.** *(кран)* turn off; screw down *(или* tight), tíghten *(винт, гайку)*; **~у́ться 1.** *(укутаться)* wrap onesélf up **2.** *(загнуться)* turn up

завертéться 1. begín to spin round **2.** *разг.* *(захлопотаться)* be too búsy, lose one's head

завёртывать(ся) *см.* заверну́ть(ся)

заверш||áть *см.* заверши́ть;

~е́ние complétion; **~и́ть** compléte; finish

заверя́ть *см.* заве́рить

заве́с||а cúrtain; screen *(дымовая и т. п.)*; **~ить** cóver; cúrtain off *(занавесками)*

завести́ I *(куда-л.)* bring; take *(увести)*

завести́ II **1.** *(приобрести)* get, get hold *(of)*; buy *(купить)* **2.** *(установить)* estáblish ◇ ~ разгово́р start a conversátion; ~ знако́мство strike up an acquáintance

завести́ III: ~ мото́р start a mótor; ~ часы́ wind up a watch

заве́т précept; légacy *(наследие)*; **~ный** chérished; sácred

заве́шивать *см.* заве́сить

завеща́||ние will, téstament; **~ть** bequéath; leave by will *(оставить)*

завзя́тый *разг.* invéterate; incórrigible

завива́ть(ся) *см.* зави́ть(ся)

зави́вка 1. *(действие)* wáving; cúrling *(локонами)* **2.** *(причёска)* wave; ~ «перманéнт» pérmanent wave

зави́д||но *предик. безл.*: емý ~ he is énvious; **~ный** énviable; **~овать** énvy, be énvious of

завинти́ть, зави́нчивать screw (up)

зави́с||еть depénd *(on)*; **~имость** depéndence; **~имый** depéndent *(on)*

зави́стливый énvious

за́висть énvy

завито́й curled *(локонами)*; waved *(волнами)*

завито́к 1. curl **2.** *(росчерк в письме)* flóurish

зави́ть wave, curl; **~ся** have one's hair done *(или* set), have a háir-do *(у парикмахера)*

завко́м (заводско́й комитéт) fáctory commíttee

завладева́ть, завладе́ть take posséssion *(of)*

завлека́ть, завле́чь entíce; lure *(away, into)*; sedúce *(соблазнять)*

заво́д I works, fáctory, mill; plant; тра́кторный ~ tráctor plant; фарфо́ровый ~ pórcelain works; лесопи́льный ~ sáw-mill; металлурги́ческий ~ stéel-works; ко́нный ~ stúd (-farm)

заво́д II *(у часов и т. п.)* wínding méchanism; у э́тих часо́в ко́нчился ~ this watch has run down

заводи́ть I, II, III *см.* завести́ I, II, III

заводно́й clóck-work *attr.*, mechánical

заводоуправле́ние fáctory mánagement

заводско́й fáctory *attr.*

завоева́||ние cónquest; *перен.* achíevement *(достижение)*; **~тель** cónqueror; **~ть, завоёвывать** cónquer; win *(добиться)*; ~ть пе́рвое ме́сто win the first place

завози́ть *см.* завезти́

завора́чивать(ся) *см.* заверну́ть(ся)

завсегда́тай *разг.* habítué [hə'bɪtueɪ]

за́втра *нареч.* tomórrow; ~ у́тром tomórrow mórning

за́втрак bréakfast *(утренний)*; lunch *(среди дня)*; **~ать** have bréakfast; have lunch *(среди дня)*

за́втрашний: ~ день tomórrow; *перен.* the fúture

завыва́ть, завы́ть begin to howl; howl

завяза́ть 1. tie up, bind, fásten; knot *(узлом)* **2.** *(начать)* start, begín; ~ разгово́р start *(или* énter ínto) a conversátion; **~ся** *(начаться)* begín, set in

завя́зка 1. string, lace **2.** *лит.* plot

завя́знуть stick *(in)*

завя́зывать *см.* завяза́ть; **~ся 1.** be tied up **2.** *см.* завяза́ться

за́вязь *бот.* óvary

завя́нуть, завя́ть fade

загада́ть: ~ зага́дку ask a riddle

зага́д||ка riddle; puzzle *(головоломка)*; mýstery *(тайна)*; **~очный** enigmátic, mystérious; **~ывать** *см.* загада́ть

зага́р súnburn, tan

загво́здка *разг.* dífficulty, snag

заги́б 1. bend **2.** *разг.* exaggerátion; **~а́ть** *см.* загну́ть

загла́в||ие title; **~ный** title *attr.* ◇ ~ная бу́ква cápital létter

загла́||дить, ~живать 1. íron down; press *(складки и т. п.)* **2.** *(вину и т.п.)* make aménds *(for)*; make up *(for)*; éxpiate *(искупить)*

загло́х||нуть fade out; die awáy *(о звуке)* ◇ слу́хи ~ли the rúmours stopped; сад загло́х the gárden has becóme a wílderness

заглуш||а́ть, ~и́ть drown *(звук)*; suppréss *(чувства)*; déaden *(боль)*

загляде́||нье: э́то про́сто ~! it's a sight for sore eyes; **~ться** be lost in admirátion *(of)*

загля́дывать *см.* загляну́ть

загля́дываться *см.* загляде́ться

загляну́ть 1. *(бросить взгляд)* look in, peep in; ~ в слова́рь consúlt a díctionary **2.** *разг.* *(зайти)* look in *(on)*; ~ к кому́-л. look smb. up

загна́ть 1. *(заставить войти)* drive in; pen *(скот)* **2.** *(замучить)* tire out, exháust; óverdrive *(лошадь)*

загнива́||ние rótting; *мед.* suppurátion; *перен.* decáy; **~ть, загни́ть** rot, decáy

загну́ть bend

загова́ривать *см.* заговори́ть

за́говор plot; conspíracy; соста́вить ~ plot, conspíre

заговори́ть start tálking; *(с кем-л.)* speak *(to smb.)*

загово́рщик conspírator

заголо́вок title; héading; héadline *(газетный)*

заго́н enclósure ◇ быть в ~е be kept in the báckground

загоня́ть *см.* загна́ть

загора́живать *см.* загороди́ть

загора́ть *см.* загоре́ть

загора́ться *см.* загоре́ться

загоре́||лый súnburnt; **~ть** becóme súnburnt

загоре́ться catch fire; *перен.* burn

загороди́ть 1. *(обнести оградой)* enclóse, fence in **2.** *(преградить)* block *(off)*

загоро́дка fence

за́городный cóuntry *attr.*; subúrban

загот||а́вливать, ~о́вить prepáre *(приготавливать)*; lay in, store up *(запасаться)*; **~óвка** stórage; ~óвка хлéба State grain púrchase; **~овля́ть** *см.* заготáвливать

загра||ди́тельный: ~ огóнь *воен.* defénsive fire; **~ди́ть, ~ждáть** block; **~ждéние** bárrage; прóволочное ~ждéние bárbed-wire entánglement

загранúчный fóreign

загребáть rake up; *перен.* rake in

загри́вок wíthers *pl.*; *перен.* nape of the neck

загримировáть, ~ся make up

загромо||ждáть *см.* загромозди́ть; **~ждéние** blócking up; *перен.* óverlóading; **~зди́ть** encúmber, block up; *перен.* óverlóad

загрубé||лый cóarsened, cállous; **~ть** becóme cóarsened

загру||жáть, ~зи́ть load; ~зи́ть когó-л. пóлностью *(рабóтой)* give smb. a fúll-time job'

загру́зка charge, load

загрусти́ть becóme *(или* grow) sad

загрызáть, загры́зть bite to death; tear (to píeces) *(разорвать)*

загрязн||éние sóiling; pollútion *(воды и т. п.)*; ~ вóздуха air pollútion; **~и́ть** soil; pollúte *(воду и т. п.)*; **~и́ться** becóme dírty; be soiled *(запачкаться)*; be pollúted *(о воде и т. п.)*; **~я́ть(ся)** *см.* загрязни́ть(ся)

загс (отдéл зáписи áктов граждáнского состоя́ния) régistry óffice

загуби́ть rúin; waste *(потратить напрасно)*

загуля́ть *разг.* go on the spree

загустéть get thick

зад 1. *(задняя часть чего-л.)* hind part, back; поверну́ться ~ом к turn one's back to **2.** *(седалище)* seat, behínd; rump, hind quárters *pl.* *(у животных)*

задáбривать *см.* задóбрить

задави́ть crush; run óver, knock down *(переехать)*

задáние task; assignement; вы́полнить ~ fulfíl a task

задáривать, задари́ть load with présents

задáтки potentiálities; ~ хорóшего певцá the mákings of a good síngér

задáток depósit

задáть set; ~ вопрóс ask a quéstion ◇ я тебé задáм! *разг.* I'll give it to you; **~ся:** ~ся цéлью сдéлать что-л. set one's mind on dóing smth.

задáч||а 1. próblem; sum *(арифметическая)* **2.** *(цель)* task; тру́дная ~ dífficult task; **~ник** book of próblems (in aríthmetic)

задвигáть *см.* задви́нуть

задви́||жка bolt; **~жнóй** slíding; **~нуть 1.** *(куда-л.)* push *(into)* **2.** *(закрыть)* shut; ~нуть засóв bolt the door

задвóрки báckyard *sg.*; *перен.* back of beyónd *sg.*

задевáть *см.* задéть

задéл||ать, ~ывать do up; block up *(отверстие)*; wall up *(стену)*

задёргивать *см.* задёрнуть

задерж||áние deténtion; arrést; **~áть 1.** *(не пустить)* detáin, keep **2.** *(приостановить, оттянуть)* deláy; ~áть ответ deláy the ánswer **3.** *(арестовать)* arrést; **~áться 1.** stay too long **2.** *(замедлиться, отложиться)* be detáined *(или* deláyed)

задéрж||ивать(ся) *см.* задержáть(ся); **~ка** deláy; без ~ки withóut deláy; из-за чегó произошлá ~ка? what caused the deláy?

задёрнуть *(штору и т. п.)* draw

задéть touch; be caught *(in; зацепиться)*; brush agáinst *(коснуться)*; knock agáinst *(удариться)*; *перен.* hurt; ~ чьё-л. самолюбие wound *(или* hurt) smb.'s féelings ◇ ~ за живóе sting to the quick

задúр||а búlly; **~áть 1.** *см.* задрáть **2.** *(приставать)* búlly, tease ◇ ~áть нос turn up one's nose, put on airs

зáдн||ий back; ~яя ногá hind leg; ~ план báckground; ~ие местá seats at the back ◇ ~им умóм крéпок wise áfter the evént

зáдник *(обуви)* back

задóбрить cajóle; coax, wheedle *(уговорить)*

задóлго *нареч.* long befóre; in good time *(своевременно)*

задолжáть owe móney; run ínto debt

задóлженность debts *pl.*; liabílities *pl.* *(обязательства)*

зáдом *нареч.* báckwards *(о движении)* ◇ ~ наперёд back to front

задóр árdour; юношеский ~ yóuthful énergy *(или* enthúsiasm); **~ный** provócative; full of life *(после сущ.)*

задохнýться súffocate; choke; be out of breath, pant *(от бега и т. п.)*; ~ от гнéва choke with ánger

задрáть *(поднять)* lift up; pull up *(платье и т. п.)*

задремáть doze off, fall ínto a doze

задрожáть begín to tremble

задувáть *см.* задýть

задýмать plan; have the inténtion *(иметь намерение)*

задýм||аться muse *(on, upon)*; fall to thínking, be lost in thought; be lost in a réverie *(замечтаться)*; о чём ~ался? what are you thínking abóut?; a pénny for your thoughts *идиом.*; **~чивость** réverie; **~чивый** thóughtful, pénsive; **~ываться** *см.* задýматься; не ~ываясь ни на минýту withóut a móment's hesitátion

задýть 1. *(погасить)* blow out **2.** *тех.*: ~ дóмну blow in a blást-furnace

задушéвный córdial; sincére *(искренний)*; ~ друг close friend

задушúть strangle

задыхáться *см.* задохнýться; ~ от гнéва choke with ánger

заéздить exháust by óverwork, óverwórk

заезжáть *см.* заéхать

заём loan; государственный ~ State loan

заéхать 1. call on the way *(по пути)*; fetch smb. *(за кем-л.)* **2.** *(попасть)* get *(to,* *into)* **3.** *(въехать)* ride, drive *(into)*

зажа́ть squeeze; ~ нос hold one's nose; ~ в руке́ grip hard; ~ рот кому́-л. stop smb.'s mouth‖

заже́чь set fire *(to)*; light *(свет)*; **~ся** light up

зажива́ть *см.* зажи́ть II

за́живо *нареч.* alive

зажига́лка (cigarétte) líghter

зажига́‖тельный *(о бомбе)* incéndiary; *перен.* fíery; **~ть(ся)** *см.* заже́чь(ся)

зажи́м 1. *тех.* clamp **2.** *разг.* *(подавление)* suppréssion; **~а́ть** *см.* зажа́ть; ~а́ть кри́тику suppréss críticism

зажи́точн‖ость prospérity; **~ый** wéll-to-dó; prósperous

зажи́ть I *(начать жить)* begín to live

зажи́ть II *(зарубцеваться)* heal; close *(о ране)*

зажму́рить: ~ глаза́ screw up one's eyes

зазвони́ть *см.* звони́ть

зазвуча́ть *см.* звуча́ть

зазева́ться gape *(at)*

зазелене́ть turn green

заземле́ние éarthing

зазнава́ться, зазна́ться give onesélf airs, have a fair concéit of onesélf, have a swelled head

зазре́н‖ие: без ~ия со́вести withóut a twinge of cónscience

зазу́бр‖енный jagged; **~ина** notch; jag; **~ить** jag, notch

зазубри́ть *(урок)* learn mechánically by heart, learn off pat

заигрыва‖ние flírting; **~ть** **1.** flirt *(with; флиртовать)* **2.** *(заискивать)* make up to

заи́к‖а stámmerer, stútterer; **~а́ться 1.** stámmer, stútter **2.** *разг.* *(упоминать)* méntion, touch *(upon)*; **~ну́ться** *см.* заика́ться

заимообра́зно *нареч.* as a loan, on crédit

заи́мствов‖ание adóption; bórrowing; **~ать** bórrow

заинтересо́ванный ínterested *(in)*

заинтересова́ть ínterest, excíte the curiósity *(of)*; **~ся** be ínterested *(in)*, take an ínterest *(in)*

заи́скивать make up *(to)*; ingrátiate onesélf *(with)*

зай‖ти́ 1. *(к кому-л., куда-л.)* drop in; call on; я за ва́ми ~ду́ I'll call for you *(или* come to fetch you) **2.** *(углубиться)* go; get, reach; ~ сли́шком далеко́ *перен.* go too far **3.** *(о солнце)* set **4.** *(о разговоре и т. п.)* turn *(on)*

закабал‖и́ть, ~я́ть enslávе

закады́чный: ~ друг bósom friend

зака́з órder; на ~ (made) to órder; **~а́ть** órder; ~а́ть биле́т book a tícket; ~а́ть пальто́ *(или* костю́м) have a coat *(или* a suit) made to órder; ~а́ть кни́гу place an órder for a book; **~но́й 1.** *(сделанный на заказ)* made to órder **2.** *(о письме и т. п.)* régistered; **~чик** cústomer; **~ывать** *см.* заказа́ть

зака́л *(стали и т. п.)* témpering; **~ённый** témpered; tough *(о человеке)*; **~и́ть** témper; *перен.* hárden; **~и́ться** becóme témpered; **~ка 1.** hárdening **2.** *(физическая)* tráining

зака́лывать *см.* заколо́ть 1, 2

закаля́ть(ся) *см.* закали́ть(ся)

зака́нчивать(ся) *см.* зако́нчить(ся)

зака́пать 1. *(запачкать)* bespátter **2.** *(начать капать)* begín to drip

зака́пывать *см.* закопа́ть

зака́т *(солнца)* súnset; *перен.* declíne; на ~е at súnset

заката́ть roll up

закати́ть *(мяч и т. п.)* roll únder *(или* awáy) ◇ ~ истéрику throw a fit of hystérics, make a scene; **~ся 1.** *(о светиле)* set **2.** *(о мяче и т. п.)* roll únder *(или* awáy)

зака́тывать I *см.* заката́ть

зака́тывать II *см.* закати́ть; **~ся** *см.* закати́ться

зака́шляться have a fit of cóughing

зака́яться forswéar, swear to give up

заква́ска férment; yeast *(дрожжи)*

закида́ть 1. scátter **2.** *(яму и т.п.)* fill *(with)* ◇ ~ вопро́сами bombárd with quéstions

заки́дывать I *см.* закида́ть

заки́дывать II *см.* заки́нуть

заки́нуть 1. *(мяч и т. п.)* throw **2.** *(запрокинуть)* throw back

заки||па́ть, ~пе́ть begín to boil; símmer ◇ рабо́та ~пе́ла the work was in full swing

закиса́ть, заки́снуть turn sour

за́кись *хим.* protóxide

закла́д páwning; отдава́ть в ~ pawn

закла́дка I *(фундамента и т. п.)* láying

закла́дка II *(для книги)* bóok-mark

закладна́я mórtgage

закла́дывать I, II *см.* заложи́ть I, II

закле́ивать *см.* закле́ить

закле́ить glue *(или* stick) up; seal *(конверт)*; ~ щéли stop up the chinks

заклейми́ть *см.* клейми́ть

заклёпка *тех.* rívet

заклина́||ние éxorcism; incantátion; spell *(слова́, обряд)*; **~ть** *(умолять)* adjúre; implóre

заключа́ть *см.* заключи́ть

заключ||а́ться consíst *(in)*, be contáined *(in)*, be; тру́дность ~а́ется в том, что... the dífficulty is that...

заключ||е́ние 1. *в разн. знач.* conclúsion, ínference; вы́вести ~ infér; ~ догово́ра conclúsion of a tréaty; в ~ in conclúsion **2.** *(тюремное)* imprísonment; **~ённый** *как сущ.* prísoner; **~и́тельный** fínal; conclúsive; ~и́тельное сло́во clósing speech; **~и́ть 1.** *в разн. знач.* conclúde; infér *(сделать вывод)* **2.** *(договор, мир)* make; conclúde; ~и́ть сдéлку strike *(или* drive) a bárgain **3.** *(в тюрьму)* imprísón ◇ ~и́ть в ско́бки brácket, put in bráckets; ~и́ть в объя́тия enfóld *(или* clasp) in an embráce

закля́тый: ~ враг mórtal *(или* sworn) énemy

закова́ть, зако́вывать put in írons *(в кандалы)*

закола́чивать *см.* заколоти́ть

заколдо́в||анный enchánted ◇ ~ круг vícious círcle; **~а́ть** enchánt, charm; bewítch

закóлка *(для волос)* háirpin

заколотúть board up *(досками)*; nail down *(гвоздями)*

заколó||ть 1. sláughter *(животное)*; stab *(человека)* **2.** *(закрепить)* pin up; ~ булáвкой fásten with a pin **3.** *безл.*: у менá ~ло в бокý I have a stitch in my side

закóн law; **~ность** legálity; социалистúческая ~ность Sócialist law; **~ный** légal, legítimate; на ~ном основáнии on a légal básis, on légal grounds, légally

законодáтель||ный législative; **~ство** legislátion

закономéрн||ость confórmity to nátural laws; **~ый** confórming to the laws of náture; góverned by nátural laws; ~ое явлéние nátural phenómenon

законопроéкт bill; draft law

закóнченный fínished, compléte

закóнчить, ~ся fínish; end

закопáть búry

закопт||éлый smóky; sóoty; **~úть** blácken with smoke; cóver with soot, soot

закопчённый *см.* закоптéлый

закоренéл||ый invéterate, déep-róoted, incórrigible; ~ые предрассýдки ingráined *(или* déep-róoted) préjudices; ~ престýпник a hárdened críminal

закоснéлый óbdurate

закоýлок 1. back street **2.** *(уголок)* seclúded córner, nook

закоченé||лый numb; **~ть** becóme numb (with cold)

закрáдываться steel in, creep in

закрáсить paint (óver)

закрáсться *см.* закрáдываться

закрáшивать *см.* закрáсить

закрепúтель *фото* fíxing ágent

закреп||úть, ~лáть 1. fásten, fix; ~ успéх consólidate a succéss **2.** *(что-л. за кем-л.)* attách *(to)*, secúre; ~ за кем-л. resérve *(for)*

закрепо||стúть, ~щáть ensláve; **~щéние** enslávement

закричáть begín to cry; give a shout *(вскрикнуть)*

закрóйщик cútter

зáкром córn-bin

закруглéние róunding; curve

закружúться *см.* кружúться

закрутúть, закрýчивать 1. twirl, twist **2.** *(кран и т. п.)* turn off *(или* tight)

закрывáть(ся) *см.* закры́ть (-ся)

закры́||тие clósing; close *(окончание)*; **~тый** closed ◇ ~тое голосовáние vóting by bállot; в ~том помещéнии índoors; ~тое плáтье hígh-nécked dress; ~тый спектáкль closed perfórmance; **~ть 1.** close, shut; ~ть собрáние close the méeting; ~то... closed... **2.** *(покрыть)* cóver **3.** *(заслонить)* hide; **~ться 1.** close **2.** *(накрыться)* cóver onesélf up

закряхтéть *см.* кряхтéть

закудáхтать *см.* кудáхтать

закулúсн||ый báckstage *attr.*; behínd the scenes *(тж. перен.)*; ~ые переговóры negotiátions behínd the scenes, sécret negotiátions

закуп||áть, ~úть buy in; lay in a stock *(of)*; púrchase

заку́пка púrchase

заку́пор||ивать, ~ить stop up; cork up *(пробкой)*; **~ка** *мед.* émbolism

заку́р||ивать, ~и́ть light up a cigarétte *(или* a pipe)

закуси́ть *(поесть)* have a snack; take a bite; eat smth.

заку́с||ка snack; áppetizer *(перед обедом)* ◇ на ~ку for a títbit; **~очная** snáck-bar; **~ывать** *см.* закуси́ть

заку́тать wrap up; **~ся** wrap onesélf up

заку́тывать(ся) *см.* заку́тать (-ся)

зал hall, room; ~ ожида́ния wáiting-room; ~ суда́ cóurt-room

зала́дить: ~ одно́ и то́ же *разг.* harp on the same string

зала́ять begín to bark

залег||а́ние *геол.* bed, seam *(пласт)*; **~а́ть** *геол.* lie *(in)*, be bédded *(in)*

залежа́||вшийся: ~ това́р old stock; **~ться 1.** lie a long time **2.** *(о товаре)* find no márket **3.** *(о продуктах)* becóme stale

за́лежь 1. *геол.* depósit **2.** *(о товарах)* pile of únsálable goods

залеза́ть, зале́зть 1. climb (up) **2.** *(проникать)* get *(into)*, pénetrate *(into)*

залеп||и́ть, ~ля́ть 1. close up; stick **2.** *(заклеить)* glue up; paste up *(или* óver)

зале||та́ть, ~те́ть fly ínto

зале́ч||ивать, ~и́ть heal

зали́в bay; gulf

залива́ть 1. *(затоплять)* flood **2.** *(обливать)* pour *(over)*; **~ся:** ~ся слеза́ми break ínto tears

зали́ть(ся) *см.* залива́ть(ся)

зало́г I pledge; secúrity *(ценности)*; отдава́ть в ~ pawn; вы́купить из ~а redéem; pay off a mórtgage *(недвижимость)*; под ~ чего́-л. on the secúrity of smth.

зало́г II *грам.* voice

заложи́ть I *(отдать в залог)* pawn; mórtgage *(недвижимость)*

заложи́ть II **1.** *(фундамент)* lay a foundátion **2.** *(положить куда-л.)* put; misláy *(потерять)* ◇ ~ за га́лстук have had a drop too much

зало́жник hóstage

залп sálvo, vólley; дать ~ fire a vólley

за́лпом *нареч.*: вы́пить ~ drink at a *(или* one) gulp

зама́з||ать 1. *(замазкой)* fill with pútty **2.** *(краской)* paint óver **3.** *(запачкать)* (make) dírty, stain **4.** *(недостатки и т. п.)* slur óver; **~ка** pútty

зама́зывать *см.* зама́зать

зама́лчивать avóid gíving publícity *(to smth.)*, suppréss discússion

зама́н||ивать, ~и́ть lure; attráct *(привлекать)*; **~чивый** témpting, allúring

замаскирова́ть disguíse; *воен.* cámouflage

зама́х||иваться, ~ну́ться thréaten *(with)*; raise smth. thréateningly

зама́шки *разг.* hábits, mánners

замедле́ние slówing-down *(хода)*; deláy *(задержка)*

заме́дл||ить, ~я́ть slow down; deláy *(задержать)*; ~ ход redúce speed

заме́на 1. *(действие)* substitútion, replácement 2. *(то, что заменяет)* súbstitute 3. *юр.* commutátion; ~ сме́ртного пригово́ра пожи́зненным заключе́нием substitútion of the death pénalty for life imprisonment

замен||и́мый repláceable; **~и́тель** súbstitute; **~и́ть, ~я́ть** súbstitute *(for)*; replace *(by)*, take in place *(of)*

замере́ть stand (stóck-)still; die awáy *(о звуке)*; у меня́ се́рдце за́мерло my heart sank

замерз||а́ние fréezing; **~а́ть, замёрзнуть** freeze

заме́рить méasure

за́мертво *нареч.* as a dead, in a dead faint; она́ упа́ла ~ she fell as though dead *(или* in a dead faint)

замеря́ть *см.* **заме́рить**

замеси́ть knead

заме||сти́ *безл.*: доро́гу ~ло́ сне́гом the road is blocked with snow

замести́тель assístant, députy; více-; ~ мини́стра députy mínister; ~ председа́теля více-cháirman

замести́ть act *(for)*, députize *(for)* *(исполнять обязанности)*

замета́ть *см.* замести́

заме́т||ить 1. nótice 2. *(сделать замечание)* obsérve, remárk; **~ка** 1. *(в печати)* páragraph 2. *(краткая запись)* note; mark *(на чём-л.)*

заме́тн||ый 1. *(видимый)* vísible 2. *(выдающийся)* óutstanding; nóticeable; ~ая ра́зница a marked dífference

замеча́ние 1. remárk, observátion 2. *(выговор)* repróof; tálking to *разг.*

замеча́||тельный remárkable; wónderful *(удивительный)*; **~ть** *см.* заме́тить

замеша́тельств||о confúsion; быть в ~е be disconcérted; be confúsed *(в смущении)*

замеша́ть mix up; *перен.* invólve

заме́шивать I *см.* замеша́ть

заме́шивать II *см.* замеси́ть

заме́шкаться *разг.* línger, tárry

замещ||а́ть *см.* замести́ть; **~е́ние** substitútion

зами́нка hitch

замира́ть *см.* замере́ть

за́мкнут||ость resérve, réticence; **~ый** resérved

замкну́ться close; *перен.* becóme resérved; ~ в себе́ shrink ínto onesélf

за́мок castle

зам||о́к lock; pádlock *(висячий)*; под ~ко́м únder lock and key

замо́лвить: ~ слове́чко *разг.* put in a word

замолка́ть, замо́лкнуть *см.* замолча́ть

замолча́ть 1. becóme sílent 2. *см.* зама́лчивать

замора́живать, заморо́зить freeze, congéal

за́морозки éarly *(или* slight) frosts

замо́рыш *разг.* stárveling; púny créature

замочи́ть wet; soak *(погрузить в жидкость)*

замо́чн||ый: ~ая сква́жина kéyhole

за́муж *нареч.*: вы́йти ~ márry

замýжество márried life; márriage *(брак)*

замуровáть, замурóвывать brick up; immúre *(тж. перен.)*

замусóленный bedrággled *(затасканный)*; wéll-thúmbed *(о книге)*

замýчить tórture to death; *перен.* wear out; **~ся** be worn out

зáмш||а suède [sweɪd], chámois (léather) [ˈʃæmwa:]; **~евый** suède *attr.*, chámois (léather) *attr.*

замыкáние: корóткое ~ *эл.* short círcuit

замыкáть: ~ шéствие bring up the rear; **~ся** *см.* замкнýться

зáмысел 1. *(намерение)* plan, inténtion **2.** *(художественного произведения)* scheme, concéption

замы́слить *см.* замышля́ть

замысловáтый íntricate

замышля́ть plan, concéive

замя́ть hush up; ~ скандáл hush up a scándal; **~ся** stop short (in confúsion)

зáнавес cúrtain; ~ поднимáется the cúrtain rises; ~ опускáется the cúrtain falls *(или* drops)

занавé||сить cúrtain; **~ска** cúrtain; **~шивать** *см.* занавéсить

занести́ 1. bring *(принести)*; leave *(мимоходом)* **2.** *(записать)* put *(или* note) down; énter *(в список, протокол)* **3.** *безл.:* дорóгу занеслó снéгом the road is snów-bound

заниматéльный entertáining

занимáть I, II *см.* заня́ть I, II

занимáться 1. *(чем-л.)* be óccupied *(with)*; be engáged *(in)* **2.** *(изучать)* stúdy

зáново *нареч.* anéw, óver agáin, afrésh

занóз||а splínter; **~и́ть** get a splínter *(in)*

заноси́ть *см.* занести́

занóсчив||ость árrogance; **~ый** árrogant

занóсы *(снежные)* snów-drifts

заня́т||ие I **1.** occupátion **2.** *мн.:* ~ия stúdies; часы́ ~ий *(в школе)* school hours

заня́тие II *(захват)* séizure

заня́тный amúsing; ínteresting *(интересный)*

зáнято *(ответ по телефону)* engáged, the line is búsy

занятóй búsy

заня́ть I *(взять взаймы)* bórrow

заня́ть II **1.** óccupy; engáge, secúre *(закрепить места и т. п.)*; ~ пéрвое мéсто *(в состязании)* take *(или* score) first place **2.** *(развлечь)* entertáin; amúse **3.** *(заинтересовать)* ínterest; **~ся** búsy onesélf *(with)*; set *(about)*

заоднó *нареч.* **1.**: дéйствовать ~ act in cóncert *(или* togéther); быть ~ be at one **2.** *(одновременно)* at the same time

заокеáнский tránsoceánic; tránsatlántic, tránspacífic *(американский)*

заостр||ённый póinted; sharp *(тж. о чертах лица)*; **~и́ть** *перен.* defíne more cléarly; ~и́ть внимáние cóncentrate atténtion; **~и́ться** becóme póinted; *перен.* becóme more acúte; **~я́ть** *см.* ~и́ть; **~я́ться** *см.* ~и́ться

заóч||ник éxtra-múral stúdent; **~но** *нареч.* **1.** withóut séeing **2.** *(об обучении)* by correspóndence; **~ный**: ~ное обучéние correspóndence course

зáпад west; на ~ (to the) west; к ~у *(от)* west *(of)*; **~ный** wést(ern)

западн||я́ trap; попáсть в ~ю fall ínto a trap; *перен.* be trapped

запáздывать *см.* запоздáть

запáивать *см.* запаять

запак||овáть, ~óвывать pack; wrap up *(завёртывать)*

запáл I *(у орудия)* fuse, prímer

запáл II *(у лошади)* heaves *pl.*, bróken wind

запáльчивый quick-témpered

запáс 1. stock, supplý; отложи́ть про ~ lay by; ~ слов vocábulary **2.** *воен.* resérve; **~áть(ся)** *мн.* запасти́(сь); **~ливый** thrífty; próvident *(предусмотрительный)*

запас||нóй, запáсный emérgency *attr.*; spare; ~ выход emérgency éxit; ~ путь síding; ~ные чáсти spare parts

запасти́ store, stock up; **~сь** *(чем-л.)* províde onesélf *(with)*; lay in; ~сь терпéнием school onesélf to pátience

зáпах smell; scent *(приятный)*; ódour *(часто неприятный)*

запáхиваться, запахну́ться *(в пальто и т.п.)* wrap onesélf up *(in)*

запáчка||ть make dírty; stain, dírty; я ~ла себé плáтье I've got stains *(или* a mark) on my dress

запáшка *с.-х.* plóughing

запая́ть sólder

запевá||ла léading sínger, sóloist; **~ть** strike up a song; set the tune

запек||áнка 1. *(напиток)* spiced brándy **2.** *(кушанье)* baked dish; **~áть(ся)** *см.* запéчь(ся)

запеленáть *см.* пеленáть

заперéть lock; lock up; ~ дверь lock a door; ~ дом lock up a house; **~ся 1.** lock onesélf up **2.** *(не сознаваться)* refúse to divúlge, maintáin an óbstinate sílence

запéть start sínging

запечáтать seal up

запечатлевáть, запечатлéть impréss, engráve

запечáтывать *см.* запечáтать

запéчь bake *(in)*; **~ся 1.** bake **2.** *(о крови)* clot; congéal

запивáть *см.* запи́ть; ~ кáшу молокóм take milk with one's pórridge

запинáться halt; hésitate, stumble

запи́нк||а: без ~и smóothly; flúently *(бегло)*

запирáтельство deníal, óbstinate sílence; ~ вам не помóжет your ádamant sílence will not help you

запирáть(ся) *см.* заперéть(ся)

записáть write down; make notes *(сделать заметки)*; jot down *(торопли́во)*; énter *(в бухг. книгу и т. п.)*; ~ на плёнку recórd on tape; **~ся**: ~ся в библиотéку subscríbe to a líbrary; ~ся к врачу́ make an appóintment with the dóctor

запи́ск||а note; дипломати́ческая ~ memorándum; любо́вная ~ lóve-letter; посла́ть ~у send a word

запи́с||ки 1. *лит.* pápers; mémoirs ['memwa:z]; путевы́е ~ trável notes **2.** *(научных обществ)* transáctions; **~но́й:** ~на́я кни́жка nóte-book; **~ывать(ся)** *см.* записа́ть(ся)

за́пись éntry, récord

запи́ть 1. *(водой и т. п.)* drink smth. down (with wáter *etc.)*; ~ пилю́лю водо́й swállow a pill with wáter **2.** *(пьянствовать)* take to drink; он опя́ть за́пил he's on the drink *(или* is drínking) agáin

запиха́ть, запи́хивать, запихну́ть *разг.* push *(under, in, into)*, cram *(in, into)*

запла́ка||нный téar-stained; **~ть** begín to cry

запла́та patch

заплати́ть pay *(for)*; ~ по счёту settle an accóunt

запле́сневе||лый móuldy; **~ть** grow móuldy

запле||сти́, ~та́ть braid, plait

заплет||а́ться: у него́ язы́к ~а́ется he is tóngue-tied; у него́ но́ги ~а́ются he is stúmbling

запломбирова́ть 1. *(запечатать)* seal **2.** *(зуб)* stop, fill

запл||ыва́ть, ~ы́ть 1. *(о пловце)* swim in **2.** *(жиром)* grow véry fat

запну́ться *см.* запина́ться

запове́дн||ик náture resérve; лесно́й ~ fórest resérve; **~ый 1.** protécted, resérved **2.** *(сокровенный)* sécret

за́поведь commándment

заподо́зрить suspéct

запозда́||лый beláted, báckward *(о развитии)*; **~ние:** по́езд пришёл с ~нием the train was late; **~ть** be late

запо́||й hard drínking; пить ~ем have fits of hard drínking

заполз||а́ть, ~ти́ creep in

запо́лн||ить, ~я́ть fill in

запомина́ть(ся) *см.* запо́мнить(ся)

запо́мни||ть remémber, keep in mind; **~ться:** мне ~лось I still remémber; it has stuck in my mémory *разг.*

за́понка cúff-link; stud *(для воротника)*

запо́р I bolt; lock *(замо́к)*; дверь на ~е the door is locked

запо́р II *мед.* constipátion

запороши́ть *(снегом)* pówder with snow

запоте́лый *(о стекле)* místed, dim

заправи́ла *разг.* boss

запра́в||ить 1. *(всунуть)* tuck in; ~ брю́ки в сапоги́ tuck one's tróusers ínto one's boots **2.** *(кушанье)* thícken *(with)*; ~ щи смета́ной enrích *(или* impróve) cábbage soup with sour cream **3.** *(машину)* fill up; **~ля́ть** *см.* запра́вить ◇ ~ля́ть дела́ми *разг.* boss the show

запра́вочн||ый: ~ пункт, ~ая ста́нция sérvice *(или* fílling) státion

запра́шивать *см.* запроси́ть

запре́т prohibítion; ban; наложи́ть ~ véto; **~и́тельный** prohíbitive; **~и́ть** forbíd, prohíbit; ban; **~ный** forbídden

запрещ||áть *см.* запрети́ть; **~éние** prohibítion; ban; наложи́ть ~éние ban; ~éние áтомного орýжия prohibítion of (*или* ban on) atómic wéapons; **~ённый** forbídden, illícit

заприхóдовать *бухг.* recórd a páyment, crédit the accóunt

запроки́дывать, запроки́нуть throw back; ~ гóлову throw back one's head

запрóс 1. inquíry **2.** *мн.*: ~ы *перен.* requírements, needs; духóвные ~ы spirítual needs; **~и́ть 1.** *(сведения)* make inquíries, ask abóut smth.; ~и́ть áдрес inquíre abóut the addréss *(at)* **2.** *(высокую цену)* óvercharge

зáпросто *нареч. разг.* withóut céremony

запротоколи́ровать énter in the récord

запрýд||а dam; **~и́ть** dam

запрягáть *см.* запря́чь

запря́тать hide awáy, concéal

запря́чь hárness, put *(to)*; ~ волóв yoke óxen

запугáть, запýгивать intímidate

запускáть *см.* запусти́ть

запустé||лый désolate, negléсted; **~ние** desolátion

запусти́ть 1. *(бросить)* throw, fling **2.** *(ракету)* launch **3.** *(не заботиться)* negléct

запýта||нный tangled; *перен.* íntricate, invólved; **~ть** (en-) tángle; *перен.* muddle up, confúse; **~ться** get entángled; *перен.* becóme invólved

запýщенный negléсted

запыли́ть cóver with dust; **~ся** becóme dústy

запыхáться be out of breath

запя́стье *анат.* wrist

запятáя cómma

запятнáть spot; stain *(тж. перен.)*

зарáб||áтывать, ~óтать earn; мнóго ~ make a lot of móney

зáработн||ый: ~ая плáта wáges *pl.* *(рабочих)*; pay, sálary *(служащих)*

зáработок éarnings *pl.*

зараж||áть(ся) *см.* зарази́ть (-ся); **~éние** inféction; ~éние крóви blóod-poisoning

зарáз||а inféction, contágion; **~и́тельный** inféctious, contágious; **~и́ть** inféct; **~и́ться** catch (an íllness); be inféсted *(with)* *(тж. перен.)*; **~ный** inféctious, contágious

зарáнее *нареч.* befórehand; in good time *(своевременно)*; заплати́ть ~ pay in advánce; рáдоваться ~ look fórward *(to)*

зараст||áть, ~и́ be óvergrówn *(with)*

зáрево glow, áfterglow *(заката)*

зарегистри́ровать régister; **~ся 1.** *(встать на учёт)* régister oneself **2.** *(оформить брак)* régister one's márriage

зарéзать kill; sláughter *(животное)*

зарекá||ться *разг.* make a vow not to (+ *inf.*); ~ пить винó take an oath (*или* make a vow) not to drink wine; не ~йся don't make vows you can't keep

зарекомендов||áть: ~ себя́ prove, prove onesélf to be; он ~áл себя́ с хорóшей сторонь́ he shows himsélf to good advántage

заре́чься *см.* зарека́ться
заржа́веть becóme rústy
заржа́вленный rústy
зарисо́вка sketch
зарни́ца súmmer líghtning
зароди́ть engénder, rouse; ~ наде́жду в ком-л. rouse hope in smb.'s breast, raise smb.'s hopes; **~ся** *перен.* be born
заро́дыш émbryo
зарожд||а́ть(ся) *см.* зароди́ть(ся); **~е́ние** concéption; *перен.* órigin
заро́к pledge, vow, oath; я дала́ ~ не кури́ть I have sworn I will stop smóking
за́росли óvergrowth *sg.*; thícket *sg.* *(в лесу)*
зарпла́та (за́работная пла́та) *см.* за́работный
заруба́ть *см.* заруби́ть
зарубе́жн||ый fóreign; ~ые учёные schólars abróad; ~ая печа́ть the fóreign press, the press abróad
заруб||и́ть kill with an axe ◇ ~и́ э́то себе́ на носу́! *разг.* mark it well!
зару́бка notch; incísion *(надрез)*
зарубцева́ться, зарубцо́вываться cícatrize
заруч||а́ться, ~и́ться secúre, enlíst; ~и́ться ва́шим согла́сием secúre *(или* get) your consént
зарыва́ть(ся) *см.* зары́ть(ся)
зарыда́ть burst out sóbbing
зары́ть búry ◇ ~ тала́нт в зе́млю waste one's tálent; **~ся** búry onesélf
зарыча́ть begín to roar *(или* to growl)
зар||я́ 1. *(утренняя)* dawn; на ~é at dáybreak **2.** *(вечерняя)* áfterglow **3.** *воен.* revéille *(утренняя)*; retréat *(вечерняя)*
заряби́||ть: у меня́ ~ло в глаза́х I was dazzled
заря́д charge; cártridge *(снаряд)*; холосто́й ~ blank cártridge; **~и́ть** charge; load *(оружие)*
заря́д||ка *(физкультурная)* (sétting-up) éxercises *pl.*; drill *(тренировка)*
заряжа́ть *см.* заряди́ть
заса́да ámbush
засади́ть, заса́живать 1. *(растениями)* plant *(with)* **2.** *(за работу)* set down *(to)*
заса́ливать I *см.* засоли́ть
заса́ливать II, **заса́лить** stain with grease
заса́сывать *см.* засоса́ть
заса́харенный crýstallized; cándied
засвети́ться light up
за́светло *нареч.* befóre níghtfall
засвиде́тельствовать wítness; téstify *(удостоверить)*
засева́ть *см.* засе́ять
заседа́||ние sítting; méeting *(собрание)*; **~тель** asséssor; júryman; наро́дный ~тель people's asséssor; **~ть** sit, take part in a méeting; be in séssion
засел||ённый pópulated *(with)*; **~и́ть, ~я́ть** pópulate
засе́сть 1. *(где-л.)* settle; remáin for a long time; ~ в заса́де lie in ámbush **2.:** ~ за рабо́ту *и т. п.* sit down to work *etc.*
засе́ять sow
засиде́ться 1. sit on and on; ~ до полу́ночи sit up till míd-

night **2.** *(о гостях)* stay too long, óverstay one's wélcome

засиж||енный *(мухами)* flý-blown; **~иваться** *см.* засидéться

засúлье dóminant ínfluence, prepónderance

заскрежетáть *см.* скрежетáть

заскрипéть *см.* скрипéть

заслáть send

заслонúть hide, shield *(защитить)*

заслóнка lid

заслонять *см.* заслонúть

заслý||га mérit, desért; по ~гам accórding to one's desérts; **~женный 1.** desérved, wéll-éarned **2.** *(звание)* hónoured; meritórious; mérited; ~женный артúст Hónoured Ártist; ~женный дéятель наýки Meritórious Scíence Wórker; **~живать, ~жúть** desérve; mérit; be wórthy *(of)*; ~жúть довéрие win *(или* earn) the cónfidence

заслýшать *(отчёт)* hear; **~ся** lísten with delíght

засмеять *разг.* rídicule; scoff *(at)*; **~ся** burst out láughing

засмолúть pitch, tar

заснýть fall asléep

засóв bolt

засóвывать *см.* засýнуть

засóл sálting

засолúть presérve by sálting, salt, pickle

засор||éние obstrúction; ~ желýдка indigéstion; **~úть, ~ять 1.** drop bits and píeces all óver the place **2.** *(забивать, закупоривать)* obstrúct

засосáть suck in, swállow up

засóх||нуть dry up; wíther *(о растениях)*; **~ший** dry; dead, wíthered *(о растениях)*

зáспанный sléepy

застáва 1. *ист.* gate **2.** *воен.* pícket; погранúчная ~ fróntier post

заставáть *см.* застáть

застáвить I make, compél, insíst *(on)*; ~ ждать keep wáiting; ~ замолчáть insíst on sílence

застáвить II block up *(проход)*; fill, cram *(комнату мебелью)*

заставлять I, II *см.* застáвить I, II

застарéлый chrónic; old

застáть find, catch; ~ на мéсте преступлéния catch in the act *(или* réd-hánded)

застёгивать(ся) *см.* застегнýть(ся)

застегнýть bútton up, fásten; hook up *(на крючки)*; búckle, clasp *(пряжкой)*; **~ся** bútton onesélf up

застёжка fástening; ~-мóлния zípper

застеклúть glaze

застéнок tórture-chamber

застéнчивый shy, díffident

заст||игáть, ~úгнуть catch; ~úгнуть врасплóх take únawáres

заст||илáть, ~лáть 1. cóver **2.** *(затуманивать)* cloud

застóй stagnátion; depréssion *(упадок)*

застрáивать *см.* застрóить

застрах||овáть, ~óвывать insúre

застревáть *см.* застрять

застрелúть shoot; **~ся** shoot onesélf

застре́льщик pionéer

застро́||ить eréct buíldings *(on)*; óccupy *(или* cóver) with buíldings; **~йка** buílding

застр||я́ть stick ◇ слова́ ~я́ли у него́ в го́рле the words stuck in his throat

застуди́ть: ~ кого́-л. make smb. ill from cold; ~ го́рло get a sore throat from the cold

за́ступ spade

заступ||а́ться, ~и́ться intercéde *(for)*, stand up *(for)*; take the part *(of)*

засту́пни||к defénder; pátron *(покровитель)*; **~чество** intercéssion, defénce

заст||ыва́ть, ~ы́ть congéal; thícken *(сгущаться)*; *кул.* jélly; hárden *(затвердевать)* ◇ кровь ~ы́ла в его́ жи́лах the blood froze in his veins; he grew cold with térror; ~ы́ть от хо́лода be stiff with cold

засу́нуть shove in, push in

за́сух||а drought; борьба́ с ~ой combátting drought

засу́ч||ивать, ~и́ть roll up

засу́ш||ивать, ~и́ть dry; ~ цветы́ dry flówers; **~ливый** dróughty, árid

засыла́ть *см.* засла́ть

засы́пать 1. *(яму и т. п.)* fill in *(или* up) **2.** *(покрыть)* cóver, heap ◇ ~ кого́-л. вопро́сами shówer smb. with quéstions

засыпа́ть I *см.* засну́ть

засыпа́ть II *см.* засы́пать

засыха́ть *см.* засо́хнуть

зата||ённый sécret; represséd *(скрытый)*; ~ гнев smóuldering ánger; **~и́ть** représs; ~и́ть дыха́ние hold one's breath; ~и́ть оби́ду nurse *(или* hárbour) a grudge *(against smb.)*

зата́пливать *см.* затопи́ть I

зата́сканный *разг.* háckneyed; trite *(банальный)*

затащи́ть drag sómewhere; ~ кого́-л. к себе́ insíst on smb's cóming in

затвер||дева́ть *см.* затверде́ть; **~де́вший** hárdened; **~де́ние** *мед.* callósity; **~де́ть** hárden

затверди́ть *(наизусть)* learn by heart

затво́р *воен.* lock *(ружья́)*; bolt *(винтовки)*; bréech-block, bréech-piece *(орудия)*

затвор||и́ть, ~я́ть close

затева́ть *см.* зате́ять

зате́йливый ingénious, fáncíful; ~ рису́нок eláborate páttern

затека́ть *см.* зате́чь

зате́м *нареч.* **1.** *(после)* then, áfter that **2.** *(для этого)*: ~ что́бы in órder to *(с глаголом)*, in órder that *(с сущ. или мест.)*

затемн||е́ние dárkening; *воен.* bláck-out; **~и́ть** dárken; *воен.* black out; *перен.* obscúre *(смысл и т. п.)*

за́темно *нареч.* befóre dawn, befóre dáybreak

затемня́ть *см.* затемни́ть

затере́ть 1. *(стереть)* rub clean *(или* out) **2.** *(кого-л., что-л.)* jam, wedge; су́дно затёрло льда́ми the véssel stuck fast in the ice

затеря́ть misláy; **~ся** be misláid; ~ся в толпе́ be lost in the crowd

зате́||чь: у меня́ ~кли́ но́ги I have got pins and needles in my legs

зате́я ploy, scheme; **~ть** get up to smth.; ~ть дра́ку start a brawl

затира́ть *см.* затере́ть

затиха́ть, зати́хнуть calm down

зати́шье calm; lull *(временное)*

заткну́ть stop up; ~ буты́лку про́бкой cork up a bottle; ~ у́ши ва́той stop one's ears with wool ◇ ~ рот кому́-л. keep smb. quiet

затм||ева́ть *см.* затми́ть; **~е́ние** eclípse *(тж. перен.)*; **~и́ть** eclípse

зато́ *союз* but, on the óther hand

затова́ривание óverstóck; glut *(на рынке)*

затолка́ть push into

затону́ть be submérged; sink *(пойти ко дну)*

затопи́ть I *(печку)* make the fire

затопи́ть II, **затопля́ть** flood; submérge, sink *(потопить)*

затопта́ть trample down *(или* únder foot)

зато́р block, jam; tráffic jam *(уличного движения)*

затормози́ть brake, applý *(или* put on) the brake(s)

заточ||а́ть, ~и́ть *уст.* *(в тюрьму)* imprison

затрави́ть hunt down; *перен.* wear down by persecútion

затра́гивать *см.* затро́нуть

затра́та expénditure

затра́||тить, ~чивать spend

затре́бовать requést; send an órder, write *(for; письменно)*

затро́нуть affect; *перен.* touch; ~ вопро́с touch upón a quéstion; ~ самолю́бие wound smb.'s sélf-estéem

затрудн||е́ние dífficulty; быть в ~е́нии be in a dífficulty, be in a fix *разг.*; вы́йти из ~е́ния get out of a dífficulty; де́нежные ~е́ния finánсial embárrassments; **~и́тельный** dífficult; ~и́тельное положе́ние áwkward *(или* dífficult) situátion; **~и́ть, ~я́ть 1.** *(что-л.)* make difficult, impéde **2.** *(кого-л.)* make dífficulties *(for smb.)*, embárrass *(smb.)*; вас не ~и́т сде́лать э́то? would you mind dóing it?

затума́ниться grow dim

затуш||ева́ть, ~ёвывать shade in

за́тхлый músty, móuldy; *перен.* músty, stágnant

затыка́ть *см.* заткну́ть

заты́лок back of the head

затя́гивать I, II *см.* затяну́ть I и II; **~ся** *см.* затяну́ться

затя́ж||ка 1. *(при курении)* inhalátion **2.** *(во времени)* protráction, prolongátion; **~но́й** lóng-dráwn, protrácted; ~на́я боле́знь língering íllness; ~но́й дождь contínuous rain

затяну́ть I **1.** *(узел)* tíghten **2.** *(задержать)* drag *(или* spin) out; ~ де́ло drag out procéedings

затяну́ть II *(запеть)* begin to sing

затяну́ться 1. *(задержаться)* be deláyed **2.** *(о ране)* heal, close up **3.** *(при курении)* inhále

заунывн||ый móurnful, dóleful; ~ые песни pláintive songs

заурядный nóthing out of the órdinary; médiocre; ~ человéк a nonéntity, a mediócrity

зафиксировать fix; ~ внимáние на чём-л. fix atténtion on smth.

захвáт séizure; cápture; usurpátion; **~ить 1.** *(с собой)* take *(with)* **2.** *(завладеть)* cápture; seize ◇ у меня ~ило дух it took my breath awáy

захвáтническ||ий: ~ая войнá prédatory war

захвáт||чик inváder; **~ывать** *см.* захватить; **~ывающий:** ~ывающий дух bréathtaking

захворáть *разг.* be táken ill, fall ill

захлебнýться, захлёбываться choke *(with)*

захлестнýть, захлёстывать swamp

захлóпнуть slam, bang; ~ дверь slam the door; **~ся** slam, close with a bang

захлóпывать(ся) *см.* захлóпнуть(ся)

захóд 1. *(солнца)* súnset **2.** *(о судне)* stop; с ~ом в Ялту cálling at Yálta; **~ить** *см.* зайти

захолýс||тный remóte; óut-of-the-wáy *attr.*; **~тье** remóte place, óut-of-the-wáy place

захотéть wish

захохотáть burst out láughing

захудáлый shábby

зацве||сти, ~тáть break out into blóssom

зацепить get a hold *(of)*; catch *(on)*; **~ся** get caught *(on)*

зацеплять(ся) *см.* зацепить(-ся)

зачастýю *нареч. разг.* óften, fréquently

зачá||тие concéption; **~точный** rudiméntary; в ~точном состоянии in émbryo

зачéм *нареч.* why *(почему)*; what for *(для чего)*; **~-то** for some réason or óther

зачёркивать, зачеркнýть cross *(или* strike) out

зачерпнýть, зачéрпывать scoop up

зачерствéть *(о хлебе)* becóme stale

зачёт test; сдать ~ pass a test

зачинщик ínstigator

зачисл||ить, ~ять 1. inclúde **2.** *(вносить в список)* list, énter, put on a list; enlíst, enról(l) *(в армию)*; ~ в штат appóint to the staff

зачитáться, зачитываться becóme engróssed in réading, be absórbed in a book

зашатáться stágger

зашивáть, зашить sew up

зашнуровáть lace up

заштóпать darn

зашумéть *см.* шумéть

защит||а defénce; protéction; cóver *(прикрытие)*; под ~ой únder the protéction *(of)*; ~ диссертáции defénce of a thésis; **~ить** defénd; protéct; stand up *(for)*; **~ник 1.** protéctor; deféndеr **2.** *(в футболе)* back **3.** *юр.* cóunsel for the defénce; **~ный 1.** protéctive **2.** kháki *(о цвете)*

защищáть 1. *см.* защитить **2.** *(словесно)* speak in suppórt *(of)*; plead *(for)* **3.** *юр.* act as cóunsel for the defénce; **~ся** defénd onesélf

заяви́||ть decláre: он ~л о своём согла́сии he recórded his agréement

зая́вка claim *(for)*; applicátion; ~ на биле́ты applicátion for tíckets

заявл||е́ние státement; declarátion; applicátion *(ходатайство)*; пода́ть ~ hand in a wrítten applicátion; **~я́ть** *см.* заяви́ть

зая́длый *разг.* invéterate

за́яц hare

зва́ние rank; title *(титул)*

зва́ный: ~ обе́д fórmal dínner-party

звать 1. call **2.** *(называться)* be called; как вас зову́т? what is your name? **3.** *(приглашать)* invíte, ask

звезда́ star; о́рден Кра́сной Звезды́ Órder of the Red Star

звёздн||ый stárry; ~ая ночь stárlit night

звене́ть ring

звено́ link; séction

звеньево́й *сущ.* **1.** field-team léader **2.** *(у пионеров)* pionéer únit léader

звери́н||ец menágerie; **~ый** beast *attr.*; *перен.* béstial

зве́р||ский brútal; **~ство** brutálity; atrócity; **~ствовать** commít atrócities

зверь (wild) beast; хи́щный ~ beast of prey

звон rínging; **~и́ть** ring; ring up, phone *(по телефону)*

зво́н||кий rínging; clear *(голос)*; **~о́к** bell

звук sound ◇ пусто́й ~ émpty sound, mere *(или* émpty) words

звуково́й sound *attr.*; ~ кинофи́льм sóund-film; tálkie *разг.*

звукоза́пис||ь: сту́дия ~и sóund-recórding stúdio

звукоула́вливатель range fínder for sound, sóund-locátor

звуч||а́ть sound; resóund *(отдаваться)*; be heard *(слышаться)*; его́ слова́ всё ещё ~а́т у меня́ в уша́х his words still ring in my ears

зву́чный sonórous; résonant; ~ смех ringing laugh; ~ го́лос résonant voice

звя́к||ать, ~нуть tinkle, jingle, clink

зга: ни зги не ви́дно it is pitch dark

зда́ние building

зде||сь *нареч.* here; **~шний** lócal

здоро́ваться greet; bow *(to; кланяться)*; ~ за́ руку shake hands

здо́рово! *нареч. разг.* well done!; fine!

здоро́в||ый 1. héalthy; strong; быть ~ым be in good health **2.** *(полезный)* whólesome ◇ бу́дьте ~ы! góod-bу́e! *(при прощании)*; bless you! *(при чиханье)*

здоро́вье health; как ва́ше ~? how are you?; за ва́ше ~! cheers, your health!; на ~! you're wélcome!

здра́вица toast

здра́вница health resórt

здра́во *нареч.* sóundly: sénsibly *(разумно)*; **~мы́слящий** sénsible

здравоохране́ние públic health; health sérvices *pl.*

здра́в||ствовать: да ~ствует! long live!; **~ствуй, ~ствуйте** how do you do; héllо́; good mórning *(утром)*; good áfternóon *(днём)*; good évening *(вечером)*

здра́вый sénsible; ~ смысл cómmon sense

зе́бра zébra

зев *анат.* phárynx

зев||а́ка *разг.* ídler; **~а́ть, ~ну́ть** yawn ◇ ~а́ть по сторона́м *разг.* gape; не ~а́й! *разг.* keep your eyes ópen!; **~о́та** yawn

зелене́ть 1. turn green **2.** *(виднеться)* show green

зеленн||о́й: ~ая ла́вка gréengrocery

зелёный green

зе́лень 1. *(растительность)* vérdure **2.** *собир. (овощи)* végetables *pl.*

земе́льный land *attr.*

землевладе́лец lándowner

земле||де́лец fármer; **~де́лие** ágriculture; **~де́льческий** agricúltural

землеко́п návvy

землеме́р lánd-survéyor

землетрясе́ние éarthquake

землеустро́йство organizátion of the use of land

землечерпа́лка drédge(r)

земли́стый éarthy; ~ цвет лица́ sállow compléxion

земл||я́ earth; land; ground; упа́сть на зе́млю fall to the ground; на ~е́ и на мо́ре on land and sea

земля́к (féllow-)cóuntryman; он мой ~ we come from the same parts

земляни́ка (wild) stráwberries *pl.*

земля́нка dúg-out

землян||о́й éarthen; earth *attr.*; **~ы́е** рабо́ты éarthwork *sg.*

земно́й éarthly; ~ **шар** the globe

зени́т zénith

зени́тн||ый: ~ая артилле́рия ánti-áircraft artíllery; **~ое** ору́дие ánti-áircraft gun

зени́ц||а: бере́чь **как** ~у о́ка chérish as the apple of one's eye

зе́рк||ало lóoking-glass; mírror *(тж. перен.)*; ~а́льный mírror *attr.*; *перен.* unrúffled

зерни́ст||ый gránular, grained ◇ ~ая икра́ soft cáviar(e)

зерно́ 1. grain; ко́фе в зёрнах cóffee-béans *pl.* **2.** *собир.* corn; **~вы́е** céreals; grain crop *sg.*; **~совхо́з** State grain farm; **~храни́лище** gránary

зигза́г zígzag

зигзагообра́зный zígzag

зима́ wínter

зи́мний wínter *attr.;* wíntry

зим||ова́ть spend the wínter *(at, in);* híbernate *(о животных и птицах)*; **~о́вка 1.** wíntering **2.** *(жильё)* pólar *(или* wínter) státion

зимо́й *нареч.* in wínter

зия́||ние *лингв.* hiátus; **~ть** gape

зла́ки céreals

зле́йший: ~ враг worst énemy

злить ánger; írritate *(раздражать)*; **~ся** be in a bad témper; be ángry *(with; сердиться)*

зло I *сущ.* évil; harm *(вред)*

зло II *нареч.* malíciously;

~ подшути́ть над кем-л. play a spiteful trick on smb.

зло́б||а spite; ánger *(гнев)* ◇ ~ дня a búrning quéstion, the tópic of the móment; **~ный** malícious

злободне́вный: ~ **вопро́с** búrning íssue

злове́щий óminous; ~ **го́лос** sínister tones *pl.*

злово́н||ие stink, stench; **~ный** fétid, stínking

зловре́дный vícious

злоде́й víllain, scóundrel; **~ский** víllainous

злодея́ние crime; atrócity

злой wícked, malícious; bád-tempered

злока́чественный *мед.* malígnant

злонаме́ренный malícious

злопа́мятный full of ráncour

злополу́чный íll-stárred

злора́дный glóating

злосло́вие malícious góssip

зло́стный malícious

злос||ть málice; позелене́ть от ~ти grow white with ánger

злоумы́шленник málefactor

злоупотреби́ть *см.* злоупотребля́ть

злоупотребл||е́ние abúse; ~ вла́стью the abúse of pówer; **~я́ть** abúse

змеи́ный snake's; sérpent's

змей: бума́жный ~ kite

змея́ snake; очко́вая ~ cóbra

знак sign; tóken, sýmbol *(символ)*; mark *(след)*; ómen *(предзнаменование)*; sígnal *(сигнал)*; дать ~ give the sígnal; под ~ом... in the name of...; в ~ дру́жбы as a tóken of fríendship; опознава́тельный ~ identificátion mark; lándmark; ~и препина́ния punctuátion marks

знако́м||ить acquáint; introdúce *(представлять)*; **~иться 1.** *(с кем-л.)* meet, make the acquáintance *(of)* **2.** *(с чем-л.)* acquáint onesélf *(with)*, see, get to know; vísit *(посещать)*; **~ство** acquáintance; **~ый 1.** *прил.* famíliar; его́ лицо́ мне ~о his face is famíliar to me; быть ~ым с кем-л. be acquáinted with smb. **2.** *сущ.* acquáintance

знамена́тель *мат.* denóminator

знамена́тельный signíficant, nóteworthy

знамени́т||ость fame; celébrity *(человек)*; **~ый** fámous

знаменова́ть mark; sígnify

знамено́сец stándard béarer

зна́м||я bánner; flag; stándard; cólours *pl.*; под ~енем... únder the bánner of...

зна́ние knówledge; со ~м де́ла with cómpetence

зна́тн||ый nótable, distínguished, noble

знато́к éxpert, connoisséur; быть ~о́м чего́-л. be an éxpert in smth.

знать know ◇ дать ~ infórm, let know; дать кому́-л. ~ о себе́ let smb. hear from one; кто зна́ет góodness knows

значе́ние 1. *(смысл)* méaning, signíficance **2.** *(важность)* impórtance; придава́ть ~ attách impórtance *(to)*

зна́чит *вводн. сл.* so; well then

значи́тельн||ый 1. *(о степе-*

ни, количестве и т. п.) considerable; в ~ой сте́пени to a marked degrée **2.** *(важный)* impórtant

зна́ч||ить mean, sígnify; что э́то ~ит? what does it mean?

значо́к badge, émblem; sign, mark *(пометка)*

зна́ющий léarned; érudite *(учёный)*; éxpert, skílful *(умелый)*

зноб||и́ть *безл.:* меня́ ~и́т I feel féverish *(или* chílly), I am shívering

зной inténse heat; **~ный** hot, súltry

зоб 1. *(у птицы)* crop **2.** *мед.* góitre

зов call, súmmons; яви́ться на ~ ánswer a súmmons

зо́дчий árchitect

зола́ áshes *pl.*

золо́вка síster-in-law

золоти́стый like gold, of gólden cólour

золотни́к *тех.* slide, valve

зо́лот||о gold; **~о́й** gold; made of gold *(тж. перен.)*

золотоно́сный góld-bearing; auríferous

золотопромы́шленность gold índustry

золоту́ха *мед.* scrófula

зо́на zone

зонд probe; **~и́ровать** sound *(тж. перен.)* ◇ ~и́ровать по́чву explóre the ground

зонт, ~ик umbrélla; súnshade, parasól *(от солнца)*

зоо́||лог zoólogist; **~логи́ческий** zoológical; **~ло́гия** zoólogy

зоопа́рк zoológical gárdens *pl.*, zoo *разг.*

зо́ркий shárp-síghted; *перен.* alért; у него́ ~ глаз he is alért

зрачо́к púpil (of the eye)

зре́лище sight; spéctacle

зре́л||ость matúrity, rípeness; **~ый 1.** matúre; ~ый во́зраст matúre age **2.** *(спелый)* ripe

зре́ни||е sight; по́ле ~я field of vísion; в по́ле ~я withín éyeshot; то́чка ~я point of view, stándpoint

зреть rípen, grow ripe; *перен.* matúre

зри́тель spectátor; ón-lóoker; **~ный 1.** óptic, vísual **2.:** ~ный зал hall, auditórium

зря *нареч. разг.* to no púrpose, for nóthing

зря́чий one who can see

зуб tooth; у меня́ боли́т ~ I have tóothache ◇ сквозь ~ы through clenched teeth; держа́ть язы́к за ~а́ми hold one's tongue; име́ть ~ про́тив кого́-л. have a grudge agáinst smb.; **~а́стый** *перен.* bíting, sarcástic

зубе́ц tooth, cog

зубн||о́й tooth *attr.;* déntal; ~а́я щётка tóoth-brush; ~а́я боль tóothache; ~ врач déntist; ~ звук *лингв.* déntal sound

зубоврачёбный: ~ кабине́т déntal súrgery; the déntist's

зубочи́стка tóothpick

зубри́ть *разг.* learn by rote, cram

зубча́т||ый cogged; ~ая переда́ча *тех.* gear

зуд itch

зы́бк||ий únstéady *(тж. перен.)*; ~ая по́чва unsúre ground

зыбь rípple; мёртвая ~ swell

зы́чный loud, stentórian

зя́бкий sénsitive to cold; chilly *разг.*

зя́блев||ый: ~ая вспа́шка *с.-х.* áutumn plóughing

зя́бнуть súffer from cold

зябь *с.-х.* plóughland

зять són-in-law *(муж дочери)*; bróther-in-law *(муж сестры)*

И

и *союз* **1.** *(соединение)* and; and then *(последовательность)*; and to think that *(для усиления)*; они́ стоя́ли и жда́ли they stood and wáited; и он уе́хал and then he left; и они́ сме́ют! and to think that they dare! **2.** *(соответствие тому, что ожидалось)* and so *(+ подлеж. + вспом. глагол)*: он собира́лся уе́хать и уе́хал he thought he would leave and so he did **3.** *(в смысле «и́менно»)* it is (just) what; вот об э́том-то я и ду́маю it is what I am thinking of **4.** *(в смысле «хотя»)* *не переводится*: и рад э́то сде́лать, но не могу́ much as I should like to do it, I can't **5.** *(в смысле «та́кже»)* too; éither, néither *(в отрицательном предложении)*; и в э́том слу́чае in this case too; и не там not there éither; и он не сде́лал э́того néither did he, he did not do it éither; э́то и для него́ тру́дно it is not éasy for him éither **6.:** и... и... both... and; и а́рмия и флот both the army and the návy ◇ и так да́лее, и про́чее etc.; and so forth, and so on; и вот and now

и́бо becáuse, for

и́ва willow

и́волга óriole

игла́ 1. needle; *(вязальная)* knítting-needle; *(патефонная)* grámophone needle **2.** *(у животных)* quill, spine

игнори́ровать ignóre; disregárd *(пренебрегать)*

и́го yoke

игó||лка *см.* игла́ I ◇ сиде́ть как на ~лках be on ténterhooks; **~лочка:** с ~лочки bránd-new; spick and span *разг.*; **~льный** needle *attr.*; ~льное ушко́ needle's eye

игра́ 1. *(действие)* play **2.** *(вид игры)* game **3.** *(актёра)* ácting, perfórmance, pláying; ~ слов play on words; ~ не сто́ит свеч the game is not worth the candle

игра́ть *в разн. знач.* play; *(об актёре тж.)* act; ~ роль play a part ◇ э́то не игра́ет ро́ли it doesn't mátter at all, it does not sígnify

игри́вый pláyful

игро́к pláyer; gámbler *(в азартные игры)*

игру́ш||ечный toy *attr.*; **~ка** toy, pláything

идеа́л idéal; **~изи́ровать** idéalize

идеал||и́зм idéalism; **~и́ст** idéalist; **~исти́ческий** idéalist, idealístic

идеа́льный idéal

иде́йный ideológical, commítted to philosóphical príncipIes;

~ человéк a man with firm ideológical príncíples

идеóл||ог ideólogist; **~оги́ческий** ideológical; ~оги́ческий фронт ideológical front; **~óгия** ideólogy

идéя idéa; nótion, cóncept *(понятие)*; ~ ромáна the idéa *(или* theme) of a nóvel; счастли́вая ~ háppy thought

иди́ллия ídyll

идиóма *лингв.* ídiom; **~ти́ческий** idiomátic

идиóт ídiot; **~и́зм** ídiocy; **~ский** idiótic

и́дол ídol

идти́ 1. go; walk *(пешком)*; *(за кем-л., чем-л.)* fóllow *(smb., smth.)* **2.** *(о времени)* go by, pass **3.** *(об осадках)*: идёт дождь it is ráining; снег идёт it is snówing **4.** *(о дыме, паре и т. п.)* come out **5.** *(происходить — о переговорах, собраниях и т. п.)* go on, proceed **6.** *(быть к лицу кому-л.)* becóme, suit; э́та шля́па идёт вам this hat suits you **7.** *(о представлении)* be on; что сегóдня идёт? what is on tonight? **8.** *(поступать)* énter ◇ ~ как по мáслу run on oiled wheels; дéло идёт о the qúestion is abóut; ~ на компроми́сс meet half-way, cómpromise; идёт! right!, done!

иезуи́т Jésuit

иерóглиф híeroglyph

иждивéн||ец depéndant; **~ие**: быть на чьём-л. ~ии be smb.'s depéndent

из *предл.* **1.** *(откуда)* from, out, out of; пить из стакáна drink from a glass; он приéхал из Москвы́ he has come from Móscow; вы́нуть из кармáна take out of one's pócket; вы́йти из дóма go out; leave the house **2.** *(для обозначения источника)* from; он узнáл из газéт he learned from the press **3.** *(из числа)* of, out of; in *(в отрицат. предлож.)*; оди́н из мои́х товáрищей one of my friends; лу́чший из всех the best of all; оди́н из 100 one (out) of a húndred; ни оди́н из 100 not one in a húndred **4.** *(о материале)* of; из чегó вы э́то сдéлали? what did you make it of?; сдéланный из дéрева made of wood; дом из кáмня a house built of stone **5.** *(по причине)* for, out of, through; из стрáха for fear, out of fear; из нéнависти through hátred ◇ изо всéх сил with all one's might; из негó вы́йдет хорóший рабóтник he will make a good wórker; однó из двух one or the óther

избá péasant's house, cóttage

избави́тель delíverer

избáв||ить save *(from)*; избáвьте меня́ от э́тих разговóров spare me these conversátions: **~иться** get rid *(of)*; **~лéние** delíverance *(from)*; réscue *(спасение)*; **~ля́ть(ся)** *см.* избáвить(ся)

избалóв||анный spoilt; ~ ребёнок a spoilt child; **~áть** spoil

избá-читáльня víllage líbrary

избегáть 1. *см.* избежáть **2.** shun; ~ óбщества shun socíety

избéгнуть *см.* избежáть

избеж||áние: во ~ *(чего-л.)*

to avóid *(smth.)*; **~ать** avóid; elúde, evάde *(спастись)*

изби||вáть *см.* изби́ть; **~éние** béating; mássacre

избирáт||ели *собир.* eléctorate *sg.*; **~ель** eléctor; vóter

избирáтельн||ый eléctoral; eléction *attr.*; ~ая кампáния eléction campáign; ~ óкруг, учáсток eléctoral dístrict; ~ спи́сок the eléctoral roll

избирáть *см.* избрáть

изби́тый 1. *прич.* béaten 2. *прил.* trite, banál

изби́ть beat up *разг.*

избрáние eléction

и́збранн||ый seléctеd; ~ое óбщество seléct cómpany, the pick of socíety; ~ые произведéния seléctеd works

избрáть 1. choose 2. *(на выборах)* eléct

избу́шка small hut

избы́т||ок 1. abúndance, plénty; с ~ком in plénty 2. *(излишек)* súrplus; **~очный** supérfluous; súrplus *attr.*

изваяние státue, carved ímage

изве́дать expérience; come to know

и́зверг mónster

извергáть, извéргнуть throw up; **~ся** erúpt *(о вулкане)*

извержéние erúption

извести́ *разг.* exháust *(изнурить)*; ~ когó-л. вопрóсами get smb. down with all one's quéstions

извéст||ие 1. news *sg.*; informátion *(сообщение)*; послéдние ~ия látest news *sg.*; stóp-press news *sg.* 2. *мн.*: ~ия *(периодическое издание)* Procéedings

извести́ть infórm, let know; ~ когó-л. send word to smb.

извёстка *разг. см.* и́звесть

известкóвый lime *attr.*

извéстн||о *предик. безл.* it is known; емý *и т. п.* ~ he *etc.* knows, he *etc.* is awáre; мне всё ~ I know all; мне э́то хорошó ~ I am well awáre of it; наскóлько мне ~ to the best of my knówledge, as far as I know; э́то хорошó ~ it is wéll-knówn; **~ость** fame; reputátion *(репутация)*; пóльзоваться (ширóкой) ~остью enjóy a great reputátion, have a great reputátion; ◇ (по)стáвить когó-л. в ~ость о чём-л. infórm smb. abóut smth.; **~ый** 1. *(знакомый)* known 2. *(знаменитый)* wéll-knówn, fámous; notórious *(особ. в дурном смысле)* 3. *(определённый)* cértain; в ~ых слу́чаях in cértain cáses

известня́к límestone

и́звесть lime

извéчный perénnial

извещ||áть *см.* извести́ть; **~éние** 1. *(действие)* notificátion 2. *(повестка)* súmmons

извивáться wind *(о реке и т. п.)*; twist *(о дороге)*

изви́ли||на bend; **~стый** winding, twísty

извин||éние párdon, apólogy, excúse; проси́ть ~éния beg párdon; приноси́ть ~éния presént one's apólogies; **~и́ть** excúse; ~и́те меня́ I beg your párdon, I am sórry ◇ ну уж ~и́те! oh no, that won't do!; **~и́ться, ~я́ться** beg párdon

извл||екáть *см.* извлéчь; **~ечéние** extráction; **~éчь** extráct;

~е́чь вы́году derívе prófit; ~е́чь уро́к *(из)* learn a lésson *(from)*; ~е́чь ко́рень *мат.* extráct a root

извне́ *нареч.* from óutside

изводи́ть *см.* извести́

изво́зчик cab; cábman *(возни́ца)*; е́хать на ~е drive in a cab; взять ~а take a cab

извор||а́чиваться dodge; **~о́тливый** resóurceful

извра||ти́ть, ~ща́ть pervért; ~ фа́кты distórt facts; ~ и́стину pervért the truth; **~ще́ние** pervérsion; distórtion *(искаже́ние)*

изга́дить *разг.* **1.** beféul **2.** *(испо́ртить)* spoil útterly

изги́б crook, bend; **~а́ть** *см.* изогну́ть

изгла́||дить, ~живать effáce; ~ из па́мяти blot out of one's mémory

изгн||а́ние éxile; **~а́нник** éxile; **~а́ть** oust; bánish; éxile *(отпра́вить в ссы́лку)*

изголо́вь||е head of the bed; сиде́ть у ~я sit by smb.'s píllow, sit at smb.'s bédside

изголода́ться 1. starve **2.** *перен.* thirst *(for)*, yearn *(for)*

изгоня́ть *см.* изгна́ть

и́згородь fence; жива́я ~ (green) hegde

изготавливать, изгото́вить make, prodúce, manufácture

изготовле́ние máking, manufácture

издава́ть *см.* изда́ть

и́здавна *нареч.* long since; since ólden times *поэт.*

издалека́, и́здали *нареч.* from afár; from far awáy

изда́||ние 1. *(де́йствие)* publicátion **2.** *(то, что и́здано)* edítion; **~тель** públisher; **~тельство** públishing house

изда́ть 1. *(напеча́тать)* públish **2.** *(зако́н)* prómulgate **3.** *(звук)* útter

издева́||тельство móckery; **~ться** *(над)* mock *(at)*

издёвка *разг.* sneer

изде́ли||е 1. (manufáctured) árticle **2.** *мн.*: ~я wáres; куста́рные ~я hánd-made goods, hándicrafts; промы́шленные ~я manufáctured árticles

издержа́ть spend; **~ся** *разг.* spend éverything

изде́ржки expénses; costs *(суде́бные)*; ~ произво́дства *эк.* cost of prodúction *sg.*

издо́хнуть, издыха́ть *разг.* die; croak

изжива́ть, изжи́ть overcóme, get rid *(of)*

изжо́га héartburn

из-за *предл.* **1.** from; ~ до́ма from behínd the house; ~ угла́ from round the córner; ~ грани́цы from abróad **2.** *(по причи́не)* becáuse of; ~ дождя́ becáuse of the rain; ~ неосторо́жности through cárelessness

излага́ть *см.* изложи́ть

излече́ние *(выздоровле́ние)* recóvery; áfter-treatment

изле́ч||ивать *см.* излечи́ть; **~и́мый** cúrable; **~и́ть** cure

излива́ть, изли́ть pour out ◇ ~ гнев give vent to one's ánger; ~ ду́шу pour out one's heart, unbósom onesélf, unbúrden onesélf *(или* one's heart)

изли́ш||ек súrplus; **~ество** excéss; **~ний** supérfluous; unnécessary *(нену́жный)*

излия́ние óutpouring

изловчи́ться contríve sómehow

излож||е́ние accóunt; exposition *(школьное);* кра́ткое ~ súmmary; **~и́ть** give an accóunt *(of);* state

изло́м||анный bróken; **~а́ть** break (in píeces)

излуч||а́ть rádiate, give off; **~е́ние** radiátion

излу́чина bend

излю́бленный fávourite

изма́зать *разг.* smear (all óver); **~ся** get véry dírty

измельчи́ть cut véry small *(нарезать);* crush véry small, pound *(истолочь)*

изме́на tréason; tréachery; únfáithfulness *(неверность);* госуда́рственная ~ high tréason

измене́ние change; alterátion, modificátion *(частичное)*

измен||и́ть I change; álter *(частично);* он ~и́л своё реше́ние he changed his mind

измен||и́ть II **1.** *(быть неверным)* be false *(to);* be únfáithful *(to; в супружестве)* **2.** *(предать)* betráy **3.:** ~ зако́н álter a law ◇ си́лы ~и́ли ему́ his strength gave way; па́мять ~и́ла мне my mémory failed me

измени́ться change

изме́нник tráitor

изме́нчивый chángeable; únstéady *(неустойчивый);* fickle *(непостоянный)*

изменя́ть I, II *см.* измени́ть I, II; **~ся** *см.* измени́ться

измер||е́ние **1.** *(действие)* méasuring **2.** *мат.* diménsion; **~и́мый** méasurable

измери́тель gauge

изме́р||ить, ~я́ть méasure; sound *(глубину);* súrvey *(делать съёмку);* ~ кому́-л. температу́ру take smb.'s témperature; ~ кого́-л. взгля́дом *(или глазами)* look smb. up and down

измождённый emáciated, exháusted

и́зморозь hóar-fróst

изму́ч||енный worn out *(with);* **~ить** wéary; tire out *(утомить);* **~иться** be wórried; be tired out *(утомиться)*

измышл||е́ние fabricátion; **~я́ть** fábricate

измя́ть crush bádly (*или* all óver) *(о платье и т. п.);* crumple *(о бумаге)*

изна́нка the wrong side ◇ ~ жи́зни the séamy side of life

изнаси́ловать rape, víolate

изна́шивать(ся) *см.* износи́ть(ся)

изне́женный coddled; efféminate *(о мужчине)*

изнемо||га́ть *(от)* be exháusted *(with);* be dead tired *(от усталости);* **~же́ние** exháustion; рабо́тать до ~же́ния work until one drops

изнемо́чь *см.* изнемога́ть

изно́с *тех.* wear, wear and tear; **~и́ть** wear out; **~и́ться** be worn out; be used up *(перен.)*

изно́шенный shábby, thréadbare, wórn-óut

изнур||и́ть, ~я́ть exháust

изнутри́ *нареч.* from within, on the ínside, from the ínside

изныв||а́ть pine *(по чему-л.—*

for); я ~áю от скýки I am bored to tears (*или* to death)

изобúл||ие abúndance; в ~ии in abúndance; in plénty; **~овать** *(чем-л.)* abóund *(in)*

изоблич||áть *см.* изобличи́ть; **~éние** expósure; **~úть** expóse; únmásk *(разоблачить);* ~и́ть когó-либо во лжи catch smb. out in a lie

изображ||áть *см.* изобрази́ть ◇ ~ из себя́ pose as; он ~áет из себя́ вели́кого учёного he póses as a great schólar; **~éние** 1. *(действие)* representátion 2. *(образ)* portráyal, pícture, ímage; ~éние в зéркале reflection 3. *(отпечаток)* ímprint

изобрази́||тельный: ~тельные искýсства ímitative arts; fine arts; **~ть** represént, pícture, pórtray

изобрести́ invént; contríve *(придумать)*

изобрет||áтель invéntor; **~áтельный** invéntive; **~áть** *см.* изобрести́; **~éние** invéntion

изóгн||утый curved, bent; **~ýть** bend

изóдр||анный torn to shreds; in ríbbons; **~áть** tear to bits (*или* píeces)

изолгáться have becóme a hópeless liar

изол||и́ровать 1. ísolate 2. *эл., тех.* ínsulate; **~я́тор** 1. *эл., тех.* ínsulator 2. *(в больнице)* isolátion ward; **~я́ция** 1. isolátion 2. *эл., тех.* insulátion

изорвáть tear to píeces

изощр||ённый refíned; **~и́ться, ~я́ться** excél *(in);* ~я́ться в остроýмии lay oneśelf out to appéar witty

из-под *предл.* from únder; ~ столá from únder the table ◇ буты́лка ~ молокá émpty milk bottle; ~ пáлки *разг.* únder préssure

изразéц tile

израсхóдовать spend; use up *(материалы)*

и́зредка *нареч.* (évery) now and then, from time to time

изрéз||ать, ~ывать cut to píeces

изрекáть *см.* изрéчь

изречéние sáying, áphorism, díctum

изрéчь útter, speak pómpously

изруби́ть cut in véry small píeces; mince *(мясо)*

изругáть revíle

изры́ть dig holes éverywhere

изря́дн||о *нареч.* consíderably; **~ый:** ~ое коли́чество a fair amóunt; ~ая сýмма quite a sum

изувéчить cripple

изум||и́тельный amázing; **~и́ть** amáze; **~и́ться** be amázed; **~лéние** amázement; **~лённый** surprísed; **~ля́ть(ся)** *см.* изуми́ть(ся)

изумрýд émerald; **~ный** émerald *attr.*

изурóдов||анный disfígured; **~ать** disfígure

изуч||áть *см.* изучи́ть; **~éние** stúdy; **~и́ть** learn, stúdy; máster *(овладевать)* ◇ он ~и́л егó, её *и т. п.* he knows him, her *etc.* ínside out, he can read him, her *etc.* like a book

изъéз||дить trável all óver; ~ весь свет trável all óver the world; **~женный:** ~женная дорóга béaten track

изъяви́тельн||ый: ~ое наклоне́ние *грам.* indícative mood

изъяв||и́ть, ~ля́ть expréss; ~ согла́сие give one's consént

изъя́н deféct

изъя́тие confiscátion; withdráwal; exémption *(исключение)*

изъя́ть, изыма́ть cónfiscate; withdráw; exémpt *(исключать)*

изыска́ние investigátion, reséarch

изы́сканн||ый refíned; ~ое блю́до dáinty dish, délicacy

изыска́ть find

изы́скивать try to find

изю́м ráisins *pl.;* **~инка** little ráisin ◇ в ней нет ~инки she hasn't got much kick; в нём есть ~инка he's got smth.

изя́щ||ество grace; **~ный** gráceful, élegant

ика́ть, икну́ть híccup

ико́на ícon

ико́та híccup

икра́ I *(рыбья)* spawn, roe; cáviar(e) *(как кушанье)*

икра́ II *(ноги́)* calf

ил silt

и́ли *союз* or; ~ ... ~ éither...or

иллю́зия illúsion

иллюмина́тор *мор.* pórthole

иллюмин||а́ция illuminátion; **~и́ровать** illúminate

иллюстр||ати́вный íllustrative; **~а́ция** illustrátion; **~и́рованный** íllustrated; **~и́ровать** íllustrate

им 1. *тв. см.* он, оно́ **2.** *дат. см.* они́

имби́рь ginger

име́ние estáte, cóuntry próperty

имени́ны náme-day *sg.*

имени́тельный: ~ паде́ж *грам.* nóminative (case)

и́менно *частица* **1.** *(как раз)* just, exáctly; э́то ~ то, что мне ну́жно it is just what I want, it is exáctly what I want; вот ~ that's it **2.** *(перед перечислением)* námely

име́ть have.; possés *(владеть)* ◇ ~ в виду́ have in mind; mean *(подразумевать);* ~ значе́ние be of impórtance; mátter; ~ ме́сто *(происходить)* occúr, take place; ~ де́ло с кем-л., чем-л. have déalings with smb., smth.; have smth. to do with smb., smth.; ~ возмо́жность be in a posítion to; ~ успе́х have *(или* be) a succéss; **~ся** *переводится действ. формами глагола* have *и оборотами* there is, there are; в прода́же име́ются... are on sale

и́ми *тв. см.* они́

имит||а́ция imitátion; **~и́ровать** ímitate

иммигра́||нт ímmigrant; **~ция** immigrátion

иммуните́т immúnity

импера́тор émperor

империал||и́зм impérialism; **~и́ст** impérialist; **~исти́ческий** impérialistic; **~исти́ческая** война́ impérialist war

импе́рия émpire

импони́ров||ать impréss, make an impréssion *(on);* ей ~ала его́ хра́брость his cóurage impréssed her

и́мпорт ímport; **~и́ровать** impórt; **~ный** impórted

импровиз||а́ция improvisátion; **~и́ровать** ímprovise

и́мпульс ímpulse, urge; ~ к тво́рчеству creátive urge

иму́щество próperty; дви́жимое ~ pérsonal próperty; недви́жимое ~ réal próperty (*или* estáte)

иму́щ||ий própertied; wéalthy; ~ие кла́ссы the própertied clásses

и́м||я 1. name **2.** *грам.*: ~ существи́тельное noun; ~ прилага́тельное ádjective; ~ числи́тельное númeral ◇ заво́д ~ени Ки́рова Kírov works; во ~ ми́ра in the name of peace; от ~ени on behálf of; челове́к с ~енем a wéll-knówn man; запятна́ть своё ~ lose one's good name; до́брое ~ good name, reputátion

и́наче 1. *союз (а то)* or (else); ótherwise **2.** *нареч. (по-другому)* dífferently, in anóther way ◇ так и́ли ~ in éither case, in ány evént

инвали́д ínvalid, disábled pérson; ~ войны́ disábled sóldier; **~ность** disáblement

инвента́рь 1. *(список)* ínventory **2.** *(оборудование)* stock; сельскохозя́йственный ~ agricúltural ímplements *pl.;* живо́й ~ (líve-)stock; спорти́вный ~ sport equípment

инд||е́ец (Américan) Índian; **~е́йский** (Américan) Índian

и́ндекс índex

индивидуа́льный indivídual

инд||и́ец Índian; **~и́йский** Índian

индонез||и́ец Indonésian; **~и́йский** Indonésian

инду́с Híndú; **~ский** Híndú

индустри||ализа́ция industrialízátion; социалисти́ческая ~ страны́ sócialist industrializátion of the cóuntry; **~а́льный** indústrial

инду́стри́я índustry; лёгкая ~ light índustry; тяжёлая ~ héavy índustry

индю́к túrkey(-cock); **~шка** túrkey(-hen)

и́ней hóar-fróst

ине́ртн||ость inértness, passívity; **~ый** inért, pássive

ине́рция inértia

инжене́р enginéer; **~-меха́ник** mechánical enginéer; **~-строи́тель** cívil enginéer; **~ный** enginéering *attr.;* ~ное де́ло enginéering; ~ые войска́ enginéer troops; enginéers, sáppers *разг.*

инициа́лы inítials

иници||ати́ва inítiative; прояви́ть ~ати́ву displáy (*или* show) inítiative; **~а́тор** inítiator

инквизи́ция inquisítion

инкуба́тор íncubator

иногда́ *нареч.* sómetimes, at times

иногоро́дний of anóther town

инозе́м||ец fóreigner, stránger; **~ный** fóreign

ин||о́й 1. dífferent; óther, anóther; ~ы́ми слова́ми in óther words **2.** *(некоторый)* some; ~ раз on occásion, sómetimes, at óther times

иноро́дный fóreign, álien

иносказа́тельный allegórical

иностра́н||ец fóreigner; **~ный** fóreign; ~ный язы́к fóreign lánguage

инспе́ктор inspéctor

инспе́кция inspéction

инспири́ровать inspíre

инста́нц||ия ínstance; суд пе́рвой ~ии court of fírst ínstance ◇ по ~иям through the próper chánnels, fóllowing the corréct (*или* próper) procédure

инсти́нкт ínstinct; **~и́вный** instínctive

институ́т ínstitute

инструкти́ровать instrúct

инстру́к||тор instrúctor; **~ция** instrúction(s) *(pl.)*

инструме́нт ínstrument, tool; ímplement *(сельскохозяйственный)*; tools *pl.* *(рабочий инструмент; собир.)*; **~а́льный** 1. *муз.* instruméntal 2. *тех.* tóol-máking

инсцени́р||овать drámatize; stage; feign *(симулировать)*; frame up *(судебный процесс)*; **~о́вка** dramatizátion; stáging

интелле́кт íntellect; **~уа́льный** intelléctual

интеллиге́н||тный cúltured; **~ция** intelligéntsia; intelléctuals *pl.*

интенда́нт *воен.* quárter-master

интенси́вный inténsive

интерва́л ínterval

интерве́н||т aggréssor; **~ция** armed intervéntion

интервью́ ínterview; взять ~ ínterview; дать ~ give an ínterview

интере́с ínterest; э́то в мои́х ~ах it is to my ínterest; с ~ом with ínterest; **~но** 1. *нареч.* ínterestingly 2. *предик. безл.* it is ínteresting; е́сли вам ~но if it is of ány ínterest to you; **~ный** 1. ínteresting 2. góod-lóoking, attráctive; **~ова́ть** ínterest; его́ интересу́ет э́та кни́га he is ínterested in this book; **~ова́ться** take an ínterest *(in)*, be ínterested *(in)*

интерна́т bóarding-school

Интернациона́л *(гимн)* the Internationále [ɪntənæʃə'na:l]

интернациона́л *(объединение)* Internátional

интернацион||али́зм internátionalism; **~а́льный** internátional

интерни́ровать intérn

интерпрет||а́ция interpretátion; **~и́ровать** intérpret

инти́мный íntimate

интона́ция intonátion

интри́г||а intrígue; plot; **~ова́ть** 1. *(вести интригу)* intrígue, scheme 2. *(возбуждать чьё-л. любопытство)* rouse smb.'s curiósity; intrígue smb.

интуи́ц||ия intuítion; по ~ии by intuítion

инфекцио́нный *мед.* inféctious

инфе́кция inféction, contágion

инфинити́в *грам.* infínitive

инфля́ция *эк.* inflátion

информ||ацио́нный informátion *attr.*; **~а́ция** informátion

информбюро́ Informátion Buréau

информи́ровать infórm

инциде́нт íncident

инъе́кция injéction

ипподро́м ráce-course

ипри́т *хим.* mústard gas

ира́н||ец Iránian; **~ский** Iránian

ирла́нд||ец Írishman; **~ский** Írish; ~ский язы́к Írish, the Írish lánguage

ирон||изи́ровать speak irónically; **~и́ческий** irónical

иро́ния írony; зла́я ~ bíting írony ◇ ~ судьбы́ írony of fate

ирригáция irrigátion

иск áction, suit; граждáнский ~ cívil áction

иска||жáть distórt; mísrepresént *(неправильно передавать)*; ~**жéние** distórtion; mísrepresentátion *(о фактах)*; ~**жённый** distórted; ~**зи́ть** *см.* искажáть

искалéчить críppIe

искáть *в разн. знач.* look *(for)*; search

исключáть *см.* исключи́ть

исключ||éние 1. *(из учебного заведения и т. п.)* expúlsion 2. *(из правил и т. п.)* excéption; за ~éнием with the excéption *(of)*, excépt; без ~éния withóut excéption; в ви́де ~éния as an excéption, by way of excéption; ~**и́тельно** *нареч.* 1. *(лишь)* sólely 2. *(особенно)* excéptional; ~**и́тельный** excéptional; ~**и́ть** 1. exclúde; excépt 2. *(из учебного заведения и т. п.)* expél 3. *(вычеркнуть)* strike off

исковéркать defórm

исколеси́ть roam *(over)*, trável all óver

ископáем||ое fóssil; ~**ые**: полéзные ~ые *горн.* mínerals

искорен||и́ть, ~я́ть root out, erádicate; extérminate *(уничтожить)*

и́скоса *нареч.* askánce

и́скр||а spark ◇ у меня́ ~ы из глаз посы́пались ≅ I saw stars

и́скренн||е *нареч.* sincérely, fránkly, from the heart; ~ прéданный вам *(в письмах)* yours trúly; ~**ий** sincére; ~**ость** sincérity

искрив||и́ть bend; distórt; ~**и́ться** twist, becóme distórted; его́ лицо́ ~и́лось от бо́ли his face was distórted with pain; ~**лéние** bend; distórtion; ~**лённый** bent; distórted; ~**ля́ть** *см.* искриви́ть

и́скри́ться sparkle, scíntillate

искромсáть slash, cut askéw, make a hash of cútting

искроши́ть crumble

искупáть I *см.* купáть

искупáть II *см.* искупи́ть

искуп||и́ть éxpiate, atóne *(for)*; ~**лéние** expiátion

искýсный skílful

искýсственн||ый artifícial; mán-máde *(созданный руками человека)*; ~ые зу́бы false teeth

искýсств||о 1. art; произведéние ~а work of art 2. *(умение)* skill ◇ из любви́ к ~у for the fun of it

искуш||áть tempt; ~**éние** temptátion; ~**ённый** schooled; ~ённый в поли́тике schooled in pólitics; ~ о́пытом schooled by expérience

ислáм Íslam

ислáнд||ец Ícelander; ~**ский** Íceland *attr.*, Icelándic; ~ский язы́к Icelándic, the Icelándic lánguage

испáн||ец Spániard; ~**ский** Spánish; ~ский язы́к Spánish, the Spánish lánguage

испарéн||ие evaporátion; врéдные ~ия fumes

испáрина perspirátion

испар||и́ться, ~я́ться eváporate, váporize

испа́чкать make dírty; **~ся** get dírty

испе́чь bake

испещр||ённый cóvered *(with)*; **~и́ть, ~я́ть** cóver *(with)*

исписа́ть, испи́сывать 1. *(страницу)* cóver with wríting 2. *(карандаш)* use up

испито́й hóllow-cheeked, emáciated

испове́довать conféss

и́споведь conféssion

исподло́бья *нареч.*: смотре́ть ~ look súllenly *(на — at)*

исподтишка́ *нареч.* on the sly, stéalthily; смея́ться ~ laugh up one's sleeve

испоко́н: ~ веко́в (*или* ве́ку) from time immemórial, since the beginning of time

исполи́н gíant; **~ский** gigántic

исполко́м (исполни́тельный комите́т) exécutive commíttee

исполн||е́ние 1. fulfílment; execútion; приводи́ть в ~ put ínto execútion, cárry out 2. *театр.* perfórmance 3. *(музыкального произведения)* perfórmance, réndering; **~и́мый** féasible; **~и́тель** 1. exécutor 2. *театр.* perfórmer; соста́в ~и́телей cast

исполни́тельн||ый 1. exécutive; ~ая власть exécutive pówer 2. *(добросовестный)* cáreful, páinstaking, thórough

испо́лн||ить 1. cárry out, fulfíl; ~ свой долг do one's dúty; ~ обеща́ние keep one's prómise 2. *муз., театр.* perfórm, act, play; **~иться** 1. *(осуществиться)* come true 2.: ему ~илось два́дцать лет he is twénty; **~я́ть(ся)** *см.* испо́лнить(ся)

испо́льзов||ание utilizátion, use; **~ать** use

испо́р||тить spoil; **~титься** detériorate, be spoiled; go bad *(о продуктах)*; **~ченный** spoilt; deprávеd *(о человеке)*

исправи́тельный: ~ дом refórmatory

испра́в||ить 1. corréct; impróve *(улучшить)* 2. *(починить)* repáir; **~иться** impróve, refórm; **~ле́ние** corréction; **~ля́ть(ся)** *см.* испра́вить(ся)

испра́вн||ость 1. *(старательность)* assidúity 2. *(машины)* good condítion; в по́лной ~ости in good wórking órder; **~ый** 1. *(старательный)* assíduous, consciéntious 2. *(о машине и т. п.)* in (good) repáir, in órder

испро́бовать *см.* про́бовать

испу́г fright, fear; в ~е in fright; с ~у from fright; **~анный** fríghtened, startled

испуга́||ть fríghten, scare; он меня́ о́чень ~л he scared me out of my wits; **~ться** get fríghtened

испуска́ть, испусти́ть emít; útter *(крик, вздох)*; give off *(запах)* ◇ ~ дух breathe one's last

испыта́ние 1. tríal, test; вы́держать ~ stand the test 2. *(экзамен)* examinátion; вы́держать ~ pass an examinátion 3. *(моральное)* ordéal

испы́т||анный tried, tésted; **~а́ть, ~ывать** 1. try, test 2. *(ощутить)* feel, expérience

иссле́дова||ние 1. investigátion; reséarch; explorátion

(страны́ и т. п.) **2.** *мед.* examinátion **3.** *(сочинение)* stúdy; éssay; **~тель** invéstigator; explórer *(страны́ и т. п.)*; **~тельский** reséarch *attr.*; **~ть 1.** invéstigate; explóre *(страну и т. п.)* **2.** *мед.* ánalyse; **~ть** кровь ánalyse the blood

и́сстари *нареч.* from old times ónwards

исступл||е́ние frénzy; **~ённый** frénzied

иссуши́ть dry up

иссяка́ть, исся́кнуть dry up; run low (*или* short)

истека́ть *см.* истéчь

исте́кший last, past

истёрзанный disfígured; *перен.* worn out

исте́р||ика hystérics; **~и́ческий** hystérical

исте́ц pláintiff

ист||ече́ние *(срока)* expirátion; **~е́чь** *(о времени)* expíre; срок истёк time is up ◇ **~е́чь** кро́вью bleed to death

и́стин||а truth; **~ный** true

истлева́ть, истле́ть 1. rot, decáy **2.** *(сгорать)* be redúced to áshes

исто́к source

истолкова́ть intérpret; cómment *(комментировать)*

истоло́чь pound

исто́ма lánguor

истом||и́ться be worn out; **~лённый** tired, wéary

истопни́к stóker

исто́р||ик históriаn; **~и́ческий** históric(al); **~и́ческий** материали́зм históriсal matérialism; **~и́ческая** побе́да épоch-making víctory; **~ия 1.** *(наука)* hístory **2.** *(рассказ)* stóry

исто́чник spring; *перен.* source

истоща́ть *см.* истощи́ть

истощ||е́ние exháustion; **~ённый** exháusted; worn out; **~и́ть** exháust

истра́тить spend; waste, squánder *(понапрасну)*

истреб||и́тель *ав.* fíghter; **~и́тельный** destrúctive; **~и́ть** destróy; extérminate; **~ле́ние** destrúction; exterminátion; **~ля́ть** *см.* истреби́ть

истрепа́ть wear out; tear *(книгу)*; **~ся** be torn (*или* worn out)

и́стый true

истяз||а́ние tórture; **~а́ть** tórture

исхо́д óutcome, resúlt

исходи́ть I *(много ходить)* go all óver

исходи́ть II **1.** *(основываться на чём-л.)* procéed *(из чего-л. — from)* **2.** *(происходить)* óriginate *(from)*

исхо́дн||ый inítial; **~ое** положе́ние point of depárture

исхуда́||лый emáciated; **~ть** becáme emáciated

исцел||е́ние cure; recóvery; **~и́ть, ~я́ть** cure, make well

исчез||а́ть *см.* исчéзнуть; **~нове́ние** disappéarance

исчёзнуть disappéar, vánish

исче́рп||ать, ~ывать exháust; вопро́с **~ан** the quéstion is settled; **~ывающий** exháustive; **~ывающие** све́дения exháustive informátion *sg.*

исчисл||е́ние calculátion; **~я́ть** cálculate

ита́к *союз* thus, so, and so

италья́н||ец Itálian; **~ский**

Itálian; ~ский язы́к Itálian, the Itálian lánguage

и т. д. (и так да́лее) etc. (et cétera); and so on

ито́г sum; tótal; *перен.* resúlt; в ~е on the whole, as a resúlt; в коне́чном ~е in the end, finally

итого́ *нареч.* altogéther, in all

и т. п. (и тому́ подо́бное) and the like; etc. (et cétera)

их I *рд., вн. см.* они́

их II *мест. притяж.* their *(при сущ.);* theirs *(без сущ.)*

иша́к ass

и́шиас *мед.* sciática

ище́йка blóodhound; políce dog

ию́ль Julý; **~ский** Julý *attr.*

ию́нь June; **~ский** June *attr.*

Й

йог yógi

йод íodine; о́кись ~а íodine óxide; **~истый** iódic; ~истый ка́лий potássium íodide; ~истый на́трий sódium íodide

йодофо́рм *фарм.* iódoform

йот||а ióta, jot; де́ло ни на ~у не сдви́нулось things haven't budged (an inch); он ни на ~у не усту́пит he will not yield one ióta

К

к *предл.* **1.** to; towárds *(по направлению к);* плыть к бе́регу sail towárds the shore; обраща́ться к кому́-л. addréss smb.; прибли́зиться к кому́-л. appróach smb. **2.** *(при указании срока)* by; к за́втрашнему дню by tomórrow; я приду́ к трём часа́м I shall be there by three o'clóck **3.** *(по отношению к)* for; of; to; любо́вь к де́тям love of chíldren; любо́вь к ро́дине love for one's cóuntry; дове́рие к кому́-л. trust in smb.; он внима́телен ко мне he is good to me **4.** *(для)* for; к чему́ э́то? what is that for?; к за́втраку, к обе́ду for bréakfast, for dínner ◇ к ва́шим услу́гам at your sérvice; лицо́м к лицу́ face to face; к тому́ же besídes, moreóver; к сча́стью lúckily

кабал||а́ sérvitude, bóndage; попа́сть в ~у́ к кому́-л. be entírely depéndent on smb.

каба́н wild boar

кабачо́к I *бот.* végetable márrow; squash *(амер.)*

кабачо́к II small réstaurant

ка́бель cable

каби́на cábin; душева́я ~ shówer (room); ~ для голосова́ния pólling-booth; ~ ли́фта lift car; ~ пило́та cóckpit; ~ косми́ческого корабля́ space cábin

кабине́т **1.** stúdy; ~ врача́ consúlting-room; súrgery *(хирурга)* **2.** *полит.* cábinet

каблу́к heel; на высо́ком ~е́ hígh-heeled; на ни́зком ~е́ lów-heeled; на сре́днем ~е́ médium-heeled

каботá́ж *мор.* cóasting trade, cábotage; **~ный** cóastal; ~ное пла́вание cóastal navigátion

кавалер||и́йский cávalry *attr.*; ~**и́ст** cávalryman

кавале́рия cávalry; лёгкая ~ light horse

ка́верзный *разг.* trícky; ~ вопро́с a tícklish *(или* a trícky) quéstion

кавка́зский Caucásian

кавы́чки invérted cómmas; quotátion marks *(при цитате)*

ка́дка tub

кадр *кино* still; frame

ка́дровый *воен.* régular

ка́дры básic personnél *sg.*; staff; spécialists; квалифици́рованные ~ skilled wórkers; trained spécialists

кады́к Ádam's apple

каждодне́вный dáily, éveryday

ка́ждый 1. *прил.* each, évery; ~ день évery day; ~ из нас each of us **2.** *как сущ.* éveryone

ка́жется it seems; он, ~, дово́лен he seems to be sátisfied

каза́к Cóssack

каза́рмы bárracks

каза́||ться seem; look *(выглядеть)*; ~лось бы one would think

каза́х Kazákh; ~**ский** Kazákh; ~ский язы́к Kazákh, the Kazákh lánguage

казённый 1. state *attr.*; góvernment *attr.*; на ~ счёт at públic expénse **2.** *(бюрократический)* fórmal; ~ язы́к officialése; ~ подхо́д bureaucrátic appróach

казна́ tréasury; ~**чéй** tréasurer

казни́ть éxecute

казн||ь execútion; пригово́рить к сме́ртной ~и séntence to death

кайма́ édging, bórder

как I *нареч.* how; what; ~ пожива́ете? how are you?; ~ жа́рко! how hot it is!; ~ он э́то сде́лал? how did he do it?; ~ вас зову́т? what is your name? ◇ ~ ни... howéver; ~ ни стара́йтесь howéver hard you may try; ~ бы то ни́ было howéver it may be; вот ~! réally!; you don't say so!; ~ сказа́ть how can one say; ~ знать who knows; ~ когда́ it depénds

как II *союз* **1.** *(при сравнении)* as, like; он сде́лал, ~ вы сказа́ли he did as you told him; широ́кий ~ мо́ре wide as the sea; ~ ..., так both... and...; ~ а́рмия, так и флот both the ármy and the návy **2.** *(о времени)*; по́сле того́ ~, с тех пор ~ since; в то вре́мя ~ while **3.** *(что) не переводится*: я ви́дел, ~ она́ ушла́ I saw her go ◇ ~ ви́дно appárently; ~ наприме́р as for ínstance; ~ раз just; ~ бу́дто as if; ~ вдруг when all of a súdden

кака́о cócoa

ка́к-нибудь *нареч.* **1.** sómehow; in some way or óther **2.** *(когда-нибудь в будущем)* some time **3.** *(небрежно)* ánуhow

како́в *мест.* what; ~**ы́** результа́ты? what are the resúlts? ~ он собо́й? what does he look like?; ~ы́ результа́ты игры́? what is the score of the game? ◇ ~! how do you like him!; ~**о́** *нареч.* how

как||о́й *мест.* what; which *(какой из)*; тако́й..., ~ such... as; ~ бы то ни́ было whatéver; ~и́м о́бразом? how?; ~и́е духи́ вы мне рекоменду́ете? what pérfume can you recommе́nd me?

како́й-нибудь *мест.* some; ány *(в отрицат. и условн. оборотах)*; abóut, some *(перед числ. с сущ.)*; он сде́лал э́то в каки́е-нибудь 2-3 ме́сяца he did it in some 2-3 months

како́й-то *мест.* **1.** some **2.** *(похожий на)* a kind of; sómething like

ка́к-то *нареч.* **1.** *(однажды)* one day **2.** *(каким-то образом)* sómehow

каламбу́р pun

каланча́ wátch-tower; пожа́рная ~ fíre-tower

кале́ка cripple

календа́рный cálendar *attr.*

календа́рь cálendar; насто́льный ~ desk *(или* lóose-leaf) cálendar; отрывно́й ~ téar-off cálendar

кале́ни||е incandéscence; бе́лое ~ white heat ◇ довести́ кого́-л. до бе́лого ~я *разг.* make smb. hópping mad, infúriate smb.

кале́чить cripple

кали́бр cálibre, gauge

ка́лий *хим.* potássium

кали́на guélder-rose

кали́тка wícket(-gate)

кало́рия *физ.* cálorie

кало́ши *см.* гало́ши

ка́лька trácing-paper

калькуля́ция calculátion

кальсо́ны dráwers, pants

ка́льций *хим.* cálcium

камени́стый stóny, rócky

каменноу́гольн||ый coal *attr.*; ~ бассе́йн cóal-field; ~ая промы́шленность cóal-mining índustry

ка́менный stone *attr.*; ~ у́голь coal

каменоло́мня quárry

ка́менщик máson, bricklayer

ка́м||ень stone; не оста́вить ~ня на ~не raze to the ground

ка́мера 1. *(в тюрьме)* cell; ward **2.** *фото* cámera **3.** *тех.* chámber ◇ ~ **хране́ния** бага́жа clóak-room

ка́мерный chámber *attr.*; ~ конце́рт chámber cóncert

камерто́н *муз.* túning fork

ками́н fíre-place

камо́рка clóset, cell

кампа́ния campáign

камфара́ cámphor

камы́ш reed

кана́ва ditch; gútter *(сточная)*; drain *(осушительная)*

кана́д||ец Canádian; **~ский** Canádian

кана́л canál *(морской; тж. перен.)*; chánnel; судохо́дный ~ navigátion canál; **~иза́ция** séwerage

канаре́йка canáry

кана́т rope; cable *(якорный)*

канва cánvas; *перен.* gróundwork

кандалы́ shackles, fétters

кандида́т cándidate ◇ ~ нау́к báchelor of science; **~у́ра** cándidature; вы́ставить чью-л. ~у́ру nóminate smb.

кани́кулы hólidays; vacátion

sg. *(студенческие)*; recéss *sg.* *(в парламенте, суде)*

канонéрка *мор.* gúnboat

кант píping *(отделка платья)*

канýн eve

кáнуть: ~ в вéчность pass ínto oblívion

канцеляр||ия óffice; **~ский** óffice *attr.*; clérical; ~ские принадлéжности státionery *sg.*, wríting matérials

кáп||ать drop, drip ◇ над нáми не ~лет *разг.* ≅ there is no húrry; we are not in a húrry

капельди́нер *театр.* úsher, bóx-keeper, box atténdant

кáпельк||а dróplet; ~ росы́ déw-drop; ни ~и not the least little bit

капитáл cápital; крýпный ~ big búsiness

капитал||и́зм cápitalism; **~и́ст** cápitalist; **~исти́ческий** cápitalist

капиталовложéние invéstment

капитáльн||ый cápital; ~ое строи́тельство cápital constrúction; ~ая стенá chief wall; ~ ремóнт thórough repáirs

капитáн cáptain

капитул||и́ровать capítulate; **~я́ция** capitulátion

капкáн trap

кáпл||я drop; по ~е drop by drop ◇ ни ~и not a bit; похóжи как две ~и воды́ as like as two peas; послéдняя ~ the last straw

кáпнуть *см.* кáпать

капри́з whim; capríce; **~ничать** be caprícious; **~ный** caprícious; uncértain *(неустойчивый)*

капрóн kápron *(kind of nylon)*

кáпсула cápsule

капýста cábbage; ки́слая ~ sáuerkraut

капюшóн hood

кáра retribútion

карáбкаться clámber

каравáй round loaf

каравáн **1.** caraván **2.** *мор.* cónvoy

карáкул||и *разг.* scrawl *sg.*; писáть ~ями scrawl, scribble

карáкуль astrakhán

карамéль cáramel

карандáш péncil; цветнóй ~ cóloured péncil, cráyon; хими́ческий ~ indélible péncil

каранти́н quárantine

карапýз *разг.* tot, little féllow

карáсь crúcian

карá||тельный púnitive; **~ть** púnish; vísit with retribútion

караýл guard; почётный ~ guard of hónour; нести́ ~ be on guard ◇ ~! *(на помощь)* help!; **~ить** guard; watch *(over)*

карбóлов||ый: ~ая кислотá *хим.* carbólic ácid

карбюрáтор *тех.* cárburettor

карé||л Karélian; **~льский** Karélian ◇ ~льская берёза sílver birch

карéта cárriage; coach ◇ ~ скóрой пóмощи ámbulance(-car)

кáрий brown, házel

карикатýр||а caricatúre; cartóon *(политическая)*; **~ный** caricatúre *attr.*

каркáс fráмework

кáрк||ать, ~нуть croak, caw

ка́рлик dwarf; **~овый** dwárfish

карма́н pócket; боково́й ~ side pócket; за́дний ~ híp-pocket ◇ э́то мне не по ~у *разг.* this is beyónd my pócket *(или* means); не лезть за сло́вом в ~ *разг.* have a réady tóngue; **~ник** píckpocket; **~ный** pócket *attr.;* ~ный фона́рик pócket torch, flásh-light; ~ный слова́рь pócket díctionary; ~ные часы́ (pócket-)watch *sg.*

карнава́л cárnival

карни́з *архит.* córnice

карп carp

ка́рт||а 1. *геогр.* map; chart *(морская)* **2.** *(игральная)* card ◇ ста́вить на ~у stake; раскры́ть свой ~ы turn up one's cards, show one's hand

карта́вить speak with a burr

карте́ль *эк.* cartél

карте́чь cáse-shot

карти́н||а 1. pícture; óil-painting *(маслом)* **2.** *театр.* scene; **~ка** print, illustrátion; кни́га с ~ками pícture-book

карти́нн||ый picturésque; ~ая галере́я pícture-gallery

карто́н cárdboard; **~ка** *(для шляп)* cárdboard hát-box

картоте́ка card índex

карто́фель potátoes *pl.;* **~ный** potáto *attr.*

ка́рточка card; ~ ку́шаний ménu; фотографи́ческая ~ phótograph

карто́шка *разг. см.* карто́фель

карту́з peaked cap

карусе́ль mérry-go-round

ка́рцер púnishment room, deténtion house

карье́р I *(аллюр)* rápid gállop, full gállop; **~ом** at full speed

карье́р II *горн.* quárry; sánd-pit *(песчаный)*

карье́р||а caréer; де́лать ~у make one's *(или* а) caréer; **~и́ст** caréerist

каса́тельная *мат.* tángent

каса́ться 1. touch **2.** *(упоминать о)* touch *(upon)* **3.** *(иметь отношение)* concérn ◇ что каса́ется меня́ as far as I am concérned, for my part

ка́ска hélmet

ка́сса 1. bóoking-office *(билетная);* cásh-desk *(в магазине);* bóx-office *(театральная)* **2.:** ~ взаимопо́мощи mútual aid fund; ~-автома́т slót-machine

кассацио́нн||ый *юр.:* ~ суд Court of Appéal; ~ая жа́лоба compláint to the Court of Appéal

корса́ци||я

касса́ци||я *юр.* appéal; пода́ть на ~ю refér to the Court of Appéal

кассе́та *фото* cassétte

касси́р cashíer

ка́ста caste

касто́ров||ый: ~ое ма́сло cástor oil

кастр||а́ция castrátion, emasculátion; **~и́ровать** castráte

кастрю́ля sáucepan, pot

катало́г cátalogue

ката́ние dríving; ~ верхо́м ríding; ~ на ло́дке bóating; ~ на конька́х skáting

ката́р catárrh

катара́кта *мед.* cátaract

катастро́ф||а catástrophe; железнодоро́жная ~ ráilway áccident; **~и́ческий** catastróphic

ката́ть 1. *(возить)* drive, take for a drive **2.** *(что-л.)* *см.* кати́ть **3.** *(раскатывать)* roll out *(тесто)*; **~ся** go for a drive *(в автомобиле, экипаже)*; ~ся на ло́дке go rówing; go bóating; ~ся на конька́х skate

катафа́лк hearse, bíer

категори́ческ||и *нареч.* categórically; **~ий** categórical, explicit

катего́ри||я cátegory; пе́рвой ~и of the first cátegory

ка́тер *мор.* cútter; торпе́дный ~ torpédo-boat

ка́тет *мат.* cáthetus

кати́ть(ся) roll

като́д *физ.* cáthode; **~ный** *физ.* cathódic

като́к *спорт.* skáting-rink; ле́тний ~ artifícial íce-rink

като́лик (Róman) Cátholic

ка́тор||га pénal sérvitude, hard lábour; **~жа́нин** *уст.* éx-cónvict; **~жник** *уст.* cónvict; **~жный:** ~жные рабо́ты *см.* ка́торга

кату́шка 1. bóbbin; spool *(текст.)* **2.** *эл.* coil

каучу́к rúbber; **~оно́сы** rúbber-bearing plants

кафе́ café; ~ самообслу́живания sélf-service cafetéria; ле́тнее ~ ópen-áir café

ка́федр||а (sub-)fáculty; заве́дующий ~ой филосо́фии hólder of the chair of philósophy

кача́||лка rócking-chair; **~ние** swínging, rócking

кача́||ть 1. rock, swing; shake; ~ голово́й shake one's head **2.** *(насосом)* pump; ◇ ло́дку си́льно ~ло the boat was rólling *(или* pítching) héavily; **~ться 1.** rock, swing **2.** *(пошатываться)* stágger

каче́ли swing *sg.*

ка́чественный quálitative

ка́честв||о quálity; вы́сшего ~а best quálity; плохо́го ~а bad quálity; коли́чество перехо́дит в ~ quántity is transfórmed ínto quálity ◇ в ~е *(кого-л.)* in the capácity of, as

ка́чк||а tóssing; rólling *(бокова́я)*; pítching *(килева́я)*; не переноси́ть ~и be a bad sáilor

качну́ть *см.* кача́ть; **~ся** sway

ка́ш||а gruel; pórridge; *перен.* mess, jumble ◇ завари́ть ~у *разг.* make a mess; расхлёбывать ~у *разг.* put things right; с ним ~и не сва́ришь you can't get alóng with him; сапоги́ про́сят ~и boots are gáping at the toes

ка́ш||ель cough; **~лять** cough

кашне́ múffler, scarf

кашта́н chéstnut; **~овый** chéstnut

каю́та cábin; státe-room

ка́яться repént; он сам тепе́рь ка́ется he is now repéntant himsélf

квадра́т square; возводи́ть в ~ *мат.* square; **~ный** square; ~ный ко́рень *мат.* square root; ~ное уравне́ние *мат.* quadrátic equátion

ква́к||ать, ~нуть croak

квалифи||ка́ция lével of profíciency, proféssional skill; qualificátion; повыше́ние ~ка́ции ráising the lével of one's skill; **~ци́рованный** skilled; quálified; ~ци́рованный труд skilled lábour; **~ци́ровать** eváluate, éstimate

кварта́л **1.** *(часть города)* block **2.** *(четверть года)* quárter

кварте́т *муз.* quartét

кварти́р||а **1.** flat; apártment *(амер.)*; lódgings *pl.*; ~ и стол board and lódging; она́ сдаёт **~у** she lets lódgings, she takes lódgers **2.** *мн.*: ~ы *воен.* quárters, bíllets; **~а́нт** lódger; **~ный:** ~ная пла́та rent

кварц quartz

квас kvass

квасцы́ álum *sg.*

ква́шеный sour; léavened

кве́рху *нареч.* up, úpwards

квита́нция recéipt; бага́жная ~ bággage check

кви́ты *разг.* quits

кво́рум quórum

ке́гли skittles

кедр cédar; **~о́вый** cédar *attr*; ~о́вый opéx cédar nut

кекс cake

ке́лья cell

кем *тв. см.* кто; ~ **вы** рабо́таете? what is your occupátion?

кенгуру́ kangaróo

ке́пка cap

кера́м||ика cerámics; **~и́ческий** cerámic

кероси́н páraffin, kérosene; **~ка** óil-stove; **~овый** páraffin *attr.*

ке́т||а Sibérian sálmon; **~о́вый:** ~о́вая икра́ red cáviar(e)

кив||а́ть, ~ну́ть nod; ~ голово́й *(в знак согласия)* nod assént; **~о́к** nod

кида́ть(ся) *см.* ки́нуть(ся)

кий (bílliard) cue

кило́ *см.* килогра́мм

килова́тт *эл.* kílowatt

килогра́мм kílogram(me)

киломе́тр kílometer

киль *мор.* keel

ки́лька sprat

кинематогра́фия cinematógraphy

кинжа́л dágger

кино́ cínema; móvies *pl.* *(амер.)*; píctures *pl.*; звуково́е ~ sóund-film; **~арти́ст** film áctor; **~журна́л** néws-reel; **~зри́тель** fílm-goer; **~опера́тор** cámeraman; **~режиссёр** mótion pícture prodúcer; **~сту́дия** film stúdio; **~сцена́рий** scenário, fílm script

кино||съёмка fílming; **~теа́тр** cínema; **~фи́льм** film; **~хро́ника** néws-reel

ки́нуть throw, cast; **~ся** throw onesélf; ~ся бежа́ть dart off

кио́ск kiósk, booth; кни́жный ~ bóokstall

ки́па pile; stack *(бумаги)*; bale, pack *(хлопка)*

кипари́с cýpress

кипе́ние bóiling

кип||е́ть boil; ~ ключо́м be on the boil ◇ рабо́та ~и́т work is in full swing, things are fáirly húmming

кипу́чий bóiling; *(неутомимый)* tíreless

кипя||ти́льник immérsion héater; **~ти́ть** boil; **~ти́ться** be boiled; *перен.* be excited

кипя||то́к bóiling wáter; **~чёный** boiled

кирги́з Kirghíz; **~ский** Kirghíz; **~ский** язы́к Kirghíz, the Kirghíz lánguage

кирка́ píckaxe

кирпи́ч brick; **~ный** brick *attr.;* ~ный заво́д brick works; ~ная кла́дка bríckwork

кисе́ль kissél

кисе́т tobácco-pouch

кислоро́д *хим.* óxygen; **~ный** oxýgenous

кислота́ *хим.* ácid

ки́слый sour ◇ ~ вид sour look, long face

ки́сточка brush; ~ для бритья́ sháving-brush

кисть 1. brush **2.** *(винограда)* bunch **3.** *(руки́)* hand **4.** *(украшение)* tássel

кит whale

кита́||ец Chínése, Chínaman; **~йский** Chínése; ~йский язы́к Chínése, the Chínése lánguage

кичи́ться *(чем-л.)* boast *(of)*, show off

кичли́в||ость árrogance; **~ый** árrogant

кише́ть throng; teem *(with)*

кише́чн||ик *анат.* intéstines *pl.*; **~ый** intéstinal

кишка́ *анат.* intéstine

кишмя́ *нареч.*: ~ кише́ть *разг.* teem *(with)*

клавиату́ра kéyboard

кла́виш(а) key

клад tréasure

кла́дбище cémetery

кла́дка *тех.* láying; ка́менная ~ másonry

клад||ова́я pántry; stóre-room *(для товаров)*; **~овщи́к** stórekeeper

кла́няться 1. bow *(to, before)*; greet *(приветствовать)* **2.** *(передавать привет)* send one's regárds **3.** *(униженно просить)* húmbly beg

кла́пан valve

кларне́т *муз.* clárinet

класс I *полит.* class; рабо́чий ~ wórking class

класс II **1.** *(подразделение)* class **2.** *(в школе)* class, form; grade *(амер.)*; cláss-room *(комната)*

кла́ссик clássic

классифи||ка́ция classificátion; **~ци́ровать** clássify, class

класси́ческий clássical

кла́ссн||ый: ~ая ко́мната schóol-room, cláss-room; ~ые заня́тия léssons; ~ая доска́ bláckboard

кла́ссов||ый class *attr.;* ~ая борьба́ struggle; ~ое созна́ние cláss-cónsciousness

класть put; place *(помещать)* ◇ ~ я́йца *(о птице)* lay eggs; ~ под сукно́ put únder dust cóvers, shelve

клева́ть peck *(о птице)*; bite *(о рыбе)* ◇ ~ но́сом *разг.* nod

кле́вер clóver

клевет||а́ slánder, líbel, cálumny; **~а́ть** slánder, calúmniate; **~ни́к** slánderer, calúmniator; **~ни́ческий** slánderous, calúmnious

клеёнка óil-cloth

кле́ить glue; paste

кле́иться stick ◇ рабо́та не кле́ится the work is not gétting on

клей glue; paste *(мучной)*
кле́йкий sticky
клейми́ть brand; *перен. тж.* stígmatize
клеймо́ brand; фабри́чное ~ trade mark
клён maple
клепа́ть *тех.* rívet
кле́т||ка 1. *(помещение)* cage **2.** *(рисунок)* check; в ~ку checked; check *attr.* **3.** *биол.* cell; **~очка** *биол.* cell; **~ча́тка** *биол.* céllular tíssue; **~чатый** *(о материи)* chéckered
клешня́ claw, nípper
кле́щи́ pincers
клие́нт clíent, cústomer; **~ýра** clientéle [kli:ɑ̃:n'teɪl]
кли́зма énema
кли́ка clique
кли́мат clímate; **~и́ческий** climátic
клин wedge
кли́ника hóspital
клино́к blade
клич call; боево́й ~ wár-cry
кли́чка álias; níckname *(человека)*; name *(животного)*
кло||к shred, piece; tuft, wisp *(воло́с)*; разорва́ть в ~чья tear to shreds *(или* pieces)
клокота́ть boil, seethe, bubble óver
клон||и́ть 1. inclíne; bend **2.** *перен.* drive *(at)*; к чему́ ты кло́нишь? what are you dríving at?; меня́ кло́нит ко сну I am sléepy; **~и́ться** bend, inclíne; де́ло кло́нится к развя́зке mátters are móving towárds a solútion; день ~и́лся к ве́черу évening was appróaching

клоп béd-bug
кло́ун clown
клочо́к scrap *(бумаги)*; wisp *(сена)*; plot *(земли́)*
клуб I club
клуб II *(дыма и т. п.)* puff; ~ы́ пы́ли clouds of dust
клу́бень *бот.* túber
клуби́ться wreathe, curl
клубни́ка stráwberry
клубо́к ball; *перен.* tangle; ~ противоре́чий a wélter of contradíctions
клу́мба (flówer-)bed
клык fang; tusk *(слона, моржа и т. п.)*; cánine tooth *(у человека)*
клюв beak
клю́ква cránberry
клю́нуть *см.* клева́ть
ключ I key; *перен. тж.* clue
ключ II *муз.* key, clef
ключ III *(источник)* spring ◇ бить ~о́м be in full swing
ключи́ца *анат.* cóllar-bone, clávicle
клю́шка hóckey stick
кля́кса blot
кля́нчить *разг.* be for éver ásking for
кля́сться swear
кля́т||ва oath; **~венный** on oath *(после сущ.)*; дать ~венное обеща́ние prómise on oath
кля́уз||а *разг.* cávil; **~ничать** *разг.* cávil
кля́ча jade
кни́га book; ~ жа́лоб и предложе́ний compláints and suggéstion book
книгопеча́тание prínting
книгохрани́лище líbrary
кни́ж||ка 1. *уменьш. от* книга **2.** *(для записей)* nóte-book **3.**

(документ) book; пенсио́нная ~ pénsion card; че́ковая ~ chéque-book; положи́ть де́ньги на ~ку depósit móney at a sávings-bank; **~ный 1.** book *attr.;* ~ный магази́н bóokshop; bóokstore *(амер.)* **2.** *перен.* líterary, bóokish

кни́зу *нареч.* dównwards

кно́пка 1. *(звонка и т. п.)* púsh-button **2.** *(канцелярская)* dráwing-pin **3.** *(на одежде)* préss-stud; snápper; snáp-fástener *(амер.)*

кнут whip

князь prince

ко *см.* к

коали́ция coalítion

кобура́ hólster

кобы́ла mare

ко́ваный forged; hámmered

кова́р||ный perfídious, tréacherous; **~ство** pérfidy, tréachery

кова́ть 1. forge **2.** *(подковывать)* shoe ◇ куй желе́зо, пока́ горячо́ *посл.* strike while the íron is hot

ковёр cárpet; rug *(небольшой)*

кове́ркать distórt; *перен.* spoil

ко́вк||а 1. fórging **2.** *(лошади)* shóeing; **~ий** málleable

коври́жка hóney-cake

ковш scoop, búcket

ковы́ль féather-grass

ковыля́ть hobble, stump; toddle *(о ребёнке)*

ковыря́ть *разг.* **1.** pick **2.** *(делать неумело)* make a bad job of smth.; **~ся** *разг.* mess abóut

когда́ *нареч.* when; ~ бы ни whenéver: **~-нибудь** *нареч.* some time, some day *(в будущем)*; éver *(в прошлом)*; **~-то** *нареч.* fórmerly, once

кого́ *рд., вн. см.* кто

ко́готь claw

ко́декс code; гражда́нский ~ cívil code; уголо́вный ~ críminal code

ко́е-где́ *нареч.* here and there

ко́е-ка́к *нареч.* **1.** *(небрежно)* ányhow **2.** *(с трудом)* with dífficulty

ко́е-како́й *мест.* some

ко́е-кто́ *мест.* sómebody; some péople *pl.*

ко́е-куда́ *нареч.* sómewhere

ко́е-что́ *мест.* sómething; a little *(немного)*

ко́ж||а 1. skin **2.** *(материал)* léather ◇ из ~и лезть *разг.* lay onesélf out; **~аный** léathern

коже́в||енный léather-prócessing; ~ заво́д tánnery; **~ник** tánner

ко́жиц||а 1. thin skin; ~ колбасы́ sáusage skin **2.** *(плода)* peel; снима́ть ~у peel

кожура́ rind, peel

коз||а́ shé-goat; **~ёл** (bílly-)-goat; **~лёнок** kid

ко́злы 1. *(экипажа)* coach-box *sg.* **2.** *(подставка)* trestle *sg.*

ко́зни machinátions, intrígues; стро́ить ~ scheme

козырёк peak; vísor

козырну́ть *см.* козыря́ть

ко́зыр||ь trump; ходи́ть ~ем lead *(или* play) a trump

козыря́ть *карт.* trump; *перен.* play one's trump card

ко́йка cot; bunk; berth *(корабельная)*

коке́т||ка coquétte; **~ливый**

coquéttish; **~ничать** coquét, flirt; **~ство** coquétry, flirtátion

коклю́ш *мед.* (w)hóoping-cough

коко́сов||ый: ~ оре́х cóco-nut; ~ая па́льма cóco-nut tree

кокс coke

кол stake ◇ ни ~а́ ни двора́ *разг.* néither house nor home, not a thing in the world

ко́лба *хим.* retórt

колбаса́ sáusage; варёная ~ boiled sáusage; копчёная ~ smoked sáusage; ли́верная ~ líver sáusage

колго́тки tights

колдовство́ wítchcraft

колду́н wízard; **~ья** witch

колеб||а́ние 1. *физ.* oscillátion, vibrátion **2.** *(изменение)* fluctuátion **3.** *(нерешительность)* hesitátion; **~а́ть** *в разн. знач.* shake; **~а́ться 1.** *(о маятнике)* óscillate **2.** *(о температуре)* flúctuate **3.** *(не решаться)* hésitate

коле́н||о 1. knee; стать на ~и kneel; по ~ knée-hígh; knée-déep **2.** *тех.* bend

коле́нчатый: ~ вал cránk-shaft

колесни́ца cháriot

колесо́ wheel ◇ вставля́ть кому́-л. па́лки в колёса *разг.* put a spoke in smb.'s wheel

коле́чко ríinglet

коле||я́ 1. rut **2.** *ж.-д.* line, track ◇ вы́битый из ~и́ off the rails, únséttled

коли́чественн||ый quántitative; ~ое числи́тельное cárdinal númber

коли́чество quántity; amóunt *(сумма)*; númber *(число)*

ко́лк||ий *(колючий)* príckly; *перен.* stínging, bíting; **~ость** stínging remárk

колле́га cólleague

колле́гия board; суде́йская ~ *спорт.* júdges *pl.*, board of referées

коллекти́в colléctive (bódy); group

коллективиза́ция collectivizátion

коллекти́вн||ый colléctive; ~ое хозя́йство *(колхоз)* colléctive farm

коллекцион||е́р colléctor; **~и́ровать** colléct

колле́кция colléction

коло́да I *(бревно)* log

коло́да II *(карт.)* pack

коло́дец well

коло́дка last ◇ о́рденская ~ médal ríbbon

ко́локол||ол bell; уда́рить в ~ strike the bell; **~о́льня** bélfry, bell tówer

колоко́льчик 1. bell **2.** *бот.* blúebell

колониали́зм colónialism

колониа́льн||ый colónial; ~ые стра́ны cólonies

колониза́ция colonizátion

колони́ст cólonist

коло́ния cólony

коло́нка 1. *(при ванне)* géyser; **2.:** бензи́новая ~ fílling státion

коло́нна *в разн. знач.* cólumn

колори́тный picturésque, vívid

ко́лос ear; **~и́ться** form ears, be in the ear

колосники́ *тех.* fíre-bars

колосса́льный enórmous, huge

колоти́ть beat; ~ в дверь bang on the door

ко́лотый: ~ са́хар lump súgar

коло́ть I *(булавкой и т. п.)* prick; thrust, stab *(штыком)*; sting *(о колючке и т. п.)* ◇ ~ глаза́ кому́-л. ~ be a thorn in smb.'s side *(или* flesh)

коло́ть II *(дрова)* chop; ~ са́хар break súgar; ~ оре́хи crack nuts

колпа́к cap; стекля́нный ~ béll-glass ◇ держа́ть под стекля́нным ~о́м wrap in cótton wool, keep únder a glass case

колу́н axe

колхо́з (коллекти́вное хозя́йство) kolkhóz, colléctive farm; **~ник** colléctive fármer; **~ный** colléctive-farm *attr.*

колыбе́ль cradle ◇ с колыбе́ли from the cradle; **~ный:** ~ная пе́сня lúllaby

колых||а́ть(ся), ~ну́ть(ся) sway; flícker *(о пламени)*

ко́лышек peg

кольну́ть *см.* коло́ть I

кольцево́й círcular

кольцо́ ring

кольчу́га *ист.* chain mail

колю́ч||ий príckly; thórny *(имеющий шипы)*; ~ая про́волока barbed wire; **~ка** thorn prickle

коля́ска cárriage; де́тская ~ perámbulator; pram *разг.*

ком lump; ball *(сне́га)*; clod *(земли́)* ◇ пе́рвый блин ~ом one learns by one's mistákes, ≅ walk befóre you run

кома́нд||а 1. *(приказ)* commánd; по ~е at the commánd *(of)* **2.** crew *(мор.)*; team *(спорт.)*

команди́р commánder

командир||ова́ть send on an offícial jóurney *(или* trip); **~о́вка** offícial jóurney, búsiness trip

кома́ндн||ый commánding; ~ соста́в commánders *pl.*; ~ое пе́рвенство *спорт.* team's chámpionship

кома́ндова||ние commánd; héadquárters *pl.*; **~ть** give órders, commánd

кома́ндующий commánder

кома́р gnat, mosquíto

комба́йн cómbine; **~ер** cómbine dríver *(или* óperator)

комбин||а́т works, plant; ~ бытово́го обслу́живания éveryday sérvice céntre, pérsonal-sérvice shop; **~а́ция 1.** combinátion **2.** *(бельё)* slip ◇ ло́вкая ~ cráfty trick

комбинезо́н óveralls *pl.*

комбини́ровать combíne

коме́дия cómedy; музыка́льная ~ músical cómedy

коменда́||нт 1. *воен.* commandánt; ~ го́рода town májor **2.** *(здания)* superinténdent; **~ту́ра** commandánt's óffice; town-major's óffice

коме́та cómet

ко́мик cómic áctor; comédian; *перен. разг.* húmorist, wit

комисса́р 1. commissár **2.** *(за границей)* commíssioner

комиссариа́т commissáriat

комиссио́нный: ~ магази́н commíssion shop

коми́ссия commíssion, commíttee of éxperts

комите́т commíttee; Центра́льный Комите́т Céntral Commíttee

коми́ч||еский cómic; **~ный** cómical

ко́мкать crumple

коммент||а́рий cómmentary; **~и́ровать** cómment *(on, upon)*

комме́рческий commércial

комму́на cómmune; Пари́жская Комму́на *ист.* the Cómmune of Páris

коммуна́льн||ый cómmunal; munícipal; ~ое хозя́йство munícipal ecónomy; ~ые услу́ги públic utílities

коммуна́р *ист.* Cómmunard

коммуни́зм cómmunism

коммуника́ция communicátion; *воен.* line of communicátion

коммуни́ст cómmunist; **~и́ческий** cómmunist; коммунисти́ческая па́ртия Cómmunist Párty

коммута́тор switchboard; cómmutator

ко́мнат||а room; **~ный** room *attr.*; ~ные цветы́ índoor plants

комо́д chest of dráwers

комо́к lump; сверну́ться в ~ curl up in a ball ◇ ~ в го́рле ≅ a lump in the throat

компа́ктный compáct; sólid

компа́н||ия cómpany; párty; води́ть ~ию *разг.* consórt *(with)*; соста́вить ~ию keep cómpany

компаньо́н compánion, pártner

ко́мпас cómpass

компенс||а́ция compensátion; **~и́ровать** cómpensate *(for)*; récompense; make up *(for)*

компете́н||тный cómpetent; **~ция** cómpetence; э́то не в мое́й ~ции I am not the cómpetent authórity; it's not up my street *разг.*

компиля́ция compilátion

ко́мплекс cómplex; ~ неполноце́нности inferióritу cómplex; **~ный**: ~ная механиза́ция се́льского хозя́йства cómplex mechanizátion of ágriculture

компле́кт compléte set; ~ белья́ set of únderclothes; **~ова́ть** colléct sets *(of)*; supplý *(снабжать)*; ~ова́ть полк bring a régiment up to strength

компле́кция build, (bódily) constitútion

комплиме́нт cómpliment

компози́||тор compóser; **~ция** composítion

компости́ровать *ж.-д.* punch

компо́т stewed fruit, cómpote

компре́сс cómpress; поста́вить согрева́ющий ~ applý a hot cómpress

компромети́ровать cómpromise

компроми́сс cómpromise; идти́ на ~ make a cómpromise

комсомо́л (коммунисти́ческий сою́з молодёжи) Kómsomol, the Young Cómmunist League; **~ец, ~ка** mémber of the Young Cómmunist League, mémber of Kómsomol

комсомо́льский Kómsomol *attr.*; ~ биле́т Kómsomol mémbership card, Kómsomol card

кому́ *дт. см.* кто

комфо́рт cómfort; **~а́бельный** cómfortable

конве́йер convéyor; **~ный** convéyor *attr.*

конве́нция convéntion

конве́рт énvelope, cóver

конвои́ровать convóy, escórt

конвóй cónvoy, éscort, guard

конвýльсия convúlsion

конгрéсс cóngress; Всеми́рный Конгрéсс сторóнников ми́ра World Peace Cóngress

конденс||áтор *эл.* capácitor; ~**áция** condensátion; ~**и́ровать** condénse

конди́терск||ая báker's shop; ~**ий**: ~ие товáры pástries, cakes

кондýктор guard; condúctor

коневóдство hórse-breeding

конёк *(излюбленный предмет разговора)* hóbby

кон||éц 1. *(в разн. знач.)* end 2. *(расстояние, путь)* dístance, way; **в оди́н** ~ one way; в óба ~цá there and back ◇ положи́ть ~ put an end *(to)*; врéмя подхóдит к ~цý time is néarly up; со всех ~цóв свéта from évery córner of the world; своди́ть ~цы́ с ~цáми make both ends meet; пáлка о двух ~цáх dóuble-édged wéapon; ~ — всемý дéлу венéц *погов.* all's well that ends well; в ~цé ~цóв áfter all; fínally, in the end

конéчно of course, cértainly

конéчности extrémities

конéчн||ый fínal, términal; ~ая стáнция términus ◇ в ~ом счёте últimately

кони́на hórseflesh

кони́ческий cónic

конкретизи́ровать give cóncrete expréssion *(to)*

конкрéтн||о *нареч.* specífically; ~**ый** specífic, cóncrete

конкур||éнт compétitor; ~**éнция** competítion ◇ он вне ~éнции nóbody can compéte with him; ~**и́ровать** compéte

кóнкурс competítion; ~**ный** compétitive; ~ный экзáмен compétitive examinátion

кóнница cávalry

кóнный horse *attr.*; ~ завóд stud

конопáтить caulk

конопля́ hemp; ~**ный** hémpen; ~ное мáсло hémpseed oil

консерв||ати́вный consérvative; ~**ати́зм** consérvatism; ~**áтор** consérvative

консерватóрия consérvatoire [kənˈsəːvətwɑː]

консерв||и́рование preserving (of food); ~**и́ровать** presérve, tin; can *(амер.)*

консéрвн||ый: ~ая фáбрика tinned food fáctory; cánnery; ~ая бáнка tin; can *(амер.)*

консéрвы tínned food *sg.*; canned food *sg.* *(амер.)*; овощны́е ~ tinned végetables; фруктóвые ~ tinned fruit *sg.*

конси́лиум cónference of spécialist dóctors

конспéкт súmmary; ~**и́ровать** súmmarize

конспир||ати́вный sécret; ~**áция** conspíracy

констати́ровать state, cértify

конституц||иóнный constitútional; ~**ýция** constitútion; Конститýция СССР the Constitútion of the USSR

констрýк||тор desígner; ~**ция** design, strúcture, constrúction

кóнсул cónsul

кóнсуль||ский cónsular; ~**ство** cónsulate; генерáльное ~ство cónsulate géneral

консульт||áнт consúltant; ~**áция** 1. *(совет)* consultátion; получи́ть ~áцию get an opinion **2.** *(учреждение)* consúlting room; жéнская **~á**ция matérnity wélfare céntre *(или* clínic); **~úровать** *(давать совет)* advíse *(on, about)*; **~úроваться** consúlt

контáкт cóntact; установúть ~ с кем-л. get in touch with smb.

контéкст cóntext

контингéнт 1. quóta **2.** *(группа, категория)* group; ~ студéнтов увелúчился the quóta of stúdents has been incréased

континéнт cóntinent, máinland

континентáльный continéntal

контóр||а óffice; **~ский** óffice *attr.*; **~ская** кнúга *бухг.* lédger; **~щик** clerk

контрабáнд||а cóntraband, smúggling; занимáться **~ой** smuggle; **~úст** smúggler, cóntrabandist

контрабáс *муз.* dóuble-báss

контрáкт cóntract, agréement; **~áция** contrácting; **~овáть** contráct *(for)*

контрáст cóntrast

контратáка cóunter-attack

контрибýци||я contribútion; наложúть **~ю** на когó-л. lay smb. únder contribútion

контрнаступлéние cóunter-offénsive

контрол||ёр 1. contróller, inspéctor **2.** *ж.-д.*, *театр.* tícket-colléctor; **~úровать** contról, check up, inspéct

контрóль contról, check; ~ за кáчеством inspéction to check quálity; **~ный** contról *attr.*

контрразвéдка secúrity sérvice, sécret sérvice

контрреволюционéр cóunter-revolutionary; **~юциóнный** cóunter-revolutionary; **~юция** cóunter-revolution

контý||женный contúsed; shéll-shocked; **~зить** contúse; shéll-shock; **~зия** contúsion; shéll-shock

кóнтур cóntour

конурá kénnel; *перен. разг.* dóg-house *(амер.)*

кóнус *геом.* cone

конусообрáзный cónical

конферансьé compère [ˈkɔmpɛə]

конферéнция cónference; мúрная ~ peace cónference

конфéта sweet; cándy *(амер.)*

конфиденциáльн||о confidéntially; **~ый** confidéntial

конфиск||áция confiscátion; **~овáть** cónfiscate

конфлúкт cónflict

конфýз discómfiture, embárrassment; **~ить** disconcért, embárrass, put smb. out; **~иться** be disconcérted, be embárrassed, be put out; **~ливый** báshful, shy

концентр||ациóнный concentrátion *attr.*; ~ лáгерь concentrátion camp; **~áция** concentrátion; **~úровать** cóncentrate

концéпция concéption

концéрн *эк.* búsiness concérn

концéрт cóncert; вы бы́ли на **~е**? have you been to the cóncert?

концéссия concéssion

концóвка 1. *полигр.* táilpiece **2.** conclúsion

кончáть(ся) *см.* кóнчить(ся)

кóнчик tip

кончúна death, decéase; безвре́менная ~ untímely death (*или* decéase)

ко́нч||ить fínish; ~ учёбное заведе́ние gráduate *(from)*; ~ вуз gráduate from a hígher school; ~ рабо́ту cease wórking; **~иться** end, fínish, come to an end; be óver; expíre *(о сроке)*; ва́ше вре́мя ~илось your time's up; всё ~илось благополу́чно all énded well

конъюнкту́ра situátion, state of affáirs; полити́ческая ~ polítical situátion

конь 1. horse; steed *поэт.* **2.** *шахм.* knight **3.** *спорт.* váulting-horse

коньки́ skates; беговы́е ~ rácing skates

конькобе́ж||ец skáter; **~ный** skáting

конья́к cógnac ['kounjæk], brándy

ко́нюх groom, stábleman

коню́шня stable

кооперати́в co-óperative; **~ный** co-óperative

коопер||а́ция 1. *(сотрудничество)* co-operátion **2.** *(общественная организация)* co-óperative socíeties *pl.*; **~и́рование** co-operátion; **~и́ровать** co-óperate

коопт||а́ция co-optátion; **~и́ровать** co-ópt

координ||а́ция co-ordinátion; **~и́ровать** co-órdinate

копа́ть dig, dig up; **~ся 1.** *(рыться)* rúmmage **2.** *(медлить)* dawdle

копе́йка cópeck

копи́лка móney-box

копирова́льн||ый: ~ая бума́га cárbon páper

копи́р||овать cópy; ímitate *(подражать)*; **~овщик** cópyist

копи́ть save up

ко́пи||я cópy; réplica *(картины)*; снима́ть ~ю cópy, dúplicate, make a cópy

копна́ rick, stack

ко́поть soot, lámpblack

копоши́ться 1. *(о насекомых)* swarm **2.** *разг.* *(о человеке)* pótter *(about)*

копте́ть smoke

коп||ти́ть smoke; **~чёный** smoked

копы́то hoof

копьё spear

кора́ 1. *(дерева)* bark **2.** *(земная)* crust

корабе́л *(судостроитель)* shípwright

кораблекруше́ние shípwreck

кораблестрое́ние shíp-building

кора́бл||ь ship, véssel; вое́нный ~ wárship; сади́ться на ~ go on board, embárk; на ~е́ on board ◇ сжечь свои́ ~и́ burn one's boats

кора́лл córal

кордо́н *воен.* córdon

коре́||ец Koréan; **~йский** Koréan; ~йский язы́к Koréan, the Koréan lánguage

корена́стый thícksét, stócky

корен||и́ться root; **~но́й** rádical, fundaméntal ◇ ~но́й жи́тель nátive, indígenous inhábitant, aboríginal; ~но́й зуб mólar (tooth)

ко́р||ень *(в разн. знач.)* root; вырыва́ть с ~нем upróot; erádicate *(тж. перен.)* ◇ в ~не fundaméntally, rádically; смотре́ть в ~ чего́-л. get at the root of smth.; ~ зла root of all évil; пусти́ть ~ни take root

корешо́к 1. *бот.* róotlet 2. *(книги)* back 3. *(че́ка)* cóunterfoil

корзи́н||а, ~ка básket

коридо́р córridor

корифе́й coryphǽus; léading fígure

кори́ца cínnamon

кори́чневый brown

ко́рка crust *(хле́ба)*; rind *(сыра)*

корм fórage; fódder *(сухой)*

корм||а́ *мор.* stern; на ~е́ aft, at the stern; за ~о́й astérn

корми́лец bréad-winner

корми́лица wét-nurse

корми́ть 1. feed; ~ гру́дью nurse 2. *(содержать)* keep; **~ся** live on; ~ся уро́ками make a líving by gíving léssons

кормов||о́й fódder *attr.*; ~ы́е культу́ры fódder crops

корму́шка trough, mánger

ко́рмчий hélmsman

корневи́ще rhízome

корнев||о́й root *attr.*; ~а́я часть сло́ва root of the word; ~ы́е слова́ root words

корнепло́ды róot-crops

коро́бить warp; *перен.* shock; **~ся** warp

коро́бка box; ~ конфе́т box of sweets

коро́в||а cow; **~ий** cow *attr.*; ~ье ма́сло bútter; **~ник** ców-shed

короле́в||а queen; **~ский** róyal; **~ство** kíngdom

коро́ль king *(тж. шахм., карт.)*

коромы́сло 1. yoke 2. *(у весов)* beam

коро́на crown

коро́нк||а *(зуба)* crown; ста́вить ~у на зуб crown a tooth

короно́вать crown

корота́ть: ~ вре́мя *разг.* beguíle *(или* while awáy) the time

коро́тк||ий short; ~ие во́лны *радио* short waves ◇ быть на ~ой ноге́ с кем-л. be on a fríendly *(или* íntimate) fóoting with smb.; ~ая па́мять short mémory; ру́ки ко́ротки! ≅ you'll néver make it!

ко́ротко *нареч.* bríefly, short; ~ говоря́ in short; изложи́ть ~ state bríefly

коротково́лновый *радио* shórt-wave *attr.*

короткометра́жный: ~ фильм short film; a short *разг.*

корпе́ть *(над чем-л.) разг.* work hard *(at)*, sweat *(over)*; ~ над кни́гой pore óver a book

корпора́ция corporátion

ко́рпус 1. *(здание)* buílding 2. *воен.* corps 3. *(туловище)* bódy ◇ дипломати́ческий ~ diplomátic corps

корректи́ровать corréct

корре́ктный corréct

корре́кт||ор corréctor of the press, próof-reader; **~у́ра** proof, próof-sheet

корреспонде́н||т correspóndent; **~ция** correspóndence

корро́зия corrósion

корру́пция corrúption

корт *(теннисный)* (ténnis-) court

ко́ртик dirk

ко́рточк||и: сиде́ть на ~ах squat

корчева́ть root out

ко́рчить: ~ грима́сы make fáces; ~ из себя́ pretе́nd to be, pose as

ко́рчит||ься writhe; он ~ся от бо́ли he is wríthing with pain

ко́ршун kite; vúlture

коры́стный mе́rcenary

корысто||любúвый sе́lf-ínterested; **~лю́бие** sе́lf-ínterest, cupídity

коры́сть **1.** sе́lf-ínterest **2.** *разг. (выгода)* prófit

коры́т||о trough ◇ оказа́ться у разби́того ~а find onesе́lf no whit the bе́tter

корь *мед.* measles *pl.*

коря́вый rough; cróoked; únе́ven *(о почерке)*

коса́ I *с.-х.* scythe

коса́ II *геогр.* spit

коса́ III *(воло́с)* plait, tress, braid

коса́рь *(тот, кто косит)* mówer, háymaker

ко́свенный indirе́ct; *грам. тж.* oblíque

коси́лка *с.-х.* mówing-machine, mówer

ко́синус *мат.* cósine

коси́ть I *с.-х.* mow

коси́ть II *(о глазах)* squint

коси́ться **1.** *(поглядывать искоса)* look askánce *(at)* **2.** *(смотреть недружелюбно)* look with an únfávourable eye *(upon)*

косма́тый shággy

косме́т||ика cosmе́tics *pl.*; **~и́ческий** cosmе́tic; ~и́ческий кабине́т béauty párlour

косми́ческ||ий cósmic; ~ кора́бль spácecraft; ~ая раке́та space rócket; ~ая ста́нция space *(или* cósmic) státion

космодро́м cósmodrome

космона́вт cósmonaut, spáceman

космополи́т cosmopólitan; **~и́зм** cosmopólitanism

ко́смос cósmos, (óuter) space

ко́смы *разг.* dishе́velled hair *sg.*

ко́сность stágnancy, inе́rtness

косноязы́чный tóngue-tied

косну́ться *см.* каса́ться

ко́сный stágnant, inе́rt, slúggish

ко́со *нареч.* sídelong, aslánt

косогла́зие squint

косого́р declívity, slope

косо́й **1.** slánting **2.** *(о глазах)* squínting; *(о человеке)* squínt-eyed; ~ взгляд a scowl

косола́пый ín-toed; *перен.* clúmsy, áwkward

костёл (Pólish Róman-Cátholic) church

костёр camp fire; bónfire *(большой)*

кости́стый bóny

костля́вый ráw-boned

ко́сточка *(плода)* stone; seed

косты́ль crutch

кост||ь **1.** bone **2.** *мн.*: ~и *(игральные)* dice

костю́м cóstume; dress; *(мужской тж.)* suit; **~иро́ванный**: ~иро́ванный бал fáncy-drе́ss ball

костя́к skе́leton

костяно́й bone *attr.*; ívory *attr. (из слоновой кости)*

косы́нка thrée-córnered kе́rchief, scarf

кося́к *(окна́, двери)* jamb

кот tóm-cát

кота́нгенс *мат.* cótángent

котёл bóiler

котело́к pot, kettle; méss-tin *(солдатский)*

коте́льная bóiler-room, bóiler--house

котёнок kítten

ко́тик 1. *(животное)* fúr-seal, sea bear **2.** *(мех)* séalskin, seal; **~овый** seal *attr.*, séalskin *attr.*

котле́та cútlet, chop *(отбивная)*

котлова́н excavátion

котлови́на hóllow

кото́мка knápsack

кото́рый *мест.* **1.** *относит.* which *(об одушевл. и неодушевл. предм.)*; who *(о людях)*; that *(с ограничит. знач.)* **2.** *вопросит.* which, what, who; ~ раз? how mány times?, which time?; ~ час? what is the time?

ко́фе cóffee

кофе́йник cóffee-pot

ко́фта, ко́фточка blouse

коча́н head of cábbage

кочева́ть lead a nómad's life

коче́в||ник nómad; **~о́й** nomádic

кочега́р stóker

кочене́ть stíffen, grow numb

кочерга́ póker

кочеры́жка cábbage stump

ко́чка híllock

коша́чий cat's, cátlike; féline

кошелёк purse

ко́шка cat

кошма́р níghtmare; **~ный** áwful, hórrible

кощу́нство blásphemy

коэффицие́нт coeffícient; fáctor; ~ полéзного дéйствия effíciency

КПСС (Коммунисти́ческая па́ртия Сове́тского Сою́за) C.P.S.U. (Cómmunist Párty of the Sóviet Únion)

краб crab

кра́деный stólen

краеве́дческий: ~ музéй Muséum of Lócal Lore

краеуго́льный: ~ кáмень córner-stone

кра́жа theft; ~ со взлóмом búrglary

кра||й I bórder; edge; brim *(сосуда)*; ли́ться чéрез ~ brim óver ◇ из ~я в ~ from end to end; на ~ю свéта at the world's end; на ~ю́ ги́бели on the brink of ruin; слу́шать ~ем у́ха listen with half an ear

край II *(страна)* land; cóuntry; в нáших кра́ях in our parts, in our part of the world

кра́йне *нареч.* extrémely; ~ необходи́мый úrgent; я ~ удивлён I'm útterly amázed

кра́йн||ий extréme ◇ по ~ей мéре at least; в ~ем слу́чае in the last resórt; **~ость** extréme; extrémity; дойти́ до ~ости run to extrémes ◇ до ~ости to excéss

кран 1. *(водопроводный)* tap; fáucet *(амер.)* **2.** *тех.* crane *(подъёмный)*

крапи́ва néttle

кра́пинк||а spot; в ~у spótted, dótted

крас||а́вец hándsome man; **~а́вица** béautiful wóman, béauty

краси́вый béautiful, hándsome; fine *(изящный)*; prétty *(хорошенький)*

красѝль||ня dýe-works; **~щик** dýer

кра́с||ить cólour; paint; dye *(ткань, пряжу, волосы)*; **~иться** *разг.* make up one's face; **~ка 1.** paint; dye *(для тканей)* **2.** *(цвет, тон)* cólour

красне́ть 1. rédden, blush *(от стыда и т. п.)*; turn red **2.** *(виднеться)* show red

красноарм||е́ец Red Ármy man; **~е́йский** Red Ármy *attr.*

красногварде́ец *ист.* Red Guard

краснознамённый décorated with the Órder of the Red Bánner

красно||речѝвый éloquent; **~ре́чие** éloquence

краснощёкий réd-chéeked

кра́сн||ый red; ~ое зна́мя Red Bánner ◇ ~ уголо́к recreátion and réading room; ~ое де́рево mahógany

красова́ться pose; show off

красота́ béauty

кра́сочный cólourful, picturésque

красть steal

кра́сться sneak, creep, steal

кра́сящ||ий: ~ие веществá dýe-stuffs

кра́тер cráter

кра́ткий short, brief, concíse

кратко||вре́менный tránsitory; of short durátion, shórt-lived; **~сро́чный** shórt-térm

кра́ткость brévity

кра́т||ное *мат.* múltiple; о́бщее наиме́ньшее ~ least cómmon múltiple; **~ный** divísible

крах crash, fáilure

крахма́л starch; **~ить** starch

крахма́льный starched

кра́шеный páinted, cóloured; dyed *(о ткани, волосах)*

краю́ха hunk of bread

кредѝт crédit; покупа́ть в ~ buy on crédit; **~ный** crédit *attr.*; **~ова́ние** créditing; **~ова́ть** crédit; **~о́р** créditor

кредитоспосо́бный sólvent

кре́йс||ер crúiser; **~ѝровать** cruise

крем cream; ~ для бритья́ sháving cream; ~ для о́буви shoe pólish

крем||ато́рий crematórium; **~а́ция** cremátion

креме́нь flint

кремлёвский Krémlin *attr.*

Кремль Krémlin

кремнезём sílica

кре́м||ний *хим.* sílicon; **~нѝстый** silíceous

кре́мовый *(о цвете)* créam-coloured

крен 1. *мор.* list **2.** *ав.* bank; **~ѝть** make heel; **~ѝться** heel

креп crêpe [kreɪp]; crape *(траурный)*

крепѝть 1. stréngthen **2.** prop; suppórt *(горн.)*; reinfórce *(тех.)* **3.** *мор.* reeve; **~ся** take a hold on oneséIf; я креплю́сь ско́лько могу́ I am hólding out *(или* béaring up) as best I can

кре́п||кий *в разн. знач.* strong; firm; robúst *(здоровый)*; ~ сон sound sleep; ~ моро́з hard frost; ~ чай strong tea; **~ко** *нареч.* stróngly; fírmly; ~ко вы́ругаться swear fíercely; ~ко задýматься fall ínto deep thought; ~ко поцеловáть kiss wármly

креплéния: лыжные ~ ski bínding *sg.*

крéпнуть get strónger; *перен. тж.* get fírmly estáblished

крепостни́чество *ист.* sérfdom

крепостн||óй I *ист.* **1.** *прил.* bond; serf *attr.*; ~óе прáво sérfdom **2.** *сущ.* serf

крепостнóй II *воен.* fórtress *attr.*; ~ вал rámpart

крéпость I *воен.* fórtress

крéпость II *(прочность, сила)* strength; напи́ток ~ю до 20° a drink of 20 degrées proof

крепчáть grow strónger; blow hárder *(о ветре)*; incréase in sevérity

крéсло éasy chair, árm-chair; stall *(в театре)*

крест cross ◇ постáвить ~ на чём-л. *разг.* give smth. up for good *(или* as a bad job)

крест-нáкрест críss-cross, crósswise

крестья́н||ин péasant; **~ка** péasant-woman; **~ский** péasant *attr.*; **~ство** péasantry; трудовóе ~ство wórking péasantry

кривáя *мат.* curve

кривизнá cúrvature

криви́ть: ~ душóй speak agáinst one's convíctions

кривля́||ка *разг.* affécted pérson; **~ние** affectátion, pútting on airs; **~ться** grimáce; give onesélf airs

крив||óй **1.** cróoked, curved; ~áя ли́ния curve **2.** *разг.* *(одноглазый)* óne-eyed

кривонóгий bów-legged, bándy, bándy-legged

кривотóлки false rúmours

кри́зис crísis

крик shout, cry; call *(призыв)*

крикли́вый loud; *перен. тж.* gárish

кри́к||нуть *см.* кричáть; **~ýн** báwler

криминáльный críminal

кристáлл crýstal

кристáльн||ый crýstal-clear; ~ая чистотá crýstal púrity

критéрий critérion

кри́т||ик crític; **~ика** críticism; **~иковáть** críticize; **~и́ческий** crítical

кричá||ть shout, cry; **~щий** *(бросающийся в глаза)* loud, fláshy, stríking

кров shélter, home; лишённый ~а hómeless

кровáвый blóody

кровáть bed

крóвельн||ый: ~ое желéзо róofing íron, sheet íron

кровенóсн||ый: ~ сосýд blóod-vessel; ~ая систéма círculatory sýstem

крови́нк||а: ни ~и в лицé déathly pale

крóвля roof, róofing

крóвн||ый **1.** *(о родстве)* blood *attr.* **2.** *(о животных)* thóroughbred, blood, pédigree *attr.* **3.** *(об обиде и т. п.)* deep, gríevous, mórtal; ~ая оби́да mórtal offénce ◇ это ~ое дéло кáждого it is a mátter of close concérn to all

кровожáдный blóodthirsty

кровоизлия́ние háemorrhage

кровообращéние circulátion of the blood

кровоподтёк bruise

кровопроли́т||ие blóodshed; **~ный** blóody

крово||тече́ние bléeding; háemorrhage *(мед.)*; останови́ть ~ stop the bléeding; **~точи́ть** bleed; **~ха́рканье** spítting blood

кровь blood

кровян||о́й blood *attr.*; **~ы́е** ша́рики blood córpuscles

кро́ить cut, cut out

кро́йка cútting-out

кроке́т cróquet

крокоди́л crócodile; **~овы** слёзы crócodile tears

кро́лик rábbit

кролиководство rábbit bréeding

кроль *(стиль плавания)* crawl

кро́ме *предл.* excépt; ~ того́ besídes (that), moreóver

кро́мка edge; sélvage *(ткани)*; brim *(кружки)*

кромса́ть *разг.* shred

кро́на *(дерева)* top *(of a tree)*

кронште́йн *тех.* brácket, hólder

кропотли́в||ый labórious; *(о человеке тж.)* páinstaking; ~ая рабо́та tédious work

крот 1. mole 2. *(мех)* móleskin

кро́т||кий mild, meek, gentle; **~ость** míldness, méekness

кроха́ 1. crumb 2. *мн:* кро́хи *(остатки)* léavings, remáins

кро́хотный, кро́шечный *разг.* tíny

кроши́ть crumble

кро́шк||а 1. crumb; ни ~и not a bit 2. *(о ребёнке)* little one

круг 1. *в разн. знач.* circle; в семе́йном ~у́ in the fámily circle 2. *(знаний, интересов)* scope, sphere, range, reach; ~ интере́сов range of ínterests ◇ на ~ *разг.* on the áverage

круглоли́цый róund-faced; chúbby

кру́гл||ый round ◇ ~ год all the year round; ~ые су́тки all day and night, round the clock

кругов||о́й círcular ◇ ~а́я пору́ка group responsibílity

кругозо́р óutlook, horízon; с у́зким ~ом nárrow-mínded; с широ́ким ~ом bróad-mínded

кру́гом *нареч.*: у меня́ голова́ идёт ~ my thoughts are in a whirl; my head spins

круго́м *нареч. и предл.* round; aróund *(вокруг)*; он ~ винова́т it's his fault all the way through

кругооборо́т circulátion

кругосве́тн||ый róund-the-wórld *attr.*; ~ое путеше́ствие vóyage round the world

кружевно́й lace *attr.*, lácy

кру́жево lace

кружи́ть 1. whirl 2. *(описывать круги)* circle 3. *(плутать)* walk round in circles; **~ся** whirl, spin, go round ◇ у меня́ кру́жится голова́ I feel gíddy

кру́жка mug; ~ пи́ва glass of beer

кружо́к 1. small disk 2. *(группа людей)* circle, group

круп||а́ céreals *pl.*; **~и́нка, ~и́ца** grain

кру́пн||о *нареч.* large; ~ писа́ть write large ◇ ~ поговори́ть have it out, have words *(with)*; **~ый** 1. *(большой)* large; big; lárge-scale *attr.* *(боль-*

шого масштаба) **2.** *(выдающийся)* great; próminent

крупчатка fínest flour

крутизна stéepness

крутить 1. *(вращать)* turn **2.** *(свёртывать)* roll up; roll *(сигарету)* **~ся** turn

круто *нареч.* **1.** *(внезапно)* súddenly; abrúptly *(резко)* **2.** *(сурово)* stérnly

крут||ой 1. *(обрывистый)* steep; ~ поворот sharp turn **2.** *(внезапный)* súdden; abrúpt *(резкий)* **3.** *(суровый)* stern ◇ ~ое яйцо hárd-bóiled egg

круча précipice

крушение 1. áccident, wreck **2.** dównfall *(падение)*; rúin *(гибель)*

крыжовник góoseberry

крылатый winged

крыло wing

крыльцо porch

крымский Criméan

крыса rat

крыть cóver; coat *(краской)*; roof *(крышу)*

крыться: здесь что-то кроется there is smth. behínd this

крыша roof

крышка cóver; lid

крюк 1. hook **2.** *(окольный путь)* détour [ˈdeɪtuə]; сделать ~ *разг.* go a long way round

крючковатый hooked

крючок hook

кряж móuntain-ridge

кряк||ать, ~нуть quack

кряхтеть groan

ксёндз Pólish Cátholic priest

кстати *нареч.* **1.** *(уместно)* to the point, to the púrpose; at the same time *(заодно)*; это было бы ~ that could come in hándy **2.** *(между прочим)* by the way; как, ~, его здоровье? by the way, how is he?; ~ об этом... tálking abóut this...

кто *мест.* who; *косв.* whom; ~ это? who is that?; **тот, ~** he who; кому что нравится tastes díffer; ~ бы ни whoéver; **~-либо, ~-нибудь** sómebody; **~-то** sómeone, sómebody

куб I *мат.* cube

куб II *(котёл)* bóiler

кубарем *нареч. разг.* head óver heels

кубатура vólume

кубик *(игрушка)* brick

кубический cúbic

кубо||к góblet, cup; розыгрыш ~ка cup tóurnament

кубометр cúbic métre

кувшин jug; pítcher *(большой)*

кувыр||каться tumble; **~ком** *нареч.* tópsy-túrvy

куда *нареч.* where; ~ идёт автобус? what's the route of the bus?; ~ бы ни wheréver ◇ ~ лучше much bétter; **~-либо, ~-нибудь, ~-то** sómewhere

кудахтать cluck, cackle

кудр||и curls; **~явый 1.** cúrly; cúrly-headed *(о человеке)*; búshy *(о дереве)* **2.** *(о стиле и т. п.)* flówery

кузнец blácksmith

кузнечик grásshopper

кузнечный: ~ мех béllows *pl.*

кузница forge, smíthy

кузов bódy

кукарекать crow

кукла doll

куковать cúckoo

ку́колка *(насекомого)* chrýsalis

ку́кольный doll's; dóll-like; ~ теа́тр púppet-show

кукуру́за maize; corn *(амер.)*

куку́шка cúckoo

кула́к I fist

кула́к II *(в деревне)* kúlak

кулёк páper bag

кули́к sándpiper

кулина́рн||ый cúlinary; ~ое иску́сство art of cóokery

кули́с||ы *театр.* wings; за ~ами behínd the scenes

кулуа́ры lóbby *sg.*

кульминацио́нный cúlminating, híghest

культ cult, wórship

культиви́ровать cúltivate

культма́ссов||ый: ~ая рабо́та cúltural work amóng the másses

культрабо́та cúltural and educátion work

культу́ра I cúlture

культу́р||а II *с.-х.* cultivátion; техни́ческие ~ы indústrial crops

культу́рный **1.** cúltural; cúltured *(о человеке)* **2.** *с.-х.* cúltivated

кума́ч red búnting

куми́р ídol

кумовство́ *перен.* népotism

кумы́с kóumiss

куни́ца márten

купа́||льный báthing; ~ костю́м báthing suit; **~льня** bath house; **~льщик** báther; **~ние** báthing; **~ть** bathe; **~ться** take a bath; bathe *(в реке и т. п.)*

купе́ compártment

купе́||ц mérchant; **~ческий** mérchant *attr.*; **~чество** *собир.* the mérchants *pl.*

купи́ть buy

купле́т cóuplet

ку́пля búying, púrchase

ку́пол dome

купо́н cóupon

купоро́с *хим.* vítriol

курга́н bárrow, túmulus

курд Kurd; **~ский** Kurd; ~ский язы́к Kurd, the Kurd lánguage

кур||е́ние smóking; **~и́льщик** smóker

кури́ный hen's

кури́ть smoke; **~ ся** *(о сигарете и т. п.)* burn

ку́рица **1.** hen; fowl **2.** *(кушанье)* chícken

курно́сый snúb-nosed; ~ нос túrned-up nose

куро́к cock; взвести́ ~ cock the gun, raise the cock

куро́рт health resórt; spa *(с минеральными водами)*

курс **1.** *в разн. знач.* course; *перен. тж.* pólicy **2.** *(год обучения)* year; он на тре́тьем ~е he is in his third year **3.** *(валюты)* rate of exchánge ◇ быть в ~е be well infórmed abóut smth.; держа́ть кого́-л. в ~е keep smb. infórmed; кора́бль де́ржит ~ на юг the ship is stánding south *(или* sétting its course south)

курса́нт stúdent; mílitary cadét *(военный)*

курси́в *полигр.* itálics *pl.*

курси́ровать ply (between); парохо́д курси́рует от... до... the ship plies from... to...

ку́рсы cóurses; я слу́шаю ~ ...I'm dóing a course....

ку́ртка jácket
курча́вый cúrly; cúrly-headed *(о человеке)*
курьёз cúrious thing; **~ный** cúrious; fúnny
курье́р méssenger; cóurier
курье́рский: ~ по́езд expréss train
куря́тник hén-house
куря́щ||ий *как сущ.* smóker; ваго́н для ~их smóking-cárriage, smóker
куса́ть bite; sting *(жалить)*; **~ся** bite
кусково́й: ~ са́хар lump súgar
кус||о́к piece, bit; scrap *(обрывок, обломок)*; lump *(сахара)*; slice *(тонкий ломтик)*; разби́ть на ~ки́ break in pieces, smash to bits; **~о́чек** bit; ла́комый ~о́чек *разг.* títbit
куст bush, shrub
куста́рник búshes *pl.*; shrúbbery; заро́сший ~ом óvergrówn with scrubs
куста́рн||ый hánd-máde, hóme-máde; ~ая промы́шленность cóttage índustry; ~ые изде́лия hóme-máde goods
куста́рь hándicraftsman
ку́тать muffle up; **~ся** wrap onesélf up
кутёж caróuse
кутерьма́ *разг.* bustle, disórder
кути́ть lead a díssipated life, caróuse
куха́рка cook
ку́х||ня 1. kítchen **2.** *(стряпня)* cóokery; **~онный** kítchen *attr.*; ~онная посу́да kítchen uténsils *pl.*
ку́цый 1. docked **2.** *(об одежде)* short, míni; *перен.* scánty
ку́ч||а heap, pile; наво́зная ~ dúnghill; скла́дывать в ~у heap
ку́чер cóachman; dríver *(возница)*
ку́чка 1. small heap **2.** *(группа людей)* small group
куша́к sash, girdle
ку́ша||нье food; dish *(блюдо)*; **~ть** eat; ~йте, пожа́луйста, пиро́г please have some pie; почему́ вы не ~ете? why aren't you éating?
куше́тка couch

Л

лабири́нт lábyrinth
лабора́нт labóratory assístant
лаборато́рия labóratory
ла́ва láva
лави́на ávalanche
лави́ровать manóeuvre
ла́вка I *(скамейка)* bench
ла́вка II *(магазин)* shop; commissáriat, cantéen *(войсковая)*; store *(амер.)*; овощна́я ~ gréengrocery
ла́вочник shópkeeper
лавр láurel, bay
лавро́вый láurel *attr.*, bay; ~ вено́к láurel wreath
ла́герный camp *attr.*; ~сбор ánnual camp
ла́г||ерь camp; жить в ~еря́х camp (out)
лад: запе́ть на друго́й ~ sing anóther tune; жить в ~у́ get on *(with)*; они́ не в ~а́х they don't get on; на но́вый ~ in a new way; на ста́рый ~ in the old mánner; де́ло идёт

на ~ things are beginning to tick; дéло не идёт на ~ things won't get góing

лáдан íncense ◇ дышáть на ~ have one foot in the grave

лáд||ить *разг.* get on togéther; они́ не ~ят they don't get on; **~иться** *разг.*: дéло не ~ится things aren't *(или* are not) góing well; nóthing goes right

лáдно *нареч. разг.* well, all right

ладóнь palm

ладóши: хлóпать в ~ clap one's hands

ладья́ *шахм.* rook, castle

лазарéт sick quárters *pl.;* fíeld-ambulance *(полевой)*

лáз||ать *см.* лáзить; **~éйка** lóop-hole

лáзить climb

лазýрный, лазýрь ázure

лазýтчик spy

лай bárk(ing)

лáйка I *(собака)* Êskimo dog, húsky

лáйк||а II *(кожа)* kid; **~овый** kid *attr.;* ~овые перчáтки kíd-gloves

лак várnish; lácquer; ~ для ногтéй nail várnish

лакáть lap

лакéй fóotman; *перен.* láckey, flúnkey; **~ский** *перен.* sérvile

лакирóв||анный várnished; ~анная кóжа pátent léather; **~áть** várnish

лáкмусов||ый: ~ая бумáга lítmus-páper

лáковый várnished, lácquered

лáком||иться regále *(on);* **~ка** góurmand; **~ство** dáinties *pl.*, délicacies *pl.;* **~ый** dáinty

лакони́чный lacónic

лáмп||а lamp; *радио* valve; ~ дневнóго свéта fluoréscent *(или* dáylight) bulb; **~очка** bulb *(электрическая);* ~очка перегорéла the bulb has fused

ландшáфт lándscape

лáндыш líly of the válley

лань doe

лáп||а paw ◇ попáсть в ~ы к комý-л. fall ínto smb.'s clútches

лáпоть bast shoe

лапшá noodles *pl.;* кури́ная ~ chícken soup with noodles

ларёк stall

лáска caréss; kíndness *(доброта)*

ласкáтельн||ый caréssing; ~ое и́мя pet name

ласкáть caréss; pet *(баловать);* **~ся** fondle; fawn *(ирон; о собаке и т. п.)*

лáсковый ténder, afféctionate; caréssing *(ласкающий)*

лáстик *(для стирания)* índia-rúbber, eráser

лáсточка swállow

латви́йский Látvian

лати́нский Látin

латýнь brass

латы́нь Látin

латы́ш Lett; **~ский** Léttish; ~ский язы́к Léttish, the Léttish lánguage

лауреáт láureate; ~ Междунарóдной Лéнинской прéмии ми́ра the Internátional Lénin Peace Prize láureate

лафéт *воен.* gún-carriage

лачýга hut

лáять bark

лгать lie

лгун líar

лебеди́н||ый swan *attr.* ◇ ~ая пе́сня swan song

лебёдка *тех.* winch

ле́бедь swan

лебези́ть *(перед)* fawn *(on)*

лев líon

левко́й stock

левша́ léft-hánded pérson, léft-hander

ле́в||ый I left, léft-hand ◇ встать с ~ой ноги́ *разг.* get out of bed on the wrong side

ле́вый II *полит.* left, léft-wing *attr.*

лега́в||ый: ~ая соба́ка póinter

лега́льный légal

леге́нд||а légend; **~а́рный** légendary

легио́н légion

лёг||кий 1. *прям., перен.* light; ~ за́втрак light mórning meal; ~кая похо́дка light step 2. *(нетрудный)* éasy 3. *(незначительный)* slight; ~кая просту́да slight cold ◇ ~кая атле́тика *спорт.* track and field sports *pl.*; ~кое чте́ние *разг.* light réading; у него́ ~кая рука́ *разг.* he has a light *(или* a háppy) touch; с ва́шей ~кой руки́ with your light *(или* háppy) touch

легко́ 1. *нареч.* lightly; éasily 2. *предик. безл.* it is éasy

легкоатле́т (track and field) áthlete

легкове́рный crédulous

легкове́сный light

легково́й: ~ автомоби́ль (mótor-)car

лёгкое *анат.* lung

легкомы́с||ленный light-minded, frívolous *(о человеке)*; cáreless *(о поступке)*; irrespónsible *(об отношении)*; **~лие** flíppancy, frivólity, lévity

лёгкость 1. *(по весу)* líghtness 2. *(нетрудность)* éasiness

лёгочный *мед.* púlmonary; ~ больно́й lung pátient

ле́гче *сравнит. ст.* *см.* лёгкий *и* легко́

лёд ice; сухо́й ~ artifícial ice; поста́вить на ~ put on ice

ледене́ть freeze; becóme numb with cold *(коченеть)*

ледене́ц frúit-drop

леденя́щий ícy, chilling

ле́дник íce-house; íce-box *(комнатный; амер.)*

ледни́к *геогр.* glácier; **~о́вый** glácial; ~о́вый пери́од *геол.* íce-age

ледоко́л íce-breaker

ледохо́д flóating of ice

ледян||о́й *прям., перен.* ícy; ~о́е по́ле *спорт.* íce-rínk

леж||а́ть 1. lie 2. *(находиться)* be; be síituated *(быть расположенным)*; где лежа́т газе́ты? where are the néwspapers? ◇ на нём ~ и́т отве́тственность за... he is respónsible for...; на ней ~и́т всё хозя́йство she has all the hóusekeeping on her hands; **~а́чий** recúmbent

ле́звие edge, blade; ~ для безопа́сной бри́твы sáfety rázor blade

лезть I 1. *(взбираться)* climb; *(влезать)* get *(into)* 2. *разг.* *(вмешиваться)* meddle *(in, with)*; intrúde *(upon; надоедать)*

лезть II *(о волосах)* fall out, come out

лейбори́ст Lábourite

ле́йка wátering-can

лейтена́нт lieuténant; мла́дший ~ júnior lieuténant; ста́рший ~ sénior lieuténant

лека́рст||венный medícinal; ~венное расте́ние herb; **~во** médicine, drug

ле́ксика vocábulary

лексико́н vocábulary; у него́ бе́дный ~ he has a poor wórd-stock *(или* vocábulary)

ле́ктор lécturer

ле́кция lécture

леле́ять chérish

ле́ме́х *с.-х.* plóughshare

лён flax

лени́вый lázy

ле́нин||ец Léninist; **~и́зм** Léninism; **~ский** Léninist

лени́ться be lázy

ле́нта ríbbon; band *(на шляпе);* tape

лентя́й lázy féllow; lázy-bones *разг.*

лентя́йничать *разг.* be idle

лень láziness; ей ~ встать she is too lázy to move

леопа́рд léopard

лепесто́к pétal

ле́пет babble; **~а́ть** babble

лепёшка 1. flat round cake **2.** *(лекарственная)* táblet, lózenge

лепи́ть módel, scúlpture

ле́п||ка módelling; ~но́й plaster *attr.;* ~но́е украше́ние stúcco móulding

лес 1. fórest; wood **2.** *(материал)* tímber

леса́ I *(на стройке)* scáffold(-ing) *sg.*

леса́ II *рыб.* físhing-line

леси́стый wóoded

лесни́к fórest guard

лесни́ч||ество fórestry; **~ий** fórester

лесно́й 1. fórest *attr.* **2.** *(о материале)* tímber *attr.;* lúmber *attr. (амер.)*

лесо||во́дство fórestry; **~заготóвки** tímber félling *(или* cútting) *sg.*

лесозащи́тн||ый: ~ые по́лосы fórest shélter belts

лесонасажде́ние afforestátion

лесо||пи́льня sáwmill; **~промы́шленность** tímber índustry; **~разрабо́тки** fórest exploitátion *sg.;* **~ру́б** wóodcutter; **~спла́в** tímber ráfting; **~сте́пь** fórest-stéppe

ле́стница stáircase; stairs *pl.;* ládder *(приставная);* пожа́рная ~ fíre-escape; чёрная ~ báckstáirs *pl.;* спуска́ться по ~е go dównstáirs

ле́стный fláttering

лесть fláttery; то́нкая ~ subtle fláttery

лёт: на лету́ in the air; схва́тывать на лету́ be very quick in the úptake

лета́ *(возраст)* years; age *sg.;* ско́лько ему́ лет? how old is he?; ему́ де́сять лет he is ten years old, he is ten; на ста́рости лет in one's old age

лета́тельный flýing

лета́ть, лете́ть fly

ле́тний súmmer *attr.*

лётн||ый flýing; **~ая** пого́да flýing wéather

ле́то súmmer; **~м** *нареч.* in súmmer

ле́топись chrónicle; ánnals *pl.*

летосчисле́ние chronólogy, éra

лету́ч||ий 1. flýing **2.** *хим.* vólatile ◇ ~ая мышь bat

лету́чка 1. *(листовка)* léaflet **2.** *(совещание)* bríefing

лётчик pílot; **~-истреби́тель** fíghter-pílot; **~-наблюда́тель** obsérver-pílot

лечéб||ница spécializing hóspital; **~ный** médical, therapéutic

леч||éние (médical) tréatment; cure; **~и́ть** treat; ~и́ть от болéзни treat for an íllness; **~и́ться** undergó a cure; где вы лéчитесь? what clínic do you atténd?; у когó вы лéчитесь? who is your dóctor?

лечь lie down; go to bed *(пойти спать)*; turn in *разг.*; ~ в больни́цу go to hóspital

лещ bream

лжесвидéтель, **≃ница** false wítness, pérjurer

лжец líar

лжи́вый lýing, false

ли 1. *вопросит. частица переводится вопросит. оборотом:* знáешь ли ты э́то? do you know this? **2.** *союз (косвенно-вопросит.)* whéther, if; я не знáю, дóма ли он I don't know whéther he is at home

либер||али́зм líberalism; **~áльный** líberal

ли́бо *союз* or; ли́бо... ли́бо... éither... or....

ли́вень héavy shówer, dównpour

ли́га league

ли́дер léader

лиз||áть, **~нýть** lick

ликвид||áция liquidátion; eliminátion; abolítion; **~и́ровать** líquidate; elíminate; abólish

ликов||áние exultátion, tríumph; **~áть** exúlt, tríumph

ли́лия líly

лилóвый víolet

лими́т límit; **~и́ровать** límit

лимóн lémon ◇ (как) вы́жатый ~ ≅ (he is) fagged out *(или* done up)

лимонáд lémonade, lémon squash

лимóнн||ый lémon *attr.;* ~ая кислотá cítric ácid; ~ое дéрево lémon tree

ли́мфа *физиол.* lymph; **~ти́ческий** lymphátic

лингви́ст línguist; **~и́ческий** linguístic

линéйка 1. rúler; счётная ~ slíding rule **2.** *(линия)* line; лáгерная ~ róll-call

линéйн||ый: ~ые мéры línear méasures; ~ корáбль báttle-ship

ли́нза lens

ли́ни||я *в разн. знач.* line; кривáя ~ curve; проводи́ть ~ю draw a line; *перен.* cárry out a pólicy; ~ автóбуса bus line; ~ метрó métro line

линóв||анный lined, ruled; **~áть** rule

лин||ю́чий fádable, not fast; **~я́ть 1.** fade; run *(в воде)* **2.** *(о животных)* shed hair, cast the coat; moult *(о птицах)*

ли́па líme-tree

ли́п||кий stícky; **~нуть** stick

ли́повый lime *attr.*

ли́ра lyre

ли́р||ика lýric póetry; **~и́ческий 1.** *(о жанре)* lýric **2.** *(о настроении и т. п.)* lýrical

лис||á, **~и́ца** fox

лист I *(мн.* ~ья) leaf

лист II *(мн.* ~ы́) sheet; leaf

листвá fóliage

ли́ственный léaf-bearing; ~ лес decíduous fórest
листо́вка léaflet
листов||о́й: ~о́е желе́зо sheet íron
листопа́д fall of the leaves
лите́й||ная fóundry; **~ный:** ~ный заво́д fóundry; **~щик** fóundryman
литера́т||ор man of létters; **~у́ра** líterature; худо́жественная ~у́ра fíction, bélles-léttres ['bel'letr]; **~у́рный** líterary
литературове́д spécialist in líterature; **~ение** hístory and críticism of líterature
лито́в||ец Lithuánian; **~ский** Lithuánian; ~ский язы́к Lithuánian, the Lithuánian lánguage
литогра́фия lithógraphy
лит||о́й cast; ~а́я сталь cast steel
литр lítre
лить 1. pour; shed *(слёзы, кровь)* **2.** *(течь):* дождь льёт как из ведра́ the rain is cóming down in búckets; пот льёт с него́ гра́дом he is póuring with sweat, sweat is póuring off him **3.** *тех.* cast, found
литьё *тех.* cásting
ли́ться pour, flow
лифт lift; élevator *(амер.);* подни́мемся на ~е let's take the lift; **~ёр** lift boy, lift óperator; élevator boy *(амер.)*
ли́фчик brassiére ['bræsεə], bra *разг.*
лиха́ч dáredevil dríver
лих́ой I *(удалой)* dáshing
лих́ой II *(злой)* évil ◇ лиха́ беда́ нача́ло *погов.* the first step is the worst

лихора́д||ка féver; **~очный** féverish
лицев||о́й: ~а́я сторона́ right side *(материи);* façáde *(здания)*
лицеме́р hýpocrite; **~ие** hypócrisy; **~ный** hypocrítical
лице́нзия *эк.* lícence
лиц||о́ 1. face **2.** *(человек)* pérson; де́йствующее ~ cháracter; в ~е кого́-л. in the pérson of smb. **3.** *(материи)* right side **4.** *грам.* pérson ◇ измени́ться в ~е́ change expréssion *(или* cólour); э́то вам к ~у́ this suits you, this becómes you; знать в ~ know by sight; показа́ть това́р ~о́м displáy to advántage; на нём ~а́ нет he looks áwful; ~о́м в грязь не уда́рить rise to the occásion; невзира́я на ~а without respéct of pérsons
личи́на mask, guise
личи́нка lárva
ли́чно *нареч.* pérsonally
ли́чн||ость personálity; **~ый** pérsonal; ~ый соста́в personnél; mémbers *pl.*
лиша́й 1. *бот.* líchen **2.** *мед.* hérpes
лиша́ть(ся) *см.* лиши́ть(ся)
лише́н||ие 1. deprivátion; ~ прав *юр.* loss of cívil right **2.** *мн.:* ~ия privátions; терпе́ть ~ия súffer hárdship; have a rough time *разг.*
лиши́ть depríve *(of);* ~ себя́ жи́зни take one's own life; **~ся** lose; ~ся чувств faint
ли́шн||ий supérfluous; unnécessary *(ненужный);* spare *(запасной);* нет ли у вас ~его карандаша́? have you an éxtra

péncil?; мне ничегó не стóит ~ раз съéздить тудá an éxtra run or two means nóthing to me

лишь I *нареч.* *(только)* ónly; ~ бы if ónly

лишь II *союз* *(как только)* as soon as, no sóoner than

лоб fórehead; **~ный** *анат.* fróntal

ловить catch; ~ рыбу fish ◇ ~ кáждое слóво hang on smb's words *(или* évery word); ~ момéнт seize the móment; ~ когó-л. на слóве take smb. at his word

лóвк||ий adróit; **~ость** adróitness

лóвля cátching; рыбная ~ físhing

ловýшк||а snare, trap; поймáть в ~у ensnáre, entráp

логарифм *мат.* lógarithm

лóг||ика lógic; **~ический, ~ичный** lógical

лóговище lair, den

лóд||ка boat; **~очник** bóatman

лóдырь *разг.* ídler, lóafer

лóж||а *театр.* box; местá в ~е seats in a box

ложбина hóllow

лóже couch

ложиться *см.* лечь

лóжка spoon; чáйная ~ téa-spoon; разливáтельная ~ ladle

лóжный false

ложь lie, fálsehood ◇ святáя ~ white lie

лозá *(виноградная)* vine

лóзунг slógan; *(девиз)* mótto

локáут lóck-óut

локомотив lócomotive

лóкон lock, curl

лóкоть élbow

лóм 1. *(инструмент)* crów-bar **2.** *собир.* *(металлический)* scrap; **~аный** bróken

ломáть break ◇ ~ себé гóлову над чем-л. rack one's brains óver smth.; **~ся** *(кривляться)* *разг.* play the fool; be extrémely affécted

ломбáрд páwnshop

ломить *безл.:* у негó **лóмит** кóсти his bones ache

ломиться: ~ в открытую дверь knock at an ópen door; пóлки лóмятся от книг the shelves are bénding únder the weight of books

лóмк||а bréaking; **~ий** brittle, frágile

ломов||óй: ~ извóзчик cárter; ~áя лóшадь cárt-horse

ломóта rheumátic pain

ломóть hunk, chunk

лóмтик slice

лóн||о *уст.* bósom, lap; ◇ на ~е прирóды in the ópen air

лóпасть blade

лопáта spade; shóvel *(совковая)*

лопáтк||а 1. *анат.* shóulder-blade; положить на óбе ~и *спорт.* throw (in wréstling) **2.** *тех.* blade

лóп||аться, ~нуть burst; split *(треснуть)*; моё терпéние ~нуло *разг.* my pátience is exháusted

лопýх búrdock

лорд lord

лоск lústre; pólish; gloss *(тж. перен.)*

лоскýт rag, shred

лоснúться be glóssy, shine, glísten

лососи́на sálmon
лось elk
лот *мор.* lead
лотере́я lóttery, raffle
лото́ lótto
лото́к (háwker's) tray
лото́чник háwker, pédlar, stréet-vendor
лоха́нка, лоха́нь tub
лохма́тый shággy; dishévelled *(растрёпанный)*
лохмо́тья rags
ло́цман *мор.* pílot
лошади́н||ый horse *attr.*; ~ая си́ла *тех.* hórse-power *(сокр.* h. p.) ◇ ~ая до́за huge dose
ло́шадь horse
лощёный pólished; glóssy *(тж. перен.)*
лощи́на dell
лоя́льн||ость lóyalty; **~ый** lóyal
лубо́к I *мед.* splint
лубо́к II *(картинка)* cheap print
луг méadow
луди́ть tin
лу́ж||а puddle, pool ◇ сесть в ~у get ínto a mess
лужа́йка lawn
лу́з||а pócket; загна́ть шар в ~у pócket a ball
лук I ónion; зелёный ~ spring ónions *pl.*
лук II *(оружие)* bow
лука́в||ить be cúnning; **~ство** slýness, árchness; **~ый** sly; cúnning *(хитрый)*
лу́ковица 1. ónion **2.** *(цветочная)* bulb
луна́ moon
луна́тик sléep-walker
лу́нка hole
лу́нн||ый lúnar; ~ая ночь móonlit night; ~ая пове́рхность moon's súrface; ~ое зати́ение lúnar eclípse
луноход Lunochód, Móoncar
лу́па mágnifying glass
лупи́ться peel; *(о краске, штукатурке тж.)* peel off, come off
луч ray; beam
лучев||о́й rádial ◇ ~а́я боле́знь radiátion síckness
лучеза́рный rádiant
лучеиспуска́ние *физ.* radiátion
лучи́на spill, splínter
лучи́стый *прям., перен.* rádiant
лу́чше 1. bétter; тем ~ so much the bétter; ~ всего́ best of all; мне тепе́рь ~ I am bétter now **2.** *предик. безл.* it is bétter; ~ оста́ться здесь it is bétter to stay here
лу́чш||ий bétter; best; choice *(отборный)*; в ~ем слу́чае at best; за неиме́нием ~его for want of smth. bétter; всего́ ~его! all the best!
лущи́ть shell, husk
лы́ж||а ski; snów-shoe; **~ник** skíer; **~ный** ski *attr.*; ~ный спорт skíing; ~ный костю́м skíing óutfit; **~ня́** ski track
лы́ко bast, bass
лысе́ть grow bald
лы́с||ина bald patch (*или* spot); **~ый** bald
льви́||ный líon's; **~ца** líoness
льго́т||а prívilege, advántage; **~ный** fávourable, redúced *(более дешёвый)*; ~ные усло́вия fávourable terms; éasy páyment terms *(о плате)*

льди́на block of ice, íce-floe

льно||во́дство cultivátion of flax; **~пряде́ние** fláx-spinning; **~пряди́льня** fláx-mill

льнуть *(к кому-л.)* cling *(to)*, stick *(to)*

льнян||о́й fláxen; línen *(о материи)*; ~óе мáсло línseed-oil

льст||ец flátterer; **~и́вый** fláttering; **~ить** flátter ◇ ~ить себя́ надéждой flátter onesélf with hope

любе́зн||ость cóurtesy; kíndness *(одолжение)*; сдéлать ~ do a fávour; говори́ть ~ости pay cómpliments *(to)*; **~ый** ámiable, kind, oblíging; políte; бýдьте ~ы... be so kind as...

люби́м||ец pet, fávourite; **~ый** belóved; fávourite *(предпочитаемый)*; ~ый áвтор fávourite áuthor

люби́тель 1. lóver **2.** *(дилетант)* ámateur; **~ский** ámateur *attr.*; ~ский спектáкль ámateur perfórmance

люби́ть love; like, be fond *(of; нравиться)*; лю́бите ли вы мýзыку? do you like músic?; ~ читáть be fond of réading

любовáться admíre

люб||о́вник lóver; **~о́вница** místress; **~о́вный** love *attr.*; lóving *(любящий)*; ~óвный взгляд ámorous glance; ~óвное отношéние lóving care

любо́вь love; ~ к дéтям love of chíldren; ~ к рóдине love for one's cóuntry

любознáтельн||ость inquísitiveness; **~ый** cúrious, inquísitive; быть ~ым have an inquíring mind

любо́||й 1. ány; в ~е врéмя at ány time **2.** *как сущ.* ányone; éither *(из двух)*

любопы́т||ный cúrious; ~ное собы́тие cúrious íncident; **~ство** curiósity

лю́бящий lóving; afféctionate; ~ Вас yours afféctionately *(подпись в письмах)*

лю́ди people; men; ~ дóброй вóли people of good will

лю́дн||ый 1. crówded; ~ая ýлица crówded street **2.** *(густонаселённый)* pópulous

людое́д cánnibal; ogre *(в сказках)*; **~ство** cánnibalism

людско́й húman

люк hatch

лю́лька *(колыбель)* cradle

лю́стра chandelíer

лю́тик búttercup

лю́тня lute

лю́тый 1. fierce; cruel **2.** *(сильный)* sevére; ~ морóз sevére frost

ля *муз.* A; la

лягáть(ся) kick

лягнýть *см.* лягáть

лягýшка frog

ля́жка thigh, haunch

ля́зга||ть: он ~ет зубáми his teeth are cháttering

ля́мк||а strap ◇ тянýть ~у *разг.* drudge, toil

ля́пис sílver nítrate; lúnar cáustic *(палочка)*

ля́псус blúnder

М

мавзоле́й mausoléum

магази́н shop; store *(амер.)*; ~ готóвого плáтья réady-máde clothes shop; мéбельный ~ fúrniture shop

магистрáль main road; *ж.-д.* main line; гáзовая ~ gas main; вóдная ~ main wáterway

магúческий mágic

магнáт mágnate

магнéто *тех.* magnéto

мáгний *хим.* magnésium

магнúт mágnet; **~ный** magnétic; ~ная стрéлка magnétic needle

магнóлия magnólia

магометáнство Mohámmedanism

мажóр *муз.* májor key

мáзать 1. *(смазывать)* oil; spread; ~ мáслом bútter **2.** *(пачкать)* soil; **~ся** (be)sméar onesélf

мазнú *разг.* daub

мазóк 1. *жив.* touch **2.** *мед.* smear

мазýт *тех.* black míneral oil

маз||ь óintment; сапóжная ~, ~ для óбуви blácking, shoe pólish ◇ дéло на ~ú *разг.* things are off to a good start, things are well únder way

ма||й May; Пéрвое ~я May Day, the First of May

мáйка fóotball shirt; games shirt *(амер.)*

майóр májor

мáйский May *attr.*; Máy-Day *attr.* *(о празднике)* ◇ ~ жук cóckchafer

мак póppy

макарóны macaróni

макáть dip

макéт módel, móck-úp

максимáльный máximum *attr.*

мáксимум máximum; at most

макýшка 1. *(головы)* crown **2.** *(дерева)* top

мал: это пальтó мне ~ó this coat is too small for me; от ~а до велúка young and old; ~ золотнúк, да дóрог ≅ little bódies may have great souls

малáец Maláyan

малáйский Maláy, Maláyan; ~ язы́к Maláy, the Maláyan lánguage

малéйш||ий least, slíghtest; ни ~его сомнéния not the slíghtest doubt

мáленький little, small

малúн||а ráspberry; **~овый 1.** ráspberry *attr.* **2.** *(цвет)* crímson

мáло little *(с сущ. в ед.)*; few *(с сущ. во мн.)*; not much, not enóugh *(недостаточно)* ◇ ~ тогó moreóver; ~ ли что мóжет случúться ánything may háppen; им и гóря ~ they don't care a bit

маловáжный únimpórtant, insigníficant

маловáт a little too small; **~о** *нареч.* bárely suffícient, not quite enóugh

маловероя́тный impróbable

маловóдный *(о реке)* shállow

малогрáмотный hálf-éducated; sémi-líterate

малодýш||ие fáint-héartedness, cówardice; **~ный** cówardly, fáint-hérted

малоизвéстный little known

малоимýщий poor

малокрóв||ие anáemia; **~ный** anáemic

малолéтний véry young, of ténder years; ~ вóзраст ténder age; ~ престýпник júvenile delínquent

малолитра́жный: ~ автомоби́ль a míni (car), a car with low pétrol consúmption

малолю́дный 1. *(малонаселённый)* thínly pópulated 2. *(малопосещаемый)* únfrequénted; póorly atténded *(о собрании и т. п.)*

ма́ло-ма́льски *нареч.* in the slíghtest degrée

ма́ло-пома́лу *нареч.* líttle by líttle, grádually

малопродукти́вный únprodúctive

малоро́слый úndersízed

малосодержа́тельный émpty

малосо́льный líghtly sálted *(о селёдке и т. п.)*; fresh sálted *(об огурцах)*

малоупотреби́тельный séldom used, rare

малоце́нный of líttle válue

малочи́сленный not númerous, scánty

ма́л||ый I 1. *прил.* small; líttle; с ~ых лет from chíldhood 2. *как сущ.* the líttle; са́мое ~ое the least; без ~ого álmost, all but

ма́лый II *как сущ. разг.* féllow, lad

малы́ш líttle one; kíddy

ма́льва hóllyhock, mállow

ма́льч||ик boy; ~**и́шеский** bóyish; ~**и́шка** boy, úrchin; ~**уга́н** láddie

малю́тка bа́by, líttle one

маля́р hóuse-páinter

малярия *мед.* malária

ма́ма *разг.* mammá, móther, ma

ма́мень||ка *уст. см.* ма́ма ◇ ~кин сыно́к móther's dárling

мандари́н *(фрукт)* tangeríne, mándarin

манда́т mándate, wárrant

манёвр manóeuvre

маневри́ровать *прям., перен.* manóeuvre; *ж.-д.* shunt

манёвры *воен.* manóeuvres

мане́ж manège [mæ'neɪʒ]; ríding-school

манеке́н mánnequin; ~**щица** mánnequin

мане́р||а mánner; way; style; ~ исполне́ния style of perfórmance; ~**ный** affécted

мане́ры mánners, хоро́шие ~ good mánners; плохи́е ~ bad mánners

манже́та cuff

маникю́р mánicure; ~**ша** mánicurist

манипул||и́ровать manípulate; ~**я́ция** manipulátion

мани́ть 1. *(звать)* béckon 2. *(привлекать)* attráct

манифе́ст manifésto; Манифе́ст Коммунисти́ческой па́ртии the Cómmunist Manifésto

манифеста́ция (mass) demonstrátion

мани́шка false shírt-front; dícky *разг.*

ма́ния mánia; ~ вели́чия mégalománia

манки́ровать: ~ свои́ми обя́занностями negléct one's dúties

ма́нн||ый: ~ая крупа́ semolína; ~ая ка́ша cooked semolína

мано́метр préssure-gauge

ма́нтия robe, gown

мануфакту́р||а 1. *ист.* manufáctory 2. *(материя)* téxtiles *pl.*

манья́к mániac

мара́ть make dírty ◇ ~ бума́гу waste páper

марафо́нский: ~ бег *спорт.* Márathon race

ма́рганец *хим.* manganése

маргари́н margaríne

маргари́тка dáisy

марино́ванный márinated, pickled

маринова́ть 1. márinate, pickle 2. *разг.* *(откладывать)* put off, shelve

марионе́т||ка marionétte; *перен.* púppet; теа́тр ~ок púppet-show(théatre); **~очный:** ~очное прави́тельство púppet góvernment

ма́рка 1. *(почтовая)* (póstage-)stamp 2. *(фабричная)* tráde-mark; brand *(знак качества)*

ма́ркий éasily soiled

маркси́зм Márxism

маркси́зм-ленини́зм Márxism-Léninism

маркси́ст Márxist; **~ский** Márxian, Márxist

маркси́стско-ле́нинский Márxist-Léninist

ма́рля gauze

мармела́д cándied fruit jélly

мародёр maráuder, lóoter; **~ство** lóoting

марселье́за Marseilláise

март March

марте́новск||ий: ~ая печь ópen-héarth fúrnace; ~ая сталь ópen-héarth steel

ма́ртовский March *attr.*

марты́шка mármoset

марш march

ма́ршал márshal

марши́р||ова́ть march; **~о́вка** márching

маршру́т route, itínerary; како́й у вас ~? what is your itínerary?

ма́ск||а *(в разн. знач.)* mask; ◇ сбро́сить ~у throw off the mask; сорва́ть ~у с кого́-л. únmásk smb.

маскара́д fáncy-dress ball; **~ный:** ~ный костю́м fáncy dress

маскир||ова́ть mask, disguíse; *воен.* cámouflage; **~ова́ться** put on a mask; **~о́вка** másking, disguíse; *воен.* cámouflage

ма́сленица Shróvetide; ≅ Páncake (*или* Shrove) Túesday ◇ них не житьё, а ~ ≅ they are in clóver

маслёнка 1. bútterdish 2. *тех.* lúbricator; óil-can

масли́на 1. *(плод)* ólive 2. *(дерево)* ólive-tree

ма́сл||о 1. bútter *(коровье)*; oil *(растительное, минеральное)*; lúbricant *(смазочное)* 2. *жив.* oils *pl.*; писа́ть ~ом paint in oils ◇ ката́ться как сыр в ~е live in clóver

маслобо́й||ка churn; **~ный:** ~ный заво́д créamery; végetable oil refínery *(растительного масла)*

маслени́стый óily; *(похожий на коровье масло)* búttery

ма́слян||ый 1. bútter *attr.*; oil *attr.* *(о растит. масле)* 2. *жив.* oil *attr.*; ~ая кра́ска óil-páint; писа́ть ~ыми кра́сками paint in oils

ма́сс||а 1. *(в разн. знач.)* mass 2. *(много)* a lot *(of)* ◇ в ~е in the mass, in bulk, as a whole

масса́ж mássage [ˈmæsɑːʒ]; де́лать ~ mássage

масси́в mássif; лесны́е ~ы huge tracts of fórest; **~ный** mássive

массо́вка mass méeting; group excúrsion

ма́ссов||ый mass *attr.*; pópular *(общедоступный)*; ~ое произво́дство mass prodúction

ма́ссы the másses; широ́кие ~ трудя́щихся the wide másses of wórking people

ма́стер 1. *(на заводе)* fóreman, skilled wórkman **2.** *(знаток чего-л.)* éxpert; он ~ своего́ де́ла in his own field he is a past máster; ~ спо́рта máster of sports *(a highly qualified athlete)* ◇ ~ на все ру́ки Jack of all trades; **~и́ть** make by hand

мастерска́я 1. wórkshop **2.** *(художника)* stúdio

мастер||ско́й másterly; **~ство́** skill; mástery; высо́кое спорти́вное ~ство́ outstánding spórtsmanship

масти́ка *(для полов)* flóor-polish

масти́тый vénerable

маст||ь 1. *(о животных)* cólour **2.** *карт.* suit ◇ всех ~е́й of évery cólour

масшта́б scale; в большо́м ~е on a large scale; учёный мирово́го ~a scíentist of wórld-wide fame

мат *шахм.* chéckmáte; объяви́ть ~ mate

матема́т||ик mathematícian; **~ика** mathemátics; **~и́ческий** mathemátical

материа́л matérial

материал||и́зм matérialism; **~и́ст** matérialist; **~исти́ческий** materialístic

материа́льный 1. matérial, phýsical **2.** *(о денежных средствах)* fináncial, pecúniary

матери́к máinland, cóntinent; **~о́вый** continéntal

матери́н||ский matérnal; **~ство** matérnity, mótherhood

мате́рия I *филос.* súbstance, mátter

мате́рия II *(ткань)* cloth, matérial, stuff; ~ на пальто́ cóating; ~ на костю́м súiting; ~ на пла́тье dress matérial

ма́тка 1. *(у пчёл)* queen **2.** *анат.* úterus, womb

ма́тов||ый mat; lústreless, dull; ~ое стекло́ frósted glass

матра́с, матра́ц máttress

ма́трица *полигр.* mátrix

матро́с sáilor, séaman; **~ский** sáilor *attr.*

матч *спорт.* match

мать móther

мах: одни́м ~ом *разг.* at one stroke; дать ~у *разг.* make a blúnder

маха́ть wave *(рукой, платком)*; wag *(хвостом)*; beat, flap *(крыльями)*

махина́ция *разг.* machinátion, plot

махну́ть *см.* маха́ть ◇ ~ руко́й на что-л. give smth. up as a bad job

махов||и́к *тех.* flý-wheel; **~о́й:** ~о́е колесо́ *тех.* flý-wheel

махо́рка makhórka *(a coarse tobacco)*

махро́вый *бот.* double

ма́чеха stépmother

ма́чта mast

маши́на 1. machíne; éngine *(двигатель)* **2.** *разг.* *(автомобиль)* car

машина́льн||о *нареч.* mechánically, automátically; **~ый** mechánical

машини́ст 1. machínist, machíne-óperator **2.** *ж.-д.* éngine-driver

машини́стка tу́pist

маши́нка 1. *(пишущая)* tу́pewriter **2.** *(швейная)* séwing-machine **3.** *(для стрижки)* clippers *pl.*

маши́нн||ый machíne *attr.*; ~ая обрабо́тка machíne fínishing; ~ое отделе́ние éngine room; ~ое обору́дование machínery

машиностро||е́ние machíne-buílding; **~и́тельный** machíne-buílding *attr.*; **~и́тельный заво́д** machíne works

мая́к líghthouse; béacon *(тж. перен.)*

ма́ятник péndulum

мая́чить stánd (*или* stick) out

мгл||а mist, haze; **~и́стый** házy

мгнове́н||ие ínstant, móment; **~ный** instantáneous, mómentary

ме́бель fúrniture; **мя́гкая ~** uphólstered fúrniture

меблирова́ть fúrnish

мёд hóney

меда́ль médal; **вручи́ть ~** bestów a médal; **получи́ть ~** get a médal

медве́||дица shé-bear ◇ Большáя Медве́дица the Great Bear; Ма́лая Медве́дица the Little Bear; **~дь** bear; **~жий** bear *attr.*; **~жо́нок** béar-cub

медеплави́льный: ~ заво́д cópper-smelting works

медикаме́нты médicines, médical supplíes, médicaments

медици́н||а médicine; **~ский** médical; ~ский персона́л médical staff; ~ская сестра́ (médical) nurse; ~ская по́мощь médical aid; ~ское обслу́живание health sérvice

ме́дленн||о *нареч.* slówly; **~ый** slow

медли́тельный slow

ме́дл||ить línger; be slow *(in)*; он ~ит с прихо́дом he is slow in cóming; не ~я ни мину́ты withóut lósing a móment

ме́дник cópper-smith

ме́дный cópper

медо́вый hóney *attr.*; hóneyed ◇ ~ ме́сяц hóneymoon

медпу́нкт (медици́нский пункт) fírst-áid post

меду́за medúsa, jélly-fish

медь cópper

межа́ bóundary path

междоме́тие *грам.* interjéction

ме́жду *предл.* betwéen; amóng *(среди)* ◇ ~ на́ми (говоря́) betwéen oursélves; ~ тем méanwhile; ~ тем как whereás, while; ~ те́м э́то так nevertheléss it is so; ~ про́чим incidéntally, by the way; чита́ть ~ строк read betwéen the lines; ~ двух сту́льев betwéen two stools

междугоро́дный: ~ телефо́н trúnk-line

междунаро́дный internátional; Междунаро́дный день студе́нтов Internátional Stúdent's Day; Междунаро́дный же́нский день Internátional Wóman's Day

межплане́тн||ый: ~ые полёты interplánetary navigátion

мел chalk; whitening *(для побелки)*; писа́ть ~ом chalk

меланх||оли́ческий mélancholy; melanchólic; **~о́лия** mélancholy

меле́ть grow shállow

мелиора́ция *с.-х.* impróvement of the soil

ме́лк||ий 1. *(некрупный)* small; ~ие де́ньги (small) change *sg.*; ~ песо́к fine sand **2.** *(неглубокий)* shállow; ~ая таре́лка dínner plate

мелкобуржуа́зный pétty-bóurgeois [-ˈbuəʒwɑ:]

мелково́дный shállow

мелкосо́бственнический of pétty ówners

мелоди́чный melódious

мело́дия mélody, tune

ме́лочн||ость méanness; **~ый** méan-spirited, pétty

ме́лоч||ь 1. *собир.* *(деньги)* change; у меня́ нет ~и I have no change **2.** *(пустяк)* trifle; détail **3.** *(мелкие вещи)* small things *pl.*

мел||ь shállow; shoal; на ~и́ agróund; stránded *(тж. перен.)*

мельк||а́ть, ~ну́ть flash, gleam

ме́лъком *нареч.* in pássing; я его́ ви́дел ~ I caught a glimpse of him

ме́льни||к míller; **~ца** mill

мемориа́льн||ый: ~ая доска́ memórial plaque

мемуа́ры *лит.* mémoirs [ˈmemwɑ:z]

ме́на exchánge

ме́нее *нареч.* less; ~ чем в два дня in less than two days; ~ всего́ least of all; всё ~ и ~ less and less ◇ бо́лее и́ли ~ more or less; не бо́лее не ~ как.. néither more nor less than...

мензу́рка méasuring-glass

менов||о́й: ~а́я торго́вля bárter; ~а́я сто́имость exchánge válue

ме́ньше 1. *прил.* smáller **2.** *нареч.* less; ~ всего́ least of all

меньшеви́к *ист.* ménshevik

ме́ньш||ий lésser ◇ по ~ей ме́ре at least

меньшинство́ minórity

меню́ ménu, bill of fare

меня́ *рд., вн. см.* я

меня́ть 1. *(изменять, переменять)* change **2.** *(обменивать)* exchánge; **~ся 1.** change **2.** *(обмениваться)* exchánge

ме́р||а *в разн. знач.* méasure; приня́ть ~ы take méasures ◇ в значи́тельной ~е lárgely; по ~е возмо́жности as far as one can, withín the límits of the póssible; в ~у móderately; в изве́стной ~е to a cértain degrée

мере́щит||ься: ей ~ся, что... it seems to her that...

мерза́вец ráscal, scóundrel

ме́рзкий vile

мёрз||лый frózen; **~нуть** freeze

ме́рзость násty thing

мериди||а́н merídian; **~она́льный** merídional

мери́ло stándard, critérion

ме́р||ить 1. *(измерять)* méasure; ~ температу́ру у больно́го take a pátient's témperature **2.** *(платье)* try on ◇ ~ на свой арши́н applý one's own yárdstick; **~ка** méasure; по ~ке to méasure; снять ~ку с кого́-л. take smb.'s méasure

ме́ркнуть grow dim

ме́рный méasured, slow and régular

мероприя́тие méasure, step

ме́ртвенный déathly

мертве́ц corpse; **~кая** mórtuary

мёртв||ый dead ◇ ~ая пе́тля *ав.* loop; ~ая зыбь *мор.* swell; ~ая тишина́ dead sílence; спать ~ым сном be dead asléep

мерца́||ние shímmer, glímmer; **~ть** shímmer, glímmer

ме́с||иво mash; **~и́ть** knead

места́ми *нареч.* here and there

местéчко small town

мести́ sweep

ме́стн||ость place, cóuntry; locálity; **~ый** lócal; ~ые вла́сти lócal authórities; ~ый жи́тель nátive

ме́ст||о 1. place; room *(простра́нство)*; ~ стоя́нки автомоби́лей cár-park, párking-place; táxi rank *(такси)*; в друго́м ~е élsewhére **2.** *(до́лжность)* post; job; без ~а out of work **3.** *(в театре и т. п.)* seat; berth *(спальное)*; ве́рхнее ~ úpper berth; ни́жнее ~ lówer berth; свобо́дное ~ vácant seat *(или* berth); уступи́ть ~ кому́-л. give up one's seat to smb. **4.** *(часть текста)* pássage **5.** *(багаж)* piece of lúggage ◇ ста́вить кого́-л. на ~ put smb. in his place; на ~е on the spot; на ва́шем ~е if I were in your shoes; не к ~у out of place

местожи́тельство place of pérmanent résidence

местоиме́ние *грам.* prónoun

местонахожде́ние locátion; whéreabouts

местопребыва́ние abóde

месторожде́ние *геол.* depósit; ~ у́гля cóalfield; ~ не́фти óilfield

месть véngeance, revénge

ме́сяц 1. *(часть года)* month **2.** *(луна)* moon; молодо́й ~ new moon

ме́сячный mónthly

мета́лл métal; **~и́ст** métal-worker; **~и́ческий** metállic

металло́ид métalloid

металлообраба́тывающ||ий: ~ая промы́шленность métal-working industry

металлург||и́ческий metallúrgical; **~и́я** métallurgy; чёрная ~и́я férrous métallurgy; цветна́я ~и́я nón-férrous métallurgy

мета́ние cásting, thrówing; ~ копья́ jávelin thrówing; ~ ди́ска díscus thrówing

мета́ть 1. throw, cast; ~ жре́бий cast lots; ~ копьё throw the jávelin **2.**: ~ икру́ spawn; **~ся** rush abóut; toss *(в постели)*

метафи́з||ика metaphýsics; **~и́ческий** metaphýsical

мета́фора métaphor

метёлка whisk

мете́ль snów-storm, blízzard

метео́р méteor

метеори́т méteorite

метеорол||оги́ческий meteorológical; ~оги́ческая сво́дка wéather-report; **~о́гия** meteorólogy

ме́тить I **1.** *(бельё и т. п.)* mark **2.** *разг.* *(стреми́ться)* aspíre (to)

ме́тить II *(це́лить)* aim *(at)*

ме́тка mark

мéтк||ий 1. wéll-aimed *(о пуле);* keen *(о глазе);* ~ стрелóк good shot 2. *(о замечании)* apt, to the point; **~ость** 1. áccuracy; kéenness *(глаза)* 2. *(замечания и т. п.)* áptness

метлá broom, bésom

мéтод méthod; **~úческий** systemátic

метр métre

мéтрика birth certíficate

метрúческ||ий métric; ~ая систéма мер the métric sýstem

метрó, метрополитéн the únderground; Métro *(в Москве);* tube *(в Лондоне);* súbway *(амер.)*

метропóлия párent state, móther cóuntry

мех I *(мн. ~á; животного)* fur; на ~ý fúr-lined

мех II *(мн. ~ú ; кузнечный)* béllows *pl.*

мех III *(мн. ~ú; для вина)* wíneskin

механи||зáция mechanizátion; **~зúровать** méchanize; **~úзм** méchanism *(тж. перен.)*

механ||ик mechánic; **~ика** mechánics; **~úческий** mechánical; ~úческое оборýдование machínery

мехов||óй fur *attr.;* ~ воротнúк fur cóllar; **~щúк** fúrrier

меч sword

мéченый marked

мечéть mosque

мечтá dream; **~тельный** dréamy; **~ть** dream *(of)*

мешанúна *разг.* jumble, míxture

мешáть I 1. *(размешивать)* stir 2. *(смешивать)* mix

мешáть II distúrb *(беспокоить);* prevént *(препятствовать);* hínder *(стеснять)* ◇ не мешáло бы... it wouldn't be a bad thing..., it would do no harm...

мешáться *(вмешиваться)* meddle *(in)*, interfére *(in, with);* не мешáйтесь не в своё дéло! mind your own búsiness!

мéшкать línger

мешковáтый 1. *(о платье)* bággy 2. *(неуклюжий)* áwkward, clúmsy

меш||óк sack *(большой);* похóдный ~ kít-bag ◇ ~кú под глазáми bags únder one's eyes; кот в ~кé *разг.* pig in a poke

мещáн||ский pétty-bóurgeois, péttily subúrban; *перен.* nárrow, withóut cúltural ínterests; **~ство** 1. *собир.* pétty bourgeoisíe 2. *перен.* méanness, ígnorance, vulgárity

ми *муз.* E, mi

миг instant

миг||áть, ~нýть 1. *(кому-л.)* wink *(at)* 2. *(о свете)* twinkle

мúгом *нареч.* in a flash, in the twinkling of an eye

мигрéнь mígraine

мизéрный scánty, méagre

мизúнец the little fínger *(на руке);* the little toe *(на ноге)*

микрóб mícrobe, germ

микробиолóгия microbiólogy

микрорайóн *(города)* micro-dístrict *(of a town)*

микроскóп microscope; **~úческий** microscópic

микрофóн mícrophone; mike *разг.*

микстýра míxture

мúленький 1. prétty, dear 2. *(в обращении)* dárling

милитар||иза́ция militarizátion; **~и́зм** mílitarism; **~и́ст** mílitarist; **~исти́ческий** militarístic

милиционе́р milítiaman; постово́й ~ milítiaman on póint-duty

мили́ция milítia

миллиа́рд mílliard; bíllion *(амер.)*

миллиме́тр míllimetre

миллио́н míllion

ми́ло *нареч.* nícely; swéetly; э́то о́чень ~ с ва́шей стороны́ it is véry sweet *(или* kind) of you

милови́дный prétty, níce-looking

милосе́рд||ие mércy; **~ный** mérciful

ми́лостивый grácious, kind

ми́лостыня alms *pl.*

ми́лост||ь 1. *(благоволение)* fávour, kíndness **2.** *(пощада)* mércy; из ~и out of chárity ◇ ~и про́сим! *разг.* please come in!; we'll be delíghted to see you!

ми́лый 1. nice, sweet **2.** *(в обращении)* dear

ми́ля mile

ми́мика fácial expréssion

ми́мо *нареч. и предл.* past, by; пройти́ ~ go past; pass by; бить ~ miss the mark

мимо́за mimósa

мимолётный fléeting, pássing

мимохо́дом *нареч.* **1.** in pássing by; зае́хать ~ drop in when pássing by **2.** *(между прочим)* by the way

ми́н||а I *(о лице)* face, cóuntenance; сде́лать ки́слую ~у make a wry face

ми́на II *воен.* mine

минда́ль 1. *(дерево)* álmond(-tree) **2.** *собир.* *(плоды)* álmonds *pl.*

минда́льн||ый álmond *attr.;* ~ые оре́хи álmonds

минера́л míneral; **~о́гия** minerálogy

минера́льн||ый míneral; ~ые во́ды míneral wáters

миниатю́рный míniature; tíny

минима́льный mínimum *attr.*

ми́нимум mínimum; доводи́ть до ~а redúce to a mínimum, mínimize

мини́ровать *воен.* mine

министе́рс||кий ministérial; **~тво** mínistry; board; depártment *(амер.);* ~тво иностра́нных дел Mínistry of Fóreign Affáirs; Fóreign and Cómmonwealth Óffice *(в Англии);* State Depártment *(в США);* ~тво вну́тренних дел Mínistry of Intérnal Affáirs; Home Óffice *(в Англии);* Depártment of the Intérior *(в США)*

мини́стр mínister, sécretary; ~ вну́тренних дел Mínister for Intérnal Affáirs; Home Sécretary *(в Англии);* Sécretary of the Intérior *(в США);* ~ иностра́нных дел Mínister for Fóreign Affáirs; Fóreign Sécretary *(в Англии);* Sécretary of State *(в США);* вое́нный ~ Sécretary of State for Defénce *(в Англии);* Sécretary of War *(в США)*

ми́нн||ый mine *attr.;* ~ загради́тель mínelayer; ~ое по́ле mínefield

минова́||ть 1. *(окончиться)* be óver, pass; о́сень ~ла the áutumn is óver; кри́зис ~л the crísis passed **2.** *(оставить позади)* pass **3.** *(избежать)* escápe; емý э́того не ~ he can't escápe it

миномёт *воен.* mórtar

минонóсец *мор.* torpédo-boat; эскáдренный ~ destróyer

минóр 1. *муз.* mínor key **2.** *(о настроении)*: в ~е in the blues; **~ный 1.** *муз.* mínor **2.** *(печальный)* sad

минýвш||ий past; ~им лéтом last súmmer

мúнус 1. *мат.* mínus **2.** *(недостаток)* defect

минýт||а 1. mínute **2.** *(момент)* móment, ínstant; сию́ ~у immédiately; **~ный** moméntary

минýть *см.* миновáть 1, 2

мир I *(вселенная)* world, úniverse

мир II peace; в ~е at peace; заключáть ~ make peace; борьбá за ~ struggle for peace

мирúть réconcile *(with)*; **~ся** make peace *(with)*, make it up *(with)*

мúрный péaceful, péaceable; peace *attr.*; ~ договóр peace tréaty

мировоззрéние world óutlook; марксúстско-лéнинское ~ the Márxist-Léninist óutlook

миров||óй world *attr.*; ~áя держáва world pówer; ~áя войнá World War

миролюбúв||ый péace-loving, péaceful; ~ые нарóды péace-loving nátions

мúска (sérving) bowl; básin *(большая)*

мúссия míssion; инострáнная ~ legátion

мúстика mýsticism

мистификáция hoax; práctical joke

мистúческий mýstical

мúтинг méeting; rálly *(амер.)*

миф myth; **~úческий** mýthical; **~олóгия** mythólogy

мишéнь tárget; shóoting mark

мишурá tínsel

младéн||ец báby; ínfant; **~ческий** ínfantile; **~чество** ínfancy

млáдший *(по возрасту)* yóunger; júnior *(по положению)*

млекопитáющие *сущ.* mammália, mámmals

млéчный: Млéчный Путь *астр.* the Mílky Way; gálaxy

мне *дт., пр. см.* я

мнéни||е opínion; быть хорóшего ~я о кóм-л. have a high opínion of smb.; по моемý ~ю in my opínion; быть о себé слúшком высóкого ~я think too much of onesélf

мнúм||ый séeming, imáginary, appárent; ~ая опáсность appárent dánger

мнúтельный 1. hypochóndriac **2.** mistrústful *(недоверчивый)*; suspícious *(подозрительный)*

мнить: слúшком мнóго ~ о себé think too much of onesélf

мнóгие mány, a great mány

мнóго 1. much *(с сущ. в ед.)*; mány *(с сущ. во мн.)* **2.** *с прил. и нареч.* much; a great deal; ~ лýчше much bétter ◇ ни ~ ни мáло no less than

многовековóй cénturies-óld

многовóдный abóunding in wáter, fúll-flówing

многогрáнный *перен.* vérsatile, mány-síded

многоде́тн||ый: ~ая мать mother of many children

мно́го||е much; a great deal; во ~м in many respects

многожёнство polýgamy

многозначи́тельный méaning; ~ взгляд a méaning look

многозна́чн||ый: ~ое число́ *мат.* númber of mány fígures

многокра́тн||о *нареч.* mány times; óver and óver agáin; **~ый 1.** repéated; fréquent; ~ый чемпио́н (ми́ра) repéated (world) chámpion **2.** *грам.* frequéntative

многоле́тний 1. of long stánding **2.** *бот.* perénnial

многолю́дный crówded *(о собрании и т. п.)*; pópulous *(о городе и т. п.)*

многонациона́льн||ый multinátional; ~ое госуда́рство multinátional state

многообеща́ющий prómising

многообра́зный divérse, váried

многосеме́йный with a large fámily

многосло́вный loquácious, verbóse

многосло́жный *грам.* pólysyllábic

многосторо́нний *мат.* polýgonal; *перен.* mány-síded

многотира́жка *разг.* fáctory néwspaper

многото́мный in mány vólumes

многото́чие dots *pl.*

многоуважа́емый gréatly respécted; dear *(в письмах)*

многоуго́льник pólygon

многоцве́тный mány-cóloured

многочи́сленный númerous

многочле́н *мат.* polynómial

многоэта́жный mány-storeyed

многоязы́чный 1. pólyglot **2.** *(о словарях)* multilíngual

мно́жественн||ый: ~ое число́ *грам.* plúral

мно́жеств||о múltitude, a great númber; lots *pl.;* во ~е in númbers; ~ хлопо́т a great deal of trouble

мно́жи||мое *мат.* multiplicánd; **~тель** *мат.* múltiplier; **~ть 1.** *(увеличивать)* incréase **2.** *мат.* múltiply

мной, мно́ю *тв. см.* я

мобилиз||а́ция mobilizátion; **~ова́ть** móbilize

моги́||ла grave; **~льщик** gráve-digger

могу́чий pówerful, míghty

могу́щественный míghty

могу́щество pówer, might

мо́д||а fáshion, vogue; быть в ~е be in fáshion *(или* in vogue); после́дние ~ы látest styles ◇ после́дний крик ~ы the last word in fáshion

моде́||ль módel; дом ~лей fáshion house; вы́ставка ~лей fáshion show; **~льный:** ~льная о́бувь fáshion shoes *pl.*

мо́дн||ый fáshionable; э́то сейча́с о́чень ~о it's all the rage now *разг.*

моё *с. см.* мой

мо́жет быть perháps, may be

можжеве́льник júniper

мо́жно *предик. безл.* one may; one can; it is póssible; как ~ скоре́е as soon as póssible

мозг brain; márrow *(костный)* ◇ шевели́ть ~а́ми *разг.* use one's brains; **~ово́й** *анат.* cérebral

мозо́||листый hórny; **~лить:**

~лить глаза́ кому́-л. *разг.* be an éyesore to smb.; **~ль** corn

мои́ 1. *мн. см.* мой **2.** *как сущ. (родные)* my fámily

мой *мест.* my *(при сущ.)*; mine *(без сущ.)*; это ~ каранда́ш this is my péncil; этот каранда́ш ~ this péncil is mine

мо́кнуть get wet, be steeped; ~ под дождём be expósed to rain

мокро́та phlegm

мо́крый wet

мол pier, bréakwater

молва́ rúmour

мо́лвить *разг.* say, útter

молд||ава́нин Moldávian; **~а́вский** Moldávian; ~а́вский язы́к Moldávian; the Moldávian lánguage

моле́кул||а mólecule; **~я́рный** molécular

мол||и́тва práyer; **~и́ть** entréat, beséech; **~и́ться** pray *(for)*

молниено́сный swift as líghtning

мо́лни||я 1. líghtning **2.** *(застёжка)* zípper; ку́ртка с ~ей jácket with zípper

молодёжь youth; young people *pl.*

молоде́ть grow young agáin

молод||е́ц fine féllow; well done! *(восклицание)*; вести́ себя́ ~цо́м put up a good show, do well; **~е́цкий** váliant; у́даль ~е́цкая válour

молодня́к *собир.* **1.** *разг. (о людях)* the yóunger generátion; the youth **2.** *(о скоте)* young ánimals *pl.* **3.** *(о лесе)* young growth; sáplings *pl.*

молод||о́й 1. *прил.* young; *(о неодуш. предметах)* new; ~ карто́фель new potátoes *pl.*; **~о́е вино́** young *(или* immatúre) wine **2.** *как сущ.* brídegroom; **~а́я** bride

мо́лодость youth

моложа́вый yóung-looking

молоко́ milk

молокосо́с *разг.* gréenhorn

мо́лот (large) hámmer

молоти́лка thréshing-machine, thrésher

молоти́ть thresh

молото́к hámmer

моло́ть grind, mill ◇ ~ вздор *разг.* talk nónsense

молотьба́ thréshing

моло́чн||ая créamery, dáiry; **~ик** *(посуда)* milk jug; **~ица** *(торговка)* mílkwoman; **~ый** milk *attr.*; ~ое хозя́йство dáiry farm

мо́лч||а *нареч.* sílently; **~али́вый** táciturn; sílent; **~а́ние** sílence

молча́ть keep sílent; ~! sílence!

моль moth

мольба́ entréaty

мольбе́рт éasel

моме́нт móment; **~а́льно** *нареч.* in a móment; **~а́льный** mómentary; ~а́льный сни́мок snápshot

монарх||и́ст mónarchist; **~и́ческий** monárchic(al)

мона́рхия mónarchy

монасты́рь clóister

мона́х monk; **~иня** nun

монго́л Mongól

монго́льский Mongólian; ~ язы́к Mongólian, the Mongólian lánguage

моне́т||а coin ◇ плати́ть кому́-л. той же ~ой pay smb. in his own coin; приня́ть за чи́стую ~у take at its face válue, accépt in all good faith; **~ный** mónetary; ~ный двор mint

моногра́фия mónograph

моноли́тный monolíthic

моноло́г mónologue

монопо||лизи́ровать monópolize; **~ли́ст** monópolist; **~листи́ческий** monopolístic; ~листи́ческий капитали́зм monopolístic cápitalism

монопо́лия monópoly

моното́нный monótonous

монт||а́ж assémbling, móunting; cútting *(кинофильма)*; **~а́жный** assémbly *attr.*; ~а́жные рабо́ты installátion; eréction; **~ёр** fítter; electrícian *(электромонтёр)*; **~и́ровать** assémble, mount

монуме́нт mónument; **~а́льный** monuméntal; ~а́льный труд monuméntal work

мопе́д móped

мор péstilence, plague

мора́ль mórals *pl.*; **~ный** móral; ~ое состоя́ние morále

морг morgue

морг||а́ть, ~ну́ть blink; wink

мо́рда muzzle

мо́р||е sea; в откры́том ~ on the ópen sea; за́ ~ем óverséas

морепла́ва||ние navigátion; **~тель** návigator

морж wálrus

мори́ть 1. *(крыс)* extérminate **2.**: ~ го́лодом starve

морко́вь cárrot

моро́женое íce-créam

моро́з frost; **~ить** freeze; **~ный** frósty

морозоусто́йчивый fróst-resistant, fróst-hardy

морос||и́ть: ~и́т it is drízzling

морс frúit-drink

морск||о́й sea *attr.*; náutical, nával *(мореплавательный)*; ~ флот mérchant maríne; návy *(военно-морской)* ◇ ~а́я звезда́ *зоол.* stárfish

морфоло́гия 1. morphólogy **2.** *(отдел грамматики)* áccidence

морщи́н||а wrinkle; **~истый** wrinkled

мо́рщить wrinkle; ~ лоб knit one's brow; **~ся** wrinkle; make a grimáce *(делать гримасы)*

моря́к séaman, sáilor

москате́льн||ый: ~ые това́ры chándlery *sg.*

москви́ч Múscovite, inhábitant of Móscow

моско́вский Móscow; Моско́вская о́бласть Móscow Région

мост bridge

мости́ть pave

мостки́ planked fóotway *sg.*

мостова́я paved róadway, road

мота́ть I **1.** *(наматывать)* wind **2.** *(головой)* shake ◇ ~ что-л. на ус take in smth.

мота́ть II *(деньги)* squánder

мота́ться 1. *(висеть)* dangle **2.** *(скитаться)* wánder **3.** *(суетиться)* fuss abóut

моти́в 1. mótive, réason **2.** *муз.* theme, súbject; tune *(мелодия)*; на ~... to the tune of...; **~и́ровать** mótivate; **~иро́вка** motivátion, réason

мотовство́ prodigálity, squándering

мото́к ball, skein

мото́р mótor, éngine; **~изо́-**

ванный mótorized; **~ный** mótor *attr.*; ~ный вагóн front car; ~ная лóдка mótor boat

моторóллер (mótor) scóoter

мотоци́кл, ~éт(ка) mótor cycle; **~и́ст** mótor-cýclist

моты́га hoe, máttock

мотылёк bútterfly, moth

мох moss

мохнáт||ый háiry, shággy; ~ое полотéнце Túrkish tówel; ~ые брóви búshy éyebrows

мочá úrine

мочáлка wisp (of bast)

мочевóй: ~ пузы́рь bládder

мочéть wet; steep *(вымачивать)*; ~ бельё steep línen

мочь I *гл.* can, be able *(быть в состоянии)*; may *(иметь разрешение)*; он сдéлает всё, что мóжет he will do all he can; мóжет ли он пойти́ тудá? *(имеет ли разрешение)* may he go there?

моч||ь II *сущ. разг.:* что есть ~и with all one's might; кри́кнуть что есть ~и shout at the top of one's voice

мошéнни||к swíndler; **~чать** swíndle; **~чество** swíndle, fraud

мóшка midge

мощёный paved

мóщн||ость pówer, capácity; **~ый** pówerful

мощь pówer, might

моя́ *ж. см.* мой

мрак dárkness, gloom

мракобéс obscúrantist; **~ие** obscúrantism

мрáмор marble; **~ный** marble *attr.*

мрáчный dark, glóomy

мсти́тельный vindíctive

мстить take one's revénge

мудрёный invólved, cómplicated *(сложный — о языке и т. п.)*

мудрéц sage

мудри́ть *разг.* cómplicate máttters unnécessarily

мýдр||ость wísdom; **~ый** wise, sage

муж húsband

мужáться take heart *(или* cóurage)

мýжеств||енный courágeous; mánly; **~о** cóurage

мужскóй másculine; male; ~ род *грам.* másculine génder, the másculine

мужчи́на man, male

мýза muse

музéй muséum

мýзык||а músic; **~áльный** músical; ~áльная шкóла músic school; **~áнт** musícian

мýка tórment, súffering

мукá meal; flour

мул mule

мулáт mulátto

мультипликациóнный: ~ фильм ánimated cartóon

мýмия múmmy

мунди́р úniform

мундштýк cigarétte-holder

муниципáльный munícipal

муравéй ant; **~ник** ánt-hill

мурáшки the creeps; у меня́ от э́того ~ по спинé бéгают it gives me the creeps

мурлы́кать purr

мýскул muscle; **~истый** múscular

мýсор rúbbish; dust *(сор)*; **~ный:** ~я́щик dústbin; gárbage-can *(амер.)*; **~опровóд** rúbbish chute

мут||и́ть 1. stir up **2.** *безл.:*

меня́ ~и́т I've got a sick féeling

му́тн||ый túrbid ◇ в ~ой водé ры́бу лови́ть *погов.* fish in troubled wáters

му́фта muff

му́ха fly

мухомо́р tóadstool

муче́ние tórment, pain

му́ченик mártyr

мучи́тель torméntor; **~ный** ágonizing

му́чить tormént; **~ся** súffer; be tórtured

мучно́й méaly; of meal (*после сущ.*)

мчать, ~ся rush alóng

мще́ние véngeance

мы *мест.* we; *косв.* us; нас там нé было we were not there; у нас есть we have; он дал нам кни́гу he gave us the book; he gave the book to us; он говори́т о нас he speaks abóut us; мы с тобо́й you and I

мы́л||ить soap; **~кий** sóapy

мы́ло soap; туалéтное ~ tóilet soap; хозя́йственное ~ hóusehold soap; **~варе́ние** sóap-boiling; **~ва́ренный:** ~ва́ренный заво́д sóap-works

мы́ль||ница sóap-dish; sóap-box; **~ный** sóapy; ~ный пузы́рь sóap-bubble; ~ная пéна láther

мыс cape

мы́сленный méntal

мы́слимый thínkable, concéivable

мысли́тель thínker

мы́слить think

мысль thought; idéa (*идея*); refléction (*размышление*)

мы́слящий intélligent, thínking

мыть wash; **~ся** wash (onesélf); ~ся в ва́нне take a bath; ~ся под ду́шем take a shówer

мыча́ть low, moo (*о корове*); béllow (*о быке*)

мышело́вка móusetrap

мы́шечный múscular

мышле́ние thínking, mode of thínking; mentálity

мы́шца muscle

мышь mouse

мышья́к ársenic

мя́гк||ий soft; ténder; gentle (*о характере*); mild (*о климате*); ~ое крéсло uphólstered chair, éasy-cháir; ~ая вода́ soft wáter

мя́киш (*хлéба*) the crumb (of the loaf)

мя́коть flesh (*мяса*); pulp (*плода*)

мя́млить *разг.* mumble

мяси́стый fléshy (*тж. о плодах*)

мясни́к bútcher

мясн||о́й meat *attr.*; ~ы́е консéрвы tinned meat *sg.*; canned meat *sg.* (*амер.*)

мя́со flesh, meat (*как еда*)

мясору́бк||а míncing-machíne, míncer; пропусти́ть мя́со чéрез ~у put meat through the míncer

мя́та mint

мятéж rebéllion; revólt; **~ник** rébel, insúrgent; **~ный** rebéllious

мять crumple; trample (*ногами*); **~ся** (*о материи и т. п.*) crumple

мяу́кать mew

мяч ball; пропусти́ть ~ *спорт.* miss the ball; спо́рный ~ *спорт.* referée ball

Н

на I *предл.* **1.** *(на вопросы* «кудá»?, «где?», *если обозначает* «свéрху чегó-л.») on, upón; на стол, на столé on the table **2.** *(на вопрос* «где?», *если не обозначает* «свéрху чегó-л.») in, at; на сóлнце in the sun; на ýлице in the street; на завóде at the fáctory **3.** *(на вопрос* «когдá?») 1) on; на пятый день on the fifth day 2) *(не переводится)*: на э́той недéле this week; на э́тих днях one of these days; на Нóвый год on Néw-Year's day **4.** *(во время чего-л.)* dúring; на зи́мних каникулах dúring the winter hólidays **5.** *(о сроке, в значении* «до») till; отложи́ть на зáвтра put off till tomórrow **6.** *(в значении* «для») for; на чёрный день for a ráiny day; нá зиму for winter; на чтó вам э́то? what do you want it for?; кóмната на двои́х a room for two; на два мéсяца for two months ◇ на вáте wádded; на вес by weight; на зáпад wéstwards; говори́ть на францу́зском языкé speak French; рýкопись на англи́йском языкé mánuscript in Énglish; корóче на фут shórter by a foot; на лю́дях in públic; на мои́х глазáх in my présence; на два рубля́ two rubles worth

на II *межд.* *(возьми)* there, take it!; here, here you are!

набáв||ить, ~ля́ть add; incréase *(увеличить)*: ~ цéну на что-л. raise the price of smth.

набалдáшник knob

набáт alárm; бить в ~ ring the alárm bell; sound *(или* raise) the alárm

набéг raid

набегáть *см.* набежáть

набéгаться be tired with rúnning abóut

набежáть 1. *(натолкнуться)* run agáinst *(или* into); ~ на прохóжего run into a pásser-by **2.** *(о туче, о волне)* cóver, run óver **3.** *(прибежать)* come rúnning

набекрéнь *нареч. разг.*: надéть шáпку ~ wear one's hat on one side

нáбело *нареч.*: переписáть ~ make a fair cópy

нáбережная embánkment, quay

набивáть *см.* наби́ть

наби́в||ка 1. pádding, stúffing **2.** *текст.* printing; **~ной** *текст.* printed

набирáть(ся) *см.* набрáть(ся)

наби́||тый packed ◇ ~ дурáк blóckhead; **~ть 1.** fill, pack; stuff *(матрасы, мебель)* **2.** *(чем-л. мягким)* pad **3.** *текст.* print ◇ ~ть рýку на чём-л. becóme a práctised hand *(at)*; acquíre skill *(in)*; ~ть цéну raise the price

наблюд||áтель obsérver; **~áтельность** observátion; **~áтельный 1.** *(о человеке)* obsérvant **2.** *(для наблюдения)* observátion *attr.*; ~áтельный пункт *воен.* observátion post; **~áть 1.** obsérve; watch *(следить за)*; ~áть за кем-л. keep an eye on smb. **2.** *(надзирать)* look (áfter), súpervise; ~áть за рабóтами súpervise *(или* superinténd) a job *(или* the work); **~éние 1.** observátion; вести́ ~éние keep a lóok-óut **2.** *(надзор)* supervísion

набо́йка 1. *текст.* printed cloth **2.** *(на каблуке)* hell

на́бок *нареч.* on one side

наболе́вший sore, páinful ◇ ~ вопро́с sore point *(или* súbject)

набо́р 1. *(учащихся и т. п.)* admíssion **2.** *воен.* conscríption, lévy, recrúitment **3.** *(рабочих)* engáging, táking on **4.** *полигр.* týpe-setting **5.** *(комплект)* set; colléction ◇ ~ слов mere vérbiage; **~щик** *полигр.* compósitor, týpe-setter

набра́сывать I *см.* наброса́ть

набра́сывать II *см.* набро́сить

набра́сываться *см.* набро́ситься

набра́ть 1. *(собрать)* gáther, colléct **2.** *(произвести набор)* take; recrúit **3.** *полигр.* set up (in type) **4.** *(номер телефона)* díal; **~ся:** ~ся сме́лости screw *(или* múster) up one's cóurage; ~ся сил múster one's strength

набрести́ come acróss, háppen upón ◇ ~ на мысль hit on an idéa

наброса́ть sketch; óutline; draft *(рисунок, чертёж)*

набро́сить *(одежду)* throw on *(или* óver); **~ся** attáck

набро́сок sketch; draft; rough cópy *(черновик)*

набуха́ть *см.* набу́хнуть

набу́х||нуть swell; **~ший** swóllen

нава́га nav́aga *(a fish of the cod family)*

нава́ливать(ся) *см.* навали́ть(-ся)

навали́ть heap (up), pile (up); *перен. (обременить)* load *(with)*; **~ся** lean héavily *(on)*

нава́р fat *(on soup)*; **~истый** rich

навева́ть *см.* нavéять

наве́даться *разг.* call in (on), go and see

наведе́ние: ~ спра́вок condúcting an inquíry; ~ поря́дка gétting things put in órder *(или* to rights)

наве́дываться *см.* наве́даться

наве́ки *нареч.* for éver, for good, for éver and éver

наве́рно(е) 1. *нареч. (несомненно)* súrely, cértainly **2.** *вводн. сл. (вероятно)* most líkely; próbably; он, ~, опозда́ет he is líkely to be late

наверняка́ *нареч. разг.* for sure, for a cértainty; он ~ придёт it's dead cértain he will come

наверста́ть, навёрстывать make up *(for)*; ~ поте́рянное вре́мя make up for lost time

наве́рх *нареч.* up; úpstáirs *(по лестнице)*

наверху́ *нареч.* abóve; úpstáirs *(в доме)*; он живёт ~ he lives úpstáirs

наве́с cóver, róofing; áwning *(из парусины)*

навеселе́ *нареч. разг.* típsy, a bit tight

наве́сить hang up

навести́ *(направить)* diréct; ~ бино́кль на diréct one's glásses) on ◇ ~ мост make a bridge; ~ спра́вку condúct an inquiry; ~ когó-л. на мысль put smb. on to an idéa; ~ порядок *(где-л.)* put a place in órder

навестить vísit, call on, come to see

навéтренный wíndward

навéшивать *см.* навéсить

навещáть *см.* навестить

навéять waft, blow; *перен.* evóke; ~ тоску на когó-л. evóke a mood of sádness in smb.

нáвзничь *нареч.* on one's back; лежáть ~ lie supíne

навзрыд: плáкать ~ sob víolently

навигáция navigátion

нависáть *см.* нависнуть

навис||нуть hang óver; ~ла опáсность dánger is ímminent; ~ший óverhánging

навлекáть, навлéчь attráct, bring *(on)*

наводить *см.* навести

навóдк||а *(орудия)* láying, tráining; бить прямóй ~ой hit with a straight aim

наводнéние flood, inundátion

наводн||ить, ~ять *прям.*, *перен.* flood, inundate

навóдчик *воен.* gúnner

наводящий: ~ вопрóс léading quéstion

навóз manúre; muck, dung

нáволо||ка, ~чка píllow-case

навострить: ~ уши prick up one's ears; ~ лыжи *разг.* take to one's heels

наврáть *разг.* **1.** tell a pack of lies; tell a lie *(соврать)* **2.** *(ошибиться)* make a mistáke; ~ в вычислéниях go wrong in one's calculátions

навряд ли *нареч. разг.* it's unlíkely, scárcely líkely; ~ он придёт сегóдня he is not líkely to come todáy

навсегдá *нареч.* for éver, for good

навстрéчу *нареч.:* идти ~ комý-л. go to meet smb.; *перен.* meet smb. hálf-wáy

нáвык acquíred hábit *(привычка)*; expérience *(опыт)*; skill *(в работе)*

навыкат(е) *нареч.:* глазá ~ protrúding eyes

навылет *нареч.:* он был рáнен ~ the búllet went right through him

навьючи||вать, ~ть load

навязáть *(заставить принять)* force *(upon)*; press smth. on; ~ своё мнéние *(комý-л.)* thrust one's opínion *(on smb.)*; ~ся *(комý-л.) разг.* thrust onesélf *(upon smb.)*

навязчив||ый obtrúsive; impórtunate; ~ая идéя obséssion, fixed idéa; idée fixe [i:deɪ'fi:ks]

навязывать(ся) *см.* навязáть(-ся)

нагáйка whip

нагибáть(ся) *см.* нагнуть(ся)

нагишóм *нареч.* stárk-náked

наглéц ínsolent féllow

нáглость ínsolence; имéть ~ сдéлать что-л. have the ínsolence to do smth.

нáглухо *нареч.* tíghtly, secúrely; заколотить дверь ~ nail up a door fírmly; ~ застегнýться bútton right up

нáглый ínsolent

наглядéться: глядéть и не ~ be néver tired of lóoking *(at)*

нагляднн||ый clear; vísual *(ос-*

нованный на показе); ~ урóк práctical lésson; ~ые посóбия visual aids

нагнáть *(догнать)* overtáke, catch up ◇ ~ скýку bore; ~ страх на когó-л. scare smb. stiff

нагнет‖áтельный force *attr.*; ~ насóс fórce-pump; **~áть** pump; force

нагноéние suppurátion, féster

нагнýть bend; **~ся** stoop, bend

наговáривать *см.* наговорúть

наговорúть 1. *разг.* *(на когó-л.)* slánder **2.** *(много и т. п.)* say a lot; ~ комý-л. с три кóроба *разг.* talk smb.'s head off **3.** *(о звукозаписи)* recórd; ~ пластúнку make a recórding; **~ся** have a good long talk

нагóй nude; *(без растительности тж.)* bare

нáголо *нареч.*: острúженный ~ clósely cropped

нагoлó *нареч.*: с шáшкой ~ with náked sword

нáголову *нареч.*: разбúть ~ deféat útterly, rout

нагоня́й *разг.* scólding, télling-óff

нагоня́ть *см.* нагнáть

наго‖рáть, ~рéть *безл. разг.*: емý за э́то ~рéло he got it hot for that

нагородúть *разг.* pile up, heap up ◇ ~ вздóру talk a lot of nónsense

наготá núdity

наготáвливать *см.* наготóвить

наготóве *нареч.* in réadiness, réady; быть ~ be réady

наготóвить prepáre, make réady

нагрáб‖ить amáss by róbbery, loot; **~ленное** spoil, loot

нагрá‖да rewárd; decorátion *(знак отличия, орден)*; prize *(в школе)*; **~дúть, ~ждáть** rewárd; décorate *(орденом)*; **~ждéние** rewárding; decorátion *(орденом)*; ~ждéние за долголéтнюю слýжбу long sérvice gratúity *(или* awárd)

нагревáние héating

нагревáть, нагрéть warm, heat; **~ся** get warm

нагромо‖ждáть pile up, heap up; **~ждéние** *(груда)* conglomerátion; **~здúть** *см.* нагромождáть

нагрубúть speak rúdely, be rude

нагрýдник *(детский)* bib

нагружáть(ся) *см.* нагрузúть (-ся)

нагрузúть load *(with)*; **~ся** load onesélf *(with)*

нагрýзка lóading

нагря́нуть *разг.* turn up out of the blue

над *предл.* *(поверх)* óver *(тж. перен.)*; abóve *(выше)*; ~ головóй óverhéad ◇ рабóтать ~ чем-л. work on smth.

надавúть, надáвливать press

надбáв‖ить add, incréase; raise *(цену)*; **~ка** íncrease

надбавля́ть *см.* надбáвить

надвиг‖áть *см.* надвúнуть; **~áться** appróach, draw near; **~áющийся** appróaching; ímminent *(об опасности)*

надвúнуть pull óver, pártly screen; ~ шáпку на лоб pull one's hat óver one's eyes

надвóдн‖ый abóve wáter; súrface *attr.*; ~ая часть су́дна superstrúcture of a véssel

на́двое *нареч.* in two

надвяза́ть, надвя́зывать add by knítting

надгро́бн||ый: ~ па́мятник monuméntal másonry; tómbstone; ~ая речь fúneral speech

надева́ть *см.* наде́ть

наде́жд||а hope; в ~е *(на что-л.)* in the hope *(of)*; теря́ть вся́кую ~у give up all hope

надёжный safe; reliable; trústworthy *(о человеке)*

наде́л *(земельный) уст.* plot of árable land

наде́ла||ть 1. make a quántity *(of)*; ~ оши́бок *(грубых)* commít a lot of blúnders **2.** *(причинить)* cause; э́та пье́са ~ла мно́го шу́му this play made a great sensátion; что ты ~ла? what have you done?; ~ хлопо́т cause trouble

надел||и́ть, ~я́ть give; endów *(качествами)*

наде́||ть put on; что бы́ло на ней ~то? what did she have on?, what was she wéaring?

наде́яться hope *(for; на что-л.)*; relý *(on; на кого-л.)*

надзе́мный abóve the ground

надзир||а́тель óverseer, súpervisor; ~а́ть óversée, súpervise

надзо́р supervísion; survéillance *(за подозреваемым)*; санита́рный ~ sánitary inspéction

надко́стница *анат.* periósteum

надкуси́ть, надку́сывать take a nibble *(at)*, bite ínto smth.

надлеж||а́ть *безл.:* ему́ ~и́т э́то сде́лать he is to do it; **~а́щий** próper, fítting; ~а́щим о́бразом próperly; в ~а́щий срок at the appóinted time

надло́м frácture; **~и́ть** frácture; **~ленный** *перен.* wrétched

надме́нный árrogant, háughty

на дня́х one of these days *(о предстоящем)*; the óther day, látely *(о прошлом)*

на́до *см.* ну́жно ◇ так ему́ и ~ *разг.* it serves him right

на́добност||ь need, necéssity; в слу́чае ~и in case of need; нет ~и there is no need

надо||еда́ть *см.* надое́сть; **~е́дливый** bóring, tíresome; ~е́дливый челове́к a bore; **~е́сть** bore; мне ~е́ло (+ *инф.*) I am tired *(of)*, I am sick *(of)*; де́тям ~е́ло сиде́ть ти́хо the chíldren were fed up with sítting still

нада́мо *нареч.* for a long time

надорва́ть 1. tear slíghtly **2.** *(силы)* óverstráin; **~ся** óverstráin onesélf

надоу́мить *(кого-л.)* suggést an idéa *(to)*

надписа́ть, надпи́сывать write on smth.; ~ конве́рт addréss an énvelope

на́дпись inscríption; légend *(на монете)*; сде́лать ~ have an inscríption made

надр||е́з small cut *(или* incísion); **~еза́ть, ~е́зывать** make an incísion, cut in

надруга́||тельство óutrage; **~ться** treat outrágeously

надры́в *перен.* ánguish; он говори́л с ~ом he spoke in ánguish; **~а́ть(ся)** *см.* надорва́ть(ся)

надсмо́тр supervísion; **~щик** óverseer; sláve-driver *(над рабами)*

надста́в||ить léngthen; ~ пла́тье léngthen a dress; **~ка** a piece put on; **~ля́ть** *см.* надста́вить

надстр||а́ивать, ~о́ить add a súperstructure

надстро́йка súperstructure *(тж. филос.)*; ~ но́вых этаже́й building on of addítional stóries

надув||а́тельство *разг.* chéating, swíndling; **~а́ть** *см.* наду́ть

наду́м||анный fár-fétched; **~ать** make up one's mind

наду́т||ый *(угрюмый)* súlky ◇ ~ые гу́бы póuted lips

наду́ть 1. *(газом, воздухом)* infláte; ~ мяч blow up a ball **2.** *разг.* *(обмануть)* cheat; dupe ◇ ~ гу́бы pout; **~ся** *(обидеться)* sulk, pout

надуши́ть put scent *(on)*; ~ плато́к духа́ми drench a hándkerchief with scent; **~ся** put on scent, use pérfume

наеда́ться *см.* нае́сться

наедине́ *нареч.* tête-à-tête [ˈteɪtaːˈteɪt], à deux [aːˈdəː]

нае́здник hórseman; циркове́й ~ círcus ríder

нае́здом on a flýing vísit

наезжа́ть 1. *(посещать)* come now and then **2.** *(на что-л.)* collíde *(with)*, run *(against, into)*

наём 1. *(рабочих)* hire **2.** *(квартиры и т. п.)* rent; **~ник** híreling; **~ный** híred; ~ный труд wage *(или* hired) lábour

нае́сться eat plénty of; ~ сла́дкого eat lots of dessért

нае́хать *см.* наезжа́ть 2

нажа́ть 1. press; ~ кно́пку press a bútton **2.** *разг.* *(оказать воздействие)* exért préssure, pull wires

нажда́к émery

нажи́ва prófit, gain; лёгкая ~ éasy móney

нажива́ть(ся) *см.* нажи́ть(ся)

нажи́м préssure; **~а́ть** *см.* нажа́ть

нажи́ть acquíre; ~ боле́знь contráct an íllness; ~ враго́в make énemies; **~ся** profitéer

наза́втра *нареч.* the next day

наза́д *нареч.* back, báckwards; ~ ! get back! ◇ два го́да тому́ ~ two years agó

назва́||ние name; title *(книги)*; **~ть** call, name; назови́те мне... tell me the name(s)...; **~ться** call onesélf

назе́мный ground *attr.*; land *attr.*

на́земь *нареч.* to the ground, down

назида́||ние edificátion; в ~ for edificátion; **~тельный**: ~тельный приме́р an óbject lésson; ~тельный тон a didáctic tone (of voice)

на́зло́ *нареч.* to spite (smb.); де́лать что-л. кому́-л. ~ do smth. to spite smb.

назнач||а́ть *см.* назна́чить; **~е́ние 1.** fíxing **2.** *(на должность)* assígnment **3.** *(предписание)* prescríption **4.** *(цель)* púrpose; ~е́ние писа́теля high aspirátion of a wríter ◇ ме́сто ~е́ния destinátion

назна́чить 1. fix, set; ~ пе́нсию fix a pénsion **2.** *(на рабо-*

му) assign **3.** *(предписать)* prescríbe

назо́йлив||о *нареч.* impórtunately; **~ость** importúnity; **~ый** impórtunate, tíresome; ~ая мело́дия háunting tune

назрева́ть, назре́ть come to a head *(тж. перен.)*

назыв||а́ть *см.* назва́ть; ~ ве́щи свои́ми имена́ми call a spade a spade; так ~а́емый só-cálled; **~а́ться** be called; как ~а́ется э́та у́лица? what's the name of this street?

наибо́лее *нареч.* most

наи́вн||ость naïvety; **~ый** naïve

наивы́сш||ий the híghest, the útmost; в ~ей сте́пени to the útmost extént, to the híghest degrée

наи́грывать play sóftly

наизна́нку *нареч.* ínside out; вы́вернуть ~ turn ínside out

наизу́сть *нареч.* by heart; чита́ть ~ recíte

наилу́чш||ий the best; ~им о́бразом in the best way

наиме́нее *нареч.* least

наименова́ние name, denominátion; title *(книги)*

наискосо́к, на́искось *нареч.* aslánt, oblíquely

наиху́дший the worst

найми́т híreling

найти́ 1. find; discóver *(открыть)*; ~ нефть strike oil **2.** *(счесть, признать)* consíder, find

най||ти́сь 1. be found; не ~дётся ли у вас 5 рубле́й? do you háppen to have 5 roubles on you?; рабо́та для всех ~дётся there will be work for éverybody **2.** *(не растеряться)* find the right thing *(to do or say)*; он нашёлся, что отве́тить he knew just what to replý

нака́з órder, instrúction; mándate *(избирателей)*

наказ||а́ние púnishment; pénalty ◇ что за ~! *разг.* what a núisance!, what a curse!; **~а́ть** púnish

нака́зывать *см.* наказа́ть

нака́л incandéscence; **~ённый** incandéscent; réd-hót *(докрасна)*, whíte-hót *(добела)*

нака́л||ивать(ся) *см.* накали́ть(ся); **~и́ть** heat; ~и́ть до́красна́ *(или* добела́) make réd-hót *(или* whíte-hót); **~и́ться** becóme hot; *перен.* becóme héated

нака́лывать *см.* наколо́ть I 1

накаля́ть(ся) *см.* накали́ть(-ся)

накану́не 1. *нареч.* the day befóre **2.** *предл.* *(чего-л.)* on the eve *(of)*

нака́пать pour *(или* spill) drops; ~ лека́рство méasure out the médicine by drops

нака́пливать(ся) *см.* накопи́ть(ся)

накача́ть, нака́чивать pump

наки́дка 1. *(одежда)* cloak **2.** *(на подушку)* lace cóver for píllows

наки́дывать *см.* наки́нуть; **~ся** *см.* наки́нуться

наки́нуть 1. throw (on) **2.** *(повысить цену)* add, put on

наки́нуться rush *(on)*, attáck *(тж. перен.)*; ~ на еду́ attáck the food

на́кипь 1. scum **2.** *(осадок)* fur, depósit; scale

накладн||áя ínvoice, wáy-bill; **~óй:** ~ы́е расхóды óverhead expénses; ~óе серебрó pláted sílver

наклáдывать *см.* наложи́ть

наклёвыва||ться *разг.* be afóot; ничегó не ~ется there's nóthing dóing; как бу́дто чтó-то ~ется it seems that smth. is bréwing

наклé||ивать, ~ить glue on, paste on; ~ мáрку stick a stamp on

наклéйка sticky lábel

наклóн inclinátion; slope *(горы́)*

наклонéние *грам.* mood

наклон||и́ть bend, bow; **~и́ться** stoop *(нагнуться)*; bend fórward *(вперёд)*; bend óver *(над)*

наклóнность bent; inclinátion

наклóн||ный inclíned; slóping; **~я́ть(ся)** *см.* наклони́ть(ся)

накова́льня ánvil

накóжный skin *attr.*

наколóть I **1.** *(приколоть)* pin **2.** *(уколоть)* prick

наколóть II *(расколоть)* chop; break *(сахар)*

наконéц 1. *нареч.* at last; fínally *(в заключение)*; lástly *(при перечислении)* **2.** *вводн. сл.*: когдá же, ~, домóй? well when *(или* when on earth) are we góing home?

наконéчник tip; point; head

накоп||и́ть accúmulate, pile up; **~и́ться** accúmulate; **~лéние** accumulátion

накопля́ть(ся) *см.* накопи́ть(-ся)

накорми́ть feed

накрáпыва||ть: ~ет дождь it is spitting rain

накрахмáлить starch

накрен||и́ться, ~я́ться *(о корабле)* take a list, heel

нáкрест *нареч.* crósswise

накричáть *(на кого-л.)* shout *(at)*

накрывáть(ся) *см.* накры́ть(-ся)

накры́ть cóver; ~ (на) стол lay the table ◇ ~ на мéсте преступлéния catch réd-hánded; **~ся** cóver onesélf

накуп||áть, ~и́ть buy (a quántity of); ~ конфéт buy a supplý of sweets

накури́ть: здесь наку́рено the room is full of smoke

налагáть *см.* наложи́ть

налá||дить, ~живать arránge, set góing; put smth. right; repáir *(исправлять)*

налéво *нареч.* to the left; ~ от меня́ to my left

налегáть *см.* налéчь

налегкé *нареч.* light; éхать ~ trável light; быть ~ be líghtly clad

налёт I *воен.* raid

налёт II **1.** thin láyer; taint *(окраска)*; *перен.* touch; ~ мещáнства a touch of vulgárity **2.** *(в горле, на языке)* fur

налетáть, налетéть 1. *(сталкиваться)* collíde *(with)* **2.** *(набрасываться)* swoop down; *перен.* fly *(at)*, attáck **3.** *(о пыли, комарах)* fly in, drift in

налётчик one of a smash-and-grab gang

налéчь *разг.* applý, lean; ~ на рабóту get down to work

наливáть(ся) *см.* нали́ть(ся)

нали́вка córdial

нали́м búrbot

налито́й: ~ кро́вью blóod-shot

нали́ть pour out; fill *(наполнить)*; **~ся 1.** fill **2.** *(о плодах)* ripen

налицо́ *нареч.* présent *(о человеке)*; on hand, aváilable *(о вещах)*

нали́чие availabílity

нали́чн||ость *бухг.* cash, réady móney; **~ый** on hand; за ~ый расчёт for cash down; ~ые де́ньги cash *sg.*; réady móney *sg.*

наловчи́ться get the hang *(of)*

нало́г tax; прямо́й ~ diréct tax; ко́свенный ~ indiréct tax

налогоплате́льщик táx-payer

нало́женны||й: ~м платежо́м cash on delívery, C.O.D.

наложи́ть put on; ~ штраф impóse a fine; ~ взыска́ние delíver an offícial réprimand; ~ отпеча́ток leave traces *(on)*; ~ резолю́цию на заявле́ние endórse an applicátion ◇ ~ на себя́ ру́ки commít súicide

налюбова́ться: он не мо́жет ~ э́тим he can't admíre this enóugh

нам *дт. см.* мы

нама́з||ать spread *(on)*, put *(on)*; ~ хлеб ма́слом spread bread with bútter; ~ ма́зью applý an óintment (to); **~аться** rub onesélf *(with)*

нама́тывать *см.* намота́ть

нама́чивать *см.* намочи́ть

намая́ться have had a lot of trouble

намёк hint, dig; поня́ть ~ take the hint

намек||а́ть, ~ну́ть make hints *(about)*, hint that

намерева́ться inténd, be abóut to

наме́рен *предик.*: он ~ he inténds; что вы ~ы де́лать? what are you góing to do?

наме́рен||ие inténtion; aim *(цель)*; **~но** *нареч.* delíberately; **~ный** inténtional, delíberate

наме́тить I **1.** *(ставить метку)* mark **2.** *перен.* óutline

наме́тить II *(заранее назначить)* fix; ~ день отъе́зда fix the day of depárture

намеча́ть I, II *см.* наме́тить I *и* II

на́ми *тв. см.* мы

намно́го by far; ~ лу́чше much bétter

намока́ть, намо́кнуть get wet

намо́рдник muzzle; надева́ть ~ muzzle

намота́ть wind, reel

намочи́ть móisten; soak *(бельё)*

наму́читься *разг.* have the hell of a lot of trouble

намы́ли||вать, ~ть soap

нанести́ 1. *(принести)* bring a quántity *(of)*; heap *(кучу чего-л.)*; depósit *(песок, ил)* **2.** *(причинить)* inflíct, cause; ~ оскорбле́ние insúlt; ~ пораже́ние deféat; ~ уще́рб dámage **3.** *(на карту, план)* mark *(on)*

наниза́ть, нани́зывать string, thread

нанима́||тель 1. *(помещения)* ténant **2.** *уст.* *(рабочих)* emplóyer; **~ть** *см.* наня́ть; **~ться** applý for work

нанóс *геол.* allúvium, depósit; **~ить** *см.* нанести́; **~ный** *геол.* allúvial; *перен.* superfícial

наня́ть 1. *(помещение)* rent **2.** *уст.* *(людей)* hire; engáge; **~ся** go ínto sérvice, take a job

наоборо́т|| 1. *нареч.* *(не так, как следует)* the wrong way round; как раз ~ quite the revérse **2.** *вводн. сл.* on the cóntrary; и ~ and více vérsa

наобу́м *нареч.* at rándom

наóтмашь *нареч.* with the back of the hand

наотре́з *нареч.* flátly, póint-blánk; отказа́ться ~ refúse póint-blánk

на óщупь *нареч.* to the touch

напад||а́ть *см.* напа́сть I; **~е́ние 1.** attáck; *воен.* offénsive; aggréssion *(агрессия)* **2.** *(в футболе)* fórwards *pl.*, the fórward line

напа́дки attácks, accusátions

напа́сть I *гл.* **1.** attáck **2.** *(о страхе, тоске и т. п.)* come óver

напа́сть II *сущ.* *разг.* misfórtune

напе́в tune; **~а́ть** hum

наперебóй *нареч.*: говори́ть ~ try to speak first; угоща́ть ~ outdó óthers in píling food on a guest's plate

наперевéс *нареч.* atilt

наперегонки́ *нареч.*: бежа́ть ~ chase each óther; race (with) one anóther *(в состязании)*

напере́д *нареч.* *разг.* befórehand, in advánce

наперекóр *нареч.* *разг.* contrárily; cóntrary to ◇ ~ стихи́ям flying in the face of náture

напере́чёт *нареч.* all withóut excéption; он знал всех ~ he knew évery (single) one of them ◇ таки́е лю́ди ~ there are not mány such people

напёрсток thimble

напеча́тать print; públish *(издать)*; type *(на машинке)*

напива́ться *см.* напи́ться

напи́льник file

напира́ть *разг.* **1.** press **2.** *(подчёркивать)* émphasize; stress *(on)*

написа́ть *см.* писа́ть

напи́т||ок 1. drink **2.** *мн.*: ~ки béverages

напи́ться 1. have smth. to drink; quench one's thirst *(утолить жажду)*; **2.** *(пьяным)* get drunk

напиха́ть, напи́хивать *разг.* cram in *(или* ínto) with; stuff *(with — чем-л.)*

наплева́ть spit; ~ на *перен.* *разг.* spit on; мне ~ на э́то I don't give a damn for that

напли́в 1. flow, ínflux **2.** *кино* fáde-in

напова́л *нареч.*: уби́ть ~ kill outríght

наподóбие *предл.* like

напои́ть give to drink; wáter *(животных)*

напока́з *нареч.* for show *(тж. перен.)*; выставля́ть ~ put out for show

напóлнить fill; **~ся** fill

наполня́ть(ся) *см.* напóлнить(ся)

наполови́ну *нареч.* half; де́лать де́ло ~ do things by halves

напомина́||ние 1. reminding; remínder *(то, что напоминает)* **2.** *(извещение)* nótice;

~ть 1. *см.* напомнить **2.** *(быть похожим)* resémble

напомн||ить remínd *(of)*; ~ите мне... remínd me...

напор préssure, force *(тж. перен.)*; ~ ветра the force of the wind; под ~ом противника únder énemy préssure; **~истый** *разг.* energétic, fórceful

напоследок *нареч.* at last, in the end

направ||ить 1. diréct; ~ взгляд diréct one's glance; ~ разговор diréct *(или* turn) the conversátion **2.** *(послать)* send; ~ больного в госпиталь send a pátient to hóspital; ~ заявление в суд send a státement to the court; ~ кого-л. на работу assígn smb. to a post; **~иться** go, make *(for)*; **~ление** *в разн. знач.* diréction; по ~лению к in the diréction of; ~ление ума turn of mind; **~лять** *см.* направить; **~ляться 1.** *см.* направиться **2.** *(о судне)* be bound *(for)*

направо *нареч.* to the right; ~ от меня to my right

напрасн||о *нареч.* **1.** *(зря)* in vain, úselessly **2.** *(несправедливо)* withóut réason *(или* grounds); вы ~ так говорите you shouldn't say that; **~ый 1.** *(бесполезный)* vain, úseless **2.** *(несправедливый)* withóut grounds, unfóunded; наши опасения оказались ~ыми our fears proved unfóunded

напрашив||аться 1. ask for; ~ на комплименты fish for cómpliments; ~ на неприятности ask for tróuble **2.** *(о мысли и т. п.)* suggést itsélf; ~ается сравнение one is témpted to compáre; выводы ~аются сами собой the óbvious conclúsions spring to mind

например *вводн. сл.* for exámple, for ínstance; вот, ~, ... let's take for ínstance...

напрокат *нареч.* for *(или* on) hire; брать ~ hire

напролёт *нареч.* on end; ночи ~ nights on end; весь день ~ all day long

напролом *нареч.* ahéad; идти ~ barge ahéad

напроситься *см.* напрашиваться 1

напротив 1. *нареч.* *(наоборот)* on the cóntrary **2.** *нареч.* *(на противоп. стороне)* ópposite **3.** *предл.* ópposite; vis-á-vis ['vi:za:vi:]

напря||гать(ся) *см.* напрячь (-ся); **~жение 1.** strain; éffort *(усилие)* **2.** *эл.* ténsion, vóltage **3.** *тех.* stress; **~жённый** strained, tense; ~жённая борьба tense strúggle; с ~жённым вниманием with strained atténtion

напрямик *нареч.* by the diréct *(или* shórtest) way; *перен.* straight, pláinly; говорить ~ speak pláinly

напрячь strain; ~ все силы strain évery nerve; **~ся** strain *(или* exért) onesélf

напуг||анный fríghtened *(at, of)*; **~ать** fríghten; **~аться** get fríghtened

напудрить pówder; **~ся** pówder onesélf

напуск||ать(ся) *см.* напустить(ся); **~ной** afféсted; feigned

напусти́ть *(наполнить)* fill *(with)* ◇ ~ на себя́ ва́жность put on an air of impórtance

напусти́ться *(на кого-л.)* *разг.* fall *(on)*, fly *(at)*

напу́тать mix up; make a mess of *(все перепутать)*

напу́тствие párting words *pl.*, párting wíshes *pl.*

напы́щенный pómpous, inflа́ted; bombа́stic *(о стиле)*

наравне́ *нареч.* on a lével *(with)*, in a line *(with)*; она́ рабо́тала ~ со взро́слыми she worked on a lével with the grówn-ups

нараспа́шку *нареч.* *разг.* *(о пальто и т. п.)* únbúttoned ◇ у него́ душа́ ~ he is génerously ópen-hearted

нараспе́в *нареч.* in a sing-song, in a sínging voice

нараст||а́ние grówing, growth; **~а́ть, ~и́** grow, incréase

нарасхва́т *нареч.* *разг.*: э́та кни́га продаётся ~ this book is sélling like hot cakes, э́та пласти́нка ~ this récord is in gréat demánd

нарва́ть I *(цветов, фруктов)* pick

нарва́ть II *см.* нарыва́ть

нарва́ться *разг.* run up *(against)*; ~ на неприя́тность run ínto trouble

наре́з||ать, ~а́ть 1. cut; carve *(мясо)* **2.** *(резьбу винта)* thread; **~ка** *(винта)* thread; **~но́й** thréaded

нарека́ни||е cénsure; вы́звать ~я give rise to únfávourable críticism

наре́чие I *(диалект)* díalect; ме́стное ~ lócal díalect

наре́чие II *грам.* ádverb

нарисова́ть draw

нарица́тельн||ый 1. *эк.* nóminal **2.** *грам.*: и́мя ~ое cómmon noun

нарко́з anaesthétic; под ~ом únder anaesthétic

наркома́н drug áddict

нарко́тик drug

наро́д people

народи́ться *см.* нарожда́ться

наро́дность *(народ)* a people, a nationálity

народнохозя́йственный nátional económic

наро́дн||ый people's; nátional *(национальный)*; folk *attr.* *(о музыке и т. п.)*; ~ суд People's Court; ~ фронт Pópular Front; ~ая респу́блика People's Repúblic; ~ые сказа́ния fólklore *sg.*; ~ арти́ст People's ártist

народонаселе́ние populátion

нарожда́ться *(возникать)* aríse, come ínto béing

наро́ст growth

нарочи́тый delíberate, inténtional

наро́чно *нареч.* **1.** on púrpose, púrposely **2.** *(в шутку)* for fun ◇ как ~ as if on púrpose, as luck would have it

на́рты sleigh *sg.*, sledge *sg.*

нару́жное *(о лекарстве)* for extérnal use; not to be táken *(надпись)*

нару́жн||ость appéarance; **~ый** extérnal; óutward; ~ое лека́рство extérnal rémedy

нару́жу *нареч.* out, óutside; вы́йти ~ *перен.* come to light, leak out

наруш||а́ть *см.* нару́шить;

~éние breach; violátion; infríngement *(закона, правила)*; distúrbance *(тишины)*; ~éние прáвил ýличного движéния infríngement of tráffic regulátions; **~ѝтель** law bréaker; ~ѝтель порядка one who commits a breach of the peace; ~ѝтель границы a spy

нарýшить víolate, break; infrínge *(закон, правила)*; distúrb *(тишину)*

нарцѝсс narcíssus, dáffodil

нáры plank bed *sg.*

нары́в ábscess; **~áть** come to a head

нарывáться *см.* нарвáться

нарядI *(костюм)* dress; attíre

наряд II **1.** *(документ)* órder, wárrant **2.** *воен.* dúty *(задание)*; detáchment *(люди)*

нарядѝть(ся) dress up

нарядный well dressed; smart *(о платье)*

нарядý *нареч.* side by side; at the same time *(одновременно)*; ~ со всéми like éveryone else

наряжáть(ся) *см.* нарядѝть (-ся)

нас *рд., вн. см.* мы

наса||дѝть 1. plant **2.** *см.* насаждáть; **~ждáть** *(культуру и т. п.)* spread; **~ждéние** plantátion; зелёные ~ждéния green plantátions

насвѝстывать whistle

наседка a bróody *(или* a sítting) hen

насекóмое ínsect

насел||éние populátion; городскóе ~ tównspeople *pl.*; сéльское ~ rúral populátion; **~ённый** pópulated; ~ённый пункт pópulated área

населѝть fill with people, pópulate

населять 1. *(обитать)* inhábit **2.** *см.* населѝть

насéст roost; сидéть на ~е roost, perch

насéчка incísion

насѝженный *разг.* lóng-óccupied

насѝл||ие víolence; **~овать** víolate; force *(заставлять)*

насѝлу *нареч. разг.* hárdly

насѝль||но *нареч.* by force; **~ственный** víolent; ~ственная смерть víolent death

наскáкивать *см.* наскочѝть

насквóзь *нареч.* through, throughóut; промóкнуть ~ get wet through ◇ вѝдеть когó-л. ~ see through smb.

наскóлько *нареч.* **1.** *(вопросит.)* how much? **2.** *(относит.)* as far as

нáскоро *нареч.* hástily, húrriedly

наскочѝ||ть 1. *(столкнуться)* run ínto *(или* ónto); ~ на неприятность run ínto trouble **2.** *(наброситься)* fly *(at)*; он ~л на меня с рýганью he jumped down my throat and swore at me

наскýч||ить bore, annóy; мне ~ило I am bored *(with)*

насла||дѝться, ~ждáться enjóy; take pléasure *(in)*

наслаждéние delight, pléasure, enjóyment

наслéдие légacy

наслéд||ник heir; **~ница** héiress; **~овать 1.** *(что-л.)* inhérit **2.** *(кому-л.)* succéed *(to)*; **~ственность** herédity; **~ственный** heréditary; **~ство** inhéritance; получи́ть по ~ству inhérit

наслое́ние *геол.* stratificátion; strátum *(слой)*

на́смерть *нареч.* mórtally, to death

насмеха́ться mock *(at)*; sneer *(at)*

насмеши́ть make laugh

насме́ш||ка móckery; **~ливый** mócking; **~ник** mócker

на́сморк cold *(in the head)*; схвати́ть ~ catch a cold

насмотре́ться *(чего-л.)* see a lot *(of)*; *(на кого-л., что-л.)* see as much *(of smb., of smth.)* as one wánted

насоли́ть *(кому-л.) разг.* make things hot *(for smb.)*

насо́с pump

на́спех *нареч.* in a húrry; slápdash *(небрежно)*

наст snow crust

настава́ть *см.* наста́ть

наста́вить *(нацелить)* aim *(at)*, point *(at)*

наставле́ние admonítion; instrúction *(указание)*

наста́вник méntor, tútor

наста́ивать I, II *см.* настоя́ть I *и* II

наста́||ть come; ~л час the hour has come

на́стежь *нареч.* wide ópen; раскры́ть ~ fling ópen

настига́ть, насти́гнуть overtáke

наст||ила́ть, ~ла́ть lay; plank *(до́ски)*; ~ пол lay a floor

насто́й infúsion; **~ка** infúsion; córdial

насто́йчив||ость persístence; **~ый** *(о человеке)* persístent; úrgent *(о просьбе и т. п.)*

насто́лько *нареч.* so; ~, что so that; ~ наско́лько as much as

насто́льн||ый table *attr.*; ~ая ла́мпа table lamp; ~ те́ннис table ténnis ◇ ~ая кни́га a book I am néver withóut

насторáживаться *см.* насторожи́ться

настороже́ *нареч.*: быть ~ be on the alért

насторожи́ться prick up one's ears

настоя́||ние insístence; по его́ ~нию at his úrgent requést; **~тельный** úrgent, préssing; ~тельная про́сьба úrgent requést

настоя́ть I insíst *(on, upon)*; persíst *(in)*

настоя́ть II *(сделать настойку)* infúse; draw

настоя́щее *как сущ.* the présent

настоя́щ||ий **1.** *(о времени)* présent, nówadays; в ~ее вре́мя now, at présent **2.** *(подлинный)* génuine, real; régular; ~ая дру́жба true fríendship ◇ ~ее вре́мя *грам.* the présent tense

настра́ивать *см.* настро́ить

на́строго *нареч.* strictly, sevérely

настрое́н||ие mood, frame of mind; быть в хоро́шем ~ии be in good húmour, be in high spírits; быть в плохо́м ~ии be in a bad mood, be in low spírits

настро́ить **1.** *(инструмент)* tune; tune in *(радио)* **2.** *(кого-л.)* turn; ~ про́тив turn *(или* set) agáinst

настро́й||ка *муз.* túning; **~щик** túner

наступáтельный *воен.* offénsive

наступáть I *см.* наступи́ть I

наступáть II *см.* наступи́ть II

наступáть III *воен.* attáck; advánce *(приближаться)*

наступи́ть I *(ногой)* tread on, step on

наступи́||ть II come; ~ла хорóшая погóда fine wéather has set in; ~ла тишинá sílence fell

наступлéн||ие I *(приход)* cóming, appróach; с ~ием нóчи at níghtfall; до ~ия зимы́ befóre wínter sets in

наступлéние II *воен.* offénsive, attáck

настýрция nastúrtium

насýпиться frown

нáсухо *нареч.* dry

насýщн||ый úrgent, préssing; ~ые потрéбности préssing *(или* immédiate) needs

насчёт *предл.* concérning, as regárds; ~ чегó? abóut what?; ~ квартиры on the súbject of a flat; ~ э́того on that score

насчи́тывать númber; **~ся** *безл.* be númbered

насы́п||ать, ~áть pour *(on)*, spread *(on; набросать на поверхность)*; fill *(наполнять)*

нáсыпь embánkment

насы́тить sátiate *(with)*, sátisfy *(with)*; **~ся** sátisfy one's húnger; sate onesélf *(до пресыщения)*

насыщ||áть 1. *см.* насы́тить **2.** *хим.* sáturate; **~áться 1.** *см.* насы́титься **2.** *хим.* be sáturated; **~éние 1.** satiátion **2.** *хим.* saturátion

насы́щенный sáturated

натáлкивать(ся) *см.* натолкнýть(ся)

натаскáть, натáскивать: ~ к экзáмену coach for an examinátion

натвори́||ть: что ты ~л? what have you gone and done?

натерéть rub *(with)*; ~ пол pólish the floor; ~ вóском wax; ~ на тёрке grate; ~ мозóль get a corn; я натёр себé нóгу my foot is rubbed sore

натерéться *(мазью и т. п.)* rub onesélf

натерпéться have súffered a great deal

натирáть *см.* натерéть

нáтиск charge; attáck *спорт.*; си́льный ~ ónslaught

наткнýться run ínto *(тж. перен.)*; ~ на гвоздь catch onesélf on a nail; ~ на неприя́теля run ínto the énemy

натолкнýть: ~ на мысль put an idéa ínto smb.'s head; **~ся** *см.* наткнýться; ~ся на сопротивлéние encóunter resístance

натопи́ть heat thóroughly; ~ пéчку heat the stove próperly

наточи́ть shárpen

натощáк *нареч.* on an émpty stómach

натр *хим.*: éдкий ~ cáustic sóda

натрави́ть, натрáвливать *прям., перен.* set on

натýр||а náture; сня́то с ~ы táken from life; **~áльный** nátural; ~áльный кóфе real cóffee; в ~áльную величинý life-size

натýрщ||ик, ~ица módel

натыка́ться *см.* наткну́ться

натя́гивать *см.* натяну́ть

натя́жк||а stretch; с ~ой at a stretch

натя́нутый tight; taut *(о верёвке)*; *перен.* strained, stiff

натяну́ть 1. stretch, draw; ~ се́тку fix the net tight **2.** *(надеть)* pull on

науга́д *нареч.* at rándom

нау́ка science ◇ э́то тебе́ ~! let this be a lésson *(или* an óbject-lésson) to you!

наутёк *нареч. разг.* héadlong, in full flight; пусти́ться ~ *(о людях)* take to one's heels

нау́тро *нареч.* the fóllowing *(или* the next) mórning

научи́ть teach; **~ся** learn

нау́чно-иссле́довательский (scientífic) reséarch; ~ институ́т reséarch ínstitute

нау́чно-популя́рный: ~ кинофи́льм pópular science film

нау́чный scientífic; ~ рабо́тник scientist

нау́шники 1. *(у шапки)* éar-flaps **2.** *радио* héad-phones

нафтали́н náphthalene

наха́||л ímpudent féllow; **~льный** ímpudent; **~льство** ímpudence

нахвата́ть *разг.* seize, pick up; grab; **~ся:** ~ся зна́ний *разг.* get a smáttering of knówledge

нахле́бник spónger

нахлобу́ч||ивать, ~ить: ~ ша́пку pull one's cap óver one's eyes; **~ка** *разг.* scólding

нахлы́ну||ть overwhélm *(тж. перен.)*; воспомина́ния ~ли на него́ mémories flóoded in on him

нахму́рить: ~ бро́ви knit one's brows; **~ся** frown

находи́ть *см.* найти́ ◇ ~ удово́льствие в чём-л. take pléasure in smth.; ~ утеше́ние find consolátion *(in)*; **~ся 1.** *см.* найти́сь **2.** *(пребывать)* be; ~ся под судо́м be únder tríal

нахо́д||ка find; **~чивый** resóurceful, quick-witted; réady, quick *(об ответе и т. п.)*

нахо́хлиться ruffle up

наце́ли||ваться, ~ться aim *(at)*

наце́нка éxtra charge

национализ||а́ция nationalizátion; **~и́ровать** nátionalize

национали́зм nátionalism

национа́льн||ость nationálity; **~ый** nátional

на́ция nátion

нача́л||о 1. begínning **2.** *(основа, принцип)* básis, príncíple **3.** *(источник)* órigin, source; брать ~ spring *(from)*, originate *(in)* ◇ под ~ом under the commánd *(of)*; в ~е пя́того soon áfter four

нача́льник head, chief; supérior; ~ ста́нции státion-master; ~ це́ха shop superinténdent

нача́льн||ый 1. *(элементарный)* eleméntary; ~ая шко́ла eleméntary school **2.** *(находящийся в начале)* initial, first; ~ые стро́чки the ópening lines

нача́льство 1. *собир.* authórities *pl.* **2.** commánd *(над кем-л.)*

нача́льствующий: ~ соста́в commánding staff

нача́тки rúdiments

нача́ть begin, start; **~ся** begin, start

начеку́ *нареч.* on the alért

на́черно *нареч.* róughly; написа́ть ~ make a rough со́ру

начерта́||ние trácing; **~тельный:** ~тельная геоме́трия descríptive geо́metry; **~ть** trace

начерти́ть draw

начётчик dо́gmatist

начина́||ние undertа́king; innovа́tion *(новаторство)*; **~ть (-ся)** *см.* нача́ть(ся); **~ющий** *как сущ.* begínner; **~я:** ~я с... begínning with...; ~я с сего́дняшнего дня from todа́y; as from now; ~я с сего́дняшнего дня я занима́юсь то́лько англи́йским from todа́y I will stúdy Énglish о́nly

начини́ть stuff *(with)*; fill *(with)*

начи́н||ка fílling; **~я́ть** *см.* начини́ть

начисле́ние éxtra charge

на́чисто *нареч.* clean; переписа́ть ~ make a clean со́ру

начи́танный wéll-réad

наш *мест.* our *(при сущ.)*; ours *(без сущ.)*; э́то ~а кни́га it is our book; э́та кни́га ~а this book is ours

нашаты́рный: ~ спирт líquid ammо́nia

нашёптывать *(кому-л.)* whísper in smb.'s ear

наше́ствие invа́sion

нашива́ть *см.* наши́ть

наши́||вка *воен.* stripe *(на рукаве)*; tab *(на воротнике)*; **~ть** sew on

нашлёпать *разг.* slap

нашуме́ть make much noise; *перен.* cause a sensа́tion

нащу́п||ать find ◇ ~ по́чву для перегово́ров explо́re the ground for negotiа́tions; **~ывать** *прям., перен.* grope *(for)*

наяву́ *нареч.* in one's wа́king hours

не *частица* not; no; скажи́ ему́, что́бы он меня́ не ждал tell him not to wait for me; э́то не шу́тка! it is no joke! ◇ ему́ бы́ло не по себе́ he was ill at ease; не́ за что! not at all!, don't méntion it!; не раз time and agа́in; more than once; не мог не сказа́ть (не показа́ть *и т. п.*) couldn't help sа́ying (shо́wing *etc.*)

неаккура́тн||ость 1. *(небрежность)* cа́relessness **2.** *(неточность)* inа́ccuracy; únpunctuа́lity *(во времени)*; **~ый 1.** *(небрежный)* cа́reless **2.** *(неточный)* inа́ccurate; unpúnctual *(во времени)*

небе́сный celéstial; héavenly; ~ свод fírmament

неблагови́дный unséemly

неблагода́рн||ость ingrа́titude; **~ый** ungrа́teful; *перен.* thа́nkless

неблагожела́тельный malévolent

неблагозву́чный discо́rdant, dissonant

неблагонадёжный únreliable

неблагополу́чн||о 1. *нареч.* not fа́vourably **2.** *предик. безл.*: у них ~ things are not well with them; **~ый** unfо́rtunate

неблагоприя́тный únfа́vourable

неблагоразу́мный imprúdent

не́б||о sky; héaven ◇ превозноси́ть до ~е́с praise to the skies

нёбо *анат.* pálate

небогáтый of módest means *(после сущ.)*; poor *(бедный)*

небольш||óй small; short *(о расстоянии, сроке)*; на ~ высотé at low áltitude ◇ с ~и́м odd, a little óver; 500 с ~и́м five húndred odd

небо||свóд firmament; **~склóн** horízon; sky

небоскрёб ský-scraper

небрéжный cáreless; slípshod *(о стиле)*

небывáлый unprécedented, unpáralleled

небыли́ц||а imáginary stóry, flight of fáncy; он расскáзывает **~ы** he tells tall stóries

невáжн||о 1. *предик. безл.* *(несущественно)* it is únimpórtant; néver mind **2.** *нареч.* *(плохо)* póorly, not véry well; он чýвствует себя́ ~ he doesn't feel véry well; **~ый 1.** *(несущественный)* únimpórtant **2.** *(плохой)* bad, poor

невдалекé *нареч.* not far off

невéдение ígnorance

невéдомый únknówn

невéжа churl, boor

невéж||да ignorámus; **~ественный** ignorant; **~ество** ígnorance

невéжлив||ость rúdeness; **~ый** rude, impolíte

невéрие lack of belíef, disbelíef

невéрн||о 1. *нареч.* incorréctly, wrong; ~ понимáть mísunderstánd; ~ истолкóвывать mísintérpret **2.** *предик. безл.* it is not true; **~ый 1.** *(неправильный)* wrong, incorréct **2.** *(вероломный)* únfáithful, dislóyal; false *(лживый)*

невероя́тный incrédible, inconcéivable

невéрующий *как сущ.* átheist

невесёлый jóyless, sad; ~ смех mírthless láughter

невесóм||ость: состоя́ние **~ости** wéightlessness; **~ый** wéightless *(тж. перен.)*

невéста bride, fíancée

невéстка dáughter-in-law *(жена сына)*; síster-in-law *(жена брата)*

невзгóда advérsity, misfórtune

невзирáя: ~ на ли́ца without respéct of pérsons

невзначáй *нареч. разг.* quite únexpéctedly, by chance

невзрáчный insigníficant, plain

невзыскáтельный úndemánding

неви́данный not seen befóre

неви́димый invísible

неви́нн||ость ínnocence; **~ый** ínnocent

невинóвн||ость ínnocence; **~ый** *юр.* not guílty

невкýсный unpálatable

невменя́емый 1. *юр.* of dimínished responsibílity; insáne **2.** *(вне себя)* crázy, insáne

невмешáтельство nón-intervéntion

невмоготý *предик. безл. разг.* únbéarable; мне ужé ~ it's more than I can stand *(или* abíde)

невнимá||ние, ~тельность inatténtion; **~тельный** inatténtive

невня́тн||о *нареч.* indistínctly; **~ый** indistínct, inartículate

нéвод seine, swéep-net

невозвратúмый, невозврáтный irrévocable; irretríevable

невоздéланный úntílled, waste

невоздéржанный intémperate; únrestráined *(невыдержанный)*

невозмóжн||о *предик. безл.* impóssible; это ~ it is impóssible; **~ость** impossibílity; **~ый** impóssible.

невозмутúм||ость imperturbabílity; **~ый** impertúrbable

невó||лить force; **~льник** slave

невóльный invóluntary

невóля captívity *(плен)*; slávery *(рабство)*.

невообразúмый unimáginable, inconcéivable

невооружённ||ый únármed ◇ ~ым глáзом with the náked eye

невоспúтанный íll-bréd

невпопáд *нареч.* not to the point, out of place, out of turn

невразумúтельный únintélligible, obscúre

невралг||úческий *мед.* neurálgic; **~úя** *мед.* neurálgia

неврастенúя neurasthénia

невредúмый únhármed, safe

невы́годный disadvantágeous; únprófitable

невы́держанный lácking sélf-contról, únrestráined

невыносúмый intólerable, únbéarable

невыполнéние nón-execútion; ~ плáна nón-fulfilment of the plan

невыполнúмый imprácticable

невыразúмый inexpréssible, unspéakable

невыразúтельный inexpréssive

невысóкий low, not high; not tall, short *(о росте)*

невы́ясненный obscúre, uncértain

нéга bliss

негатúв *фото* négative

нéгде *нареч.* nówhere; there is no room; мне ~ взять эту кнúгу there is nówhere I could get this book from; мне ~ положúть это there is no room for my pútting it

негúбкий infléxible, stiff

неглáсный prívate, sécret

неглубóкий not deep, shállow; *перен.* superfícial

неглу́пый sénsible; он неглу́п he is no fool

негó *рд. см.* он, онó

негóдн||ость 1. únfítness **2.** *(плохое состояние)* wórthlessness; прийтú в ~ becóme wórthless; **~ый 1.** *(неподходящий)* únfít; ~ый к воéнной слу́жбе únfit for mílitary sérvice **2.** *(плохой)* wórthless

негодов||áние indignátion; **~áть** be indígnant *(with)*, rail *(against)*

негодя́й víllain, scóundrel

негостеприúмный inhóspitable

негр Négro

негрáмотн||ость 1. illíteracy **2.** *(невежество)* ígnorance; **~ый** illíterate

негритя́нский Négro *attr.*

недáвн||ий récent; с ~их пор of late

недáвно *нареч.* látely, recently, not long agó

недал||ёкий 1. near; not far

off; в ~ёком бу́дущем in the near fúture; в ~ёком про́шлом not long agó **2.** *(о человеке)* none too cléver *(после сущ.)*; ~**екó** *нареч.* not far

недальнови́дный shórt-sighted

недáром *нареч.* not withóut réason, not for nóthing *(не без основания)*; not in vain *(не зря)*

недви́жим||ость immóvable próperty; immóvables *pl.*; ~**ый** immóvable; ~ое иму́щество *см.* недви́жимость

недвусмы́сленный únequívocal

недействи́тельный *юр.* inválid

неделикáтн||ость indélicacy; ~**ый** indélicate

недели́мый indivísible

недéльный wéekly

недéл||я week; чéрез ~ю in a week; две ~и a fórtnight

недисциплини́рованн||ость lack of díscipline, indíscipline; ~**ый** undísciplined

недоброжелáтельн||ость malévolence, ill-will; ~**ый** malévolent

недоброкáчественн||ость bad quálity; ~**ый** of poor quálity *(после сущ.)*; bad

недобросóвестн||ость únconsciéntiousness, unscrúpulousness; ~**ый** únconsciéntious, unscrúpulous

недóбр||ый 1. unkínd; ~ое чу́вство évil féeling **2.** *(плохой)* bad; ~ая весть bad news ◇ чу́ять ~ое have a forebóding

недовéр||ие distrúst, místrúst; ~**чивый** distrústful, místrústful

недовéс short weight

недовóль||ный dísconténted, displéased; díssátisfied *(неудовлетворённый)*; ~**ство** díscontént; displéasure; díssatisfáction *(неудовлетворённость)*

недогáдлив||ость slow wits *pl.*; ~**ый** slów-witted, únpercéptive; dense *разг.*

недоглядéть overlóok, fail to obsérve

недоедá||ние málnutrítion; ~**ть** be únderféd, be úndernóurished

недозвóленный únláwful; illícit

недои́мки arréars

недокóнченный únfínished

недóлго *нареч.* not long

недолговéчный shórt-líved

недолю́бливать dislíke

недомогáние indisposítion; чу́вствовать ~ be indispósed, not feel quite well

недомóлвка reservátion; omíssion

недомы́слие thóughtlessness, stupídity

недонóсок prematúre báby

недооцéн||ивать, ~и́ть únderéstimate; ~**ка** únderestimátion

недопусти́мый inadmíssible

недоразумéние mísunderstánding

недорогóй inexpénsive

недорóд poor hárvest

недосмóтр óversight; по ~у by an óversight

недосмотрéть overlóok

недоспáть not have enóugh sleep

недоста||вáть *безл.* lack, be missing; мне вас óчень ~вáло I missed you bádly; чегó вам ~ёт? what do you lack?; емý ~ёт дéнег he is short of móney ◇ э́того ещё ~вáло! it néeded ónly that!

недостáвленн||ый úndelívered; ~ое письмó úndelívered létter

недостáт||ок 1. lack, defíciency; shórtage, scárcity *(нехватка)*; из-за ~ка for want *(of)*; for lack *(of)*; нет ~ка *(в чём-л.)* there is no shórtage *(of)* **2.** *(дефект)* deféct; dráwback, shórtcoming; достóинства и ~ки mérits and demérits

недостáточн||ость insuffíciency; коронáрная ~ость *мед.* córonary defíciency; **~ый 1.** insuffícient, scánty **2.** *грам.* deféctive

недостáть *см.* недоставáть

недостáча *разг.* déficit, shórt-fall

недостижи́мый únattáinable

недостовéрный dóubtful, not authéntic

недостóйный unwórthy

недостýпный inaccéssible

недосýг *разг.*: мне ~ I have no time; за ~ом for lack of time

недосчитá||ться, недосчи́тываться be short of *(или* by); он ~лся трёх рублéй he was 3 roubles short

недосыпáть *см.* недоспáть

недосягáемый únattáinable

недотрóга a tóuchy *(или* príckly) pérson

недоумевáть be puzzled

недоум||éние perpléxity; быть в ~éнии be puzzled, be perpléxed; be at a loss

недоумéнный puzzled, perpléxed

недоýчка a hálf-táught pérson

недочёт 1. *(в товаре, деньгах)* déficit **2.** *(в работе)* shórtcoming, deféct

нéдра *(земли́)* bówels (of the earth)

нéдруг énemy, foe

недружелю́бный únfríendly

недýг íllness

недýрн||о *нареч.*: ~! not bad!; **~óй 1.** *(неплохой)* not bad **2.** *(о наружности)* ráther góod-lóoking, not bád-lóoking

недю́жинный outstánding; он ~ человéк he is one in a thóusand

неё *рд. см.* онá

неестéственный unnátural

нежданный únexpécted

нежелá||ние únwíllingness, relúctance; **~тельный** úndesírable

неженáтый únmárried

нéженка *разг.* pámpered pet, móther's dárling

нежи́зненный *(нереальный)* imprácticable, únpráctical

нежилóй úninhábited; úninhábitable *(непригодный для жилья)*

нéжить coddle; cuddle *(детей)*; **~ся** luxúriate; ~ся на сóлнце bask in the sun

нéжн||ость 1. ténderness **2.** *мн.*: ~ости *разг.* *(ласковые слова, поступки)* endéarments ◇ теля́чьи ~ости slóppy endéarments; **~ый** ténder

незабвéнный únforgéttable, néver-to-be-forgótten

незабу́дка forgét-me-not

незабыва́емый *см.* незабве́нный

незави́дный únénviable, poor

незави́сим||о *нареч.* **1.** indepéndently *(of)* **2.** *(вне связи с чем-л.)* apárt *(from)*, irrespéctive *(of)*; **~ость** indepéndence; **~ый** indepéndent

незави́сящ||ий indepéndent *(of)*; по ~им от меня́ обстоя́тельствам ówing to círcumstances óver which I have no contról

незада́ч||а *разг.* ill luck; **~ливый** íll-stárred, lúckless

незадо́лго *нареч.* shórtly *(before)*, not long *(before)*; ~ до ва́шего прие́зда shórtly befóre your arríval

незако́нный illégal, illegítimate, illícit

незако́нченный únfínished

незамени́мый irrepláceable

незаме́тный impercéptible

незамыслова́тый simple, únpreténtious

незапа́мятн||ый: с ~ых времён from time immemórial

незапя́тнанный stáinless; únblémished

незара́зный non-contágious

незаслу́женный únmérited, úndesérved

незате́йливый plain, simple

незауря́дный uncómmon, outstánding

не́зачем *нареч.* (there is) no need

незащищённый únprotécted; ~ от ве́тра expósed to the wind

незва́ный únbídden, úninvited

нездоро́||виться *безл.*: мне ~вится I do not feel well; **~вый 1.** *(о климате и т. п.)* unhéalthy **2.** *(о человеке)* síckly; únwéll; ill; **~вье** ill health; indisposítion *(недомогание)*

неземно́й unéarthly

незлоби́вый mild, gentle

незнако́м||ец stránger; **~ство** *см.* незна́ние; **~ый** únknówn; быть ~ым *(с)* be únacquáinted *(with)*

незна́ние ígnorance

незначи́тельный insignificant, únimpórtant; small *(небольшой)*; slight *(маленький)*

незре́лый únrípe; green *(о плодах и т. п.)*; *перен. тж.* immatúre

незри́мый invísible

незы́блемый firm, stable

неизбе́жный inévitable

неизве́данный nóvel, únexplóred

неизве́стн||о *предик. безл.* it is únknówn; мне ~ I am not awáre *(of)*; **~ость** uncértainty; быть в ~ости be uncértain *(about)*; **~ый** únknówn, strange

неизглади́м||ый indélible; ~ое впечатле́ние an indélible impréssion

неи́зданный únpúblished

неизлечи́мый incúrable

неизме́нный inváriable

неизмери́мый imméasurable

неиме́ни||е: за ~ем for lack of, for want of

неимове́рный incrédible

неиму́щий poor, néedy

неи́скренн||ий insincére; false; **~ость** insincérity

неиску́сный únskilful

неискушённый not versed

(in); ~ в полйтике not versed in pólitics

неисполн||éние nón-execútion *(приказания)*; nón-obsérvance *(закона, правил)*; nón-fulfílment *(просьбы, желания)*; **~и́мый** imprácticable

неисправи́мый incórrigible

неиспра́вн||ость *(машины и т. п.)* disrepáir; **~ый** *(о машине и т. п.)* out of órder

неиссяка́емый inexháustible

нейстов||ство frénzy; rage *(ярость)*; приходи́ть в ~ rave, fly ínto a rage; **~ый** frántic, fúrious

неистощи́мый inexháustible

неисчерпа́емый *см.* неистощи́мый

неисчисли́мый incálculable

нейло́н nýlon

нейтрал||иза́ция neutralizátion; **~изова́ть** néutralize

нейтралитéт neutrálity

нейтра́льный néutral

нейтро́н *физ.* néutron

неквалифици́рованный únskilled

нéкем *тв. см.* нéкого

нéкий *мест.* a cértain

нéкогда I *нареч.* *(нет времени)* there is no time; мне ~ I have no time

нéкогда II *нареч.* *(когда-то)* once; in fórmer times

нéкого *мест.* *(+инф.)* there is nóbody one can *(+inf.)*; ~ посла́ть there is nóbody to send; ~ вини́ть nóbody is to blame

некомпетéнтный not cómpetent, incómpetent

нéкому *дт. см.* нéкого

нéкотор||ый *мест.* some; до ~ой стéпени to some extént

некраси́вый not béautiful, plain; not nice

некроло́г obítuary (nótice)

некста́ти *нареч.* **1.** *(несвоевременно)* inópportunely **2.** *(не к месту)* out of place, inéptly

нéкто *мест.* sómeone; ~ Ивано́в a cértain Ivanóv

нéкуда *нареч.* *(+инф).* nówhere *(+inf.)*

некульту́рн||ость lack of cúlture; **~ый** únéducated, withóut báckground

некуря́щ||ий *как сущ.* nón-smóker; ваго́н для ~их nón-smóking cárriage

нела́дно: здесь что́-то ~ sómething is wrong here

нелады́ díscord *sg.*; у них ~ they have fállen out

нелега́льный illégal

нелéп||ость absúrdity; **~ый** absúrd, odd

нело́вк||ий 1. áwkward, clúmsy; ~ое движéние áwkward móvement **2.** *(затруднительный)* embárrassing, áwkward; чу́вствовать себя́ ~о feel ill at ease; **~ость** áwkwardness; blúnder *(неловкий поступок)*

нельзя́ *предик. безл.* **1.** *(невозможно)* it is impóssible; one cannot; здесь ~ пройти́ there's no way through here; там ~ дыша́ть it is impóssible to breathe there; ~ не согласи́ться с ва́ми I cánnot but agrée with you **2.** *(воспрещается)* it is not allówed, it is prohíbited; здесь кури́ть ~ smóking is not allówed *(или* is prohíbited) here; ему́ ~ бéгать *(вредно)* he is forbidden to run ◇ как ~ лу́чше in the best way póssible

нелюбе́зный unkínd, disoblíging

нелюби́мый unlóved

нелюбо́вь *(к)* dislíke *(for)*

нелюди́мый unsóciable, shy

нема́ло *нареч.* not a little

нема́лый consíderable, sízable

неме́дленн||о *нареч.* immédiately; right awáy; at once *(сейчас же)*; **~ый** immédiate

неме́ть 1. grow dumb **2.** *(коченеть)* grow numb

не́мец Gérman

неме́цкий Gérman; ~ язы́к Gérman, the Gérman lánguage

немилосе́рдн||о *нареч.* unmércifully; **~ый** unmérciful, pítiless

неми́лость disgráce; впасть в ~ fall into disgráce

немину́емый inévitable

не́мка Gérman (wóman)

немно́гие not mány, few

немно́го *нареч.* **1.** some, few, a little **2.** *(слегка)* sómewhat, slíghtly

немногосло́вный terse, short; of few words *(о человеке)*

немногочи́сленный not númerous

немно́жко *нареч. см.* немно́го

немо́дный únfáshionable, out of fáshion

нем||о́й 1. *прил.* dumb; sílent *(о фильме)*; mute *(бессловесный; тж. о звуке)* **2.** *как сущ.* dumb pérson **3.** *мн.*: **~ы́е** *собир.* the dumb

немолодо́й élderly

немота́ dúmbness

не́мощный infírm; feeble *(слабый)*

нему́ *дт. см.* он, оно́

немудрено́ *предик. безл.* no wónder

не́мцы *мн. собир.* the Gérmans

немы́слимый inconcéivable

ненави́||деть hate; **~стный** háteful

не́нависть hátred

ненагля́дный belóved

ненадёжный 1. insecúre, únrelíable; frail *(непрочный)* **2.** *(о человеке)* úntrústworthy

нена́добность: за ~ю becáuse it is no lónger néeded

ненадо́лго *нареч.* not for long, for a short while

ненападе́ни||е nón-aggréssion; пакт о ~и nón-aggréssion pact

ненаруши́мый sácred, invíolable *(о клятве)*; únbróken *(о тишине)*

нена́с||тный ráiny, foul; **~тье** bad wéather

ненасы́тный insátiable

ненорма́льный abnórmal

нену́жный unnécessary; úseless *(бесполезный)*

необду́манный rash, hásty, réckless

необеспе́ченн||ость lack of means; **~ый** withóut means

необита́емый úninhábited; ~ о́стров désert ísland

необозна́ченный not índicated, not marked

необозри́мый bóundless

необосно́ванный gróundless

необрабо́танный untílled *(о почве)*; raw *(о материале)*

необразо́ванный únéducated

необу́зданный unbrídled, ungóvernable

необу́ченный úntráined

необходи́м||о *предик. безл.* it is nécessary; **~ость** necéssity, need; кра́йняя ~ость désperate extrémity; в слу́чае ~ости in case of need; **~ый** nécessary; мне ~а по́мощь I must have help

необщи́тельный unsóciable, sélf-contáined

необъясни́мый inéxplicable, únaccóuntable

необъя́тный imménse

необыкнове́нный unúsual, uncómmon; extraórdinary *(из ряда вон выходящий)*

необы́чный unúsual; óut-of-the-wáy

необяза́тельный óptional, not obligatory

неограни́ченный unlímited; ábsolute

неоднокра́тно *нареч.* repéatedly; time and agáin

неодобр||е́ние disappróval; **~и́тельный** disappróving

неодушевлённый inánimate

неожи́данн||ость unexpéctedness; surpríse; súddenness *(внезапность)*; кака́я ~! what a surpríse!; **~ый** únexpécted; súdden *(внезапный)*

неоконча́тельный inconclúsive, not fínal

неоко́нченный unfínished

неопису́емый indescríbable; unspéakable *(невыразимый)*

неопла́||тный that cánnot be repáid; **~ченный** únpáid

неопра́вданный unjústified

неопределённ||ый indéfinite, vágue, uncértain; ~ член *грам.* indéfinite árticle; ~ое наклоне́ние *грам.* infínitive

неопровержи́мый incontéstable *(о факте)*; irréfutable *(о доводе)*

неопря́тный untídy

неопублико́ванный únpúblished

нео́пытн||ость inexpérience; **~ый** inexpérienced

неоргани́ческий inorgánic

неосведомлённый ill-infórmed

неосла́бн||ый assíduous, unremítting, cónstant; ~ое внима́ние unremítting atténtion

неосмотри́тельный imprúdent

неоснова́тельный únfóunded; gróundless

неоспори́мый indispútable

неосторо́жный cáreless; imprúdent, íll-advísed *(неблагоразумный)*

неосуществи́мый imprácticable

неосяза́емый intángible, impálpable

неотврати́мый inévitable

неотвя́зный nágging, persístent

неотёсанный uncóuth, rough

не́откуда *нареч.* from nówhere

неотло́жн||ый úrgent; ~ая по́мощь first aid

неотлу́чно *нареч.* all the time

неотрази́мый irresístible, fáscinating

неотсту́пн||ый persístent; ~ое пресле́дование reléntless pursúit; ~ страх contínual fear

неотъе́млем||ый inálienable; ~ая часть an íntegral part *(of)*

неофициа́льный únofficial, infórmal

неохо́та relúctance, unwíllingness

неохо́тно *нареч.* with relúctance, unwíllingly

неоцени́мый inváluable, inéstimable
неощути́мый impercéptible
непа́рный únpáired, odd
непарти́йный 1. nón-párty 2. *(несовместимый со званием члена партии)* unbefítting a mémber of the Párty
непереводи́мый úntranslátable
непередава́емый inexpréssible
непереходный: ~ глаго́л *грам.* intránsitive verb
неплатёж nón-páyment
неплате́льщик defáulter
неплодоро́дный infértile
непобеди́мый invíncible, uncónquerable
неповинове́ние disobédience
неповоро́тливый clúmsy, slów-moving
неповтори́мый uníque
непого́да foul wéather
непогреши́мый infállible
неподалёку *нареч.* *(от)* not far awáy (*или* from)
непода́тливый stúbborn, intráctable
неподви́жн||ость immobílity; **~ый** immóvable, mótionless
неподде́льный génuine, sincére, unféigned *(искренний)*
неподку́пный incorrúptible
неподоба́ющий unséemly, unbecóming
неподража́емый inímitable
неподсу́дный *юр.* not únder the jurisdíction *(of)*
неподходя́щий unsúitable; inapprópriate
неподчине́ние insubordinátion
непозволи́тельный impermíssible; inadmíssible
непоколеби́мый firm, stéadfast, stéady
непоко́рн||ость recálcitrance; **~ый** unrúly, rebéllious
непокры́т||ый uncóvered; с **~ой** голово́й báre-héaded
непола́дки deféсts
неполноце́нный deféctive; impérfect
непо́лный incompléte; short *(вес, мера)*
непоме́рный exórbitant, excéssive
непонима́ние incomprehénsion, lack of understánding
непоня́т||ливый dull, slów-wítted; **~но** *предик. безл.* it is incomprehénsible, it is impóssible to understánd; **~ный** incomprehénsible; strange
непоправи́мый irréparable, irremédiable
непоря́док disórder
непоря́дочный dishónourable
непосвящённый úninítiated
непосе́да *разг.* fídget, réstless pérson
непоси́льный beyónd one's strength
непосле́довательный inconsístent
непослуша́ние disobédience
непослу́шный disobédient
непосре́дственн||о *нареч.* diréctly; **~ость** spontanéity; **~ый** 1. diréct, immédiate 2. *(естественный)* spontáneous
непостижи́мый inconcéivable
непостоя́нный chángeable; incónstant, fickle *(о человеке)*
непостоя́нство incónstancy, instabílity
непохо́жий únlíke, dífferent
непоча́тый not begún, ún-

tóuched; *перен.* úntápped ◇ ~ край másses of

непочти́тельный disrespéctful

непра́вда úntrúth, lie, fálsehood; это ~ it is not true

неправдоподо́бный incrédible, impróbable

непра́вильн||о *нареч.* incorréctly; erróneously *(ошибочно)*; ~ поня́ть mísunderstánd; **~ый** 1. irrégular *(не следующий общему правилу)*; erróneous *(ошибочный)*; ~ые черты́ лица́ irrégular féatures; ~ое воспита́ние abnórmal educátion; ~ая то́чка зре́ния an erróneous point of view 2. *(несправедливый)* únjúst; ~ое обвине́ние an únjúst accusátion ◇ ~ая дробь *мат.* impróper fráction; ~ый глаго́л *грам.* irrégular verb

неправомо́чный incómpetent

неправот||а́ mistákenness; созна́ться в своей ~е́ admít to béing in the wrong

непра́вый 1. *(несправедливый)* únjúst; ~ суд únfáir trial 2. *(заблуждающийся)* wrong; ты непра́в you are wrong

непракти́чный únpráctical

непревзойдённый únsurpássed

непредви́денн||ый únforeséen; ~ая заде́ржка únforeséen deláy

непредубеждённый unpréjudiced

непредусмотри́тельный impróvident

непрекло́нный uncómpromising; inéxorable

непрело́жный immútable

непреме́нн||о *нареч.* súrely, cértainly; without fail; он ~ придёт he is sure to come; ~ приходи́те come withóut fail; **~ый** indispénsable

непреодоли́мый irresístible; únsurmóuntable *(о препятствии, трудности)*

непреры́вн||ый nón-stóp, unremítting, persístent; ~ шум persístent noise; ~ая боль unremítting pain

неприве́тливый úngrácious, únfriendly

непривлека́тельный unattráctive

непривы́чный 1. *(непривыкший)* únaccústomed *(to)* 2. *(необычный)* unúsual, únfamíliar

непригля́дный unattráctive

неприго́дный únfít

неприе́млем||ый únaccéptable; ~ые усло́вия únaccéptable condítions

неприкоснове́нн||ость inviolabílity; immúnity *(дипломатическая)*; **~ый** inviolable

неприкра́шенн||ый plain, únvárnished; ~ая и́стина únvárnished truth

неприли́чный indécent; obscéne

примени́мый inápplicable

непримири́мый irréconcilable

непринуждённ||ость ease; **~ый** nátural, free and éasy; чу́вствовать себя́ ~о feel at ease

неприспосо́бленный 1. not súited *(to)*; not adápted *(to)* 2. *(о человеке)* únpráctical

непристо́йный obscéne; indécent

непристу́пный 1. inaccéssible; imprégnable *(о крепости)* 2. *(о человеке)* unappróachable

непритво́рный unféigned

непритяза́тельный módest, únpreténtious

неприхотли́вый *см.* непритяза́тельный

неприча́стный háving nóthing to do *(with)*; not ímplicated *(in)*

неприя́зненный hóstile

неприя́знь hostílity; dislíke

неприя́тель énemy; **~ский** hóstile; énemy *attr.*

неприя́тн||о 1. *нареч.* unpléasantly **2.** *предик. безл.* it is unpléasant; **~ость** trouble; **~ый** unpléasant, disagréable; annóying *(досадный)*; **~ый** вкус násty taste

непрове́ренный únvérified, únchécked

непроводни́к *физ.* nón-condúctor

непрогля́дный pitch-dárk

непродолжи́тельный of short durátion

непродукти́вный únprodúctive

непроду́манный insuffíciently consídered; ~ докла́д a repórt which has not been given due thought

непрозра́чный opáque

непроизводи́тельн||ый únprodúctive; wásteful *(напрасный)*; **~ая** затра́та waste

непроизво́льный invóluntary

непрола́зн||ый *разг.* impássable; **~ая** грязь thick mud

непромока́емый wáterproof; impérmeable *(непроницаемый)*; ~ плащ wáterproof coat, ráincoat, máckintosh

непроница́ем||ый impénetrable; impérmeable; **~ая** тьма complétе dárkness; **~ая** та́йна deep sécret

непропорциона́льный disprópórtionate

непрости́тельный unpárdonable

непроходи́мый impássable

непро́чный frágile, insecúre; únstáble

непро́шенный únbídden

неработоспосо́бный disábled, únáble to work

нерабо́чий: ~ день off-day, free day, day off

нера́венство inequálity

неравноме́рн||ость únévenness, irregulárity; **~ый** únéven; irrégular

нера́вный únéqual

неради́вый négligent, índolent

неразбери́ха *разг.* confúsion

неразбо́рчивый 1. not fastídious; unscrúpulous *(в средствах)* **2.** *(о почерке)* illégible

нера́звитый úndevéloped

неразгово́рчивый táciturn; он ~ челове́к he is a man of few words

неразде́льный indivísible

неразличи́мый indiscérnible; indistínguishable

неразлу́чный inséparable

неразрешённый 1. *(нерешённый)* únsólved; ~ вопро́с an únsólved quéstion **2.** *(недозволенный)* forbídden, prohíbited, banned

неразреши́мый insóluble

неразры́вный indissóluble

неразу́мный únwíse, unréasonable

нерасположе́ние *(к чему-л., кому-л.)* dislíke *(for)*; disinclinátion *(for, to; несклонность)*

нерасчётливый wásteful; impróvident

нерв nerve; **~ничать** be nérvous; **~ный** nérvous; ~ный припáдок fit of nerves, attáck of nerves; ~ная систéма nérvous sýstem

нереáльный únréal

нерегуля́рный irrégular

нерéдко *нареч.* not infréquently

нерешúтельн||ость indecísion; irresolútion; быть в ~ости hésitate; **~ый** irrésolute, hésitating

нержавéющ||ий nón-corrósive; ~ая сталь stáinless steel

нерóвн||ый únéqual; únéven; ~ая мéстность rough cóuntry

нерушúмый invíolable

неря́||ха slóven; slut, sláttern *(о женщине)*; **~шливый** untídy; slóvenly

несамостоя́тельный not indepéndent; not oríginal *(о творчестве)*

несбы́точн||ый únrealízable; ~ые мечты́ castles in the air

несварéние: ~ желу́дка indigéstion

несвéдущий *(в чём-л.)* ígnorant *(of)*

несвéжий not fresh; stale *(испорченный)*

несвоеврéменный inópportune; íll-tímed

несвя́зный incohérent

несгибáемый infléxible

несговóрчивый intráctable, not éasy to mánage

несгорáемый incombústible; fíreproof; ~ шкаф safe

несдéржанн||ость lack of restráint; **~ый** únrestráined

несерьёзный not sérious; light *(легкомысленный)*

несессéр dréssing-case; sponge bag

нескла́дный 1. áwkward, ungáinly, clúmsy **2.** *(о речи)* incohérent

несклоня́емый *грам.* indeclínable

нéсколько I *числит.* séveral, a few; чéрез ~ дней in a few days

нéсколько II *нареч.* *(слегка)* sómewhat, slíghtly, in a way

нескончáемый intérminable; perpétual

нескрóмный immódest; indélicate, indiscréet *(нетактичный)*

неслóжный simple

неслы́ханный únhéard-of, unprécedented

неслы́шн||ый ináudible; ~ые шагú nóiseless steps

несмéтный innúmerable, cóuntless

несмолкáемый incéssant, uncéasing

несмотря́: ~ на in spite of, notwithstánding

неснóсный unbéarable, intólerable

несоблюдéние nón-obsérvance; ~ прáвил тéхники безопáсности nón-obsérvance of sáfety regulátions; ~ диéты not kéeping to a díet

несовершеннолéт||ие minórity; **~ний 1.** *прил.* únder age *(после сущ.)* **2.** *как сущ* minor

несовершéн||ный impérfect; **~ство** imperféction

несовместúмый incompátible

несоглáс||ие 1. dífference, disagréement **2.** *(разлад)* discord **3.** *(отказ)* refúsal; **~ный 1.** not agréeing *(to, with)*, discórdant *(with)* **2.** *(несоответствующий)* inconsístent *(with)*

несогласóванн||ость lack of agréement; nón-co-ordinátion; **~ый** únco-órdinated; not in agréement *(with)*

несознáтельн||ость irresponsibílity; **~ый** irrespónsible; **~ое** отношéние к своим обязанностям irrespónsible áttitude to one's obligátions

несоизмерúмый incomménsurable

несокрушúм||ый indestrúctible, uncónquerable; **~ая** вóля uncónquerable will

несомнéнн||о *вводн. сл.* undóubtedly, withóut doubt; **~ый** dóubtless; évident, mánifest *(очевидный)*; **~ый** факт cértainty

несообрáзный incompátible; absúrd *(нелепый)*

несоотвéтств||енный not correspónding *(with)*; **~ие** discrépancy

несоразмéрный dispropórtionate

несостоятельный 1. insólvent, bánkrupt **2.** *(о теории и т. п.)* that won't hold wáter, únsóund

неспéлый únrípe

неспокóйный réstless; unéasy

неспосóбн||ость lack of abílity; **~ый** incápable, unfít; dull

несправедлúв||ость injústice; **~ый** únjúst, únfáir

неспростá *нареч. разг.* not withóut púrpose; это ~ there must be smth. behínd it

несравн||éнный, ~úмый incómparable

нестерпúмый unbéarable, intólerable

нес||тú I **1.** cárry **2.** *(терпеть)* bear; ~ послéдствия take the cónsequences; ~ убытки súffer lósses **3.** *(выполнять)* perfórm; ~ обязанности perfórm dúties; ~ ответственность bear the responsibílity ◇ ~ вздор talk nónsense; от окнá ~ёт there is a draught from the window

нестú II: ~ яйца lay eggs

нестúсь I *(быстро двигаться)* rush alóng; drift *(об облаках)*

нестúсь II *(класть яйца — о птицах)* lay eggs

нестóйкий únstáble; ~ газ vólatile gas

нестроев||óй *воен.* nón-cómbatant; **~áя** слýжба nón-cómbatant sérvice

нестрóйный discórdant

несудохóдный únnávigable

несущéственный inesséntial

несчастлúвый unfórtunate; unlúcky

несчáс||тный 1. *прил.* unháppy, unfórtunate, unlúcky; ~ слýчай áccident **2.** *как сущ.* wretch; **~тье** misfórtune; disáster *(бедствие)*; ◇ к **~тью** unfórtunately

несчётный innúmerable

несъедóбный inédible

нет 1. *(отрицание)* no; not; ~ ещё not yet **2.** *(не имеется)* there is no, there are no, there is none; у меня *и т. д.* ~ I *etc.* have no, I *etc.* have none **3.** *безл.:* егó *и т. д.* ~ he *etc.* is not here

нетактúчный táctless

нетвёрдый *(неуверенный)* sháky, únstéady

нетерп||ели́вый impátient; **~éние** impátience

нетерпи́м||ость intólerance; **~ый** intólerant *(о человеке)*; intólerable *(о поступке)*

нето́чн||ость inexáctitude; **~ый** inexáct, ináccurate

нетре́бовательный undemánding; módest *(скромный)*

нетре́звый not sóber, drunk, intóxicated

нетро́нут||ый úntóuched; intáct; ~ая по́чва vírgin soil

нетрудово́й: ~ дохо́д únéarned income

нетрудоспосо́бн||ость disáblement, incapácity for work; **~ый** disábled

неубеди́тельный únconvíncing

неуваж||éние disrespéct; **~и́тельный** *(о причине)* inádequate

неуве́ренн||ость uncértainty; **~ый** uncértain; ~ый в себе́ diffident, not sure of oneséif

неувяда́ем||ый unfáding; ~ая сла́ва everlásting glóry

неувя́зка *разг.* hitch; ~ в рабо́те hitch in the work

неугомо́нный *разг.* réstless; indefátigable *(неутомимый)*

неуда́ч||а fáilure; потерпе́ть ~у fail; **~ник** a fáilure; **~ный** únsuccéssful; unháppy; ~ное предприя́тие únsuccéssful énterprise

неудержи́мый irrepréssible

неудо́б||но 1. *нареч.* uncómfortably **2.** *предик. безл.* it is uncómfortable; *перен.* it is inconvénient; мне, пра́во, ~ беспоко́ить вас I do hate to bóther you; **~ный 1.** uncómfortable **2.** *(неуместный)* inconvénient; **~ство** inconvénience

неудовлетворённ||ость dís-satisfáction; **~ый** díssátisfied

неудовлетвори́тельный únsatisfáctory; inádequate *(об объяснении и т. п.)*

неудово́льствие displéasure

неуже́ли *нареч.* indéed?, réally?; ~ э́то так? can it réally be true?

неужи́вчивый quárrelsome, únaccómmodating, únsóciable; ~ челове́к dífficult pérson

неузнава́емый únrécognizable

неукло́нн||ый stéady; ~ая реши́мость firm determinátion

неуклю́жий clúmsy, áwkward

неукроти́мый indómitable

неукрощённый úntámed

неуловѝмый elúsive; dífficult to catch; subtle *(неощутимый)*

неуме́||лый 1. *(о человеке)* únskilful **2.** *(сделанный неумело)* clúmsy; **~ние** inabílity, lack of skill

неуме́ренн||ость lack of moderátion; **~ый 1.** *(о человеке)* immóderate, gíven to excéss **2.** *(чрезмерный)* immóderate, excéssive; ~ая стро́гость excéssive sevérity

неуме́стный out of place *predic.;* inapprópriate

неумоли́мый inéxorable; implácable

неумы́шленный únintentional

неупла́та nón-páyment

неупотреби́тельный not in use *predic.;* rare

неуравнове́шенный únbálanced

неурожа́й cróp-failure, bad hárvest

неуро́чн||ый unúsual; в ~ое вре́мя at an unúsual time

неуря́дица confúsion, disórder

неуспева́емость poor prógress

неуспе́х fáilure, lack of succéss

неусто́йка fórfeit

неусто́йчив||ый únstéady; ~ая пого́да únrelíable wéather

неустраши́мый féarless, undáunted

неусту́пчивый únуíelding, óbstinate

неусы́пный indefátigable, unremitting

неуте́шный inconsólable, désolate

неутоли́м||ый unquénchable; insátiable; ~ая жа́жда unquénchable thirst

неутоми́мый indefátigable

не́уч *разг.* ignorámus

неучти́вый impolíte, discóurteous

неую́тный uncómfortable; cómfortless; not cósy

неуязви́мый invúlnerable

нефте||наливно́й: ~наливно́е су́дно (óil-)tánker; **~прово́д** (oil) pípeline

нефт||ь oil; **~яно́й** oil *attr.;* ~яна́я промы́шленность oil índustry

нехва́тка *разг.* shórtage

нехоро́ший bad

нехорошо́ 1. *нареч.* bádly; bad **2.** *предик. безл.* it is wrong; чу́вствовать себя́ ~ feel únwéll; как ~! what a shame!

не́хотя *нареч.* únwíllingly

нецелесообра́зн||о *нареч.* to no purpose; **~ый** púrposeless; inexpédient; ~ая тра́та waste

нецензу́рный únprintable; obscéne

нечая́нн||о *нареч.* by áccident; únintentionally; **~ый** únexpécted

не́чего I *мест.* (+ *инф.*) there is nóthing (+ to *inf.*); ~ де́лать there is nóthing to be done; мне ~ де́лать I have nóthing to do; не́чему удивля́ться there is nóthing to be surprísed at; не́чем писа́ть there is nóthing to write with ◇ де́лать ~! it can't be helped!

не́чего II *предик. безл. (бесполезно)* it's no use; there is no need *(незачем);* вам ~ беспоко́иться you don't need to get excíted; ~ и говори́ть, что it goes withóut sáying that

нечелове́ческий superhúman; inhúman *(бесчеловечный)*

не́чем *тв.*, **не́чему** *дт. см.* не́чего I

нече́стн||о *нареч.* dishónestly; únfáirly; **~ость** dishónesty; **~ый** dishónest, únfáir

нечёткий 1. *(о почерке)* illégible **2.** *(о работе и т. п.)* slípshod, cáreless

нечётный odd

нечистопло́тный dírty; *перен.* unscrúpulous; dishónourable, disgráceful

нечисто́ты séwage *sg.*

нечи́стый úncléan, dírty ◇ нечи́ст на́ руку dishónest

нечленоразде́льный inarticulate

не́что *мест.* sómething

нечувстви́тельный *(к чему-л.)* insénsitive *(to)*

нешу́точный *разг.* sérious, grave

неща́дный unmérciful, mérciless

нэти́чный unéthical

нея́вка ábsence, nón-atténdance

нея́ркий not bright; soft; dull

нея́сн||ость vágueness; **~ый** vague

ни: ни... ни néither... nor; ни он, ни она́ néither he nor she; я не ви́жу ни одно́й ло́дки I cánnot see a single boat; как бы по́здно ни́ было howéver late it may be ◇ ни за что́ not for the world; ни за что́ ни про что́ for no réason at all; ни с того́ ни с сего́ withóut ány réason; ни то ни сё néither one thing nor the óther

ни́ва córnfield

нигде́ *нареч.* nówhere; её ~ нет she's not to be found ánywhere

ни́же 1. *нареч.* lówer; спусти́ться ~ go lówer; descénd; этажо́м ~ one stórey lówer; ~ ро́стом shórter; смотри́ ~ see belów **2.** *предл.* belów, benéath, únder; ~ нуля́ belów zéro ◇ ~ его́ досто́инства benéath his dignity; ~ вся́кой кри́тики benéath críticism

нижеподписа́вшийся the úndersígned

ниже||приведённый úndermentioned; **~сле́дующий** fóllowing; **~упомя́нутый** úndermentioned

ни́жн||ий lówer; ~ эта́ж ground floor; **~яя** че́люсть lówer jaw; **~ее** бельё únderclothes *pl.*; únderwear; **~яя** руба́шка úndershirt

низ bóttom

низверга́ть *см.* низве́ргнуть

низве́р||гнуть overthrów; **~же́ние** óverthrow

ни́зк||ий 1. low; **~ого** ро́ста short **2.** *(подлый)* base, mean

ни́зко *нареч.* low

низкопокло́н||ник gróveller; **~ничать** *(перед)* fawn *(upon)*; gróvel, cringe *(to)*; **~ство** servílity, tóadyism

низкопро́бный of low stándard *(после сущ.)*; *перен.* base

низкоро́слый úndersized, dwárfish

ни́зменн||ость *геогр.* lówland; **~ый 1.** *геогр.* lów-lying **2.** *(подлый)* low, base

низово́й *(об организации и т. п.)* lócal

низо́вье the lówer réaches *pl.*; ~ Во́лги the Lówer Vólga

ни́зость báseness; э́то ~! it is mean!

ни́зший lówer; the lówest; ~ сорт inférior quálity

ника́к *нареч.* by no means, in no way; ~ нельзя́ it is quite impóssible ◇ как ~ áfter all

никако́й *мест.* no; нет ~ возмо́жности it is ábsolutely impóssible

ни́кел||евый níckel *attr.*; **~ированный** níckel-plated; **~ировать** plate with níckel

ни́кель níckel

нике́м *тв. см.* никто́

никогда́ *нареч.* néver; почти́ ~ hárdly éver; ~ в жи́зни néver in one's life

никого́ *рд., вн., см.* никто́

нико́||й *мест.*: ~им о́бразом by no means, in no way

никому́ *дт. см.* никто́

никоти́н nícotin

никто́ *мест.* nóbody; no one; ~ из них none of them

никуда́ *нареч.* nówhere ◇ э́то ~ не годи́тся this is no use whatsoéver

никчёмный *разг.* góod-for-nothing

нима́ло *нареч.* not at all

ниотку́да *нареч.* from nó-where

нипочём *предик. безл. разг.*: ему́ всё ~ he does not care a straw; это ему́ ~ it is a child's play to him

ниско́лько *нареч.* not in the least; not a bit; мне от э́того ~ не ле́гче I am none the bétter for it

ниспада́ть fall

ниспроверга́ть, ниспрове́ргнуть overthrów

нисходя́щий descénding

ни́тк||а thread; чёрные, бе́лые ~и black, white cótton *sg.*; ~ же́мчуга string of pearls ◇ промо́кнуть до ~и get wet to the skin; на живу́ю ~у *разг.* róughly

нить *в разн. знач.* thread; ◇ проходи́ть кра́сной ~ю stand out

ниц *нареч.*: па́дать ~ prostráte oneself

ничего́ 1. *мест.* nóthing; ~ подо́бного nóthing of the kind; не име́ть ~ о́бщего *(с)* have nóthing in cómmon *(with)*; из э́того ~ не вы́шло it came to nóthing **2.** *нареч. (неплохо)* not bad **3.** *предик. разг. (неважно)* it does not mátter!, néver mind!

ниче́й *мест.* nóbody's

ниче́м *тв.*, **ничему́** *дт. см.* ничто́

ничко́м *нареч.*: лежа́ть ~ lie face dównwards, lie prone

ничто́ *мест.* nóthing

ничто́ж||ество *(о человеке)* a nóbody, a nonéntity; **~ность** insignificance; **~ный** insignificant, contémptible; *(о человеке тж.)* wórthless

ничу́ть *см.* ниско́лько

нич||ья́ *спорт.* draw; они́ сде́лали ~ю́ it was a draw

ни́ша niche

ни́щен||ский míserable; **~ствовать** beg; pass a béggarly existence

нищета́ póverty

ни́щий I *прил.* béggar *attr.*; wrétched, póverty-strícken

ни́щий II *сущ.* béggar

но *союз* but

нова́тор ínnovator

нове́йший néwest; látest *(последний)*; módern, up to date *(современный)*

нове́лла short stóry

но́венький bránd-néw

нов||изна́ nóvelty; **~и́нка** nóvelty; **~ичо́к** *(в школе)* new boy; *перен.* nóvice

новобра́нец recrúit

новобра́чные néwly márried couple *sg.*

нововведе́ние innovátion

новогодний néw-year's

новолу́ние new moon

новомо́дный néw-fáshioned

новоприбы́вший 1. *прил.* néwly-arríved **2.** *как сущ.* néw-cómer

новорождённый 1. *прил.* néw-born **2.** *как сущ.* néw-born child

новосёл new séttler

новосе́лье 1. new dwélling **2.** *(празднование)* hóuse-warming

новостро́йка *(новое здание и т. п.)* néw building

но́вость 1. *(известие)* news **2.** *(новинка)* nóvelty

но́вшество innovátion, nóvelty

но́в||ый new; Но́вый год New Year ◇ ~ые языки́ módern lánguages; что ~ого? what's the news?

ног||а́ foot *(ступня)*; leg *(выше ступни)* ◇ идти́ в но́гу keep in step; со всех ног *разг.* as fast as one can; подня́ть всех на́ ~и raise the alárm; стать на́ ~и stand on one's own feet; положи́ть но́гу на́ ~у cross one's legs; быть без ног *(от усталости) разг.* be déad-béat; жить на широ́кую но́гу live in grand style; с головы́ до ног from head to foot; быть на коро́ткой ~е́ с кем-л. be íntimate with smb., be (well) in with smb.; встать с ле́вой ~и́ *разг.* get out of bed on the wrong side; вверх ~а́ми úpside-dówn; под ~а́ми underfóot

но́готь nail

нож knife; столо́вый ~ táble-knife ◇ ~ в спи́ну stab in the back; быть на ~а́х be at dággers drawn

но́жик *см.* нож

но́жк||а 1. *см.* нога́; пры́гать на одно́й ~е hop **2.** *(у стула, стола)* leg **3.** *(гриба)* stem

но́жницы scissors, pair of scissors *sg.*

ножно́й foot *attr.*

но́жны sheath *sg.*

ноздрева́тый spóngy, pórous

ноздря́ nóstril

ноль *см.* нуль

но́мер 1. númber **2.** *(в гостинице)* room, apártment; у вас есть свобо́дные номера́? have you ány vácant accommodátion? **3.** *(размер)* size **4.** *(газеты и т. п.)* íssue, númber **5.** *(в концерте и т. п.)* piece, ítem ◇ э́тот ~ не пройдёт! *разг.* you can't get awáy with that!; ~о́к check

номина́льн||ый nóminal; ~ая сто́имость nóminal cost; вы́ше ~ой сто́имости abóve par

нора́ hole, búrrow; lair *(крупного зверя)*

норве́ж||ец Norwégian; **~ский** Norwégian; ~ский язы́к Norwégian, the Norwégian lánguage

норд *мор.* north; **~-ве́ст** nórth-wést; **~-о́ст** nórth-éast

но́рка *зоол.* mink

но́рм||а stándard, quóta; rate *(размер чего-л.)*; вы́полнить дневну́ю ~у fulfíl the dáily quóta

норма́льный nórmal; sane *(психически здоровый)*

нормир||ова́ние rate sétting *(или* fíxing); rátioning *(снабжения)*; **~о́ванный** stándardized; ~о́ванный рабо́чий день fixed wórking hours *pl.*; **~ова́ть** set norms; rátion *(снабжение)*

нос 1. nose **2.** *(судна)* bow ◇ оста́ться с ~ом ≅ be duped, be made a fool; пове́сить ~ ≅ be discóuraged; води́ть кого́-л. за́ ~ ≅ lead smb. up the gárden path; под са́мым ~ом únder one's nose

но́сик *(у чайника)* spout

носи́лки strétcher *sg.;* lítter *sg.* *(амер.);* hánd-barrow *sg.* *(для груза)*

носи́льщик pórter

носи́тель béarer, cárrier

носи́ть 1. cárry **2.** *(одежду и т. п.)* wear; **~ся** *(об одежде)* wear ◇ ~ся с чем-л. make fuss óver smth.; ~ся с кем-л. make too much of smb.

носово́й 1.: ~ плато́к hándkerchief **2.** *лингв.* násal

носо́к 1. sock **2.** *(обуви)* toe

носоро́г rhinóceros

но́та I *муз.* note

но́та II *(дипломатическая)* note

нотариа́льн||ый notárial; ~ая конто́ра nótary's óffice

нота́риус nótary

нота́ция réprimand, lécture

но́т||ы *(тетрадь)* músic *sg.;* игра́ть по ~ам play from músic; игра́ть без нот play withóut músic

ноч||ева́ть spend the night; **~ёвка** pássing the night; прийти́ с ~ёвкой come to stay the night; **~ле́г** lódging for the night; останови́ться на ~ле́г put up for the night

ночни́к níght-light

ночн||о́й night *attr.;* níghtly; ~а́я сме́на night shift; ~а́я ба́бочка moth; в ~ тишине́ in the still of the night

ноч||ь night; по ~а́м, но́чью at night, by night; глубо́кой но́чью in the dead of night; всю ~ напролёт all night long, the whole night

но́ша búrden

ноя́брь Novémber; **~ский** Novémber *attr.*

нрав disposítion; э́то ему́ не по ~у he doesn't like it; it goes agáinst the grain with him *идиом.*

нра́вит||ься please; ~ся ли вам э́та пье́са? do you like this play?

нравоуч||е́ние lécture; чита́ть ~ кому́-л. preach to smb.; **~и́тельный** móralizing

нра́вственн||ость mórals *pl.;* **~ый** móral

нра́вы *(обычаи)* cústoms

ну *межд. и частица* **1.** *(побуждение)* now; ну же! now then, be quick!; ну, начина́йте! come on! **2.** *(для выражения связи с предыдущим)* well; ну, что же он тебе́ сказа́л? well, what did he tell you?; ну и что же да́льше? well and what then? **3.** *(как выражение удивления)* what; ну, а вы? and what abóut you?; ну, так что же? what abóut it?; ну и пого́да! what násty wéather!; ну, неуже́ли? what! réally? ◇ ну его́! to hell with him!; ну коне́чно! why, of course!

ну́дный tíresome, tédious; како́й он ~! what a bore he is!

нужд||а́ 1. *(надобность)* need; испы́тывать ~у́ в чём-л. be in need of smth.; без ~ы́ withóut necéssity; в слу́чае ~ы́ in case of need **2.** *(бедность)* want; жить в ~е́ live in want, be hard up

нужда́||ться 1. *(в чём-л.)* be in need *(of);* ~ в почи́нке need repáir **2.** *(не иметь денег)* be hard up, be short of móney; **~ющийся** *(бедный)* néedy

нýжн||о *предик. безл.* **1.** *(+ инф.)* must *(+inf.)*; мне ~ идти́ I must go **2.:** что вам ~? what do you want?; мне ~ I want, I need; не ~ it's not nécessary; **~ый** nécessary; вы ~ы́ you are wánted

нуль 1. nought; zéro *(о температуре)*; о [ou] *(при обозначении телефонного номера)*; nil *(в играх при подсчёте очков)* **2.** *(о человеке)* a nóbody

нумер||áция numerátion; **~овáть** númber

нумизмáт numísmatist, coin colléctor

нутр||ó *разг.* ínside; э́то емý не по ~ý it goes agáinst the grain with him

ны́не *нареч.* now, at présent; **~шний** présent; ~шний год this year

ныр||нýть, ~я́ть dive

ны́тик whíner

ныть 1. *(жаловаться)* compláin; whine **2.** *(болеть)* ache, hurt

нытьё 1. *(жалобы)* móaning **2.** *(жалобные звуки)* whíning

нюáнс nuánce, shade

нюх scent; *перен.* flair; у негó хорóший ~ he has a good nose *(for)*; **~áтельный:** ~áтельный табáк snuff; **~ать** smell

ня́нчить nurse; **~ся** nurse; *перен.* fuss *(over)*

ня́нька *см.* ня́ня ◇ у семи́ ня́нек дитя́ без глáзу *посл.* ≅ too mány cooks spoil the broth

ня́ня nurse

О

о I *предл.* **1.** *(относительно)* of, abóut; говори́ть о чём-л. talk abóut smth.; забóтиться о ком-л. take care of smb.; кни́га о жи́вописи a book on páinting; лéкция о диалекти́ческом материали́зме a lécture on dialéctical matérialism **2.** *(при обозначении соприкосновения)* agáinst, on, upón; он опёрся о стол he leant on *(или* upón) the table; удáриться о кáмень hit agáinst a stone ◇ бок ó бок side by side

о! II *межд.* oh!

оáзис oásis

об *см.* о I; ◇ рукá óб руку hand in hand

óба both ◇ смотрéть в ~ *разг.* watch one's step; keep one's eyes ópen

обагр||и́ть, ~я́ть: ~ рýки в крови́ steep one's hands in blood

обал||девáть, ~дéть *разг.* be stúpefied *(или* stunned)

обанкрóтиться go bánkrupt

обая́||ние, ~тельность fascinátion, charm; **~тельный** fáscinating, chárming

обвáл collápse; lánd-slide *(земли́, берега)*; снéжный ~ ávalanche; **~иваться, ~и́ться** fall, break *(или* come) off

обваля́ть: ~ в мукé roll in flour

обвáривать(ся) *см.* обвари́ть (-ся)

обвари́ть scald; **~ся** scald onesélf

обвéсить give short weight

обве||сти́ 1. *(кого-л.)* lead round **2.** *(что-л.)* go óver *(карандашом и т.п.)* ◇ ~ кого́-л. вокру́г па́льца *разг.* twist smb. round one's little fínger; она́ ~ла́ ко́мнату глаза́ми she looked all round the room

обве́тренный wéather-beaten

обветша́||лый decáyed; **~ть** fall ínto decáy

обве́шивать *см.* обве́сить

обвива́ть(ся) *см.* обви́ть(ся)

обвин||е́ние accusátion, charge; **~и́тель** accúser; *юр.* prósecutor; обще́ственный ~и́тель públic prósecutor; **~и́тельный** accúsatory; ~и́тельная речь speech of *(или* for) the prosecútion; ~и́тельный акт indíctment; ~и́тельный пригово́р vérdict of guilty; **~и́ть** accúse *(of)*; charge *(with)*; **~я́емый** *как сущ.* the accúsed; the deféndant *(ответчик)*

обвиня́ть *см.* обвини́ть; **~ся** be charged *(with)*, be accúsed *(of)*

обвиса́ть, обви́снуть sag

обви́ть wind round, entwíne ◇ ~ рука́ми throw one's arms round; **~ся** wind round

обводи́ть *см.* обвести́

обводн||е́ние irrigátion; **~и́ть, ~я́ть** supplý with wáter; írrigate

обворожи́||тельный enchánting, bewítching; **~ть** enchánt, bewítch

обвяза́ть, обвя́зывать tie *(round)*

обгла́дывать, обглода́ть gnaw round; ~ мя́со с косте́й pick meat from *(или* off) the bones

обгоня́ть *см.* обогна́ть

обго||ра́ть *см.* обгоре́ть; **~ре́лый** burnt; charred; **~ре́ть** be burnt

обдава́ть, обда́ть: ~ водо́й pour wáter *(on)*; ~ гря́зью splash all óver with mud

обде́лать 1. *(драгоценный камень)* cut; pólish; set **2.** *разг.* *(дело)* mánage, arránge

обдел||и́ть, ~я́ть *(кого-л.)* do smb. out of his share

обдира́ть *см.* ободра́ть

обдува́ть *(о ветре)* blow on *(или* round)

обду́манн||о *нареч.* delíberately, áfter cáreful considerátion; **~ый** delíberate, wéll-consídered

обду́м||ать, ~ывать consíder, think óver

обду́ть *см.* обдува́ть

о́бе *ж. см.* о́ба

обе́д dínner; **~ать** have *(или* take) dínner; dine; **~енный** dínner *attr.*; ~енный переры́в dínner-hour

обедне́||вший impóverished; **~ние** impóverishment; **~ть** grow *(или* becóme) poor

обезбо́ливание *мед.* anesthésia; ~ ро́дов relíeving the pains of chíldbirth

обезвре́||дить, ~живать rénder hármless

обездо́л||енный depríved of one's share, déstitute; **~ить** make déstitute

обеззара́||живание disinféction; **~живать, ~зить** disinféct

обезли́ч||ивать, ~ить depríve of (one's) indivíduálity; depríve of indivídual responsibílity *(на* *производстве)*: ~ка lack of pérsonal responsibílity

обезобрá||живать, ~зить disfígure

обезопáсить protéct

обезорýж||ивание disármament; **~ивать, ~ить** disárm

обезýметь lose one's head; go mad; ~ от стрáха go mad with fright

обезья́н||а mónkey; ape *(человекообразная)*; **~ий** mónkey *attr.*; ápish; *перен.* ápe-like; **~ничание** áping; **~ничать** ape

обел||и́ть, ~я́ть whítewash

оберегáть guard *(against)*; protéct *(from)*; defénd *(from; защищать)*; **~ся** guard onesélf, protéct onesélf; defénd onesélf *(защищаться)*

оберéчь(ся) *см.* оберегáть(ся)

обернýть wrap up; ~ кни́гу put a páper-cover on a book

обернý||ться 1. turn round **2.** *(о чём-л.)* turn out; дéло ~лось прóтив нас things have gone agáinst us

обёрт||ка wrápper, énvelope; cóver *(обложка)*; **~очный:** ~очная бумáга wrapping (*или* brown) páper; **~ывать** *см.* обернýть

обескрóв||ить bleed white; **~ленный** blóodless; *перен.* lífeless

обескурáжи||вать, ~ть discóurage

обеспéчен||ие 1. *(действие)* ensúring; províson *(чем-л.)*; ~ прóчного ми́ра ensúring a lásting peace **2.** *(гарантия)* secúrity, guarantée; под хорóшее ~ on good secúrity **3.** *(средства к жизни)* secúrity; социáльное ~ sócial secúrity; **~ность 1.** *(чем-л.)* provísion *(with)* **2.** *(достаток)* secúrity; материáльная ~ность matérial security; **~ный 1.** *(чем-л.)* províded *(with)* **2.** *(зажиточный)* wéll-to-dó, cómfortably off

обесп||éчивать, ~éчить 1. *(снабжать)* províde *(with)* **2.** *(гарантировать)* make sure; ensúre; ~éчить мир ensúre peace **3.** *(материально)* províde *(for)*

обесси́||леть break down, grow weak; **~ливать, ~лить** wéaken, depríve of strength

обессмéртить immórtalize

обесцвé||тить discólour; *перен.* make cólourless; **~чивание** discolourátion, bléaching; **~чивать** *см.* обесцвéтить

обесцéн||ение depreciátion; **~ивать, ~ить** depréciate

обесчéстить dishónour

обéт vow, prómise; давáть ~ prómise, vow

обещá||ние prómise; сдержáть ~ keep one's prómise; не сдержáть ~ния break one's prómise; **~ть** prómise

обжáлова||ние *юр.* appéal; **~ть** *юр.* appéal

обжéчь 1. *(руку и т. п.)* burn **2.** *тех.* fire *(кирпичи)*; **~ся** burn onesélf; *перен.* burn one's fíngers

óбжиг *тех.* búrning; fíring *(кирпичей)*; **~áть(ся)** *см.* обжéчь(ся)

обжóр||а *разг.* glútton; **~ство** glúttony

обза||вести́сь, ~води́ться províde onesélf *(with)*, acquíre;

~ семьёй settle down to fámily life

обзо́р súrvey

обзыва́ть *см.* обозва́ть

обива́ть *см.* оби́ть

оби́вка 1. *(действие)* uphólstering **2.** *(материал)* uphólstery

оби́д||а offénce; нанести́ ~у offénd ◇ не в ~у будь ска́зано *разг.* no offénce meant; не дать себя́ в ~у be able to stand up for onesélf

оби́деть offénd, hurt; **~ся** take offénce; be offénded, feel hurt

оби́дн||о 1. *нареч.* offénsively **2.** *предик. безл.*: it is a píty; мне о́чень ~ I feel hurt; ~, что он не пришёл it's a shame he didn't come; **~ый** insúlting, offénsive

оби́дч||ивый suscéptible; tóuchy; **~ик** offénder

обижа́ть(ся) *см.* оби́деть(ся)

оби́женный offénded, hurt; ~ судьбо́й íll-fáted, lúckless

оби́||лие abúndance; **~льный** abúndant, pléntiful; héarty *(о еде)*; héavy *(об урожае)*

обиня́к: говори́ть без ~о́в speak pláinly *(или* diréctly); not mince words

обира́ть *см.* обобра́ть

обита́емый inhábited

обита́||тель inhábitant; **~ть** inhábit

оби́ть cóver; pad *(мягким)*; uphólster *(мебель)*; ~ желе́зом sheet with íron

обихо́д mode of life; úsage; войти́ в ~ becóme cúrrent *(о словах и т. п.)*; come ínto cómmon use *(о мебели и т. п.)*; в дома́шнем ~е in doméstic use; **~ный** éveryday

откла́дывать *см.* обложи́ть

обко́м (областно́й комите́т) régional commíttee

обкра́дывать *см.* обокра́сть

обла́ва drive *(на охоте)*; *перен.* raid

облага́ть *см.* обложи́ть 3

облагор||а́живать, ~о́дить ennóble

облада́||ние posséssion; **~тель** posséssor, ówner; **~ть** posséss; own; ~ть хоро́шим здоро́вьем enjóy good health

о́блак||о cloud; не́бо заволокло́ ~а́ми the sky is óvercast

обла́мывать *см.* облома́ть

обласка́ть show much kíndness *(или* considerátion)

областно́й régional; ~ сове́т régional Sóviet

о́бласть région, dístrict; próvince; *перен.* field, domáin, sphere

обла́тка *фарм.* cápsule; wáfer

о́блачн||ость clouds *pl.*; си́льная ~ héavy clouds; **~ый** clóudy

облега́ть *(о платье)* fit clósely, cling *(to)*

облегч||а́ть *см.* облегчи́ть; **~е́ние** relief; **~и́ть** make líghter, líghten *(груз и т. п.)*; relíeve *(боль)*; make éasier *(задачу и т. п.)*; ~и́ть чью-л. у́часть ease smb.'s lot; ~и́ть наказа́ние *юр.* commúte

обледене́||лый íce-covered; **~ть** becóme cóvered with ice

облёзлый shábby

облéзть *разг.* **1.** *(о мехе и т. п.)* grow bare, wear off **2.** *(о краске и т. п.)* peel off

облекáть(ся) *см.* облéчь(ся)
облени́ться *разг.* grow lázy
облеп||и́ть, ~ля́ть 1. stick *(to)*, cling *(to)* **2.** *разг. (окружить)* swarm round
обле||тáть, ~тéть 1. *(вокруг чего-л.)* fly *(round)* **2.** *(о листьях)* fall
облéчь clothe; *перен.* invést *(with)*; ~ в фóрму give the form *(of)*; ~ полномóчиями invést with authórity; **~ся:** ~ся в фóрму take the form, assúme the appéarance *(of)*
облив||áние dóusing; douche; **~áть(ся)** *см.* обли́ть(ся); ~áться слезáми melt ínto tears; ~áться пóтом be drípping with sweat; сéрдце крóвью ~áется one's heart is bléeding
облигáция bond
облизáть, обли́зывать lick
обли́зываться lick one's lips; lick itsélf *(о животных)*
óблик appéarance, fígure
обли́ть 1. sluice, douse, douche **2.** *(пролить)* spill; **~ся 1.** sluice *(или* douse) onesélf **2.** *(опрокинуть на себя что-л.)* spill óver onesélf
облиц||евáть face *(with)*; **~óвка** fácing; **~óвывать** *см.* облицевáть
облич||áть *см.* обличи́ть; **~éние** expósure
обличи́||тельный revéaling; ~тельная литератýра a líterature which expóses sócial évils; **~ть 1.** *(разоблачить)* show up, expóse **2.** *(показывать)* revéal
облож||éние *(налогами)* taxátion; **~и́ть 1.** face; cóver *(покрыть)*; нéбо ~и́ло тýчами the sky is óvercast with clouds **2.** *(окружить зверя)* close round **3.** *(налогом)* tax, rate ◇ ~и́ло язы́к the tongue is furred
облóжка cóver, dúst-jacket *(суперобложка)*; case *(для документа)*
облок||áчиваться, ~оти́ться lean one's élbows *(on)*; ~ не разрешáется no léaning
облом||áть, ~и́ть break off
облóм||ок frágment; ~ки крушéния wréckage *sg.*, flótsam *sg.*
облупи́ть *(яйцо)* shell
облысé||вший bald; **~ть** grow bald
облюбовáть take fáncy *(to)*
обмáз||ать, ~ывать coat *(with)*; pútty *(up)* *(замазкой)*
обмáк||ивать, ~нýть dip
обмáн fraud; decéption; ~ зрéния óptical illúsion; **~ный** decéitful, fráudulent; ~ным путём fráudulently, by fraud
обманýть decéive; cheat; take in *(обставить)*; ~ чьё-л. довéрие betráy smb.'s trust; ~ чьи-л. надéжды disappóint smb.'s hopes; **~ся** be decéived; be disappóinted; ~ся в ком-л. be mistáken in smb.
обмáн||чивый decéptive; **~щик** decéiver; **~ывать(ся)** *см.* обманýть(ся)
обмáтывать *см.* обмотáть
обмáхивать *см.* обмахнýть
обмáхиваться *(веером)* fan onesélf
обмахнýть brush awáy
обмелé||ние *(о реке)* drýing up; **~ть** becóme shállow
обмéн exchánge; в ~ in exchánge; ~ мнéниями inter-

chánge *(или* exchánge) of opínions; ~ óпытом exchánge of expérience; ~ вещéств *биол.* metábolism; **~ивать(ся)** *см.* обменя́ть(ся)

обменя́ть bárter; swop *(for) разг.*; **~ся** exchánge; **~ся** взгля́дами exchánge glánces

обмéр 1. méasurement **2.** *(обман)* false méasure

обмéр||ить 1. méasure **2.** *разг.* *(обмануть)* cheat in méasuring; **~я́ть** *см.* обмéрить 1

обмести́, обметáть I dust *(пыль)*

обметáть II, **обмётывать** óvercast *(шов)*; búttonhole *(петли)*

обмозговáть *разг.* mull óver, turn óver in one's mind

обмолáчивать *см.* обмолоти́ть

обмóлв||иться *(ошибиться)* make a slip in spéaking; **~ка** slip of the tongue

обмолóт *с.-х.* thréshing; **~и́ть** thresh

обморóженный fróst-bitten

óбморок faint; пáдать в ~ faint

обмотáть wind round

обмóтка *эл.* wínding

обмóтки *(для ног)* púttees

обмундировá||ние úniform; óutfit; **~ть** íssue úniform; **~ться** be íssued with úniform

обмывáть, обмы́ть wash *(round)*, bathe ◇ ~ покýпку drink to célebrate a púrchase

обмякáть, обмя́кнуть *разг.* becóme soft *(тж. перен.)*

обнаглéть grow ímpudent *(или* ínsolent)

обнадёжи||вать, ~ть (re)assúre

обнаж||áть(ся) *см.* обнажи́ть(-ся); **~ённый** náked; *жив.* nude; **~и́ть 1.** bare; únshéathe *(саблю)* **2.** *(обнаружить)* expóse; **~и́ться 1.** becóme bare; strip náked **2.** *(обнаружиться)* revéal itsélf

обнарóдова||ние promulgátion, publicátion; **~ть** prómulgate, procláim

обнарýжи||вать(ся) *см.* обнарýжить(ся); **~ть** discóver; displáy *(проявить)*; **~ться** come to light; be found *(отыскаться)*

обнести́ 1. *(окружить)* enclóse *(with)*; ~ оградóй fence; ~ стенóй wall **2.** *(кушаньем)* serve round **3.** *(пропускать при угощении)* miss smb. out while sérving

обнимáть(ся) *см.* обня́ть(ся)

обнищá||ние destitútion; **~ть** be redúced to béggary

обнови́ть renéw; rénovate *(старое)*; ~ репертуáр work up a new répertoire; **~ся** be renéwed

обнóвка new dress

обновл||ённый renéwed, rénovated; **~я́ть(ся)** *см.* обнови́ть(ся)

обноси́ть *см.* обнести́

обнóски *разг.* cást-óff clothes

обнюх||ать, ~ивать sniff round

обня́ть, ~ся embráce

óбо *см.* о I

обобрáть 1. *(ягоды и т. п.)* pick **2.** *(обокрасть)* fleece

обобщ||áть *см.* обобщи́ть; **~éние** generalizátion

обобществ||и́ть nationalize; **~лéние** nationalizátion; **~ля́ть** *см.* обобществи́ть

обобщи́ть géneralize

обога||ти́ть enrích *(тж. перен.)*; ~ свои́ зна́ния enrich one's knówledge; **~ти́ться** enrích onesélf; **~ща́ть(ся)** *см.* обогати́ть(ся); **~ще́ние** enríchment; ~ще́ние поле́зных ископа́емых dréssing *(руды́)*; preparátion *(угля)*

обогна́ть leave behínd, pass, outstríp

обогну́ть walk *(или* drive) round; *мор.* double; ~ о́стров sail round the ísland

обогрева́ть(ся) *см.* обогре́ть(ся)

обогре́ть warm up a bit; ~ зда́ние warm up *(или* heat) prémises; **~ся** warm onesélf

о́бод rim; **~о́к** rim, circle

ободра́ть 1. skin *(шкуру)*; tear *(пальто и т. п.)* **2.** *(кого-либо)* fleece

ободр||е́ние encóuragement; **~и́ть** put heart in smb.; э́та встре́ча ~и́ла его́ this méeting cheered him up; **~и́ться** take heart; **~я́ть(ся)** *см.* ободри́ть(-ся)

обожа́||ние adorátion; **~ть** adóre

обожествля́ть ídolize

обо́з 1. string of carts; string of slédges *(санный)* **2.** *воен.* train

обозва́||ть call; он ~л его́ дурако́м he called him a fool

обозли́ть make hópping mad; **~ся** fly ínto a rage

обознача́ть mean

обозна́чить *(пометить)* mark in

обозр||ева́тель reviewer, cómmentator; **~ева́ть 1.** *(осматривать)* survéy; look round **2.** *(в печати)* review; **~е́ние** review

обо́и wáll-paper *sg.*

обо́йма *(патронная)* cártridge clip; *перен.* range

обойти́ 1. *(вокруг чего-л.)* go round **2.** *(избегнуть)* avóid; eváde *(закон и т. п.)* ◇ ~ подро́бности avóid góing ínto détail; **~сь 1.** *(стоить)* cost, come to **2.** *(без чего-л.)* do withóut; dispénse with **3.** *(чем-либо)* mánage *(with)* **4.** *(поступить с кем-л.)* treat ◇ ~сь в копе́ечку cost plénty, cost a prétty pénny

обо́йщик uphólsterer

обокра́сть rob

оболо́чка 1. cóver **2.** *тех.* cásing **3.** *анат.* mémbrane

оболту́с *разг.* ídiot

обольсти́||тель sedúcer; **~тельный** sedúctive; chárming, fáscinating *(очаровательный)*; **~ть** sedúce

обольщ||а́ть *см.* обольсти́ть; **~а́ться** flátter onesélf, be únder a delúsion; ~а́ться наде́ждами chérish vain hopes; **~е́ние** sedúction

обомле́ть *разг.* be stúpefied; be stunned *(with)*

обоня́||ние sense of smell; **~ть** smell

обора́чивать(ся) *см.* оберну́ть(ся)

оборва́нец rágamuffin, rágged féllow

обо́рванный torn, rágged

оборва́ть 1. *(верёвку и т. п.)* break off **2.** *(ягоды, листья и т. п.)* pick *(off)* **3.** *(остановить)* cut short; **~ся 1.** break *(off)*; ве́шалка у пальто́ оборвала́сь the tab on one's coat has bróken off **2.** *(упасть)* fall off **3.** *(прерываться)* stop súddenly

обо́рка flounce

оборо́н||а defénce; **~и́тельный** defénsive; **~и́тельные** сооруже́ния defénces; заня́ть ~и́тельную пози́цию stand on the defénsive; **~ный:** ~ная промы́шленность war índustry

обороноспосо́бность defénsive potentiálities *pl.*

обороня́ть defénd; **~ся** defénd onesélf

оборо́т 1. revolútion; rotátion *(колеса)* **2.** *эк.* túrnover; пуска́ть в ~ put ínto circulátion **3.** *(листа)* back; смотри́ на ~е p.t.o. (please turn óver)' **4.** *(речи)* turn of speech ◇ де́ло при́няло плохо́й ~ the affáir took a turn for the bad; взять в ~ take to task

оборо́тн||ый 1. *эк.*: ~ капита́л círculating cápital **2.** revérse; ~ая сторона́ листа́ the revérse side of the page ◇ ~ая сторона́ меда́ли the revérse (side) of the coin

обору́дова||ние equípment; machínery *(машины)*; **~ть** equíp, fit out

обоснова́ние básis, ground

обосно́в||анный gróunded, well fóunded, well gróunded; **~а́ть** base one's árguments on facts

обоснова́ться settle in *(или* down)

обосо́б||ить séparate *(или* fence) off; **~иться** keep onesélf to onesélf; stand *(или* keep) alóof *(держаться в стороне)*; **~ленный** ísolated; **~ля́ть(ся)** *см.* обосо́бить(ся)

обостр||е́ние shárpening; aggravátion *(отношений)*; **~ённый 1.** keen; ~ённый интере́с keen ínterest **2.** *(напряжённый)* strained; ~ённые отноше́ния strained relátions; **~и́ть** inténsify; ~и́ть разногла́сия inténsify *(или* exácerbate) dífferences; ~и́ть отноше́ния make strained relátions more acúte; **~и́ться** *(ухудшиться)* becóme ággravated; becóme strained *(об отношениях)*; becóme acúte *(о противоречиях)*; **~я́ть(ся)** *см.* обостри́ть(ся)

обою́дный mútual

обоюдоо́стрый dóuble-édged

обраба́тыва||ть 1. *(землю)* cúltivate, work the land **2.** *(сырьё)* work up; **~ющий:** ~ющая промы́шленность manufácturing índustry

обрабо́т||ать *см.* обраба́тывать; **~ка 1.** *(земли)* cultivátion **2.** *(сырья)* prócessing

обра́довать make glad, gládden; **~ся** be glad, rejóice

о́браз 1. *(вид)* form, shape **2.** *(представление; тж. лит., жив.)* ímage **3.** *(способ, приём)* mode, mánner; ~ жи́зни mode of life; ~ мы́слей way of thínking; ~ правле́ния form of góvernment

образе́ц 1. *(пример)* exámple, módel **2.** *(образчик)* spécimen, sample

о́бразный fígurative; vívid *(живой, яркий)*; ~ язы́к fígurative lánguage

образова́ние I formátion

образова́ние II *(просвещение)* educátion; дать ~ éducate; получи́ть ~ be éducated

образо́ванный éducated

образова́ть form, make; órganize *(организовать)*; **~ся** form

образо́вывать(ся) *см.* образова́ть(ся)

образу́мить bring to réason; **~ся** come to (see) réason

образцо́вый módel *attr.*; exémplary

обра́зчик spécimen, sample

обраст||**а́ть, ~и́** be *(или* become) óvergrówn

обрати́ть turn; ~ внима́ние *(на)* pay atténtion *(to)*; ~ своё внима́ние *(на)* turn one's atténtion *(to)*; ~ чьё-л. внима́ние *(на)* draw smb.'s atténtion *(to)*; ~ на себя́ внима́ние draw atténtion to oneséll ◇ ~ в шу́тку make a joke of, turn into a joke; ~ в бе́гство put to flight; **~ся 1.** *(к кому-л.)* addréss *(smb.)*, applý *(to smb.)* **2.** *(превратиться)* turn ínto ◇ ~ся в бе́гство take to flight

обра́тн||**о** *нареч.* **1.** *(назад)* back; туда́ и ~ there and back **2.** *(наоборот)* invérsely; ~ пропорциона́льный invérsely propórtional; **~ый 1.** revérse; ~ый ход revérse mótion; ~ая сторона́ *перен.* revérse side **2.** *(противоположный)* ópposite; в ~ую сто́рону in the ópposite diréction; ~ое де́йствие advérse effect **3.** *(о билете и т. п.)* retúrn *attr.*; ~ой по́чтой by retúrn of post

обраща́ть *см.* обрати́ть; **~ся 1.** *см.* обрати́ться **2.** *(обходиться)* treat *(с кем-л.)*; handle *(с чем-л.)*

обраще́ние 1. *(к кому-л.)* addréss *(to)*, appéal *(to)* **2.** *(с кем-л.)* tréatment *(of)* **3.** *(денег)* circulátion

обре́з *(книги)* edge ◇ в ~ *разг.* bárely *(или* ónly just) enóugh

обре́з||**ать, ~а́ть 1.** cut off **2.** *(прервать кого-л.)* cut smb. short; **~аться** cut oneséll; **~ки** scraps, píeces

обрека́ть *см.* обре́чь

обремен||**и́тельный** árduous, labórious; **~и́ть, я́ть** búrden

обре||**сти́, ~та́ть** find; он обрёл душе́вный поко́й he found peace for his soul

обречённ||**ость** doom; **~ый** condémned; doomed *(to)*

обре́чь condémn

обрисова́ть, обрисо́вывать *перен.* descríbe

обро́к *ист.* tax, quitrent

оброни́ть let fall, drop; lose *(потерять)*

обро́сший óvergrówn

обруб||**а́ть,** ◇ **~и́ть** chop off

обру́бок stump

обруга́ть *разг.* swear *(at)*, call names

о́бруч hoop; набива́ть ~и на бо́чку hoop a bárrel

обру́ши||**ваться, ~ться** come down, collápse

обры́в précipice; bluff, cliff *(на берегу)*

обрыва́ть(ся) *см.* оборва́ть(-ся)

обры́вистый steep, precípitous

обры́в||ок (torn) scrap; **~ки** фраз scraps of conversátion; **~очный** scráppy

обры́зг||ать, ~ивать *(грязью)* splash; besprínkle

обрю́зг||лый, ~ший fat and flábby

обря́д rite; céremony; **~овый** rítual

обсервато́рия obsérvatory

обсле́дова||ние inspéction; invéstigátion; **~ть** inspéct; invéstigate

обслу́ж||ивание sérvice; культу́рно-бытово́е ~ provísion of cúltural and líving facílities; **~ивать, ~и́ть** serve, atténd *(to)*

обсо́хнуть dry off

обста́в||ить, ~ля́ть 1. *(комнату)* fúrnish **2.** *разг. (обмануть)* cheat

обстано́вка I *(мебель)* fúrniture

обстано́вка II *(положение)* condítions *pl.;* situátion; междунаро́дная ~ internátional situátion

обстоя́тельный détailed; relíable *(о человеке)*

обстоя́тельств||о 1. círcumstance; семе́йные **~а** doméstic círcumstances; в затрудни́тельных **~ах** in dífficulties; **~а** измени́лись the círcumstances have áltered **2.** *грам.* advérbial módifier

обсто||я́ть: всё **~и́т** благополу́чно éverything is all right; как **~я́т** дела́? how are things góing?, how does the land lie?

обстре́л fire; находи́ться под **~ом** be únder fire; взять под ~ *перен.* attáck

обстре́л||ивать, ~я́ть fire *(at)*, take únder fire

обстрога́ть plane; whittle *(ножом)*

обстру́кция obstrúction

обступ||а́ть, ~и́ть surróund

обсу||ди́ть, ~жда́ть discúss; talk óver *разг.;* **~жде́ние** discússion; начало́сь **~жде́ние** кандидату́р the discússions to eváluate the ápplicants have begún; предме́т **~жде́ния** point at íssue

обсчита́ть cheat (in cóunting); **~ся** miscóunt, miscálculate

обсчи́тывать(ся) *см.* обсчита́ть(ся)

обсы́п||ать, ~а́ть strew; ~ муко́й sprinkle with flour

обсыха́ть *см.* обсо́хнуть

обта́чивать *см.* обточи́ть

обтека́емый stréamlined; *перен.* evásive; ~ отве́т evásive replý

обтере́ть(ся) *см.* обтира́ть(ся)

обтеса́ть, обтёсывать square; *перен.* knock smb. ínto shape

обтир||а́ние spónging down; **~а́ть** wipe; **~а́ться** *(делать обтирание)* sponge onesélf down

обточи́ть *(на станке)* turn

обтрёпанный shábby

обтрепа́ть fray

обтя́||гивать 1. *см.* обтяну́ть **2.** *(прилегать)* fit close; **~жка:** в **~жку** clóse-fítting

обтяну́ть *(чем-л.)* cóver

обува́ть(ся) *см.* обу́ть(ся)

обувн||о́й shoe *attr.;* ~ магази́н shoe shop; shóe-store *(амер.);* **~а́я** промы́шленность shoe índustry

о́бувь fóot-wear; boots and shoes *pl.*

обу́глива||ние carbonizátion; ~**ть** cárbonize; char; ~**ться** be cárbonized; be charred

обу́за búrden, encúmbrance

обузда́ть, обу́здывать bridle

обу́зить make too tight

обурева́||емый overwhélmed *(by)*; он ~ем стра́стью he is racked by pássion; ~**ть** overwhélm

обусло́в||ить 1. límit; stípulate *(for)*; ~ чем-л. своё уча́стие в рабо́те make reservátions óver participáting in a job **2.** *(быть причиной)* cause, call forth; ~**ливать** *см.* обусло́вить; ~**ливаться** be conditioned *(by)*

обу́ть 1. *(надеть ботинки)* put on shoes **2.** *(снабдить обувью)* províde with shoes; ~**ся** put on one's shoes

о́бу́х butt *(thicker end)*

обуч||а́ть(ся) *см.* обучи́ть(ся); ~**е́ние** instrúction, tráining; ~**и́ть** give tráining; ~**и́ться** take a tráining course

обхвати́ть, обхва́тывать embráce, clasp

обхо́д 1. round; де́лать ~ make one's round **2.** *(кружный путь)* détour **3.** *(закона)* circumvéntion

обходи́тельный urbáne; mánnerly

обходи́ть(ся) *см.* обойти́(сь)

обхожде́ние *разг.* beháviour; mánners *pl.*; tréatment *(of)*

обша́р||ивать, ~**ить** rúmmage

обшива́||ть 1. *см.* обши́ть **2.**: она́ ~ет всю семью́ she sews for the whole fámily

общи́вка 1. édging **2.** *тех.* cóvering, cóating

обши́рн||ый spácious, vast; ~ые знако́мства wide circle of acquáintances

обши́ть 1. sew round; edge **2.** *архит.* pánel; board óver *(досками)*

обшла́г cuff

обща́ться assóciate, mix *(with)*

общедосту́пн||ый 1. withín éveryone's reach; ~ые це́ны príces withín the reach of éveryone **2.** *перен.* comprehénsible by éveryone

общежи́тие 1. hóstel **2.** *(общественная жизнь)* sócial behávior; commúnity

общеизве́стный génerally known; wéll-known

общенаро́дный públic, nátional

обще́ние associátion; ли́чное ~ pérsonal cóntact

общеобразова́тельный províding géneral educátion

общепри́нятый génerally accépted

общесою́зный All-Únion *attr.*

обще́ственн||ик públic-spírited pérson; ~**ость** the públic; нау́чная ~**ость** respónsible scientífic opínion; ~**ый** sócial, públic; ~ый строй sócial sýstem; ~ое мне́ние públic opínion; ~ое пита́ние cantéen féeding

о́бщество 1. *в разн. знач.* society **2.** *эк.* cómpany

общеупотреби́тельный in géneral use *(после сущ.)*

о́бщ||ий cómmon; géneral *(не частный)* ◇ ~ ито́г sum tótal; ~ее ме́сто cómmonplace; в ~ем in géneral; ~ее бла́го the públic weal; не име́ть ничего́

~его с кем-л. have nóthing in cómmon with smb.

óбщи́на commúnity

общи́тельный sóciable

óбщность commúnity; ~ интерéсов commúnity of interests

объеда́ться *см.* объéсться

объедéние: э́то прóсто ~ this is delícious

объедин||éние 1. *(действие)* unificátion; amalgamátion *(слияние)* **2.** *(союз)* únion; **~ённый** united; Объединённые На́ции United Nátions; **~и́ть, ~и́ться** unite; **~я́ть(ся)** *см.* объедини́ть(ся)

объéдки *разг.* léavings, léft-overs, scraps

объéзд divérsion *(for traffic)*, détour; **~ить 1.** trável all óver **2.** *(лошадь)* break in

объезжа́ть 1. *см.* объéздить **2.** *см.* объéхать

объéкт 1. óbject **2.** *воен.* objéctive **3.** *(стройка и т. п.)* building site

объекти́в óbject-lens, objéctive

объекти́вный objéctive; impártial *(беспристрастный)*

объём cúbic capácity; vólume *(тж. перен.)*; ~ рабóт the vólume of works

объёмистый capácious; búlky; ~ пакéт búlky páckage *(или* párcel)

объéсться *разг.* óveréat (onesélf)

объéхать 1. go round **2.** *(посетить)* visit *(as much as possible)*

объяв||и́ть decláre; annóunce *(известить)*; ~ вне закóна óutlaw; **~лéние 1.** *(действие)* declarátion; ~лéние войны́ declarátion of war **2.** *(извещение)* annóuncement; advértisement *(в газетах, афишах и т. п.)*; **~ля́ть** *см.* объяви́ть

объясн||éние explanátion ◇ ~ в любви́ declarátion of love; **~и́мый** éxplicable; **~и́тельный** explánatory; **~и́ть** expláin; **~и́ться 1.** expláin (onesélf) **2.** *(переговорить)* have a talk; have it out *(with; выяснить недоразумение)* ◇ ~и́ться в любви́ make a declarátion of love; **~я́ть** *см.* объясни́ть

объясня́ться 1. *см.* объясни́ться; ~ на инострáнном языкé make onesélf understóod in a fóreign lánguage **2.** *(чем-л.)* be accóunted for *(by)*

объя́тия embráce *sg.*; сжать в ~х embráce; заключи́ть в ~ fold in one's arms; embráce

обывáтель nárrow *(или* pétty) pérson; **~ский** cómmonplace, nárrow-mínded

обыгрáть, обы́грывать *(кого-л.)* beat; win *(выиграть)*

обы́денный órdinary, úsual, éveryday, cómmonplace

обыкновéн||ие hábit, routíne; имéть ~ be in the hábit *(of)*; по ~ию as úsual; прóтив ~ия cóntrary to one's úsual práctice; **~но** *нареч.* úsually, as a rule; **~ный** órdinary *(обычный)*; simple, plain *(заурядный)*

óбыск search; **~áть** condúct a search

обы́скивать *см.* обыскáть

обы́ч||ай cústom; **~но** *нареч.* úsually, as a rule; **~ный** órdinary, úsual

обя́занн||ость dúty; испо́лня́ющий ~ости ácting; ~ый oblíged, bound; он обя́зан э́то сде́лать he is bound to do it, it is his dúty to do it; быть ~ым кому́-л. жи́знью owe one's life to smb.; я вам о́чень обя́зан I am much oblíged to you; челове́к, всем ~ый самому́ себе́ a sélf-máde man

обяза́тель||но *нареч.* withóut fail; он ~ придёт he is sure to come; **~ный** oblígatory; compúlsory *(об обуче́нии и т. п.)*; **~ство** obligátion; pledge; взять на себя́ ~ство pledge onesélf

обяза́ть oblíge; bind; **~ся** pledge onesélf *(to)*, take upón onesélf

обя́зыв||ать *см.* обяза́ть; э́то вас ни к чему́ не ~ает this doesn't commít you to ánything; **~аться** *см.* обяза́ться

ова́льный óval

ова́ция ovátion

овдове́||вший wídowed; **~ть** becóme a wídow *(о же́нщине)*; becóme a wídower *(о мужчи́не)*

овёс oats *pl.*

ове́чий sheep *attr.*, sheep's

ови́н *с.-х.* barn

овла||дева́ть, ~де́ть 1. *(чем-л.)* take posséssion *(of)*; seize; им ~де́ло беспоко́йство anxíety seized him; ~де́ть собо́й be in contról of onesélf, exercíse sélf-contról **2.** *(усва́ивать)* máster; ~ зна́ниями acquíre knówledge]

о́вод gádfly]

о́вощ||и végetables; **~но́й** végetable; ~но́й магази́н gréengrocer's shop

овра́г ravíne

овся́нка 1. *(крупа́, мука́)* óatmeal **2.** *(ка́ша)* pórridge

овца́ sheep

овцево́дство shéep-breeding

овча́рка shéep-dog

овчи́н||а shéepskin; **~ка:** ~ка вы́делки не сто́ит ≅ not worth bóthering abóut

ога́рок cándle-end

огиба́ть *см.* обогну́ть

оглавле́ние conténts *pl.*, table of conténts

огласи́ть 1. read out, annóunce; ~ пригово́р read out the séntence **2.** *(напо́лнить зву́ками)* make resóund; **~ся** resóund *(with)*; ring *(with)*

огла́ск||а publícity; получи́ть ~у be gíven publícity; избега́ть ~и avóid publícity

оглаш||а́ть(ся) *см.* огласи́ть(-ся); **~е́ние** publicátion; не подлежи́т ~е́нию off the récord

огло́бля shaft

огло́хнуть becóme deaf

оглуш||а́ть *см.* оглуши́ть; **~и́тельный** déafening; **~и́ть** déafen; stun *(уда́ром)*

огляде́ть take a look at; **~ся** look round; take a look round *(ориенти́роваться)*

огля́д||ка: бежа́ть без ~ки run for one's life; **~ывать** *см.* огляде́ть; **~ываться 1.** *см.* огляде́ться **2.** *см.* огляну́ться

огляну́ться look back; turn to look at smth. ◇ не успе́л ~, как ≅ befóre he could say "knife"

огнемёт fláme-thrower

о́гненный fíery

огнеопа́сный inflámmable

огнестре́льн||ый: ~ое ору́жие fíre-arms *pl.*

огнетуши́тель fíre-extínguisher

огнеупо́рный fíreproof; ~ кирпи́ч fíre-brick

огова́ривать(ся) *см.* оговори́ть(ся)

оговори́ть 1. *(оклеветать)* slánder **2.** *(обусловить)* stípulate; **~ся 1.** *(сделать оговорку)* make a reservátion **2.** *(ошибиться)* make a slip (in spéaking)

огово́р||ка 1. *(условие)* reservátion, stipulátion; с ~кой with resérve; без ~ок withóut resérve **2.** *(обмолвка)* slip of the tongue

оголённый bare

оголи́ть bare; **~ся** strip (onesélf)

оголте́лый *разг.* wild; fránțic

оголя́ть(ся) *см.* оголи́ть(ся)

огонёк little light

ого́нь 1. *в разг. знач.* fire; гре́ться у огня́ warm onesélf at the fire; в огне́ in flames **2.** *(свет)* light; заже́чь ~ light a lamp ◇ гото́в в ~ и в во́ду réady for ánything; из огня́ да в по́лымя *погов.* out of the frýing-pan ínto the fire; пройти́ ~ и во́ду *разг.* go through fire and wáter

огора́живать(ся) *см.* огороди́ть(ся)

огоро́д kítchen-garden; végetable-garden; márket-garden

огороди́ть fence in; **~ся** fence onesélf in

огоро́дни||к márket-gardener; trúck-farmer *(амер.)*; **~чество** márket-gardening; trúck-farming *(амер.)*

огоро́шить *разг.* dumbfóund

огорч||а́ть(ся) *см.* огорчи́ть(ся); **~е́ние** grief, chágrin; **~ённый** grieved; **~и́ть** grieve, pain; **~и́ться** grieve, be pained; не ~а́йтесь! cheer up!

огра́б||ить rob; **~ле́ние** róbbery; búrglary *(со взломом)*

огра́||да fence; wall *(стена)*; **~ди́ть, ~жда́ть** guard *(from, against)*; protéct *(against)*

огран||иче́ние limitátion; restríction; **~и́ченный** *в разн. знач.* límited; в ~и́ченном коли́честве in límited quántity; ~и́ченный челове́к a límited pérson; **~и́чивать(ся)** *см.* ограни́чить(ся); **~и́чить** límit; restríct; **~и́читься** límit onesélf; confíne onesélf

огро́мный huge, vast, enórmous

огрубе́||лый cóarsened; **~ть** becóme rough; cóarsen

огрыз||а́ться, ~ну́ться *разг.* snap *(at)*

огры́зок chewed stump; *перен.* stump, bit; ~ карандаша́ stump of a péncil; ~ расчёски bróken end of a comb

огу́льн||о *нареч.* withóut discriminátion; **~ый** indiscríminate; swéeping; ~ое обвине́ние únfóunded accusátion

огуре́ц cúcumber

о́да ode

одарённый gifted, tálented

одар||и́ть, ~я́ть *(наделять)* endów *(with)*

одева́ть(ся) *см.* оде́ть(ся)

оде́жд||а clothes *pl.*; ве́рхняя ~ óutdoor clothes; снять ве́рхнюю ~у take off one's coat

одеколо́н éau-de-Cológne

одел||и́ть, ~я́ть *(кого-л. чем-л.)* appórtion

одёргивать *см.* одёрнуть

одержа́ть, одéрживать: ~ верх gain the úpper hand; ~ побéду win a víctory; score a víctory *(спорт.)*

одержи́мый possёssed *(by, of)*

одёрнуть *(платье и т. п.)* pull down, stráighten; *перен.* check, pull up

одéть dress; **~ся** dress (onesélf); ~ся во что-л. put smth. on

одея́ло blánket

одея́ние gárment, attíre

оди́н 1. *числит.* one **2.** *мест. (некий)* a, a cértain; **3.** *мест. (без других)* alóne **4.** *мест. (тот же)* the same; ~ и тот же one and the same ◇ одни́м сло́вом in a word; ~ на ~ in prívate; just our two selves *(о разговоре);* hand to hand *(о борьбе);* в ~ миг, in a flash, in a sécond, in a jiffy, in no time; все до одно́го to the last man, all to a man

одина́ков||о *нареч.* équally; **~ый** the same, idéntical; в ~ой мéре équally

оди́ннадца||тый the eléventh; **~ть** eléven

одино́||кий lónely, sólitary; single *(бессемейный);* чу́вствовать себя́ ~ким feel lónely; **~ко** *нареч.* lónely; жить ~ко lead a lónely life

одино́чество sólitude; lóneliness

одино́ч||ка single pérson; **~ный** indivídual; ~ное заключéние sólitary confínement

оди́озный ódious

одича́||вший, ~лый gone wild; **~ть** becóme antisócial

одна́ *ж. см.* оди́н

одна́жды *нареч.* once

одна́ко *вводн. сл.* howéver, yet, still

одни́ *мн. см.* оди́н

одно́ *с. см.* оди́н

однобо́ртный single-bréasted

одновре́ме́нн||о *нареч.* simultáneously; at the same time; **~ый** simultáneous

однодне́вный óne-day *attr.;* ~ дом о́тдыха a rést-home where one can go for a day at a time

однозву́чный monótonous

однозна́чн||ый 1. synónymous **2.:** ~ое число́ dígit

одноимённый of the same name

однокла́ссник cláss-mate; они́ ~и they are in the same class

одноколе́йный *ж.-д.* single-track *attr.*

одноку́рсник in the same year; мы ~и we are in the same year at univérsity *etc.*

одноле́тки of the same age

одноме́стн||ый háving room for one; ~ самолёт single-séater áircraft *(или* plane); ~ая каю́та single cábin

однообра́з||ие monótony; **~ный** monótonous

одноро́дный homogéneous

односло́жный monosyllábic; *перен. тж.* curt, lacónic

односторо́нн||ий óne-síded; ~ отка́з от догово́ра únilátera denunciátion of a tréaty; ~ее движе́ние óne-wáy tráffic

однофами́лец pérson béaring the same súrname, námesake

одноцве́тный of one cólour; monochromátic *(полигр.)*

одноэта́жный óne-stóreyed

одобр||е́ние appróval; **~и́тельный** appróving

одо́бр||ить, ~я́ть appróve *(of)*; не ~ disappróve *(of)*

одо||лева́ть, ~ле́ть 1. overcóme **2.** *(справиться с работой и т. п.)* get on top *(of)*; succéed *(in)*

одолж||а́ть *см.* одолжи́ть; **~е́ние** fávour; сде́лайте мне ~е́ние do me a fávour; **~и́ть** lend

одряхле́ть becóme decrépit

одува́нчик dándelion

оду́ма||ться think bétter of it; ~йтесь! think what you're dóing!

одура́чить *разг.* make a fool *(of)*

одуре́||лый *разг.* stúpid; **~ть** lose one's head *(или* wits)

одурма́н||ивать, ~ить stúpefy

о́дурь *разг.* stúpor

одуря́ющий: ~ за́пах overpówering scent

одутлова́тый púffy

одухотвор||ённый inspíred; exálted; **~и́ть, ~я́ть** spíritualize; inspíre

одушев||и́ть ánimate; **~и́ться** be ánimated; **~ле́ние** animátion; **~лённый** ánimated

одушевля́ть(ся) *см.* одушеви́ть(ся)

оды́шка dífficulty in bréathing, lack of breath

ожере́лье nécklace

ожесточ||а́ть(ся) *см.* ожесточи́ть(ся); **~е́ние 1.** bítterness **2.** *(упорство)* víolence; **~ённый 1.** *(о человеке)* hárdened; bítter **2.** *(о борьбе и т. п.)* fierce; **~и́ть** hárden, embítter; **~и́ться** becóme hárdened *(или* embíttered)

ожива́ть *см.* ожи́ть

ожив||и́ть resúscitate; *перен.* revíve; **~и́ться** becóme ánimated; bríghten *(о лице)*; **~ле́ние** animátion; **~лённый** ánimated, bright; **~ля́ть(ся)** *см.* оживи́ть(ся)

ожида́||ние expectátion; wáiting *(for)*; lóoking fórward *(to; приятного)*; сверх ~ния beyónd expectátion; про́тив ~ния únexpéctedly; в ~нии awáiting; **~ть** wait (in hope)

ожире́ние obésity

ожи́ть come to life agáin

ожо́г burn; scald *(кипятком)*

озабо́||титься atténd to; **~ченность** preoccupátion; anxíety *(беспокойство)*; **~ченный** preóccupied; ánxious, wórried *(обеспокоенный)*

озагла́в||ить, ~ливать give a títle

озада́ч||енный perpléxed; **~ивать, ~ить** perpléx; púzzle

озар||и́ть *прям., перен.* light up, bríghten up, illúminate; **~и́ться** light up *(with)*, bríghten *(with)*; **~я́ть(ся)** *см.* озари́ть(ся)

озвере́ть lose contról

оздоров||и́ть impróve from a health point of view *(о местности)*; *перен.* impróve; **~ля́ть** *см.* оздорови́ть

о́зеро lake

ози́м||ые wínter crops; **~ый** wínter *attr.*

озира́ться look *(или* gaze) round

озлоб||ить embitter; **~иться** grow bitter; **~ление** bitterness, animosity; **~лённый** bitter, angry; **~лять(ся)** *см.* озлобить(ся)

ознаком||ить acquaint *(with)*; **~иться** become acquainted, familiarize oneself *(with)*; **~ление** acquaintance; **~лять(ся)** *см.* ознакомить(ся)

ознаменов||ание: в ~ to mark the occasion; in honour *(of; в честь)*; **~ать** mark

означать signify, mean

озноб shiver

озон ozone

озор||ник mischievous *(или* naughty) child; **~ничать** be mischievous *(или* naughty); **~ной** naughty, mischievous; **~ство** mischief, naughtiness

озяб||нуть be cold *(или* chilly); у меня ~ли руки my hands are freezing

ой! *межд.* oh!

оказать render, show; ~ содействие render assistance; ~ предпочтение show preference; ~ влияние exert influence; ~ честь do honour; ~ услугу do *(smb.)* a service *(или* a good turn)

оказаться 1. *(обнаружиться)* turn out to be; prove to be **2.** *(очутиться)* find oneself

оказ||ия *уст.* opportunity; послать с ~ией send by smb.

оказывать(ся) *см.* оказать (-ся)

окайм||ить, ~лять border, fringe *(with)*

окамене||лость *(ископаемое)* fossil; **~лый** petrified; **~ть** turn into stone; *перен. тж.* be petrified

оканчивать(ся) *см.* окончить (-ся)

окапывать(ся) *см.* окопать (-ся)

окаянный *как сущ.* devil

океан ocean; **~ский** ocean *attr.*; ~ский пароход ocean liner

оки||дывать, ~нуть: ~ взглядом take in at a glance

окисл||ение *хим.* oxidation; **~итель** oxidizer; **~ять** oxidize; **~яться** oxidize

окись *хим.* oxide

оккуп||ант invader; **~ация** occupation; **~ировать** occupy

оклад rate of pay; месячный ~ monthly salary

оклеветать slander

оклеивать, оклеить paste *(with)*; ~ обоями paper

окликать, окликнуть call *(to)*, hail

окно window

око eye ◇ в мгновение ока in the twinkling of an eye

оковать *(сундук и т. п.)* strap with metal

оковы fetters *(тж. перен.)*; **~вать** *см.* оковать

околачиваться *разг.* lounge about, prop up street corners

околдовать, околдовывать bewitch

околевать, околеть *(о животных)* die

около *предл.* **1.** *(возле, рядом)* by, near; around *(вокруг)*; ~ меня near me; дом ~ моря a house by the sea **2.** *(приблизительно)* about; nearly *(почти)*; ~ трёх дней about three days; было ~ полуночи it was nearly midnight

око́лыш cáp-band

око́льн||ый róundabout; ~ым путём in a róundabout way

око́нн||ый wíndow *attr.*; ~ое стекло́ wíndow-pane

оконча́||ние 1. *(действие)* fínishing; graduátion *(учебного заведения)* 2. *(конец)* end 3. *грам.* infléxional énding; **~тельно** *нареч.* fínally; defínitively; **~тельный** fínal; decisive, defínitive; complete *(полный)*

око́нчить fínish, end; ~ университе́т gráduate from the univérsity; **~ся** fínish, end, be óver

око́п trench; **~а́ть** 1. *(дерево)* dig up 2. *(окружить канавой)* dig round; **~а́ться** *воен.* entrénch onesélf

о́корок ham, gámmon

окостене́||лый óssified; hárdened *(затвердевший)*; **~ть** óssify; hárden *(затвердеть)*

окочене́||лый stiff with cold; **~ть** becóme stiff (with cold)

око́ш||ечко small wíndow; ópening *(в кассе и т. п.)*; **~ко** window

окра́ина óutskirts *pl.* *(города)*; fróntier áreas *pl.* *(страны)*

окра́с||ить paint *(поверхность)*; dye *(платье, волосы и т. п.)*; tinge *(слегка)*; осторо́жно, окра́шено! bewáre, wet paint!; **~ка** 1. *(действие)* páinting *(поверхности)*; dýeing *(платья, волос)* 2. *(цвет)* cólour *(тж. перен.)*

окра́шивать *см.* окра́сить

окре́пнуть grow strong

окре́стн||ость envírons *pl.*; в ~ости in the néighbourhood, in the vicinity; **~ый** néighbouring

о́крик cry, call, shout

окрова́вленный blóod-stained

о́круг dístrict

округл||и́ть, ~я́ть *прям., перен.* round off

окруж||а́ть *см.* окружи́ть; **~а́ющий** surróunding; **~а́ющая** среда́ envíronment; **~е́ние** 1. encírclement; капиталисти́ческое ~е́ние cápitalist encírclement; быть в ~е́нии *воен.* be encírcled; вы́рваться из ~е́ния *воен.* break out of énemy encírclement 2. *(среда)* envíronment; **~и́ть** *(чем-л.)* surróund *(with, by)*

окружн||о́й 1. dístrict *attr.* 2.: ~а́я желе́зная доро́га círcuit ráilway

окру́жность circúmference; círcle

окрыл||и́ть, ~я́ть inspíre, lend wings *(to)*

окта́ва *муз.* óctave

октя́брь Octóber; **~ский** Octóber *attr.*

окун||а́ть, ~а́ться dip; plunge; **~у́ть(ся)** *см.* окуна́ть(-ся)

о́кунь perch

окуп||а́ть(ся) *см.* окупи́ть(-ся); **~и́ть** repáy; cómpensate; **~и́ться** pay; be worth while

оку́ривать, окури́ть fúmigate; ~ се́рой fúmigate with súlphur

оку́рок cigarétte-butt

оку́т||ать wrap up; **~аться** wrap onesélf up; **~ывать(ся)** *см.* оку́тать(ся)

оку́чи||вать, ~ть *с.-х.* earth up

ола́дья thick páncake

оледене́||лый frózen; **~ть** freeze; be cóvered with ice, ice up

оле́||ний deer's; **~ньи** рога́ ántlers; **~нь** deer; réindeer *(северный)*

оли́в||а, ~ка ólive; **~ковый** ólive *attr.*

олига́рхия óligarchy

олимпиа́да *спорт.* Olýmpiad; Olýmpic games

олимпи́йск||ий: ~ие и́гры Olýmpic games, Olýmpics

оли́фа línseed oil

олицетвор||е́ние personificátion; embódiment *(воплощение)*; **~ённый** persónified; **~и́ть, ~я́ть** persónify

о́лов||о tin; **~я́нный** tin *attr.*

ольха́ álder

ом *эл.* ohm

ома́р lóbster

омерз||е́ние lóathing; **~и́тельный** lóathsome

омертве́ние *мед.* necrósis

омле́т ómelette

омоложе́ние rejuvenátion

омо́ним *лингв.* hómonym

омрач||а́ть(ся) *см.* омрачи́ть (-ся); **~и́ть** dárken; **~и́ться** becóme dárkened *(или* glóomy)

о́мут pool ◇ в ти́хом ~е че́рти во́дятся ≅ still wáters run deep

омыва́ть, омы́ть wash

он *мест.* he *(косв.* him); it, he *(о животном)*; его́ здесь не́ было he was not here; я дал ему́ кни́гу I gave him the book, I gave the book to him; э́то сде́лано им it was made by him, he made it

она́ *мест.* she *(косв.* her); it, she *(о животном)*; её здесь не́ было she was not here; я дал ей кни́гу I gave her the book, I gave the book to her; э́то сде́лано е́ю it was made by her, she made it

онеме́ть 1. becóme dumb; *перен.* be struck dumb **2.** *(окоченеть, затечь)* becóme numb

они́ *мест.* they *(косв.* them)

оно́ *мест.* it *(косв.* it)

онада́ть *см.* опа́сть

опа́здывать *см.* опозда́ть

опа́л||а disgráce; быть в ~е be in disgráce

опал||и́ть, ~я́ть burn; singe

опас||а́ться fear; **~е́ние** fear; apprehénsion; misgiving

опа́с||ка *разг.*: с ~кой cáutiously; **~ливый** cáutious

опа́сн||о 1. *нареч.* dángerously **2.** *предик. безл.* it is dángerous; **~ость** dánger; подверга́ться ~ости run the risk *(of)*; с ~остью для жи́зни at the risk of one's life; **~ый** dángerous; ~ая перепра́ва périlous cróssing

опа́сть fall, drop; fall in *(уменьшаться в объёме)*

опе́к||а guárdianship; trustéeship; **~а́емый** *как сущ.* ward; **~а́ть** be guárdian *(to)*; *перен.* look áfter, protéct; **~у́н** guárdian; tútor *(несовершеннолетнего)*; trustée *(над имуществом)*

о́пера ópera

операти́вн||ый 1. *мед.* súrgical; ~ое вмеша́тельство súrgical intervéntion **2.** *воен.* operátional; ~ая сво́дка operátions repórt **3.** *(действенный)* áctive; ~ое руково́дство áctive léadership; ~ые указа́ния operátional instrúctions

опера́||тор óperator; **~цио́нный** óperating; **~ция** operátion; сде́лать ~цию óperate

опере||ди́ть, ~жа́ть outstríp; forestáll *(во времени)*

опере́ние plúmage ◇ хвостово́е ~ самолёта tail únit

опере́тта operétta

опере́ться lean on *(тж. перен.)*; не́ на кого бы́ло ~ there was no one to lean on

опери́ровать óperate

опери́ться becóme fledged; *перен.* stand on one's own legs

о́перн||ый: ~ теа́тр óperahouse; ~ певе́ц ópera-singer; ~ая му́зыка operátic músic

оперя́ться *см.* опери́ться

опеча́лить grieve, pain, sádden; **~ся** grieve, becóme sad

опеча́тать seal up

опеча́т||ка misprint; спи́сок ~ок corrigénda *pl.*

опеча́тывать *см.* опеча́тать

опе́шить *разг.* be táken abáck

опи́лки sáwdust *sg.*

опира́ться 1. *см.* опере́ться **2.** *(основываться)* be based *(on)*

описа́||ние descríption; **~тельный** descríptive

описа́ть 1. descríbe *(тж. мат.)* **2.** *(сделать опись)* make an invéntory **3.** *юр.* *(имущество)* distráin

опи́ска slip of the pen

опи́сывать *см.* описа́ть

о́пись 1. *(список)* list **2.** *юр.* *(имущества)* distráint

о́пиум ópium

опла́к||ать, ~ивать mourn *(for, over)*; deplóre *(smth.)*

опла́||та páy(ment); **~ти́ть** pay; remúnerate *(вознаградить)*; settle *(счёт)*; ~ти́ть расхо́ды pay *(или* cóver) expénses; **~ченный** paid; с ~ченным отве́том replý paid; **~чивать** *см.* оплати́ть

оплева́ть, оплёвывать spit *(upon)*; insúlt

оплеу́ха *разг.* slap in the face

оплодотвор||е́ние fertilizátion, impregnátion; иску́сственное ~ artifícial inseminátion; **~и́ть, ~я́ть** fértilize, ímpregnate

опло́т strónghold

оплошность blúnder, óversight; сде́лать ~ make a blúnder

опове||сти́ть, ~ща́ть nótify; **~ще́ние** notificátion

опозда́||вший *как сущ.* látecomer; **~ние** cóming late; deláy *(задержка)*; по́езд пришёл с ~нием на 10 мину́т the train arríved ten mínutes late; без ~ния in time; **~ть** be late *(for)*; ~ть на по́езд miss one's train; по́езд, самолёт *и т. п.* опа́здывает the train, plane *etc.* is óverdúe

опозн||ава́ть, ~а́ть idéntify

опозо́рить disgráce; **~ся** disgráce onesélf

о́ползень lándslide

ополч||а́ться *см.* ополчи́ться; **~е́ние** home guard

ополчи́ться *(против кого-л.)* be up in arms *(against)*

опо́мниться colléct onesélf, pull onesélf togéther; come to one's sénses

опо́р: во весь ~ at full *(или* at top) speed

опо́р||а *прям., перен.* suppórt; то́чка ~ы fúlcrum; **~ный:** ~ный пункт *воен.* strong point

опорожн||и́ть, ~я́ть émpty

опоро́чить defáme; discrédit *(признать негодным)*

опохмел||и́ться, ~я́ться *разг.* take a hair of the dog that bit you

опо́шл||ить, ~я́ть vúlgarize, debáse

опоя́с||ать, ~ывать girdle

оппоз||ицио́нный in opposítion *(после сущ.)*; **~и́ция** opposítion

оппоне́нт oppónent

оппортун||и́зм ópportunism; **~и́ст** ópportunist; **~исти́ческий** ópportunist *attr.*

опра́в||а sétting *(камня)*; rim *(очков)*; вста́вить в ~у set; mount; в золото́й ~е set in gold

оправда́||ние 1. justificátion; excúse *(извинение, объяснение)* **2.** *юр.* acquíttal; **~тельный:** ~тельный пригово́р vérdict of "not guilty"; ~тельный докуме́нт official authorizátion

оправда́ть 1. jústify; find an excúse *(извинить)* **2.** *юр.* acquít **3.** *(быть достойным)* jústify; ~ чьё-л. дове́рие jústify smb.'s cónfidence; **~ся 1.** jústify onesélf **2.** *(оказаться правильным)* be well fóunded

опра́вдывать(ся) *см.* оправда́ть(ся)

опра́вить 1. *(платье и т. п.)* smooth out, tídy **2.** *(вставить в оправу)* set, mount *(камни)*; **~ся** *(от болезни)* recóver, get well

оправля́ть(ся) *см.* опра́вить (-ся)

опра́шивать *см.* опроси́ть

определе́ние 1. definítion **2.** *(суда)* decísion **3.** *грам.* áttribute

определённ||ый 1. définite; ~ член définite árticle **2.** *(некоторый)* cértain; при ~ых усло́виях únder cértain condítions

определ||и́ть 1. defíne, detérmine **2.** *(установить)* fix; detérmine; **~и́ться** *(выработаться)* be formed; take shape; **~я́ть(ся)** *см.* определи́ть(ся)

опровер||га́ть, опрове́ргнуть refúte; **~же́ние** refutátion; deníal

опроки́дывать(ся) *см.* опроки́нуть(ся)

опроки́нуть overtúrn; upsét *(тарелку и т. п.)*; **~ся** overtúrn; capsíze *(о судне)*

опроме́тчив||ость ráshness; **~ый** imprúdent, rash, precípitate; ~ый посту́пок rash *(или* thóughtless) áction

о́прометью *нареч.* at top speed, héadlong

опро́с interrogátion; **~и́ть** intérrogate, quéstion; **~ный:** ~ный лист questionnáire

опротестова́ть *юр.* protést

опроти́в||еть: мне э́то ~ело I am sick of it

опры́с||кивать, ~нуть sprinkle

опря́тный tídy, neat

о́птика óptics

оптим||и́зм óptimism; **~и́ст** óptimist; **~исти́ческий** optimístic

опти́ческий óptic(al); ~ обма́н óptical illúsion

опто́в||ый whólesale; ~ая торго́вля whólesale trade

о́птом *нареч.* whólesale; ~ и в ро́зницу whólesale and rétail

опублик||ова́ние publicátion; promulgátion *(закона и т. п.)*;

~ова́ть, ~о́вывать públish; prómulgate *(закон)*

опуска́ть(ся) *см.* опусти́ть(ся)

опусте́ть becóme émpty; becóme désolate *(стать пустынным)*

опусти́||ть 1. lówer, put down; ~ глаза́ look down; ~ го́лову hang one's head; ~ што́ры (draw) down the blinds; ~ письмо́ в я́щик put a létter in the (píllar-)box **2.** *(пропустить)* omít ◇ ~ нос be down in the mouth; ~ кры́лья have no énergy; **~ться 1.** be lówered; sink *(медленно)* **2.** *(морально)* go to seed ◇ у меня́ ру́ки ~лись I lost heart

опустош||а́ть *см.* опустоши́ть; **~е́ние** devastátion; **~и́тельный** dévastating; **~и́ть** dévastate, lay waste

опу́т||ать, ~ывать wind *(round)*; *перен.* entángle

опуха́ть, опу́хнуть swell

о́пухоль swélling; túmour *мед.*

опу́шка *(ле́са)* edge of fórest

опыл||е́ние *бот.* pollinátion; **~и́ть** póllinate; **~и́ться** be póllinated; **~я́ть(ся)** *см.* опыли́ть(ся)

о́пыт 1. *(практика)* expérience; **2.** *(эксперимент)* expériment; провести́ ~ condúct an expériment ◇ го́рький ~ bítter expérience; **~ный 1.** *(о человеке)* expérienced **2.** *(экспериментальный)* experiméntal

опьяне́||ние intoxicátion *(тж. перен.)*; **~ть** becóme drunk

опьян||и́ть, ~я́ть make drunk *(тж. перен.)*

опя́ть *нареч.* agáin

ора́ва *разг.* gang, horde

ора́нжевый órange(-coloured)

оранжере́я hót-house

ора́тор órator, (públic) spéaker

ора́ть *разг.* yell, shout

орби́т||а órbit; вы́йти на ~у énter an órbit

о́рган *в разн. знач.* órgan; bódy; **~ы** вла́сти góvernment bódies

орга́н *муз.* órgan

организа́||тор órganizer; **~цио́нный** organizátion *attr.*; **~ция** organizátion; Организа́ция Объединённых На́ций (ООН) Uníted Nátions Organizátion (UNO)

органи́зм órganism

организо́в||анно *нареч.* in an órganized mánner; **~анный** órganized; **~а́ть** órganize; arránge; **~а́ться** be órganized

органи́ческий orgánic

о́ргия órgy

орда́ horde

о́рден órder; decorátion; ~ Ле́нина Órder of Lénin; получи́ть ~ be décorated with an Órder

орденоно́сец hólder of an Órder

о́рдер órder; ~ на аре́ст wárrant for arrést; ~ на кварти́ру docúment entítling smb. to a flat

ордина́рец *воен.* órderly

орёл eagle ◇ ~ или ре́шка? heads or tails?

орео́л hálo

оре́х 1. *(плод)* nut; земляно́й ~ péanut; лесно́й ~ házel-nut **2.** *(дерево)* nút-tree; **~овый** nut *attr.*; wálnut *attr.* *(из орехового дерева)*

оре́шник nút-grove

оригина́||л 1. *(подлинник)* oríginal 2. *(о человеке)* eccéntric pérson, queer féllow; **~льный** oríginal

ориент||а́ция orientátion; **~и́роваться** take one's béarings; **~иро́вка** orientátion; **~иро́вочный** as a guide; appróximate; ~иро́вочные да́нные points to serve as a rough guide

орке́стр órchestra *(симфонический)*; jazz band *(джаз)*; brass band *(духовой)*

орли́ный áquiline; ~ взор eagle eye

орна́мент órnament

оробе́ть be abáshed, feel tímid

оро||си́ть, ~ша́ть írrigate; **~ше́ние** irrigátion ◇ поля́ ~ше́ния séwage-farm *sg.*

ору́ди||е 1. *прям., перен.* ínstrument; tool; ~я произво́дства ímplements of prodúction 2. *воен.* gun

оруди́йный gun *attr.*; ~ ого́нь gún-fire

ору́д||овать *разг.* run the show; он там всем ~ует he bósses the whole show

оруже́йный: ~ заво́д small arm(s) fáctory

ору́жие wéapon; arms *pl.*; сложи́ть ~ lay down arms

орфогр||афи́ческий orthográphical; ~афи́ческая оши́бка spélling mistáke; **~а́фия** spélling

оса́ wasp

оса́да siege

осади́ть I *воен.* besíege

осади́ть II check; rein in *(лошадь)*

оса́дки precipitátion(s)

оса́дн||ый: ~ое положе́ние state of siege

оса́док sédiment; *перен.* áfter *(или* bad) taste; неприя́тный ~ an unpléasant taste

осажда́ть *см.* осади́ть I ◇ ~ про́сьбами impórtune

осажда́ться *хим.* precípitate

оса́живать *см.* осади́ть II

оса́нка béaring; го́рдая ~ proud béaring

осва́ивать(ся) *см.* осво́ить(ся)

осведоми́тель infórmer

осве́дом||ить infórm *(of)*; **~иться** inquíre *(about)*, ask *(after)*; **~ле́ние** infórming; notificátion; **~лённость** knówledge; **~лённый** infórmed *(знающий)*; **~ля́ть(ся)** *см.* осве́домить(ся)

освеж||а́ть(ся) *см.* освежи́ть(ся); **~и́тельный** refréshing; **~и́ть** refrésh; cool; air; **~и́ться** refrésh onesélf; take an áiring

освети́ть light up; *перен.* throw light *(upon)*, elúcidate; **~ся** light up, bríghten, be lighted

освещ||а́ть(ся) *см.* освети́ть(ся); **~е́ние** líght(ing); *перен.* elucidátion; **~ённый** lit; ~ённый со́лнцем súnlit

освиде́тельствова||ние *мед.* examinátion; **~ть** *мед.* exámine

освиста́ть, освя́стывать hiss

освободи́тель líberator; **~ный** of liberátion; liberátion *attr.*; ~ная война́ war of liberátion

освободи́ть set free, reléase, líberate *(from)*; excúse *(from; от обязанности)*; ~ помеще́ние vacáte prémises; **~ся** 1. *(от чего-л.)* free onesélf, get free 2. *(о месте и т. п.)* be free

освобожд||а́ть(ся) *см.* освободи́ть(ся); **~е́ние 1.** *(выпуск на свободу)* reléase, liberátion **2.** *(избавление)* delíverance; reléase *(from)* **3.** *(территории)* liberátion

освое́ние mástering; ~ о́пыта léarning from smb.'s expérience; ~ цели́нных и за́лежных земе́ль devélopment of vírgin and únúsed lands

осво́ить máster; **~ся** feel at home; ~ся с обстано́вкой be at home in a situátion

оседа́||ние séttling, súbsidence *(здания, земли́)*; **~ть** *см.* осе́сть

оседла́ть saddle

осе́длый nón-nomádic, settled

осека́ться *см.* осе́чься

осёл dónkey, ass

осело́к whétstone

осен||и́ть *(о мысли и т. п.)* occúr; его́ ~и́ло, что... it dawned on him that...

осе́нний áutumn *attr.*; autúmnal

о́сень áutumn; fall *(амер.)*; глубо́кая ~ late áutumn; **~ю** *нареч.* in áutumn

осеня́ть *см.* осени́ть

осе́сть 1. *(о доме и т. п.)* settle, subsíde **2.** *(поселиться)* settle

осети́н Ósset(e); **~ский** Ossétic

осетри́на stúrgeon

осе́||чка mísfíre; *перен.* fáilure; дать ~чку mísfíre; **~чься** *перен.* stop short

оси́лить *см.* одоле́ть

оси́н||а áspen; ~овый áspen

оси́н||ый: ~ое гнездо́ hórnet's nest

оси́пнуть grow *(или* get) hoarse

осироте́ть becóme an órphan

оска́лить: ~ зу́бы bare one's teeth

осканда́литься *разг.* fall ínto disgráce

оскверне́ние profanátion; defílement

оскверн||и́ть, ~я́ть profáne; defíle

оско́лок splínter; frágment; ~ снаря́да shéll-splinter

оско́мин||а: наби́ть (себе́) ~у have a dry mouth; *перен.* set one's teeth on edge

оскорби́||тельный insúlting, outrágeous; **~ть** insúlt, offénd; óutrage; **~ться** feel insúlted, take offénce

оскорбл||е́ние ínsult, offénce; óutrage *(тяжкое)*; ~ де́йствием *юр.* assáult and báttery; **~я́ть(ся)** *см.* оскорби́ть(ся)

осла||бева́ть, ~бе́ть grow weak *(или* feeble); slácken, reláx *(о внимании, дисциплине)*

ослаб||ить make wéak(er); reláx *(внимание, дисциплину)*; **~ле́ние** wéakening; relaxátion *(внимания, дисциплины)*; **~ля́ть** *см.* осла́бить

ослеп||и́тельный blínding; **~и́ть** blind; *перен.* dazzle; **~ле́ние** blíndness; **~ля́ть** *см.* ослепи́ть

осле́пнуть get blind

осложн||е́ние complicátion; **~и́ть** cómplicate; **~и́ться** be cómplicated; **~я́ть(ся)** *см.* осложни́ть(ся)

ослу́шаться dísobéy

ослы́шаться mishéar

осма́тривать(ся) *см.* осмотре́ть(ся)

осме́ивать *см.* осмея́ть

осмеле́ть becóme bóld(er)

осме́ли||ваться, ~ться dare

осмея́ть rídicule, mock

осмо́тр examinátion; sightséeing tour *(достопримечательностей)*

осмотре́ть exámine, survéy; vísit; look round *(выставку, дом)*; search *(обыскать)*; **~ся** look abóut; *перен.* look round

осмотри́тельн||ость circumspéction; cáution; prúdence *(разумность)*; **~ый** círcumspect; cáutious

осмы́сл||енный sénsible, intélligent; **~ить** comprehénd; grasp the méaning *(of; осознать)*; make sense *(of; придать смысл)*

оснасти́ть *мор.* rig

осна́||стка *мор.* rígging; **~ща́ть** *см.* оснасти́ть; **~ще́ние** equípment

осно́в||а 1. básis, foundátion; на ~е чего́-л. on the básis of smth.; положи́ть в ~у take as a prínciple **2.** *мн.*: ~ы prínciples; ~ы лениня́зма the prínciples of Léninism **3.** *текст.* warp **4.** *грам.* stem

основа́н||ие 1. *(действие)* fóunding **2.** foundátion *(здания)*; foot *(горы)* **3.** *(причина)* básis; grounds *pl.*; réason; на ~ии in vírtue of; на како́м ~ии? on what grounds?; нет ~ий there is no réason **4.** *хим., мат.* base

основа́тель fóunder

основа́тельн||о *нареч.* thóroughly; **~ый 1.** *(солидный)* sólid, sound; thórough *(тщательный)* **2.** *(обоснованный)* wéll-gróunded

основа́ть found

основн||о́й príncipal, main, básic; ~ капита́л *эк.* fixed cápital; ~о́е пра́вило fundaméntal rule; ~о́е значе́ние prímary méaning; ~ зако́н básic law ◇ в ~о́м in the main, on the whole

основополо́жник fóunder

осно́вывать *см.* основа́ть; **~ся** be fóunded *(on)*, be based *(on)*

осо́ба pérson

осо́бенн||о *нареч.* espécially, partícularly ◇ не ~ not partícularly; **~ость** peculiárity; в ~ости espécially; **~ый** spécial; partícular; pecúliar ◇ ничего́ ~ого nóthing spécial

особня́к prívate résidence, mánsion

особняко́м *нареч.*: держа́ться ~ keep alóof

осо́б||о *нареч.* **1.** apárt, séparately **2.** *(очень)* partícularly; **~ый 1.** *(отдельный)* spécial; оста́ться при ~ом мне́нии stand by *(или* on) one's own opínion **2.** *(особенный)* partícular

осозн||ава́ть, ~а́ть réalize

осо́ка *бот.* sedge

о́спа *мед.* smállpox

оспа́ривать dispúte

осрами́ть *разг.* disgráce públicly; **~ся** disgráce onesélf

остава́ться *см.* оста́ться

оста́в||ить, ~ля́ть 1. leave; abándon; ~ в поко́е let *(или* leave) alóne; ~ без внима́ния ignóre **2.** *(сохранить)* keep; retáin; ~ за собо́й что-л. resérve smth. for onesélf **3.** *(отказать-*

ся) give up; ~ надéжду give up hope ◇ остáвь!, остáвьте! stop it!

остальн||óе *как сущ.* the rest; в ~óм in óther respécts; **~óй** **1.** *прил.* the rest of **2.** *как сущ. мн.*: ~ые the óthers

останáвливать(ся) *см.* остановить(ся); ни перед чéм не останáвливаться stop at nóthing

остáнки remáins

остановить stop, interrúpt *(прервать)*; pull up *(коня и т. п.)*; check *(сдержать)*; ~ внимáние на чём-л. fix one's atténtion on smth.; **~ся** **1.** stop; pull up *(об автомобиле)* **2.** *(в гостинице)* put up *(at)*, stop *(at)* **3.** *(на теме, вопросе)* dwell *(upon, on)*

остановк||а **1.** *(в пути, в работе)* stop, halt; interrúption *(перерыв)*; без ~и withóut stópping **2.** *(трамвайная и т. п.)* stop, státion; конéчная ~ términus ◇ ~ тóлько за разрешéнием all we need now is to get permíssion

остáт||ок **1.** rest; remáinder *(тж. мат.)*; rémnant *(материи)* **2.** *мн.*: ~ки remáins; tráces; ~ки прéжней красоты the tráces of fórmer good looks; **~очный** resídual, remáining

остá||ться remáin, stay; ~ в живых survíve; ~ в сúле remáin válid; remáin in force; hold good ◇ за ним ~лось 10 рублей he owes ten roubles; нам не ~ётся ничегó инóго, как there is nóthing for us but; ~ безнакáзанным go únpúnished

остеклить glaze

остепениться settle down, sóber down

остерегáться, остерéчься bewáre *(of)*; be on one's guard *(against)*

óстов **1.** frámework **2.** *анат.* skéleton

остолбенéть be dumbfóunded

осторóжн||о *нареч.* cárefully; ~! handle with care! *(надпись на упаковке)*; take care! *(берегись)*; **~ость** care; prúdence *(благоразумие)*; cáution *(предусмотрительность)*; **~ый** cáreful; prúdent *(благоразумный)*; cáutious *(предусмотрительный)*

остригáть *см.* остричь

остриё point, edge

острить make wítty jokes *(или* remárks); неудáчно ~ make féeble jokes

остричь cut; crop *(коротко)*; shear *(овец)*; **~ся** cut one's hair; have one's hair cut

óстров ísland; isle *(поэт.)*; **~óк** little ísland

остроконéчный póinted

остротá **1.** *(ножа)* shárpness **2.** *(положения и т. п.)* acúteness **3.** *(слуха, зрения)* kéenness

острóта *(остроумное выражение)* joke, wítticism; wísecrack *разг.*

остроýм||ие wit; **~ный** wítty; ingénious; cléver *(ловко придуманный, сделанный)*

óстр||ый sharp; *перен.* sharp, acúte, keen; ~ое положéние crítical situátion; ~ сóус píquant sauce; ~ ýгол acúte angle; ~ая боль acúte pain

осту||дить, ~жáть cool, chill

оступ||áться, ~и́ться stumble

ост||ывáть, ~ы́ть cool, becóme cold

осу||ди́ть, ~ждáть 1. *(порицáть)* blame **2.** *юр.* condémn, convíct; **~ждéние 1.** *(порицáние)* blame, cénsure **2.** *юр.* convíction; **~ждённый 1.** *прил.* condémned; séntenced **2.** *как сущ.* cónvict

осу́нуться becóme thin and hóllow-chéeked, becóme péaky

осуш||áть *см.* осуши́ть; **~éние** dráinage; **~и́ть 1.** *(почву)* drain **2.** *(выпить до дна)* drink up, drain dry

осуществ||и́мый prácticable, féasible; **~и́ть** cárry out; réalize; accómplish; **~и́ться** be cárried out (accómplished *или* fulfílled); come true *(о желании и т. п.)*; **~лéние** cárrying out, realizátion, accómplishment; **~ля́ть(ся)** *см.* осуществи́ть(ся)

осчастли́вить make háppy

осыпáть cóver *(with)*; *перен.* pile *(with)*, heap; ~ подáрками pile with présents; ~ оскорблéниями heap ínsults *(on)*; **~ся** fall

осы́пать(ся) *см.* осыпáть(ся)

ось áxis; *тех.* axle *(вал)*

осязá||емый tángible; **~ние** touch, sense of touch; **~тельный 1.** táctile **2.** percéptible, tángible; **~ть** touch; feel

от *предл.* **1.** from; от Москвы́ from Móscow; от трёх до пяти́ from three to five; я узнáл э́то от мáтери I learned it from my móther **2.** *(по причине)* with, of; from; дрожáть от хóлода tremble with cold; от рáдости for joy; он у́мер от воспалéния лёгких he died of pneumónia **3.** *(против)* agáinst, from; for; защищáть от defénd agáinst; срéдство от a rémedy for ◇ врéмя от врéмени from time to time; день ото дня́ from day to day

отáпливать heat; **~ся** be héated; have héating

отбáв||ить, ~ля́ть take awáy

отбе||гáть, ~жáть run off

отбивáть 1. *см.* отби́ть **2.**: ~ такт beat time; **~ся 1.** *см.* отби́ться **2.** *(сопротивляться)* put up a resístance

отбирáть *см.* отобрáть

отби́ть 1. *(отразить)* beat off, repúlse; repél **2.** *(мяч)* retúrn **3.** *(отнять)* win óver **4.** *(отколоть)* break off ◇ ~ охóту discóurage; **~ся 1.** *(защититься)* defénd onesélf *(against)* **2.** *(отстать)* fall behínd **3.** *(отколоться)* break off ◇ ~ся от рук *разг.* get out of hand

óтблеск refléction

отбó||й 1.: бить ~ *воен.* beat a retréat *(тж. перен.)*; ~ возду́шной тревóги the "all clear" sígnal **2.** *(телефонный)*: дать ~ ring off ◇ нет ~ю от чегó-л. there is no peace from smth.

отбóйный: ~ молотóк pneumátic pick

отбóр seléction; choice *(выбор)*; **~ный** choice, seléct(ed); picked *разг.*

отбóрочн||ый: ~ая коми́ссия seléction board

отбр||áсывать, ~óсить 1. throw awáy *(или* aside*)* *(тж. перен.)*; ~ сомнéния cast asíde doubts **2.** *(неприятеля)* repúlse

отбро́сы réfuse *sg.*, rúbbish *sg.*

отбыва́ть *см.* отбы́ть

отбы́ть 1. *(уехать)* depárt, leave **2.** *(наказание, службу)* serve

отва́га brávery, cóurage

отва́дить *разг.* break (smb.) of the hábit *(отучить)*; drive off *(прогнать)*

отва́ж||иваться, ~иться dare; risk, vénture; **~ный** brave, féarless

отва́л: нае́сться до ~а *разг.* eat one's fill

отва́л||иваться, ~и́ться fall off

отва́р broth *(мясной)*; ри́совый ~ ríce-water; **~ивать, ~и́ть** boil; **~но́й** boiled

отве́д||ать, ~ывать try, taste

отвезти́ take awáy; ~ на ста́нцию drive to the státion

отверга́ть, отве́ргнуть rejéct, turn down; vote down *(голосованием)*; ~ законопрое́кт rejéct a bill

отвер||дева́ть, ~де́ть hárden

отве́рженный óutcast

отверну́ть 1. *(отвинтить)* únscréw; ~ кран turn on the tap **2.** *(отогнуть)* turn back; **~ся** turn awáy

отве́рстие ópening; hole; slot *(для опускания монеты)*

отверте́ться *разг.* get (*или* wriggle) out *(of smth.)*

отвёрт||ка scréwdriver; **~ывать(ся)** *см.* отверну́ть(ся)

отве́с plúmmet

отве́сить weigh out

отве́сн||о *нареч.* plumb; sheer *(о скале и т. п.)*; **~ый** plumb; sheer *(о скале и т. п.)*

отвести́ 1. *(кого-л. куда-л.)* lead, take; ~ в сто́рону take asíde **2.** *(удар)* párry; ~ обвине́ние refúte an accusátion **3.** *(кандидата)* rejéct **4.** *(землю, помещение)* allót ◇ ~ ду́шу *разг.* unbúrden one's heart; ~ глаза́ look asíde

отве́т ánswer, replý; в ~ на in ánswer to

ответвл||е́ние óffshoot, branch; **~я́ться** branch off

отве́ти||ть *см.* отвеча́ть 1, 2; вы за э́то ~те! you'll ánswer for it!

отве́тственн||ость responsibílity; привле́чь к ~ости hold respónsible; **~ый 1.** respónsible; ~ый реда́ктор éditor-in-chíef **2.** *(важный)* crúcial; ~ое поруче́ние a véry impórtant commíssion; ~ое реше́ние crúcial decísion; ~ый рабо́тник a sénior cívil sérvant

отве́тчик *юр.* deféndant

отвеча́ть 1. ánswer, replý; ~ на письмо́ ánswer a létter **2.** *(за что-л.)* ánswer *(for)* **3.** *(соответствовать)* correspónd *(to)*; ~ назначе́нию be exáctly what's néeded ◇ ~ уро́к repéat a lésson

отве́шивать *см.* отве́сить

отви́||ливать, ~льну́ть dodge, eváde

отвинти́ть, отви́нчивать únscréw

отв||иса́ть *см.* отви́снуть; **~и́слый** ságging; с ~и́слыми уша́ми lóp-eared; **~и́снуть** hang down, sag

отвле||ка́ть(ся) *см.* отвле́чь(-ся); **~че́ние** distráction; **~чённый** ábstract

отвле́чь distráct *(from)*; divért *(from)*; ~ внимáние distráct the atténtion *(from)*; **~ся** be distrácted *(from)*; wánder *(from)*; digréss *(from; от темы)*

отвóд 1. *(кандидата и т. п.)* objéction **2.** *(земель и т. п.)* allótment ◇ для ~а глаз *разг.* as a distráction, to divért atténtion; **~ить** *см.* отвести́; **~ный:** ~ный канáл drain

отвоевáть, отвоёвывать 1. win back **2.** *разг.* *(кончить воевать)* fínish fíghting

отвози́ть *см.* отвезти́

отворáчивать(ся) *см.* отвернýть(ся)

отвори́ть ópen; **~ся** ópen, be ópened

отворóт lápel

отворя́ть(ся) *см.* отвори́ть (-ся)

отврати́тельный disgústing

отвра||ти́ть, ~щáть *(опасность и т. п.)* avért; **~щéние** avérsion, disgúst; чýвствовать ~щéние feel an avérsion *(for)*; loathe

отвыкáть, отвы́кнуть 1. lose the hábit *(of)* **2.** *(забывать)* becóme a stránger *(to)*

отвязáть úntie; **~ся 1.** come úntied; get loose **2.** *разг.* *(отделаться)* get rid *(of)*; отвяжи́сь от меня́! leave me alóne!

отвя́зывать(ся) *см.* отвязáть (-ся)

отгадáть, отгáдывать guess; solve *(загадку)*

отгибáть *см.* отогнýть

отглагóльный *грам.* vérbal

отглá||дить, ~живать íron *(или* press) thóroughly

отговáривать(ся) *см.* отговори́ть(ся)

отговори́ть dissuáde *(from)*; **~ся** *(чем-л.)* excúse onesélf, use as an excúse

отговóрка prétext, excúse

отголóсок écho *(тж. перен.)*

отгоня́ть *см.* отогнáть

отгор||áживать, ~оди́ть fence off; partítion off *(перегородкой)*

отгр||ызáть, ~ы́зть bite *(или* gnaw) off

отдавáть I *см.* отдáть

отдавáть II: ~ чем-л. give off an unpléasant smell *(о запахе)*; have an unpléasant taste *(о вкусе)*

отдавáться I *см.* отдáться

отдавáться II *(о звуке)* resóund

отдави́ть: ~ комý-л. нóгу tread on smb.'s foot

отдал||éние 1. *(действие)* remóval **2.** *(расстояние)* dístance; держáть в ~éнии keep at a dístance; держáться в ~éнии keep alóof; **~ённость** dístance, remóteness; **~ённый** remóte, dístant

отдал||и́ть remóve; postpóne *(о сроке)* **~и́ться** move awáy *(from)*; *перен.* keep awáy *(from)*; shun; **~я́ть(ся)** *см.* отдали́ть (-ся)

отдáть 1. give back, retúrn; give *(передать)* **2.** *(посвятить)* give up, devóte ◇ ~ под суд put on *(или* bring to) tríal, prósecute; ~ в шкóлу send to school; ~ прикáз give órders; ~ дóлжное комý-л. give smb. his due

отдáться give onesélf up *(to)*; devóte onesélf *(to)*

отдáча 1. retúrn, páyment **2.** *(винтовки)* recóil, kick

отде́л 1. *(учреждения)* depártment; ~ ка́дров personnél depártment 2. *(книги и т. п.)* séction

отде́лать fínish; trim *(платье)*

отде́латься 1. *(от чего-л.)* get rid *(of)* 2. *(чем-л.)* escápe *(with)*, get out of smth. *(by)*; сча́стливо ~ have a lúcky escápe

отдел||е́ние 1. *(действие)* séparating 2. *(филиал)* depártment, branch; ~ мили́ции lócal milítia státion 3. *воен.* séction 4. *(концерта)* part, half; **~и́ть** séparate *(from)*; **~и́ться** séparate from (*или* off); come off *(о предмете)*

отде́лка 1. *(действие)* fínishing 2. *(украшение)* trímming; ornamentátion *(здания и т п.)*

отде́лывать *см.* отде́лать

отде́лываться *см.* отде́латься

отде́льн||о *нареч.* séparately; apárt; **~ый** séparate; indivídual

отделя́ть(ся) *см.* отдели́ть(ся)

отдёр||гивать, ~нуть draw back quíckly

отдира́ть *см.* отодра́ть

отдохну́ть rest

отду́шина vent, áir-hole; *перен.* escápe, distráction

о́тдых rest; дом ~а rest home; **~а́ть** *см.* отдохну́ть; **~а́ющий** *как сущ.* hóliday-maker; guest at a rest home

отдыша́ться recóver one's breath

отёк *мед.* oedéma

отека́ть *см.* оте́чь

отели́ться calve

оте́ц fáther

оте́ческий fátherly; patérnal

оте́чественн||ый home, nátive; Вели́кая Оте́чественная война́ the Great Patriótic War; **~ого** произво́дства not impórted; home *attr.*

оте́чество móther cóuntry; fátherland

оте́чь swell, becóme drópsical

отжива́ть *см.* отжи́ть

отжи́вший óbsolete

отжима́ть: ~ бельё wring out the wáshing

отжи́ть becóme óbsolete; ~ свой век have had one's day

о́тзвук écho

о́тзыв réference; testimónial *(официальный)*; opínion *(суждение)*; revíew *(рецензия)*; **~а́ть(ся)** *см.* отозва́ть(ся)

отзы́вчив||ость sýmpathy; **~ый** sympathétic

отка́з 1. refúsal; rejéction; получи́ть ~ be refúsed 2.: ~ от чего́-л. gíving smth. up ◇ по́лный до ~а full to overflówing; crám-fúll; **~а́ть** refúse; dený; **~а́ться** refúse, declíne; give up, renóunce *(лишить себя)*; ~а́ться от своего́ мне́ния withdráw one's opínion; ~а́ться от предложе́ния declíne an óffer; не откажу́сь I won't refúse; **~ывать(ся)** *см.* отказа́ть(ся)

отка́лывать(ся) *см.* отколо́ть(ся)

отка́пывать *см.* откопа́ть

отка́рмливать *см.* откорми́ть

откати́ть, ~ся roll awáy

откача́ть, отка́чивать pump out *(воду)* ◇ ~ уто́пленника admínister artifícial respirátion to a drowned man

отка́шливаться, отка́шляться clear one's throat

откидн||о́й fólding, collápsible; ~ сто́лик fólding table; ~ое сиде́нье hinged seat; ~ верх *(автомобиля)* fólding hood

отки́дывать(ся) *см.* отки́нуть(ся)

отки́нуть throw awáy; throw back *(назад)*; **~ся** *(в кресле)* lean back

откла́дывать *см.* отложи́ть

откла́няться take one's leave

откле́||ивать(ся) *см.* откле́ить(ся); **~ить** únstíck; **~иться** come únstúck

о́тклик respónse; cómment *(отзыв)*; **~а́ться** respónd *(to)*; cómment *(upon; отзываться о чём-л.)*

откли́кнуться *см.* отклика́ться

отклон||е́ние 1. defléxion; ~ в сто́рону deviátion; ~ от те́мы digréssion **2.** *(отказ)* declíning; refúsal; **~и́ть 1.** defléct **2.** *(о просьбе и т. п.)* declíne; **~и́ться** move asíde; **~и́ться в сто́рону** déviate; **~и́ться от те́мы** digréss *(from)*; **~я́ть(ся)** *см.* отклони́ть(ся)

отколоти́ть *разг.* beat up, lambáste

отколо́ть 1. *(кусок чего-л.)* chop off **2.** *(булавку)* únpín; únfásten *(открепить)*; **~ся** break off

откопа́ть dig up; *перен.* únéarth

откорми́ть fátten

отко́рмленный fat *(о животном)*; wéll-féd *(о человеке)*

отко́с slope ◇ пуска́ть под ~ deráil

откреп||и́ть 1. únfásten **2.** *(снимать с учёта)* take off a pánel, dé-régister; **~и́ться 1.** becóme únfástened **2.** *(сниматься с учёта)* take onesélf off a pánel; **~ля́ть(ся)** *см.* открепи́ть(ся)

открове́н||ничать *разг.* ópen one's heart; **~но** *нареч.* fránkly, cándidly; **~ность** fránkness; **~ный** frank; *(о человеке тж.)* outspóken

открыва́ть(ся) *см.* откры́ть(-ся)

откры́тие 1. *(научное и т. п.)* discóvery **2.** *(памятника)* unvéiling; ópening *(выставки)* **3.** *(неожиданное)* revelátion

откры́тка póstcard

откры́т||о *нареч.* ópenly; **~ый** ópen; frank *(искренний)*; úndisguísed *(явный)* ◇ ~ое заседа́ние ópen méeting; ~ый суд ópen tríal

откры́ть 1. *в разн. знач.* ópen; ~ кастрю́лю take the lid of a sáucepan; ~ роя́ль ópen the top of a grand píano **2.** *(делать видимым)* revéal, disclóse; ~ па́мятник unvéil a memórial **3.** *(ввести в действие)* turn on; ~ свет turn on the light **4.** *(начать что-л.)* ópen, ináugurate; ~ заседа́ние ópen a méeting; ~ вы́ставку ináugurate an exibítion; ~ ого́нь *воен.* ópen fire **5.** *(тайну)* revéal **6.** *(сделать научное открытие)* discóver ◇ ~ Аме́рику state the óbvious; ~ объя́тия greet with ópen arms; **~ся 1.** ópen **2.** *(обнаружиться)* come to light **3.** *(кому-л.)* confíde *(in smb.)*; ópen one's heart *(to)*

отку́да *нареч.* where... from;

(из чего; перен.) whence; ~ вы? where do you come from?; ~ вы зна́ете? how do you know?; ~ сле́дует whence it fóllows; **~-нибудь** from sómewhere or óther

отку́пори(ва)ть úncórk

откуси́ть, отку́сывать bite off

отлага́тельств||о: де́ло не те́рпит ~а the mátter is úrgent

отла́мывать(ся) *см.* отлома́ть (-ся)

отлежа́ть: ~ ру́ку have pins and needles in one's arm

отлеп||и́ть únstíck; **~и́ться** come únstúck; **~ля́ть(ся)** *см.* отлепи́ть(ся)

отлёт *ав.* táke-off ◇ дом стои́т на ~е the house stands quite by itsélf

отле||та́ть, ~те́ть 1. fly awáy **2.** *(быть отброшенным)* fly off; be thrown off **3.** *(отрываться)* come off

отле́чь: у меня́ отлегло́ от се́рдца I feel much relíeved

отли́в 1. ebb; low tide **2.** *(оттенок)*: с си́ним ~ом shot with blue

отлива́ть 1. *см.* отли́ть **2.** *(каким-л. цветом)* be shot *(with)*

отли́ть 1. pour off **2.** *(металл)* cast; ~ ста́тую из бро́нзы cast a státue in bronze

отлича́ть *см.* отличи́ть; **~ся 1.** *(разниться)* differ *(from)* **2.** *(характеризоваться)* be distinguished *(by)*; be nótable *(for)* **3.** *см.* отличи́ться

отли́ч||ие 1. dífference; в ~ от únlíke **2.** *(признание заслуг)* distínction; зна́ки ~ия decorátion; око́нчить университе́т с ~ием gráduate from the univérsity with hónours; **~и́тельный** distínctive; ~и́тельная черта́ characterístic féature; **~и́ть** distínguish; ~и́ть одно́ от друго́го tell one from the óther; **~и́ться** distínguish onesélf

отли́чник éxcellent púpil

отли́чн||о 1. *нареч.* éxcelently, pérfectly; éxcellent *(отметка)* **2.** *предик. безл.* it is éxcellent; éxcellent! *(восклицание)*; **~ый 1.** *(от)* different *(from)* **2.** *(превосходный)* éxcellent, pérfect

отло́гий slóping

отложе́ние *геол.* depósit

отложи́ть 1. *(в сторону)* lay asíde; lay by, put asíde *(сбережения)* **2.** *(отсрочить)* put off; *юр.* suspénd; **~ся 1.** *геол.* be depósited **2.** *уст.* *(отпасть от)* fall awáy *(from)*

отложно́й: ~ воротни́к túrn-down cóllar

отлома́ть(ся) break off

отломи́ть(ся) *см.* отлома́ть(ся)

отлуч||а́ться, ~и́ться absént onesélf *(from)*

отлу́ч||ка ábsence; быть в ~ке be ábsent

отлы́нивать *разг.* shirk; ~ от уро́ков play trúant

отма́лчиваться persistently keep sílent

отма́х||иваться, ~ну́ться *(от чего-л., кого-л.)* brush *(smth., smb.)* off (*или* asíde), put off

отмеж||ева́ться, ~ёвываться dissóciate onesélf *(from)*

о́тмель shállow

отмéна abolítion; abrogátion *(закона);* cóuntermand *(приказания)*

отмен||и́ть, ~я́ть abólish; ábrogate *(закон);* cóuntermand *(приказание);* **~я́ться:** концéрт ~я́ется the cóncert is cáncelled

отмерéть *см.* отмирáть

отмéр||ить, ~я́ть méasure off

отмести́ *(что-л.)* sweep *(smth.)* awáy (*или* asíde); *перен.* brush *(smth.)* asíde

отмéстк||а: в ~у in revénge

отметáть *см.* отмести́

отмéт||ить 1. mark **2.** *(обратить внимание)* note **3.** *(упомянуть)* méntion **4.** *(отпраздновать)* célebrate; **~ка 1.** note; stamp *(штамп)* **2.** *школ.* mark

отмечáть *см.* отмéтить

отмирá||ние dýing off; **~ть** die off; *перен.* die out; стáрые обы́чаи ~ют old cústoms are dýing out

отмор||áживать, ~óзить: он ~óзил себé рýки his hands are fróst-bitten

отм||ывáть, ~ы́ть wash off

отмы́чка máster-key

отнéкиваться repéatedly refúse

отнести́ 1. take *(to);* ~ что-л. на мéсто put smth. in its place **2.** *(ветром, течением)* cárry awáy **3.** *(приписать)* attríbute; **~сь** *см.* относи́ться 1

отнимáть(ся) *см.* отня́ть(ся)

относи́тельн||о 1. *нареч.* rélatively **2.** *предл.* abóut; concérning; **~ый** rélative; ~ое местоимéние *грам.* rélative prónoun

относи́ть *см.* отнести́

относи́ться 1. treat; он ко мне хорошó отнóсится he is nice to me **2.** *(принадлежать)* belóng *(to);* ~ к клáссу млекопитáющих belóng to the class of mámmals **3.** *(иметь отношение)* reláte *(to)*, be connécted *(with)* ◇ как вы к э́тому отнóситесь? what is your view?

отношéн||ие 1. *(обращение)* tréatment **2.** *(взгляд, образ действия)* áttitude; ~ к жи́зни áttitude to life **3.** *мн.:* ~ия relátions; relátionships; terms; семéйные ~ия fámily relátionships; дрýжеские ~ия fríendly terms; быть в хорóших ~иях be on good terms **4.** *(связь)* relátionship; connéction *(with)*, réference *(to);* э́то не имéет ко мне никакóго ~ия it does not concérn me; I have nóthing to do with it **5.** *мат.* rátio ◇ по ~ию к with réference to; во всех ~иях in all respécts

отны́не *нареч.* hénceforward, from now on (*или* ónwards)

отню́дь *нареч.* not in the least, by no means, not at all

отня́||ть 1. take awáy; take *(о времени);* rob *(of; лишить);* э́то óтняло у меня́ 2 часá it took me two hours **2.** *(ампутировать)* ámputate ◇ ~ от груди́ wean; **~ться** be páralyzed; у негó ~лся язы́к he has lost the use of his tongue

отобра||жáть(ся) *см.* отобрази́ть(ся); **~жéние** refléction; **~зи́ть** refléct; **~зи́ться** be refléсted

отобрáть 1. take awáy; cónfiscate *(конфисковать)* **2.** *(выбрать)* choose, pick out

отовсю́ду *нареч.* from évery-where

отогна́ть drive awáy

отогну́ть bend back *(назад)*; turn back (*или* up) *(манжеты и т. п.)*

отогрева́ть(ся) *см.* отогре́ть (-ся)

отогре́ть warm; **~ся** warm onesélf

отодвига́ть(ся) *см.* отодви́нуть(ся)

отодви́нуть 1. move awáy (*или* aside) **2.** *(отложить)* put off, postpóne; **~ся** move awáy (*или* aside); ~ся наза́д draw back

отодра́ть *(оторвать)* tear off

отождеств||и́ть idéntify; **~ле́ние** identificátion; **~ля́ть** *см.* отождестви́ть

отозва́ть 1. *(в сторону)* take asíde **2.** *(посла и т. п.)* recáll; **~ся 1.** *(ответить)* ánswer, respónd **2.** *(о ком-л., о чём-л.)* speak *(of)* **3.** *(повлиять на)* tell *(upon)*; хорошо́ ~ся на ком-л. *или* чём-л. have a good efféct on smb. *or* smth.

отойти́ 1. move (*или* go) awáy; ~ в сто́рону step aside *(from)* **2.** *(о поезде и т. п.)* leave, depárt **3.** *воен.* withdráw, fall back **4.** *(от темы и т. п.)* digréss; depárt

отомсти́ть revénge onesélf *(upon)*; ~ за кого́-л. avénge smb.

отоп||и́ть *см.* ота́пливать; **~ле́ние** héating

ото́рванн||ость alienátion, detáchment; **~ый** álienated *(from)*; estránged *(from)*

оторва́||ть 1. tear off **2.** *(от работы)* distúrb, interrúpt; divért *(отвлекать)*; **~ться** come off; пу́говица ~ла́сь a bútton has come off; *перен.* tear onesélf awáy; ~ться от масс lose cóntact with the másses; ~ться от земли́ *ав.* take off

оторопе́ть *разг.* be struck dumb

отосла́ть send off; send back *(послать обратно)*

отоща́ть be emáciated

отпада́ть *см.* отпа́сть

отпа́рывать(ся) *см.* отпоро́ть (-ся)

отпа́||сть fall off; fall awáy; э́тот вопро́с ~л the quéstion can be dropped

отпере́ть ópen *(дверь)*; únlóck *(замо́к)*

отпере́ться I ópen, be únlócked

отпере́ться II *(от своих слов и т. п.)* dený

отпеча́||тать imprínt; print *(напечатать)*; **~таться** *прям.*, *перен.* be prínted *(in, on)*; **~ток** ímprint; **~тывать(ся)** *см.* отпеча́тать(ся)

отпива́ть take a drink

отпи́л||ивать, ~и́ть saw off

отпира́тельство deníal, dis-avówal

отпира́ть *см.* отпере́ть

отпира́ться I, II *см.* отпере́ться I, II

отпи́ть *см.* отпива́ть

отпи́х||ивать, ~ну́ть push awáy, kick *(ногой)*; **~ну́ться** push onesélf off

отпла́||та repáyment; *перен.* requítal; в ~ту in retúrn; **~ти́ть, ~чивать** repáy; ~ти́ть кому́-л. той же моне́той pay smb. back in his own coin

отплыва́ть *см.* отплы́ть

отплы́||тие depа́rture; sа́iling; **~ть** sail; swim off *(о людях, животных)*

о́тповедь reprо́of

отполз||а́ть, ~ти́ crawl awа́y

отпо́р rebúff; repúlse; встре́тить ~ meet with a rebúff; дать ~ repúlse

отпоро́ть rip off; **~ся** come off

отправи́тель sе́nder

отпра́вить send, fо́rward, dispа́tch; ~ по по́чте post; mail

отпра́в||иться set off *(for)*; leave *(for)*; **~ка** *см.* отправле́ние I 1

отправле́ние I **1.** *(писем, багажа)* dispа́tch, sе́nding **2.** *(поезда, парохода)* depа́rture

отправле́ние II **1.** *(исполнение)* perfо́rmance; ~ обя́занностей fulfílment of one's dúties **2.** *физиол.* fúnction

отправля́||ть *см.* отпра́вить; **~ться** *см.* отпра́виться; по́езд ~ется в 5 часо́в the train leaves at 5 o'clо́ck

отправн||о́й: ~ пункт point of depа́rture; ~а́я то́чка stа́rting-point

отпра́здновать cе́lebrate

отпра́шиваться, отпроси́ться ask for leave

отпры́г||ивать, ~нуть jump back *(назад)*; jump aside *(в сторону)*; rebо́und *(о мяче)*

о́тпрыск о́ffspring

отпряга́ть unhа́rness

отпря́нуть recо́il, shrink back

отпу́г||ивать, ~ну́ть fríghten *(или* scare) awа́y

о́тпуск leave, hо́liday *(служащего)*; vacа́tion *(амер.)*; ~ по боле́зни sick-leave; в ~е on leave; брать ~ take leave; **~а́ть** *см.* отпусти́ть; **~но́й:** ~ны́е де́ньги hо́liday pay *sg.*

отпусти́ть 1. let go; relе́ase *(освободить)*; ~ кого́-л. с рабо́ты на два часа́ let smb. off work for two hours; ~ на во́лю set free **2.** *(товар)* hand о́ver goods *(when paid for)* **3.** *(бороду, волосы)* grow, let grow **4.** *(ослабить верёвку и т.п.)* slа́cken ◇ ~ шу́тку wísecrack, make wísecracks *разг.*

отпуще́н||ие: козёл ~ия *разг.* scа́pegoat

отраба́тывать *см.* отрабо́тать

отрабо́та||нный waste; **~ть 1.** work *(for a certain period)* **2.** *(возместить работой)* work off

отра́в||а bane, pо́ison; **~и́ть** pо́ison; ~ить удово́льствие spoil the plе́asure; **~и́ться** pо́ison onesе́lf; **~ле́ние** pо́isoning; **~ля́ть(ся)** *см.* отрави́ть(ся)

отра́д||а plе́asure, cо́mfort; **~ный** plе́asant, cо́mforting; э́то ~ное явле́ние it's a great cо́mfort

отраж||а́ть(ся) *см.* отрази́ть(-ся); **~е́ние 1.** reflе́ction **2.** *(звука)* reverberа́tion **3.** *(нападения)* repúlse

отрази́||ть 1. *прям., перен.* reflе́ct **2.** *(отбить)* repúlse, ward off; pа́rry *(удар)*; **~ться 1.** be reflе́cted **2.** *(оказать влияние)* affе́ct; have an effе́ct *(on)*; э́то ~тся на его́ здоро́вье that will tell on his health

о́трасл||ь branch; основны́е ~и промы́шленности main bránches of índustry, key índustries

отраст||а́ть, ~и́ grow; **~и́ть** grow

отре́з *(материи)* length; ~ на пла́тье dress length

отре́з||ать 1. cut off; carve *(мясо и т. п.)* **2.** *(резко ответить)* cut short; **~а́ть** *см.* отре́зать 1

отрезв||и́ть sóber; **~и́ться** becóme sóber, sóber down; **~ле́ние** sóbering; **~ля́ть(ся)** *см.* отрезви́ть(ся)

отре́зок piece; *мат.* ségment; ~ вре́мени périod of time

отрека́ться *см.* отре́чься

отрекомендова́ть introdúce; **~ся** introdúce onesélf

отре́пья rags

отрече́ние renunciátion; abdicátion *(от престола)*

отре́чься go back *(on)*, renóunce; repúdiate *(не признать своим)*; он отрёкся от свои́х слов he went back on his word(s)

отреш||а́ться, ~и́ться *книжн.* renóunce

отрица́||ние negátion; deníal *(отпирательство)*; **~тельно** *нареч.* négatively; ~тельно покача́ть голово́й shake one's head; **~тельный** *в разн. знач.* négative

отрица́ть dený; refúte *(опровергать)*

отро́ги spurs

отро́дье *разг.* spawn

отро́сток 1. *бот.* shoot **2.** *анат.* appéndix

о́трочество adoléscence

отруба́ть *см.* отруби́ть

о́труби bran *sg.*

отруби́ть cut *(или* chop) off

отры́в isolátion, estrángement; в ~е out of touch with; без ~а от произво́дства withóut gíving up work; **~а́ть(ся)** *см.* оторва́ть(ся)

отры́вист||о *нареч.* abrúptly; **~ый** abrúpt

отры́во||к frágment; éxtract, pássage *(из книги)*; **~чный** interrúpted *(прерывистый)*; frágmentary, scráppy *(о сведениях)*

отры́жка belch

отря́д detáchment; передово́й ~ vánguard

отря||ди́ть, ~жа́ть detách; tell off

отря́хивать(ся) *см.* отряхну́ть(ся)

отряхну́ть shake off; **~ся** shake onesélf

отсве́чивать shine *(with)*; be refléсted *(in)*

отсебя́тина *разг.* one's own words; *театр.* gag

отсе́в 1. sífting out; *перен.* wéeding out **2.** *(остатки)* síftings *pl.*

отсе́ивать(ся) *см.* отсе́ять(ся)

отсе́к compártment

отсека́ть *см.* отсе́чь

отс||ече́ние cútting off, séverance ◇ даю́ го́лову на ~ *разг.* I'd stake my life on it; **~е́чь** cut off

отсе́ять sift; *перен.* elíminate; **~ся** fall out; drop out *(о студентах и т. п.)*

отска́кивать, отскочи́ть 1. jump awáy; recóil *(отпрянуть)*

2. *(о мяче)* rebóund 3. *(отвалиться)* fall (*или* break) off

отслужи́ть 1. *(срок)* serve 2. *(о вещах)* have served one's púrpose, be worn out

отсове́товать dissuáde

отсро́ч||ить postpóne, deláy; **~ка** postpónement, deláy; дать ~ку grant a deláy; ~ка по вое́нной слу́жбе deférment of military sérvice

отстав||а́ние lag; lágging behínd; **~а́ть** *см.* отста́ть

отста́в||ить set asíde ◇ ~! *(команда)* as you were!; **~ка** resignátion *(уход с должности)*; dismíssal *(увольнение)*; вы́йти в ~ку retíre; получи́ть ~ку be dismíssed; **~ля́ть** *см.* отста́вить; **~но́й** retíred

отста́ивать *см.* отстоя́ть II

отста́иваться *см.* отстоя́ться

отста́л||ость báckwardness; **~ый** báckward

отста́ть 1. fall (*или* lag) behínd; be báckward (*или* behínd) *(в занятиях)* 2. *(о часах)* be slow 3. *(отделиться)* come off 4. *разг. (оставить в покое)* leave (*или* let) alóne

отстёгивать(ся) *см.* отстегну́ть(ся)

отстегну́ть únfásten; úndo; únbútton *(пуговицу)*; únhóok *(крючок)*; **~ся** come únfástened (*или* úndóne)

отстоя́ть I *(находиться на расстоянии от)* be awáy *(from)*

отстоя́ть II *(защитить, спасти)* stand up *(for)*, defénd; ~ свои́ права́ stand upón one's rights

отстоя́ться settle

отстра́ивать *см.* отстро́ить

отстран||е́ние 1. púshing asíde 2. *(увольнение)* remóval; dismíssal; **~и́ть 1.** push asíde; ~и́ть от уча́стия в чём-л. debár from participátion in smth. 2. *(от должности)* dismíss; remóve; **~и́ться** move awáy; **~я́ть(ся)** *см.* отстрани́ть(ся)

отстре́ливаться retúrn fire

отстрига́ть, отстри́чь cut off

отстро́ить fínish building

отступа́ть *см.* отступи́ть

отступа́ться *см.* отступи́ться

отступи́ть 1. step back 2. *воен.* retréat; fall back 3. *(от правила)* déviate

отступи́ться give up, renóunce

отступле́ние 1. *воен.* retréat *(тж. перен.)* 2. *(от правил)* deviátion 3. *(от темы)* digréssion

отсту́пник apóstate

отступно́||е *сущ.* redémption móney; дать ~го buy out (*или* off)

отступя́ *нареч.* off, awáy *(from)*

отсу́тств||ие ábsence; lack *(of)*; want *(of; недостаток)*; в моё ~ in my ábsence; находи́ться в ~ии be ábsent; **~овать** be ábsent; **~ующий** ábsent; vácant *(о взгляде)*

отсчита́ть, отсчи́тывать count out

отсыла́ть *см.* отосла́ть

отсы́п||ать, ~а́ть pour out; méasure off *(отмерить)*

отсыре́ть becóme damp

отсю́да *нареч.* from here; *перен.* hence; ~ сле́дует hence it fóllows

отта́ивать *см.* отта́ять

отта́лкива||ть(ся) *см.* оттолкну́ть(ся); **~ющий** repúlsive

отта́чивать *см.* отточи́ть

отта́ять thaw out

оттени́ть shade; *перен.* set off, underlíne

отте́нок shade; hue *(о цвете)*

оттеня́ть *см.* оттени́ть

о́ттепель thaw

оттесн||и́ть, ~я́ть drive back *(назад)*; drive awáy *(прочь)*

о́ттиск 1. impréssion **2.:** отде́льный ~ óffprint

оттого́ *нареч.* that is why; ~ что becáuse

оттолкну́ть push awáy; kick *(ногой)*; *перен.* repél; **~ся** push off

оттопы́ри||ваться, ~ться stick out

отточи́ть shárpen

отту́да *нареч.* from there

оття́гивать, оттяну́ть 1. defér; deláy; чтобы оттяну́ть вре́мя to gain time **2.** *(о войсках)* draw off

отупе́ние dull stúpor

отупе́ть be in a stúpor

отутю́жить íron, press

отуча́ть(ся) *см.* отучи́ть(ся)

отучи́ть break of a hábit *(of)*; ~ кого́-л. от куре́ния make smb. stop smóking; **~ся** lose the hábit *(of)*, becóme únúsed *(to)*

отха́ркивать expéctorate

отхлебну́ть take a gulp

отхлы́нуть rush back

отхо́д 1. *(отправление)* depárture; до ~а по́езда оста́лось 5 мину́т the train leaves in 5 mínutes **2.** *(отклонение)* deviátion *(от правила)* **3.** *воен.* withdráwal

отходи́ть *см.* отойти́

отхо́дчивый: он челове́к ~ his témper quíckly subsídes

отхо́ды waste *sg.*

отцве||сти́, ~та́ть fade *(тж. перен.)*

отцеп||и́ть únhóok; úncóuple; **~и́ться** get loose; come úncóupled; **~ля́ть(ся)** *см.* отцепи́ть(ся)

отцо́в||ский patérnal; **~ство** patérnity

отча́иваться *см.* отча́яться

отча́ли||вать, ~ть push *(или* move) off

отча́сти *нареч.* pártly

отча́ян||ие despáir; **~ный** désperate

отча́яться despáir *(of)*

отчего́ *нареч.* why

о́тчество patroný́mic

отчёт accóunt, repórt; дать кому́-л. ~ в чём-л. accóunt to smb. for smth. ◇ отдава́ть себе́ ~ в чём-л. fúlly réalize smth.; не отдава́я себе́ ~а not réalizing

отчётлив||о *нареч.* distínctly, cléarly; **~ый** distínct, clear

отчётн||ость bóok-keeping *(счетоводство)*; accóunts *pl.* *(документы)*; **~ый:** ~ый год the cúrrent year; ~ый докла́д (súmmary) repórt

отчи́зна nátive *(или* móther) cóuntry

о́тчим stépfather

отчисле́н||ие 1. *(вычет)* dedúction **2.** *(денег)* allocátion; доброво́льные ~ия contribútions **3.** *(студентов)* sénding down

отчи́слить, отчисля́ть 1. *(вычесть)* dedúct **2.** *(деньги)* állocate **3.** *(студентов)* send down

отчита́ть réprimand

отчита́ться give an accóunt *(of)*

отчи́тывать *см.* отчита́ть

отчи́тываться *см.* отчита́ться

отчужд||а́ть *юр.* álienate; **~е́ние** alienátion; *перен.* estrángement

отшатну́ться, отша́тываться shrink (back) *(from)*, recóil, start back; *перен.* forsáke

отшвы́ривать, отшвырну́ть, fling awáy

отше́льник ánchorite

отшути́ться, отшу́чиваться, párry with a jest, pass off with a joke

отщепе́нец rénegade

отъе́з||д depárture; léaving *(for)*; **~жа́ть** *см.* отъе́хать

отъе́хать *(в экипаже, автомобиле)* go off; drive off

отъя́вленный thórough; invéterate

отыгра́ться, оты́грываться 1. *(в играх)* get one's revénge **2.** *перен.* take it out *(на ком-л. —on smb.)*

отыска́ть find

оты́скивать look for

офице́р ófficer

официа́льный offícial

официа́нт wáiter; stéward *(на пароходе)*

официо́з sémi-offícial órgan

офо́рм||ить 1. *(книгу)* design; draw up *(документы)*; ~ догово́р draw up a cóntract; ~ на рабо́ту régister for work **2.** *(узаконить)* régister; **~иться 1.** take shape **2.** *(узаконить своё положение)* be régistered; **~ле́ние 1.** *(украшение)* decorátion; desígn *(книги)*; звукво́е ~ле́ние *(фильма, пьесы)* sound effécts *pl.* **2.** *(узаконение)* registrátion; **~ля́ть(ся)** *см.* офо́рмить(ся)

ох! *межд.* oh!, ah!

оха́пк||а ármful ◇ взять в ~у gáther up in one's arms

о́хать sigh, moan

охва́т 1. scope **2.** *(включение)* inclúsion; **~и́ть, ~ывать 1.** take in *(взглядом)*; compreh énd *(умом)* **2.** *(о чувстве)* overcóme; seize **3.** *(распространиться)* embráce, spread *(to)*

охла||дева́ть, ~де́ть becóme cold; *перен.* lose ínterest *(in)*; **~ди́ть** cool; **~ди́ться** becóme cool; cool down; **~жда́ть(ся)** *см.* охлади́ть(ся); **~жде́ние** cóoling; *перен.* cóolness

охмеле́ть take a drop too much

о́хнуть *см.* о́хать

охо́та I húnting, hunt

охо́та II *(желание)* wish, desíre

охо́титься hunt

охо́тник I húnter

охо́тник II **1.** *(желающий)* voluntéer **2.** *(до чего-л.)*: ~ до соба́к a pássionate dógbreeder; ~ до же́нщин a great wómanizer

охо́тничий húnting *attr.*, húnter's

охо́тно *нареч.* wíllingly

о́хра óchre

охра́н||а 1. *(действие)* guárding **2.** *(стража)* guard; **~и́ть** *см.* охраня́ть; **~ный:** ~ная гра́мота sáfe-cónduct; **~я́ть** guard *(from, against)*; protéct *(from, against; защищать)*

охри́п||нуть becóme hoarse; **~ший** hoarse, húsky

оцара́пать scratch; **~ся** scratch onesélf

оце́н||ивать, ~и́ть 1. válue, eváluate **2.** *(признавать ценность)* válue, appréciate; ~ по досто́инству assе́ss at its true válue; **~ка 1.** appráisal; appreciátion *(высокая)* **2.** *(отметка)* mark

оце́нщик váluer

оцепене́ть grow numb

оцеп||и́ть, ~ля́ть surróund

оцинко́в||анный gálvanized; **~а́ть** gálvanize

оча́г 1. hearth; дома́шний ~ home **2.** *(средоточие)* céntre; ~ зара́зы céntre *(или* source) of inféction

очарова́||ние charm; **~тельный** chárming, fáscinating

очарова́ть, очаро́вывать charm, fáscinate

очеви́дец éye-wítness

очеви́дн||о 1. *предик. безл.* it is óbvious **2.** *вводн. сл.* appárently; óbviously; **~ый** óbvious

о́чень *нареч.* véry; véry much *(при гл.)*; мне ~ нра́вится I like véry much; мне ~ нужна́ была́ э́та кни́га I néeded this book bádly

очередно́й next; ~ о́тпуск ánnual leave; ~ взнос instálment

о́черед||ь 1. turn; на ~и next; в свою́ ~ in my (his *etc.)* turn; по ~и in turn; ~ за ва́ми it is your turn; что у вас на ~и? what's next on the list? **2.** *(ожидающих)* queue [kju:]; line; станови́ться в ~ line *(или* queue) up

о́черк éssay; sketch; (féature) árticle

очерни́ть slánder, blácken

очерстве́ть hárden

очерта́ния cóntour(s), óutlines

очерти́ть óutline; trace

очертя́: ~ го́лову *разг.* héadlong

оче́рчивать *см.* очерти́ть

очёски *текст.* cómbings; flocks *(шерстяные)*

очини́ть shárpen

очи́ст||ить 1. clean **2.** *(яблоко, картофель)* peel; shell *(от скорлупы)* **3.** *(освободить)* clear *(of)* **4.** *тех., хим.* refíne *(металл)*; púrify *(воздух)* ◇ ~ желу́док give an apérient *(слабительным)*; give an énema *(клизмой)*; **~иться** clear onesélf *(of)*; **~ка** cléaning; purifying *(воздуха)*; refíning *(металла)*; cléarance *(от лишнего)* ◇ для ~ки со́вести to clear one's cónscience

очи́стки péelings

очища́ть(ся) *см.* очи́стить(ся)

очки́ glásses, spéctacles, goggles *(защитные)*; ~ без опра́вы rímless glásses; тёмные ~ dark glásses

очк||о́ point; дать не́сколько ~о́в вперёд give points *(to)*

очну́ться come to onesélf, regáin cónsciousness

о́чн||ый: ~ая ста́вка *юр.* confrontátion

очути́ться find onesélf *(in, on)*; come to be

оше́йник cóllar

ошелом||и́ть, ~ля́ть stun, stúpefy; **~ля́ющий** stúpefying

ошиб||а́ться make mistákes; err *(заблуждаться)*; **~и́ться** be mistáken; ~и́ться в расчёте míscálculate

ошиб||ка mistáke; érror *(заблуждение)*; blúnder *(грубая)*; míscalculátion *(при подсчёте)*; fault *(вина, неправильный поступок)*; по ~ке by mistáke; **~очный** mistáken, erróneous

ошпарить scald

оштрафовать fine; ~ на 5 рублей fine five roubles

оштукатурить plaster

ощетиниться bristle up, raise hackles

ощипать, ощипывать pluck

ощуп||ать, ~ывать feel, touch

ощупь: на ~ to the touch; идти на ~ grope, feel one's way

ощупью *нареч.* gróping; идти ~ grope, feel one's way

ощутимый pálpable, tángible; percéptible *(заметный)*

ощу||тить, ~щать feel; **~щение** sensátion; féeling *(чувство)*

П

па step (in a dance)

павильон pavílion

павлин péacock

паводок spring floods *pl.*

пагубный pernícious; fátal

падаль cárrion, cárcases *pl.*

пада||ть *в разн. знач.* fall; drop ◇ ~ духом lose heart; ~ с ног be réady to drop; **~ющий** fálling ◇ **~ющие** звёзды shóoting stars

падеж *грам.* case

падёж loss of cattle

падение 1. fall **2.** *(моральное)* móral fall, deteriorátion

падкий gréedy *(of, for, about)*; ~ на деньги gréedy abóut móney; он **~ок** на лесть he is a súcker for fláttery, he álways falls for fláttery

падчерица stépdaughter

паёк rátion

пазух||а: за **~ой** ínside one's shirt

пай share; **~щик** sháreholder

пакет pácket, párcel; régistered létter *(почтовый, заказной)*

пакля tow

паковать pack

пакость filth; *перен.* dírty trick

пакт pact; ~ о взаимопомощи mútual aid pact; ~ о ненападении nón-aggréssion pact

палата 1. *(законодательный орган)* House, Chámber; верхняя ~ Úpper House *(или* Chámber *амер.)*; нижняя ~ Lówer House *(или* Chámber *амер.)*; ~ лордов House of Lords; ~ общин House of Cómmons **2.** *(учреждение)* chámber; ~ мер и весов Board of Weights and Méasures; торговая ~ Chámber of Cómmerce **3.** *(в больнице)* ward ◇ Оружейная ~ the Ármoury *(in the Kremlin)*; Грановитая ~ the Hall of Fácets *(in the Kremlin)*

палатка 1. tent **2.** *(киоск)* stall, booth

палач hángman, executíoner; *перен.* bútcher

палец fínger *(руки)*; toe *(ноги)*; большой ~ thumb *(руки)*; big toe *(ноги)* ◇ он пальцем никого не тронет ≅ he wouldn't hurt a fly; ~ о ~

не уда́рить not raise a fínger; смотре́ть на что-л. сквозь па́льцы wink at smth.; знать что-л. как свой пять па́льцев know smth. báckwards

палиса́дник small front gárden

пали́тра pálette

пали́ть I *(жечь)* burn; scorch *(обжигать)*

пали́ть II *разг. (стрелять)* fire

па́лк||а stick; cane, wálking-stick *(для прогулки)* ◇ из-под ~и únder the lash

пало́мник pílgrim

па́лочка 1. stick; дирижёрская ~ báton 2. *(бацилла)* bacíllus ◇ волше́бная ~ mágic wand

па́луба deck

пальба́ fíring

па́льма pálm(-tree)

пальто́ (óver)coat

паля́щий: ~ зной scórching heat

па́мятник mónument; memórial *(тж. перен.)*

па́мятн||ый mémorable ◇ ~ая кни́жка nótebook

па́мят||ь 1. mémory 2. *(воспоминание)* recolléction; подари́ть на ~ give as a kéepsake ◇ быть без ~и *(без сознания)* be uncónscious; быть без ~и от кого́-л. be enchánted with smb.; люби́ть без ~и кого́-л. love smb. to distráction, be mádly in love with smb.; на ~ *(наизусть)* by heart

пане́ль 1. pávement 2. *(стенная)* wáinscot 3. *стр.* pánel

па́ник||а pánic; наводи́ть ~у *разг.* cause a pánic

паникёр pánic-monger, alármist

панихи́да sérvice for the dead; гражда́нская ~ state fúneral, fúneral méeting

пани́ческ||ий pánic *attr.*, pánicky, pánic-stricken; ~ое настрое́ние a mood of pánic; ~ое бе́гство pánic-stricken flight

панора́ма panoráma

пансио́н 1. *(учебное заведение)* bóarding-school 2. *(гостиница)* bóarding-house; по́лный ~ board and lódging; ~**ёр** bóarder; guest *(в гостинице)*

панте́ра pánther

па́нцирь 1. *(латы)* coat of mail, ármour 2. *зоол.* shell

па́па I *разг. (отец)* papá, dád(dy)

па́па II *(римский)* pope

папиро́с||а cigarétte; ~**ный** cigarétte *attr.*; ~ная бума́га tíssue-paper

па́пка file, fólder

па́поротник fern

пар I steam; exhalátion *(от дыхания)* ◇ на всех ~а́х at full speed, (at) full steam

пар II *с.-х.* fállow; находи́ться под ~ом lie fállow

па́ра pair, couple ◇ ~ пустяко́в *разг.* piece of cake

пара́граф páragraph

пара́д parа́de; *воен.* revíew; принима́ть ~ take a paráde

пара́дн||ый 1.: ~ая дверь front door; ~ подъе́зд main éntrance 2. *(торжественный)* gála; ~ая фо́рма full dress *(или* úniform)

парадо́кс páradox; ~**а́льный** paradóxial

парази́т 1. *биол.* párasite

(тж. перен.) **2.** *мн.*: **~ы** *собир.* vérmin *sg.*; **~и́ческий** parasític

парализова́ть páralyse; *перен. тж.* pétrify

парали́ч parálysis

паралле́ль párallel; **~ный** párallel

парапе́т párapet

парафи́н páraffin (wax)

парашю́т párachute; **~и́ст** párachute júmper; párachutist; **~ный** párachute *attr.*; **~ный** деса́нт párachute lánding

паре́ние sóaring

па́рень lad, féllow, chap; guy *(амер.)*

пари́ bet; держа́ть ~ (lay a) bet

пари́к wig

парикма́хер háirdresser *(женский)*; bárber *(мужской)*; **~ская** háirdresser's; bárber's *(мужская)*

пари́ровать párry

парите́т párity; **~ный:** на ~ных нача́лах on a par *(with)*

пари́ть soar ◇ ~ в облака́х live in the clouds

па́р||ить 1. *(варить на пару)* steam **2.** *безл.* *(о погоде)*: **~ит** it is stéamy *(или* stéamily) hot; **~иться** *(в бане)* take a steam bath *(in a Russian bath)*

парк park; ~ культу́ры и о́тдыха park of cúlture and rest

парке́т párquet

парла́мент párliament; díet *(неанглийский)*; **~а́рный** parliaméntary

парламентёр truce énvoy

парни́к frame

парни́шка *разг.* lad, boy

парн||о́й: ~о́е молоко́ new milk; ~о́е мя́со fresh meat

па́рный twin

парово́з (steam) locomótive

паров||о́й steam *attr.*; **~а́я** маши́на stéam-engine: **~о́е** отопле́ние steam héating; céntral héating *(центральное)*

паро́дия párody

парокси́змpároxysm, fit

паро́ль paróle, pássword

паро́м férry(-boat); **~щик** férryman

паро||обра́зный váporous; **~образова́ние** *физ.*, *тех.* vaporizátion, steam generátion

парохо́д stéamer; stéamship *(морской)*

па́рта desk

парт||акти́в (парти́йный акти́в) the most áctive mémbers of the Párty organizátion *pl.*; **~биле́т** (парти́йный биле́т) Párty-mémbership card

парте́р the pit; the stalls *pl.* *(передние ряды)*; **пе́рвый ряд ~** a first row of the stalls

партиза́н partisán, guerílla; **~ский** partisán *attr.*; guerílla *attr.*; **~ская** война́ guerílla wárfare

парти́йность 1. *(членство)* Párty-mémbership **2.** *(в науке, литературе)* the Párty spírit, the Párty príncipie

парти́йн||ый 1. *прил.* Párty *attr.*; ~ая организа́ция Párty organizátion; ~ комите́т Párty Commíttee; ~ стаж stánding in the Párty; ~ съезд Párty Cóngress; ~ая конфере́нция Párty Cónference; ~ое собра́ние Párty méeting; ~ая рабо́та Párty work; ~ое взыска́ние Párty repróof; ~ые взно́сы Párty dues **2.** *как сущ.* mémber of the Párty

партиту́ра *муз.* score

па́ртия I *полит.* párty; Коммунисти́ческая па́ртия Сове́тского Сою́за the Cómmunist Párty of the Sóviet Únion

па́ртия II **1.** *(отряд)* párty; detáchment *(воен.)* **2.** *(товара)* batch, lot **3.** *(в игре)* game, set **4.** *муз.* part

партко́м (парти́йный комите́т) Párty Commíttee

партнёр pártner

парт||о́рг (парти́йный организа́тор) Párty órganizer; **~организа́ция** (парти́йная организа́ция) Párty organizátion

па́рус sail; подня́ть ~а́ set sail; идти́ под ~а́ми sail; на всех ~а́х *прям., перен.* únder full sail

паруси́н||а cánvas; **~овый** cánvas *attr.*

па́руси||ик sáiling boat *(или* ship); **~ый:** ~ое су́дно sáiling véssel

парфюме́рия perfúmery

парч||а́ brocáde; **~о́вый** brocáded

па́се||ка ápiary; **~чник** bée-keeper

па́смурный clóudy, dull; *перен.* glóomy, súllen

пасова́ть *карт.* pass; *перен.* be únáble to cope *(with)*

па́спорт pássport; **~ный:** ~ный стол pássport óffice

пассажи́р pássenger; зал для ~ов wáiting-room; **~ский** pássenger *attr.;* ~ское движе́ние pássenger sérvice; ~ский самолёт áir-liner

пасси́вный pássive

па́ста paste; зубна́я ~ tóoth-paste

па́стбище pásture

пасти́ herd, look áfter a herd of ánimals

пасти́сь graze

пасту́||х herd, hérdsman; shépherd *(овец);* **~шеский** pástoral *(о поэзии и т. п.)*

пасть I *гл.* fall; ~ в бою́ fall in áction

пасть II *сущ.* mouth; jaws *pl.*

па́сха éaster

па́сынок stépson

пате́нт pátent; **~о́ванный** pátent; ~о́ванное сре́дство pátent médicine

патефо́н grámophone; phónograph *(амер.)*

па́тока treacle *(тёмная)*, sýrup *(очищенная)*

патриа́рх pátriarch; **~а́льный** patriárchal

патрио́т pátriot; **~и́зм** pátriotism; **~и́ческий** patriótic

патро́н **1.** *воен.* cártridge **2.** *тех.* chuck **3.** *эл.* lámp-socket

патру́ль *воен.* patról

па́уза pause

пау́к spíder

паути́на cóbweb, spider's web

па́фос páthos

пах *анат.* groin

па́харь plóughman

паха́ть plough, till

па́хнуть smell *(of);* reek *(of; неприятно)*

па́хот||а ploughed *(или* árable) land; **~ный** árable

паху́чий frágrant

пацие́нт pátient

пацифи́ст pácifist

па́чка bundle; batch *(писем, бумаг);* pácket, pack *(папирос);* párcel *(книг)*

пáчкать soil, stain; **~ся** soil onesélf

пáшня field; árable land

паштéт paste *(edible)*, pâté ['pæteı]

пáюсн||ый: ~ая икрá pressed cáviar

паяль||ник *тех.* sóldering iron; **~щик** tínker

паяснúчать play the buffóon

паять sólder

паяц clown

пев||éц, ~úца singer; **~ýчий** melódious

пéвч||ий: ~ая птúца singing bird, sóng-bird

пéгий píebald, skéwbald

педагóг téacher, educátional spécialist; **~ика** pedagógics; **~úческий** pedagógic(al)

педáль pédal

педáнт pédant; **~úчный** pedántic

пейзáж view; lándscape *(особ. в живописи)*; **~úст** lándscape páinter

пекáрня bákery, bákehouse

пéкарь báker

пéкло *разг. (жара)* scórching heat

пеленá cóver; снéжная ~ mantle of snow

пеленáть swaddle

пелён||ки swáddling clothes ◇ с ~ок from the cradle

пеликáн pélican

пельмéни *кул.* pelméni, meat dúmplings

пéмза púmice(-stone)

пéн||а 1. foam; scum *(накипь)*; froth, head *(на пиве)*; (sóap-)suds *pl.*, láther *(мыльная)* 2. *(на лошади)* láther

пенáл péncil-case

пéние singing; ~ петухá crówing

пéнистый fóamy, fróthy; fóaming, héady *(о пиве)*

пéниться foam, froth

пéнк||а skin; scum *(на варенье и т. п.)*

пенсионéр pénsioner

пéнси||я pénsion; ~ по инвалúдности disabílity pénsion; ~ по стáрости óld-áge pénsion; переходúть на ~ю be pénsioned off

пенснé pínce-nez ['pænsneı]

пень stump, stub; *перен. разг.* blóckhead

пеньк||á hemp; **~óвый** hémpen

пéня fine

пенять repróach, blame

пéпел áshes *pl.*; обращáть в ~ turn to áshes; **~úще** site of a burnt house ◇ роднóе ~úще old home

пéпельница ásh-tray

пéпельный áshy

пéрвен||ец fírst-born; **~ство** 1. *(превосходство)* superiórity 2. *спорт.* chámpionship

первúчный prímary; inítial *(первоначальный)*

первобы́тный prímitive; prístine *(древний)*

первоистóчник (prímary) source, órigin

первоклáссный fírst-class; fírst-ráte

первокýрсник fírst-year man *(или* stúdent); fréshman

первомáйский Máy-day *attr.*

первоначáльный prímary; eleméntary *(элементарный)*

первосóртный *(о товаре)* of the best quálity

первостепе́нный páramount

пе́рв||ый first; fórmer *(из упомянутых выше);* с ~ого ра́за from the véry first; прийти́ ~ым win; ◇ ~ым де́лом first of all

перга́мент párchment; **~ный** párchment *attr.;* ~ная бума́га gréase-proof páper

перебе||га́ть, ~жа́ть 1. *(через)* cross, run acróss **2.** *(к неприятелю)* desért ◇ ~жа́ть кому́-л. доро́гу cross smb.'s path

перебе́ж||ка attácking in bounds; **~чик** desérter; *перен.* túrncoat

перебива́ть *см.* переби́ть II; **~ся:** ко́е-ка́к ~ся *разг.* live from hand to mouth

перебира́ть 1. *см.* перебра́ть **2.** *(струны)* pluck

перебира́ться *см.* перебра́ться

переби́ть I *(разбить)* break

переби́ть II *(прервать)* interrúpt

перебо́й stóppage *(остановка);* interrúption *(перерыв);* irregulárity *(неправильность)*

перебо́ро́ть overcóme; ~ себя́ máster onesélf

переборщи́ть *разг.* overdó it

перебра́нка *разг.* wrangle; squabble

перебра́сывать *см.* перебро́сить

перебра́сываться *см.* перебро́ситься

перебра́ть 1. *(рассортировать)* sort out **2.** *(пересмотреть)* look óver

перебра́ться 1. *(переправиться)* get óver, cross **2.** *(переселиться)* move

перебро́сить 1. *(через что-л.)* throw óver; ~ мост че́рез ре́ку lay a bridge acróss the ríver **2.** *(войска́, товары)* transfér

перебро́ситься: ~ не́сколькими слова́ми exchánge a few words

перебро́ска tránsference

перева́л *(через горы)* (móuntain) pass

перева́ливаться: ~ с бо́ку на́ бок *разг.* waddle

перевал||и́ть *(через горный хребет и т. п.)* cross, top ◇ ему́ ~и́ло за со́рок he is past fórty; ~и́ло за́ по́лночь it is past mídnight

перева́ривать I digést *(тж. перен.)*

перева́ривать II *(чрезмерно)* overdó

перевари́ть I, II *см.* перева́ривать I, II

перевезти́ 1. transpórt; remóve *(мебель)* **2.** *(через реку и т. п.)* take acróss

перевернýть 1. turn óver; overtúrn, upsét *(опрокинуть);* ~ вверх дном turn úpside-dówn **2.** *(наизнанку)* turn ínside out; **~ся** turn óver

перевёртывать(ся) *см.* переверну́ть(ся)

переве́с prepónderance *(превосходство);* predóminance *(преобладание);* с ~ом в пять голосо́в with a majórity of five votes

переве́сить 1. *(на другое место)* hang sómewhere else **2.** *(взвесить заново)* weigh agáin **3.** *(иметь перевес)* outwéigh

перевести́ 1. transfér **2.** *(на другой язык)* transláte *(пись-*

менно); intérpret *(устно)* **3.** *(деньги)* remít **4.:** ~ часы́ вперёд, наза́д put the clock fórward, back; ~ по́езд *(на другой путь)* switch a train ◇ ~ дух take breath; ~ взгляд shift one's gaze

перевести́сь I *(на другое место)* be transférred, be moved

перевести́сь II *разг. (исчезнуть)* come to an end, disappéar

переве́шивать *см.* переве́сить

перевира́ть *см.* переврáть

перево́д 1. *(в другое место)* tránsfer **2.** *(на другой язык)* translátion **3.** *(денег)* remíttance; почто́вый ~ póstal órder; **~и́ть** *см.* перевести́

переводи́ться I, II *см.* перевести́сь I, II ◇ у него́ де́ньги не перево́дятся he is néver out of cash

переводн||о́й: ~áя карти́нка tránsfer

перево́дн||ый: ~ая литерату́ра fóreign líterature in translátion; ~ бланк *(почтовый)* póstal órder

перево́дчик translátor; intérpreter *(устный)*

перево́з 1. *(действие)* tránsport; férrying *(через реку и т. п.)* **2.** *(место)* férry; **~и́ть** *см.* перевезти́

перево́з||ка tránsport; **~чик** férryman; bóatman *(на лодке)*

перевоору||жа́ть(ся) *см.* перевооружи́ть(ся); **~же́ние** réármament; **~жи́ть, ~жи́ться** réárm

перевопло||ти́ться, ~ща́ться be reíncarnated; **~ще́ние** réincarnátion

перевора́чивать(ся) *см.* переверну́ть(ся)

переворо́т 1. revolútion; uphéaval; госуда́рственный ~ coup d'état [ˈku:deɪˈta:] **2.** *(перелом)* rádical change

перевос||пита́ние ré-educátion; **~пита́ть, ~пи́тывать** ré-éducate

перевра́ть *разг.* misintérpret; mísquóte *(цитату)*

перевы́борный eléctoral, eléction *attr.*

перевы́боры eléction *sg.*

перевыполне́ние *(плана)* overfulfílment

перевы́полн||ить, ~я́ть *(план)* overfulfíl, excéed

перевяза́ть 1. *(связать)* tie up; cord *(толстой верёвкой)* **2.** *(перебинтовать)* bándage; dress *(рану)*

перевя́з||ка bándaging, dréssing; сде́лать ~ку bándage; **~очный:** ~очный пункт dréssing státion; ~очный материа́л dréssing; **~ывать** *см.* перевяза́ть

пе́ревязь 1. *(через плечо)* shóulder-belt **2.** *(для больной руки)* sling

переги́б bend, twist ◇ допусти́ть ~ в чём-л. cárry smth. too far; **~а́ть(ся)** *см.* перегну́ть(ся)

перегля́||дываться, ~ну́ться exchánge glánces

перегна́ть I *(обогнать)* leave behínd, outstríp *(тж. перен.)*; outrún *(бегом)*; outwálk *(пешком)*

перегна́ть II *хим., тех.* distíl

перегной húmus

перегну́ть bend; ~ па́лку go too far; **~ся** lean óver

переговори́ть *(о чём-л.)* talk smth. óver; discúss *(обсудить)*

перегово́ры negotiátions; talks; *воен.* párley *sg.;* вести́ ~ condúct negotiátions

перего́н *(между станциями)* stage (betwéen státions)

перего́нка *хим., тех.* distillátion

перегоня́ть I, II *см.* перегна́ть I, II

перегора́живать *см.* перегороди́ть

перего||ра́ть, ~ре́ть burn out, fuse

перегороди́ть partítion off

перегоро́дка partítion

перегре́в óverhéating

перегрева́ть, перегре́ть óverhéat

перегру||жа́ть, ~зи́ть óverlóad; óverwórk *(работой)*

перегру́зка óverload; óverwórk *(работой)*

перегруппир||ова́ть, ~ова́ться régróup; **~о́вка** régróuping

перегрыза́ть, перегры́зть gnaw through

пе́ред *предл.* **1.** *(впереди)* in front of, befóre **2.** *(до)* befóre **3.** *(в отношении)* to; он извини́лся ~ ней he apólogized to her

перёд front

передава́ть *см.* переда́ть

переда́точный transmíssion *attr.*

перед||а́ть 1. pass, give; hand *(из рук в руки)* **2.** *(воспроизвести)* reprodúce **3.** *(по радио)* bróadcast **4.** *(сообщить)* tell, commúnicate ◇ ~а́йте приве́т ва́шему дру́гу remémber me to your friend; ~ де́ло в суд bring the case befóre the law

переда́ча 1. *(действие)* tránsference **2.** *радио* bróadcast **3.** *тех.* gear, transmíssion

передв||ига́ть(ся) *см.* передви́нуть(ся); **~иже́ние** móvement; сре́дства ~иже́ния means of communicátion; **~и́жка:** библиоте́ка-~и́жка móbile líbrary; **~ижно́й** itínerant; móvable

передви́нуть move; shift; ~ стре́лки часо́в вперёд, наза́д move the hands of a clock on, back; **~ся** move

переде́л repartítion, rédivísion

переде́л||ать do óver agáin; álter; **~ка** alterátion; отда́ть что-л. в ~ку have smth. áltered ◇ попа́сть в ~ку *разг.* get ínto a prétty mess; **~ывать** *см.* переде́лать

передёр||гивать, ~нуть 1. *(в картах)* cheat **2.** *(искажать)* distórt

пере́дн||ий front; ~ее колесо́ the front wheel; ~ план the fóreground

пере́дник ápron; pínafore *(детский)*

пере́дняя *сущ.* hall, ánteroom, lóbby

передови́к: ~и́ се́льского хозя́йства, промы́шленности *и т. п.* fóremost people in ágriculture, índustry *etc.*

передови́ца léading árticle, léader, editórial

передов||о́й advánced, fóremost; ~ы́е взгля́ды advánced

views; ~ы́е пози́ции *воен.* front line *sg.;* ~а́я статья́ *см.* передови́ца

передохну́ть *разг.* stop and take breath; take a rest *(отдохнуть)*

передра́зн||ивать, ~и́ть mímic

передря́га *разг.* scrape

переду́м||ать, ~ывать change one's mind

передышка réspite, bréathing-space

переéзд I pássage; cróssing *(по воде);* remóval *(на другую квартиру);* léaving *(for; в другой город)*

переéзд II *ж.-д.* (lével) cróssing

переезжа́ть *см.* переéхать 1, 2

переéхать 1. *(через что-л.)* cross **2.** *(куда-л.)* move; **3.** *(раздавить)* run óver

пережа́р||енный óverdóne, burnt; **~ивать, ~ить** overdó

пережда́ть wait till smth. is óver; ~ непого́ду sit out a storm, wait till the bad wéather is óver

пережёвывать másticate; chew; *перен. разг.* repéat óver and óver agáin

пережива́||ние expérience; **~ть** *см.* пережи́ть

пережида́ть *см.* пережда́ть

пережи́ток survíval

пережи́ть 1. *(испытать)* go through, expérience; endúre, súffer *(претерпеть)* **2.** *(остаться в живых)* survíve; outlíve *(кого-л.)*

перезаря||ди́ть, ~жа́ть récharge, réload

перезимова́ть spend the winter

перезре́||лый óverrípe; **~ть** becóme óverrípe *(тж. перен.)*

переизб||ира́ть, ~ра́ть ré-eléct

переизд||ава́ть *см.* переизда́ть; **~а́ние** réissue, républicátion; **~а́ть** répúblish

переимен||ова́ть, ~о́вывать rénáme

перейти́ 1. cross; ~ у́лицу cross the street **2.** *(в другие руки)* pass *(to)* **3.** *(превратиться)* turn ínto ◇ ~ все грани́цы excéed all bounds; ~ в наступле́ние go óver to the offénsive

перека́рмливать *см.* перекорми́ть

переквалифи||ка́ция tráining for a new proféssion; **~ци́роваться** train for a new proféssion

переки́||дывать(ся) *см.* переки́нуть(ся); **~нуть** throw óver; **~нуться** *(взглядом, словами)* exchánge

перекиса́ть, переки́снуть turn sour

пéрекись *хим.* peróxide

перекла́дина 1. króss-beam, króss-piece **2.** *спорт.* horizóntal bar

перекла́дывать *см.* переложи́ть

перекли́ка́ться shout to one anóther

перекли́ч||ка róll-call; ~ городо́в *(по радио)* exchánge of méssages betwéen towns; дéлать ~ку call óver, call the roll

переключ||а́ть(ся) *см.* переключи́ть(ся); **~éние** *тех.* switching; *перен.* switching óver *(to)*; **~и́ть** *тех.* switch *(тж. перен.)*; ~и́ть разгово́р switch the conversátion, change the súbject; **~и́ться** *тех.* switch; *перен.* switch óver *(to)*

перек||ова́ть, ~о́вывать ré-shóe; *перен.* rémóuld

перекорми́ть óverféed

перекоси́ться *(о лице)* becóme distórted

переко||чева́ть, ~чёвывать move to a new place

перекóшенный distórted

перекра́ивать *см.* перекрои́ть

перекра́||сить, ~шивать 1. répáint; dye óver agáin *(материю и т. п.)* 2. paint éverything

перекрёстный cross; ~ ого́нь *воен.* cróss-fire; ~ допро́с cróss-examinátion

перекрёст||ок cróss-róads *pl.* ◇ крича́ть на всех ~ках proclаím (smth.) from the hóuse-tops

перекре́щиваться cross

перекрича́ть *разг.* óutvóice, shout down

перекрои́ть cut out agáin; *перен.* rémáke

перекр||ыва́ть *см.* перекры́ть; **~ы́тие** *стр.* floor; **~ы́ть 1.** re-róof *(крышу и т. п.)*; cóver agáin **2.** *разг.* *(превысить)* excéed **3.** *(воду и т. п.)* shut *(или* turn) off

перек||упа́ть, ~упи́ть: ~ у кого́-л. buy sécond-hánd from smb.; **~у́пщик** déaler, míddle-man

перекуси́ть 1. *(откусить)* bite through **2.** *разг.* *(поесть)* take a quick bite, have a snack

перелага́ть *см.* переложи́ть 3

перела́мывать *см.* переломи́ть

пере||леза́ть, ~ле́зть climb óver

переле́сок cóppice, copse

перелёт 1. *(птиц)* migrátion **2.** *(самолёта)* flight; беспоса́дочный ~ nón-stóp flight

переле||та́ть, ~те́ть fly óver

перелётн||ый: ~ая пти́ца bird of pássage *(тж. перен.)*

перелив||а́ние *мед.* transfúsion; ~ кро́ви blood transfúsion; **~а́ть** *см.* перели́ть ◇ ~а́ть из пусто́го в поро́жнее *разг.* waste words; **~а́ться 1.** *см.* перели́ться **2.** play *(о красках)*; módulate *(о звуках)*

пере||листа́ть, ~ли́стывать turn óver; look through *(просмотреть)*

перели́ть 1. pour *(into)* **2.** *(через край)* let overflów **3.** *мед.*: ~ кровь give a blood transfúsion; **~ся** *(через край)* overflów

перелиц||ева́ть, ~о́вывать turn; have smth. turned *(отдать в перелицовку)*

переложи́ть 1. move *(from, to)*, transfér; *перен.* transfér, shift *(ответственность и т. п.)* **2.** *(чем-л.)* interláy *(with)* **3.** *муз.* arránge *(для другого инструмента)*; transpóse *(на другую тональность)*; ~ на му́зыку set to músic

перело́м 1. *(кости)* frácture **2.** *(кризис)* súdden change; crísis *(болезни)*; túrning-point *(поворотный пункт)*; **~а́ть** break to píeces; crush; **~и́ть** break in two ◇ ~и́ть себя́ change one's cháracter; restráin onesélf

перема́лывать *см.* перемоло́ть

перема́н||ивать, ~и́ть win (*или* gain) óver, entíce

перемежа́||ться intermít; **~-ющийся:** ~ющаяся лихора́дка intermíttent féver

переме́н||а 1. change **2.** (*перерыв*) recéss; ínterval, break (*в школе*); **~и́ть** change **~и́ться** change; **~ный** váriable; **~чивый** chángeable; únstéady (*неустойчивый*)

перемести́ть(ся) *см.* перемеща́ть(ся)

перемеша́ть mix; **~ся** get mixed

переме́шивать(ся) *см.* перемешать(ся)

перемещ||а́ть, ~а́ться move; **~е́ние 1.** tránsference, shift **2.** *геол.* dislocátion; **~ённый:** ~ённые ли́ца displáced pérsons

переми́||гиваться, ~гну́ться (*с кем.-л.*) wink (*at*); (*между собой*) wink at each óther

переми́рие ármistice, truce; заключи́ть ~ conclúde a truce

перемога́ть (try to) overcóme; **~ся** *разг.* make onesélf keep góing

перемоло́ть grind, mill

пере||мыва́ть, ~мы́ть wash up agáin ◇ перемыва́ть кому́-л. ко́сточки *разг.* pick smb. to píeces

перенапр||яга́ться óverstráin onesélf; **~яже́ние** óverstrain; **~я́чься** *см.* перенапряга́ться

перенаселе́ние óverpopulátion

перенести́ I 1. transfér, cárry acróss **2.** (*на другую строку*) divíde ínto sýllables **3.** (*отложить*) postpóne, put off

перенести́ II (*стерпеть*) go through; bear; ~ мно́го го́ря go through much sórrow; ~ боле́знь have had an íllness; ~ за́суху survíve a drought

перенести́сь (*мысленно*) be cárried awáy

перенима́ть *см.* переня́ть

перено́с 1. tránsfer **2.** (*на другую строку*) divísion ínto sýllables

переноси́ть I, II *см.* перенести́ I, II

переноси́ться *см.* перенести́сь

перено́сица bridge of the nose

перено́ска pórterage; cárrying from place to place

перено́сный 1. pórtable **2.** *лингв.* (*о значении*) fígurative; metaphórical

переночева́ть spend the night

перенумерова́ть númber (*страницы*)

переня́ть take óver, adópt

переобору́д||ование ré-equípment; **~овать** ré-equíp

переобуче́ние rétráining

переодев||а́ние 1. chánging clothes **2.** (*маскировка*) disguíse; **~а́ть(ся)** *см.* переоде́ть(ся)

переоде́||тый (*замаскированный*) disguísed (*as*), in disguíse; **~ть 1.** (*кого-л.*) change smb.'s clothes **2.** (*замаскировать*) disguíse; **~ться 1.** (*переменить платье*) change **2.** (*замаскироваться*) disguíse onesélf

переосвиде́тельствование *мед.* ré-examinátion

переоце́нивать *см.* переоцени́ть

переоцени́ть 1. (*дать слиш-*

ком высокую оценку) óver-éstimate, óverráte; ~ свои́ си́лы óver-éstimate one's abilities **2.** *(снова оценить)* álter prices, réválue

переоце́нка 1. *(слишком высокая оценка)* óver-estimátion **2.** *(наново)* révaluátion

перепа́чкать make dírty; **~ся** make oneséIf dírty

перепёлка quail

перепеча́т||ать 1. réprínt **2.** *(на машинке)* type; **~ка** réprínt(ing); **~ывать** *см.* перепеча́тать

перепи́л||ивать, ~и́ть saw through, saw in two

переписа́ть 1. cópy; type *(на пишущей машинке)* **2.** *(составить список)* make a list *(of)*; take a cénsus *(для статистики)*

перепи́с||ка 1. cópying; týping *(на пишущей машинке)* **2.** *(корреспонденция)* correspóndence; быть в ~ке correspónd *(with)*; **~чик** cópyist; týpist *(на пишущей машинке)*; **~ывать** *см.* переписа́ть; **~ываться** correspónd *(with)*

пе́репись cénsus

перепла́в||ить, ~ля́ть *(металл)* smelt (down)

пере||плати́ть, ~пла́чивать pay too much; ≅ pay through the nose *идиом.*

переплести́ 1. *(книгу)* bind **2.** *(между собой)* interláce, interwéave; **~сь** interláce, interwéave

переплёт 1. bóok-cover; bínding; в ~е with a hard cóver; без ~а únbóund **2.** *(оконный)* sash

переплета́ть(ся) *см.* переплести́(сь)

переплётчик bóokbinder

пере||плыва́ть, ~плы́ть cross; swim acróss *(вплавь)*; row acróss *(на лодке)*; sail acróss *(на корабле и т. п.)*; férry acróss *(на пароме)*

переподгот||а́вливать, ~о́вить train (anéw); **~о́вка** rétráining

перепо́лз||а́ть, ~ти́ crawl *(или* creep) óver

перепо́лн||енный overcrówded *(о вагоне и т. п.)*; **~ить** óverfíll; **~иться** be full to overflówing; **~я́ть(ся)** *см.* перепо́лнить(ся)

переполо́||х alárm; commótion; **~ши́ть** alárm; **~ши́ться** be thrown ínto a pánic; get excíted

перепо́н||ка mémbrane; web *(у летучей мыши, утки и т. п.)*; **~чатый** webbed; wéb-footed

перепра́в||а pássage, cróssing; ford *(брод)*; **~ить 1.** *(перевезти)* put acróss; férry óver *(на пароме)* **2.** *(переслать)* fórward; ~ить что-л. с кем-л. send smth. by hand of smb; **~иться** cross; **~ля́ть(ся)** *см.* перепра́вить(ся)

перепрод||ава́ть *см.* перепрода́ть; **~а́жа** résále; **~а́ть** réséll

перепроизво́дство *эк.* óverprodúction.

перепры́г||ивать, ~нуть jump óver

перепуга́ть: ~ кого́-л. fríghten smb. out of his wits; **~ся** be dead scared

перепу́тать entángle; *перен.* confúse, mix up

перепу́тье cróss-roads *pl.* ◇ на ~ at the cróss-roads, at the crítical túrning-point

перераба́тывать *см.* перерабо́тать

перерабо́тать 1. *тех.* prócess 2. *(переделать)* work óver agáin, rémáke 3. *(сверх нормы)* óverwórk

перераспредел||е́ние rédistribútion; **~и́ть, ~я́ть** rédistríbute

перераст||а́ние 1. óvergrówing 2. *(во что-л.)* devélopment *(into)*; **~а́ть, ~и́** 1. óvergrów 2. *(во что-л.)* devélop *(into)*, grow *(into)*

перерасхо́д óver-expénditure; óverdraft *(фин.)*; **~овать** spend too much; óverdráw *(фин.)*

перерасчёт ré-calculátion

перерва́ть break; tear up; **~ся** break

перерегистр||а́ция ré-registrátion; **~и́ровать** ré-régister

переpе́зать 1. cut; cut off *(дорогу)* 2. *(убить большое количество)* kill

перереза́ть *см.* перере́зать 1

перереш||а́ть, ~и́ть change one's mind

перероо||ди́ться, ~жда́ться 1. take on a new life 2. *(вырождаться)* degénerate; **~жде́ние** 1. regenerátion 2. *(вырождение)* degenerátion

переруб||а́ть, ~и́ть cut; ~и́ть попола́м cut ínto two

переры́в 1. interrúption; без ~а withóut interrúption 2. *(промежуток)* ínterval, break; ~ на 10 мину́т ten mínutes' break

пере||рыва́ть, ~ры́ть 1. dig up 2. *(вещи и т. п.)* dig amóng, rúmmage

пересади́ть 1. transplánt 2. *(кого-л.)* make smb. change his seat

переса́д||ка 1. transplantátion 2. *ж.-д.* change; éхать без ~ок trável withóut ány chánges

переса́живать *см.* пересади́ть; **~ся** *см.* пересе́сть

переса́ливать *см.* пересоли́ть

пересека́ть(ся) *см.* пересе́чь(-ся)

пересел||е́нец séttler; **~ение** 1. migrátion 2. *(с квартиры на квартиру)* move; **~и́ть** move; **~и́ться** move; migráte; **~я́ть(ся)** *см.* переселить(ся)

пересе́сть 1. take anóther seat 2. *ж.-д.* change trains

пересече́ние cróssing, intersection

пересе́чь(ся) cross, intersect

переси́л||ивать, ~ить overpówer; overcóme *(о чувстве боли и т. п.)*

переска́з retélling; réndering *(изложение)*; **~а́ть, ~ывать** retéll

переск||а́кивать, ~очи́ть jump óver; *перен.* skip *(from, to)*

пересла́ть send on; ~ письмо́ fórward a létter

пересма́тривать *см.* пересмотре́ть

пересмо́тр 1. *(текста)* revísion 2. review *(приговора)*; retríal *(судебного дела)* 3. *(решения)* réconsiderátion

пересмотре́ть 1. *(решение, вопрос)* réconsíder 2. *(приговор)* review

пересоли́ть óversált; *перен.* overdó it

пересо́х||нуть dry up, get dry ◇ у меня́ в го́рле **~ло** my throat is parched

пересне́лый óverrípe

переспо́рить out-árgue

пере||спра́шивать, ~спроси́ть ask agáin, ask to repéat

перессо́риться quárrel with éverybody

переставáть *см.* перестáть

перестá||вить, ~вля́ть 1. réarránge **2.:** ~ часы́ вперёд put the clock fórward; **~но́вка** réarrángement

перестарáться try too hard, overdó it

перестáть stop; cease

перестрадáть have gone through much súffering

перестрáивать(ся) *см.* перестро́ить(ся)

перестре́л||ка skírmish; **~я́ть** *(убить)* shoot all *(или* mány)

перестро́||ить 1. rébuíld **2.** *(реорганизовать)* réórganize, réconstrúct, réstrúcture; **~иться 1.** *воен.* réfórm; ~иться в одну́ шере́нгу réfórm ínto single file **2.** *(перестроить свою работу)* réórganize; impróve one's méthods of work

перестро́йка 1. rébuílding **2.** *(реорганизация)* réorganizátion, réconstrúction, réstrúcturing

переступ||áть, ~и́ть cross; step óver *(порог)*

пересу́ды idle góssip *sg.*

пересчитáть 1. *(всё)* count all **2.** *(заново)* count óver agáin ◇ ~ ко́сти кому́-л. beat up smb.

пересчи́тывать *см.* пересчитáть

пересылáть *см.* переслáть

пересы́л||ка sénding; cárriage *(товаров)*; сто́имость **~ки** póstage *(по почте)*

пересыхáть *см.* пересо́хнуть

перетáскивать *см.* перетащи́ть

перетас||овáть, ~о́вывать *(карты)* réshúffle

перетащи́ть drag óver; lug acróss *(перенести)*

перет||ере́ть, ~ере́ться *(о верёвке и т. п.)* fray through; **~ирáть(ся)** *см.* перетере́ть(ся)

перетопи́ть melt down (all)

перетя́||гивать, ~ну́ть *(перевешивать)* tip the scales ◇ ~ну́ть на свою́ сто́рону win óver to one's side

переубе||ди́ть, ~ждáть make smb. change his mind

переу́лок bý-street, síde--street; Lane *(в названиях)*

переустро́йство réorganizátion; *перен.* réconstrúction

переутом||и́ться óverstráin onesélf; óverwórk onesélf *(работой)*; **~ле́ние** óverstráin; óverwórk *(работой)*; **~ля́ться** *см.* переутоми́ться

пере||хвати́ть, ~хвáтывать *(письмо и т. п.)* intercépt

перехитри́ть outwít

перехо́д 1. pássage; cróssing; *воен.* march **2.** *(превращение)* transítion; ~ от социали́зма к коммуни́зму the transítion from sócialism to cómmunism; **~и́ть** *см.* перейти́; **~ный 1.** transítional; ~ный пери́од transítion périod **2.** *грам.* *(о глаголе)* tránsitive

переходя́щий tránsitory; ~ ку́бок chállenge cup

пе́рец pépper

пе́речень list

перечёркивать, перечеркну́ть cross out

перече́сть *см.* перечита́ть

перечисле́ние 1. enumerátion **2.** *фин.* transférring

перечи́сл||ить, ~я́ть 1. enúmerate **2.** *фин.* transfér

перечит||а́ть 1. read a lot (of); он ~а́л мно́го книг he has read much **2.** *(заново)* read agáin

перечи́тывать *см.* перечита́ть 2

пере́чить *разг.* árgue back

пе́речница pépper-box

перешагну́ть step *(over)*; ~ поро́г cross the thréshold

перешéек *геогр.* isthmus

перешёптываться whisper to one anóther

пере||шива́ть, ~ши́ть *(платье и т. п.)* álter; have smth. áltered *(отдать в переделку)*

перещеголя́ть *(кого-л.) разг.* outdó, go one bétter than smb. *(in)*

переэкзамено́вка ré-examinátion

пери́ла ráil(ings); bánisters *(у лестницы)*

пери́метр perímeter

пери́на féather bed

пери́од périod

перио́дика *собир. разг.* periódical press; periódicals *pl.*

периоди́ческ||ий periódic(al); ~ая дробь *мат.* recúrring décimal

периско́п périscope

перифери́я 1. períphery **2.** próvinces *pl.*

перламу́тр móther-of-péarl

перло́в||ый: ~ая крупа́ péarl-bárley

перло́н pérlon

перна́т||ый 1. *прил.* féathered **2.** *в знач. сущ. мн.*: ~ые birds

перо́ 1. *(птичье)* féather; plume *(украшение)* **2.** *(для писания)* pen

перочи́нный: ~ но́ж(ик) pénknife

перпендикуля́р *мат.* perpendícular; опусти́ть ~ drop a perpendícular *(on)*; **~ный** perpendícular

перро́н *ж.-д.* plátform

перс Pérsian; **~и́дский** Pérsian; ~и́дский язы́к Pérsian, the Pérsian lánguage

пе́рсик peach

персо́н||а pérson; со́бственной ~ой in pérson

персона́ж cháracter *(in a play)*

персона́л personnél, staff

персона́льн||ый pérsonal; ~ая пе́нсия spécial pénsion

перспекти́ва perspéctive; vísta *(открывающийся вид)*; próspect(s) *(pl.)*; óutlook *(виды на будущее)*

пе́рстень ring

пе́рхоть dándruff

перча́тка glove

перш||и́ть *безл.*: у меня́ ~и́т в го́рле I have a tíckling in my throat

пёс dog

песе́ц pólar fox

песнь, пе́сня song

песо́к sand

песо́чный 1. sand *attr.*; *(о цвете тж.)* sánd-coloured **2.** *(о тесте)* short

пессим||и́зм péssimism; **~и́ст**

péssimist; **~истический** pessimístic

пестик *бот.* pístil

пестрота divérsity of cólours; *перен.* varíety, divérsity

пёстрый váriegated; gay *(о красках); перен.* mixed

песча||ник *геол.* sándstone; **~ный** sándy

петлица 1. búttonhole **2.** *(нашивка на воротнике)* tab

петл||я 1. loop; делать ~ю *ав.* loop the loop **2.** búttonhole *(для пуговицы);* eye *(для крючка)* **3.** *(в вязании)* stitch **4.** *(у окна, двери)* hinge

петрушка I *театр.* Punch

петрушка II *бот.* pársley

петух cock ◇ вставать с ~ами *разг.* rise at cóck-crow

петь sing; crow *(о петухе)*

пехот||а ínfantry; **~инец** ínfantryman; **~ный** ínfantry *attr.;* ~ный взвод platóon

печалить grieve; **~ся** grieve, be sad

печаль sórrow; grief; **~ный** sad

печатать print; type *(на машинке);* **~ся 1.** *(находиться в печати)* be at the prínter's **2.** *(печатать свои произведения в журнале и т. п.)* write *(for)*, appéar *(in)*

печатн||ый 1. *(напечатанный)* prínted; читать по ~ому read in print **2.** *(о станке и т. п.)* prínting ◇ ~ лист *полигр.* sígnature

печать I *прям., перен.* seal, stamp

печат||ь II **1.** *(пресса)* the press **2.** *(печатание)* prínt(ing); выйти из ~и come out **3.** *(шрифт)* print, type

печёнк||а líver *(кул.)* ◇ сидеть в ~ах у кого-л. be a pain in the neck to smb.

печёный baked

печень *анат.* líver

печенье bíscuits *pl.;* cóokies *pl.* *(амер.)*

печка *см.* печь I

печь I *сущ.* stove; óven *(духовая);* fúrnace *(доменная и т. п.)*

печь II *гл.* **1.** *(хлеб)* bake **2.** *(о солнце)* scorch, parch; **~ся 1.** be baked **2.** *разг.* *(греться на солнце)* bake in the sun

пешеход pedéstrian; **~ный** pedéstrian *attr.;* ~ная дорожка fóot-path; ~ный переход pedéstrian cróssing

пеший únmóunted; foot *attr.*, on foot

пешка *шахм.* pawn *(тж. перен.)*

пешком *нареч.* on foot; идти ~ walk, go on foot

пещера cave

пиан||ино (úpright) piáno; **~ист, ~истка** piánist

пивн||ая, *сущ.* pub, távern; **~ой** beer *attr.*

пиво beer; ale; **~варенный:** ~варенный завод bréwery

пиджак coat

пижама pyjámas *pl.*

пика *(оружие)* lance, spear

пикантн||ый 1. *(о соусе)* píquant, sávoury **2.** *(о внешности)* séxy **3.** *перен.* sávoury, spícy; ~ые анекдоты spícy stóries

пикет pícket

пики *кар.* spades

пикировать *ав.* dive

пикироваться áltercate, exchánge cáustic remárks

пики́рующий: ~ бомбардиро́вщик díve-bomber

пикни́к pícnic

пил||а́ saw; **~и́ть** saw

пило́т pílot; **~а́ж** píloting

пилю́ля pill

пингви́н pénguin

пинце́т *хир.* píncers *pl.*

пио́н péony

пионе́р pionéer; **~ский** pionéer *attr.*; ~ский отря́д pionéer detáchment; ~ский ла́герь pionéer súmmer camp

пипе́тка pipétte; *(для лекарства тж.)* médicine drópper

пир feast

пирами́д||а pýramid; **~а́льный** pyrámidal

пира́т pírate

пирова́ть feast, caróuse

пиро́г pie

пиро́ж||ное fáncy cake; *собир.* pástry; **~о́к** pátty

писа́ка *разг.* scríbbler; прода́жный ~ hack

пи́сарь *уст.* clerk

писа́тель wríter, áuthor; **~ница** wríter, áuthoress

писа́ть 1. write; type *(на машинке)* **2.** *(красками)* paint; ~ ма́слом paint in oils **3.** *(музыку)* compóse

писк squeak; **~ли́вый** squéaky; **~нуть** *см.* пища́ть

пистоле́т pístol

писто́н percússion cap

писчебума́жный: ~ магази́н a státioner's (shop)

пи́сч||ий: ~ая бума́га wríting-paper

пи́сьменн||ый 1. *(для писания)* wríting; ~ стол wríting-desk, wríting-table **2.** *(написанный)* wrítten; в ~ой фо́рме in wríting

письмо́ létter; откры́тое ~ póstcard; ópen létter *(в газете)*

письмоно́сец póstman

пита́||ние 1. nóurishment, nutrítion **2.** *тех.* féeding; **~тельный** nóurishing, nutrítious; **~ть 1.** feed; nóurish **2.** *(снабжать)* supplý; **~ться** feed *(on)*, live *(on)*

пито́мец púpil *(воспитанник)*; alúmnus *(университета)*

пито́мник núrsery

пито́н *зоол.* pýthon

пить drink; я хочу́ ~ I'm thírsty; ~ лека́рство take médicine

пить||ё 1. *(действие)* drínking **2.** *(напиток)* drink; **~ево́й** drínking; ~ева́я вода́ drínking wáter

пи́хта sílver fir

пи́чкать *разг.* stuff *(with)*

пи́шущ||ий: ~ая маши́нка týpewriter

пи́ща food

пища́ть squeak; cheep *(о цыплятах)*

пищеваре́ни||е digéstion; расстро́йство ~я *мед.* digéstive disórder

пищево́д *анат.* gúllet

пищев||о́й food *attr.*; ~ы́е проду́кты fóod-stuffs; ~а́я промы́шленность food índustry

пия́вка leech

пла́вание 1. swímming **2.** *(на судах)* vóyage; он ушёл в ~ he's gone on a vóyage

пла́вать *см.* плыть ◇ ~ на экза́мене be complétely at sea in an examinátion

плави́льн||ый *тех.*: ~ая печь smélting fúrnace; ~ заво́д steel works

пла́в||ить smelt; melt; **~иться** fuse; **~ка** smélting

пла́вки *спорт.* (swímming) trunks

пла́вк||ий fúsible; **~ость** fusibílity

плавни́к fin

пла́вный **1.** flúent, flówing; smooth **2.** *лингв.* *(о звуке)* líquid

плаву́ч||ий flóating; ~ая льди́на íce-floe

плагиа́т plágiarism

плака́т plácard, póster

пла́кать weep, cry; **~ся** *разг.* grouse

пла́кс||а crý-baby; **~и́вый** whíning

пла́менный fláming, fíery; *перен.* árdent, fláming

пла́мя flame, blaze *(ослепительное)*

план plan

планёр *ав.* glíder

плане́т||а plánet; **~а́рий** planetárium

плани́рование I plánning

плани́рование II *ав.* glíding

плани́ровать I plan

плани́ровать II *ав.* glide

пла́нка lath, plank

пла́нов||ый planned, systemátic; ~ое хозя́йство planned ecónomy

планоме́рный systemátic, planned

планта́ция plantátion

пласт láyer; strátum *(геол.)*

пласти́нка **1.** plate **2.** *(патефонная)* (grámophone) récord

пласти́ческ||ий plástic; ~ая хирурги́я plástic súrgery

пластма́сса plástic *(synthetic material)*

пла́стырь pláster

пла́та pay; fee *(гонорар)*; fare *(за проезд)*; ~ за вход éntrance fee

платёж páyment

платёжеспосо́бный sólvent

плате́льщик páyer

пла́тина plátinum

плати́ть pay; ~ по счёту pay the bill; settle an accóunt

пла́тн||ый **1.** *(оплачиваемый)* paid; ~ая рабо́та paid work **2.** *(оплачивающий)* páying

плато́ *геогр.* pláteau, tábleland

плато́к shawl *(на плечи)*; head scarf *(на голову)*; hándkerchief *(носовой)*

платфо́рма **1.** *(перрон)* plátform *(тж. перен.)* **2.** *(товарный вагон)* ópen (ráilway) truck

пла́т||ье **1.** *собир.* clothes *pl.*; clóthing **2.** *(женское)* dress, gown, frock; вече́рнее ~ évening dress; **~яно́й**: ~яно́й шкаф wárdrobe; ~яна́я щётка clóthes-brush

плацда́рм brídge-head

плацка́рта resérved seat tícket

плач wéeping, crýing; **~е́вный** pítiful; в ~е́вном состоя́нии in a pítiful state

плашмя́ *нареч.* flat, prone

плащ cloak; ráincoat, wáterproof *(непромокаемый)*

плебисци́т plébiscite

плева́||тельница spittóon; **~ть** *см.* плю́нуть

плево́к spit(tle)

плеври́т *мед.* pléurisy

плед rug; plaid *(шотландский)*

племенно́й **1.** tríbal **2.**: ~ скот pédigree cattle

пле́мя 1. tribe **2.** *(поколение)* generátion

племя́нни||к néphew; **~ца** niece

плен captívity; брать кого́-л. в ~ take smb. prísoner; попа́сть в ~ be táken prísoner

плена́рный plénary

плени́||тельный fáscinating; **~ть** fáscinate, cáptivate; **~ться** be fáscinated *(by)*

плёнка *в разн. знач.* film

пле́нн||ик prísoner, cáptive; **~ый** cáptive

пле́нум plénum

пленя́ть(ся) *см.* плени́ть(ся)

пле́сень mould

плеск splash; **~а́ть(ся)** splash

пле́сневеть grow móuldy

плести́ 1. plait; ~ ко́су plait one's hair; ~ се́ти make nets; ~ корзи́ны plait *(или* weave) báskets **2.** *перен.* plot; ~ ко́зни intrígue ◇ ~ вздор talk rot

плести́сь drag onesélf alóng; ~ в хвосте́ lag behínd

плетёный wicker *attr.;* ~ стул wícker chair

плете́нь (wáttle-)fence

плеть knótted rope, lash

плечо́ 1. shóulder **2.** *(рычага)* arm

плеши́вый háving a bald patch

плешь bald patch

плита́ 1. plate; slab; flágstone *(тротуара);* моги́льная ~ grávestone **2.** *(кухонная)* cóoker, stove; (kítchen-)range

пли́тка 1. *см.* плита́ 2; электри́ческая ~ eléctric stove **2.** *(облицовочная)* tile **3.:** ~ шокола́да bar of chócolate

плове́ц swímmer

плод *прям., перен.* fruit; приноси́ть ~ы́ bear fruit

плоди́ть(ся) própagate

плодови́т||ый *прям., перен.* prolífic; ~ые кро́лики prolífic rábbits; ~ компози́тор a prolífic compóser

плод||ово́дство frúit-grówing; **~о́вый** fruit *attr.*

плодоро́д||ие fertílity; **~ный** fértile

плодотво́рный frúitful

пло́мб||а 1. *(зубная)* stópping, filling; ста́вить ~у stop *(или* fill) a tooth **2.** *(на двери и т. п.)* seal; **~ирова́ть 1.** *(зуб)* stop, fill **2.** *(дверь)* seal

пло́ский flat; plane *(о поверхности)*

плоского́рье pláteau, tábleland

плоскогу́бцы *тех.* pliers

пло́скост||ь *прям., перен.* plane; súrface ◇ кати́ться по накло́нной ~и go to the bad

плот raft, float

плоти́на dam; dike *(защитная)*

пло́тник cárpenter

пло́тн||ость dénsity; **~ый** dense; close *(о ткани)* ◇ ~ый за́втрак square *(или* héarty) meal

плотоя́дный carnívorous

плоть flesh

пло́х||о 1. *нареч.* bád(ly); ~ себя́ чу́вствовать feel únwéll, not feel too *(или* véry) well; ~ отзыва́ться о ком-л. speak ill of smb. **2.** *предик. безл.* that's bad; **~о́й** bad; poor *(о качестве; о здоровье)*

площа́дка 1. ground; pláyground, (spórts-)ground *(спортивная)* **2.** *(лестничная)* lánding **3.** *(вагона)* plátform

плóщадь 1. área *(тж. мат.)* **2.** *(в городе)* square

плуг plough

плут cheat, swíndler; rogue *(шутл.)*

плутáть *разг.* walk round in círcles (and lose one's way)

плут||овáть *разг.* cheat; **~овскóй** knávish

плыть 1. *(о человеке, животном)* swim **2.** *(о предмете)* float, drift; sail *(о судне)* **3.** sail *(на судне)*; go bóating *(на лодке)*

плю́нуть spit

плюс 1. *мат.* plus **2.** *(преимущество)* advántage

плюш plush

плющ ívy

пляж beach

плясáть dance, do folk dáncing ◇ ~ под чью-л. ду́дку dance to smb.'s tune

пля́с||ка folk dance; square dance *(амер.)*; cóuntry dáncing; **~овóй** dance *attr.*; dáncing *attr.*

пневмати́ческий pneumátic

по *предл.* **1.** on *(на поверхности)*; alóng *(вдоль поверхности)*; éхать по дорóге drive alóng the road; ходи́ть по у́лицам walk abóut the streets; путешéствовать по странé jóurney through the cóuntry; кни́ги разбрóсаны по всему́ столу́ the books are scáttered all óver the table **2.** *(согласно)* by, accórding to, áfter; по чьему́-л. совéту on smb.'s advíce; по приказáнию by órder; знать по и́мени know by name; по происхождéнию by órigin; по образцу́ áfter the módel **3.** *(вследствие)* by; through; ówing to *(благодаря)*; по рассéянности through ábsent-míndedness; по оши́бке by mistáke **4.** *(посредством)* by; óver; по желéзной дорóге by rail; по рáдио óver the rádio **5.** *(до)* to, up to; с ию́ля по сентя́брь from Julý to Septémber; по 1-е сентября́ up to the first of Septémber; по пóяс up to one's waist **6.** *(при обозначении времени)* in, at; on *(после чего-л.)*; по утрáм in the mórning; по ночáм at night; по егó прибы́тии on his arríval; по окончáнии on the complétion *(или* terminátion) *(of)* **7.** *(в разделительном смысле)*: по 5 рублéй шту́ка at five roubles each; пó двое two by two, in twos; по чáсу в день an hour a day ◇ по дéлу on búsiness; по прáву by right

побагровéть becóme purple

побáиваться be ráther afráid *(of)*

побéг I flight; escápe

побéг II *(росток)* shoot, sprout

побегу́ш||ки: быть у когó-л. на ~ках *разг.* be smb.'s érrand-boy *(тж. перен.)*

побéд||а víctory; **~и́тель** cónqueror; *спорт.* wínner; **~и́ть** cónquer; win a víctory (over); overcóme *(затруднения и т. п.)*; **~ный** triúmphal, triúmphant

победонóсный victórious, triúmphant

побежáть run

побеждáть *см.* победи́ть

побеле́ть grow white; turn pale *(побледнеть)*

побели́ть whitewash

побере́жье shore, sea coast

побира́ться *разг.* beg

поби́ть 1. beat **2.** beat down, lay *(о ливне, граде)*; kill *(о морозе)*; **~ся:** ~ся об закла́д bet

поблагодари́ть thank

побла́жка *разг.* pámpering

побледне́ть turn *(или* grow) pale

поблёк||нуть wíther, fade; **~ший** wíthered, fáded

побли́зости *нареч.* near at hand, héreabouts

побо́и béating *sg.;* blows; **~ще** sláughter, mássacre

побо́рник chámpion

побо́роть overcóme

побо́чн||ый sécondary; ~ проду́кт *эк.* bý-product; ~ые сообража́ения sécondary considerátions

по-бра́тски *нареч.*: раздели́ть ~ go half and half

побри́ть(ся) *см.* бри́ть(ся)

побу||ди́ть, ~жда́ть impél; indúce; make *(заставить)*; **~жде́ние** indúcement; mótive

побыва́||ть be, vísit; он всю́ду ~л he has been éverywhere

побы́в||ка *разг.*: прие́хать на ~ку come on leave

пова́д||иться get the hábit *(of)*; **~ка** hábit

повали́ть I throw down; overtúrn *(опрокинуть)*

повали́ть II *(о толпе)* throng

повали́ться fall down

пова́льн||ый mass *attr.;* ~ая боле́знь mass epidémic; ~ое бе́гство mass flight

по́вар cook

пова́ренн||ый cúlinary; ~ая кни́га cóokery-book; ~ая соль édible salt

по-ва́шему *нареч.* **1.** *(по вашему мнению)* as you think, in your opinion, to your mind **2.** *(по вашему желанию)* as you want, as you would have it; пусть бу́дет ~ have it your own way

поведе́ние cónduct, behávíour

повезти́ I cárry, take

повез||ти́ II *безл.*: ему́ ~ло́ he was in luck

повелева́ть lord it óver

повели́тельный impérative *(тж. грам.)*; authóritative

поверга́ть, пове́ргнуть throw down; *перен.* throw *(into)*; ~ в уны́ние throw into the depths of despáir

пове́ренный *(адвокат)* attórney ◇ ~ в дела́х chargé d'affaires [ˈʃɑːʒeɪdæˈfɛə]

пове́рить 1. belíeve **2.** *(доверить)* entrúst *(to)*

пове́рк||а 1.: ~ вре́мени time sígnal **2.** *(перекличка)* róll-call ◇ на ~у in áctual fact

поверну́ть, повёртывать turn; **~ся** turn

пове́рх *предл.* óver, abóve

пове́рхностный 1. superfícial, shállow **2.** *физ., тех.* súrface *attr.*

пове́рхность súrface

пове́рье pópular belíef

повеселе́ть cheer up

пове́сить hang; **~ся** hang onesélf

повествова́||ние narrátion; **~тельный** nárrative

пове́стка nótice, súmmons *(в суд)*; ~ дня agénda

пóвесть stóry; nárrative

повéтрие *разг.* epidémic; это ~ *перен.* it's all the rage

повздóрить have a quárrel

повидáть see; **~ся** meet; see each óther

по-вúдимому *вводн. сл.* óbviously, évidently, cléarly

повúдло jam *(кул.)*

повúнность dúty; вóинская ~ conscríption

повинов||áться obéy; **~éние** obédience

повúснуть hang, be suspénded

повлéчь: это повлечёт за собóй большóе несчáстье this will lead to disáster

повлиять ínfluence; have an ínfluence *(on, upon)*; afféct *(затронуть)*

пóвод I occásion; cause *(причина)*; ground *(основание)*; по ~у in connéction *(with)*; on the occásion *(of)*

пóвод II *(у лошади и т. п.)* rein ◇ он у неё на ~ý she holds the reins

повóзка hórse-drawn véhicle

поворáчивать(ся) *см.* повернýть(ся)

поворóт túrn(ing); bend *(рекú)*; *перен.* change; **~ный:** ~ный пункт túrning-point

повре||дúть, ~ждáть dámage; hurt, ínjure *(ногу, руку и т. п.)*; **~ждéние** dámage

повременúть wait a little *(before doing smth.)*

повседнéвный dáily, éveryday

повсемéстн||о *нареч.* éverywhere; **~ый** occúrring éverywhere

повстáн||ец rébel; **~ческий** rébel *attr.*

повсюду *нареч.* éverywhere, far and wide

повтор||éние repetítion; **~úть** repéat; **~úться** be repéated, recúr

повтóр||ный repéated, sécond; **~ять(ся)** *см.* повторúть (-ся)

повысить *прям., перен.* raise ◇ ~ гóлос *(или* тон) raise one's voice; **~ся** rise

повыш||áть(ся) *см.* повысить (-ся); **~éние** rise; íncrease *(зарплаты и т. п.)*; получúть ~éние be promóted

повышенн||ый abnórmally high; у неё ~ая температýра her témperature is up

повязáть tie

повязк||а bándage; наложúть ~у на рáну dress *(или* bándage) a wound

повязывать *см.* повязáть

погасúть 1. *(огонь)* put out; extínguish; ~ свет turn off the light **2.** *(долг)* pay off

погáснуть go out

погаш||áть *см.* погасúть 2; **~éние** *(долгов и т. п.)* páying *(или* cléaring) off

погибáть, погúбнуть pérish, be lost

погúбший lost; killed

поглáдить *см.* глáдить

погло||тúть, ~щáть absórb; swállow up *(проглотить)*; **~щéние** absórption; **~щённый** absórbed *(in — чем-л.)*; immérsed *(in)*

поглядывать 1. *(на кого-л.)* look *(at)* occásionally **2.** *(за кем-л.)* keep an eye *(on)*

погнáть drive

погнáться run *(after)*

поговóрка sáying

погóд||а wéather; прогнóз ~ы wéather fórecast

поголóвн||о *нареч.* all withóut excéption; **~ый** géneral

поголóвье *(скота)* tótal númber *(или* head) of líve-stock

погóн *воен.* shóulder-strap

погóнщик *(скота)* dróver

погóн||я pursúit; **~ять** *перен.* urge on

погорéлец one who has lost all in a fire

погранúчн||ик fróntier-guard; **~ый** fróntier *attr.*; ~ая стрáжа fróntier guards *pl.*; ~ая полосá bórder

пóгреб cold céllar; вúнный ~ wine céllar

погреб||áльный fúneral; **~ние** búrial

погремýшка *(игрушка)* rattle

погрéть(ся) *см.* грéть(ся)

погрéшность érror, mistáke

погруж||áть *см.* погрузúть II; **~áться** *см.* погрузúться; **~éние** immérsion

погрузúть I *см.* грузúть

погрузúть II dip, immérse; **~ся** sink *(о корабле)*; submérge *(о подводной лодке)*; *перен.* be immérsed *(или* sunk) *(in)*

погрýзка lóading

погр||язáть, ~язнуть: ~ в долгáх be up to the ears in debt; ~ в невéжестве be bogged down *(или* steeped) in ígnorance

погубúть ruin

погулять *см.* гулять

под *предл.* **1.** únder; ~ водóй únder wáter; ~ землёй undergróund; ~ комáндой únder the commánd *(of)*; быть ~ ружьём be únder arms; ~ знáменем únder the bánner of **2.** *(при звуках чего-л.)* to; ~ звýки мýзыки to the sound of músic **3.** *(возле)* near, by; ~ Москвóй near Móscow; ~ окнóм by the wíndow; бúтва ~ Ленингрáдом the Battle of Léningrad **4.** *(приблизительно)* abóut; ей ~ сóрок she is abóut fórty **5.** *(о времени)* towárds; on the eve of *(накануне)*; ~ вéчер towárds évening; ~ Нóвый год on Néw-Year's eve **6.** *(наподобие)* in imitátion; ~ мрáмор in imitátion of marble ◇ пóд гору dównhíll; пóле ~ картóфелем a field únder potátoes; ~ конéц towárds the end

подавáльщица wáitress

подавáть *см.* подáть; ~ надéжду give hope

подавúть *прям.*, *перен.* suppréss

подавúться choke

подавлéние suppréssion; crúshing; represśion

подáвленн||ость depréssion **~ый** dispírited, depréssed

подавля||ть 1. *см.* подавúть **2.** *(силой оружия)* suppréss, crush; **~ющий:** ~ющее большинствó overwhélming majórity

подáвно *нареч.* so much the more, all the more

подáгр||а gout; **~úческий** góuty

подарúть give as a présent; presént smb. *(with)*

подáрок présent, gift

подáтель béarer *(письмá)*; petítioner *(прошения)*

пода́тливый pliant, weak *(о человеке)*; ~ хара́ктер a weak cháracter

по́дать *ист.* tax

пода́ть give; serve *(за столом)*; ~ сове́т give advíce; ~ ру́ку hold out one's hand; ~ жа́лобу lodge a compláint *(against)*; ~ заявле́ние hand in an applicátion; ~ го́лос *(за)* vote *(for)*; ~ в отста́вку resígn; ~ в суд bring an áction *(against)*; ~ мяч serve *(теннис)*

пода́ться: ~ вперёд, наза́д draw fórward, back

пода́ча 1. gíving; presénting *(заявления и т. п.)* **2.** *тех.* feed **3.** *спорт.* sérvice, serve ◇ ~ голосо́в voting

пода́||чка *прям., перен.* sop; **~я́ние** alms

подба́дривать *см.* подбодри́ть

подбе||га́ть, ~жа́ть run up *(to)*

подбива́ть *см.* подби́ть

подбира́ть *см.* подобра́ть

подбира́ться *(подкрадываться)* steal up *(to)*, appróach stéalthily

подби́ть 1.: ~ подмётки résóle **2.** *(подкладку)* line **3.** *(подстрекать)* incíte *(to)* ◇ ~ кому́-л. глаз give smb. a black eye

подбодри́ть cheer up, encóurage

подбо́р *(отбор)* seléction ◇ как на ~ wéll-mátched

подборо́док chin

подбоче́ни||ваться, ~ться place one's arms akímbo, stand with one's hands on one's hips

подбр||а́сывать, ~о́сить, throw up *(кверху)*

подва́л 1. *(подвальный этаж)* básement **2.** *(погреб)* céllar

подвез||ти́ 1. *(привезти)* bring up **2.** *(попутно пешехода)* give a lift ◇ ему́ ~ло́ he had a stroke of luck

подверга́ть(ся) *см.* подве́ргнуть(ся)

подве́р||гнуть subjéct *(to)*; expóse *(to; опасности, риску)*; ~ сомне́нию call in quéstion; **~гнуться** undergó *(наказанию)*; be expósed *(to; опасности)*; **~женный** súbject *(to)*

подве́с||ить hang up, suspénd; **~но́й** hánging, suspénded; suspénsion *attr.*; ~на́я кана́тная доро́га *(в горах)* cháir-lift

подвести́ 1. *(привести)* bring up **2.** *разг.* *(поставить в неприятное положение)* let down ◇ ~ ито́г sum up; ~ фунда́мент base

подве́шивать *см.* подве́сить

по́двиг éxploit, feat

подвига́ть(ся) *см.* подви́нуть(-ся)

подвижно́й móbile ◇ ~ соста́в *ж.-д.* rólling-stock

подви́жность agílity, súppleness

подви́жный áctive, ágile; он ~ челове́к he doesn't sit still for five mínutes

подвиза́ться pursúe one's actívities *(in, at)*, be áctive *(in)*

подви́нуть move; push; **~ся** move; advánce *(вперёд)*; make room *(посторониться)*

подвла́стный belónging to *(или* béing part of) smb.'s realm

подво́да cart, float

подводи́ть *см.* подвести́

подво́дник 1. sáilor on a súbmarine **2.** frógman

подво́дный súbmarine

подво́з tránsport; supplý *(снабжение)*; **~и́ть** *см.* подвезти́

подворо́тня gáteway

подво́х *разг.* trick

подвы́пивший *разг.* a bit tight

подвяза́ть tie up

подвя́зка suspénder, gárter

подвя́зывать *см.* подвяза́ть

подгиба́ть *см.* подогну́ть

подгляде́ть, подгля́дывать peep *(at)*; spy *(on; следить)*

подгов||а́ривать, ~ори́ть: ~ кого́-л. на что-л. put smb. up to smth.

подголо́сок yés-man

подгоня́ть *см.* подогна́ть

подго||ра́ть, ~ре́ть *(о мясе и т. п.)* get a bit burnt

подгот||ови́тельный prepáratory; **~о́вить, ~о́виться** prepáre; **~о́вка** preparátion; tráining *(обучение)*; **~овля́ть(ся)** *см.* подгото́вить(ся)

поддава́ться *см.* подда́ться ◇ не ~ описа́нию defý descríption

подда́кивать *разг.* écho

по́ддан||ный *сущ.* súbject; **~ство** cítizenship; приня́ть ~ство take out cítizenship

подда́ться give in, give way

подде́||лать cóunterfeit; forge *(документ, подпись)*; **~лка** cóunterfeit; fórgery *(документа)*; **~лывать** *см.* подде́лать; **~льный** false; forged *(о документе, подписи)*; imitátion *attr.* *(искусственный)*

поддержа́ть suppórt; back (up), sécond *(мнение, кандидатуру)*

подде́рж||ивать 1. *см.* поддержа́ть **2.** *(порядок, переписку)* keep up; **~ка** suppórt; encóuragement *(моральная)*; при ~ке with the suppórt *(of)*

поддра́зн||ивать, ~и́ть tease

поддува́ло ásh-pit

поде́йствовать have an efféct *(on)*

поде́ла||ть *разг.*: ничего́ не ~ешь it can't be helped

подели́ть share; **~ся 1.** share *(smth. with)* **2.** *(рассказать)* tell *(smb. of)*

поде́лка hánd-made árticle

по-делово́му in a búsiness-like mánner

подело́м *нареч. разг.*: ~ тебе́ it serves you right

подён||но *нареч.* by the day; **~ный** by the day *(после сущ.)*; ~ная опла́та pay by the day; **~щик, ~щица** smb. who is paid by the day

подёргиваться *(о лице)* twitch

поде́ржанный sécond-hánd

подёрнуться be cóvered with a thin láyer *(of smth.)*

подешеве́ть becóme chéaper

поджа́ри||вать(ся) *см.* поджа́рить(ся); **~стый** brown; **~ть(ся)** roast, fry

поджа́ть: ~ гу́бы purse one's lips; ~ но́ги sit with one's legs tucked únder one; ~ хвост put one's tail betwéen one's legs *(тж. перен.)*

подже́чь set on fire; set fire *(to)*

поджига́тель incéndiary; *пе-*

рен. ínstigator; ~ войны́ wármonger

поджига́ть *см.* подже́чь

поджида́ть *разг.* wait *(for)*

поджима́ть *см.* поджа́ть

поджо́г ársоn

подзаголо́вок súbtitle

подзадо́ри||вать, ~ть stímulate, set on; put up *(to)*

подзащи́тный *сущ.* clíent

подземе́лье cave; dúngeon

подзе́мный únderground; ~ перехо́д súbway

подзо́рн||ый: ~ая труба́ spýglass, télescope

подзыва́ть *см.* подозва́ть

подка́пывать(ся) *см.* подкопа́ть(ся)

подкарау́ли||вать be on the watch *(for)*, lie in wait *(for)*; **~ть** catch

подка́рмливать *см.* подкорми́ть

подкати́ть, подка́тывать 1. *(подо что-л.)* roll *(under)* **2.** *(в автомобиле, экипаже)* drive up *(to)*

подка́шиваться *см.* подкоси́ться

подки́дывать, подки́нуть *см.* подбра́сывать, подбро́сить

подкла́дк||а líning; на шёлковой ~е sílk-lined, with a silk líning

подкла́дывать *см.* подложи́ть

подкле́ивать, подкле́ить paste, glue

подко́в||а (hórse)shoe; **~а́ть, ~ывать** shoe

подко́жный hypodérmic

подко́п 1. dígging únder **2.** únderground pássage; **~а́ть** undermíne; **~а́ться** dig únder

подкорми́ть feed up

подкоси́||ться: у него́ ~лись но́ги his legs gave way únder him

подкра́дываться *см.* подкра́сться

подкра́сить cólour; touch up *(губы)*; **~ся** put on a little máke-up

подкра́сться steal up *(to)*

подкра́шивать(ся) *см.* подкра́сить(ся)

подкреп||и́ть stréngthen, fórtify; confírm *(подтвердить)*; **~и́ться** refrésh onesélf; **~ле́ние 1.** *(подтверждение)* confirmátion; corroborátion **2.** *воен.* reinfórcement; **~ля́ть(ся)** *см.* подкрепи́ть(ся)

по́дкуп bríbery

подкуп||а́ть, ~и́ть bribe

подла́живаться *(к кому-л.)* make up *(to)*

подла́мываться *см.* подломи́ться

по́дле *предл.* near, by

подлеж||а́ть be súbject *(to)*; ~и́т исполне́нию is to be cárried out; ~и́т суду́ is indíctable ◇ не ~и́т сомне́нию is beyónd *(или* past) doubt

подлежа́щее *грам.* súbject

под||леза́ть, ~ле́зть creep *(under)*

подле́ц víllain, rással

подлива́ть *см.* подли́ть

подли́вка sauce; grávy *(мясная)*

подли́з||а *разг.* tóady; whéedler; **~ываться** *разг.* make up *(to)*, wheedle

по́длинн||ик oríginal; **~ый** authéntic; real *(действительный)*; с ~ым ве́рно cértified true cópy

подли́ть pour; add ◇ ~ ма́сла в ого́нь add fuel to the fire

подло́г fórgery; fake

подложи́ть 1. *(подо что-л.)* put smth. *(under)* **2.** *(прибавить)* add ◇ ~ свинью́ кому́-л. *разг.* do the dírty on smb.

подло́жный false

подломи́ться break (únder)

по́дл||ость méanness, báseness; **~ый** mean, base

подма́зать grease; oil *(жиром)*; paint *(краской)*; *перен. разг.* oil the wheels

подмасте́рье appréntice

подме́н||а substitútion; **~и́ть, ~я́ть** súbstitute *(for)*

подме||сти́, ~та́ть sweep

подме́тить just nótice

подмётк||а sole ◇ он в ~и ей не годи́тся *разг.* ≅ he can't hold a candle to her

подмеча́ть *см.* подме́тить

подмеша́ть, подме́шивать mix *(in)*; dilúte

подми́г||ивать, ~ну́ть wink *(at)*

подмо́г||а *разг.* help; идти́ на ~у give *(или* lend) a hélping hand

подм||ока́ть, ~о́кнуть get slíghtly wet

подмор||а́живать, ~о́зить *безл.*: ~а́живает it is fréezing

подмо́стки 1. scáffolding *sg.* **2.** *театр.* boards; stage *sg.*

подмо́ченный 1. a bit wet **2.** *перен. (о репутации)* smirched

подмыва́ть, подмы́ть 1. *(ребёнка)* wash undernéath **2.** *(берега́)* undermíne

подмы́шки árm-pits

поднево́льный 1. *(о человеке)* depéndent **2.** *(о труде)* forced

поднести́ 1. *(принести)* bring **2.** *(подарок и т. п.)* presént *(with)*

поднима́||ть *см.* подня́ть; **~ться** *см.* подня́ться ◇ у него́ рука́ не ~ется he can't bring himsélf *(to)*

поднов||и́ть, ~ля́ть rénovate

подно́жие 1. *(горы)* foot **2.** *(памятника)* pédestal

подно́жка step, fóotboard

подно́жный: ~ корм pásture, grass

подно́с tray

подноси́ть *см.* поднести́

подноше́ние presentátion

подня́ть 1. lift; raise *(повысить)* **2.** *(подобрать упавшее)* pick up ◇ ~ вопро́с raise a quéstion; ~ крик raise a cry; ~ на́ смех hold up to rídicule; ~ ору́жие take up arms; ~ трево́гу raise the alárm; ~ нос *разг.* give oneself *(или* assúme) airs; **~ся 1.** rise; climb *(на гору)*; go úpstáirs *(по лестнице)*; get up *(с постели)* **2.** *(восстать)* revólt; rise

подоба́||ть becóme; befít; **~ющий** próper

подо́б||ие 1. *(сходство)* líkeness **2.** *мат.* similárity; **~ный** símilar; я ничего́ ~ного не ви́дел I have néver seen ánything like it ◇ и тому́ ~ное *(сокр.* и т. п.) and so on, and so forth *(сокр.* etc.)

подобостра́ст||ие servílity; **~ный** sérvile

подобра́ть 1. *(поднять)* pick up **2.** *(платье)* tuck up **3.**

(найти подходящее) seléct, pick out

подобра́ться *см.* подбира́ться

подогна́ть 1. urge on; húrry *(поторопить)* **2.** *(приспособить)* adápt

подогну́ть bend (únder), tuck in

подогрева́ть, подогре́ть warm up

пододв||ига́ть, ~и́нуть push up *(to, against)*

пододея́льник cótton case to cóver a blánket *(или* quilt)

подожда́ть wait *(for)*

подозва́ть call up; béckon *(жестом)*

подозр||ева́ть suspéct; **~е́ние** suspícion; **~и́тельный 1.** *(вызывающий подозрение)* suspícious **2.** *(недоверчивый)* suspícious, místrústful

подо́йник mílk-pail

подой||ти́ 1. come up to, appróach **2.** *(соответствовать)* fit; suit; do *(for)*; э́то вам ~дёт this'll suit you

подоко́нник window-sill

подо́л hem (of a skirt)

подо́лгу *нареч.* long; for hours (days *или* months *etc.)*

подо́нки dregs; *перен. тж.* scum *sg.*, ríff-raff *sg.*; ~ о́бщества the dregs of society

подопле́ка hídden mótive, underlýing réason

подорва́ть 1. *(взорвать)* blow up **2.** *(здоровье, силы)* undermíne **3.** *(доверие)* shake

подорожа́ть becóme déarer

подоро́жник plántain

подосла́ть send for a púrpose

подоспе́ть *разг.* come in time

подостла́ть spread únder

подотде́л séction

подотчётный accóuntable *(to, for)*

подо́хнуть *(о животном)* die

подохо́дный: ~ нало́г íncome-tax

подо́шва 1. *(ноги, ботинка)* sole **2.** *(горы́)* foot

подпада́ть *см.* подпа́сть

подпа́ивать *см.* подпоить

подпа́сть: ~ под чьё-л. влия́ние fall únder smb.'s ínfluence

подпева́ла yés-man

подпере́ть prop up; suppórt

подпи́л||ивать, ~и́ть saw *(пилой)*; file *(напильником)*

подпира́ть *см.* подпере́ть

подписа́ть sign; **~ся 1.** sign **2.** *(на что-л.)* subscríbe *(to)*

подпи́с||ка 1. subscríption **2.** *(обязательство)* engágement; **~но́й:** ~но́й лист subscríption list; **~чик** subscríber

подпи́сывать(ся) *см.* подписа́ть(ся)

по́дпись sígnature; за **~ю** signed *(by)*

подпои́ть make típsy

подполко́вник lieuténant-cólonel

подпо́ль||е the úndergrouud; рабо́тать в ~ work in the úndergrouud; **~ный** úndergrouud

подпо́рка prop

подпры́г||ивать, ~нуть jump up

подпус||ка́ть, ~ти́ть allów to appróach ◇ ~ти́ть шпи́льку *разг.* have a dig *(at)*

подража́||ние imitátion; **~ть** ímitate

подраздел||е́ние 1. súbdivision **2.** *воен.* súbúnit; **~и́ть, ~я́ть** súbdivíde

подразумева́ть implý, mean; **~ся** be implied

подраст||а́ть *см.* подрасти́; **~а́ющий:** ~а́ющее поколе́ние the rising generátion

подрасти́ grow up; *(о челове́ке тж.)* get a little ólder

подра́ться come to blows

подре́з||ать, ~а́ть cut, trim; prune *(ветви)*

подро́бн||о *нареч.* in détail; **~ость** détail; **~ый** détailed

подровня́ть trim

подро́сток téen-ager; júvenile, youth *(юноша)*; young girl *(девушка)*

подруб||а́ть, ~и́ть *(подшивать)* hem

подру́га friend; pláymate *(детства)*

по-дру́жески *нареч.* in a friendly way

подружи́ться make friends *(with)*

подру́чный *как сущ.* appréntice, assistant

подры́в undermining *(тж. перен.)*

подрыва́ть I *см.* подорва́ть

подрыва́ть II *см.* подры́ть

подрывно́й *воен.* sápping; *перен.* undermíning, subvérsive

подры́ть dig the earth from benéath; déepen

подря́д I *нареч.* one áfter the óther; три дня ~ three days rúnning

подря́д II *сущ.* cóntract; **~чик** contráctor

подса́живаться *см.* подсе́сть

подсве́чник cándlestick

подсе́сть sit down *(by)*

подск||аза́ть, ~а́зывать prompt

подска́кивать, подскочи́ть 1. *(подпрыгивать)* jump up **2.** *(подбегать к)* run up *(to)*

подслеповáтый wéak-sighted

подслу́ш||ать overhéar; **~ивать** éavesdrop

подсма́тривать *см.* подсмотре́ть

подсме́иваться *(над кем-л.)* have a bit of fun *(at smb's expense)*

подсмотре́ть spy

подсне́жник snówdrop

подсо́бный subsídiary

подсо́вывать *см.* подсу́нуть

подсозна́тельный súbcónscious

подсо́лнечн||ик súnflower; **~ый:** ~ое ма́сло súnflower-seed oil

подсо́хнуть dry off a líttle

подспо́рье *разг.* a bit of a help

подста́в||ить 1. place *(under)* **2.** *мат.* súbstitute ◇ ~ но́жку trip (up); **~ка** stand; prop; **~ля́ть** *см.* подста́вить

подставно́й false

подстака́нник gláss-holder

подста́нция 1. substátion **2.** *(телефонная)* lócal télephone exchánge

подстер||ега́ть be on the watch *(for)*; lie in wait *(for)*; **~е́чь** catch

подст||ила́ть *см.* подостла́ть; **~и́лка 1.** *(для спанья)* bédding **2.** *(для скота)* lítter

подстра́ивать *см.* подстро́ить

подстрек||а́тель instigator;

~áтельство instigátion; **~áть, ~нýть** ínstigate

подстрели́ть wound (by a shot)

подстригáть(ся) *см.* подстри́чь(ся)

подстри́чь cut, trim; **~ся** cut one's hair; have one's hair cut *(в парикмахерской)*

подстрóить *разг.* arránge

подстрóчный: ~ перевóд wórd-for-wórd translátion

пóдступ appróach; **~áть, ~и́ть** appróach

подсуди́мый *сущ.* the accúsed; the deféndant

подсýдн||ый: э́то ~ое дéло it is a púnishable offénce; it is agáinst the law

подсýнуть 1. put *(under)* **2.** *разг.* *(всучить)* slip *(under)*, palm off

под||счёт calculátion; ~ голосóв the count (at an eléction); **~считáть, ~счи́тывать** count (up), cálculate; ~счи́тывать голосá count the votes

подсылáть *см.* подослáть

подсыхáть *см.* подсóхнуть

подтáлкивать *см.* подтолкнýть

подтас||овáть, ~óвывать gárble, fake; ~óвывать фáкты give a garbled vérsion

подтáчивать *см.* подточи́ть

подтвер||ди́ть confírm; acknówledge *(получение)*; **~ди́ться** be confírmed; **~ждáть(ся)** *см.* подтверди́ть(ся); **~ждéние** confirmátion; acknówledgement *(получения письма и т. п.)*

под||терéть, ~тирáть mop up

подтолкнýть *(кого-л.)* give *smb.* a shove *(тж. перен.)*

подточи́ть 1. shárpen up **2.** eat awáy **3.** *перен.* undermíne

подтрýн||ивать, ~и́ть tease; bánter

подтя́гивать(ся) *см.* подтянýть(ся)

подтя́жки bráces; suspénders *(амер.)*

подтянýть 1. pull up *(кверху)*; tíghten up *(тж. перен.)* **2.** *(подпевать)* join in a cróoning song; **~ся 1.** *(об отстающих)* catch up with the rest **2.** *(подобраться)* brace oneséIf up

подýм||ать think; **~ывать** think *(of, about)*

подучи́ть 1. *(урок и т. п.)* learn **2.** *(обучить чему-л.)* teach

подýшка píllow; cúshion *(диванная)*

подхали́м bóotlicker; sýcophant, tóady; **~ничать** bóotlick, tóady, cringe; **~ство** bóotlicking

подхвати́ть, подхвáтывать 1. take, catch up **2.** *(песню)* join in a refráin

подхóд 1. appróach **2.** *(умение подойти)* méthod of appróach **3.** *(точка зрения)* point of view; **~и́ть** *см.* подойти́

подходя́щий súitable

подцепи́ть hook; *перен. разг.* pick up; catch *(болезнь и т. п.)*

подчáс *нареч.* now and agáin

подчёркивать, подчеркнýть underlíne; *перен.* émphasize

подчин||éние 1. *(действие)* submíssion **2.** *(состояние)* subordinátion; depéndence *(зависимость)*; **~ённый** *прил. и как сущ.* subórdinate; súbject; **~и́ть** subórdinate *(to)*; **~и́ться**

submit *(to)*; obéy *(повиноваться)*; **~я́ть(ся)** *см.* подчини́ть (-ся)

подше́фный únder the pátronage *(of)*

подшива́ть *см.* подши́ть

подши́пник *тех.* béaring

подши́ть 1. hem **2.** *(бумаги к делу)* file

под||шути́ть, ~шу́чивать play a práctical joke *(on)*

подъе́зд porch, éntrance

подъезжа́ть *см.* подъе́хать

подъём 1. *(восхождение)* ascént **2.** *(грузов и т. п.)* lífting **3.** *(промышленности и т. п.)* bóosting; devélopment *(развитие)* **4.** *(воодушевление)* enthúsiasm; úplift; animátion *(оживление)* **5.** *(ноги)* ínstep ◇ он лёгок на ~ he is réady for ánything; он тяжёл на ~ he's hard to budge

подъёмн||ый: ~ кран crane; ~ая маши́на lift ◇ ~ые (де́ньги) trávelling allówance *sg.*

подъе́хать drive up *(to)*

подыма́ть(ся) *см.* подня́ть(ся)

подыска́ть find; seléct *(выбрать)*

поды́скивать look *(for)*, try to find

подыто́ж||ивать, ~ить sum up

подыша́ть breathe; ~ чи́стым во́здухом have *(или* take) a breath of fresh air

поеди́нок dúel

по́езд train

пое́здка jóurney; trip, óuting; excúrsion *(экскурсия)*

пое́сть have smth. to eat

пое́хать go; depárt *(отправиться)*

пожале́ть *см.* жале́ть

пожа́ловаться *см.* жа́ловаться

пожа́луй perháps, véry líkely

пожа́луйста *частица* **1.** please; пе́йте чай, ~ have some tea, please **2.** *(в ответ на «спасибо»)* not at all, that's nóthing

пожа́р fire; **~ный 1.** *прил.* fire *attr.*; ~ная кома́нда fíre-brigade; ~ная маши́на fíre-engine **2.** *как сущ.* fíreman

пожа́тие: ~ руки́ hándshake

пожа́ть I press; ~ ру́ку shake hands *(with)*, shake smb. by the hand ◇ ~ плеча́ми shrug one's shóulders

пожа́ть II *прям., перен.* reap; ~ плоды́ свои́х трудо́в reap the fruits of one's lábour

пожела́||ние wish; **~ть** wish

поже́ртвова||ние contribútion; **~ть** sácrifice *(чем-л.)*

пожива́||ть: как вы ~ете? *разг.* how are you (gétting on)?

поживи́ться *разг.* prófit *(by)*

пожи́зненный life *attr.*, for life

пожило́й élderly

пожима́ть *см.* пожа́ть I

пожина́ть *см.* пожа́ть II

пожира́ть devóur *(тж. перен.)*

пожи́тк||и *разг.* belóngings; things *(вещи)* ◇ со все́ми ~ами with bag and bággage

по́за pose, áttitude

позабо́титься take care *(of)*; see *(to; о выполнении)*

поза́втракать (have) bréakfast *(о первом завтраке)*; (have) lunch *(о втором завтраке)*

позавчера́ *нареч.* the day befóre yésterday

позади́ *нареч. и предл.* behínd

позапро́шлый befóre last; ~ год the year befóre last

позва́ть call; send *(for; послать за кем-л.)*

позвол||е́ние permíssion; leave; с ва́шего ~е́ния with your permíssion; by your leave ◇ с ~е́ния сказа́ть *разг.* if I may say so; **~и́тельный** permíssible

позво́л||ить, ~я́ть allów, permít

позвони́ть ring; ~ по телефо́ну télephone, ring up

позвоно́||к *анат.* vértebra; **~чник** *анат.* spine, spinal cólumn; **~чные** *сущ. зоол.* vértebrates; **~чный** vértebral; ~чный столб *см.* позвоно́чник

по́зд||ний late; **~но 1.** *нареч.* late **2.** *предик. безл.* it is late

поздоро́ваться say "how do you do", greet *(smb.)*

поздра́в||ить congrátulate *(on)*; **~ле́ние** congratulátion; **~ля́ть** *см.* поздра́вить

поземе́льный land *attr.*; ~ нало́г lánd-tax

позицио́нн||ый: ~ая война́ trench wárfare

пози́ци||я *в разн. знач.* posítion; áttitude *(отношение)*; заня́ть ~ю take one's stand

познава́ть *см.* позна́ть

познако́мить acquáint *(with)*; introdúce *(to; представить)*; **~ся** make smb.'s acquáintance *(с кем-л.)*; acquáint oneсélf *(with; с чем-л.)*; рад с ва́ми ~ся glad to meet you

позна́||ние 1. *филос.* cognítion **2.** *мн.:* ~ния *(сведения)* knówledge *sg.*; **~ть 1.** get to know **2.** *(горе и т. п.)* expérience

позоло́т||а gílding; **~и́ть** gild

позо́р disgráce, shame; ínfamy; **~ить** disgráce; **~ный** shámeful, disgráceful

позы́в: ~ к рво́те féeling of náusea

поимённ||о *нареч.* by name; вызыва́ть ~ róll-call; **~ый:** ~ый спи́сок list of names

по́иск||и search *sg.*; в ~ах in search *(of)*

пои́стине *нареч.* indéed, in truth

пои́ть give to drink; wáter *(скот)*

по́йло swill; hóg-wash *(для свиней)*

пойма́ть catch; ~ на ме́сте преступле́ния catch in the act; ~ на сло́ве take smb. at his word

пойти́ *см.* идти́ 1, 3, 4, 6, 7, 8; ему́ пошёл девя́тый год he is in his ninth year; пошёл вон! off with you!

пока́ 1. *союз (в то время, как)* while **2.** *союз (до тех пор, пока)* until **3.** *нареч.* for the présent; ~ что in the méanwhile ◇ ~! *разг.* so long!

пока́з show, demonstrátion

показа́ние 1. *юр.* deposítion; téstimony, évidence *(свидетельство)*; affidávit *(под присягой)* **2.** *(термометра и т. п.)* réading

показа́тель 1. índex **2.** *мат.* expónent; **~ный 1.** *(характерный)* signíficant; э́то ~но it is signíficant **2.** *(для всеобщего ознакомления)* demonstrátion *attr.* **3.** *(образцовый)* módel *attr.*

показа́ть 1. show; ~ лу́чшее вре́мя *спорт.* clock (*или* make) the best time **2.** *юр.* bear wítness, téstify *(свидетельствовать)*; ~ под прися́гой téstify on oath

показ||а́ться 1. show onesélf **2.** *безл.*: мне ~а́лось it seemed to me *(that)*

показно́й for show; *(после сущ.)* feigned; put on *разг.*

пока́зывать *см.* показа́ть; **~ся** *см.* показа́ться 1

пока́т||ость declívity; slope *(скат)*; **~ый** slóping

покача́ть rock; swing ◇ ~ голово́й shake one's head

пока́чивать rock (slíghtly); **~ся** rock, stágger, tótter

покачну́ть shake; **~ся** sway

покая́ние 1. conféssion **2.** *(раскаяние)* repéntance

пока́яться 1. conféss **2.** *(раскаяться)* repént

поквита́ться *разг.* be quits *(with)*

покида́ть, поки́нуть leave, abándon

покла́дистый compliant

покла́жа load; lúggage *(багаж)*; freight *(груз)*

поклёп *разг.* false accusátion; slánder, cálumny

покло́н bow; переда́ть ~ give one's cómpliments *(to)*, remémber one to *(smb.)*

поклоне́ние wórship

поклони́ться bow

покло́нник admírer; wórshipper

поклоня́ться wórship

покля́сться swear

поко́иться 1. rest *(on)* **2.** *(об умершем)* lie

поко́й I rest ◇ уйти на ~ retíre

поко́й II *уст.* *(комната)* room, chámber ◇ приёмный ~ *(в больнице)* recéption room

поко́йник the decéased

поко́йн||ый I *(спокойный)* calm; quíet *(тихий)* ◇ **~ной** но́чи! good night!

поко́йный II **1.** *прил.* *(умерший)* late **2.** *как сущ.* the decéased

поколеба́ть shake, shátter; **~ся** wáver

поколе́ние generátion

поколоти́ть give a thráshing

поко́нчить fínish; ~ с чем-л. put an end to smth., do awáy with smth. ◇ ~ с собо́й commít súicide

покор||е́ние subjugátion; *перен.* cónquest; **~и́ть** subdúe, súbjugate; *перен.* cónquer; **~и́ться** submít *(to)*; give in *(уступить)*

поко́рн||о *нареч.* submíssively, obédiently: **~ость** submíssion, obédience; **~ый** submíssive, obédient

покоро́бить(ся) *см.* коро́бить (-ся)

покори́ть(ся) *см.* покори́ть (-ся)

поко́с 1. *(сенокос)* mówing, háymaking **2.** *(луг)* a méadow which is béing mown

покоси́ться 1. *(о здании)* sink to one side **2.** *(посмотреть искоса)* look askánce *(at)*

покра́жа *разг.* theft

покра́сить paint; dye *(ткань, волосы)*

покрасне́ть blush

покри́кивать shout *(at)*

покро́в cóver; *перен.* *тж.* shroud

покровитель pátron, protéctor; **~ственный** pátronizing; **~ство** pátronage, protéction; **~ствовать** pátronize, protéct

покрой cut

покрыва́||ло cóunterpane *(на кровать)*; veil *(вуаль)*; **~ть (-ся)** *см.* покры́ть(ся)

покры́||тие *(долгов и т. п.)* dischárge; páyment *(платёж)*; **~ть 1.** cóver; coat *(краской)* **2.** *(долг и т. п.)* dischárge; pay off; **~ться** cóver oneself

покры́шка 1. cóver **2.** *авт.* týre, óuter cóver

покупа́тель búyer, púrchaser; cústomer *(постоянный)*; **~ный:** ~ная способность púrchasing pówer *(денег или населения)*

покупа́ть buy, púrchase

поку́п||ка 1. búying **2.** *(купленное)* púrchase; пойти́ за ~ками go shópping; **~но́й** púrchase *attr.*; ~на́я цена́ púrchase price

покуш||а́ться 1. attémpt; ~ на чью-л. жизнь make an attémpt on smb.'s life; ~ на самоубийство attémpt súicide **2.** *(посягать)* encróach *(on)*; **~е́ние 1.** attémpt *(at)*; ~е́ние на чью-л. жизнь attémpt upón smb.'s life **2.** *(посягательство)* encróachment *(on, upon)*

пол I floor

пол II *биол.* sex

пол- *в сложн.* *(половина)* half; на полпути́ hálfway

пол||а́ flap of a coat ◇ из-под ~ы́ on the side *разг.*

полага́||ть think, believe, suppóse *(предполагать)*; guess *(амер.)*; **~ться 1.** relý *(upon)* **2.:** ~ется one is suppósed *(to)*; не ~ется one is not suppósed *(to)* **3.** *(причитаться)* be due *(to)*; ка́ждому ~ется по 5 рубле́й éveryone is to have five roubles

пола́дить come to an understánding *(with)*

полго́да half a year; six months *pl.*

по́лдень noon

по́л||е 1. field **2.** *(фон)* ground **3.** *(книги и т. п.)* márgin **4.** *мн.*: ~я́ *(шляпы)* brim *sg.* **5.** *физ.* field; **~ево́й** field *attr.*; ~евы́е цветы́ wild flówers

поле́зн||о *предик. безл.* it is úseful *(to)*; **~ый** úseful; good *(for)*; héalthy *(для здоровья)*; быть ~ым be of use *(to)*

полемизи́ровать pólemize, indúlge in polémics

поле́м||ика cóntroversy; polémics, dispúte; **~и́ческий** polémic(al)

поле́но log for the fire

поле́сье márshy scrub

полёт flight; пилоти́руемые косми́ческие ~ы manned space flights ◇ вид с пти́чьего ~а bird's-eye view

полете́ть 1. fly **2.** *разг.* *(упасть)* fall down

по́лзать *см.* ползти́

полз||ко́м *нареч.* on all fours; cráwling; **~ти́** creep, crawl; **~у́чий:** ~у́чие расте́ния créepers

полива́ть *см.* поли́ть

поли́вка wátering; ~ у́лиц wátering the streets

полиго́н *воен.* range

полиграф||и́ческий: ~и́ческая промы́шленность príntíng and públishing índustry; **~и́я** polýgraphy

поликли́ника óut-patients' clínic, polyclínic

полиня́лый fáded, discóloured

полиня́ть fade

полир||ова́ть pólish; ~**о́вка** pólish(ing)

политехни́ческий polytéchnic

поли́тика pólitics; pólicy; ми́рная ~ peace pólicy, the pólicy of peace

полити́ческ||ий polítical ◇ ~ая эконо́мия polítical ecónomy

политкружо́к polítical stúdy group

политрабо́тник polítical wórker

poли́ть pour *(on)*; wáter *(водой)*

полице́йский **1.** *прил.* políce *attr.* **2.** *сущ.* políceman

поли́ция políce

поли́чн||ое: пойма́ть с ~ым catch réd-hánded

полк régiment

по́лка I shelf

по́лка II *с.-х.* wéeding

полко́вник cólonel

полково́дец géneral

полково́й regiméntal

полне́ть put on weight

по́лно *разг.* *(перестаньте)* enóugh; that will do!; ~ ворча́ть! stop that grúmbling!

полно́ *нареч. разг.*: там ~ наро́ду there are plénty of people there; у него́ ~ де́нег he's got plénty of móney

полновла́стный sóvereign

полнокро́вный fúll-blóoded

полнолу́ние full moon

полномо́ч||ие pówer; plénary pówers *pl.*; превы́сить ~ия go beyónd one's commíssion; дава́ть ~ия empówer, commíssion; ~**ный:** ~ный представи́тель plenipoténtiary

полнопра́вный enjóying full rights

по́лностью *нареч.* complétely, útterly; in full *(подробно)*

полнота́ **1.** compléteness *(цельность)* **2.** *(человека)* stóutness; obésity *(чрезмерная)*

полноце́нный of full válue *(после сущ.)*

по́лночь mídnight

по́лн||ый **1.** *(наполненный)* full; packed *(набитый)*; ~ая таре́лка a full plate **2.** *(целый, весь)* compléte, tótal; в ~ом соста́ве in a bódy **3.** *(абсолютный)* ábsolute; pérfect *(совершенный)* **4.** *(о человеке)* stout; obése *(чрезмерно)*

полны́м-полно́ full (of); в ко́мнате ~ наро́ду the room is full of péople

полови́к mat

полови́н||а half; ~ тре́тьего half past two; в ~е ию́ля in the míddle of Julý; ~**ка** **1.** half **2.** *(створка двери и т. п.)* leaf; ~**чатый** *перен.* cómpromise *attr.*; ~чатое реше́ние a cómpromise decísion

полово́дье spring flood

полов||о́й I floor *attr.*; ~а́я тря́пка hóuse-flánnel; ~а́я щётка broom

полово́й II *биол.* séxual

по́лог (béd-)curtains *pl.*

поло́гий géntly slóping

положе́н||ие **1.** *(местоположение)* posítion, locátion **2.** *(ситуация)* situátion; быть на высоте́ ~ия rise to the occásion **3.** *(состояние)* condítion, state; вое́нное ~ mártial law; оса́дное

~ state of siege **4.** *(тезис)* thésis **5.** *(устав)* regulátions *pl.;* státutes *pl.;* ~ о вы́борах eléction regulátions

поло́жим *вводн. сл. (допустим)* assúming that

положи́тельн||ый pósitive; ~ отве́т affírmative ánswer ◇ ~ая сте́пень сравне́ния *грам.* pósitive degrée

положи́ть put; place *(поместить)* ◇ ~ нача́ло чему́-л. get smth. off the ground; ~ на му́зыку set to músic; ~ за пра́вило make it one's rule *(to);* **~ся** *см.* полага́ться 1

поло́зья rúnners

поло́мка bréakage

полоса́ 1. strip, piece *(материи, бумаги);* bar *(железа)* **2.** *(область)* région, zone **3.** *(период времени)* périod *(of)*

полоса́тый striped

полоска́||ние 1. *(действие)* rínsing; gárgling *(горла)* **2.** *(жидкость)* móuth-wash; gargle *(для горла);* **~тельница** slóp-basin; **~ть** rinse *(бельё, посуду, рот);* gargle *(горло);* **~ться 1.** *(плескаться в воде)* splash abóut **2.** *(от ветра)* flap

по́лость *анат.* cávity

полоте́нце tówel; посу́дное ~ dísh-cloth, dish tówel

полотёр flóor-polisher

поло́тнище breadth (of cloth)

полотн||о́ 1. línen **2.:** железнодоро́жное ~ ráilway bed, pérmanent way; **~я́ный** línen

поло́ть weed

полтора́ one and a half; **~ста** a húndred and fífty

полуботи́нки lácing (*или* wálking) shoes

полуго́д||ие hálf-yéar; six months *pl.;* **~и́чный** hálf-yéarly, sémi-ánnual

полугодова́лый six months old, hálf-year-óld

полуго́лый hálf-náked

полугра́мотный sémi-líterate

полу́денный mídday *attr.*

полукру́г sémicircle; **~лый** sémicírcular

полуме́ра half méasure

полумёртвый hálf-déad; more dead than alíve *(от страха)*

полуме́сяц hálf-móon; créscent *(серп)*

полумра́к sémi-dárkness

полу́но́чный mídnight *attr.*

полуоборо́т hálf-turn

полуо́стров península

полуоткры́тый hálf-ópen; ajár *(о двери)*

полусо́нный half asléep

полуста́нок requést halt; flág-station *(амер.)*

полутьма́ *см.* полумра́к

полуфабрика́т hálf-fínished próduct

получ||а́тель *(адресат)* addressée; **~а́ть(ся)** *см.* получи́ть(ся); **~е́ние** recéipt; подтверди́ть ~е́ние acknówledge the recéipt

получи́||ть recéive; get; obtáin *(добыть);* ~ по заслу́гам get one's desérts; **~ться** *(оказаться)* come out; результа́ты ~лись блестя́щие the resúlts excéeded all expectátions; из э́того ничего́ не ~лось nóthing came of it

полу́чка *разг.* **1.** *(зарплата)* páy(-packet) **2.** *(выдача зарплаты)* páy-day

полуша́рие hémisphere

полушу́бок hálf-length (shéep-skin) coat

полцены́: за ~ at hálf-príce

полчаса́ half an hour

по́лчище horde(s); *перен.* thóusands *pl.*, másses *pl.*

по́л||ый 1. *(пустой)* hóllow **2.:** ~ая вода́ high wáter in spring; spring flood

полы́нь wórmwood

по́льз||а use; prófit *(выгода)*; в ~у кого́-л. in smb.'s fávour

по́льзование use

по́льзоваться make use *(of)*; prófit *(by; извлекать выгоду)*; ~ креди́том have crédit; ~ отсу́тствием кого́-л. take advántage of smb.'s ábsence; ~ слу́чаем take an opportúnity; ~ уваже́нием enjóy (*или* be held in) respéct

по́лька I Pole

по́лька II *(танец)* pólka

по́льский Pólish: ~ язы́к Pólish, the Pólish lánguage

польсти́ть flátter; **~ся** be témpted *(by)*

полюби́ть 1. get (*или* come) to like **2.** *(влюбиться)* fall in love *(with)*

полюбо́вн||ый ámicable, fríendly; ~ое соглаше́ние a séttlement out of court (*или* by agréement)

по́люс pole

поля́к Pole

поля́на glade

поляриза́ция polarizátion

поля́рн||ый árctic, pólar; ~ое сия́ние Auróra Boreális

пома́да pomáde; губна́я ~ lípstick

помазо́к (little) brush

помале́ньку *нареч. разг.* little by little

пома́лкивать hold one's tongue

пома́рка blot

помаха́ть wave; ~ руко́й give a wave

пома́хивать swing

поменя́ть(ся) *см.* меня́ть(ся)

поме́рить *см.* ме́рить 2

поме́риться: ~ си́лами с кем-л. méasure swords with smb.

поме́ркнуть grow dim

помести́тельный róomy; spácious *(просторный)*

помести́ть 1. place: ~ статью́ get an árticle placed **2.** *(поселить)* accómmodate **3.** *(капитал)* invést; **~ся 1.** *(устроиться)* settle down, lodge **2.** *(уместиться)* find room *(for; о людях)*; go in *(о вещах)*

поме́стье estáte; pátrimony *(родовое, наследственное)*

по́месь cróss-breed, hýbrid

поме́сячн||о *нареч.* once a month; per month; **~ый** mónthly

помёт I dung, éxcrement; dróppings *pl.*

помёт II *(выводок)* lítter, brood; fárrow *(поросят)*

поме́т||ить mark; ~ число́ date; **~ка** mark, note

поме́х||а híndrance; óbstacle *(препятствие)*; служи́ть ~ой stand in the way *(of)*

помеча́ть *см.* поме́тить

поме́ш||анный 1. *прил.* crázy **2.** *как сущ.* mádman; **~а́тельство** cráziness; insánity *(безумие)*

помеша́ть I *(размешать)* stir

помеша́ть II *(воспрепятст-*

вовать) prevént *(from)*; distúrb *(побеспокоить)*

помешáться go mad; *перен.* be mad *(on, about)*

помéшивать stir slówly

помещ||áть *см.* поместúть; **~áться 1.** *см.* поместúться **2.** *(находиться)* be; be síituated *(in)*; **~éние 1.** *(действие)* locátion; invéstment *(капитала)* **2.** lódging *(квартира)*; prémises *pl. (для учреждения и т. п.)*

помéщи||к lándowner; **~ца** lánd-owning lády; **~чий** lánd-owner's; ~чий дом mánor-house

помидóр tomáto

помúлова||ние forgíveness, párdon; **~ть** show mércy, éxercise clémency

помúмо *предл.* **1.** *(сверх)* besídes **2.** *(без участия кого-л.)* apárt from *(smb.)*; всё совершúлось ~ меня́ I have had nóthing to do with this

помúн: лёгок на ~е *разг.* ≅ talk of the dévil (and he is sure to appéar)

помин||áть *см.* помянýть ◇ ~áй как звáли *разг.* he (she *etc.*) has vánished ínto thin air; не ~ лúхом *разг.* think kíndly of smb.

поминýтно *нареч.* évery móment (*или* mínute)

помирúть réconcile *(with)*; **~ся** make it up *(с кем-л. — with)*; be réconciled *(с чем-л. — to)*

пóмнить remémber; bear (*или* keep) in mind

помн||ожáть, ~óжить múltiply *(by)*

помогáть *см.* помóчь

по-мóему *нареч.* **1.** *(по моему мнению)* as I think, in my opínion, to my mind **2.** *(по моему желанию)* as I want; as I would like

помó||и dish (*или* waste) wáter *sg.*; slops ◇ облúть когó-л. ~ями *разг.* fling mud at smb.

помóйн||ый: ~ая я́ма césspit; ~ое ведрó slóp-pail

помóл gríinding

помóлвка engágement; betróthal

помолодéть look yóunger

помóст plátform, scáffold

помóчь help; assíst; réndor aid

помóщник assístant

пóмощ||ь help, assístance; aid; пéрвая ~ first aid; подáть рýку ~и lend a hélping hand; при ~и, с ~ью with the help of; без посторóнней ~и únassísted

пóмпа I *(насос)* pump

пóмпа II *(пышность)* pomp, state

помутнéние clóuding

помчáться dart off

помыкáть *(кем-л.)* órder *(smb.)* abóut

пóмысел thought *(мысль)*; desígn, inténtion *(намерение)*

помянýть make méntion *(of)*; ~ дóбрым слóвом *разг.* speak well *(of)*

помя́||тый crúmpled; **~ть** crúmple

понадéяться pin one's hope *(на кого-л. — on; на что-л. — upon)*

понáдобит||ься: мне э́то мóжет ~ I may be in need of it; éсли ~ся if nécessary

понапра́сну *нареч.* in vain, for nóthing *(зря)*

понаслы́шке by héarsay

по-настоя́щему *нареч.* próperly; trúly *(сильно)*

по-на́шему *нареч.* **1.** *(по нашему мнению)* as we think, in our opínion, to our mind **2.** *(по нашему желанию)* as we want; as we would like

понево́ле *нареч.* agáinst one's will *(против воли)*; ≅ needs must when the dévil drives

понеде́льник Mónday

понемно́||гу, ~жку *нареч.* little by little

понести́ *см.* нести́ I 1, 2; **~сь** *см.* нести́сь I

понижа́ть(ся) *см.* пони́зить (-ся)

пониже́ние drop, fall; ~ цен fall in príces; ~ в до́лжности demótion

пони́зить lówer; **~ся** fall, drop

поника́ть, пони́кнуть droop; wilt *(о растениях)*; пони́кнуть голово́й hang one's head

понима́||ние understánding, comprehénsion; **~ть** *см.* поня́ть

по-но́вому *нареч.* in a new fáshion; нача́ть жить ~ begín a new life

поно́с diarrhóea

поноси́ть I *(некоторое время)* **1.** cárry (for a while) **2.** *(платье)* wear (for a while)

поноси́ть II *(бранить)* abúse

поно́шенный shábby, thréadbare

понра́ви||ться catch the fáncy *(of)*; пье́са мне ~лась I liked the play

понто́нный: ~ мост pontóon bridge

пону́||дить, ~жда́ть compél; **~жде́ние** compúlsion

понука́ть urge on

пону́р||ить: ~ го́лову hang one's head; **~ый** dówncast

поню́хать *см.* ню́хать

поня́т||ие **1.** idéa, nótion **2.** *филос.* concéption, cóncept; **~ливый** quick, bright; **~но** **1.** *нареч.* cléarly **2.** *предик. безл.* it is clear; **~ный** intélligible; clear *(ясный)*

поня́ть understánd; comprehénd *(постичь)*; réalize *(осознать)*

пообе́дать eat (*или* have) dínner

пообеща́ть prómise

по́одаль *нареч.* fúrther off (*или* awáy)

поодино́чке *нареч.* one by one, one at a time

поочерёдно *нареч.* in turn, by turns, síngly

поощр||е́ние encóuragement, stimulátion; **~и́ть, ~я́ть** encóurage, stímulate

попада́||ние *(в цель)* scóring a hit; **~ть(ся)** *см.* попа́сть(ся)

попа́рно *нареч.* in pairs, in twos

попа́||сть **1.** get; catch *(на поезд и т. п.)*; chance to find onesélf *(очутиться)*; ~ за грани́цу chance to find onesélf abróad **2.** *(в цель)* hit ◇ мне ~дёт I'll get a scólding; как ~ло ány old how; **~сться** be caught; ~сться на у́дочку take (*или* swállow) the bait

поперёк *нареч. и предл.* acróss; он стои́т ~ доро́ги he blocks smb.'s way ◇ стать ~ го́рла кому́-л. stick in smb.'s gúllet

попереме́нно *нареч.* altérnately

попере́чн||ик diámeter; **~ый** diamétrical; ~ое сече́ние *мат.* króss-séction ◇ ка́ждый встре́чный и ~ый *разг.* ánybody and éverybody

попече́н||ие care; быть на ~ии be in (*или* left to) smb.'s care

попира́ть trample *(on)*; *перен.* defý; ~ права́ violate the rights *(of)*

поплаво́к float

попла́кать shed a few tears

поплати́ться (have to) pay *(for)*

попо́йка drínking órgy

попола́м *нареч.* in two, in half; fífty-fífty ◇ с грехо́м ~ só-so

поползнове́ние faint (*или* feeble) éffort

пополне́ние *в разн. знач.* reinfórcement; replénishment

попо́лн||ить, ~я́ть 1. fill (up); replénish **2.** *воен.* get reinfórcements

пополу́дни *нареч.* in the áfternóon

пополу́ночи *нареч.* áfter mídnight

попо́на hórse-blanket

попра́в||ить 1. *(починить)* repáir, mend **2.** *(ошибку и т. п.)* corréct **3.** *(привести в порядок)* put straight, réadjúst; ~ причёску smooth one's hair; **~иться 1.** get well, recóver; gain weight *(пополнеть)* **2.** *(о делах)* impróve; **~ка 1.** *(здоровья и т. п.)* recóvery **2.** *(исправление)* corréction; améndment *(к закону и т. п.)*; **~ля́ть(-ся)** *см.* попра́вить(ся)

попра́ть *см.* попира́ть

по-пре́жнему *нареч.* as befóre; as úsual *(как всегда)*

попрека́ть upbráid

попрёки nágging *sg.*

попрекну́ть *см.* попрека́ть

по́прище field; walk of life; на э́том ~ in this walk of life

попро́бовать *см.* про́бовать

попроси́ть *см.* проси́ть

по́просту *нареч. разг.* símply, withóut céremony

попроша́й||ка béggar; **~ничать** beg

попуга́й párrot

популя́рн||ость populárity; **~ый** pópular

попусти́тельство connívance; **~вать** connive *(at)*

по́пусту *нареч. разг.* in vain

попу́т||но *нареч.* in pássing, on one's way; at the same time *(в то же время)*; **~ный** pássing; ~ный ве́тер fair wind; **~чик** féllow-tráveller

попыта́ть: ~ сча́стья try one's luck; **~ся** try

попы́тка attémpt

попя́тный: идти́ на ~ *разг.* go back upón one's word

по́ра pore

пор||а́ 1. time; séason *(сезон)* **2.** *предик. безл.* it is time; давно́ ~ it is high time ◇ до ~ы́ до вре́мени for a cértain time; до каки́х пор? how long?; с каки́х пор? since when?; до сих по́р so far; up to now *(о времени)*; up to here *(о месте)*; на пе́рвых ~а́х at first; с неда́вних пор since récently

порабо||ти́ть, ~ща́ть enslávе; **~ще́ние** enslávement

поравня́ться draw lével *(with)*

пора́довать(ся) *см.* ра́довать(-ся)

поража́ть(ся) *см.* порази́ть(-ся)

пораже́ние defе́at ◇ ~ в права́х disfrа́nchisement

пораз||и́тельный strі́king; **~и́ть 1.** strike; defе́at *(неприятеля)*; hit *(о пуле)* **2.** *(удивить)* strike; **~и́ться** be surprі́sed

пора́нить wound

пора́ньше *нареч.* a bit е́arlier

порва́ть 1. tear **2.** *(с кем-л.)* break *(with)*

поре́з cut; **~ать** cut; **~аться** cut onesе́lf

по́ристый pо́rous

порица́||ние blame, reprо́ach; обще́ственное ~ pú̇blic cе́nsure; **~ть** blame, reprо́ach

по́ровну *нареч.* е̇qually, in е̇qual parts

поро́г 1. thrе́shold **2.** *(речной)* weir; rа́pids *pl.*

поро́да I *с.-х.* breed; *перен.* kind

поро́да II *геол.* rock

поро́дистый pе́digree *attr.*, pú̇re-bred *(о скоте, собаке)*

породи́ть give birth *(to)*; *перен.* give rise *(to)*

породни́ться becо́me relа́ted to by mа́rriage

порожда́ть *см.* породи́ть

поро́жний *разг.* е́mpty

по́рознь *нареч.* sе́parately

поро́й *нареч.* now and then

поро́к vice; defе́ct *(недостаток)*; ~ се́рдца *мед.* vа́lvular disе́ase of the heart

поросёнок sú̇cking-pig

по́росль young growth

поро́ть I *(сечь)* flog, whip

поро́ть II *(распарывать)* ú̇ndó; ú̇npick ◇ ~ горя́чку *разг.* be in a frа́ntic hú̇rry; ~ чушь *разг.* talk rot

по́рох (gú̇n)powder ◇ он ~а не вы́думает *разг.* he won't set the Thames on fire; **~ово́й** pо́wder *attr.*; ~ово́й склад pо́wder-magazine

поро́чный vі́cious, deprа́ved

порошо́к pо́wder; зубно́й ~ tо́oth-powder

порт port; hа́rbour *(гавань)*

портати́вный pо́rtable

портве́йн port

по́ртить spoil; dа́mage *(повреждать)*; corrú̇pt *(развращать)*; **~ся** go bad; rot *(гнить)*; decа́y *(о зубах)*

портн||и́ха drе́ssmaker; **~о́й** tа́ilor

портово́й port *attr.*; ~ го́род sе́aport

портре́т pо́rtrait, pі́cture

портсига́р cigarе́tte-case

португа́||лец Portuguе́se; **~льский** Portuguе́se; ~льский язы́к Portuguе́se, the Portuguе́se lа́nguage

портфе́ль bag, brі́ef-case; portfо́lio *(тж. министерский)*

портье́ра drа́pery, cú̇rtain; hа́ngings *pl.*

портя́нка fо́ot-cloth

пору́ганный о́utraged

поруга́ться quа́rrel *(with)*

пору́к||а bail; guarantе́e *(гарантия)*; на ~и on bail

по-ру́сски *нареч.* in Rú̇ssian; Rú̇ssian; говори́ть ~ speak Rú̇ssian; э́то напи́сано ~ it is wrі́tten in Rú̇ssian

поруч||а́ть *см.* поручи́ть; **~е́ние** commі́ssion; mе́ssage *(устное);* mission *(миссия);* **~и́ть 1.:** ~и́ть кому́-л. сде́лать что-л. set smb. to do smth. **2.** *(доверить)* entrúst

поручи́ться vouch *(for)*

порха́ть flit, flútter; fly abóut

по́рци||я pórtion; hélping *(кушанья);* две ~и сала́та sálad for two *sg.*

по́рча spóiling; dámage *(повреждение)*

по́ршень *тех.* píston

поры́в 1. *(ветра и т. п.)* gust **2.** *(о чувстве)* súdden lónging; óutburst

порыва́ть *см.* порва́ть 2

порыва́ться try, endéavour

поры́вист||ый gústy *(о ветре);* impétuous *(о человеке);* ~ые движе́ния jérky móvements

поря́дков||ый: ~ое числи́тельное *грам.* órdinal númeral

поря́д||ок *в разн. знач.* órder; по ~ку one áfter anóther ◇ ~ дня *(на повестке)* agénda, órder of the day; сло́во к ~ку веде́ния собра́ния spéaking to a point of órder; в обяза́тельном ~ке withóut fail; в спе́шном ~ке in haste; всё в ~ке éverything is all right; не в ~ке out of órder; э́то в ~ке веще́й it is quite nátural

поря́дочн||о *нареч.* **1.** *(изрядно)* fáirly, ráther, much **2.** *(довольно много)* fair amóunt *(of)* **3.** *(честно)* hónestly, décently; **~ость** hónesty, décency; **~ый 1.** hónest *(честный);* décent *(приличный)* **2.** *(довольно большой)* considerable

посади́ть 1. *(растение)* plant **2.** *(усадить)* ask to sit down; seat **3.** *(в тюрьму) разг.* put in jug

поса́дк||а 1. *(деревьев и т. п.)* plánting **2.** *(на пароход, самолёт, поезд)* bóarding **3.** *ав.* lánding; соверши́ть ~у land

поса́дочн||ый *ав.* lánding; ~ая площа́дка lánding ground

посвети́ть *(кому-л.)* hold the light *(for);* light the way *(for)*

посви́стывать whistle

по-сво́ему *нареч.* in one's own way

посвя||ти́ть, ~ща́ть 1. devóte **2.** *(книгу)* dédicate **3.** *(в тайну и т. п.)* let ínto *(a secret, etc.);* **~ще́ние 1.** *(в книге)* dedicátion **2.** *(в тайну и т. п.)* initiátion *(into)*

посе́в 1. *(действие)* sówing **2.** *(посеянное)* crops *pl.;* **~но́й** sówing; ~на́я пло́щадь sown área, área únder grain

поседе́ть turn grey

поселе́н||ец séttler; **~ие** *(посёлок)* séttlement

посели́ть 1. settle **2.** *(недоверие и т. п.)* cause, rouse; **~ся** settle

посёлок séttlement

поселя́ть(ся) *см.* посели́ть(-ся)

посети́||тель vísitor; guest *(гость);* ча́стый ~ a fréquent vísitor; **~ть** *см.* посеща́ть

посещ||а́емость *(лекций и т. п.)* atténdance; **~а́ть** vísit; call on; atténd *(лекции и т. п.);* **~е́ние** vísit; atténdance *(лекций и т. п.)*

посе́ять sow

поси́льный within one's pówers *(после сущ.)*

посине́ть turn blue

поскользну́ться slip

поско́льку *союз* so far as, since

посла́нец méssenger, énvoy

посла́ние méssage

посла́нник énvoy

посла́ть send; dispátch; ~ кого́-л. за чем-л. *(или* с ка́ким-л. поруче́нием) send smb. on an érrand; ~ телегра́мму send a télegram; ~ по по́чте mail, post; ~ приве́т send one's best wíshes *(или* one's regárds)

по́сле 1. *нареч.* afterwards; láter on *(позже)* **2.** *предл.* áfter; он пришёл ~ всех he came last; ~ э́того áfter that

послевое́нный póst-wár

после́дн||ий 1. last; látter *(из упомянутых)*; в ~ раз for the last time **2.** *(самый новый)* new, the látest; ~ие собы́тия the látest devélopments

после́дователь fóllower; **~ный 1.** succéssive **2.** consístent; lógical

после́довать fóllow

после́дствие cónsequence

после́дующий fóllowing; next *(следующий)*

послеза́втра *нареч.* the day áfter tomórrow

послеобе́денный áfter-dinner *attr.*; ~ сон siésta

послесло́вие épilogue

посло́вица próverb

послужи́ть serve for a cértain time; ~ приме́ром serve as an exámple

послужно́й: ~ спи́сок sérvice récord

послуша́ние obédience

послу́шать(ся) *см.* слу́шать (-ся)

послу́шный obédient

послы́ша||ться be heard; мне ~лось I thought I heard

посма́тривать glance at from time to time

посме́иваться chuckle

посме́ртный pósthumous

посме́ть dare; vénture *(отважиться)*

посме́шище láughing-stock

посмея́ться *см.* смея́ться

посмотре́ть look *(at)*; gaze *(at, пристально)*

посо́бие 1. bénefit **2.** *(учебник)* téxtbook

посо́бник accómplice

посо́л ambássador

посоли́ть salt

посо́льство émbassy

поспа́ть get some sleep

поспева́ть I *см.* поспе́ть I

поспева́ть II **1.** *см.* поспе́ть II **2.** *разг.* *(за кем-л.)* keep up (in step) *(with)*

поспе́ть I *(созреть)* rípen

поспе́ть II *разг.* be in time; не ~ be late; ~ на по́езд catch one's train; не ~ к по́езду miss one's train

поспеши́ть be in a húrry

поспе́шн||о *нареч.* prómptly, hástily; húrriedly *(торопливо)*; **~ый 1.** prompt, hásty; húrried *(торопливый)* **2.** *(необдуманный)* rash

посреди́ *предл.*, *нареч.* in the middle of

посреди́не *нареч.* in the middle

посре́дн||ик médiator; **~ичество** mediátion

посре́дственн||ость mediо́crity; **~ый** médiocre; satisfáctory *(об отметке)*

посре́дством *предл.* by means of

поссо́рить(ся) quárrel

пост post, job; занима́ть ~ hold a post

поста́вить 1. put, place; put up; eréct *(памятник)* **2.** *театр.* prodúce, stage, put on **3.** *(в картах)* stake ◇ ~ на своём have it one's own way; ~ себе́ за пра́вило make it one's rule (to + *inf.);* ~ часы́ set a watch; ~ кого́-л. на коле́ни force smb. on to his knees; ~ на вид réprimand

поста́в||ка delívery; supplý (-ing); **~ля́ть** supplý; **~щи́к** supplíer

постанови́ть 1. decrée **2.** *(решить)* decíde

постано́вка 1. *(де́ла и т. п.)* organizátion **2.** *театр.* stáging, prodúction **3.:** ~ го́лоса voice tráining

постановл||е́ние 1. *(общего собрания)* resolútion **2.** *(решение)* decísion **3.** *(распоряжение)* decrée; **~я́ть** *см.* постанови́ть

постара́ться try

постаре́ть grow old, age

по-ста́рому *нареч.* as befóre; as of old

посте́ль bed; **~ный** bed *attr.;* ~ные принадле́жности bédding *sg.;* ~ный режи́м kéeping one's bed

постепе́нн||о *нареч.* grádually, little by little; **~ый** grádual

постига́ть, пости́гнуть *см.* пости́чь

постила́ть *см.* постла́ть

пости́чь grasp, compréhénd

постла́ть spread; ~ посте́ль get a bed réady

по́стн||ый lénten ◇ ~ое ма́сло végetable oil

постóй *воен.* bílleting

посто́льку *союз* in so far as; ~ поско́льку so far as

посторони́ться step aside

посторо́нн||ий 1. *прил.* strange, fóreign **2.** *как сущ.* stránger, óutsíder; ~им вход воспрещён no admíttance

постоя́нн||о *нареч.* cónstantly; **~ый** cónstant; pérmanent; ~ый а́дрес pérmanent addréss

постоя́нство cónstancy

постоя́ть: ~ за себя́ stand up for onesélf

пострада́вший *как сущ.* víctim

пострада́ть 1. súffer *(from — от чего-л.)* **2.** súffer *(for — за что-л.)*

постр||ое́ние 1. constrúction; ~ коммуни́зма búilding of cómmunism **2.** *воен.* formátion; **~о́ить 1.** build, constrúct **2.** *воен.* form, draw up; **~о́иться** *воен.* form; draw up *(in);* **~о́йка** búilding

постро́мка trace

поступа́тельный progréssive

поступ||а́ть, ~и́ть 1. act; do **2.** *(обходиться)* treat; deal *(with)* **3.** *(зачисляться, вступать)* énter; join **4.** *(о заявлении и т. п.)* be recéived

поступи́ться waive; forgó

поступле́ние 1. *(куда-л.)* éntering; jóining *(в какую-л. организацию)* **2.** *(доходов, налогов)* recéiving; recéipt

посту́пок deed, áction

по́ступь step

постуча́ть(ся) knock *(at)*

посты́дный shámeful

посу́д||а díshes *pl.;* **~ный: ~ный** шкаф cúpboard

посчастли́ви||ться *безл.*: мне, ему́ ~лось I, he was lúcky (enóugh) *(to)*

посчита́||ться 1. *см.* счита́ться 1 **2.** *(с кем-л.)* be quits *(with)*, be éven *(with)*; я с ним ~юсь I shall get éven with him

посыла́ть *см.* посла́ть

посы́лка 1. *(действие)* sénding **2.** *(пакет)* párcel

посы́льный *сущ.* méssenger

посы́п||ать, ~а́ть pówder; strew; sprinkle

посяг||а́тельство encróachment *(upon)*; **~а́ть, ~ну́ть** encróach *(upon)*

пот sweat, perspirátion

потайно́й sécret

потака́ть indúlge, give way *(to)*

потасо́вка *разг.* brawl, fight

по-тво́ему *нареч.* **1.** *(по твоему мнению)* in your opínion; to your mind **2.** *(по твоему желанию)* as you want; as you would have it; пусть бу́дет ~ let's have it your own way

потво́рствовать connive *(at)*

потёмки the dark *sg.*

потемне́ть grow dark

потепле́ть grow wármer

потерпе́ть *см.* терпе́ть

поте́р||я 1. loss; waste *(времени, денег и т. п.)* **2.** *мн.*: ~и *воен.* cásualties; **~я́ть** lose; **~я́ть** из виду lose sight *(of)*; **~я́ть** вре́мя waste time; **~я́ться 1.** get lost **2.** *(растеряться)* be at a loss

потесни́ться make room

поте́ть sweat; perspíre; ~ *(над) разг.* sweat *(at)*

поте́ха fun

поте́шный fúnny, amúsing

потира́ть rub

потихо́ньку *нареч.* **1.** *(бесшумно)* nóiselessly, sílently **2.** *(тайком)* sécretly, by stealth **3.** *(медленно)* slówly

по́тн||ый swéaty; damp with perspirátion; **~ые** ру́ки clámmy hands

по-това́рищески *нареч.* as a cómrade

пото́к flow, stream, tórrent; ~ слов stream *(или* flood*)* of words

потоло́к céiling *(тж. ав.)*

потолсте́ть grow fat *(или* stout)

пото́м *нареч.* áfterwards *(после)*; then *(затем)*

пото́м||ок descéndant, óffspring; **~ство** postérity

потому́ 1. *нареч.* that's why **2.** *союз*: ~ что becáuse, for

потону́ть get drowned; sink *(о судне)*

пото́п déluge; flood *(наводнение)*

потопи́ть *(судно)* sink

потреб||и́тель consúmer; **~ле́ние** consúmption; **~ля́ть** consúme

потре́б||ность requírements *pl.*, need; demánd *(спрос)*; **~овать** *см.* тре́бовать

потрёпанный worn; shábby *(тж. перен.)*

потре́скаться crack; chap *(о коже)*

потрескивать crackle

потро||ха́ pluck *sg.;* **~ши́ть** disembówel; draw *(о птице)*

потруди́||ться *см.* труди́ться; он да́же не ~лся he didn't éven take the trouble

потряс||а́ть *см.* потрясти́; ~ ору́жием brándish arms; **~а́ющий** terrífic, stúnning; treméndous; **~е́ние** shock; **~ти́ 1.** shake **2.** *(поразить)* shock, astóund

поту́ги *(родовые)* lábour *sg.; перен.* vain attémpts

поту́пить: ~ взор cast down one's eyes

потускне́ть *см.* тускне́ть

потуха́ть, поту́хнуть go out

потуши́ть I, II *см.* туши́ть I, II

потя́гиваться *см.* потяну́ться 1

потяну́||ть 1. pull *(at, by)* **2.** *(весить)* weigh **3.** *безл. (повлечь)*: его́ ~ло домо́й he was hómesick

потяну́ться 1. stretch onesélf **2.** *(за чем-л.)* reach out *(for)*

поумне́ть grow wíser

поучи́тельный instrúctive

похвал||а́ praise; **~и́ть** praise; **~и́ться** boast *(of)*

похва́льный práiseworthy ◇ ~ лист testimónial

похва́стать(ся) boast *(of)*, brag *(about)*

похи́||тить, ~ща́ть steal; kídnap *(человека)*; **~ще́ние** theft; kídnapping *(человека)*

похлёбка *разг.* (thick) soup

похло́п||ать, ~ывать pat; ~ по плечу́ tap on a shóulder

похме́лье the mórning-áfter; hángover *(амер.)*

похо́д *воен.* campáign; вы́ступить в ~ set out, take the field

походи́ть *(напоминать)* look like; resémble

похо́дка walk, gait

похо́дн||ый: ~ поря́док márching órder; ~ая ку́хня field kítchen; ~ая крова́ть cámp-bed, fólding bed

похожде́ние advénture

похо́жий símilar, resémbling, like

похор||они́ть búry; **~о́нный** fúneral; ~о́нное бюро́ úndertaker's óffice; ~о́нный марш fúneral march

по́хороны búrial *sg.*, fúneral *sg.*

по́хоть lust

похуде́ть grow thin

поцелова́ть(ся) kiss

поцелу́й kiss

по́чва soil; ground *(тж. перен.)*

почём *нареч. разг. (по какой цене)* how much?; ~ молоко́? how much is milk? ◇ ~ я зна́ю? how on earth should I know?

почему́ *нареч.* why; вот ~ that is why

почему́-либо *нареч.* for some réason or óther

по́черк hánd(writing); име́ть хоро́ший ~ write a good hand

почерне́ть turn black

почерпну́ть deríve *(from)*; ~ зна́ния из книг deríve knówledge from books

почеса́ть(ся) *см.* чеса́ть(ся)

по́честь hónour

почёт hónour; о́рден «Знак Почёта» the Badge of Hónour;

~ный 1. hónourable **2.** *офиц.* hónorary; ~ное звáние hónorary title; ~ный член hónorary mémber **3.**: ~ное мéсто place of hónour; ~ный караýл guard of hónour

почи́н initiative

почини́ть repáir; mend *(обувь, одежду)*

почи́н||ка repáiring; ménding *(обуви, одежды)*; **~я́ть** *см.* починить

почитáние hónouring; respéct, estéem *(уважение)*

почитáть I *(чтить)* hónour; estéem, respéct; wórship

почитáть II *см.* читáть

почи́ть: ~ на лáврах rest on one's láurels

пóчка I *бот.* bud

пóчка II *анат.* kídney

пóчт||а 1. post **2.** *(корреспонденция)* mail; **~альóн** póstman; **~áмт** head póst-office

почтéн||ие respéct; **~ный** hónourable; vénerable *(о возрасте)*

почти́ *нареч.* álmost, néarly

почти́тельн||ый respéctful; на ~ом расстоя́нии at a respéctful dístance; at arm's length

почти́ть hónour *(by)*; ~ чью-л. пáмять вставáнием stand up in hónour of smb.'s mémory

почтóв||ый post *attr.*; póstal; ~ я́щик létter-box; ~ая открытка póstcard; ~ пóезд mail train

почýвствовать feel

почýди||ться seem; мне ~лось, что I had the impréssion that

пошатнýть shake; **~ся** stágger; lean on one side *(накрениться набок)*; break down, give way *(о здоровье)*

поши́в||ка séwing; **~очный** séwing *attr.*; ~очная мастерскáя séwing-shop

пóшлина dúty; cústoms *pl.*

пóшл||ость banálity, plátitude; **~ый** cómmonplace; platitúdinous

поштýчный by the piece *(после сущ.)*

пощáд||а mércy; **~и́ть** spare; have mércy *(upon)*

пощёчина slap in the face *(тж. перен.)*; box on the ear

пощýпать *см.* щýпать

поэ́зия póetry

поэ́ма póem

поэ́т póet; **~и́ческий** poétic

поэ́тому *нареч.* thérefore, that is why

появ||и́ться appéar; emérge *(на поверхности)*; **~лéние** appéarance; **~ля́ться** *см.* появи́ться

пóяс 1. belt, girdle; по ~ wáist-déep, wáist-hígh **2.** *геогр.* zone

поясн||éние explanátion; **~и́тельный** explánatory; **~и́ть** expláin

поясни́ца small of the back

поясня́ть *см.* поясни́ть

прабáбушка gréat-grándmother

прáвд||а truth; э́то ~ that's true ◇ всéми ~ами и непрáвдами by hook or by crook; **~и́вый** trúthful

правдоподóбный líkely; próbable *(возможный)*

прáвил||о rule; как ~ as a

rule; ~а у́личного движе́ния tráffic regulátions

пра́вильн||о 1. *нареч.* corréctly *(без ошибок)* **2.** *предик. безл.* it is corréct; это ~! that's right!; **~ый** right; corréct *(без ошибок)*

прави́тельственный góvernment *attr.*; governméntal

прави́тельство góvernment

пра́вить 1. góvern, rule **2.** *(лошадьми, автомобилем)* drive

правле́ние 1. góvernment **2.** *(учреждение)* administrátion, mánagement

пра́внук gréat-grándson

пра́в||о I *сущ.* **1.** right; ~ го́лоса the vote, súffrage; ~ на образова́ние right to educátion **2.** *мн.*: ~а́ *(свидетельство)* lícense *sg.*; води́тельские ~а́ dríving lícense **3.** *(наука)* law; изуча́ть ~ stúdy law

пра́во II *вводн. сл.* réally, trúly, indéed

правово́й légal, jurídical

правомо́чный cómpetent; áuthorized

правонаруши́тель delínquent, offénder

правописа́ние spélling, orthógraphy

правосу́дие jústice; отправля́ть ~ admínister jústice

правота́ ríghtness, corréctness

пра́вый I *(расположенный справа)* right

пра́в||ый II *(правильный, справедливый)* right; ~ое де́ло just cause

пра́вый III *полит.* ríght-wing *attr.*

пра́вящ||ий rúling; ~ие кла́ссы the rúling clásses

пра́дед gréat-grándfather

пра́здн||ик hóliday; **~овать** célebrate

пра́здн||ость ídleness; **~ый** idle

пра́ктик||а práctice; на ~е in práctice; **~ова́ть** práctise

практи́ч||еский, ~ный práctical

прах dust; áshes *pl.* *(останки)* ◇ всё пошло́ ~ом all went to rack and ruin

пра́ч||ечная láundry; wásh-house *(помещение)*; **~ка** láundress

пребыва́||ние stay, sójourn; **~ть** be; ~ть в неве́дении be in the dark

превзойти́ surpáss; excél *(кого-л.)*; ~ чи́сленностью outnúmber ◇ ~ самого́ себя́ surpáss onesélf

превозмо́чь overcóme

превознести́, превозноси́ть praise, extól

превосходи́ть *см.* превзойти́

превосхо́д||ный éxcellent, pérfect ◇ ~ная сте́пень *грам.* supérlative degrée; **~ство** superiórity

преврати́ть turn *(into)*, convért *(into)*; **~ся** turn *(into)*

превра́тн||о *нареч.* wróngly; ~ поня́ть get hold of the wrong end of the stick; **~ый** wrong

превращ||а́ть(ся) *см.* преврати́ть(ся); **~е́ние** transformátion

превы́||сить, ~ша́ть *(полномочия, права и т. п.)* excéed; **~ше́ние** excéeding; excéss *(излишек)*

прегра́да bar; óbstacle ◇ грудобрю́шная ~ *анат.* diaphragm

прегра||ди́ть, ~жда́ть bar, block up; ~ доро́гу bar the way *(to)*

предава́ть *см.* преда́ть

предава́ться give onesélf up *(to)*, abándon onesélf *(to)*

преда́ние légend; tradítion *(поверье)*

пре́данн||ость lóyalty, fáithfulness; devótion; **~ый** lóyal, fáithful; devóted

преда́тель tráitor; **~ский** tréacherous; **~ство** tréachery, betráyal

преда́ть 1.: ~ суду́ bring to tríal; ~ забве́нию consígn to oblívion; ~ земле́ commít to the earth **2.** *(изменить)* betráy

преда́ться *см.* предава́ться

предвари́тельн||ый prelíminary; ~ая прода́жа биле́тов advánce bóoking (of tíckets) ◇ ~ просмо́тр фи́льма, спекта́кля préview of a film, of a play; по ~ым подсчётам by rough calculátion; ~ое заключе́ние imprísonment befóre tríal

предве́стник fórerunner, precúrsor

предвеща́ть foretéll; porténd *(недоброе)*

предвзя́тый préconcéived, bíassed

предви́деть foresée; **~ся** be expécted

предвку||си́ть, ~ша́ть look fórward *(to)*; antícipate

предводи́тель léader; **~ствовать** commánd, lead

предвос||хи́тить, ~хища́ть antícipate

предвы́борн||ый pre-eléction *attr.*; ~ая кампа́ния pre-eléction campáign

преде́л límit; bound; положи́ть ~ put an end *(to)*

преде́льн||ый: ~ая ско́рость top speed; ~ое напряже́ние *тех.* bréaking point

предзнаменова́ние ómen

предикати́вный *грам.* predícative

предисло́вие préface

предлага́ть *см.* предложи́ть

предло́г I *(повод)* prétext, excúse; под ~ом on *(или* únder) the prétext *(of)*

предло́г II *грам.* preposítion

предложе́ние I **1.** óffer, suggéstion; mótion *(на собрании)*; propósal *(о браке)*; де́лать ~ кому́-л. make smb. an óffer; propóse to smb. *(о браке)*; принима́ть ~ accépt an óffer; accépt a propósal *(о браке)* **2.** *эк.:* спрос и ~ demánd and supplý

предложе́ние II *грам.* séntence; прида́точное ~ subórdinate clause

предложи́ть 1. óffer; suggést; move, propóse *(на собрании)* **2.** *(приказать)* órder, tell

предло́жный: ~ паде́ж *грам.* prepositional (case)

предме́стье súburb

предме́т 1. óbject; ~ы пе́рвой необходи́мости top priórities **2.** *(тема)* súbject, tópic; ~ спо́ра point at íssue **3.** *(в преподавании)* súbject **4.** *эк.* árticle

предназ||нача́ть, ~на́чить inténd, mean

преднаме́ренный preméditated

пре́док áncestor

предоста́в||ить, ~ля́ть let, give; leave *(to; позволять)*; ~ удо́бный слу́чай give an opportúnity; ~ в чьё-л. распоряже́ние place at smb.'s dispósal

предостер||ега́ть *см.* предостере́чь; **~еже́ние** wárning; **~е́чь** warn, cáution *(against)*

предосторо́жност||ь precáution; ме́ры **~и** precáutionary méasures

предосуди́тельный reprehénsible

предотвра||ти́ть, ~ща́ть prevént; ward off *(опасность)*

предохране́ние protéction, preservátion

предохрани́тель sáfety-lock, sáfety-catch; **~ный** precáutionary; **~ный** кла́пан *тех.* sáfety-valve

предохран||и́ть, ~я́ть protéct *(from, against)*

предписа́||ние instrúctions *pl.*; órder; согла́сно **~нию** by órder; **~ть, предпи́сывать** órder; dictáte

предполага́ть 1. *(намереваться)* inténd, propóse **2.** suppóse *(думать)*; assúme *(допускать)*

предполож||е́ние supposítion; assúmption *(допущение)*; **~и́ть** *см.* предполага́ть 2

предпосле́дний last but one

предпосы́лка 1. *филос.* prémise **2.** *(основание)* réason, ground

предпоч||е́сть, ~ита́ть prefér *(to)*; я бы **~ёл** I would ráther; **~те́ние** préference; **~ти́тельный** préferable

предприи́мчив||ость énterprise; **~ый** énterprising

предпринима́тель emplóyer, ówner (of a firm, of a búsiness)

предприн||има́ть, ~я́ть undertáke

предприя́тие énterprise; undertáking *(промышленное)*; búsiness *(торговое и т. п.)*; риско́ванное ~ vénture

предрасположе́ние prédisposítion *(to)*

предрассу́док préjudice

предреш||а́ть, ~и́ть decíde befórehand

председа́тель cháirman *(собрания)*; président *(правления и т. п.)*; **~ствовать** presíde *(at, over)*

предск||аза́ние próphecy; fórecast *(погоды)*; **~аза́ть, ~а́зывать** foretéll; predíct; próphesy; forecást *(особ. погоду)*

предсме́ртный death *attr.*

представа́ть *см.* предста́ть

представи́тель representative

представи́тельный I *полит.* represéntative

представи́тельный II *(о внешности)* impréssive

представи́тельство representátion; торго́вое ~ СССР Trade Delegátion of the USSR

предста́в||ить 1. *(что-л.)* presént; óffer, prodúce *(предъявить)* **2.** *(кого-л.)* introdúce **3.** *(себе что-л.)* imágine **4.** *театр.* perfórm; **~иться 1.** *(о случае и т. п.)* occúr, presént itsélf **2.** *(познакомиться)* introdúce oneséIf *(to)*

представле́ние 1. *театр.* show, perfórmance **2.** *(доку-*

ментов и т. п.) presentátion **3.** *(понятие)* idéa, nótion

представля́ть 1. *см.* предста́вить **2.** *(быть представителем)* represént ◇ ~ собо́й что-л. représent *(или* be) smth.; **~ся** *см.* предста́виться

предста́ть appéar *(before)*; ~ пе́ред судо́м appéar befóre the court

предсто||я́ть: мне ~и́т тру́дная рабо́та I have a hard job ahéad of me; **~я́щий** cóming, impénding

предубежде́ние préjudice

пред||угада́ть, ~уга́дывать foresée

предупреди́тель||ность cóurtesy; atténtion *(внимание)*; **~ный 1.** *(о мерах)* prevéntive, precáutionary **2.** *(о человеке)* oblíging; atténtive

предупре||ди́ть, ~жда́ть 1. nótify; let (smb.) know *(уведомить)* **2.** *(предостеречь)* warn; prevént *(предотвратить)* **3.** *(опередить)* forestáll, get ahéad; **~жде́ние 1.** nótice **2.** *(предостережение)* wárning

предусм||а́тривать, ~отре́ть foresée

предусмотри́тельный foreséeing; prúdent; ~ челове́к a man of fóresight

предчу́вств||ие preséntiment; **~овать** have a preséntiment

предше́ств||енник prédecessor; **~овать** precéde

предъяв||и́тель béarer; чек с упла́той на ~и́теля a cheque páyable to the béarer; **~и́ть, ~ля́ть** presént, prodúce; ~и́ть иск bring a suit *(against)*; ~и́ть пра́во raise a claim *(to)*

преды́дущий prévious, precéding

пре́емник succéssor

пре́емственность succéssion

пре́жде *нареч.* befóre; fórmerly *(в прежние времена)* ◇ ~ всего́ first of all

преждевре́менный prematúre, untímely

пре́жний prévious, fórmer

президе́нт président

прези́диум presídium

презира́ть despíse

презре́н||ие contémpt; scorn; **~ный** contémptible

презри́тельный contémptuous; scórnful

преиму́ществен||о *нареч.* máinly; **~ый 1.** prímary; príncipal **2.** *юр.* preferéntial

преиму́щество advántage; préference *(предпочтение)*

преклоне́ние admirátion *(for)*, wórship *(of)*

прекло́нный: ~ во́зраст a vénerable (old) age

преклоня́ться admíre, wórship

прекра́сн||о *нареч.* éxcellently, pérfectly; **~ый 1.** *(красивый)* béautiful, fine **2.** *(отличный)* éxcellent, cápital ◇ в оди́н ~ый день one fine day; ~ый пол the fair sex

прекра||ти́ть stop, cease, end; break off *(прервать)*; ~ войну́ put an end to the war; ~ подпи́ску díscontínue the subscríption; **~ти́ться** cease, end; **~ща́ть(ся)** *см.* прекрати́ть(ся)

прекраще́ние cessátion

преле́стный chárming, lóvely, delíghtful

пре́лесть charm, fascinátion

преломл||е́ние *физ.* refráction; **~я́ть** *физ.* refráct; **~я́ться** *физ.* be refrácted

пре́лый rótten

прельсти́ть entíce, attráct; **~ся** be attrácted *(by)*

прельща́ть(ся) *см.* прельсти́ть(ся)

премиа́льные *как сущ.* bónus *sg.*

преми́нуть: не ~ сде́лать что-л. not fail to do smth.

премиров||а́ть awárd a prémium; его́ ~а́ли кни́гой he was awárded a book as a prize

пре́мия prize; rewárd; bónus

премье́р prime mínister

премье́ра *театр.* first night, première ['premjə]

пренебре||га́ть negléct, dísregárd; scorn *(презирать)*; **~же́ние** negléct, dísregárd; scorn *(презрение)*; **~жи́тельный** scórnful

пренебре́чь *см.* пренебрега́ть

пре́ния debáte *sg.*, discússion *sg.*

преоблада́||ние predóminance, prévalence; **~ть** predóminate *(over)*, prevάil *(over)*

преобража́ть(ся) *см.* преобрази́ть(ся)

преобрази́ть transfórm; **~ся** be transfórmed

преобразова́||ние transformátion; refórm, réorganizátion *(реорганизация)*; **~ть** refórm; réorganize

преодо||лева́ть, ~ле́ть get óver; ~ тру́дности get óver dífficulties

препара́т preparátion

препира́||тельство altercátion, dispúte; **~ться** wrangle

преподава́||ние téaching; **~тель** téacher; **~ть** teach

препод||нести́, ~носи́ть presént

препя́тств||ие óbstacle, híndrance; **~овать** prevént *(from)*; hínder *(from)*; create óbstacles *(to)*

прерва́ть interrúpt; break off *(внезапно прекратить)*; cut short *(оборвать)*

препека́ться wrangle *(with)*, árgue *(with)*

пре́рии práiries

прерыва́ть *см.* прерва́ть

пресека́ть, пресе́чь stop, put an end *(to)*

пресле́дова||ние 1. persecútion; pursúit *(погоня)* **2.** *юр.* prosecútion; **~ть 1.** *(гнаться)* pursúe, chase, be áfter **2.** *(притеснять)* pérsecute **3.** *юр.* prósecute **4.** *(о мысли и т. п.)* haunt ◇ ~ть цель pursúe an óbject

пресловýтый notórious

пресмыка́||ться creep, crawl; *перен.* cringe; **~ющиеся** *зоол.* réptiles

пре́сный fresh *(о воде)*; únléavened *(о хлебе)*; insípid *(безвкусный)*

пресс press

пре́сса the press

пресс-конфере́нция press cónference

престаре́лый áged

прести́ж prestíge

престо́л throne

преступле́ние crime

престýпн||ик críminal; вое́нный ~ war críminal; **~ость** crìminálity; **~ый** críminal

пресы́||титься, ~ща́ться súrfeit; **~ще́ние** súrfeit, satíety

претвор||и́ть: ~ в жизнь put ínto práctice; **~и́ться:** ~и́ться в жизнь be réalized: **~я́ть(ся)** *см.* претвори́ть(ся)

претенде́нт cláimant *(to)*; contender *(for; в спорте)*

претендова́ть claim

прете́нзи||я 1. claim **2.** *(стремление произвести впечатление)* preténsion ◇ быть в ~и на кого́-л. be annóyed with smb.

претер||пева́ть, ~пе́ть súffer, undergó

преувел||иче́ние exaggerátion; **~и́чивать, ~и́чить** exággerate

преуменьша́ть, преуме́ньшить únderéstimate

преуспева́ть 1. succéed *(in)* **2.** *(процветать)* prósper

преуспе́ть *см.* преуспева́ть 1

пре́фикс *грам.* préfix

преходя́щий pássing, tránsient

при *предл.* **1.** *(около, возле, у чего-л.)* by, at, near; ~ доро́ге by the road; би́тва ~ Бородине́ the Battle of Borodinó **2.** *(присоединённый к чему-л.)* attáched to; го́спиталь ~ диви́зии a hóspital attáched to a divísion **3.** *(в присутствии)* in smb.'s présence; ~ мне in my présence; ~ де́тях befóre children; ~ посторо́нних befóre strángers **4.** *(во время, в период, в эпоху)* in the time of; únder; ~ Пу́шкине in Púshkin's time; ~ сове́тской вла́сти únder Sóviet pówer **5.** *(о сопутствующих обстоятельствах)* by, on; ~ электри́ческом све́те by eléctric light; ~ перехо́де че́рез у́лицу when cróssing the street; ~ э́тих слова́х héaring this **6.** *(при наличии)* with, when; in spite of, for *(несмотря на)*; ~ таки́х зна́ниях with such knówledge; ~ тако́м здоро́вье нельзя́ when one's health is so poor, one shouldn't; ~ всём моём уваже́нии к вам я не могу́ in spite of all my respéct for you, I can't **7.** *(с собой)* with, abóut; де́ньги бы́ли ~ мне I had the móney with me; у меня́ не́ было ~ себе́ де́нег I had no móney on me ◇ ~ всём том for all that

приба́в||ить add; incréase *(увеличить)*; ~ ша́гу mend one's pace; ~ в ве́се put on weight; **~иться** incréase *(увеличиться)*; becóme lónger *(о дне)*; **~ка, ~ле́ние** addítion; íncrease *(увеличение)*; **~ля́ть(-ся)** *см.* приба́вить(ся); **~очный** addítional; ~очная сто́имость *эк.* súrplus válue

прибега́ть I *см.* прибежа́ть

приб||ега́ть II, **~е́гнуть** resórt *(to)*

прибежа́ть come rúnning

прибе́жище réfuge

прибер||ега́ть, ~е́чь save up, resérve

прибива́ть *см.* приби́ть

прибира́ть *см.* прибра́ть

приби́ть 1. fásten; nail *(гвоздями)* **2.** *(к берегу)* wash ashóre **3.** *(пыль и т. п.)* lay

приближ||а́ть(ся) *см.* прибли́зить(ся); **~е́ние** appróach, dráwing near; **~ённый** appróximate

приблизи́тельн||о *нареч.* appróximately, róughly; **~ый** appróximate

прибли́зить bring néarer; **~ся** draw near, appróach

прибо́й surf

прибо́р 1. devíce, ínstrument **2.** *(комплект)* set

прибра́ть 1. put in órder, tídy; ~ ко́мнату do a room; ~ посте́ль make a bed **2.** *(спрятать)* put awáy

прибре́жный cóastal, of the séa-shore *(у моря)*; ríverside *attr.* *(у реки)*

прибыва́ть *см.* прибы́ть

при́быль prófit, gain; извлека́ть ~ prófit *(by)*; приноси́ть ~ pay; bring (in) prófit *(о предприятии)*; **~ный** prófitable

прибы́||тие arríval; **~ть 1.** arríve; get in *(о поезде)* **2.** *(увеличиться)* incréase; rise, swell *(о воде)*

прива́л halt

привезти́ bring

приверед||ливый fastídious; **~ничать** be fastídious, be hard to please

приве́ржен||ец adhérent; **~ный** devóted *(to)*

приве́сить suspénd

привести́ 1. bring **2.** *(к чему-л.)* lead *(to)*; resúlt *(in; кончиться чем-л.)* **3.** *(цитаты и т. п.)* addúce, cite **4.** *мат.* redúce **5.** *(в какое-л. состояние)*: ~ в восто́рг enrápture; ~ в отча́яние drive to despáir; ~ в замеша́тельство throw ínto confúsion; ~ в поря́док put in órder; ~ в де́йствие set in mótion

приве́т regárds *pl.*, gréetings *pl.*; **~ливость** warmth, friéndliness; **~ливый** friéndly; **~ствие** gréeting; **~ствовать** greet, wélcome; hail

приве́шивать *см.* приве́сить

привива́ть(ся) *см.* приви́ть(-ся)

приви́вка 1. *мед.* inoculátion; vaccinátion *(оспы)* **2.** *бот.* gráfting

привиде́ние ghost

привилегиро́ванный prívileged

привиле́гия prívilege

привинти́ть, приви́нчивать screw (up)

приви́ть 1. *мед.* inóculate; váccinate; *(оспу)* **2.** *бот.* graft; **~ся** *(о вакцине, черенке)* take

при́вкус touch *(of)*

привлека́тельный attráctive

привлека́ть *см.* привле́чь

привлече́ние: ~ к суду́ *юр.* prosecútion

привле́чь 1. attráct; ~ чьё-л. внима́ние attráct smb.'s atténtion **2.:** ~ к суду́ prósecute

приво́д *тех.* drive

приводи́ть *см.* привести́

приводно́й *тех.* dríving; ~ реме́нь dríving-belt

приво́з brínging; ímport *(из-за границы)*; **~и́ть** *см.* привезти́: **~но́й** impórted

приво́льный free

привста́ть hálf-rise *(to greet smb. etc.)*

прив||ыка́ть, ~ы́кнуть get used *(to)*; get accústomed *(to)*;

~ы́чка hábit; **~ы́чный** habítual, úsual

привя́занность attáchment

привяза́ть tie; fásten; **~ся** 1. *(полюбить)* get attáched *(to)* 2. *(надоедать)* bóther

привя́з||чивый *разг.* 1. afféctionate 2. *(придирчивый)* quárrelsome 3. *(надоедливый)* tíresome; **~ывать(ся)** *см.* привяза́ть(ся)

при́вя||зь téther *(пасущегося животного)*; leash *(собаки)*; на ~зи on a leash

пригла||си́тельный: ~ биле́т invitátion card; **~си́ть**, **~ша́ть** 1. invíte, ask; call *(врача)* 2. *(нанять)* engáge; **~ше́ние** invitátion

пригляде́ться, **пригля́дываться** 1. exámine (with atténtion) 2. get accústomed *(to)*

пригна́ть 1. *(скот)* gáther *(in)*, bring *(in)* 2. *(приладить)* adjúst, fit

пригово́р séntence; **~и́ть** séntence, condémn

приг||оди́ться be of use *(или* úseful); **~о́дный** fit; súitable; good *(for)*

пригоня́ть *см.* пригна́ть

приго||ра́ть, **~ре́ть** burn

при́город subúrb; **~ный** subúrban; ~ный по́езд lócal *(или* subúrban) train

пригóрок híllock

при́горшня hándful

приготови́тельный prepáratory

пригото́в||ить 1. *(уроки и т. п.)* prepáre 2. *(обед и т. п.)* cook; **~иться** prepáre; **~ле́ние** preparátion; **~ля́ть(ся)** *см.* пригото́вить(ся)

пригрози́ть *см.* грози́ть

придава́ть *см.* прида́ть

прида́ное dówry

прида́ток appéndage; appéndix *(мед.)*

прида́ть give; add *(прибавить)*

прида́ч||а: в ~у in addítion; ínto the bárgain

придвига́ть(ся) *см.* придви́нуть(ся)

придви́нуть move up, draw; **~ся** draw near, move up

приде́л||ать, **~ывать** attách, fix

приде́рживаться hold on *(to)*; *перен.* stick *(to)*, adhére *(to)*; ~ мне́ния be of the opínion; ~ бе́рега keep close to the shore

придира́ться *см.* придра́ться

приди́р||ка cávil, cáptious objéction; **~чивый** cáptious

придра́ться find fault *(with)* ◇ ~ к слу́чаю seize upón a chance

приду́м||ать, **~ывать** think *(of)*; invént *(выдумать)*

прие́з||д arríval; по ~де on one's arríval; с ~дом! wélcome!; **~жа́ть** *см.* прие́хать; **~жий** *как сущ.* néw-cómer, vísitor

приём I 1. *(гостей)* recéption 2. *(в организацию)* admíttance 3. *(доза)* dose; за оди́н ~ at one time, at one go *разг.*

приём II *(способ)* méthod, way

прие́млемый accéptable

приёмная *сущ.* recéption room; wáiting room *(у врача и т. п.)*

приёмник *радио* recéiver; wíreless set

приёмн||ый 1. recéption *attr.*; ~ день recéption day; ~ые часы́ recéption hours **2.:** ~ые испыта́ния éntrance examinátions **3.** *(об отце и т. п.)* fóster-; adópted; ~ оте́ц fóster-fáther; ~сын fóster-son, adópted son

прие́хать arríve, come

прижа́ть press; **~ся** press onesélf; ~ся к стене́ flátten onesélf agáinst the wall

при||же́чь cáuterize; **~жига́ние** cauterizátion; **~жига́ть** *см.* приже́чь

прижима́ть(ся) *см.* прижа́ть (-ся)

прижи́мистый *разг.* clóse-fisted, tight-físted

приз prize

призаду́м||аться, ~ываться becóme thóughtful

призва́ни||е vocátion, cálling; по ~ю by vocátion

призва́ть call; call up *(на военную службу)*

приземл||е́ние *ав.* lánding; **~и́ться, ~я́ться** *ав.* land

при́зма prism; **~ти́ческий** prismátic

признава́ть(ся) *см.* призна́ть(ся)

при́знак sign

призна́ние 1. *(чего-л.)* acknówledgement, recognítion **2.** *(в чём-л.)* conféssion; declarátion *(в любви)*

при́знанный acknówledged

призна́тельн||ость grátitude, thánkfulness; **~ый** gráteful, thánkful

призна́ть 1. acknówledge, récognize **2.** *(сознаться в чём-л.)* admít, own; ~ себя́ вино́вным plead guílty; не ~ себя́ вино́вным plead not guílty; **~ся** conféss, own

при́зра||к spéctre, ghost; **~чный** illúsory

призы́в 1. call, appéal; по ~у at the call *(of)* **2.** *(лозунг)* slógan **3.** *воен.* cáll-úp; seléction *(амер.)*; **~а́ть** *см.* призва́ть; **~а́ться** *воен.* be called up; **~ни́к** man called up for mílitary sérvice; **~но́й:** ~но́й во́зраст cáll-up age

при́иск mine; золоты́е ~и góld-field(s)

прийти́ come; arríve *(прибыть)* ◇ ~ к заключе́нию come to the conclúsion; ~ в упа́док fall ínto decáy; ~ в восхище́ние be delíghted *(with)*; ~ в отча́яние fall ínto despáir; ~ в у́жас be hórrified; ~ в себя́ come to onesélf

прийти́сь *безл.:* ему́ пришло́сь уе́хать he was fórced to leave ◇ ~ кому́-л. по вку́су be to smb.'s taste

прика́з, ~а́ние órder; **~а́ть, ~ывать** órder

прика́лывать *см.* приколо́ть

прикаса́ться *см.* прикосну́ться

прики́дывать(ся) *см.* прики́нуть(ся)

прики́нуть *разг.* **1.** *(на весах)* weigh róughly **2.** *(в уме)* get a rough idéa *(of)*; **~ся** *разг.* preténd (to be), feign

прикла́д I *(ружья)* butt

прикла́д II *(для платья)* accéssories *pl.*

прикладн||о́й applíed; ~ы́е нау́ки applíed sciences

прикла́дывать *см.* приложи́ть

при||кле́ивать, ~кле́ить stick, paste

приключ||а́ться *см.* приключи́ться; ~е́ние advénture; ~е́нческий advénture *attr.*; ~и́ться *разг.* háppen, occúr

прик||ова́ть, ~о́вывать chain; *перен.* rívet

прико́л: на ~е *(о судах)* tied up, moored

прикол||а́чивать, ~оти́ть nail, fásten with nails

приколо́ть pin

прикомандирова́ть attách *(to)*

прикосн||ове́ние touch; **~у́ться** touch

прикра́||сить, ~шивать embéllish

прикреп||и́ть 1. fásten; attách **2.** *(принять на учёт)* régister; **~ле́ние** fástening; attáchment; **~ля́ть** *см.* прикрепи́ть

прикрыва́ть(ся) *см.* прикры́ть(ся)

прикры́||тие *воен.* cóver; **~ть** cóver; close sóftly *(окно, дверь)*; protéct *(защитить)*; **~ться** cóver onesélf *(with)*

прику́р||ивать, ~и́ть get a light from smb.'s cigarétte; да́йте, пожа́луйста, ~и́ть! give me a light, please!

прикуси́ть bite

прила́в||ок cóunter; рабо́тник ~ка shop assístant

прилага́тельное *грам.* ádjective

прилага́ть *см.* приложи́ть

прила́||дить, ~живать fit

приласка́ть caréss, fondle; **~ся** snuggle up *(to)*

прилега́||ть 1. *(быть смежным)* adjóin, bórder **2.** *(об одежде)* fit clósely; **~ющий 1.** *(смежный)* adjóining, adjácent *(to)* **2.** *(об одежде)* clóse-fitting

прилежа́ние díligence

приле́жный díligent

прилеп||и́ть, ~ля́ть stick *(to)*

приле||та́ть, ~те́ть come flý-ing; arríve; arríve by air *(на самолёте)*; *перен. разг.* rush up, arríve in haste

приле́чь have a lie down

прили́в 1. *(морской)* high tide **2.** *(приток)* ínflow; ~ кро́ви rush of blood, flush; **~а́ть** *см.* прили́ть

при||липа́ть, ~ли́пнуть stick *(to)*

прили́ть *(о крови)* rush

прили́ч||ие décency; пра́вила ~ия rules of décency; **~ный** décent

прилож||е́ние 1. *(к журналу и т. п.)* súpplement **2.** *(к письму)* enclósure **3.** *грам.* apposítion; **~и́ть 1.** put; applý **2.** *(к письму и т. п.)* enclóse ◇ ~и́ть все стара́ния do one's útmost

прильну́ть cling *(to)*

прима́нка bait; lure

примен||е́ние applicátion; emplóyment; use *(употребление)*; **~и́ть, ~я́ть** applý; emplóy; use; ~и́ть на пра́ктике put ínto práctice

приме́р exámple, ínstance; привести́ в ка́честве ~а cite as an exámple; подава́ть ~ set an exámple

приме́р||ить try on *(на себя)*; fit *(на другого)*; **~ка** fítting

приме́р||но *нареч.* **1.:** ~ себя́ вести́ be an exámple **2.** *(приблизительно)* appróximately; **~ный 1.** exémplary **2.** *(приблизительный)* appróximate

примеря́ть *см.* приме́рить

при́месь admíxture

приме́т||а sign, tóken; **\~ы** distínctive marks

примеча́ние note; fóot-note *(в конце страницы)*

при||меша́ть, \~ме́шивать add, admíx

примина́ть *см.* примя́ть

примир||е́ние reconciliátion; **\~и́ть** réconcile *(to, with)*; **\~и́ться** make it up *(with — с кем-л.)*; réconcile onesélf *(to — с чем-л.)*; **\~я́ть(ся)** *см.* примири́ть(ся)

примити́вный prímitive

примкну́ть *(к чему-л.)* join, side *(with)*

примо́рский séaside *attr.*

примо́чк||а lótion; де́лать \~и applý lótion

при́мус prímus stove

примча́ться come téaring alóng

примыка́ть 1. *см.* примкну́ть **2.** *(быть смежным)* adjóin

примя́ть flátten; trample

принадлежа́ть belóng *(to)*

принадле́жн||ости accéssories; пи́сьменные \~ wríting-matérials; **\~ость** belónging *(to)*; \~ость к па́ртии párty-mémbership

принести́ 1. bring **2.** *(дать; об урожае)* yield ◇ \~ по́льзу be of use

принима́ть(ся) *см.* приня́ть(-ся)

принорови́ть adápt; fit; **\~ся** adápt onesélf *(to)*, accómmodate onesélf *(to)*

приноси́ть *см.* принести́

приноше́ние óffering, gift

принуди́тельный compúlsory; \~ труд forced lábour

прину́||дить, \~жда́ть compél, force; **\~жде́ние** compúlsion; **\~ждённый** forced

при́нцип prínciple; **\~иа́льно** *нареч.* on prínciple; **\~иа́льный** of prínciple

приня́||тие *(закона, резолюции и т. п.)* adóption; **\~ть 1.** *(кого-л.)* recéive **2.** *(пищу, лекарство и т. п.)* take **3.** *(подарок, извинение)* accépt; \~ть реше́ние decíde **4.** *(на работу)* take on; admít *(в школу)* **5.** *(за кого-л.)* take *(for)* ◇ \~ть уча́стие take part *(in)*; **\~ться 1.** *(за что-л.)* set *(to)*, begín; \~ться за рабо́ту set to work **2.** *(о растении, прививке)* take

приободри́ть encóurage; \~ кого́-л. cheer smb. up; **\~ся** cheer up

приободря́ть(ся) *см.* приободри́ть(ся)

приобре||сти́, \~та́ть 1. acquíre; \~ зна́ния acquíre knówledge **2.** *(купить)* buy; **\~те́ние** acquisítion

приобщ||а́ть, \~и́ть join, uníte; \~ к де́лу file

приостан||а́вливать, \~ови́ть stop; suspénd *(о приговоре и т. п.)*

приотвор||и́ть, \~я́ть ópen slíghtly; *(о двери тж.)* set ajár

припа́док fit, attáck

припас||а́ть, \~ти́ store (up), lay in store

припа́сы provísion *(съестные)*; munítions *(военные)*

припе́в refráin

приписа́ть 1. *(к письму и т. п.)* add **2.** *(что-л. кому-л.)* ascríbe *(to)*, attríbute *(to)*; impúte *(to; дурное)*

припи́с||ка póstscript; **~ывать** *см.* приписа́ть

припла́||та éxtra pay, addítional páyment; **~ти́ть** pay éxtra

припла́чивать *см.* приплати́ть

припло́д lítter, óffspring

припл||ыва́ть, ~ы́ть sail up *(to; о судне)*; swim up *(to; вплавь)*

приплю́снуть flátten

приподнима́ть(ся) *см.* приподня́ть(ся)

приподня́ть raise a little; **~ся** hálf-ríse *(to greet smb. etc.)*

прип||омина́ть, ~о́мнить remémber, recolléct

припра́в||а séasoning; **~ить, ~ля́ть** séason, flávour

припря́т||ать, ~ывать hide; lay up *(отложить)*

припугну́ть *разг.* intímidate; thréaten *(пригрозить)*

при́работок supplementáry (*или* éxtra) éarnings *pl.*

прира́вн||ивать, ~я́ть equáte

прираст||а́ть, ~и́ adhére *(to)*

приро́д||а náture; **~ный** nátural

прирождённый ínnáte, ínbórn

приро́ст íncrease

прируч||а́ть, ~и́ть tame

приса́живаться *см.* присе́сть

присва́ивать I, II *см.* присво́ить I, II

присвое́ние I apprópriátion

присвое́ние II awárding *(звания и т. п.)*; conférment *(степени)*

присво́ить I *(завладеть)* apprópriate; mísapprópriate *(незаконно)*; ~ себе́ пра́во usúrp the right

присво́||ить II give, awárd *(звание)*; confér *(степень)*; ему́ **~или** сте́пень до́ктора the degrée of dóctor was conférred upón him

присе́сть sit down, take a seat

прискака́ть come gálloping

приско́рбный sórrowful, regréttable

присла́ть send

прислон||и́ть, ~и́ться lean *(against)*; **~я́ть(ся)** *см.* прислони́ть(ся)

прислу́||га *собир.* sérvants *pl.*; **~живать** wait *(upon)*; **~живаться** suck up *(to)*

прислу́ш||аться, ~иваться lísten *(to)*

присма́тривать(ся) *см.* присмотре́ть(ся)

присмо́тр care; под **~ом** únder the care *(of)*

присмотре́ть *(за)* look *(after)*; **~ся** look atténtively *(at)*

присни́||ться: мне **~лось,** что I had a dream that; она́ мне **~лась** I dreamt abóut her

присоедине́ние 1. jóining; addítion *(прибавление)* **2.** *тех.* connéction

присоедин||и́ть join; add *(прибавить)*; **~и́ться** join; **~я́ть(-ся)** *см.* присоедини́ть(ся)

приспосо́бить fit, adápt; **~ся** adápt onesélf *(to)*, accómmodate onesélf *(to)*

приспособл||е́ние 1. *(действие)* adaptátion, accommodátion **2.** *(прибор)* device; **~я́ть(ся)** *см.* приспосо́бить(ся)

пристава́ть *см.* приста́ть

приста́вить put *(against)*, lean *(against)*; *перен.* leave in charge *(of)*, attách smb. *(to)*

приста́вка *грам.* préfix

приставля́ть *см.* приста́вить

при́стальный fixed, intént; ~ взгляд fixed stare

при́стань quay, pier; wharf *(грузовая)*

приста́ть 1. *(к берегу)* put in, land **2.** *(прилипнуть)* stick *(to)* **3.** *(надоесть)* bádger, wórry **4.** *(присоединиться)* join

прист||ёгивать, ~егну́ть buckle *(on)*, hook *(on)*

пристра́ивать(ся) *см.* пристро́ить(ся)

пристра́ст||ие líking *(for; склонность)*; partiálity *(to; необъективное отношение)*; **~ный** pártial; únfáir, préjudiced *(предвзятый)*

пристро́ить 1. *(к зданию)* attách, add **2.** *разг.* *(устроить)* settle, place; **~ся** find a place

пристро́йка ánnex(e)

при́ступ 1. *воен.* assáult, storm **2.** *(боли, гнева и т. п.)* fit, attáck

приступ||а́ть, ~и́ть begín; start

прист||ыди́ть shame; **~ыжённый** ashámed

прису||ди́ть, ~жда́ть 1. *(осудить)* séntence *(to)*, condémn *(to)* **2.** *(премию)* awárd; confér *(степень)*; **~жде́ние** awárding *(награды, премии)*; confërment *(степени)*

прису́тств||ие présence ◇ ~ ду́ха présence of mind; **~овать** be présent; attén d *(на лекции и т. п.)*; **~ующий** *как сущ.* présent; все ~ующие all those présent

прису́щ||ий úsual, habítual; с ~им ему́ ю́мором with his úsual húmour

присыла́ть *см.* присла́ть

прися́г||а oath; приводи́ть к ~е swear in; **~а́ть, ~ну́ть** swear, take an oath

притаи́ться keep quíet; hide *(спрятаться)*

притащи́ть lug in, drag in *(или* up); **~ся** *разг.* drag onesélf alóng

притвори́ться preténd (to be), feign; ~ больны́м preténd to be ill, feign íllness

притво́р||ный affécted, preténded, feigned; **~ство** preténce; **~щик** preténder; hýpocrite; **~я́ться** *см.* притвори́ться

притесн||е́ние oppréssion; **~я́ть** oppréss

притиха́ть, прити́хнуть grow quíet; quíet down

прито́к 1. *(реки́)* tríbutary **2.** *(наплыв)* flow, ínflux

прито́м *союз* (and) besídes

прито́н den; haunt

при́торный síckly sweet

притр||а́гиваться, ~о́нуться touch

притуп||и́ть blunt; *перен.* déaden; **~и́ться** becóme blunt; *перен.* becóme dull; **~ля́ть(ся)** *см.* притупи́ть(ся)

притяга́тельный attráctive

притя́гивать *см.* притяну́ть

притяжа́тельн||ый: ~ое местоиме́ние *грам.* possésive prónoun

притяже́ние attráction

притяза́ние preténsion, claim

притяну́ть attráct

приуро́ч||ивать, ~ить time

приуч||а́ть, ~и́ть accústom; train *(тренировать)*

прихв||а́рывать, ~орну́ть be únwéll

прихо́д I *(прибытие)* cóming, arrival; ~ к вла́сти cóming to pówer

прихо́д II *(доход)* recéipts *pl.*

приходи́ть *см.* прийти́

приходи́ться *см.* прийти́сь

приходя́щ||ий: ~ая домрабо́тница a dáily (wóman), home help

прихотли́вый whímsical, caprícious

при́хоть whim, caprice, fáncy

прихра́мывать limp

прице́л sight; взять на ~ aim *(at)*; **~иваться, ~иться** take aim (*или* a sight)

прице́н||иваться, ~и́ться *разг.* inquire the price *(of an article before buying it)*

прицеп||и́ть hook; couple *(ж.-д.)*; **~и́ться** stick *(to)*; cling *(to)*; *перен. разг.* nag *(at)*; **~ля́ть(ся)** *см.* прицепи́ть(ся); **~но́й:** ~но́й ваго́н tráiler

прича́л||ивать, ~ить moor

прича́стие *грам.* párticiple

причём 1. *союз* and what's more, and besides **2.** *нареч.*: а ~ же я тут? what's that got to do with me?

причеса́ть do the hair *(of)*; **~ся** do one's hair; have a háir-do, have one's hair done *(в парикмахерской)*

причёс||ка háir-do *(женская)*; háir-cut *(мужская)*; **~ывать (-ся)** *см.* причеса́ть(ся)

причи́на cause; réason *(основание)*

причин||и́ть, ~я́ть cause; ~ вред (do) harm; ~ боль pain, hurt

причи́сл||ить, ~я́ть número *(among)*, rank *(among)*

причита́ние lamentátion

причи||та́ться be due *(to)*; ему́ ~та́ется де́сять рубле́й he is due ten roubles; с вас ~та́ется два рубля́ two roubles are due from you

причу́д||а whim, fáncy; **~ливый** whímsical; fantástic *(фантастический)*

приши́бленный crést-fallen, dejécted

приш||ива́ть, ~и́ть sew *(on)*

пришпо́р||ивать, ~ить spur

прищем||и́ть, ~ля́ть pinch; shut *(in; прихлопнуть)*

прищу́р||иваться, ~иться screw up one's eyes

прию́т asýlum; órphanage *(детский)*; *перен.* shélter, réfuge; **~и́ть** shélter; **~и́ться** take shélter

прия́тель friend; **~ский** friendly, ámicable

прия́тн||о 1. *нареч.* pléasantly, agréeably **2.** *предик. безл.* it is pléasant (*или* agréeable); **~ый** agréeable, pléasant; ~ый на вкус pálatable, nice

про *предл.* abóut, of ◇ поду́мать ~ себя́ think to onesélf; чита́ть ~ себя́ read sílently

про́б||а 1. *(действие)* tríal, test; assáy *(испытание металла)* **2.** *(образчик)* sample **3.** *(пробирное клеймо)* hállmárk; зо́лото 56-й ~ы 14-cárat gold

пробе́||г run; race *(спорт.)*; **~га́ть, ~жа́ть 1.** *(расстояние)* cóver **2.** *(мимо)* run by (*или* past)

пробе́л 1. *(оставленное место)* blank, gap **2.** *(недостаток)* flaw

пробива́ть *см.* проби́ть I;

~ся 1. *см.* пробиться 2. *(о траве)* (begín to) shoot

пробира́ться *см.* пробра́ться

проби́рка tést-tube

проби́ть I *(отверстие)* make a hole

проби́ть II *(прозвонить)* strike

проби́ться make one's way through

про́бк||а 1. cork; stópper *(стеклянная)* **2.** *эл.* fuse **3.** *(затор)* tráffic jam (*или* block); blóckage; **~овый** cork *attr.*

пробле́ма próblem

про́блеск flash, gleam, ray

про́бн||ый tríal *attr.* ◇ ~ ка́мень tóuchstone; **~овать 1.** *(пытаться)* attémpt, try **2.** taste *(на вкус)*; feel *(на ощупь)*

пробо́ина hole

проболта́||ться blab, blurt out, come out *(with smth.)*; не ~йтесь! don't breathe a word!

пробо́р párting; косо́й ~ side párting; прямо́й ~ middle párting; де́лать ~ part one's hair

пробра́ться make one's way through

пробу||ди́ть(ся), ~жда́ть(ся) wake up; **~жде́ние** awákening

пробура́в||ить, ~ливать bore

пробы́ть stay, remáin

прова́л *(неудача)* fáilure; **~иваться, ~и́ться 1.** fall through **2.** *(терпеть неудачу)* fail

прова́нск||ий: ~ое ма́сло ólive oil

прове́дать 1. *(навестить)* come to see; pay a vísit *(нанести визит)* **2.** *(разузнать)* find out

провезти́ transpórt, get through, cárry; smuggle in *(контрабандой)*

прове́р||ить check, vérify; contról *(контролировать)*; **~ка** chéck-úp, contról; examinátion *(испытание)*; **~я́ть** *см.* прове́рить

провести́ 1. *(проложить)* build *(железную дорогу)*; ~ водопрово́д, газ *и т. п.* lay on wáter, gas *etc.* **2.** *(осуществить)* condúct; cárry out; hold *(собрание, конференцию)* **3.** *(время)* spend, pass; хорошо́ ~ вре́мя have a good time **4.** *(кандидата)* pass **5.** *разг.* *(обмануть)* fool ◇ ~ в жизнь put ínto práctice; ~ мысль devélop an idéa; ~ черту́ draw a line

прове́три||вать, ~ть air, véntilate *(тж. о помещении)*

прови́зия provísions *pl.*, fóod-stuff

провини́ться be at fault; be guílty *(of — в чём-л.)*; ~ пе́ред кем-л. owe smb. an apólogy

провинциа́льный províncial

прови́нция próvince

про́вод wire; связа́ться по прямо́му ~у с кем-л. get a diréct line to smb.

проводи́мость *физ.* conductívity

проводи́ть I *(кого-л. куда-л.)* accómpany; see smb. off; ~ кого́-л. домо́й see smb. home ◇ ~ глаза́ми fóllow with one's eyes

проводи́ть II **1.** *см.* провести́ **2.** *физ.* condúct ◇ ~ поли́тику ми́ра pursúe the pólicy of peace

прово́дка 1. *эл.* wíring **2.** *(провода)* wires *pl.*

проводни́к I **1.** guide **2.** *(в поезде)* guard; condúctor *(амер.)*

проводни́к II *физ.* condúctor

про́воды 1. séeing out (*или* to the door) *(after a party)* **2.** *(на станцию и т. п.)* séeing off **3.** fárewell párty *sg.*

провож||а́тый guide; **~а́ть** *см.* проводи́ть I

прово́з tránsport

провозгла||си́ть, ~ша́ть procláim; annóunce *(объявить)*; ~ тост *(за)* propóse (*или* drink) a toast *(to)*; **~ше́ние** proclamátion

провози́ть *см.* провезти́

провока́||тор agént provocatéur [a:'ʒa:ŋprɔvɔkə'tə:]; stóol-pigeon *разг.*: **~ция** provocátion

про́воло||ка wire; **~чный** wire *attr.*

прово́р||ный quick, prompt; **~ство** quíckness, prómptness

провоци́ровать provóke

прогада́ть míscálculate

прога́лина glade

прогл||а́тывать, ~оти́ть swállow ◇ сло́вно арши́н ~оти́л as stiff as a rámrod (*или* a póker)

прогляде́ть 1. *(не заметить)* overlóok; miss *(пропустить)* **2.** *(книгу и т. п.)* look through, skim

прогля́||дывать 1. *см.* прогляде́ть 2 **2.** *см.* прогляну́ть **3.** *(обнаруживаться)* be percéptible; **~ну́ть** *(о солнце и т.п.)* peep out, appéar

прогна́ть drive awáy

прогн||ива́ть, ~и́ть be rótten through

прогно́з prognósis, fórecast

проговори́ть *(произнести)* say; útter; **~ся** let out a sécret

проголода́ться get húngry

прогоня́ть *см.* прогна́ть

прого||ра́ть, ~ре́ть 1. burn through **2.** *разг.* *(разориться)* go bánkrupt, be ruined

прого́рклый rank, ráncid

програ́мма prógram(me); pláybill *(театральная)*; телевизио́нная ~ TV schédule

прогре́сс prógress; **~и́вный** progréssive; **~и́ровать** progréss, advánce

прогре́ссия *мат.* progréssion

прогр||ыза́ть, ~ы́зть gnaw through

прогу́л trúancy; shírking work

прогу́л||ивать *см.* прогуля́ть; **~иваться** take a walk, stroll; **~ка** walk

прогу́льщик shírker; trúant

прогуля́ть *(не работать)* shirk work

прогуля́ться go for a walk

продава́ть *см.* прода́ть; **~ся 1.** *(о предметах)* be on (*или* for) sale **2.** *см.* прода́ться

продав||е́ц shóp-assistant; **~щи́ца** shóp-girl, shóp-assistant

прода́ж||а sale, sélling; **~ный 1.** *(для продажи)* for sale **2.** *(подкупный)* corrúptible, corrúpt, vénal

прода́ть sell; **~ся** *(о человеке)* sell onesélf

продви||га́ть(ся) *см.* продви́нуть(ся); **~же́ние** adváncement; prógress

продви́нуть move on, push fórward; *перен.* promóte; **~ся** advánce

продéлать 1. *(выполнить)* do; perfórm **2.** *(сделать)* make

продéлка trick; prank *(шаловливая)*

продéлывать *см.* продéлать

продёргивать *см.* продёрнуть

продержáть hold (for a while); **~ся** hold out, stand

продёрнуть 1. pass, run through; ~ нúтку в иróлку thread a needle **2.** *разг.* *(в газете и т. п.)* críticize sevérely

продешевúть make a bad bárgain *(of)*

продиктовáть dictáte

продл||éние prolongátion; **~úть** prolóng, extend

продлúться last

продовóльств||енный food *attr.*; ~ магазúн grócery; provísion (*или* food) store *(амер.)*; **~ие** fóod-stuffs *pl.*

продолговáтый óblong

продолж||áтель contínuer; succéssor; **~áть** contínue; go on; **~áться** last; **~éние** continuátion; séquel; ~éние слéдует to be contínued

продолжúтельн||ость durátion; **~ый** long; на ~ое врéмя for a long time

продóльный longitúdinal

продрóгнуть be chilled; ~ до мóзга костéй be chilled to the márrow

продýкт 1. próduct; ~ы животновóдства ánimal próducts **2.** *мн.*: ~ы fóod-stuff *sg.*, provísions

продуктúвн||о *нареч.* efféctively, efficiently; **~ость** productívity; effíciency; **~ый** prodúctive

продуктóвый: ~ магазúн grócery; provísion store, food store *(амер.)*

продýкция prodúction, óutput

продýм||ать, ~ывать think óver; think out *(тщательно обдумать)*

продырявить make a hole *(in)*

проедáть *см.* проéсть

проéзд pássage; thóroughfare; ~а нет! no thóroughfare!; **~ить 1.** *см.* éздить **2.** *разг.* *(истратить на проезд)* spend (on trávelling); **~нóй:** ~нóй билéт trável pass; ~нáя плáта fare; **~ом** *нареч.* on one's way *(to)*

проезжáть *см.* проéхать

проéзж||ий 1. *прил.*: ~ая дорóга híghway **2.** *сущ.* tráveller

проéкт prófect; ~ резолюции draft resolútion; **~úровать** projéct; **~ор** projéctor

проéкция *мат.* projéction

проéсть 1. eat awáy *(о ржавчине, моли)*; corróde *(о кислоте)* **2.** *разг.* *(истратить на еду)* spend on food

проéхать pass *(by, through)*; go *(by, past)*

прожéктор séarchlight

прожéчь burn through

проживáть 1. live, resíde; stay *(временно)* **2.** *см.* прожúть 2

прожигáть *см.* прожéчь

прожúточный: ~ мúнимум mínimum (*или* líving) wage

прожúть 1. live **2.** *(истратить)* spend

прожóрлив||ость vorácity; **~ый** vorácious

прóза prose; **~úческий** prosáic

прозва́ть níckname; call *(назвать)*

про́звище níckname

прозева́ть *разг.* *(случай и т. п.)* let slip, miss

прозорли́вый cléar-héaded, shrewd, far-síghted

прозра́чный transpárent

прозяба́||ние vegetátion; vegetáting; **~ть** végetate

проигра́ть, прои́грывать lose

про́игрыш loss

произведе́ние 1. work **2.** *мат.* próduct

произвести́ 1. *(выполнить)* make; éxecute *(работу)*; efféct *(платежи)* **2.** *(породить)* give birth *(to)*; ~ на свет bring ínto the world ◇ ~ впечатле́ние make an impréssion

производи́тельн||ость productívity; ~ труда́ productívity (*или* óutput) per man; **~ый** prodúctive; ~ые си́лы prodúctive fórces

производи́ть 1. *см.* произвести́ **2.** *(товары)* prodúce

произво́дный *лингв., мат.* derívative

произво́дственн||ый indústrial; ~ые отноше́ния indústrial relátions; ~ стаж récord of sérvice; ~ое совеща́ние cónference on productívity (*или* on óutput); ~ое зада́ние óutput prógram

произво́дств||о 1. prodúction, manufácture; сре́дства ~а means of prodúction **2.** *(выполнение)* execútion; efféctіng *(платежей)* **3.** *разг.* *(фабрика, завод)* fáctory, works

произво́л týranny; árbitrary rule ◇ оста́вить на ~ судьбы́ leave to the mércy of fate

произво́льный árbitrary

произнести́ pronóunce; ~ речь make a speech

произно||си́ть *см.* произнести́; **~ше́ние** pronunciátion

произойти́ 1. *(случиться)* take place; háppen; occúr **2.** *(откуда-л.)* come *(from)*; descénd **3.** *(из-за чего-л.)* be the resúlt (of)

про́иски schemes, intrígues

проистека́ть, происте́чь resúlt *(from)*

происхо||ди́ть *см.* произойти́; **~жде́ние** órigin; по ~жде́нию by órigin

происше́ствие íncident; evént *(событие)*; áccident *(несчастный случай)*

прой||ти́ 1. pass; go **2.** *(о времени)* pass, elápse **3.** *(кончиться)* be óver, pass **4.** *(изучить)* learn, stúdy ◇ ему́ э́то да́ром не ~дёт he will have to pay for it; **~ти́сь** go for a walk

прок *разг.* gain; что в э́том ~у? what does one gain by this?

прока́за I *мед.* léprosy

прока́з||а II *(шалость)* míschief, trick; **~ник** míschievous child *(о ребёнке)*; **~ничать** be up to míschief

прока́лывать *см.* проколо́ть

прока́т I hire

прока́т II *тех.* rolled métal

прокати́ться go for (*или* take) a drive

прокипяти́ть boil thóroughly

прок||иса́ть, ~и́снуть turn sour

прокла́д||ка láying; constrúction; **~ывать** *см.* проложи́ть

проклама́ция léaflet

прокл||ина́ть, ~я́сть curse; **~я́тие 1.** curse **2.** *(восклицание)* damn(átion); **~я́тый** cursed, damned

проколо́ть pierce

прокорми́ть keep; províde *(for)*; **~ся** subsíst, live *(on)*

прокра́||дываться, ~сться steal *(into)*

прокурату́ра prósecutor's óffice

прокуро́р públic prósecutor

прокути́ть díssipate

пролега́||ть *(о дороге)* lie, run; доро́га ~ла че́рез по́ле the road lay (*или* ran) acróss a field

про́лежень bédsore

прол||еза́ть, ~е́зть get through; pénetrate *(проникнуть)*

пролёт 1. *(лестницы)* well **2.** *(моста)* span

пролетариа́т proletáriat

пролета́р||ий proletárian; ~ии всех стран, соединя́йтесь! wórkers of the world, uníte!; **~ский** proletárian; ~ская револю́ция proletárian revolútion; ~ский интернационали́зм proletárian internátionalism

проле||та́ть, ~те́ть fly (past); *перен.* pass rápidly; fly past (*или* by)

проли́в strait(s), sound

пролива́ть *см.* проли́ть

проливно́й: ~ дождь póuring (*или* torréntial) rain

проли́ть spill; shed *(кровь, слёзы)* ◇ ~ свет throw light *(upon)*

проло́г prólogue

проложи́ть lay *(трубы)*; ~ доро́гу build a road; *перен.* pave the way *(for)*, blaze a trail ◇ ~ себе́ доро́гу make one's way in life

проло́м break

пролом||а́ть, ~и́ть break; проломи́ть че́реп frácture the skull

прома́тывать *см.* промота́ть

про́мах 1. miss **2.** *(грубая ошибка)* blúnder

промахну́ться miss

промедле́ние deláy

промежу́т||ок ínterval, space; **~очный** intermédiate

промелькну́ть 1. flash **2.** *(о времени и т. п.)* fly by

променя́ть exchánge

промерза́ть, промёрзнуть freeze through

промока́тельн||ый: ~ая бума́га blótting-paper

пром||ока́ть, ~о́кнуть get wet; ~о́кнуть до косте́й get wet to the skin

промо́лвить útter, say

промолча́ть keep sílent

промота́ть squánder

промочи́ть wet thóroughly, drench, soak; ~ но́ги have wet feet

пром||това́рный: ~ магази́н stores *pl.*; depártment store *(амер.)*; **~това́ры** (промы́шленные това́ры) manufáctured goods

промча́ться rush past *(мимо)*; fly by *(о времени)*

промыв||а́ние wáshing; báthing *(раны)*; **~а́ть** wash; bathe *(рану)*

про́мыс||ел 1. *(ремесло)* trade; охо́тничий ~ húnting **2.** *(предприятие)*: ры́бные ~лы físhery *sg.*; соляны́е **~лы** sált-mines

промыслов||ый: ~ая коопера́ция prodúcers' co-operátion

промы́шлен||ник manufácturer, indústrialist; **~ность** índustry; **~ный** indústrial

пронести́ cárry *(by, past)*

пронести́сь rush past; fly by; пронёсся слух there was a rúmour

пронзи́тельный píercing

пронзи́ть run through, pierce

прон||иза́ть, ~и́зывать pierce (through); *перен.* pénetrate; **~и́зывающий** píercing

проника́ть *см.* прони́кнуть

проникнове́нный full of féeling; pathétic; móving

прони́кнуть pénetrate; run through *(пройти насквозь)*; **~ся** be imbúed *(with)*; be filled *(with)*

проница́тельный pénetrating

проноси́ть *см.* пронести́

проноси́ться *см.* пронести́сь

проны́рливый púshing, sly

пронюхать nose out

пропага́нд||а propagánda; **~и́ровать** propagándize; **~и́ст** propagándist

пропа||да́ть *см.* пропа́сть ◇ где вы ~да́ли всё э́то вре́мя? where did you get to all this time?

пропа́жа loss; míssing thing *(пропавшая вещь)*

про́пасть 1. précipice; abýss **2.** *разг.* *(множество)* a world *(of)*!

пропа́||сть 1. be míssing *(о людях)*; be lost *(о вещах)*; ~вший бéз вести míssing **2.** *(исчезнуть)* disappéar, vánish; die *(о чувствах и т.п.)* **3.** *(погибнуть)* pérish, die; я ~л! I am lost, I am done for **4.** *(пройти бесполезно)* be wásted

пропа́шка *с.-х.* cúltivating *(или* prepáring) (the soil) well

пропека́ть(ся) *см.* пропе́чь(ся)

пропе́ллер propéller

пропе́чь(ся) bake to a turn

пропива́ть *см.* пропи́ть

прописа́ть 1. *(лекарство и т. п.)* prescríbe, órder; ~ лека́рство write a prescríption **2.** *(паспорт)* régister; **~ся** have one's pássport régistered

пропи́ска *(паспорта)* vísa, registrátion

пропис||но́й: ~на́я бу́ква cápital létter; ~на́я и́стина cómmon truth, trúism

про́пись: писа́ть (ци́фры) ~ю write out (fígures) in words

пропита́ние subsístence; зараба́тывать себе́ на ~ earn one's líving

пропита́ть sáturate *(with)*; soak *(водой)*; oil *(маслом)*; **~ся** be sáturated *(with)*, be ímpregnated *(with)*

пропи́тывать(ся) *см.* пропита́ть(ся)

пропи́ть spend *(или* squánder) on drink

пропл||ыва́ть, ~ы́ть swim *(by, past, through; о человеке, животном)*; sail *(by, past, through; о судне)*; float *(by, past, through; о предмете)*; он ~ы́л два киломе́тра he swam two kílometres

пропове́довать preach

про́поведь sérmon; préaching

пропо́лка *с.-х.* wéeding

прополоска́ть *см.* полоска́ть

пропорциона́льн||о *нареч.* in

propórtion; **~ый** propórtional; propórtionate *(соразмерный)*

пропóрция propórtion

прóпуск 1. *(непосещение)* ábsence *(from)* **2.** *(упущение)* lapse, omíssion **3.** *(пробел)* blank, gap **4.** *(документ)* pass; pérmit *(разрешение)*; **~áть 1.** *см.* пропусти́ть **2.** *(насквозь)* let pass; leak *(течь)*; **~нóй:** ~нáя способность abílity to handle (*или* deal with); ~нáя спосóбность трáнспорта cárrying capácity

пропусти́ть 1. *(кого-л. куда-л.)* let pass **2.** *(поезд и т.п.)* miss **3.** *(оставить без внимания)* omit ◇ ~ ми́мо ушéй turn a deaf ear *(to)*

прораб||áтывать, ~óтать 1. *(изучать)* stúdy, work *(at)* **2.** *разг.* *(критиковать)* pick to píeces; **~óтка** *(изучение)* stúdy

прораст||áть, ~и́ gérminate; shoot; sprout *(давать ростки)*

прорвáть break through; **~ся 1.** burst ópen; break *(о нарыве)* **2.** *(через что-л.)* break through

прорéз slot, slit

прорéз||ать, ~áть cut through; **~аться, ~áться** *(о зубах)* cut

прорéха rent, tear

прорóк próphet

проронúть útter; не ~ ни слóва not to útter a word

прорóч||ество próphecy; **~ить** próphesy

проруб||áть, ~и́ть cut through; break *(лёд)*

прóрубь íce-hole

прорыв break

прорывáть I *см.* проры́ть

прорывáть II *см.* прорвáть; **~ся** *см.* прорвáться

проры́ть dig (through)

просáчиваться *см.* просочи́ться

просверли́ть bore, drill

просвéт clear space ◇ без ~а withóut a ray (*или* gleam) of hope

просвети́тельный instrúctive; educátional

просвети́ть I enlíghten

просвети́ть II *мед.* X-ray

просвет||лéние enlíghtenment; **~лéть** clear up; *перен.* bríghten up

просвéчив||ание *мед.* radióscopy; **~ать 1.** *см.* просвети́ть II **2.** *(быть прозрачным)* be translúcent

просвещ||áть *см.* просвети́ть I; **~éние** enlíghtenment; educátion *(образование)*; нарóдное ~éние públic educátion

прóседь: вóлосы с ~ю gréying hair

просéивать *см.* просéять

прóсека vista

просёлочн||ый: **~ая** дорóга cóuntry road

просéять sift

просидéть, проси́живать sit; ~ всю ночь за кни́гой sit up all night óver a book

проси́тель ápplicant

проси́ть 1. ask; demánd *(требовать)*; beg *(прощения и т. п.)* **2.** *(приглашать)* invíte

просия́ть bríghten; *перен.* bríghten up

проскáкивать *см.* проскочи́ть

проскáльзывать, проскользнýть slip in

проскочи́ть 1. rush by; slip past *(мимо)* **2.** *(об ошибке и т. п.)* creep (*или* slip) in

просла́в||иться becóme fámous; **~ля́ть** glórify; **~ля́ться** *см.* просла́виться

проследи́ть trace, track; obsérve

прослези́ться shed a tear

просло́йка láyer, seam; strátum *(тж. перен.)*

прослу́шать 1. *см.* слу́шать **2.** *(не расслышать)* miss, fail to hear, not catch *(what is said)*

прослы́ть be repúted *(for)*

просма́тривать *см.* просмотре́ть

просмо́тр examinátion *(документов и т. п.)*; ~ спекта́кля séeing a play

просмотре́ть 1. *(книгу, рукопись и т. п.)* look through **2.** *(пропустить)* miss, overlóok

просну́ться wake up, awáke

про́со míllet

просо́вывать *см.* просу́нуть

просо́хнуть get dry

просо́хший dried

просочи́ться leak *(наружу)*; pénetrate *(проникнуть)*

проспа́ть 1. *(до)* sleep through till **2.** *(пропустить)* óversléep; miss by óversléeping

проспе́кт *(улица)* ávenue

проспо́рить *разг.* *(проиграть)* lose a bet

просро́ченный óverdúe

просро́ч||ивать, ~ить: ~ упла́ту fall behínd with páyment(s); па́спорт ~ен the pássport has expíred; **~ка** deláy

проста́к símpleton

просте́нок *(между окнами)* pier, space betwéen the wíndows

простира́ться stretch

проститу́||тка próstitute, stréetwalker; **~ция** prostitútion

прости́ть forgíve; excúse *(извинить)*

прости́ться say góod-býe *(to)*, take leave *(of)*

про́сто 1. *нареч.* símply **2.** *предик. безл.* it is simple; that's éasy

простоду́шный símple-héarted

прост||о́й I *прил.* **1.** simple; éasy *(нетрудный)* **2.** *(обыкновенный)* cómmon, órdinary; **~ы́е** лю́ди cómmon people **3.:** **~о́е** предложе́ние *грам.* simple séntence; **~о́е** число́ *мат.* prime númber ◇ **~ы́м** гла́зом with the náked eye

просто́й II *сущ.* **1.** stánding idle **2.:** пла́та за ~ *(вагона, судна)* demúrrage

простоква́ша sour milk

просто́р spáciousness; space, scope *(раздолье)*; дать ~ своему́ воображе́нию give rein(s) to one's imaginátion; **~но** *предик. безл.* there is plénty of room; **~ный** spácious; róomy *(вместительный)*

простосерде́чный símple-héarted; frank *(откровенный)*

простота́ simplícity

простра́нный 1. *(обширный)* exténsive, vast **2.** *(многословный)* diffúse, verbóse

простра́нство space; área *(площадь)*; косми́ческое ~ (óuter) space

прострели́ть shoot through

просту́||да cold, chill; **~ди́ть** *(кого-л.)* let smb. catch cold; **~ди́ться** catch cold; **~жа́ть (-ся)** *см.* простуди́ть(ся)

просту́пок fault; offénce

простыня́ sheet

просу́нуть push through

просу́ш||ивать, ~и́ть dry; **~ка** drýing

просуществова́ть exíst

просч||ита́ться, ~и́тывать-ся míscálculate

просы́пать spill

просыпа́ть *см.* проспа́ть 1; **~ся** *см.* просну́ться

просыха́ть *см.* просо́хнуть

про́сьба requést; у меня́ к вам ~ I want to ask you a fávour; ~ не шуме́ть! sílence, please!

прота́лкивать *см.* протолкну́ть; **~ся** *см.* протолка́ться

прота́пливать *см.* протопи́ть

прота́||скивать, ~щи́ть pull through; drag through

проте́з artifícial limb; зубно́й ~ set of false teeth; **~ный** orthopáedic

протека́||ть 1. *(о реке)* flow **2.** *(просачиваться)* leak **3.** *(о времени)* elápse **4.** *(о процессе и т. п.)* procéed; боле́знь ~ет норма́льно the íllness is táking its nórmal course

проте́кция pátronage

протере́ть 1. *(вытереть)* wipe (dry) **2.** *(сквозь решето)* rub *(through)*

проте́ст prótest; **~ова́ть** protést, remónstrate

проте́чь *см.* протека́ть 2, 3, 4

про́тив *предл.* **1.** agáinst **2.** *(напротив)* ópposite **3.** *(вопреки)* cóntrary to ◇ я ничего́ не име́ю ~ I have nóthing agáinst it; вы ничего́ не име́ете ~? do you mind?

про́тивень róasting pan

проти́виться oppóse, objéct *(to)*; resíst *(сопротивляться)*

проти́вник 1. oppónent; ádversary *(соперник)* **2.** *(враг)* énemy

проти́вный I *(неприятный)* disgústing; násty *(о пище и т. п.)*

проти́вн||ый II *(противоположный)* ópposite, cóntrary; в ~ом слу́чае ótherwise

противове́с cóunterweight

противовозду́шн||ый ánti-áircraft; ~ая оборо́на ánti-áircraft defénce

противога́з gás-mask

противоде́йств||ие counteráction; **~овать** counteráct

противоесте́ственный unnátural

противозако́нный illégal

противополо́жн||ость cóntrast, ópposite; пряма́я ~ diréct ópposite; ~ **ый 1.** cóntrary **2.** *(о стороне и т. п.)* ópposite

противопоста́в||ить oppóse; **~ле́ние** opposítion; contrásting; **~ля́ть** *см.* противопоста́вить

противор||ечи́вый contradíctory; inconsístent *(непоследовательный)*; **~е́чие** contradíction; cónflict *(столкновение)*; **~е́чить** contradíct; run cóunter *(to)*

противостоя́ть resíst

противота́нковый ánti-tánk

противохими́че||ский ánti-gás; ~ская оборо́на ánti-gás protéction

противоя́дие ántidote

протира́ть *см.* протере́ть

проткну́ть pierce

протоко́л mínutes *pl*; récord *(заседания суда)*; вести́ ~ keep the mínutes

протолк||а́ться force one's way through; **~ну́ть** push through

протопи́ть heat

проторённ||ый béaten; **~ая** доро́жка béaten track

прототи́п prótotype

прото́чный flówing; rúnning

проту́хнуть becóme foul *(или* rótten)

протыка́ть *см.* проткну́ть

протя́гивать *см.* протяну́ть

протяже́ни||е extént, stretch; на ~и пяти́ киломе́тров for the space of five kílometres; на ~и пяти́ дней for five days

протя́жн||о *нареч.*: говори́ть ~ drawl; **~ый** *(о речи и т. п.)* dráwling

протяну́ть 1. *(натянуть)* stretch **2.** *(руку)* stretch out *(for)*, reach out *(for — за чем-л.)*; hold out *(для пожатия)* **3.** *(подать)* óffer, hold out

проучи́ть give a good lésson

профессиона́льный proféssional; ~ сою́з trade únion

профе́ссия proféssion

профе́сс||ор proféssor; **~у́ра 1.** *(звание)* proféssorship **2.** *(собир.)* proféssorate

профила́кт||ика prophyláctic *(или* prevéntive) méasures *pl.*; **~и́ческий** prophyláctic

про́филь prófile

профко́м (профсою́зный комите́т) lócal tráde-union commíttee

профсою́з trade únion; **~ный** tráde-union *attr.*; ~ный биле́т tráde-union card

прохла́д||а cóolness, fréshness; **~и́тельный** refréshing; ~и́тельные напи́тки soft drinks; **~ный** cool; fresh

прохо́д pássage; ~ закры́т no pássage ◇ от него́ ~у нет he is álways in the way *(или* péstering one)

проходи́мец *разг.* rogue

проходи́ть *см.* пройти́

проходно́й: ~ двор a yard with a thróugh-passage

прохо́жий *сущ.* pásser-bý

процвет||а́ние prospérity; **~а́ть** prósper

процеди́ть fílter; strain; pércolate

процеду́р||а procédure; суде́бная ~ légal *(или* court) procéedings *pl.*; лече́бные ~ы médical tréatment *sg.*

проце́живать *см.* процеди́ть

проце́нт 1. percéntage; per cent **2.** *(с капитала)* ínterest

проце́сс 1. prócess **2.** *юр.* tríal; case, láw-suit

проце́ссия procéssion; похоро́нная ~ fúneral procéssion

проче́сть read

про́ч||ий 1. *прил.* óther **2.** *как сущ.*: и ~ее et cétera *(сокр.* etc.); все ~ие the rest

прочи́стить clean

прочита́ть read

прочища́ть *см.* прочи́стить

про́чн||о *нареч.* fírmly, sólidly, well; **~ый** firm, sólid, dúrable; stable *(устойчивый)*; ~ый мир lásting peace

прочу́вствовать feel kéenly

прочь *нареч.* awáy!; off!; поди́те ~! off you go!, be off with you!; ру́ки ~! hands off!; ~ с глаз мои́х! get out of my sight! ◇ я не ~ *разг.* *(в ответ на вопрос)* I wouldn't mind; I don't mind if I do

проше́дшее *как сущ.* the past

проше́дш||ий past; last *(пос-*

ледний); ~ее врéмя *грам.* the past tense

прошéние petítion

прошептáть whísper

прошéстви||е: по ~и áfter the lapse *(of)*

проши́вка lace insértion *(in a dress)*

прошлогóдний last year's

прóшл||ое *сущ.* the past; ~ый past; last *(послéдний)*

прощáй(те) góod-býe

прощá||льный párting; fáre-wéll *attr.*; ~ние fárewéll; párt-ing *(расставáние)*

прощáть *см.* прости́ть

прощáться *см.* прости́ться

прощéни||е forgíveness, pár-don

прощýп||ать, ~ывать feel

прояви́тель *фото* devéloper

прояв||и́ть **1.** show, displáy; ~ забóту displáy solícitude **2.** *фото* devélop; ~лéние displáy, manifestátion; ~ля́ть *см.* прояви́ть

проясн||и́ться, ~я́ться clear up; *перен.* bríghten up

пруд pond

пружи́н||а spring; ~ный spring *attr.*

прут twig

пры́г||ать, ~нуть jump, leap; hop *(на однóй ногé)*

прыжóк jump, leap; ~ с па-рашю́том párachute jump

пры́ткий *разг.* quick, smart

прыть: во всю ~ as fast as one can

пры́щ(ик) pimple

пряди́ль||ный spínning; ~щик spinner

прядь lock *(of hair)*

пря́жа yarn, thread

пря́жка buckle, clasp

пря́лка dístaff *(ручнáя)*; spínning-wheel *(с колесóм)*

пря́мо *нарéч.* **1.** straight **2.** *(откровéнно)* fránkly

прямодýшие fránkness, straightfórwardness

прям||óй **1.** straight **2.** *(без пересáдок и т. п.)* through; пóезд ~óго сообщéния through train **3.** *(непосрéдственный)* di-réct **4.** *(откровéнный)* frank; sincére *(и́скренний)* ◇ ~áя речь *грам.* diréct speech; ~ ýгол *мат.* right angle

прямолинéйный straightfór-ward

прямотá diréct mánner

прямоугóльн||ик réctangle; ~ый rectángular

пря́ник cake; hóney cake *(медóвый)*

пря́ность spice

прясть spin

пря́т||ать hide; concéal *(скры-вáть)*; ~аться hide; ~ки híde-and-séek *sg.*

псевдони́м pséudonym; pén--name *(литератýрный)*

психиáтр psychíatrist; ~и́я psychíatry

пси́х||ика psychólogy; ~и́че-ский méntal; ~óз psychósis

психó||лог psychólogist; ~-логи́ческий psycholó́gical; ~-лóгия psychólogy

птенéц néstling

пти́ца bird; домáшняя ~ *собир.* póultry

птицевóдство póultry-kéep-ing

пти́ч||ий bird's; póultry *attr.*: ~ двор póultry run ◇ вид с ~ьего полёта bírd's-eye view

пу́блика públic; áudience *(в театре и т. п.)*

публи́чный públic

пу́гало scárecrow

пуга́ть fríghten; **~ся** be fríghtened

пугли́вый féarful; tímid *(робкий)*

пу́говица bútton

пу́др||а pówder; **~еница** pówder-case; **~ить** pówder; **~иться** pówder oneséIf

пузырёк 1. *(бутылочка)* phíal **2.** *(воздуха)* bubble

пузы́рь 1. bubble **2.** *(от ожога)* blíster **3.** *анат.* bládder

пук bunch *(цветов)*; bundle *(прутьев)*; bundle, wisp *(соломы)*

пулемёт machíne-gun; **~ный** machíne-gun *attr.*; ~ный ого́нь machíne-gun fire; **~чик** machíne-gunner

пульс pulse; **~а́ция** pulsátion

пульси́ровать pulse

пу́ля búllet; град пуль hail of búllets

пункт 1. point **2.** *(место)* státion; медици́нский ~ dispénsary; *воен.* first aid point *(или* státion); призывно́й ~ recrúiting státion **3.** *(параграф)* ítem; по всем ~ам at all points

пункти́р dótted line; начерти́ть ~ом dot

пунктуа́льный púnctual

пунктуа́ция *грам.* punctuátion

пунцо́вый crímson

пупови́на *анат.* umbílical cord

пупо́к nável

пурга́ snów-storm, blízzard

пу́рпур purple

пурпу́ровый purple

пуск stárting *(завода и т. п.)*; sétting in mótion *(машины и т. п.)*

пуска́й *передаётся через форму гл.* let *(+inf.)*; ~ он идёт let him go

пуска́ть(ся) *см.* пусти́ть(ся)

пусте́ть becóme émpty; becóme desérted *(становиться безлюдным)*

пусти́ть 1. let go; set free *(дать свободу)* **2.** *(впустить)* let in **3.** *(позволить)* permit **4.** *(машину)* set in mótion; set up *(завод)* ◇ ~ слух spread a rúmour; **~ся** start; ~ся бежа́ть start rúnning; ~ся в путь set off

пустова́ть stand émpty; lie fállow *(о земле)*

пуст||о́й 1. émpty; hóllow *(полый)*; úninhábited *(нежилой)*; vácant *(незанятый)* **2.** *(бессодержательный)* idle *(о разговоре)*; shállow *(о человеке)* **3.** *(неосновательный, напрасный)* vain, úngróunded; ~ы́е слова́ mere words; ~а́я отгово́рка lame excúse

пустота́ 1. émptiness **2.** *физ.* vácuum

пусты́нный desérted; úninhábited *(необитаемый)*

пусты́ня désert

пусты́рь waste ground

пусть *см.* пуска́й

пустя́к trifle

пустяко́вый, пустя́чный trífling

пу́та||ница confúsion; **~ть** confúse

путёвка pérmit; card of admíssion

путеводи́тель guide-book

путём *предл.* by means of

путеше́ств||енник tráveller; **~ие** jóurney; vóyage *(по морю)*; **~овать** trável; vóyage *(по морю)*

пути́на físhing séason

пут||ь 1. road, way; во́дным ~ём by wáter; ~и́ сообще́ния means of communicátion **2.** *(путешествие)* jóurney; по ~и́ on the way; на обра́тном ~и́ on the way back; в трёх днях ~и́ three days' jóurney awáy *(from)* **3.** *(способ)* means, way; ми́рным ~ём péacefully **4.** *(направление развития)* way, path; по ле́нинскому ~и́ in the steps of Lénin ◇ стоя́ть на чьём-л. ~и́ be in smb.'s way

пух down ◇ разби́ть в ~ и прах *разг.* rout complétely

пу́хлый plump; chúbby

пу́хнуть swell

пухо́вка pówder-puff

пухо́вый made of down, down *attr.*

пучи́на gulf; морска́я ~ the deep

пучо́к 1. small bunch; wisp *(сена, соломы)* **2.** *(причёска)* bun, knot

пу́шечн||ый gun *attr.*; ~ая пальба́ cannonáde; ~ое мя́со cánnon fódder

пуши́нка fluff

пуши́стый dówny, light, flúffy

пу́шка gun

пушн||и́на furs *pl.*; **~о́й** зверь fúr-béaring ánimal

пчел||а́ bee; **~ово́д** bée-master; **~ово́дство** bée-keeping

пче́льник ápiary

пшени́||ца wheat; **~чный** whéaten

пшённый míllet *attr.*

пшено́ míllet

пыл árdour; pássion; в ~у́ сраже́ния in the heat of battle

пыла́ть 1. flame, blaze; be on fire *(о доме и т. п.)*; *перен.* glow **2.** *(любовью и т. п.)* burn *(with)*; ~ гне́вом be in a rage

пылесо́с vácuum cléaner

пы́лкий árdent; pássionate *(страстный)*

пыль dust ◇ пуска́ть ~ в глаза́ *(обмануть)* throw dust in smb.'s eyes; **~ный** dústy

пыльца́ *бот.* póllen

пыта́ть *(мучить)* tórture

пыта́ться attémpt, try

пы́тка tórture; tórment *(моральная)*

пытли́вый inquísitive, séarching, keen

пыхте́ть pant, puff

пы́ш||ность spléndour, magníficence; **~ный 1.** *(роскошный)* magníficent **2.** *(о растительности)* rich, luxúriant

пьедеста́л pédestal

пье́са 1. *театр.* play **2.** *муз.* piece

пьяне́ть show the ínfluence of drink

пья́н||ица drúnkard; **~ство** hard drínking; **~ствовать** drink hard; **~ый** drunk, típsy

пюпи́тр *(для нот)* músic stand; réading desk

пюре́ purée; карто́фельное ~ mashed potátoes *pl.*

пядь (fínger) span; *перен.* inch

пя́льцы círcular embróidery-frame *sg.*

пята́ heel

пята́к, пятачо́к *разг.* five-copeck coin

пятёрка 1. five **2.** *разг. (пять рублей)* five-rouble note **3.** *(отметка)* éxcellent

пя́теро five; нас бы́ло ~ there were five of us

пятидеся́тый fiftieth

пятиконе́чн||ый: ~ая звезда́ five-pointed star

пятиле́т||ка *(пятилетний план)* five-year plan; **~ний** five-year *attr.;* five-year-óld *(о возрасте)*

пятисо́тый five-húndredth

пя́титься move báckward(s); back, revérse

пятиуго́льник *геом.* péntagon

пя́тк||а heel ◇ у него́ душа́ в ~и ушла́ his heart sank, his heart leapt into his mouth

пятна́дца||тый fiftéenth; **~ть** fiftéen

пятни́стый spótted; ~ оле́нь spótted deer

пя́тница Fríday

пятно́ stain; spot *(тж. перен.);* роди́мое ~ bírth-mark

пято́к *разг.* five

пя́тый fifth

пять five

пятьдеся́т fifty

пятьсо́т five húndred

пя́тью *нареч.* five times

Р

раб slave

рабовладе́льческий sláve-ówning

раболе́п||ие servílity; **~ный** sérvile; **~ствовать** *(перед) прям., перен.* cringe *(to)*

рабо́т||а *в разн. знач.* work; обще́ственная ~ sócial work; дома́шняя ~ hóusework; home work *(задание);* **~ать 1.** work; ~ать над чем-л. work at *(или* on) smth.; заво́д ~ает непреры́вно the fáctory runs 24 hours a day **2.** *(быть открытым)* be ópen

рабо́тни||к wórker; cásual wórker *(подённый);* **~ца** wóman wórker; дома́шняя ~ца (doméstic) sérvant; hóusemaid; help *(амер.)*

работоспосо́бн||ость capácity for work; **~ый** effícient, hárd-working

работя́щий indústrious

рабо́че-крестья́нский Wórkers' and Péasants'

рабо́чий I *сущ.* wórker

рабо́ч||ий II *прил.* wórking; wórker's; ~ее движе́ние lábour móvement; ~ день wórking day, wórk-day ◇ ~ая си́ла lábour force, mánpower

ра́б||ский 1. slave *attr.;* ~ труд slave lábour **2.** *перен.* sérvile, slávish; **~ство** slávery; sérvitude

ра́венство equálity

равне́ние *воен.:* ~ напра́во! eyes right!

равни́на plain

равно́ *нареч.* équally ◇ мне всё ~ I don't mind; it is all the same to me

равнобе́дренный *мат.* isósceles

равнове́сие equilíbrium; bálance; потеря́ть ~ lose one's bálance; привести́ в ~ bálance

равнодействующая *физ., мат.* resúltant (force)

равноденствие équinox

равнодуш||ие indifference; **~ный** indifferent

равнознач||ащий, ~ный equívalent

равномерный éven; úniform

равноправ||ие equálity of rights; **~ный** enjóying équal rights

равносильный 1. équal in strength **2.** equívalent

равн||ый équal; ~ым образом équally, símilarly

равнять 1. équalize, make équal **2.** *(сравнивать)* compáre *(with)*; **~ся 1.** compéte **2.** *мат.* be équal *(to)*

рад *предик.*: я ~ I am glad

ради *предл.* for the sake *(of)*; ~ меня for my sake; чего ~? what for?

радиатор rádiator

радий *хим.* rádium

радикальный rádical

радио rádio, wíreless; передавать по ~ bróadcast; слушать ~ lísten to the rádio, lísten in

радио||активность rádio-actívity; **~активный** rádio-áctive; ~активное заражение rádio-áctive contaminátion

радио||вещание bróadcasting; **~грамма** rádiogram, wíreless méssage; **~любитель** rádio ámateur; wíreless *(или* rádio) fan *разг.*; **~передача** bróadcast; **~приёмник** wíreless set; rádio recéiver; **~связь** rádio communicátion; **~сеть** rádio nétwork; **~сигнал** rádio sígnal; **~слушатель** lístener; **~станция** bróadcasting *(или* rádio) státion; **~установка** rádio (apparátus)

радиофи||кация installátion of rádio; **~цировать** instáll rádio *(in)*; **~цироваться** be províded *(или* equípped) with rádio

радист rádio *(или* wíreless) óperator

радиус rádius

рад||овать make glad, gládden; **~оваться** be pleased, be glad; **~остный** glad, jóyful; **~ость** joy, gládness; с ~остью with joy; от ~ости for joy

раду||га ráinbow; **~жный** iridéscent; *перен.* chéerful, gay

радуш||ие cordiálity; **~ный** córdial; ~ный приём héarty wélcome

раз I *сущ.* **1.** time; **один ~** once; **в другой ~** anóther time; ещё ~ once agáin, once more **2.** *(при счёте)* one ◇ ~ навсегда once for all; это как ~ то, что мне нужно this is exáctly what I need

раз II *союз* since; ~ **вы** того хотите if that is what you want; ~ так if so, if that is the case

разбав||ить, ~лять dilúte

разбазари||вать, ~ть *разг.* waste, squánder

разбалтывать *см.* разболтать

разбег rúnning start

разбегаться *см.* разбежаться

разбежа||ться 1. *(перед прыжком)* run **2.** *(в разные стороны)* scátter ◇ у меня глаза ~лись I was dazzled

разбивать(ся) *см.* разбить(-ся)

разби́вка *(сада и т. п.)* láying out

разбинт||ова́ть, ~о́вывать remóve *(или* úndó) a bándage

разбира́тельство *юр.* héaring

разбира́ть(ся) *см.* разобра́ть (-ся)

разби́ты||й bróken ◇ чу́вствовать себя́ ~м feel whacked

разби́ть 1. break **2.** *(ушибить)* hurt; frácture *(сильно)* **3.** *(неприятеля)* deféat **4.** *(разделить)* divíde, split **5.:** ~ пала́тку pitch a tent; ~ ла́герь set up a camp **6.** *(парк, сад)* lay out; **~ся 1.** break, be bróken; crash *(о самолёте)* **2.** *(ушибиться)* hurt onesélf **3.** *(разделиться)* break up *(into)*

разбогате́ть get rich

разбо́й róbbery; **~ник** róbber, gángster, bándit; **~ничий** róbber's; ~ничья ша́йка gang of róbbers

разболе́||ться: у него́ ~лась голова́ he has (got) a héadache

разболта́ть divúlge, give awáy

разбомби́ть bomb (out); destróy by bómbing

разбо́р análysis; *грам.* pársing; крити́ческий ~ crítical análysis; ~ де́ла *(в суде)* héaring ◇ без ~а indiscríminately

разбо́рн||ый: ~ые дома́ préfábricated hóuses

разбо́рчив||ость 1. *(в средствах)* scrúpulousness; fastídiousness *(привередливость)* **2.** *(почерка)* legibílity; **~ый: 1.** *(в средствах)* scrúpulous; fastídious *(привередливый)* **2.** *(о почерке)* légible

разбра́сывать *см.* разброса́ть

разбре||да́ться ~сти́сь dispérse

разбро́санный dispérsed, scáttered; sparse *(о населении)*

разброса́ть scátter, throw abóut

разбуди́ть wake; wake up; когда́ вас ~? when shall I call you?, when do you want to be wákened?

разбуха́ть, разбу́хнуть swell

разбушева́||ться rage; storm; мо́ре ~лось the sea was rúnning high

разва́л disórder, cháos

разва́ливать(ся) *см.* развали́ть(ся)

разва́лины ruins

развали́ть break *(или* pull) down; *перен.* disórganize; **~ся 1.** fall to pieces, collápse; *перен.* go to píeces **2.** *(сидеть развалившись)* sprawl

ра́зве *частица* **1.** *(при вопросе)* réally; ~ вы не зна́ете? don't you know? **2.:** ~ то́лько unléss

развева́ться flútter, fly

разве́дать find out, invéstigate

разведе́ние bréeding *(животных);* cultivátion *(растений)*

разведённый *(о супругах)* divórced

разве́д||ка 1. intélligence (sérvice) **2.** *воен.* recónnaissance, intélligence; возду́шная ~ air recónnaissance; идти́ в ~ку reconnóitre **3.** *горн.* prospécting; **~чик 1.** intélligence ófficer **2.** *воен.* scout; recónnaissance ófficer **3.** *горн.* prospéctor; **~ывать** *см.* разве́дать

развезти́ delíver *(о товарах и т. п.);* ~ всех по дома́м drive éveryone home *(или* to their respéctive homes)

развéивать *см.* развéять

развенчáть *разг.* debúnk

развернýть 1. *(раскрыть)* únfóld, ópen; únwráp; ~ пакéт únwráp *(или* úndó) a párcel; ~ газéту únfóld the páper **2.** *(развить)* devélop; **~ся 1.** becóme únwrápped; únfóld **2.** *(развиться)* have scope to devélop; get góing *(о кампании и т. п.)*

развёрстка distribútion; asséssment

развёртывать(ся) *см.* развернýть(ся)

развеселúть, ~ся cheer up; bríghten

развéсистый bránching, spréading

развéсить I *(на весах)* weigh out

развéсить II *(картины и т. п.)* hang; hang out *(бельё и т. п.)*

развеснóй sold by weight

развестú I **1.** *(куда-л.)* take, condúct; séparate *(в разные стороны)*; ~ мост raise a bridge; ópen a bridge *(понтонный)* **2.** *(разбавить)* dilúte **3.** *(супругов)* divórce ◇ ~ огóнь light *(или* kindle) a fire; ~ рукáми throw up one's hands, make a hélpless gésture

развестú II *(животных, птиц)* breed, rear; cúltivate *(растения)*; ~ сад put down *(или* lay out) a gárden

развестúсь I *(расторгнуть брак)* divórce

развестúсь II *(расплодиться)* prolíferate, múltiply

разветвл||éние bránching; **~ я́ться** branch

развéшивать I, II *см.* развéсить I, II

развéять dispérse; dispél *(тоску и т. п.)*

развивáть(ся) *см.* развúть(-ся)

развинтúть, развúнчивать únscréw

развú||тие devélopment; prógress; ~ культýрных свя́зей promótion *(или* exténsion) of cúltural relátions; **~тóй 1.** devéloped **2.** *(о человеке)* intélligent; **~ть, ~ться** devélop

развле||кáть(ся) *см.* развлéчь(-ся); **~чéние** amúsement; entertáinment *(зрелище и т. п.)*

развлéчь amúse; distráct *(from; отвлечь)*; **~ся** amúse onesélf, have fun

развóд *(супругов)* divórce; **~úть** I, II *см.* развестú I, II; **~úться** I, II *см.* развестúсь I, II

разводнóй: ~ мост dráwbridge; pontóon bridge *(понтонный)*

развозúть *см.* развезтú

разволновáться becóme ágitated

разворáчивать *см.* развернýть

разврáт léchery; **~úть** corrúpt, depráve; **~ничать** lead a loose life; **~ный** lécherous; loose

развращáть *см.* развратúть

развязáть úntíe, únbínd ◇ ~ войнý únléash a war; **~ся** come úndóne *(или* úntíed) ◇ ~ся с кем-л. be quit of smb.

развя́зк||а dénouement [deɪ-ˈnu:mɑ̃:ŋ] *(драмы);* óutcome *(дéла);* дéло идёт к ~е the affáir is cóming to a head; неожи́данная ~ únexpécted óutcome

развя́зный óver-frée, too famíliar, brash

развя́зывать(ся) *см.* развяза́ть(ся)

разгада́ть solve, guess, puzzle out

разга́дка 1. guéssing, púzzling out **2.** *(загадки)* ánswer

разга́дывать *см.* разгада́ть

разга́р clímax; в ~е ле́та at the height of súmmer; рабо́та в по́лном ~е work is in full swing

разгиба́ть(ся) *см.* разогну́ть (-ся)

разглаго́льствовать *разг.* talk on and on

разгла́||дить, ~живать 1. smooth out **2.** *(утюгом)* íron out, press

разгла||си́ть, ~ша́ть divúlge

разгляде́ть make out, récognize

разгля́дывать exámine, view

разгне́в||анный incénsed, infúriated; **~аться** be infúriated

разгова́ривать speak *(to, with);* talk *(to, with)*

разгово́р talk, conversátion; **~ник:** ~ник ру́сского языка́ Conversátional Rússian (téxtbook); **~ный** collóquial; **~чи́вый** tálkative, loquácious

разго́н 1. *(разбег)* start, moméntum **2.** *(толпы)* dispérsal; **~я́ть** *см.* разогна́ть

разгора́живать *см.* разгороди́ть

разго||ра́ться, ~ре́ться flare up, flame up ◇ стра́сти ~ре́лись pássions flared up

разгороди́ть partítion

разгорячённый héated; flushed

разгорячи́ться get hot; get excíted

разгра́бить plúnder, píllage

разгран||иче́ние delimitátion, demarcátion; **~и́чивать, ~и́чить** delímit, démarcate

разграф||и́ть, ~ля́ть rule

разгре||ба́ть, ~сти́ rake

разгро́м *воен.* rout, deféat; devastátion *(опустошение);* **~и́ть** rout, deféat

разгружа́ть(ся) *см.* разгрузи́ть(ся)

разгрузи́ть únlóad; **~ся** be únlóaded

разгру́зка únlóading

разгрыза́ть, разгры́зть bite *(редиску и т. п.);* crack *(орех)*

разгу́л révelry, debáuch

разгу́ливать walk *(или* stroll) abóut; **~ся** *см.* разгуля́ться

разгу́льный díssolute

разгуля́||ться *(о погоде)* clear up; день ~лся the day has turned fine

раздава́ть *см.* разда́ть

раздава́ться *см.* разда́ться

раздави́ть crush, smash; run down *(переехать)*

разда́ть distríbute, give out

разда́ться *(о звуке)* be heard, resóund, ring (out)

разда́ча distribútion

раздва́иваться *см.* раздвои́ться

раздв||игáть, ~и́нуть move apárt

раздво||éние bifurcátion; **~-енный** forked; **~и́ться** fork; bífurcate

раздевá||лка *разг.* clóak-room; **~ть(ся)** *см.* раздéть(ся)

раздéл 1. *(разделение)* divísion **2.** *(отдел)* séction; part *(в книге)*; íssue *(в документе)*

раздéлаться 1. be quit *(of)*, be through *(with)* **2.** *(свести счёты)* be quits *(with)*, give as good as one gets

раздел||éние divísion; **~** трудá divísion of lábour; **~и́ть 1.** divíde; séparate *(разъединить)* **2.** *(участь, мнение)* share; **~и́ться** divíde, be divíded *(into)*

раздéльн||о *нареч.* **1.** *(отдельно)* séparately, apárt **2.** *(отчётливо)* distínctly; **~ый 1.** *(отдельный)* séparate **2.** *(отчётливый)* distínct

разделя́ть(ся) *см.* раздели́ть (-ся)

раздеть(ся) úndréss

раздир||áть 1. *см.* разодрáть **2.** *(душу, сердце)* rend; **~áющий** ду́шу крик héart-rending cry

раздоб||ывáть, ~ы́ть get, find

раздóлье 1. *(простор)* expánse **2.** *(свобода)* room to enjóy oneséelf *(в лесу и т. п.)*

раздóр díscord; сéять **~** sow díscord

раздосáдовать vex

раздраж||áть írritate; **~áться** lose one's témper; **~éние** témper, irritátion; в **~**éнии in a témper, **~и́тельный** írritable; **~и́ть(ся)** *см.* раздражáть(ся)

раздразни́ть tease

раздроб||и́ть, ~ля́ть break, smash to píeces, crush *(down)*

раздувáть(ся) *см.* разду́ть(ся)

раздýм||ать change one's mind; **~ывать 1.** *(размышлять)* pónder *(over)* **2.** *(колебаться)* hésitate

раздýмье thóughtful mood; hesitátion *(колебание)*; в глубóком **~** deep in thought

раздýть 1. *(огонь)* fan *(тж. перен.)* **2.** *(преувеличить)* exággerate; **~ся** swell; щекá раздýлась have a swóllen cheek

разевáть *см.* рази́нуть

разжáлобить wake smb.'s píty, move smb. to píty

разжáловать degráde

разжáть ópen, únclásp

разжевáть, разжёвывать chew, másticate; э́то мя́со трýдно **~** this meat is tough *(или* hard to chew)

разжéчь, разжигáть kindle *(тж. перен.)*; light up

разжимáть *см.* разжáть

разжирéть grow fat

рази́нуть ópen; **~** рот gape

рази́ня *разг.* scátter-brain

рази́тельный stríking

разлагáть *см.* разложи́ть 2, 3; **~ся** *см.* разложи́ться

разлáд díscord

разлáмывать *см.* разломáть

разлезáться, разлéзться *разг.* unrável; егó тýфли разлéзлись his shoes are fálling to bits

разлени́ться grow (véry) lázy

разле||тáться, ~тéться 1. fly awáy *(прочь)*; fly abóut *(вокруг)*; **~** на куски́ be smashed to smitheréens **2.** *(о надеждах и т. п.)* vánish, be lost

разлéчься sprawl; ~ на травé stretch onesélf out on the grass

разли́в flood, óverflow; **~áть (-ся)** *см.* разли́ть(ся)

разли́ть 1. *(пролить)* spill **2.** *(вино, чай и т. п.)* pour out; **~ся 1.** *(о реке)* overflów **2.** *(пролиться)* spill

различáть *см.* различи́ть

разли́ч||ие dífference; distínction; **~и́ть** distínguish, discérn; я не могý их ~и́ть I can't tell one from anóther; **~ный 1.** dífferent **2.** *(разнообразный)* divérse, várious

разлож||éние 1. decompositíon, decáy **2.** *(упадок)* decáy; corrúption, demoralizátion *(деморализация)*; морáльное ~ móral depråvity; **~и́вшийся** rótten; demóralized, corrúpted *(деморализованный)*

разложи́ть 1. lay out; spread *(расстелить)*; distríbute *(распределить)* **2.** *(на составные части)* decompóse **3.** *(деморализовать)* demóralize, corrúpt ◇ ~ костёр light a bónfire *(или* a cámpfire); **~ся 1.** *(сгнить)* decompóse; decáy **2.** *(деморализоваться)* decáy; becóme corrúpted

разломáть break up *(или* in píeces); **~ся** break *(или* go) to píeces

разломи́ть(ся) *см.* разломáть(-ся)

разлý||ка separátion; párting *(расставание)*; **~чáть(ся)** *см.* разлучи́ть(ся); **~чи́ть** séparate, part *(from)*; **~чи́ться** séparate

разлюби́ть be *(или* fall) out of love, cease to love *(кого-л.)*; stop cáring for *(что-л.)*

размáзать, размáзывать spread

размáлывать *см.* размолóть

размáтывать *см.* размотáть

размáх 1. span *(крыла самолёта)*; sweep *(косы́, весла)* **2.** *(о деятельности и т. п.)* scope, range; **~ивать** swing; brándish *(палкой)*; ~ивать рукáми gestículate; **~нýться** lift one's hand, swing one's arm

размежевáние delimitátion

размежевáться fix bóundaries; *перен.* defíne spheres of áction

размельч||áть, ~и́ть crush ínto píeces

размéнн||ый: ~ая монéта change, small coin

разменя́ть *(деньги)* change

размéр 1. *(величина, масштаб)* diménsions *pl.*; size *(об одежде, обуви)*; э́то не мой ~ this is not my size **2.** *(о зарплате, налогах)* rate **3.** *(стиха)* métre **4.** *муз.* beat; méasure *(амер.)*

размéр||енный méasured; **~ить, ~я́ть 1.** méasure off **2.** *перен.* méasure; ~ить свои́ си́лы méasure one's strength

размест||и́ть place; lay out; quárter, bíllet *(о войсках)*; **~и́ться 1.** be accómmodated; be placed; be bílleted *(о войсках)* **2.** *(усесться)* take seats

разметáть sweep awáy

размé||тить, ~чáть mark, set a mark

размешáть, размéшивать stir

размещáть(ся) *см.* размести́ть(ся)

размини́ровать clear of mines

размину́ться *разг.* miss each óther

размно||жа́ть(ся) *см.* размно́жить(ся); **~же́ние 1.** dúplicating *(о документах и т. п.)* **2.** *биол.* reprodúction

размно́жить dúplicate, mímeograph *(о документах и т. п.)*; **~ся** breed, múltiply

размозжи́ть smash

размо́лвка tiff, mísunderstánding

размоло́ть grind; mill

размота́ть únwind

размочи́ть soak

размы́||в erósion; **~ва́ть, ~ть** wash awáy; eróde

размышл||е́ние refléction; по зре́лом ~е́нии on matúre refléction; **~я́ть** refléct *(on)*, méditate *(on)*; pónder *(over)*

размягч||а́ть *см.* размягчи́ть; **~е́ние** sóftening; **~и́ть** sóften; *перен.* melt

разна́шивать *см.* разноси́ть I

разнес||ти́ 1. *(отнести)* cárry, convéy; delíver *(письма, посылки и т. п.)* **2.** *(уничтожить)* destróy **3.** *разг.* *(изругать)* scold **4.:** её ~ло́ *разг.* she has becóme enórmous

разнима́ть *см.* разня́ть

ра́зниться differ

ра́зница dífference; кака́я ~? what is the dífference?, it makes no dífference

разнобо́й *разг.* lack of co-ordinátion; lack of unifórmity; inconsístency

разнове́с *собир.* set of weights

разнови́дность varíety

разногла́с||ие 1. *(между кем-л.)* díscord; ме́жду ни́ми ~ия they are at váriance **2.** *(несоответствие и т. п.)* discrépancy, dispárity

ра́знос *сущ.* *(на повестке дня)* miscelláneous

разнокали́берный *воен.* of dífferent cálibres *(после сущ.)*; *перен.* mixed, héterogéneous

разнообра́з||ие varíety, divérsity; для ~ия for a change; **~ить** váry; **~ный** várious; divérse

разноречи́вый contradíctory

разноро́дный héterogéneous

разноси́ть I *(обувь и т. п.)* wear *(или* break) in

разноси́ть II *см.* разнести́

разносторо́нний mány-síded, vérsatile

ра́зность dífference

разно́счик háwker, pédlar

разнохара́ктерный of dífferent cháracter, váriegated

разноцве́тный mány-cóloured, of dífferent cólours

разношёрстный *перен.* mixed

разну́зданный únbrídled; unrúly

ра́зный dífferent *(неодинаковый)*; divérse, várious *(разнообразный)*

разня́ть 1. *(на части)* dismántle; take to píeces **2.** *разг.* *(дерущихся)* séparate

разоблач||а́ть *см.* разоблачи́ть; **~е́ние** expósure, únmásking; **~и́ть** expóse, únmásk

разобра́ть 1. *(расхватать)* take (up), buy up **2.** *(на части)* take to píeces, dismántle **3.** *(понять)* understánd; decípher *(почерк, шрифт)*; ничего́ нельзя́ ~ one can't make head or tail of it **4.** *(привести в поря-*

док) sort out; **~ся** *(в чём-л.)* understánd, know

разобщ||áть, ~и́ть séparate

разогнáть 1. drive awáy; dispérse *(толпу)* **2.** *(страх, тоску)* dispél

разогнýть stráighten out; **~ся** stráighten onesélf

разогревáть, разогрéть warm up

разодéться put on one's fínery

разодрáть tear to píeces

разозли́ть make ángry, infúriate; **~ся** get ángry

разойти́сь 1. go awáy; break up *(о толпе и т. п.)* **2.** *(во мнениях)* dífer **3.** *(развестись)* séparate **4.** *(раствориться)* melt; dissólve ◇ кни́га разошлáсь the book is out of print

рáзом *нареч. разг.* at once

разорв||áть 1. tear; котёл ~áло the bóiler burst **2.** *(порвать)* break; ~ с прóшлым break with the past; **~áться 1.** get torn **2.** *(о бомбе)* explóde, burst

разор||éние ruin; destrúction *(разрушение)*; rávaging *(опустошение)*; **~и́тельный** rúinous; **~и́ть** ruin; **~и́ться** be ruined

разоруж||áть(ся) *см.* разоружи́ть(ся); **~éние** disármament; всеóбщее ~éние géneral disármament; **~и́ть(ся)** disárm

разоря́ть(ся) *см.* разори́ть(-ся)

разослáть send *(about, round)*, distríbute

разостлáть spread *(out)*

разочар||овáние disappóintment, disillúsion; **~óванный** disappóinted, disillúsioned; **~овáть** disappóint, disillúsion; **~овáться** be disappóinted, be disillúsioned

разочарóвывать(ся) *см.* разочаровáть(ся)

разрабáтывать *см.* разрабóтать

разрабóт||ать 1. work out; elábоrate *(проект, вопрос)* **2.** *(землю)* cúltivate **3.** *(рудник и т. п.)* explóit; **~ка 1.** wórking out; elaborátion *(проекта, вопроса)* **2.** *(земли́)* cultivátion **3.** *(рудника)* wórking exploitátion

разра||жáться, ~зи́ться break out *(или* ínto*)*; burst out; ~ смéхом burst out láughing; ~ брáнью break ínto oaths

разраст||áться, ~и́сь grow; expánd, devélop, spread *(расширяться, развиваться)*

разрéз 1. cut **2.** *тех.* séction ◇ в э́том ~е in this connéction; **~ать, ~áть** cut; snip *(ножницами)*; séction *(на доли)*; carve *(мясо)*

разреш||áть(ся) *см.* разреши́ть(ся); **~éние 1.** permíssion; без ~éния withóut permíssion **2.** *(вопроса, задачи)* solútion

разреш||и́ть 1. permít; allów; ~и́те пройти́ excúse me *(или* please), can I get past? **2.** *(вопрос, задачу)* solve; **~и́ться** *(о вопросе, деле)* be decíded, be solved ◇ ~и́ться от брéмени be delívered of a child

разрóзненный odd

разруб||áть, ~и́ть cut *(или* chop) up

разру́ха ruin, devastátion; экономи́ческая ~ ecónómic cháos

разруш||а́ть(ся) *см.* разру́шить(ся); **~е́ние** destrúction; **~и́тельный** destrúctive, destróying, devastáting

разру́шить destróy, demólish; *перен.* frustráte; ~ до основа́ния raze to the ground; **~ся** go to ruin

разры́в 1. gap 2. *(отношений)* break, rúpture 3. *(снаряда)* búrst(ing)

разрыва́ть I *см.* разры́ть

разрыва́ть II *см.* разорва́ть; **~ся** *см.* разорва́ться

разрывно́й explósive; ~ заря́д explósive charge

разрыда́ться burst out sóbbing

разры́ть dig up

разрыхл||и́ть, ~я́ть *(почву)* lóosen

разря́д I *(класс)* cátegory

разря́д II *(разряжение)* dischárge; **~и́ть** *(ружьё и т. п.)* únlóad, dischárge

разря́дка 1. *полигр.* spácing 2.: ~ междунаро́дной напряжённости relaxátion of internátional ténsion; détente [deɪ'tɑ:ŋt]

разряжа́ть *см.* разряди́ть

разубеди́ть dissuáde *(from)*; **~ся** see one's mistáke, see one has been wrong; change one's mind *(в чём-л.—about)*

разубежда́ть(ся) *см.* разубеди́ть(ся)

разува́ться *см.* разу́ться

разувér||ить, ~я́ть dissuáde *(from)*

разузнава́ть, разузна́ть make inquíries *(about)*; (try to) find out

разукра́||сить, ~шивать *разг.* décorate

разукрупн||е́ние bréaking up ínto smáller únits; súbdivíding; **~и́ть, ~я́ть** break up ínto smáller únits

ра́зум réason; íntellect, mind ◇ у него́ ум за ~ захо́дит he is incápable of fúrther thought

разуме́ется *вводн. сл.* of course; э́то само́ собо́й ~ it goes withóut sáying

разу́мный réasonable; sénsible

разу́ться take off one's shoes

разу́чивать, разучи́ть stúdy; learn

разучи́ться *(+ инф.)* forgét *(how to + inf.)*

разъеда́ть eat awáy; corróde *(о кислоте)*

разъедин||и́ть, ~я́ть 1. disjóin; séparate, dísunite *(людей)* 2. *эл.* dísconnéct; нас ~и́ли *(по телефону)* we were cut off

разъе́зд *ж.-д.* síding

разъезжа́ть drive *(about, around)*; go *(about)*; ride *(about, around)*; **~ся** 1. *(в разные стороны)* go in dífferent diréctions 2. *(о гостях и т. п.)* depárt

разъе́хаться 1. *(не встретиться)* miss one anóther 2. *(о супругах)* séparate

разъярённый fúrious, frántic, in a white rage

разъясн||е́ние explanátion; **~и́тельный** explánatory; **~и́ть, ~я́ть** expláin, elúcidate

разыгра́ть 1. *(на сцене)* stage; play 2. *(в лотерею)* raffle 3.

разг. (подшутить) play a práctical joke *(on)*; **~ся** break out *(о буре)*; run high *(о страстях)*

разы́грывать(ся) *см.* разыгра́ть(ся)

разыска́ть find; **~ся** be found, turn up

разы́скивать search *(for)*, look *(for)*

разы́скива||ться be wánted; он ~ется властя́ми he is wánted by the authórities

рай páradise

райко́м (райо́нный комите́т) dístrict commíttee

райо́н 1. région; dístrict *(административный)* **2.** *(местность)* área

райо́нный dístrict *attr.*; ~ сове́т Dístrict Sóviet

рак I *зоол.* cráyfish

рак II *мед.* cáncer

раке́т||а rócket; запуска́ть ~у launch a rócket

раке́тка *спорт.* rácket

ра́ковина 1. shell **2.:** ушна́я ~ extérnal ear **3.** sink *(в кухне)*; wásh-basin *(в ванной)*

ра́м||а, ~ка frame; вста́вить в ~у frame; **~ки** *(границы)* límits, frámework *sg.*; выходи́ть за ~ки déviate from the frámework *(of)*

ра́мпа *театр.* fóotlights *pl.*

ра́н||а wound; **~е́ние 1.** *(действие)* wóunding, ínjuring **2.** *(рана)* wound, ínjury; **~еный 1.** *прил.* wóunded **2.** *как сущ.* wóunded man **3.** *как сущ. мн.:* ~еные the wóunded

ра́нец knápsack *(солдатский)*; sátchel *(школьный)*

ра́нить wound

ра́нн||ий éarly; ~ие о́вощи éarly végetables

ра́но 1. *нареч.* éarly **2.** *предик. безл.* it is éarly ◇ ~ **и́ли** по́здно sóoner or láter

ра́ньше *нареч.* **1.** éarlier; как мо́жно ~ as soon as póssible **2.** *(прежде)* befóre, fórmerly

рапи́ра foil

ра́порт offícial repórt; **~ова́ть** repórt

ра́с||а race; **~и́зм** rácialism; **~и́ст** rácialist

раска́иваться *см.* раска́яться

раскал||ённый scórching; búrning hot; incandéscent; **~ и́ть** bring to a great heat; **~и́ться** becóme hot

раска́лывать(ся) *см.* расколо́ть(ся)

раскаля́ть(ся) *см.* раскали́ть(-ся)

раска́пывать *см.* раскопа́ть

раска́т peal; ~ сме́ха peal of láughter

раската́ть, раска́тывать roll *(out)*

раскача́ть swing *(качели)*; shake *(дерево)*; **~ся** sway, swing; *перен. разг.* get a move *(on)*

раска́чивать(ся) *см.* раскача́ть(ся)

раска́я||ние remórse, repéntance; **~ться** repént *(of)*

расквита́ться settle up accóunts *(with)*; *перен. тж.* be quits, be éven *(with)*

раски́||дывать, ~нуть *(палатку)* pitch ◇ ~ умо́м turn óver in one's mind; **~нуться** *(о городе и т. п.)* lie, spread

раскла́дывать *см.* разложи́ть 1 *и* 2

раскла́няться 1. *(поздороваться)* make one's bow, greet **2.** *(распрощаться)* take leave *(of)*

раскле́||ивать, ~ить 1. *(об афишах и т. п.)* stick, paste **2.** *(отклеивать)* únpáste

раско́л split, díssidence; **~о́ть** split *(тж. перен.)*; chop *(дрова)*; break *(сахар)*; crack *(орехи)*; **~о́ться** split

раскопа́ть dig out

раско́пки excavátions

раскра́дывать *см.* раскра́сть

раскра́сить cólour, paint

раскрасне́ться get red in the face; becóme flushed

раскра́сть steal évery single thing

раскра́шивать *см.* раскра́сить

раскрепо||сти́ть, ~ща́ть set free; líberate; **~ще́ние** liberátion; emancipátion

раскритикова́ть críticize sevérely

раскрича́ться shriek in frénzy; ~ на кого́-л. shout *(или* béllow) at smb.

раскроши́ть crumble (up)

раскрути́ть, раскру́чивать úntwíst

раскрыва́ть(ся) *см.* раскры́ть(ся)

раскры́ть 1. uncóver, ópen **2.** *(тайну)* disclóse, revéal; **~ся 1.** ópen **2.** *(обнаружиться)* be discóvered; come to light

раскуп||а́ть, ~и́ть buy up

раску́пор||ивать, ~ить ópen; úncórk *(бутылку)*

раскуси́ть 1. bite through *(smth.)* **2.** *разг.* *(хорошо понять)* understánd, get to the heart *(или* core) of smth.; see through smb.

раску́сывать *см.* раскуси́ть 1

ра́совый rácial

распа́д disintegrátion *(тж. перен.)*; **~а́ться** *см.* распа́сться

распакова́ть, распако́вывать únpáck, úndó

распа́рывать *см.* распоро́ть

распа́сться fall to píeces; disíntegrate *(тж. перен.)*

распаха́ть, распа́хивать I plough up

распа́хивать II, **распахну́ть** ópen wide; throw ópen; ~ пальто́ úndó one's coat

распая́ть únsólder; **~ся** come únsóldered

распева́ть sing

распеча́т||ать, ~ывать ópen *(вскрыть)*; únséal *(снять печать)*

распи́ливать, распили́ть saw up; saw into píeces

расписа́н||ие tíme-table; schédule; ~ поездо́в train schédule; по ~ию on time *(о поездах и т. п.)*; accórding to the time-table *(или* to schédule) *(о занятиях)*

расписа́ться 1. sign **2.** *разг.* *(зарегистрировать брак)* régister one's márriage

распи́ска recéipt

расписно́й décorated with designs *(или* páintings)

распи́сываться *см.* расписа́ться

распла́вить(ся) melt

расплавля́ть(ся) *см.* распла́вить(ся)

распла́каться burst ínto tears

распласта́ть spread, stretch; **~ся** sprawl

распла́т||а páyment; *перен.* retribútion; час *(или* день) ~ы day of réckoning; **~и́ться** pay off; settle one's accóunt *(with)*; *перен.* settle accóunts *(with)*, get éven *(with)*

распла́чиваться *см.* расплати́ть(ся)

расплеска́ть, расплёскивать splash abóut; spill *(пролить)*; **~ся** spill

расплести́ únpláit *(ко́су)*; úntwist *(верёвку)*; **~сь** get únpláited *(о косе)*; úntwine *(о верёвке)*

расплета́ть(ся) *см.* расплести́(сь)

расплоди́ть breed; **~ся** breed, múltiply

расплыва́ться spread; run *(о пятне, чернилах)*

расплы́вчатый diffúse; *перен.* dim, indistínct

расплы́ться *см.* расплыва́ться

расплю́щить flátten (out)

распозн||ава́ть, ~а́ть récognize; discérn; distínguish *(between)*

располаг||а́ть 1. *см.* расположи́ть **2.** *(иметь в своём распоряжении)* dispóse *(of)*; я не ~а́ю вре́менем для... I have no time to... **3.** *(размещать)* place **4.** *(кого-л. к)* put smb. in a mood *(to)*; обстано́вка ~а́ет к рабо́те the átmosphere is condúcive to work ◇ ~а́йте мно́ю I'm there if you want me; **~а́ться** *см.* расположи́ться

располз||а́ться, ~ти́сь 1. *(о насекомых и т. п.)* crawl *(away)* **2.** *разг.* *(о материи)* fall to bits

располож||е́ние 1. *(порядок)* arrángement, disposítion; situátion *(местоположение)* **2.** *(склонность)* inclinátion **3.** *(настроение)* mood; **~и́ть 1.** *(разместить)* dispóse; put, arránge; го́род хорошо́ располо́жен the town is well sítuated **2.** *(в чью-л. пользу)* gain *(или* win) óver; **~и́ться** settle down; ~и́ться ла́герем camp

распоро́ть rip up; úndó

распоряди́тель mánager; **~ность** good mánagement; **~ный** áctive, effícient

распоряди́ться 1. give órders **2.** *(чем-л.)* dispóse *(of)*

распоря́д||ок órder; пра́вила вну́треннего ~ка óffice (fáctory *etc.*) regulátions

распоряж||а́ться *см.* распоряди́ться; **~е́ние** órder; instrúction *(приказ)*; decrée *(постановление)*; отда́ть ~е́ние give instrúctions ◇ я в ва́шем ~е́нии I am at your dispósal

распра́||ва víolence, reprísal; крова́вая ~ blóody mássacre; учиня́ть ~ву commít an óutrage

распра́вить stráighten; spread *(крылья)*; smooth out *(складки и т. п.)*.

распра́виться avénge onesélf *(on)*; make short work *(of)* *разг.*

расправля́ть *см.* распра́вить

расправля́ться *см.* распра́виться

распредел||е́ние distribútion; **~и́ть, ~я́ть** distríbute; ~я́ть вре́мя plan *(или* órganize) one's time

распродава́ть *см.* распрода́ть

распрод||áжа (cléarance) sale; **~áть** have a (cléarance) sale; sell off

распростёрты||й out-strétched; с ~ми объя́тиями with ópen arms

распрости́ться take leave *(of)*

распространéние spréading; circulátion *(изданий)*; dissemination *(идей)*

распростран||ённый wide-spread; **~и́ть** spread, diffúse; **~и́ться 1.** spread **2.** *разг. (входить в подробность)* enlárge *(upon)*; go into partículars; **~я́ть(ся)** *см.* распространи́ть(-ся)

распрощáться *см.* распрости́ться

рáспря díscord, strife

распр||ягáть, ~я́чь únhárness

распускáть(ся) *см.* распусти́ть(ся)

распусти́ть 1. dismiss; dissólve; disbánd *(армию)*; ~ на кани́кулы dismiss for the hólidays, break up **2.** *(ослабить дисциплину)* let smb. get out of hand, spoil **3.** *(расправить)* let out **4.** *(растопить)* melt; dissólve *(растворить)* ◇ ~ вóлосы let one's hair down; ~ слух start a rúmour; **~ся 1.** *(о цветах)* ópen **2.** *(раствориться)* dissólve **3.** *(в отношении дисциплины)* becóme undísciplined

распу́тать disentángle *(тж. перен.)*; ~ дéло get to the bóttom of things

распу́тица 1. séason of bad roads **2.** *(плохое состояние дорог)* slush

распу́тный díssolute

распу́тывать *см.* распу́тать

распу́тье cróss-roads *pl.*

распухáть, распу́хнуть swell

распу́хший swóllen

распу́щенный díssolute

распыл||éние 1. pulverizátion **2.** *(сил и т. п.)* dispérsal, scáttering; **~и́ть 1.** púlverize **2.** *(силы и т. п.)* dispérse, scátter; **~и́ться 1.** dispérse **2.** *(о силах и т. п.)* get scáttered

распыля́ть(ся) *см.* распыли́ть(ся)

рассáда séedlings *pl.*

рассади́ть I *(растения)* plant out

рассади́ть II *(по местам)* seat, províde seats *(for)*

рассáдник 1. núrsery, séed-bed **2.** *(болезни и т. п.)* hót-bed

рассáживать I, II *см.* рассади́ть I, II; **~ся** *см.* рассéсться

рассáсываться *см.* рассосáться

рассвести́ *см.* рассветáть

рассвéт dawn, dáybreak; на ~е at dawn; **~áть** *безл.*: ~áет it is dáwning, day is bréaking

рассвирепéть grow fúrious

расседлáть únsáddle

рассéивать(ся) *см.* рассéять(ся)

рассекáть cleave

расселéние móving, séttling (in a new place)

рассéлина rift, cleft, físsure; crevásse *(в леднике)*

рассел||и́ть, ~я́ть settle (in new pláces)

рассерди́ть make ángry; **~ся** get ángry *(with)*

рассе́сться 1. *(по местам)* sit down, take seats 2. *(развалиться)* sprawl; loll

рассе́чь cut; cleave, split

рассе́янн||ость ábsent-míndedness; **~ый 1.** scáttered; ~ый свет *физ.* diffúsed light 2. *(невнимательный)* ábsent-mínded ◇ ~ый о́браз жи́зни an idle *(или* a díssipated) life

рассе́ять dispérse; dispél, díssipate; scátter *(толпу и т. п.)*; **~ся 1.** dispérse; be díssipated, be dispélled; lift *(о тумане)* 2. *(развлечься)* take one's mind off things

расска́з stóry; tale; **~а́ть** reláte; narráte, tell; **~чик** narrátor; **~ывать** *см.* рассказа́ть

рассла́б||ить, ~ля́ть wéaken

рассла́ивать(ся) *см.* расслои́ть(ся)

рассле́дование investigátion; *юр.* inquíry; произвести́ ~ condúct an inquíry, hold an ínquest

рассле́довать look ínto; invéstigate; hold an inquíry *(into)*

рассло||е́ние divíding ínto láyers; *геол.* stratificátion; *перен.* differentiátion; **~и́ть** arránge in láyers; strátify; **~и́ться** be arránged in láyers; *перен.* becóme differéntiated

расслы́ша||ть catch; я не ~л, что он сказа́л I didn't catch what he said

рассма́тривать 1. *см.* рассмотре́ть 1 2. *(смотреть внимательно)* exámine, scrútinize 3. *(считать)* regárd *(as)*, consíder

рассмеши́ть make smb. laugh

рассмея́ться burst out láughing

рассмот||ре́ние examinátion; considerátion *(проекта)*; предста́вить план на ~ submít a plan for considerátion; **~ре́ть 1.** exámine, consíder 2. *(разглядеть)* discérn, make out

рассова́ть, рассо́вывать shove awáy; ~ по карма́нам shove ínto várious póckets

рассо́л brine, pickle

рассо́риться quárrel *(with)*, fall out *(with)*

рассортирова́ть sort out

рассоса́ться *(об опухоли)* disappéar, dissólve

рассо́хнуться crack *(или* get loose) from drýness

расспр||а́шивать, ~оси́ть quéstion; make inquíries *(about)*; **~о́сы** quéstions; inquíries

рассро́ч||ить allów repáyment by instálments; **~ка:** в ~ку by instálments

расстава́ться *см.* расста́ться

расста́в||ить, ~ля́ть 1. *(по местам)* place, arránge; ~ часовы́х set a watch, post séntries 2. *(раздвинуть)* move wide apárt 3. *(платье и т. п.)* let out

расстано́вк||а arrángement ◇ говори́ть с ~ой choose one's words

расста́ться part *(with)*, séparate

расстёгивать(ся) *см.* расстегну́ть(ся)

расстегну́ть úndó; únbútton; únclásp *(застёжку)*; únhóok *(крючок)*; **~ся 1.** *(о чём-л.)* becóme únbúttoned *(или* únfástened) **2.** *(о ком-л.)* únbútton *(или* únfásten, úndó) one's clothes

расстила́ть *см.* разостла́ть; **~ся** spread, extend

расстоя́ни||е dístance; на далёком ~и a long way off

расстра́ивать(ся) *см.* расстро́ить(ся)

расстре́л shóoting (down); **~ивать, ~я́ть** shoot

расстро́||енный 1. *(о человеке)* upsét **2.** *(о муз. инструменте)* out of tune *(после сущ.)*; **~ить 1.** disórder, distúrb; ~ить ряды́ break the ranks **2.** ruin *(здоровье)*; shátter *(нервы)*; ~ить желу́док upsét one's stómach **3.** *(муз. инструмент)* put out of tune **4.** *(планы и т. п.)* frustráte **5.** *(огорчить)* upsét; **~иться 1.** *(о планах)* be frustráted **2.** be ruined *(о здоровье)*; be sháttered *(о нервах)* **3.** *(о человеке)* be upsét *(или* put out)

расстро́йство disórder; upsétting; ~ желу́дка indigéstion, diarrhóea

расступ||а́ться, ~и́ться part, move asíde; make way *(for)*

рассуди́||тельность sense, discrétion, júdgement; **~тельный** réasonable; **~ть 1.** *(спорящих)* judge *(between)* **2.** *(подумать)* consíder, think

рассу́до||к réason, mind; **~чный** rátional

рассужд||а́ть 1. réason **2.** *(о ком-л., чём-л.)* discúss; **~е́ние** réasoning

рассчита́ть *см.* рассчи́тывать 1, 2; **~ся 1.** settle accóunts *(with)* **2.** *(в строю)* númber off

рассчи́тыв||ать 1. cálculate **2.** *уст.* *(увольнять)* dismíss **3.** *(на кого-л.)* réckon *(on)*, count *(on)*; я ~аю уви́деть вас I count on séeing you; **~аться** *см.* рассчита́ться

рассыла́ть *см.* разосла́ть

рассы́лка distribútion

рассы́п||ать, ~а́ть spill; scátter *(разбросать)*; **~аться, ~а́ться 1.** spill; go to pieces *(развалиться)*; crumble *(раскрошиться)* **2.** *(рассеяться)* scátter ◇ ~а́ться в похвала́х be all óver *(smb.)*

рассы́пчатый *(о тесте)* short

рассыха́ться *см.* рассо́хнуться

раста́лкивать *см.* растолка́ть

растаска́ть, растащи́ть *разг.* pílfer

раста́ять thaw, melt

раство́р I *(проём)* ópening

раство́р II *хим.* solútion; **~и́мость** solubílity; **~и́тель** sólvent

раствори́ть I dissólve

раствори́ть II *(раскрыть)* ópen

раствори́ться I dissólve

раствори́ться II *(раскрыться)* ópen

растворя́ть(ся) I, II *см.* раствори́ть(ся) I, II

растека́ться *см.* расте́чься

расте́ние plant

растере́ть 1. grind; pound *(измельчить)* **2.** *(размазать)* spread **3.** *(тело)* mássage, rub; **~ся** rub onesélf brískly

растерза́ть tear to píeces

расте́рянн||ость confúsion, embárrassment; **~ый** confúsed, embárrassed

растеря́ть lose one áfter the óther; *перен.* lose a lot *(или* all); **~ся** lose one's head

расте́чься run, spread *(about)*

расти́ grow; incréase *(увеличиваться)*; grow up *(о детях)*

растира́ть(ся) *см.* растере́ть(-ся)

расти́тельность vegetátion

расти́тельный végetable

расти́ть 1. *(кого-л.)* raise; bring up **2.** *(что-л.)* grow

растолка́ть push apárt

растолкова́ть intérpret, expláin

растоло́чь grind, pound

растолсте́ть put on a lot of weight

растопи́ть 1. *(печь)* kindle **2.** *(расплавить)* melt; **~ся** *(расплавиться)* melt

растопта́ть trample

расторга́ть, расто́ргнуть dissolve; cáncel

растор́же́ние dissolútion; cancellátion

растoро́пный quick, prompt

расточ||а́ть 1. waste, díssipate **2.** *(щедро давать)* lávish *(on)*; **~и́тельный** wásteful; extrávagant; **~и́ть** *см.* расточа́ть 1

растрав||и́ть, ~ля́ть írritate; ággravate *(рану и т. п.; тж. перен.)*

растра́т||а embézzlement; **~ить 1.** *(чужое)* embézzle **2.** *(истратить)* squánder; **~чик** embézzler

растра́чивать *см.* растра́тить

растрепа́ть 1. *(волосы)* tousle **2.** *(книгу)* tear, redúce to tátters; **~ся** be dishévelled

растре́скаться crack

растро́гать move, touch; ~ кого́-л. до слёз move smb. to tears

растя́гивать(ся) *см.* растяну́ть(ся)

растяже́ние strétching; strain; ~ сухожи́лия a stráined téndon

растяжи́м||ый elástic ◇ ~ое поня́тие loose cóncept

растяну́ть 1. stretch, strain; ~ мы́шцу strain a muscle **2.** *(продлить)* prolóng; **~ся 1.** stretch **2.** *разг.* *(улечься)* stretch onesélf out **3.** *разг.* *(упасть)* fall flat

расформир||ова́ние *воен.* disbándment; **~ова́ть, ~о́вывать** *воен.* disbánd

расха́живать walk up and down; ~ по ко́мнате pace the room

расхва́л||ивать, ~и́ть praise to the skies

расхвата́ть, расхва́тывать *разг.* *(раскупить)* buy up

расхвора́ться *разг.* be quite ill

расхити́тель plúnderer

расхи́||тить, ~ща́ть plúnder; **~ще́ние** plúnder

расхля́банн||ый *разг.* lax, loose, slack; ~ая похо́дка wálking with a slouch

расхо́д 1. expénditure, óutlay **2.** *мн.*: ~ы expénses

расходи́ться 1. *см.* разойти́сь 1, 2, 3 **2.** divérge *(о линиях)*; rádiate *(о лучах)*

расхо́дова||ние expénditure; **~ть** spend

расхожде́ние divérgence; ~ во мне́ниях dífference of opínion

расхола́живать, расхолоди́ть (кого́-л.) damp smb.'s árdour

расхоте́||ть *разг.* no lónger want *(smth.)*; он ~л спать he doesn't want to sleep ány more

расхохота́ться burst out láughing

расцара́п||ать scrath; он ~ал всё лицо́ he got his face bádly scratched

расцвести́ bloom, blóssom; *перен.* flóurish

расцве́т blóssoming; *перен.* prospérity *(промышленности)*; gólden age *(литературы)*; в ~е сил in the prime of (one's) life; **~а́ть** *см.* расцвести́

расцве́тка (combinátion of) cólours

расце́н||ивать, ~и́ть 1. éstimate, válue **2.** *(считать)* consíder, think

расце́нка 1. *(действие)* valuátion **2.** *(цена)* price

расцеп||и́ть, ~ля́ть únhóok; úncóuple

расчеса́ть *(волосы)* comb

расчёска *разг.* comb

расчёсывать *см.* расчеса́ть

расчёт 1. calculátion **2.** *(уплата)* séttling; производи́ть ~ с кем-л. settle accóunts with smb.; быть в ~е be quits **3.** *(увольнение)* dismíssal; дать ~ dismíss ◇ приня́ть в ~ take ínto considerátion; **~ливый 1.** *(экономный)* económical **2.** *(осторожный)* prúdent, cáreful

расчи́ст||ить clear (awáy); **~ка** cléaring

расчища́ть *см.* расчи́стить

расчлен||е́ние bréaking up; **~и́ть, ~я́ть** break up *(или* ínto parts)

расшата́ть shake loose; *перен.* slácken *(дисциплину)*; impáir *(здоровье)*; **~ся** get *(или* becóme) loose; becóme impáired *(о здоровье)*

расша́тывать *см.* расшата́ть

расшевели́ть *разг.* stir up

расшиб||а́ть, ~и́ть 1. hurt **2.** *разг.* *(разбивать)* break to píeces; **~и́ться** hurt onesélf

расшива́ть *см.* расши́ть

расшире́ние wídening, enlárgement; expánsion *(тж. физ.)*

расши́рить wíden, enlárge; exténd *(сферу деятельности)*; **~ся 1.** wíden; *перен.* exténd **2.** *физ.* expánd

расширя́ть(ся) *см.* расши́рить(ся)

расши́ть *(вышить)* embróider

расшифр||ова́ть, ~о́вывать decípher; *перен.* intérpret

расшнур||ова́ть, ~о́вывать únláce

расще́дриться *разг.* becóme génerous

расще́лина crack, cleft; crévice

расщеп||и́ть, ~и́ться splínter, split; **~ле́ние** splítting, splíntering; ~ле́ние ядра́ núclear físsion; **~ля́ть(ся)** *см.* расщепи́ть(ся)

ратифи||ка́ция ratificátion; **~ци́ровать** rátify

рационал||иза́торский rationalizátion *attr.*; **~иза́ция** rationalizátion; **~изи́ровать** rátionalize

рациона́льный rátional

рвану́ться *разг.* rush, dart

рвать I **1.** tear **2.** *(вырывать)* pull out **3.** *(срывать)* pluck ◇ ~ и мета́ть storm and rage

рвать II *безл.*: его́ рвёт he is vómiting

рва́ться **1.** tear; break *(о нитке)* **2.** *(стремиться)* strive for

рве́ние árdour, zeal

рво́та vómiting

ре *муз.* D, re

реабилити́ровать rehabílitate

реаги́ровать reáct *(to)*

реакти́вный jet; ~ самолёт jet plane; ~ дви́гатель jet éngine

реа́ктор reáctor

реакци||оне́р reáctionary; **~о́нный** reáctionary

реа́кция reáction

реализа́ция realizátion

реали́зм réalism

реализова́ть réalize

реалисти́ческий realístic

реа́льн||ость reálity; **~ый** real

ребёнок child; báby; ínfant

ребро́ **1.** rib **2.** *(край)* edge ◇ поста́вить вопро́с **~м** put a quéstion póint-blánk

ребя́||та **1.** chíldren **2.** *(о взрослых)* boys; **~ческий** chíldish; **~чество** chíldishness

рёв **1.** roar; béllow *(быка)* **2.** *разг.* *(плач)* hówling

рева́нш revénge; *спорт.* retúrn match

реве́ть **1.** roar; béllow *(о быке)*; howl *(о буре)* **2.** *разг.* *(плакать)* howl

ревизиони́зм *полит.* revísionism

ревизио́нн||ый revísion *attr.*; ~ая коми́ссия revísion commíttee

реви́з||ия **1.** inspéction **2.** *(пересмотр)* revísion; **~ова́ть** **1.** exámine, inspéct **2.** *(пересматривать)* revíse: **~о́р** áuditor; (fináncial) inspéctor

ревмати́зм *мед.* rhéumatism

ревн||и́вый jéalous; **~ова́ть** be jéalous

ре́вностный zéalous; árdent *(пылкий)*

ре́вность jéalousy

револьве́р revólver

революц||ионе́р revolútionary; **~ио́нный** revolútionary; ~ио́нный подъём revolútionary enthúsiasm

револю́ция revolútion; Вели́кая Октя́брьская социалисти́ческая револю́ция the Great Octóber Sócialist Revolútion

регистр||ату́ра régistry; **~а́ция** registrátion; **~и́ровать** régister; **~и́роваться** régister onesélf

регла́мент **1.** regulátions *pl.* **2.** *(на собрании)* time límit; **~а́ция** regulátion; **~и́ровать** régulate

регули́рова||ние regulátion; **~ть** régulate

регуля́рн||ый régular ◇ ~ые войска́ régular fórces

редакти́ровать édit

реда́ктор éditor; гла́вный ~ éditor-in-chíef

редакцио́нн||ый editórial; ~ая колле́гия editórial board

реда́кц||ия **1.** editórial óffice *(помещение)*; editórial staff *(коллектив)* **2.** *(редактирование)* éditing, éditorship; под ~ией édited by **3.** *(формулировка)* wórding

реде́ть grow thin

реди́ска rádish

ре́дк||ий **1.** rare; uncómmon

(необычайный) **2.** *(негустой)* thin; sparse *(тж. о населении)*; **~о** *нареч.* rárely, séldom; **~ость** rárity◇на ~ость excéptionally, uncómmonly

рéдька black rádish

режи́м 1. *полит.* regíme **2.** *мед.* regíme; ~ питáния diet

режиссёр prodúcer

рéзать 1. cut; carve *(мясо)* **2.** *(скот)* sláughter; **~ся:** у ребёнка рéжутся зýбы the báby is cútting his teeth

резви́ться frisk

рéзвый áctive, frísky

резéрв resérve; имéть в ~е have in store; **~ный** spare; *воен.* resérve *attr.*

резервуáр réservoir; tank

резéц chísel

резидéнция résidence

рези́н||а rúbber; **~ка 1.** elástic *(лента)* **2.** *(для стирания)* eráser, índia-rúbber; **~овый** rúbber *attr.*; ~овая óбувь rúbber-soled fóotwear

рéзк||ий 1. *(о звуке)* harsh **2.** *(о ветре)* cútting **3.** sharp *(об ответе)*; blunt, abrúpt *(о характере)*; **~ость** shárpness; abrúptness

резнóй carved

резня́ sláughter, mássacre

резолю́ци||я resolútion; приня́ть ~ю pass *(или* adópt) a resolútion

резонáнс résonance

резóнный réasonable

результáт resúlt; óutcome; в ~е in cónsequence; объяви́ть ~ы annóunce the resúlts

резьбá cárving

резюми́ровать sum up, súmmarize

рейд I *мор.* róadstead, roads *pl.*

рейд II *воен.* raid

рейс trip; vóyage; flight

рекá ríver

реквизи́ровать requisítion

реквизи́т *театр.* própertíes *pl.*; props *pl.* *разг.*

реквизи́ция requisítion

реклáм||а advértisement; publícity; **~и́ровать** ádvertise

рекогносцирóвка *воен.* recónnaissance

рекоменд||áтельный: ~áтельное письмó létter of introdúction; **~áция** recommendátion; réference *(отзыв)*; **~овáть** recomménd; **~овáться** be recomménded

реконструи́ровать réconstrúct

реконстрýкция réconstrúction

рекóрд récord; поби́ть ~ break *(или* beat) the récord; **~ный** récord *attr.*

религиóзный relígious

рели́гия relígion

рельéф relíef; **~ный** relíef *attr.*

рельс rail; сходи́ть с ~ов be deráiled

ремéнь strap; léather band; belt *(пояс)*

ремéсленн||ик cráftsman, hándicraft wórker; *перен.* a mediócrity; **~ый** hándicraft *attr.*; *перен.* médiocre: ~ое учи́лище *уст.* indústrial *(или* vocátional) school

ремеслó trade, hándicraft

ремóнт repáir; **~и́ровать** repáir

ремóнтно-техни́ческ||ий: ~ая стáнция máintenance dépot

ремо́нт||ный repáiring; ~**ная** мастерска́я repáir shop

ренега́т rénegade

ре́нта rent

рента́бельный prófitable

рентге́новский: ~ сни́мок X-ray

реорганиз||а́ция réorganizátion; ~**ова́ть** réórganize

ре́па túrnip

репар||ацио́нный reparátion *attr.;* ~**а́ция** reparátion

репатри||а́ция repatriátion; ~**и́ровать** repátriate

репертуа́р répertoire

репети́ровать *театр.* rehéarse

репети́ция rehéarsal

ре́плика remárk; retórt *(возражение);* cue *(театр.)*

репортёр repórter

репре́ссия représsion

репроду́ктор *радио* loud spéaker

репроду́кция reprodúction

репута́ция reputátion

ресни́ца éyelash

респу́блик||а repúblic; социалисти́ческая ~ sócialist repúblic; ~**а́нский** repúblican

рессо́ра spring

реставр||а́ция restorátion; ~**и́ровать** restóre

рестора́н réstaurant

ресу́рсы resóurces

рети́вый zéalous

ретирова́ться retíre, withdráw

ретуши́ровать rétouch

рефера́т páper, éssay

рефле́кс réflex

рефле́ктор refléctor

рефлекто́рный réflex *attr.*

рефо́рм||а refórm; ~**а́тор** refórmer; ~**и́зм** *полит.* pólicy of refórm: ~**и́ровать** refórm

реценз||е́нт revíewer, crític; ~**и́ровать** revíew, críticize

реце́нзия revíew; nótice *(театр.)*

реце́пт récipe; prescríption *мед.;* вы́писать ~ prescríbe smth.; могу́ ли я заказа́ть лека́рство по э́тому ~у? can I have this prescríption made up, please?; могу́ ли я получи́ть э́то лека́рство без ~а? can I buy this médicine off prescríption?

рециди́в relápse

ре́ч||ка (small) ríver; ~**но́й** ríver *attr.*

реч||ь speech; приве́тственная ~ speech of wélcome; ~ идёт о том... the quéstion is...; о чём ~? what are you tálking abóut? ◇ об э́том не мо́жет быть и ~и it is out of the quéstion

реш||а́ть(ся) *см.* реши́ть(ся); ~**а́ющий** decísive; ~**е́ние 1.** decísion; júdgement, decrée *(суда);* выноси́ть ~е́ние pass júdgement **2.** *(задачи)* solútion

решётка láttice; gráting *(топки)*

решето́ sieve

реши́мость resolútion, determinátion

реши́тельн||о *нареч.* **1.** with determinátion; résolutely **2.** *(совершенно)* ábsolutely; ~ всё равно́ it makes no dífference whatsoéver; ~**ость** resolútion; fírmness; ~**ый 1.** *(решающий)* decísive **2.** *(категорический)* categórical, firm **3.** *(смелый)* résolute

реши́ть 1. decíde **2.** *(пробле*

му) solve; это решает всё дело it settles the whole mátter; **~ся** make up one's mind

ржáветь rust

ржáв||чина rust; **~ый** rústy

ржанóй rye *attr.*; ~ хлеб rýe-bread

ржать neigh

ри́га thréshing barn

рикошéт rícochet; rebóunding *(пули и т.п.)*; **~и́ровать** rebóund; **~ом** *нареч. прям., перен.* on the rebóund

ри́кша rícksha(w)

ри́мск||ий Róman ◇ **~ие** цифры Róman númerals

ринг *спорт.* ring

ри́нуться rush, dash

рис rice

риск risk, házard; идти́ на ~ run a risk *(или* risks), take chánces; **~óванный** rísky; **~овáть** risk

рисовá||ние dráwing; **~ть** draw

рисовáться *разг.* pose, show off

ри́совый rice *attr.*

рисýнок dráwing, pícture; illustrátion *(в книге)*; páttern *(узор)*

ритм rhythm; **~и́ческий** rhýthmical

риф reef

ри́фм||а rhyme; **~овáть** rhyme

роб||éть be tímid; не **~éй!** don't be báshful *(или* scared)!

рóб||кий tímid, shy; **~ость** timídity; shýness

ров ditch, dyke; moat *(крепостной)*

ровéсни||к contémporary; мы **~ки** we are the same age

рóвн||о *нареч.* **1.** *(одинаково)* équally **2.** *(точно)* sharp, exáctly **3.** *(равномерно)* évenly, régularly; **~ый 1.** *(о поверхности)* flat, éven **2.** *(равномерный)* éven, équal

рог horn; ántler *(олений)*

рогáтый: ~ скот (hórned) cattle; мéлкий ~ скот goats and sheep

роговóй horn *attr.*

рогóжа mátting

род 1. fámily, kin **2.** *биол.* génus **3.** *(сорт)* kind, sort **4.** *грам.* génder ◇ человéческий ~ mankínd, the húman race; без **~у**, без плéмени withóut kith or kin; емý 10 лет óт **~у** he is ten years old; **~ом** by birth; чтó-то в э́том **~е** sómething of this sort

роди́льный: ~ дом matérnity hóspital

рóдина nátive land, móther country, mótherland

рóдинка bírth-mark

роди́тели párents

роди́тельный: ~ падéж *грам.* génitive *(или* posséssive) (case)

роди́тельский paréntal

роди́ть give birth *(to)*; bear, prodúce *(о земле)*; **~ся** be born

родни́к spring

родн||óй 1.: ~ брат bróther; **~áя** сестрá síster **2.** *(о городе, стране)* nátive; **~ы́е, ~я́** rélatives, relátions

родовóй 1. *(племенной)* tríbal **2.** *(наследственный)* ancéstral **3.** *биол.* genéric

родоначáльник áncestor; *перен.* fáther

родослóвн||ая *сущ.* fámily tree; pédigree *(животного)*; **~ый** genealógical

ро́дственник 1. relátion, rélative; kínsman **2.** *мн.*: ~и relátions, rélatives; kínsfolk

ро́дственн||ый 1. reláted; ~ые свя́зи blood ties **2.** *(близкий)* kíndred **3.** *(об отношении, приёме)* héarty

родств||о́ relátionship; быть в ~е́ be reláted

ро́ды childbirth *sg.*, chíldbed *sg.*

рож||а́ть bear; give birth *(to)*; **~да́емость** bírth-rate; **~да́ться** *см.* роди́ться; **~де́ние** birth; от ~де́ния from birth; **~дённый** born

рождество́ Christmas, Xmas

роже́ница wóman in lábour

рожь rye

ро́за rose

ро́зга birch

ро́зни||ца: продава́ть в ~цу sell rétail; **~чный** rétail; ~чная торго́вля rétail trade

ро́зовый pink, rósy

ро́зыгрыш 1. *(займа, лотереи)* dráwing **2.** *(право выбора)* tóssing (up) a coin; draw *(ничья)* **3.** *спорт.*: ~ ку́бка cup tóurnament

ро́зыск search ◇ уголо́вный ~ críminal investigátion depártment

рои́ться swarm, hive

рой swarm

рок fate; **~ово́й** fátal; ~ова́я оши́бка fátal mistáke

ро́лик róller; коньки́ на ~ах róller skates

роль role, part

ром rum

рома́н 1. nóvel **2.** *разг.* love affáir; **~и́ст** nóvelist

рома́нс song, románce

романти́зм románticism

рома́нт||ик romántic; **~ика** románce; **~и́ческий** romántic

рома́шка óx-eye dáisy; *мед.* cámomile

ромб rhómb(us)

роня́ть 1. drop **2.** *(листья)* shed

ро́п||от múrmur; **~та́ть** múrmur

роса́ dew

роско́шный luxúrious, spléndid; luxúriant *(о растительности)*

ро́скошь lúxury

ро́слый tall; wéll-búilt

ро́спись páintings *pl.* *(on walls, jugs etc.)*; ~ стен frésco; múral

ро́спуск bréaking up *(учащихся)*; dissolútion *(парламента)*; disbándment *(армии)*

росси́йский Rússian

ро́ссказни old wives' tales

ро́ссыпь: золота́я ~ góld-field

рост 1. growth **2.** *(увеличение)* íncrease **3.** *(человека)* height, státure

ростовщи́к úsurer, móney-lender

рост||о́к sprout, shoot; пуска́ть ~ки́ sprout

ро́счерк flóurish ◇ одни́м ~ом пера́ with one stroke of the pen

рот mouth

ро́т||а *воен.* cómpany; **~ный** cómpany *attr.*

ротозе́й *разг.* gáper, scátter-brain; **~ство** gullibílity

ро́ща grove

роя́л||ь grand piáno; игра́ть

на ~е play the piáno; у ~я at the piáno

ртуть mércury

рубáнок *тех.* plane

рубáшка shirt *(мужская);* chemíse *(женская);* ночнáя ~ níght-shirt *(мужская);* níght-gown, níght-dress *(женская, детская)*

рубéж bóundary; fróntier *(граница);* за ~óм abróad

рубéц 1. *(шрам)* scar **2.** *(на материи)* seam, hem

руби́н rúby

руби́ть chop *(дрова);* fell *(деревья);* mince *(мясо)* ◇ ~ сплечá not to mince words; speak straight from the shóulder

рýбище rags *pl.*

рýбка I *мор.* déck-house

рýбка II félling *(лéса);* chópping *(дров)*

рубль rouble

рýбрика héading

рýгань swéaring, abúse, bad lánguage

руг||áтельный abúsive; **~áтельство** oath; **~áть** scold, abúse; **~áться** swear; ~áться с кем-л. abúse each óther

рудá ore

рудни́||к mine; **~чный: ~чный** газ fíre-damp

рудокóп míner

ружéйный: ~ вы́стрел rífle-shot

ружь||ё gun, rifle; стреля́ть из ~я́ fire a gun; взять ~ на плечó! shóulder arms!

рук||á 1. hand *(кисть);* arm *(от кисти до плеча);* махáть ~óй wave one's hand; брать пóд ~у take smb.'s arms; идти́ пóд ~у walk árm-in-árm; ~áми не трóгать! (please) don't touch! **2.** *(почерк)* hand (writing); чёткая ~ clear hand ◇ у меня́ ~ не поднимáется э́то сдéлать I have not the heart to do it; э́то мне нá ~у that suits me; ~óй подáть it is ónly a step from here; рýки вверх! hands up!; под ~óй at hand; с орýжием в ~áх up in arms

рукáв 1. *(одежды)* sleeve **2.** *(реки́)* arm **3.:** пожáрный ~ fíre-hose ◇ дéлать что-л. спустя́ ~á do smth.ány old how *(или* cárelessly)

рукави́ца mítten; gáuntlet *(шофёра)*

руководи́тель léader; instrúctor *(занятий и т. п.);* mánager *(заведующий)*

руководи́ть lead; instrúct; diréct

руковóд||ство 1. guídance, diréction; léadership **2.** *(справочник)* téxtbook, mánual; **~ствоваться: ~ствоваться** соображéниями be guíded by considerátions; ~ствоваться укaзáниями fóllow diréctions; **~я́щий** léading

рукодéлие néedlework

рукомóйник wáter-dispenser *(for washing hands)*

рукопáшная *сущ.* hánd-to-hánd fíghting

рукопи́сный mánuscript *attr.*

рýкопись mánuscript

рукоплескá||ние appláuse; **~ть** appláud *(to)*, clap *(to)*

рукопожáтие hándshake; обменя́ться ~м shake hands *(with)*

рукоя́тка handle; shaft *(топора и т. п.)*

рулево́||й 1. *прил.* stéering; rúdder *attr.;* ~е колесо́ stéering-wheel **2.** *как сущ.* hélmsman, man at the wheel

руль rúdder *(лодки, самолёта);* hándle-bar(s) *(велосипеда);* wheel *(автомобиля)*

румы́н R(o)umánian; **~ский** R(o)umánian; ~ский язы́к R(o)umánian, the R(o)umánian lánguage

румя́на rouge [ruːʒ] *sg.*

румя́н||ец cólour; blush, flush; зали́ться ~цем flush red, blush crímson; **~ый** rósy, rúddy

ру́пор mégaphone; *перен.* móuth-piece

руса́лка mérmaid

ру́сло (ríver-)bed; chánnel *(тж. перен.)*

ру́сск||ая Rússian wóman; **~ие** *мн. собир* the Rússians

ру́сский 1. *прил.* Rússian; ~ язы́к Rússian, the Rússian lánguage **2.** *как сущ.* Rússian

ру́сый blond, fair

рути́на routíne

ру́хлядь lúmber, junk

ру́хнуть collápse, fall héavily

руча́тельство guarantée; с ~м guarantéed, wárranted

руча́ться wárrant, guarantée; vouch *(for; за кого-л.)*

руче́й brook, stream

ру́чка 1. handle; dóor-knob *(двери);* arm *(кресла)* **2.** *(для пера)* pénholder; автомати́ческая ~ fóuntain-pen

ручно́й 1. *(о труде)* mánual **2.** *(об изделии)* hánd-máde **3.** *(прирученный)* tame

ру́шиться fall, collápse

ры́ба fish

рыба́||к físherman; **~лка** físhing; **~цкий** físhing

ры́бий fish *attr.;* ~ жир cód-liver oil

ры́бн||ый fish *attr.;* ~ые консе́рвы tinned fish *sg.;* canned fish *sg.* *(амер.);* ~ая промы́шленность físhing índustry

рыбово́дство físh-breeding

рыболо́в físher(man); ángler *(с удочкой);* **~ство** físhery

рыда́||ние sóbbing; **~ть** sob

ры́жий red

ры́ло snout

ры́н||ок márket; мирово́й ~ world márket; **~очный** márket *attr.*

рыса́к trótter

рысь I *зоол.* lynx

рысь II *(бег)* trot; **~ю** at a trot

ры́твина groove, rut

рыть dig; **~ся** rúmmage *(in)*

ры́хлый fríable, crúmbly

ры́царский chívalrous

ры́царь *ист.* knight

рыча́г léver

рыча́ть growl, snarl

рья́ный zéalous, árdent

рю́мка wíne-glass

рябі́на 1. *(ягода)* rówan(-berry), áshberry **2.** *(дерево)* rówan-tree, móuntain ash

ряб||и́ть 1. *(воду)* ripple **2.** *безл.*: у меня́ ~и́т в глаза́х éverything is a blur

рябо́й póck-marked

ря́бчик házel-hen, házel-grouse

рябь ripple

ря́вк||ать, ~нуть béllow; bark *(at)*

ряд 1. row, line; сиде́ть в пе́рвом ~у́ sit in the first row;

стать в ~ stand in (a) line; идти́ по три в ~ march three abréast **2.** *(серия)* séries *(of)*; númber *(of; несколько)*; у меня́ к вам ~ вопро́сов I want to ask you a númber of quéstions ◇ из ~а вон выходя́щий excéptional, óutstanding; **~áми** *нареч.* in rows

рядово́й 1. *прил.* *(обыкновенный)* órdinary **2.** *как сущ.* *воен.* prívate (sóldier)

ря́дом *нареч.* besíde; next *(to)*; side by side, close by; сидéть ~ с кем-л. sit next to smb.; я живу́ ~ I live next door

ря́са cássock, frock

С

с I *предл.* *(тв.)* with, and; с друзья́ми with friends; с улы́бкой with a smíle; с удово́льствием with pléasure; мы с ва́ми you and I; чай с са́харом tea with súgar ◇ с намéрением with the inténtion; с усло́вием on condítion; что с ва́ми? what is the mátter with you?

с II *предл.* *(рд.)* **1.** *(при обозначении места)* from; упа́сть с трéтьего этажа́ fall from the third stórey; с верши́ны холма́ from the hílltop; пи́сьма с ро́дины létters from home; с пра́вой стороны́ on the right **2.** *(начиная с)* from, with; с нача́ла до конца́ from begínning to end; с головы́ до ног from head to foot; начнём с вас let us begín with you **3.** *(о времени)* from, since; с дéтства from chíldhood; с тех пор since that time, since then **4.** *(у кого-л.)* from; брать примéр с кого́-л. fóllow smb.'s exámple **5.** *(по причине)* for, from; со стыда́ for shame; с ра́дости for joy **6.** *(приблизительно)* abóut; for abóut *(о времени)*; он ро́стом с тебя́ he is abóut your size; с недéлю for abóut a week ◇ с одобрéния with the appróval

са́бля sábre

сабот||а́ж sábotage; **~и́ровать** sábotage

са́ван shroud

сад gárden; городско́й ~ públic gárdens *pl.*

сади́ться *см.* сесть

садо́вник gárdener

садово́д gárdener; horticúlturist; **~ство** gárdening; horticúlture

садо́к 1. fish-pond **2.** hátchery

са́жа soot

сажа́ть 1. seat **2.** *(помещать)* put; ~ в тюрьму́ put ínto príson, impríson **3.** *(растения)* plant

са́женец séedling

са́йка roll (of bread)

саксофо́н sáxophone

сала́зки sledge *sg.*, tobóggan *sg.*

сала́т léttuce *(растение)*; sálad *(блюдо)*; **~ник** sálad bowl

са́ло fat; lard *(свиное)*

салфéтка nápkin

са́льный gréasy

салю́т salúte; **~ова́ть** salúte

сам *мест.* mysélf *(1-е л. ед. ч.)*, oursélves *(1-е л. мн. ч.)*, yoursélf *(2-е л. ед. ч.)*, yoursélves *(2-е л.*

мн.); himsélf, hersélf, itsélf *(3-е л. ед.)*; themsélves *(3-е л. мн.)*

самá *ж. см.* сам

самéц male

сáми *мн. см.* сам

сáмка fémale

самó *с. см.* сам

самобы́тный oríginal, distínctive

самовáр samovár, téa-urn

самовнушéние áuto-suggéstion

самовозгорáние spontáneous combústion

самовóльный sélf-willed, wílful; unwárranted *(неразрешённый)*

самодéльный hóme-máde

самодержáв||ие autócracy; **~ный** autocrátic

самодéятельность: худóжественная ~ ámateur perfórmances *pl.*

самодовóль||ный sélf-sátisfied; **~ство** sélf-satisfáction

самодýр pétty týrant; **~ство** pétty týranny

самозабвéн||ие sélf-forgétfulness; он рабóтает с ~ием he works with tótal absórption; **~ный** sélfless

самозащи́та sélf-defénce

самозвáн||ец impóstor; **~ство** impósture

самокри́тика sélf-críticism

самолёт áircraft, áeroplane; plane; áir-liner *(пассажирский)*

само||люби́вый proud; tóuchy *(обидчивый)*; **~лю́бие** pride, sélf-respéct, sélf-estéem

самомнéние (sélf-)concéit

самонадéянный presúmptuous

самообладáние lével-héadedness; sélf-contról, sélf-posséssion

самообмáн sélf-decéption

самооборóна sélf-defénce

самообразовáние sélf-educátion

самообслýживание sélf-sérvice

самоопределéние *полит.* sélf-determinátion; прáво нáций на ~ the right of nátions to sélf-determinátion

самоотвéрженн||ость sélflessness; **~ый** sélfless

самопи́шущ||ий: ~ее перó fóuntain-pen

самопожéртвование sélf-sácrifice

саморóдок núgget *(золота)*; *перен.* nátive tálent

самосознáние sélf-awáreness

самосохранéние (sélf-)preservátion

самостоя́тельн||ость indepéndence; **~ый** indepéndent

самосýд mob law; lýnching

самотё||к drift; **~ком** *нареч.* **1.** spontáneously; dríf ting **2.** *тех.* by grávity

самоуби́й||ство súicide; **~ца** súicide

самоувéренн||ость sélf-cónfidence; sélf-assúrance; **~ый** cóck-súre *разг.*, sélf-assúred

самоунижéние sélf-humiliátion

самоуправлéн||ие sélf-góvernment; óрганы ~ия lócal *(или* munícipal) authórities

самоупрáвство árbitrariness

самоучи́тель téach-yoursélf book

самоýчка sélf-táught pérson

самохóдн||ый: ~ое орýдие sélf-propélled gun

самоцвéт sémi-précious stone

самочу́вствие: как ва́ше ~? how do you feel?

са́м||ый *мест.* **1.** the same, the véry; то же ~ое the same thing; до ~ого ве́чера right up *(или* on) till the évening; до ~ого до́ма all the way home; с ~ого нача́ла from the very beginning; с ~ого утра́ from éarly mórning; до ~ого конца́ right to the end; ~ая мысль об э́том the mere idéa of it **2.** *(для образования превосходной степени)* the most; ~ интере́сный the most ínteresting; ~ое бо́льшее at most ◇ в ~ом де́ле indéed; в ~ раз *разг.* а) just right; б) at the right móment

санато́рий sanatórium

санда́лия sándal

са́ни sledge *sg.*, sleigh *sg.*

санита́р hóspital atténdant; *воен.* médical órderly; **~и́я** sanitátion; **~ка** júnior nurse; **~ный** sánitary; ~ное состоя́ние sánitary condítions *pl.*

санкциони́ровать sánction

са́нкция 1. sánction, appróval **2.** *(мера воздействия)* sánctions *pl.*

сантиме́тр céntimetre

сап *вет.* glánders *pl.*

сапёр píoneer

сапо́г (high) boot

сапо́ж||ник shóemaker; **~ный** shoe *attr.;* ~ная щётка shóe-brush

сапфи́р sápphire

сара́й shed, barn

саранча́ lócust

сарафа́н 1. sarafán *(Russian national dress)* **2.** *(летний)* sún-dress

сарде́лька sáusage

сарди́на sardíne

сарка́||зм sárcasm; **~сти́ческий** sarcástic

сателли́т sátellite

сати́н satéen

сати́р||а sátire; **~ик** sátirist; **~и́ческий** satírical

сафья́н morócco (léather)

са́хар súgar; пилёный ~ cube súgar; **~и́н** sáccharin; **~ница** súgar-basin, súgar-bowl; **~ный** súgar *attr.;* sáccharine *(научн.);* súgary *(сладкий);* ~ный заво́д súgar-refínery ◇ ~ный песо́к gránulated súgar; ~ная боле́знь diabétes

сачо́к lánding-net *(для рыбы);* bútterfly-net *(для бабочек)*

сба́в||ить, ~ля́ть redúce *(цену);* lose weight *(в весе)*

сбе́гать run; ~ за кем-л., чем-л. run for smb., smth.

сбега́ть(ся) *см.* сбежа́ть(ся)

сбежа́ть 1. *(с горы и т. п.)* run down **2.** *(убежать)* run awáy; **~ся** come rúnning, flock; gáther

сберега́||тельный: ~тельная ка́сса sávings-bank; ~тельная кни́жка sávings-bank book; **~ть** *см.* сбере́чь

сбереже́н||ие 1. sáving; ecónomy **2.** *мн.:* ~ия sávings

сбере́чь save

сберка́сса *см.* сберега́тельная ка́сса

сберкни́жка *см.* сберега́тельная кни́жка

сбива́ть(ся) *см.* сби́ть(ся)

сби́вчивый confúsed, indistínct

сбить 1. *(свалить)* throw down; ~ с ног knock down **2.**

(самолёт) bring down **3.** churn *(масло)*; beat up *(яйца)*; whip *(сливки)* ◇ ~ с то́лку confúse, put out, disconcért; ~ це́ну beat down the price; **~ся 1.** *(с пути)* lose one's way **2.** *(запутаться, смешаться)* be confúsed **3.**: ~ся в ку́чу bunch **4.** *(на сторону)* be all on one side *(о шляпе и т.п.)* ◇ ~ся с ног ≅ be run off one's feet

сближ||а́ть(ся) *см.* сбли́зить (-ся); **~е́ние 1.** rapprochement [ræ'prɔʃmɑ̃:ŋ] **2.** *(дружба)* íntimacy

сбли́зить draw togéther; ~ся draw togéther; becóme friends *(сдружиться)*

сбо́ку *нареч.* from one side *(откуда)*; on one side *(где)*; at the side *(рядом)*

сбор 1. colléction *(тж. денежный)*; ~ урожа́я hárvest **2.** *(людей)* assémbly; *воен. тж.* múster **3.** *(взимаемые или собранные деньги)* dues *pl.*; tákings *pl.* ◇ все в ~е all are assémbled; по́лный ~ *театр.* full house

сбо́рище *разг.* crowd

сбо́рка *тех.* assémbly

сбо́рки *(на платье)* gáthers

сбо́рник colléction; ~ расска́зов collécted stóries *pl.*

сбо́рн||ый: ~ пункт assémbly point; ~ая кома́нда *спорт.* combíned team *(или* side)

сбо́рочный: ~ цех assémbly shop

сбо́рщик 1. *(взносов и т. п.)* colléctor **2.** *тех.* assémbler

сбо́ры *(в путь)* preparátions

сбра́сывать *см.* сбро́сить

сбрива́ть, сбрить shave off

сброд *разг.* ríff-raff, odds and sods

сбро́сить 1. throw down *(вниз)*; throw off *(откуда-л.)* **2.** *(одежду)* throw off

сбру́я hárness

сбыва́ть *см.* сбыть

сбыва́ться *см.* сбы́ться

сбыт sale; ры́нок ~а a séller's márket

сбыть 1. *(продать)* sell **2.** *(избавиться)* get rid *(of)*

сбы́ться come true, be réalized, matérialize

сва́дьба wédding

сва́ливать, свали́ть 1. throw down; fell *(дерево)* **2.** *(в одно место)* heap (up) **3.**: свали́ть вину́ на кого́-л. shift *(или* throw) the blame on smb.; **~ся** fall down

сва́лка 1. *(мусора)* rúbbish heap **2.** *(драка)* scuffle

сва́ривать *см.* свари́ть 2

свари́ть 1. cook **2.** *тех.* weld

сва́рка *тех.* wélding

сварли́вый quárrelsome; shréwish *(о женщине)*

сва́тать propóse smb. to smb. as a wife *(или* húsband); **~ся** seek in márriage

сва́я pile

све́дение informátion

све́дущий expérienced *(in)*, well-versed *(in)*

све́||жесть fréshness; cóolness *(прохлада)*; **~же́ть** becóme cóol(er); **~жий 1.** fresh; ~жие проду́кты fresh food *sg.*; ~жий хлеб frésh-baked bread **2.** *(о новостях)* látest

свежо́ *предик. безл.* it is cool

свезти́ 1. *(кого-л., что-л.)* remóve, take awáy **2.** *(в одно* *место)* bring together **3.** *(вниз)* take dównhill

свёкла beet, béetroot; сáхарная ~ súgar-beet

свёкор fáther-in-law *(husband's father)*

свекрóвь móther-in-law *(husband's mother)*

свер||гáть, свéргнуть óverthrow; **~жéние** óverthrow

свéрить check; colláte *(with)*

сверк||áть sparkle, twinkle; **~нýть** flash

сверли́||льный *(о станке)* drílling; **~ть** drill, bore

сверлó drill

свернýть 1. roll up **2.** *(сократить)* curtáil; ~ произвóдство cut down prodúction **3.** *(в сторону)* turn aside ◇ ~ лáгерь break up camp; ~ комý-л. шéю wring smb.'s neck; **~ся** coágulate *(о крови)*; curdle, turn sour *(о молоке)*

свéрстник contémporary; мы ~и we are just the same age

свёрток páckage *(пакет)*; roll *(бумаги)*

свёртыва||ние 1. *(крови)* coagulátion **2.** *(сокращение)* curtáilment, decréasing; **~ть(ся)** *см.* свернýть(ся)

сверх *предл.* beyónd, abóve; óver; ~ тогó moreóver; ~ прогрáммы éxtra númber *(или* ítem)

сверхпри́быль *эк.* súperprófit

свéрху *нареч.* from abóve; óver *(поверх)*

сверхурóчны||е *мн. как сущ.* óvertime pay *(или* móney) *sg.*; **~й** óvertime *attr.*

сверхштáтный supernúmerary

сверхъестéственный supernátural

сверчóк crícket

сверя́ть *см.* свéрить

свéсить *(нóги)* dangle; **~ся** dangle; hang óver

свести́ 1. *(отвести)* take *(to, down)* **2.** *(соединить)* bring togéther **3.** *(к чему-л.)* redúce *(to)* ◇ ~ с умá drive mad; drive one out of one's mind; ~ счёты square accóunts; settle a score; ~ на нéт bring to nought; у негó свелó нóгу he has got cramp in his leg

свет I light; **при ~е** by the light *(of)*

свет II 1. *(мир, вселенная)* world **2.** *(общество)* world, society

светá||ть dawn; *безл.:* **~ет** it is dáwning

свети́ло héavenly bódy; *перен.* lúminary

свети́льный: ~ газ cóal-gas

свети́ть shine *(излучать свет)*; **~ся** shine

свет||лéть clear up *(о небе)*; **~лó** *предик. безл.* it is light; когдá стáло **~лó** when day broke

свéтлый light; bright *(яркий)*; clear *(ясный)*; lúminous *(светящийся)*; ~ костю́м light-coloured dress

светлячóк glów-worm; fíre-fly *(летающий)*

светов||óй light *attr.*; **~áя** реклáма néon sign(s) *(pl.)*

светомаскирóвка bláck-out

светоси́ла *фото* illuminátion

светофи́льтр *фото* light filter

светофóр tráffic lights ***pl.***

свéточ *перен.* lúminary, léading light

светочувстви́тельный sénsitive to light

свéтск||ий sécular; wórldly ◇ ~ человéк man of fáshion; ~ое óбщество (high) society

светя́щийся lúminous; phosphoréscent *(фосфоресцирующий)*

свечá, свéчка candle

свéшать weigh

свéшивать(ся) *см.* свéсить(ся)

свивáть *см.* свить

свидáни||е méeting; appóintment *(условленное)*; date *(амер.)*; назнáчить ~ make an appóintment; make a date *(амер.)* ◇ до ~я góod-býe

свидéтель wítness; **~ство** 1. *(показание)* évidence 2. *(удостоверение)* certíficate; **~ствовать** téstify; wítness

свинáрка píg-woman

свинáрник pígsty

свинáрь píg-man

свинéц lead

свини́на pork

свиновóдство píg-breeding

свин||óй 1. pig *attr.* 2. *(из свинины)* pork *attr.*; ~óе сáло lard

свинцóвый lead *attr.*; *перен.* leaden

свинья́ pig; hog

свирéль pipe

свирéп||ствовать rage; **~ый** fierce; víolent *(о буре)*

свисáть hang down; droop *(о полях шляпы)*; trail *(о растениях)*

свист whistle

свистéть whistle

сви́стнуть give a whistle

свистóк whistle

сви́та train, suite

сви́тер swéater

свить twist, twine ◇ ~ гнездó build a nest

свобóд||а fréedom; líberty; ~ слóва fréedom of speech; ~ печáти fréedom of the press; **~ный** 1. free; ~ный дóступ free áccess; ~ное врéмя spare *(или* free) time; в ~ное врéмя at one's léisure 2. *(незанятый)* vácant 3. *(лишний)* spare 4. *(об одежде)* loose; ~ный костю́м loose dress

свободолюби́вый fréedom-loving

свободомы́сл||ие frée-thínking; **~ящий** frée-thínking

свод I *архит.* arch; vault

свод II: ~ закóнов code

своди́ть *см.* свести́

свóдка súmmary; ~ воéнных дéйствий war communiqué [kə'mju:nɪkeɪ]

свóдный súmmary ◇ ~ брат stépbrother

свóдчатый arched

своё *с. см.* свой

своевóльный sélf-willed

своеврéменн||о *нареч.* in good time; **~ость** tímeliness; **~ый** tímely, ópportune

своеобрáз||ие originálity, peculiárity; **~ный** oríginal, pecúliar

свози́ть *см.* свезти́

свои́ 1. *мн. см.* свой 2. *как сущ.* one's people

свой *мест.* my *(1-е л. ед.)*; our *(1-е л. мн.)*; your *(2-е л. ед. и мн.)*; his, her, its *(3-е л. ед.)*; their *(3-е л. мн.)* ◇ он сам не ~ he is not himsélf

свойственный pecúliar, characterístic

свойство quálity; próperty *(предмета)*

свора *(собак)* pack; *перен.* gang

сворачивать *см.* свернуть

своя *ж. см.* свой

свыкаться, свыкнуться get used *(to)*

свысока *нареч.* háughtily

свыше *предл.* óver *(более)*; beyónd *(сверх)*

связанный connécted *(соединённый)*; tied *(верёвкой)*; bound *(обещанием)*

связать tie; bind *(тж. перен.)*; connéct *(перен.)*; **~ся 1.** *(установить общение)* commúnicate **2.** *(входить в какие-л. отношения)* assóciate *(with)*

связист *воен.* sígnaller

связка 1. sheaf *(бумаг)*; bunch *(ключей)* **2.** *анат.* chord, lígament **3.** *лингв.* cópula

связный cohérent

связующий bínding

связывать(ся) *см.* связать(-ся)

связ||ь 1. tie, bond **2.** *(общение)* connéction **3.** *(ж.-д., телеграфная)* communicátion **4.** *воен.* sígnals *pl.*; служба **~и** sígnal sérvice

свято *нареч.* *(чтить, хранить)* píously, réverently

святой 1. *прил.* hóly; saint *(перед именем)*; sácred *(священный)* **2.** *как сущ.* saint

священ||ник priest; **~ный** sácred

сгиб bend

сгибать(ся) *см.* согнуть(ся)

сгла||дить smooth (out, óver, awáy); **~диться** be smoothed (out); **~живать(ся)** *см.* сгладить(ся)

сглупить *разг.* do such a stúpid thing

сгнить rot

сгноить let rot

сговариваться *см.* сговориться

сговор collúsion; **~иться** arránge things *(with)*, come to an agréement

сговорчивый compliant

сгонять *см.* согнать

сгора||ние combústion; **~ть** *см.* сгореть

сгорб||иться stoop; **~ленный** bent

сгореть burn down

сгоряча *нареч.* in a fit of témper; ráshly *(необдуманно)*

сгре||бать, ~сти rake up togéther *(граблями)*; shóvel up *(или* in) *(лопатой)*

сгружать, сгрузить únlóad

сгустить thícken; ~ краски *перен.* exággerate; lay it on thick *разг.*; **~ся** thícken

сгусток clot

сгу||щать(ся) *см.* сгустить(-ся); **~щённый:** ~щённое молоко condénsed milk

сдавать(ся) *см.* сдать(ся)

сдавить squeeze

сдавл||енный 1. squeezed **2.** *(о голосе)* constráined; **~ивать** *см.* сдавить

сдать 1. hand in; régister *(багаж)*; ~ багаж на хранение leave one's lúggage in the léft-luggage óffice *(или* clóak-room) **2.** *(крепость и т. п.)* yield **3.** *(внаём)* let; rent ◇

~ экзáмен pass an examinátion; ~ся surrénder

сдáч||а 1. *(внаём)* lease **2.** *(крепости и т. п.)* surrénder **3.** *(деньги)* change ◇ дать ~и *(ударить)* retúrn a blow

сдвиг displácement; *перен.* change, impróvement

сдвигáть(ся) *см.* сдвúнуть(ся)

сдвúнуть move *(с места)*; draw togéther *(сблизить)*; **~ся** move

сдéлать make, do; **~ся** becóme

сдéлка bárgain, deal; agréement *(соглашение)*

сдéль||ный paid by the piece; ~ная работа píece-work; **~щина** píece-work

сдёргивать *см.* сдёрнуть

сдéржанн||ость restráint; réticence *(в речах)*; **~ый** restráined, resérved

сдержáть restráin; hold back; suppréss *(подавить)* ◇ ~ слóво keep one's word; **~ся** contról oneséelf, restráin oneséelf *(from)*

сдéрживать(ся) *см.* сдержáть(ся)

сдёрнуть pull *(или* jerk) off

сдирáть *см.* содрáть

сдóб||а *собир.* fáncy bread; **~ный** rich; ~ные бýлки buns

сдóхнуть croak; die *(о животных)*

сдружúться *(с кем-л.)* make friends *(with)*

сдувáть, сдýнуть, сдуть blow awáy

сеáнс shów(ing) *(в кино)*; sítting *(у художника)*; tréatment *(лечения)*

себé *дт., пр. см.* себя́

себестóимость *эк.* prime *(или* básic) cost; cost price; снижáть ~ продýкции redúce *(или* cut) prodúction costs

себя́ *мест.* mysélf *(1-е л. ед.)*; oursélves *(1-е л. мн.)*; yoursélf *(2-е л. ед.)*; yoursélves *(2-е л. мн.)*; himsélf, hersélf, itsélf *(3-е л. ед.)*; themsélves *(3-е л. мн.)* ◇ ничегó себé not bad; хорóш собóй góod-lóoking

сев sówing

сéвер north; на ~ nórthward; к ~у *(от)* north *(of)*; **~ный** nórth(ern); ~ное сия́ние auróra boreális; Сéверный пóлюс North Pole

сéверо-востóк nórth-éast

сéверо-зáпад nórth-wést

севооборóт *с.-х.* crop rotátion

сегóдня *нареч.* todáy; ~ вéчером toníght; this évening; **~шний** todáy's

сед||éть turn grey; **~инá** grey hair

седлáть saddle

седлó saddle

седобóрóдый gréy-béarded

седовлáсый gréy-háired

седóй grey

седóк rider *(на лошади)*; pássenger (in a coach) *(в экипаже)*

седьм||óй séventh; 20 минýт ~óго twénty mínutes past six; ~áя страни́ца page séven

сезóн séason; **~ник** *разг.* séasonal wórker; **~ный** séasonal; séason *attr.*

сей (сия́, сиё, *мн.* сии́) *мест.* this; *мн.* these; на ~ раз this time ◇ сию́ минýту just a séc(ond)

сейсм||и́ческий séismic; **~ológия** seismólogy

сейф safe

сейча́с *нареч.* **1.** *(теперь)* now **2.** *(только что)* just *(или* right) now **3.** *(скоро)* présently; in a mínute

секре́т sécret; по ~у confidéntially

секрет||ариа́т secretáriat(e); **~а́рь** sécretary

секре́т||ный sécret; совершéнно ~но top sécret

секре́ция *физиол.* secrétion

сексуа́льный séxual

се́кт||а sect; **~а́нт** sectárian; **~а́нтство** sectárianism

се́ктор séctor

секу́нд||а sécond; **~ный** sécond *attr.;* ~ная стрéлка sécond hand

се́кция séction

селёд||ка *разг.* hérring; копчёная ~ smoked hérring; kípper; **~очный** hérring *attr.*

селезёнка *анат.* spleen

се́лезень drake

селе́кция *с.-х.* seléctive bréeding

селе́ние víllage

сели́тра *хим.* sáltpetre

сели́ться settle

село́ víllage

сельдь *см.* селёдка

се́льск||ий rúral; víllage *attr.;* ~ое хозя́йство ágriculture; ~ учи́тель víllage téacher

сельскохозя́йственн||ый agricúltural; ~ые ору́дия agricúltural ímplements

сельсове́т (сéльский совéт) Víllage Sóviet

семафо́р *ж.-д.* light sígnals *pl.*; sémaphore

сёмга sálmon

семе́й||ный fámily *attr.;* ~ человéк márried man; **~ственность** népotism; **~ство** fámily

семени́ть mince

семенно́й 1. *биол.* séminal **2.** *бот.* seed *attr.*

семёрка *карт.* séven *(of)*

се́меро séven *(of)*

семе́стр term

семидесятиле́тний séventy-year-óld *(о возрасте)*

семидеся́т||ый séventieth; ~ые гóды the séventies

семиле́тний séven-year; ~ ребёнок séven-year-óld child

семина́р séminar

семина́рия séminary

семисо́тый séven-húndredth

семна́д||цатый séventéenth; **~цать** séventéen

семь séven; **~десят** séventy; **~со́т** séven húndred

семья́ fámily; **~ни́н** fámily man

се́мя 1. *бот.* seed **2.** *биол.* sémen, sperm

сена́т sénate; **~ор** sénator

се́ни óuter éntrance hall, ínner porch

се́но hay; **~ва́л** háyloft; **~ко́с** háymaking; **~коси́лка** mówing-machine

сенс||ацио́нный sensátional; **~а́ция** sensátion

сентимента́льный sentiméntal

сентя́брь Septémber; **~ский** Septémber *attr.*

сепара́тный séparate

се́ра *хим.* súlphur

серб Sérb(ian); **~ский** Sérbian

серви́з sérvice; set; обéденный ~ dínner-set; ча́йный ~ téa-set

сервир||ова́ть serve; ~ стол lay the table; **~о́вка** láying; sérving *(подача кушаний)*

серде́чн||о *нареч.* héartily; **~ость** warmth, héartiness; **~ый 1.** *мед.* heart *attr.* **2.** *(искренний)* héarty, córdial, sincére

серди́||тый ángry, cross; **~ть** ánger, make ángry; **~ться** be ángry, be cross *(на кого-л. — with smb.; на что-л. — about smth.)*

се́рдц||е heart ◇ в ~а́х *разг.* in ánger; положа́ ру́ку на́ ~ cándidly; от всего́ ~а with all one's heart

сердцебие́ние palpitátion (of the heart)

сердцеви́на core; *бот.* pith

серебр||и́стый sílver *attr.*; sílvery *(о звуке)*; **~и́ться** sílver

серебро́ sílver

сере́бряный sílver *attr.*

середи́на middle; midst ◇ золота́я ~ the gólden mean

середня́к middle péasant

серёжка *см.* серьга́

серена́да *муз.* serenáde

сержа́нт sérgeant

сери́йный sérial

се́рия séries

серни́стый *хим.* sulphúreous

се́рн||ый sulphúric; ~ая кислота́ sulphúric ácid; ~ исто́чник súlphur-spring

серова́тый gréyish

серп sickle; ~ и мо́лот hámmer and sickle; ~ луны́ créscent moon

серпови́дный créscent

се́рый grey

серьга́ éar-ring

серьёзн||о *нареч.* **1.** sériously **2.** *(в самом деле)* réally; **~ый** sérious, earnest

се́ссия séssion; term *(судебная)*

сестра́ sister

сесть 1. sit down; ~ на ло́шадь mount a horse; ~ на кора́бль go abóard (a) ship; ~ на мель run agróund; ~ на по́езд get on to a train; ~ за рабо́ту set to work **2.** *(о солнце)* set **3.** *(о материи)* shrink

се́тка 1. net *(тж. спорт.)*; ~ для воло́с háir-net **2.** *(сумка)* cárrier bag

се́товать compláin *(of)*

сетча́тка *анат.* rétina

сеть net; nétwork *(железных дорог и т. п.)*

сече́ние *мат.* séction

сечь 1. flog; whip *(кнутом)* **2.** *(рубить)* chop

се́чься split *(о волосах, шёлке и т. п.)*

се́я||лка *с.-х.* seed drill *(рядовая)*; **~тель** sówer; **~ть** sow

сжа́литься take píty *(on)*

сжа́тие compréssion

сжа́т||о *нареч.* bríefly; **~ость 1.** compréssion **2.** *(краткость)* concíseness; **~ый 1.** compréssed; ~ые гу́бы tight *(или* compréssed) lips **2.** *(краткий)* brief, concíse

сжать I *(рожь и т.п.)* reap

сжать II compréss, squeeze; tíghten *(губы)*; clench *(зубы)*; **~ся** compréss, contráct; shrink

сжечь, сжига́ть burn down; ~ дотла́ burn to áshes

сжима́ть *см.* сжать II; **~ся** *см.* сжа́ться

сжи́ться get used *(to)*

сза́ди *нареч. и предл.* behínd *(где)*; from behínd *(откуда)*

сзыва́ть *см.* созва́ть

си *муз.* B, si

сиби́рский Sibérian

сига́ра cigár

сигна́||л sígnal; horn *(автомобиля)*; дать ~ give a sígnal; hoot *(об автомобиле)*; **~лиза́ция** sígnalling; **~лизи́ровать** sígnal; sémaphore *(семафором)*; **~льный** sígnal *attr.*; alárm *attr.*; ~льный ого́нь *мор.* fláshing light; **~льщик** sígnaller

сиде́лка (síck-)nurse

сиде́нье seat

сиде́ть 1. *(на чём-л.)* sit; ~ на ло́шади sit (on) a horse 2. *(находиться, оставаться)* be, stay 3. *(об одежде)* fit; sit *(on)*

сидр cíder

сидя́чий sítting; sédentary *(об образе жизни)*

сиё *с. см.* сей

си́зый dóve-coloured

сии́ *мн. см.* сей

си́л||а 1. strenght; force; ~ой by force; не по ~ам beyónd one's pówers; о́бщими ~ами by a combíned éffort; в ~у... by force of... 2. *(энергия)* pówer 3. *мн. воен.*: ~ы fórce(s) ◇ име́ющий ~у *юр.* válid

сила́ч áthlete

си́литься try, endéavour

силов||о́й pówer *attr.*; ~а́я ста́нция pówer-station

сило́к trap

си́лос *с.-х.* sílage; **~ный** sílage *attr.*; ~ная я́ма sílage pit; **~ова́ние** énsilage

силуэ́т silhouétte

си́льн||о *нареч.* stróngly; **~ый** strong, pówerful *(мощный)*; sharp *(о голоде)*; inténse *(о чувстве)*; sevére *(о морозе)*; héavy *(о дожде, ударе)* ◇ он силён в матема́тике his fórte is mathemátics

си́мвол sýmbol

символ||изи́ровать sýmbolize; **~и́зм** sýmbolism; **~и́ческий** symbólic

симметр||и́чный symmétric (-al); **~и́я** sýmmetry

симпат||изи́ровать sýmpathize *(with)*; **~и́чный** sympathétic, nice, líkable

симпа́тия sýmpathy *(for)*

симпто́м sýmptom; **~ати́ческий** symptomátic

симул||и́ровать símulate; ~ боле́знь malínger; **~я́нт** malíngerer; **~я́ция** simulátion

симфони́ческий symphónic; ~ конце́рт sýmphony cóncert

симфо́ния sýmphony

синаго́га sýnagogue

синдика́т sýndicate

синева́ dark blue cólour

сине́ть 1. *(становиться синим)* becóme blue 2. *(виднеться)* show blue

си́ний blue

сини́льн||ый: ~ая кислота́ *хим.* hýdrocyánic ácid

сини́ть *(бельё)* blue

сини́ца blue tit

сино́д sýnod

сино́ним sýnonym

си́нтакс||ис sýntax; **~и́ческий** syntáctic

си́нте||з sýnthesis; **~ти́ческий** synthétic

си́нус *мат.* sine

си́нька 1. *(для белья)* (wáshing) blue **2.** *(светокопия)* blúe-print

синя́к bruise; black eye *(под глазом)*

си́плый hoarse

сире́на síren; hóoter *(гудок)*

сире́невый lílac

сире́нь lílac

сиро́п sýrup

сирота́ órphan

систе́ма sýstem; **~тизи́ровать** sýstematize; **~ти́ческий** systemátic

си́тец printed cótton *(для платья)*; cálico *(амер.)*; chintz *(тж. для обивки мебели)*

си́то sieve; просе́ивать сквозь ~ sieve

ситуа́ция situátion

си́тцевый printed cótton *attr.*

си́филис *мед.* sýphilis

сия́ *ж. см.* сей

сия́||ние rádiance; **~ть** shine; **~ющий** rádiant

сказа́ние légend, stóry

сказа́ть say; tell *(сообщить)*; тру́дно ~ it's hard to say ◇ так ~ so to speak *(или* say); по пра́вде ~ to tell the truth; **~ся** *(на ком-л.)* tell *(on, upon)* ◇ ~ся больны́м repórt sick

сказа́тель narrátor, stóry-teller

ска́з||ка tale; fáiry-tale; наро́дные ~ки pópular tales; **~очный** fáiry *attr.*; ~очная страна́ fáiry-land

сказу́емое *грам.* prédicate

ска́зываться *см.* сказа́ться

скак||а́ть 1. jump; hop *(на одной ноге)* **2.** *(на лошади)* gállop; **~ово́й:** ~ова́я ло́шадь rácehorse; stéeplechaser

скал||а́ rock; cliff *(отвесная)*; **~и́стый** rócky

ска́лить: ~ зу́бы grin

ска́лка *(для теста)* rólling-pin

ска́лывать I, II *см.* сколо́ть I, II

скаме́ечка small bench; ~ для ног fóotstool

скаме́йка bench

скамь||я́ bench; form *(школьная)*; ~ подсуди́мых dock ◇ со шко́льной ~и́ ≅ since one's schóol-days

сканда́||л row; scándal; **~ли́ст** bráwler; **~ли́ть** kick up a row; **~льный** scándalous

ска́пливать(ся) *см.* скопи́ть(-ся)

скарб goods and cháttels *pl.*

ска́редный stíngy

скарлати́на *мед.* scárlet féver

скат slope *(склон)*; pitch *(крыши)*

ската́ть roll up

ска́терть táble-cloth ◇ ~ю доро́га ≅ nóbody is stópping you

скати́ть roll down; **~ся** slide down *(соскользнуть)*

ска́тывать I *см.* ската́ть

ска́тывать II *см.* скати́ть

ска́тываться *см.* скати́ться

скафа́ндр díving-suit

ска́чк||а gállop(ping); **~и** ráces; ~и с препя́тствиями stéeplechase *sg.*; уча́ствовать в ~ах race

скачкообра́зный únéven

скачо́к jump, bound, leap

сква́жина 1. chink **2.** well *(нефтяная)*

сквер públic gárden

скверносло́вить use foul lánguage

скве́рный bad, násty

сквоз||и́ть 1. *(проглядывать)* show through **2.** *(дуть)*: здесь ~и́т there is a draught here; **~но́й** through; ~но́й ве́тер *см.* сквозня́к

сквозня́к draught

сквозь *предл.* through

скворе́ц stárling

скеле́т skéleton

скéп||тик scéptic; **~тици́зм** scépticism; **~ти́ческий** scéptic(al)

ски́д||ка abátement; díscount; со ~кой at cut rates, with a díscount; **~ывать** *см.* ски́нуть

ски́нуть throw off *(или* down)

ски́петр scéptre

скипида́р túrpentine

скирд||(á) stack, rick

скиса́ть, ски́снуть turn sour

скита́||лец wánderer; **~ться** wánder

склад I stórehouse; wárehouse, depósitory *(для товаров)*; *воен.* dépot

склад II *(ума)* turn; она́ челове́к друго́го ~а she is quite anóther type of pérson; she's quite anóther cup of tea *разг.*

скла́дка fold *(на платье)*; crease *(на брюках)*; wrinkle *(морщина)*

складно́й fólding

скла́дн||ый harmónious; wéll-built *(о фигуре)*; он говори́т ~о he is a good tálker, he has the gift of the gab

скла́дчин||а: в ~у by clúbbing togéther

скла́дывать *см.* сложи́ть 1, 2, 3, 5; **~ся** *см.* сложи́ться

скле́ивать(ся) *см.* скле́ить(ся)

скле́ить paste togéther; **~ся** stick togéther

склеп (búrial) vault

скло́ка squabble

склон slope *(горы́)* ◇ на ~е лет in one's declíning years

склоне́ние *грам.* declénsion

склони́ть 1. bend **2.** *(на чью-л. сторону)* win (*или* gain) óver to one's side; persuáde *(убедить)*; **~ся 1.** bend **2.** *(о солнце)* go down **3.** *(решиться)* be inclíned *(to)* **4.** *(поддаться)* yield *(to)*

скло́нн||ость inclinátion; **~ый** inclíned *(to)*

склоня́емый *грам.* declínable

склоня́ть I *см.* склони́ть

склоня́ть II *грам.* declíne

склоня́ться I *см.* склони́ться

склоня́ться II *грам.* be declíned

скло́чник squábbler

скля́нк||а 1. phíal **2.** *мн. мор.*: ~и bells

скоба́ *тех.* cramp

ско́бка brácket

скобли́ть scrape

скобяно́й: ~ това́р hárdware

скова́||ть *(цепями)* chain; лёд ~л ре́ку the ríver is íce-bound

сковорода́ frýing-pan

ско́вывать *см.* скова́ть

скола́чивать, сколоти́ть 1. join *(до́ски)*; constrúct *(построить)* **2.** *разг.* *(собрать, скопить)* scrape up

сколо́ть I *(лёд и т. п.)* break

сколо́ть II *(булавкой)* pin togéther

сколь||же́ние slíding; **~зи́ть** slíde

ско́льзкий slíppery

скользну́ть slip

ско́лько how much?; how mány? *(о числе)*; how old? *(о возрасте)*; how long? *(о продолжительности)*; ~ раз? how mány times?, how óften?; ~ вре́мени? what's the time? *(который час)*; how long? *(как долго)*

скома́ндовать commánd, give a commánd

скомбини́ровать combíne

ско́мкать crumple; *перен. разг.* cut smth. short

сконфу́зить embárrass; **~ся** be embárrassed

сконцентри́ровать cóncentrate

сконча́ться die

скоп||**и́ть** save; **~и́ться** accúmulate; pile up; gáther, crowd round *(о людях)*; **~ле́ние** accumulátion; **~ля́ть(ся)** *см.* скопи́ть(ся)

скорбе́ть *(о чём-л., о ком-л.)* mourn *(for, over)*

ско́р||**бный** móurnful, sórrowful; **~бь** grief, deep sórrow

скор||**е́е, ~е́й 1.** more quickly, fáster **2.** *(лучше)* ráther, sóoner ◇ ~ всего́ most próbably

скорлуп||**а́** shell; снима́ть ~у́ shell

скорня́к fúrrier

ско́ро *нареч.* **1.** *(быстро)* quíckly, fast **2.** *(вскоре)* soon

скорогово́рк||**а** pátter; говори́ть ~ой gabble

скоропо́ртящи||**йся:** ~еся това́ры périshable goods

скоропости́жн||**ый:** ~ая смерть súdden death

скоропе́лый éarly; *перен.* precócious

скорострéльный quick-fire *attr.*

ско́рость speed; rate *(темп)*; *физ.* velócity

скоросшива́тель fólder

скороте́чн||**ый** tránsient; ~ая чахо́тка *разг.* gálloping consúmption

скорпио́н scórpion

ско́рчить: ~ грима́су make a face; **~ся** writhe

ско́р||**ый 1.** fast, quick **2.** *(близкий по времени)* near ◇ ~ по́езд expréss train; ~ая по́мощь first aid; ámbulance (car) *(автомобиль)*; на ~ую ру́ку slápdash

скоси́ть I *(срезать траву)* mow down

скоси́ть II *(глаза́)* squint

скот cattle, líve-stock; моло́чный ~ dáiry-cattle; **~и́на** *собир.* cattle; **~ный:** ~ный двор cáttle-yard

скотово́д cáttle-breeder; **~ство** cáttle *(или* stock) bréeding

ско́тский béstial

скра́сить, скра́шивать: ~ жизнь bríghten up smb.'s life

скребо́к scráper

скре́жет grítting, gríndіng; **~а́ть:** ~а́ть зуба́ми grit one's teeth

скреп||**и́ть 1.** fásten; *тех.* secúre **2.** *(печатью)* seal; sign *(подписью)* ◇ ~я́ се́рдце relúctantly, with a sore heart

скре́п||**ка** clip; **~ля́ть** *см.* скрепи́ть

скрести́ scrape; scratch *(когтями, ногтями)*; **~сь** *(о мышах)* scratch

скрести́ть 1. cross; fold *(ру́-*

ки) **2.** *биол.* cross, ínterbréed; **~ся 1.** cross **2.** *биол.* ínterbréed

скре́щива||ние *биол.* cróssing, ínterbréeding; **~ть(ся)** *см.* скрести́ть(ся)

скрип creak *(двери, по́ла)*; scratch *(пера)*

скрипа́ч víolinist; fíddler *(уличный)*

скрипе́ть creak; scratch *(о пере)*

скри́пк||а víolin; fiddle *разг.*; игра́ть пе́рвую ~у *перен.* take a léading part

скри́п||нуть creak; **~у́чий** créaky; scrátchy *(о пере)*

скро́мн||ость modesty; **~ый** módest

скрути́ть, скру́чивать 1. *(о нитке)* twist **2.** *(папиросу)* roll **3.** *(связать)* bind, tie up

скрыва́ть(ся) *см.* скры́ть(ся)

скры́тн||ость resérve, réticence; **~ый** resérved, réticent

скры́тый hídden; veiled *(о намёке)*; *физ., хим.* látent

скрыть hide; disguíse *(чувство)*; **~ся** disappéar *(из виду)*; hide *(спрятаться)*; escápe *(убежать)*

скря́га míser

ску́д||но *нареч.* scántily; **~ный** poor *(об обеде, об урожае)*; scánty *(о запасах)*; **~ость** scántiness; póverty

ску́ка bóredom

скула́ chéek-bone

скули́ть whímper

ску́льпт||ор scúlptor; **~у́ра** scúlpture

скуп||а́ть, ~и́ть buy up

скупи́ться be stíngy; grudge

ску́пка búying up

скупо́й 1. *прил.* míserly, stíngy **2.** *как сущ.* míser

ску́пость stínginess; míserliness

ску́пщик one who buys up

скуча́ть be bored; be lónely *(грустить)*; ~ по кому́-л. miss smb.

ску́ченный dense

ску́чн||о *предик. безл.*: мне бы́ло ~ I was bored, I found it tédious; **~ый** dull, bóring; sad *(печальный)*

ску́шать eat up

слабе́ть wéaken

слаби́тельное *мед.* purge, láxative

сла́бо *нареч.* **1.** féebly **2.** *(плохо)* póorly

слабово́льный wéak-wílled

слабоси́льный weak

сла́бость 1. wéakness **2.** *(слабое место)* weak point

слабоу́м||ие imbecílity; **~ный** ímbecile, wéak-mínded

слабохара́ктерный wéak(-wílled)

сла́бый 1. weak; délicate *(о здоровье)*; faint *(едва заметный)*; loose *(нетугой)* **2.** *разг.* *(плохой)* poor

сла́в||а glóry; fame ◇ на ~у wónderfully well

сла́виться be fámous *(for)*

сла́вный 1. glórious; fámous *(знаменитый)* **2.** *разг.* *(хороший)* nice

слав||яни́н Slav; **~я́нский** Slav, Slavónic

слага́||емое *мат.* addéndum; **~ть** *см.* сложи́ть 4, 5; **~ться** be made up *(of)*

сла́дить mánage; cope *(with)*

сла́дк||ий sweet; **~ое** *как сущ.* dessért

сладостра́стный volúptuous

сла́дость swéetness

сла́нец schist

сластёна *разг.* sweet tooth

сла́сти sweets; cándy *sg.* *(амер.)*

слаща́вый súgary

сле́ва *нареч.* from the left *(откуда)*; left, on the left *(налево)*

слегка́ *нареч.* slightly

след track; fóotprint *(ноги́)*; scent *(зверя)*; *перен.* trace, sign

следи́ть I **1.** watch; spy *(on; выслеживать)*; keep an eye *(on)* **2.** *(за ходом чего-л.)* fóllow **3.** *(присматривать)* look áfter

следи́ть II *(оставлять следы)* leave tráces

сле́дователь prelíminary invéstigator

сле́довательно *союз* cónsequently, hence; thérefore

сле́д||овать **1.** fóllow *(тж. перен.)*; ~ сове́ту fóllow (*или* take) smb.'s advíce; по́езд ~ует до Москвы́ the train is bound for Móscow **2.** *безл.*: вам ~ует you ought to; кому́ ~ует to whom it may concérn; to the próper (*или* right) pérson; куда́ ~ует to the próper quárter; ско́лько с меня́ ~ует? how much do I owe (you)?; э́того ~овало ожида́ть this was to be expécted ◇ как ~ует próperly, well

сле́дом *нареч.* áfter

сле́дствие I cónsequence, resúlt

сле́дствие II *юр.* ínquest, inquíry; суде́бное ~ judícial inquíry

сле́дующ||ий fóllowing; next *(по порядку)*; в ~ раз next time; ~им о́бразом in the fóllowing way

сле́жка shádowing

слеза́ tear

слеза́ть *см.* слезть

слез||и́ться wáter; **~ли́вый** téarful

слезоточи́вый: ~ газ téar-gas

слезть **1.** get down; dismóunt *(с лошади)* **2.** *разг.* *(с трамвая)* get out, alight *(from)* **3.** *(о коже)* peel

слепе́нь hórse-fly

слепи́ть I blind

слепи́ть II *(склеить)* paste togéther

слепи́ть III *(из глины и т. п.)* mould

сле́пнуть becóme blind

слепо́й **1.** *прил.* blind **2.** *как сущ.* blind man

сле́пок mould

слепота́ blíndness

слеса́рн||ый fítter's; ~ая мастерска́я tool shop

сле́сарь lócksmith; fítter

слёт rálly

слета́ть *см.* слете́ть

слета́ться *см.* слете́ться

слете́ть **1.** fly down *(вниз)*; be blown awáy *(от ветра)* **2.** *разг.* fall off *(упасть)*; be thrown off *(с лошади)*

слете́ться fly togéther; *перен.* gáther

слечь be laid up; take to one's bed

сли́ва **1.** plum **2.** *(дерево)* plúm-tree

слива́ть(ся) *см.* сли́ть(ся)

слив||ки cream *sg.;* **~очный** cream *attr.;* ~очное моро́женое íce-créam; ~очное ма́сло bútter

слизист||ый slímy; *анат.* múcous; ~ая оболо́чка múcous mémbrane

слизь slime; múcus

слипа́ться, сли́пнуться stick togéther

сли́тно *нареч.* togéther

сли́ток íngot

слить 1. *(отлить)* pour off **2.** *(смешать)* mix; *перен.* merge, fuse; **~ся** merge

слич||а́ть *см.* сличи́ть; **~е́ние** compárison; collátion; **~и́ть** compáre; colláte

сли́шком *нареч.* too

слия́ние cónfluence *(рек);* blénding *(красок); перен.* mérging

слова́к Slóvak, Slovákian

слова́рный léxical; ~ соста́в word stock, vocábulary

слова́рь díctionary; vocábulary *(запас слов);* glóssary *(специальных слов)*

слова́цкий Slovákian; ~ язы́к Slovákian, the Slovákian lánguage

слове́сность líterature

слове́сный *(устный)* óral

сло́вно *союз* as if, as though

сло́в||о 1. word; не сказа́в ни ~а withóut sáying a word **2.** *(речь)* speech ◇ к ~у пришло́сь tálking of that

сло́вом *вводн. сл.* in short

словообразова́ние *лингв.* wórd-building

словоохо́тливый tálkative, loquácious

словосочета́ние *лингв.* combinátion of words

словц||о́: для кра́сного ~а́ *разг.* just be wítty

слог I sýllable

слог II *(стиль)* style

слоёный: ~ пиро́г púff-pástry

сложе́ние 1. *мат.* addítion **2.** *(тела)* constitútion, build

слож||и́ть 1. *мат.* add **2.** *(пополам и т. п.)* fold **3.** *(дрова, книги)* pile up; ~ ве́щи pack (up); do the pácking *(для отъезда)* **4.** *(ответственность и т. п.)* resign **5.** *(песню)* compóse ◇ сиде́ть ~а́ ру́ки ≅ twíddle one's thumbs; beidle; **~и́ться 1.** *(сделать складчину)* club togéther **2.** *(об обстоятельствах)* go, turn out

сло́жн||ость 1. complicátion, compléxity **2.:** в о́бщей ~ости on the whole; **~ый 1.** cómplicated **2.** *(составной)* cómpound; cómplex; ~ое сло́во cómpound word; ~ое предложе́ние *грам.* cómplex séntence

слои́стый fláky *(о тесте)*

слой 1. láyer; cóat(ing) *(о краске)* **2.** *геол.* strátum *(тж. перен.)*

слом púlling down

слом||а́ть break; frácture *(руку и т. п.);* pull down *(дом);* **~а́ться** break, be bróken; **~и́ть** break; cónquer; ~и́ть сопротивле́ние overcóme the resístance *(of)* ◇ ~я́ го́лову at bréakneck speed

слон 1. élephant **2.** *шахм.* bíshop; **~о́вый** elephántine; ~о́вая кость ívory

слоня́ться *разг.* mooch (aróund), lóiter abóut

слуга́ (mán)sérvant

слу́жащий *сущ.* employée

слу́жба sérvice; work, job *(работа)*

служе́бный 1. sérvice *attr.;* official; ~ вход staff éntrance **2.** *(вспомогательный)* auxíliary

служ||е́ние sérvice; **~и́ть 1.** serve; ~и́ть при́знаком índicate; ~и́ть приме́ром be an exámple **2.** *(работать)* work

слух 1. *(чувство)* ear; héaring; у него́ хоро́ший музыка́льный ~ he has a good ear for músic; по ~у by ear **2.** *(молва, весть)* rúmour ◇ о нём ни ~у ни ду́ху we néver hear a word from him; he has vánished withóut trace

слух||ово́й acóustic; ~ово́е окно́ áttic wíndow

слу́ча||й 1. case; áccident *(несчастный)* **2.** *(возможность)* occásion, chance; opportúnity *(удобный случай)* ◇ ни в ко́ем ~е on no accóunt; по ~ю *(чего-л.)* on the occásion *(of)*; in hónour *(of; в честь)*

случа́йн||о *нареч.* accidéntally, by chance; **~ость** chance; по счастли́вой ~ости by a lúcky chance; **~ый** accidéntal, chance *attr.;* cásual; ~ая встре́ча chance méeting; ~ый за́работок odd jobs *pl.*

случ||а́ться, ~и́ться háppen; что ~и́лось? what's háppened?; what's up?

слу́ша||тель 1. lístener **2.** *(студент)* stúdent **3.** *мн.:* ~тели lísteners; áudience *sg.;* **~ть 1.** lísten; ~ю! *(по телефону)* húllo!; вы ~ете? are you there? **2.** *(курс лекций)* atténd; **~ться 1.** obéy; ~ться сове́та take advíce **2.** *(в суде)* be brought befóre the court

слы́шать hear; **~ся** be heard

слы́шимость 1. audibílity **2.** *(по телефону, радио)* recéption

слы́шно *предик. безл.* one can hear ◇ что ~? what's the news?

слюда́ míca

слюн||а́ salíva; бры́згать ~о́й splútter

слюня́вый slóbbery

сля́коть slush, mire

сма́з||ать grease *(жиром);* oil *(маслом);* lúbricate *(машину);* **~ка 1.** *(действие)* gréasing *(жиром);* óiling *(маслом);* lubricátion *(машины)* **2.** *(вещество)* lúbricant; **~чик** lúbricator; **~ывать** *см.* сма́зать

сма́н||ивать, ~и́ть entíce, lure awáy

смастери́ть *разг.* make

сма́тывать *см.* смота́ть

сма́хивать, смахну́ть brush off; смахну́ть слезу́ brush *(или* wipe) awáy a tear

сма́чивать *см.* смочи́ть

сме́жный adjácent

смека́лка quick wits *pl.*

сме́лость cóurage, bóldness

сме́лый courágeous, bold

смельча́к dáredevil

сме́н||а 1. *(действие)* change; *воен.* relief; прийти́ на ~у кому́-л. take smb.'s place **2.** *(на заводе)* shift **3.** *(белья)* change; **~и́ть** change; replа́ce *(заменить); воен.* relíeve; **~и́ться** take turns; be replа́ced *(by — чем-л.);* **~я́ть(ся)** *см.* смени́ть(ся)

сме́рить méasure

смерка́||ться *безл.*: ~ется it is gétting dark

смерте́льн||о *нареч.* mórtally; ~ уста́ть be dead tired; **~ый** mórtal; death *attr.*; fátal *(о ране и т. п.)*

сме́рт||ность mortálity; déath-rate *(от болезней и т. п.)*; **~ный** mórtal; ~ная казнь cápital púnishment; ~ный пригово́р death séntence

смерть death

смерч whírlwind, sánd-storm *(песчаный)*; wáter-spout *(водяной)*

смести́ sweep awáy (*или* off)

смести́ть displáce; remóve *(тж. с должности)*

смесь míxture

сме́та éstimate

смета́на sour cream

смета́ть I *см.* смести́

смета́ть II *(на живую нитку)* tack (togéther)

сме́тлив||ость resóurcefulness, shárpness; **~ый** resóurceful, sharp

сметь dare

смех láughter ◇ ~а ра́ди for a joke

смехотво́рный láughable, ridículous

сме́ш||анный mixed; **~а́ть** mix; blend *(о красках)*; lump togéther *(в кучу)*; **~а́ться 1.** intermíx **2.** *(смутиться)* be confúsed; **~е́ние** míxture; ~éние поня́тий confúsion of idéas

сме́шивать *см.* смеша́ть; **~ся** *см.* смеша́ться 1

смеш||и́ть make smb. laugh; **~ли́вый** réady to laugh (*или* to giggle); **~но́ 1.** *нареч.* in a fúnny mánner, cómically **2.** *предик. безл.* it is ridículous; it is fúnny; **~но́й** ridículous; fúnny; здесь нет ничего́ ~но́го there is nothing to laugh at

смещ||а́ть *см.* смести́ть; **~е́ние 1.** displácement **2.** *геол.* dislocátion

смея́ться laugh; ~ над кем-л. make fun of smb. (*или* at smb.'s expénse)

сми́лостивиться have píty *(on)*

смире́н||ие humílity, méekness; **~ный** humble, meek

смири́ть subdúe; restráin *(страсти и т. п.)*; humble *(гордость)*; **~ся** submít

сми́р||но *нареч.* quietly; ~! *воен.* stand at atténtion!; **~ный** quiet

смиря́ть(ся) *см.* смири́ть(ся)

смол||а́ résin; pitch; tar *(жидкая)*; **~и́стый** résinous; **~и́ть** résin; tar

смолка́ть, смо́лкнуть grow sílent; cease *(о шуме)*

смолча́ть hold one's tongue

сморка́ться blow one's nose

сморо́дина cúrrant; кра́сная ~ red cúrrant; чёрная ~ black cúrrant

смо́рщ||енный wrinkled; **~ить** wrinkle; **~иться** wrinkle

смота́ть reel, wind

смотр inspéction, revíew; *воен.* paráde; ~ худо́жественной самоде́ятельности ámateur arts féstival; произвести́ ~ inspéct, revíew

смот||ре́ть 1. look; gaze *(пристально)* **2.** *(просматривать)* look through; see *(пьесу, кинофильм)* **3.** *(присматривать)* look *(after)* ◇ как вы на э́то

abóut to ◇ ~ся с мы́слями colléct one's thoughts; ~ся с ду́хом pluck up one's cóurage

со́бственн||ик ówner; **~ический** propríetary

со́бственно: ~ говоря́ stríctly spéaking

собственнору́чн||о *нареч.* with one's own hand; **~ый** áutograph *attr.*; ~ая по́дпись áutograph

со́бственн||ость próperty; **~ый** own; **и́мя** ~ое *грам.* próper noun

собы́т||ие evént; ~ия развива́ются things are on the move

сова́ owl

сова́ть *разг.* poke, thrust ◇ ~ свой нос poke one's nose *(into)*; **~ся** *разг.* butt in

соверша́ть(ся) *см.* соверши́ть(-ся)

соверше́нно *нареч.* quite, ábsolutely

совершенноле́тие majórity

совершенноле́тний of age *(после сущ.)*

соверше́нный I pérfect; ábsolute *(абсолютный)*

соверше́нный II: ~ вид *грам.* perféctive áspect

соверше́нство perféction; **~вать** perféct; *(о методах работы тж.)* impróve; **~ваться** perféct onesélf *(in)*

соверши́ть accómplish; do *(сделать)*; ~ преступле́ние commít a crime; **~ся** be accómplished

со́вест||ливый consciéntious; **~но** *предик. безл.* it is a shame; мне ~но I have a guilty cónscience

со́вест||ь cónscience ◇ по ~и говоря́ to be hónest

сове́т I *(выборный орган государственной власти в СССР)* Sóviet; Сове́т Национа́льностей the Sóviet of Nationálities; Сове́т Сою́за the Sóviet of the Union; Сове́т наро́дных депута́тов Sóviet of People's Députies

сове́т II *(административный, совещательный орган)* cóuncil; Сове́т Мини́стров Cóuncil of Mínisters; Сове́т Безопа́сности Secúrity Cóuncil

сове́т III *(наставление)* advíce; cóunsel; дать ~ give smb. a piece of advíce

сове́тник cóunsellor

сове́товать advíse; **~ся** 1. consúlt, ask advíce *(of)* 2. *(между собой)* talk smth. óver with smb.

сове́тский Sóviet *attr.*; Сове́тский Сою́з the Sóviet Únion; Сове́тская власть Sóviet pówer; Сове́тское прави́тельство the Sóviet Góvernment; ~ наро́д the Sóviet people

сове́тчик advíser

совеща́||ние cónference; **~тельный** consúltative; **~ться** delíberate, confér, hold a cónference

совлада́ть *разг.* contról; get the bétter *(of)*

совмест||и́мый compátible; **~и́ть** combíne *(with)*

совме́стн||о *нареч.* in cómmon, jóintly; ~ владе́ть share; **~ый** joint; ~ое обуче́ние có-educátion

совме||ща́ть *см.* совмести́ть; **~ще́ние** combinátion

сово́к scoop

совоку́пн||ость totálity; **~ый** joint; combíned

совпад||а́ть *см.* совпа́сть; **~е́ние** coíncidence

совпа́сть coincíde

соврати́ть sedúce

сovра́ть *разг.* tell a lie

совращ||а́ть *см.* соврати́ть; **~е́ние** sedúcing; sedúction

совреме́нн||ик contémporary; **~ость 1.** modérnity; béing up to date **2.** módern life; **~ый** contémporary, módern

совсе́м *нареч.* quite; tótally, entírely *(полностью)*

совхо́з sovkhóz, State farm; **~ный** sovkhóz *attr.*, Státe-farm *attr.*

согла́с||ие 1. consént **2.** *(дружба)* accórd; **~и́ться** agrée *(with — с кем-л.)*; agrée *(to — с чем-л.)*

согла́сно accórding to; **~ с** in accórdance with

согла́сн||ый I agréeable *(to)*; быть **~ым** agrée *(to, with)*

согла́сный II *(о звуке)* cónsonant *attr.*; **~** звук cónsonant

соглас||ова́ние 1. agréement; concórdance **2.** *грам.* cóncord; **~о́ванность** co-ordinátion; **~ова́ть** co-órdinate; **~ова́ться 1.** confórm **2.** *грам.* agrée; **~о́вывать(ся)** *см.* согласова́ть (-ся)

соглаша́тель *полит.* colláborator *(with class enemy)*; **~ство** *полит.* collaborátion *(with class enemy)*

соглаш||а́ться *см.* согласи́ться; **~е́ние 1.** understánding; по взаимному **~е́нию** by mútual consént **2.** *(договор)* agréement

согна́ть drive awáy *(или* off) *(прогнать)*; drive togéther *(вместе)*

согну́ть bend; **~** гвоздь bend a nail; **~ся** bend down

согра́ждане féllow-citizens

согрева́||ние wárming; **~ть (-ся)** *см.* согре́ть(ся)

согре́ть warm; warm up *(разогреть)*; **~ся** get *(или* grow) warm

согреши́ть commit a sin

со́да sóda

соде́йств||ие assístance, help; **~овать** assíst, help

содержа́н||ие 1. máintenance; allówance *(денежное)*; быть на **~ии** be kept *(by smb.)* **2.** *(письма́, книги)* cóntents *pl.*; mátter *(сущность)*; кра́ткое **~** súmmary

содержа́тельн||ость ríchness of cóntent, píthiness; **~ый** rich in cóntent, substántial; méaty *разг.*

содержа́ть 1. maintáin; keep; suppórt *(семью)* **2.** *(заключать в себе)* contáin **3.** *(держать)* keep; **~ся 1.** *(находиться)* contáin **2.** *(на чей-л. счёт)* be kept; be suppórted

содержи́мое cóntents *pl.*

содокла́д có-lécture; có-repórt; **~чик** có-lécturer

содра́ть skin, strip

содрог||а́ние shúdder; **~а́ться, ~ну́ться** shúdder

содру́жество cóncord

со́евый sóy-bean *attr.*

соедине́ние 1. júnction; combinátion *(сочетание; тж. хим.)* **2.** *воен.* formátion

соединённый united; joint

соедини́тельный 1. connécting; connéctive *(о ткани)* **2.** *грам.* cópulative *(о союзе)*

соедини́ть 1. uníte; join **2.** *(по телефону)* connéct; **~ся 1.** uníte **2.** *хим.* combíne

соединя́ть(ся) *см.* соедини́ть (-ся)

сожале́||ние regrét; píty *(жалость)* ◇ к **~**нию unfórtunately; **~ть** regrét; be sórry *(that)*

сожже́ние búrning; cremátion *(кремация)*

сожи́тель róom-mate *(по комнате)*; **~ство** líving togéther

созва́ть call togéther; invíte *(гостей)*; convóke, súmmon *(собрание)*

созве́здие constellátion

созвони́ться *(по телефону)* call up, ring up

созву́ч||ие accórd; **~ный** cónsonant *(with, to)*

создава́ть(ся) *см.* созда́ть(ся)

созда́||ние 1. *(действие)* creátion **2.** *(произведение)* work, creátion **3.** *(существо)* créature; **~тель** creátor; fóunder *(основатель)*; **~ть** creáte; **~ться** be creáted; aríse; у меня́ **~**лось впечатле́ние, что I gáined the impréssion that

созерца́||ние contemplátion; **~тельный** cóntemplative; **~ть** cóntemplate

созида́ть *см.* созда́ть

сознава́ть 1. be cónscious *(of)*; réalize *(понимать)* **2.** *(признавать)* récognize; **~ся** *см.* созна́ться

созна́||ние 1. cónsciousness; **~** до́лга sénse of dúty **2.** acknówledgement; conféssion *(вины)* **3.** *(чувство)* sense; прийти́ в **~** come to one's sénses; **~тельно** *нареч.* cónsciously; delíberately *(с умыслом)*; **~тельный 1.** cónscious; cláss-cónscious *(политически)* **2.** *(намеренный)* delíberate; **~ть** *см.* сознава́ть; **~ться** conféss

созрева́ние rípening

созрева́ть, созре́ть rípen; matúre *(тж. перен.)*; come to a head *(о нарыве)*; план созре́л the plan has matúred

созы́в convocátion; **~а́ть** *см.* созва́ть

соизмери́мый comménsurable

сойти́ 1. go down *(спуститься)*; get off *(слезть)* **2.** *(уйти)* leave **3.** *(о краске, коже и т. п.)* come off **4.:** **~** за кого́-л. be táken for smb. ◇ сойдёт и так *разг.* that will do; **~** с ума́ go mad; be out of one's mind, be distráught; всё сошло́ благополу́чно éverything went off all right; **~сь 1.** *(собраться)* meet **2.** *(сблизиться)* live togéther **3.** *(согласиться)* agrée

сок juice; sap *(растений)*

со́кол fálcon

сократи́ть 1. *(укоротить)* shórten; abbréviate *(слово)*; abrídge *(книгу)* **2.** *(расходы)* redúce, cut down **3.** *(уволить)* dismíss **4.** *мат.* cáncel; **~ся 1.** redúce **2.** *(стать короче)* shórten

сокращ||а́ть(ся) *см.* сократи́ть(ся); **~е́ние 1.** *(укорочение)* shórtening; abbreviátion *(слова)* **2.** *(уменьшение)* cútting down; **~**е́ние вооруже́ний redúction of ármaments **3.** *(по службе)* dismíssal; **~**е́ние шта́тов staff redúction **4.** *мат.*

cancellátion **5.** *(мышцы)* contráction; **~ённый** brief, short, concíse; abbréviated *(о слове)*

сокрове́нный ínnermost

сокро́вищ||е tréasure; **~ница** tréasury

сокруш||а́ть 1. *см.* сокруши́ть **2.** *(огорчать)* distréss; **~а́ться** be distréssed; **~и́тельный** destrúctive; **~и́ть** smash

солга́ть lie, tell lies

солда́т sóldier

соле́ние sálting

солён||ый salt; sálty, sáline *(об источнике, озере и т. п.)*; sálted, pickled *(об огурцах)*; corned, salt *(о мясе)*

соле́нье *разг.* food(s) presérved *(или* pickled) in brine

солида́рн||ость solidárity; **~ый 1.** *юр.* sólidary **2.:** ~ый с кем-л. in agréement with smb.

соли́дн||ость 1. solídity **2.** *(надёжность)* reliabílity; **~ый 1.** sólid, firm **2.** *(надёжный)* relíable

соли́ст, ~ка sóloist

соли́ть salt; presérve in brine *(огурцы и т. п.)*

со́лнечн||ый 1. sun *attr.*; ~ свет súnlight; ~ уда́р súnstroke **2.** súnny; ~ день súnny day **3.** sólar; ~ое затме́ние sólar eclípse

со́лнце sun; **~пёк:** на ~пёке right in the sun

со́ло *муз.* sólo

солове́й níghtingale

соло́м||а straw; **~енный** straw *attr.*; ~енная кры́ша thatch; ~енная шля́па straw hat; **~инка** a straw

солони́на corned beef

соло́нка sált-cellar

солончаки́ sált-marshes

соль I salt

соль II *муз.* G, sol

солян||о́й salt; ~ы́е пласты́ sáline depósits

соля́н||ый: ~ая кислота́ hýdrochlóric ácid

со́мкнутый: ~ строй *воен.* close órder

сомкну́ть close; **~ся** close

сомнева́ться doubt, have doubts; не ~ в чём-л. have no doubts of smth.

сомн||е́ние doubt; без ~е́ния withóut doubt; undóubtedly; **~и́тельно** *предик. безл.* it is dóubtful; **~и́тельный 1.** dóubtful **2.** *(подозрительный)* dúbious

сон 1. *(состояние)* sleep **2.** *(сновидение)* dream; ви́деть во сне dream *(about)*; **~ли́вость** sléepiness; **~ли́вый** féeling sléepy, drówsy

со́нный 1. *(снотворный)* sléeping **2.** *(сонливый)* sléepy **3.** *(спящий)* sléeping

соображ||а́ть 1. think out **2.** *см.* сообрази́ть; **~е́ние 1.** considerátion; принима́ть в ~е́ние take ínto considerátion **2.** *(понятливость)* understánding **3.** *(причина)* réason

сообрази́тельн||ость quick-wit; ingenúity; **~ый** quick-witted, bright

сообрази́ть 1. *(понять)* understánd, grasp **2.** *(подумать)* consíder

сообра́зн||о *(с чем-л.)* accórding *(to)*; **~ый** consístent *(with)*

сообразова́ть, ~ся confórm *(to)*

сообща́ *нареч.* togéther, (con-)jóintly

сообщ||а́ть *см.* сообщи́ть; **~а́ться** *(с кем-л.)* commúnicate *(with)*; **~е́ние 1.** *(связь)* communicátion **2.** *(известие)* informátion, repórt; annóuncement *(правительственное)*; телегра́фное ~е́ние telegráph(ic) méssage

сообщи́ть infórm, repórt, commúnicate

соо́бщни||к accómplice; **~чество** complícity

соору||ди́ть, ~жа́ть eréct, build; **~же́ние** búilding, strúcture, constrúction

соотве́тств||енно 1. *нареч.* accórdingly **2.** *предл.* accórding to; in accórdance with; **~енный** correspónding; súitable *(подходящий)*; **~ие** confórmity; **~овать** correspónd *(to)*; **~ующий** correspónding

соотéчественник compátriot

соотноше́ние correlátion

сопе́рни||к ríval; *спорт.* oppónent; **~чать** compéte; **~чество** rívalry

сопе́ть sniff

со́пка a cónical-shaped hill

сопоста́в||ить compáre *(with)*; **~ле́ние** compárison; **~ля́ть** *см.* сопоста́вить

соприкаса́ться come into cóntact *(with)*

соприкоснове́ние *прям., перен.* cóntact, touch; ~ грани́ц sháring cómmon fróntiers

соприкосну́ться *см.* соприкаса́ться

сопровожд||а́ть accómpany; **~а́ться** be accómpanied *(by)*; **~е́ние** accómpaniment

сопротивл||е́ние resístance; **~я́ться** resíst

сопу́тств||овать accómpany; **~ующий** accómpanying; atténdant

сор swéepings *pl.*; dust

соразме́р||ить régulate, adjúst; **~но** *нареч.* in propórtion *(to, with)*

соразмеря́ть *см.* соразме́рить

сора́тник compánion in arms

сорване́ц mádcap

сорва́ть 1. tear off; pick *(цветок)* **2.** *(провалить)* break down, rúin, frustráte; disrúpt *(занятие)* ◇ ~ зло́бу vent one's ánger *(on)*

сорва́||ться 1. break awáy *(или* loose); дверь ~ла́сь с пе́тель the door came off it's hínges **2.** *(упасть)* fall **3.** *(о слове)* escápe **4.** *(не удаться)* fail

соревнова́||ние competítion; *спорт.* cóntest; провести́ ~ния *спорт.* hold a tóurnament; ~ в бе́ге race; **~ться** compéte

сори́ть 1. *(в доме)* make a mess, drop things on the floor **2.** *(на улице)* drop lítter

со́рн||ый: ~ая трава́ weed

сорня́к weed

со́рок fórty

соро́ка mágpie

сороково́й fórtieth

соро́чка *см.* руба́шка

сорт 1. *(разновидность)* sort; kind **2.** *(качество)* quálity; вы́сший ~ híghest quálity; **~ирова́ть** sort; **~иро́вка** sórting; **~иро́вщик** sórter

соса́ть suck

сосе́д néighbour; **~ний** néighbouring; next *(смежный)*; **~ство** néighbourhood

соси́ска chippoláta sáusage; fránkfurter *(амер.)*

со́ска cómforter, dúmmy teat

соска́кивать *см.* соскочи́ть

соска́льзывать, соскользну́ть slide down; slip off *(упасть)*

соскочи́ть jump off; come off *(о колесе и т. п.)*; ~ с ло́шади jump off one's horse

соску́читься 1. *(по ком-л., по чём-л.)* miss **2.** *(почувствовать скуку)* grow wéary; ~ в ожида́нии кого́-л. grow wéary wáiting for smb. to come

сослага́тельн||ый: ~ое наклоне́ние *грам.* subjúnctive mood

сосла́ть éxile

сосла́||ться 1. refér *(to)*; cite *(процитировать)* **2.** *(оправдаться)* plead; он ~лся на боле́знь he pléaded ill

сосло́вие estáte

сослужи́вец cólleague

сосн||а́ pine, píne-tree; **~о́вый** pine *attr.*

сосо́к *анат.* nipple

сосредото́ч||енно *нареч.* inténtly; **~енность** concentrátion; **~енный** concentráted; **~ивать, ~ить** cóncentrate; **~иться 1.** be cóncentrated **2.** *(углубиться)* cóncentrate *(upon)*

соста́в 1. composítion; strúcture *(структура)* **2.** *(штат)* staff; *театр.* cast *(исполнители)*; в по́лном ~е in a bódy **3.** *ж.-д.* train

состави́тель compíler; áuthor

соста́вить 1. put togéther; make up **2.** *(сочинить)* compóse; draw up *(документ)*; compile *(словарь, учебник)*; work out *(план)* **3.** *(образовать)* form; **~ся** be formed

состав||ле́ние composítion; compíling *(словаря, учебника)*; wórking out *(плана)*; **~ля́ть (-ся)** *см.* соста́вить(ся); **~но́й** cómposite; ~на́я часть compónent (part)

соста́риться grow old

состоя́ние I condítion, state

состоя́ние II *(капитал)* fórtune

состоя́тельный *(с достатком)* wéll-to-dó; wéll-óff

состоя́ть 1. *(быть)* be; ~ в до́лжности óccupy the post **2.** *(из чего-л.)* consíst *(of)* **3.** *(в чём-л.)* consíst *(in)*; **~ся** take place

сострада́||ние compássion; **~тельный** compássionate

состяза́||ние cóntest, competítion; уча́стник ~ния compétitor; **~ться** compéte *(in)*; ~ться в бе́ге race

сосу́д véssel

сосу́лька ícicle

сосуществова́ние cóexístence; ми́рное ~ péaceful cóexístence

сосчита́ть count

со́тня a húndred

со́товый: ~ мёд hóney in the comb

сотру́дник colláborator; employée *(служащий)*

сотру́дничать collábora te

сотру́дничество collaborátion; междунаро́дное ~ internátional co-operátion

сотряс||а́ть, ~а́ться shake; **~е́ние** concússion; ~е́ние мо́зга concússion of the brain

со́ты hóneycomb *sg.*

со́тый húndredth

со́ус sauce; grávy *(мясной);* dréssing *(к салату и т. п.)*

соуча́ст||ие pártnership; complícity *(в преступлении);* **~ник 1.** pártner **2.** *(сообщник)* accómplice

соучени́к schóolfellow

софа́ sófa

соха́ wóoden plough

со́хнуть dry

сохран||е́ние preservátion; **~и́ть** keep; maintáin *(поддержать);* **~и́ться** remáin; keep; be well presérved *(о наружности)*

сохра́н||ность sáfety; **~ный** safe; **~я́ть(ся)** *см.* сохрани́ть(-ся)

социа́л-демокра́т Sócial Démocrat; **~и́ческий** sócial-demo-crátic

социали́зм sócialism; нау́чный **~** scientífic sócialism

социали́ст sócialist

социалисти́ческ||ий sócialist; **~**ое строи́тельство sócialist constrúction; **~**ое о́бщество sócialist socíety; **~**ая систе́ма хозя́йства sócialist sýstem of ecónomy; **~**ое соревнова́ние sócialist emulátion

социа́льн||ый sócial; **~**ое страхова́ние sócial insúrance

соцсоревнова́ние (социалисти́ческое соревнова́ние) *см.* социалисти́ческий

соцстра́х (социа́льное страхова́ние) *см.* социа́льный

сочета́||ние combinátion; **~ть** combíne; **~ться** go (with), combíne

сочин||е́ние 1. *(литературное произведение)* work; *муз.* composítion **2.** *(школьное)* composítion; éssay; **~и́ть, ~я́ть 1.** *(о писателе)* write; *муз.* compóse **2.** *разг.* *(выдумать)* invént

сочи́||ться ooze (out); seep; из ра́ны **~**тся кровь the wound is bléeding

со́чный júicy; rich *(о красках, растительности)*

сочу́вств||енный sympathétic; **~ие** sýmpathy *(with);* **~овать** *(кому-л.)* sýmpathize *(with)*

сою́з I **1.** *(единение)* únion, allíance; заключи́ть **~** make an allíance **2.** *(государств)* únion **3.** *(организация, объединение)* únion, league; Всесою́зный Ле́нинский Коммунисти́ческий Сою́з Молодёжи Léninist Young Cómmunist League of the Sóviet Únion

сою́з II *грам.* conjúnction

сою́з||ник álly; **~ный 1.** allíed; **~**ные держа́вы allíed pówers **2.** *(относящийся к СССР)* of the Únion; **~**ная респу́блика Únion Repúblic

спада́ть *см.* спасть

спа́зм(а) spasm

спа́ивать I *(вином)* make a drúnkard (of)

спа́ивать II *см.* спая́ть

спа́йка 1. *тех.* sóldered joint **2.** *перен.* solidárity, únity **3.** *мед.* lésion

спали́ть burn *(сжечь);* singe *(опалить)*

спа́ль||ный: **~**ные принадле́жности bédding *sg.;* **~** мешо́к sléeping-bag; **~ня** bédroom

спа́ржа aspáragus

спартакиáда *спорт.* sports féstival

спасáтельный réscuing, life-saving; ~ пóяс life-belt; ~ круг life-buoy

спасáть(ся) *см.* спасти́(сь)

спасéние 1. *(действие)* réscuing, sáving **2.** *(результат)* réscue; escápe; *перен.* salvátion

спаси́бо thanks; thank you; большóе ~! thank you véry much!, mány thanks!; thank you éver so much!

спаси́тель réscuer; **~ный** sáving

спасти́ save; réscue *(от опасности)*; **~сь** escápe

спасть 1. fall down **2.** *(о воде)* subside

спать sleep; be asléep; идти́ ~ go to bed; я хочу́ ~ I'm réady for bed

спáянн||ость únity; solidárity; **~ый** united

спая́ть sólder; *перен.* unite

спектáкль perfórmance; дневнóй ~ matinée

спектр spéctrum

спекул||и́ровать spéculate; **~я́нт** spéculator, profitéer; **~я́ция** speculátion

спéлый ripe

сперва́ *нареч.* at first

спéреди *нареч. и предл.* in front *(of)*

спёртый close, stúffy

спеси́вый háughty

спесь háughtiness

спеть I *(созревать)* ripen

спеть II *(песню)* sing

специал||изáция specializátion; **~изи́рованный** spécialized; **~изи́роваться** spécialize; **~и́ст** spécialist *(in)*; éxpert *(in)*; authórity *(in)*

специáльн||ость speciálity; **~ый** spécial

специфи́ческий specífic

спецóвка *разг.* wórking óveralls *pl.*

спецодéжда wórking óveralls *(или* clothes) *pl.*

спеши́ть 1. húrry, make haste **2.** *(о часах)* be fast

спéшиться dísmóunt

спéш||ка húrry; haste; **~но** hástily; úrgently; **~ный** úrgent; **~ная** пóчта expréss delívery

спивáться *см.* спи́ться

спи́ливать, спили́ть saw down (off *или* awáy)

спинá back

спи́нка *(у мебели)* back

спиннóй *анат.* spínal; ~ хребéт spínal cólumn

спирáль spíral; **~ный** spíral

спирт álcohol; **~нóй:** **~ны́е** напи́тки spírits, alcohólic drinks

списáть 1. *(переписать)* cópy **2.** *школьн.* crib **3.** *(со счёта)* write off; **~ся** decíde láter by létter; arránge by létter

спи́с||ок list; ~ избирáтелей poll; ~ опечáток *см.* опечáтка; в **~ке** on the list; ~ уби́тых и рáненых list of killed and wóunded, cásualty list; **~ывать** *см.* списáть

спи́ться rúin onesélf by drink

спи́х||ивать, ~нýть *разг.* push aside *(в сторону)*; push down *(вниз)*

спи́ца 1. *(вязальная)* knítting-needle **2.** *(колеса)* spoke

спи́чечн||ый match *attr.*; **~ая** корóбка mátch-box

спи́чка match

сплав I *(ле́са)* flóating *(of timber)*

сплав II *(металлов)* ál'oy

спла́вить I *(ле́с)* float *(timber)*; raft

спла́вить II *(металлы)* allóy

сплавля́ть I, II *см.* спла́вить I, II

спла́чивать(ся) *см.* сплоти́ть(-ся)

сплёвывать spit

сплести́ plait; weave *(корзину)*; ~ вено́к make a wreath; **~сь** interláce

сплета́ть(ся) *см.* сплести́(сь)

сплéт||ник, ~ница góssip; **~ничать** góssip; **~ня** góssip

сплоти́ть(ся) rálly, uníte

сплоч||éние, ~ённость rállying; únity; **~ённый** uníted

сплош||нóй únbróken, contínuous; sólid, compáct *(о массе)* ◇ ~ная вы́думка there is not a word of truth in it

сплошь *нареч.* entírely

сплю́нуть *см.* сплёвывать

сплю́снутый *см.* сплю́щенный

сплю́щ||енный fláttened out; **~ивать(ся)** *см.* сплю́щить(ся); **~ить** flátten; **~иться** becóme flat

сподви́жник féllow-campaigner

споить *см.* спа́ивать I

спокóй||ный quiet; calm; ~ной но́чи! good night!; **~ствие** tranquíllity, calm

спола́скивать *см.* сполосну́ть

сполза́ть, сползти́ 1. slip down **2.** *разг. (с трудом спускаться)* scramble down

сполна́ *нареч.* complétely, in full

сполосну́ть rinse *(out)*

спор árgument

спо́ра *бот.* spore

спóр||ить árgue, dispúte; **~ный** controvérsial, dispútable; ~ный вопрóс controvérsial quéstion

споро́ть rip off

спорт sport; занима́ться ~ом go in for sport; во́дный ~ aquátics *pl.*

спорти́вн||ый spórting, sport *attr.*; **~ые** состяза́ния sports games

спортсмéн spórtsman

спо́соб way, mánner, méthod; ~ произво́дства méthod of prodúction; ~ употреблéния *(на этикетках)* diréctions for use *pl.*; таки́м ~ом in this way; други́м ~ом in a dífferent way; всéми ~ами by all póssible means

спосóб||ность fáculty; abílity *(for)*; **~ный 1.** *(одарённый)* able; cléver *(at)* **2.** *(на что-л.)* cápable *(of)*

спосо́бствовать assíst *(кому-л.)*; promóte, fúrther *(чему-л.)*

споткну́ться, спотыка́ться stúmble *(over)*

спохвати́ться, спохва́тываться *разг.* súddenly remémber; nótice in time

спра́ва *нареч.* to the right *(of)*

справедли́вость jústice

справедли́вый just, fair

спра́вить *(отпраздновать)* célebrate

спра́виться 1. *(осведомиться)* ask *(about)*; inquíre **2.** *(с чем-л.)* mánage; cope *(with)*

спра́вк||а 1. informátion;

réference **2.** *(удостоверение)* certíficate

справля́ть *см.* спра́вить

справля́ться *см.* спра́виться

спра́воч||ник réference book; hánd-book; железнодоро́жный ~ ráilway guide; карма́нный ~ pócket-guide; **~ный** inquíry *attr.;* ~ное бюро́ inquíry óffice

спра́шивать *см.* спроси́ть

спровоци́ровать provóke

спрос demánd *(for);* run *(on);* по́льзоваться ~ом be in demánd ◇ без ~а withóut ásking (leave); **~и́ть** ask

спросо́нок *нареч.* hálf-awáke

спры́г||ивать, ~нуть jump off; jump down *(вниз)*

спры́с||кивать, ~нуть sprinkle

спря||га́ть *грам.* cónjugate; **~га́ться** be cónjugated; **~же́ние** conjugátion

спря́тать hide; put awáy *(убрать);* **~ся** hide

спу́гивать, спугну́ть fríghten off *(или* awáy)

спуск 1. *(с горы, с лестницы и т. п.)* descént **2.** *(самолёта)* lánding **3.** *(откос)* slope ◇ не дава́ть ~у кому́-л. not let smb. get awáy with it; **~а́ть (-ся)** *см.* спусти́ть(ся)

спусти́ть 1. *(вниз)* let down, lówer **2.:** ~ с це́пи únchа́in **3.** *(воздух, газ)* let out; ~ куро́к pull the trígger; **~ся 1.** come down, descénd **2.** *(вниз по реке)* go dównstréam

спустя́ áfter; láter; немно́го ~ not long áfter

спу́тать 1. *(нитки)* entángle **2.** *(сбить с толку)* confúse; **~ся 1.** becóme entángled **2.** *(сбиться)* becóme confúsed

спу́тни||к, ~ца 1. (trávelling) compánion **2.** *астр.* sátellite; spútnik *(искусственный)*

спя́чка hibernátion

сравне́н||ие compárison; по ~ию as compáred with

сра́внивать I *см.* сровня́ть

сра́внивать II *см.* сравни́ть

сравни́||тельный compárative ◇ ~тельная сте́пень *грам.* compárative degrée; **~ть** compáre *(with);* **~ться** compáre *(with)*

сра||жа́ться *см.* срази́ть(ся); **~же́ние** battle; **~зи́ть** overwhélm; strike; smite *(о болезни и т. п.);* **~зи́ться** fight

сра́зу *нареч.* **1.** at once, right awáy **2.** *(одновременно)* at the same time

срам shame; **~и́ть** shame; **~и́ться** bring shame upón onesélf

среста́ться, сростись grow togéther; knit *(о костях)*

среда́ I *(день недели)* Wédnesday

сред||а́ II envíronment; surróundings *pl.* *(окружение);* society *(общество);* социа́льная ~ sócial envíronment; в на́шей ~е́ in our circle *(или* set)

среди́ *предл.* **1.** amóng; amídst *(между);* amóngst *(из числа)* **2.** *(посредине)* in the middle ◇ ~ бе́ла дня in broad dáylight

средневек||о́вый mediéval; **~о́вье** the Middle Áges *pl.*

сре́дни||й 1. middle **2.** *(взятый в среднем)* áverage; ~яя величина́ mean válue **3.** *(посредственный)* míddling **4.**

грам. néuter *(о роде)*; middle *(о залоге)* ◇ ~яя шкóла sécondary school; high school *(амер.)*; ~ие векá the Middle Áges

срéдств||о 1. means *pl.*; rémedy *(лечебное)* **2.** *мн.*: ~а *(деньги)* means; жить не по ~ам live beyónd one's means

срез cut

срéз||ать, ~áть cut off; **~аться** *разг. (на экзамене)* fail

срис||овáть, ~óвывать cópy

сровня́ть lével ◇ ~ с землёй raze to the ground

сродствó *хим.* affínity

срок 1. date; term *(аренды, соглашения)*; в ~ on time **2.** *(промежуток времени)* périod

срóчн||о *нареч.* quíckly *(быстро)*; úrgently *(спешно)*; **~ый** úrgent, préssing

сруб *(избы и т. п.)* frámework; **~áть, ~и́ть** cut down; fell *(о деревьях)*

срыв frustrátion, fáilure; ~ переговóров bréak-down in *(или* of) the talks

срывáть I *см.* срыть

срывáть II *см.* сорвáть; **~ся** *см.* сорвáться

срыть lével to the ground

ссáдина abrásion; scratch

ссади́ть, ссáживать 1. help smb. down from *(с лошади и т. п.)* **2.** put off; ~ безбилéтного пассажи́ра put a pássenger who has no tícket off a train

ссóр||а quárrel; быть в ~е be on bad terms *(with)*; **~иться** quárrel *(with)*

СССР (Союз Совéтских Социалисти́ческих Респýблик) USSR (Únion of Sóviet Sócialist Repúblics)

ссýд||а loan; давáть ~у lend; брать ~у bórrow; **~и́ть, ссужáть** lend

ссылáть *см.* сослáть

ссылáться I be éxiled

ссылáться II *см.* сослáться

ссы́лка I *(изгнание)* éxile

ссы́лка II *(указание)* réference, fóot-note

ссы́льный *сущ.* éxile, cónvict

ссып||ать, ~áть pour; sack *(в мешок)*; **~ка** póuring; **~нóй:** ~нóй пункт state gránary, gráin-colléctíng dépot

стабилиз||áция stabilizátion; **~и́ровать** stábilize; **~и́роваться** becóme stable

стаби́льный stable

стáвить 1. put, place, set; **2.** *(пьесу)* stage, prodúce **3.** *(в картах)* stake ◇ ~ услóвия lay down condítions; ~ в винý blame; ~ себé цéлью set onesélf a tárget

стáвка I **1.** rate; ~ зарплáты wage rate **2.** *(в игре)* stake

стáвка II *воен.*: ~ главнокомáндующего Géneral Héadquárters

стáвленник protégé [ˈproutезеɪ]

стáвня shútter

стадиóн *спорт.* stádium

стáдия stage

стáдо herd *(коров)*; flock *(овец, коз, гусей)*

стаж length *(или* récord) of sérvice; **~ёр 1.** spécial stúdent **2.** one who has stárted work but whose appóintment is súbject to confirmátion; **~ировáться 1.** do a spécial course **2.** work a périod súbject to confirmátion *(или* on probátion)

стака́н glass

сталева́р stéel-maker

сталелите́йный: ~ заво́д steel fóundry

сталеплави́льн||ый: ~ая печь steel fúrnace

сталепрока́тный: ~ стан stéel-rolling mill

ста́лкивать(ся) *см.* столкну́ть(ся)

ста́ло быть *вводн. сл.* so; thus

сталь steel; **~но́й** steel *attr.*

стаме́ска *тех.* chisel

стан I *(фигура)* figure; то́нкий ~ slénder waist

стан II *тех.* mill

стан III *(лагерь)* camp

станда́рт stándard

станда́ртный stándard *attr.*

станкострое́ние machíne-tool constrúction

станови́ться I *см.* стать I

станови́ться II *см.* стать II, 2

стано́к machíne-tool; lathe *(токарный)*; печа́тный ~ prínting-press

ста́нция státion; о́пытная ~ *с.-х.* experiméntal státion

ста́птывать(ся) *см.* стопта́ть(-ся)

стара́ни||е éffort; endéavour; несмотря́ на все мои́ ~я in spite of all my éfforts

стара́тель *(на золотых приисках)* góld-digger

стара́||тельность díligence; **~тельный** díligent; **~ться** endéavour; try *(пытаться)*

старе́ть grow old

стари́к old man

стар||ина́ 1. *(старое время)* ólden times *pl.* **2.** *(старинные вещи)* antíquities *pl.*; **~и́нный** áncient; old *(давнишний)*

ста́рить make old; **~ся** grow old

старожи́л old résident

старомо́дный óld-fáshioned

ста́роста *(группы, класса)* léader

ста́рость old age

старт start; на ~! *спорт.* get on your mark!; **~ёр** *спорт.* stárter; **~ова́ть** start

стару́ха old wóman

ста́рческий sénile

ста́рший 1. *(по годам)* óldest; élder *(о брате, сестре)* **2.** *(по положению)* sénior; ~ нау́чный сотру́дник sénior reséarch wórker **3.** *как сущ.:* кто здесь ~? who is in charge here?

старшина́ 1. *воен.* sérgeant-májor **2.** fóreman

старшинств||о́ seniórity; по ~у́ by right of seniórity

ста́рый old

старьё *разг.* old junk

ста́скивать *см.* стащи́ть 1

стати́ст *театр.* súper, wálker-on, éxtra

стати́ст||ика statístics; **~и́ческий** statístic(al)

ста́тный wéll-propórtioned

ста́туя státue

стать I *(сделаться)* becóme; get; grow; ~ учи́телем becóme a téacher; ста́ло хо́лодно it grew cold; ста́ло темно́ it grew dark ◇ его́ не ста́ло he is no more; во что бы то ни ста́ло at ány price, at all costs

стать II **1.** *(остановиться)* stop; часы́ ста́ли the watch stopped **2.** *(встать)* stand; ~ в óчередь queue up

стать III *(начать)* begín

стат||ь IV: с какóй ~и? why?

стáться becóme; háppen *(случиться)*

статья́ 1. árticle **2.** *(счёта)* item **3.** *(договора)* clause, árticle ◇ это осóбая ~ that is quite anóther mátter

стационáр hóspital for ínpatients

стáчечн||ик stríker; **~ый** strike *attr.*; ~ый комитéт strike commíttee

стáчка strike

стащи́ть 1. *(снять)* pull off **2.** *разг.* *(украсть)* steal

стáя flock *(птиц)*; shoal *(рыб)*; pack *(собак, волков)*

стáять melt

ствол 1. *(дерева)* trunk **2.** *(ружья)* bárrel

ствóрка fold, leaf

стеари́н tállow

стéбель stem, stalk

стёган||ый quílted; ~ое одеяло quilt

стегáть I *см.* стегнýть

стегáть II *(одеяло и т. п.)* quilt

стегнýть whip

стежóк stitch

стекáть(ся) *см.* стéчь(ся)

стеклó glass; лáмповое ~ lámp-chimney

стекля́нный glass *attr.*

стекóльщик glázier

стели́ть(ся) *см.* стлáть(ся)

стéлька ínner sole

стéльная: ~ корóва cow in calf

стемнéть grow dark

стенá wall

стенгазéта (стеннáя газéта) wall néwspaper

стенн||óй wall *attr.*; **~ы́е** часы́ wall clock *sg.*

стеногрáмма récord typed from shórthand

стеногр||афи́ровать take down in shórthand; **~афи́ст** stenógrapher; **~афи́ческий** stenográphic(al); **~áфия** shórthand, stenógraphy

стéпен||ь 1. degrée; пéрвой ~и first degrée; вторóй ~и sécond degrée **2.** *мат.* pówer

степнóй steppe *attr.*

степь steppe

стереоскóп stéreoscope; **~и́ческий** thrée-diménsional

стереоти́п stéreotype; **~ный** stéreotype *attr.*; ~ная фрáза stock phrase

стерéть wipe off; eráse, rub out *(написанное)*; ~ пыль dust; **~ся** be effáced *(или* oblíterated)

стерéчь watch *(over)*

стéржень bar, pívot

стерилиз||áция sterilizátion; **~овáть** stérilize

стери́льный stérile

стéрлядь stérlet *(fish)*

стерпéть stand, bear

стёртый effáced

стесн||éние constráint; *перен.* unéasiness; **~и́тельный 1.** *(стесняющий)* embárrassing; inconvénient **2.** *(стесняющийся)* shy

стесни́ть, стесня́ть 1. hámper; я вас не стесню́? won't I be in the way? **2.** *(смущать)* embárrass

стесня́||ться be shy; не **~й**тесь! make yoursélf at home!

стечéние cónfluence *(рек)*; ~ нарóда crowd ◇ ~ обстоятельств coíncidence of círcumstances

стечь flow down; **~ся** join *(о реках)*; gáther *(о людях)*

стилисти́ческий stylístic

стиль style; **~ный** stýlish

сти́мул stímulus; **~и́ровать** stímulate

стипендиа́т grant *(или* schólarship) hólder

стипе́ндия grant; schólarship *(повышенная, именная)*; reséarch grant *(аспирантская)*

стира́льн||ый: ~ая маши́на wáshing machíne

стира́ть I *см.* стере́ть

стира́ть II *(бельё)* wash

стира́ться *см.* стере́ться

сти́рка wáshing

сти́скивать, сти́снуть squeeze; clench *(зубы)*

стих 1. verse **2.** *мн.*: **~и́** vérses; poétry *sg.*

стиха́ть *см.* сти́хнуть

стихи́йн||ый 1. eleméntal, nátural; ~ое бе́дствие nátural disáster *(или* calámity) **2.** *(самопроизвольный)* spontáneous

стихи́я élement

сти́хнуть calm down; subsíde; fall *(о ветре)*

стихосложе́ние versificátion

стихо||творе́ние póem; **~тво́рный** poétical

стлать spread; ~ посте́ль make a bed; ~ ска́терть spread a táble-cloth; **~ся** *(об облаках, тумане)* drift

сто húndred

стог stack, rick; ~ се́на háystack

стогра́дусный céntigrade

сто́имость cost; *эк.* válue

сто́ить 1. cost; ско́лько сто́ит...? how much is.. ? **2.** *(заслуживать)* be worth; desérve

стоици́зм stóicism

стой! stop!; *воен.* halt!

сто́йка I **1.** *(в буфете)* cóunter; **2.** *тех.* post

сто́йк||а II *охот.*: де́лать **~у** set *(о собаке)*

сто́йк||ий firm, stéadfast; **~ость** fírmness

сто́йло stall

стоймя́ *нареч.* úpright

сток 1. *(действие)* flówing **2.** *(место стока)* gútter; séwer

стол 1. table; desk *(письменный)* **2.** *(питание)* board **3.:** ~ зака́зов órder cóunter; depártment for órders for delívery

столб píllar, post, pole

столбе́ц *(газетный)* cólumn

столбня́к *мед.* tétanus; *перен.* stúpor

столе́т||ие 1. céntury **2.** *(годовщина)* centénary; **~ний** centénnial; **~ник** agáve, céntury plant

столи́||ца cápital; **~чный** metropólitan

столкн||ове́ние collísion; clash; **~у́ть** push off; **~у́ться** collíde; run *(into)*

столова́ться *(у кого-л.)* board *(with)*

столо́в||ая 1. *(в квартире)* díning-room **2.** *(заведение)* réstaurant; cantéen; **~ый** table *attr.*; ~ый прибо́р dínner-set; cóver; ~ая ло́жка táble-spoon

столп píllar; **~ы́** о́бщества píllars of socíety

столпи́ться crowd

столь *нареч.* so; such as *(такой)*

сто́лько so much *(с сущ. в ед.)*; so many *(с сущ. во мн.)*

столя́р jóiner; **~ный** jóiner's

стометро́вка *спорт.* the 100-metre sprint

стон moan, groan; **~а́ть** moan, groan

стоп! stop!

стопа́ I *(ноги́)* foot

стопа́ II *(в стихосложении)* foot

стопа́ III *(бумаги)* ream

сто́пка I *(кучка)* pile; rouléau *(монет)*

сто́пка II *(стаканчик)* small glass

стоп-кра́н emérgency brake

стопроце́нтный húndred per cent *attr.*

стопта́ть wear down at the heels *(обувь)*; **~ся** be worn out *(об обуви)*

сторгова́ться strike a bárgain, make a bárgain *(with)*

сто́рож guard; wátchman; wárder *(в тюрьме)*; **~ево́й** watch *attr.*; ~ева́я бу́дка séntry-box; ~ево́й пост séntry post; ~ево́е су́дно patról-ship

сторожи́ть guard, watch

сторон||а́ **1.** side; на той ~е́ (у́лицы) acróss the street; в ~е́ asíde **2.** *(местность)* cóuntry **3.** *юр.* párty **4.** *(точка зрения)* áspect ◇ с одно́й ~ы́..., с друго́й ~ы́ ... on the one hand..., on the óther hand...; шу́тки в сто́рону jóking apárt

сторони́ться avóid; shun

сторо́нник suppórter; ~и ми́ра chámpions of peace

сто́чн||ый: ~ая труба́ dráin-pipe; ~ые во́ды séwage *sg.*

стоя́нка stand, stop; ~ такси́ táxi-stand; táxi-rank; ~ маши́н запрещена́! no párking!

сто||я́ть **1.** stand; stop *(о поезде, механизме)*; по́езд ~и́т 10 мину́т the train stops ten mínutes; ~ на коле́нях kneel **2.** *(находиться)* be; be sítuated ◇ ~ ла́герем be encámped; ~и́т хоро́шая пого́да the fine wéather is contínuing, it's settled fine; ~ на пове́стке дня be on the agénda; ~ за stand up for

стоя́чий stánding; stágnant *(о воде)*

страда́||лец súfferer; **~ние** súffering

страда́тельный: ~ зало́г *грам.* pássive voice

страда́ть **1.** súffer *(from — от чего-л.)* **2.** súffer *(for — за что-л.)*

стра́ж||а guard; стоя́ть на ~е be on guard; быть под ~ей be únder arrést; взять под ~у arrést

стран||а́ cóuntry ◇ четы́ре ~ы́ све́та the four cárdinal points

страни́ца page

стра́нник wánderer

стра́нн||о **1.** *нареч.* strángely **2.** *предик. безл.* it is strange; **~ость** strángeness; óddity; **~ый** strange; odd, queer, fúnny, rum *разг.*

стра́нств||ие, ~ование wándering; **~овать** wánder

стра́стный pássionate; impássioned

страсть pássion; име́ть ~ к чему́-л. be crazy abóut smth.

страте́г strátegist; **~и́ческий** stratégic; **~ия** strátegy

страто||ста́т stratosphéric ballóon; **~сфе́ра** strátosphere

стра́ус óstrich

страх fear, térror; под ~ом сме́рти únder fear of death ◇ на свой ~ on one's own responsibílity

страхка́сса (страхова́я ка́сса) insúrance óffice

страх||ова́ние insúrance; ~ жи́зни life insúrance; ~ от огня́ fire insúrance; **~ова́ть** insúre; **~ова́ться** insúre one's life; **~о́вка** insúrance; **~ово́й** insúrance *attr.*; ~ово́й взнос insúrance prémium

страши́ть fríghten; **~ся** be afráid *(of)*, fear, dread

стра́шн||о 1. *нареч.* térribly, áwfully **2.** *предик., безл.:* мне ~ I am fríghtened *(или* térrified); **~ый** féarful, térrible, dréadful

стрекоза́ drágon-fly

стрекота́ть chirr

стрела́ 1. árrow **2.** *тех.* jib (of a crane)

стре́лка póinter; hand *(часо́в)*; needle *(ко́мпаса)*; железнодоро́жная ~ points *pl.*

стрелко́вый rifle *attr.*; shóoting *attr.*; ~ кружо́к shóoting circle

стрело́к shot, márksman

стре́лочник *ж.-д.* póintsman

стрельба́ shóoting; fíring

стреля́ть shoot *(at)*; fire *(at)*

стремгла́в *нареч.* héadlong

стрем||и́тельный impétuous; **~и́ться** aspíre; **~ле́ние** aspirátion

стре́мя stírrup

стремя́нка stép-ladder

стри́ж||еный short *(о волоса́х)*; bobbed *(ко́ротко)*; shorn *(об овца́х)*; **~ка** háir-cut *(воло́с у люде́й)*; shéaring *(ове́ц)*

стричь cut *(во́лосы, но́гти)*; shear *(ове́ц)*; **~ся** have one's hair cut

строга́ть plane

стро́г||ий strict; sevére, stern *(суро́вый)*; **~ость** stríctness; sevérity, stérnness

строев||о́й I *воен.:* **~ы́е** уче́ния drill; ~ офице́р cómbatant ófficer

строево́й II: ~ лес tímber

строе́ние 1. *(структу́ра)* strúcture **2.** *(постро́йка)* búilding, constrúction

строи́тель búilder; **~ный** búilding *attr.*; ~ные материа́лы búilding matérials

строи́тельство constrúction; ~ социали́зма búilding of sócialism

стро́ить 1. build, constrúct **2.** *(пла́ны)* make

стро́иться 1. be built; be únder constrúction **2.** *воен.* draw up; стро́йся! form ranks!

строй 1. sýstem, órder; социалисти́ческий ~ sócialist sýstem **2.** *воен.* órder

стро́йка búilding, constrúction

стро́йн||ость hármony; **~ый 1.** *(о пе́нии)* harmónious **2.** *(о челове́ке)* slénder, slim

строка́ line; кра́сная ~ new páragraph

строп sling

стропи́ло ráfter

стропти́в||ость óbstinacy, óbduracy; **~ый** óbstinate, óbdurate

строфа́ stánza

строчи́ть 1. *(шить)* stitch **2.** *разг. (писать)* scribble

стро́чка I *(шов)* stitch

стро́чка II *см.* строка́

строчн||о́й: ~а́я бу́ква small létter

стру́жка sháving, chip

струи́ться stream

структу́ра strúcture

струна́ string

стру́нный stringed; ~ орке́стр string órchestra

стру́сить lose cóurage

стручо́к pod

струя́ jet *(бьющая)*; stream *(текущая)*; cúrrent *(воздушная)*

стряп||а́ть cook; **~ня́** *разг.* cóoking

стря́х||ивать, ~ну́ть shake off

студе́н||т, ~тка stúdent; **~ческий** stúdent *attr.*; **~чество** the stúdents *pl.*

сту́день áspic

студи́ть cool

сту́дия stúdio

стук knock *(в дверь)*; tap *(тихий)*; noise *(шум)*

сту́кнуть 1. knock *(at)*; bang *(громко)*; ~ кулако́м bang one's fist *(on)* **2.** *(ударить)* strike; **~ся** knock *(against)*

стул chair

ступа́ть *см.* ступи́ть

ступе́нь 1. *(лестницы)* step **2.** *(стадия)* stage; **~ка** step

ступи́ть step

ступня́ foot

стуча́ть 1. *см.* сту́кнуть 1 **2.** *(шуметь)* make a noise; **~ся** knock

стушева́ться, стушёвываться 1. *(стать незаметным)* effáce oneśelf **2.** *(смутиться)* be confúsed

стыд shame; **~и́ть** shame; **~и́ться** be ashámed *(of)*

стыдли́в||ость shýness; **~ый** shámefaced; shy

сты́дно! shame!, for shame!

стык *тех.* joint; **~о́вка** *(на орбите)* jóining

сты́нуть, стыть get cool

сты́чка skírmish

стюарде́сса stéwardess

стя́гивать *см.* стяну́ть 1, 2, 3; **~ся** *(сходиться)* gáther

стяну́ть 1. tíghten; tie up *(верёвкой)* **2.** *(войска)* gáther **3.** *(снять)* pull off **4.** *разг. (украсть)* filch, pinch

суббо́та Sáturday

суббо́тник subbótnik

субсиди́ровать súbsidize

субси́дия súbsidy

субтропи́ческий súbtrópical

субъе́кт 1. *грам.* súbject **2.** *разг. (человек)* indivídual; **~и́вность** subjectívity; **~и́вный** subjéctive

сувере́нн||ый sóvereign; ~ое госуда́рство sóvereign state

сугли́нок lóamy soil

сугро́б snów-drift

сугу́бо *нареч.* espécially

суд 1. *(учреждение)* court (of law *или* of jústice); вое́нный ~ court mártial **2.** *(правосудие)* jústice **3.** *(разбор дела)* tríal

суда́к soodák *(a kind of pike)*

суде́бный légal

суд||и́мость prévious conviction; **~и́ть 1.** try **2.** *(о чём-л.)* judge; су́дя по júdging by **3.** *спорт.* referée; úmpire; **~и́ться** go to law *(with smb. — с кем-л.)*

сýдно ship; véssel; китобóйное ~ whále-boat; учéбное ~ tráining ship

судомóйка kítchen-help

судопроизвóдство légal procédure

сýдоро||га cramp; **~жный** convúlsive

судостро||éние shípbuilding; **~ительный** shípbuilding *attr*

судохóд||ный návigable; **~ство** navigátion

судьбá fate; déstiny ◇ какúми ~ми? how on earth did you get here?

судьá 1. judge; нарóдный ~ People's Judge **2.** *спорт.* referée; úmpire *(главный)*

суевéр||ие superstítion; **~ный** superstítious

сует||á fuss; **~иться** fuss; **~ливость** fússiness; **~ливый** fússy

суждéние júdgement

сужéние nárrowing; contráction

сýживать(ся), сýзить(ся) nárrow

сук bough

сýка bitch

сукнó cloth ◇ положúть под ~ *разг.* shelve *(smth.)*

сукóнный cloth *attr.*

сулемá *хим.* súblimate

сулúть *разг.* prómise

султáн súltan

сумá bag

сумасбрóд mádcap; **~ный** withóut rhyme and réason, wild; **~ство** extrávagance

сумасшé||дший 1. *прил.* mad **2.** *сущ.* mádman, lúnatic; **~ствие** mádness

суматóха bustle

сумбýр confúsion; **~ный** confúsed

сýмерки twílight

сумéть succéed *(in doing smth.)*; mánage *разг.*

сýмка bag; hándbag *(дамская)*; sátchel *(для книг и т. п.)*; shópping-bag *(хозяйственная)*

сýмм||а sum; **~áрный** súmmary, tótal; **~úрование** súmming up; **~úровать** sum up

сýмрак dusk; twílight *(сумерки)*; gloom *(мрак)*

сýмрачный dúsky; glóomy; *перен. тж.* dréary

сундýк trunk, chest

сýнуть(ся) *см.* совáть(ся)

суп soup

суперoблóжка jácket, bóok-cover

супов||óй: ~áя мúска turéen; ~áя лóжка soup ladle

супрý||г húsband; **~га** wife; **~жеский** matrimónial; **~жество** mátrimony

сургýч séaling-wax

сурóв||ость sevérity; stérnness; **~ый** sevére; stern; rígorous; inclément *(о климате)* ◇ ~ое полотнó únbléached cálico

суррогáт súbstitute

сýслик gópher, ground squírrel

сустáв joint; **~нóй:** ~нóй ревматúзм rheumátic féver

сýтки twénty four hours; day *sg.* *(день)*

сýтолока commótion

сýточный dáily

сутýл||иться stoop; **~ый** róund-shouldered

суть éssence, main point

суфл||ёр prómpter; **~и́ровать** prompt

су́ффикс *грам.* súffix

суха́||рь 1. dried bread; rusk **2.** *мн.:* ~ри́ *(толчёные)* bréad-crumb *sg.*

су́хо 1. *нареч.* dry; *перен.* drily **2.** *predic. безл.* it is dry

суховéй dry wind

сухожи́лие *анат.* téndon, sínew

сухо́й dry

сухопу́тн||ый land *attr.;* ~ые войска́ land fórces

су́хость drýness

сухоща́вый lean

сучи́ть twist; spin *(нитку)*

суч||кова́тый knótty; **~о́к** twig

су́ша (dry) land

суш||ёный dried; **~и́лка** drýer; **~и́льня** drýing-room; **~и́ть** dry; air *(бельё);* **~и́ться** dry

суще́ственный esséntial

существи́тельное *грам.* noun, súbstantive

существо́ I béing, créature

существо́ II *(сущность)* éssence, gist

существ||ова́ние existence; **~ова́ть** exist

су́щий real; dównright, sheer *разг.*

су́щност||ь éssence; кла́ссовая ~ class náture; ~ де́ла the point of the mátter; в ~и as a mátter of fact

сфабрикова́ть forge

сфе́р||а sphere; ~ влия́ния *полит.* sphere of ínfluence; **~и́ческий** sphérical

сфинкс sphinx

сформиро́в||анный formed; **~а́ть** form; **~а́ться** be formed

сформули́ровать fórmulate, word

сфотографи́ровать phótograph, take a phótograph *(of)*

схвати́ть grip, catch; **~ся** seize, snatch

схва́т||ка skírmish; **~ывать** *см.* схвати́ть

схе́ма scheme; **~ти́ческий** schemátic

схитри́ть use cúnning

схлы́нуть subsíde *(о воде);* recéde *(отступить);* rush back *(о толпе)*

сходи́ть I *см.* сойти́

сходи́ть II *(пойти)* go; fetch *(за чем-л., за кем-л.);* ~ посмотре́ть go and see

сходи́ться *см.* сойти́сь

схо́дка méeting

схо́дни gángway *sg.*

схо́д||ный 1. símilar **2.** *разг.* *(о цене)* réasonable; **~ство** líkeness, resémblance; улови́ть ~ство catch a líkeness

схо́жий *см.* схо́дный 1

схола́ст||ика scholásticism; **~и́ческий** scholástic

схорони́ть búry

сцеди́ть, сце́живать strain *(или* run) off líquid

сце́н||а 1. stage **2.** *(зрелище)* scene; ма́ссовые ~ы crowd scenes **3.** *(скандал)* scene

сцена́рий scenário, screen play, shóoting script

сцени́ческий scénic; stage *attr.*

сцепи́ть couple *(вагоны)*

сцепи́ться *разг.* get to grips

сце́п||ка *ж.-д.* cóupling; **~ле́ние 1.** *физ.* cohésion **2.** *тех.* cóupling

сцепля́||ть(ся) *см.* сцепи́ть(ся)

счастли́в||ец lúcky man; **~ый**

1. háppy 2. *(удачный)* fórtunate; lúcky ◇ ~ого пути́ háppy jóurney

сча́стье háppiness

счесть 1. consíder 2. *разг.* *(сосчитать)* count

счёт 1. calculátion 2. *бухг.* accóunt; теку́щий ~ accóunt cúrrent; идти́ в ~ be táken into accóunt 3. *(документ)* bill 4. *спорт.* score; како́й ~? what is the score?; откры́ть ~ ópen the scóring; сравня́ть ~ éven the score ◇ потеря́ть ~ lose count *(of)*; за ~ чего́-л. at the expénse *(of)*; на чей-л. ~ at smb.'s expénse; быть на хоро́шем ~у́ have a good reputátion; в два ~а *разг.* in a split sécond, in two séconds; ~**ный**: ~ная маши́на cálculator

счетово́д bóok-keeper; ~**ство** bóok-keeping

счётчик I *(электрический, газовый)* méter

счётчик II *(на выборах)* téller

счёты ábacus *sg.*

счи́стить clean off *(снег и т. п.)*; brush off *(щёткой)*

счита́ть *см.* счесть *и* сосчита́ть

счита́ться 1. *(с кем-л., чем-л.)* consíder, réckon with 2. *(слыть)* be repúted, be consídered 3. *(идти в счёт)* count

счища́ть *см.* счи́стить

сшиб||а́ть, ~и́ть *разг.* knock down

сшива́ть *см.* сшить 2

сшить 1. *(платье)* make; have a dress made *(у портнихи)* 2. *(стачать)* sew togéther

съед||а́ть *см.* съесть; ~**о́бный** éatable; édible *(годный в пищу)*

съёж||иваться, ~иться shrível, shrink

съезд 1. cóngress; Съезд Сове́тов Cóngress of Sóviets 2. *(прибытие)* arríval

съе́здить go; vísit *(к кому-л.)*

съезжа́ть(ся) *см.* съе́хать(ся)

съёмка 1. *(фильма)* shóoting 2. *(топографическая)* súrvey

съёмщик *(квартиры)* ténant

съест||но́й: ~ны́е припа́сы éatables; fóod-stuffs

съесть eat; devóur *(тж. перен.)*; eat all *(без остатка)*

съе́хать 1. *(спуститься)* go down; slide down *(на санках)*; ski down *(на лыжах)* 2. *(с квартиры)* move; ~**ся** assémble

сы́воротка 1. *(молочная)* whey; búttermilk *(пахтанье)* 2. *мед.* sérum

сыгра́ть play; ~ роль play a part

сын son; ~**о́к** *разг.* sónny

сы́пать pour *(зерно и т. п.)*; strew *(песок)*; ~**ся** pour; fall *(падать)*

сыпно́й: ~ тиф tý́phus

сыпу́ч||ий: ~ песо́к quícksand; ме́ры ~их тел dry méasures

сыпь rash

сыр cheese; пла́вленый ~ procéssed cheese

сы́рник cheese páncake

сырова́рня cheese dáiry

сыро́й 1. *(влажный)* damp 2. *(неварёный)* raw, úncóoked 3. *(необработанный)* raw

сы́рость dámpness

сырьё raw matérial
сыскно́й detéctive
сы́тный nóurishing, substántial; sátisfying, good *(об обеде и т. п.)*
сы́тость satíety, satiátion, replétion
сы́тый sátisfied, repléte; я сыт I am sátisfied; I am full up *разг.*
сы́щик detéctive
сюда́ *нареч.* here
сюже́т 1. súbject, tópic **2.** *(романа)* plot; **~ный** plot *attr.*
сюрпри́з surpríse
сюрту́к fróck-coat
сюсю́кать lisp
сяк *разг.*: и так и ~ in dífferent ways, this way and that (way)

Т

та *ж. см.* тот
таба́к tobácco; snuff *(нюхательный)*; **~е́рка** snúff-box
таба́чный tobácco *attr.*
та́бель 1. *(доска)* tíme-board, tíme-sheet **2.** *(номер)* wórk-tab, númber; **~щик** tímekeeper
табле́тка pill
табли́ц||а table; list; ~ умноже́ния multiplicátion table; **~ы** логари́фмов tables of lógarithms; ~ вы́игрышей list of príze-winners
та́бор camp
табу́н herd
табуре́т(ка) stool
таджи́к, ~ский Tadjík; ~ский язы́к Tadjík, the Tadjík lánguage

таз I *(посуда)* básin; wásh-basin *(для умывания)*; ~ для варе́нья jám-pan
таз II *анат.* pélvis
таи́нственный mystérious
таи́ть concéal, hide; **~ся** lie hídden
тайга́ táiga
тайко́м *нареч.* sécretly; ~ от кого́-л. withóut smb.'s knówledge
тайм *спорт.* half, périod
та́йн||а mýstery; sécret; **~и́к** híding-place; **~о** *нареч.* sécretly; **~ый** sécret
так *нареч.* **1.** so; сде́лайте ~! do it like this!; и ~ да́лее and so on; ~ же... как as... as...; ~ как as; ~ наприме́р thus, for ínstance; ~ себе́ só-so; ~ то́чно quite so, exáctly; ~ что́бы so that, so as; тут что́-то не ~ sómething is wrong here **2.** *(утверждение)* just so; вот ~! that's the way!, that's right! **3.** *(настолько)* so; бу́дьте ~ до́бры́ be so kind
такела́ж *мор.* rígging
та́кже *нареч.* álso; too *(после сущ., мест.)*; а ~ и as well as; ~ не néither; éither *(в отриц. предложениях)*
тако́в *мест.* such; все они́ **~ы́** they are all alíke
так||о́й *мест.* such; so *(только перед прил.)*; ~ же the same; ~ же... как as... as...; **~и́м** о́бразом thus, this way, that way; в **~о́м** слу́чае in that case; **~-то** *(вместо имени)* só-and-so; что́ **~о́е**? what's the mátter?; what's that?; what did you say? *(что вы говорите?)*
та́кса I *(собака)* dáchshund

та́кса II *(расценка)* táriff, fixed price

такси́ táxi

такт I *муз.* time, beat; в ~ in time

такт II *(деликатность)* tact

та́кт||ика táctics; **~и́ческий** táctical

такти́чн||ость tact; **~ый** táctful; ~ый челове́к pérson, man of tact

тала́нт tálent, gift; **~ливый** tálented, gífted

талисма́н tálisman, charm

та́ли||я waist ◇ в ~ю *(о платье)* fítted, wáisted

тало́н cóupon

та́лый mélted; ~ снег snow, slush

тальк talc

там *нареч.* there; ~ же in the same place; ~ и сям here and there

тамада́ tóast-master

тамо́ж||енный cústom(s) *attr.;* ~енные по́шлины cústoms dúty *sg.;* ~ осмо́тр cústoms examinátion; **~ня** cústom-house

та́нгенс *мат.* tángent

та́нец dance

танк tank; **~и́ст** tank dríver; он ~и́ст he is in tanks

та́нков||ый tank *attr.;* ármoured; ~ые ча́сти tank únits

танц||ева́льный dáncing, dance *attr.;* ~ ве́чер dance, dáncing-party; ~ева́льная му́зыка dance músic; ~ коллекти́в dance group; **~ева́ть** dance; **~о́вщик, ~о́вщица, ~ о́р** dáncer

та́почки slíppers; *спорт.* gym shoes

та́ра *(упаковка)* páckage, pácking

育тарака́н cóckroach

тара́нить ram

тара́щить *разг.:* ~ глаза́ stare *(at)*

таре́лк||а plate ◇ быть не в свое́й ~е be off (one's) form, be in the dumps

тари́ф táriff; **~ный:** ~ная се́тка táriff scale

таска́ть *см.* тащи́ть

тасова́ть *(карты)* shuffle

ТАСС (Телегра́фное аге́нтство Сове́тского Сою́за) TASS (Télegraph Ágency of the Sóviet Únion)

тата́р||ин Tá(r)tar; **~ский** Tá(r)tar

тафта́ táffeta

тахта́ óttoman

та́чка whéelbarrow

тащи́ть 1. drag *(волочить);* pull *(тянуть);* cárry *(нести)* **2.** *разг. (красть)* steal; **~ся** drag onesélf alóng; *разг.* traipse aróund *(бродить)*

та́яние mélting

та́ять 1. melt; снег та́ет the snow is mélting; та́ет *безл.* it is tháwing **2.** *(чахнуть)* waste awáy **3.** *(исчезать)* melt awáy

тварь créature

тверде́ть hárden

тверди́ть say óver and óver agáin

твёрд||о *нареч.* fírmly, firm; ~ знать know well; ~ реши́ть be fírmly resólved; ~ держа́ться stand firm; **~ость** hárdness; *перен.* fírmness, strength; **~ый** hard *(немягкий);* sólid *(нежидкий);* firm *(прочный, тж. перен.);* ~ые це́ны fíxed *(или* firm) príces

тверды́ня strónghold

твоё *с. см.* твой

твои́ *мн. см.* твой

твой *мест.* your *(при сущ.)*; yours *(без сущ.)*; э́то твоя́ кни́га it is your book; э́та кни́га твоя́ this book is yours

твор||е́ние creátion; **~е́ц** creátor

твори́тельный: ~ паде́ж *грам.* instruméntal (case)

твори́||ть creáte; ~ чудеса́ work wónders; **~ться** *безл.* go on, take place; что здесь ~тся? what is góing on here?

тво́ро́||г curds *pl.*; cóttage cheese; **~жник** cúrd-fritter, cheese páncake; **~жный** curd *attr.*

тво́рче||ский creátive; **~ство** **1.** *(деятельность)* creátive work **2.** *(произведения)* works *pl.*

твоя́ *ж. см.* твой

те *мн. см.* тот

т.е. (то́ есть) *см.* то I

теа́тр théatre; ~ опере́тты théatre of light ópera; **~а́л** pláy-goer; **~а́льный** théatre *attr.*; theátrical; ~а́льная ка́сса bóx-office

тебе́ *дт. см.* ты

тебя́ *рд., вн. см.* ты

те́зис thésis

тёзка námesake

текст text

тексти́ль||ный téxtile; ~ная фа́брика cótton-mill; **~щик** téxtile-wórker

теку́ч||есть **1.** *физ.* fluídity **2.** *(непостоянство)* fluctuátion; ~ рабо́чей си́лы fluctuátion of lábour *(или* of mánpower); **~ий** **1.** *физ.* flúid **2.** *(непостоянный)* flúctuating

теку́щ||ий **1.** flówing **2.** *(настоящий)* cúrrent; 5-го числа́ ~его ме́сяца the fifth ínstant; ~ая поли́тика cúrrent pólitics; ~ие собы́тия cúrrent evénts; ~ие дела́ *(на повестке дня)* cúrrent búsiness *sg.*; ~ ремо́нт rúnning repáirs *pl.*

телеви́дение télevision, TV; цветно́е ~ cólour télevision

телевизио́нн||ый télevision *attr.*; ~ая переда́ча télecast

телеви́зор TV (set); télevision

теле́га cart

телегра́мма télegram; wire *разг.*; ~-мо́лния expréss télegram

телегра́ф télegraph; **~и́ровать** télegraph, wire; **~и́ст** telégraphist; **~ный** telegráphic; ~ный столб télegraph-post; ~ная ле́нта télegraph tape; ~ное аге́нтство news ágency

телёнок calf

телеско́п télescope

теле́сн||ый córporal; of the bódy; ~ое наказа́ние córporal púnishment; ~ого цве́та fléshcoloured

телефо́н télephone; ~ за́нят the line is engáged; подойти́ к ~у ánswer the télephone *(или* the call); вас про́сят к ~у you're wánted on the (téle)phone

телефо́н-автома́т públic cáll-box

телефон||и́ровать télephone; **~и́стка** télephone óperator

телефо́н||ный télephone *attr.*; ~ная ста́нция télephone exchánge; ~ная кни́га télephone diréctory

телефоногра́мма télephone méssage

тели́ться calve

тёлка héifer

тéл||о bódy; corpse *(труп)*; твёрдое ~ *физ.* sólid; жи́дкое ~ *физ.* líquid ◇ держáть когó-л. в чёрном ~е *разг.* treat smb. as a drudge

телосложéние build, frame

телохрани́тель bódy-guard

теля́||тина veal; **~чий 1.** calf *attr.*, calve's **2.** *(из телятины)* veal *attr.*

тем I **1.** *тв. см.* тот **2.** *дт. мн. см.* тот

тем II **1.** *союз* the; чем бóльше, ~ лу́чше the more, the bétter **2.** *нареч.* so much the; ~ лу́чше so much the bétter; ~ не мéнее neverthelés, none the less

тéм||а súbject; tópic; theme *муз.*; **~áтика** súbjects *pl.*; the main themes *pl.*; **~ати́ческий** súbject *attr.*

тембр timbre

тéми *тв. мн. см.* тот

темнéть grow *(или* get) dark

темни́ца dúngeon

темнó *предик. безл.* it is dark ◇ ~, хоть глаз вы́коли *разг.* it's pitch-dárk

темноволóсый dárk-háired

тёмно-си́ний dárk-blue; déep-blue

темнотá 1. dárkness, dark **2.** *(невежество)* ígnorance **3.** *(неясность)* obscúrity

тёмный 1. dark **2.** *(неясный)* obscúre; vague **3.** *(подозрительный)* suspícious **4.** *(невежественный)* ígnorant

темп rate, pace; témpo *(тж. муз.)*

темперáмент témperament; **~ный** temperaméntal

температу́р||а témperature; ~ кипéния bóiling-point; ~ замерзáния fréezing-point

тéмя crown

тенденциóзный tendéntious

тендéнция téndency

теневóй, тени́стый shády

тéннис ténnis; **~и́ст** ténnis-player; **~ный**: ~ная площáдка ténnis-court

тéнор ténor

тент áwning

тень shade; shádow *(человека, предмета)*

теорéма théorem

теорéтик theoretícian

теорети́ческий theorétic(al)

теóрия théory

тепéрешн||ий présent-day *attr.*; в ~ее врéмя nówadays

тепéрь *нареч.* now; at présent; ~, когдá now that

теплéть grow *(или* get) warm

тепли́||ца gréenhouse; **~чный** hóthouse *attr.*

тепл||ó I *сущ.* warmth; heat; держáть в ~é keep warm; пять грáдусов ~á five degrées abóve zéro

теплó II **1.** *нареч.* wármly; *перен. тж.* cordially **2.** *предик. безл.* it is warm; емý ~ he is warm

теплово́й thérmal, heat *attr.*

тепло||ёмкость *физ.* heat capácity; **~провóдность** *физ.* heat condúction

теплотá warmth; *физ.* heat

теплотéхника heat *(или* thérmal) engineéring

теплофикáция *тех.* céntral *(или* dístrict) héating

теплохóд mótor véssel

теплоцентрáль *тех.* héating plant

тёплый warm *(тж. перен.)*; córdial *(сердечный)*

терап||éвт physícian; **~и́я** therapéutics; thérapy *(метод лечения)*

теребить keep túgging *(at)*

терéть 1. rub **2.** *(на тёрке)* grate **3.** *(полировать)* pólish; **~ся 1.** *(обо что-л.)* rub *(against)* **2.** *разг.* *(среди кого-л.)* hang abóut; mix *(with)*

терзá||ние tórment; **~ть** tormént; **~ться** tormént onesélf

тёрка gráter

тéрмин term; **~олóгия** terminólogy

терми́ческий thérmal

термодинáмика *физ.* thérmodynámics

термóметр thermómeter; ~ Цéльсия céntigrade thermómeter

тéрмос thérmos (flask)

терни́стый thórny

терпели́вый pátient

терпéние pátience

терпéть 1. *(испытывать)* súffer, endúre; ~ боль súffer pain **2.** *(безропотно переносить)* stand, bear **3.** *(запастить терпением)* have pátience **4.** *(допускать)* tólerate ◇ врéмя не тéрпит time is préssing; онá егó ~ не мóжет she can't stand him; **~ся** *безл.*: мне не тéрпится I am impátient *(to + inf.)*

терпи́м||ость tólerance; **~ый 1.** *(о человеке)* tólerant **2.** *(о явлении)* tólerable, béarable

тéрпкий tart, astríngent

террáса térrace; verándah; porch *(амер.)*

территориáльный territórial

территóрия térritory

террóр térror; **~изи́ровать** térrorize; **~исти́ческий** térrorist *attr.*

терять lose; waste *(напрасно тратить)*; ~ когó-л. и́з виду lose sight of smb.; **~ся** be lost *(тж. перен.)* ◇ ~ся в догáдках be at a loss

тёс báttens *pl.*

тесáть hew

тесёмка *см.* тесьмá

тесни́ть press; **~ся** crowd

тéсн||о *нареч.* nárrowly; tight; *перен.* clósely; здесь ~ it's crówded here; **~отá 1.** nárrowness **2.** *(скопление народа)* crush; **~ый** nárrow; tight *(об обуви и т. п.)*; *перен.* close, íntimate

тéсто paste; dough

тесть fáther-in-law *(wife's father)*

тесьмá braid; tape

тéтерев bláck-cock

тетёрка grey hen

тётка aunt

тетрáдь nóte-book; éxercise book; нóтная ~ mánuscript músic book; ~ для рисовáния dráwing-book

тётя *см.* тётка

тех *рд., вн. мн. см.* тот

тéхник technícian

тéхник||а enginéering, technólogy; equípment *(оборудование)*; techníque(s) *(способ)*; овладéть ~ой máster the techníque; наýка и ~ science and technólogy

тéхникум téchnical school; júnior téchnical cóllege

техни́ческ||ий téchnical; ~ое учи́лище téchnical school

технóлог technólogist

технол||огúческий technológical; **~óгия** technólogy

течéни||е 1. flow, course **2.** *(ток, струя)* cúrrent, stream; вверх (вниз) по **~ю** úpstream (dównstream) **3.** *(направление)* trend ◇ с **~ем** врéмени in the course of time

теч||ь I *гл.* **1.** flow, run; врéмя **~**ёт бы́стро time flies **2.** *(иметь течь)* leak

течь II *сущ.* leak

тéшить amúse; **~ся** amúse onesélf

тёща móther-in-law *(wife's mother)*

тигр tíger; **~úца** tígress

тик I *(ткань)* tícking

тик II *мед.* tic

тúка||нье tick, tick-tock; **~ть** *разг.* tick

тúльда *полигр.* tilde

тúн||а slime, ooze; **~истый** slímy, óozy

тип type; **~úчный** týpical; **~овóй** stándard, módel; type *attr.*

типогрáфия prínting-house

тир shóoting gállery

тирáж 1. *(займа и т. п.)* the draw **2.** *(периодич. издания)* circulátion; edítion *(книги)*

тирáн týrant; **~ить** týrannize; **~úческий** tyránnic(al); **~úя** týranny

тирé dash

тúскать 1. squeeze, press **2.** *полигр.* pull

тиск||ú vice *sg.*; в **~**áх чегó-л. in the grip of smth.

тисн||éние stámping; **~ёный** stamped

титанúческий titánic

тúтул title

тúтульный: ~ лист títle-page

тиф týphus; týphoid *(брюшной)*

тúхий 1. *(негромкий)* quíet, still; low *(о голосе)*; géntle, soft *(нежный)* **2.** *(спокойный)* calm, péaceful **3.** *(медленный)* slow; **~** ход! go slow!

тúхо *нареч.* **1.** *(негромко)* quíetly; говорúть **~** speak in a low voice **2.** *(спокойно)* cálmly **3.** *(медленно)* slówly

тихоокеáнский Pacífic

тúше: ~! sílence!, hush!

тишин||á quíet, stíllness; calm, peace *(покой)*; sílence *(молчание)*; нарýшить **~**ý break the sílence; соблюдáть **~**ý keep quíet, make no noise

ткáный wóven

ткань 1. cloth, fábric **2.** *биол.* tíssue

ткать weave

ткáцкий: ~ станóк loom

ткач wéaver

ткнуть *разг.* poke, prod

тлéние 1. *(горение)* smóuldering **2.** *(гниение)* decáying

тлеть 1. *(гореть)* smóulder **2.** *(гнить)* decáy

то I *(с. от* тот*)* that, it; то, что what ◇ тó есть that is; а не тó or else, ótherwise; да и тó and éven (then)

то II *союз* **1.** *(тогда)* then; éсли вы не пойдёте, то я пойдý if you don't go then I shall **2.:** то..., то now... now; sómetimes... sómetimes; то тут, то там now here now there; не то..., не то (éither)... or; half... half; не то снег, не то дождь half snow, half rain; то ли... то ли whéther... or

-то *частица* precísely; этого-то я и хотéл that is precísely what I wánted

тобóй *тв. см.* ты

товáр wares *pl.*, goods *pl.*; commódity *(эк.)*; ~ы ширóкого потреблéния consúmer goods; распродáть залежáвшийся ~ have a cléarance sale

товáрищ cómrade; mate, féllow *(по учёбе, работе и т. п.)*; ~ по рабóте mate, cólleague; **~еский** cómradely; **~ество 1.** *(отношение)* cómradeship **2.** *(объединение)* associátion

товáрн||ый 1. goods *attr.*; ~ вагóн goods truck; ~ пóезд goods train; freight train *(амер.)*; ~ знак trade mark; ~ склад wárehouse **2.** *эк.* commódity *attr.*; ~ое производ-ство commódity óutput

товаро||обмéн bárter; **~оборóт** commódity circulátion

тогдá *нареч.* then; ~ как while; whilst; **~шний** *разг.* of that time

тогó *рд. см.* тот

тождéственный idéntical

тóждество idéntity

тóже *нареч.* álso, too, as well; ~ не néither, not... éither

ток *эл.* cúrrent; постоя́нный (перемéнный) ~ diréct (álternáting) cúrrent

токáрный: ~ станóк lathe

тóкарь túrner

толк 1. sense; бéз ~у *(зря)* to no púrpose; с ~ом sénsibly, with sense **2.** *мн.*: ~и talk *sg.*; rúmours ◇ знать ~ в чём-л. be a good judge of smth.

толкáть *см.* толкнýть; **~ся** push one anóther

толкнýть push

толков||áние interpretátion; **~áть 1.** intérpret; ~áть лóжно mísintérpret **2.** *(разговаривать)* talk

толкóвый 1. *(понятный)* intélligible, clear; **2.** *(о человеке)* intélligent, sénsible ◇ ~ словáрь explánatory díctionary

тóлком *нареч. разг.* pláinly, cléarly

толк||отня́ *разг.* crush; **~ýчка** *разг.* sécond-hand bazáar

толокнó óatmeal

толóчь pound ◇ ~ вóду в стýпе ≅ cárry wáter in a sieve

толп||á crowd; **~и́ться** crowd; **~óй** *нареч.* in a bódy

толстéть grow stout *(или* fat)

толстокóжий thíck-skínned *(тж. перен.)*

тóлст||ый thick; stout, fat *(о человеке)*; **~я́к** fat man

толчея́ *разг.* crush, crowd

толчóк push; jolt *(тж. перен.)*; shock *(при землетрясении)*

толщинá thíckness; stóutness, córpulence *(человека)*

тóлько *нареч.* ónly; как ~ as soon as; ~ бы if ónly; ~-~ bárely; ~ что just, just now

том vólume

томáт *(паста)* tomáto paste

томи́тельный wéarisome

том||и́ть 1. exháust **2.** *кул.* stew *(мясо)*; steam *(овощи)*; **~и́ться** be opprésséd; ~и́ться от жары́ be opprésséd with the heat; **~лéние** lánguor

тóмный lánguid

тому́ *дт. см.* тот; ~ наза́д agó

тон 1. *муз.* tone **2.** form, beháviour, tone; пра́вила хоро́шего то́на the rules of good beháviour; дурно́й ~ bad tone; задава́ть ~ set the form; **~а́льность** *муз.* key

то́нк||ий 1. thin; slim *(о фигуре)*; ~ая та́лия slénder waist; ~ие ни́тки fine thread *sg.* **2.** *(деликатный, утончённый)* délicate; ~ за́пах subtle scent **3.** *(о слухе, зрении)* keen **4.** *(хорошо разбирающийся)* cléver, subtle; ~ знато́к connoisséur; **~о** *нареч.* **1.** thínly **2.** *(утончённо)* súbtly

то́нкость 1. thínness; fíneness *(ткани и т. п.)*; slímness *(фигуры)* **2.** *(утончённость)* délicacy, refínement; **3.** *(подробность)* nícety; détail

то́нн||а ton; **~а́ж** tónnage

тонне́ль *см.* тунне́ль

тону́ть drown; sink *(о предмете)*

то́пать *см.* то́пнуть

топи́ть I: ~ печь use the stove

топи́ть II *(жиры, воск)* melt

топи́ть III *(утопить)* drown *(человека)*; sink *(судно, предмет)*

топи́ться I *(о печи)* burn

топи́ться II *(о воске и т. п.)* melt

топи́ться III *(в реке и т. п.)* drown onesélf

то́пка 1. *(действие)* héating **2.** *(часть печи)* fúrnace

то́пкий swámpy

топлён||ый: ~ое ма́сло mélted bútter; ~ое молоко́ baked milk

то́пливо fuel

то́пнуть stamp; ~ ного́й stamp one's foot

топо́гр||аф topógrapher; **~афи́ческий** topográphic(al); **~а́фия** topógraphy

то́поль póplar

топо́р axe; **~и́ще** áxe-handle

то́пот tramp; ко́нский ~ clátter of hórses' hooves

топта́ть trample down; **~ся** trample; ~ся на ме́сте mark time

торг 1. haggle **2.** *мн.*: **~и́** áuction *sg.*

торгова́ть deal *(in; чем-л.)*; trade *(with; с кем-л.; in; чем-л.)*; sell *(продавать)*; **~ся** haggle *(with)*; bárgain *(with)*

торго́в||ец mérchant, déaler; trádesman; shópkeeper *(лавочник)*; **~ка** *(рыночная)* márket-woman

торго́в||ля trade, cómmerce; **~ый** trade *attr.*; commércial; ~ый капита́л tráding cápital; ~ый догово́р trade agréement; ~ое су́дно mérchant ship, tráder; ~ая поли́тика commércial pólicy

торгпре́д (торго́вый представи́тель) trade represéntative; **~ство** (торго́вое представи́тельство) Trade Delegátion

торже́ственн||ый sólemn; ~ое заседа́ние ceremónial méeting

торжеств||о́ 1. *(празднество)* celebrátion **2.** *(победа)* tríumph; **~ова́ть** tríumph *(over)*; **~у́ющий** triúmphant

торможе́ние bráking

то́рмоз brake; **~и́ть** put on *(или* applý) the brakes; *перен.* hínder, hámper

тормоши́ть *разг.* wórry, bóther

тороп||и́ть húrry; hásten; **~и́ться** húrry, be in a húrry; make haste; ~и́ться к по́езду húrry to catch the train; **~ли́вый** hásty

торпе́да torpédo

торт cake

торф peat; **~яно́й:** ~яно́е боло́то péat-bog

торча́ть 1. stick out; protrúde **2.** *разг. (находиться)* hang aróund *(или* about)

тоск||а́ mélancholy: deprésssion *(подавленность)*; bóredom *(скука)*; ~ по чему́-л. lónging for smth.; ~ по ро́дине, по до́му hómesickness; **~ли́вый** dull, dréary; **~ова́ть** be mélancholy; feel lónely; long *(for; по чему-л., ком-л.)*; miss; ~ова́ть по ро́дине be hómesick

тост toast

тот (та, то, *мн.* те) *мест.* **1.** that, *мн.* those; где те кни́ги? where are those books?; ~ и друго́й éither; ни ~ ни друго́й néither; ~ же the same; ~, кто he who; то, что what **2.** *(другой)* the óther; на том берегу́ on the óther side **3.** *(тот самый)* the right; э́то ~ каранда́ш? is that the right péncil?; э́то не ~ по́езд it is the wrong train; и́менно ~ that véry one ◇ тем вре́менем in the méantime, méanwhíle; тем са́мым théreby; с тем, что́бы in órder to; до того́ to such an extént; к тому́ же besídes, moreóver

то́тчас *нареч.* immédiately; ~ же ínstantly

точи́ль||ный: ~ ка́мень whétstone; **~щик** (knífe-)grínder

точи́ть I **1.** *(делать острым)* shárpen; grind *(на камне)* **2.** *(на токарном станке)* turn

точи́ть II *(прогрызать)* gnaw *(или* eat) awáy

то́чк||а 1. point; dot *(графический знак)* **2.** *(знак препинания)* full stop; ~ с запято́й sémicólon ◇ вы́сшая ~ clímax; попа́сть в ~у hit the mark, hit the nail on the head; ста́вить ~и над «и» dot one's "i's" and cross one's "t's"; сдви́нуть с мёртвой ~и get smth. off the ground, get smth. stárted

то́чно I *нареч.* exáctly, just; sharp *(о времени)*; ~ в 12 часо́в at 12 o'clock sharp

то́чно II *союз (как будто)* as if, as though; as, like *(подобно)*

то́чн||ость exáctness; precísion, áccuracy; punctuálity *(пунктуальность)*; в ~ости exáctly; **~ый** exáct; precíse; púnctual *(пунктуальный)*; ~ые нау́ки exáct scíences; ~ые прибо́ры precísion ínstruments

точь-в-то́чь *разг.* exáctly

тошн||и́ть *безл.*: меня́ ~и́т I feel sick; его́ ~и́т от э́того it makes him sick

тошно||та́ síckness, náusea; вызыва́ть ~ту́ make smb. sick; **~тво́рный** náuseating *(тж. перен.)*

то́щий 1. lean, méagre **2.** *разг. (пустой)* émpty; на ~ желу́док on an émpty stómach

трав||а́ grass; покры́тый ~о́й grássy

трави́ть I *(на охоте)* hunt; *перен.* pérsecute

трави́ть II **1.** *(истреблять)* póison **2.** *тех.* etch

тра́вля *(на охоте)* húnting; *перен.* báiting; persecútion

тра́вма tráuma, shock; **~ти́ческий** traumátic

травоя́дный herbívorous

травяни́стый grássy; herbáceous

траг||е́дия trágedy; **~и́зм** trágedy

тра́гик tragédian

траг||и́ческий, ~и́чный trágic

традицио́нный tradítional

тради́ция tradítion

траекто́рия trájectory

тракт híghway

тракта́т tréatise

тракти́р públic house; inn *(постоялый двор)*; **~щик** ínnkeeper

тракт||ова́ть intérpret; **~о́вка** interpretátion

тра́ктор tráctor; **~и́ст** tráctor-driver; **~ный** tráctor *attr.*

тракторострое́ние tráctor constrúction

трамб||ова́ть ram; **~о́вка 1.** *(действие)* rámming **2.** *(орудие)* rámmer, ram

трамв||а́й trámway; tram; trám-car *(вагон)*; stréet-car *(амер.)*; сесть в ~ take the tram; е́хать на ~а́е go by tram; **~а́йный** tram *attr.*; ~а́йная остано́вка tram stop

трампли́н *спорт.* *(лыжный)* ski jump; spríng-board *(гимнастический)*

транзи́т tránsit; **~ный** tránsit *attr.*

трансатланти́ческий tránsatlántic

транскри́пция transcríption

трансл||и́ровать *радио* bróadcast; **~я́ция** bróadcast

трансми́ссия *тех.* transmíssion

тра́нспорт tránsport; **~и́ровать** transpórt, convéy; **~ный:** ~ные сре́дства means of tránsport; **~ёр** *тех.* convéyer

трансформ||а́тор *эл.* transfórmer; **~и́ровать** transfórm

транше́я trench

трап ládder, stairs *pl.*

тра́пеза meal

трапе́ция 1. *мат.* trapézium **2.** *спорт.* trapéze

тра́сса route

тра́т||а expénse; expénditure; waste *(напрасная)*; **~ить** spend; waste *(попусту)*

тра́улер tráwler

тра́ур móurning; **~ный** móurning *attr.*; fúneral *(погребальный)*; móurnful *(скорбный)*; ~ный ми́тинг memórial sérvice

трафаре́т sténcil; *перен.* routíne; **~ный** sténcilled; *перен.* stéreotyped, trite

тре́бова||ние demánd, requírement; отказа́ться от свои́х ~ний withdráw one's claims; я э́то вам верну́ по пе́рвому ~нию I'll give it you back the móment you ask for it; **~тельный** exácting; insístent *(настойчивый)*; **~ть 1.** *(чего-л.)* demánd **2.** *(нуждаться в чём-л.)* requíre **3.** *(вызывать кого-л.)* súmmon; **~ться 1.** be requíred **2.** *безл.*: тре́буется it needs; на э́то тре́буется мно́го вре́-

мени this needs (*или* takes) a lot of time

трево́||га 1. alárm **2.** (*беспокойство*) anxíety; быть в ~ге be ánxious; **~жить 1.** (*нарушать покой*) distúrb **2.** (*волновать*) wórry, trouble; alárm; **~житься** be ánxious; **~жный 1.** (*встревоженный*) ánxious; ~жное состоя́ние state of anxíety **2.** (*вызывающий тревогу*) alárming, distúrbing **3.** (*обозначающий тревогу*) alárm *attr*.

тре́зв||ость 1. sobríety **2.** (*разумность*) sóberness; **~ый** sóber; sénsible (*рассудительный*)

трель trill

тре́нер *спорт.* tráiner, coach

тре́ние friction

тренир||ова́ть train, coach; **~ова́ться** train (onesélf); **~о́вка** tráining; **~о́вочный** tráining *attr.*; ~о́вочный костю́м tráck-suit

трепа́ть tousle, blow abóut; flútter (*о ветре*) ◇ его́ тре́плет лихора́дка he is shívering with féver; **~ся** (*изнашиваться*) get worn out, get frayed

тре́пет trémbling, quívering; **~а́ть** tremble, quíver; pálpitate (*о сердце*)

треск crack; crash

треска́ cod

тре́скаться *см.* тре́снуть

треск||отня́ rattle; **~у́чий:** ~у́чий моро́з rínging frost; ~у́чие фра́зы bómbast

тре́снуть crack; burst (*лопнуть*)

трест *эк.* trust

третéйский: ~ суд court of arbitrátion

тре́т||ий third; ~ье апре́ля the third of Ápril; в ~ьем часу́ áfter two (o'clock); страни́ца ~ья page three; ~ьего дня the day befóre yésterday

трети́ровать slight

трети́чный *геол.* tértiary

треть a third

треуго́льн||ик tríangle; **~ый** triángular

тре́фы *карт.* clubs

трёхгоди́чн||ый thrée-year *attr.*; triénnial *книжн.*; ~ые ку́рсы thrée-year cóurses

трёхгра́нный trihédral

трёхдне́вный thrée-day *attr.*; в ~ срок withín three days

трёхле́тний 1. thrée-year *attr.*; triénnial *книжн.* **2.** (*о возрасте*) thréeyear-óld

трёхме́стный (*автомобиль и т. п.*) thrée-séater *attr.*

трёхме́сячный thrée-mónths *attr.*

трёхсме́нн||ый thrée-shift *attr.*; ~ая рабо́та wórking in three shifts

трёхсо́тый thrée húndredth

трёхцве́тный thrée-coloured

трёхэта́жный thrée-stóreyed

трещ||а́ть 1. crack, crackle **2.** (*о кузнечиках*) chirp **3.** *разг.* (*болтать*) chátter ◇ у меня́ голова́ ~и́т *разг.* I have a splítting héadache

тре́щина crack

три three

трибу́на tríbune, róstrum; stand (*на стадионе и т. п.*)

трибуна́л tribúnal

тригономе́трия trigonómetry

тридца́тый thírtieth

три́дцать thirty

три́жды *нареч.* three times; thrice *уст.*

трикó 1. *(ткань)* stóckinet **2.** knickers *pl.* *(панталоны)*; tights *pl.* *(театральное)*; **~тáж** *собир.* *(изделия)* knitted wear; **~тáжный** stóckinet *attr.*; knitted; ~тáжные издéлия wear *sg.*

трилóгия trilogy

тринáдцат||ый thírtéenth; ~ая страни́ца page thírtéen

тринáдцать thírtéen

три́о trío

три́ста three húndred

триýмф tríumph; **~áльный** triúmphal; triúmphant

трóгательный tóuching

трóгать(ся) *см.* трóнуть(ся)

трóе three, the three of them

троекрáтный thríce-repéated

трóйка 1. three *(of; тж. карт.)* **2.** *(отметка)* three *(fair or pass mark)* **3.** *(лошадей)* tróika

тройнóй tríple; thréefold *(втрое больше)*

трóйственный 1. tríple **2.** *полит.* trípártite

троллéйбус trólley-bus

трон throne

трóнуть 1. touch **2.** *(растрогать)* move, touch; **~ся** start; move; ~ся в путь set out, start

тропá path

трóпик *геогр.* trópic

тропи́нка path, track

тропи́ческий trópic(al)

трос rope

тростни́к reed; сáхарный ~ súgar-cane; **~óвый:** ~óвый сáхар cáne-súgar

трóс||точка, ~ть wálking-stick

тротуáр pávement; sídewalk *(амер.)*

трофéй tróphy; **~ный** tróphy *attr.*

троюроди||ый: ~ брат, ~ая сестрá sécond cóusin

трубá 1. pipe; chímney *(печная)*; fúnnel *(паровозная, пароходная)* **2.** *муз.* trúmpet

тру||бáч trúmpeter; **~би́ть 1.** sound the trúmpet **2.** *разг.* *(разглашать)* blare out

трýбк||а 1. tube **2.** *(телефонная)* recéiver; повéсить ~у hang up the recéiver **3.** *(свёрток бумаги)* roll **4.** *(для курения)* pipe

трубопровóд pípeline

трубочи́ст chímney-sweep

труд 1. lábour; work *(работа)*; toil *(тяжёлый)*; производи́тельный ~ prodúctive lábour **2.** *(заботы, хлопоты)* trouble; dífficulty; не стóит ~á it is not worth the trouble; с ~óм with dífficulty **3.** *(научный)* work; ~ы́ наýчного óбщества transáctions of a sciéntífic society

труди́||ться work; toil, lábour *(at; над чем-л. трудным)* ◇ не ~тесь *(не беспокойтесь)* don't trouble

трýдно *предик. безл.* it is dífficult

трýдн||ость dífficulty; **~ый** dífficult, hard; в ~ую минýту in time of need

трудов||óй wórking; lábour *attr.*; ~ подъём enthúsiasm for work; ~áя дисципли́на lábour díscipline; ~ договóр lábour cóntract ◇ ~áя кни́жка work récord

трудодéнь wórking-day *(unit of payment in collective farms)*

трудо||люби́вый indústrious, díligent; **~лю́бие** índustry, díligence

трудоспосо́бн||ость capácity for work; **~ый** áble-bódied, able to work

трудя́щ||ийся 1. *прил.* wórking; ~иеся ма́ссы wórking másses **2.** *как сущ.* wórker

тру́женик tóiler

труп corpse

тру́ппа cómpany; troupe *(цирковая)*

трус cóward

тру́сики *см.* трусы́

тру́сить fear, be afráid

трусли́вый cówardly

тру́сость cówardice

трусы́ pants *(нижнее бельё)*; shorts *(спортивные)*; swímming trunks *(купальные)*

трущо́ба slum

трюк trick

трюм *мор.* hold

тря́пка 1. rag; dúster *(для пыли)* **2.** *разг. (о человеке)* mílksop; sófty

трясина quágmire

тря́ск||а jólting; **~ий** jólty

тряс||ти́ 1. shake **2.** *безл.:* ~ёт *(в трамвае и т. п.)* it is jólty; его́ ~ёт лихора́дка he is shívering with féver; **~ти́сь 1.** shíver *(от холода и т. п.)* **2.** *(в телеге и т. п.)* jolt

тряхну́ть give a jolt

туале́т 1. dress *(одежда)* **2.** *(уборная)* W. C., lávatory; tóilet *(амер.)*

туберкулёз tuberculósis; consúmption *(лёгочный)*; **~ный** tubércular; consúmptive

ту́г||о *нареч.* **1.** tíghtly, tight; ~ наби́ть мешо́к fill a bag crám-fúll, cram a bag **2.** *(с трудом)* with dífficulty **3.** *предик. безл.:* ему́ прихо́дится ~ he is in a tight córner, life's none too éasy for him; **~о́й** tight ◇ **~о́й** на́ ухо hard of héaring

тугопла́вкий refráctory

туда́ *нареч.* there; ~ и сюда́ here and there; to and fro; не ~! not that way!

тужу́рка (cásual) jácket

туз *карт.* ace

тузе́м||ец nátive; **~ный** nátive

ту́ловище trunk

тулу́п shéepskin coat

тума́н mist; fog *(густой)*; **~ный** místy; fóggy; *перен.* házy, vague

ту́мба stone *(уличная)*; stand *(подставка)*

ту́ндра túndra

тунея́дец párasite

тунне́ль túnnel

тупи́к blind álley; *перен. тж.* déadlock ◇ ста́вить в ~ báffle, nónplús

тупи́ца *разг.* dunce

тупо́й 1. *(о ноже и т. п.)* blunt **2.** *мат.* obtúse; ~ у́гол obtúse angle **3.** *(о чувстве)* dull **4.** *(о человеке)* dull, stúpid

ту́пость blúntness; *перен.* dúllness

тупоу́мие stupídity

тур round

турби́на túrbine

туре́цкий Túrkish; ~ язы́к Túrkish, the Túrkish lánguage

тури́||зм tóurism; **~ст** tóurist

туркме́н Túrkmen; **~ский** Túrkmen; ~ский язы́к Túrkmen, the Túrkmen lánguage

турни́р tóurnament

ту́рок Turk

ту́ск||лый dim, dull; tárnished *(о металле)*; **~не́ть** grow dim *(или* dull)|

тут *нареч.* here; ~ же right then, at that véry mínute *(о времени)*; on the spot *(о месте)*

ту́фля shoe; slípper *(домашняя)*

ту́хлый rótten

ту́хнуть I *(гаснуть)* go out

ту́хнуть II becóme rótten, rot

ту́ча 1. cloud 2. *разг. (множество)* swarm

ту́чный 1. *(о человеке)* fat, obése 2. *(о земле)* fértile

туш *муз.* flóurish

ту́ша cárcass

тушева́ть shade

тушёнка *разг.* tinned stew(-ed) meat

тушён||ый: ~ое мя́со stewed meat; stew

туши́ть I *(гасить)* put out; extínguish

туши́ть II *кул.* stew

тушь Índian ink

тща́тель||ность care; **~ный** cáreful

тщеду́шный púny

тщесла́в||ие vánity; **~ный** vain, vainglórious

тще́тн||о *нареч.* in vain; **~ый** vain, únaváiling

ты *мест.* you; thou *(уст. и поэт.)*; тебя́ здесь не́ было you were not here; он даст тебе́ кни́гу he will give you the book; he will give the book to you; мы с тобо́й you and I; быть на ~ с кем-л. be on íntimate terms with smb.

ты́кать *см.* ткнуть

ты́ква púmpkin

тыл rear; в ~у́ in the rear *(of)*; **~ово́й** rear *attr.*

тын páling

ты́сяча thóusand

тысячеле́т||ие 1. milléннium 2. *(годовщина)* thóusandth annivérsary; **~ний** millénnial

ты́сячный *(о части)* thóusandth

тычи́нка *бот.* stámen

тьма 1. dark, dárkness 2. *разг. (множество)* great múltitude; ~ наро́ду thóusands of people *pl.*

тю́бик tube

тюк páckage; bale *(товара)*

тюле́нь seal

тюль tulle

тюльпа́н túlip

тюре́м||ный príson *attr.*; ~ное заключе́ние imprísonment; **~щик** jáiler; wárder

тю́ркск||ий Túrkic; ~ие языки́ Túrkic lánguages

тюрьма́ príson

тюфя́к máttress

тя́г||а 1. *(воздуха и т. п.)* draught 2. *тех.* tráction 3. *(влечение)* cráving *(for)*, yéarning *(for)* ◇ дать ~у *разг.* take to one's heels

тяга́ться *разг.* méasure one's strength *(with)*

тяга́ч tráctor; prime móver

тя́гостный búrdensome, páinful

тяго||те́ние 1. *физ.* gravitátion 2. *(влечение)* attráction; **~те́ть** 1. *физ.* grávitate 2. *(иметь влечение)* be attrácted

тяготи́ть be a búrden *(to)*; **~ся** find smth. búrdensome

тягу́чий 1. víscous *(о жидкости)*; dúctile *(о металлах)* **2.** *(о песне и т. п.)* liquid, slow, léisured

тя́жба *уст.* litigátion

тяжело́ 1. *нареч.* héavily; ~ дыша́ть breathe héavily **2.** *предик. безл.* it is hard, it is dífficult; ~ э́то ви́деть it is páinful *(или* hard) to look at it

тяжелове́сный pónderous; clúmsy *(об остроте, шутке и т. п.)*

тяжелора́неный sevérely wóunded

тяжёл||ый 1. héavy **2.** *(суровый)* sevére; ~ое наказа́ние sevére púnishment **3.** *(трудный)* hard, dífficult **4.** *(серьёзный)* sérious; ~ая болéзнь sérious íllness **5.** *(мучительный)* páinful, gríevous **6.** *(о характере)* dífficult; у него́ ~ хара́ктер he is hard to get on with

тя́ж||есть 1. *(вес)* weight **2.** *физ.* grávity; си́ла ~ести grávity **3.** *(груз)* load **4.** *(трудность)* dífficulty; búrden *(бремя)*; **~кий 1.** héavy **2.** *(серьёзный)* grave, sérious **3.** *(мучительный)* páinful

тяну́ть 1. pull, draw; ~ на букси́ре (have in) tow **2.** *(медлить)* deláy **3.** *(растягивать слова)* drawl **4.** *(проволоку)* draw **5.** *(влечь)* draw, attráct; меня́ тя́нет домо́й I feel véry hómesick

тяну́ться 1. *(о времени)* last, drag *(или* wear) on **2.** *(простираться)* stretch; extend **3.** *(за кем-л.)* try to équal **4.** *(к чему-л., за чем-л.)* reach *(for)*

У

у *предл.* **1.** *(около)* at, by; сидéть у окна́ sit by the wíndow; у его́ ног at his feet **2.** *(у кого-л.)* with, at smb.'s house; она́ живёт у роди́телей she lives with her párents; я забы́л у него́ кни́гу I left the book at his place; у нас *(в стране)* in our cóuntry; у меня́ в ко́мнате in my room **3.** *(от кого-л.)* from, of; я за́нял у него́ дéнег I bórrowed some móney from him **4.** *(в смысле род. пад.)* of; но́жки у сту́ла the legs of a chair **5.**: у меня́, у вас *и т. п.* *(в смысле: у меня, у вас и т. п. есть)* I, you *etc.* have; у него́ краси́вые глаза́ he has béautiful eyes; у меня́ есть I have; у неё нет врéмени she has no time ◇ у вла́сти in pówer

уба́вить take off, dimínish; **~ся** dimínish, decréase

убавлéние decréase, dimínishing

убавля́ть(ся) *см.* уба́вить(ся)

убаю́к||ать, ~ивать lull

убега́ть *см.* убежа́ть

убед||и́тельный convíncing; ~ до́вод convíncing árgument; **~и́ть** convínce; **~и́ться** be convínced *(of)*; sátisfy onesélf *(that)*

убежа́ть run awáy

убежд||а́ть(ся) *см.* убеди́ть(-ся); **~éние 1.** *(действие)* persuásion **2.** *(мнение)* convíction, belíef; полити́ческие ~éния polítical convíctions; **~ённость** convíction; **~ённый** convínced

убе́жищ||е réfuge; shélter *(укрытие)*; asýlum; найти́ ~ take réfuge *(in)*; пра́во ~а rights of sánctuary *pl*

уберега́ть(ся) *см.* убере́чь(ся)

убере́чь guard, sáfeguard *(against)*; **~ся** protéct onesélf

убива́ть *см.* уби́ть; **~ся** *разг.* *(горевать)* grieve

уби́йственный déadly, múrderous

уби́й||ство múrder; **~ца** múrderer; kíller; assássin

убир||а́ть(ся) *см.* убра́ть(ся); ~а́йся! beat it!

уби́||тый 1. *прил.* killed; múrdered *(умышленно)*; ~ го́рем bróken-héarted **2.** *как сущ.* dead man ◇ он спит как ~ *разг.* he sleeps like a log; **~ть** kill; múrder *(умышленно)*; **~ться** *разг.* *(насмерть)* be killed

убо́||гий poor; squálid *(о жилище)*; **~жество** póverty; squálor *(жилища)*

убо́й *(скота)* sláughter ◇ отка́рмливать на ~ fatten

убо́р attíre

убо́ристый *(о почерке)* close

убо́рка 1. *с.-х.* hárvesting, gáthering in **2.** *(помещения и т. п.)* tídying up, pútting in órder, cléaning

убо́рная 1. W. C., lávatory; tóilet *(амер.)* **2.** *театр.* gréen-room

убо́рочн||ый *с.-х.* hárvesting; ~ая кампа́ния hárvesting campáign; ~ая маши́на hárvester

убо́рщица *(в учреждении)* óffice-cleaner; chárwoman *(подёнщица)*

убра́нство decorátion(s) *(pl.)* *(тж. перен.)*

убра́ть 1. take awáy, remóve; put awáy *(спрятать)*; ~ с доро́ги put out of the way; ~ со стола́ clear the table **2.** *(урожай)* hárvest, gáther in **3.** *(привести в порядок)* tídy up; ~ ко́мнату tídy, clean *(или* do) a room **4.** *(украсить)* décorate; **~ся** *разг.* **1.** *(привести в порядок)* tídy up **2.** *(уйти)* clear off

убыва́ть decréase; wane *(о луне)*; subsíde *(о воде)*

у́быль décrease

убы́т||ок loss; dámage *(ущерб)*; **~очный** unprófitable

убы́ть *см.* убыва́ть

уваж||а́емый respécted; dear *(в официальных письмах)*; **~а́ть** respéct; estéem; **~е́ние** respéct; estéem

уважи́тельный *(о причине и т. п.)* good, válid

уве́дом||ить infórm *(of)*; nótify; **~ле́ние** informátion; notificátion; **~ля́ть** *см.* уве́домить

увезти́ 1. take *(или* cárry) awáy **2.** *(похитить)* steal; kídnap *(человека)*

увекове́ч||ивать, ~ить immórtalize, perpétuate

увеличе́ние íncrease

увели́ч||ивать(ся) *см.* увели́чить(ся); **~и́тель** *фото* enlárger; **~и́тельный:** ~и́тельное стекло́ mágnifying glass; **~ить** íncrease; enlárge *(размер)*; mágnify *(о микроскопе)*; **~иться** incréase

увенча́ть crown; **~ся** be crowned *(with)*

увере́ние assúrance

уве́ренн||о *нареч.* with cónfidence; **~ость** cónfidence *(in)*;

в по́лной ~ости in the firm belief; **~ый 1.** *(о человеке)* assúred, sure, cértain; я уве́рен, что... it is my firm belief that.. **2.** *(о голосе, движениях)* cónfident

уве́рить assúre *(of)*; **~ся** be convínced *(of)*

уверну́ться evа́de, dodge

увёрт||ка evásion, súbterfuge, dodge; **~ливый** evásive; **~ываться** *см.* уверну́ться

увертю́ра *муз.* о́verture

уверя́ть *см.* уве́рить

увесел||е́ние amúsement, entertáinment; **~и́тельный** pléasure *attr.*; amúsing, entertáining; ~и́тельная пое́здка pléasure trip; **~я́ть** amúse

уве́систый pónderous; héavy

увести́ 1. take awáy; withdráw *(войска)* **2.** *(похитить)* steal

уве́ч||ить mútilate; **~ный** *сущ.* cripple; **~ье** mutilátion

уве́ш||ать, ~ивать hang *(with)*

увещева́ть admónish; exhórt

увида́ть(ся) *см.* уви́деть(ся)

уви́||деть see; **~деться** see each óther, meet; за́втра ~димся we'll see each óther tomórrow; они́ ~делись впервы́е... they first met...

увиливать, увильну́ть shirk, evа́de, dodge

увлажн||и́ть, ~я́ть móisten

увлек||а́тельный fáscinating; **~а́ть(ся)** *см.* увле́чь(ся)

увлека́ющийся enthusiástic

увлече́ние 1. *(воодушевление)* animátion **2.** *(чем-л.)* pássion *(for)* **3.** *(кем-л.)* love, infatuátion *(for)*

увле́чь 1. cárry awáy **2.** *(очаровать)* fáscinate; **~ся 1.** be cárried awáy **2.** *(быть очарованным)* be fáscinated *(by)*; be infátuated *(with)*

уводи́ть *см.* увести́

увози́ть *см.* увезти́

уво́лить dismíss, dischárge; **~ся** leave the sérvice, get one's dischárge

увольне́ние dischárge, dismíssal

увольни́тельная *воен.* leave pass

увольня́ть(ся) *см.* уво́лить (-ся)

увы́! *межд.* alás!

увяда́||ние fа́ding, withering; **~ть** *см.* увя́нуть

увя́дший wíthered; fа́ded *(тж. перен.)*

увяза́ть I **1.** *(связать)* tie *(up)*, pack *(up)* **2.** *(согласовать)* co-órdinate *(with)*

увяза́ть II *см.* увя́знуть

увя́знуть stick *(in)*

увя́зывать *см.* увяза́ть I

увя́нуть fade, wither

угада́ть, уга́дывать guess

уга́р cárbon monóxide; póisoning by (cárbon monóxide) fumes *(отравление)*; *перен.* intoxicátion; **~ный:** ~ный газ cárbon monóxide

угаса́ние dýing awáy

угаса́ть, уга́снуть die awáy

угле||во́д *хим.* cárbo-hýdrate; **~кислота́** cárbon dióxide; **~ки́слый:** ~ки́слый газ carbónic ácid (gas)

углеко́п míner

углеро́д *хим.* cárbon

углова́тый *прям., перен.* ángular

углово́й córner *attr.*

углуби́ть déepen; *перен.* extе́nd; ~ свой зна́ния get a déeper knówledge *(of smth.)*; **~ся 1.** *(стать глубже)* becóme déeper **2.** *(войти вглубь)* go deep *(into)* **3.** *(в книгу и т. п.)* be absórbed *(in)*

углубл||е́ние 1. *(действие)* déepening **2.** *(впадина)* hóllow; **~ённый 1.** déepened **2.** *(основательный)* deep, profóund **3.** *(во что-л.)* absórbed *(in)*

углубля́ть(ся) *см.* углуби́ть(-ся)

угна́ть drive awáy; steal *(украсть)*

угна́ться keep pace *(with)*, *перен.* keep up *(with)*

угнет||а́тель oppréssor; **~а́ть 1.** oppréss **2.** *(удручать)* depréss; **~а́ющий** depréssing; **~е́ние 1.** oppréssion **2.** *(удручённость)* depréssion; **~ённый 1.** *(притесняемый)* oppréssed; ~ённые наро́ды oppréssed peoples **2.** *(удручённый)* depréssed; ~ённое состоя́ние depréssion, low spirits *pl.*, depréssed state of mind

угова́ривать(ся) *см.* уговори́ть(ся)

угово́р 1. persuásion **2.** *(соглашение)* agréement; **~и́ть** persuáde; **~и́ться** agrée

уго́д||а: в ~у кому́-л. to please smb., for the bénefit of smb.

угоди́ть I *(кому-л.)* please smb.

угоди́ть II **1.** *разг. (попасть)* hit **2.** *разг. (очутиться)* bump *(into)*, fall *(into)*, get *(into)*, land *(in)*

уго́длив||ость offíciousness; **~ый** offícious

уго́дно 1. *предик. безл.*: как вам ~ as you please; что вам ~? what can I do for you? **2.** *частица:* кто ~ ányone; ánybody; что ~ ánything

угожда́ть *см.* угоди́ть I

у́гол 1. córner **2.** *мат.* angle ◇ име́ть свой ~ have one's own little córner, have a home of one's own; под э́тим угло́м зре́ния from this point of view; из-за угла́ on the sly

уголо́вный críminal; ~ проце́сс críminal áction; ~ ко́декс críminal code

уголо́к córner

у́голь coal *(каменный)*; chárcoal *(древесный)* ◇ бе́лый ~ wáter-power

уго́льник set square

у́гольн||ый coal *attr.*; **~ая** промы́шленность coal industry; ~ бассе́йн coal field(s)

угомони́ть *разг.* calm; **~ся** *разг.* calm down

угоня́ть *см.* угна́ть

угор||а́ть *см.* угоре́ть; **~е́лый:** как ~е́лый *разг.* like a mádman

угоре́ть be póisoned by (chárcoal) fumes

у́горь I *(на лице)* bláckhead

у́горь II *зоол.* eel

угости́ть, угоща́ть *(кого-л. чем-л.)* entertáin *(smb. to smth.)*, treat *(smb. to smth.)*, óffer *(smb. smth.)*

угоще́ние 1. *(действие)* hospitálity **2.** *(еда)* refréshments *pl.*

угрожа́||ть thréaten; **~ющий** thréatening

угро́за threat, ménace

угрызе́ни||е: ~я со́вести remórse *sg.*, pangs of cónscience

угрю́мый súllen, moróse

уда́в bóa, constríctor

удава́ться *см.* уда́ться

удави́ть strangle; **~ся** hang onesélf

удал||е́ние remóval; extráction *(зуба)*; **~ённый** *(отдалённый)* distant, remóte; **~и́ть 1.** remóve; extráct *(о зубе)* **2.** *(заставить уйти)* remóve, make leave; **~и́ться** retíre; go awáy *(уйти)*

у́даль, ~ство bóldness

удаля́ть(ся) *см.* удали́ть(ся)

уда́р 1. blow; *перен. тж.* shock; нанести́ ~ deal *(или* strike) a blow **2.** *мед.* stroke ◇ ~ гро́ма thúnderclap; быть в ~е be in good *(или* great) form, be in form

ударе́ние áccent; stress; *перен. тж.* émphasis

уда́рить strike; **~ся** hit *(against)*

ударя́ть(ся) *см.* уда́рить(ся)

уда́ться turn out well; be a succéss

уда́ч||а good luck; succéss *(успех)*; **~ный** succéssful; good *(о переводе и т. п.)*; ~ное выраже́ние háppy turn of phrase

удва́ивать(ся) *см.* удво́ить(ся)

удвое́ние dóubling, redóubling

удво́||енный doubled; **~ить** double; **~иться** be doubled

уде́л lot, déstiny

удели́||ть give, spare; ~те мне пять мину́т spare me five minutes

уде́льный *физ.* specífic; ~ вес specífic grávity *(или* weight)

уделя́ть *см.* удели́ть

у́держ: без ~у *разг.* withóut restráint

удержа́||ние 1. kéeping back **2.** *(денег)* dedúction; **~ть 1.** *(кого-л.)* not let go *(не дать уйти)*; hold back *(остановить)* **2.** *(подавить)* suppréss **3.** *(деньги)* dedúct ◇ ~ть в па́мяти retáin in one's mémory, mémorize; **~ться 1.** *(устоять)* not to fall; keep (on) one's feet **2.** *(от чего-л.)* keep *(from)*, refráin *(from)*; он не мог ~ться от сме́ха he could not help láughing

уде́рживать(ся) *см.* удержа́ть(ся)

удешев||и́ть, ~ля́ть redúce the price *(of)*

удив||и́тельный astónishing, surprísing; wónderful *(замечательный)*; **~и́ть** astónish, surpríse; **~и́ться** be surprísed *(at)*; **~ле́ние** astónishment, surpríse; к моему́ ~ле́нию to my surpríse; **~ля́ть(ся)** *см.* удиви́ть(ся)

удила́ bit *sg.*

уди́лище físhing-rod

удира́ть *см.* удра́ть

уди́ть: ~ ры́бу fish

удлин||е́ние léngthening, exténsion; **~и́ть, ~я́ть** léngthen, exténd

удо́бный 1. cómfortable **2.** *(подходящий)* convénient; ~ слу́чай good chance *(или* opportúnity)

удобовари́мый digéstible

удобре́ние 1. *(действие)* fertilizátion **2.** *(вещество)* fértilizer

удо́бр||ить, ~я́ть fértilize

удо́бств||о cómfort; convénience; кварти́ра со всéми ~ами flat with all módern convéniences

удовлетвор||е́ние satisfáction; **~ённый** sátisfied, conténted

удовлетвор||и́тельно *нареч.* **1.** satisfáctorily **2.** *(отметка)* satisfáctory; **~и́тельный** satisfáctory; **~и́ть 1.** sátisfy; ~и́ть жела́ние grátify a wish; ~и́ть про́сьбу complý with a requést; ~и́ть потре́бности sátisfy needs **2.** *(соответствовать)* ánswer, meet; **~и́ться** contént onesélf *(with)*, be sátisfied *(with)*; **~я́ть(ся)** *см.* удовлетвори́ть (-ся)

удово́льствие pléasure

удово́льствоваться be sátisfied

удо́й yield of milk

удоста́ивать(ся) *см.* удосто́ить(ся)

удостовере́ние certíficate; ~ ли́чности idéntity card

удостове́р||ить cértify; téstify *(засвидетельствовать)*; **~иться** make sure *(of)*; **~я́ть(ся)** *см.* удостове́рить(ся)

удосто́ить hónour *(with)*, fávour *(with)*; awárd *(о награде)*; **~ся** be hónoured *(with)*; be awárded *(о награде)*

удосу́жи||ваться, ~ться *разг.* find time *(for)*

у́дочка físhing-rod

удра́ть *разг.* run awáy

удружи́ть *разг.* do smb. a sérvice *(или* a good turn); *ирон.* play a dírty trick *(on)*

удруча́ть *см.* удручи́ть

удруч||ённый depréssed; **~и́ть** depréss, dispírit

удуш||а́ть *см.* удуши́ть; **~е́ние** suffocátion; asphyxiátion *(газом)*; **~и́ть** súffocate; asphýxiate *(газом)*

уду́шливый súffocating

уду́шье suffocátion; asphýxia; ásthma

уедин||е́ние sólitude; **~ённый** sólitary; **~и́ться, ~я́ться** ísolate onesélf; retíre *(from)*

уезжа́ть, уе́хать go awáy, depárt; leave *(for)*

уж I *сущ. зоол.* gráss-snake

уж II **1.** *нареч. см.* уже́ **2.** *частица (право)* réally

ужа́лить *(о насекомом)* sting

у́жас hórror, térror; **~а́ться** *см.* ужасну́ться; **~а́ющий** térrifying; térrible

ужасну́ться be hórrified *(или* appáled)

ужа́сный térrible

уже́ *нареч.* alréady; ~ давно́ it is a long time since; я ~ гото́в here I am, I'm réady

уже́ние físhing, ángling

ужива́ться *см.* ужи́ться

ужи́вчивый éasy to get on with; он ~ челове́к he's a good míxer

ужи́мка grimáce

у́жин súpper; что сего́дня на ~? what's for súpper tonight?; **~ать** have *(или* take) súpper

ужи́ться live togéther, get on *(with)*|

узако́н||ить, ~я́ть légalize

узбе́к Úzbek; **~ский** Úzbek;

~ский язы́к Úzbek, the Úzbek lánguage

узд||á bridle ◇ держа́ть в ~é keep in check

у́зел 1. *(на верёвке и т. п.)* knot **2.** *(свёрток)* bundle **3.** *анат.:* не́рвный ~ gánglion

у́зк||ий nárrow; tight *(об одежде)* ◇ ~ое ме́сто weak point, bóttle-neck

узкоколе́йный *ж.-д.* nárrow-gauge *attr.*

узлова́тый knótty

узлов||о́й 1. *(главный)* main; ~ы́е пу́нкты main points **2.** *ж.-д.:* ~а́я ста́нция ráilway júnction

узнава́ть, узна́ть 1. learn **2.** *(справляться)* find out **3.** *(признавать)* récognize

у́зник prísoner

узо́р páttern, design; **~ча́тый** fígured, pátterned

у́зость nárrowness *(тж. перен.)*

узурп||а́тор usúrper; **~а́ция** usurpátion; **~и́ровать** usúrp

у́зы bonds, ties

у́йма *разг.* lots *(of)*, heaps *(of) pl.*

уйти́ 1. go awáy, leave, depárt; pass, elápse *(о времени)*; ~ с рабо́ты leave one's job; ~ со сце́ны quit the stage; ~ на пе́нсию retíre **2.** *(избежать)* escápe **3.** *(израсходоваться)* be spent; на э́то уйдёт мно́го вре́мени it will take much time; ◇ так вы далеко́ не уйдёте this won't take you véry far

ука́з decrée, édict

указа́||ние 1. indicátion **2.** *(наставление)* instrúctions *pl.*; **~тель 1.** *(прибор)* índicator **2.** *(в книге)* índex **3.** *(справочник):* библиографи́ческий ~тель bibliógraphy; железнодоро́жный ~тель ráilway tíme-table; **~тельный** indícatory ◇ ~тельный па́лец fórefinger; ~тельное местоиме́ние *грам.* demónstrative prónoun

указа́ть show; índicate; point out *(обратить внимание)*

ука́зк||а: по чьей-л. ~е on smb's órder

ука́зывать *см.* указа́ть

уката́ть, ука́тывать roll

укач||а́ть, ука́чивать 1. *(ребёнка)* rock to sleep **2.:** его́ ~а́ло he is sick (from mótion)

укла́д: ~ жи́зни way of life; обще́ственно-экономи́ческий ~ sócial and económic strúcture

укла́д||ка 1. pácking *(вещей)*; píling *(в груду)*; stácking *(в штабеля)* **2.** *(воло́с)* sétting **3.:** ~ ре́льсов láying of rails; **~ывать(ся)** *см.* уложи́ть(ся)

укло́н 1. slope; grádient *(ж.-д.)* **2.** *(направление)* bías; шко́ла с техни́ческим ~ом a school with a téchnical bías **3.** *полит.* deviátion; **~е́ние** deviátion; evásion *(of; от обязанностей)*; **~и́ться** déviate *(from)*; avóid, eváde *(избежать)*; **~чивый** evásive; **~я́ться** *см.* уклони́ться

уклю́чина rówlock

уко́л 1. príck **2.** *мед.* injéction; сде́лать ~ give an injéction; ~о́ть prick; **~о́ться** prick onesélf

укомплект||ова́ть, ~о́вывать 1. compléte **2.:** ~ шта́ты fill up staff vácancies

уко́р repróach

укра́чивать *см.* укороти́ть

укорен||и́ться, ~я́ться root, take root

укори́зненный repróachful

укороти́ть shórten

укоря́ть repróach

укра́дкой *нареч.* stéalthily

украи́н||ец Ukráinian; **~ский** Ukráinian; ~ский язы́к Ukráinian, the Ukráinian lánguage

укра́сить adórn, embéllish; décorate *(с внешней стороны)*; **~ся** be décorated, be adórned *(о чём-л.)*

укра́сть steal

украш||а́ть(ся) *см.* укра́сить(ся); **~е́ние 1.** *(действие)* adórning; decorátion **2.** *(предмет)* decorátion, órnament, adórnment

укреп||и́ть 1. stréngthen; consólidate *(положение и т. п.)*; fórtify *(воен.)* **2.** *(прикрепить)* fix; **~и́ться** becóme strónger; fórtify one's posítion *(at, in)* *(воен.)*; **~ле́ние 1.** *(действие)* stréngthening; consolidátion *(положения и т. п.)*; fortificátion *(воен.)* **2.** *воен.* *(сооружение)* fortificátion; **~ля́ть(ся)** *см.* укрепи́ть(ся)

укро́мный seclúded; ~ уголо́к seclúded nook *(или* córner)

укро́п dill

укро||ти́тель *(зверей)* círcus tráiner; ~ львов líon-tamer; **~ти́ть, ~ща́ть** tame; subdúe *(подчинить)*; **~ще́ние** táming

укрупн||е́ние consolidátion *(объединение)*; **~и́ть, ~я́ть** extе́nd, merge

укрыва́||тель concéaler; recéiver of stólen goods *(краденого)*; **~тельство** concéalment; recéiving *(краденого)*; **~ть(ся)** *см.* укры́ть(ся)

укры́тие shélter; cóver *(тж. воен.)*

укры́ть 1. *(покрыть)* cóver up *(with)* **2.** *(спрятать)* shélter *(from)*; concéal; hárbour *(преступника)*; recéive *(краденое)*; **~ся 1.** *(покрыться)* cóver onesélf **2.** *(спрятаться)* find *(или* take) shélter; take cóver **3.** *(остаться незамеченным)* escápe nótice

у́ксус vínegar

уку́с bite *(собаки, змей)*; sting *(насекомого)*; **~и́ть** bite *(о собаке, змее)*; sting *(о насекомом)*

уку́т||ать wrap up; **~аться** wrap onesélf up *(in)*; **~ывать (-ся)** *см.* уку́тать(ся)

ула́вливать *см.* улови́ть

ула́дить settle, arránge; fix up *разг.*; **~ся** get settled

ула́живать(ся) *см.* ула́дить (-ся)

ула́мывать *см.* улома́ть

у́лей hive

уле||та́ть, ~те́ть fly awáy

улету́ч||иваться, ~иться evа́porate

уле́чься settle down; die down *(тж. перен.)*

улизну́ть *разг.* slip awáy

ули́ка évidence

ули́тка snail

у́лиц||а street; на ~е in the street; óutside, out of doors *(вне дома)*

улич||а́ть, ~и́ть show smb. up, expóse smb., prove smb. guílty

у́личн||ый street *attr.*; ~ая ава́рия street áccident; ~ое движе́ние tráffic

улóв catch

улов||и́мый percéptible; **~и́ть** catch

улóвка ruse, trick

уложи́ть 1. lay; ~ спать put to bed **2.** *(вещи)* pack; **~ся 1.** *(уложить вещи)* pack *(up)* **2.** *(уместиться)* go *(in, into)* **3.** *(в определённые пределы)* keep *(within)*

уломáть *разг.*: с трудóм *(или* насилу) ~ когó-л. with difficulty *(или* ónly just) preváil on smb. *(to)*

улуч||áть, ~и́ть find; ~и́ть момéнт seize the opportúnity, catch the móment

улучш||áть(ся) *см.* улу́чшить(ся); **~éние** impróvement

улу́чшить, ~ся impróve

улыбáться *см.* улыбну́ться

улы́б||ка smile; **~ну́ться** smile

ультимáтум ultimátum

ультрафиолéтовый *физ.* últra-víolet

ум mind ◇ ~á не приложу́ I am at my wit's end; он себé на ~é he knows on which side his bread is búttered

умали́ть belíttle, dérogate

умалишённый mad, lúnatic

умáлчивать *см.* умолчáть

умаля́ть *см.* умали́ть

умéлый skílful

умéние skill

уменьшáемое *мат.* mínuend

уменьш||áть(ся) *см.* умéньшить(ся); **~éние** décrease; **~и́тельный** *грам.* dimínutive

умéньшить dimínish, decréase; ~ скóрость slow down; **~ся** dimínish, decréase

умéренн||ость moderátion; **~ый** móderate; **~ый** **кли́мат** témperate clímate

умерéть die

умéрить móderate

умертви́ть kill

умéрший 1. *прил.* dead **2.** *как сущ.* the decéased

умерщвл||éние kílling; **~я́ть** *см.* умертви́ть

умеря́ть *см.* умéрить

уместú||ться find room; go in; все гóсти ~лись за столóм there was room for all the guests at the table; все вéщи ~лись в чемодáне éverything went ínto the trunk

умéстн||о *нареч.* to the point; **~ый** pértinent, to the point *(после сущ.)*

умé||ть know *(how+inf.)*; be able *(быть в состоянии)*; он ~ет читáть he can read

умил||éние ténder emótion; **~и́ть** touch, move; **~и́ться** be touched; **~я́ть(ся)** *см.* умили́ть(ся)

умир||áть *см.* умерéть; **~áющий 1.** *прил.* dýing **2.** *как сущ.* dýing man

умнéть grow wíser

умнож||áть(ся) *см.* умнóжить(ся); **~éние** multiplicátion

умнóжить 1. incréase **2.** *мат.* múltiply; **~ся** incréase

у́мный cléver; sénsible, wise *(толковый)*

умозаключéние conclúsion

умоли́ть move *(smb.)* by entréaties, preváil *(upon)*

у́молк: без ~у without stópping, incéssantly

умолкáть, умóлкнуть becóme sílent *(о человеке)*; subside *(о шуме)*

умолча́ть pass óver in sílence

умоля́ть implóre, entréat

умопомеша́тельство mádness

умори́||тельный fúnny; kílling *разг.*; **~ть** *разг.* **1.** kill **2.** *(утомить)* exháust **3.:** ~ть кого́-л. со́ смеху make smb. die of láughing

у́мственн||ый méntal; ~ые спосо́бности méntal abílities; ~ труд brain work

умудрённый: ~ о́пытом grown wise with expérience

умудр||и́ться, ~я́ться contríve

умча́ться whirl awáy

умыва́||льник wásh-stand; **~ние** wáshing, wash; **~ть(ся)** *см.* умы́ть(ся)

у́мыс||ел desígn; злой ~ évil intént; с ~лом by desígn, with intént

умы́ть wash; **~ся** wash (oneсélf)

умы́шленный delíberate, inténtional

унаво́живать, унаво́зить manúre

унасле́довать inhérit

унести́ take awáy

универса́льный univérsal; ~ магази́н depártment store

университе́т univérsity; **~ский** univérsity *attr.*

униж||а́ть(ся) *см.* уни́зить(ся); **~е́ние** humiliátion

уни́женный humble, humíliated

унизи́тельный humíliating

уни́зить humíliate; **~ся** abáse onesélf; stoop *(to; до чего-л.)*

унима́ть(ся) *см.* уня́ть(ся)

унита́з lávatory bowl *(или* pan)

унифи||ка́ция unificátion; **~ци́ровать** únify

уничтож||а́ть *см.* уничто́жить; **~е́ние** destrúction; abolítion *(упразднение)*

уничто́жить destróy; abólish *(упразднить)*; put an end *(to; положить конец)*

уноси́ть *см.* унести́

унывá́ть be cast down

уны́л||о *нареч.* chéerlessly; **~ый** dówncast; chéerless

уны́ние low spírits *pl.*, dejéction

уня́ть calm; soothe *(боль)*; stop *(кровь)*; **~ся** quiet (*или* calm) down; stop flówing *(о крови)*

упа́до||к declíne; décadance *(в литературе и т. п.)*; ~ ду́ха despóndency; depréssion; **~чный** depréssing, depréssed; décadent *(о литературе и т. п.)*; ~чное настрое́ние a mood of depréssion

упак||ова́ть pack (up); ~ ве́щи put one's things togéther; **~о́вка 1.** *(действие)* pácking **2.** *(обёртка)* wrápping; **~о́вывать** *см.* упакова́ть; **~о́вываться** do the pácking

упа́сть fall *(down)*; ~ в о́бморок faint, swoon

упере́ться, упира́ться 1. stretch (*или* press) *(against)* **2.** *(противиться)* resist **3.** *(встретить препятствие)* be brought up short *(against)*

упи́танный wéll-féd

упла́||та páyment; **~ти́ть, ~чивать** pay

уплотн||е́ние concentráting;

\~и́ть, \~я́ть 1. cóncentrate **2.** *разг. (о жилплощади)* cut down the líving space *(per capita)*

уплыва́ть, уплы́ть swim awáy *(о пловце)*; sail awáy *(о судне)*; float awáy *(о вещах)*

уподо́б||иться, \~ля́ться becóme like

упо||е́ние écstasy; **\~и́тельный** delíghtful

уполз||а́ть, \~ти́ crawl awáy

уполномо́ч||енный represéntative; **\~ивать, \~ить** áuthorize

упомина́||ние méntion; **\~ть** *см.* упомяну́ть

упомя́нутый abóve-méntioned

упомяну́ть méntion; refér *(to)*; \~ вскользь méntion in pássing

упо́р stress; то́чка \~ a point of stress ◇ де́лать \~ на чём-л. lay stress on smth.; в \~ póint-blánk

упо́р||ный 1. *(стойкий)* persístent **2.** *(упрямый)* stúbborn; **\~ство 1.** persístence **2.** *(упрямство)* óbstinacy, stúbbornness

упо́рствовать persíst *(in)*

упоря́доч||енный well régulated; **\~ить** régulate

употреб||и́тельный cómmon; in cómmon use *(после сущ.)*; \~и́тельное выраже́ние exprésＳsion in cómmon use; **\~и́ть** use; **\~ле́ние** use, úsage; applicátion *(применение)*; **\~ля́ть** *см.* употреби́ть

управдо́м (управля́ющий до́мом) hóuse-manager

упра́виться *разг.* mánage

управл||е́ние 1. *(действие)* mánagement; góvernment *(государством)* **2.** *тех.* contról **3.** *(учреждение)* óffice, administrátion; board; \~ дела́ми the administrátion, admínistrative depártment **4.** *грам.* góvernment; **\~я́ть 1.** góvern; rule *(страной)*; contról *(предприятием, производством и т. п.)*; mánage *(делами)* **2.** *(машиной)* óperate, run; drive *(автомобилем)* **3.** *грам.* góvern; **\~я́ться** *см.* упра́виться; **\~я́ющий** *как сущ.* mánager

упражн||е́ние éxercise; **\~я́ться** práctise

упраздн||е́ние abolítion; **\~и́ть, \~я́ть** abólish; do awáy *(with)*

упра́шивать beg, entréat

упрёк repróach; бро́сить \~ кому́-л. repróach smb.

упрек||а́ть, \~ну́ть repróach *(with)*, upbráid; \~ кого́-л. в чём-л. repróach smb. with smth.

упроси́ть preváil *(upon)*, persuáde

упрости́ть símplify; **\~ся** get símplified

упро́чить stréngthen, consólidate; **\~ся** be stréngthened, becóme consólidated

упрощ||а́ть(ся) *см.* упрости́ть(-ся); **\~е́ние** simplificátion

упру́г||ий elástic; **\~ость** elastícity

упря́жка team

у́пряжь hárness

упря́м||иться be óbstinate; persíst *(стоять на своём)*; **\~ство** óbstinacy, stúbbornness; **\~ый** óbstinate, stúbborn; \~ый как осёл stúbborn as a mule

упря́тать hide

упус||ка́ть, \~ти́ть let escápe; miss *(прозевать)* ◇ \~ и́з виду lose sight *(of)*

упуще́ние omission

ура́! *межд.* hurráh!

уравне́ние 1. *(действие)* equalizátion 2. *мат.* equátion

ура́внивать *см.* уравня́ть

уравни́тельный lévelling

уравнове́||сить bálance; **~шенный** wéll-bálanced; éven-minded, stéady *(о человеке)*; **~шивать** *см.* уравнове́сить

уравня́ть équalize; ~ в пра́вах give équal rights *(to)*

урага́н húrricane; **~ный** húrricane *attr.*

ура́н *хим.* uránium

урва́ть snatch

урегули́ровать régulate; settle *(вопрос)*

уре́з||ать, ~а́ть, ~ывать cut down

у́рна urn; избира́тельная ~ bállot-box

у́ровень lével; stándard *(культуры и т. п.)*

уро́д 1. *(чудовище)* mónster 2. *(некрасивый человек)* úgly pérson, fright

уроди́||ться: пшени́ца хорошо́ ~лась в э́том году́ there is a good wheat crop this year

уро́д||ливый úgly; **~овать** disfígure; **~ство** úgliness

урожа́й crop, hárvest; **~ность** crop capácity; **~ный:** ~ный год good year for the crops

уроже́нец nátive *(of)*

уро́к 1. lésson 2. *(задание)* lésson, assígnment

уро́н lósses *pl.*; dámage *(ущерб)*

урони́||ть drop; вы что́-то ~ли you've dropped sómething

уро́чный fixed

урыва́ть *см.* урва́ть

у́рывками *нареч.* by fits and starts, in snátches

ус *см.* усы́ ◇ кито́вый ~ whálebone

усади́ть I seat; ask to sit down

усади́ть II *(растениями)* plant *(with)*

уса́дьба 1. *(крестьянская)* fármstead 2. *ист.* *(помещика)* cóuntry house and grounds

уса́живать I, II *см.* усади́ть I, II

уса́живаться *см.* усе́сться

уса́тый with a (búshy *или* long) moustáche; whískered *(о коте)*

усва́ивать *см.* усво́ить

усвое́ние mástering, léarning; pícking up, adóption *(слов, обычаев)*

усво́ить máster *(заучить, овладеть)*; adópt *(слово, обычай)*

усе́ивать *см.* усе́ять

усе́рд||ие zeal; díligence *(прилежание)*; **~ный** zéalous; díligent, assíduous *(прилежный)*

усе́сться 1. take a seat; find a seat *(найти место)* 2. *(приняться)* set down *(to)*

усе́я||нный stúdded; strewn *(with)*; **~ть** strew *(with)*

усиде́ть remáin sítting; keep one's seat

уси́дчив||ость persevérance; **~ый** persevéring; assíduous

у́сик 1. *(насекомого)* anténna 2. *(растения)* téndril

усиле́ние stréngthening; intensificátion

уси́ленн||о *нареч.* inténsely; **~ый** inténsified; úrgent *(о просьбе)*; abúndant *(о питании)*

усил||ивать(ся) *см.* усилить (-ся); **~ие** éffort; **~итель** *радио* ámplifier; **~ить** inténsify; **~иться** incréase; inténsify; becóme strónger

ускакать gállop awáy

ускольз||áть, ~нýть slip awáy

ускорéние accelerátion

ускóр||ить accélerate; speed up; **~иться** quícken; be accélerated; **~ять(ся)** *см.* ускóрить(ся)

уславливаться *см.* услóвиться

усла||дить, ~ждáть delíght

уследить succéed in kéeping an eye *(on)*

услóв||ие condítion; **~иться** agrée *(upon)*, arránge; settle *(договориться)*; **~ленный** agréed upón, fixed, appóinted

услóвн||о *нареч.* condítionally; **~ость** convéntion, conventionálity; **~ый** condítional; convéntional *(принятый)*

усложн||éние complicátion; **~ить** cómplicate; **~иться** get cómplicated *(by)*; **~ять(ся)** *см.* усложнить(ся)

услýг||а sérvice, turn; к вáшим ~ам at your sérvice

услужить do smb. a sérvice (*или* a good turn)

услýжливый oblíging

услыхáть, услышать hear

усмáтривать *см.* усмотрéть

усмех||áться, ~нýться smile (irónically)

усмéшка (irónical) smile; sneer *(презрительная)*

усмир||éние pacificátion; suppréssion *(подавление)*; **~ить, ~ять** pácify; suppréss *(подавить)*

усмотрé||ние discrétion; по ~нию at one's discrétion; **~ть** percéive; nótice; discérn *(различить)*

уснýть fall asléep

усовершéнствов||ание impróvement, perféction; **~анный** impróved; **~ать** impróve, perféct

усомниться doubt

успевá||емость prógress; **~ть** **1.** *см.* успéть **2.** *(в учении)* make prógress; **~ющий** *(об ученике)* advánced

успéть have time *(for)*; be in time *(for)*

успéх succéss; не имéть ~а be a fáilure

успéшный succéssful

успокáивать(ся) *см.* успокóить(ся)

успоко||éние peace; cálming, quíeting; **~ительный** sóothing, reassúring

успокóить calm; soothe *(ребёнка)*; **~ся** calm down, becóme tránquil

устáв chárter, státutes *pl.*; regulátions *pl.* *(воинский)*; ~ пáртии Párty Rules *pl.*

уставáть *см.* устáть

устáвить set *(with)*, cóver *(with)*; **~ся** *разг.* stare *(at)*

уставлять(ся) *см.* устáвить (-ся)

устáл||ость tíredness, fatígue; **~ый** tired

устанáвливать(ся) *см.* установить(ся)

установить **1.** put, place, arránge; get; ~ наблюдéние за кем-л. keep smb. únder observátion **2.** *(определить)* fix, estáblish, detérmine; ~ цéну fix the price; ~ фа́кты estáblish facts; **~ся** be settled

устано́в||ка 1. *(действие)* pútting; plácing; móunting *(машины)* 2. *тех.* plant 3. *(указание)* diréctions *pl.*, diréctive; aim, púrpose *(ориентация)*; **~ле́ние** estáblishment

уста||ре́лый óbsolete; **~ре́ть** becóme óbsolete

уста́ть get tired; be tired

у́стн||о *нареч.* órally; **~ый** óral; vérbal

усто́и foundátions; нра́вственные ~ móral prínciples

усто́йчив||ость stabílity; **~ый** stéady, stable

устоя́ть *(на ногах)* keep one's bálance, remáin on one's feet; *перен.* hold one's ground; stand fast

устра́ивать(ся) *см.* устро́ить(-ся)

устран||е́ние remóval; **~и́ть, ~я́ть** remóve

устраш||а́ть *см.* устраши́ть; **~е́ние** fríghtening; **~и́ть** fríghten; **~и́ться** fear, be fríghtened

устрем||и́ть diréct; **~и́ться** rush; be turned *(to; о взгляде)*; **~ле́ние** rush; **~ля́ть(ся)** *см.* устреми́ть(ся)

у́стрица óyster

устро́и||ть 1. arránge; órganize; estáblish 2. *(привести в порядок)* settle 3. *(соорудить)* constrúct 4. *(поместить)* place 5. *безл. разг.*: вас ~т, е́сли..? is it O. K. if..?; **~ться** 1. settle 2. *(на работу)* find a situátion; get a job *разг.* 3. *(наладиться)* come right

устро́йство 1. *(действие)* arrángement, organizátion 2. *(строй)* strúcture 3. *(система)* sýstem 4. apparátus *(оборудование)*; méchanism, device *(приспособление)*

усту́п projéction, ledge

уступ||а́ть, ~и́ть yield; give in *(поддаться)*; give up *(отдать)*; cede *(территорию)*; ~ доро́гу make way *(for)*

усту́п||ка 1. concéssion; идти́ на ~ки make concéssions 2. *(в цене)* abátement; **~чивый** yíelding, compliant

устыди́ться be ashámed *(of)*

у́стье mouth *(of a river)*

усугуб||и́ть, ~ля́ть ággravate; make worse

усы́ 1. moustáche *sg.* 2. *(животного)* whískers

усынов||и́ть adópt; **~ле́ние** adóption; **~ля́ть** *см.* усынови́ть

усы́п||ать, ~а́ть strew *(with)*

усып||и́ть, ~ля́ть put to sleep, lull

ута́ивать, утаи́ть concéal

ута́птывать *см.* утопта́ть

ута́скивать, утащи́ть 1. cárry off 2. *разг.* *(украсть)* steal

у́тварь uténsils *pl.*, pots and pans *pl.*

утвер||ди́тельный affírmative; **~ди́ть** confírm; **~жда́ть** 1. *см.* утверди́ть 2. *(заявлять)* assért, affírm; **~жде́ние** 1. *(решения)* confirmátion 2. *(мнение)* assértion, státement

утека́ть *см.* уте́чь

утере́ть wipe ◇ ~ нос кому́-л. teach smb. a lésson; just show smb.

утерпе́||ть restráin oneséլf; он не ~л и сказа́л he just could not help sáying

утеря́ть lose

утёс rock; cliff *(береговой)*

уте́чка léakage; escápe *(газа)*

уте́чь flow awáy; escápe, leak *(о газе)*

утеш||а́ть(ся) *см.* уте́шить(-ся); **~е́ние** consolátion; **~и́тельный** consólatory; cómforting

уте́шить cómfort, consóle; **~ся** consóle oneséif

утилиз||а́ция utilizátion; **~и́ровать** útilize

утилита́рный utilitárian

утильсырьё rúbbish, réfuse, scrap

утира́ть *см.* утере́ть

утиха́ть, ути́хнуть cease, die awáy *(о шуме)*; calm down *(успокаиваться)*; fall *(о ветре)*; abáte, subside *(о буре, боли)*

у́тка duck ◇ газе́тная ~ néwspaper hoax

уткну́ть *разг.* búry; ~ нос в книгу búry onesélf in a book; **~ся** búry onesélf *(in)*; ~ся голово́й в поду́шку búry one's head in the *(или* one's) píllow

утоли́ть appéase, sátisfy; quench *(жажду)*

утолщ||а́ться thícken; **~е́ние** thíckening

утоля́ть *см.* утоли́ть

утом||и́тельный tíresome; **~и́ть** tire; **~и́ться** get tired; **~ле́ние** tíredness, wéariness; fatígue; **~ля́ть(ся)** *см.* утоми́ть(ся)

утону́ть be drowned *(о человеке)*; sink, go down *(о судне)*

утонч||ённость refínement; **~ённый** refíned

утоп||а́ть 1. *см.* утону́ть **2.** *(в чём-л.)* be swamped *(in)*; wállow *(in)*; ~ в ро́скоши wállow in lúxury; **~а́ющий** *сущ.* drówning man

утопи́ть drown *(человека)*; sink *(судно)*

уто́п||ия Utópia; **~и́ческий** Utópian

уто́пленник a drowned corpse

утопта́ть trample down

уточн||е́ние máking more precíse; more áccurate definítion; **~и́ть, ~я́ть** defíne more precísely

утрамб||ова́ть, ~о́вывать ram

утра́та loss

утра́тить, утра́чивать lose

у́трен||ний mórning *attr.*; **~няя** заря́ dawn; **~ник** *(спектакль)* matinée [ˈmætɪneɪ]

утри́ровать exággerate

у́тро mórning

утро́ить treble

у́тром *нареч.* in the mórning; сего́дня ~ this mórning; за́втра ~ tomórrow mórning; вчера́ ~ yésterday mórning

утружда́ть trouble; он не хо́чет ~ себя́ he doesn't want to take the trouble

утю́||г íron; **~жить** íron

уха́ fresh físh-soup

уха́б bump; **~истый** búmpy; únéven

уха́живать 1. *(за больным)* nurse, look *(after)* **2.** *(за женщиной)* make advánces *(to)*, court, woo

ухвати́ть catch; **~ся** get hold *(of)*; *перен.* snatch *(at)*

ухитр||и́ться, ~я́ться contríve

ухищр||е́ние shift, devíce; **~я́ться** contríve

ухмыльну́ться, ухмыля́ться smirk, grin

у́хо ear; заткну́ть у́ши stop one's ears

ухо́д I góing awáy, léaving, depárture

ухо́д II *(забота)* care *(of);* núrsing *(за больным)*

уходи́ть *см.* уйти́

ухудш||а́ть(ся) *см.* уху́дшить (-ся); **~е́ние** change for the worse, aggravátion

уху́дшить make worse, ággravate; **~ся** get worse

уцеле́ть remáin whole; come off únscáthed

уцепи́ться catch hold *(of);* grasp *(at)*

уча́ст||вовать take part *(in),* partícipate *(in);* **~ие 1.** participátion **2.** *(сочувствие)* sýmpathy *(with);* concérn *(for)*

участи́ться becóme more fréquent

уча́стливый sympathétic

уча́стник partícipant; pártner *(игры);* ~ экспеди́ции mémber of an expedítion

уча́сток 1. *(земли́)* lot; plot *(клочок);* **2.** *(часть)* part, séction **3.** *(административный)* dístrict

у́часть fate; lot

учаща́ться *см.* участи́ться

уча́щийся *сущ.* stúdent *(высшего учебного заведения);* púpil, schóolboy *(школьник)*

учёба stúdies *pl.*

учёбн||ик téxtbook; **~ый** educátional; school *attr.* *(школьный);* **~**ые посо́бия téaching aids

уче́ние 1. *(занятия)* stúdies *pl.;* téaching *(обучение)* **2.** *воен.* éxercise **3.** *(философское, политическое)* téaching, dóctrine

учен||и́к, ~и́ца 1. púpil; appréntice **2.** *(последователь)* dísciple; **~и́ческий** *(незрелый, несамостоятельный)* únskilled; immatúre; **~и́чество** *(обучение ремеслу)* apprénticeship

учён||ость léarning; **~ый 1.** *прил.* *(научный)* scientífic; **~**ая сте́пень académic degrée; **~**ое зва́ние rank **2.** *прил.* *(о человеке)* léarned **3.** *как сущ.* scientist; schólar

уче́сть 1. *(товары)* take stock **2.** *(принять во внимание)* take ínto considerátion (*или* accóunt)

учёт 1. calculátion; stóck-taking *(товара);* закры́то на ~ closed for stóck-taking **2.** *(профсоюзный и т.п.)* registrátion; взять на ~ régister **3.** *(векселей)* díscount

учётн||ый registrátion *attr.;* **~**ая ве́домость tíme-sheet

учётчик récord-keeper

учи́лище sécondary (spécialized) school

учин||и́ть, ~я́ть make, commít

учи́тель, ~ница téacher; **~ская** *сущ.* téachers' room

учи́тывать *см.* уче́сть

учи́ть 1. *(кого-л.)* teach **2.** *(изучать)* learn; **~ся** learn; stúdy

учре||ди́тельный: **~**ди́тельное собра́ние *полит.* Constítuent Assémbly; **~ди́ть, ~жда́ть** estáblish; set up, found; **~жде́ние** institútion, estáblishment

учти́вый cívil; políte, cóurteous

ушиб ínjury; bruise *(синяк);*

~áть(ся) *см.* ушибить(ся); **~ить** hurt; **~иться** hurt onesélf

ушкó *(иголки)* eye

ушнóй ear *attr.;* áural

ущéлье gorge; cányon

ущем||и́ть 1. pinch **2.** *(самолюбие)* wound; infrínge *(права, интересы)*; **~лéние** infríngement; **~ля́ть** *см.* ущеми́ть

ущéрб 1. dámage; loss; возмести́ть ~ make good the dámage; pay dámages **2:** луна́ на ~е the moon is wáning

ущипну́ть pinch

ую́т cósiness; **~но** *нареч.* cósily, cómfortably; **~ный** cósy, cómfortable; cómfy *разг.*

уязв||и́мый vúlnerable; **~и́ть, ~ля́ть** sting, wound

уясн||и́ть, ~я́ть understánd; make out *разг.;* он никáк не мог ~и́ть э́то he couldn't make it out at all

Ф

фа *муз.* F, fa

фáбрик||а fáctory; бумáжная ~ páper-mill; **~áнт** manufácturer; **~áт** fínished próduct; **~овáть 1.** *уст.* manufácture, prodúce **2.** *(измышлять, подделывать)* fábricate; forge

фабри́чн||ый fáctory *attr.;* ~-ая мáрка trade mark

фáбула plot

фáз||а phase; ~ы луны́ phásès of the moon

фазáн phéasant

фáкел torch

факи́р 1. fákir **2.** *(фокусник)* magícian

факт fact; приводи́ть ~ы prodúce the facts; **~и́чески** *нареч.* in fact, áctually; **~и́ческий** áctual

фáктор fáctor

факультати́вный óptional; eléctive *амер.*

факультéт fáculty, depártment

фальсифи||кáция fálsificátion; **~ци́ровать** fálsify

фальши́в||ить 1. play out of tune *(об игре)*; sing out of tune *(о пении)* **2.** *(быть неискренним)* dissémble; **~ка** forged dócument; fake; **~ый** false; forged *(о документах)*

фальшь fálsity; fálseness

фами́лия súrname; fámily name; как вáша ~? what is your súrname?

фамильярн||ичать take líberties *(with)*; **~ость** líberties *pl.*; **~ый** únceremónius

фанати́зм fanáticism

фанáт||ик fanátic; **~и́чный** fanátical

фанéр||а 1. venéer **2.** *(клеёная)* plýwood; **~ный** venéer *attr.*; made of plýwood

фантаз||ёр dréamer, vísionary; **~и́ровать** give rein(s) to one's imaginátion, dream

фантáзия 1. fántasy, fáncy; imaginátion **2.** *(причуда)* whim, fáncy

фантасти́ческий fantástic

фáра héadlight

фарвáтер *мор.* fáirway, chánnel

фармацéвт pharmacéutist

фарс farce

фáртук ápron

фарфóр chína, pórcelain; **~овый** chína *attr.*

фарш stúffing; minced meat *(мясной)*; **~ировать** stuff

фаса́д façáde, front

фасо́ль 1. háricot bean; зелёная ~ *(в стручках)* rúnner bean **2.** *кул.* beans *pl.*

фасо́н fáshion, style; cut *(покрой)*

фатали́зм fátalism

фата́льный fátal

фа́уна fáuna

фаш||и́зм fáscism; **~и́ст** fáscist; **~и́стский** fáscist *attr.*

фая́нс híghly glazed póttery; **~овый** of híghly glazed póttery

февра́ль Fébruary; **~ский** Fébruary *attr.*

федера́льный féderal

федерати́вный féderative

федера́ция federátion; Российская Ф. the Rússian Federátion

феери́ческий mágic(al), enchánting

фейерве́рк fíreworks *pl.*

фельдма́ршал Field Márshal

фе́льдшер médical assístant

фельето́н néwspaper (*или* tópical) sátire

фено́мен phenómenon; **~а́льный** phenómenal

феода́л féudal lord; **~и́зм** féudalism

феода́льный féudal; ~ гнёт féudal oppréssion

ферзь *шахм.* queen

фе́рма I *с.-х.* farm

фе́рма II *стр.* girder

фермента́ция fermentátion

фе́рмер fármer

фестива́ль féstival

фети́ш fétish; **~и́зм** máking a fétish of smth.

фетр felt; **~овый** felt *attr.*

фехтова́||ние féncing; **~ть** fence

фешене́бельный fáshionable

фе́я fáiry

фиа́лка víolet

фиа́ско fiásco, fáilure; потерпе́ть ~ be a fáilure

фигля́р móuntebank

фигу́ра fígure; chéss-man, piece *(в шахматах)*

фигура́льный fígurative

фигури́ровать fígure *(as)*, appéar *(as)*

фигури́ст, ~ка *спорт.* fígure skáter

фигу́рн||ый fígured; **~ое** ка́тание fígure skáting

фи́зик phýsicist

фи́зика phýsics

физио́лог physiólogist; **~и́ческий** physiológical

физиоло́гия physiólogy

физионо́мия physiógnomy

физи́ческий phýsical; ~ труд mánual lábour

физкульту́р||а phýsical cúlture; **~ник** áthlete, spórtsman; **~ный:** ~ный пара́д sports paráde

фикси́ровать fix

фикти́вный fictítious

фи́кция fíction

филантро́п philánthropist; **~и́ческий** philanthrópic; **~ия** philánthropy

филармо́ния Philharmónic Society

филиа́л branch (óffice), subsídiary

фи́лин éagle-ówl

фило́л||ог philólogist; **~оги́ческий** philológical; **~о́гия** philólogy

фило́с||оф philósopher; **~о́-**

фия philósophy; **~о́фский** philosóphic(al)

фильм film; снима́ть ~ film, shoot (*или* make) a film

фильтр filter; **~ова́ть** filter

фина́л 1. énd(ing); finále (*оперы и т. п.*) **2.** *спорт.* final

финанси́ровать fináncе

фина́н||совый fináncial; ~ капита́л cápital; **~сы** fináncеs

фи́ник date; **~овый:** ~овая па́льма dáte-palm

фи́ниш *спорт.* finish

фин||н Finn; **~ский** Fínnish; ~ский язы́к Fínnish, the Fínnish lánguage

фиоле́товый víolet

фи́рма firm

фисгармо́ния harmónium

фити́ль wick

флаг flag; bánner (*знамя*); подня́ть ~ hoist a flag; спусти́ть ~ lówer a flag; под ~ом únder the flag (*of*); *перен.* únder the bánner (*of*); приспу́щенные ~и flags at hálf-mást

флако́н bottle; ~ духо́в bottle of scent (*или* pérfume)

фланг *воен.* flank; wing

флане́ль flánnel

флегмати́чный phlegmátic

фле́йт||а flute; **~и́ст** flúte-player, flútist

фле́к||сия *лингв.* infléxion; **~ти́вный** *лингв.* infléctеd

фли́гель wing; side house, ánnex (*стоящий отдельно*)

флирт flirtátion

фло́ра flóra

флот fleet; вое́нно-морско́й ~ návy; вое́нно-возду́шный ~ air force

флю́гер wéathercock

флюс I *мед.* gúmboil

флюс II *тех.* flux

фля́||га, ~жка flask

фойе́ fóyer [ˈfɔɪeɪ]

фокстро́т fóxtrot

фо́кус I *физ.* fócus

фо́кус II (*трюк*) (cónjuring) trick; **~ник** cónjurer, júggler; **~ничать** juggle

фолиа́нт fólio, vólume

фо́льга (wrápping) foil

фолькло́р fólklore

фон báckground

фона́рь lántern; lamp, street lamp (*уличный*); волше́бный ~ mágic lántern

фонд fund

фоне́т||ика phonétics; **~и́ческий** phonétic

фонта́н fóuntain

форе́ль trout

фо́рм||а 1. form; shape; ~ и содержа́ние form and cóntent **2.** *грам.* form **3.** *тех.* (*для отливки*) mould; отлива́ть в ~у cast **4.** (*одежда*) úniform

формали́||зм fórmalism; **~ст** fórmalist

форма́льн||ость formálity; **~ый** fórmal

форма́т size

форма́ция 1. *геол.* formátion **2.** *полит., эк.* strúcture

фо́рменн||ый: ~ая оде́жда úniform

формиров||а́ние fórming, formátion, shа́ping; **~а́ть** form, shape; **~а́ться** shape; be formed

формова́ть mould

формо́вщик móulder

фо́рмул||а fórmula; **~и́ровать** fórmulate; **~иро́вка** wórding

форпо́ст óutpost

форси́ровать force

форт *воен.* fort

фортепиáно piáno

фóрточка small ópening wíndow pane

фосфáт *хим.* phósphate

фóсфор *хим.* phósphorus

фотоаппарáт cámera

фотóграф photógrapher; **~и́ровать** phótograph; **~и́ческий** photográphic; ~и́ческий аппарáт cámera

фотогрáфия 1. *(снимок)* phótograph; phóto, picture *разг.* **2.** *(получение изображения)* photógraphy **3.** *(учреждение)* photógrapher's

фрагмéнт frágment

фрáза phrase; *грам. тж.* séntence

фразеолóгия phraseólogy

фразёр phráse-monger

фрак táil-coat; tails *pl. разг.;* évening coat

фракциóнный fáctional

фрáкция fáction; group *(в парламенте)*

франт dándy; **~овскóй** smart

франц||ýженка Frénchwoman; ~ýз Frénchman

францýзский French; ~ язы́к French, the French lánguage

францýзы *мн. собир.* the French

фрахт freight

фрезá *тех.* milling cútter

френч sérvice jácket

фрéска frésco

фривóльный frívolous

фронт front; на ~е at the front

фронт||ови́к frónt-line sóldier; ~овóй front *attr.;* ~овáя полосá frónt-line

фрукт fruit; **~óвый** fruit *attr.;* ~óвое дéрево frúit-tree; ~óвый сад órchard

фугáсный hígh-explósive; demolítion *attr.*

фундáмент foundátion; **~áльный** fundaméntal, sólid, sound

фуникулёр funícular (ráilway)

функциони́ровать fúnction

фýнкция fúnction

фунт I *(мера веса)* pound

фунт II *(денежная единица)* pound; ~ стéрлингов pound (stérling)

фурáж fórage, fódder

фурáжка peaked cap

фургóн van; wággon

фурóр furóre; произвести́ ~ creáte a furóre

фурýнкул boil

футбó||л fóotball, sóccer; **~ли́ст** fóotballer, fóotball-player; **~льный**: ~льная комáнда fóotball team; ~льный мяч fóotball; ~льное пóле fóotball field

футля́р (hard) cóver *(или* case); ~ для очкóв spéctacle-case; ~ для виолончéли 'céllo case

фуфáйка jérsey; swéater; pádded jácket *(стёганка) разг.*

фы́рк||ать, ~нуть 1. *(о животных)* snort **2.** *разг. (смеяться)* chuckle

фюзеля́ж *ав.* fúselage

Х

хáки kháki

халáт 1. *(домашний)* dréssing-gown; báth-robe *(купаль-*

ный) **2.** *(рабочий)* óverallas *pl;* dóctor's (white) coat *(врача)*

хала́тн||ость négligence; **~ый** négligent

халту́р||а *разг.* **1.** móney spínning síde-line **2.** *(небрежная работа)* slápdash affáir; **~ить 1.** make móney on the side **2.** *(небрежно работать)* slápdash

хам *разг.* boor; heel *(амер.)*; **~ский** *разг.* bóorish; **~ство** boorishness

хан khan

хандр||а́ spleen; the blues *pl.*; **~и́ть** be depréssed, have the blues, be in the blues

ханжа́ hýpocrite

ха́нжество́ hypócrisy

ха́ос cháos

хао́с cháos *(disorder)*

хаоти́ческий chaótic

хара́ктер cháracter; natúre *(свойство)*; témper, disposítion *(нрав)*; **~изова́ть** cháracterize; **~и́стика 1.** characterístics *pl.* **2.** testimónial

характе́рный 1. characterístic **2.** *(типичный)* týpical

ха́ркать, ха́ркнуть expéctorate; ~ кро́вью spit blood

ха́ртия chárter

ха́та hut

хва||ла́ praise; **~ле́бный** láudatory, eulogístic; **~лёный** gréatly praised

хвали́ть praise; **~ся** boast *(of)*

хва́ст||ать(ся) boast *(of)*, brag *(of, about)*; **~ли́вый** bóastful; **~овство́** bóasting; **~у́н** bóaster, brággart

хвата́ть I *(схватывать)* snatch, seize, catch hold *(of)*

хвата́ть II *см.* хвати́ть I

хвата́ться snatch *(at)*, clutch *(at)*

хвати́ть I *(быть достаточным)* suffíce, be suffícient; э́того мне хва́тит на ме́сяц this will last me a month ◇ на сего́дня хва́тит that will do for todáy, let'scall it a day; хва́тит! that's enóugh!, that will do!

хвати́ть II *разг.* *(ударить)* hit, strike, knock

хвати́ться *разг.* *(кого-л., чего-л.)* (súddenly) miss

хво́йн||ый coníferous; **~ое** де́рево cónifer

хвора́ть *разг.* be ill *(или* póorly)

хво́рост brúshwood

хворости́на long switch

хвост tail; brush *(лисий)*

хво́я needles *pl.*

хи́жина hut, cábin

хи́лый feeble, síckly

хи́м||ик chémist; **~и́ческий** chémical; **~и́ческая** промы́шленность chémical índustry

хи́мия chémistry

химчи́стка (хими́ческая чи́стка) **1.** drý-cleaning **2.** *(мастерская)* drý-cleaner's

хи́н||а, ~и́н quinine; **~ный:** ~ное де́рево cinchóna (tree)

хире́ть grow feeble; grow síckly *(тж. о растениях)*

хиру́рг súrgeon; **~и́ческий** súrgical; **~и́я** súrgery

хитри́ть be cúnning

хи́тр||ость 1. cúnning; slýness **2.** *(приём)* ruse; **~ый** cúnning, sly, cráfty

хихи́к||ать, ~нуть *разг.* giggle

хище́ние plúnder

хи́щ||ник beast *(или* bird) of prey; *перен.* prédator; **~нический, ~ный** prédatory

хладнокро́в||ие cóolness, compósure, présence of mind; сохраня́ть ~ keep one's head; **~но** *нареч.* cóoly; **~ный** cool, compósed, sélf-possèssed, cóld-blóoded

хлам rúbbish, trash; lúmber *(рухлядь)*

хлеб 1. bread **2.** *(зерно)* con, grain

хлеба́ть gulp, eat

хлебну́ть take a sip ◇ ~ го́ря have seen much sórrow

хлебозаво́д lárge-scále (méchanized) bákery

хлебозаготóвки state gránaries, grain resérves

хлебопече́ние báking of bread

хлеборо́дный gráin-growing

хлев cáttle-shed *(для крупного скота)*; shéep-pen *(для овец)*; pígsty *(для свиней)*

хлест||а́ть, ~ну́ть lash ◇ дождь так и хле́щет it's láshing rain

хло́пать *см.* хло́пнуть; ~ в ладо́ши clasp (one's hands)

хлопково́дство cótton-growing

хло́пковый cótton *attr.*

хло́пнуть bang, slam *(дверью)*; crack *(бичом)*

хло́пок cótton

хлопот||а́ть 1. *(быть в хлопотах)* bustle abóut **2.** *(о чём-л., за кого-л.)* solícit *(for)*, petítion *(for)*; **~ли́вый 1.** *(о деле и т. п.)* tróublesome **2.** *(о человеке)* fússy

хло́поты trouble *sg.*; cares *(заботы)*

хлопчатобума́жн||ый cótton *attr.*; ~ая ткань cótton fábric

хло́пья flakes *(снега)*; flocks *(шерсти)*

хлор *хим.* chlórine; **~истый** *хим.* chlóride *attr.*

хлы́нуть 1. *(о жидкости)* gush out; pour in tórrents *(о дожде)* **2.** *(о толпе)* stream *(in, out)*

хлыст whip

хмель 1. *бот.* hop **2.** *(опьянение)* intoxicátion; **~но́й 1.** *(о напитке)* héady, intóxicating **2.** *(о человеке)* drunk, intóxicated

хму́р||ить: ~ бро́ви knit one's brows; **~иться** frown ◇ не́бо ~ится the sky is óvercast; **~ый** glóomy

хны́кать *разг.* whímper

хо́бби hóbby

хо́бот trunk; **~о́к** *(у насекомого)* probóscis

ход 1. *(движение)* mótion; speed *(скорость)*; course *(дела и т. п.)*; по́лным ~ом at full speed; пусти́ть в ~ start; set góing; дать за́дний ~ *авт.* back (a car) **2.** *(вход)* éntrance; pássage *(проход)* **3.** *(в игре)* lead; turn *(карт.)*; move *(шахм.)* ◇ знать все ~ы́ и вы́ходы *разг.* know all the ins and outs; пусти́ть в ~ все сре́дства use all póssible means; э́та кни́га в большо́м ~у́ this book is véry wídely read

хода́тайство solicitátion, petítion; **~вать** solícit, petítion; ~вать за кого́-л. intercéde for smb.

ходи́ть 1. *в разн. знач.* go; walk *(пешком)*; go to see, vísit *(посещать)* **2.** *(за больным, ребёнком и т. п.)* nurse, take care *(of)*; tend *(за животным)* **3.** *(в чём-л.)* wear ◇ хóдит слух it is rúmoured; вам ~ it is your turn to play *(карт.)*; it is your move *(шахм.)*; ~ на лы́жах ski, go skiing

хóдк||ий 1. *(о товаре)* sálable; ~ая кни́га bést-séller **2.** *(о выражении)* cúrrent

ходý||ли stilts; **~льный** stílted

ход||ьбá wálking; полчасá ~ьбы́ half an hour's walk; ~ на 10 киломéтров ten kílometres walk; **~я́чий** wálking; *перен.* cúrrent

хозя́ин máster; boss *разг.*; ówner, propríetor *(владелец)*; host *(по отношению к гостю)*; lándlord *(по отношению к жильцу)*

хозя́й||ка místress; hóstess *(по отношению к гостю)*; lándlady *(по отношению к жильцу)*; **~ничать 1.** *(вести хозяйство)* keep house **2.** *(распоряжаться)* play the máster, boss it, lord it *(over)*

хозя́йственный económic; económical, thrífty *(рациональный)*

хозя́йство 1. ecónomy; нарóдное ~ nátional ecónomy; домáшнее ~ hóusekeeping **2.** *с.-х.* farm; единоли́чное ~ prívately owned farm

хоккéй *спорт.* hóckey

холéра chólera

холм low hill; **~ик** híllock; **~и́стый** hilly

хóлод cold

холоди́льник refrígerator; fridge *разг.*

хóлодно 1. *нареч.* cóldly **2.** *предик. безл.* it is cold; мне ~ I am cold

холóдн||ый cold ◇ ~ая войнá cold war; ~ое орýжие síde-arms

холост||óй 1. únmárried; báchelor *attr.* **2.** *тех.* idle **3.** *воен.*: ~ патрóн blank cártridge; **~я́к** báchelor

холст cánvas

хомýт (horse) cóllar

хор chórus

хóрда *мат.* chord

хорёк pólecat

хоровóд: води́ть ~ sing and dance in a ring

хорони́ть búry

хорóшенький prétty

хорошéнько *нареч. разг.* thóroughly, próperly

хорошéть grow préttier

хорóший good; fine

хорошó 1. *нареч.* well **2.** *предик. безл.* it is nice *(или* good); all right!, good! *(выражение согласия)*

хóры gállery *sg.*

хот||éть want; wish *(желать)*; ~ есть be húngry; ~ пить be thírsty; что вы ~и́те э́тим сказáть? what do you mean by that? ◇ хóчешь не хóчешь wílly-nílly

хотéться *безл.* want, like; мне хóчется I want; мне хóчется спать I want to sleep, I am sléepy; мне хотéлось бы посмотрéть I would like to see

хоть *союз* (al)thóugh; at least

хотя́ *союз см.* хоть

хóхот roar(s) of láughter *(pl.)*; **~áть** roar with láughter

храбр||éц brave man; **~и́ться** put a bold face on it

хра́бр||ость brávery, cóurage; **~ый** brave, courágeous

храм temple

хран||éние kéeping; плáта за ~ stórage charge; clóak-room charge *(багажа)*; **~и́лище** depósitory; wárehouse

храни́ть keep; presérve; **~ся** be kept

храпéть snore

хребéт 1. *анат.* spine; báckbone *(тж. перен.)* **2.** *(горный)* móuntain range

хрен hórse-radish

хрестомáтия réader

хрипéть 1. wheeze **2.** *(говорить хрипло)* speak hóarsely

хри́плый hoarse

христи||ани́н Chrístian; **~áнство** Christiánity

хром I *хим.* chrómium

хром II *(кожа)* bóx-calf

хромá||ть limp ◇ у негó ~ет орфогрáфия his spélling is his weak point

хромóй 1. *прил.* lame **2.** *как сущ.* lame man

хрóника 1. *(летопись)* chrónicle **2.** *(газетная, радио, телевизионная)* látest news; news ítems *pl.*; néws-reel *(в кино)*

хрони́ческий chrónic

хроно||логи́ческий chronológical; **~лóгия** chronólogy

хронóметр chronómeter

хру́пкий frágile *(ломкий)*; frail *(слабый)*; délicate *(о детях)*

хруст crunch

хрустáлик *анат.* crýstalline lens

хрустáль crýstal; cut glass *(посуда)*; **~ный** crýstal; cút-glass *attr.* *(о посуде)*

хрустéть, хру́стнуть crunch, crackle

хрю́к||ать, ~нуть grunt

хрящ *анат.* cártilage

худéть grow thin

худóжественн||ый art *attr.*; artístic; ~ óбраз ímage; **~ое** произведéние work of art; ~ фильм féature film; **~ое** воспитáние artístic educátion

худóжник ártist; páinter *(живописец)*

худóй I *(худощавый)* thin, lean; ~ как спи́чка thin as a rake

худóй II *(плохой)* bad, ill ◇ на ~ конéц if the worst comes to the worst

худóй III *разг.* *(рваный)* torn; worn out *(изношенный)*

худощáвый thin

ху́дш||ий worse; the worst; в ~ем слу́чае if the worst comes to the worst, in the last resórt

ху́же 1. *нареч.* worse; тем ~ so much the worse **2.** *предик. безл.* it is worse; емý стáло ~ he is worse

хулигáн hóoligan, rúffian, rówdy; **~ить** beháve like a hóoligan *(или* rówdily); **~ство** hóoliganism, rówdyism

хурмá *(плод и дерево)* persímmon

ху́тор fármstead

Ц

цáпля héron

царáп||ать, ~аться scratch; **~ина** scratch

цари́зм tsárism

цари́ть reign

ца́рство kingdom; **~вание** reign; **~вать** reign

царь tsar

цвести́ **1.** bloom, flówer; blóssom **2.** *(процветать)* flóurish **3.** be cóvered with weed *(о пруде)*

цвет I cólour; ~ лица́ compléxion

цвет II *(лучшая часть чего-л.)* flówer, prime ◇ во ~е лет in the prime of life

цветни́к flówer gárden

цветн||о́й cóloured; cólour *attr.*; ~ фильм cólour film ◇ ~ы́е мета́ллы nón-férrous métals

цветово́дство grówing *(или* cultivátion) of flówers

цвето́к flówer; blóssom *(на кустах, деревьях)*

цвето́чный flówer *attr.*; ~ магази́н flówer-shop

цвету́щий flówering, blóssoming; *перен.* flóurishing

цветы́ flówers

цеди́ть fílter, strain

целе́бн||ый cúrative, medícinal; ~ые тра́вы medícinal herbs

целесообра́зн||о *нареч.* worth while; **~ый** expédient

целеустремлённый púrposeful; он ~ челове́к he is a man of púrpose *(или* with great drive)

целико́м *нареч.* whólly, entírely, complétely

целина́ vírgin soil

це́лить, ~ся aim *(at)*

целлофа́н céllophane

целлюло́за céllulose

целова́ть, ~ся kiss

це́л||ое *сущ.* the whole ◇ в ~ом on the whole

целому́др||енный chaste; **~ие** chástity

це́лост||ь: в ~и и сохра́нности intáct, safe

це́лый **1.** *(полный, целиком)* whole; ~ день all day long **2.** *(нетронутый)* intáct, safe; únbróken *(несломанный)*; цел и невреди́м safe and sound

це||ль **1.** aim; púrpose; inténtion *(намерение)*; с ~лью, в ~лях with the púrpose *(of)*; с еди́нственной ~лью with the sole púrpose *(of)* **2.** *(мишень)* tárget

цеме́нт cemént; **~и́ровать** cemént; **~ный** cemént *attr.*

цен||а́ price; cost *(стоимость)* ◇ ~о́й жи́зни at the cost of one's life; любо́й ~о́й at ány price

ценз qualificátion; избира́тельный ~ eléctoral qualificátion

цензу́ра cénsorship

цени́ть válue; éstimate *(оценивать)*; **~ся** be válued; ~ся на вес зо́лота be worth its weight in gold

це́нн||ость válue; **~ый** váluable; ~ый вклад в нау́ку váluable contribútion to science

це́нтнер 100 kílograms

центр céntre

централиза́ция centralizátion

централи́зм *полит.* céntralism; демократи́ческий ~ democrátic céntralism

центра́льный céntral

центробе́жн||ый centrífugal; ~ая си́ла centrífugal force

центростреми́тельный centrípetal

цепене́ть grow tórpid

це́пкий tenácious

цепля́ться cling *(to)*

цепн||о́й chain *attr.;* ~а́я переда́ча *тех.* chain drive; ~а́я реа́кция chain reáction ◇ ~а́я соба́ка a dog on a chain, chained dog

цепо́чка chain

цеп||ь chain; ~**и** *мн. перен.* chains, bonds; го́рная ~ móuntain range

церемо́н||иться stand on céremony; ~**ия** céremony; без ~ий infórmally, withóut formálity

церко́вный church *attr.*

це́рковь church

цех shop, depártment; ~**ко́м** (цехово́й комите́т) shop commíttee; ~**ово́й** shop *attr.*

цивилиз||а́ция civilizátion; ~**о́ванный** cívilized

цикл cycle

цикло́н cýclone

цико́рий chícory

цили́ндр 1. *мат.*, *тех.* cýlinder **2.** *(шляпа)* top hat; ~**и́ческий** cylíndrical

цинга́ scúrvy

цин||и́зм cýnicism; ~**и́ческий,** ~**и́чный** cýnical

цинк zinc; ~**овый** zinc *attr.*

цино́вка mat

цирк círcus; ~**ово́й** círcus *attr.;* ~ово́е представле́ние círcus show

циркули́ровать círculate

ци́ркуль (pair of) cómpasses

циркуля́р círcular; ~**ный** círcular

циркуля́ция circulátion

цисте́рна tank

цитаде́ль cítadel; *перен.* strónghold

цит||а́та quotátion; ~**и́ровать** quote

ци́трусовые *сущ.* cítrus plants

цифербла́т díal(-plate); face *(у часов)*

ци́фра fígure

цифров||о́й in fígures *(после сущ.);* ~ы́е да́нные fígures

ЦК (Центра́льный Комите́т) Céntral Commíttee

цо́канье clátter

цо́коль plinth

цука́т cándied fruit *(или* peel)

цыга́н, ~**ка** Gípsy; ~**ский** Gípsy

цыплёнок chícken

цы́почк||и: на ~ах on típtoe

Ч

чаба́н shépherd

чад fumes *pl.* *(угар);* smoke *(дым);* smell of búrning fat *(кухонный)*

чай tea

ча́йка séa-gull

ча́йн||ик téa-pot *(для заварки);* kettle *(для кипятка);* ~**ый** tea *attr.* ◇ ~ая ро́за téa-rose

чалма́ túrban

чан vat

чару́ющий fáscinating; delíghtful, chárming

час 1. *(отрезок времени)* hour; ~ы́ пик rush hours **2.** *(при обозначении времени):* в три ~а́ at three o'clóck ◇ стоя́ть на ~а́х keep watch, be on séntry dúty

часо́вня chápel

часов||о́й I *прил. (относящийся к часам)* clock *attr.*, watch *attr.*; ~а́я стре́лка hóur-hand

часово́й II *прил. (длящийся час)* hour's

часово́й III *сущ.* séntry, séntinel

часовщи́к wátch-maker

части́||ца párticle; **~чный** pártial

ча́стное *сущ. мат.* quótient

ча́стн||ость partícular, détail; в ~ости in partícular; **~ый 1.** prívate; ~ая со́бственность prívate próperty **2.** *(особый)* partícular, spécial

ча́сто *нареч.* **1.** óften, fréquently **2.** *(густо)* close, thíckly

частота́ fréquency

часту́шки sung cóuplets *(in comic folk singing)*

ча́стый 1. fréquent **2.** *(густой)* thick, close ◇ ~ гре́бень tóoth-comb

част||ь 1. part; share *(доля)*; ~и ре́чи *грам.* parts of speech **2.** *(отдел)* depártment **3.** *воен.* únit

часы́ watch *sg.* *(карманные, ручные)*; clock *sg.* *(стенные, настольные)*; со́лнечные ~ sún-dial *sg.*; песо́чные ~ hóur-glass *sg.*, sánd-glass *sg.*

ча́х||лый wílted; **~нуть** wilt, fade, wíther

чахо́т||ка consúmption; **~очный** consúmptive

ча́ша *(весов)* pan, scale

ча́шка cup

ча́ща thícket

ча́ще more óften; ~ всего́ móstly; как мо́жно ~ as óften as póssible

ча́ян||ие 1. hope, expectátion **2.** *мн.:* ~ия aspirátions ◇ па́че ~ия cóntrary to expectátions

чва́н||иться swank, boast; **~ство** swágger(ing), bóast(ing)

чего́ *род. см.* что I

чей whose

чек recéipt *(в магазине)*; cheque *(банковый)*

чека́н||ить mint, coin; **~ка** *(монеты)* mínting, cóinage

чёлн (dúg-out) canóe

челно́к I *см.* чёлн

челно́к II *текст.* shuttle

челове́к man

человеколю́бие húman kíndness

челове́ч||еский 1. húman **2.** humáne; **~ество** humánity, mankínd

челове́чный humáne

че́люсть jaw

чем I *тв. см.* что I

чем II *союз* **1.** than; э́та кни́га лу́чше, ~ та this book is bétter than that one **2.:** ~..., тем... the... the...; ~ ра́ньше, тем лу́чше the sóoner the bétter **3.** *(вместо того, чтобы)* instéad of

чём *пр. см.* что I

чемода́н súitcase; trunk

чемпио́н chámpion; títle-holder; два́жды *(или* три́жды) ~ twice *(или* three times) chámpion; ~ ми́ра world chámpion

чемпиона́т chámpionship

чему́ *дт. см.* что I

чепуха́ nónsense, rúbbish

че́пчик (ladies') níght-cap; mób-cap

черви́вый wórmeaten, wórmy

червонн||ый: ~ое зóлото pure gold

чéрвы *карт.* hearts

черв||ь, ~я́к worm

черда́к gárret, áttic

черёд *разг.* turn ◇ всё идёт своим чередóм things are táking their nórmal course

чередова́||ние alternátion; ~ гла́сных *лингв.* vówel gradátion; **~ть** álternate; **~ться** álternate; take turns

чéрез *предл.* **1.** acróss; óver; through *(сквозь)*; переéхать ~ рéку cross a ríver **2.** *(о времени)* in; ~ два часа́ in two hours; ~ день *(регулярно)* évery óther day **3.** *(посредством)* through

черёмуха bírd-cherry tree

чéреп skull

черепа́||ха 1. tórtoise; turtle *(морская)* **2.** *(материал)* tórtoise-shell; **~ховый** tórtoise-shell *attr.*; **~ший:** ~шьим ша́гом at a snail's pace

черепи́||ца tile; **~чный** tiled

черепóк frágment of bróken cróckery

чересчу́р *нареч.* too; ~ мнóго too much; ~ ма́ло too little

черéшня 1. *(ягода)* chérry **2.** *(дерево)* chérry-tree

черкну́ть *разг.* drop a line

чернéть 1. *(становиться чёрным)* turn *(или* grow) black **2.** *(виднеться)* show black; **~ся** *см.* чернéть 2

черни́ка bílberry

черни́||ла ink *sg.*; **~льница** ínkstand, ínk-pot

черни́ть blácken; *перен.* slánder

черно-бу́р||ый: ~ая лиса́ sílver fox

чернов||и́к rough cópy; draft *(документа и т. п.)*; **~óй** rough

чернозём black earth; **~ный** black earth *attr.*

чернокóжий dárk-skínned, bláck-skínned

черномóрский Black Sea *attr.*; ~ флот Black Sea Fleet

чернорабóчий rough *(или* héavy) wórker

черносли́в *собир.* prunes *pl.*

чёрн||ый black ◇ ~ые мета́ллы férrous métals; на ~ день for a ráiny day; ~ ход back éntrance; ~ хлеб black bread

чéрпать, черпну́ть scoop, draw up; чéрпать свéдения deríve *(или* get) informátion *(from)*

черствéть grow stale; *перен.* hárden

чёрствый stale, dry; *перен.* hárd-héarted; ~ хлеб stale bread

чёрт dévil

черт||а́ 1. line; в ~é гóрода withín the city límits **2.** *(характера)* trait ◇ ~ы́ лица́ féatures; в óбщих ~а́х in géneral óutline

чертёж draught; sketch *(набросок)*; **~ник** dráughtsman; **~ный** dráwing *attr.*; ~ная доска́ dráwing-board

черти́ть draw

черчéние dráwing

чеса́ть 1. *(волосы)* comb **2.** *(шерсть и т. п.)* card **3.** *(руку, нос и т. п.)* scratch

чеса́ться 1. scratch onesélf **2.** *(об ощущении)* itch ◇ у меня́ ру́ки чéшутся сдéлать э́то I am *(или* my fíngers are) ítching to do it

чесно́к gárlic

чесо́тка itch; mange *(у животных)*

че́ствова||ние celebrátion; **~ть** célebrate, hónour

че́стн||ость hónesty; **~ый** hónest; fair *(справедливый)*; ~ое сло́во word of hónour

честолюби́вый ambítious

честолю́бие ambítion

честь hónour; э́то де́лает ему́ ~ this does him crédit; отда́ть ~ *воен.* salúte

чета́ couple, pair

четве́рг Thúrsday

четвере́ньк||и: на ~ах on all fours; стать на ~ go down on one's hands and kness

четвёрка 1. four **2.** *(отметка)* good

че́тверо four; их бы́ло ~ there were four of them, they were four

четвероно́г||ий fóur-fóoted; **~ое** *сущ.* quádruped

четвёртый fourth

че́тверт||ь a quárter; ~ тре́тьего a quárter past two; без ~и три a quárter to three

чёткий clear; légible *(о почерке)*

чётный éven

четы́ре four; **~ста** four húndred

четырёхле́тний fóur-year *attr.*; fóur-year-óld *(о возрасте)*

четырёхме́стный *(об автомобиле и т. п.)* fóur-séater

четырёхсо́тый fóur-húndredth

четырёхуго́льн||ик quádrangle; square *(квадрат)*; **~ый** quadrángular

четырёхэта́жный fóur-stóreyed

четы́рнадца||тый fóurtéenth; **~ть** fóurtéen

чех Czech

чехарда́ léap-frog

чехо́л (soft) cóver, case

чечеви́ца léntil

че́шский Czech; ~ язы́к Czech, the Czech lánguage

чешуя́ scales *pl.*

чиж, ~ик sískin

чили́ец Chílean

чили́йский Chílean

чин rank, grade

чини́ть I repáir; mend *(платье, обувь и т. п.)*; darn *(штопать)*

чини́ть II *(карандаш)* point, shárpen

чини́ть III: ~ препя́тствия кому́-л. put óbstacles in smb.'s way

чино́вник offícial; *перен.* búreaucrat

чири́к||ать, ~нуть chirp

чи́рк||ать, ~нуть: ~ спи́чкой strike a match

чи́слен||ность númber, quántity; **~ый** númeral, numérical; ~ое превосхо́дство numérical superióríty

числи́тель *мат.* númerator

числи́тельное *грам.* númeral

чи́слиться: ~ в спи́ске be on the list; ~ больны́м be on the síck-list

числ||о́ 1. númber; quántity; це́лое ~ ínteger **2.** *(дата)* date; сего́дня восемна́дцатое ~ todáy is the éightéenth ◇ в том ~е́ in that númber, inclúding; в ~е́ други́х amóng óthers

чи́стильщик *(сапог)* bóotblack, shóeblack

чи́ст||ить 1. clean; brush

(щёткой); ~ ту́фли *(ваксой)* black shoes; ~ зу́бы clean *(или* brush) teeth; ~ пла́тье brush clothes **2.** *(овощи, фрукты)* peel; scrape; **~ка** cléaning; cléan-úp *(уборка)*; отда́ть что-л. в ~ку give smth. to be cleaned, send *(или* take) smth. to the cléaner's

чи́сто 1. *нареч.* cléanly **2.** *предик. безл.* it is clean; здесь ~ it is clean here

чистокро́вный thóroughbred

чистописа́ние callígraphy

чистопло́тный clean

чистосерде́чный frank, sincére

чистота́ cléanness; néatness *(опрятность)*; *перен.* púrity; ínnocence *(невинность)*

чи́ст||ый 1. clean; ~ая страни́ца blank page **2.** *(без примеси)* pure *(тж. перен.)* ◇ ~ вес net weight; ~ая случа́йность mere chance

чита́ль||ный: ~ зал *см.* чита́льня; **~ня** réading-room

чита́тель réader; **~ский** réader's

чита́ть read; ~ ле́кции give *(или* delíver) léctures; lécture; **~ся** read

чи́тка réading

чих||а́ть, ~ну́ть sneeze

член I mémber; ~ коммунисти́ческой па́ртии mémber of the Cómmunist Párty; ~ профсою́за mémber of a trade únion; действи́тельный ~ акаде́мии academícian, Féllow of the Acádemy

член II *грам.* árticle

чле́н-корреспонде́нт correspónding mémber

членоразде́льный artículate, clear

чле́н||ский mémbership *attr.*; ~ взнос mémbership fee; ~ биле́т mémbership card; **~ство** mémbership

чо́каться, чо́кнуться clink glásses

чо́порный stiff, prim

чрева́тый: ~ собы́тиями prégnant with evénts; ~ после́дствиями fraught with cónsequences

чрезвыча́йный extraórdinary; extréme *(крайний)*

чрезме́рный excéssive

чте́ние réading

чтец recíter

чтить hónour, respéct

что I *мест.* **1.** *в разн. знач.* what; ~ э́то тако́е? what is this?; ~ с ва́ми? what is the mátter with you?; для чего́? what for?; из-за чего́? why?; в чём де́ло? what is the mátter?; к чему́? what for?; ~ ни, ~ бы ни whatéver; ~ каса́ется as regárds; ~ за? what?, what kind of?; э́то не то, ~ я ду́мал it is not what I thought **2.** *(который)* that; э́то та кни́га, ~ я ей дал it is the book, that I gave her ◇ ну и ~ же? so what?; ~ же из э́того? well, what of it?

что II *союз* that *(часто опускается)*; наде́юсь, ~ вы придёте I hope (that) you will come; я рад, ~ ви́жу вас I am glad to see you

что III *нареч.* *(почему)* why; ~ же вы мне не сказа́ли? why did you not tell me?

что́бы *союз* in órder to, so

as; that; я пришёл, ~ увидеть его́ I've come in órder to see him; мы спеши́м, ~ попа́сть во́время we are húrrying *(или* rúshing) to get there on *(или* in) time; он сказа́л, ~ вы к нему́ зашли́ he said you were to go and see him; он хо́чет, ~ я сде́лал э́то сейча́с же he wants me to do it at once

что́-либо, что́-нибудь *мест.* sómething; ánything *(при вопросе)*

что́-то 1. *мест.* sómething **2.** *нареч.* for some réason or óther, sómehow ◇ ~ он ска́жет I wónder what he will say

чува́ш Chuvásh; **~ский** Chuvásh

чу́вственн||ость sensuálity; **~ый** sénsual, séxy

чувстви́тельн||ость 1. *(ощутимость)* sensibílity, perceptibílity **2.** *(восприимчивость)* sénsitiveness, susceptibílity **3.** *(сентиментальность)* sentimentálity; **~ый 1.** *(заметный)* sénsible, percéptible **2.** *(восприимчивый)* sénsitive; suscéptible **3.** *(сентиментальный)* sentiméntal

чу́вств||о sense; féeling *(ощущение)* ◇ прийти́ в ~ come to one's sénses; **~овать** feel, have a sensátion *(of)*; **~оваться** *безл.*: ~уется there is a féeling, it is évident

чугу́н cast íron; **~ный** cást-iron *attr.*

чуда́||к crank; **~чество** cránkiness; extrávagance

чуде́сный wónderful, márvellous

чу́ди||ться: ему́ ~лось in fáncy he saw, it seemed to his fáncy that

чу́дно *нареч.* wónderfully, béautifully

чудно́й *разг.* odd, strange *(странный)*; cómical *(смешной)*

чу́дный wónderful, béautiful

чу́до míracle; wónder *(тж. перен.)*

чудо́вищ||е mónster; **~ный** mónstrous

чудоде́йственный miráculous

чужби́на álien land

чужда́ться keep alóof *(from)*; avóid *(избегать)*

чу́ждый 1. álien *(to)* **2.** *(чего-л.)*: ему́ чужд страх he is a stránger to fear

чужезе́м||ец stránger, fóreigner; **~ный** strange, fóreign

чуж||о́й 1. *(принадлежащий другим)* smb. élse's, anóther's; э́то ~а́я кни́га it's smb. élse's book; жить на ~ счёт live at the expénse of anóther **2.** *(посторонний)* strange, álien

чула́н bóx-room

чуло́к stócking ◇ си́ний ~ blue stócking

чума́ plague

чурба́н block; *перен.* blóckhead

чу́тк||ий sénsitive; keen *(о слухе)*; *перен.* táctful, délicate, consíderate; ~ сон light sleep; **~ость** sénsitiveness; *перен.* délicacy, tact, considerátion

чуть *нареч.* slíghtly; hárdly; ~ не néarly, álmost

чутьё *(у животного)* scent; *перен.* flair; intuítion

чуть-чу́ть just a little

чу́чело 1. stuffed ánimal *(животного)*; stuffed bird *(птицы)* **2.** *(пугало)* scárecrow

чушь nónsense

чу́ять smell, scent; *перен.* sense

чьё, чьи, чья *см.* чей

Ш

шабло́н sténcil, páttern; mould; **~ный** únoríginal, trite

шаг 1. step; stride *(широкий)*; pace *(походка)* **2.** *мн.*: ~и́ *(звук шагов)* fóotsteps **3.** *(действие, поступок)* step; необду́манный ~ thóughtless step ◇ ~ за ~ом step by step

шаг||а́ть step; stride *(крупными шагами)*; pace *(мерным шагом)*; **~ну́ть** take a step ◇ далеко́ ~ну́ть make great prógress

ша́гом *нареч.* at a wálking pace

ша́йба *спорт.* puck

ша́йка I *(людей)* gang, band

ша́йка II *(для мытья)* a shállow twó-hándled básin *(used in a bath-house for washing oneself)*

шака́л jáckal

шала́ш hut of bránches

шали́ть *(о детях)* be náughty

шаловли́вый frólicsome, pláyful

ша́лость prank

шалу́н míschievous child

шаль shawl

шальн||о́й crázy, wild; ~а́я пу́ля stray búllet

ша́мкать mumble

шанс chance; име́ть все ~ы на успе́х stand to win

шанта́ж bláckmail; **~и́ровать** bláckmail

ша́пка cap

шар ball ◇ пу́сто, хоть ~о́м покати́ there isn't a thing in the house, we've run out of éverything

шара́да charáde

шара́х||аться, ~нуться *разг.* start aside, jump; shy *(о лошади)*

шарж caricatúre; **~и́ровать** overdó, overáct

ша́рик small ball

шарикоподши́пник báll-béaring

ша́рить search, rúmmage

ша́рк||ать, ~нуть: ша́ркать нога́ми shuffle one's feet

шарма́н||ка bárrel-organ, stréet-organ; **~щик** órgan-grinder

шарни́р hinge

шаро||ви́дный, ~обра́зный sphérical

шарф scarf

шасси́ 1. chássis **2.** *ав.* úndercarriage; lánding gear

шата́ть sway, rock; shake *(трясти)*; **~ся 1.** get loose *(о гвозде и т. п.)* **2.** *разг.* *(слоняться)* loaf **3.** *(качаться)* tótter; stágger

шате́н brówn-haired man

шатёр tent

ша́ткий únstéady; *перен.* sháky

шафра́н sáffron

шах I shah

шах II *шахм.* check

шахмати́ст chéss-player

ша́хматн||ый chess *attr.*; ~ая доска́ chéss-board; ~ая па́ртия game of chess; в ~ом поря́дке as on a chéss-board

ша́хматы chess *sg.*; игра́ть в ~ play chess

ша́хт||а mine, pit; **~ёр** míner

ша́шка *(оружие)* sword

ша́шки *(игра)* draughts; chéckers *(амер.)*

шва́бра mop

швед Swede; **~ский** Swédish; ~ский язы́к Swédish, the Swédish lánguage

шве́йн||ый séwing *attr.*; ~ая маши́на séwing-machine

швейца́р hall pórter, dóor-keeper

швейца́р||ец Swiss; **~ский** Swiss

швея́ séamstress

швыр||ну́ть, ~я́ть fling, hurl, throw; **~я́ться** throw, fling (at one anóther)

шевели́ть move, stir; turn *(сено)*; **~ся** move, stir

шевельну́ть(ся) *см.* шевели́ть (-ся)

шевро́ kid

шеде́вр másterpiece

шезло́нг chaise-longue [ʃeɪz-ˈlɔːŋ]

ше́лест rustle, rústling

шелесте́ть rustle

шёлк silk; иску́сственный ~ ráyon

шелкови́стый sílky

шелкови́чный: ~ червь sílk worm

шёлковый silk *attr.*

шелохну́ться stir

шелуха́ husk; péelings *pl.* *(картофельная)*; pod *(бобовых)*

шелуши́ть hull, shell *(горох, бобы)*; **~ся** peel, scale

шепеля́в||ить lisp; **~ый** lísping

шепну́ть whísper

шёпот whísper; **~ом** *нареч.* in a whísper, únder one's breath

шепта́ть *см.* шепну́ть; **~ся** whísper

шере́нга *воен.* rank, file

шерохова́тый rough, únéven

шерст||ь 1. *(волосяной покров млекопитающих)* hair; wool *(овцы́)* **2.** *(материал)* wool; **~яно́й** wóollen; ~яны́е тка́ни wóollen fábrics

шерша́вый rough

шест pole

ше́ств||ие procéssion, train; **~овать** march

шестёрка *карт.* six

шестерня́ *тех.* gear, cóg-wheel

ше́стеро six; их бы́ло ~ there were six of them, they were six

шестидеся́тый síxtieth

шестиле́тний síx-year *attr.*; síx-year-óld *(о возрасте)*

шестиме́сячн||ый síx-month *attr.*; síx-month-óld *(о ребёнке)*; ~ая зави́вка pérmanent wave; a perm *разг.*

шестиуго́льный hexágonal

шестна́дцатый síxtéenth

шестна́дцать síxtéen

шест||о́й sixth; ~а́я глава́ chápter six; одна́ ~а́я one sixth; ~ час past five

шесть six; **~деся́т** síxty; **~со́т** six húndred; **~ю** *нареч.* six times; ~ю семь со́рок два six times séven makes fórty-twó

шеф pátron; chief *(начальник)*; **~ство** pátronage; **~ствовать** pátronize, have the pátronage *(of)*

ше́||я neck ◇ сиде́ть у кого́ л. на ~е live at smb.'s expénse

ши́ворот: взять кого́-л. за ~ *разг.* seize smb. by the scruff of the neck

шика́рный smart

ши́к||ать, ~нуть hiss

ши́ло awl

ши́на 1. tyre **2.** *мед.* splint

шине́ль gréatcóat; óvercoat

шинкова́ть chop, shred; ~ капу́сту shred cábbage

шип 1. thorn **2.** *тех.* ténon

шипе́ть 1. *(о змее)* hiss **2.** *разг. (о масле на сковороде)* sizzle

шипо́вник swéet-brier; dóg-rose

шипу́чий fízzing

шипя́щий *(звук)* síbilant

ширин||а́ breadth, width; ~о́й в три ме́тра three métres wide

ши́риться wíden; spread

ши́рма screen; *перен.* cloak, cóver

широ́к||ий broad, wide; ~ое пла́тье loose dress ◇ ~ая пу́блика the públic at large, the géneral públic

широко́ *нареч.* wide(ly); bróadly; ◇ ~ смотре́ть на ве́щи take a broad view of things, be bróadmínded

широковеща́||ние *радио* bróadcasting; **~тельный** bróadcasting

широкопле́чий bróad-shóuldered

широкоэкра́нный: ~ фильм wíde-screen film

широта́ 1. width; breadth *(взглядов и т. п.)* **2.** *геогр.* látitude

ши||ть sew; embróider *(вышивать)* ◇ э́то ~то бе́лыми ни́тками it stands out a mile; **~тьё 1.** *(процесс)* séwing **2.** *(вышивка)* embróidery

шифр 1. cípher, code **2.** *(библиотечный)* préssmark; **~о́ванный** cíphered; in cípher; **~ова́ть** cípher

ши́шка 1. *бот.* cone **2.** *(от ушиба)* bump ◇ он больша́я ~ *разг.* he is a big noise

шкала́ scale

шкату́лка box, cásket

шкаф drésser *(кухонный)*; bóokcase *(книжный)*

шквал squall

шкив *тех.* púlley

шки́пер skípper

шко́ла school; ~ для взро́слых school for adúlt educátion

шко́ла-интерна́т bóarding-school

шко́ль||ник schóolboy; **~ница** schóolgirl; **~ный** school *attr.*; ~ный учи́тель schóolmaster, schóol-teacher; ~ный това́рищ schóolmate

шку́ра skin

шку́рник *разг.* caréerist; он ~ he's out for númber one, he's all for himsélf

шлагба́ум bárrier

шлак slag

шланг hose

шлем hélmet

шлёпать(ся) *см.* шлёпнуть(ся)

шлёпнуть *разг.* slap; **~ся** *разг.* plop down

шлифов||а́льный gŕinding; pólishing *(полирующий)*; ~ стано́к grínding machíne; **~а́ть** grind; pólish *(полировать)*

шлифо́вка grínding; pólishing *(тж. перен.)*

шлюз lock, sluice

шлю́пка boat

шля́п||а hat; *(женская тж.)* bónnet ◇ де́ло в ~е *разг.* it's all in the bag; **~ка 1.** hat, bónnet **2.** *(гвоздя)* head **3.** *(гриба)* cap; **~ный** hat *attr.*; ~ный магази́н hátter's *(мужских шляп)*; míllinery estáblishment, mílliner's *(дамских шляп)*

шмель búmble-bee

шмы́г||ать, ~ну́ть dart, slip

шни́цель *кул.* schnítzel

шнур 1. string, cord **2.** *эл.* flex; **~ова́ть** lace up; **~о́к** lace; ~ки́ для боти́нок shóe-laces

шныря́ть *разг.* poke abóut

шов 1. seam **2.** *хир.* súture **3.** *тех.* joint ◇ треща́ть по всем швам be splítting at the seams, be fálling to pieces

шовин||и́зм cháuvinism; **~и́ст** cháuvinist; **~исти́ческий** chauvinístic

шок *мед.* shock

шоки́ровать shock, scándalize

шокола́д chócolate; **~ный** chócolate; ~ные конфе́ты chócolates

шо́рох rustle

шо́рты shorts

шо́ры blínkers; blínders *(амер.)*

шоссе́ híghway; автомоби́льное ~ mótorway

шотла́нд||ец Scot, Scótsman; **~ка** Scótswoman; **~ский** Scotch, Scóttish; ~ский язы́к Scóttish, Scótch, the Scóttish; (*или* the Scotch) lánguage

шотла́ндцы *мн. собир.* the Scóttish, the Scots

шофёр dríver, chaufféur

шпа́га sword

шпага́т string, cord, twine

шпаклева́ть pútty

шпа́ла *ж.-д.* sléeper

шпарга́лка *разг.* crib

шпи́лька háirpin

шпина́т spínach

шпингале́т *(задвижка)* bolt

шпио́н spy; **~а́ж** éspionage; **~ить** spy

шпо́ра spur

шприц sýringe

шпро́ты *(консервы)* smoked sprats in oil

шпу́лька spool, bóbbin

шрам scar

шрапне́ль shrápnel

шрифт print, type; кру́пный ~ large print (*или* type); ме́лкий ~ small print (*или* type)

штаб *воен.* staff, héadquárters

шта́бель pile, stack

штамп stamp; *перен.* cliché [ˈkliːʃeɪ]

шта́нга *тех.* bar; *спорт.* weight; cróss-bar *(воро́т)*

штаны́ tróusers

шта́пельн||ый: ~ое полотно́ artifícial cótton

штат I *полит.* state

штат II *(личный состав)* staff

штати́в suppórt, trípod

шта́тный régular; on the staff *(после сущ.)*

шта́тск||ий 1. *прил.* civílian; ~ое пла́тье civílian clothes *pl.* **2.** *как сущ.* civílian

штемпелева́ть stamp

ште́мпель stamp; почто́вый ~ póstmark

ште́псель *эл.* plug

штиль *мор.* calm

што́льня *горн.* gállery

што́п||ать darn; **~ка 1.** *(действие)* dárning **2.** *(нитки)* dárning cótton *(бумага)*; dárning wool *(шерсть)*

што́пор 1. córk-screw **2.** *ав.* spin

што́р||а blind; спусти́ть ~ы draw the blinds

шторм storm

штраф fine, pénalty; **~ова́ть** fine

штрейкбре́хер stríkebreaker; bláckleg, scab *разг.*

штрек *горн.* drift

штрих touch, *перен. тж.* trait; **~ова́ть** shade

шту́ка 1. piece; не́сколько штук я́блок séveral apples **2.** *разг. (вещь)* thing **3.** *(выходка)* trick ◇ вот так ~! that's a nice thing!; в то́м-то и ~! that is just the point!

штукату́р||ить plaster; **~ка** pláster

штурва́л *мор.* stéering-wheel

штурм storm; взять ~ом take by storm

шту́рман *мор., ав.* návigator

штурмова́ть storm, assáult

шту́чн||ый: ~ това́р píece-goods *pl.*; ~ая прода́жа sale by the piece

штык báyonet; **~ово́й** báyonet *attr.*

шу́ба fúr-coat

шу́лер cárd-sharper, cheat

шум noise ◇ наде́лать ~у cause a sensátion; мно́го ~у из ничего́ much adó abóut nothing

шуме́ть make a noise

шу́мный nóisy; ~ успе́х a sensátion, a sensátional succéss

шумо́вка skimmer

шумо́к: под ~ *разг.* by stealth

шу́рин bróther-in-law

шурф *горн.* próspect-hole; dúg-hole

шурша́ть rustle

шу́стрый *разг.* bright, smart

шут fool, jéster

шути́ть joke, jest

шу́т||ка joke, jest; в ~ку in jest; кро́ме ~ок jóking apárt, quite sériously; он рассерди́лся не на ~ку he was réally ángry; сыгра́ть с кем-л. ~ку play a trick on smb.; **~ли́вый** pláyful

шу́точн||ый cómic, facétious; ◇ э́то де́ло не ~ое that is no trífling mátter; it is no joke

шутя́ *нареч.* **1.** in jest, for fun **2.** *(очень легко)* éasily

шушу́каться exchánge whíspered sécrets

шху́на *мор.* schóoner

шш! *межд.* hush!, sh!

Щ

щаве́ль sórrel

щади́ть spare; have mércy *(врага и т. п.)*; не ~ средств spare no expénce

щё́бень róad-métal

щебета́ть chírrup

щего́л góldfinch

щёголь dándy, fop

щеголь||ну́ть *см.* щеголя́ть; **~ско́й** fóppish

щеголя́ть show off, flaunt

ще́др||ость generósity; **~ый** génerous, ópen-hánded

щека́ cheek

щеко́лда latch

щекотáть tickle

щекóт||ка tíckling; **~ли́вый** tícklish, délicate

щёлк||ать 1. click *(языком, замком)*; crack *(кнутом)*; он ~ает зубáми his teeth chátter; ~ пáльцами snap one's fingers **2.** *(дать щелчок)* flip, flick **3.** *(орехи)* crack

щёлкнуть *см.* щёлкать 1, 2

щёлок álkaline solútion

щелочнóй álkaline

щёлочь álkali

щелчóк 1. *(пальцем)* flick, flip, snap **2.** *(звук)* click

щель chink, split; голосовáя ~ *анат.* glóttis

щенóк púppy

щепети́льный scrúpulous; délicate

щéпка chip ◇ худóй как ~ thin as a rake

щепóтка pinch

щети́н||а bristle; **~истый** brístly

щётка brush

щи shchi, cábbage soup; ки́слые щи sáuerkraut soup

щи́колотка ankle

щипáть 1. pinch **2.** *(траву)* nibble; browse *(листья, побеги)*; **~ся** pinch

щипóк nip, pinch

щипцы́ tongs, pair of tongs *sg.*; nútcrackers *(для орехов)*; súgar-tongs *(для сахара)*; cúrling-irons *(для завивки)*

щи́пчики twéezers

щит 1. shield **2.** *(для объявлений)* board **3.** *тех.* screen; board; прохóдческий ~ *стр.* (túnnel) shield; распредели́тельный ~ *эл.* switchboard **4.** *(у черепахи)* tórtoise-shell

щитови́дн||ый: ~ая железá *анат.* thýroid gland

щýка pike

щýпальце téntackle, féeler

щýпать feel

щýплый púny

щýрить: ~ глазá screw up one's eyes; **~ся** blink, nárrow one's lids

щý||чий pike *attr.* ◇ по ~чьему велéнию at the wave of a wand

Э

эваку||áция evacuátion; **~и́ровать** evácuate

эволюциóнный evolútionary

эго||и́зм sélfishness; **~и́ст** sélfish pérson; **~исти́ческий, ~исти́чный** sélfish

эквáтор equátor; **~иáльный** equatórial

эквивалéнт equívalent; **~ный** equívalent

экзáмен examinátion; exám *разг.*; не вы́держать ~а fail in an examinátion

экзаменáтор exáminer

экзаменовáть exámine

экземпля́р spécimen; cópy *(книги, газеты и т. п.)*

экипáж I *(коляска)* cárriage

экипáж II *ав., мор.* crew

экипир||овáть equíp; **~óвка** equípment

эконóм||ика ecónómics; **~и́ст** ecónomist

эконóмить ecónomize

экономи́ческий económic

эконóм||ия ecónomy; **~ный** ecónómical; thrífty *(хозяйственный)*

экра́н screen

экскава́тор éxcavator; шага́ющий ~ wálking éxcavator

экску́рс||ия excúrsion; **~ово́д** guide

экспеди́ция 1. expedítion **2.** *(отдел)* dispátch óffice

экспериме́нт expériment; **~а́льный** experiméntal

экспе́рт éxpert; **~и́за** consúltant's investigátion; proféssional fíndings; отпра́вить на ~и́зу send for análysis; враче́бная ~и́за médical fíndings

эксплуат||а́тор explóiter; **~а́торский** explóiter *attr.*; ~а́торские кла́ссы explóiting clásses; **~а́ция** exploitátion; **~и́ровать** explóit; **~и́руемый** explóited

экспози́ция exposítion; expósure *(тж. фото)*

экспона́т exhíbit

э́кспорт éxport; **~и́ровать** expórt; **~ный** éxport *attr.*

экспро́мт imprómptu; **~ом** *нареч.* extémpore

экспропри||а́ция expropriátion; **~и́ровать** exprópriate

экста́з écstasy

экстерриториа́льный éxterritórial

экстравага́нтный extrávagant

э́кстренн||ый *(о поезде и т. п.)* spécial; ~ вы́пуск spécial edítion

эксцентри́чный eccéntric

эксце́сс excéss

эласти́чный elástic

элева́тор élevator

элега́нтный élegant, smart

электрифи||ка́ция electrificátion; **~ци́ровать** eléctrify

электри́чес||кий eléctric(al); ~ фона́рь *(карманный)* eléctric torch; ~кое освеще́ние eléctric líght(ing); **~тво** electrícity

электрово́з eléctric(al) lócomotive

электро́д eléctrode

электродви́гатель (eléctric) mótor

электромонтёр electrícian

электро́н *физ.* eléctron

электро́ника electrónics

электро́нно-вычисли́тельная маши́на (ЭВМ) electrónic compúter

электрополотёр eléctric flóor-polisher

электропрово́дн||ость eléctric(-al) conductívity; **~ый** condúcting electrícity

электроста́нция eléctric pówer státion

электроте́хник eléctrical enginéer; **~а** eléctrical enginéering

электроэне́ргия eléctrical énergy

элеме́нт élement

элемента́рный eleméntary, simple

эмалиро́ванный enámelled

эма́ль enámel

эмансипа́ция emancipátion

эмбле́ма émblem

эмигр||а́нт émigré; **~а́ция** emigrátion; **~и́ровать** émigrate

эмоциона́льный emótional

эмо́ция emótion

эмпириокритици́зм empíriocriticism

энерге́тика pówer enginéering

энерги́чн||о *нареч.* energétically; **~ый** energétic

эне́ргия énergy

энтузи||а́зм enthúsiasm; **~а́ст** enthúsiast

энцикло||педи́ческий encyclopáedic; ~**пе́дия** encyclopáedia

эпигра́мма épigram

эпи́граф épigraph

эпиде́мия epidémic

эпизо́д épisode

эпило́г épilogue

эпита́фия épitaph

эпи́тет épithet

эпи́ческий épic

эпопе́я épic

э́пос épos

эпо́ха épioch

э́ра éra

эроти́ческий erótic

эруди́ция erudítion

эска́дра squádron

эскадри́лья *ав.* squádron

эскала́тор éscalator, móving stáircase

эски́з sketch; draft; ~**ный** rough, prelíminary

эскимо́ éskimo

эскимо́с Éskimo

эско́рт éscort

эсми́нец destróyer

эссе́нция éssence

эстафе́т||а *спорт.* reláy-race; переда́ть ~у pass *(или* hand) the báton *(to)*

эсте́т||ика aesthétics; ~**и́ческий** aesthétic

эсто́н||ец Estónian; ~**ский** Estónian; ~ский язы́к Estónian, the Estónian lánguage

эстра́д||а 1. *(площадка)* stage, plátform **2.** *(вид искусства)* músic-hall *(или* variety) art; арти́ст ~ы músic-hall *(или* variety) áctor; ~**ный** varíety *attr.*; ~ный конце́рт varíety show

э́та *ж. см.* э́тот

эта́ж floor; stórey; пе́рвый ~ ground floor

этаже́рка bóokstand *(книжная)*; whát-not *(для безделушек)*

эта́п stage

э́ти *мн. см.* э́тот

э́тика éthics

этике́т etiquétte

этике́тка lábel

этимоло́гия etymólogy

эти́чный éthic

этногра́фия ethnógraphy

э́то *мест.* **1.** *с. см.* э́тот **2.** that; this; it; ~ моя́ кни́га this is my book; ~ не он that is not he; что ~? what is that?; на ~м он останови́лся at this point he stopped ◇ где ~ вы бы́ли? where on earth have you been?

э́тот (э́та, э́то, *мн.* э́ти) *мест.* this; *мн.* these; возьми́те э́ту кни́гу take this book; на ~ раз this time

этю́д 1. *жив.*, *лит.* stúdy, sketch **2.** *муз.* etúde [eɪ'tju:d] **3.** *шахм.* éxercise

эфе́с swórd-hilt

эфи́р éther; ~**ный**: ~ное ма́сло esséntial vólatile oil

эффе́кт effect

эффекти́вный efféctive, effícient

эффе́ктный spectácular, efféctive

э́хо écho

эшафо́т scáffold

эшело́н 1. *воен.* échelon **2.** *ж.-д.* train; ~ у́гля́ tráinload of coal

Ю

юбиле́й júbilee; отмеча́ть ~ célebrate a júbilee; ~**ный** júbilee *attr.*

ю́бка skirt

ювели́р jéweller; **~ный** jéwelry *attr.;* ~ный магази́н jéweller's

юг south; на ~ south; к ~у *(от)* (to the) south *(of)*

ю́го-восто́к sóuth-éast

ю́го-восто́чный sóuth-éast *attr.;* ~ ве́тер sóuth-éaster

ю́го-за́пад sóuth-wést

ю́го-за́падный sóuth-wést *attr.;* ~ ве́тер sóuth-wéster

южа́нин sóutherner

ю́жный sóuth(ern); ~ по́люс South Pole

ю́мор húmour; **~исти́ческий** húmorous; ~исти́ческий журна́л cómic magazíne

ю́нга *мор.* boy

ю́ность youth

ю́нош||а youth; **~еский** ýouthful; **~ество 1.** youth **2.** *собир.* young people *pl.*

ю́н||ый ýouthful; с ~ых лет from youth

юриди́ческий jurídical; ~ факульте́т fáculty of law

юриско́нсульт légal advíser

юри́ст láwyer

ю́рта yúrta *(nomad's conical hut)*

юсти́ция jústice

юти́ться be cooped up

Я

я *мест.* I; *косв.* me; я ви́дел его́ I saw him; э́то я it's me; да́йте мне кни́гу give me the book, give the book to me; меня́ здесь не́ было I was not here

я́блоко apple

я́блоня ápple-tree

я́блочный apple *attr.*

яви́ться appéar, come, show up

я́вка appéarance, présence; ~ обяза́тельна atténdance oblígatory

явле́ние 1. phenómenon; appéarance *(появление);* occúrrence *(случай);* ~ приро́ды nátural phenómenon; стра́нное ~ strange occúrrence **2.** *театр.* scene

явля́ться 1. *см.* яви́ться **2.** *(быть кем-л.)* be

я́вный évident, óbvious

ягнёнок lamb

я́года bérry

я́годица búttock

яд póison

ядови́тый póisonous; vénomous *(о змее)*

ядро́ 1. kérnel **2.** *физ.* núcleus **3.** *(пушечное)* cánnon-ball

я́зва úlcer

язви́тельный bíting

язы́к I 1. tongue **2.** *(ко́локола)* clápper

язы́к II *(речь)* lánguage; tongue; родно́й ~ móther tongue, nátive lánguage; кни́га напи́сана хоро́шим ~о́м the book is well written

языкозна́ние linguístics

язы́чник págan, héathen

яи́чница *(глазунья)* fried eggs *pl.*

яи́чн||ый egg *attr.;* ~ая скорлупа́ égg-shell

яйцо́ egg

я́кобы *союз* as if

я́корь ánchor

яку́т Yakút; **~ский** Yakút

я́лик yawl

я́ма pit; *перен.* sink of iníquity

я́мочка dimple

ян||ва́рский Jánuary *attr.*; **~ва́рь** Jánuary

янта́рь ámber

япо́н||ец Japanése; **~ский** Japanése; ~ский язы́к Japanése, the Japanése lánguage

я́рк||ий bright, clear; ~ое пла́мя a bright flame; ~ приме́р a clear exámple; **~о** *нареч.* bríghtly

ярлы́к lábel

я́рмарка fair; междунаро́дная ~ Internátional Fair

ярмо́ yoke

яров||о́й: ~ы́е хлеба́ spring corn *sg.*, spring crops

я́ростный fúrious, víolent, fierce

я́рость fúry, rage

я́рус *театр.* círcle; tier

я́рый árdent

я́сень ásh-tree

я́сли I *(для корма)* crib *sg.*

я́сли II *(детские)* crèche [kreɪʃ] *sg.*, day núrsery *sg.*

я́сно 1. *нареч.* cléarly **2.** *предик. безл.* it is clear **3.** *(о погоде)* it is fine

я́сн||ый clear; ~ое представле́ние clear idéa

я́ства *мн.* víands; каки́е ~! what a feast!, what a spread! *разг.*

я́стреб hawk

я́хта yacht

яче́йка *в разн. знач.* cell

ячме́нь I *с.-х.* bárley

ячме́нь II *(на глазу)* sty

я́чнев||ый: ~ая крупа́ fíne-ground bárley

я́щерица lízard

я́щик 1. box **2.** *(выдвижной)* dráwer ◇ откла́дывать в до́лгий ~ shelve

я́щур *вет.* fóot-and-mouth diséase

ГЕОГРАФИЧЕСКИЕ НАЗВАНИЯ

Абха́зская АССР Abkházian Autónomous Sóviet Sócialist Repúblic

Австра́лия Austrália

А́встрия Áustria

Адди́с-Абе́ба *г.* Áddis Ábaba

А́ден *г.* Áden

Аджа́рская АССР Adjár Autónomous Sóviet Sócialist Repúblic

Адриати́ческое мо́ре Adriátic Sea

Азербайджа́нская Сове́тская Социалисти́ческая Респу́блика Azerbaiján Sóviet Sócialist Repúblic; **Азербайджа́н** Azerbaiján

А́зия Ásia

Азо́вское мо́ре Sea of Azóv

А́ккра *г.* Accrá

Алба́ния Albánia; **Наро́дная Социалисти́ческая Респу́блика Алба́ния** People's Sócialist Repúblic of Albánia

Алжи́р 1. *(страна)* Algéria **2.** *г.* Algíers

Алма́-Ата́ *г.* Almá-Atá

Алта́й Altái

А́льпы Alps

Аля́ска Aláska

Амазо́нка *р.* Ámazon

Аме́рика América
Амма́н *г.* Ammán
Амстерда́м *г.* Ámsterdam
Амударья́ *р.* Amú Daryá
Аму́р *р.* Amúr
Ангара́ *р.* Angará
А́нглия Éngland
Анго́ла Angóla; **Наро́дная Респу́блика Анго́ла** People's Repúblic of Angóla
Анкара́ *г.* Ánkara
Антаркти́да Antárctic Cóntinent
Анта́рктика Antárctic Région
Антве́рпен *г.* Ántwerp
Апенни́ны Ápennines
Ара́вия *п-ов* Arábia
Ара́льское мо́ре Áral Sea
Аргенти́на Argentína
А́рктика Árctic Région
Армя́нская Сове́тская Социалисти́ческая Респу́блика Arménian Sóviet Sócialist Repúblic; **Арме́ния** Arménia
Асунсьо́н *г.* Asunción
Атланти́ческий океа́н Atlántic Ócean
Афганиста́н Afghánistan **Респу́блика Афганиста́н** Repúblic of Afghánistan
Афи́ны *г.* Áthens
А́фрика África
Ашхаба́д *г.* Ashkhabád
Багда́д *г.* Bag(h)dád
Байка́л *оз.* Baikál
Баку́ *г.* Bakú
Балка́нский п-ов Bálkan Península
Балти́йское мо́ре Báltic Sea
Бамако́ *г.* Bamakó
Бангко́к *г.* Bangkók
Ба́нгладе́ш Bángladésh
Ба́ренцево мо́ре Bárents Sea
Бату́ми *г.* Batúmi
Башки́рская АССР Bashkír Autónomous Sóviet Sócialist Repúblic
Бейру́т *г.* Beirút, Beyroúth
Белгра́д *г.* Bélgrade
Бе́лое мо́ре White Sea
Белору́сская Сове́тская Социалисти́ческая Респу́блика Byelorússian Sóviet Sócialist Repúblic; **Белору́ссия** Byelorússia
Бе́льгия Bélgium
Бе́рингово мо́ре Béring Sea
Бе́рингов проли́в Béring Strait
Берли́н *г.* Berlín
Берн *г.* Bern(e)
Би́рма Búrma
Би́рмингем *г.* Bírmingham
Биса́у *г.* Bissáu
Бли́жний Восто́к Middle East
Богота́ *г.* Bogotá
Болга́рия Bulgária; **Наро́дная Респу́блика Болга́рия** People's Repúblic of Bulgária
Боли́вия Bolívia
Бомбе́й *г.* Bombáy
Бонн *г.* Bonn
Бо́стон *г.* Bóston
Босфо́р Bósporus
Ботни́ческий зали́в (Gulf of) Bóthnia
Браззави́ль *г.* Brázzaville
Брази́лиа *г.* Brasília
Брази́лия *(страна)* Brazíl
Брюссе́ль *г.* Brússels
Будапе́шт *г.* Búdapést
Буркина́ Фасо́ Burkiná Fasó
Буря́тская АССР Buryát Autónomous Sóviet Sócialist Repúblic
Бухаре́ст *г.* Bucharést
Бу́энос-А́йрес *г.* Buénos Áires
Варша́ва *г.* Wársaw
Вашингто́н *г.* Wáshington
Великобрита́ния Great Brítain
Ве́ллингтон *г.* Wéllington
Ве́на *г.* Viénna
Ве́нгрия Húngary; **Венге́р-**

ская Наро́дная Респу́блика Hungárian People's Repúblic

Венесуэ́ла Venezuéla

Вене́ция *г.* Vénice

Вест-И́ндия West Índies

Ви́льнюс *г.* Vílnius

Ви́сла *р.* Vístula

Владивосто́к *г.* Vladivóstok

Во́лга *р.* Vólga

Волгогра́д *г.* Volgográd

Вьентья́н *г.* Vientiáne

Вьетна́м Viétnám; **Социалисти́ческая Респу́блика Вьетна́м** Sócialist Repúblic of Viétnám

Гаа́га *г.* the Hague

Гава́на *г.* Havána

Гайа́на Guyána

Га́на Ghána

Гвине́я Guínea

Гвине́я-Биса́у Guínea-Bissáu

Герма́нская Демократи́ческая Респу́блика Gérman Democrátic Repúblic

Гибралта́р Gibráltar

Гимала́и Himaláya(s)

Гла́зго *г.* Glásgow

Голла́ндия Hólland; *см.* Нидерла́нды

Гренла́ндия Gréenland

Гре́ция Gruce

Гри́нвич Gréenwich

Грузи́нская Сове́тская Социалисти́ческая Респу́блика Geórgian Sóviet Sócialist Repúblic; **Гру́зия** Geórgia

Дагеста́нская АССР Daghestán Autónomous Sóviet Sócialist Repúblic

Да́кка *г.* Dácca

Дама́ск *г.* Damáscus

Да́ния Dénmark

Дардане́ллы Dardanélles

Де́ли *г.* Délhi

Детро́йт *г.* Detróit

Джака́рта *г.* Djakárta

Джо́рджтаун *г.* Geórgetown

Днепр *р.* Dníeper

Днестр *р.* Dníester

Дон *р.* Don

Ду́блин *г.* Dúblin

Дувр *г.* Dóver

Дуна́й *р.* Dánube

Душанбе́ *г.* Dushánbe

Евро́па Êurope

Еги́пет Égypt; **Ара́бская Респу́блика Еги́пет** Árab Repúblic of Égypt

Енисе́й *р.* Yeniséi

Ерева́н *г.* Yereván

Жёлтое мо́ре Yéllow Sea

Жене́ва *г.* Genéva

Заи́р Zaíre

За́мбия Zámbia

Зимба́бве Zimbábwe

Иерусали́м *г.* Jerúsalem

Изра́иль Ísrael

Инди́йский океа́н Índian Ócean

И́ндия Índia

Индокита́й *п-ов* Índo-Chína

Индоне́зия Indonésia

Иорда́ния Jórdan

Ира́к Iráq

Ира́н Irán

Ирла́ндия Íreland

Исла́ндия Íceland

Испа́ния Spain

Иссы́к-Куль *оз.* Íssyk Kul

Ита́лия Ítaly

Йе́мен Yémen; **Наро́дная Демократи́ческая Респу́блика Йе́мен** People's Democrátic Repúblic of Yémen; **Йе́менская Ара́бская Респу́блика** Yémen Árab Repúblic

Кабарди́но-Балка́рская АССР Kabardíno-Balkárian Autónomous Sóviet Sócialist Repúblic

Ка́бо-Ве́рде Cábo Vérde; **Респу́блика Ка́бо-Ве́рде** Repúblic Cábo Vérde

Кабу́л *г.* Kábul

Кавка́з Cáucasus

Каза́хская Сове́тская Социалисти́ческая Респу́блика Kazákh Sóviet Sócialist Repúblic; **Казахста́н** Kazakhstán

Казбе́к Kazbék

Каи́р *г.* Cáiro

Калмы́цкая АССР Kalmýk Autónomous Sóviet Sócialist Repúblic

Кальку́тта *г.* Calcútta

Ка́ма *р.* Káma

Кампучи́я Kampúchea; **Наро́дная Респу́блика Кампучи́я** People's Repúblic of Kampúchea

Камча́тка Kamchátka

Кана́да Cánada

Ка́нбе́рра *г.* Cánberra

Каракалпа́кская АССР Kara-Kalpák Autónomous Sóviet Sócialist Repúblic

Кара́кас *г.* Carácas

Караку́мы Kara-Kúm

Каре́льская АССР Karélian Autónomous Sóviet Sócialist Repúblic

Карпа́тские го́ры, Карпа́ты Carpáthian Móuntains, Carpáthians

Ка́рское мо́ре Kára Sea

Каспи́йское мо́ре Cáspian Sea

Ка́унас *г.* Káunas

Ке́мбридж *г.* Cámbridge

Кёльн *г.* Colо́gne

Ки́ев *г.* Kíev

Кинша́са *г.* Kinshása

Кирги́зская Сове́тская Социалисти́ческая Респу́блика Kirghíz Sóviet Sócialist Repúblic; **Кирги́зия** Kirghízia

Кита́й Chína; **Кита́йская Наро́дная Респу́блика** People's Repúblic of Chína

Ки́то *г.* Quíto

Кишинёв *г.* Kishinév

Коло́мбо *г.* Colómbo

Колу́мбия Colómbia

Ко́ми АССР Kómi Autónomous Sóviet Sócialist Repúblic

Ко́накри *г.* Cónakry

Ко́нго 1. Cóngo **2.** *р.* Cóngo

Копенга́ген *г.* Copenhágen

Кордилье́ры Cordilléras

Коре́я Koréa; **Коре́йская Наро́дно-Демократи́ческая Респу́блика** the Democrátic People's Repúblic of Koréa; **Ю́жная Коре́я** South Koréa

Кот-д'Ивуа́р Côte d'Ivoire

Кра́сное мо́ре Red Sea

Крым Criméa

Куа́ла-Лу́мпур *г.* Kuála Lúmpur

Ку́ба Cúba; **Респу́блика Ку́ба** Repúblic of Cúba

Кури́льские острова́ Kuríl(e) Íslands

Ла́дожское о́зеро Lake Ládoga

Ла-Ма́нш Énglish Chánnel

Лао́с Láos; **Лао́сская Наро́дно-Демократи́ческая Респу́блика** Láo People's Democrátic Repúblic

Ла-Па́с *г.* La Paz

Латви́йская Сове́тская Социалисти́ческая Респу́блика Látvian Sóviet Sócialist Repúblic; **Ла́твия** Látvia

Ленингра́д *г.* Léningrad

Лива́н Lébanon

Ливерпу́ль *г.* Líverpool

Ли́вия Líbya

Ли́ма *г.* Líma

Лиссабо́н *г.* Lísbon

Лито́вская Сове́тская Социалисти́ческая Респу́блика Lithuánian Sóviet Sócialist Repúblic; **Литва́** Lithuánia

Ло́ндон *г.* Lóndon

Лос-А́нджелес *г.* Los Ángeles

Люксембу́рг Lúxemburg

Мадагаска́р Madagáscar
Мадри́д *г.* Madríd
Мала́йзия Maláysia
Ма́лая А́зия Ásia Mínor
Мали́ Máli
Мана́гуа *г.* Manágua
Мани́ла *г.* Maníla
Ма́нчестер *г.* Mánchester
Мари́йская АССР Mári Autónomous Sóviet Sócialist Repúblic
Маро́кко Morócco
Марсе́ль *г.* Marséilles
Ме́ксика México
Ме́хико *г.* México
Минск *г.* Minsk
Миссиси́пи *р.* Mississíppi
Миссу́ри *р.* Missóuri
Молда́вская Сове́тская Социалисти́ческая Респу́блика Moldávian Sóviet Sócialist Repúblic; **Молда́вия** Moldávia
Монбла́н Mont Blanc
Монго́лия Mongólia; **Монго́льская Наро́дная Респу́блика** Mongólian People's Repúblic
Монтевиде́о *г.* Montevidéo
Мордо́вская АССР Mordóvian Autónomous Sóviet Sócialist Repúblic
Москва́ 1. *г.* Móscow **2.** *р.* Moskvá
Му́рманск *г.* Murmánsk
Мю́нхен *г.* Múnich
Нанки́н *г.* Nankíng
Нахичева́нская АССР Nakhicheván Autónomous Sóviet Sócialist Repúblic
Нджаме́на *г.* N'Djaména
Нева́ *р.* Nevá
Нидерла́нды Nétherlands
Никара́гуа Nicarágua; **Респу́блика Никара́гуа** Repúblic of Nicarágua
Нил *р.* Nile
Но́вая Зела́ндия New Zéaland
Но́вая Земля́ Nóvaya Zemlyá
Новосиби́рск *г.* Novosibírsk
Но́вый Орлеа́н *г.* New Orléans
Норве́гия Nórway
Нью-Йо́рк *г.* New York
Ньюфа́ундленд Newfoundlánd
Обь *р.* Ob
Оде́сса *г.* Odéssa
Ока́ *р.* Oká
О́ксфорд *г.* Óxford
Оне́жское о́зеро Lake Onéga
О́сло *г.* Óslo
Отта́ва *г.* Óttawa
Охо́тское мо́ре Sea of Okhótsk
Па-де-Кале́ Strait of Dóver
Пакиста́н Pakistán
Пами́р Pamírs
Пана́ма Pánama
Пана́мский кана́л Pánama Canál
Парагва́й Páraguay
Пари́ж *г.* Páris
Пеки́н *г.* Pekíng
Перси́дский зали́в Pérsian Gulf
Перу́ Perú
Пирене́и Pyrenées
Пномпе́нь *г.* Pnompénh
По́льша Póland; **По́льская Наро́дная Респу́блика** Pólish People's Repúblic
Порт-Саи́д *г.* Port Said
Португа́лия Pórtugal
Пра́га *г.* Prague
Прето́рия *г.* Pretória
Пхенья́н *г.* Pyóngyáng
Раба́т *г.* Rabát
Рангу́н *г.* Rangóon
Ре́йкьявик *г.* Réykjavik
Рейн *р.* Rhine
Ри́га *г.* Ríga
Ри́жский зали́в Gulf of Ríga
Рим *г.* Rome

Ри́о-де-Жане́йро *г.* Río de Janéiro

Росси́йская Сове́тская Федерати́вная Социалисти́ческая Респу́блика Rússian Sóviet Féderative Sócialist Repúblic

Росси́я Rússia

Румы́ния R(o)umánia; **Социалисти́ческая Респу́блика Румы́ния** Sócialist Repúblic of R(o)umánia

Сана́ *г.* Saná, Sanáa

Сантья́го *г.* Santiágo

Сан-Франци́ско *г.* San Francísco

Сау́довская Ара́вия Saúdi Arábia

Сахали́н Sakhalín

Свердло́вск *г.* Sverdlóvsk

Севасто́поль *г.* Sevastópol

Се́верная Аме́рика North América

Се́верное мо́ре the North Sea

Се́верный Ледови́тый океа́н the Árctic Ócean

Се́веро-Осети́нская АССР North Ossétian Autónomous Sóviet Sócialist Repúblic

Се́на *р.* Seine

Сиби́рь Sibéria

Си́дней *г.* Sýdney

Сингапу́р *г.* Singapóre

Си́рия Sýria

Скандина́вский п-ов Scandinávian Península

Соединённое Короле́вство Великобрита́нии и Се́верной Ирла́ндии Uníted Kingdom of Great Británin and Nórthern Íreland

Соединённые Шта́ты Аме́рики Uníted Státes of América

Софи́я *г.* Sófia

Сою́з Сове́тских Социалисти́ческих Респу́блик Únion of Sóviet Sócialist Repúblics

Средизе́мное мо́ре Mediterránean Sea

СССР USSR

Стамбу́л *г.* Istanbúl

Стокго́льм *г.* Stóckholm

Суда́н Sudán

Су́кре *г.* Súcre

Суху́ми *г.* Sukhúmi

Сué́цкий кана́л Súez Canál

США USA

Сырдарья́ *р.* Sýr-Daryá

Таджи́кская Сове́тская Социалисти́ческая Респу́блика Tadjík Sóviet Sócialist Repúblic; **Таджикиста́н** Tadjikistán

Таила́нд Tháiland

Тайва́нь Taiwán

Таймы́р Taimýr

Та́ллин *г.* Tállin

Тата́рская АССР Tatár Autónomous Sóviet Sócialist Repúblic

Ташке́нт *г.* Tashként

Тбили́си *г.* Tbilísi

Тегера́н *г.* Teh(e)rán

Тель-Ави́в *г.* Tel Avív

Те́мза *р.* Thames

Тибе́т Tibét

Тира́на *г.* Tirána

Ти́хий океа́н Pacífic Ócean

То́кио *г.* Tókyo

Трие́ст *г.* Triéste

Туви́нская АССР Túva Autónomous Sóviet Sócialist Repúblic

Туркме́нская Сове́тская Социалисти́ческая Респу́блика Túrkmen Sóviet Sócialist Repúblic; **Туркмениста́н** Turkmenistán

Ту́рция Túrkey

Тянь-Ша́нь Tien Shan

Удму́ртская АССР Udmúrt Autónomous Sóviet Sócialist Repúblic

Узбе́кская Сове́тская Социалисти́ческая Респу́блика Úzbek Sóviet Sócialist Repúblic; **Узбекиста́н** Uzbekistán

Украи́нская Сове́тская Социалисти́ческая Респу́блика Ukráinian Sóviet Sócialist Repúblic; **Украи́на** Ukráine

Ула́н-Ба́тор *г.* Úlan-Bátor

Ула́н-Удэ́ *г.* Úlan-Udé

Улья́новск *г.* Ulyánovsk

Ура́л Úrals

Уругва́й Úruguay

Уэ́льс Wales

Федерати́вная Респу́блика Герма́нии Féderal Repúblic of Gérmany

Филаде́льфия *г.* Philadélphia

Филиппи́нские острова́, Филиппи́ны Phílippine Íslands, Phílippines

Финля́ндия Fínland

Фи́нский зали́в Gulf of Fínland

Фра́нция France

Фру́нзе *г.* Frúnze

Хано́й *г.* Hanói

Харту́м *г.* Khart(o)úm

Ха́рьков *г.* Khárkov

Хе́льсинки *г.* Hélsinki

Хошими́н *г.* Ho Chi Minh

Хуанхэ́ *р.* Hwang Ho

Чад Tchad

Челя́бинск *г.* Chelyábinsk

Чёрное мо́ре Black Sea

Чехослова́кия Czéchoslovákia; **Чехослова́цкая Социалисти́ческая Респу́блика** Cézchoslóvak Sócialist Repúblic

Чече́но-Ингу́шская АССР Chechén-Ingúsh Autónomous Sóviet Sócialist Repúblic

Чика́го *г.* Chicágo

Чи́ли Chíle

Чита́ *г.* Chitá

Чува́шская АССР Chuvásh Autónomous Sóviet Sócialist Repúblic

Шанха́й *г.* Shánghái

Швейца́рия Switzerland

Шве́ция Swéden

Шотла́ндия Scótland

Шпицбе́рген *о-в* Spitsbergen

Шри-Ла́нка Sri Lánka

Эге́йское мо́ре Aegéan Sea

Э́динбург *г.* Édinburgh

Эквадо́р Ecuadór

Эльбру́с Elbrús

Эр-Рия́д *г.* Riyádh

Эсто́нская Сове́тская Социалисти́ческая Респу́блика Estónian Sóviet Sócialist Repúblic; **Эсто́ния** Estónia

Эфио́пия Ethiópia.

Югосла́вия Yugoslávia; **Социалисти́ческая Федерати́вная Респу́блика Югосла́вия** Sócialist Féderal Repúblic of Yugoslávia

Ю́жная Аме́рика South Amrica

Ю́жно-Африка́нская Респу́блика Repúblic of South África

Я́ва Jáva

Яку́тская АССР Yakútsk Autónomous Sóviet Sócialist Repúblic

Я́лта *г.* Yálta

Япо́ния Japán

Япо́нское мо́ре Sea of Japán

Георгий Игнатьевич
БУНКИН

Ольга Владимировна
БУРЕНКОВА и др.

Иван Алексеевич
АЛЕКСЕЕВ

Ирина Львовна
АРМАНД

Ольга Сергеевна
АХМАНОВА и др.

АНГЛО-РУССКИЙ И РУССКО-АНГЛИЙСКИЙ СЛОВАРЬ (КРАТКИЙ)

Зав. редакцией
Л.П. ПОПОВА

Редакторы
В.Я. ЕСИПОВА
О.М. ЗУДИЛИНА

Художественный редактор
В. ГОЛУБЕВ

Технический редактор
Э. С. СОБОЛЕВСКАЯ

Корректоры
Л.А. НАБАТОВА
Н.Н. СИДОРКИНА